UMA VISÃO HUMANISTA DO DIREITO
HOMENAGEM AO PROFESSOR MARÇAL JUSTEN FILHO

MONICA SPEZIA JUSTEN
CESAR PEREIRA
MARÇAL JUSTEN NETO
LUCAS SPEZIA JUSTEN

Coordenação Geral

UMA VISÃO HUMANISTA DO DIREITO
HOMENAGEM AO PROFESSOR MARÇAL JUSTEN FILHO

Volume 3

Direito Empresarial
Coordenação temática: Isabella Moreira de Andrade Vosgerau e Mayara Gasparoto Tonin

Regulação e Infraestrutura
Coordenação temática: Rafael Wallbach Schwind

Direito Processual e Resolução de Disputas
Coordenação temática: Eduardo Talamini

Belo Horizonte

2025

© 2025 Editora Fórum Ltda.

É proibida a reprodução total ou parcial desta obra, por qualquer meio eletrônico, inclusive por processos xerográficos, sem autorização expressa do Editor.

Conselho Editorial

Adilson Abreu Dallari
Alécia Paolucci Nogueira Bicalho
Alexandre Coutinho Pagliarini
André Ramos Tavares
Carlos Ayres Britto
Carlos Mário da Silva Velloso
Cármen Lúcia Antunes Rocha
Cesar Augusto Guimarães Pereira
Clovis Beznos
Cristiana Fortini
Dinorá Adelaide Musetti Grotti
Diogo de Figueiredo Moreira Neto (*in memoriam*)
Egon Bockmann Moreira
Emerson Gabardo
Fabrício Motta
Fernando Rossi
Flávio Henrique Unes Pereira

Floriano de Azevedo Marques Neto
Gustavo Justino de Oliveira
Inês Virgínia Prado Soares
Jorge Ulisses Jacoby Fernandes
Juarez Freitas
Luciano Ferraz
Lúcio Delfino
Marcia Carla Pereira Ribeiro
Márcio Cammarosano
Marcos Ehrhardt Jr.
Maria Sylvia Zanella Di Pietro
Ney José de Freitas
Oswaldo Othon de Pontes Saraiva Filho
Paulo Modesto
Romeu Felipe Bacellar Filho
Sérgio Guerra
Walber de Moura Agra

FÓRUM
CONHECIMENTO JURÍDICO

Luís Cláudio Rodrigues Ferreira
Presidente e Editor

Coordenação editorial: Leonardo Eustáquio Siqueira Araújo
Revisão: Nathalia Campos
Capa, projeto gráfico e diagramação: Walter Santos

Rua Paulo Ribeiro Bastos, 211 – Jardim Atlântico – CEP 31710-430
Belo Horizonte – Minas Gerais – Tel.: (31) 99412.0131
www.editoraforum.com.br – editoraforum@editoraforum.com.br

Técnica. Empenho. Zelo. Esses foram alguns dos cuidados aplicados na edição desta obra. No entanto, podem ocorrer erros de impressão, digitação ou mesmo restar alguma dúvida conceitual. Caso se constate algo assim, solicitamos a gentileza de nos comunicar através do *e-mail* editorial@editoraforum.com.br para que possamos esclarecer, no que couber. A sua contribuição é muito importante para mantermos a excelência editorial. A Editora Fórum agradece a sua contribuição.

Dados Internacionais de Catalogação na Publicação (CIP) de acordo com ISBD

U48	Uma visão humanista do direito: homenagem ao Professor Marçal Justen Filho / Monica Spezia Justen, Cesar Pereira, Marçal Justen Neto, Lucas Spezia Justen (coord). Belo Horizonte: Fórum, 2025. v. 3.
	964 p. 17x24cm
	v. 3
	ISBN impresso 978-65-5518-915-5
	ISBN digital 978-65-5518-917-9
	1. Direito Empresarial. 2. Regulação. 3. Infraestrutura. 4. Direito Processual. 5. Resolução de Disputas. I. Justen, Monica Spezia. II. Pereira, Cesar. III. Justen Neto, Marçal. IV. Justen, Lucas Spezia. V. Título.
	CDD: 342
	CDU: 342

Ficha catalográfica elaborada por Lissandra Ruas Lima – CRB/6 – 2851

Informação bibliográfica deste livro, conforme a NBR 6023:2018 da Associação Brasileira de Normas Técnicas (ABNT):

JUSTEN, Monica Spezia; PEREIRA, Cesar; JUSTEN NETO, Marçal; JUSTEN, Lucas Spezia (coord.). *Uma visão humanista do direito*: homenagem ao Professor Marçal Justen Filho. Belo Horizonte: Fórum, 2025. v. 3. 964 p. ISBN 978-65-5518-915-5.

Sobre o homenageado

Marçal Justen Filho graduou-se em Direito pela UFPR em 1977. Doutor e Mestre em Direito Público pela Pontifícia Universidade Católica de São Paulo. Advogado, árbitro e parecerista. Professor titular da Faculdade de Direito da Universidade Federal do Paraná de 1986 a 2006. *Visiting Fellow* no Instituto Universitário Europeu (Itália, 1999) e *Research Scholar* na Yale Law School (EUA, 2010/2011). Professor do IDP, em Brasília.

SUMÁRIO

NOTA DOS COORDENADORES
MONICA SPEZIA JUSTEN, CESAR PEREIRA, MARÇAL JUSTEN NETO, LUCAS SPEZIA JUSTEN.. 29

Direito Empresarial
(Coordenadoras: Isabella Moreira de Andrade Vosgerau e Mayara Gasparoto Tonin)

O ALINHAMENTO DA DISSOLUÇÃO PARCIAL DA SOCIEDADE ÀS EXIGÊNCIAS SOCIAIS DA REALIDADE BRASILEIRA
ALFREDO DE ASSIS GONÇALVES NETO 35

1   Introdução 35

2   O fio condutor do CC brasileiro do século XXI 36

3   O regime jurídico anterior 36

4   O regime jurídico instaurado com o CC de 2002 38

5   O que está a ocorrer 39

6   A questão da preservação da empresa 39

7   O necessário tratamento diferenciado 40

8   A diversidade de interesses 41

9   Conclusão 41

     Referências 41

ANOTAÇÕES SOBRE A CONTRIBUIÇÃO DE MARÇAL JUSTEN FILHO PARA A CONSOLIDAÇÃO DO INSTITUTO DA DESCONSIDERAÇÃO DA PERSONALIDADE JURÍDICA NO DIREITO BRASILEIRO
CARLOS EDUARDO MANFREDINI HAPNER 43

1   Apresentação 43

2   Introdução 44

3   A desconsideração da personalidade societária no Direito Societário 45

4   O abuso *abusivo* 48

5   A inexistência de uma única noção de pessoa jurídica 49

6   O art. 28 do CDC 50

7   A regra geral do art. 50 do CC 51

8   A desconsideração no Direito Tributário 53

9   Considerações finais 55

     Referências 55

INAPLICABILIDADE DO REGIME FALIMENTAR ÀS EMPRESAS ESTATAIS
CLAUDIA APARECIDA DE SOUZA TRINDADE, IVO CORDEIRO PINHO TIMBÓ 57

1 Introdução 57

2 Análise jurídica da primeira corrente doutrinária 59

3 Análise jurídica da segunda corrente doutrinária 62

4 Análise jurídica da terceira corrente doutrinária 67

5 Incompatibilidade da aplicação de institutos da Lei nº 11.101/2005 às empresas estatais 71

6 Inaplicabilidade do regime falimentar às empresas estatais independentemente da superação da tradicional classificação dessas entidades em prestadoras de serviço público e exploradoras de atividade econômica 73

7 À guisa de conclusão. submissão das empresas estatais a um regime especial público de reorganização da atuação estatal 75

Referências 77

SOCIEDADE DE PROPÓSITO ESPECÍFICO: ANÁLISE ESTRUTURAL
EDSON ISFER 81

1 Introdução 81

2 O propósito específico 82

3 A imutabilidade do 'propósito específico' 88

4 Os sujeitos ativos 90

4.1 Marcos legais 90

4.2 Entes despersonificados 91

4.3 O propósito específico e as formas societárias 95

5 Conclusões 101

Referências 102

O PIONEIRISMO DE MARÇAL JUSTEN FILHO NA CONFORMAÇÃO DA DESCONSIDERAÇÃO DA PERSONALIDADE JURÍDICA NO DIREITO BRASILEIRO
FÁBIO TOKARS, ISABELLA MOREIRA DE ANDRADE VOSGERAU 105

1 Contexto histórico da obra de Marçal Justen Filho no estudo da desconsideração da personalidade jurídica 105

2 O abuso da personalidade jurídica 107

3 Delineamento normativo da desconsideração da personalidade jurídica 110

4 Considerações finais 112

Referências 113

DIÁLOGO ENTRE A PERSPECTIVA DE MARÇAL JUSTEN FILHO SOBRE A LEI DE LIBERDADE ECONÔMICA E SUA CONCRETIZAÇÃO NOS TRIBUNAIS
KLEBER LUIZ ZANCHIM, BÁRBARA TEIXEIRA 115

1 Introdução 115

2	Abrangência e incidência da lei	116
3	A concretização de princípios constitucionais pela LLE	118
4	Considerações finais	123
	Referências	124

O EXERCÍCIO DO DIREITO DE VOTO NAS SOCIEDADES ANÔNIMAS E AS AÇÕES COM ATRIBUIÇÃO DE VOTO PLURAL

LUIZ DANIEL HAJ MUSSI, MARIANA HOFMANN FUCKNER ... 127

1	Homenagem	127
2	O direito de voto como poder jurídico	128
3	O direito individual de voto não é essencial	129
4	O exercício do direito de voto poderá ser desvinculado da titularidade da ação	129
4.1	O direito de voto nas hipóteses de usufruto	129
4.2	Direito de voto e penhor de ações	131
4.3	Direito de voto e ações alienadas fiduciariamente	133
4.4	Voto à distância	133
5	Limitação ao número de votos de cada acionista	135
6	Exercício do direito de voto e ações não integralizadas	135
7	Ações com atribuição de voto plural	136
7.1	Criação de ação de voto plural em companhias já existentes	140
7.2	Direito de retirada e prévia autorização estatutária	140
7.3	Fim da vigência do voto plural e condições para sua renovação	140
7.4	Conversão automática em ações ordinárias sem voto plural	141
8	Vedação legal para criação de ações com voto plural de forma indireta	142
9	Considerações finais	143
	Referências	144

A LIMITAÇÃO DE RESPONSABILIDADE EM FUNDOS DE INVESTIMENTO NO CÓDIGO CIVIL (CC) E NA RESOLUÇÃO CVM Nº 175/2022

MARCELO VIEIRA VON ADAMEK, KAIO FERREIRA ... 147

1	Introdução	147
2	A responsabilidade ilimitada dos cotistas no regime pretérito (Instrução CVM nº 555/2014, art. 15)	149
3	A limitação de responsabilidade dos cotistas no atual regime do Código Civil (CC) (com a Lei da Liberdade Econômica)	150
4	A limitação de responsabilidade dos cotistas na Resolução CVM nº 175/2022	153
4.1	Regulamento: competência e quórum	154
4.2	Denominação	156
4.3	Acordos de suprimento (aportes suplementares)	158
4.4	Os direitos dos credores preexistentes	160

4.5	Patrimônio líquido negativo: plano de resolução	161
4.6	Patrimônio líquido negativo: pedido de declaração de insolvência	163
5	O regime de vinculação patrimonial dos fundos de responsabilidade limitada e as suas consequências	164
	Referências	165

ATIVIDADE EMPRESARIAL TRANSNACIONAL: CONSEQUÊNCIAS DE SUA CRISE E A COMPREENSÃO DO UNIVERSALISMO MODIFICADO

SABRINA MARIA FADEL BECUE 169

1	Introdução	169
2	Insolvência transnacional: universalismo *vs.* territorialismo	170
2.1	Contexto histórico da disciplina normativa da insolvência transnacional no Brasil	172
2.2	Insolvência transnacional: universalismo modificado	175
3	Conclusão	177
	Referências	178

Regulação e Infraestrutura
(Coordenador: Rafael Wallbach Schwind)

DA REGULAÇÃO POR COMANDO E CONTROLE À EXPERIMENTAÇÃO JURÍDICO-REGULATÓRIA: ARRANJOS COMBINATÓRIOS DE TECNOLOGIAS REGULATÓRIAS EM FACE DE PROBLEMAS PÚBLICOS COMPLEXOS, MULTIDIMENSIONAIS E DINÂMICOS DA CONTEMPORANEIDADE

ALICE VORONOFF, CESAR HENRIQUE LIMA 183

1	Introdução	183
2	O ocaso da regulação via comando e controle: ineficiência e inefetividade dos arranjos regulatórios pautados única ou prioritariamente no binômio prescrição-sanção	184
3	A experimentação jurídico-regulatória: abertura de rotas regulatórias ao lado do comando controle voltadas à construção de modelos mais efetivos e eficientes	189
4	Experimentação regulatória em prol da diversificação de respostas estatais: consensualidade, economia comportamental, sanções premiais e ausência de regulação/desregulação	192
5	Considerações finais	197
	Referências	197

ALGUNS APONTAMENTOS SOBRE A RENEGOCIAÇÃO DE CONTRATOS DE CONCESSÃO

ALINE LÍCIA KLEIN 201

1	Introdução	201
2	A mutabilidade contratual	202
3	Alguns pontos em comum dos contratos renegociados	205

4	O poder-dever de renegociar	206
5	A influência da Lei de Introdução às Normas do Direito Brasileiro (LINDB)	207
6	A busca por soluções específicas para cada contrato renegociado	208
7	Causas da renegociação: contratos "em crise"	208
8	Natureza jurídica da decisão consensual	209
9	Procedimento da renegociação	209
10	Os limites à renegociação	210
11	Eventual comportamento oportunista na negociação	212
12	Alguns elementos de Direito Comparado	214
12.1	Renegociação na teoria de Guasch	214
12.2	As alterações substanciais dos contratos públicos no Direito europeu	215
13	Observações finais	217
	Referências	218

DISTRIBUIÇÃO DE COMPETÊNCIAS NO SETOR DO GÁS NATURAL: *BY-PASS* COMERCIAL DO SISTEMA DE SERVIÇOS LOCAIS DE GÁS CANALIZADO

ANDRÉ MONTEIRO DO REGO, ANDREIA NOLASCO MONTEIRO DO REGO 221

1	Introdução	221
2	Noções preliminares acerca da indústria do gás natural	222
2.1	Cadeia do gás	222
2.2	Tratamento constitucional do gás no Brasil	224
3	Delimitação do âmbito de atuação da união e dos estados na movimentação do gás natural	224
3.1	Natureza das atividades econômicas de deslocamento dutoviário de gás natural	227
3.2	Regime jurídico aplicável aos serviços locais de gás canalizado e ao transporte de gás por conduto	229
3.3	Conceitos de serviços locais de gás canalizado e de transporte de gás por conduto	230
4	*By-pass* no setor de movimentação dutoviária de gás	231
5	Potenciais consequências da generalização do *by-pass* no setor do gás canalizado	235
	Referências	236

A ABORDAGEM ESG+T E O ENQUADRAMENTO DA ATIVIDADE RODOVIÁRIA COMO INFRAESTRUTURA

AUGUSTO NEVES DAL POZZO, BRUNO JOSÉ QUEIROZ CERETTA 241

1	Introdução	241
2	ESG: uma nova interpretação, considerando o protagonismo da tecnologia	242
3	Rodovia: serviço público ou atividade de infraestrutura?	245
3.1	Conceito jurídico de serviço público	245
3.2	Conceito jurídico de infraestrutura	247
3.3	Identificação da atividade rodoviária como atividade de infraestrutura	248

4	A aplicação dos princípios ESG+T às rodovias, enquanto atividade de infraestrutura	249
5	Conclusão	250
	Referências	250

OBJETO DA CONCESSÃO DE SERVIÇO PÚBLICO COMO ATIVIDADE PÚBLICA E SEUS EFEITOS SOBRE A MUTABILIDADE DO CONTRATO
BERNARDO STROBEL GUIMARÃES ... 253

1	Prelúdio: Marçal Justen Filho existe mesmo?	253
2	Introdução	254
3	Regime de serviço público e vinculação do concessionário à natureza da atividade	255
4	O objeto do contrato de concessão como atividade de gestão e suas consequências sobre a mutabilidade do vínculo originário	258
5	Mutabilidade dos contratos de concessão: causas, limites e objetivos	263
6	Conclusões	268
	Referências	269

CONSIDERAÇÕES SOBRE AS ENCAMPAÇÕES IMPRÓPRIAS (E DE TODO ANTIJURÍDICAS)
BRUNO AURÉLIO, MARIA VIRGINIA N. DO A. MESQUITA NASSER ... 271

1	Introdução	271
2	A concessão de serviço público como instituto integrador de função pública e lógica empresarial	272
3	O caso da Linha Amarela	276
4	O caso Piauí Conectado	278
5	Considerações finais	280
	Referências	281

A EVOLUÇÃO DA MATRIZ DE RISCOS NOS CONTRATOS DA AGÊNCIA NACIONAL DE TRANSPORTES TERRESTRES (ANTT)
CRISTINA M. WAGNER MASTROBUONO ... 283

1	Introdução	283
2	Matriz de riscos e sua relação com o equilíbrio econômico-financeiro contrato	284
3	A evolução dos contratos de concessão da ANTT	286
3.1	Primeira rodada de concessões (1995-2000)	287
3.2	Segunda rodada de concessões (2007-2010)	287
3.3	Terceira rodada de concessões (2013-2018)	287
3.4	Quarta rodada de concessões (2018-2022)	288
3.5	Quinta rodada de concessões (2023-)	288
4	A Matriz de riscos nos contratos da ANTT	289
4.1	Primeira rodada	289

4.2	Segunda rodada	289
4.3	Terceira rodada	290
4.4	Quarta rodada	291
4.5	Quinta rodada	293
5	Conclusão	297
	Referências	297

NOTAS SOBRE O REGIME JURÍDICO DA CONCESSÃO DE PARQUES NACIONAIS
DANYARA TAJRA BORDA, DANIEL BORDA 299

1	Homenagem ao Professor Marçal e introdução	299
2	Os parques nacionais	300
3	Contexto dos contratos de concessão de parques nacionais	303
4	Características do regime jurídico das concessões de parques nacionais	305
5	Conclusão	312
	Referências	313

ARRENDAMENTO PORTUÁRIO: ONTEM, HOJE E AMANHÃ
DENIS AUSTIN 315

1	Introdução	315
2	Ontem: como foi o arrendamento portuário?	315
2.1	Uma política pública através de contratos privados	315
2.2	Uma política pública através de contratos administrativos	316
2.3	A grande batalha dos terminais privados *vs.* arrendados, a ADPF nº 139/DF e a Lei nº 12.815/2013	317
3	Hoje: como é o arrendamento portuário?	318
3.1	A submissão ao planejamento estatal	318
3.2	Contratação por licitação e contratação direta	318
3.3	Pagamentos devidos pelo arrendatário	319
3.4	Remuneração dos serviços portuários	319
3.5	Alocação de riscos e equilíbrio econômico-financeiro	320
3.6	Contabilidade regulatória	321
3.7	Definição de escopo de investimentos e novos investimentos	321
3.8	Expansão e substituição de área	322
3.9	Operação portuária	323
3.10	Órgão Gestor de Mão de Obra (OGMO)	323
3.11	Dragagem	323
3.12	Propriedade e reversão dos bens, equipamentos e instalações	324
3.13	Prorrogação antecipada	324
4	Amanhã: como será o arrendamento portuário?	325
4.1	Desburocratização da gestão do arrendamento portuário	326

4.2	Descentralização com governança e planejamento	326
4.3	Flexibilização do processo de contratação	328
5	Conclusão	330
	Referências	331

REEQUILÍBRIO CAUTELAR NAS CONCESSÕES DE SERVIÇOS PÚBLICOS
DIOGO ALBANEZE GOMES RIBEIRO 333

1	Introdução	333
2	O direito ao equilíbrio econômico-financeiro dos contratos de concessão	334
3	A correta compreensão da expressão "por sua conta e risco" contida no art. 2º da Lei de Concessões	336
4	A figura do reequilíbrio cautelar como instrumento de preservação do interesse da coletividade	340
	Referências	343

ESTUDO COMPARADO SOBRE RECEITAS ACESSÓRIAS EM CONCESSÕES E PARCERIAS PÚBLICO-PRIVADAS (PPPS)
TARCILA REIS, EDUARDO JORDÃO 345

	Nota pessoal preliminar	345
1	Introdução	346
2	Incluir as receitas acessórias ao caso base do projeto de concessão ou parceria público-privada?	348
3	Determinar o compartilhamento das receitas acessórias com o poder concedente?	352
4	Qual modelo de governança escolher para implantação, fiscalização e transferência dos negócios que geram receitas acessórias?	355
5	Conclusão	358
	Referências	359

A REGULAMENTAÇÃO DOS *DISPUTE BOARDS* NO SETOR DE TRANSPORTES TERRESTRES
LUÍSA QUINTÃO, ISABELLA ROSSITO 361

1	Introdução	361
2	O contexto e o processo da regulamentação do *dispute board* pela ANTT	363
2.1	A evolução da disciplina legal	363
2.2	A experiência da ANTT que antecedeu a edição da norma	364
2.3	A Audiência Pública nº 06/2023 da ANTT e a subsequente regulamentação	365
3	As regras da Resolução ANTT nº 6.040/2024	365
3.1	O grau de vinculação das decisões dos comitês	366
3.2	Os tipos de comitês	366
3.3	A composição dos comitês	368

3.4	Os princípios gerais aplicáveis	369
3.5	As regras procedimentais	369
3.6	Os custos	370
4	Os limites à utilização do *dispute board* pela ANTT	370
4.1	Desnecessidade de restrição além do critério de direitos patrimoniais disponíveis	371
4.2	A questão das matérias de "cunho estritamente jurídico" e do reequilíbrio econômico-financeiro	371
5	Conclusão	372
	Referências	373

A TAXA INTERNA DE RETORNO (TIR) COMO ELEMENTO DO EQUILÍBRIO ECONÔMICO-FINANCEIRO DAS CONCESSÕES
JACINTHO ARRUDA CÂMARA 375

1	Introdução	375
2	Particularidades do equilíbrio econômico-financeiro nas concessões	376
3	O papel da TIR no equilíbrio econômico-financeiro de concessões	379
4	Impossibilidade de alteração unilateral da TIR	381
5	Alteração negociada da TIR	384
	Referências	385

A RELAÇÃO ENTRE A TEORIA ECONÔMICA E A POLÍTICA JUDICIAL ANTITRUSTE: FUNDAMENTOS E NOVOS PARADIGMAS
JULIANA OLIVEIRA DOMINGUES, VERÔNICA DO NASCIMENTO MARQUES 387

1	Introdução	387
2	A teoria econômica: defesa da concorrência e o Judiciário	390
2.1	A Escola de Harvard e a Escola de Chicago	391
2.2	A origem de uma ideia: Programa Manne	392
3	Novos paradigmas: a superação da Doutrina Chevron	393
4	Considerações finais: a importância da segurança jurídica e o papel da teoria econômica	395
	Referências	396

A NOVA DIRETRIZ DA LEI Nº 14.133/2021 PARA O REEQUILÍBRIO ECONÔMICO-FINANCEIRO DOS CONTRATOS DE CONCESSÃO DE TRANSMISSÃO DE ENERGIA ELÉTRICA
MÁRCIO PINA MARQUES, GUSTAVO ASSIS DE OLIVEIRA, LUIZ ANTÔNIO BETTIOL 399

1	Introdução	399
2	A matriz de risco nos contratos de concessão e a manutenção do equilíbrio econômico-financeiro	401
3	O modelo de licitação do setor elétrico e a previsão legal para obtenção de licenciamento ambiental prévio aos leilões	404

4	Os precedentes da Aneel e a negativa de reequilíbrio econômico-financeiro por eventos associados ao licenciamento ambiental	406
5	A Nova Lei Geral de Licitações e Contratos e a oportunidade para a evolução da jurisprudência administrativa em casos de transmissão	414
6	Conclusões	415
	Referências	416

SHOCK ABSORBER, TRACTION E EQUILÍBRIO DINÂMICO DOS CONTRATOS: PELA NECESSIDADE DE MODOS ADAPTATIVOS, NÃO LINEARES E INFORMADOS POR SISTEMAS COMPLEXOS PARA O REEQUILÍBRIO CONTRATUAL

FILIPE LÔBO GOMES, MARCOS NÓBREGA 419

1	Do cenário atual	419
2	Dos modelos clássicos ao modelo neoclássico – das dificuldades para a revisão dos contratos em um contexto de autoengano	421
2.1	Modelo mecanicista de reequilíbrio econômico-financeiro	423
2.2	O modelo axiomático do equilíbrio de contratos	424
2.3	O equilíbrio nocional como um mecanismo de estabilização de expectativas	427
3	Propostas de revisão institucional do equilíbrio contratual - a teoria da complexidade como mecanismo de solução	429
3.1	Como estabilizar expectativas dos contratos de longo prazo?	430
4	À guisa de conclusão	434
	Referências	435

O MARCO LEGAL DAS FERROVIAS: REFLEXÕES SOBRE A LEI Nº 14.273/2021 À LUZ DOS REGIMES DE EXPLORAÇÃO POSITIVADOS – DESAFIOS E PERSPECTIVAS

MÔNICA BANDEIRA DE MELLO LEFÈVRE 439

1	Considerações iniciais	439
2	Breve histórico do setor ferroviário brasileiro	440
3	Exploração dos serviços de transporte ferroviário: coexistência dos regimes de direito público e privado	441
4	As concessões de serviços ferroviários	444
4.1	A aplicabilidade do regime geral das concessões de serviço público	444
4.2	As obrigações de investimento e a gestão da capacidade de transporte	444
4.3	A remuneração do concessionário	445
4.4	A possibilidade de devolução ou desativação de trechos	446
5	As autorizações ferroviárias	446
5.1	A flexibilidade ínsita a tal modalidade de outorga	447
5.2	O procedimento legalmente estabelecido para a outorga de autorizações	447
5.3	Os contratos de autorização enquanto "contratos de adesão"	448
5.4	A autonomia privada dos autorizatários	450

6	O cenário delineado a partir dos regimes de exploração existentes	450
6.1	Aspectos concorrenciais	451
6.2	Integração e coordenação operacional	454
6.3	Iniciativas voltadas à desverticalização	456
6.4	As questões pendentes de regulamentação	458
6.5	A importância da autorregulação	460
7	Considerações finais	461
	Referências	462

INDENIZAÇÃO DOS INVESTIMENTOS EM SUPERESTRUTURA DA VIA PERMANENTE NAS ESTRADAS DE FERRO BRASILEIRAS
RAFAEL VANZELLA 465

1	Introdução	465
2	Regulação dos investimentos em superestrutura da via permanente	467
3	O problema interpretativo da palavra "melhoria"	470
3.1	Expansão e melhoria	471
3.2	Melhoria e o regime das benfeitorias no direito brasileiro	473
4	Conclusões	475
	Referências	476

A SECEXCONSENSO E O REGIME JURÍDICO-ECONÔMICO DE RENEGOCIAÇÃO DE CONTRATOS DE CONCESSÃO
RAFAEL VÉRAS DE FREITAS, JOSÉ EGIDIO ALTOÉ JUNIOR 477

	O homenageado	477
1	Introdução	479
2	O regime jurídico-econômico das renegociações de contratos de concessão	480
3	A renegociação de contratos de concessão capitaneada pelo TCU	486
3.1	Das renegociações no setor elétrico	487
3.2	Das renegociações no setor de ferrovias	489
3.3	Renegociação no setor de aeroportos	491
3.4	Renegociação no setor de telecomunicações	492
4	Análise dos precedentes da SECEXConsenso	493
5	Conclusões	495
	Referências	496

FORMAS HETERODOXAS DE REEQUILÍBRIO ECONÔMICO-FINANCEIRO, DEFINIÇÃO DO MECANISMO APLICÁVEL E A QUESTÃO DO TEMPO DA RECOMPOSIÇÃO
RAFAEL WALLBACH SCHWIND 499

1	Introdução: uma justa homenagem a Marçal Justen Filho	499

2	A concepção de Marçal Justen Filho acerca das "formas de recomposição da equação econômico-financeira"	500
3	Premissas fundamentais e complexidades adicionais	501
3.1	Premissas para a definição da forma de reequilíbrio	501
3.2	Complexidades envolvidas na definição da forma de reequilíbrio	503
4	Mecanismos heterodoxos de recomposição da equação econômico-financeira	505
4.1	Prorrogação do prazo contratual	506
4.2	Ampliação de área de abrangência do contrato	507
4.3	Ampliação do objeto contratual	508
4.4	Redução da área ou da extensão de prestação do serviço	509
4.5	Redução do escopo contratual	510
4.6	Alteração do objeto contratual	511
4.7	Ampliação da liberdade no exercício de política comercial	513
4.8	Alteração da proporção dos resultados em atividades que geram receitas ancilares	514
4.9	Alteração de proporção do compartilhamento de riscos	515
4.10	Execução de investimentos fora da área da concessão	515
4.11	Postergação de metas de qualidade e (ou) de universalização	515
4.12	Alterações de valores e de proporção de outorgas fixas ou variáveis	517
5	A definição do mecanismo de reequilíbrio em cada caso concreto	517
5.1	O entendimento tradicional	517
5.2	A ausência de neutralidade das medidas de reequilíbrio	518
5.3	A adoção de engenharias financeiras complexas	518
5.4	Fatores endógenos e exógenos que contemplam limites à definição do mecanismo de reequilíbrio	518
5.4	Os efeitos da consensualidade nas relações contratuais público-privadas	519
5.5	O dever de motivação	520
5.6	Ausência de discricionariedade absoluta na definição do mecanismo de reequilíbrio	520
6	O tempo no reequilíbrio econômico-financeiro	520
6.1	O tempo para que a medida gere efeitos práticos	520
6.2	A possibilidade de reequilíbrios parciais e reequilíbrios cautelares	521
7	Conclusões	522
	Referências	523

A RECONFIGURAÇÃO DA REGULAÇÃO PROMOVIDA PELOS CONSELHOS PROFISSIONAIS DE SAÚDE (CPS) AO MODELO DE AGÊNCIAS REGULADORAS INDEPENDENTES

SILVIO GUIDI		525
1	Introdução	525
2	A evolução dos modelos de Estado – do Liberal ao Regulador	527

3	A criação dos CPS	529
4	A natureza jurídica dos CPS e as problemáticas trazidas por Marçal Justen Filho	529
5	O caráter híbrido (ou de autorregulação imposta) da regulação promovida no âmbito dos CPS – as lições de Vital Moreira	531
6	Objeto e sujeitos da regulação promovida no âmbito dos CPS	532
7	A alteração do objeto e dos sujeitos submetidos à autorregulação dos CPS	533
8	A constitucionalização dos direitos fundamentais e a alteração da função dos CPS	535
9	Aproximação da regulação promovida pelos CPS com o modelo de regulação independente por agência	537
	Referências	538

HOMENAGEM AO LEGADO REGULATÓRIO DE MARÇAL JUSTEN FILHO: BREVES ANOTAÇÕES ACERCA DA ANÁLISE DE IMPACTO REGULATÓRIO (AIR)

THAÍS MARÇAL		541
1	Do homenageado	541
2	Da Análise de Impacto Regulatório (AIR)	542
	Referências	544

AUTORIZAÇÃO LEGISLATIVA PARA CELEBRAÇÃO DE CONVÊNIOS DE REGULAÇÃO ENTRE MUNICÍPIOS E AGÊNCIAS

THIAGO MARRARA		545
1	Introdução	545
2	Autorização legislativa para convênios nas leis de licitações	546
3	Autorização legislativa para convênios na legislação de saneamento básico	547
4	A jurisprudência do STF e do TJSP sobre a autorização legislativa	549
5	Taxas de regulação e a desnecessidade da autorização legislativa	553
6	Considerações finais	554
	Referências	555

ASPECTOS CONCORRENCIAIS DA REGULAÇÃO DO GÁS NATURAL NO BRASIL

VINICIUS KLEIN, ISABELLA TRIEBESS		557
1	Introdução	557
2	Estrutura de mercado	559
3	A atuação do Cade no mercado de gás natural	562
4	Análise crítica da atuação do Cade no mercado de gás natural e reflexões para uma agenda de longo prazo	566
5	Conclusão	570
	Referências	571

PRESCRIÇÃO DA PRETENSÃO DE RESSARCIMENTO EM FACE DE AGENTES DO SETOR DE ENERGIA ELÉTRICA: A VISÃO DA AGÊNCIA NACIONAL DE ENERGIA ELÉTRICA (ANEEL)

ALINE ZAED DE AMORIM, VLÁDIA VIANA REGIS 575

1   Introdução 575

2   Regime prescricional aplicável ao direito de ressarcimento da Administração Pública: Entendimento doutrinário 577

3   Regime prescricional aplicável ao direito de ressarcimento da Administração Pública: jurisprudência 579

4   Regime prescricional aplicável ao direito de ressarcimento da Administração Pública: visão da Aneel 582

5   A jurisprudência e o entendimento da Aneel 584

6   Conclusão 586

     Referências 586

Direito Processual e Resolução de Disputas

(Coordenador: Eduardo Talamini)

INCLUSÃO DE CLÁUSULAS ARBITRAIS EM ACORDOS CELEBRADOS COM O CONSELHO ADMINISTRATIVO DE DEFESA ECONÔMICA (CADE): PRESSUPOSTOS E PERSPECTIVAS

ANA SOFIA MONTEIRO SIGNORELLI, CESAR PEREIRA 591

1   Introdução 591

2   Consentimento à cláusula compromissória nos acordos do direito da concorrência ... 592

3   Hipóteses de utilização da arbitragem nos acordos do direito da concorrência 594

3.1   Acordos de ACCs 594

3.2   Termos de Compromisso de Cessação (TCCs) 599

4   Peculiaridades envolvendo a utilização das cláusulas compromissórias como ferramenta dissuasória em cumprimento de decisões 604

4.1   Delimitação do objeto da disputa 605

4.2   Interlocução com reguladores setoriais 607

4.3   Peculiaridades envolvendo demandas reparatórias 608

5   Conclusão 610

     Referências 611

DELEGAÇÃO DE COMPETÊNCIA NO PROCESSO ESTRUTURAL: NOVOS INSTRUMENTOS PARA UM EFETIVO CONTROLE JUDICIAL DE POLÍTICAS PÚBLICAS

ANTONIO DO PASSO CABRAL 615

1   Introdução. O sistema de competências contemporâneo. Juiz natural e eficiência processual 615

2	Competência adequada e capacidades institucionais: de "quem decide" para "quem decide melhor": o juiz natural como o juízo mais adequado	617
3	Da prática das delegações monárquicas à suposta indelegabilidade e improrrogabilidade das competências	618
3.1	Previsão de delegação de atos jurisdicionais na legislação brasileira e no direito estrangeiro	618
4	Desconstruindo os argumentos contrários à delegabilidade. Compatibilidade da delegação de competências com a Constituição	621
4.1	Suposta violação à separação de Poderes	621
4.2	O dever de prestar a jurisdição (vedação do *non liquet*) e a suposta inalienabilidade da competência. A delegação de competência como mais uma forma de implementar o acesso à Justiça e de prestar a tutela jurisdicional eficiente	623
4.3	Confusão da indeclinabilidade da jurisdição com a indelegabilidade da competência	624
4.4	A vedação do poder de comissão decorrente do juiz natural: a delegação vista como uma comissão extraordinária	624
5	Delegação de competências jurisdicionais: conceito, objeto e aspectos gerais	625
6	Instrumento da delegação: lei ou decisão judicial	627
7	Supervisão jurisdicional como sucedâneo da delegação de competência	629
7.1	Controle sobre os atos do delegatário	630
7.2	Revogação ou modificação dos termos da delegação	632
7.3	Responsabilidade do juízo delegante	633
7.4	Vantagens da delegação com retenção de atividade de supervisão. A redução da coerção estatal e o incremento da função do juiz como "facilitador"	633
8	Delegatários	635
8.1	Delegação interjurisdicional de competências	635
8.2	Servidores públicos do próprio Judiciário	636
8.3	Agências reguladoras e outros órgãos do Poder Executivo	637
9	Conclusão. Tendências de delegação no campo dos processos estruturais	638
	Referências	639

O NOVO DIREITO ADMINISTRATIVO. ARBITRAGEM COM A ADMINISTRAÇÃO PÚBLICA: ORIGEM, INSTITUCIONALIZAÇÃO E PRÁTICA. CONTRIBUIÇÕES DO PROFESSOR MARÇAL JUSTEN FILHO

ARNOLDO WALD, CLARISSA MARCONDES MACÉA 645

1	O novo direito administrativo	645
2	A arbitragem se desenvolveu paralelamente ao novo direito administrativo. Introdução da arbitragem no direito administrativo	651
3	A origem da arbitragem envolvendo a Administração Pública na experiência brasileira	653
4	A institucionalização da arbitragem envolvendo a Administração Pública no ordenamento jurídico brasileiro	655

5	As contribuições do Professor Marçal Justen Filho à prática da arbitragem envolvendo a Administração Pública	657
6	Observações finais	659
	Referências	660

"INTERESSE PÚBLICO", "PERSONALIZAÇÃO" DO DIREITO PROCESSUAL CIVIL E NEGÓCIOS PROCESSUAIS

BRUNO GRESSLER WONTROBA 663

1	Introdução	663
2	O conceito de "interesse público" e a crítica de Marçal Justen Filho	663
3	A "personalização" do direito administrativo	665
4	O processo de "personalização" do direito processual civil	666
4.1	O dogma da irrelevância da vontade no processo	666
4.2	A "personalização" do direito processual civil	668
5	Os negócios processuais	669
5.1	O conceito e algumas generalidades	670
5.2	O princípio do autorregramento da vontade	673
5.3	A existência, a validade e a eficácia dos negócios processuais	674
5.4	O objeto do negócio processual	675
5.5	A (in)disponibilidade da tutela jurisdicional: o "versando o processo sobre direitos que admitam autocomposição" (art. 190 do CPC)	679
6	Conclusão	680
	Referências	681

MANDADO DE SEGURANÇA COMO "AÇÃO DE REPETIÇÃO DE INDÉBITO": UMA HOMENAGEM AO PROFESSOR MARÇAL JUSTEN FILHO

CASSIO SCARPINELLA BUENO 685

1	Palavras iniciais	685
2	Mandado de segurança e ação condenatória	686
3	Mandado de segurança e compensação tributária	689
4	O tema em decisão recente da 1ª Seção do STJ	694
5	Considerações finais	698
	Referências	700

DECIDINDO SOBRE O DIREITO PÚBLICO: O ÁRBITRO DIANTE DA LEI DE INTRODUÇÃO ÀS NORMAS DO DIREITO BRASILEIRO (LINDB) E NORMAS COGENTES

CESAR PEREIRA 703

1	Introdução	703
1.1	Uma lenda	703
1.2	Teoria institucional do Direito	704

1.3	A revisão da Lei de Introdução às Normas do Direito Brasileiro (LINDB)	704
1.4	Crescimento da arbitragem com a Administração Pública	705
1.5	Círculo hermenêutico	705
1.6	Intuição, pré-compreensão e dados da realidade	705
1.7	As normas cogentes na arbitragem: limite da autonomia privada	706
1.8	Um passo além (ou um passo atrás)	706
1.9	Objeto	707
2	Arbitragem e normas cogentes (*mandatory rules*)	707
2.1	Normas cogentes	707
2.2	Normas cogentes e arbitrabilidade	708
2.3	Arbitragem e regulação	709
2.4	Arbitragem e atos regulatórios	709
2.5	Regulação por meio da arbitragem	709
3	O caráter cogente dos arts. 20 e 21 da LINDB	712
3.1	Contexto	712
3.2	Equanimidade e compreensão	713
3.3	Enunciados do IBDA	713
3.4	Consequências jurídicas e administrativas	714
3.5	Regularização	717
3.6	Regularização e processo	722
3.7	Decisão como resultado de um processo	722
3.8	Regularização por meios consensuais	725
4	O papel do árbitro	726
4.1	Omissão da LINDB acerca da arbitragem	726
4.2	Irrelevância da redação legal: aplicação da LINDB pelo árbitro	727
4.3	Exemplo concreto: invalidação de caducidade	727
4.4	Consequências da inobservância dos arts. 20 e 21 da LINDB	728
4.5	Sentença arbitral imotivada	728
4.6	Ofensa à ordem pública	729
5	Síntese	730
6	Conclusões	730
	Referências	730

AUTOTUTELA E "AUTOTUTELAS" À BRASILEIRA
EDSON FRANCISCO ROCHA NETO 735

1	Introdução	735
1.1	Da autotutela ao monopólio da jurisdição	736
1.2	Desafios contemporâneos	737
1.3	Recorte da questão a ser analisada	738
2	A banalização do conceito de autotutela	738

3	Conceito crítico de autotutela	739
4	Análise da autotutela e das "autotutelas" à brasileira	740
4.1	Autoexecutoriedade das decisões administrativas	741
4.2	Direito de cortar raízes e ramos de árvores limítrofes que ultrapassam a extrema do prédio (art. 1.283, CC)	741
4.3	Legítima defesa da posse e desforço imediato (art. 1.210, CC)	741
4.4	Direito de retenção	742
4.5	Os direitos reais de garantia e a suposta autotutela executiva	743
5	A processualização das "autotutelas"	747
6	A ação de direito material e a Teoria do Fato Jurídico para a compreensão da autotutela	749
7	Conclusões	751
	Referências	752

CONVENÇÃO ARBITRAL COMO NEGÓCIO JURÍDICO PROCESSUAL: ARBITRABILIDADE OBJETIVA E "DIREITO PATRIMONIAL DISPONÍVEL"

EDUARDO TALAMINI	755
1 Viva Marçal Justen Filho!	755
2 Introdução	756
3 Disponibilidade das pretensões	758
3.1 Pretensões, e não "direitos"	758
3.2 A multiplicidade dos significados de "(in)disponibilidade"	759
3.3 "Indisponibilidade" como impossibilidade de abdicação do direito material	760
3.4 "Indisponibilidade" como impossibilidade de submissão espontânea à razão alheia	761
3.5 Indisponibilidade do direito material *versus* indisponibilidade da pretensão à tutela jurisdicional estatal	763
4 O critério para a definição da disponibilidade relevante para a arbitrabilidade objetiva	764
4.1 A antiga noção do compromisso arbitral como causa extintiva ou modificativa das obrigações de direito material	764
4.2 O abandono da tese	766
5 O objeto e a eficácia processual da convenção arbitral	768
5.1 Ato de disposição de posições jurídico-processuais	768
5.2 A convenção arbitral como negócio jurídico processual	769
5.3 A disponibilidade da pretensão à tutela judicial como elemento relevante para a arbitrabilidade	771
6 O princípio geral da arbitrabilidade dos litígios do poder público	772
6.1 Arbitragem e processo administrativo	772
6.2 Manifestações doutrinárias	773
6.3 Irrelevância da indisponibilidade dos bens públicos	774

7	A confirmação das premissas estabelecidas: a limitação à arbitragem por equidade	775
8	Patrimonialidade das pretensões	775
8.1	Pressuposto infraconstitucional	776
8.2	O conceito de patrimonialidade	776
8.3	Irrelevância da origem não patrimonial	777
8.4	Conclusão parcial: possíveis pretensões arbitráveis em litígios da Administração Pública	777
9	O regime de direito público e a arbitrabilidade	778
9.1	A irrelevância da discricionariedade	778
9.2	As "cláusulas exorbitantes" na relação contratual administrativa e o cabimento da arbitragem	781
9.3	A distinção entre o objeto do conhecimento jurisdicional e o objeto do processo	784
10	Conclusão	787
	Referências	788

DESAFIOS DA AUTOCOMPOSIÇÃO COLETIVA E O PROJETO DE LEI (PL) Nº 1.641/2021 (PROJETO ADA PELLEGRINI GRINOVER)

ELTON VENTURI 793

1	As propostas de reforma da Lei da Ação Civil Pública e a regulação dos acordos coletivos	793
2	A admissibilidade da autocomposição coletiva	794
3	O equívoco da vinculação da admissibilidade dos procedimentos resolutórios à disponibilidade dos interesses em disputa	796
4	Os princípios norteadores dos acordos coletivos	797
5	A regulação do devido processo legal da autocomposição coletiva	798
6	O papel do Poder Judiciário diante dos acordos coletivos	799
7	Critérios essenciais para a homologação judicial da autocomposição coletiva: ponderação sobre justiça, razoabilidade e adequação do acordo	802
8	Conclusão	805
	Referências	805

APROVEITAMENTO DOS ATOS PROCESSUAIS DA ARBITRAGEM APÓS A ANULAÇÃO DA SENTENÇA ARBITRAL

FLÁVIO LUIZ YARSHELL, RAUL LONGO ZOCAL 807

1	Introdução	807
2	Atos processuais na arbitragem	809
3	O árbitro na produção da prova	810
3.1	Contraditório	811
3.2	Imparcialidade	813
4	Fundamentos de invalidação da sentença arbitral e aproveitamento dos atos processuais da arbitragem	815

4.1	Atos processuais anteriores à constituição do tribunal arbitral	816
4.2	Atos processuais previstos no termo de arbitragem ou na ata de missão	817
4.3	Atos processuais da fase instrutória	818
5	Conclusão	822
	Referências	823

EXECUÇÃO CONTRA A FAZENDA PÚBLICA COMO INSTRUMENTO DE CONSECUÇÃO DOS DIREITOS FUNDAMENTAIS
GUILHERME AUGUSTO VEZARO EIRAS ... 827

1	Introdução	827
2	A (in)efetividade da tutela jurisdicional executiva em face da Fazenda Pública	828
3	O abuso das prerrogativas estatais	831
4	A necessidade de se interpretar e se aplicar a execução contra a Fazenda Pública como sistema garantidor dos direitos fundamentais	834
5	Ressalva necessária: inoponibilidade do conceito vazio de "interesse público" e o necessário respeito ao direito fundamental da efetividade da tutela executiva em face da Fazenda Pública	838
6	Aplicando a execução contra a Fazenda como instrumento de implementação dos direitos fundamentais – exemplos pontuais e não exaustivos	842
7	Conclusão	845
	Referências	846

A JURISDIÇÃO INTERNACIONAL DO PODER JUDICIÁRIO E AS ARBITRAGENS NO ESTRANGEIRO: HIPÓTESES DE COOPERAÇÃO JUDICIÁRIA
GUSTAVO FERNANDES DE ANDRADE ... 851

1	Introdução	851
2	As atividades de apoio a processo arbitral estrangeiro	854
2.1	Constituição e composição do tribunal arbitral	855
2.2	Tutelas de urgência e produção de prova	858
3	A jurisdição internacional de apoio e a lei de arbitragem	861
3.1	Das tutelas cautelares e de urgência	862
3.2	Da produção de provas	864
3.3	Da constituição e composição do tribunal arbitral	865
4	Conclusões	867
	Referências	868

AÇÃO RESCISÓRIA DE SENTENÇA COM DIFERENTES CAPÍTULOS. O ART. 975 DO CPC/2015
JOAQUIM MUNHOZ DE MELLO ... 871

| | Referências | 877 |

CONTRADITÓRIO E AMPLA DEFESA NO PROCESSO ADMINISTRATIVO –
TEXTO EM HOMENAGEM AO PROFESSOR MARÇAL JUSTEN FILHO
LUIZ RODRIGUES WAMBIER 879
1   Introdução 879
2   Processo, procedimentalização e procedimento administrativo 880
3   Contraditório e ampla defesa no processo administrativo 881
4   Considerações finais 884
      Referências 884

FUNÇÃO SOCIAL DO PROCESSO E AS LIÇÕES EXTRAÍDAS DA ARGUIÇÃO DE
DESCUMPRIMENTO DE PRECEITO FUNDAMENTAL (ADPF) Nº 828
MANOEL CAETANO FERREIRA FILHO 887
1   Introdução 887
2   Raízes históricas e ideológicas da função social no Brasil 888
3   A função social do processo e os escopos da jurisdição 893
4   A função social do processo e a criação das comissões de conflitos fundiários nos
      Tribunais: a importância da ADPF nº 828 897
5   Considerações finais 900
      Referências 901

MEIOS ALTERNATIVOS DE RESOLUÇÃO DE CONTROVÉRSIAS TRIBUTÁRIAS E
A NECESSIDADE DE UM NOVO PARADIGMA DE INTERESSE PÚBLICO
NO BRASIL
MICHELLE PINTERICH 903
1   Introdução 903
2   Algumas questões envolvendo o processo administrativo tributário 904
3   Novos paradigmas para a indisponibilidade do crédito público 905
4   A transação tributária como meio alternativo de resolução de controvérsias
      tributárias 907
5   Arbitragem no direito tributário brasileiro 908
6   Conclusões 909
      Referências 910

CONSULTATIO ANTE SENTENTIAM E OUTROS FACTOS PROCESSUAIS
RELEVANTES
PAULA COSTA E SILVA 913
1   Transparência na arbitragem administrativa 914
2   Controlo de legalidade das decisões proferidas em arbitragem administrativa 917
3   *Consultatio ante sententiam*: o art. 93º do CPTA e a potencial cooperação institucional
      entre tribunais estaduais e arbitrais 919

4	Em jeito de conclusão	925
	Referências	926

MATRIZ DE RISCOS E REEQUILÍBRIO ECONÔMICO-FINANCEIRO: UMA ANÁLISE DAS ARBITRAGENS ENVOLVENDO CONTRATOS DE CONCESSÃO DE INFRAESTRUTURA RODOVIÁRIA FEDERAL

PRISCILA CUNHA DO NASCIMENTO, RAFAEL MAGALHÃES FURTADO 929

1	Introdução	929
2	Breve panorama dos contratos de concessão rodoviária federal	931
3	Riscos e contratos de PPPs	933
4	Procedimentos arbitrais envolvendo a Agência Nacional de Transportes Terrestres (ANTT)	936
5	Análise das sentenças arbitrais envolvendo a ANTT	938
5.1	Caso Galvão (Processo Arbitral CCI nº 23433/2018)	939
5.2	Caso da Via 040 (Processo Arbitral CCI nº 23932/2018)	939
5.3	Caso Autopista Litoral Sul – ALS (Processo Arbitral CCI nº 26437/2021)	940
6	Conclusão	941
	Referências	942

CADUCIDADE EM CONCESSÃO E ARBITRAGEM

VERA MONTEIRO, JOLIVÊ ROCHA 945

1	Introdução	945
2	Casos que confirmam a arbitrabilidade de disputas envolvendo caducidade em concessão	945
2.1	Caso Galvão	946
2.2	Caso Concebra	947
2.3	Caso Sagua	948
2.4	Caso Águas de Itu	950
3	Os termos que confundem o debate	951
4	Conclusão	955
	Referências	955

SOBRE OS AUTORES 957

NOTA DOS COORDENADORES

Cada um de nós tem uma ligação única com o Marçal, construída ao longo dos anos de convívio e aprendizado. De maneiras distintas, fomos profundamente marcados pela sua influência e, apesar de nossas diferentes trajetórias, compartilhamos o mesmo respeito e admiração pelo legado que construiu. Nós quatro fomos seus alunos na Faculdade de Direito – em um período abrangendo as décadas de 1980 até 2024 – em matérias das mais diversas: Direito Empresarial, Direito Tributário, Introdução ao Estudo do Direito, Direito Administrativo e Direito Econômico.

Esta homenagem começou como uma surpresa.

Em meados de 2023, depois de uma conversa entre a Monica e o Cesar, começamos a formar o grupo dos coordenadores temáticos. A ideia era reunir colegas e especialistas que, assim como nós, foram influenciados por suas ideias e ensinamentos. Estávamos, enfim, tirando do papel algo que parecia inevitável. A produção de uma obra coletiva em homenagem a grandes juristas se tornou uma espécie de tradição no meio jurídico, e acreditávamos que havia chegado o momento certo para o Marçal receber a sua. Assim, o projeto tomou forma naturalmente, recebendo o apoio de todos que tomavam conhecimento.

O Marçal é um jurista influente em várias áreas. Para cobrir os múltiplos campos de seu interesse até este momento, reunimos juristas com profundo conhecimento em seus respectivos setores e com décadas de convívio com ele: Alexandre Wagner Nester, André Guskow Cardoso, Ministro Benjamin Zymler, Betina Treiger Grupenmacher, Clèmerson Merlin Clève, Eduardo Talamini, Egon Bockmann Moreira, Fernão Justen de Oliveira, Guilherme F. Dias Reisdorfer, Isabella Moreira de Andrade Vosgerau, Karlin Olbertz Niebuhr, Mayara Gasparoto Tonin e Rafael Wallbach Schwind.

Em conjunto com os coordenadores temáticos, preparamos uma lista de convidados – quase todos estão entre os 233 autores dos 174 artigos que compõem os três volumes da homenagem. Fizemos contato com o Luís Cláudio Ferreira, da Editora Fórum, que deu seu apoio imediato e produziu a imagem de uma capa provisória para o projeto.

Com tudo pronto, apresentamos ao Marçal no início de 2024 o resultado dessa "conspiração do bem" de seus amigos e admiradores. E o projeto foi para a rua no final de março de 2024. O entusiasmo dos convidados foi imediato.

A aderência aos prazos também foi rigorosa. Nem poderia ser diferente, em se tratando do Marçal como homenageado. Tudo seguiu o cronograma previsto – ainda que graças a contatos pessoais da Monica para o nudge necessário – e a estrutura originalmente estabelecida. Em setembro de 2024, os três volumes da obra coletiva estavam na Editora.

A organização de 174 artigos, com o processamento das informações e documentos de 233 autores, foi uma tarefa gigantesca. Teria sido impossível sem a dedicação de um grupo de jovens advogados e estagiários da Justen, Pereira, Oliveira e Talamini, coordenados por Marçal Justen Neto e Lucas Spezia Justen. O grupo atuou na elaboração do manuscrito enviado em setembro de 2024 para a Editora e nas diversas interações posteriores até a versão final estar pronta para produção. Nosso agradecimento e reconhecimento a Ana Paula Sovierzoski, Caroline Martynetz, Daniel Carvalho Lopes, Edson Francisco Rocha Neto, Eduardo Nadvorny Nascimento, João Pedro Lima de Vasconcellos, Jolivê Alves da Rocha Filho, Nicole Mendes Müller, Paola Gabriel Ábila, Raphaela Thêmis Leite Jardim e Rodrigo Costa Protzek. Também a Juliana Hammerschmidt de Assunção, que deu apoio administrativo ao grupo.

Os 70 anos do Marçal, completados em 1º de março de 2025, deram a oportunidade para esta homenagem. O Marçal tem muito mais a produzir e nos ensinar, com a energia, perspicácia, clareza e criatividade que o caracterizam. Mas o momento é adequado para celebrar a sua extensa obra ainda em construção. Sob certo ângulo, esta é uma homenagem intermediária. Uma oportunidade de meditação sobre a sua contribuição atual e futura para o Direito brasileiro e, sobretudo, de diálogo com o próprio Marçal sobre as ideias e os métodos que criou e ajudou a disseminar em campos jurídicos tão variados.

A obra foi organizada em três volumes. O primeiro reúne os artigos e depoimentos sobre o Marçal como pessoa e jurista (sob a coordenação de Fernão Justen de Oliveira), os temas de Direito Administrativo em geral (sob a coordenação de André Guskow Cardoso e Karlin Olbertz Niebuhr) e os tópicos de Controle e Direito Administrativo Sancionador (sob a coordenação do Ministro Benjamin Zymler). O segundo volume versa sobre Licitações e Contratações Administrativas (sob a coordenação de Alexandre Wagner Nester e Egon Bockmann Moreira), Direito Constitucional (sob a coordenação de Clèmerson Merlin Clève), Direito Tributário (sob a coordenação de Betina Treiger Grupenmacher) e Filosofia e Teoria Geral do Direito (sob a coordenação de Guilherme F. Dias Reisdorfer). O terceiro volume compreende Regulação e Infraestrutura (sob a coordenação de Rafael Wallbach Schwind), Direito Processual e Resolução de Disputas (sob a coordenação de Eduardo Talamini) e Direito Empresarial (sob a coordenação de Isabella Moreira de Andrade Vosgerau e Mayara Gasparoto Tonin).

Por sua dimensão e pela profundidade e variedade de temas abrangidos em cada capítulo, esta obra coletiva já nasce monumental. O esforço de todos – coordenadores, autores e colaboradores – visou a um registro que refletisse de algum modo a vastidão da produção jurídica do Marçal até agora.

Agradecemos a cada um dos que dedicaram seu tempo e conhecimento para participar deste projeto. Aos que produziram reflexões memoráveis, que dialogam com as obras do Marçal e as colocam em contexto. Aos que fizeram depoimentos sobre a influência do Marçal nas suas próprias trajetórias. Aos que apresentaram teses inovadoras, interpretações criativas, sistematizações inéditas e produções acadêmicas que o momento desta homenagem lhes permitiu realizar.

O Marçal é um incentivador da criação de conhecimento. Não haveria melhor homenagem que a demonstração concreta, refletida em cada um dos 174 artigos desta obra coletiva, da inspiração intelectual que o Marçal produz em nós.

Monica Spezia Justen
Cesar Pereira
Marçal Justen Neto
Lucas Spezia Justen

Coordenadores Gerais

Direito Empresarial

(Coordenadoras: Isabella Moreira de Andrade Vosgerau
e Mayara Gasparoto Tonin)

O ALINHAMENTO DA DISSOLUÇÃO PARCIAL DA SOCIEDADE ÀS EXIGÊNCIAS SOCIAIS DA REALIDADE BRASILEIRA

ALFREDO DE ASSIS GONÇALVES NETO

1 Introdução

Homenagear o Professor Marçal Justen Filho significa, para mim, enaltecer um jurista que, desde os bancos da Faculdade de Direito da Universidade Federal do Paraná (UFPR), destacou-se como primeiro aluno – não aquele que diz o que o professor quer, mas o que revela conteúdo e conhecimentos que transcendem os limites da disciplina que está cursando, para além do que as aulas proporcionam.

Por isso, para enaltecer sua sólida formação jurídica, que assenta seus pilares na um tanto esquecida teoria geral do direito, parece-me oportuno discorrer sobre uma das diretrizes que marcaram a evolução do pensamento jurídico, consagradas pelo Código Civil (CC) em vigor. Trata-se da *coletivização* de suas normas, isto é, do sopro de socialidade que lhes foi impregnado pela comissão de juristas responsável pela elaboração do anteprojeto que o originou.

Nem poderia ser diferente. Capitaneada por Miguel Reale – um dos maiores, senão o maior pensador jurídico do seu tempo, que nos brindou com a teoria tridimensional do direito –, referida comissão, composta por membros por ele escolhidos,[1] seguiu à risca seu pensamento.

---

[1] Para compor referida comissão, Reale escolheu, de fato, os juristas que lhe pareceram mais adequados para a tarefa no ramo de suas respectivas especialidades, "tendo todos em comum as mesmas ideias gerais sobre as diretrizes a serem seguidas". O texto em destaque está no Prefácio do referido autor à obra *Novo Código Civil Brasileiro*: Lei 10.406, de 10 de janeiro de 2002: estudo comparativo com o Código Civil de 1916, Constituição Federal, legislação codificada e extravagante. 2. ed. São Paulo: Revista dos Tribunais, 2002. p. 9.

2 O fio condutor do CC brasileiro do século XXI

A esse tempo, isto é, no período que mediou entre a formação de tal comissão e a submissão do anteprojeto por ela elaborado à Câmara dos Deputados em 1975, vários jusfilósofos, como Larenz, Engisch, Bobbio e tantos outros, estavam a defender, em linha convergente com a de Reale, a valoração do cenário efetivo que as normas jurídicas têm por função regular. Afinal, o direito não se destina a tratar das relações intersubjetivas de um ser humano puro ou ideal, mas de uma pessoa situada no ambiente em que vive.[2]

Foi nesse cenário que se desenhou o anteprojeto do CC, depois Projeto de Lei nº 634-D da Câmara dos Deputados, que deu nascimento ao CC de 2002.

3 O regime jurídico anterior

É de conhecimento geral que, ao tempo da promulgação de nosso Código Comercial oitocentista, vivíamos o primado do *individualismo jurídico*, que fez escola por muitos anos e influenciou, não só sua feitura, como, também, e decisivamente, a do CC de 1916. Deste último poderiam ser apontadas marcantes disposições individualistas, como o direito absoluto do proprietário em relação aos bens de sua propriedade, a rigidez do *pacta sunt servanda*, a previsão de a sociedade civil ser dissolvida por causas pessoais de seus sócios etc.

Aliás, em relação a essa matéria, que é enfocada neste texto, referida linha de pensamento já se estabelecera no Código Comercial de 1850. Dispôs o legislador do século XIX, efetivamente, que a falência, a morte, a vontade unilateral, a inabilidade ou incapacidade, o abuso, a prevaricação, o descumprimento de obrigações e o sumiço (fuga) de qualquer dos sócios eram causas suficientes para pôr fim à sociedade – *rectius*, para dissolver a sociedade –, nada importando quantos fossem seus sócios (art. 335, nº 2, 4 e 5; art. 336, nº 2 e 3).

A doutrina, impulsionada pelo dinamismo evolutivo da atividade econômica, foi, aos poucos, repensando essas situações e, inspirada em novos conceitos, procurou amoldá-las às novas exigências da vida. Assim, consolidou-se a ideia de a sociedade ser um ente diverso das pessoas de seus sócios, com vontade e patrimônio próprios, resultando daí a contemplação legislativa de sua *personalidade jurídica*, conquanto de modo um tanto confuso, no CC de 1916.

Também os contratos alargaram seus horizontes com o reconhecimento da existência de negócios jurídicos complexos, unilaterais, coletivos, plurilaterais e assim por diante.

Em estágio posterior, proveio a preocupação com a preservação da empresa, que hoje se erige em princípio constitucional implícito de nossa Carta Constitucional de 1988, por derivar de outros nela consagrados, notadamente o da busca do pleno emprego (art. 170, inc. VIII)[3] e o da proteção da empresa nacional (art. 171, §1º).[4]

---

[2] Sobre o tema: MACHADO, J. Batista. Prefácio. *In:* ENGISCH, Karl. *Introdução ao pensamento jurídico*. 5. ed. Lisboa: Fundação Calouste Gulbenkian, 1964. p. 8-65.

[3] "Nossa Lei Fundamental destaca, dentre os fundamentos do Estado Democrático de Direito que adotou, a livre iniciativa (art. 1º, IV), a construção de uma sociedade mais justa (art. 3º. I), a liberdade de trabalho, ofício e profissão (art. 5º, XIII) e a defesa dos direitos do consumidor (art. 5º, XXXII). Mais adiante, ao regular a atividade

Com a consagração do contrato plurilateral e, também, do tratamento da sociedade como pessoa distinta da de seus componentes, e do desenvolvimento da teoria da preservação da empresa exercida por meio dela, foi sendo construída, aos poucos, a ideia de sua *dissolução parcial*.

De fato, a doutrina nacional, na esteira de algumas estrangeiras também marcadas pelo individualismo irradiado pelo Código Napoleônico, percebeu, sob o impacto da Revolução Industrial, que as disposições legais determinantes do fim da sociedade, em razão do rompimento do vínculo societário em relação a um sócio, não mais se prestavam para ser aplicadas às sociedades com mais de dois sócios, visto que, afora os reflexos econômicos, as relações jurídicas que uniam os demais sócios entre si e perante a sociedade não deviam ser afetadas por fato atribuível a um outro sócio, totalmente alheio a essas relações.

Um dos primeiros trabalhos a respeito desse tema em nosso País foi o de Rubens Requião, quando defendeu em 1959, no seu concurso para a cátedra de Direito Comercial da UFPR, a tese denominada *A preservação da sociedade comercial pela exclusão de sócio.*[5] Em suma, sustentara o saudoso mestre que o que a lei previa como causa de dissolução (conduta incompatível com a qualidade de sócio) devia ser resolvido por meio da separação do sócio, evitando-se, assim, a extinção da atividade empresária exercida pela sociedade e suas relações com os sócios remanescentes.

E assim se sucederam outras manifestações relativas às causas de dissolução provocadas pelo desfazimento de vínculos societários parciais. Diante da norma que impunha a dissolução da sociedade com fundamento em fatos atribuíveis a um sócio, era preciso aplicá-la, pois a esse tempo se tinha por certo que doutrina e jurisprudência não revogavam nossas leis. Tal aplicação, porém, devia ser feita de maneira a não atingir os direitos de terceiros (dos demais sócios e da sociedade em prosseguir com o empreendimento ajustado).

Desse modo, mediante uma elogiável interpretação construtiva, iniciada por notáveis comercialistas e logo endossada por nossos tribunais, passou-se a considerar que, ocorrendo qualquer das causas marcadamente individualistas antes mencionadas, dava-se a dissolução; essa dissolução, no entanto, operava-se exclusivamente perante o sócio que da sociedade se apartava, sem afetar os vínculos existentes entre os demais sócios e destes com a sociedade.

Com esse entendimento, não deixou de ser aplicado o dispositivo legal incidente no caso. Assim, sob o prisma do sócio retirante, excluendo, falecido ou incapaz tudo se passava como se dissolução tivesse ocorrido; já em relação à sociedade e a seus demais sócios (i) liquidavam-se as quotas de participação do ex-sócio, (ii) permaneciam intocados os vínculos que os uniam e (iii) ficava preservada a atividade econômica (a empresa) por ela exercida.

---

econômica, garante a propriedade privada dos meios de produção, a concorrência, a defesa do meio ambiente e a busca do pleno emprego (art. 170 e incisos). Do conjunto dessas disposições extrai-se o princípio constitucional implícito da preservação da empresa, como forma de assegurar seu cumprimento" (GONÇALVES NETO, Alfredo de Assis. *Direito de empresa*: comentários aos arts. 966 a 1.195 do Código Civil. 11. ed. São Paulo: Revista dos Tribunais, 2023. p. 73).

4   Essa norma, como sabido, foi posteriormente revogada pela Emenda Constitucional nº 6/1995, mas não tisnou o curso da proteção das estruturas destinadas ao exercício das atividades econômicas.

5   REQUIÃO, Rubens. *A preservação da sociedade comercial pela exclusão de sócio*. 1959. 276 f. Tese (Doutorado em Direito) – Faculdade de Direito, Universidade Federal do Paraná, Curitiba, 1959.

Como observei em outro de meus estudos,

a interpretação das disposições dos arts. 335 e 336 de nosso Código oitocentista evoluiu construtivamente para distinguir o *interesse individual* de cada qual dos sócios do *interesse da sociedade* (e – por que não? – da coletividade), de modo que, com o incentivo da doutrina e da jurisprudência de nossos tribunais, mitigou as causas de dissolução calcadas na pessoa do sócio (morte, inabilidade, atuação nefasta ou vontade unilateral) para – já com a visão do contrato plurilateral e do princípio da preservação da empresa – permitir que se operasse a dissolução apenas em relação a ele, sócio falecido, praticante de atos contrários aos interesses sociais ou pretendente à dissolução pelo querer pessoal, permanecendo a sociedade entre os demais.[6]

4 O regime jurídico instaurado com o CC de 2002

Pois bem. O CC vigente, graças ao anteprojeto que o edificou, *eliminou as causas individualistas* de dissolução societária aqui mencionadas para prestigiar, nessa parte, o *coletivismo jurídico* –[7] ou, nas palavras de Reale –, para dar ao conjunto de suas disposições as cores da "socialidade" e assim "superar o manifesto caráter individualista da Lei vigente".[8]

Realmente, os arts. 1.033 e 1.034 do mencionado Código, inseridos na Seção VI (do Capítulo II, Título II do Livro II), que trata da "dissolução" das sociedades, arrolam todas as causas extrajudiciais e judiciais que a determinam. Nesses preceitos encontram-se, apenas: o vencimento do prazo de duração, o consentimento unânime dos sócios ou sua deliberação por maioria absoluta, a extinção da autorização para funcionar, a anulação de sua constituição e o exaurimento do fim social ou sua inexequibilidade.[9] Nenhuma outra norma contempla a possibilidade de ser dissolvida a sociedade por vontade exclusiva ou por fato que diga respeito à pessoa de um sócio ou de sócios em minoria.

Nessa diretriz, o mesmo Código separou as já apontadas causas individualistas de dissolução societária, que se continham na legislação revogada, para, expurgando algumas, reuni-las nos arts. 1.028 (falecimento), 1.029 (retirada) e 1.030 (exclusão), sob o título "Resolução da sociedade em relação a um sócio", inserido na Seção V, anterior àquela em que é tratada a dissolução. Ou seja, tais *causas de dissolução* do ente jurídico

---

[6] GONÇALVES NETO, Alfredo de Assis. *Direito Comercial*: pareceres. São Paulo: Lex, 2019. p. 220.

[7] É importante observar que individualismo e coletivismo (universalismo) jurídicos não se excluem, pois convivem ou devem conviver harmonicamente em nosso ordenamento, como sustenta Francisco Amaral em artigo a respeito (Individualismo e universalismo no direito civil brasileiro. Permanência ou superação de paradigmas romanos? *Revista brasileira de Direito Comparado Luso-Brasileiro*, Rio de Janeiro, v. 7, n. 13, p. 64-95, 1990).

[8] REALE, Miguel. Prefácio. *In*: TAPAI, Giselle de Melo Braga; ALEXANDRE, Ana Paula (coord.). *Novo Código Civil Brasileiro*: Lei 10.406, de 10 de janeiro de 2002: estudo comparativo com o Código Civil de 1916, Constituição Federal, legislação codificada e extravagante. 2. ed. São Paulo: Revista dos Tribunais, 2002. p. 14.

[9] Por um cochilo do legislador (certamente em razão da inserção da sociedade limitada unipessoal em nosso ordenamento, porém esquecido de que outras há), a falta de pluralidade de sócios, que estava prevista no art. 1.033, inc. IV, do CC, deixou de figurar entre as causas de dissolução (Lei nº 14.195, art. 57, inc. XXIX, letra "d". Contudo tal causa decorre do conceito de sociedade previsto no art. 981, visto que a ressalva legal só se refere feita a um único tipo societário.

"sociedade" foram convertidas em *causas de desligamento* de sócio ou de rompimento do vínculo da sociedade em relação a um ou mais de seus sócios.

5 O que está a ocorrer

Essa radical mudança, no entanto, não foi recepcionada nos trabalhos de muitos tratadistas, que, nesse ponto, apoiados ou secundados pela orientação quase unânime de nossos tribunais, continuaram a cuidar do desligamento de sócios como causas de dissolução parcial da sociedade.

Arrimado nessa orientação, o Código de Processo Civil (CPC) de 2015, nos seus arts. 599 a 609, consagrou a expressão "dissolução parcial" para regular as ações judiciais fundadas precisamente em tais situações, causando com isso algumas perplexidades.

Devo dizer, de plano e com todas as vênias, que não me parece correto qualificar as causas de rompimento dos laços societários que vinculam a sociedade a cada qual de seus sócios como causas de dissolução parcial dela, uma vez que, diferentemente do que era estatuído no regime jurídico anterior, elas *não mais decorrem*, como antes acontecia, de qualquer norma condizente com o fenômeno da dissolução. Aliás, é de evidência palmar que o objeto e as funções de uma e de outra são totalmente distintos, como distintos são os meios para atingi-los.

Para ser breve, faço apenas três ponderações que confirmam a barafunda criada com esses desajustes.

6 A questão da preservação da empresa

Observo de partida que a *preservação da empresa* era e deve continuar sendo o principal fundamento para justificar a dissolução parcial por evitar a dissolução (total) da sociedade e, portanto, a paralisação de suas atividades, a perda de empregos e os reflexos que seu desaparecimento pode trazer para a comunidade onde atua.

Com os olhos voltados para a realidade, tem-se de reconhecer, sem dúvida, que, apesar da mudança havida nas causas dissolutórias, é plenamente possível concluir que as disposições atuais sobre a matéria *não repelem a dissolução parcial*; ela sobrevive com a mesmíssima finalidade. Realmente, basta supor a capitulação de uma das causas dissolutórias previstas, por exemplo, no art. 1.033, incs. I e III do CC (por vencimento do prazo de duração ou por assim decidir a maioria dos sócios), ou no art. 1.034, inc. II (por inexequibilidade do fim social). Diante de qualquer dessas causas, não haverá impedimento para uma parte dos sócios prosseguir com o empreendimento entre si, tudo se passando em relação aos outros como se dissolução houvesse.

Quero com isso dizer que, verificando-se uma causa atual de dissolução da sociedade, que não seja de ordem pública, faz todo sentido, a depender do caso concreto, sustentar que *continua plena* a possibilidade de a *dissolução operar-se parcialmente*, em defesa da manutenção da sociedade entre os sócios que o desejarem, como forma de preservar a empresa que vinha sendo exercida. Afinal, tal como antes, o rompimento dos vínculos societários em relação a alguns não rompe necessariamente os daqueles que desejam manter os seus. Aliás, mesmo já estando em curso a liquidação da sociedade, é permitido aos sócios, que não concordarem com o fim do empreendimento, deliberar a *cessação do estado de liquidação* e restaurar ou manter seus vínculos, até porque, ao menos em relação à sociedade limitada, há previsão expressa nesse sentido (CC, art. 1.071, inc. VI, última parte).

O mesmo propósito, contudo, não é factível quando advém uma das causas de *desligamento de sócio*, de que atualmente tratam os arts. 1.029 a 1.030 do CC, porquanto elas *em hipótese alguma preservam a empresa* e, por consequência, não servem de fundamento para sua manutenção. Pelo contrário, referidas causas têm por fim retirar do patrimônio social a parcela que toca ao sócio que se aparta da sociedade – o que (salvo se tal patrimônio não for positivo) implica desembolso inesperado e muitas vezes significativo de recursos com os quais a sociedade conta para o desenvolvimento do seu negócio. Essas causas trazem, então, o risco de arruinar a sociedade ou levá-la a perder sua competitividade no mercado. Por amor à racionalidade, não há como dizer que se preserva a empresa se ao apurar os haveres de sócio, que da sociedade por qualquer modo se desliga, visto que nasce para ela a obrigação de originar e desembolsar os recursos necessários para pagar ao referido sócio, em dinheiro de contado, a fatia do patrimônio correspondente à participação que nela ele possuía; se da apuração nenhum valor resultar, a sociedade em nada é afetada.

Apesar dessas obviedades, o fato, porém, é que ainda há alguns textos de doutrina e decisões do Poder Judiciário acolhendo essa falsa dissolução parcial, sob a bandeira da preservação da empresa.

7 O necessário tratamento diferenciado

Por outro lado, na dissolução da sociedade é nomeado um liquidante para agir como verdadeiro administrador com a finalidade de ultimar os negócios sociais, realizar o ativo, pagar o passivo e partilhar o remanescente entre os sócios (CC, arts. 1.103, inc. IV). Tudo isso é feito sem qualquer avaliação, salvo se, excepcionalmente, exigirem-na os sócios, os quais, em regra, só são chamados a deliberar nas hipóteses do art. 1.105 e parágrafo único (contrair empréstimos, onerar bens ou dar continuidade às atividades sociais).

Na indevidamente denominada de dissolução parcial, não há nomeação de liquidante, mas um procedimento de verificação do valor do patrimônio líquido, mediante a atuação de um ou mais avaliadores, segundo os critérios estabelecidos no contrato social ou na lei.

Apesar disso, são encontradiças passagens na doutrina e na jurisprudência de nossos tribunais sustentando que a apuração de haveres de sócio deve ser realizada como se de dissolução total se tratasse. Afora o fato de as funções de liquidante e avaliador serem totalmente distintas, dá-se que, na apuração de haveres, podem entrar valores que na dissolução total não são computáveis, ou não se realizam, como, em certas circunstâncias, alguns intangíveis, as perspectivas de rentabilidade futura do empreendimento etc.

8 A diversidade de interesses

Indo além, na dissolução da sociedade todos os sócios têm interesse direto, ao passo que no desligamento de sócio o interesse direto é da sociedade e não dos sócios, porque só reflexamente atingidos. O CPC, ao regular a *ação de dissolução parcial*, à luz da ideia de tratamento igualitário, seguiu orientação assentada pelo Superior Tribunal de Justiça (STJ) e determinou a citação de todos os sócios, quando bastava para essa demanda a citação da sociedade e a notícia da existência da ação aos demais sócios como terceiros interessados, porque não diretamente envolvidos, assim como era no regime anterior.[10]

Desconsiderando a dificuldade de citação de todos os sócios de sociedade que é formada por muitos, são encontradiças decisões que, porque citados, os sócios devem responder pelo pagamento dos haveres, ainda que o tipo societário se apresente com limitação de suas responsabilidades e, portanto, não o permita.

9 Conclusão

A inobservância de diretrizes básicas, que merecem ser atendidas na elaboração das leis pelo Congresso Nacional para uma boa harmonia legislativa, tem dado margem a desencontros e, muitas vezes – o que é mais grave e preocupante –, a distorções oportunistas, ou ocasionais, destoantes da realidade que devem regular.

A esperança de um eixo de arrumação parece estar ficando cada dia mais distante, como atesta, entre tantos outros exemplos recentes, o anteprojeto de reforma do CC apresentado ao Senado Federal no ano de 2024. Tomando-o aqui de propósito, vê-se que nele há uma babel de propostas desencontradas, que prejudicam a sistematização, tão ciosamente observada pelo legislador de 2002.

No tocante à matéria societária, referido anteprojeto vem indevidamente recheado de normas processuais, entre elas o indicativo da ação de dissolução parcial para resolver o rompimento dos laços sociais da sociedade em relação a sócios, a título de ratificar, simplesmente, o que já está (mal) regulado no lugar adequado. Precisamente por essa razão, adotei esse tema para exemplificar o quanto se contém nesta rápida mensagem que se destina a enfatizar a premente necessidade de revitalizar e valorizar as bases que escoram nosso conhecimento jurídico.

Referências

AMARAL, Individualismo e universalismo no direito civil brasileiro. Permanência ou superação de paradigmas romanos? *Revista Brasileira de Direito Comparado Luso-Brasileiro*, Rio de Janeiro, v. 7, n. 13, p. 64-95, 1990.

GONÇALVES NETO, Alfredo de Assis. *Direito Comercial*: pareceres. São Paulo: Lex, 2019.

---

[10] O CPC de 1939, cujas disposições, nessa parte, foram mantidas pelo de 1973, não determinava a citação dos sócios, mas sua oitiva, no prazo de 48 horas (em se tratando de dissolução de pleno direito) ou de 5 dias (caso fosse contenciosa) para terem conhecimento da demanda. Interessante é notar que o CPC de 2015, conquanto em hipótese diversa da que é aqui versada, prevê, para o caso de penhora de quotas de sócio, a obrigação de a sociedade noticiá-la aos demais sócios para dela tomarem conhecimento e, se quiserem, exercerem seu direito de preferência na aquisição (art. 861, inc. II) – providência salutar que bem poderia ter sido estendida para os desligamentos de sócio.

GONÇALVES NETO, Alfredo de Assis. *Direito de empresa*: comentários aos arts. 966 a 1.195 do Código Civil. 11. ed. São Paulo: Revista dos Tribunais, 2023.

MACHADO, João Batista. Prefácio. *In*: ENGISCH, Karl. *Introdução ao pensamento jurídico*. 5. ed. Lisboa: Fundação Calouste Gulbenkian, 1964. p. 8-65.

REALE, Miguel. Prefácio. *In*: TAPAI, Giselle de Melo Braga; ALEXANDRE, Ana Paula (coord.). *Novo Código Civil Brasileiro*: Lei 10.406, de 10 de janeiro de 2002: estudo comparativo com o Código Civil de 1916, Constituição Federal, legislação codificada e extravagante. 2. ed. São Paulo: Revista dos Tribunais, 2002.

REQUIÃO, Rubens. *A preservação da sociedade comercial pela exclusão de sócio*. 1959. 276 f. Tese (Doutorado em Direito) – Faculdade de Direito, Universidade Federal do Paraná, Curitiba, 1959.

Informação bibliográfica deste texto, conforme a NBR 6023:2018 da Associação Brasileira de Normas Técnicas (ABNT):

GONÇALVES NETO, Alfredo de Assis. O alinhamento da dissolução parcial da sociedade às exigências sociais da realidade brasileira. *In*: JUSTEN, Monica Spezia; PEREIRA, Cesar; JUSTEN NETO, Marçal; JUSTEN, Lucas Spezia (coord.). *Uma visão humanista do Direito*: homenagem ao Professor Marçal Justen Filho. Belo Horizonte: Fórum, 2025. v. 3, p. 35-42. ISBN 978-65-5518-915-5.

ANOTAÇÕES SOBRE A CONTRIBUIÇÃO DE MARÇAL JUSTEN FILHO PARA A CONSOLIDAÇÃO DO INSTITUTO DA DESCONSIDERAÇÃO DA PERSONALIDADE JURÍDICA NO DIREITO BRASILEIRO

CARLOS EDUARDO MANFREDINI HAPNER

1 Apresentação

O Direito (e suas múltiplas projeções econômicas e sociais) tem desafiado os estudiosos para muito além dos limites ordinários. Os institutos jurídicos, em geral, estão expostos a luzes e sombras que a trama social não tem logrado aliviar. São provocações intensas e nucleares, a cobrar dos professores e juristas um protagonismo inédito, em todas as disciplinas jurídicas, de Direito Público ou Privado.

Parece ao observador externo que as alterações legais de outrora amadureciam mais lentamente, dando tempo ao pesquisador de refletir e pensar com mais calma. O longevo Código Comercial de 1850 somente foi (parcialmente) revogado em 2002. O Código Civil (CC) anterior tinha sido editado em 1916. A Lei Falimentar de 1945 viveu sessenta anos, até 2005. Outros bons exemplos deixados pelo legislador receberam emendas recentes para disciplinar figuras inéditas, como o Código do Consumidor de 1990 e a Lei das S/A de 1976. O Código de Processo Civil (CPC), em tempos de adaptação à modernidade, vem ganhando aperfeiçoamentos desde 1973, incorporando a evolução tecnológica e desviando-se dos obstáculos impostos pela pandemia da Covid-19.

Contemporaneamente, a velocidade aparenta ser mais acelerada. No campo público, surgiram novos tipos penais, novas figuras (como os acordos de colaboração e de leniência), regras novas de direito eleitoral e uma espetacular projeção do papel do Judiciário, especialmente do Supremo Tribunal Federal, nos destinos políticos do Brasil. Sem falar da recente reforma tributária, ainda em fase de tradução para o vernáculo.

Apesar da grande variedade de temas, postos em perspectiva relativamente ao seu devido tempo, tem-se que a intensidade da regulação social vem sofrendo incremento notável e, com isso, a correspondente satisfação dos professores de Direito e investigadores com a espiral de assuntos jurídicos de elevada indagação, derivados da evolução social.

Quando da redação deste texto, circulava pelos corredores do Congresso Nacional um novo texto (sob a forma de anteprojeto) para o CC brasileiro. Apesar de ao mesmo ter sido atribuída a função de imprimir modificações pontuais, o produto do trabalho hercúleo da seleta e festejada comissão de juristas – tudo preparado em cento e oitenta dias – veio sob a forma de revisão geral do direito privado brasileiro. Não se sabe, ao certo, das chances de o anteprojeto avançar. Se assim for, criará para os operadores do direito um volume de trabalho incalculável, a começar pela proposta de incorporação ao CC do Livro VI, que trata, de modo inédito, do Direito Civil Digital. A ver.

Em 1986, no entanto, havia instalada na comunidade científica nacional marcha mais cadenciada, que deu espaço à gestação e produção de trabalhos científicos especiais e debates doutrinários históricos. Nesse mesmo referido ano, Marçal Justen Filho entregou à comunidade jurídica uma das mais corajosas contribuições científicas que o direito brasileiro recebeu. Ao se dedicar ao estudo da desconsideração da personalidade jurídica societária, ousou defender, em Pleno Salão Nobre da Faculdade de Direito da Universidade Federal do Paraná (UFPR) e na presença do não menos ilustre e querido Professor José Lamartine Correia de Oliveira Lyra, linha de abordagem metodológica do instituto que colidia, em parte, com a proposição adotada pelo saudoso professor de Direito Civil.

Pretendo ocupar o espaço que tão gentilmente me foi oferecido para fazer breves anotações sobre o incomensurável aporte intelectual de Marçal Justen Filho na construção e modelagem da desconsideração da personalidade jurídica, em sua mais atualizada expressão.

Até presumo que, dada a evolução pela qual, desde 1986 até hoje, o mundo jurídico passou, a própria visão do autor possa ter sofrido ajustes. Estimo que não mais do que isso. Citando Montaigne, Raymundo Faoro, desde há muito advertia: "J'adjouste, mais je ne corrige pas".

Ainda assim, mesmo que sob a ótica histórica, passou-me a ideia de relembrar algumas de suas conclusões, sem dar ao criador a chance de prestar explicações atualizadas.

2 Introdução

A história da desconsideração da personalidade jurídica no Brasil tem fundeio no Estado do Paraná. Os trabalhos de Rubens Requião,[1] José Lamartine Correia de Oliveira Lyra,[2] Marçal Justen Filho[3] e João Casillo[4] foram produzidos nas bancadas da UFPR.

---

[1] REQUIÃO, Rubens. Abuso de direito e fraude através da personalidade jurídica (disregard doctrine). Revista dos Tribunais, São Paulo, v. 410, n. 12, dez. 1969. Conferência proferida na Faculdade de Direito da UPFR, por ocasião das comemorações do primeiro centenário de nascimento do Desembargador Vieira Cavalcanti Filho, fundador da Faculdade e seu primeiro catedrático de Direito Comercial.

[2] OLIVEIRA, José Lamartine Corrêa de. A dupla crise da pessoa jurídica. São Paulo: Saraiva, 1979.

[3] JUSTEN FILHO, Marçal. Desconsideração da personalidade societária no Direito brasileiro. São Paulo: Revista dos Tribunais, 1987.

[4] CASILLO, João. Desconsideração da pessoa jurídica. Revista dos Tribunais, São Paulo, v. 528, 24 out. 1979.

A eles devem ser incorporadas as considerações de Rodrigo Xavier Leonardo, no texto que o fez vencedor do primeiro lugar no concurso de monografias Prêmio José Lamartine Corrêa de Oliveira, promovido pela Ordem dos Advogados – Seção Paraná (OAB-PR), no ano de 2005,[5] e, em conjunto com Otavio Luiz Rodrigues Júnior, nos acurados comentários que se seguiram à promulgação da Lei da Liberdade Econômica.[6]

Muito provavelmente, a evolução do direito – fosse aos ilustres autores dada a chance de *ajustar* seus textos – faria com que suas produções históricas se tornassem ainda maiores do que as foram, incluindo, possivelmente, um novo e inédito olhar sobre o tema.

Minha proposta, no entanto, é vislumbrar na figura do homenageado o inquieto provocador e, por isso mesmo, protagonista da crítica que permitiu o desenvolvimento e consolidação de um instituto complicado de ser harmonizado, tanto no campo doutrinário, quanto no âmbito jurisprudencial.

É contribuição tímida e resumida a tentar recolher do pensamento de Marçal Justen Filho alguns ensinamentos que, quase 40 anos após publicados, ainda são presentes e atuais, reforçando as conclusões então alcançadas.

Não necessariamente nesta ordem, busco aqui reprisar a indagação que atormenta a doutrina sobre existir uma definição única para pessoa jurídica, como a formar uma categoria unitária, a qual o sistema jurídico como um todo se subordina ou se, ao oposto, cada ordenamento admite uma noção distinta de pessoa jurídica, sob seu próprio viés.

Tento, igualmente, compreender a talvez mais profunda reflexão do Marçal Justen Filho, qual a de que o simples uso da pessoa jurídica não deve ser considerado aprioristicamente abusivo, na medida em que a personificação é consequência da permissão lícita do ordenamento e que traz consigo o consequente sacrifício de certos interesses jurídicos.

E procuro colocar em evidência o resultado da experiência legislativa brasileira, desde a incorporação do art. 28 do Código de Defesa do Consumidor (CDC) (1991), seguida de outras tantas regras legais, incluindo o art. 50 do CC (2002), com a alteração da Lei de Liberdade Econômica (2019).

Por fim, aponto circunstância peculiar, relativa ao Direito Tributário que confirma – em maior ou menor grau – as indagações do autor quanto à conveniência de incorporação de um conceito de Direito Positivo de desconsideração da pessoa jurídica.

3 A desconsideração da personalidade societária no Direito Societário[7]

Marçal Justen Filho publicou seu trabalho sobre a chamada *disregard doctrine* a partir do que denominou ser uma formulação experimental. Ao propositalmente se afastar da abordagem realizada pelo direito comparado (especialmente importada dos Estados Unidos e da Alemanha), incorporou como proposta metodológica a experiência

---

[5] LEONARDO, Rodrigo Xavier. Revisando a teoria da pessoa jurídica na obra de J. Lamartine Corrêa de Oliveira. *Revista da Faculdade de Direito da UFPR*, Curitiba, v. 46, 2007.

[6] Ambos, em coautoria: MARQUES NETO, Floriano Peixoto; RODRIGUES JÚNIOR, Otavio Luiz; LEONARDO, Rodrigo Xavier. *Comentários à Lei da Liberdade Econômica*: Lei 13.874/2019. São Paulo: Thomson Reuters Brasil, 2019.

[7] JUSTEN FILHO. *Desconsideração da personalidade societária no Direito brasileiro*.

e a tradição brasileiras: "(...) num campo onde só se encontram colocações anômalas, o tradicionalismo é verdadeira originalidade".[8]

É a partir dessa ideia que Marçal Justen Filho desenvolve noção autêntica a respeito da pessoa jurídica e, consequentemente, do modo como seu regime jurídico pode ou deve ser afastado.

A partir da segunda metade do século passado, os debates a respeito da personificação societária passam a provocar a doutrina a respeito da utilização imprópria da pessoa jurídica.

Com apoio nesta percepção, a teoria do Direito passa a se ocupar – primeiro a partir da experiência inglesa[9] e, posteriormente, a partir das densas contribuições do Direito alemão –[10] com o tema da separação patrimonial entre as pessoas dos sócios e da pessoa jurídica e, mais especialmente, sobre podê-la ou não ser desconsiderada, desde que certos pressupostos se mostrassem presentes. Era, portanto, mantida a higidez da lei que assegurava a separação patrimonial. A correção da anomalia se dava pela aplicação de abordagem essencialmente doutrinária – e, portanto, teórica – que, no caso concreto, indicava ao aplicador do Direito ser adequado retirar eficácia do arranjo normativo posto, com o fim de atribuir responsabilidades a quem fosse encontrado escondido atrás do véu da pessoa jurídica.

É natural que a solução jurisprudencial, por conta disso, tenha vindo de modo assistemático e, justamente por conta das suas próprias contradições, tenha gerado curiosidade acadêmica e inflamados debates.

Nesse ambiente de incertezas jurídicas em que Marçal Justen Filho se encontrava, em 1986, é que sua investigação científica veio publicada. Após reflexões de elevado fundo metodológico e teórico, invocando lições de Miguel Reale[11] e de Norberto Bobbio[12] e, também, a partir da noção de funcionalização do Direito, foram por si plantadas importantes ideias e conclusões que até hoje servem de vetores do pensamento sobre a desconsideração da pessoa jurídica.

Marçal Justen Filho percebe que a própria discussão a respeito do conceito de pessoa jurídica é estéril:

> (...) [tão somente] *pessoa jurídica* é uma expressão utilizada pelo direito para indicar certas situações jurídicas. Ou seja, pessoa jurídica é, antes de tudo, uma expressão vocabular linguística que pode ser utilizada de variadas formas e para indicar conceitos distintos.[13]

Ao desenhar, com muita habilidade, as bases de sustentação doutrinária de sua compreensão sobre a noção de pessoa jurídica, Marçal Justen Filho lança olhos na direção do terreno igualmente instável da desconsideração da personalidade jurídica societária, afirmando-a ser "a ignorância, para casos concretos e sem retirar a validade de ato jurídico específico, dos efeitos da personificação jurídica validamente reconhecida

---

[8]   JUSTEN FILHO. *Desconsideração da personalidade societária no Direito brasileiro*, p. 9.

[9]   REQUIÃO, Abuso de direito e fraude através da personalidade jurídica (*disregard doctrine*).

[10] OLIVEIRA. *A dupla crise da pessoa jurídica.*

[11] REALE JÚNIOR, Miguel. *Filosofia do Direito.* 8. ed. São Paulo: Saraiva, 1978.

[12] BOBBIO, Norberto. *Dalla struttura alla funzione.* Milano: Editora di Comunità, 1977.

[13] JUSTEN FILHO. *Desconsideração da personalidade societária no Direito brasileiro*, p. 31.

a uma ou mais sociedades, a fim de evitar um resultado incompatível com a função da pessoa jurídica".[14]

Daí decorre uma lição objetiva do requisito para a desconsideração da personalidade jurídica: o seu uso deve implicar resultado incompatível com sua função – o elemento nuclear para que a solução extraordinária seja invocada.

Entre os temas investigados por Marçal Justen Filho, está a busca pelo fundamento jurídico que autorizaria a aplicação da teoria da desconsideração. A preocupação é manifestada, justamente, pela necessidade de impor limites à atuação judicial. Era (e continua sendo) muito elevada a preocupação com os limites conferidos ao juiz para decidir em que situações e com qual amplitude poderia ser aplicada a teoria da desconsideração da personalidade jurídica. É relevante sublinhar que, ao tempo da publicação de sua obra, inexistia no ordenamento jurídico brasileiro qualquer dispositivo que expressamente a afirmasse.

A base legal estaria, como bem anunciado pelo emérito homenageado, na então denominada Lei de Introdução ao Código Civil brasileiro,[15] mais especificamente em seu art. 5º: "Na aplicação da lei, o juiz atenderá aos fins sociais a que ela se dirige e às exigências do bem comum".

Marçal Justen Filho desde então proclamava que, "embora inexistente um corpo orgânico e sistematizado de disposições, as regras existentes bastam para fundamentar a afirmação de que o direito não protege a utilização abusiva da pessoa jurídica".[16]

Os enunciados de seu trabalho prosseguem com a afirmação de ser conveniente – em matéria tributária com mais veemência – a existência de disposição legislativa com a finalidade de, justamente, estabelecer os limites dentro dos quais a despersonificação haveria de ser reconhecida. Conclui, a certa altura de suas lições: "É imperioso que, embora adotando a teoria da desconsideração, haja uma definição muito clara dos pressupostos para evitar profunda insegurança jurídica".[17]

A cuidadosa atenção que Marçal Justen Filho dedicou ao tema – em ambiente no qual não havia senão soluções jurisprudenciais (desprovidas de sistematização, como dito) – desvendou-se com a promulgação do CDC, editado apenas quatro anos após a publicação do inédito trabalho do professor paranaense aqui homenageado.[18] O sempre muito comentado art. 28 do CDC inaugurou, no Direito Positivo brasileiro, regra dedicada exclusivamente à desconsideração da personalidade jurídica, quando necessária à preservação de direitos protegidos pelo referido Código.

Há muitas lições a serem extraídas da disciplinada obra de Marçal Justen Filho. Para os limites deste breve apanhado, tomo a liberdade de eleger duas de suas conclusões.

A primeira, por ele capturada das lições de Norberto Bobbio (*Dalla struttura alla funzione*), segundo a qual a desconsideração da personalidade jurídica societária dependeria de um enfoque funcionalista do fenômeno jurídico, "tendo em vista um

---

[14] JUSTEN FILHO. *Desconsideração da personalidade societária no Direito brasileiro*, p. 155.

[15] Hoje Lei de Introdução às Normas do Direito Brasileiro (LINDB) (Decreto-Lei nº 4.657/1942).

[16] JUSTEN FILHO. *Desconsideração da personalidade societária no Direito brasileiro*, p. 118.

[17] JUSTEN FILHO. *Desconsideração da personalidade societária no Direito brasileiro*, p. 119. Parece conveniente registrar que, mesmo após a consagração dos textos legislativos a respeito da desconsideração, paira, em certa medida, a insegurança jurídica.

[18] O CDC foi promulgado em 11 de setembro de 1990, com vigência a partir de março de 1991.

resultado indesejável. Esse resultado consiste no sacrifício de um interesse tutelado pelo direito, causado pelo regime correspondente à pessoa jurídica".[19]

A segunda, relativa à figura do abuso da personalidade jurídica. O autor afirma que o abuso da personalidade jurídica

> indica o sacrifício de um interesse jurídico, que é valorado como insacrificável. Ou melhor, é valorado como mais desejável do que o interesse existente na manutenção da eficácia da personificação societária. Isso significa que quanto mais desejável ou preferível determinado interesse, tanto mais ampla será a incidência da desconsideração.[20]

O emprego contrário à sua função e o abuso no uso da pessoa jurídica estão, em meu muito modesto modo de compreender, entre as importantes constatações de Marçal Justen Filho. Ambas têm o propósito de provocar o intérprete e o juiz a refletirem sobre a questão dos valores jurídicos envolvidos e, especialmente, sobre quais interesses tutelados pelo direito devem ser sacrificados no caso concreto, para que a desconsideração seja aplicada.

O exame apressado das ideias de Marçal Justen Filho poderia conduzir à conclusão de que são propostas cuja relevância seria compatível com a época em que foram formuladas. Diante das previsões legais atuais, de Direito Material e de Direito Processual, teriam perdido sua importância.

Ver-se-á que não. Mesmo diante da vasta produção científica e da não menos volumosa quantidade de julgados, algumas indagações de cunho metodológico persistem e atormentam a doutrina.

4 O abuso *abusivo*

Segundo Marçal Justen Filho, em um contexto anterior ao CC de 2002 e ao seu art. 187, não seria qualquer abuso que justificaria a desconsideração da personalidade jurídica. Seu pensamento decorre da aguda percepção de que o ordenamento jurídico "não apenas aceita como incentiva a criação de pessoa jurídica para o sócio impedir o acesso dos credores ao seu patrimônio pessoal. Assim, a insolvência da sociedade recairá sobre os credores, que não poderão dispor do patrimônio particular do sócio".[21] A limitação da responsabilidade conteria, ela própria, cunho de abusividade, quando contraposta à situação anteriormente vigente de inexistência da personificação.

Essa observação é verdadeira. A personificação é instrumento incentivado pelo Estado para a promoção e o fomento da atividade econômica. Instituições de crédito voltadas ao exercício da atividade empresarial declaram-se mais seguras na realização de operações envolvendo sociedades personificadas, colhendo a garantia pessoal dos sócios, na ampla maioria das vezes. A organização da atividade empresarial pode ser mais bem realizada por meio de sociedades personificadas. Em todas essas situações, a personificação funciona como mecanismo de promoção da atividade econômica.

---

[19] JUSTEN FILHO. *Desconsideração da personalidade societária no Direito brasileiro*, p. 156, conclusão 3.

[20] JUSTEN FILHO. *Desconsideração da personalidade societária no Direito brasileiro*, p. 156, conclusão 7.

[21] JUSTEN FILHO. *Desconsideração da personalidade societária no Direito brasileiro*, p. 120.

Segundo o especial enfoque do autor, todas elas representam utilização abusiva da personalidade jurídica, frente ao quadro de inexistência da personificação. "A teoria da desconsideração envolve, por assim dizer, um abuso *abusivo* na utilização da pessoa jurídica. E isso porque há abusos não abusivos, suportáveis e impostos pelo direito".[22] Em seu modo de ver, a teoria da desconsideração só poderia ser aplicada nos casos de abuso não permitido (afirma aquele não aceito pelo direito e pela comunidade). E conclui essa ideia: "[Isso significa que] a utilização da sociedade como simples instrumento de limitação da responsabilidade pessoal do sócio, embora se configure como 'abusiva' sob um ângulo, não adquire caráter de 'abuso' para incidência da desconsideração".[23]

É notável a coerência metodológica adotada pelo autor, apoiando parte de suas ideias nas lições de Bobbio. Marçal Justen Filho, ao tempo de suas reflexões sobre a desconsideração da pessoa jurídica, não tinha à sua disposição outra coisa senão as lições da doutrina e um punhado de decisões judiciais desordenadas. Recorreu, portanto, à teoria do Direito e à genialidade do referido autor italiano – além de sua própria. Percebeu que os defeitos meramente estruturais não seriam suficientes para que a desconsideração fosse aplicada. Colocou em evidência em sua fórmula teórica que o afastamento da personalidade jurídica dependeria do descumprimento de sua função.[24]

Ver-se-á que essas lições cabem na tentativa de dar vida aos dispositivos de lei atualmente vigentes.

5 A inexistência de uma única noção de pessoa jurídica

Marçal Justen Filho, no ambiente ainda árido pelo qual caminhava, entendia inexistir um conceito único de pessoa jurídica. Ao contrário, indicava ser da essência do instituto sua adaptação aos diversos ambientes jurídicos aos quais estivesse exposto. Tanto assim que afirmava ser defensável a ideia de existir uma noção de pessoa jurídica distinta para cada "região" do ordenamento jurídico. Disse:

> Não se afirma, com isso, uma compartimentalização do direito em ramos autônomos, o que seria absurdo. O direito é um conjunto de normas e princípios entre si interligados. Entretanto, há princípios e normas diversas e distintas regendo essas "regiões" do ordenamento jurídico. Essa diversidade reflete-se, também, no tocante ao instituto da pessoa jurídica, que apresenta extensão inconfundível em cada ramo do direito.[25]

Por essa razão, utiliza como método de sustentação de sua concepção a comparação entre dois ramos do Direito que, por sua natureza, exigem do legislador e do

---

[22] JUSTEN FILHO. *Desconsideração da personalidade societária no Direito brasileiro*, p. 121.

[23] JUSTEN FILHO. *Desconsideração da personalidade societária no Direito brasileiro*, p. 123.

[24] Nas linhas dedicadas à exploração desta ideia, Marçal Justen Filho (*Desconsideração da personalidade societária no Direito brasileiro*, p. 135) assim registrou: "[Insistimos, sempre e antes de tudo, em que] a desconsideração não pode ter pressupostos de cunho 'estrutural'. Ao contrário, seus pressupostos têm sempre natureza 'funcional'. Quer isso significar que se aplica a desconsideração não por um defeito na estrutura da sociedade e, sim, por um 'defeito' quanto à sua utilização. Só pode ser assim porque a justificativa jurídica para a desconsideração reside justamente em ocorrer um descompasso entre a função abstratamente prevista para a pessoa jurídica e a função que ela concretamente realiza".

[25] JUSTEN FILHO. *Desconsideração da personalidade societária no Direito brasileiro*, p. 100.

juiz atenção a valores e interesses jurídicos particulares e opostos. Assim, o Direito do Trabalho apresenta como bem jurídico de maior valor a proteção do empregado. Vale dizer, seria, em tese, aceitável quase qualquer sacrifício, diante do princípio maior de proteção do trabalhador.[26] O Direito Tributário, a seu turno, traria consigo a exigência de observância de outra principiologia, incluindo a restrita observância do princípio da legalidade. Nesse ponto, a perspicácia de Marçal Justen Filho novamente se revela. Diz ele que a noção de pessoa jurídica e, consequentemente, as bases para a despersonificação nesse ambiente estrito, até seriam possíveis de se cogitar no Direito Tributário. Para tanto, todavia, haveria o legislador que optar por um regime especial próprio para a pessoa jurídica, distinto do Direito Privado. Concluiu:

> (...) Silente a lei, omisso o legislador, seria impossível ao aplicador do direito invocar a teoria da desconsideração societária, pois isso conduziria a um resultado incabível. Ou seja, aplicar-se-ia a obrigação tributária a pessoa distinta daquela indicada pela lei ou, então, verificar-se-ia o nascimento da obrigação tributária pela prática de conduta que não corresponderia ao modelo abstrato contido na hipótese de incidência tributária.[27]

O método de contrapor os extremos, a partir dos ramos do Direito escolhidos por Marçal Justen Filho, torna a compreensão de suas ideias tarefa mais fácil, porquanto cada um destes microssistemas jurídicos deixa evidente os interesses jurídicos que cada qual protege e o grau de sacrifícios necessários para que a personalidade jurídica seja afastada quando utilizada de modo abusivo.

6 O art. 28 do CDC

Não é necessária a leitura exauriente e atenciosa do texto do artigo 28 do CDC para visualizar, em seu núcleo, o vetor funcional apontado por Marçal Justen Filho. Basta, a tanto, a disposição do §5º do referido artigo: "Também poderá ser desconsiderada a pessoa jurídica sempre que sua personalidade for, de alguma forma, obstáculo ao ressarcimento de prejuízos causados aos consumidores". É curioso o modo escolhido pelo legislador. Tem-se a impressão de que, ao tratar das hipóteses de desconsideração – todas elogiáveis – poderia alguma base fática lhe ter escapado. Na dúvida, a inserção do dispositivo do art. 28, §5º, faria o papel de filtro polarizador e completaria eventual falha da lista (que, ademais, se tornou enumerativa, justamente pela ampliação produzida pelo mencionado §5).

Tal como no Direito do Trabalho, o Direito do Consumidor deixa evidente a eleição da proteção dos interesses jurídicos dos consumidores como valor prioritário a ser preservado. Segundo Marçal Justen Filho, acaso projetasse o dispositivo sob a luz de suas lições, os sacrifícios decorrentes da rejeição da norma geral (a preservação da separação patrimonial) seriam justificáveis diante da funcionalidade da norma dos consumidores.

---

[26] JUSTEN FILHO. *Desconsideração da personalidade societária no Direito brasileiro*, p. 107.

[27] JUSTEN FILHO. *Desconsideração da personalidade societária no Direito brasileiro*, p. 108.

Há, também, cabimento integral da ideia de que existem múltiplos modos de concepção da noção de pessoa jurídica, tantos quantos sejam os microssistemas, compostos por disciplinas jurídicas autônomas. No caso do Direito do Consumidor, a explicação é relativamente simples. Trata-se de um corpo de normas jurídicas de ordem pública (art. 1º, CDC) e que se aplica às chamadas relações jurídicas de consumo. Em linha com a disciplina jurídica que as regula, o CDC afirma que, para restar configurada uma relação jurídica de consumo, devem estar presentes um consumidor (por quaisquer de seus quatro enunciados legais), um fornecedor e, ainda, a exigência teleológica (finalística do art. 2º, CDC). Desse modo, a aplicação da desconsideração da personalidade jurídica segundo a regra do art. 28 (seja sob a modulação específica, seja sob a regra geral do seu §5º) somente se aplica quando presentes os elementos que admitem a força de atração da lei especial de proteção do consumidor. Segundo o pensamento de Marçal Justen Filho, as bases e fundamentos para aplicação do art. 28 seriam cativos do Direito do Consumidor. Estariam presentes, portanto, os fundamentos para que a noção de pessoa jurídica (e de sua desconsideração) fossem objeto de tratamento especial por parte da lei consumerista.

Daí por que, em tudo quanto originalmente apontado pelo pensamento de Marçal Justen Filho, a norma de proteção do consumidor guarda cuidado ao aspecto funcional sublinhado em sua obra, de 1986.

7 A regra geral do art. 50 do CC

A desconsideração da personalidade jurídica passa, necessariamente, por registros, ainda que genéricos, a respeito da noção de pessoa jurídica. Viu-se anteriormente que, para Marçal Justen Filho, a expressão vocabular que remete à noção de pessoa jurídica é ampla e deve se adaptar aos ramos ou regiões do Direito que dela necessitem. Haveria, portanto, espaço para uma noção de pessoa jurídica própria por parte do Direito Comercial, do Direito do Trabalho e do Direito Tributário.[28] Do mesmo modo, em se tratando de desconsideração da pessoa jurídica, cada ramo deveria conter regras especiais, acomodadas à intensidade de sacrifícios de interesses jurídicos que lhes fossem próprios.

A evolução do instituto da pessoa jurídica (e, consequentemente, de sua desconsideração), a partir da primeira versão do art. 50 do CC, no entanto, provocou a ideia (apenas aparentemente correta) de que a previsão do Direito Privado haveria de ser útil a toda e qualquer projeção da noção de pessoa jurídica, na direção de outras disciplinas legais.

Com o advento da Lei da Liberdade Econômica e a introdução do art. 49-A do CC, especialmente de seu parágrafo único, inaugura-se no Direito Positivo brasileiro o pensamento teórico antes difundido por Marçal Justen Filho, no sentido de que a pessoa jurídica, por si só, já traz consigo os benefícios identificados pelo Estado para a sua criação e utilização, com o correspondente sacrifício de outros interesses jurídicos, descartados (*contrario sensu*) pela mesma norma. Vale reproduzir o dispositivo legal incorporado ao Direito Civil brasileiro:

---

[28] Foram opções exemplificativas do autor, obviamente voltadas a ilustrar suas conclusões.

Art. 49-A. (...)

Parágrafo único. A autonomia patrimonial das pessoas jurídicas *é um instrumento lícito de alocação e segregação de riscos*, estabelecido pela lei com a finalidade de *estimular empreendimentos, para a geração de empregos, tributo, renda e inovação em benefício de todos*".[29]

É, ademais, típico modelo de norma promocional, conceito central da antes referida obra de Bobbio.

Aí está, com todas as letras, a base da excepcionalidade da desconsideração da pessoa jurídica, pois o legislador, por opção, entendeu que a estimulação de empreendimentos, geração de empregos, tributos, renda e inovação se sobrepõem a certos direitos, cujas limitações são permitidas ou até mesmo incentivadas pelo ordenamento jurídico.

O art. 50, na versão de 2019 (Lei da Liberdade Econômica), ressalta a exigência da utilização abusiva da pessoa jurídica, mas restringe a caracterização do abuso a duas únicas hipóteses: o desvio de finalidade ou a confusão patrimonial. A própria lei, em parágrafos ao art. 50, define o que é e o que não é desvio de finalidade, além de estabelecer os fundamentos da confusão patrimonial. Em linhas gerais, o art. 50 do CC veio atento a duas lições que fundamentam a obra de Marçal Justen Filho. O abuso deve ser *abusivo*, no sentido de que a lei civil reconhece a necessidade de que certos interesses sejam sacrificados, em benefício da separação patrimonial preconizada pela pessoa jurídica (art. 49-A, CC); e, além disso, encontra no desvio de finalidade um componente significativo da *função* a ser desempenhada pela pessoa jurídica, de tal modo a ser desconsiderada diante de inequívoco *desvio de sua função*.

Já com relação ao conceito de confusão patrimonial parece não haver coincidência entre a percepção de Marçal Justen Filho e o resultado encontrado pelo legislador. É que, segundo bem analisado em sua obra, aspectos estruturais relativos à pessoa jurídica, ainda que defeituosos, não estariam entre as hipóteses que autorizariam a desconsideração.[30]

Vejo razão na lição do autor homenageado. De fato, há na noção de pessoa jurídica a ideia de autonomia patrimonial. Não se pode, nem por isso, imaginar que toda e qualquer confusão patrimonial (elemento decorrente da estruturação societária) conduza à sua ilicitude. Há situações concretas que não representam ilicitude, não obstante possam se confundir com a ideia de confusão patrimonial. É de se exigir, portanto, que

---

[29] Sobre a amplitude da noção de pessoa jurídica, Rodrigo Xavier Leonardo (Revisando a teoria da pessoa jurídica na obra de J. Lamartine Corrêa de Oliveira, p. 256-257) assim se pronunciou: "Nesse aspecto, é de se considerar que a pessoa jurídica é um privilegiado exemplo de um instituto de direito privado, moldado no Código Civil, que se projeta para todo o ordenamento, com impacto não apenas para as relações jurídico-privatísticas, mas também para as relações jurídico-publicísticas".

[30] Marçal Justen Filho (*Desconsideração da personalidade societária no Direito brasileiro*, p. 135-136) assim se posicionava a respeito: "A desconsideração não é um remédio para um defeito na criação ou manutenção da sociedade personificada. Bem por isso, seus pressupostos devem-se vincular à desnaturação funcional. O fundamento da desconsideração é o abuso funcional na utilização da pessoa jurídica, de molde a provocar um resultado incompatível, no caso concreto, com a previsão abstrata visualizada pelo ordenamento (...). Assim sendo, excluímos relevo a algumas circunstâncias nitidamente estruturais (...). Assim, a dita *confusão patrimonial* não consiste, por si só, em pressuposto da desconsideração. O raciocínio de que a desconsideração é a resposta adequada à confusão patrimonial entre a pessoa jurídica e a pessoa física não é, a nosso ver, convincente nem cientificamente correto".

os dispositivos processuais permitam sejam apartadas, conforme o caso concreto, as circunstâncias que podem, em tese, conduzir a que a confusão patrimonial seja uma *confusão patrimonial realmente abusiva*.[31]

Daí decorre a importância de que, na investigação dos fatos que possam indicar a necessidade de desconsideração da pessoa jurídica, proporcionado às partes amplo contraditório, garantindo a incidência de luzes muito claras sobre os fatos (e não dúvidas ou meras presunções), além da certeza quanto ao preenchimento dos pressupostos para a desconsideração.

Vê-se que, mesmo após previsão legal, a aplicação da desconsideração da personalidade jurídica cobra do operador de Direito exercício hermenêutico e atenção à metodologia utilizada por Marçal Justen Filho.

A excepcionalidade da medida, cravada no texto do art. 50 do CC, em muito se aproxima da visão de Marçal Justen Filho: há restrições para o uso amplo da figura da desconsideração, reservada e limitada às hipóteses fechadas no enunciado do referido dispositivo legal. A regra legal serve, ademais, à limitação da atuação do juiz (um dos defeitos atribuídos aos enunciados teóricos, abertos e indeterminados) para aplicar a desconsideração.

8 A desconsideração no Direito Tributário

Como antes visto, Marçal Justen Filho admite, em tese, a desconsideração da personalidade jurídica em matéria tributária, desde que essa seja a opção do legislador. Não é o caso do sistema tributário brasileiro. Os debates a respeito da admissibilidade da ruptura extraordinária da personalidade jurídica são acalorados. Não há como escapar, no entanto, do princípio da legalidade e da tipicidade fechada da norma tributária. Em seu modo de ver,

> (...) a imposição tributária produz um sacrifício da propriedade individual em prol do Estado (ou de alguém por ele indicado). O tributo significa a apropriação de uma parcela da riqueza particular por parte do Estado, sem outro fundamento jurídico senão a simples existência da mesma riqueza. O tributo não encontra fundamento nem na noção de ilicitude, nem na ideia de comutatividade.[32]

A admissão da desconsideração da personalidade jurídica em matéria tributária encontra barreiras principiológicas e legais, desde a Constituição Federal até o próprio Código Tributário Nacional (CTN). Como bem examinado pelo autor homenageado, o Direito Tributário exige que, diante do conflito entre os interesses do Estado e do contribuinte, a norma jurídica o resolva em benefício deste. É justamente o que fazem a Constituição Federal e o CTN.

---

[31] Disse Marçal Justen Filho (*Desconsideração da personalidade societária no Direito brasileiro*, p. 138), adicionalmente: "O máximo que se pode pretender é a confusão patrimonial tomada como um indício de abuso da pessoa jurídica. Vale dizer, o mau uso da pessoa jurídica não consiste na confusão patrimonial, mas a confusão patrimonial é (ou pode ser) uma decorrência do mau uso da pessoa jurídica. Ou seja, produz-se a confusão patrimonial por causa do mau uso".

[32] JUSTEN FILHO. *Desconsideração da personalidade societária no Direito brasileiro*, p. 107.

Certa parte da doutrina tributarista pretende que a desconsideração da pessoa jurídica em matéria tributária ganhe acesso ao ambiente da recuperação de tributos por meio do art. 116, CTN, parágrafo único:

(...).

(...) A autoridade administrativa poderá desconsiderar atos ou negócios jurídicos praticados com a finalidade de dissimular a ocorrência do fato gerador do tributo ou a natureza dos elementos constitutivos da obrigação tributária, observados os procedimentos a serem estabelecidos em lei ordinária.

Parece evidente que o instrumento conferido à autoridade administrativa em nada se confunde com a desconsideração da personalidade jurídica. Trata-se de permissão legal objetiva para investigação-simulação (ou dissimulação) quanto à ocorrência do fato gerador ou dos elementos da obrigação tributária. Em nada se assemelha à figura da desconsideração da pessoa jurídica sob o manto do Direito Privado.

Na esteira do que Marçal Justen Filho escreveu – já se disse –, a desconsideração em matéria tributária até pode se mostrar possível, desde que essa seja a opção do legislador. A interpretação enviesada, com lastro no artigo 116, CTN, deve ser repelida.

Melhor sorte teria o doutrinador tributário se escolhesse como arrimo de seu pensamento outros dispositivos vizinhos ao 116, CTN. Em primeiro, a sujeição passiva da obrigação tributária (art. 121, CTN), que não pode ser estendida para fora das hipóteses que a lei prevê (por exemplo, art. 135, CTN). Em segundo, o art. 110, que assegura ao contribuinte a impossibilidade de que o sentido e o alcance dos institutos de Direito Privado sejam alterados em benefício da imposição tributária. Enquanto não prevista em lei própria (o que Marçal Justen Filho entende ser teoricamente possível), nada há que se falar em modificar o conceito de pessoa jurídica (ou o da sua desconsideração) para fins tributários.

Em outro modo de referir, o regime do Direito Privado deve ser acolhido pelo Direito Tributário, em tudo quanto determine o art. 110, CTN.

Tome-se o exemplo de uma sociedade empresária que, por motivos eleitos por um determinado credor, tenha figurado como demandada em um incidente de desconsideração da pessoa jurídica. A decisão do juiz cível, no contexto de amplo contraditório e investigação probatória robusta, veio no sentido de não reconhecer o uso abusivo (por nenhuma de suas formas) da personalidade jurídica, rejeitando, portanto, o IDPJ.

Anos mais tarde, com base nos mesmos fatos, a Fazenda Pública, no processo de execução fiscal, promove um novo IDPJ, procurando a obtenção do reconhecimento do abuso da pessoa jurídica, com fundamento no art. 50 do CC.

Este quadro, aos olhos de Marçal Justen Filho, não se sustentaria, porquanto inexiste (ainda hoje é assim) regra integrante do sistema jurídico tributário que discipline, de modo expresso, a desconsideração da personalidade jurídica.

Vale dizer, a autoridade fazendária somente pode se utilizar dos instrumentos (que não são poucos) colocados à disposição pela lei tributária. Ainda que o juiz cível tivesse reconhecido a utilização abusiva da pessoa jurídica, o juiz do caso tributário não poderia aproveitar as razões por lá utilizadas, justamente pela ausência de regra específica para tanto.

A propósito, convém registrar que está pendente de julgamento no Superior Tribunal de Justiça (STJ), pela Primeira Seção, o Tema nº 1209, que trata da

definição acerca da (in)compatibilidade do Incidente de Desconsideração de Personalidade Jurídica, previsto no art. 133 e seguintes do Código de Processo Civil, com o rito próprio da Execução Fiscal, disciplinado pela Lei nº 6.830/1980 e, sendo compatível, identificação das hipóteses de imprescindibilidade de sua instauração, considerando o fundamento jurídico do pleito de redirecionamento do feito executório.

Os argumentos contrapostos nos acórdãos conflitantes estão, por acaso, relaciona- dos, indiretamente, ao debate sobre a possibilidade da desconsideração da personalidade jurídica em matéria tributária, porquanto a decisão do STJ relativa a esse Tema nº 1.209 irá resolver, precisamente, sobre a necessidade ou não de que a lei tributária trate, especialmente, do incidente de desconsideração da personalidade jurídica.

9 Considerações finais

A primeira disciplina acadêmica de Marçal Justen Filho, na Faculdade de Direito da UFPR, foi Introdução ao Estudo do Direito. Recém-saído dos bancos da Faculdade, Marçal Justen Filho, desde o início de sua jornada acadêmica, aprendeu a importância dos fundamentos da teoria geral do Direito, trafegando com conforto pelos caminhos da metodologia, da epistemologia e da hermenêutica jurídicas.

O apego à disciplina de trabalho, imposta ao teórico do Direito, cresceu e se inten- sificou, conduzindo o ilustre homenageado à vasta produção jurídica, em múltiplas áreas (teoria geral do Direito, Direito Tributário, Direito Comercial, Direito Administrativo e Direito Constitucional, dentre outras). A lógica extraída dos elementos teóricos, aplicada aos fatos, carentes de valoração, no entanto, sempre estiveram presentes no pensamento de Marçal Justen Filho, confesso seguidor da filosofia do Direito professada pelo sempre admirado Miguel Reale.

As lições de Marçal Justen Filho são fáceis de compreender, tanto pelos méritos de dedicado professor quanto pela objetividade com que, atento à realidade, resolve as equações jurídicas que com tanto conforto as enfrenta.

Estas singelas anotações expressam o agradecimento pessoal ao tanto de bem que Marçal Justen Filho tem feito ao Direito e à vida dos direitos.

Referências

BOBBIO, Norberto. *Dalla struttura alla funzione*. Milano: Editora di Comunità, 1977.

CASILLO, João. Desconsideração da pessoa jurídica. *Revista dos Tribunais*, São Paulo, v. 528, 24 out. 1979.

JUSTEN FILHO, Marçal. *Desconsideração da personalidade societária no Direito brasileiro*. São Paulo: Revista dos Tribunais, 1987.

LEONARDO, Rodrigo Xavier. Revisando a teoria da pessoa jurídica na obra de J. Lamartine Corrêa de Oliveira.

Revista da Faculdade de Direito da UFPR, Curitiba, v. 46, 2007.

MARQUES NETO, Floriano Peixoto; RODRIGUES JÚNIOR, Otavio Luiz; LEONARDO, Rodrigo Xavier. *Comentários à Lei da Liberdade Econômica*: Lei 13.874/2019. São Paulo: Thomson Reuters Brasil, 2019.

OLIVEIRA, José Lamartine Corrêa de. *A dupla crise da pessoa jurídica*. São Paulo: Saraiva, 1979.

REALE JÚNIOR, Miguel. *Filosofia do Direito*. 8. ed. São Paulo: Saraiva, 1978.

REQUIÃO, Rubens. Abuso de direito e fraude através da personalidade jurídica (*disregard doctrine*). *Revista dos Tribunais*, São Paulo, v. 410, n. 12, dez. 1969.

Informação bibliográfica deste texto, conforme a NBR 6023:2018 da Associação Brasileira de Normas Técnicas (ABNT):

HAPNER, Carlos Eduardo Manfredini. Anotações sobre a contribuição de Marçal Justen Filho para a consolidação do instituto da desconsideração da personalidade jurídica no Direito brasileiro. *In*: JUSTEN, Monica Spezia; PEREIRA, Cesar; JUSTEN NETO, Marçal; JUSTEN, Lucas Spezia (coord.). *Uma visão humanista do Direito*: homenagem ao Professor Marçal Justen Filho. Belo Horizonte: Fórum, 2025. v. 3, p. 43-56. ISBN 978-65-5518-915-5.

INAPLICABILIDADE DO REGIME FALIMENTAR ÀS EMPRESAS ESTATAIS

CLAUDIA APARECIDA DE SOUZA TRINDADE

IVO CORDEIRO PINHO TIMBÓ

1 Introdução

Inicialmente, cabe registrar que a discussão relativa à possibilidade de aplicação ou não do regime falimentar às empresas estatais brasileiras é antiga e bastante controversa na doutrina, remontando ao debate acerca da constitucionalidade do art. 242 da Lei nº 6.404/1976 (revogado pela Lei nº 10.303/2001), que determinava não estarem as sociedades de economia mista sujeitas à falência, admitindo, porém, a penhora e execução de seus bens, além de reconhecer a responsabilidade subsidiária do ente público que a controlava pelas obrigações da companhia.[1]

Sobre esse aspecto, observa-se que, mesmo sob a égide da Constituição Federal de 1967, parte da doutrina já sustentava, e a despeito do disposto no art. 242 da Lei das Sociedades por Ações (LSA), a submissão de empresas estatais exploradoras de atividade econômica ao instituto falimentar, porquanto o seu art. 163, §2º, estabelecia que, "na exploração, pelo Estado, da atividade econômica, as empresas públicas, as autarquias e sociedades de economia mista reger-se-ão pelas normas aplicáveis às empresas privadas, inclusive quanto ao direito do trabalho e das obrigações".

De igual modo, essa polêmica persistiu com a promulgação da Constituição Federal de 1988, uma vez que a original redação do art. 173, §1º, continuou a sujeitar as empresas estatais que exploram atividade econômica à incidência do regime jurídico

---

[1] "Art. 242. As companhias de economia mista não estão sujeitas a falência, mas os seus bens são penhoráveis e executáveis, e a pessoa jurídica que a controla responde, subsidiariamente, pelas suas obrigações" (BRASIL. Lei nº 6.404, de 15 de dezembro de 1976. Dispõe sobre as Sociedades por Ações. *Diário Oficial da União*: Brasília, DF, 1976. Disponível em: https://www.planalto.gov.br/ccivil_03/leis/l6404consol.htm. Acesso em: 19 ago. 2024).

próprio das empresas privada, tendo significativa parcela da doutrina defendido a não recepção da norma societária em comento (art. 242, da LSA).[2]

Por sua vez, a revogação do referido art. 242 da Lei nº 6.404/1976 revigorou a celeuma ao reforçar a posição daqueles que reconheciam a subordinação das empresas estatais ao processo falimentar, mormente em relação às companhias estatais exploradoras de atividade econômica em regime concorrencial, ao argumento de que elas não poderiam desfrutar de tratamento privilegiado frente às empresas privadas.[3]

Com a edição da Lei nº 11.101/2005, buscou-se pacificar a matéria no campo legal, na medida em que o art. 2º, I, expressa e explicitamente, excluiu as empresas públicas e as sociedades de economia mista da aplicação da novel e vigente disciplina sobre a recuperação judicial, a recuperação extrajudicial e a falência do empresário e da sociedade empresária.

Além da questão em evidência continuar a gerar opiniões divergentes no meio doutrinário, salienta-se que o assunto foi recentemente posto à análise do Supremo Tribunal Federal (STF), no Recurso Extraordinário nº 1.249.945, que teve repercussão geral reconhecida pela Suprema Corte, nos seguintes termos: "Tema nº 1.101 - Aplicação do regime de falência e recuperação judicial, previsto na Lei nº 11.101/05, às empresas estatais".

Com efeito, convém realçar que, hodiernamente, a controvérsia sobre a submissão ou não das empresas estatais ao regime privado falimentar *lato sensu* (que abrange tanto a regulação da falência propriamente dita como os institutos jurídicos das recuperações judicial e extrajudicial), gira em torno da regra disposta no art. 2º, I, da Lei nº 11.105/2005, notadamente quando confrontada com a norma prescrita no art. 173, §1º, II, da Constituição Federal (CF) de 1988.

Ademais, vale repisar, inclusive consoante pontuado no voto do Ministro Relator que reconheceu a repercussão geral do tema,[4] que essa discussão tem cunho eminentemente doutrinário, podendo-se, então, condensar as posições sobre o assunto em três principais correntes:

---

[2] Quanto à divergência de entendimentos doutrinários, ver: CARVALHO FILHO, José dos Santos. *Manual de Direito Administrativo*. 33. ed. Rio de Janeiro: Atlas, 2019. p. 493.

[3] Nesse sentido, Hely Lopes Meirelles (*Direito Administrativo Brasileiro*. 28. ed. São Paulo: Malheiros, 2003. p. 353) assevera que "hão de ser distinguidas, aqui, as empresas exploradoras de atividade econômica das que prestam serviço público. As primeiras, quer sejam empresas públicas, quer sociedades de economia mista, ficam sujeitas a falência, pois é preceito constitucional sua submissão ao regime jurídico próprio das empresas privadas, inclusive quanto aos direitos e obrigações civis e comerciais (CF, art. 173, §1º, II). De igual modo, não responde a entidade criadora, nem mesmo subsidiariamente, pelas obrigações da sociedade falida. (...) Caso contrário, a empresa estatal exploradora de atividade econômica apresentar-se-ia ao mercado em grande vantagem sobre a empresa privada, o que o dispositivo constitucional pretendeu coibir". Na mesma linha, Celso Bandeira de Mello (*Curso de Direito Administrativo*. 32. ed. São Paulo: Malheiros, 2014. p. 210) afirma: "(...) como são entidades compostas com forma mercantil [sociedades de economia mista] não há dúvidas de que podem vir a desaparecer em decorrência da falência. Sem embargo, no curso da falência terá de haver uma diferença de tratamento conforme se trate de exploradoras de atividade econômica ou prestadoras de atividade pública (serviços ou obras públicas). Quando se tratar de exploradoras de atividade econômica a falência terá curso absolutamente normal, como se de outra entidade mercantil qualquer se tratara. É que a Constituição, no art. 173, §1º, II, atribuiu-lhes sujeição "ao regime próprio das empresas privadas inclusive quanto aos direitos e obrigações civis, comerciais (...). Assim, disto se deduz também que o Estado não poderia responder subsidiariamente pelos créditos de terceiros que ficassem a descoberto, pois se o fizesse, estaria oferecendo-lhes um respaldo de que não desfrutam as demais empresas privadas".

[4] Disponível em: https://redir.stf.jus.br/estfvisualizadorpub/jsp/consultarprocessoeletronico/ConsultarProcesso Eletronico.jsf?seqobjetoincidente=5830583. Acesso em: 19 ago. 2024.

(i)   A primeira sustenta a total inconstitucionalidade do art. 2º, I, da Lei nº 11.105/2005, a partir de uma interpretação ampliativa da regra presente no art. 173, §1º, II, da CF, asseverando que todas as empresas públicas e sociedades de economia mista, por terem personalidade jurídica de direito privado, devem seguir o mesmo regime jurídico das empresas privadas;[5]

(ii) A segunda, por sua vez, defende uma interpretação conforme a Constituição do disposto no art. 2º, I, da Lei nº 11.105/2005, de modo a limitar a sua aplicação apenas às empresas estatais prestadoras de serviços públicos; devendo, porém, aquelas que exercem atividade econômica em sentido estrito ser submetidas, nos termos do art. 173, §1º, II, da CF, ao regime próprio das empresas privadas, inclusive quanto aos direitos e obrigações comerciais, o que abrangeria a sua sujeição ao regime privado falimentar;[6]

(iii) Já a terceira corrente afirma a plena constitucionalidade do referido art. 2º, inciso I, da Lei nº 11.105/2005, que expressamente exclui da aplicação do regime de falência e recuperação judicial e extrajudicial as empresas públicas e sociedades de economia mista, independentemente de serem prestadoras de serviços públicos ou exploradoras de atividade econômica em sentido estrito.[7]

Posto isso, tem o presente estudo o propósito de averiguar a pertinência e a validade jurídica de cada um desses principais entendimentos doutrinários, considerando, em especial, a jurisprudência da Suprema Corte em temas correlatos, bem como perquirindo o alcance da controvérsia para além da tradicional e dicotômica classificação das empresas estatais em prestadoras de serviço público e exploradoras de atividade econômica.

2 Análise jurídica da primeira corrente doutrinária

Em relação à primeira corrente, verifica-se que, ao interpretar ampliativamente o teor do art. 173, §1º, II, da CF – defendendo a incidência do regime jurídico das empresas privadas a qualquer tipo de sociedade empresária estatal, seja empresa pública

---

[5]   Ver: BORBA, José Edwaldo Tavares. *Direito Societário*. 17. ed. Rio de Janeiro: Atlas, 2019. p. 485; PERIN JÚNIOR, Écio. *Curso de Direito Falimentar e recuperação de empresas*. 3. ed. São Paulo: Método, 2006. p. 77; VALVERDE, Miranda. *Comentários à Lei de Falências*. Rio de Janeiro: Forense, 1999. v. 1, p. 18; VERÇOSA, Haroldo Malheiros Duclerc. Das pessoas sujeitas e não sujeitas aos regimes de recuperação de empresas e ao da falência. *In*: PAIVA, Luiz Fernando Valente de (coord.). *Direito Falimentar e a nova Lei de Falências e recuperação de empresas*. São Paulo: Quartier Latin, 2000. p. 102.

[6]   Ver: BANDEIRA DE MELLO. *Curso de Direito Administrativo*, p. 210; CARVALHO FILHO. *Manual de Direito Administrativo*, p. 540; DI PIETRO, Maria Sylvia Zanella. *Direito Administrativo*. 32. ed. Rio de Janeiro: Forense, 2019. p. 586; GASPARINI, Diógenes. *Direito Administrativo*. 17. ed. São Paulo: Saraiva, 2011. p. 496; MEIRELLES, Hely Lopes. *Direito Administrativo brasileiro*. 28. ed. São Paulo: Malheiros, 2003. p. 353.

[7]   Ver: ARAGÃO, Alexandre Santos de. *Empresas estatais*. 2. ed. Rio de Janeiro: Forense, 2018. p. 268; BEMQUERER, Marcos. *O regime jurídico das empresas estatais após a Emenda Constitucional nº 19/1998*. Belo Horizonte: Fórum, 2012. p. 172; CAMPINHO, Sérgio. *Falência e recuperação de empresa*: o novo regime da insolvência empresarial. 4. ed. Rio de Janeiro: Renovar, 2009. p. 24; CARVALHOSA, Modesto. *Comentários à Lei de Sociedades Anônimas*. 6. ed. São Paulo: Saraiva, 2014. v. 4, t. 1, p. 510; COELHO, Fábio Ulhoa. *Comentários à nova lei de falências e de recuperação de empresas*: Lei nº 11.101, de 9-2-2005. 7. ed. São Paulo: Saraiva, 2010. p. 27; JUSTEN FILHO, Marçal. *Curso de Direito Administrativo*. 12. ed. São Paulo: Revista dos Tribunais, 2016. p. 143-144; MENDONÇA, José Vicente Santos de. *Direito Constitucional Econômico*. Belo Horizonte: Fórum, 2014. p. 258; SOUTO, Marcos Juruena Villela. *Aspectos do planejamento econômico*. 2. ed. Rio de Janeiro: Lumen Juris, 2000. p. 117-118.

ou sociedade de economia mista, prestadora de serviço público ou exploradora de atividade econômica –, ela acaba desprezando, por completo, peculiaridades inerentes à própria natureza jurídica das empresas estatais (relacionadas à criação, à estruturação, ao funcionamento e à extinção dessas entidades integrantes da Administração Pública indireta), que as diferenciam das empresas privadas e que justificam a sua regulação por normas de direito público em conjunto com normas de direito privado.

Dito de outra maneira, ressalta-se que o incondicionado tratamento igualitário entre empresas estatais e empresas privadas, conforme sugerido pela corrente doutrinária ora em evidência, com fundamento na interpretação ampliativa do art. 173, §1º, II, da CF, deveria, no mínimo, ser atingido tomando por parâmetro uma medida de *isonomia* (igualdade material ou real), que é habitualmente traduzida pela máxima segundo a qual se deve "tratar igualmente os iguais e desigualmente os desiguais, na exata medida de suas desigualdades".

Nesse sentido, acentua-se que, apesar de a legislação específica (Decreto-Lei nº 200/1967 e Lei nº 13.303/2016)[8] impor que as empresas públicas e sociedades de economia mista sejam constituídas como pessoas jurídicas de direito privado, a própria Constituição, bem como diversas leis infraconstitucionais, afastam a aplicação do regime estritamente privado a essas sociedades estatais, sendo notório e consensual que elas estão, na verdade, sujeitas a um *regime jurídico híbrido* (misto de direito público e de direito privado).[9,10]

Assim, parece patente que, em face da especial natureza das empresas públicas e das sociedades de economia mista, são elas subordinadas, tanto pela Constituição como pela legislação infraconstitucional, a uma singular regulação por normas seja de caráter público seja de cunho privado, variando a predominância de um desses caracteres de acordo com a matéria regulada.

De mais a mais, observa-se que essa primeira corrente doutrinária tampouco encontra amparo na doutrina administrativista amplamente majoritária nem na consolidada jurisprudência do STF – a quem cabe a interpretação da Constituição em última instância – segundo as quais a norma prevista no art. 173, §1º, II, da CF somente se aplica às empresas estatais que exercem *atividade econômica em sentido estrito*, não

---

[8]   Ver art. 5º, II e III, do Decreto Legislativo nº 200/1967 e arts. 3º e 4º da Lei nº 13.303/2016.

[9]   Confira-se, nessa linha, a observação de José dos Santos Carvalho Filho (*Manual de Direito Administrativo*, p. 529) a respeito do peculiar *hibridismo normativo* ao qual as empresas estatais estão subordinadas: "A análise do regime jurídico das empresas públicas e das sociedades de economia mista e de suas subsidiárias deve partir de dois pressupostos – um deles, considerando o fato de que são pessoas de direito privado, e o outro, a circunstância de que integram a Administração Pública. Sem dúvida, são aspectos que usualmente entram em rota de colisão, mas, por sua vez, inevitáveis ante a natureza das entidades. Diante disso, a consequência inevitável é a de que seu regime jurídico se caracteriza pelo hibridismo normativo, no qual se apresenta o influxo de normas de direito público e de direito privado. Semelhante particularidade, como não poderia deixar de ser, rende ensejo a numerosas perplexidades e divergências".

[10] Como exemplos desse regime jurídico híbrido ao qual as empresas públicas e sociedades de economia mista estão submetidas, podem-se citar, na Constituição, a necessidade de concurso público para investidura em emprego público (art. 37, II); a vedação ao acúmulo remunerado de cargos e empregos públicos (art. 37, XVII); a necessidade de autorização legislativa específica para suas criações (art. 37, XIX); a submissão dos empregados das estatais dependentes ao teto remuneratório (art. 37, §9º); a sujeição aos limites globais e às condições para operação de crédito externo e interno fixados pelo Senado Federal (art. 52, VII), a submissão ao controle externo pelo TCU (art. 71, I); a sua inclusão na lei orçamentaria anual por meio do orçamento de investimentos das estatais (165, §5º, II), entre outros.

abrangendo as sociedades estatais *prestadoras de serviço público*, que são reguladas pelo disposto no art. 175, da CF.[11.12]

Ademais, o despropósito de submeter as empresas estatais prestadoras de serviço público ao regime falimentar da Lei nº 11.101/2005 ainda pode ser indiretamente extraído da sedimentada jurisprudência do STF que afirma a impenhorabilidade de seus bens,[13] pois, ao se assentar que os bens das empresas estatais prestadoras de serviço público são impenhoráveis, isso significa que eles também não poderiam ser arrecadados pelo juízo falimentar, inviabilizando esse processo de execução coletiva.

Indo além, observa-se que a exclusão das sociedades estatais prestadoras de serviço público da incidência da norma prevista no art. 173, §1º, II, da CF, e consequentemente do regime falimentar da Lei nº 11.101/2005, também decorre da *obrigatoriedade* que o Poder Público tem de assegurar a execução desses serviços públicos privativos e da natural submissão dessas empresas estatais que os executam aos princípios da *continuidade do serviço público*, bem como da *predominância do interesse público sobre o particular*.

Logo, não há qualquer sentido em reconhecer a possibilidade de falência de uma empresa estatal prestadora de serviço público, em suposto benefício a credores privados, porque a execução desse serviço público é obrigatória e não pode ser descontinuada, cabendo ao Estado – seja por meio de sua Administração direta, seja por meio de entidades da Administração indireta, inclusive podendo criar outra empresa pública ou sociedade de economia mista com o mesmo fim da falida – seguir prestando o

---

[11] Nesse sentido, vale destacar o seguinte julgado da Suprema Corte: "AÇÃO DIRETA DE INCONSTITU-CIONALIDADE. ALÍNEA 'd' DO INCISO XXIII DO ARTIGO 62 DA CONSTITUIÇÃO DO ESTADO DE MINAS GERAIS. APROVAÇÃO DO PROVIMENTO, PELO EXECUTIVO, DOS CARGOS DE PRESIDENTE DAS ENTIDADES DA ADMINISTRAÇÃO PÚBLICA INDIRETA ESTADUAL PELA ASSEMBLÉIA LEGISLATIVA. ALEGAÇÃO DE VIOLAÇÃO DO DISPOSTO NO ARTIGO 173, DA CONSTITUIÇÃO DO BRASIL. *DISTINÇÃO ENTRE EMPRESAS ESTATAIS PRESTADORAS DE SERVIÇO PÚBLICO E EMPRESAS ESTATAIS QUE DESENVOLVEM ATIVIDADE ECONÔMICA EM SENTIDO ESTRITO.* REGIME JURÍDICO ESTRUTURAL E REGIME JURÍDICO FUNCIONAL DAS EMPRESAS ESTATAIS. INCONSTITUCIONALIDADE PARCIAL. INTERPRETAÇÃO CONFORME À CONSTITUIÇÃO. (...) 2. *As sociedades de economia mista e as empresas públicas que explorem atividade econômica em sentido estrito estão sujeitas, nos termos do disposto no §1º do artigo 173 da Constituição do Brasil, ao regime jurídico próprio das empresas privadas.* 3. Distinção entre empresas estatais que prestam serviço público e empresas estatais que empreendem atividade econômica em sentido estrito 4. *O §1º do artigo 173 da Constituição do Brasil não se aplica às empresas públicas, sociedades de economia mista e entidades (estatais) que prestam serviço público.* (...)" (BRASIL. Supremo Tribunal Federal (Pleno). ADI 1.642. Relator: Min. Eros Grau, 3 de abril de 2008. *Dje*: Brasília, DF, 19 set. 2008, grifos nossos).
Na mesma linha, ver: RE nº 220.906, Tribunal Pleno, Relator Min. Maurício Corrêa, julgado em 16 de novembro de 2000, *Dje* 14 nov. 2002; ACO nº 765 QO, Tribunal Pleno, Relator Min. Marco Aurélio, Relator p/ acórdão Min. Eros Grau, julgado em 1 de junho de 2005, *Dje* 6 nov. 2008; ADI nº 1.552/MC, Relator Min. Carlos Velloso, Tribunal Pleno, julgado em 17 de abril de 1997, *Dje* 17 abr. 1998; RE nº 577.494, Tribunal Pleno, Relator Min. Edson Fachin, julgado em 13 de dezembro de 2018, *Dje* 1 mar. 2019.

[12] Em face, então, da pacífica jurisprudência da Suprema Corte que reconhece o direcionamento do art. 173, §1º, da CF, apenas às empresas estatais que exercem atividade econômica em sentido estrito, tem-se que o termo "prestação de serviço", constante dessa norma, deve ser compreendido como prestação de serviço de natureza exclusivamente privada, justamente porque o art. 966, do Código Civil (Lei nº 10.406/2002), considera empresário "quem exerce profissionalmente atividade econômica organizada para a produção ou a circulação de bens ou de serviços".

[13] Nesse sentido: "RECURSO EXTRAORDINÁRIO. CONSTITUCIONAL. EMPRESA BRASILEIRA DE CORREIOS E TELÉGRAFOS. IMPENHORABILIDADE DE SEUS BENS, RENDAS E SERVIÇOS. RECEPÇÃO DO ARTIGO 12 DO DECRETO-LEI Nº 509/69. EXECUÇÃO.OBSERVÂNCIA DO REGIME DE PRECATÓRIO. APLICAÇÃO DO ARTIGO 100 DA CONSTITUIÇÃO FEDERAL (BRASIL. Supremo Tribunal Federal (Pleno). RE 220.906. Relator: Min. Maurício Corrêa, 16 de novembro de 2000, *Dje*: Brasília, DF, 14 nov. 2002).

serviço público que antes era executado pela empresa estatal cuja falência venha a ser hipoteticamente decretada.[14]

Avançando, frisa-se que, assim como a norma do art. 173, §1º, II, da CF, não incide sobre as estatais prestadoras de serviço público, tampouco esse regime próprio das empresas privadas deve ser irrestritamente aplicado às empresas públicas e sociedades de economia mista que exercem atividade econômica em sentido estrito, mas que, por imposição constitucional, o fazem em regime de *monopólio* (art. 177, da CF).[15]

Ora, nas hipóteses em que o Estado atua como agente econômico empresarial, ou seja, explorando atividade econômica em sentido estrito, mas em que o exercício dessa atividade configura um monopólio constitucional (art. 177, da CF), ou mesmo uma exclusividade legal,[16] não há que se cogitar da possibilidade de concorrência dessa atuação estatal com a iniciativa privada, também não havendo razão para submeter a empresa estatal que atua em caráter monopolístico ou de exclusividade ao regime próprio das empresas privadas e particularmente ao instituto falimentar regulado pela Lei nº 11.101/2005.

Revela-se, então, a absoluta inadequação da primeira corrente doutrinária que sustenta a total inconstitucionalidade do art. 2º, I, da Lei nº 11.105/2005, uma vez que, nos termos da pacífica jurisprudência do Supremo Tribunal, o disposto no art. 173, §1º, II, da CF restringe-se às empresas públicas e sociedades de economia mista que exploram atividade econômica em sentido estrito, não tendo aplicabilidade sobre as empresas estatais prestadoras de serviço público (art. 175, da CF), nem tampouco àquelas que, mesmo atuando como agente econômico em sentido estrito, fazem-no em regime de monopólio constitucional ou legal.

3 Análise jurídica da segunda corrente doutrinária

Prosseguindo, no que concerne, agora, à segunda corrente doutrinária, verifica-se que também não encontra ela respaldo em nosso ordenamento jurídico, porquanto deriva de uma interpretação meramente literal e isolada (não sistemática) da norma insculpida no art. 173, §1º, II, da CF.[17]

---

[14] É claro que, nos termos do art. 175, *caput*, da CF, o Estado também pode prestar esse serviço público privativo por meio de *concessão* ou *permissão* a empresas privadas, mas é fundamental realçar que essa é uma típica decisão de *mérito administrativo*, sujeita à exclusiva avaliação de conveniência e oportunidade pelo Executivo.

[15] Nesse exato sentido, vale citar parte do voto do Ministro Carlos Velloso, Relator do acórdão, no RE nº 407.099: "Quer dizer, o art. 173 da CF está cuidando da hipótese em que o Estado esteja na condição de agente empresarial, isto é, esteja explorando, diretamente, atividade econômica em concorrência com a iniciativa privada. Os parágrafos, então, do citado art. 173, aplicam-se com observância do comando constante do *caput*. *Se não houver concorrência – existindo monopólio, CF, art. 177 – não haverá aplicação do disposto no §1º do mencionado art. 173*" (BRASIL. Supremo Tribunal Federal. 2. Turma. RE 407.099. Relator: Min. Carlos Velloso, 22 de junho de 2004. *Dje*: Brasília, DF, 6 ago. 2004. grifos nossos. Disponível em: chrome-extension://efaidnbmnnnibpcajpcglclefindmkaj/ https://redir.stf.jus.br/paginadorpub/paginador.jsp?docTP=AC&docID=261763. Acesso em: 19 ago. 2024).

[16] Sobre o conceito jurídico e as classificações de monopólio constitucional e legal, ver: GRAU, Eros Roberto. *A ordem econômica na Constituição de 1988*. 15. ed. São Paulo: Malheiros, 2012.

[17] Anota-se que a doutrina é uniforme em reconhecer que a interpretação literal ou gramatical, de cunho formalista, é insuficiente para conduzir o intérprete a um resultado conclusivo, sendo necessário que ela seja conjugada com outros critérios interpretativos. Ver: FRANÇA, Rubens Limongi. *Hermenêutica jurídica*. 6. ed. São Paulo: Saraiva. p. 9; MONTORO, André Franco. *Introdução à ciência do Direito*. 29. ed. rev. e atual. São Paulo: Revista dos Tribunais, 2011. p. 425). Todavia, frisa-se que a adoção de outros critérios interpretativos não significa o

Sobre essa ótica, deve-se enfatizar, primacialmente, extreme de dúvidas que o Constituinte derivado buscou proteger os valores da livre iniciativa, da propriedade privada e da livre concorrência ao determinar, no art. 173, §1º, II, da CF (redação dada pela Emenda Constitucional nº 19/1998), que o estatuto jurídico da empresa pública, da sociedade de economia mista e de suas subsidiárias que exploram atividade econômica em sentido estrito deve assegurar a sujeição dessas sociedades estatais ao regime jurídico próprio das empresas privadas, inclusive quanto aos direitos e obrigações civis, comerciais, trabalhistas e tributários.

Por outro lado, deveria ser intuitivo que essa submissão das empresas estatais que exercem atividade econômica em sentido estrito ao regime próprio das empresas privadas *não é irrestrita e incondicionada*, devendo a aplicação dessa norma constitucional (art. 173, §1º, II, da CF) alcançar somente a regulação legal que for *compatível* com a própria natureza *ontológica* dessas sociedades estatais.

A partir dessa perspectiva, repita-se, por exemplo, que uma empresa estatal que atue na exploração de atividade econômica em sentido estrito, mas com concentração monopolística legal ou constitucional, não pode ser plenamente equiparada a uma empresa privada, sujeitando-se às mesas balizas jurídicas. Do mesmo modo, realça-se que o desejável tratamento igualitário entre empresas estatais exploradoras de atividade econômica em sentido e estrito e empresas privadas, conforme especificamente proposto pelo art. 173, §1º, II, da CF, também deve ser apurado com respeito à isonomia e considerando o regime jurídico híbrido, ao qual as sociedades empresárias estatais estão sujeitas.

Com base nesse contexto, revela-se evidente que a regra disposta no art. 173, §1º, II, da CF, constitui um comando dirigido ao legislador para que este, ao estabelecer o estatuto jurídico da empresa pública, da sociedade de economia mista e de suas subsidiárias que exerçam atividade econômica em sentido estrito – fundamentado em um regime jurídico híbrido –, submeta, *dentro do possível*, essas sociedades estatais ao regime jurídico próprio das empresas privadas (direito privado), para impedir a concessão, unicamente às empresas estatais, de *injustificáveis privilégios* (de ordem tributária, civil, comercial ou trabalhista) que poderiam afetar a livre iniciativa e a livre concorrência.[18]

---

abandono da letra da lei, mas, sim, que a literalidade deve servir apenas de ponto de partida do processo de exegese interpretativa, o qual deve buscar o verdadeiro sentido da norma, atentando-se, ainda, para o fato de que a literalidade de uma lei, embora às vezes pareça perfeita, na prática pode se tornar algo inexequível, indo de encontro a um dos preceitos básicos de hermenêutica, qual seja: não se pode fazer uma interpretação que leve a uma conclusão absurda e ilógica; nesse sentido, afirma Paulo de Barros Carvalho (*Derivação e positivação no Direito Tributário*. São Paulo: Noeses, 2011. v. 1, p. 72): "(...) daí a atenção de cortar o problema, ofertando soluções simplistas e descomprometidas, como ocorre, por exemplo, com a canhestra 'interpretação literal' das formulações normativas, que leva consigo a doce ilusão de que as regras do direito podem ser isoladas do sistema e, analisadas na sua compostura frásica, desde logo 'compreendidas'. Advém daí que, muitas vezes, um único artigo não seja suficiente para a compreensão da norma, em sua integridade existencial. Vê-se o leitor, então, na contingência de consultar outros preceitos do mesmo diploma e, até, a sair dele, fazendo incursões pelo sistema".

[18] Vale sublinhar que, conforme ensina Diogo de Figueiredo Moreira Neto (*Ordem econômica e desenvolvimento na Constituição de 1988*. Rio de Janeiro: APEC, 1989. p. 14-15), até mesmo os princípios informadores da ordem econômica não são absolutos e se moderam entre si: "o princípio da liberdade de iniciativa tempera-se pelo da iniciativa suplementar do Estado; o princípio da liberdade de empresa, corrige-se com o da definição da função social da empresa; o princípio da liberdade de lucro, bem como o da liberdade de competição, moderam-se com o da repressão do poder econômico; o princípio da liberdade de contratação limita-se pela aplicação dos princípios de valorização do trabalho e da harmonia e solidariedade entre as categorias sociais de produção; e,

Nesse sentido, realça-se que o próprio Supremo Tribunal já mitigou a regra constante do art. 173, §1º, II, ao julgar o RE nº 577.494,[19] com repercussão geral reconhecida (Tema nº 64), assentando ser legítimo o discrímen constitucional que impõe o pagamento de PASEP (mais gravoso que o PIS) pelas empresas públicas e sociedades de economia mista e suas subsidiárias que exploram atividade econômica em sentido estrito, a demonstrar que o tratamento igualitário entre sociedades estatais e empresas privadas não pode ser uma regra absoluta. Tem-se, então, que a tese do Tema nº 64, sob a sistemática da repercussão geral, foi fixada pelo STF nos seguintes termos:

> Não ofende o art. 173, §1º, II, da Constituição Federal, a escolha legislativa de reputar não equivalentes a situação das empresas privadas com relação a das sociedades de economia mista, das empresas públicas e respectivas subsidiárias que exploram atividade econômica, para fins de submissão ao regime tributário das contribuições para o PIS e para o PASEP, à luz dos princípios da igualdade tributária e da seletividade no financiamento da Seguridade Social.

Portanto, para adequadamente perquirir a constitucionalidade ou inconstitucionalidade do art. art. 2º, I, da Lei nº 11.101/2005, é preciso investigar se a exclusão das empresas públicas e sociedades de economia mista do regime falimentar por ela engendrado configura, de fato, um privilégio a essas sociedades empresárias e se seria ele injustificado.

Tomando esse rumo, é necessário destacar, previamente, que, de um modo genérico, a falência nada mais é do que um grande concurso de credores, uma execução coletiva, contra sociedades empresárias que se encontram em "estado de insolvência jurídica", caracterizado pela impontualidade injustificada (inadimplemento de obrigação líquida) ou pela prática de atos de falência (ações suspeitas realizadas pela sociedade em estado de insolvência econômica, isto é, com patrimônio líquido negativo), com fito a ratear proporcionalmente (respeitada a ordem de preferência legal), entre todos os credores, o patrimônio da falida; compartilhando, assim, os prejuízos da atividade empresarial que vinha sendo desenvolvida.[20]

Logo, resta claro que o objetivo da previsão legal de um regime falimentar para os empresários não é coibir práticas anticoncorrenciais, nem reduzir ineficiência alocativa ou simplesmente afastar do mercado agentes econômicos inaptos; em verdade, o processo falimentar tem por principal escopo a proteção dos credores, devendo, em adição, sempre que viável, garantir a *preservação da empresa* (como organização de capital e trabalho para fins lucrativos) que se encontra em estado de insolvência.[21]

---

finalmente, o princípio da propriedade privada, restringe-se com o princípio de função social da propriedade".

[19] BRASIL. Supremo Tribunal Federal (Pleno). RE 577.494. Relator: Min. Edson Fachin, 13 de dezembro de 2018. *Dje*: Brasília, DF, 1 mar. 2019. Disponível em: https://jurisprudencia.stf.jus.br/pages/search/sjur399090/false. Acesso em: 19 ago. 2024.

[20] Ver: COELHO, Fábio Ulhoa. *Curso de Direito Comercial*. 14. ed. São Paulo: Saraiva, 2014. v. 3, p 251 e ss.

[21] O princípio da preservação da empresa está previsto no art. 47, da Lei nº 11.101/2005. De acordo com Fábio Ulhoa Coelho (*Manual de Direito Comercial*: Direito de Empresa. 26. ed. São Paulo: Saraiva, 2014. p. 199), trata-se de princípio legal, geral e implícito, visando à proteção da atividade econômica, como objeto de direito cuja existência e desenvolvimento interessam não somente ao empresário (ou aos sócios da sociedade empresária), mas a um conjunto bem maior de sujeitos, como empregados, consumidores etc; frisando, ainda, o autor que esse princípio "não pode ser ignorado, nos dias correntes, no estudo de qualquer questão de direito societário. Mais ainda no que diz respeito à dissolução".

Verifica-se, então, que a exclusão das empresas estatais e das sociedades de economia mista do regime falimentar da Lei nº 11.101/2005 não representa um *privilégio* que ofende aos princípios da livre iniciativa e, de maneira particular, da livre concorrência, em prejuízo das empresas privadas, justamente porque não tem essa legislação o precípuo propósito de promover a concorrência do mercado, prevenindo ou eliminando supostas falhas; muito ao contrário, cabe ao juízo falimentar e aos seus auxiliares (administrador judicial, *v. g.*) realizar todos os esforços para manutenção da atividade empresarial, preservando a empresa e garantindo o cumprimento de sua função social, tudo isso como forma de assegurar a efetiva finalidade da norma, que é a proteção dos credores.

Poder-se-ia até argumentar que essa exclusão legal acaba, de modo indireto, produzindo reflexos negativos para as empresas privadas concorrentes por, teoricamente, aumentar os seus riscos de crédito. Todavia, a tese não se sustenta diante da realidade jurídico-econômica, sobretudo se compararmos o risco negocial e os custos operacionais entre empresas estatais e empresas privadas concorrentes, na medida em que, apesar de não serem submetidas ao regime falimentar, somente as empresas estatais, por estarem submetidas a um regime jurídico híbrido, se sujeitam a uma série de imposições legais muito dispendiosas,[22] a par do reconhecimento judicial de outras obrigações jurídicas apenas para as sociedades empresárias estatais, tais como a necessidade de motivação para dispensa de empregado público.[23]

Mais que isso, frisa-se que esse suposto aumento do risco de crédito para as empresas privadas não tem relação direta com a exclusão das empresas públicas e sociedades de economia mista do regime privado falimentar, mas, sim, com a inviabilidade de caracterização nas companhias estatais – ante suas naturezas especiais (entidades híbridas) – do estado de insolvência jurídica, que é pressuposto para decretação da falência.

Melhor explicando, anota-se que de nada adianta submeter as empresas estatais ao regime falimentar da Lei nº 11.101/2005 se a causa motivadora da decretação da quebra – a comprovação de um estado de insolvência jurídica – dificilmente ocorrerá na prática, tendo em vista que a legislação autoriza a cobertura de *déficits* financeiros das empresas estatais pelo Poder Público, e, na improvável hipótese de restar configurado esse "estado de insolvência jurídica", sempre poderá ser ele elidido, afastado, pelo ente político controlador.[24]

---

[22] Como já visto, apenas em relação às empresas estatais há, por exemplo: subordinação a processo licitatório público para contratação de obras e serviços; obrigatoriedade de concurso público para contratação de empregados; submissão a uma tributação exclusiva (*e.g.*, pagamento do PASEP); submissão a específicas normas de *compliance*, com apreciação de atos e contas por órgãos públicos de controle externo (Tribunais de Contas, Controladorias, Supervisão Ministerial etc.).

[23] Nesse sentido, o julgamento do RE nº 688.267, com repercussão geral (Tema nº 1022 – Dispensa imotivada de empregado de empresa pública e de sociedade de economia mista admitido por concurso público), em que o STF firmou a seguinte tese: "As empresas públicas e as sociedades de economia mista, sejam elas prestadoras de serviço público ou exploradoras de atividade econômica, ainda que em regime concorrencial, têm o dever jurídico de motivar, em ato formal, a demissão de seus empregados concursados, não se exigindo processo administrativo. Tal motivação deve consistir em fundamento razoável, não se exigindo, porém, que se enquadre nas hipóteses de justa causa da legislação trabalhista".

[24] A possibilidade de realização de "depósito elisivo" para afastar a falência, tem fundamento no art. 98, p. único, da Lei nº 11.101/2005:
"(...)
(...) Nos pedidos baseados nos incisos I e II do *caput* do art. 94 desta Lei, o devedor poderá, no prazo da contestação, depositar o valor correspondente ao total do crédito, acrescido de correção monetária, juros e

Sem falar que a insolvência econômica é uma característica, por muitas vezes, intrínseca a essas sociedades estatais (especialmente se for empresa pública), já que não são elas precipuamente destinadas a produzir lucro, mas sim a atender aos imperativos de segurança nacional ou a relevante interesse coletivo, sendo perfeitamente aceitável que operem em *déficit*, como sói ocorrer com as estatais dependentes.

Aprofundando esse ponto, observa-se que a própria Constituição, ao inserir as contas das empresas estatais no orçamento público anual – no segmento de "orçamento de investimento das empresas em que a União, direta ou indiretamente, detenha a maioria do capital social com direito a voto" (art. 165,§5º, II) – e ao permitir a cobertura das insuficiências financeiras dessas sociedades, desde que haja autorização legislativa específica, por recursos dos orçamentos fiscal ou mesmo da seguridade social (art. 167, VIII), impõe, ainda que indiretamente, uma *responsabilidade subsidiária* do Estado pelas dívidas de suas empresas estatais, não sendo justificável a decretação da falência, uma vez que, consoante elementar postulado jurídico das finanças públicas, a solvência do Estado e, consequentemente de suas entidades administrativas, é presumida, não sendo viável o deferimento da quebra.

De mais a mais, a Lei de Responsabilidade Fiscal (Lei Complementar nº 101/2000) expressamente define, em seu art. 2º, III, as empresas estatais dependentes – "empresa controlada que receba do ente controlador recursos financeiros para pagamento de despesas com pessoal ou de custeio em geral ou de capital, excluídos, no último caso, aqueles provenientes de aumento de participação acionária" –, a demonstrar que a submissão financeira de uma empresa pública ou sociedade de economia mista ao ente político que a instituiu não é algo anormal ou irregular, pois mesmo que a atividade desenvolvida pela sociedade estatal seja deficitária, necessidades políticas e sociais podem justificar a manutenção da empresa, que deve seguir no cumprimento de seu mister: o atendimento do interesse público que motivou sua criação (imperativo de segurança nacional ou relevante interesse coletivo).

Por todo o exposto, resta comprovado, então, que a exclusão das empresas públicas e sociedades de economia mista do regime falimentar da Lei nº 11.101/2005 não constitui um *privilégio* conferido pelo legislador a essas sociedades estatais, em prejuízo de empresas privadas concorrentes. Indo além, mesmo que fosse essa exclusão compreendida como um privilégio, não seria ele *injustificado*, tendo em vista que a não submissão das empresas estatais às específicas regras do processo falimentar decorre da própria natureza *sui generis* dessas entidades (integrantes da Administração Pública indireta, mas constituídas com a personalidade jurídica de direito privado) e da real impossibilidade de se conciliar a aplicação do regime privado falimentar ao regime jurídico híbrido regulador dessas estatais, nos termos antes assinalados.[25]

---

honorários advocatícios, hipótese em que a falência não será decretada e, caso julgado procedente o pedido de falência, o juiz ordenará o levantamento do valor pelo autor" (BRASIL. Lei nº 11.101, de 9 de fevereiro de 2005. Regula a recuperação judicial, a extrajudicial e a falência do empresário e da sociedade empresária. *Diário Oficial da União*: Brasília, DF, 2005. Disponível em: https://www.planalto.gov.br/ccivil_03/_ato2004-2006/2005/lei/l11101.htm. Acesso em: 19 ago. 2024).

[25] Sobre esse aspecto, vale reiterar que a impossibilidade de harmonização das regras falimentares com o regime jurídico incidente sobre as empresas estatais desponta, sobretudo, em razão da inviabilidade de reconhecimento do "estado de insolvência jurídica" (que é o pressuposto legal da decretação da quebra) quanto a essas sociedades, porque, repita-se: o Estado tem responsabilidade subsidiária pelas obrigações de suas sociedades

Veja-se, inclusive, que justamente frente à natureza diferenciada de outras entidades *privadas* – "instituição financeira pública ou privada, cooperativa de crédito, consórcio, entidade de previdência complementar, sociedade operadora de plano de assistência à saúde, sociedade seguradora, sociedade de capitalização e outras entidades legalmente equiparadas às anteriores" – o legislador optou, no art. 2º, II, da Lei nº 11.101/2005, por também excluí-las explicitamente da sujeição ao regime falimentar, independentemente de serem caracterizadas ou não como sociedades empresárias privadas.

Ora, se frente às peculiaridades estruturais e setoriais de algumas sociedades empresárias privadas é perfeitamente justificável a não incidência do regime falimentar da Lei nº 11.101/2005, de igual modo, dadas as singularidades inerentes às empresas estatais, também é razoável a sua exclusão desse regime de falência e recuperação judicial e extrajudicial, sem que isso implique inconstitucionalidade da norma.[26]

4 Análise jurídica da terceira corrente doutrinária

A despeito da minuciosa exposição supra já anunciar, a exaustão, a plena constitucionalidade do art. 2º, I, da Lei nº 11.101/2005, que exclui todas as empresas públicas e sociedades de economia mista do regime privado falimentar *lato sensu*, independentemente de serem prestadoras de serviço público ou exploradoras de atividade econômica em sentido estrito, é importante acrescentar, em reforço a essa posição, outros relevantes argumentos lançados pela doutrina especializada que também demonstram o completo equívoco das correntes doutrinárias que defendem a inconstitucionalidade, ainda que parcial, da norma em escrutínio.

Assim, vale apontar que a terceira corrente doutrinária sempre afirmou a impossibilidade das empresas públicas e sociedades de economia mista serem sujeitas à qualquer regime privado falimentar e, particularmente, àquele estabelecido pela atual lei de falência e de recuperação judicial e extrajudicial (Lei nº 11.101/2005), com fundamento em dois principais argumentos, quais sejam: (i) a extinção dessas entidades administrativas somente poderia ocorrer por lei e não por decisão judicial e (ii) o Poder Público tem responsabilidade subsidiária pelas obrigações de suas empresas estatais.

Nesse exato sentido, são as lições de Marçal Justen Filho:

> Outra característica comum às estatais é a não submissão à falência, o que deriva de diversos fatores jurídicos. A falência é uma causa de dissolução da empresa derivada da insolvência, visando à liquidação de seu patrimônio, ao pagamento de seus credores em situação de

---

empresárias e, apesar da improbabilidade, se a insolvência jurídica dessas empresas por acaso se conformasse, sempre poderia ser ela elidida pelo ente controlador; lembrando-se, ainda, que a insolvência econômica é, muitas vezes, elemento intrínseco da atividade empresarial estatal.

[26] Particularmente quanto às instituições financeiras públicas, explana Vitor Rhein Schirato (Bancos estatais ou Estado banqueiro? *In*: ARAGÃO, Alexandre Santos de (coord.). *Empresas públicas e sociedades de economia mista.* Belo Horizonte: Fórum, 2015. p. 279) que elas foram expressamente retiradas da disciplina falimentar da Lei nº 11.101/2005 porque seguem um "regime jurídico completamente próprio, na medida em que a Lei nº 4.595/1964 e a Lei nº 6.024/1973 trouxeram regime específico a tais entidades, excluindo-as da possibilidade de intervenção e liquidação pelo Banco Central do Brasil. A razão para tanto é das mais simples: sendo as instituições financeiras públicas federais entidades incumbidas da realização de parcela da política econômico-financeira da União, é evidente que sua atividade deve ser mantida contínua, não podendo ser interrompida como se fosse a atividade de qualquer instituição financeira".

igualdade e posterior extinção. Não pode haver falência de empresa estatal, porque somente uma lei pode determinar sua criação, dissolução ou extinção. Mais ainda, a falência conduz à transferência do controle da entidade falida para o Poder Judiciário, que designa um particular (administrador judicial) para dirigir os atos terminais. (...) Suspende-se o poder de controle dos sócios da sociedade falida. E tudo isso é incompatível com a condição de existência de uma entidade estatal. Por outro lado, a falência seria inútil, uma vez que não é possível a eliminação da responsabilidade civil subsidiária da entidade federativa pelas dívidas de entidades estatais a ela vinculadas. O art. 37, §6º, da CF/1988 estabelece a responsabilidade objetiva das pessoas de direito público por danos acarretados a terceiros em virtude do funcionamento defeituoso dos serviços estatais. A falência de uma entidade estatal qualifica-se como tal. O ente público que controla uma estatal tem o dever de promover todas as medidas necessárias para evitar sua insolvência. Se não o fizer, deverá arcar com os prejuízos acarretados a terceiros, caracterizando-se sua responsabilidade civil extracontratual. O art. 242 da Lei das Sociedades Anônimas consagrava formalmente essa solução a propósito das sociedades de economia mista. A disposição foi revogada pela Lei 10.303/2001. A revogação não acarreta efeitos mais significativos, uma vez que a disciplina falimentar é incompatível com o regime das entidades da Administração indireta. A Ausência de dispositivo equivalente também ocorre na legislação sobre a insolvência. A Lei 11.101/2005 determinou, no art. 2º, I, que a sua disciplina não é aplicável às empresas públicas e sociedades de economia mista. Essa orientação deve ser estendida às demais empresas estatais, assim, entendidas aquelas que se encontram sob o controle de uma sociedade de economia mista ou de uma empresa pública.[27]

Melhor detalhando esses argumentos, observa-se, primeiramente, que o art. 37, XIX, ao exigir autorização legal específica para criação de uma empresa pública ou sociedade de economia mista, implicitamente impõe que a extinção dessas empresas estatais também depende de lei, incidindo na hipótese o princípio do paralelismo das formas, segundo o qual os pressupostos formais utilizados para a elaboração de um ato também deverão ser seguidos para sua alteração ou extinção.[28]

Registra-se, ademais, que esse entendimento se encontra pacificado pela doutrina e jurisprudência, já tendo o Supremo Tribunal esclarecido, inclusive, que, apesar da Constituição exigir uma lei específica para autorizar a instituição de uma empresa estatal, a sua extinção, entretanto, pode decorrer de uma lei genérica.[29]

Acrescenta-se, também, que o art. 61, §1º, II, "e", da CF, ao atribuir ao presidente da República (ou a qualquer chefe do Executivo estadual ou municipal, em obediência ao princípio da simetria) a *iniciativa privativa* para propositura de lei que trate sobre a criação e extinção de órgãos públicos, em sentido amplo,[30] indica que a matéria em comento – extinção de empresa pública ou sociedade de economia mista, como entidades da Administração Pública indireta – insere-se em campo reservado à decisão de mérito

---

[27] JUSTEN FILHO. *Curso de Direito Administrativo*, p. 143-144.

[28] De acordo com Paulo Bonavides, o princípio do paralelismo das formas ou da simetria "resulta que um ato jurídico só se modifica mediante o emprego de formas idênticas àquelas adotadas para elaborá-lo" (BONAVIDES, Paulo. *Curso de Direito Constitucional*. 19. ed. São Paulo: Malheiros, 2006. p. 106).

[29] Nesse sentido: ADI-MC nº 562/DF, ADI-MC nº 1.564/RJ; ADI nº 1.724/RN; e ADI-MC nº 5.624/DF.

[30] Nesse sentido, ver: DI PIETRO. *Direito Administrativo*, p. 560; GASPARINI. *Direito Administrativo*, p. 496.

administrativo (oportunidade e conveniência), que não pode ser objeto de apreciação pelo Judiciário, salvo para controle de sua juridicidade.

Indo além, ressalta-se que, muito mais que uma mera formalidade, essa compreensão pela qual a extinção de uma empresa pública ou sociedade de economia mista depende de lei, ainda que genérica, deriva justamente da necessidade de submeter a uma avaliação *política*, pelo Executivo e pelo Legislativo, se persiste o interesse público primário (imperativo de segurança nacional ou relevante interesse coletivo) que originalmente motivou, nos termos no art. 173, *caput*, da CF, a excepcional autorização legislativa para o Estado explorar atividade econômica ou se essa intervenção direta no domínio privado não mais se justifica.[31]

Considerando, então, que o art. 1.087, do Código Civil (c/c art. 1.044, da mesma lei) e o art. 206, II, "c", da Lei nº 6.404/1976 preveem a automática dissolução da sociedade empresária em razão da decretação da falência e que o processo executivo falimentar é conduzido, com exclusividade, pelo Judiciário – dispensada a participação e a interferência do Executivo e do Legislativo –, parece certa a impossibilidade de sujeitar as empresas públicas e sociedades de economia mista ao regime falimentar próprio das empresas privadas, sob risco de malferir não só as normas constitucionais que exigem uma autorização legal para extinguir essas entidades públicas (art. 37, XIX; 61, §1º, II; art. 173, *caput*), mas também o fundamental princípio da separação dos Poderes, consagrado no art. 2º, da Carta Política.

Sobre esse último ponto, destaca-se que a aplicação do regime falimentar às empresas estatais implicaria ofensa ao *princípio da separação dos poderes* exatamente porque se estará admitindo, em desrespeito às normas acima mencionadas, a possibilidade de o Judiciário, por simples decisão do juízo falimentar de primeiro grau e à revelia da manifestação de vontade do Executivo e do Legislativo, determinar a dissolução de uma empresa pública ou sociedade de economia mista, interferindo não só na estrutura organizacional da Administração Pública, mas também no próprio cumprimento do interesse público primário que motivou a excepcional exploração de atividade econômica pelo Estado.[32]

Por isso, a despeito do que apregoa o art. 173, §1º, II, da CF, o instituto jurídico da falência e particularmente as normas que impõem a dissolução automática da sociedade falida são, por essência, incompatíveis com a natureza *sui generis* das empresas públicas

---

[31] Compartilhando essa visão, destaca-se a doutrina de Marcos Juruena Villela Souto (*Aspectos do planejamento econômico*. 2. ed. Rio de Janeiro: Lumen Juris, 2000. p. 117-118), que, ao criticar as outras correntes que admitem, ainda que parcialmente, a aplicação do regime falimentar às empresas estatais, assim se manifestou: "Ora, por óbvio tal linha não pode prevalecer diante da empresa pública (ainda que não mencionada na Lei de S/A) e da sociedade de economia mista, porque criadas por lei (ato do Poder Legislativo em parceira – na iniciativa e na sanção – com o Poder Executivo) para atendimento de um relevante interesse coletivo ou imperativo de segurança nacional, conceitos que não podem ser afastados por ato do Judiciário para satisfação de um interesse privado".

[32] E nem se avente dizer que a dissolução de uma empresa pública ou sociedade de economia mista em razão da decretação de sua falência não representa uma indevida intromissão do Judiciário em matéria de mérito reservada à competência do Executivo e do Legislativo, constituindo, apenas, um efeito legal da decisão judicial que reconheceu o alegado estado de insolvência jurídica que justifica a quebra, porquanto, conforme exposto, a discussão em debate não é essa; concentrando-se, em verdade, na circunstância de a Constituição ter atribuído aos Poderes Legislativo e Executivo a competência de discricionariamente (oportunidade e conveniência) decidir pela criação e extinção de empresas estatais, que se inserem na organização e funcionamento da administração estatal.

e sociedades de economia mista e com o regime jurídico híbrido ao qual estão elas subordinados – sobretudo no que concerne às normas constitucionais que versam sobre a criação e extinção dessas sociedades (art. 37, XIX; 61, §1º, II; art. 173, *caput*). Esse é um dos principais motivos do legislador ordinário as ter expressamente excluído do regime privado falimentar estabelecido pela Lei nº 11.101/2005, cuja execução é de exclusivo domínio judicial.

Já no que tange ao outro argumento utilizado pela terceira corrente doutrinária para defender a constitucionalidade da exclusão das empresas estatais do regime privado falimentar – responsabilidade subsidiária do Poder Público pelas dívidas de suas empresas estatais –, observa-se que essa questão já foi, em parte, examinada ao longo do item anterior, tendo-se apontado que ela decorre de expressa previsão constitucional que insere as contas das empresas estatais no orçamento público anual do ente político que a instituiu (art. 165, §5º, II), bem como da que autoriza a cobertura de seus *déficits* financeiros por meio de outros recursos orçamentários (art. 167, VIII).

Ademais, a responsabilidade subsidiária estatal pelas obrigações financeiras de suas sociedades controladas também deflui das disposições da Lei Complementar nº 101/2000, que explicitamente conceitua as empresas estatais dependentes, permitindo que elas recebam recursos do ente político controlador para pagamento de despesas operacionais.

Logo, salienta-se que a revogação do art. 242, da LSA (que previa a responsabilização subsidiária do ente controlador pelas obrigações das companhia de economia mista)[33] e a não previsão de outra norma semelhante na Lei nº 11.101/2005 em nada atinge a noção de que o Poder Público responde, de maneira subsidiária, pelas dívidas de suas sociedades estatais, uma vez que, consoante mencionado, essa responsabilidade tem base tanto na Constituição como na Lei Complementar nº 101/2000, podendo ser extraída ainda de outras normas como do art. 23, da Lei nº 8.029/1990, que "dispõe sobre a extinção e dissolução de entidades da administração Pública Federal:

> Art. 23. A União sucederá a entidade, que venha a ser extinta ou dissolvida, nos seus direitos e obrigações decorrentes de norma legal, ato administrativo ou contrato, bem assim nas demais obrigações pecuniárias.
>
> §1º O Poder Executivo disporá, em decreto, a respeito da execução dos contratos em vigor, celebrados pelas entidades a que se refere este artigo, podendo, inclusive, por motivo de interesse público, declarar a sua suspensão ou rescisão.

Diante do disposto na norma colacionada, não pode restar dúvidas que o Estado – ao menos a União – é, por expressa determinação legal, subsidiariamente responsável pelas obrigações, inclusive financeiras, de suas empresas públicas e sociedades de

---

[33] A propósito, interessante realçar a justificativa contida na Exposição de Motivos da Lei nº 6.404/1976 sobre a previsão legal dessa referida norma: "O art. 242 dispõe, finalmente, que a companhia mista não está sujeita à falência, que a pessoa jurídica de direito público que a controla responde subsidiariamente pelas suas obrigações. A razão do preceito – similar ao de outras legislações estrangeiras – é óbvia: o interesse público, que justifica a instituição, por lei, de uma companhia mista, não permite admitir que sua administração possa ser transferida para credores, através do síndico, como ocorre na falência. Visando, todavia, ao esclarecimento de futuros credores e financiadores, que poderiam duvidar da penhorabilidade dos bens, ou retrair créditos, o art. 243 ressalva expressamente a possibilidade de execução dos bens das companhias mistas".

economia mista,[34] pelo que não há razão para sujeitar as empresas públicas e sociedades de economia mista ao regime privado falimentar (cujo principal objetivo é assegurar a proteção aos credores, viabilizando a satisfação dos valores devidos), pois os credores dessas entidades já se encontram protegidos pela presumida solvência estatal.

5 Incompatibilidade da aplicação de institutos da Lei nº 11.101/2005 às empresas estatais

Não bastasse tudo o que foi dito, a total incompatibilidade em sujeitar as empresas estatais ao regime falimentar *lato sensu* também se revela a partir da dificuldade ou, mais que isso, do absoluto entrave na aplicação de diversas regras específicas constantes da Lei nº 11.101/2005, como o art. 50, que estabelece meios para efetivação da recuperação judicial das sociedades empresárias, destacando-se, dentre eles, a autorização para "alteração do controle societário" (inc. III), "trespasse ou arrendamento do estabelecimento" (inc. VII), "usufruto da empresa" (inc. XIII) e "administração compartilhada" (inc. XIV). Ocorre que, seguramente, esses instrumentos não são compatíveis com a natureza especial das empresas estatais, pois implicaria a própria perda da estrutura legal enquanto empresa pública ou sociedade de economia mista (operando a extinção de sua qualidade estatal) e não na objetivada "recuperação", consoante proposto pela legislação falimentar.

De maneira similar, a realização de operações societárias de "cisão, incorporação, fusão ou transformação de sociedade, constituição de subsidiária integral, ou cessão de cotas ou ações" (art. 50, inc. II) se revela conflitante com a natureza jurídica das empresas estatais, sobretudo porque essas operações, ao importarem a criação (fusão e constituição de subsidiária integral) ou extinção (cisão e incorporação) de empresas públicas e sociedades de economia mista, dependem de lei, específica ou genérica (a depender da modalidade adotada e dos resultados visados), conforme exigido pelo art. 37, XIX e XX, da CF. Outrossim, a transformação de sociedade estatal depende de lei, lembrando-se, inclusive, que as sociedades de economia mista devem obrigatoriamente adotar a forma de sociedade anônima, consoante determinado pelo art. 4º, da Lei nº 13.303/2016.

Ademais, o mesmo art. 50 ainda prevê a possibilidade de modificação dos órgãos administrativos da sociedade (inc. IV) e a "concessão aos credores de direito de eleição em separado de administradores e de poder de veto em relação às matérias que o plano especificar" (inc. V). No entanto, essas disposições também não podem ser aplicadas às empresas públicas e sociedades de economia mista, porquanto têm elas parte de sua estrutura organizacional definida em lei específica (Lei nº 13.303/2016), segundo exigido pelo art. 173, §1º, da CF, sendo impensável a permissão para que credores componham

---

[34] A título ilustrativo, acrescenta-se que essa responsabilidade subsidiária também pode ser extraída do art. 9º do Decreto nº 9.859/2018, que regulamentou a Lei nº 9.491/1997, no que diz respeito ao processo de liquidação das empresas estatais federais controladas diretamente pela União, *in verbis*:
"Art. 9º Compete ao Ministério do Planejamento, Desenvolvimento e Gestão colocar à disposição do liquidante os recursos de dotações orçamentárias consignadas em lei, na hipótese de esgotamento dos recursos próprios da empresa em liquidação, com a finalidade de adimplir as despesas decorrentes do processo de liquidação, incluído o pagamento do pessoal responsável pelas atividades necessárias à liquidação, observada a responsabilidade de que trata o art. 4º".

a administração dessas estatais, recebendo poder de veto em certas matérias, em total abandono da gestão do interesse público de uma entidade que integra a Administração Pública indireta para, simplesmente, favorecer os interesses creditícios privados.

Outra regra inaplicável é o art. 51, V, pois esse comando normativo impõe, para deferimento da recuperação judicial, que o pedido inicial contenha "a relação dos bens particulares dos sócios controladores e dos administradores do devedor". De imediato, é patente o despropósito de sua incidência para as empresas públicas e sociedades de economia mista, que se caracterizam por ter como sócios controladores as pessoas políticas que as instituíram, sendo completamente inviável a apresentação de uma lista com o inventário de todos os bens que compõem o patrimônio do ente político controlador da sociedade.

O art. 65, a seu turno, estabelece que a gestão da sociedade em recuperação deve ficar a cargo de um gestor judicial, aprovado pela assembleia de credores, em caso de afastamento dos administradores anteriores, quando configuradas as hipóteses indicadas no art. 64. Mais uma vez, é óbvia a incompatibilidade dessa regra em relação às empresas públicas e sociedades de economia mista, porque não pode o Estado ser alijado de indicar, na forma da Lei nº 13.303/2016, os administradores (particularmente os membros do conselho de administração) de uma entidade de sua administração indireta, ficando a gestão do interesse público integralmente sob o comando de pessoa indicada pelo juízo da recuperação e aprovada pelos credores, para a satisfação de seus exclusivos interesses creditícios.

Indo além, com base no art. 82., se o regime privado falimentar fosse estendido às empresas públicas e sociedades de economia mista, caberia ao juízo estadual falimentar apurar a responsabilidade pessoal dos controladores, isto é, do Poder Público instituidor da empresa estatal falida (inclusive da União), hipótese que, outra vez, demonstra a absoluta impropriedade de submeter as estatais ao regime jurídico falimentar privado.

Outrossim, ao se estabelecer, no art. 140, as formas de realização do ativo da falida, impondo uma ordem legal de preferência que se inicia com a alienação da própria empresa, a partir da venda de seus estabelecimentos em bloco, fica novamente demonstrada a incompatibilidade desse regime falimentar ao regime especial híbrido das estatais, uma vez que a *desestatização* de empresa pública ou sociedade de economia mista deve seguir o disposto em legislação específica (no âmbito federal, as normas previstas na Lei nº 9.491/1997), não sendo razoável que esse complexo processo de privatização seja conduzido, com exclusividade, pelo juízo falimentar e pelo administrador judicial nomeado, para mero atendimento do interesse dos credores privados.

De igual maneira, ao indicar um procedimento falimentar próprio para a venda dos bens da empresa com quebra decretada, fixando as modalidades de alienação e aceitando que esta se dê em valor inferior ao de avaliação prévia dos bens (art. 142), bem como ao permitir que, excepcionalmente, o juízo falimentar autorize qualquer outra forma de alienação judicial além das previstas no referido art. 142 (art. 144), fica também provada a impossibilidade de sujeição das empresas estatais ao regime privado falimentar, pois, com esteio no art. 37, XXI, a alienação dos bens das empresas públicas e das sociedades de economia deve sempre obedecer, em atenção ao interesse público envolvido, o especial procedimento de "licitação pública", segundo os ditames específicos da Lei nº 14.133, de 1 de abril de 2021, e da Lei nº 13.303/2016, ou mesmo, na seara federal, da Lei nº 9.491/1997.

Na mesma senda, o art. 145, c/c art. 35, II, "c", ao determinar que o juiz homologue qualquer outra modalidade de realização do ativo da sociedade falida, desde que aprovada por deliberação da assembleia de credores, isto é, à revelia do devedor, evidencia que, se fosse incidente às empresas estatais, implicaria irrazoável prestígio dos interesses creditícios privados frente ao interesse público.

A partir, então, destes pincelados exemplos e considerando que a aplicação das disposições constantes da Lei nº 11.101/2005 não pode ser parcelada, ou melhor, não pode ser *seletiva* – reconhecendo-se a incidência fatiada de apenas uma parte de suas normas às empresas estatais –, até porque isso significaria a perda da lógica-sistêmica do regime jurídico falimentar *lato sensu*, resta inquestionavelmente atestada a impropriedade de se aplicar essa especial legislação às empresas públicas e sociedades de economia mista, ainda que explorem atividade econômica em sentido estrito.[35]

6 Inaplicabilidade do regime falimentar às empresas estatais independentemente da superação da tradicional classificação dessas entidades em prestadoras de serviço público e exploradoras de atividade econômica

Particularmente quanto a este tópico, salienta-se que, diante da atual conjuntura brasileira, expoentes da doutrina administrativista nacional vem questionando a pertinência da tradicional classificação dicotômica das empresas estatais em prestadoras de serviço público e exploradoras de atividade econômica em sentido estrito. Em caráter pioneiro, Marçal Justen Filho apontou o declínio dessa clássica divisão, afirmando:

> (...) talvez o futuro evidencie que a distinção entre entidades prestadoras de serviço público e exploradoras de atividades econômicas retratou a situação jurídica existente num certo momento histórico. A evolução dos fatos e a ampliação da complexidade da atuação estatal podem conduzir à superação da dicotomia, com o surgimento de situações híbridas, dotadas de maior complexidade e demandando do intérprete-aplicador do Direito a elaboração de novos instrumentos de análise, classificação e solução de problemas.[36]

Na mesma toada, Carlos Ari Sundfeld e Rodrigo Pagano de Souza comentam sobre uma "crise" nessa categorização:

> Verifica-se, por um lado, que a própria distinção "serviços públicos *versus* atividades econômicas" mostra sinais de crise, vez que a sua maior utilidade residia (ao menos supostamente) em permitir ao intérprete identificar, diante de um caso concreto, qual o regime jurídico aplicável à situação: em se tratando de atividade econômica em sentido

---

[35] Por outro lado, e em que pese todas as evidências que foram demonstradas, caso se insista na aplicação da Lei nº 11.101/2005 às empresas públicas e sociedades de economia mista exploradoras de atividade econômica em sentido estrito, restará ao Judiciário solucionar os infindáveis conflitos que surgirão a respeito da incompatibilidade de muitas de suas regras ao regime híbrido das sociedades estatais.

[36] JUSTEN FILHO, Marçal. Empresas estatais e a superação da dicotomia "prestação de serviço público/exploração de atividade econômica". *In:* FIGUEIREDO, Marcelo; PONTES FILHO, Valmir (org.). *Estudos de Direito Público em homenagem a Celso Antônio Bandeira de Mello.* São Paulo: Malheiros, 2006. p. 422.

estrito (assim qualificada pelo Direito), o caso se submeteria ao regime privado; em se tratando de serviço público (como tal qualificado pela ordem jurídica), ele se sujeitaria ao regime de direito público. O problema é que a legislação brasileira vem dificultando esta tarefa atribuída ao intérprete, vez que tem reconhecido, por exemplo, serviços públicos não subordinados ao regime publicístico, mas sim ao direito privado. Cai por terra, assim, a utilidade maior daquela distinção clássica e, no que tange ao regime das estatais, ela também se torna de utilidade questionável.[37]

Esse contexto levou inclusive alguns autores, como Floriano de Azevedo Marques Neto, a avançar na defesa da superação dessa dicotomia, tendo indicado a irrelevância em avaliar, atualmente, se uma empresa estatal desempenha atividade econômica ou presta serviço público, sendo mais importante aferir se sua atividade é realizada de forma competitiva ou não.[38]

Seja como for, tem-se que para a apuração da aplicabilidade ou não do regime falimentar às empresas estatais, pouco importa se determinada sociedade empresária estatal é classificada, segundo a dicotomia tradicional, como prestadora de serviço público ou exploradora de atividade econômica em sentido estrito, nem tampouco se ela exerce sua atividade em concorrência com outras empresas privadas; porquanto, inobstante a maior ou menor incidência de regras de direito privado no regime jurídico de uma particular empresa estatal ou de uma específica categoria de empresas estatais, isso não afasta a natureza *sui generis* desses entidades (que integram a Administração Pública indireta, embora tenham personalidade jurídica de Direito Privado)[39] e a sua inquestionável sujeição a um ordenamento jurídico híbrido que, apesar de não ser uniforme a todas as empresas estatais,[40] necessariamente envolve uma composição de normas públicas e privadas (ainda que em proporção variável).[41]

---

[37] SUNDFELD, Carlos Ari; PAGNANI DE SOUZA, Rodrigo. Licitação nas estatais: levando a natureza empresarial a sério. *Revista de Direito Administrativo*, Rio de Janeiro, n. 245, p. 22, maio/ago. 2007.

[38] Acerca dessa questão, afirma o mencionado autor que: "Efetivamente, até a década de 90 do século passado, fazia sentido dividir a atuação do Estado no domínio econômico entre aquela atinente aos chamados serviços públicos e aquel'outra atinente às atividades econômicas em sentido estrito. É que até esse momento, dizer que uma atividade era serviço público significava atribuir-lhe, quase por definição, o condão de ser explorada em regime de exclusividade ou privilégio. Porém, com os processos de reforma do Estado dos anos 80 e 90 e a consequente introdução da noção de competição, mesmo na seara dos serviços públicos, a distinção perdeu um pouco de utilidade (embora possa ser utilizada aqui e ali na doutrina e na jurisprudência). A exclusividade na prestação deixa de ser tida como regra nas atividades consideradas serviços públicos e passa a ser, até por prescrição legal expressa, exceção. O que me parece hoje relevante para se verificar o regime jurídico a balizar a atividade da empresa estatal será a atividade que exerce e se a mesma se desenvolve em ambiente de competição ou não" (MARQUES NETO, Floriano de Azevedo. As contratações estratégicas das estatais que competem no mercado. *In*: OSÓRIO, Fábio Medina; SOUTO, Juruena Villela. *Direito Administrativo*: estudos em homenagem a Diogo de Figueiredo Moreira Neto. Rio de Janeiro: Lumen Juris, 2006. p. 580-581).

[39] No âmbito federal, o Decreto-Lei nº 200/1967, em seu art. 4º, expressamente inclui as empresas públicas e as sociedades de economia mista na Administração Pública indireta.

[40] O regime jurídico de cada empresa estatal pode diferir de acordo com inúmeras nuances jurídicas, como o modelo de sociedade estatal adotado (empresa pública ou sociedade de economia mista) e, se for empresa pública, com o tipo empresarial que for constituída (sociedade anônima, de responsabilidade limitada ou mesmo sem tipo definido); bem como com a regulação do setor econômico em que ela atua; com as particularidades do ordenamento da unidade política instituidora (federal, estadual, distrital ou municipal); com as normatizações específicas previstas pelo controlador nas "leis de criação" e estatutos etc.

[41] Em linha semelhante, Alexandre Aragão (*Empresas estatais*. 2. ed. Rio de Janeiro: Forense, 2018. p. 207-208) sustenta que a aplicação da corrente dicotômica, como se existissem somente dois regimes jurídicos de estatais, levou a uma excessiva publicização da Administração indireta, caminhando na contramão da tendência mundial

Por conseguinte, reitera-se que a não submissão das empresas estatais ao regime falimentar não configura um privilégio conferido a essas entidades em prejuízo de empresas privadas concorrentes, devendo ser, na verdade, compreendida como uma *prerrogativa* (como medida de isonomia)[42] inerente a essas entidades, em razão de sua natureza *sui generis* e da inafastável submissão a específicas normas de direito público que compõem o seu regime jurídico híbrido.

7 À guisa de conclusão. submissão das empresas estatais a um regime especial público de reorganização da atuação estatal

De todo o colacionado, frisa-se que o reconhecimento da incompatibilidade do regime privado falimentar com o regime híbrido das empresas estatais – e, consequentemente, da constitucionalidade do art. 2º, I, da Lei 11.101/2005 – não significa que essas sociedades não podem ser subordinadas a um regime especial público que preveja um amplo sistema normativo de reorganização econômica e financeira da atuação estatal na seara privada e que efetivamente promova a proteção da livre iniciativa e dos seus corolários princípios da propriedade privada e da livre concorrência.

Veja-se, inclusive, que, no âmbito federal, a Lei nº 9.491/1997 já cumpre, em parte, esse papel, ao estabelecer o Programa Nacional de Desestatização (PND), que tem os objetivos fundamentais listados no art. 1º, *in verbis*:

Art. 1º O Programa Nacional de Desestatização – PND tem como objetivos fundamentais:

I- reordenar a posição estratégica do Estado na economia, transferindo à iniciativa privada atividades indevidamente exploradas pelo setor público;

II - contribuir para a reestruturação econômica do setor público, especialmente através da melhoria do perfil e da redução da dívida pública líquida;

III - permitir a retomada de investimentos nas empresas e atividades que vierem a ser transferidas à iniciativa privada;

IV - contribuir para a reestruturação econômica do setor privado, especialmente para a modernização da infra-estrutura e do parque industrial do País, ampliando sua competitividade e reforçando a capacidade empresarial nos diversos setores da economia, inclusive através da concessão de crédito;

V - permitir que a Administração Pública concentre seus esforços nas atividades em que a presença do Estado seja fundamental para a consecução das prioridades nacionais;

---

de adotar métodos mais ágeis e flexíveis de gestão; por isso, defende que o regime jurídico das empresas estatais é híbrido e atípico, isto é, não se trata nem de regime exclusivo de direito público ou de direito privado, nem de um regime de direito público com derrogações de direito privado ou vice-versa; concluindo o autor que "a disciplina das empresas estatais é um exemplo paradigmático de como podem ocorrer a intersecção e a fusão complexa e dinâmica de elementos de regimes jurídicos e até de ordenamentos jurídicos setoriais distintos".

[42] Jorge Miranda (*Manual de Direito Constitucional*. 4. ed. Coimbra: Coimbra Editora, 1998. t. 4, p. 240) esclarece que a sutil diferença entre prerrogativa e privilégio reside no fato da prerrogativa ter, por fim, a aplicabilidade do princípio da isonomia, enquanto o privilégio consiste em um tratamento desigual infundado, pois, atribui um direito mais benéfico a alguém sem qualquer justificativa válida capaz de assegurar a constitucionalidade sob a ótica do princípio da isonomia.

VI - contribuir para o fortalecimento do mercado de capitais, através do acréscimo da oferta de valores mobiliários e da democratização da propriedade do capital das empresas que integrarem o Programa.

Assim, em que pese as empresas estatais não se sujeitarem ao regime falimentar, claro está que o PND assume a função de dar efetividade às normas constitucionais relativas às ordem econômica nacional – fundada na livre iniciativa e na valorização da propriedade privada e da livre concorrência (art. 170) –, prevendo mecanismos para adequar a intervenção direta do Estado na atividade econômica, por meio de um programa geral de desestatização, inclusive, de empresas públicas e sociedades de economia mista cuja atuação na esfera privada não é mais justificável, restando legalmente autorizada tanto a alienação do seu controle acionário à iniciativa privada, como a sua dissolução e posterior liquidação.

Mais ainda, informa-se que, com vista a melhor definir os critérios de classificação de uma empresa estatal dependente e de, como consequência, melhor estruturar a atuação estatal no exercício da atividade econômica em sentido amplo, o Executivo Federal já apresentou ao Congresso Nacional um projeto de lei (Projeto de Lei nº 9.215/2017),[43] que também propõe um "Plano de Recuperação e Melhoria Empresarial" dirigido às empresas estatais federais e a ser aplicado, sobretudo, antes do enquadramento dessas entidades como empresa dependente, recolocando-a numa posição de equilíbrio financeiro.

Outrossim, vale consignar que o Decreto nº 10.690/2021, regulamenta o processo de transição entre empresas estatais federais dependentes e não dependentes, prevendo mecanismos para promover o equilíbrio econômico-financeiro dessas entidades.

Destarte, tem-se que a inaplicabilidade do regime privado falimentar (atualmente disciplinado pela Lei nº 11.101/2005) às empresas estatais decorre da própria natureza especial dessas sociedades empresárias e da inegável incidência, em paralelo à regulação de cunho privado, de normas de direito público (ainda que de modo restrito), que tratam da criação, estruturação, funcionamento e extinção dessas *entidades públicas*.

Portanto, conforme já anteriormente demonstrado e seguindo o entendimento sustentado pela terceira corrente doutrinária acima comentada, a exclusão das empresas estatais do regime falimentar *lato sensu* da Lei nº 11.101/2005, conforme disposto em seu art. 2º, I – independentemente de como forem elas categorizadas; isto é, sejam prestadoras de serviço público, exploradoras de atividade econômica em sentido estrito, atuantes em sistema de concorrência ou submetidas a qualquer outra classificação legal, doutrinária ou jurisprudencial –, é plenamente justificada em razão da efetiva incompatibilidade material dessa regulação, de matriz privada, com o regime jurídico híbrido a que essas sociedades estatais estão sujeitas (em particular às normas de direito público que as regem, em maior ou menor escala).

---

[43] BRASIL. Câmara dos Deputados. *Projeto de Lei nº 9.215, de 29 de novembro de 2017*. Dispõe sobre a verificação da situação de dependência e sobre o Plano de Recuperação e Melhoria Empresarial aplicável às empresas estatais federais. Brasília, DF, Câmara dos Deputados, 29 de novembro de 2017. Disponível em: https://www.camara.leg.br/proposicoesWeb/fichadetramitacao?idProposicao=2163679#. Acesso em: 19 ago. 2024.

Referências

ARAGÃO, Alexandre Santos de. *Empresas estatais*. 2. ed. Rio de Janeiro: Forense, 2018.

BANDEIRA DE MELLO, Celso Antônio. *Curso de Direito Administrativo*. 32. ed. São Paulo: Malheiros, 2014.

BONAVIDES, Paulo. *Curso de Direito Constitucional*. 19. ed. São Paulo: Malheiros, 2006.

BORBA, José Edwaldo Tavares. *Direito societário*. 17. ed. Rio de Janeiro: Atlas, 2019.

BEMQUERER, Marcos. *O regime jurídico das empresas estatais após a Emenda Constitucional nº 19/1998*. Belo Horizonte: Fórum, 2012.

BRASIL. Câmara dos Deputados. *Projeto de Lei nº 9.215, de 29 de novembro de 2017*. Dispõe sobre a verificação da situação de dependência e sobre o Plano de Recuperação e Melhoria Empresarial aplicável às empresas estatais federais. Brasília, DF, Câmara dos Deputados, 29 de novembro de 2017. Disponível em: https://www.camara.leg.br/proposicoesWeb/fichadetramitacao?idProposicao=2163679#. Acesso em: 19 ago. 2024.

BRASIL. [Constituição (1988)]. Constituição da República Federativa do Brasil de 1988. Brasília, DF: Presidência da República, 1988. Disponível em: http://www.planalto.gov.br/ccivil_03/constituicao/constituicaocompilado.htm. Acesso em: 19 ago. 2024.

BRASIL. Decreto nº 9.589, de 29 de novembro de 2018. Dispõe sobre os procedimentos e os critérios aplicáveis ao processo de liquidação de empresas estatais federais controladas diretamente pela União. *Diário Oficial da União*: Brasília, DF, 2018. Disponível em: https://www.planalto.gov.br/ccivil_03/_ato2015-2018/2018/decreto/d9589.htm. Acesso em: 19 ago. 2024.

BRASIL. Decreto nº 10.690, de 29 de abril de 2021. Regulamenta o processo de transição entre empresas estatais federais dependentes e não dependentes. *Diário Oficial da União*: Brasília, DF, 2021. Disponível em: https://www.planalto.gov.br/ccivil_03/_ato2019-2022/2021/decreto/d10690.htm. Acesso em: 19 ago. 2024.

BRASIL. Decreto-Lei nº 200, de 25 de fevereiro de 1967. Dispõe sôbre a organização da Administração Federal, estabelece diretrizes para a Reforma Administrativa e dá outras providências. *Diário Oficial da União*: Brasília, DF, 1967. Disponível em: https://www.planalto.gov.br/ccivil_03/decreto-lei/del0200.htm. Acesso em: 19 ago. 2024.

BRASIL. Decreto-Lei nº 2.848, de 7 de dezembro de 1940. Código Penal. *Diário Oficial da União*: Brasília, DF, 1940. Disponível em: https://www.planalto.gov.br/ccivil_03/decreto-lei/del2848.htm. Acesso em: 19 ago. 2024.

BRASIL. Lei nº 6.404, de 15 de dezembro de 1976. Dispõe sobre as Sociedades por Ações. *Diário Oficial da União*: Brasília, DF, 1976. Disponível em: https://www.planalto.gov.br/ccivil_03/leis/l6404consol.htm. Acesso em: 19 ago. 2024.

BRASIL. Lei nº 8.029, de 12 de abril de 1990. Dispõe sobre a extinção e dissolução de entidades da administração Pública Federal, e dá outras providências. *Diário Oficial da União*: Brasília, DF, 1990. Disponível em: https://www.planalto.gov.br/ccivil_03/leis/l8029cons.htm. Acesso em: 19 ago. 2024.

BRASIL. Lei nº 8.987, de 13 de fevereiro de 1995. Dispõe sobre o regime de concessão e permissão da prestação de serviços públicos previsto no art. 175 da Constituição Federal, e dá outras providências. *Diário Oficial da União*: Brasília, DF, 1995. Disponível em: https://www.planalto.gov.br/ccivil_03/leis/l8987cons.htm. Acesso em: 19 ago. 2024.

BRASIL. Lei nº 9.491, de 9 de setembro de 1997. Altera procedimentos relativos ao Programa Nacional de Desestatização, revoga a Lei nº 8.031, de 12 de abril de 1990, e dá outras providências. *Diário Oficial da União*: Brasília, DF, 1997. Disponível em: https://www.planalto.gov.br/ccivil_03/leis/l9491.htm. Acesso em: 19 ago. 2024.

BRASIL. Lei nº 10.406, de 10 de janeiro de 2002. Institui o Código Civil. *Diário Oficial da União*: Brasília, DF, 2002. Disponível em: https://www.planalto.gov.br/ccivil_03/leis/2002/l10406compilada.htm?ref=blog.suitebras.com. Acesso em: 19 ago. 2024.

BRASIL. Lei nº 11.101, de 09 de fevereiro de 2005. Regula a recuperação judicial, a extrajudicial e a falência do empresário e da sociedade empresária. *Diário Oficial da União*: Brasília, DF, 2005. Disponível em: https://www.planalto.gov.br/ccivil_03/_ato2004-2006/2005/lei/l11101.htm. Acesso em: 19 ago. 2024.

BRASIL. Lei nº 13.303, de 30 de junho de 2016. Dispõe sobre o estatuto jurídico da empresa pública, da sociedade de economia mista e de suas subsidiárias, no âmbito da União, dos Estados, do Distrito Federal e dos Municípios. *Diário Oficial da União*: Brasília, DF, 2016. Disponível em: https://www.planalto.gov.br/ccivil_03/_ato2015-2018/2016/lei/l13303.htm. Acesso em: 19 ago. 2024.

BRASIL. Lei nº 14.133, de 1 de abril de 2021. Lei de Licitações e Contratos Administrativos. *Diário Oficial da União*: Brasília, DF, 2021. Disponível em: https://www.planalto.gov.br/ccivil_03/_ato2019-2022/2021/lei/l14133.htm. Acesso em: 19 ago. 2024.

BRASIL. Lei Complementar nº 101, de 4 de maio de 2000. Estabelece normas de finanças públicas voltadas para a responsabilidade na gestão fiscal e dá outras providências. *Diário Oficial da União*: Brasília, DF, 2000. Disponível em: https://www.planalto.gov.br/ccivil_03/leis/lcp/lcp101.htm. Acesso em: 19 ago. 2024.

BRASIL. Supremo Tribunal Federal (Pleno). ADI 1.642. Relator: Min. Eros Grau, 3 de abril de 2008. *Dje*: Brasília, DF, 19 set. 2008.

BRASIL. Supremo Tribunal Federal (Pleno). RE 220.906. Relator: Min. Maurício Corrêa, 16 de novembro de 2000, *Dje*: Brasília, DF, 14 nov. 2002.

BRASIL. Supremo Tribunal Federal. 2. Turma. RE 407.099. Relator: Min. Carlos Velloso, 22 de junho de 2004. *Dje*: Brasília, DF, 6 ago. 2004. Disponível em: chrome-extension://efaidnbmnnnibpcajpcglclefindmkaj/https://redir.stf.jus.br/paginadorpub/paginador.jsp?docTP=AC&docID=261763. Acesso em: 19 ago. 2024.

BRASIL. Supremo Tribunal Federal (Pleno). RE 577.494. Relator: Min. Edson Fachin, 13 de dezembro de 2018. *Dje*: Brasília, DF, 1 mar. 2019. Disponível em: https://jurisprudencia.stf.jus.br/pages/search/sjur399090/false. Acesso em: 19 ago. 2024.

CAMPINHO, Sérgio. *Falência e recuperação de empresa*: o novo regime da insolvência empresarial. 4. ed. Rio de Janeiro: Renovar, 2009.

CARVALHO FILHO, José dos Santos. *Manual de Direito Administrativo*. 33. ed. Rio de Janeiro: Atlas, 2019.

CARVALHO, Paulo de Barros. *Derivação e Positivação no Direito Tributário*. São Paulo: Noeses, 2011. v. 1.

CARVALHOSA, Modesto. *Comentários à Lei de Sociedades Anônimas*. 6. ed. São Paulo: Saraiva, 2014. v. 4, t. 1.

COELHO, Fábio Ulhoa. *Comentários à nova lei de falências e de recuperação de empresas*: Lei nº 11.101, de 9-2-2005. 7. ed. São Paulo: Saraiva, 2010.

COELHO, Fábio Ulhoa. *Curso de Direito Comercial*. 14. ed. São Paulo: Saraiva, 2014. v. 3.

COELHO, Fábio Ulhoa. *Manual de Direito Comercial*: Direito de Empresa. 26. ed. São Paulo: Saraiva, 2014.

DI PIETRO, Maria Sylvia Zanella. *Direito Administrativo*. 32. ed. Rio de Janeiro: Forense, 2019.

FRANÇA, Rubens Limongi. Hermenêutica Jurídica. 6. ed. São Paulo: Saraiva, 1997.

GASPARINI, Diógenes. *Direito administrativo*. 17. ed. São Paulo: Saraiva, 2011.

GRAU, Eros Roberto. *A ordem econômica na Constituição de 1988*. 15. ed. São Paulo: Malheiros, 2012.

JUSTEN FILHO, Marçal. *Curso de Direito Administrativo*. 12. ed. São Paulo: Revista dos Tribunais, 2016.

JUSTEN FILHO, Marçal. Empresas estatais e a superação da dicotomia "prestação de serviço público/exploração de atividade econômica". *In*: FIGUEIREDO, Marcelo. PONTES FILHO, Valmir (org.). *Estudos de Direito Público em homenagem a Celso Antônio Bandeira de Mello*. São Paulo: Malheiros, 2006. p. 403-423.

MARQUES NETO, Floriano de Azevedo. *As contratações estratégicas das estatais que competem no mercado*. *In:* OSÓRIO, Fábio Medina. SOUTO, Juruena Villela. *Direito Administrativo*: estudos em homenagem a Diogo de Figueiredo Moreira Neto. Rio de Janeiro: Lumen Juris, 2006. p. 575-604.

MEIRELLES, Hely Lopes. *Direito Administrativo brasileiro*. 28. ed. São Paulo: Malheiros, 2003.

MENDONÇA, José Vicente Santos de. *Direito Constitucional Econômico*. Belo Horizonte: Fórum, 2014.

MIRANDA, Jorge. *Manual de Direito Constitucional*. 4. ed. Coimbra: Coimbra Editora, 1998. t. 4.

MONTORO, André Franco. *Introdução à ciência do Direito*. 29. ed. rev. e atual. São Paulo: Revista dos Tribunais, 2011.

MOREIRA NETO, Diogo de Figueiredo. *Ordem econômica e desenvolvimento na Constituição de 1988*. Rio de Janeiro: APEC, 1989.

PERIN JÚNIOR, Écio. *Curso de Direito Falimentar e recuperação de empresas*. 3. ed. São Paulo: Método, 2006.

SCHIRATO, Vitor Rhein. Bancos estatais ou Estado banqueiro? *In:* ARAGÃO, Alexandre Santos de (coord.). *Empresas públicas e sociedades de economia mista*. Belo Horizonte: Fórum, 2015. p. 265-299.

SOUTO, Marcos Juruena Villela. *Aspectos do planejamento econômico*. 2. ed. Rio de Janeiro: Lumen Juris, 2000.

SUNDFELD, Carlos Ari; PAGNANI DE SOUZA, Rodrigo. Licitação nas estatais: levando a natureza empresarial a sério. *Revista de Direito Administrativo*, Rio de Janeiro, n. 245, p. 13-30, maio/ago. 2007.

VALVERDE, Miranda. *Comentários à Lei de Falências*. Rio de Janeiro: Forense, 1999. v. 1.

VERÇOSA, Haroldo Malheiros Duclerc. *Das pessoas sujeitas e não sujeitas aos regimes de recuperação de empresas e ao da falência. In:* PAIVA, Luiz Fernando Valente de (coord.). Direito Falimentar e a nova Lei de Falências e recuperação de empresas. São Paulo: Quartier Latin, 2000. p. 63-118.

Informação bibliográfica deste texto, conforme a NBR 6023:2018 da Associação Brasileira de Normas Técnicas (ABNT):

TRINDADE, Claudia Aparecida de Souza; TIMBÓ, Ivo Cordeiro Pinho. Inaplicabilidade do regime falimentar às empresas estatais. *In:* JUSTEN, Monica Spezia; PEREIRA, Cesar; JUSTEN NETO, Marçal; JUSTEN, Lucas Spezia (coord.). *Uma visão humanista do Direito*: homenagem ao Professor Marçal Justen Filho. Belo Horizonte: Fórum, 2025. v. 3, p. 57-79. ISBN 978-65-5518-915-5.

SOCIEDADE DE PROPÓSITO ESPECÍFICO: ANÁLISE ESTRUTURAL

EDSON ISFER

1 Introdução

Tendo sido convidado para participar desta obra, em homenagem ao Professor Marçal Justen Filho, dois sentimentos prontamente se acercaram de mim: gratidão e felicidade.

Gratidão, em primeiro plano, àqueles que lembraram do meu nome, para que eu pudesse, de minha parte, agradecer ao Professor, Advogado e Amigo Marçal. E o qualifico nessas três condições, eis que nessas três condições ele participou da minha jornada.

Foi meu Professor, quando eu a ele recorri para escrever minha dissertação de mestrado, a qual, certamente, teve um grande avanço com as intervenções sempre precisas do Professor Marçal.

Foi e é o Advogado Marçal, a quem, em situações de dificuldade extrema em assuntos jurídicos da família, por vezes sou obrigado a recorrer e de quem recebo o pronto acolhimento, com a generosidade daqueles que dignificam nossa profissão.

Continua sendo o Amigo Marçal, pois amigos não são exatamente aqueles com quem convivemos diariamente, mas aqueles com quem podemos contar, ainda que à distância, nos diversos episódios da vida. Por isso a minha gratidão.

Quanto à minha felicidade, ela decorre do fato de estar entre aqueles cujos nomes estarão registrados ao lado do nome do Marçal. O mesmo Marçal que passou pelo Direito Comercial e deixou sua marca indelével, de sorte que nós, que estivemos como professores dessa área, sempre pudemos recorrer aos seus ensinamentos, para nos fortalecer.

Feitos tais registros, debruço-me sobre a questão das sociedades de propósito específico (SPEs), tema ao qual, em parte, dediquei-me na minha tese de doutoramento.

Faço este aporte, eis que muito se fala das SPEs, mas que praticamente não há preocupações em definir esse "ente", eis que a expressão pressupõe a existência de uma "sociedade", quando isso não obrigatoriamente existirá, bem como inexiste na legislação qualquer tipificação do que seria o tal "propósito específico".

Portanto, é com tal objetivo que vamos avaliar o tema: explicar e detalhar a entidade e o propósito específico.

2 O propósito específico

Fenômeno introduzido na doutrina e legislação nacionais, a SPE tem sido utilizada em diversas áreas do setor econômico, especialmente nas incorporações imobiliárias, como forma de proteger investidores, permutantes, adquirentes e, mesmo, fornecedores. Mas não só nesse setor as SPE têm sido utilizadas. Elas se prestam ora como meio de viabilizar investimentos,[1] ora como modelo de contratação de obras públicas,[2] ora como forma de outorgar garantias e como modelo de se atingir determinado resultado prático, que é a recuperação da empresa em crise, mediante a recepção de seus ativos pelos credores.

No entanto, em regra, apesar de cogitar-se dessa *modalidade* de sociedade, não há a preocupação de defini-la, nem de lhe buscar a natureza jurídica.

Ao fazerem referência à SPE no Brasil, alguns comentaristas estabelecem a comparação com a mesma sigla na língua inglesa, que estaria a indicar a Special Purpose Entity,[3] ou seja, ao invés de uma *sociedade* seria uma *entidade* de propósito específico. Nessa mesma sequência, ao regular as demonstrações contábeis consolidadas das companhias abertas, acerca de exploração de um determinado 'propósito específico', a Comissão de Valores Mobiliários (CVM) refere-se a *entidades* e não a sociedades.[4] Sendo assim, pode-se dizer que, em um primeiro plano, deve-se analisar a questão do *propósito específico*, deixando a análise do sujeito ativo (quem vai explorar essa atividade) para um segundo momento.

---

[1] Com esse objetivo, são estabelecidos sistemas de financiamento que asseguram aos investidores garantias consistentes na própria geração de caixa da sociedade. A esse sistema tem se dado o nome de "Project Finance", como destaca João Luiz Coelho da Rocha (Novas alternativas e derivações jurídicas para a agregação empresarial. *Revista de Direito Mercantil Industrial Econômico e Financeiro*, n. 118, p. 94, 2000). Para sua implementação, sem os riscos da atividade, a regra é a da criação de SPE que oferta a garantia aos investidores. Mas não só no Brasil tem sido utilizado esse mecanismo. Como revela Phillipe Cossalter (A Private Finance Iniciative. *Revista de Direito Público da Economia – RDPE*, Belo Horizonte, n. 6, p. 127, abr./jun. 2004), o governo britânico introduziu a "Private Finance Iniciative", que é um programa "visando a encorajar a realização de obras e a gestão de serviços mediante o apoio de um financiamento ou de um pré-financiamento privado". E para se chegar a concretizar esse apoio, o programa passa por um contrato de garantia, o qual será instrumentalizado por uma SPE, que centraliza todo o projeto.

[2] Como tem ocorrido em exigência de editais públicos, nos quais as licitações são vencidas por sociedades em consórcio e que, para a contratação, devem as consorciadas criar SPE.

[3] Assim: REQUIÃO, Rubens Edmundo. A *Joint Venture* e a Sociedade de Propósito Específico. *Escritório Rubens Requião*, Curitiba, [2024]. Disponível em: https://requiao.adv.br/artigo13.htm. Acesso em: 28 nov. 2024; STUBER, Walter Douglas. As novas regras da Comissão de Valores Mobiliários sobre as Entidades de Propósito Específico. *Migalhas*, São Paulo, 22 set. 2004. Disponível em: https://www.migalhas.com.br/depeso/7099/as-novas-regras-da-comissao-de-valores-mobiliarios-sobre-as-entidades-de-proposito-especifico. Acesso em: Acesso em: 2 dez. 2024.

[4] Inicialmente essa era o tratamento dado pela Instrução CVM nº 408, de 18 de setembro de 2004. Ao distribuir comunicado à imprensa sobre essa instrução (Informação para imprensa CVM/ASC/nº 154/04, em 18 de agosto de 2004), a CVM afirma que "uma EPE é normalmente constituída para realizar um propósito específico e bem definido em nome e sob controle de uma companhia". Atualmente, a CVM continua com esse mesmo tratamento, como pode ser verificado por meio da Resolução CVM nº 112, de 20 de maio de 2020, que mantém a denominação de "entidade".

Segundo o *Novo Aurélio século XXI*, o substantivo *propósito* tem as seguintes definições: "1. Algo que se pretende fazer ou conseguir; intenção, intento, projeto. 2. Deliberação, determinação, decisão, resolução. 3. Modo sisudo; tino, prudência. 4. Relação, ligação. 5. Fim a que se visa".[5] O mesmo verbete, no *Grande e Novíssimo Dicionário da Língua Portuguesa de Laudelino Freire*, encontra, além desses e outros significados, o de "objeto que se tem em vista; mira, fim".[6]

Por sua vez, o adjetivo *específico* pode significar algo que é "exclusivo, especial e que se opõe a genérico".[7] Portanto, ao se tratar de uma entidade de propósito específico, faz-se referência a uma entidade com um *determinado fim*, um *objeto que tenha em vista* e que tal fim ou objeto seja *exclusivo, especial* e *não genérico*.

Ocorre que ter um objeto ou fim determinado não pode ser fator de discrímen para o estudo.

O CCB, disciplinando as pessoas jurídicas, no art. 46, I, exige para seu registro que dele constem, além da denominação, da sede, do tempo de duração, do fundo social, os *fins* delas. Nesse mesmo âmbito, tratando das associações, o art. 54, I, estabelece que, sob pena de nulidade, seus estatutos devem conter *os fins* do ente jurídico. Ainda com essa mesma tônica, o art. 997, II, regulando os contratos sociais das sociedades simples e empresárias, estabelece como um dos elementos obrigatórios, a designação do seu *objeto social*. Desta sorte, todos os entes jurídicos regulados no CCB devem ter um *objeto determinado*.

A LSA, por seu turno, é mais enfática nesse assunto. O art. 2º, destinado a tratar exclusivamente do *objetivo social*, dispõe que o "objeto da companhia pode ser qualquer empresa de fim lucrativo" e, ainda, que o "estatuto definirá o objeto de modo preciso e completo".

Corroborando essa disciplina legal, o art. 35 da Lei nº 8.934, com a redação dada pela Lei nº 14.195/2021, veda o arquivamento dos atos constitutivos das sociedades nos quais não contiver a "declaração de seu objeto".

Em sintonia com essas normas, ao falar de ente jurídico, ao menos personalizado, sempre haverá um propósito pré-definido, sendo inadequado utilizar esse parâmetro como critério para buscar a identidade desse ente ou da SPE.

Se não é possível a individualização pelo substantivo, busca-se, então, o adjetivo "específico", para nortear este trabalho.

Como visto, específico é algo não genérico, exclusivo ou especial. Partindo dessa premissa, permitimo-nos antecipar certa dificuldade de identificação do objeto, motivada pelas disposições das legislações antes mencionadas, que indicam a necessidade de detalhar o objeto.

---

[5] PROPÓSITO. *In:* FERREIRA, Aurélio Buarque de Holanda. *Novo Aurélio século XXI*: o dicionário da língua portuguesa. 3. ed. Rio de Janeiro: Nova Fronteira, 1999.

[6] PROPÓSITO. *In:* FREIRE, Laudelino. *Grande e novíssimo dicionário da língua portuguesa.* Rio de Janeiro: José Olympio, 1954.

[7] ESPECÍFICO. *In:* FERREIRA, Aurélio Buarque de Holanda. *Novo Aurélio século XXI*: o dicionário da língua portuguesa. 3. ed. Rio de Janeiro: Nova Fronteira, 1999; ESPECÍFICO. *In:* FREIRE, Laudelino. *Grande e novíssimo dicionário da língua portuguesa.* Rio de Janeiro: José Olympio, 1954.

Pergunta-se, então, se algo *preciso, detalhado,* pode ser *genérico* e *não exclusivo.* Interpretando tal situação, o Departamento Nacional do Registro Empresarial e Integração expediu o *Manual de Registro de Sociedade Limitada,* estabelecendo que:[8]

i) O objeto social das Sociedades não pode ser "indeterminável";

ii) "O contrato social deverá indicar as atividades a serem desenvolvidas pela sociedade, podendo ser descrito por meio de códigos integrantes da estrutura da Classificação Nacional de Atividades Econômicas – CNAE";

iii) *É vedada a descrição do objeto exclusivamente por CNAE genérico.*

Sobre o tema, em especial acerca do *objeto social* da sociedade anônima, Rubens Requião afirma que o critério de sua identificação é rigoroso, devendo designar a empresa que a sociedade se propõe, sendo taxativa a enumeração ou indicação dos atos que pode praticar.[9]

Sendo assim, para distinguir a SPE das demais entidades, em face da *especificidade*[10] de seu objeto, não basta detalhar a espécie do gênero ao qual ela vai se dedicar. Há algo a mais a ser detalhado.

Eventualmente, poderia se pensar na possibilidade de estudar a especificidade do objeto, partindo das lições acerca das antigas disposições legais relativas à sociedade em conta de participação. Segundo o C. Comercial, haveria sociedade em conta de participação, quando "duas ou mais pessoas, sendo ao menos uma comerciante, se reúnem (reunissem), sem firma social, para lucro comum, *em uma ou mais operações de comércio determinadas".*[11]

Comentando essa sociedade, Waldemar Ferreira dizia que "origina-se ela das condições do negócio" e que "adstrita àquela operação, a sociedade tem vida acidental e momentânea". Tratando de sua dissolução, afirmava ainda o referido mestre que "tem-se a sociedade em conta de participação, dissolvida por ter cessado o seu objetivo, preenchido com a terminação das operações, para que se constituiu".[12]

Desses comentários, pode-se subentender que Waldemar Ferreira imputava à questão da *temporalidade* um sobrepeso para qualificar o adjetivo *determinadas,* utilizado como balizador do substantivo *operações* no revogado art. 325 do C. Comercial.[13]

---

[8] BRASIL. Ministério do Desenvolvimento, Indústria, Comércio e Serviços. *Manual de Registro de Sociedade Limitada.* Brasília, DF, Ministério do Desenvolvimento, Indústria, Comércio e Serviços, 2022. item 4.4, p. 48. Disponível em: https://www.gov.br/mdic/pt-br/assuntos/drei/legislacao/arquivos/legislacoes-federais/Anexo IVLtdanovondice28dez2022.pdf. Acesso em: 10 maio 2024.

[9] REQUIÃO, Rubens. O objeto social nas sociedades anônimas. *In:* REQUIÃO, Rubens. *Aspectos modernos de Direito Comercial.* Curitiba: Saraiva, 1986. v. 1, p. 7-8.

[10] Quando se trata de especificidade, fala-se de maior detalhamento da espécie. Nesse verbete, o *Dicionário Houaiss da língua portuguesa* traz os seguintes significados: "1. qualidade daquilo que é específico; particularidade. 2. qualidade própria, peculiar, de uma espécie" (ESPECIFICIDADE. *In:* DICIONÁRIO Houaiss da língua portuguesa. São Paulo: Moderna, 2001. Disponível em: https://houaiss.uol.com.br. Acesso em: 27 nov. 2024).

[11] BRASIL. *Lei nº 556, de 25 de junho de 1850.* Código Comercial. República Federativa dos Estados Unidos do Brasil: Assembleia Constituinte, 1850. art. 325, grifos nossos. Disponível em: https://www.planalto.gov.br/ccivil_03/leis/lim/lim556.htm. Acesso em: 28 nov. 2024.

[12] FERREIRA, Waldemar Martins. *Compêndio de sociedades mercantis.* 2. ed. São Paulo: Saraiva, 1949. p. 287-289.

[13] Não se desconhecem as críticas sofridas por esse sistema de identificação da sociedade, como as provenientes de Carvalho de Mendonça (*Tratado de Direito Comercial brasileiro.* 4. ed. Rio de Janeiro: Freitas Bastos, 1946. v. 4, p. 230). Segundo o tratadista, "se o Código no art. 325 se referiu à sociedade em conta de participação tendo por objeto *uma ou mais operações de comércio determinadas, se a denominou sociedade acidental ou momentânea,* teve em vista os casos mais freqüentes. O conceito de limitar a participação ao exercício de operações determinadas 'cria uma entidade fictícia, convencional, que se acha em absoluta oposição às exigências do tráfico e à natureza do

Mas não só a temporalidade impressionou o Ferreira. Pode-se dizer que, igualmente, a questão funcional[14] foi por ele percebida, quando tratou da dissolução da sociedade pela consecução de seu objeto.

Por seu turno, Rachel Sztajn afirma que "as sociedades em conta de participação contemplam situações transitórias ou únicas, não o exercício continuado e permanente de uma atividade".[15]

Para a referida autora, como visto, o foco principal estaria no aspecto temporal. Ultrapassado o tempo necessário para o exercício de uma determinada atividade, terminaria sua existência. A temporalidade, no entanto, não tem qualidades suficientes para resolver a questão, visto que, como se sabe, as sociedades podem ser constituídas por prazo determinado ou indeterminado.

Se a antiga norma antes transcrita não tem a eficiência necessária para estabelecer o que seja *propósito específico*, talvez as explicações acerca das "fundações" tenham a capacidade de solucionar o problema. Nos termos do art. 62 do CCB, a fundação deve ter uma "dotação especial de bens livres", para poder cumprir o "fim a que se destina" e que foi adrede declarado pelo instituidor.

Como explica Pontes de Miranda, "o fim especificado é pressuposto material, necessário, da fundação. A referência à especialidade (ou especificação) do fim é para se exigir que seja designado o mais exatamente possível. Não bastaria dizer-se 'fim de beneficência', ou 'fins de caridade', ou 'para aplicação de beneficência'".[16]

Portanto, como já dito, a questão é estabelecer com exatidão o objeto da sociedade. O que ainda fica pendente de solução são os critérios a serem adotados para se chegar a essa exatidão.

O legislador brasileiro de 2002 não se curvou ao entendimento de Carvalho de Mendonça (conforme nota anterior) e admitiu que a sociedade pode ser formada com objetivos determinados. Após ter definido o contrato de sociedade (art. 981, CCB), estabeleceu o seguinte permissivo: "(...) Parágrafo *único*: A atividade pode restringir-se *à* realização de um ou mais negócios determinados".

A determinabilidade do objeto parece ser, para o legislador, quanto ao aspecto temporal e funcional.

Cabe-nos, portanto, investigar quais os critérios que outorgariam particularidade a esses entes: se o funcional e o temporal realmente abrangeriam todas as questões, ou se poderiam ser a eles também agregados o espacial e o subjetivo.

---

fenômeno econômico, ao qual deve ser dada consistência jurídica". Asseveram a possibilidade de delimitação do objeto, para "uma ou mais operações comerciais, ou mesmo de todo o comércio", nos direitos que consagram esse tipo societário, Navarrini e Faggella (*La società in accomandita semplice*. Milano: Giuffrè, 1903. p. 270 e ss.). Assim também Mauro Brandão Lopes (*A sociedade em conta de participação*. São Paulo: Saraiva, 1990. p. 54-55). Fran Martins (*Curso de Direito Comercial*. 16. ed. Rio de Janeiro: Forense, 1989. p. 268), que afirma poder existir essa sociedade em caráter permanente, apesar de não ser esse o comum. Por seu turno, Eunápio Borges (*Curso de Direito Comercial brasileiro*. 3. ed. São Paulo: Saraiva, 1971. p. 326) diz que a sociedade pode ter vida duradoura, não sendo a momentaneidade o traço distintivo da sociedade, mas sim o fato de ser ela oculta.

[14] Emprega-se o termo *funcional* com a concepção que lhe emprestou Asquini, ou seja, como "aquela particular força em movimento que é a sua atividade dirigida a um determinado escopo produtivo" (REQUIÃO, Rubens. *Curso de Direito Comercial*. São Paulo: Saraiva, 1972. v. 1, p. 55).

[15] SZTAJN, Rachel. *Contrato de sociedade*. São Paulo: Malheiros, 1999. p. 71.

[16] PONTES DE MIRANDA, Francisco Cavalcanti. *Tratado de Direito Privado*. Rio de Janeiro: Borsoi, 1971. v. 1, p. 455.

Para avaliação desses critérios, traz-se à análise parte das disposições da Lei nº 11.079/2004, que regula as Parcerias Público-Privadas (PPP), a qual faz expressa menção à criação de SPE para implantar e gerir os objetos de parceria.[17]

Verifiquem-se os seguintes dispositivos:

Art. 5º As cláusulas dos contratos de parceria público-privada atenderão ao disposto no art. 23 da Lei nº 8.987, de 13 de fevereiro de 1995, no que couber, devendo também prever:

I - o prazo de vigência do contrato, compatível com a amortização dos investimentos realizados, não inferior a 5 (cinco), nem superior a 35 (trinta e cinco) anos, incluindo eventual prorrogação;

(...)

§2º Os contratos poderão prever adicionalmente:

I - os requisitos e condições em que o parceiro público autorizará a transferência do controle ou a administração temporária da sociedade de propósito específico aos seus financiadores e garantidores com quem não mantenha vínculo societário direto, com o objetivo de promover a sua reestruturação financeira e assegurar a continuidade da prestação dos serviços, não se aplicando para este efeito o previsto no inciso I do parágrafo único do art. 27 da Lei nº 8.987, de 13 de fevereiro de 1995 ; (Redação dada pela Lei nº 13.097, de 2015)

Art. 9º Antes da celebração do contrato, deverá ser constituída sociedade de propósito específico, incumbida de implantar e gerir o objeto da parceria.

§2º A sociedade de propósito específico poderá assumir a forma de companhia aberta, com valores mobiliários admitidos a negociação no mercado.

§4º Fica vedado à Administração Pública ser titular da maioria do capital votante das sociedades de que trata este Capítulo.

§5º A vedação prevista no §4º deste artigo não se aplica à eventual aquisição da maioria do capital votante da sociedade de propósito específico por instituição financeira controlada pelo Poder Público em caso de inadimplemento de contratos de financiamento.

Da sua análise pode-se concluir, em um primeiro momento, que nenhum critério isolado será capaz de identificar adequada e totalmente o que seja *objeto determinado* ou *propósito específico*.

Aborde-se, em primeiro lugar, a questão temporal. Segundo as disposições legais, o contrato deverá viger por prazo não inferior a 5 nem superior a 35 anos, *incluindo eventual prorrogação*. Ao admitir a prorrogação do contrato, que será firmado pela SPE (art. 9º c/c. art. 5º), o legislador expressamente afastou a temporalidade como método exclusivo de identificação dessa espécie de negócio jurídico.[18] Os comentários de Carlos Alberto da Mota Pinto sobre essa questão são bastante precisos:

Põe-se, por vezes, o problema de saber se o escopo das pessoas colectivas deve ser *duradouro* ou *permanente*. Nesse sentido é o ponto de vista de Ruggiero, para quem esse requisito não

---

[17] Utiliza-se esta legislação já que está designada como um dos marcos legais da presente tese, quando se trata de referência expressa de criação de SPE, por força de lei.

[18] A análise da natureza jurídica da sociedade de propósito específico será feita, oportunamente, neste trabalho.

significa a perpetuidade ou indeterminação temporal, mas quer dizer que 'seria insuficiente para justificar a criação de um organismo novo um escopo facilmente conseguível duma só vez, com o acto de uma só pessoa'.

(...)

Não é legítima a exigência desse requisito em termos de sua falta impedir forçosamente a constituição de uma pessoa colectiva. Quanto às sociedades comerciais a nossa lei prevê expressamente que elas podem ter por objecto a prática de um acto de comércio (art. 104, n. 1, do Cód. Comercial) (...).[19]

Desta sorte, se a temporalidade não é, isoladamente, fator de qualificação da *especificidade do objeto*, pode ser utilizado em conjunto com outros fatores, para se chegar a esse escopo.[20]

Em segundo lugar, avalie-se o aspecto funcional, assim considerado o que diz respeito à atividade a ser desenvolvida pelo ente. Na questão em exame, ou seja, a criação de uma sociedade com a incumbência de *implantar e gerir o objeto da parceria*, é ele bastante significativo. Seu objetivo, como diria Waldemar Ferreira, estaria preenchido com a *terminação das operações* ou, em outras palavras, estaria consumado o seu propósito com a realização do seu objeto. Sendo assim, esse critério seria capaz de resolver a questão do que se pode entender por *propósito específico*. Ocorre que não se pode universalizar essa solução. Verifiquem-se as situações em que a parceria tenha como objeto a construção de túnel rodoviário e a sua exploração econômica, por meio da cobrança de pedágio. Não se falará, naturalmente, de qualquer túnel a ser construído em determinada rodovia. Nem se cogitará de qualquer das concorrências, que eventualmente estejam sendo levadas a cabo para promover parcerias entre a administração pública e agentes privados, com o objetivo de construir túneis naquela determinada rodovia. Haverá, para além da questão funcional, outros aspectos a considerar. Com isso, o aspecto funcional, apesar de sua importância fundamental, não explica isoladamente o fenômeno do propósito específico.

O aspecto espacial, terceiro a ser abordado, parece ter uma importância menos relevante. No entanto, por vezes, aliado ao critério funcional, será garantidor da especificidade do propósito. Voltando-se ao exemplo da construção do túnel na rodovia, a situação geográfica em que ele esteja localizado será absolutamente determinante para a questão. Nas licitações de obras públicas de infraestrutura, a localização específica do objeto da construção é obrigatória para a sua identificação. Sim, porque em uma determinada rodovia podem existir inúmeros trechos passíveis de secção via caminhos subterrâneos. Assim, sem que se tenha essa localização, o objeto do negócio jurídico poderia ficar aberto: *construção de túnel na BR 116* é diferente de *construção de túnel no Quilômetro 45,3 da BR 116*. Portanto, havendo a identificação dos aspectos funcional e espacial, nesse caso, teríamos uma solução previamente adequada.

Mas há, ainda, em nossa proposta, o aspecto *subjetivo*, ou melhor, a identificação das partes envolvidas para o desenvolvimento de certo propósito. Essa questão pode ser ou não relevante. No art. 9º da Lei nº 11.079/2004, por exemplo, consta que a SPE

---

[19] MOTA PINTO, Carlos Alberto da. *Teoria geral do Direito Civil*. Coimbra: Coimbra Editora, 1975. p. 273-274.

[20] Nosso CCB, como a legislação portuguesa, admite a sociedade por prazo determinado (arts. 997, II; 1.033, I), sem que se caracterize como de propósito específico.

pode ser constituída sob a forma de sociedade anônima aberta, estabelecendo como restrição que o poder de controle seja da Administração Pública. Com a eventual dispersão das ações no mercado, não se sabe, nem se determinou esse controle, quem terá o domínio dessa companhia. O que se concebe é que ele não será da Administração Pública. Desse modo, a questão subjetiva, aqui, parece não ter maior importância. No entanto, focalizado o momento subjacente, ou seja, o da participação na concorrência que levou à parceria, o aspecto subjetivo é muito relevante, já que a proponente deve apresentar seus atributos pessoais, patrimoniais, econômicos, financeiros, técnicos, além de outros exigidos no edital. Pode-se dizer, ainda aqui, segundo doutrina mais moderna, que o aspecto objetivo prepondera, eis que o interesse repousa no melhor preço ou na melhor qualidade. No entanto, se o olhar for um pouco mais além, para o momento subsequente, aquele posterior à concorrência, quando se revela a contratação, o único ente que pode ser contratado é o que tenha vencido o certame. Nesse exato momento, a questão da subjetividade não poderá ser descartada. Ou seja, se com os aspectos funcional e espacial poderia ser resolvida a questão, sob essa ótica o aspecto subjetivo passa a ter igual importância.

Assim, em nossa conclusão, entendemos que a questão do propósito específico deve ser verificada levando-se em conta esses critérios apontados – funcionalidade, temporalidade, espacialidade e subjetividade – sem que sejam eles tidos como enumerativos, mas meramente exemplificativos. O que importa é que se reúnam condições, no caso concreto, de identificar o objeto específico da atividade a ser desenvolvida pelo ente, apartando-o dos demais do mesmo gênero e espécie, outorgando-lhe, portanto, especificidade.

3 A imutabilidade do 'propósito específico'

Se a questão da especificidade do objeto do ente jurídico pode ser delimitada com a utilização do ferramental antes apontado, a dúvida inexorável que daí surge é se, uma vez adotado um determinado fim, objeto, propósito, pode ele ser alterado no curso da *vida* desse mesmo ente.

Ao estudar o tema do *objeto social* das sociedades anônimas, Rubens Requião esclarece que a precisão, clareza e completude do objeto social constituem a forma de proteção e defesa da minoria, contra eventuais abusos da maioria. Diz, ainda, que a "integridade do objeto social está assegurada por maior 'quorum' – 'quorum' qualificado – da assembleia geral que se dispuser a modificá-lo".[21]

De fato, a proteção contra alterações do contrato social é preocupação acentuada do legislador, que estabeleceu quórum de mais da metade do capital social para modificações de algumas matérias do contrato social – dentre elas o objeto social – nas sociedades limitadas e de unanimidade, nas demais sociedades empresariais reguladas no CCB.

Por outro lado, há entes jurídicos nos quais mesmo a manifestação da vontade não é eficaz para alterar seu escopo social. Estamos cogitando da *fundação*.

---

[21] REQUIÃO, Rubens. *Curso de Direito Comercial*. Curitiba: Saraiva, 1972. v. 2, p. 6.

Considerando que ela é criada com "o fim a que se destina", mesma orientação que recebe o ente de "propósito específico", cabe verificar se o seu *fim* (da fundação) é passível de alteração. A resposta negativa, de imediato, se impõe. O inciso II do art. 67 do CCB veda expressamente essa possibilidade, estabelecendo que o seu estatuto só pode ser alterado naquilo que não "contrarie ou desvirtue o fim desta". Sobre essa questão, Sylvio Marcondes diz que "o fundador fixa de início o objetivo a que deve servir seu patrimônio e nem ele próprio pode modificá-lo".[22] Carlos Alberto da Mota Pinto, depois de afirmar que o fundador indica, no ato de instituição, "de uma vez para sempre (*ne varietur*) as normas disciplinadoras da sua vida e destino",[23] complementa:

> As 'fundações' têm um substrato integrado por um conjunto de bens adstrito pelo fundador (pessoa singular ou colectiva) a um escopo ou interesse de natureza social. O fundador pode fixar, com a atribuição patrimonial a favor da nova fundação, as directivas ou normas de regulamentação do ente fundacional na sua existência, funcionamento e destino. Criada a fundação, o fundador fica fora dela. É a sua vontade que regula a fundação, mas tal como está fixada no acto de instituição e nos estatutos, e não em renovadas manifestações.[24]

Fica demonstrado, dessa forma, que é possível a instituição de entes jurídicos cujos objetivos sejam perenes e imutáveis durante todo o curso de sua vida social. Ou seja, tratar da imutabilidade do objetivo social não subverte a ordem jurídica.

Sendo assim, ainda que não haja imperativo legal que regule a matéria em termos de entes de propósito específico, não se pode esquecer a natureza jurídica do ato constitutivo das sociedades. Tal ato está impregnado de contratualismo, de tal forma que a vontade das partes deve imperar. E se é decidido no momento inicial, na gênese, que o ente terá um propósito específico, este é imutável, sob pena de ser desvirtuado o próprio ente. A imutabilidade, nesse caso, será decorrente da vontade das partes, disposta no ato originário. Ao contrário da *fundação*, cuja inalterabilidade de objeto é decorrência de prescrição legal, são os sócios ou associados que deliberam, ao criarem o propósito específico, essa impossibilidade de sua modificação.

Considerando-se, portanto, que as partes podem criar um ente jurídico com objeto social, discriminando-lhe gênero e espécie, sem dispor de uma especificidade tal que caracterize o denominado *propósito específico* e, apesar disso, optam por estabelecer para ele essa característica, é porque decidiram que esse *fim* será único e imutável.[25]

Em face disso, conclui-se que o propósito específico é imutável e que qualquer modificação ou distorção dele levará à existência de um outro e novo ente, que não se confunde com aquele que se originou com o fim especificado no seu ato constitutivo.

Podem ser, ainda, as mesmas partes, sendo, inclusive, mantida a mesma personalidade jurídica,[26] mas o ente já não será o mesmo. Os entes de propósito específico têm, em seu *substrato* um determinado *escopo, fim*, que é impossível de ser alterado, sem alterações na própria natureza do ente.

---

[22] MARCONDES, Sylvio. A fundação no Direito Privado e no Direito Público. *In:* MARCONDES, Sylvio. *Questões de Direito Mercantil*. São Paulo: Saraiva, 1977. p. 202.

[23] MOTA PINTO. *Teoria geral do Direito Civil*, p. 268.

[24] MOTA PINTO. *Teoria geral do Direito Civil*, p. 282.

[25] Salvo eventuais objetos que sejam auxiliares, periféricos, e não específicos, os quais poderão sofrer ajustes.

[26] Em se tratando de entes dotados desse reconhecimento legal.

Por isso, pode-se dizer que, além do objeto dever ser caracterizado por um gênero e espécie, que sejam devidamente especializados por meio de determinada especificidade, tal objeto não poderá ser alterado. Estes pontos – especificidade e inalterabilidade do objeto – é que caracterizarão os entes jurídicos de propósito específico.

Porém, tendo em vista que o regime aplicável ao caso é de direito privado e que não há qualquer disposição legal que impeça a alteração do objeto social, quais seriam as consequências de eventual mudança desse escopo? Entende-se que esta será uma das hipóteses de direito de ruptura dos laços societários[27] ou associativos, pois a alteração afeta profundamente a vida societária, não se conformando com os vínculos inicialmente pactuados. Para além disso, após a alteração, o ente perderia essa sua característica, passando a ser delimitado por objeto comum, conforme definição estabelecida na alteração proposta. Portanto, além de outorgar direito àqueles que dissentirem da alteração de romperem os vínculos, apurando haveres e eventuais indenizações, se for o caso, haverá a perda da condição de propósito específico.

4 Os sujeitos ativos

Considerando que nos itens anteriores foi tratada da questão do *objeto* da exploração, da atividade, enfim, da empresa,[28] importa, agora, esclarecer quem são os sujeitos ativos dessa empresa. A preocupação volta-se, nesse momento, para a verificação da possibilidade de inserção de propósitos específicos em outros entes jurídicos[29] para além das sociedades.[30]

A análise que se fará não pretende ser conclusiva ou exaustiva. No entanto, busca-se individualizar algumas formas de *coletividades de pessoas* e nelas verificar se há a possibilidade de explorar um escopo específico.

4.1 Marcos legais

Ainda que se tenha como certa a possibilidade de exploração de um *propósito específico* por sociedade, cabe apresentar alguns textos legais que, expressamente,[31] autorizam o funcionamento desses entes jurídicos com escopo previamente delimitado.[32]

---

[27] Inclusive com eventual direito de recesso.

[28] Segundo um dos perfis descritos por Asquini.

[29] Apenas aqueles que explorem atividade econômica. Deixaremos de abordar, neste tópico, as *fundações*, em face da restrição de seus propósitos, como estabelecido no parágrafo único do art. 62 do CCB.

[30] Como parece fazer crer a já mencionada Instrução CVM nº 408/2004, é possível a exploração de propósitos específicos por outras formas de associação de pessoas ou de empresas.

[31] Há alguns casos que, apesar de poderem se subsumir nessa hipótese, não estão expressamente mencionados pelo legislador, razão pela qual deixa-se de incluí-los nesse item. Integram essa hipótese, por exemplo, os casos de concessões feitas com base nas Lei nº 9.074/1995 e Lei nº 8.666/1993. Nessas situações, quando permitido que participem da concorrência sociedades agrupadas na modalidade de consórcio, devem elas redigir o instrumento integrativo, ao qual se dá o nome de consórcio instrumental. Em vencendo a concorrência, deverão estabelecer o consórcio operacional (art. 33 da Lei nº 8.666/1993). Ocorre que, desde a promulgação da Lei nº 9.074/1995, foi admitida a formação, pelas sociedades, do designado "consórcio empresarial" (art. 21), que alguns órgãos concedentes vêm entendendo ser a SPE. Assim, nos editais de licitações vêm sendo prevista a necessidade de, vencendo o consórcio o certame, constituir uma SPE para contratar a concessão. Segundo

Pode-se dizer que, em termos largos, o dispositivo que expressamente autoriza o funcionamento de sociedades com propósito específico é o parágrafo único, do art. 981 do CCB. Ao conceber que a sociedade poderia ser criada para um ou mais negócios determinados, afastou completamente as críticas existentes, de que, se assim o fosse, estaria restringindo o tráfico comercial/empresarial. Naturalmente, como inserido em parágrafo único do art. 981, a especificidade do objeto não se presta para ser utilizada como regra, mas como exceção. A regra é de que as sociedades sejam constituídas com objeto que se protraia no tempo e no espaço e que as partes possam, conforme sua vontade, alterá-lo.[33]

Sob nosso enfoque, a primeira estrutura jurídica societária que permitiu abrigar a SPE no Brasil é a sociedade em conta de participação. Tal análise será feita no item seguinte.

Além dela, pode-se mencionar, em 1995, por meio do art. 20, da Lei nº 8.987, que trata da *concessão e permissão de serviços públicos estabelecido no art. 175 da Constituição Federal*, foi facultado ao órgão concedente que obrigasse aos vencedores do certame, se em consórcio, a formarem sociedade para contratar com o poder concedente. Naturalmente, em vindo a ser instituída essa obrigação, será ela de constituição de uma SPE.

Pode-se relacionar, ainda, no âmbito da legislação tributária, o art. 79 da Lei nº 9.532/1997, que trata dos ganhos de capital no âmbito da política dos programas de privatização. Nessa norma, o fisco faz expressa referência às sociedades de propósito específico, assim como no art. 56 da Lei Complementar nº 123/2006 e no art. 2º da Lei nº 12.431/2011.

Ainda, e especialmente, faz referência à sociedade de propósito específico a Lei que aprovou as parcerias público-privadas (Lei nº 11.079/2004), a qual determina, antes da celebração do contrato, a constituição de um ente dessa natureza.

Nesses casos, a lei fez referência expressa a entes de propósito específico. Há outros casos, no entanto, que podem acolher escopos dessa natureza, mas que não estão expressamente indicados na legislação. É a respeito deles que nos ocuparemos no próximo tópico.

4.2 Entes despersonificados

Considerando-se que o presente estudo tem em seu título a questão das estruturas, busca-se, neste tópico, avaliar a possibilidade de desenvolver propósitos específicos por intermédio de entes despersonificados.

Modesto Carvalhosa (*Comentários à Lei de Sociedades Anônimas*. São Paulo: Saraiva, 2003. v. 4, t. 2, p. 400-401): "É mais interessante para o Poder Público que a exploração do objeto da licitação seja feita por uma nova sociedade especificamente constituída. Nesta, a fiscalização e a garantia dos credores são mais amplas que as do consórcio, em que não se presume a solidariedade. Essa exigência (SPE) tanto mais se justifica no caso das 'concessões' (Lei n. 9.074, de 1995), tendo em vista o seu longo prazo (geralmente vinte anos) e a complexidade das relações das concessionárias com o Poder Público (agências reguladoras)".

[32] Não apenas delimitado em termos de gênero e espécie, mas igualmente em especificidade, conforme anotado nos itens 4.1 e 4.2.

[33] Respeitados, naturalmente, os quóruns legais.

4.2.1 A sociedade em conta de participação

Objetiva-se, neste tópico, verificar acerca da prestabilidade da sociedade em conta de participação como forma de atingimento de um determinado "propósito específico".

As disposições do CCB sobre esse tipo societário não trazem, como fazia o C. Comercial, qualquer indicativo de que seu objeto é para *uma ou mais operações determinadas*. Ao tratar do objeto social, a referência que faz é que ele será exercido pelo sócio ostensivo, em seu nome e sob seu risco (art. 991).

Não obstante a inexistência de previsão legal indicativa de atividade dessa natureza,[34] podem-se encontrar, na doutrina mais recente, aportes de que esse tipo societário continua a ser utilizado com esse objetivo. Verifique-se, por exemplo, a afirmação de Gonçalves Neto de que essas sociedades "também são encontradas na constituição de 'joint ventures', na aplicação de incentivos fiscais em empreendimentos de reflorestamento etc.".[35] Ora, consabido que a constituição de *joint ventures*, como a seguir será analisado, tem objetivo específico, podendo ser caracterizado como propósito específico. Por outro lado, a formação de sociedades para aplicação de incentivos fiscais em empreendimentos de reflorestamento pode ser exemplo típico de propósito específico, imutável.

Mamede reconhece expressamente que a contratação da conta de participação pode dar-se para "um único negócio, um conjunto determinado de negócios, por tempo determinado ou indeterminado".[36] E, mencionando casos práticos, fala de consórcios de investimentos em bolsa, tendo uma instituição financeira como sócia ostensiva; de investimentos em *flats*, tendo o incorporador como sócio ostensivo; construção de grandes obras, tendo o construtor como sócio ostensivo. Em todos os casos, os investidores seriam os sócios participantes. Segundo o autor, "realizado o objeto social, quando seja certo, ou findo o tempo certo contratado pelas partes, finda-se a sociedade em conta de participação".[37] Constata-se, dessas assertivas, *que essa modalidade societária se presta, sem dúvidas, ao exercício de uma atividade* específica, bastando, para tanto, que as partes assim o contratem em sua constituição.

Portanto, diante desses pronunciamentos, certamente pode-se concluir que a sociedade em conta de participação tem condições de explorar um propósito específico. No entanto, pode ultrapassar esse objetivo. Ou seja, a constituição dessa modalidade societária pode ter em vista um objeto que não se traduza como específico. Melhor dizendo, nem toda a sociedade em conta de participação é uma sociedade de propósito específico.

Assim, a sociedade em conta de participação presta-se para o exercício da empresa com fim específico, desde que as partes assim o contratem.

---

[34] Cuja especificidade seja indicativa de um negócio definido na constituição da sociedade, dotado de imutabilidade.

[35] GONÇALVES NETO, José Edwaldo Tavares. *Lições de Direito Societário*. São Paulo: Quartier Latin, 2005. p. 183.

[36] MAMEDE, Gladston. *Direito Empresarial brasileiro*: Direito Societário. 9. ed. São Paulo: Atlas, 2020. p. 52.

[37] MAMEDE. *Direito Empresarial brasileiro*: Direito Societário, p. 57.

4.2.2 O Consórcio

Mencionando que o consórcio se transplantou para a ordem jurídica portuguesa, advindo do mundo anglo-saxônico por força da figura conhecida como *unincorporated joint venture*, José A. Engrácia Antunes define esse instituto como o

> (...) instrumento contratual de cooperação interempresarial pela qual duas ou mais pessoas, singulares ou colectivas, que exercem uma atividade económica, se vinculam a realizar concertadamente determinada actividade ou efectuar certa contribuição com vista a prosseguir um dos objectos taxativamente previstos na lei.[38]

No direito brasileiro, Fran Martins define o contrato de consórcio como aquele com a "finalidade de executar determinado empreendimento, obrigando-se cada sociedade, em relação àquele com quem o consórcio vai contratar, de acordo com as condições previstas no contrato e respondendo apenas pelas obrigações por ela assumidas".[39] Wilson de Souza Campos Batalha, por seu turno, destaca, além desses elementos, a inexistência de personalidade jurídica, de subordinação ou dependência entre as sociedades componentes do consórcio.[40]

Disciplinados na Lei nº 6.404/1976 (arts. 278 e 279), os consórcios têm ampla atuação como forma de desenvolvimento das pequenas e médias empresas, que se unem em técnica de colaboração empresarial, revelando-se agentes eficazes na vida econômica, como destacam Fábio Konder Comparato[41] e Mauro Rodrigues Penteado.[42]

Sendo agentes eficazes na vida econômica, cabe perguntar se sua atuação pode ser ampla, de forma a estabelecer estrutura de auxílio no crescimento das empresas, ou se há restrições no seu campo de colaboração. Em outras palavras, seu objeto pode ser qualquer um, ou a lei estabelece vínculos, parametrizando esse objeto?

Para o que interessa neste estudo, cabe destacar, dos dispositivos legais citados, algumas partes: "As companhias e quaisquer outras sociedades, sob o mesmo controle ou não, podem constituir consórcio para executar determinado empreendimento" e do contrato de constituição deve constar "o empreendimento que constitua o objeto do consórcio".

Comentando esses dispositivos, Fran Martins afirma que:

> O emprego da palavra determinado conduz à fixação do empreendimento a ser realizado e, ao mesmo tempo, impede que o consórcio seja constituído para a execução de empreendimentos que não sejam certos. Não permite a lei que se constitua um consórcio, por exemplo, que tenha por objeto a construção de estradas em geral (...).[43]

---

[38] ANTUNES, José Engrácia. *Contrato de sociedade no Direito europeu*. Coimbra: Almedina, 1999. p. 94.

[39] MARTINS. Fran. *Comentários à Lei das S.A.* Rio de Janeiro: Forense, 1985. v. 3, p. 485-486.

[40] BATALHA, Wilson de Souza Campos. *Comentários à Lei das Sociedades Anônimas*. Rio de Janeiro: Forense, 1977. p. 1165.

[41] COMPARATO, Fábio Konder. Consórcios de empresas. *In*: COMPARATO, Fábio Konder. *Ensaios e pareceres de Direito Empresarial*. Rio de Janeiro: Forense, 1978. p. 220-235.

[42] PENTEADO, Mauro Rodrigues. *Associações e fundações*: teoria e prática. 2. ed. São Paulo: Revista dos Tribunais, 1995. p. 47.

[43] MARTINS. *Comentários à Lei das S.A.*, p. 488

Sobre o mesmo tema, anota Modesto Carvalhosa que:

A sua duração será sempre determinada, vocacionada a ser curta ('association momentanée'). E por essa curta duração, coincidente com seu fim específico (empreender ou contratar com terceiros), o consórcio não substitui ou supera a personalidade jurídica de seus contratantes, cujos fins são mais amplos e genéricos e que demandam tempo de duração longo ou indeterminado.[44]

E continua, adiante: "Assim, os empreendimentos que constituem o objeto do consórcio serão sempre específicos, o mesmo ocorrendo com os meios para a sua consecução, que, embora se somem no que tange à contribuição de cada um, não se confundem".[45]

Concorda, ainda, com essa fixação de objeto no contrato de constituição, de molde a lhe emprestar um propósito específico, Gonçalves Neto, para quem a figura não se confunde com a SPE, em face de esta constituir pessoa jurídica distinta das pessoas dos sócios que a integram, enquanto aquele é contrato associativo, mas despersonalizado.[46]

Como visto, portanto, o consórcio pode ser enquadrado como um dos entes jurídicos reconhecidos por lei que, apesar de sua falta de personalidade, terá propósito específico. Ao contrário do que ocorre com a sociedade em conta de participação, na qual os sócios podem definir se o propósito será ou não absolutamente delimitado, com suas especificidades, no consórcio essa fixação decorre de previsão legal. Aqui, não há margem de arbítrio para os consorciados. Devem seguir a lei e definir o seu objeto de atuação.

Comentando essa sua característica, João Luiz Coelho da Rocha[47] alerta para o risco de que, não sendo dessa forma, os consórcios poderiam transformar-se em sociedades irregulares.[48] É verdade, pois se os consorciados pudessem desenvolver qualquer atividade, sem determinação específica, não acobertados pelo manto da personalidade jurídica, o risco da transformação da atuação em irregular seria grande.

Assim, além de cogente, é razoável o dispositivo legal que estabelece como sendo sempre de propósito específico a associação de entes para a formação do consórcio.

4.2.3 *Joint venture*

Para além dos mecanismos societários e extrassocietários analisados nos itens anteriores, cabe, ainda, verificar se, por meio da chamada *joint venture*, é possível buscar um fim com determinada especificidade.

Leonardo Guimarães define o instituto como "um negócio, corporação ou sociedade, formado por duas ou mais companhias, indivíduos ou organizações, sendo que pelo menos um deles é uma entidade comercial que colima expandir suas atividades para conduzir um novo negócio mercantil".[49]

---

[44] CARVALHOSA. *Comentários à Lei de Sociedades Anônimas*, v. 4, t. 2, p. 387.

[45] CARVALHOSA. *Comentários à Lei de Sociedades Anônimas*, v. 4, t. 2, p. 387.

[46] GONÇALVES NETO. *Lições de Direito Societário*, v. 2, n. 160.

[47] ROCHA, João Luiz Coelho da. Os consórcios de empresas e seus riscos jurídicos. *Revista de Direito Mercantil Industrial Econômico e Financeiro*, São Paulo, n. 115, p. 84, 1999.

[48] Em verdade, a designação técnica, segundo o CCB, seria sociedade em comum.

[49] GUIMARÃES, Leonardo. A SPE – Sociedade de Propósito Específico. *Revista de Direito Mercantil Industrial Econômico Financeiro*, [*S. l.*], n. 125, p. 134, 2002.

Enaltecendo que sua noção tem origem jurisprudencial, Irineu Strenger ressalta seu caráter negocial, baseado em fórmula contratual, decorrente de relação de colaboração ocasional, podendo ou não estar modelada em esquema societário.[50]

Gonçalves Neto, por seu turno, afirmando que alguns classificam tal instituto como modalidade de consórcio, aponta para sua natureza de "associação de empresas visando objetivos específicos e limitados, normalmente de caráter temporário". Lembra, no entanto, que o instituto não tem figura equivalente no direito brasileiro e que, conforme as legislações dos diversos países onde é implantado, vai assumindo fórmulas institucionais ou contratuais diferentes.[51]

Já Engracia Antunes, quanto ao termo, assevera que "generalizou-se na prática internacional dos negócios para designar um amplíssimo sector de acordos vocacionados à realização de um empreendimento comum entre empresas". O doutrinador lusitano, traçando os contornos desses acordos, enfatiza que estes podem assumir formas contratuais ou dar origem a novas sociedades, dotadas de personalidade jurídica própria. Elucida, ainda, que eles podem objetivar "determinado projecto específico" ou abranger vários setores da atividade econômica das empresas envolvidas.[52]

Diante das definições adotadas pelos doutrinadores, ainda que não se tenha a *joint venture* como uma associação típica, pode-se entender que o mecanismo permite identificar uma forma de contratação entre empresários, cujos fins são perfeitamente adaptáveis aos do propósito específico. A assunção desses contornos vai depender, exclusivamente, dos termos adotados pelos contraentes, no ato da convergência volitiva.

Sendo assim, pode-se dizer que: *(a)* se a *joint venture* assumir a forma societária, uma vez que os sócios se reuniram e organizaram uma nova personalidade jurídica, e se essa nova sociedade tiver um determinado projeto específico, é possível ela se confundir com uma SPE; *(b)* se houver reunião de empresários, mediante contratos com contornos não societários, mas para a realização de projeto específico, ter-se-á um grupamento com propósito específico, mas não uma SPE; *(c)* se os empresários se reunirem em torno de uma nova sociedade, ou não, para explorar vários setores da atividade econômica das empresas envolvidas, não se poderá falar em SPE ou mesmo em propósito específico.

4.3 O propósito específico e as formas societárias

Feita a abordagem do que se entende por propósito específico, analisadas algumas possíveis formas de exploração da atividade específica por variados modelos contratuais e associativos (sujeito ativo), passa-se, agora, à verificação de quais as formas societárias encontradas no direito brasileiro passíveis de exploração desse tipo de escopo.

Para tanto, promove-se, neste tópico, análise apenas sobre os elementos essenciais para a conclusão que ora se pretende.

Desde já, diga-se que o *propósito*, o qual se está a analisar, não precisa ser de caráter econômico. Ou seja, serve para as sociedades empresárias ou não empresárias.

---

[50] STRENGER, Irineu. *Contratos internacionais do comércio*. São Paulo: Revista dos Tribunais, 1992. p. 350.

[51] GONÇALVES NETO. *Lições de Direito Societário*, v. 2, p. 329.

[52] ANTUNES. *Contrato de sociedade no Direito europeu*, p. 99.

Entende-se que nada há a obrigar que, ao se delimitar uma especificidade, deva-se fazer com objeto econômico. A exemplo do ensinamento do legislador francês, seguido pela União Europeia,[53] a finalidade a ser adotada pelos instituidores de uma SPE pode, ou não, ter caráter econômico. Essa é uma questão de conveniência, cujo arbítrio não pode ser retirado dos sujeitos que pretendam constituir a sociedade.[54]

Sendo assim, o fato de a sociedade a ser constituída ter caráter empresarial ou não é uma questão de definição dos sócios.

4.3.1 Sociedade simples

Estudando a introdução desse tipo societário no direito brasileiro, conclui-se que deve ser considerada sociedade simples, aquela que tenha por objeto o exercício de atividade (a) rural ou (b) intelectual, de natureza científica, literária ou artística.

Verificando os objetos a que se pode dedicar esse tipo societário, conclui-se que, sem dúvidas, é possível instrumentalizar a SPE por meio de uma sociedade simples. Acrescente-se, quando se exemplifica as *joint ventures* com propósito específico, em muitas oportunidades se faz mediante a apresentação de exemplos de associação com objetivo de exploração de atividade científica, o que é muito comum na atualidade, em face dos custos desse tipo de escopo. Ainda que nem sempre a *joint venture* venha a constituir ente societário, o exemplo deixa entrever a solução para a questão colocada.

Portanto, considerando que nada há na legislação a impedir que o fim da sociedade simples seja delimitado por uma especificidade, bem como que a natureza das atividades que ela pode desenvolver se afeiçoem, sem problemas, a essa natureza, entende-se que é possível a criação de uma sociedade simples de propósito específico.

Dito isso, passemos a outro tipo, mas ainda não empresarial.

4.3.2 Sociedade cooperativa

A sociedade cooperativa, forma que continua regulada pela Lei nº 5.764/1971, mas com as características que lhe foram dispensadas no CCB, será sempre considerada sociedade simples – não empresária (art. 982, p. único).

Interessante notar que há no CCB atual, como já existia no direito anterior, uma linha divisória entre a cooperativa e a sociedade anônima, para posicioná-las nos extremos, colocando aquela sempre em um lado, enquanto esta estará de outro. Anteriormente, a cooperativa era considerada como sociedade civil. Hoje, passou a ser sociedade simples, independentemente de seu objeto. A sociedade anônima, antes comercial, hoje é considerada empresarial, mesmo que sua atividade não seja dessa natureza.

A explicação para essa sua característica, de estarem sempre em situações de oposição, poderia encontrar resposta no pensamento de Calixto Salomão, para quem,

---

[53] A respeito dos GIE e dos GIEE.

[54] Pode, por exemplo, um grupo de advogados formar uma sociedade de advogados, para contratar uma causa específica e, terminada a causa, a sociedade é liquidada.

enquanto nas sociedades anônimas o interesse é de criação de um novo ente, com querer e objetivos distintos dos de seus membros, a cooperativa atua de forma a intermediar os interesses individuais dos sócios e o mundo exterior.[55]

Pode, por outro lado, a explicação ser encontrada no postulado ideológico que cada tipo societário representa. Segundo Boaventura de Souza Santos e César Rodriguez, como teoria social, o associativismo está lastreado em princípios não capitalistas de cooperação e mutualidade, para a defesa de uma economia de mercado e, como "prática econômica, o cooperativismo inspira-se nos valores de autonomia, democracia participativa, igualdade, equidade e solidariedade".[56] Essa ideologia, certamente, não é a encontrada nas sociedades anônimas. Segundo Engrácia Antunes, a sociedade anônima forneceu o instrumental jurídico necessário para que se pudesse atender aos imperativos financeiros e organizativos do regime capitalista. Parafraseando Georges Ripert, Antunes repete a célebre frase de que a sociedade por ações havia se tornado o "maravilhoso instrumento do Capitalismo moderno".[57]

Intermediando, portanto, os interesses individuais dos cooperados e o mundo exterior, calcada em princípios não capitalistas de cooperação e mutualidade, pergunta-se acerca de a possibilidade da sociedade cooperativa buscar um propósito específico.

Segundo Calixto Salomão, a principal característica dessa sociedade é a inexistência de um interesse social próprio, que possa ser visto como distinto dos interesses dos seus sócios.[58] Para Gonçalves Neto, seu traço distintivo estaria no objetivo dos sócios, que não seria de lucro, mas de utilização dos serviços da sociedade, para melhorar sua situação econômica.[59] Já para Paul Singer, a finalidade básica da cooperativa não é maximizar os lucros, mas a quantidade e a qualidade do trabalho, sendo seu princípio básico a autogestão.[60]

Sendo assim, o ato cooperativo nada mais é que o somatório das vontades dos atos dos cooperados. Ou seja, a manifestação da vontade da sociedade cooperativa é a própria manifestação das vontades dos cooperados, no seu interesse pessoal.

Partindo-se desse pressuposto, entende-se não ser possível buscar um propósito específico para a cooperativa, eis que esta tem como escopo, invariavelmente, os benefícios dos cooperados e não um interesse próprio. Aludir a propósito específico, nesse caso, seria tratar de limitar o propósito dos sócios e não da cooperativa. Isso, com todo o respeito, não parece possível.

Dessa forma, em face da inexistência de um interesse específico e próprio da sociedade, não é possível identificar um propósito que lhe seja particular. E se o escopo é dos sócios, não se pode conceber um propósito específico da sociedade cooperativa. Portanto, considera-se que não é possível falar em sociedade cooperativa de propósito específico.

---

[55] SALOMÃO FILHO, Calixto. *O novo Direito Societário*. 3. ed. São Paulo: Malheiros, 2005. p. 238.

[56] SANTOS, Boaventura de Souza; RODRÍGUEZ, César. Para ampliar o cânone da produção. *In*: SANTOS, Boaventura de Souza (org.). *Produzir para viver*: os caminhos da produção não capitalista. Rio de Janeiro: Civilização Brasileira, 2005. p. 33.

[57] ANTUNES. *Contrato de sociedade no Direito europeu*, p. 37-38.

[58] SALOMÃO FILHO. *O novo Direito Societário*, p. 238.

[59] GONÇALVES NETO. *Lições de Direito Societário*, v. 2, p. 146.

[60] SINGER, Paul. *Economia solidária*: teoria e prática. 2. ed. São Paulo: Contexto, 2002. p. 86.

Assim, passamos a examinar as formas societárias mais usadas em nosso cenário econômico.

4.3.3 Sociedade limitada

Como sabido, a sociedade limitada é a estrutura societária mais utilizada no sistema brasileiro. A partir desse pressuposto, é indispensável a verificação de plausibilidade de estabelecimento de propósito específico nessa sociedade. Para tanto, passa-se ao estudo de algumas de suas características.

Primeiramente, importa verificar a regra de remissão estabelecida no art. 1.053. Segundo ela, aplicam-se à sociedade limitada[61] as regras da sociedade simples. Já no art. 1.054, define o legislador que o contrato social deverá mencionar, no que couber, as indicações do art. 997, o qual estabelece os elementos básicos do contrato social. Dentre tais elementos, consta o objeto social, um dos obrigatórios do contrato social.

Naturalmente, por força do parágrafo único do art. 981, esse objeto social poderá ser restrito, ou mais claramente, específico. Desta sorte, nada há a impedir a formação de sociedade limitada de propósito específico.[62]

É que, não há dúvidas, a elas se aplica o art. 1.034.[63]

Portanto, as sociedades limitadas podem ser dissolvidas por ter sido exaurido o fim social. Quando do esgotamento da atividade da empresa, conclui-se que, independentemente de intervenção do Poder Judiciário, já que passaria a operar de pleno direito a extinção da sociedade.

É que, se qualquer sócio pode buscar a dissolução da sociedade (art. 1.034, CCB), naturalmente ela ocorre de pleno direito com a consecução de seu objetivo.

De certa forma, Modesto Carvalhosa acompanha esse posicionamento, afirmando que na limitada de propósito específico a dissolução se opera por decisão dos sócios, obtida em reunião ou assembleia.[64]

Assim, a dissolução da sociedade limitada de propósito específico que atingiu o seu escopo caracteriza-se como de pleno direito, não havendo necessidade de intervenção do Poder Judiciário, para declará-la.

Interessante hipótese poderia decorrer da situação em que os sócios, lastreados no aspecto temporal, estabelecessem prazo certo para a sociedade e, dentro desse prazo, ela não tivesse condições de cumprir o seu objeto social.

---

[61] Naquilo que o respectivo capítulo legal for omisso.

[62] Expressamente a reconhecem Carvalhosa (*Comentários à Lei de Sociedades Anônimas*, v. 4, t. 2, p. 349); Guimarães (A SPE – Sociedade de Propósito Específico, p. 134) e Gonçalves Neto (*Lições de Direito Societário*, v. 2, p. 330).

[63] Com o mesmo entendimento: GONÇALVES NETO. *Lições de Direito Societário*, v. 2, p. 317; CARVALHOSA, Modesto. *Do Direito Societário*. São Paulo: Saraiva, 2002. p. 345; REQUIÃO. *A sociedade de propósito específico*; SIMÃO FILHO, Adalberto. *Curso de Direito Comercial*: sociedade empresária. 5. ed. São Paulo: Saraiva, 2003. p. 194.

[64] CARVALHOSA. *Do Direito Societário*, p. 349. Nessa oportunidade, o autor assevera que "tanto nas limitadas com propósito específico quanto naquelas com prazo de duração subordinado ao esgotamento de uma atividade, a dissolução não se opera de pleno direito, mas somente por declaração de vontade dos sócios, manifestada em assembléia ou em reunião dos mesmos (*sic*)" (CARVALHOSA. *Do Direito Societário*, p. 332-333). Ocorre que as deliberações dos sócios para dissolução da sociedade estão encartadas no artigo 1.033, que são aquelas que se operam de pleno direito. E, o mais curioso, é que o próprio autor considera que essas são causas de dissolução de pleno direito ou extrajudicial, como consta dessa mesma obra.

Aplica-se parcialmente, ao caso, a regra do inciso I do art. 1.033 do CCB, que estabelece a prorrogação do tempo da sociedade. Certamente não se pode cogitar de prorrogação por prazo indeterminado, o que desnaturaria a forma adotada pelos sócios no contrato social, mas essa continuidade seria com o intuito de permitir o cumprimento do *fim* proposto para o ente e, uma vez cumprido, entraria ele em dissolução.

Ainda aqui, pode-se imaginar, após a prorrogação do prazo, dar-se de pleno direito a dissolução, desde que, é natural, esteja cumprido o escopo alinhado no contrato social.

O importante, assim, é o exaurimento do objeto social, como fator de caracterização da dissolução de pleno direito, perdendo força, inclusive, as disposições acerca do prazo para que isso ocorra.

Passemos, então, a analisar as sociedades anônimas, exemplo clássico de sociedades empresárias.

4.3.4 Sociedade anônima

Já foi dito que a sociedade anônima constitui o tipo societário mais integralmente regulado no direito brasileiro, tendo Osmar Brina Corrêa-Lima chegado a afirmar que a Lei das Sociedades por Ações apresenta-se como verdadeiro "Código do Direito Societário Brasileiro".[65] Em decorrência desse seu aprimoramento legislativo, opina Mauro Rodrigues Penteado no sentido de que elas mostram-se aptas a ser instrumentos de colaboração empresarial.[66] Sendo assim, a verificação está pautada nesses pressupostos: *(a)* de que se está diante de um sistema legal completo (LSA), *(b)* o qual serve de instrumento para a união de colaboração.

Se a sociedade anônima tem essa característica, de ser um tipo societário apto a abrigar interesses convergentes a desenvolver colaboração recíproca e gerar resultados benéficos a todos, um dos elementos para a sua capacidade de ser sociedade de propósito específico já está presente. Necessário investigar se também a especificidade do escopo é algo que se lhe amolda ao objeto.

Estudando o complexo de normas que enfeixam a LSA, Rachel Sztajn as classifica em:

1. normas tipificadoras gerais, cogentes porque ditadas em benefício de terceiros;
2. normas tipificadoras de subtipos e não obrigatórias para todas as hipóteses concretas, cogentes apenas para o subtipo determinado;
3. normas dispositivas e derrogáveis por deliberação de fundadores ou da assembleia-geral.[67]

Sem dúvida alguma, a norma que trata do objeto da sociedade está no elenco das normas tipificadoras cogentes, devendo existir em todas as sociedades anônimas, nos termos da análise conjunta dos arts. 2º e 83 da LSA, 1.089 e 997, II, do CCB, além da regulamentação estabelecida pelo Departamento Nacional do Registro Empresarial e Integração.

---

[65] CORRÊA-LIMA, Osmar Brina. *Manual de Direito Societário*. 3. ed. Rio de Janeiro: Forense, 1997. p. 12.

[66] PENTEADO, Mauro Rodrigues. *Associações e fundações*: teoria e prática. 2. ed. São Paulo: Revista dos Tribunais, 1995. p. 46.

[67] SZTAJN. *Contrato de sociedade*, p. 79.

Verificada a necessidade da cláusula *de escopo* em todas as sociedades, pergunta-se qual o sentido que o legislador quis dar à expressão *qualquer empresa de fim lucrativo*, inserida no texto do art. 2º, como sendo o objeto a ser perseguido pela companhia.

Destacando certa imprecisão terminológica na lei, Corrêa-Lima afirma que o "objeto da sociedade é a sua atividade-fim. Seu fim é o lucro. O fim é o primeiro na intenção, mas o último na execução". E complementa seu pensamento, enaltecendo que o "fim" aparece com um duplo alcance, ora sendo a atividade estabelecida no contrato social, ora sendo a produção de lucros (sentido teleológico).[68]

José Edwaldo Tavares Borba, igualmente, verifica essa duplicidade de sentido no dispositivo legal, deixando claro que o objeto social a ser perseguido é que deve corresponder a um fim lucrativo. E vai além, afirmando que não basta a atividade produzir lucros, é necessário que tais lucros se destinem ao quadro associativo.[69]

Rubens Requião, por seu turno, destaca que a palavra "empresa" foi empregada pelo legislador no seu sentido técnico-jurídico, de atividade organizada, exercida pelo empresário, destinada à produção e circulação de bens ou serviços.[70]

Dessas posições, resta claro que há um objeto imediato da sociedade, a que se pode designar empresa, e um objeto mediato, que é o lucro que essa empresa deva produzir. Partindo-se desse pressuposto, conclui-se que analisar eventual *propósito específico* é verificar o *objeto imediato* da sociedade. Ou seja, não se pode cogitar de fim determinado, para o estudo que se está a realizar, analisando a questão do lucro. Em conclusão, neste tópico cabe verificar se a *empresa* da sociedade anônima pode ser de propósito específico.

O art. 2º da LSA, estabelece que a companhia pode explorar qualquer empresa não contrária à lei, à ordem pública e aos bons costumes. Estabelecido o objeto, deve ser ele definido no estatuto social de modo preciso e completo (p. 2º). Pressupõe-se que o referido dispositivo está em consonância com o que, mais tarde, veio a estabelecer o legislador constituinte, ou seja, que há liberdade de empresa.[71]

Se há liberdade de escolha[72] do objeto imediato da sociedade anônima, certamente essa escolha pode recair em algum propósito que seja, no mínimo, funcional, temporal, espacial e subjetivamente delimitado. Melhor dizendo, em se tratando de poder discricionário dos fundadores da companhia, cabe a eles decidir, segundo a faculdade que lhes é concedida pela Constituição Federal e pela LSA, qual a melhor forma de explorar a atividade por meio da sociedade. Não há qualquer restrição legal para que os sócios-fundadores definam como objeto da sociedade um propósito específico que seja imutável. Essa sua escolha está dentro de sua liberdade privada. E a sociedade anônima, como ícone da democracia de gestão,[73] não se afasta do cumprimento dessa função de realização da atividade desejada pelos seus idealizadores.

---

[68] CORRÊA-LIMA. *Manual de Direito Societário*, p. 29.

[69] BORBA, José Edwaldo Tavares. *Curso de Direito Comercial*: direito de empresa. 15. ed. São Paulo: Saraiva, 2013. p. 133-134.

[70] REQUIÃO. *Curso de Direito Comercial*, v. 2, p. 29.

[71] Segundo o art. 170 da CF/1988, a ordem econômica está baseada na livre iniciativa e é "assegurado a todos o livre exercício de qualquer atividade econômica" (BRASIL. [Constituição (1988)]. *Constituição da República Federativa do Brasil de 1988*. Brasília, DF: Presidência da República, 1988. Disponível em: http://www.planalto.gov.br/ccivil_03/constituicao/constituicaocompilado.htm. Acesso em: 28 nov. 2024).

[72] A liberdade, no caso das sociedades anônimas, é de tal arte que, mesmo sendo sempre considerada mercantil/empresarial, os constituidores da companhia podem adotar objeto que não tenha essa qualidade.

[73] Em face de sua organização realizada por meio de três órgãos específicos.

Ainda que a questão fosse analisada sob o enfoque do CCB, a solução não seria outra. Considerando-se que se aplicam às sociedades anônimas as disposições do CCB, naquilo que a lei especial for omissa, tem-se que os arts. 997 e 981 são a ela aplicáveis. Em primeiro lugar, porque o ato constitutivo das sociedades tem natureza contratual, ainda que seja de contrato-organização; em segundo lugar, porque não há na LSA qualquer dispositivo que delimite as condições específicas do estatuto das companhias. É estabelecida a forma de constituição das sociedades fechada e aberta, mas não há referência expressa dos elementos constitutivos do estatuto, ou contrato de constituição. Assim, considerando que o CCB regula essa matéria, sendo omissa a lei especial, aplica-se à sociedade anônima, nesse particular, a regra do CCB. E a regra do CCB, como já esclarecido quando se tratou da sociedade limitada, é da permissão de adoção de propósito específico para a sociedade.

Dessa forma, analisando-se a questão pelo enfoque da LSA, ou adotando o foco do CCB, em qualquer hipótese será possível constituir uma sociedade anônima com propósito específico.[74]

O reconhecimento legal dessa possibilidade veio mediante a Lei nº 11.079/2004, que, em seu art. 9º, admitiu expressamente a sociedade anônima aberta, como forma societária apta a desenvolver projeto de "parceria público-privada". A partir desse momento, portanto, se a possibilidade era meramente doutrinária, passou a ser decorrente de lei.

Nessa esteira, também esse tipo societário é apto para recepcionar a empresa objeto de nossa análise no presente estudo.

5 Conclusões

Assim, em nossa conclusão, entendemos que a questão do propósito específico deve ser verificada levando-se em conta, exemplificativamente, os critérios de funcionalidade, temporalidade, espacialidade e subjetividade, aplicados sobre diversos entes econômicos, mas não somente sobre as "sociedades".

---

[74] A CVM reconhece expressamente essa possibilidade, mediante a Instrução CVM nº 408/2004. Nela, além de admitir a existência da SPE, em seu âmbito mais largo, ou seja, como *entidade* de propósito específico, prevê a influência que tais entidades podem ter em sociedades abertas, em decorrência de controle societário ou econômico. Assim, não se prendendo às formas tradicionais de exercício de controle, a CVM foi buscar métodos modernos para regular a matéria, definindo que há controle, desde que, direta ou indiretamente: "(I) a companhia aberta tenha o poder de decisão ou os direitos suficientes à obtenção da maioria dos benefícios das atividades da EPE, podendo, em conseqüência, estar expostas aos riscos decorrentes dessas atividades; ou (II) a companhia aberta esteja exposta à maioria dos riscos relacionados à propriedade da EPE ou de seus ativos". Explicando, exemplificativamente, essas formas de controle econômico, nas quais, eventualmente, a companhia nem faça parte da SPE ou da EPE, Walter Douglas Stuber (As novas regras da CVM sobre as entidades de propósito específico, p. 1-2) assim se pronuncia: "O patrocinador ou a entidade em cujo benefício foi criada a EPE pode transferir ativos à EPE, obter o direito de executar serviços ou de usar os ativos possuídos pela EPE, enquanto outras partes (fornecedores de capital) podem prover os recursos para financiamento da EPE, cobrando por esses recursos uma remuneração, que pode ser uma espécie de aluguel, tarifa ou mesmo uma participação nos resultados. Assim, uma companhia que mantém transações com a EPE, normalmente o instituidor ou patrocinador, pode substancialmente controlar a EPE. A participação nos benefícios gerados por uma EPE pode assumir várias formas: instrumento de dívida, instrumento patrimonial, direito de participação, participação residual ou arrendamento".

Ou seja, poderemos ter "propósitos específicos" em sociedades em conta de participação, sociedades simples, sociedades limitadas e sociedades anônimas, mas também em outros entes como consórcios e *joint ventures*. No entanto, esse mecanismo não é adaptável para as sociedades cooperativas, em face do relevante interesse dos cooperados.

Finalmente, é de se consignar que o propósito perseguido por qualquer desses entes, para ser caracterizado como específico, deve ser imutável, de tal modo que sua alteração fará que o ente seja outro, quando isso eventualmente venha a ocorrer.

Referências

ANTUNES, José Augusto Quelhas Lima Engrácia. *Os grupos de sociedades*: estrutura e organização jurídica da empresa plurissocietária. Coimbra: Almedina, 2002.

ANTUNES, José Engrácia. *Contrato de sociedade no Direito europeu*. Coimbra: Almedina, 1999.

BATALHA, Wilson de Souza Campos. *Comentários à Lei das Sociedades Anônimas*. Rio de Janeiro: Forense, 1977.

BORBA, José Edwaldo Tavares. *Curso de Direito Comercial*: Direito de Empresa. 15. ed. São Paulo: Saraiva, 2013.

BORGES, Eunápio. *Curso de Direito Comercial brasileiro*. 3. ed. São Paulo: Saraiva, 1971.

BORGES, João Eunápio. *Curso de Direito Comercial Terrestre*. 5. ed. Rio de Janeiro: Forense, 1991.

BRASIL. [Constituição (1988)]. *Constituição da República Federativa do Brasil de 1988*. Brasília, DF: Presidência da República, 1988. Disponível em: http://www.planalto.gov.br/ccivil_03/constituicao/constituicaocompilado. htm. Acesso em: 28 nov. 2024.

BRASIL. *Lei nº 556, de 25 de junho de 1850*. Código Comercial. República Federativa dos Estados Unidos do Brasil: Assembleia Constituinte, 1850. Disponível em: https://www.planalto.gov.br/ccivil_03/leis/lim/lim556. htm. Acesso em: 28 nov. 2024.

BRASIL. Ministério do Desenvolvimento, Indústria, Comércio e Serviços. *Manual de Registro de Sociedade Limitada*. Brasília, DF, Ministério do Desenvolvimento, Indústria, Comércio e Serviços, 2022. Disponível em: https://www. gov.br/mdic/pt-br/assuntos/drei/legislacao/arquivos/legislacoes-federais/AnexoIVLtdanovondice28dez2022. pdf. Acesso em: 10 maio 2024.

CARVALHO DE MENDONÇA, Joaquim de Sousa. *Tratado de Direito Comercial brasileiro*. 4. ed. Rio de Janeiro: Freitas Bastos, 1946. v. 4.

CARVALHOSA, Modesto. *Comentários à Lei de Sociedades Anônimas*. São Paulo: Saraiva, 2003. v. 4, t. 2.

CARVALHOSA, Modesto. *Do Direito Societário*. São Paulo: Saraiva, 2002.

COMPARATO, Fábio Konder. Consórcios de empresas. *In*: COMPARATO, Fábio Konder. *Ensaios e pareceres de Direito Empresarial*. Rio de Janeiro: Forense, 1978.

CORRÊA-LIMA, Osmar Brina. *Sociedade anônima*. 2.ed. Belo Horizonte: Del Rey, 2003.

COSSALTER, Phillipe. A Private Finance Iniciative. *Revista de Direito Público da Economia – RDPE*, Belo Horizonte, n. 6, p. 127, abr./jun. 2004.

ESPECIFICIDADE. *In*: DICIONÁRIO Houaiss da língua portuguesa. São Paulo: Moderna, 2001. Disponível em: https://houaiss.uol.com.br. Acesso em: 27 nov. 2024.

ESPECÍFICO. *In*: FERREIRA, Aurélio Buarque de Holanda. *Novo Aurélio século XXI*: o dicionário da língua portuguesa. 3. ed. Rio de Janeiro: Nova Fronteira, 1999.

ESPECÍFICO. *In:* FREIRE, Laudelino. *Grande e novíssimo dicionário da língua portuguesa*. Rio de Janeiro: José Olympio, 1954.

PROPÓSITO. *In*: FERREIRA, Aurélio Buarque de Holanda. *Novo Aurélio século XXI*: o dicionário da língua portuguesa. 3. ed. Rio de Janeiro: Nova Fronteira, 1999.

PROPÓSITO. *In:* FREIRE, Laudelino. *Grande e novíssimo dicionário da língua portuguesa*. Rio de Janeiro: José Olympio, 1954.

FERREIRA, Waldemar Martins. *Compêndio de sociedades mercantis*. 2. ed. São Paulo: Saraiva, 1949.

FERREIRA, Waldemar Martins. *Compêndio de sociedades mercantis*. São Paulo: Freitas Bastos, 1940.

LOPES, Mauro Brandão. *A sociedade em conta de participação*. São Paulo: Saraiva, 1990.

GONÇALVES NETO, Alfredo de Assis. *Lições de Direito Societário*. Curitiba: Juarez de Oliveira, 2004.

GONÇALVES NETO, José Edwaldo Tavares. *Lições de Direito Societário*. São Paulo: Quartier Latin, 2005.

GUIMARÃES, Leonardo. A SPE – Sociedade de Propósito Específico. *Revista de Direito Mercantil Industrial Econômico Financeiro*, [*S. l.*], n. 125, p. 129-137, 2002.

MAMEDE, Gladston. *Direito Societário*: sociedades simples e empresárias. São Paulo: Atlas, 2004.

MARCONDES, Sylvio. A fundação no Direito Privado e no Direito Público. *In:* MARCONDES, Sylvio. *Questões de Direito Mercantil*. São Paulo: Saraiva, 1977.

MARCONDES, Sylvio. *Questões de Direito Mercantil*. São Paulo: Saraiva, 1977.

MARTINS, Fran. *Comentários à Lei das S.A*. Rio de Janeiro: Forense, 1985. v. 3.

MARTINS, Fran. *Curso de Direito Comercial*. 16. ed. Rio de Janeiro: Forense, 1989.

MARTINS, Fran. *Curso de Direito Comercial*. Rio de Janeiro: Forense, 1991.

MOTA PINTO, Carlos Alberto da. *Teoria geral do Direito Civil*. Coimbra: Coimbra Editora, 1975.

MOTA PINTO, Carlos Alberto da. *Teoria geral do Direito Civil*. Coimbra: Coimbra Editora, 1996.

NAVARRINI, Giovanni; FAGGELLA, Carlo. *La società in accomandita semplice*. Milano: Giuffrè, 1903.

NAVARRINI, U.; FAGGELLA, G. *Das sociedades e das associações comerciais*. Tradução: Valentina Borguerth Loehnefinke. Rio de Janeiro: José Konfino, 1950.

PENTEADO, Mauro Rodrigues. *Associações e fundações*: teoria e prática. 2. ed. São Paulo: Revista dos Tribunais, 1995.

PENTEADO, Mauro Rodrigues. Associações voluntárias de empresas. *Revista de Direito Mercantil Industrial Econômico Financeiro*, [*S. l.*], n. 52, p. 44-63, 1983.

PONTES DE MIRANDA, Francisco Cavalcanti. *Tratado de Direito Privado*. Rio de Janeiro: Borsoi, 1954. t. 1.

PONTES DE MIRANDA, Francisco Cavalcanti. *Tratado de Direito Privado*. Rio de Janeiro: Borsoi, 1971. t. 1.

REQUIÃO, Rubens Edmundo. A *Joint Venture* e a Sociedade de Propósito Específico. *Escritório Rubens Requião*, Curitiba, [2024]. Disponível em: https://requiao.adv.br/artigo13.htm. Acesso em: 28 nov. 2024.

REQUIÃO, Rubens. *Curso de Direito Comercial*. Curitiba: Saraiva, 1972. v. 1.

REQUIÃO, Rubens. *Curso de Direito Comercial*. Curitiba: Saraiva, 1972. v. 2.

REQUIÃO, Rubens. O objeto social nas sociedades anônimas. *In:* REQUIÃO, Rubens. *Aspectos modernos de Direito Comercial*. Curitiba: Saraiva, 1986. v. 1.

ROCHA, João Luiz Coelho da. Novas alternativas e derivações jurídicas para a agregação empresarial. *Revista de Direito Mercantil Industrial Econômico e Financeiro*, São Paulo, n. 118, p. 94-100, 2000.

ROCHA, João Luiz Coelho da. Os consórcios de empresas e seus riscos jurídicos. *Revista de Direito Mercantil Industrial Econômico e Financeiro*, São Paulo, n. 115, 1999.

SALOMÃO FILHO, Calixto. *O novo Direito Societário*. 4. ed. São Paulo: Malheiros, 2008.

SOUZA SANTOS, Boaventura de Souza; RODRÍGUEZ, César. Para ampliar o cânone da produção. *In:* SOUZA SANTOS, Boaventura de Souza (org.). *Produzir para viver*: os caminhos da produção não capitalista. Rio de Janeiro: Civilização Brasileira, 2005.

STRENGER, Irineu. *Contratos internacionais do comércio*. São Paulo: Revista dos Tribunais, 1992.

STUBER, Walter Douglas. As novas regras da Comissão de Valores Mobiliários sobre as Entidades de Propósito Específico. *Migalhas*, São Paulo, 22 set. 2004. Disponível em: https://www.migalhas.com.br/depeso/7099/as-novas-regras-da-comissao-de-valores-mobiliarios-sobre-as-entidades-de-proposito-especifico. Acesso em: Acesso em: 2 dez. 2024.

SZTAJN, Rachel. *Contrato de sociedade*. São Paulo: Malheiros, 1999.

Informação bibliográfica deste texto, conforme a NBR 6023:2018 da Associação Brasileira de Normas Técnicas (ABNT):

ISFER, Edson. Sociedade de propósito específico: análise estrutural. *In:* JUSTEN, Monica Spezia; PEREIRA, Cesar; JUSTEN NETO, Marçal; JUSTEN, Lucas Spezia (coord.). *Uma visão humanista do Direito*: homenagem ao Professor Marçal Justen Filho. Belo Horizonte: Fórum, 2025. v. 3, p. 81-104. ISBN 978-65-5518-915-5.

O PIONEIRISMO DE MARÇAL JUSTEN FILHO NA CONFORMAÇÃO DA DESCONSIDERAÇÃO DA PERSONALIDADE JURÍDICA NO DIREITO BRASILEIRO

FÁBIO TOKARS

ISABELLA MOREIRA DE ANDRADE VOSGERAU

1 Contexto histórico da obra de Marçal Justen Filho no estudo da desconsideração da personalidade jurídica

A desconsideração da personalidade jurídica é um dos temas de direito empresarial mais estudados no Brasil. E não sem razão. Sua aplicação (hoje fundada principalmente no art. 50 do Código Civil – CC – e nos arts. 133 a 137 do Código de Processo Civil – CPC) delimita o risco pessoal assumido pelos empreendedores; ou seja, define as hipóteses em que o patrimônio pessoal de sócios e administradores pode ser atingido para o pagamento de obrigações da sociedade a que estejam vinculados, caso o patrimônio dessa sociedade seja insuficiente.

Em quatro momentos distintos os estudos sobre o tema foram intensificados no Brasil. Em resumo:

a) Na década de 1990 debatiam-se essencialmente os efeitos de julgados que, em sua grande maioria, impunham a desconsideração da personalidade jurídica sem que houvesse comprovação de comportamento injurídico por parte dos sócios e administradores. Essa jurisprudência se fundava essencialmente no art. 28 do Código de Defesa do Consumidor (CDC) e em uma hermenêutica própria (atualmente bastante questionada) sobre o princípio da dignidade humana (que gerou um ativismo judicial por vezes radical no trato dos limites da responsabilidade dos empreendedores). Em sua quase totalidade, as obras de direito empresarial combatiam essa posição jurisprudencial, que gerava como único efeito concreto o desincentivo ao desenvolvimento da atividade econômica.

b) Na década de 2000, o foco esteve na análise do art. 50 do CC, que se tornou a norma-base, de aplicação geral, da desconsideração da personalidade jurídica. Antes dele, havia dispositivos específicos, como o já referido art. 28 do CDC, o art. 18 da Lei nº 8.884/1994 (aplicável às infrações à ordem econômica) e o art. 4º da Lei nº 9.695/1998 (aplicável a infrações ambientais). Com o CC, a desconsideração da personalidade jurídica passou a ser tratada como exceção ao princípio da autonomia patrimonial da pessoa jurídica, aplicável apenas se houvesse comprovação de abuso de personalidade jurídica, caracterizado pelo desvio de finalidade ou pela confusão patrimonial. O avanço normativo não gerou mudança imediata na jurisprudência. Mas marcou o início de um lento processo de mudança, com forte resistência de doutrinadores e julgadores que continuavam a impor sua própria (e *contra legem*) visão do princípio da dignidade humana.

c) Em 2015, com a edição do CPC, foi regulado o incidente de desconsideração da personalidade jurídica (IDPJ), o que motivou nova safra de estudos e publicações, dessa vez focados nos aspectos procedimentais. No plano do direito material, ainda que desde 2002 o legislador houvesse condicionado a aplicação da desconsideração à demonstração de comportamento abusivo, a jurisprudência evoluía a passos lentíssimos. No campo do direito tributário, já estava claro o caráter excepcional da desconsideração da personalidade jurídica. Mas em outros, como no do direito do trabalho, a limitação da responsabilidade dos sócios continuava a ser sobrepujada por uma visão muito peculiar da função social do direito.

d) No final de 2019, houve uma grande evolução no plano normativo, que gerou novo aquecimento dos debates jurídicos sobre o tema. A Lei nº 13.874/2019 (que ganhou a alcunha de Lei da Liberdade Econômica) deixou mais claro o caráter excepcional da desconsideração da personalidade jurídica e garantiu uma alocação de riscos mais justa aos empreendedores brasileiros. Além de os §§1º e 2º do art. 50 do CC delimitarem os conceitos de desvio de finalidade e confusão patrimonial, o §4º representou importante avanço ao deixar claro que "a mera existência de grupo econômico sem a presença dos requisitos de que trata o *caput* deste artigo não autoriza a desconsideração da personalidade da pessoa jurídica". Essa mudança normativa acelerou o processo de amadurecimento de nossa jurisprudência (que caminhava a passos lentos desde 2002). Reduziu-se (ao menos neste ponto) a insegurança jurídica dos empreendedores brasileiros, consolidando a regra geral de que o limite de suas perdas patrimoniais em caso de insucesso da atividade empresarial é o investimento feito em tal atividade (integralização do capital social ou pagamento do preço de emissão das ações subscritas ou adquiridas), com a desconsideração da personalidade jurídica, finalmente, passando a ser tratada como exceção.

Este resumo certamente merece críticas, provavelmente justas. Mas o foco deste breve artigo não está na retomada dos diversos e profundos fundamentos trazidos pelos doutrinadores em cada uma destas fases. O foco está em homenagear um dentre os pioneiros, estudiosos que discutiram o tema antes de todos e que fixaram marcos teóricos até hoje utilizados na defesa da boa aplicação da desconsideração da personalidade jurídica.

Entre os pioneiros, é usual (e justa) a referência ao mestre Rubens Requião, que escreveu sobre o tema em sua tese de livre docência na Universidade Federal do Paraná e, posteriormente, instigou o debate em diversas publicações.[1] Mas outra obra merece resgate e releitura: o livro *Desconsideração da personalidade societária no Direito brasileiro*, de autoria de Marçal Justen Filho, publicado em 1987.[2]

Exemplo de pesquisa acadêmica densa, a obra apresenta em detalhes a evolução histórica da personificação das sociedades empresárias, expõe os fundamentos jurídicos da desconsideração da personalidade jurídica (que é fruto da responsabilidade subjetiva do tipo clássico, originada do direito civil), expõe a visão do autor sobre a intensidade e a extensão da desconsideração para que seja a sanção premial visada pelo Estado na regulação das sociedades empresárias e, por fim, deságua na posição do autor frente às iniciativas de normatização da matéria no Brasil (lembrando que, à época, tramitava o projeto do CC aprovado em 2002).

A análise de Marçal Justen Filho sobre a construção normativa então projetada contou com duas abordagens centrais: a complexidade na conceituação de abuso da personalidade jurídica e a crítica ao texto que então constava do projeto de CC. Apresentamos a visão do autor sobre estes dois temas na sequência. Mas o fazemos de maneira meramente provocativa ao resgate da obra, na medida em que a densidade do texto original não permite resumos sem graves omissões.

2 O abuso da personalidade jurídica

A respeito da relação entre função e abuso da personalidade jurídica, o autor inicia por explicar que, à época, o direito societário tinha propósito essencialmente instrumental, não impondo deveres de comportamento ético às pessoas jurídicas.

Em suas palavras, a pessoa jurídica "não se vincula axiologicamente, propondo-se à consecução de metas deontológicas".[3] Em outra passagem da obra, o autor explica que

> o direito define, basicamente, a forma de constituição e de funcionamento da pessoa jurídica, estatuindo regras acerca de sua existência e de sua validade. Prescreve-se a quem cabe a gerência da sociedade, fixam-se os direitos dos sócios, preveem-se os instrumentos de fiscalização da atividade dos administradores etc. Mas não se emitem regras a propósito da função da sociedade personificada.[4]

Vale esclarecer que o autor não defendia esse panorama jurídico. Apenas o descrevia.

Após a sua obra, aprofundaram-se os estudos a respeito da função social da empresa, nem sempre com conclusões defensáveis sob os pontos de vista da segurança jurídica

---

[1] Como o artigo "Abuso e fraude através da personalidade jurídica (*disregard doctrine*)", publicado na *Revista dos Tribunais*, em dezembro de 1969.

[2] JUSTEN FILHO, Marçal. *Desconsideração da personalidade societária no Direito brasileiro*. São Paulo: Revista dos Tribunais, 1987.

[3] JUSTEN FILHO. *Desconsideração da personalidade societária no Direito brasileiro*, p. 96.

[4] JUSTEN FILHO. *Desconsideração da personalidade societária no Direito brasileiro*, p. 97-98.

e da alocação de riscos. Especialmente na década de 1990, duas posições antagônicas (e sem qualquer intenção de convergência) disputavam a atenção dos estudantes. Havia os que continuavam a defender visões extremas (e pouco embasadas historicamente) do liberalismo, afirmando que o único propósito da empresa era a geração de lucros. De outro lado, havia os que enxergavam no postulado da função social da empresa (presente desde 1976 da Lei de Sociedades Anônimas) instrumento jurídico para que se exigisse de empreendedores muito mais do que o cumprimento das muitas leis que lhes cobravam deveres de comportamento (por vezes, exigindo que as empresas cumpram papéis que são do Estado).

No meio desse debate, estavam os empreendedores, que não tinham como dimensionar os riscos a que se sujeitavam ao desenvolverem atividade empresarial. Ainda que lei previsse que os sócios de sociedades limitadas e os acionistas de sociedades anônimas tinham responsabilidade limitada (à integralização do capital ou ao pagamento do preço de emissão de suas ações, conforme a pessoa jurídica fosse uma sociedade limitada ou uma sociedade anônima), na prática, os empreendedores estavam sujeitos aos matizes ideológicos de cada julgador para a definição de uma das análises de risco mais importantes na tomada de uma decisão de investimento: a possibilidade de o patrimônio pessoal do empreendedor ser atingido para o pagamento de obrigações que decorreram não de atos ilícitos, mas do insucesso da atividade econômica (que usualmente decorre de fatores de mercado que não estão no controle direto dos empreendedores).

A insegurança jurídica impôs (e, em parte, continua impondo) seus efeitos (todos negativos). Efeitos que vão além do desincentivo à criação de empresas (entidades que, vale sempre relembrar, geram empregos, movimentam a economia e alimentam o estado com o pagamento de tributos). Ao impor aos empreendedores o risco de perda de bens e ativos pessoais para a satisfação de obrigações decorrentes da atividade empresarial (ou seja, ao ignorar o princípio da autonomia patrimonial das pessoas jurídicas), os julgadores que ignoravam os limites legais de limitação da responsabilidade de sócios geraram um diferencial competitivo ilógico em favor de pessoas que não estavam materialmente sujeitas a tal risco pelo simples fato de não terem patrimônio pessoal a perder (especialmente para aqueles que não declaram seus bens pessoais). Em tese, patrimônios pessoais não declarados poderiam ser buscados em processos investigativos e novas camadas de desconsideração da entidade legal. Mas, na prática, estes processos são lentos, custosos e ineficazes, de forma que o risco da desconsideração aplicada sem critérios (ou seja, da responsabilização do patrimônio pessoal dos empreendedores como decorrência da insolvência da sociedade empresária, sem a demonstração de fraude) recaia exclusivamente sobre pessoas com patrimônio pessoal relevante.

Os efeitos econômicos desastrosos dessa jurisprudência motivaram muitos pensadores do direito a cobrarem a necessária mudança; a colocar em voga a necessidade de fundamentar decisões de forma mais substancial do que a simples invocação da visão pessoal de cada julgador a respeito da função social do direito. E esse debate (impulsionado por Marçal Justen Filho há mais de 35 anos) gerou resultados. Atualmente, vivemos a fase mais madura da aplicação da desconsideração da personalidade jurídica, que se refletiu e ganhou novo impulso com a edição da Lei de Liberdade Econômica.

Como referimos, a Lei nº 13.874/2019, entre outros pontos, alterou a redação original do art. 50 do CC; não com o propósito de alterar materialmente a regra geral que continua constando de seu caput (e que seria suficiente à correta aplicação da regra), mas para acrescentar parágrafos que buscaram abafar debates ideológicos e propor hermenêutica mais objetiva.

Em vez de descrever a finalidade da empresa (o que impulsionaria a imposição de deveres e comportamentos não econômicos, como muitos ainda pretendem), a norma se preocupou em categorizar o desvio de finalidade, nos seguintes termos: "Para os fins do disposto neste artigo, desvio de finalidade é a utilização da pessoa jurídica com o propósito de lesar credores e para a prática de atos ilícitos de qualquer natureza".

A diferença de interpretação é evidente. Em vez de impor aos sócios e administradores de sociedades empresárias deveres de utilizar a pessoa jurídica para a execução de propósitos não econômicos (confundindo comportamentos éticos e normas morais com normas jurídicas), a norma veda a utilização intencional da pessoa jurídica com o propósito de lesar credores ou de praticar atos ilícitos. Retoma-se a origem da desconsideração da personalidade jurídica, limitando a aplicação do instituto para que se busque a efetiva reparação de atos ilícitos, e assim dando corpo aos princípios gerais da reparação civil.

Essa evolução da interpretação e da normatização da desconsideração da personalidade jurídica materializou a visão de Marçal Justen Filho já em 1987, e afasta a preocupação assim lançada em sua obra:

> A afirmação genérica de que a desconsideração da personalidade societária pressupõe um abuso da pessoa jurídica dá oportunidade a algumas ilações que devem ser afastadas. Pode supor-se que a desconsideração será aplicável sempre que a personalidade jurídica societária puder acarretar um resultado imoral ou anti-ético. Enfim, sempre que a existência da pessoa jurídica significar a frustração de uma faculdade alheia será o caso da invocação da teoria do superamento? Essa ideia pode ser incrementada ainda mais pela referência à ausência de regramento ético para a conduta da sociedade personificada, postulando-se a fixação, também neste campo, de parâmetros intrínsecos para ela. Não podemos acatar esse entendimento, que é frontalmente contraditório com a própria noção de personificação societária.[5]

A profunda análise do autor quanto ao comportamento exigível de sócios, administradores e das próprias pessoas jurídicas (entidades abstratas, como bem destacado na obra) certamente serviu como fundamento ao amadurecimento do debate quanto à caracterização do abuso de personalidade jurídica, bem como à evolução da interpretação do art. 50 do CC.

A confirmação da contribuição se verifica em precedentes que, antes mesmo da edição da Lei nº 13.874/2019, já invocavam o trabalho de Marçal Justen Filho para fundamentar decisões de casos que tratavam de pedidos de desconsideração da personalidade jurídica.

Ao julgar recurso de agravo de instrumento, o Tribunal de Justiça do Paraná (TJPR) confirmou decisão de primeiro grau que destacou a necessidade de cautela na análise dos pressupostos para a desconsideração da personalidade jurídica, exigindo "prova inequívoca de desvio dos fins estabelecidos no contrato social ou nos atos

---

[5] JUSTEN FILHO. *Desconsideração da personalidade societária no Direito brasileiro*, p. 119-120.

constitutivos da empresa ou a confusão entre o patrimônio da sociedade e o dos sócios ou administradores".

Ao confirmar a decisão, o tribunal de justiça paranaense invocou a obra do autor para afirmar que a desconsideração da personalidade jurídica pressupõe a demonstração de atos praticados com a intenção de prejudicar terceiros, sendo insuficiente meros indícios que, nos mais das vezes, apenas decorrem do insucesso da atividade empresarial (como é o caso do encerramento irregular, do fechamento de sede ou da ausência de fundos para fazer frente a dívidas).

Para justificar o entendimento, o acórdão destacou a lição de Marçal Justen Filho a respeito da diferenciação criada pelo direito para a personalidade societária como forma de incentivar a atividade empresarial:

> (...) a personificação societária, por meio da criação jurídica de um ente distinto e autônomo dos sócios, constitui uma técnica de incentivo à realização de associações e à concentração de recursos e esforços, uma vez que o regime jurídico aplicável à pessoa jurídica é mais benéfico do que o aplicado às atividades exercidas individualmente.[6]

O acórdão em questão, que é de 2014, é um exemplo claro da influência da obra de Marçal Justen Filho na evolução e na aplicação do instituto da desconsideração da personalidade jurídica que levou à edição da Lei nº 13.874/2019.[7]

Mas também é fundamental destacar outro posicionamento de Marçal Justen Filho que foi além de viabilizar a evolução da interpretação da norma. Sua doutrina certamente interferiu na própria formação da norma.

3 Delineamento normativo da desconsideração da personalidade jurídica

A tramitação do CC de 2002 consumiu quase 30 anos. Mas estes longos anos não foram preenchidos com debates intensos. Na realidade, poucas vozes se levantaram contra os textos iniciais. Poucos foram os debates, ou que levou à aprovação de um CC que nasceu velho (tanto que, curiosamente, logo em seguida à sua aprovação, iniciou a tramitação do extenso projeto de lei que visava sua reforma, e que infelizmente foi abandonado, e por fim arquivado, após o falecimento do Deputado Ricardo Fiúza, que cumpriu seu papel com grande dedicação).

No capítulo final do livro objeto desta breve análise, encontramos um bom exemplo de tentativa de participação eficiente no processo legislativo. Tentativa, nesse caso, exitosa. Marçal Justen Filho refutou, com veemência e propriedade, o texto proposto no

---

[6]   PARANÁ. Tribunal de Justiça do Estado. Agravo de Instrumento 1243530-2. 14. Câmara Cível. Relatora: J.za Sandra Bauermann, 10 de dezembro de 2014. *DJPR*: Poder Judiciário, 2 fev. 2015.

[7]   Sobre análise específica e detalhada a respeito da citação da obra de Marçal Justen Filho – assim como de Rubens Requião e José Lamartine Corrêa de Oliveira –, confira-se: STEINER, Renata C.; KELLER, Mariana Capaverde. A "tríade" paranaense da desconsideração da personalidade jurídica na jurisprudência: Rubens Requião, José Lamartine Corrêa de Oliveira e Marçal Justen Filho. *In:* ADAMEK, Marcelo Vieira von; CONTI, André Nunes (org.). *Desconsideração da personalidade jurídica*: pressupostos – consequências – casuística. São Paulo: Quartier Latin, [2024?]. No prelo.

projeto de CC para a regulação da desconsideração da personalidade jurídica. À época, a redação proposta para o art. 50 do CC era a seguinte:

> A pessoa jurídica não deve ser desviada dos fins estabelecidos no ato constitutivo, para servir de instrumento ou à cobertura da prática de atos ilícitos, ou abusivos, caso em que poderá o juiz, a requerimento de qualquer dos sócios ou do Ministério Público, decretar a exclusão do sócio responsável ou, tais sejam as circunstâncias, a dissolução da entidade.
>
> Parágrafo Único. Nestes casos, sem prejuízo de outras sanções cabíveis, responderão, juntamente com as da pessoa jurídica, os bens pessoais do administrador ou representante que dela se houver utilizado de maneira fraudulenta ou abusiva, salvo se norma especial determinar a responsabilidade solidária de todos os membros da administração.

No *caput*, a redação proposta partia de situação fática típica de desconsideração da personalidade jurídica (fraude por meio da utilização da pessoa jurídica), mas previa efeitos jurídicos absolutamente equivocados: a exclusão do sócio envolvido no ato fraudulento ou mesmo a dissolução da sociedade. Nenhuma das soluções propostas levaria à reparação dos danos causados às materialmente pessoas prejudicadas pela prática dos atos lesivos. Ao contrário, o valor dos haveres (em caso de exclusão) ou o eventual resultado positivo da liquidação da sociedade (em caso de dissolução total) reverteriam ou sócio excluído ou a todos os sócios, conforme o caso, mas não para o terceiro prejudicado. A única hipótese de responsabilização pessoal estava no parágrafo único, mas se limitava aos administradores ou representantes das sociedades empresárias (cuja responsabilidade pessoal já constava de nosso ordenamento jurídico, seja via ação de responsabilidade dos administradores seja via responsabilização por excesso de mandato).

Se hoje a confusão de conceitos (exclusão de sócios, dissolução de sociedade e responsabilidade de administradores, sem chegar no âmago da desconsideração da personalidade jurídica) é de fácil percepção por qualquer estudioso do direito societário, na época foi necessário muito debate e combate para evitar a aprovação de uma lei que regularia a desconsideração da personalidade jurídica de forma atécnica e absolutamente ineficiente.

O efeito buscado com a desconsideração da personalidade não é de dissolver a sociedade ou excluir sócios (sendo curiosa a proposição alternativa de soluções que são conflitantes, na medida em que a primeira visa à dissolução de uma entidade cuja preservação é o propósito central da segunda). O propósito é a reparação de danos causados a terceiros. Também é notável a confusão do legislador entre os mecanismos da desconsideração da personalidade jurídica e o da responsabilização dos administradores (que já era regulado, de forma técnica e eficiente, pela Lei das Sociedades Anônimas desde 1976).

A impropriedade técnica do texto proposto foi alvo de profunda análise por Marçal Justen Filho, cuja voz certamente ecoou a ponto de interferir na construção do texto normativo que veio a ser aprovado em 2002. Vale nova transcrição da obra ora analisada:

> O Projeto dá tratamento em nível de invalidade, ao problema ora enfocado. A dissolução da sociedade, provocada por conduta abusiva, é solução totalmente desproporcionada e despropositada. A exclusão do sócio "responsável" pelo abuso não significa solução. (...)

Tal proposta só pode compatibilizar-se com uma concepção ultrapassada da própria função do direito, vinculada à ideia do Estado Gendarme. Trata-se da função puramente repressiva do direito, quando a atualidade exige uma atuação preventiva e funcional para ele. (...)

Como se não bastassem tantos equívocos, o Projeto restringe a legitimação ativa para propugnar a pronúncia do "vício". Obcecado pela ideia de validade, limita a legitimação ativa apenas aos sócios e ao Ministério Público. (...) E, basicamente, os que podem ser prejudicados são os terceiros, estranhos ao seio societário. (...)

Só resta lamentar a falta de sensibilidade do legislador, que terá perdido a oportunidade de sistematizar, em termos expressos e orgânicos, o remédio para um dos mais graves problemas que entranham o mundo do direito: o desvirtuamento da utilização da pessoa jurídica, cuja razão de ser reside na realização direta ou indireta do bem comum.[8]

Com base em técnica jurídica densa e objetiva (saudosa, especialmente neste tempo de retórica fraca e pesquisa superficial), Marçal Justen Filho se opôs. E sua oposição, em coro com a de outras grandes nomes de nosso direito societário, frutificou.

4 Considerações finais

Neste ponto, surge a reflexão final deste breve texto. Reflexão que não tem relação direta com a desconsideração da personalidade jurídica ou com outro tema de direito empresarial. Tem relação com o posicionamento dos estudiosos do direito, que devem não apenas estudar o direito posto, mas propor-se a formular contribuições que permitam o desenvolvimento do direito, o que inclui analisar propostas legislativas para evitar a aprovação de despropósitos, como o Projeto de Lei nº 8.119/2017 (ainda não arquivado, infelizmente), que propõe jogar no lixo toda a evolução do estudo da alocação de riscos no desenvolvimento da atividade empresarial com a seguinte proposta de redação para o art. 1.052 do CC, que é a regra base da limitação da responsabilidade das sociedades limitadas:

> Art. 1.052. Na sociedade limitada, a responsabilidade de cada sócio é restrita ao valor de suas quotas, mas se os bens da sociedade não lhe cobrirem as dívidas, respondem os sócios pelo saldo, na proporção em que participem das perdas sociais, salvo cláusula de responsabilidade solidária.

Em resumo: nessa proposta de reforma legislativa, os sócios tomariam para si todos os riscos do desenvolvimento da atividade empresarial, o que demoveria qualquer pessoa com qualquer patrimônio pessoal do propósito de desenvolver qualquer atividade empresarial (que sempre envolve riscos e que podem desaguar em insolvência, mesmo que os empreendedores tenham agido de forma legal e ética).

Conforme destacado por Marçal Justen Filho em obra destinada à introdução ao estudo do direito, a limitação da responsabilidade dos sócios nas sociedades submetidas de responsabilidade limitada, "essa solução é reputada como um incentivo econômico

---

[8] JUSTEN FILHO. *Desconsideração da personalidade societária no Direito brasileiro*, p. 152-153.

indispensável à realização de novos investimentos, necessários ao crescimento econômico. Se inexistisse mecanismo para a limitação da responsabilidade, a realização de empreendimentos econômicos envolveria riscos ilimitados".[9]

A proposta de alteração do artigo 1.052 do CC desconsidera essa questão essencial e poderia desestabilizar significativamente o sistema empresarial brasileiro.

A lição de Marçal Justen Filho de 1987 que, em 2014 (e ainda hoje), mostrou-se atual e adequada para se afastar a tentativa de desconsideração da personalidade jurídica sem a demonstração concreta de atos antijurídicos precisa ser relembrada e destacada: a diferenciação de patrimônio e a separação da personalidade empresarial da dos sócios, com regime mais benéfico aplicável às sociedades, incentiva e verdadeiramente viabiliza o desenvolvimento da atividade empresarial.

Com o livro de Marçal Justen Filho, podemos aprender os fundamentos da desconsideração da personalidade jurídica. Mas podemos aprender mais. Podemos nos inspirar a participar de forma ativa do processo legislativo brasileiro, o que é essencial para o amadurecimento não só de nosso ordenamento jurídico, mas também de nossa democracia.

Referências

JUSTEN FILHO, Marçal. *Desconsideração da personalidade societária no Direito brasileiro*. São Paulo: Revista dos Tribunais, 1987.

JUSTEN FILHO, Marçal. *Introdução ao estudo do Direito*. 2. ed. Rio de Janeiro: Forense, 2021.

JUSTEN FILHO, Marçal. O novo regime processual da desconsideração da personalidade societária e seus reflexos no âmbito do Direito Administrativo. *In:* TALAMINI, Eduardo (org.). *Processo e Administração Pública*. Salvador: 2016. p. 597-614.

PARANÁ. Tribunal de Justiça do Estado. Agravo de Instrumento 1243530-2. 14. Câmara Cível. Relatora: J.z.ª Sandra Bauermann, 10 de dezembro de 2014. *DJPR*: Poder Judiciário, 2 fev. 2015.

REQUIÃO, Rubens. Abuso de direito e fraude através da personalidade jurídica (*diresgard doctrine*). *Revista dos Tribunais*, v. 91, n. 803, p. 751-764, set. 2002.

STEINER, Renata C.; KELLER, Mariana Capaverde. A "tríade" paranaense da desconsideração da personalidade jurídica na jurisprudência: Rubens Requião, José Lamartine Corrêa de Oliveira e Marçal Justen Filho. *In:* ADAMEK, Marcelo Vieira von; CONTI, André Nunes (org.). *Desconsideração da personalidade jurídica*: pressupostos – consequências – casuística. São Paulo: Quartier Latin, [2024?]. No prelo.

Informação bibliográfica deste texto, conforme a NBR 6023:2018 da Associação Brasileira de Normas Técnicas (ABNT):

TOKARS, Fábio; VOSGERAU, Isabella Moreira de Andrade. O pioneirismo de Marçal Justen Filho na conformação da desconsideração da personalidade jurídica no direito brasileiro. *In:* JUSTEN, Monica Spezia; PEREIRA, Cesar; JUSTEN NETO, Marçal; JUSTEN, Lucas Spezia (coord.). *Uma visão humanista do Direito*: homenagem ao Professor Marçal Justen Filho. Belo Horizonte: Fórum, 2025. v. 3, p. 105-113. ISBN 978-65-5518-915-5.

---

[9] JUSTEN FILHO, Marçal. *Introdução ao estudo do Direito*. 2. ed. Rio de Janeiro: Forense, 2021. p. 210.

DIÁLOGO ENTRE A PERSPECTIVA DE MARÇAL JUSTEN FILHO SOBRE A LEI DE LIBERDADE ECONÔMICA E SUA CONCRETIZAÇÃO NOS TRIBUNAIS

KLEBER LUIZ ZANCHIM

BÁRBARA TEIXEIRA

1 Introdução

A Lei de Liberdade Econômica (LLE), fruto da Medida Provisória nº 881/2019 e convertida na Lei nº 13.874/2019, introduziu diretrizes destinadas a simplificar e desburocratizar o ambiente de negócios no país com o objetivo de garantir maior liberdade ao empreendedor e, assim, promover ambiente favorável ao desenvolvimento econômico.[1]

A citada Medida Provisória nº 881/2019 foi justificada pela Exposição de Motivos Interministerial nº 00083/2019 ME AGU MJSP, que destacou a necessidade de eliminar a percepção de que o exercício de atividades econômicas no Brasil depende de prévia autorização estatal. Por meio da Declaração de Direitos de Liberdade Econômica, pretendeu-se implementar medidas que ampliassem a proteção dos indivíduos contra a intervenção estatal, a serem seguidas no Direito Civil, Empresarial, Econômico, Urbanístico e do Trabalho. Tudo isso com objetivo de "proporcionar um estado de maior segurança jurídica no País".[2]

---

[1] "Art. 1º. Fica instituída a Declaração de Direitos de Liberdade Econômica, que estabelece normas de proteção à livre iniciativa e ao livre exercício de atividade econômica e disposições sobre a atuação do Estado como agente normativo e regulador, nos termos do inciso IV do *caput* do art. 1º, do parágrafo único do art. 170 e do *caput* do art. 174 da Constituição Federal (BRASIL. Lei nº 13.874, de 20 de setembro de 2019. Institui a Declaração de Direitos de Liberdade Econômica; estabelece garantias de livre mercado; altera as Leis nos 10.406, de 10 de janeiro de 2002 (Código Civil) (...). *Diário Oficial da União*: Brasília, DF, 2019. Disponível em: https://www.planalto.gov.br/ccivil_03/_ato2019-2022/2019/lei/l13874.htm. Acesso em: 2 ago. 2024).

[2] BRASIL. Ministério da Justiça e Segurança Pública. *EMI nº 00083/2019 ME AGU MJSP*. Brasília, DF: Ministério da Justiça e Segurança Pública, item 14, 11 abr. 2019. Disponível em: https://www.planalto.gov.br/ccivil_03/_ato2019-2022/2019/Exm/Exm-MP-881-19.pdf. Acesso em: 10 jul. 2024.

Passamos, assim, a analisar o entendimento do ilustre homenageado Marçal Justen Filho sobre (i) a abrangência e âmbito de aplicação da LLE e (ii) o papel da LLE na concretização de princípios constitucionais. Além disso, examinaremos algumas decisões judiciais sobre os temas que, embora não tenham expressão significativa do ponto de vista quantitativo devido à especificidade temática e à relativamente recente promulgação da lei, servem como uma ilustração ou indicativo da concretização desses assuntos nos tribunais.

2 Abrangência e incidência da lei

A LLE estabelece seu âmbito de eficácia, como regra de *sobredireito*, em seu art. 1º, §1º.[3] Tal aspecto é examinado por Marçal Justen Filho e se revela valioso para compreender as nuances e os impactos dessa legislação, especialmente quanto ao seu âmbito de incidência.

Como ensina o Professor, a LLE disciplina atividades econômicas em sentido estrito, ou seja, aquelas em que há exploração de recursos econômicos sob regime de direito privado. Assim, a LLE abrange a atuação estatal organizada sob regime de Direito Privado[4] e não se aplica aos serviços públicos, exceto nas situações em que as atividades envolvam exploração econômica por entidades privadas, como concessionárias. As atividades econômicas em sentido estrito alcançadas pela LLE incluem atividades não empresariais.[5] Ou seja, a LLE pretende tutelar "todas as atividades não estatais, que não configurem serviço público, que envolvam alguma forma de exploração de recursos econômicos".[6]

A LLE estabelece que o disposto em seus arts. 1º a 4º constitui normas gerais de Direito Econômico. No entendimento do autor homenageado, tais normas, isoladamente, tratam também de temas que podem ser identificados com outros ramos do Direito, como Direito Civil, Penal, Empresarial, Administrativo etc., mas são marcadas pela especificidade de dispor sobre a atuação de agentes econômicos e tratar da delimitação das intervenções federativas na atividade econômica.[7] Considerando a disciplina constitucional, há competência legislativa concorrente entre União, Estados e Distrito

---

[3] "Art. 1º. Fica instituída a Declaração de Direitos de Liberdade Econômica, que estabelece normas de proteção à livre iniciativa e ao livre exercício de atividade econômica e disposições sobre a atuação do Estado como agente normativo e regulador, nos termos do inciso IV do *caput* do art. 1º, do parágrafo único do art. 170 e do *caput* do art. 174 da Constituição Federal.
§1º. O disposto nesta Lei será observado na aplicação e na interpretação do direito civil, empresarial, econômico, urbanístico e do trabalho nas relações jurídicas que se encontrem no seu âmbito de aplicação e na ordenação pública, inclusive sobre exercício das profissões, comércio, juntas comerciais, registros públicos, trânsito, transporte e proteção ao meio ambiente" (BRASIL. Lei nº 13.874, de 20 de setembro de 2019).

[4] Sobre o tema, cf.: ZANCHIM, Kleber; TEIXEIRA, Bárbara. A Lei da Liberdade Econômica e os contratos das estatais. *In:* CUNHA FILHO, Alexandre Jorge Carneiro; PICCELI, Roberto Ricomini; MACIEL, Renata Mota (coord.). Lei da Liberdade Econômica Anotada: Lei nº 13.874, de 2019. São Paulo: Quartier Latin, 2020.

[5] JUSTEN FILHO, Marçal. Abrangência e incidência da lei. *In:* MARQUES NETO, Floriano de Azevedo; RODRIGUES JUNIOR, Otavio Luiz; LEONARDO, Rodrigo Xavier (org.). *Comentários à Lei da Liberdade Econômica*: Lei 13.874/2019. São Paulo: Thomson Reuters Brasil, 2020. *E-book.* local. 470.

[6] JUSTEN FILHO. Abrangência e incidência da lei, local. 501.

[7] JUSTEN FILHO. Abrangência e incidência da lei, local. 712.

Federal sobre Direito Econômico. Portanto, normas gerais sobre Direito Econômico vinculam todas as esferas federativas.[8]

Sobre o âmbito de aplicação da norma e a concorrência de competências para legislar sobre os temas a que ela se refere, o Tribunal de Justiça de São Paulo (TJSP) estabeleceu que a legislação nacional sobre liberdade econômica afasta normas municipais que contrariem os princípios da livre iniciativa e livre concorrência.

O TJSP julgou apelação interposta pelo Município de Itajobi contra decisão que declarou inconstitucionais partes de lei municipal que limitava o horário de funcionamento de uma drogaria.[9] O empreendedor alegou que tais restrições violavam os princípios da livre iniciativa e da livre concorrência protegidos pela LLE com fundamento na Constituição Federal. O TJSP confirmou que, apesar de o Município poder regular o horário de funcionamento do comércio, essa competência não pode se sobrepor à legislação nacional sobre Direito Econômico.

Em outro caso,[10] o TJSP analisou ação direta de inconstitucionalidade proposta contra lei municipal que exigia dispositivos antifurto em carrinhos de compras disponibilizados por estabelecimentos comerciais. O TJSP manteve a decisão de primeiro grau, afirmando que a lei municipal violava os princípios da razoabilidade e da livre iniciativa, protegidos pela Constituição Federal e pela LLE. A lei municipal foi considerada uma intromissão indevida na atividade empresarial, onerando excessivamente os empresários. A decisão destacou ainda que regulamentar práticas comerciais extrapola a competência legislativa municipal, pois legislar sobre Direito Comercial é competência privativa da União, conforme o art. 22, inciso I, da Constituição Federal.

Em ambos os casos, o TJSP observou as atribuições constitucionais dos Municípios para legislar sobre assuntos de interesse local. Não obstante, afirmou que normas municipais que estabeleçam restrições específicas sob o pretexto de interesse local não podem se sobrepor à legislação nacional. As decisões ressaltaram que a legislação sobre liberdade econômica, como norma de Direito Econômico, prevalece sobre regulamentações locais que a contradigam.

Desse modo, a LLE, como norma geral de Direito Econômico, deve servir como parâmetro para criação, interpretação e aplicação de normas legais e infralegais que regulam as diversas formas de intervenção estatal nas atividades privadas em todas as esferas federativas. Como observa Marina Fontão Zago, "os fundamentos, objetivos e conteúdo da proposta legislativa estão intrinsecamente relacionados com sua abrangência geral e nacional".[11]

Isso porque, como bem observa a autora, não são raros casos como os narrados no presente estudo, em que Municípios e Estados interferem na atividade econômica sob pretexto de regular temas que lhes competem, a exemplo do ocorrido com a judicialização

---

8   JUSTEN FILHO. Abrangência e incidência da lei, local. 649.

9   SÃO PAULO. Tribunal de Justiça do Estado. Apelação/Remessa Necessária 1000159-12.2020.8.26.0264. 9. Câmara de Direito Público. Relator: Des. Oswaldo Luiz Palu, 1 de fevereiro de 2022. *DJSP*: Poder Judiciário, 2022.

10   SÃO PAULO. Tribunal de Justiça do Estado (Órgão Especial). Ação Direta de Inconstitucionalidade 2121066-44.2022.8.26.0000. Relator: Des. Moacir Peres, 21 de setembro de 2022. *DJSP*: Poder Judiciário, 2022.

11   ZAGO, Marina Fontão. Abrangência federativa. In: MARQUES NETO, Floriano de Azevedo; RODRIGUES JUNIOR, Otavio Luiz; LEONARDO, Rodrigo Xavier (org.). *Comentários à Lei da Liberdade Econômica*: Lei 13.874/2019. São Paulo: Thomson Reuters Brasil, 2020. *E-book*. local. 1327.

do funcionamento dos aplicativos de intermediação, que, quando de seu surgimento, enfrentaram larga controvérsia quanto à sua legalidade.[12]

Caso marcante desse contexto foi a decisão do Supremo Tribunal Federal (STF), anterior à LLE, que declarou a inconstitucionalidade de lei municipal que proibia o uso de carros particulares, com ou sem aplicativos, para o transporte remunerado de passageiros sem permissão legal.[13] A lei municipal foi considerada formalmente inconstitucional, por tratar de tema de competência privativa da União, mas a Corte reconheceu também a inconstitucionalidade material, destacando a importância da definição dos limites do poder regulador em relação ao ambiente concorrencial e o conflito do objetivo normativo com os princípios constitucionais da livre iniciativa (arts. 1º, IV, e 170), da liberdade profissional (art. 5º, XIII), da igualdade (art. 5º, *caput*) e da ampla concorrência (art. 173, §4º).

Além de observar que a medida possuía objetivo vedado pela Constituição, tendo em vista que se destinava a favorecer grupos de pressão, reconheceu-se que a medida falhava no teste de adequação aos fins visados, à necessidade e à proporcionalidade, presentes no sopesamento de direitos fundamentais.

É nesse contexto que a incidência geral da LLE justifica sua existência.[14] Qualquer norma que restrinja a liberdade econômica pode ser contestada com base nos direitos fundamentais, na esteira de decisões dos tribunais superiores que já vinham impondo determinadas condições para que a liberdade econômica fosse validamente limitada.[15]

O que a LLE faz é agregar simbolismo a esse tema, tão sujeito a vieses ideológicos. Ao dar contornos gerais a um princípio constitucional, a norma aumenta a força simbólica dele, introduzindo-o com mais contundência no debate jurídico cotidiano e fornecendo-lhe mais concretude.

3 A concretização de princípios constitucionais pela LLE

Pela perspectiva do Direito Privado, enfoque do presente estudo, vale destacar que parte relevante das normas da LLE não altera a disciplina até então aplicável;[16] antes, explica, oferece interpretação autêntica ou consolida expressamente normas que já deveriam estar sendo aplicadas, extraídas do texto constitucional, dos costumes ou de princípios clássicos jusprivatistas.[17]

---

[12] ZAGO. Abrangência federativa, local. 1298.

[13] BRASIL. Supremo Tribunal Federal. Arguição de Descumprimento de Preceito Fundamental 449/DF. Relator: Min. Luiz Fux, 8 de maio de 2019. *Dje*: Brasília, DF, 2019.

[14] CAMILO JÚNIOR, Ruy Pereira. Liberdades de Precificação e de Pactuação. In: MARQUES NETO, Floriano de Azevedo; RODRIGUES JUNIOR, Otavio Luiz; LEONARDO, Rodrigo Xavier (org.). Comentários à lei da liberdade econômica: Lei 13.874/2019. São Paulo: Thomson Reuters Brasil, 2020. *E-book*. local. 3023.

[15] SUNDFELD, Carlos Ari; JORDÃO, Eduardo; BOCKMANN MOREIRA, Egon; AZEVEDO MARQUES NETO, Floriano; BINENBOJM, Gustavo; ARRUDA CÂMARA, Jacintho; MENDONÇA, José Vicente; JUSTEN FILHO, Marçal. *Anteprojeto da Lei Nacional de Liberdade Econômica*. Proposta acadêmica para a reforma das bases jurídicas da regulação e de sua governança nos âmbitos municipal, estadual, distrital e federal, com minuta de projeto para a Lei Nacional da Liberdade Econômica. São Paulo: FGV Direito SP, 4 abr. 2019. Disponível em: https://ssrn.com/abstract=3380333. Acesso em: 2 ago. 2024.

[16] BRASIL. *EMI nº 00083/2019 ME AGU MJSP*, item 16.

[17] MARTINS-COSTA, Judith; NITSCHKE, Guilherme Carneiro Monteiro. Origem e eficácia da Lei de Liberdade Econômica. *In*: MARTINS-COSTA, Judith; NITSCHKE, Guilherme Carneiro Monteiro (coord.). *Direito Privado na Lei da Liberdade Econômica*: Comentários. São Paulo: Almedina, 2022. (Coleção IDiP). p. 40.

Com fundamento no inciso IV do *caput* do art. 1º[18] do parágrafo único do art. 170[19] e do *caput* do art. 174[20] da Constituição Federal, a LLE reforçou princípios que determinam a presunção de boa-fé nos atos realizados no exercício da atividade econômica,[21] a prevalência da intervenção mínima do Estado nas relações privadas, a excepcionalidade da revisão contratual,[22] a aplicação de regra de interpretação *contra proferentem* também para contratos paritários[23] e a presunção de paridade em contratos civis e empresariais, com destaque à garantia de observância à alocação de riscos definida pelas partes.[24]

Sobre o tema, Marçal Justen Filho destaca que a referência da LLE à disciplina constitucional não serve apenas como base de validade legal, mas também para impor interpretação e aplicação sistemática às suas normas.[25] De se destacar que o autor homenageado fez parte do grupo de juristas a elaborar a proposição denominada "Para uma Reforma Nacional em favor da Liberdade Econômica e das Finalidades Públicas

---

[18] "Art. 1º A República Federativa do Brasil, formada pela união indissolúvel dos Estados e Municípios e do Distrito Federal, constitui-se em Estado Democrático de Direito e tem como fundamentos:
(...)
IV - os valores sociais do trabalho e da livre iniciativa (...) (BRASIL. [Constituição (1988)]. *Constituição da República Federativa do Brasil de 1988*. Brasília, DF: Presidência da República, 1988. Disponível em: http://www.planalto. gov.br/ccivil_03/constituicao/constituicaocompilado.htm. Acesso em: 2 ago. 2024).

[19] "Art. 170. A ordem econômica, fundada na valorização do trabalho humano e na livre iniciativa, tem por fim assegurar a todos existência digna, conforme os ditames da justiça social, observados os seguintes princípios: (...) Parágrafo único. É assegurado a todos o livre exercício de qualquer atividade econômica, independentemente de autorização de órgãos públicos, salvo nos casos previstos em lei" (BRASIL. [Constituição (1988)]. *Constituição da República Federativa do Brasil de 1988*).

[20] "Art. 174. Como agente normativo e regulador da atividade econômica, o Estado exercerá, na forma da lei, as funções de fiscalização, incentivo e planejamento, sendo este determinante para o setor público e indicativo para o setor privado" (BRASIL. [Constituição (1988)]. *Constituição da República Federativa do Brasil de 1988*).

[21] "Art. 3º. São direitos de toda pessoa, natural ou jurídica, essenciais para o desenvolvimento e o crescimento econômicos do País, observado o disposto no parágrafo único do art. 170 da Constituição Federal:
(...)
V - gozar de presunção de boa-fé nos atos praticados no exercício da atividade econômica, para os quais as dúvidas de interpretação do direito civil, empresarial, econômico e urbanístico serão resolvidas de forma a preservar a autonomia privada, exceto se houver expressa disposição legal em contrário (...) (BRASIL. Lei nº 13.874, de 20 de setembro de 2019).

[22] "Art. 2º. São princípios que norteiam o disposto nesta Lei:
I - a liberdade como uma garantia no exercício de atividades econômicas;
II - a boa-fé do particular perante o Poder Público;
III - a intervenção subsidiária e excepcional do Estado sobre o exercício de atividades econômicas; e
IV - o reconhecimento da vulnerabilidade do particular perante o Estado (BRASIL. Lei nº 13.874, de 20 de setembro de 2019).
"Art. 421. (...)
Parágrafo único. Nas relações contratuais privadas, prevalecerão o princípio da intervenção mínima e a excepcionalidade da revisão contratual (BRASIL. Lei nº 10.406, de 10 de janeiro de 2002. Institui o Código Civil. *Diário Oficial da União*: Brasília, DF, 2002. Disponível em: https://www.planalto.gov.br/ccivil_03/leis/2002/ l10406compilada.htm. Acesso em: 2 ago. 2024).

[23] "Art. 113. Os negócios jurídicos devem ser interpretados conforme a boa-fé e os usos do lugar de sua celebração.
§1º A interpretação do negócio jurídico deve lhe atribuir o sentido que:
(...)
IV - for mais benéfico à parte que não redigiu o dispositivo, se identificável (BRASIL. Lei nº 10.406, de 10 de janeiro de 2002).

[24] "Art. 421-A. Os contratos civis e empresariais presumem-se paritários e simétricos até a presença de elementos concretos que justifiquem o afastamento dessa presunção, ressalvados os regimes jurídicos previstos em leis especiais, garantido também que:
(...)
II - a alocação de riscos definida pelas partes deve ser respeitada e observada (BRASIL. Lei nº 10.406, de 10 de janeiro de 2002).

[25] JUSTEN FILHO. Abrangência e incidência, local. 435.

da Regulação",[26] que propunha uma "lei de introdução ao direito econômico". Essa proposição, ainda que não corresponda à LLE, inspirou parte de suas disposições,[27] e indicava:

> (...) a falta de um marco legal nacional que, com clareza e consistência, defina as técnicas, limites e possibilidades básicas dessas competências públicas, além de lhes estabelecer um programa mínimo de ação, que envolva os deveres de avaliação e revisão permanentes. Falta unidade nesse campo, o que tem facilitado as interferências ineficazes, exageradas ou inconstitucionais na vida econômica privada, em prejuízo da produtividade do país.[28]

Marçal Justen Filho esclarece que a existência de normas constitucionais sobre a mesma matéria não afasta a utilidade da disciplina consagrada pela LLE, considerando os distintos níveis de abstração das espécies normativas no Direito: enquanto a Constituição consagra diretrizes e princípios, marcados por sua maior generalidade, leis infraconstitucionais, como a LLE, veiculam regras capazes de dar maior concretude aos direitos subjetivos. O autor cita, como exemplo, a ausência de normas infraconstitucionais relacionadas à proteção da livre iniciativa, prevista como fundamento da República no art. 1º, inciso IV, da Constituição Federal e sintetizada no parágrafo único do art. 170.[29]

Essa visão, contudo, não é uniforme na doutrina. Há aqueles que argumentam que a LLE, ao invés de simplificar o ambiente regulatório, adiciona camadas desnecessárias de complexidade sem efetivar verdadeira desregulamentação ou simplificação do aparato normativo. Entendem, ademais, que há problema hermenêutico na *repetição principiológica em legislação infraconstitucional*[30] e que a LLE, ao declarar direitos já garantidos pela Constituição Federal, acaba por ser redundante e retórica,[31] sem ser capaz de implementar mudanças estruturais significativas,[32] tendo em vista que permanecem inalterados os poderes constitucionais do Estado em estabelecer regras e supervisionar a fim de regular a atividade econômica.[33]

---

[26] SUNDFELD; JORDÃO; MOREIRA; MARQUES NETO; BINENBOJM; ARRUDA CÂMARA; MENDONÇA; JUSTEN FILHO. *Anteprojeto da Lei Nacional de Liberdade Econômica*.

[27] GREGO-SANTOS, Bruno. Artigo 1º. *In:* CUNHA FILHO, Alexandre Jorge Carneiro; PICCELI, Roberto Ricomini; MACIEL, Renata Mota (coord.). *Lei da Liberdade Econômica anotada*: Lei nº 13.874, de 2019. São Paulo: Quartier Latin, 2020. p. 75.

[28] SUNDFELD; JORDÃO; MOREIRA; MARQUES NETO; BINENBOJM; ARRUDA CÂMARA; MENDONÇA; JUSTEN FILHO. *Anteprojeto da Lei Nacional de Liberdade Econômica*, p. 4.

[29] SUNDFELD; JORDÃO; MOREIRA; MARQUES NETO; BINENBOJM; ARRUDA CÂMARA; MENDONÇA; JUSTEN FILHO. Abrangência e incidência da lei, local. 435.

[30] GORGA, Érica. Direito e economia na Lei da Liberdade Econômica. *In:* MARTINS-COSTA, Judith; NITSCHKE, Guilherme Carneiro Monteiro (coord.). *Direito Privado na Lei da Liberdade Econômica*: Comentários. São Paulo: Almedina, 2022. (Coleção IDiP). p. 53.

[31] TOMASEVICIUS FILHO, Eduardo. A tal "Lei da Liberdade Econômica". *Revista da Faculdade de Direito da Universidade de São Paulo*, São Paulo, v. 144, p. 106, jan./dez. 2019. No mesmo sentido, MARTINS-COSTA; BENETTI. Comentário ao artigo 2º, inciso III: o princípio da "intervenção subsidiária e excepcional do Estado sobre o exercício de atividades econômicas", p. 104. Também argumenta pela inutilidade da lei: BERCOVICI, Gilberto. As inconstitucionalidades da "Lei da Liberdade Econômica" (Lei nº 13.874, de 20 de setembro de 2019). *In:* SALOMÃO, Luis Felipe; CUEVA, Ricardo Villas Bôas; FRAZÃO, Ana (coord.). *Lei de Liberdade Econômica e seus impactos no Direito brasileiro*. São Paulo: Thomson Reuters Brasil, 2020.

[32] GORGA. Direito e economia na Lei da Liberdade Econômica, p. 51.

[33] MARTINS-COSTA; BENETTI. Comentário ao artigo 2º, inciso III: o princípio da "intervenção subsidiária e excepcional do Estado sobre o exercício de atividades econômicas", p. 104.

Nos parece, contudo, que a norma se propõe a retomar a centralidade da *lógica* da liberdade econômica e da excepcionalidade da intervenção estatal em um contexto, como já dito, muito impactado por vieses ideológicos.[34] Como bem ponderou Adilson Abreu Dallari, assim como o Código de Defesa do Consumidor (CDC) tem como objeto princípios constitucionais, a LLE

> (...) pode ser havida como um código de defesa e estímulo ao empreendedor, à pessoa privada, física ou jurídica, que no regime da livre iniciativa, exerce atividade econômica, mas que, para isso, tem que enfrentar um emaranhado de normas e procedimentos burocráticos, nos três níveis de governo.[35]

Seguindo o entendimento do autor homenageado, Marçal Justen Filho, e por meio da análise de decisões judiciais recentes, nos parece adequado afirmar que a "existência de normas constitucionais sobre a mesma matéria não implica a inutilidade da disciplina consagrada",[36] considerando a LLE como capaz de contribuir para a concretização dos princípios gerais da atividade econômica previstos na Constituição Federal, especialmente como fundamento normativo para o afastamento da interferência do poder estatal sobre o exercício de atividades econômicas privadas.

Nesse sentido, e como observado em estudo anterior, que analisou julgados do TJSP que aplicaram o princípio da intervenção mínima nos contratos,[37] introduzido no parágrafo único do art. 421 do Código Civil (CC) pela LLE, as disposições contratuais têm sido preservadas pelo Judiciário mesmo em relações de consumo. Tal percepção indica que a referência explícita ao princípio da intervenção mínima nos contratos incluída ao art. 421, parágrafo único, do CC pela LLE fortaleceu efetivamente o princípio do *pacta sunt servanda*.

Da mesma forma, mas no âmbito do Direito Empresarial, o Superior Tribunal de Justiça (STJ) já destacou que a nova legislação reforça o entendimento consolidado de que, nesse campo, orientado por princípios como a livre iniciativa, a liberdade de concorrência e a função social da empresa, a autonomia privada tem uma relevância maior do que em outros ramos do Direito Privado. Por isso, as regras de Direito Empresarial devem ser aplicadas de maneira suplementar, salvo quando se tratar de normas de ordem pública.

Nesse julgamento, o STJ negou provimento a recurso especial que visava a declarar a nulidade de uma cláusula contratual em um contrato de prestação de serviços médicos. A cláusula estabelecia que a contratada não teria direito a remuneração ou indenização caso o contrato de gestão entre a contratante e a administração pública fosse rescindido, mesmo que os serviços já tivessem sido prestados. A empresa prestadora argumentou que essa cláusula violava os princípios da boa-fé objetiva e da vedação ao enriquecimento sem causa, e pleiteou compensação pelos serviços médicos autorizados e executados.

---

34 ZAGO. Abrangência federativa, local. 1356.
35 DALLARI, Adilson Abreu. Uma visão crítica sobre a Lei de Liberdade Econômica. *In:* CUNHA FILHO, Alexandre Jorge Carneiro; PICCELI, Roberto Ricomini; MACIEL, Renata Mota (coord.). *Lei da Liberdade Econômica anotada:* Lei nº 13.874, de 2019. São Paulo: Quartier Latin, 2020. p. 34.
36 JUSTEN FILHO. Abrangência e incidência da lei, local. 391.
37 ZANCHIM, Kleber. Princípio da intervenção mínima nos contratos na jurisprudência do TJ/SP. *Migalhas*, São Paulo, 5 jul. 2024. Disponível em: https://www.migalhas.com.br/depeso/410663/principio-da-intervencao-minima-nos-contratos-na-jurisprudencia-tj-sp. Acesso em: 11 out. 2024.

O STJ, seguindo o voto da Ministra Nancy Andrighi,[38] negou provimento ao recurso especial, destacando que a LLE, em seu art. 3º, VIII,[39] garante que os negócios jurídicos empresariais paritários são de livre estipulação das partes, observado o disposto no parágrafo único do art. 170 da Constituição Federal. Com isso, a decisão manteve a validade da cláusula contestada e indicou a inovação legal do art. 421, incluído pela LLE, ressaltando a importância da autonomia privada e o princípio da intervenção mínima.[40]

Embora o caso se refira ao Direito Empresarial, a Ministra Nancy enfatizou, confirmando a conclusão do estudo anteriormente mencionado sobre os julgados do TJSP, que a liberdade contratual deve ser preservada mesmo no direito consumerista.

O Ministro Moura Ribeiro apresentou voto divergente, defendendo que a cláusula deveria ser considerada nula por violar os princípios da boa-fé objetiva, da função social do contrato e resultar em enriquecimento ilícito. Ele argumentou que a manutenção da cláusula resultaria em abuso de direito e em enriquecimento sem causa, uma vez que a empresa prestadora não receberia qualquer remuneração pelos serviços médicos devidamente autorizados e realizados no hospital. Segundo entendimento do Ministro, a intervenção judicial era necessária para restabelecer o equilíbrio contratual e evitar uma situação de injustiça evidente, considerando o aspecto norteador da função social do contrato sobre a liberdade de contratar e o caráter de norma de ordem pública do art. 421 do CC.

O que parece ser mais relevante no julgamento do STJ, e a principal distinção entre o acórdão e o voto divergente, é o entendimento sobre a amplitude do controle judicial das cláusulas abusivas: o raciocínio vencedor no acórdão destacou claramente que, em contratos empresariais, a intervenção deve ser mais restrita. Por se tratar de um contrato entre duas pessoas jurídicas, presume-se que ambas as partes estão em condições de igualdade e que estavam suficientemente bem instruídas sobre suas decisões empresariais ao firmar o contrato, afastando a presunção de hipossuficiência e consequente necessidade de tutela estatal, como reafirma a LLE em seus dispositivos.

Oportuno dizer, a LLE não se limita a estabelecer a subsidiariedade estatal prevista na Constituição, nem se refere ao papel ativo do Estado na ordem econômica. Trata da atuação do Estado em relação às atividades dos particulares, visando a delimitar essa intervenção.[41] E isso alcança o plano das políticas públicas, como evidenciado no citado acórdão do TJSP,[42] que declarou inconstitucional a lei municipal relativa a dispositivos antifurto em carrinhos de compras. Naquela oportunidade, o Tribunal destacou que não pode o Município transferir a particulares um problema identificado na política de

---

[38] BRASIL. Supremo Tribunal de Justiça (3. Turma). Recurso Especial 1.799.039-SP. Relator: Min. Moura Ribeiro, 4 de outubro de 2022. *Dje*: Brasília, DF, 7 out. 2022.

[39] "Art. 3º São direitos de toda pessoa, natural ou jurídica, essenciais para o desenvolvimento e o crescimento econômicos do País, observado o disposto no parágrafo único do art. 170 da Constituição Federal:
(...)
VIII - ter a garantia de que os negócios jurídicos empresariais paritários serão objeto de livre estipulação das partes pactuantes, de forma a aplicar todas as regras de direito empresarial apenas de maneira subsidiária ao avençado, exceto normas de ordem pública (...) (BRASIL. Lei nº 13.874, de 20 de setembro de 2019).

[40] No mesmo sentido, cf.: SÃO PAULO. Tribunal de Justiça do Estado. Agravo de Instrumento 2188983-46.2023.8.26.0000. 26. Câmara de Direito Privado. Relator: Des. Carlos Dias Motta, 15 de agosto de 2023. *DJSP*: Poder Judiciário, 18 set. 2023.

[41] ZAGO. Abrangência federativa, local. 2125.

[42] SÃO PAULO. Ação Direta de Inconstitucionalidade 2121066-44.2022.8.26.0000.

segurança pública local, especialmente por meio de interferência direta na maneira como estes particulares devem conduzir suas atividades econômicas e alocar seus recursos financeiros.

Efeito semelhante ocorre com as medidas de planejamento pretendidas pelo Estado. Conforme explica Marçal Justen Filho, essas medidas têm caráter obrigatório para o Poder Público e opcional para os particulares:

> Segundo o art. 174, as medidas adotadas a propósito de planejamento apresentam cunho vinculante para o Estado e facultativo para os particulares. Essa distinção deve ser bem entendida. Significa que, uma vez definidas as concepções compreendidas no planejamento e prevista a sua implantação por meio de lei e atos administrativos, incumbe ao Estado obedecer fielmente às determinações, tal como delineadas normativamente. (...) No entanto e relativamente aos sujeitos privados, o planejamento apenas pode ser facultativo. Existe vedação constitucional à eliminação da autonomia dos particulares quanto ao destino de seu patrimônio e de seus esforços por meio de uma determinação legislativa impositiva. O Estado pode apenas fornecer incentivos e benefícios, desde que compatíveis com o princípio da isonomia, aos agentes privados que se disponham a voluntariamente aplicar seus recursos e esforços para atingimento dos fins buscados pelo planejamento.[43]

A LLE, ao trazer maior grau de determinação aos princípios que a fundamentam, contribui para mitigação dos desafios de aplicação dos mandamentos constitucionais, em especial por reduzir a abstração que deixa ao aplicador muita margem de subjetividade.[44]

4 Considerações finais

Ao longo deste estudo, analisamos a abrangência e a aplicação da LLE inspirados no pensamento do Professor Marçal Justen Filho. Pudemos observar que a lei estabelece normas gerais de Direito Econômico a serem observadas por todos os entes federativos, pretendendo ampliar a proteção da autonomia privada. Decisões judiciais recentes, especialmente do TJSP, reafirmam a prevalência da LLE sobre normas municipais que restringem a liberdade econômica, reforçando os princípios da livre iniciativa e livre concorrência.

Observamos ainda que as normas em questão têm apresentado utilidade, ao menos no Poder Judiciário, ao cumprirem o papel de estabelecer comandos com maior precisão, ou seja, menor grau de abstração, contribuindo para a concretização e aplicação imediata de princípios constitucionais.[45]

Mesmo que se argumente pela inocuidade da reafirmação destes princípios, que não trazem novidade considerando o texto constitucional, trata-se de reforço simbólico para alterar a realidade da excessiva atuação do Estado sobre a atividade econômica dos particulares, de forma a torná-la menos invasiva dentro dos quadrantes de ordenação e

---

[43] JUSTEN FILHO. Abrangência e incidência da lei, local. 615.

[44] LOUREIRO, Caio de Souza. Princípios na Lei de Liberdade Econômica. *In*: MARQUES NETO, Floriano de Azevedo; RODRIGUES JUNIOR, Otavio Luiz; LEONARDO, Rodrigo Xavier (org.). *Comentários à Lei da Liberdade Econômica*: Lei 13.874/2019. São Paulo: Thomson Reuters Brasil, 2020. *E-book*. local. 1744.

[45] JUSTEN FILHO. Abrangência e incidência da lei, local. 415.

regulação que constitucionalmente lhe cabem.[46] Se as disposições constitucionais fossem suficientes por si sós, o Brasil não estaria entre os piores países do mundo no *ranking* de liberdade econômica (em 2024, posição 124 entre 184 países).[47]

No entanto, é importante reconhecer que a LLE não oferece uma solução definitiva para os desafios regulatórios e econômicos narrados, sendo certo que sua implementação bem-sucedida depende também de uma mudança cultural e institucional que valorize a liberdade econômica e a autonomia privada no país.

Referências

BERCOVICI, Gilberto. As inconstitucionalidades da "Lei da Liberdade Econômica" (Lei nº 13.874, de 20 de setembro de 2019). *In:* SALOMÃO, Luis Felipe; CUEVA, Ricardo Villas Bôas; FRAZÃO, Ana (coord.). *Lei de Liberdade Econômica e seus impactos no Direito brasileiro.* São Paulo: Thomson Reuters Brasil, 2020.

BRASIL. [Constituição (1988)]. *Constituição da República Federativa do Brasil de 1988.* Brasília, DF: Presidência da República, 1988. Disponível em: http://www.planalto.gov.br/ccivil_03/constituicao/constituicaocompilado. htm. Acesso em: 2 ago. 2024.

BRASIL. Lei nº 10.406, de 10 de janeiro de 2002. Institui o Código Civil. *Diário Oficial da União*: Brasília, DF, 2002. Disponível em: https://www.planalto.gov.br/ccivil_03/leis/2002/l10406compilada.htm. Acesso em: 2 ago. 2024.

BRASIL. Lei nº 13.874, de 20 de setembro de 2019. Institui a Declaração de Direitos de Liberdade Econômica; estabelece garantias de livre mercado; altera as Leis nos 10.406, de 10 de janeiro de 2002 (Código Civil) (...). *Diário Oficial da União*: Brasília, DF, 2019. Disponível em: https://www.planalto.gov.br/ccivil_03/_ato2019-2022/2019/lei/l13874.htm. Acesso em: 2 ago. 2024.

BRASIL. Ministério da Justiça e Segurança Pública. *EMI nº 00083/2019 ME AGU MJSP*. Brasília, DF: Ministério da Justiça e Segurança Pública, 11 abr. 2019. Disponível em: https://www.planalto.gov.br/ccivil_03/_ato2019-2022/2019/Exm/Exm-MP-881-19.pdf. Acesso em: 2 ago. 2024.

BRASIL. Supremo Tribunal Federal. Arguição de Descumprimento de Preceito Fundamental 449/DF. Relator: Min. Luiz Fux, 8 de maio de 2019. *Dje*: Brasília, DF, 2019.

BRASIL. Supremo Tribunal de Justiça (3. Turma). Recurso Especial 1.799.039/SP. Relator: Min. Moura Ribeiro, 4 de outubro de 2022. *Dje*: Brasília, DF, 7 out. 2022.

CAMILO JÚNIOR, Ruy Pereira. Liberdades de Precificação e de Pactuação. *In:* MARQUES NETO, Floriano de Azevedo; RODRIGUES JUNIOR, Otavio Luiz; LEONARDO, Rodrigo Xavier (org.). *Comentários à Lei da Liberdade Econômica*: Lei 13.874/2019. São Paulo: Thomson Reuters Brasil, 2020. *E-book*.

DALLARI, Adilson Abreu. Uma visão crítica sobre a Lei de Liberdade Econômica. *In:* CUNHA FILHO, Alexandre Jorge Carneiro; PICCELI, Roberto Ricomini; MACIEL, Renata Mota (coord.). *Lei da Liberdade Econômica anotada*: Lei nº 13.874, de 2019. São Paulo: Quartier Latin, 2020.

GORGA, Érica. Direito e economia na Lei da Liberdade Econômica. *In:* MARTINS-COSTA, Judith; NITSCHKE, Guilherme Carneiro Monteiro (coord.). *Direito Privado na Lei da Liberdade Econômica*: Comentários. São Paulo: Almedina, 2022. (Coleção IDiP).

GREGO-SANTOS, Bruno. Artigo 1º. *In:* CUNHA FILHO, Alexandre Jorge Carneiro; PICCELI, Roberto Ricomini; MACIEL, Renata Mota (coord.). *Lei da Liberdade Econômica anotada*: Lei nº 13.874, de 2019. São Paulo: Quartier Latin, 2020.

---

[46] ZAGO. Abrangência federativa, local. 2266.

[47] Cf.: INDEX of Economic Freedom: Brazil. *The Heritage Foundation*, [S. l.], [2024]. Disponível em www.heritage. org/index/pages/country-pages/brazil. Acesso em: 2 ago. 2024.

INDEX of Economic Freedom: Brazil. *The Heritage Foundation*, [*S. l.*], [2024]. Disponível em www.heritage.org/index/pages/country-pages/brazil. Acesso em: 2 ago. 2024.

JUSTEN FILHO, Marçal. Abrangência e incidência da lei. *In*: MARQUES NETO, Floriano de Azevedo; RODRIGUES JUNIOR, Otavio Luiz; LEONARDO, Rodrigo Xavier (org.). *Comentários à Lei da Liberdade Econômica*: Lei 13.874/2019. São Paulo: Thomson Reuters Brasil, 2020. *E-book*.

LOUREIRO, Caio de Souza. Princípios na Lei de Liberdade Econômica. *In*: MARQUES NETO, Floriano de Azevedo; RODRIGUES JUNIOR, Otavio Luiz; LEONARDO, Rodrigo Xavier (org.). *Comentários à Lei da Liberdade Econômica*: Lei 13.874/2019. São Paulo: Thomson Reuters Brasil, 2020. *E-book*.

MARTINS-COSTA, Judith; BENETTI, Giovana. Comentário ao artigo 2º, inciso III: o princípio da "intervenção subsidiária e excepcional do Estado sobre o exercício de atividades econômicas". *In*: MARTINS-COSTA, Judith; NITSCHKE, Guilherme Carneiro Monteiro (coord.). *Direito Privado na Lei da Liberdade Econômica*: Comentários. São Paulo: Almedina, 2022. (Coleção IDiP).

MARTINS-COSTA, Judith; NITSCHKE, Guilherme Carneiro Monteiro. Origem e eficácia da Lei de Liberdade Econômica. *In*: MARTINS-COSTA, Judith; NITSCHKE, Guilherme Carneiro Monteiro (coord.). *Direito Privado na Lei da Liberdade Econômica*: Comentários. São Paulo: Almedina, 2022. (Coleção IDiP).

SÃO PAULO. Tribunal de Justiça do Estado. Agravo de Instrumento 2188983-46.2023.8.26.0000. 26. Câmara de Direito Privado. Relator: Des. Carlos Dias Motta, 15 de agosto de 2023. *DJSP*: Poder Judiciário, 18 set. 2023.

SÃO PAULO. Tribunal de Justiça do Estado. Apelação/Remessa Necessária 1000159-12.2020.8.26.0264. 9. Câmara de Direito Público. Relator: Des. Oswaldo Luiz Palu, 1 de fevereiro de 2022. *DJSP*: Poder Judiciário, 2022.

SÃO PAULO. Tribunal de Justiça do Estado (Órgão Especial). Ação Direta de Inconstitucionalidade 2121066-44.2022.8.26.0000. Relator: Des. Moacir Peres, 21 de setembro de 2022. *DJSP*: Poder Judiciário, 2022.

SUNDFELD, Carlos Ari; JORDÃO, Eduardo; MOREIRA, Egon Bockmann; MARQUES NETO, Floriano Azevedo; BINENBOJM, Gustavo; ARRUDA CÂMARA, Jacintho; MENDONÇA, José Vicente; JUSTEN FILHO, Marçal. *Anteprojeto da Lei Nacional de Liberdade Econômica*. Proposta acadêmica para a reforma das bases jurídicas da regulação e de sua governança nos âmbitos municipal, estadual, distrital e federal, com minuta de projeto para a Lei Nacional da Liberdade Econômica. São Paulo: FGV Direito SP, 4 abr. 2019. Disponível em: https://ssrn.com/abstract=3380333. Acesso em: 2 ago. 2024.

TOMASEVICIUS FILHO, Eduardo. A tal "Lei da Liberdade Econômica". *Revista da Faculdade de Direito da Universidade de São Paulo*, São Paulo, v. 144, p. 101-103, jan./dez. 2019.

ZAGO, Marina Fontão. Abrangência federativa. *In*: MARQUES NETO, Floriano de Azevedo; RODRIGUES JUNIOR, Otavio Luiz; LEONARDO, Rodrigo Xavier (org.). *Comentários à Lei da Liberdade Econômica*: Lei 13.874/2019. São Paulo: Thomson Reuters Brasil, 2020. *E-book*.

ZANCHIM, Kleber. Princípio da intervenção mínima nos contratos na jurisprudência do TJ/SP. *Migalhas*, São Paulo, 5 jul. 2024. Disponível em: https://www.migalhas.com.br/depeso/410663/principio-da-intervencao-minima-nos-contratos-na-jurisprudencia-tj-sp. Acesso em: 11 out. 2024.

ZANCHIM, Kleber; TEIXEIRA, Bárbara. A Lei da Liberdade Econômica e os contratos das estatais. *In*: CUNHA FILHO, Alexandre Jorge Carneiro; PICCELI, Roberto Ricomini; MACIEL, Renata Mota (coord.). *Lei da Liberdade Econômica Anotada*: Lei nº 13.874, de 2019. São Paulo: Quartier Latin, 2020.

Informação bibliográfica deste texto, conforme a NBR 6023:2018 da Associação Brasileira de Normas Técnicas (ABNT):

ZANCHIM, Kleber Luiz; TEIXEIRA, Bárbara. Diálogo entre a perspectiva de Marçal Justen Filho sobre a Lei de Liberdade Econômica e sua concretização nos tribunais. *In*: JUSTEN, Monica Spezia; PEREIRA, Cesar; JUSTEN NETO, Marçal; JUSTEN, Lucas Spezia (coord.). *Uma visão humanista do Direito*: homenagem ao Professor Marçal Justen Filho. Belo Horizonte: Fórum, 2025. v. 3, p. 115-125. ISBN 978-65-5518-915-5.

O EXERCÍCIO DO DIREITO DE VOTO NAS SOCIEDADES ANÔNIMAS E AS AÇÕES COM ATRIBUIÇÃO DE VOTO PLURAL

LUIZ DANIEL HAJ MUSSI

MARIANA HOFMANN FUCKNER

1 Homenagem

Recebemos com enorme alegria o convite para participar desta justa e merecida homenagem ao Professor Marçal Justen Filho.

Ao recebermos o convite, ocorreu-nos desde logo escolher tema de importância prática, que pudesse ser analisado de forma crítica, pois essa tem sido uma das constantes preocupações do homenageado.[1] É com esse enfoque que desenvolvemos a presente pesquisa em torno do exercício do direito de voto nas sociedades anônimas, tema que tem sido uma constante preocupação de nossos estudos e atuação profissional.

Observamos, por fim, que nós, alunos e professores da Universidade Federal do Paraná (UFPR), instituição na qual o Professor Marçal obteve o diploma de bacharelado em Direito (1977) e na qual foi Professor Titular de 1986 a 2006,[2] temos enorme admiração pelo homenageado e sua contribuição para a Universidade. Lembramo-nos, entre tantas, da iniciativa de criação da Associação dos Colaboradores da Biblioteca da Faculdade de

---

[1] Conforme afirma o Professor Marçal Justen Filho (*In*: JUSTEN FILHO, Marçal. *Marçal Justen Filho*. [*S. l.*], [2024]. Disponível em: https://www.justenfilho.com.br/blog/marcal-justen-filho/. Acesso em: 15 out. 2024): "O Direito não é algo abstrato. Não se confunde com o texto escrito da Lei. Não se conhece o Direito sem conhecer profundamente a vida real. O Direito integra a vida individual e social e reflete os valores fundamentais da Civilização. Para compreender o Direito, é necessário conhecer o passado. Mas a função do Direito é mudar o futuro, promover a segurança e a justiça e realizar concretamente a dignidade de todo ser humano. Por isso, a vida do operador do Direito é um compromisso com a sociedade em que vive, com o estudo e com a atuação prática".

[2] Registramos, com particular senso de responsabilidade, que o homenageado obteve a titularidade mediante concurso público na área de Direito Comercial, com tese sobre a desconsideração da personalidade societária no Direito brasileiro.

Direito da UFPR (ACBF), por ele levada a efeito, que permitiu verdadeira ampliação do acervo da Biblioteca do Setor de Ciências Jurídicas.

Ao Professor Marçal, que pelo seu exemplo muito nos inspira, muito obrigado.

2 O direito de voto como poder jurídico

O direito de voto qualifica-se como poder jurídico, pois tem o potencial de influir na esfera de outrem.[3] Como direito-função ou poder-dever é certo que seu exercício não é ilimitado. Daí por que sempre deverão ser observadas as regras que delimitam o seu exercício, em especial o disposto nos arts. 115 e 116, parágrafo único, da Lei das S/A. É direito individual que se exerce, portanto, no interesse da companhia.[4]

O exercício do direito de voto constitui a principal forma de assegurar ao acionista a participação ou intervenção na vida social; por seu intermédio, como regra, concretiza-se a determinação e a influência nos destinos da sociedade. É a partir das diversas declarações individuais contidas nos votos que se formam as deliberações sociais[5] ("a vontade coletiva formada em assembleia"). Ou seja, mediante o exercício do direito de voto, respeitado o *quorum* legal ou estatutário e as demais regras do método assemblear, forma-se a vontade social.

O art. 110 da Lei das S/A estabelece a regra geral de que a cada ação ordinária corresponde um voto, regra que poderá ser alterada pelo estatuto social de modo a (i) limitar o número de votos assegurados a um acionista, independentemente da quantidade de ações que possua, tal como prevê o §1[6] ou (ii) multiplicar o número de votos por ação, até o limite de 10 votos por ação ordinária de classe especial, caso haja a atribuição de voto plural de acordo com a sistemática dos arts. 16, inc. IV, e 110-A, incluídos pela Lei nº 14.195.[7]

---

[3] Sobre a definição de *poder jurídico*, i. e., o poder de influir na esfera jurídica de outrem. PONTES DE MIRANDA, Francisco Cavalcanti. *Tratado das ações*. São Paulo: Revista dos Tribunais, 1970. t. 1, p. 38.

[4] Na síntese de Antonio Brunetti (*Trattato del Diritto delle Società*. Società per azione. Milano: Giuffrè, 1943. v. 2. p. 418. *Trattato del Diritto delle Società*. Società per azione. Milano: Giuffrè, 1943. v. 2. p. 418): "È risaputo che ogni azione attribuisce il diritto al voto (art. 2351). È un diritto che perciò costituisce parte intergrante della participazione azionaria (Mitgliedschaft dei ted.) (...) Mediante il voto l'azionista concorre alla formazione della volontà sociale in quelle materia che, per legge o per statuto, appartengono alla competenza dell'assemblea. Il diritto di voto è un diritto individualle, inderogabìle, in quanto è esercitato nell'interesse della società"). Conforme visto, no Direito brasileiro o voto não é inderrogável.

[5] Cf. ressalta Francesco Galgano (*Il negozio giuridico*. 2. ed. Milano: Giuffrè, 2002. p. 253-254), entre o voto e a deliberação estabelece-se uma diferença quantitativa e qualitativa. A deliberação, além de ser formada por uma pluralidade de votos, caracteriza-se como declaração de vontade ulterior em relação aos votos que concorrem para formá-la. "Fra voto del socio e deliberazione dell'assemblea si suole, tradizionalmente, instaurare una differenza non semplicemente quantitativa, ossia basata sul fatto che la deliberazione consta di una plurità di voti, ma una differenza di ordine qualitativa: si parla della deliberazione come di una dichiarazione di volontà ulteriore rispetto ai voti che sono concorsi a formarla, ossia come della 'volontà della società'. Al modo di formazione della deliberazione, il cosiddetto metodo collegiale o di assemblea, si attribuisce la virtù di trasformare una pluralità di dichiarazioni individuali, i voti dei singoli soci, in una nuova unitaria volontà: la 'volontà colletiva' formata dall'assemblea. Dì qui una distinzione consueta nelle classificazioni giuridiche: altro è la deliberazione, quale 'atto collegiale' espressione di 'volontà collettiva', altro è il contratto, quale incontro di dichiarazioni individuali, suscettibili di formarsi anche fra persone lontane; altro, ancora, è l'atto unilaterale, che consta della dichiarazione solitaria di un solo soggetto".

[6] "(...)
§1º O estatuto pode estabelecer limitação ao número de votos de cada acionista."

[7] "Art. 16. As ações ordinárias de companhia fechada poderão ser de classes diversas, em função de:

3 O direito individual de voto não é essencial

Ainda que se trate de direito individual, a Lei das Companhias não o qualifica como essencial,[8][9] de modo que, observadas as condições previstas em lei ou nos documentos que regulam a relação entre os acionistas, é direito que pode ser suprimido ou delimitado, porquanto o regime jurídico das sociedades anônimas contempla a possibilidade de subtração condicionada do direito de voto para as ações preferenciais (art. 111, *caput*, da LSA),[10] admite a limitação ao número de votos de cada acionista (art. 110, §1º da LSA) e permite a criação de ação ordinária com atribuição de voto plural (art. 110-A da LSA).

Com isso, demonstra-se que a própria Lei das S/A dispensa, em determinadas circunstâncias, a necessária vinculação entre a titularidade da ação e o direito de voto, a comprovar que este não se trata de direito essencial dos acionistas.

4 O exercício do direito de voto poderá ser desvinculado da titularidade da ação

É preciso observar que o exercício do direito de voto poderá ser desvinculado da titularidade da ação nas hipóteses de constituição de usufruto (LSA, art. 114). Nos casos de penhor de ações (LSA, art. 113) e alienação fiduciária (LSA, art. 113, p. único), admite-se que o instrumento de constituição do gravame regule o seu exercício.

4.1 O direito de voto nas hipóteses de usufruto

O usufruto de ações é operação bastante comum na prática societária. Trata-se de direito real de uso e fruição sobre coisa alheia (no caso, as ações), por intermédio

---

(...)
IV - atribuição de voto plural a uma ou mais classes de ações, observados o limite e as condições dispostos no art. 110-A desta Lei.
(...)
Art. 110-A. É admitida a criação de uma ou mais classes de ações ordinárias com atribuição de voto plural, não superior a 10 (dez) votos por ação ordinária:
I - na companhia fechada; e
II - na companhia aberta, desde que a criação da classe ocorra previamente à negociação de quaisquer ações ou valores mobiliários conversíveis em ações de sua emissão em mercados organizados de valores mobiliários."

[8] Os direitos essenciais estão qualificados no art. 109 da Lei das Sociedades Anônimas. Sobre o núcleo essencial de direitos e a referida disciplina, remeto o leitor aos comentários de minha autoria em: Direitos essenciais dos acionistas. *In:* GONÇALVES NETO, Alfredo de Assis. Sociedades: Lei das Sociedades Anônimas comentada. São Paulo: Thomson Reuters Brasil, 2024. v. 2.

[9] Entende-se que os direitos essenciais são, também, direitos inderrogáveis, os quais, nas palavras de Triunfante (*A tutela das minorias nas sociedades anônimas*: direitos de minoria qualificada – abuso de direito. Coimbra: Coimbra Editora, 2004. p. 124): "(...) serão aqueles somente disponíveis com o consentimento individual do seu titular. Trata-se da vigência plena da autonomia privada, na sua acepção tradicional, de que ninguém pode ser vinculado contra sua vontade. (...) Repare-se que, ao contrário dos direitos anteriores, não temos aqui um limite à liberdade contratual, mas um obstáculo intransponível ao próprio princípio maioritário". Os "direitos anteriores", a que se refere o autor, pertencem à categoria dos direitos irrenunciáveis, indisponíveis, também, da esfera jurídica do próprio titular, o que não se coaduna com o regime jurídico valorativo da autonomia privada verificado no âmbito da sociedade anônima.

[10] "Art. 111. O estatuto poderá deixar de conferir às ações preferenciais algum ou alguns dos direitos reconhecidos às ações ordinárias, inclusive o de voto, ou conferi-lo com restrições, observado o disposto no artigo 109."

do qual concede-se ao usufrutuário o direito de usar e fruir do bem e reserva-se ao nu-proprietário o direito de dispor da coisa. Há, portanto, com a constituição do usufruto sobre as ações, um fracionamento do domínio, reservando-se a cada um dos titulares (usufrutuário e nu-proprietário) o exercício dos direitos que lhe são correspondentes.

O usufruto, uma vez constituído, deverá ser averbado nos livros sociais (art. 40, incisos I e II) e, como pondera Nelson Eirizik, é "recomendado que se averbe também o acordo entre proprietário e usufrutuário relativo ao exercício do direito de voto".[11][12] De fato, tendo em vista a estrutura do usufruto, não é possível definir, a priori, a quem cabe o exercício do direito de voto.[13] Tanto é assim que, em direito comparado, diversas são as soluções adotadas. Na Itália, por exemplo, o direito de voto será exercido pelo usufrutuário, se outra não for a previsão ajustada entre as partes.[14]

Daí por que, com acerto,[15] confere o art. 114 um tratamento especial à situação, permitindo que as partes regulem o exercício do direito de voto no ato de constituição do gravame ou em outro documento (inclusive em eventual acordo de acionistas).[16] Ou seja, o exercício do direito poderá ser ajustado, no melhor interesse do nu-proprietário e do usufrutuário, para que apenas um deles o exerça em todas as matérias (ou mesmo estabeleça, se a um ou a outro, a quem caberá o exercício do direito de voto em situações concretas); as partes poderão levar em consideração qual interesse específico querem tutelar com o voto. Por exemplo, pode ser interesse do usufrutuário reservar para si o direito de voto sobre a destinação dos resultados da companhia, como beneficiário que será do direito aos dividendos, permitindo que o nu-proprietário delibere sobre eventuais reformas estatutárias.[17]

Os ajustes quanto ao exercício do direito de voto parecem, sob o ponto de vista prático, algo essencial, até porque, caso não o façam, as partes somente poderão votar mediante prévio acordo. Relembre-se, mais uma vez, que, na ausência de consenso, o exercício do direito de voto será suspenso, até que as partes estabeleçam acordo prévio a

---

[11] EIZIRIK, Nelson. *A Lei das S/A comentada*. 2. ed. São Paulo: Quartier Latin, 2015. v. 2. p. 202.

[12] No mesmo sentido, recomendando a averbação, CARVALHOSA, Modesto. *Comentários à Lei de Sociedades Anônimas*. 5. ed. São Paulo: Saraiva, 2011. v. 2, p. 489.

[13] Ao tratar dos direitos do usufrutuário, o art. 1.394 do Código Civil (CC) estabelece que: "O usufrutuário tem direito à posse, uso, administração e percepção dos frutos". Entretanto, como observa Marcelo Lamy Rego, valendo-se de parecer não publicado de José Luiz Bulhões Pedreira, "o voto não é fruto da ação, mas exercício de direito nela contido como instrumento para que o acionista contribua para a formação da vontade social. Assim, o direito de voto não pode, por conseguinte, ser objeto de usufruto. O que é objeto de usufruto, nos termos do art. 40 da LSA, é a ação" (LAMY FILHO, Alfredo; PEDREIRA, José Luiz Bulhões (coord.). *Direito das companhias*. Rio de Janeiro: Forense, 2009. v. 1. p. 392).

[14] O art. 2.352 do Código Civil italiano estabelece que o direito de voto, exceto quando ajustado contratualmente de modo diverso, será exercido pelo usufrutuário ("Nel caso di pegno o usufrutto sulle azioni, il diritto di voto spetta, salvo convenzione contraria, al creditore pignoratizio o all'usufruttuario. Nel caso di sequestro delle azioni il diritto di voto e' esercitato dal custode"). Ver, ainda: COTTINO, Gastone. *Diritto Societario*. 2. ed. Padova: Cedam, 2011. p. 305.

[15] Carvalhosa (*Comentários à Lei de Sociedades Anônimas*, p. 486) reputa inconveniente a orientação brasileira; Eizirik (*A Lei das S/A Comentada*, p. 203) também a critica, pois entende que, sob o ponto de vista econômico, "a solução adotada pela Lei das S/A é passível de críticas, por não definir claramente os direitos de propriedade".

[16] "Art. 118. Os acordos de acionistas, sobre a compra e venda de suas ações, preferência para adquiri-las, exercício do direito a voto, ou do poder de controle deverão ser observados pela companhia quando arquivados na sua sede."

[17] Precisas, nesse particular, as lições de Carvalhosa (*Comentários à Lei de Sociedades Anônimas*, p. 489-490), quando discorre sobre o conteúdo da convenção de voto e a ampla liberdade assegurada às partes.

respeito. A Lei das S/A levou em consideração, ao estabelecer essa restrição, o potencial conflito de interesses que pode surgir diante de uma futura deliberação.[18]

Assegura-se, portanto, que as partes ajustem como será exercido o direito de voto, estabelecendo condições, matérias a serem votadas e procedimentos próprios para regular a forma de obtenção do consentimento.[19] A respeito do pacto, afirma Nelson Eizirik que "o acordo entre nu-proprietário e usufrutuário pode ser verbal ou tácito, ou seja, não precisa estar contido em instrumento formal. Inexistindo ajuste por escrito, é fundamental verificar o comportamento das partes nas atividades sociais e no exercício de seus direitos".[20] Essa solução, entretanto, não nos parece a mais adequada, pois a Lei exige formalidade essencial para a legitimação do exercício do direito de voto pelo usufrutuário ou nu-proprietário – o direito de voto deve ser regulado no ato de constituição do gravame ou exercido mediante prévio acordo. Eventual ajuste verbal não terá qualquer efeito nas relações internas e não permitirá que o presidente da assembleia verifique a regularidade quanto ao seu exercício, Daí por que não poderá quaisquer das partes (usufrutuário ou nu-proprietário) exercer o direito de voto sem a observância dos requisitos legais.[21] Evidentemente, poderá o prejudicado pelo descumprimento do ajuste verbal pleitear reparação pelos prejuízos causados ou mesmo pleitear tutela específica, apta a produzir os mesmos efeitos da vontade manifestada (art. 501 do Código de Processo Civil – CPC).

4.2 Direito de voto e penhor de ações

O *caput* do art. 113 disciplina o exercício do direito de voto das ações gravadas com penhor. Ante a sua natureza de bem móvel, não há dúvida de que a ação poderá ser objeto de penhor, constituído na forma do art. 39 da Lei das S/A, por intermédio de (i) averbação do instrumento contratual no livro de Registro de Ações Nominativas (para as ações nominativas) ou (ii) averbação do instrumento contratual nos livros da instituição financeira (para as ações escriturais).[22]

Quanto ao exercício do direito de voto, estabelece o art. 113 da Lei das Companhias, que o penhor da ação não cria, *ipso facto*, limitação ou restrição ao direito de voto. Admite, por outro lado, que o credor e o proprietário devedor estabeleçam uma convenção

---

[18] Eizirik (*A Lei das S/A Comentada*, p. 202) faz referência expressa a essa previsão: "Ao exigir o prévio acordo das partes, impedindo o exercício do direito de voto na sua ausência, a Lei das S/A levou em consideração o conflito de interesses que pode existir entre usufrutuário e nu-proprietário: o primeiro desejoso de receber dividendos e o segundo interessado no reinvestimento dos lucros nas atividades empresariais".

[19] Lazzareschi Neto (*Lei das S.A. comentada e anotada*. 6. ed. São Paulo: Quartier Latin, 2020. p. 206, nota 1e) faz referência ao Parecer CVM/AJU nº 005/80: "(...) o direito de voto da ação gravada com usufruto, se não for regulado no ato de constituição do gravame, somente poderá ser exercido mediante prévio acordo entre o proprietário da ação e usufrutuário (art. 114 da Lei nº 6.404/1976). Na ausência de prévio acordo, se ocorrer dissensão entre nu-proprietário e usufrutuário, as ações gravadas terão seu direito de voto suspenso".

[20] EIZIRIK. *A Lei das S/A Comentada*, p. 205.

[21] Em sentido semelhante: CARVALHOSA. *Comentários à Lei de Sociedades Anônimas*, p. 488, em especial quando afirma: "Logo, no caso de usufruto, não pode a companhia reconhecer o titular do direito sem que este apresente o título bastante que o credencie a tanto. Se não o fizer, quem se apresentar na assembleia para votar deverá ser impedido do exercício da prerrogativa".

[22] A respeito do tema, veja-se o excelente estudo monográfico de: PENTEADO, Mauro Bardawil. *O penhor de ações no Direito brasileiro*. São Paulo: Malheiros, 2008.

particular quanto ao exercício do direito de voto.[23] Essa disciplina se limita às ações objeto do penhor, e não se estende ao titular da participação societária, de modo que se o acionista é titular de outras ações e sobre elas não foi constituído o gravame, poderá exercer o direito de voto destas normalmente.

A previsão do art. 113 se justifica, porque o penhor[24] se caracteriza como direito real de garantia sobre coisa móvel de terceiro (no caso, as ações de titularidade do acionista) e pressupõe a transferência da posse direta das ações ao credor pignoratício, que poderá as alienar em caso de inadimplemento.[25] A Lei de Sociedades Anônimas (LSA) estabelece, portanto, que a transferência da posse direta não implica, necessariamente, limitação ao exercício do direito de voto, exceto quando estabelecido em contrato.[26]

Deve-se ter em consideração, acima de tudo, que o art. 113 da Lei das S/A não faculta ao credor o exercício do direito de voto, que será sempre privativo do acionista, ainda que estabelecido no contrato que este precisará do consentimento daquele para votar em certas deliberações.[27]

Como bem observa Mauro Bardawil Penteado, "a emissão do consentimento pelo credor pignoratício deve ser realizada com base em critérios objetivos e em função da finalidade correspondente à natureza do direito real, sob pena de a não-emissão do consentimento ser considerada abusiva".[28] Dito de outro modo, mas ainda de acordo com as ideias sustentadas pelo Autor, o poder de consentir, assegurado pelo dispositivo legal, está relacionado com o seu interesse de não redução do valor da garantia oferecida.[29]

---

[23] Após tecer considerações a respeito das soluções encontradas no direito comparado, afirma Penteado (*O penhor de ações no direito brasileiro*, p. 166) que: "A fórmula adotada no Brasil, no tocante ao exercício de direito de voto em caso de ações empenhadas, busca uma espécie de conciliação entre as diversas correntes existentes no direito comparado. Ao mesmo tempo em que (*sic*) fixa o princípio pelo qual o direito de voto não pode se dissociar da pessoa do sócio, admite, por outro lado, que se estabeleça que o credor pignoratício deva consentir com o voto do acionista devedor em determinadas deliberações. Com isso, evita-se que uma pessoa estranha à sociedade (credor pignoratício) exerça o direito de voto, decidindo sobre assuntos de interesse social e, paralelamente, se tutela o crédito do credor pignoratício ao conceder-lhe a possibilidade de não autorizar o voto do acionista devedor em certas deliberações assembleares".

[24] "Penhor é o direito real de garantia sobre coisa móvel alheia, cuja posse direta é transferida ao credor pelo devedor ou por terceiro, para que aquele possa vende-la judicialmente se a dívida não for paga, com preferência sobre outros credores" (LÔBO, Paulo. *Direito Civil*. 4. ed. São Paulo: Saraiva, 2019. v. 4, p. 327).

[25] Veja-se, a título de exemplo, que outra foi a solução encontrada pelo direito italiano. O art. 2.352 do Código Civil italiano estabelece que o direito de voto, exceto quando ajustado contratualmente de modo diverso, será exercido pelo credor pignoratício: "Nel caso di pegno o usufrutto sulle azioni, il diritto di voto spetta, salvo convenzione contraria, al creditore pignoratizio o all'usufruttuario. Nel caso di sequestro delle azioni il diritto di voto e' esercitato dal custode". A propósito do tema, vale a advertência de Cottino (*Diritto Societario*. 2. ed. Padova: Cedam, 2011. p. 305): "La legge risolve così, autoritativamente ma con norma derogabile, una situazione di conflitto tra interessi constrastanti".

[26] Instrumento de penhor que, em qualquer caso, deverá ser averbado nos registros mantidos pela companhia. Além disso, anote-se que a companhia ou a instituição financeira responsável pela escrituração, têm o direito de exigir, para seus respectivos arquivos, um exemplar do instrumento de penhor (art. 39, §2º, da LSA).

[27] GUERREIRO, José Alexandre Tavares; TEIXEIRA, Egberto Lacerda. *Das sociedades anônimas no Direito brasileiro*. São Paulo: Bushatsky, 1979. v. 1, p. 246. E, também, a precisa observação de Marcelo Lamy Rego: "(...) o artigo 113 faz menção expressa a 'certas deliberações' quando determina o que pode ser objeto da necessidade de consentimento do credor para o exercício do direito do voto pelo devedor pignoratício. Esta expressão não foi usada pelo legislador por acaso. O que a lei permite é que o credor impeça o acionista de votar em deliberações específicas, selecionadas pelo credor e necessariamente relacionadas à proteção dos seus direitos. O artigo da lei só pode ser legitimamente usado como instrumento de proteção do credor, não pode se transformar em instrumento de controle da sociedade" (LAMY FILHO; PEDREIRA. *Direito das companhias*, p. 396).

[28] PENTEADO. *O penhor de ações no Direito brasileiro*, p. 173.

[29] Para uma melhor compreensão, indispensável a leitura de Penteado (*O penhor de ações no direito brasileiro*, p. 170-176), em especial do tópico no qual o autor discorre sobre a opção da Lei nº 6.404 e sua fundamentação.

4.3 Direito de voto e ações alienadas fiduciariamente

A LSA permite que sejam constituídos, sobre as ações, outros ônus (art. 40 da LSA), entre os quais a alienação fiduciária. Nessa hipótese, ocorrerá a transferência da propriedade resolúvel e a posse indireta das ações ao credor, que as manterá até a quitação da operação de crédito.[30] Opera-se, portanto, a transferência da propriedade, sob condição resolutiva, do acionista (devedor fiduciante) a quem lhe concedeu o crédito (credor fiduciário).

Quanto ao exercício do direito de voto, a situação é análoga ao que ocorre no caso do penhor de ações: a constituição de ônus sobre as ações não autoriza o credor a exercer o direito de voto inerente àquela participação societária; ficará o devedor, por outro lado, sujeito às condições e termos do contrato quanto à possibilidade de seu exercício.[31] Ou seja, se o instrumento de constituição da alienação fiduciária não estabelece qualquer regra a respeito do exercício do direito de voto, tanto o credor quanto o devedor não poderão exercê-lo.[32]

4.4 Voto à distância

Tanto nas companhias abertas quanto nas fechadas o acionista poderá participar e votar à distância (art. 121, parágrafo único, da LSA).[33] A Resolução CVM nº 81, de 29 de março de 2022[34,] permite que o acionista das companhias abertas exerça do direito de voto à distância, mediante preenchimento e entrega do boletim de voto à distância (BDV), a ser disponibilizado pela companhia até um mês antes da data marcada para a realização da assembleia. Os requisitos que devem ser adotados pelas companhias ao elaborar o BDV estão disciplinados nos arts. 31 e 32 da Resolução CVM nº 81.[35] Admite-

---

[30] "Por meio dela [alienação fiduciária em garantia], transfere-se a propriedade resolúvel e a posse indireta de certo bem móvel ao credor, que as conserva até que seu crédito seja satisfeito" (TEPEDINO, Gustavo. *Fundamentos do Direito Civil*. Rio de Janeiro: Forense, 2020. v. 5. p. 530).

[31] Sobre a forma de constituição da alienação fiduciária sobre as ações, vejam-se os comentários anteriores ao art. 40.

[32] "O credor não pode votar porque a lei o proíbe, e o devedor só poderia votar se o contrato assim o permitisse" (LAMY FILHO; PEDREIRA. *Direito das companhias*, p. 397).

[33] "Art. 121. A assembléia-geral, convocada e instalada de acordo com a lei e o estatuto, tem poderes para decidir todos os negócios relativos ao objeto da companhia e tomar as resoluções que julgar convenientes à sua defesa e desenvolvimento."

[34] Disponível em: https://conteudo.cvm.gov.br/legislacao/resolucoes/resol081.html. Acesso em: 15 out. 2024.

[35] "Art. 31. O boletim de voto à distância é documento eletrônico cuja forma reflete o Anexo M.
§1º O boletim de voto à distância deve conter:
I - todas as matérias constantes da agenda da assembleia geral a qual se refere;
II - orientações sobre a possibilidade de envio direto à companhia e menção à possibilidade de utilização de prestadores de serviços autorizados;
III - orientações sobre o seu envio por correio postal ou eletrônico, quando o acionista optar por enviá-lo diretamente à companhia;
IV - orientações sobre as formalidades necessárias para que o voto enviado diretamente à companhia seja considerado válido, observado o disposto nos §§2º e 3º do art. 58, no que couber.
(...)
§2º Além de orientações para recebimento por correio postal ou eletrônico, a companhia deve inserir no boletim de voto à distância orientações sobre o sistema eletrônico de participação em assembleia, caso admita tal forma de participação.
§3º A companhia deve disponibilizar aos acionistas o boletim de voto à distância em versão passível de impressão

se, igualmente, que a companhia aberta adote sistemas eletrônicos aptos a permitir que o acionista participe à distância durante a assembleia, registrando sua presença e seus votos. Nesse caso, o sistema eletrônico deverá assegurar, no que aqui interessa para o exercício do direito de voto, que (i) o acionista possa se manifestar e ter acesso simultâneo aos documentos eventualmente apresentados durante o conclave; (ii) a assembleia seja gravada e (iii) que os acionistas presentes possam se comunicar.

O exercício do direito de voto à distância, nas companhias fechadas, também poderá ocorrer, como visto, mediante envio de boletim de voto à distância (BDV) ou por meio de atuação remota direta, via sistema eletrônico. O Departamento Nacional de Registro Empresarial e Integração (DREI) regulamentou a temática na Instrução Normativa n. 81, de 10 de junho de 2020 (Anexo V, seção VIII, itens 1 a 6).[36] Para viabilizar o exercício do direito de voto à distância, é importante que a companhia (i) disponibilize os documentos e informações previstos em lei, não só sob a forma e nos prazos previstos para as assembleias presenciais, mas também por meio digital seguro e idôneo; (ii) faça constar, no instrumento de convocação, informação precisa e em destaque quanto ao meio de realização do conclave (semipresencial ou digital), detalhando como os acionistas poderão dela participar e votar[37] e (iii) adote sistema de tecnologia acessível para todos os acionistas, que não limite ou inviabilize o exercício do direito de voto.[38]

---

e preenchimento manual, por meio de sistema eletrônico na página da CVM e também em sua própria página na rede mundial de computadores. §4º As informações e documentos previstos nos arts. 9º a 25 desta Resolução devem ser disponibilizados na mesma data da divulgação do boletim de voto à distância.

Art. 32. A descrição das matérias a serem deliberadas em assembleia no boletim de voto à distância:

I - deve ser elaborada com linguagem clara, objetiva e que não induza o acionista a erro;

II - deve conter, no máximo, 2.100 (dois mil e cem) caracteres, incluindo espaços, por matéria a ser deliberada;

III - deve ser formulada como uma proposta e indicar o seu autor, de modo que o acionista precise somente aprová-la, rejeitá-la ou abster-se;

IV - pode conter indicações de páginas na rede mundial de computadores nas quais as propostas estejam descritas de maneira mais detalhada ou que contenham os documentos previstos nos arts. 9º a 25 desta Resolução, informações complementares e traduções para outros idiomas.

§1º A administração da companhia pode retirar da ordem do dia matérias que tenham sido propostas pela companhia ou pelo controlador a qualquer tempo, inclusive após a divulgação do boletim de voto à distância, desde que comunique a retirada ao mercado, justificando as razões que levaram a tal medida.

§2º Os votos que já tiverem sido conferidos a uma proposta de deliberação retirada serão desconsiderados.

[36] "(...)

1. FORMAS DE PARTICIPAÇÃO E VOTAÇÃO À DISTÂNCIA

A participação e a votação à distância dos acionistas podem ocorrer mediante o envio de boletim de voto à distância e/ou mediante atuação remota, via sistema eletrônico.

Para todos os fins legais, as reuniões e assembleias digitais serão consideradas como realizadas na sede da sociedade."

[37] Estas informações poderão ser divulgadas no anúncio de convocação de forma resumida, com indicação de endereço eletrônico na rede mundial de computadores onde as informações completas devem estar disponíveis de forma segura.

[38] O sistema eletrônico adotado pela sociedade para realização da assembleia semipresencial ou digital deve garantir: a segurança, a confiabilidade e a transparência do conclave; o registro de presença dos acionistas; a preservação do direito de participação à distância do acionista durante todo o conclave; o exercício do direito de voto à distância por parte do acionista, bem como o seu respectivo registro; a possibilidade de visualização de documentos apresentados durante o conclave; a possibilidade de a mesa receber manifestações escritas dos acionistas (em especial de manifestações de voto contrários); a gravação integral do conclave, que ficará arquivada na sede da sociedade e, ainda, a participação de administradores, pessoas autorizadas a participar do conclave e pessoas cuja participação seja obrigatória (cf. Anexo V, seção VIII, itens 1 a 6, da Resolução nº 81).

5 Limitação ao número de votos de cada acionista

A Lei das Companhia permite (art. 110, 1º) a criação de regras estatutárias para limitar o número máximo de votos de cada acionista. Regras estatutárias dessa natureza têm sido adotadas pelas companhias como incentivo para a pulverização ou dispersão do capital social, na medida em que se torna desvantajosa, do ponto de vista do poder de intervenção na vida da sociedade, a concentração de muitas ações em torno de um indivíduo.[39]

São diversas as modalidades utilizadas para estabelecer a limitação, entre as quais, como observa Nelson Eizirik: "(i) número absoluto de votos que podem ser manifestados por cada acionista; (ii) número de ações determinado pelo respectivo valor nominal, ou por determinada porcentagem do valor do capital social; (iii) porcentagem do número total de ações votantes da companhia ou das ações votantes cujos titulares estejam presentes ou representados na assembleia; e (iv) relação decrescente com o número de ações de que o acionista é titular".[40] Independentemente da modalidade adotada, é importante que se observe o princípio da igualdade de tratamento entre os acionistas, de modo que a limitação estatutária alcance a todos que se encontrem na mesma situação. Também não poderá o estatuto, por óbvio, trilhar o caminho oposto de exigir um número mínimo de ações para o exercício do voto.[41]

6 Exercício do direito de voto e ações não integralizadas

Os titulares de ações não integralizadas poderão exercer, como regra, o direito de voto relativo àquelas ações sem qualquer limitação.[42] O direito de voto conserva-se inclusive quando verificada a mora do acionista.

Países como Itália (art. 2344, 4º do Código Civil italiano), França (art. L. 228-29), Portugal (art. 384º, 4) e Argentina (art. 192 da Ley No. 19.550) reconhecem a suspensão automática nos casos de acionista que não cumpre o dever de integralizar as ações subscritas. Na Alemanha, tem-se tratamento peculiar para a matéria, pois a lei das sociedades por ações subordina o exercício do direito de voto à integralização plena (§134 da Aktiengesetz), criando condição suspensiva legal. Os estatutos podem prever, entretanto, que o adimplemento da entrada mínima legal (ou mesmo quantia superior determinada pelos estatutos) é suficiente para assegurar o exercício do direito de voto até que todas as prestações sejam pagas. Caso os estatutos contenham essa previsão, o pagamento da parcela mínima (legal ou estatutária) assegura ao acionista o direito a um voto. Se, entretanto, o montante integralizado extrapola o mínimo exigido, então o acionista poderá exercer o direito de voto proporcionalmente às ações integralizadas. Por fim, nas hipóteses em que os estatutos não asseguram o direito de voto antes da integralização plena e quando o acionista não as paga integralmente (mas, ainda,

---

[39] COMPARATO, Fábio Konder; SALOMÃO FILHO, Calixto. *O poder de controle na sociedade anônima.* 6. ed. Rio de Janeiro: Forense, 2014. p. 158

[40] EIZIRIK. *A Lei das S/A Comentada*, p. 182.

[41] CARVALHOSA. *Comentários à Lei de Sociedades Anônimas*, p. 446.

[42] HAJ MUSSI, Luiz Daniel Rodrigues. *Suspensão do exercício de direitos do acionista.* São Paulo: Quartier Latin, 2018. Em especial, quando analisei a técnica da suspensão de direitos em Direito Comparado, no item 2.4 (p. 59-62).

superando o mínimo legal), igualmente se assegura o direito de voto proporcionalmente às ações integralizadas.[43]

Feitas essas breves referências, relembra-se que o art. 120 da Lei das S/A[44] permite, uma vez verificada a mora, que a assembleia geral delibere a suspensão do exercício do direito de voto do acionista. E, reconhecida a possibilidade de suspensão de direitos em decorrência da não observância do dever de integralizar as ações subscritas, torna-se necessário ressaltar uma particularidade dessa providência: a suspensão não poderá atingir a pessoa do acionista e deve limitar-se ao exercício dos direitos vinculados às ações não integralizadas.

7 Ações com atribuição de voto plural

O art. 110-A passou a admitir a criação de ações ordinárias com atribuição de voto plural, não superior a 10 votos por ação. Com a inserção operada pela Lei nº 14.195/2021, a Lei de Sociedades por Ações alinhou-se[45] a algumas legislações estrangeiras[46] que romperam com o princípio geral de correspondência de cada ação ordinária um só voto, a exemplo do que ocorreu nos Estados Unidos[47,] em França (o art. L225-123 do Código Comercial francês recebeu nova redação a partir da Ordonnance n°2020-1142, du 16 septembre 2020[48]) e Itália (Legge 116, de 11 agosto 2014).[49]

---

[43] A regra do direito alemão prevê, ainda, a necessidade de tratamento igualitário entre os acionistas, de modo que o estatuto não pode prever tratamento diverso para determinados acionistas ou classes de ações.

[44] Ver comentários ao art. 120 da Lei das S/A.

[45] A rigor, cumpre desde logo observar, a lei brasileira já contemplava mecanismos outros para dissociar a propriedade do capital e o exercício do poder de voto (*e.g.*, criação de ações preferenciais sem direito de voto, acordos de acionistas com convenção de voto, adoção de ações de classe especial com direitos políticos especiais – *golden share*).

[46] Registre-se que, na Alemanha, as ações com voto plural não são admitidas. Cf.: TOMBARI, Umberto. Le azioni a voto plurimo. *In:* TOMBARI, Umberto (cur.). *Governo societario, azioni a voto multiplo e maggiorazione del voto.* Torino: G. Giappichelli Editore, 2016. p. 19. Também não a admitem: a Espanha, a Bélgica e Luxemburgo. De outro lado, além dos países já citados, admitem o voto plural (cada qual com contornos específicos): os Países Baixos, Suécia, Finlândia, Noruega, Irlanda e Reino Unido. Cf.: MONTALENTI, Paolo. Azioni a voto maggiorato e azioni a voto plurimo: prime considerazioni. *In:* TOMBARI, Umberto (cur.). *Governo societario, azioni a voto multiplo e maggiorazione del voto.* Torino: G. Giappichelli Editore, 2016. p. 31.

[47] BEBCHUCK, Lucian A.; KASTIEL, Kobi. The Untenable Case for Perpetual Dual-Class Stock. *Virginia Law Review*, [S. l.], v. 103, p. 585-631, Jun. 2017.

[48] A lei em referência conferiu nova reação ao art. L225-123 do Código Comercial francês, que trata das chamadas ações de lealdade com voto em dobro. A ideia aqui parece não ser equivalente, em termos funcionais e estruturais, à atribuição do voto plural prevista no Brasil. De fato, o dispositivo francês busca evitar a realização de investimentos de curto prazo, criando um incentivo (voto duplo) para que o acionista mantenha a ação sob sua titularidade.
"Article L225-123: Un droit de vote double de celui conféré aux autres actions, eu égard à la quotité de capital social qu'elles représent, peut être attribué, par les statuts à toutes les actions entièrement libérées pour lesquelles il sera justifié d'une inscription nominative, depuis deux ans au moins, au nom du même actionnaire. En outre, en cas d'augmentation du capital par incorporation de réserves, bénéfices ou primes d'émission, le droit de vote double peut être conféré, dès leur émission, aux actions nominatives attribuées gratuitement à un actionnaire à raison d'actions anciennes pour lesquelles il bénéficie de ce droit."
Em linha geral, o dispositivo permite que o estatuto social assegure o dobro do direito de voto para as ações que tenham sido totalmente integralizadas e que se encontrem registradas desde há pelos menos dois anos em nome do mesmo acionista.

[49] Na Itália, o Código Civil, ao disciplinar o direito de voto (art. 2.351), passou a contemplar a possibilidade de que o estatuto assegure, a uma só ação, o direito de até 3 votos nas assembleias gerais da companhia (*voto plurimo*). Assim estabelece a parte do dispositivo no que aqui interessa: "Salvo quanto previsto dalle leggi speciali, lo

A ideia consagrada pelo dispositivo legal brasileiro pode ser assim resumida: a ação assegura ao seu titular o número de votos que lhe forem atribuídos pelo estatuto para aquela classe de ações ordinárias, que no Brasil está limitado ao máximo de 10 votos por ação ordinária de voto plural, admitindo-se a criação de uma ou mais classes de ações ordinárias com atribuição de voto plural. Caracteriza-se como claro desvio da regra padrão de "um voto por ação".[50]

Mediante a introdução do voto plural no ordenamento jurídico brasileiro, permite-se assegurar ao controlador ou ao fundador de determinada companhia poder de voto suficiente para implementar sua visão de negócio, ainda que não seja titular da maioria das ações ou mesmo que titularize um número reduzido de ações[51] ("técnica utilizada pelos instituidores da companhia para assegurar uma posição de domínio e poder na sociedade anônima").[52] A justificativa comumente atribuída à adoção desse instrumento passa pelo aumento do valor da companhia resultante da centralização do controle em determinado grupo de acionistas[53] (embora as conclusões de Ferrarini apontem para o posterior declínio do valor da companhia, com a redução das possibilidades de ingresso no mercado de capitais e do recebimento de investimentos).[54]

Tal circunstância – cuja adequação ou não é objeto de acirrado debate doutrinário –[55] divide espaço com a proteção aos controladores contra tomadas hostis de controle

---

statuto puo' prevedere la creazione di azioni con diritto di voto plurimo anche per particolari argomenti o subordinato al verificarsi di particolari condizioni non meramente potestative. Ciascuna azione a voto plurimo puo' avere fino a un massimo di tre voti".

[50] TONUSSI, Érico Lopes. *A regra de um voto por ação nas sociedades anônimas brasileiras e suas alternativas legais*. 2017. 208 f. Dissertação (Mestrado em Direito Comercial) – Faculdade de Direito da Universidade de São Paulo, São Paulo. 2017. f. 133.

[51] DI BIASE, Nicholas Furlan; JANESEN, Ana Clara. O voto plural brasileiro na Lei nº 6.404/76. *Revista Brasileira de Direito Comercial Empresarial, Concorrencial e do Consumidor*, [S. l.], ano 8, n. 48, p. 63, ago./set. 2002.

[52] CALÇAS, Manoel de Queiroz Pereira. JUNQUEIRA, Ruth. CLEMESHA, Pedro. Reflexões sobre o voto plural: perspectivas para a admissão de estruturas societárias com duas ou mais classes de ações com direito de voto diferenciado no Direito brasileiro. *Revista de Direito Bancário e do Mercado de Capitais*, [S. l.], v. 92, p. 161, abr./jun. 2021.

[53] FERRARINI, Guido. One Share – One Vote: A European Rule? *Law Working Paper*, [S. l.], n. 58, p. 9, Jan. 2006.

[54] FERRARINI. One Share – One Vote: A European Rule?, p. 13.

[55] Identifica-se uma certa "perseguição", inclusive, com o tema de voto plural (não estando aqui defendendo-o em abstrato), ao se ignorar a existência de uma série de outros mecanismos na Lei das S/A aptos a facilitar a concentração do poder político das companhias (*golden shares, poison pills*, limitação do número de voto por acionistas, ações preferenciais etc.). Além de ser a própria estrutura do mercado de capitais extremamente concentrada.

Sobre as preferenciais, interessante o posicionamento de Requião (O controle e a proteção dos acionistas. *Doutrinas Essenciais de Direito Empresarial*, [S. l.], v. 3, p. 1001, dez. 2010): "(...) c) A terceira forma é o controle através de um mecanismo jurídico, Muitas combinações de empresas, como as holdings podem levar a certos artifícios legais que asseguram o controle a algumas empresas. Em nosso país pouco ocorre essa modalidade, pois a lei vigente já proíbe certos instrumentos que a lei de outros países admite como a ação ordinária sem voto e o voto plural. A esse tipo de controle se referiu recentemente o Prof. Arnoldo Wald, em artigo de imprensa, pois envolve a transferência de controle acionário de uma empresa para um grupo de sociedades, mudança que a sociedade vai sofrer em virtude de sua submissão a uma holding ou sua integração num grupo. 'A legislação alemã e os projetos de convenção da Comunidade Econômica Européia já tratam do assunto, garantindo ao acionista minoritário, que não participa das demais empresas do grupo, uma indenização pelas eventuais transferências de lucros da sociedade da qual ele é acionista para as demais empresas do grupo'. Lembramo-nos de um caso de controle através de mecanismo jurídico que a nossa Lei admite e favorece. Referimo-nos da possibilidade de os fundadores da sociedade, dividirem o capital social em duas espécies de ações: ações ordinárias e ações preferenciais sem direito a voto. Como somente 50% do capital desfruta do direito a voto (as ações ordinárias), o acionista ou grupo que detiver apenas 25%, mais uma ação controla firmemente a sociedade".

(*hostile take overs*), possibilitada igualmente pela introdução do voto plural.[56] Vale destacar que, conforme demonstrado em estudo especializado sobre o tema, de autoria de Bebchuk e Kastiel, uma vez integrado o voto plural ao direito, torna-se extremamente difícil a eliminação da influência do controlador dele resultante, de modo que se faz relevante a inclusão de mecanismos de sopesamento aos poderes conferidos pelo voto plural.[57]

Diante disso, não se trata de valorar, em abstrato, a adequação ou não do mecanismo do voto plural. A análise deve ser feita em vista de seus objetivos[58] e das ferramentas de mitigação de seus efeitos nocivos – se suficientes ou não –, adotados pelo ordenamento jurídico brasileiro.[59]

O regime jurídico delineado pelo legislador brasileiro parece estar balizado em um sistema de freios e contrapesos, com um maior número de regras cogentes. Em primeiro lugar, porque limita, sob o aspecto temporal, o prazo de vigência inicial a 7 anos, admitindo a prorrogação por qualquer prazo mediante deliberação assemblear, oportunidade na qual o titular de ações com voto plural ficará impedido de votar (§7º, inc. II)[60]. Em segundo lugar, porque reconhece tratar-se de uma vantagem política de natureza subjetiva, atribuída a acionista diante de interesse e motivações específicas, de modo que haverá a conversão automática em ações sem voto plural quando (i) haja a transferência da participação a terceiros (§8º, inc. I) e (ii) o titular de ações com voto plural ajuste convenção de voto com outro acionista que não seja titular de ações com voto plural (§8º, inc. II). Em terceiro lugar, pois não permite o cômputo do voto plural nas votações de assembleia que tratem da remuneração dos administradores e na celebração de transações com partes relacionadas que atendam ao critério de relevância a ser definido pela CVM (§12, incisos I e II). Essas regras servem, de um lado, à finalidade de limitar o poder que se concentra em torno do titular das ações com voto plural e, de outro, inibem que esse titular se aproprie do prêmio de controle ao estabelecer a conversão automática em caso de transferência das ações.[61][62]

---

[56]   DI BIASE. JANESEN. O voto plural brasileiro na Lei nº 6.404/76, p. 64.

[57]   BEBCHUCK; KASTIEL. The Untenable Case for Perpetual Dual-Class Stock, p. 599-600.

[58]   CALÇAS; JUNQUEIRA; CLEMESHA. Reflexões sobre o voto plural, p. 165-167.

[59]   Entre esses mecanismos, menciona-se em nota de rodapé a adição de outras boas práticas de governança (como estabelecimento de regras de composição do Conselho de Administração), conforme adotadas pela CVM também na Resolução CVM nº 168/2022.

[60]   A limitação temporal parece remediar o problema do aparente incentivo para manutenção de uma estrutura ineficiente, quando se leva em consideração que um regime de perpetuidade da estrutura com ações de voto plural implicam a estrutura societária. Como aponta autorizada doutrina: "(...) as time passes, the potential costs of a dual-class structure tend to increase while the potential benefits tend to erode. As a result, even if the structure were efficient at the time of the IPO, there would be a substantial risk that it would not remain so many years later, and this risk would keep increasing as time passes. Furthermore, we show that controllers have strong incentives to retain a dual class structure even when that structure becomes inefficient over time. Thus, even those who believe that a dual-class structure is often efficient at the time of the IPO should recognize the perils of providing founders with perpetual or even lifetime control" (BEBCHUCK; KASTIEL. The Untenable Case for Perpetual Dual-Class Stock, p. 590).

[61]   Conforme anota autorizada doutrina: "A tônica desse debate se dá especialmente pelo fato de que uma desproporção ou desequilíbrio entre esses dois vetores – poder político e exposição econômica – poderia, em tese, maximizar a ocorrência de conflitos de agência e do efetivo cometimento de abuso pelos detentores desse poder majorado (quando comparado à respectiva contribuição financeira), que poderiam buscar benefícios privado indevidos às custas da empresa e de seus demais acionistas" (PITTA, André Grünspun. *A capitalização da empresa e o mercado de valores mobiliários*. São Paulo: Quartier Latin, 2018. p. 151).

[62]   A CVM, ao regulamentar a matéria do voto plural, previu, em sua Resolução CVM nº 168/2022, a vedação a que o voto plural se aplique nas votações de assembleias voltadas a deliberar sobre transações com partes

As ações de classe especial, com atribuição de voto plural, são admitidas tanto nas companhias fechadas quanto nas companhias abertas, desde que, nesse último caso, a criação da classe ocorra previamente à negociação de quaisquer ações ou valores mobiliários conversíveis em ações de emissão da companhia.

A nosso ver com acerto, a lei brasileira optou por estabelecer algumas regras não dispositivas ao permitir o uso das ações com voto plural, limitando a autonomia das partes, o que tem o efeito de minimizar os potenciais conflitos que decorrem da dissociação entre poder político e investimento de capital.

Três ponderações devem aqui ser feitas. Em primeiro, até o advento das ações com voto plural, a nossa Lei não admitia a criação de ações ordinárias de classes diversas para as companhias abertas. Agora tal circunstância é possível, mas apenas quando as outras classes deliberem pela criação das ações com voto plural (art. 16-A, *caput*, e art. 110-A, §1º). Em segundo, o fato de admitir-se a criação de voto plural nas companhias abertas tão somente antes da negociação de valores mobiliários (ações ou valores conversíveis em ações) tem o nítido propósito de assegurar ao adquirente de valores mobiliários de emissão da companhia o conhecimento sobre essa estrutura de organização interna de poder no momento da decisão de investimento, uma vez que a emissão de ações de voto plural permite maior concentração em torno de um só acionista independentemente da proporção de sua contribuição ao capital social.[63] Em terceiro, a listagem de companhias que adotem voto plural cria um dever adicional de informar para as entidades administradoras, na forma do §4º do dispositivo.

A adoção do voto plural é técnica interessante e de grande relevância prática para a organização do poder interno da companhia, ao permitir que determinado acionista (ou grupo de acionistas) faça prevalecer sua vontade independentemente de aporte significado para o capital social. Por isso, nos casos em que a companhia emite ações com atribuição de voto plural, deverá o estatuto social estabelecer, (i) o número de ações de cada espécie e classe em que se divide o capital social; (ii) o número de votos atribuídos por ação de cada classe de ações ordinárias com direito a voto, sempre respeitando o limite máximo de até 10 votos por ação; (iii) o prazo de duração do voto plural, observando-se o limite máximo e inicial de vigência de até 7 anos, que poderá ser prorrogado na forma e de acordo com o quórum legal ou estatutário, mediante deliberação da assembleia geral e (iv) eventuais hipóteses ou fatos que possam representar o fim da vigência do voto plural, em especial quando se prevê alguma condição, evento ou termo, além daqueles já previstos na legislação.

---

relacionadas que devam ser divulgadas nos termos do Anexo F da dita resolução (novo art. 45-A da Resolução CVM nº 80/2022). São elas:

"Art. 1º Este anexo se aplica:

I - à transação ou ao conjunto de transações correlatas, cujo valor total supere o menor dos seguintes valores: a) R$ 50.000.000,00 (cinquenta milhões de reais); ou

(...)

b) 1% (um por cento) do ativo total do emissor; e

(...)

II - a critério da administração, à transação ou ao conjunto de transações correlatas cujo valor total seja inferior aos parâmetros previstos no inciso I, tendo em vista: a) as características da operação; b) a natureza da relação da parte relacionada com o emissor; e

c) a natureza e extensão do interesse da parte relacionada na operação".

63 COMPARATO; SALOMÃO FILHO. *O poder de controle na sociedade anônima*, p. 159.

7.1 Criação de ação de voto plural em companhias já existentes

As ações de voto plural podem ser adotadas pelas companhias fechadas e abertas já existentes, desde que observadas as regras para a criação da referida classe de ação. Nas companhias abertas, a criação da classe especial deve ocorrer antes da negociação de ações ou quaisquer valores mobiliários conversíveis em ação emitidos pela companhia.

Pressupõe-se, evidentemente, a necessidade de reforma estatutária com observância do procedimento assemblear e do quórum legal. Em especial, estabelece o §1º do art. 110-A que a criação das ações com atribuição de voto plural dependerá de dupla aprovação. A primeira, em assembleia geral extraordinária, pela metade, no mínimo, do total de votos conferidos pelas ações com direito de voto (o quórum, portanto, é qualificado, a exemplo do que ocorre nas hipóteses do art. 136 da LSA); e, em segundo, em assembleia especial de preferencialistas, nas hipóteses em que companhia tenha emitido ações preferenciais sem direito a voto ou com voto restrito.

O quórum legal poderá ser majorado, tanto nas companhias fechadas quanto nas abertas (art. 110-A, §3º). Nesse particular, em relação às companhias abertas, trata-se do único caso previsto na Lei das Companhias em que o quórum legal poderá ser majorado pelo estatuto social, o que representa verdadeira hipótese de proteção conferida aos acionistas não controladores.

7.2 Direito de retirada e prévia autorização estatutária

Os acionistas dissidentes, assim compreendidos aqueles que votam contra, não comparecem ou se abstém de votar a matéria relativa à criação das ações com voto plural, terão assegurado o exercício do direito de retirada, ressalvada as circunstâncias nas quais a criação da classe de ações ordinárias com atribuição de voto plural já estivesse prevista ou autorizada pelo estatuto. A ressalva contida na parte final do §2º do art. 110-A[64] deve ser aplicada apenas para as hipóteses nas quais a criação da referida classe não esteja prevista ou autorizada desde o momento de constituição da companhia, porquanto nesse caso a inserção da previsão ou autorização deu-se por unanimidade dos subscritores, inclusive aqueles sem direito de voto (art. 87, §2º).

Não sendo essa a hipótese, deverá ser assegurado o exercício do direito de retirada como medida de proteção ao acionista dissidente.

7.3 Fim da vigência do voto plural e condições para sua renovação

A Lei estabelece prazo de vigência inicial de até sete anos para o voto plural, sendo facultada a renovação por qualquer período (chamada de *sunset clause*).[65] A limitação

---

[64] Assim prevê o dispositivo:
(..)
"§2º Nas deliberações de que trata o §1º deste artigo, será assegurado aos acionistas dissidentes o direito de se retirarem da companhia mediante reembolso do valor de suas ações nos termos do art. 45 desta Lei, salvo se a criação da classe de ações ordinárias com atribuição de voto plural já estiver prevista ou autorizada pelo estatuto".

[65] CALÇAS; JUNQUEIRA; CLEMESHA. Reflexões sobre o voto plural, p. 168.

temporal é justificável, pois se refere ao período inicial das atividades sociais, em que a pessoa do acionista titular das ações com voto plural terá maior relevância e impacto no direcionamento das atividades sociais, permitindo que, nesse período, ele desenvolva a política ou plano de negócio que justificou a atribuição do voto plural.[66] Após o período inicial de vigência, a eventual renovação do prazo ficará a critério da maioria dos demais acionistas, de acordo com o quórum fixado no §1º, a incluir deliberação dos preferencialistas sem direito de voto ou com voto restrito.

O titular da ação com voto plural não poderá votar na assembleia destinada à prorrogação do mecanismo do voto plural, ainda que seja titular também de ações ordinárias sem voto plural ou ações preferenciais.

Poderá o estatuto, igualmente, conter estipulação específica quanto ao fim da vigência do voto plural, condicionando-o a evento ou termo, desde que o prazo não seja superior ao limite temporal de vigência preestabelecido na lei e que antes não ocorra quaisquer das hipóteses de conversão automática prevista no §8º.

Dito de outro modo, o prazo inicial máximo de vigência do voto plural será sempre de sete anos, ainda que se possa cogitar de previsão estatutária estabelecendo um evento ou termo como hipótese de cessação. A renovação do voto plural está subordinada à observância dos mesmos critérios previstos para sua criação, inclusive assegurando-se o exercício do direito de retirada aos dissidentes. Nas deliberações que tratam da renovação, há regra de impedimento de voto imposta pelo inciso II do §7º. Quer dizer, os titulares das ações da classe cujo voto plural se pretende prorrogar ficam excluídos da votação.

7.4 Conversão automática em ações ordinárias sem voto plural

Haverá a conversão automática das ações de classe com voto plural em ações ordinárias sem voto plural nas hipóteses de (i) serem estas transferidas, a qualquer título, a terceiros; (ii) estabelecer-se, entre os titulares de ações com voto plural e acionistas titulares de ações sem voto plural, convenção de voto para o exercício em conjunto do direito.

As justificativas para a conversão automática estão diretamente relacionadas com os fundamentos da própria admissão das ações de voto plural, que visam a assegurar a determinada pessoa um maior poder de voto em razão de suas próprias e especiais características.[67] As ações com voto plural não servem ao propósito de assegurar maior poder ao titular destas pelo simples fato de tê-las adquirido. Assim, caso haja alteração subjetiva na titularidade, por ato entre vivos ou *causa mortis*, de forma onerosa ou gratuita, a lei estabelece a conversão automática.

A revelar que esse é, de fato, o objetivo da regra, que não concede ao acionista titular das ações um prêmio de controle, ressalvam-se algumas situações nas quais a transferência formal de titularidade poderá ocorrer sem que isso signifique mudança efetiva da titularidade do poder de voto múltiplo. Assim, não haverá a conversão auto-

---

[66] CALÇAS; JUNQUEIRA; CLEMESHA. Reflexões sobre o voto plural, p. 168.

[67] Cf. RIMINI, Emanuele. Quorum assembleari e voto multiplo in assemblea. *In:* TOMBARI, Umberto (cur.). *Governo societario, azioni a voto multiplo e maggiorazione del voto.* Torino: G. Giappichelli Editore, 2016. p. 79-81.

mática quando o alienante permanecer indiretamente como único titular de tais ações e no controle dos direitos políticos por elas conferidos. Imagine-se, por exemplo, que o titular das ações com voto múltiplo as transfere para sociedade da qual é o único sócio. Nesse caso, o alienante continuará sendo o beneficiário indireto do direito conferido pelas ações, ainda que formalmente tais ações agora pertençam a uma sociedade.

Também não haverá conversão automática quando o terceiro adquirente for igualmente titular da mesma classe de ações com voto plural do adquirente. Nesse caso, ainda que ocorra a alteração subjetiva, a pessoa que adquire as ações já era titular do mesmo direito e a transferência não altera as bases do negócio que justificou a atribuição estatutária do voto plural.

Vale destacar aqui, apesar da obviedade do raciocínio, que se a companhia tiver emitido duas classes diversas de ações com atribuição de voto plural, e a transferência ocorra entre titulares de ações de voto plural de classes diversas, haverá a conversão automática das ações adquiridas e não incidirá a exceção, que deve ser interpretada restritivamente (o terceiro adquirente deve ser titular "da mesma classe de ações com voto plural a ele alienadas"). Imagine-se que a companhia emitiu ações ordinárias com atribuição de voto plural de classe A, com direito a 5 votos por ação, e ações ordinárias com atribuição de voto plural de classe B, com direito a 10 votos por ação. Caso o acionista titular das ações de classe B adquira as ações de classe A – ambas com atribuição de voto plural, mas de classes diversas – as ações adquiridas serão automaticamente convertidas em ações ordinárias sem voto plural, em razão do que estabelece o inciso I do §8º do art. 110-A.

Por último, ressalva-se a transferência ocorrida sob regime de titularidade fiduciária das ações, para fins de constituição do depósito centralizado, nos termos da Resolução CVM nº 31/2021, tendo em vista que nesse caso a propriedade é limitada e resolúvel.[68]

8 Vedação legal para criação de ações com voto plural de forma indireta

A criação de ações de classe especial, com atribuição de voto plural, depende de reforma estatutária, aprovada de acordo com o quórum previsto em Lei (art. 110-A, §§1º e 7º da LSA). Por essa razão, estabeleceu-se a vedação de algumas operações societárias que possibilitariam, em razão de seus efeitos sobre a organização societária, sujeitar os acionistas da companhia que originariamente não adota voto plural a regime diverso (com adoção de voto plural) após a aprovação da operação. Assim, de acordo com o art. 110-A, §11, da Lei das Companhias, são inadmissíveis a incorporação (art. 227),[69]

---

[68] "Trata-se de uma propriedade limitada, pois a ação é transferida ao fiduciário com o escopo único de guarda, administração e viabilização das operações com valores mobiliários no âmbito dos sistemas de negociação de liquidação, e resolúvel, pois pode ser extinta a qualquer tempo, mediante a rescisão do contrato de custódia pelo depositante, retornando, assim, ao patrimônio deste. Por essa razão, os valores mobiliários objeto de custódia não integram o patrimônio do custodiante para quaisquer fins, durante o prazo em que vigorar o contrato de custódia" (CARVALHOSA. *Comentários à Lei de Sociedades Anônimas*, p. 254).

[69] "Art. 227. A incorporação é a operação pela qual uma ou mais sociedades são absorvidas por outra, que lhes sucede em todos os direitos e obrigações."

a incorporação de ações (art. 252) [70] e a fusão (art. 228)[71] de companhia aberta que não adote voto plural, e cujas ações sejam negociadas em mercado de bolsa ou de balcão, por ou com companhia que adote voto plural.

Nos casos de incorporação e de fusão, a conclusão da operação implicaria a extinção da sociedade em que não se adota o voto plural, com a consequente submissão dos antigos acionistas a novo regime jurídico (com adoção de voto plural). No caso da incorporação de ações, o mesmo resultado poderia ser alcançado, mas sem a extinção da companhia cujas ações foram incorporadas, pois os acionistas da companhia incorporada (sem voto plural) receberiam ações da incorporadora (com voto plural), da qual passariam a ser acionistas.

De igual modo, não se admitem as operações de cisão (total ou parcial) de companhia aberta que não adote voto plural, e cujas ações ou valores mobiliários conversíveis em ações sejam negociados em mercados organizados, para constituição de nova companhia com adoção do voto plural, ou incorporação da parcela cindida em companhia que o adote (i.e., cisão com versão de parcela do patrimônio em sociedade já existente, que se submete à disciplina da operação de incorporação).

9 Considerações finais

A mitigação da regra *one share-one vote* em determinada categoria de ações não é novidade no direito brasileiro, encontrando no mecanismo do voto plural mais um de seus exemplos. Ciente dos objetivos e funções do voto plural, bem como dos riscos que podem acarretar aos direitos dos acionistas minoritários, o ordenamento jurídico brasileiro buscou implementar uma série de contrapesos à admissão desse instrumento de concentração de poder na sociedade anônima – instrumento que, conquanto polêmico, poder ser de grande utilidade prática para as organizações societárias. É sob esse prisma que deve ser analisada a adequação ou não do mecanismo de voto plural no direito brasileiro.

A exemplo do verificado em outros ordenamentos jurídicos que aceitam a técnica, a Lei das S/A (i) limitou o prazo de vigência do voto plural em sete anos, admitida a prorrogação somente mediante deliberação assemblear, da qual não participa o titular de ações com voto plural; (ii) previu hipótese de conversão compulsória das ações com voto plural em ações ordinárias sem essa característica; (iii) excluiu alguns temas (ou matérias) do rol de deliberações que podem ser tomadas mediante a participação de acionistas titulares de ações com voto plural; (iv) possibilitou a inclusão do voto plural apenas antes da negociação pública de valores mobiliários pela companhia; (v) estabeleceu um regime informacional associado à criação de ações com voto plural e (vi) estabeleceu mecanismos que impedem a criação de ações com voto plural de forma indireta.

---

[70] Caracteriza-se como um instrumento de transferência compulsória das ações de emissão de uma companhia para a titularidade de outra companhia. Nela, "o título continua existindo sob a titularidade de outra pessoa (jurídica, no caso) em substituição a um título com direitos semelhantes ao anterior incorporado com, ao menos, um eixo de equivalência adequado" (PONTES, Evandro Fernandes de. *Incorporação de ações no Direito brasileiro*. São Paulo: Almedina, 2016. p. 47).

[71] "Art. 228. A fusão é a operação pela qual se unem duas ou mais sociedades para formar sociedade nova, que lhes sucederá em todos os direitos e obrigações."

Tais instrumentos de limitação do poder – e dos efeitos da admissão do voto plural em determina estrutura societária –, por serem normas de natureza cogente, devem ser aplicados e interpretados de modo a reduzir as consequências potencialmente nocivas da admissão dessa classe de ações.

Referências

BEBCHUCK, Lucian A.; KASTIEL, Kobi. The Untenable Case for Perpetual Dual-Class Stock. *Virginia Law Review*, [S. l.], v. 103, p. 585-631, Jun. 2017.

BRUNETTI, Antonio. *Trattato del Diritto delle Società*. Società per azione. Milano: Giuffrê, 1943. v. 2.

CALÇAS, Manoel de Queiroz Pereira; JUNQUEIRA, Ruth; CLEMESHA, Pedro. Reflexões sobre o voto plural: perspectivas para a admissão de estruturas societárias com duas ou mais classes de ações com direito de voto diferenciado no Direito brasileiro. *Revista de Direito Bancário e do Mercado de Capitais*, [S. l.], v. 92, p. 159-185, abr./jun. 2021.

CARVALHOSA, Modesto. *Comentários à Lei de Sociedades Anônimas*. 5. ed. São Paulo: Saraiva, 2011. v. 2.

COMPARATO, Fábio Konder; SALOMÃO FILHO, Calixto. *O poder de controle na sociedade anônima*. 6. ed. Rio de Janeiro: Forense, 2014.

COTTINO, Gastone. *Diritto Societario*. 2. ed. Padova: Cedam, 2011.

DI BIASE, Nicholas Furlan; JANESEN, Ana Clara. O voto plural brasileiro na Lei nº 6.404/76. *Revista Brasileira de Direito Comercial Empresarial, Concorrencial e do Consumidor*, [S. l.], ano 8, n. 48, ago./set. 2002.

EIZIRIK, Nelson. *A Lei das S/A comentada*. 2. ed. São Paulo: Quartier Latin, 2015. v. 2.

FERRARINI, Guido. One Share – One Vote: A European Rule? *Law Working Paper*, [S. l.], n. 58, Jan. 2006.

GALGANO, Francesco. *Il negozio giuridico*. 2. ed. Milano: Giuffrè, 2002.

GUERREIRO, José Alexandre Tavares; TEIXEIRA, Egberto Lacerda. *Das sociedades anônimas no Direito brasileiro*. São Paulo: Bushatsky, 1979. v. 1.

HAJ MUSSI, Luiz Daniel Rodrigues. Direitos essenciais dos acionistas. *In*: GONÇALVES NETO, Alfredo de Assis. *Sociedades*: Lei das Sociedades Anônimas comentada. São Paulo: Thomson Reuters Brasil, 2024. v. 2.

HAJ MUSSI, Luiz Daniel Rodrigues. *Suspensão do exercício de direitos do acionista*. São Paulo: Quartier Latin, 2018.

JUSTEN FILHO, Marçal. *In*: JUSTEN FILHO, Marçal. *Marçal Justen Filho*. [S. l.], [2024]. Disponível em: https://www.justenfilho.com.br/blog/marcal-justen-filho/. Acesso em: 15 out. 2024.

LAMY FILHO, Alfredo; PEDREIRA, José Luiz Bulhões (coord.). *Direito das companhias*. Rio de Janeiro: Forense, 2009. v. 1.

LÔBO, Paulo. *Direito Civil*. 4. ed. São Paulo: Saraiva, 2019. v. 4.

LAZZARESCHI NETO, Alfredo Sérgio. *Lei das S.A. comentada e anotada*. 6. ed. São Paulo: Quartier Latin, 2020.

MONTALENTI, Paolo. Azioni a voto maggiorato e azioni a voto plurimo: prime considerazioni. *In*: TOMBARI, Umberto (cur.). *Governo societario, azioni a voto multiplo e maggiorazione del voto*. Torino: G. Giappichelli Editore, 2016.

PENTEADO, Mauro Bardawil. *O penhor de ações no Direito brasileiro*. São Paulo: Malheiros, 2008.

PONTES DE MIRANDA, Francisco Cavalcanti. *Tratado das ações*. São Paulo: Revista dos Tribunais, 1970. t. 1.

PITTA, André Grünspun. *A capitalização da empresa e o mercado de valores mobiliário*s. São Paulo: Quartier Latin, 2018.

PONTES, Evandro Fernandes de. *Incorporação de ações no Direito brasileiro*. São Paulo: Almedina, 2016.

REQUIÃO, Rubens. O controle e a proteção dos acionistas. *Doutrinas Essenciais de Direito Empresarial*, [*S. l.*], v. 3, p. 1001-1016, dez. 2010.

RIMINI, Emanuele. Quorum assembleari e voto multiplo in assemblea. *In:* TOMBARI, Umberto (cur.). *Governo societario, azioni a voto multiplo e maggiorazione del voto*. Torino: G. Giappichelli Editore, 2016.

TEPEDINO, Gustavo. *Fundamentos do Direito Civil*. Rio de Janeiro: Forense, 2020. v. 5.

TOMBARI, Umberto. Le azioni a voto plurimo. *In:* TOMBARI, Umberto (cur.). *Governo societario, azioni a voto multiplo e maggiorazione del voto*. Torino: G. Giappichelli Editore, 2016.

TONUSSI, Érico Lopes. *A regra de um voto por ação nas sociedades anônimas brasileiras e suas alternativas legais*. 2017. 208 f. Dissertação (Mestrado em Direito Comercial) – Faculdade de Direito da Universidade de São Paulo, São Paulo. 2017.

TRIUNFANTE, Armando Manuel. *A tutela das minorias nas sociedades anônimas*: direitos de minoria qualificada – Abuso de direito. Coimbra: Coimbra Editora, 2004.

Informação bibliográfica deste texto, conforme a NBR 6023:2018 da Associação Brasileira de Normas Técnicas (ABNT):

HAJ MUSSI, Luiz Daniel; FUCKNER, Mariana Hofmann.. O exercício do direito de voto nas sociedades anônimas e as ações com atribuição de voto plural. *In:* JUSTEN, Monica Spezia; PEREIRA, Cesar; JUSTEN NETO, Marçal; JUSTEN, Lucas Spezia (coord.). *Uma visão humanista do Direito*: homenagem ao Professor Marçal Justen Filho. Belo Horizonte: Fórum, 2025. v. 3, p. 127-145. ISBN 978-65-5518-915-5.

A LIMITAÇÃO DE RESPONSABILIDADE EM FUNDOS DE INVESTIMENTO NO CÓDIGO CIVIL (CC) E NA RESOLUÇÃO CVM Nº 175/2022

MARCELO VIEIRA VON ADAMEK

KAIO FERREIRA

1 Introdução[1]

Qualquer que seja a concepção que se tenha a respeito da natureza jurídica dos fundos de investimento, sobressai, como dado comum às distintas teorias que foram elaboradas pela doutrina na tentativa de explicá-la, o reconhecimento da existência de uma massa patrimonial voltada à promoção de determinado investimento coletivo, isto é, de um patrimônio especial afetado a um fim específico (com dívidas próprias, no qual se localizam as obrigações e responsabilidades a que dá origem, e que não sofrem diretamente os efeitos de outras obrigações dos titulares do patrimônio).[2]

"O patrimônio separado ou especial", corretamente observou Pontes de Miranda, "forma-se pelo que nele entrou simultaneamente ou após a criação dele, pelo que se adquire em virtude de direito pertencente ao patrimônio, pelo que se há de sub-rogar àqueles ou a esses elementos, e pelo que se adquire em virtude de negócio jurídico ou ato jurídico *stricto sensu* referente ao patrimônio". Ademais, "todo patrimônio especial tem um fim. Esse fim é que lhe traça a esfera própria, lhe cria a pele conceptual, capaz de armá-lo ainda quando nenhum elemento haja nele. No patrimônio geral, o fim é a

---

[1] O presente texto destina-se a compor obra em homenagem ao Professor Marçal Justen Filho – jurista polimórfico que, sempre com brilho, se aprofundou nos temas do direito comercial, administrativo e teoria geral do direito, e que merece, a justo título, a reverência que lhes presta a comunidade jurídica. Os nossos cumprimentos e o nosso profundo respeito pela brilhante trajetória!

[2] Tais atributos são os que, em linha com o que já defendia Francesco Ferrara, permitem reconhecer a existência de um patrimônio separado (cf.: MARCONDES, Sylvio. *Problemas de Direito Mercantil*. São Paulo: Max Limonad, 1970. cap. III, n. 15, p. 97).

distinção mesma da pessoa entre as pessoas físicas ou jurídicas. Os patrimônios especiais têm os seus fins, ou fixados pela manifestação de vontade, ou pela lei".[3]

No mais das vezes, o fim a que se destinam os fundos de investimento, em especial os fundos não estruturados, não pressupõe a existência de regra de limitação que impeça a transferência aos cotistas de responsabilidades por dívidas nascidas no patrimônio especial, ou do fundo.[4] Em realidade, a presença de regra de limitação da responsabilidade nos fundos de investimento, como adiante se verá, acresce os deveres dos prestadores de serviços essenciais, em especial no contexto de crises de liquidez ou solvência. Ademais, conforme o segmento em que os fundos de investimento operem e o volume de recursos envolvidos, a limitação de responsabilidade dos cotistas pode inclusive suscitar preocupações sistêmicas (dado que, em se concretizando perdas expressivas, as suas consequências, caso não possam ser repassadas aos cotistas, terão invariavelmente que ser absorvidas por outros agentes de mercado), circunstância essa a justificar respostas regulatórias apropriadas.[5]

Há outros tantos casos, no entanto, em que, diante dos riscos próprios do setor econômico em que os investimentos irão se materializar, a limitação da responsabilidade em fundos de investimento estruturados é, senão um pressuposto, um dado relevante para que possa haver a aglutinação de recursos e, pois, o desejável financiamento de atividades de risco, que, de outro modo, talvez nem se positivassem, ou seriam sobremodo encarecidas.[6] Para essas situações – que não constituem a generalidade das atividades desenvolvidas pela indústria de fundos, embora representem um importante segmento desta –, havia, sim, uma demanda para que a regra de limitação de responsabilidade, então só prevista na lei de regência dos fundos de investimento imobiliário (Lei nº 8.668/1993, art. 13, II), fosse estendida para outros veículos de investimento coletivo de acesso restrito a investidores qualificados, muito especialmente os fundos de investimento em participações, que constituem a base para as operações de *venture capital* e *private equity*.

Foi assim que, em 2019, o legislador pátrio, em muito influenciado pelos sinais do seu tempo e pela ideia de ampliação da autonomia privada, acabou por consagrar a possibilidade de limitação de responsabilidade dos cotistas em termos muitos mais amplos

---

[3] PONTES DE MIRANDA, Francisco Cavalcanti. *Tratado de Direito Privado*. Rio de Janeiro: Borsoi, 1955. t. 5, §596, n. 7, p. 378-379.

[4] A limitação de responsabilidade não é corolário necessário da afirmação da presença de patrimônio separado ou autônomo. As sociedades personificadas com responsabilidade ilimitada são prova cabal desta afirmação.

[5] Com certa timidez, essa realidade teve que ser admitida pela CVM no art. 127 da Resolução CVM nº 175/2022, que dá à autarquia o poder de requerer a insolvência civil de fundo de investimento com responsabilidade limitada quando o seu patrimônio líquido representar "risco para o funcionamento eficiente do mercado de valores mobiliários ou para a integridade do sistema financeiro nacional" (CVM. *Resolução CVM nº 175, de 23 de dezembro de 2022*. Dispõe sobre a constituição, o funcionamento e a divulgação de informações dos fundos de investimento, bem como sobre a prestação de serviços para os fundos, e revoga as normas que especifica. Brasília, DF: CVM, 23 dez. 2022. Disponível em: https://conteudo.cvm.gov.br/legislacao/resolucoes/resol175. html. Acesso em: 16 out. 2024).

[6] Há, também, casos em que a limitação de responsabilidade é elemento decisivo para a constituição de veículos de investimento em outras jurisdições em que há tal benefício. Com o reconhecimento da possibilidade de adoção da limitação de responsabilidade em fundos de investimento constituídos no Brasil, não é exagerado imaginar que estruturas de captação de recursos atualmente constituídas no exterior possam vir a migrar para o Brasil, fornecendo maior complexidade à nossa indústria de fundos de investimento e gerando maior valor agregado aos prestadores de serviços brasileiros.

do que os agentes de mercado pleiteavam para os fundos estruturados, assentando-a em caráter geral (como adiante se verá, nos itens 3 e 4),[7] com isso, em muito se distanciando do regime pretérito (destacado no item 2). Com efeito:

2 A responsabilidade ilimitada dos cotistas no regime pretérito (Instrução CVM nº 555/2014, art. 15)

Para além da responsabilidade dos cotistas pela *integralização* das cotas subscritas, a revogada disciplina geral dos fundos de investimento previa ainda a responsabilidade dos cotistas pelo *passivo a descoberto*: "Os cotistas respondem por eventual patrimônio líquido negativo do fundo, sem prejuízo da responsabilidade do administrador e do gestor em caso de inobservância da política de investimento ou dos limites de concentração previstos no regulamento e nesta Instrução" (Instrução CVM nº 555/2014, art. 15). O suporte fático da norma era, pois, a existência de patrimônio líquido negativo do fundo[8] e a sua consequência jurídica direta consistia na sujeição dos subscritores de cotas à responsabilidade pelo *déficit* verificado, nos planos interno e externo. Especificamente essa responsabilidade pelo passivo descoberto, como adiante se verá, foi substancialmente modificada pela nova disciplina dos fundos – a permitir que, por disposição prevista no regulamento, a mesma seja afastada.

Em todo caso, ainda no regime pretérito os cotistas poderiam eventualmente estar adstritos à realização de *aportes suplementares* – para cobrir problemas de iliquidez ou recompor o patrimônio líquido mínimo e, com isso, evitar a liquidação prematura do fundo – mas, para que a tanto estivessem adstritos, a ilimitação de responsabilidade não era elemento jurídico suficiente;[9] era ainda necessário que, no plano convencional, houvesse o cotista assumido individualmente a obrigação de capitalização (com a previsão de prazos, condições e valores máximos a suprir), obrigação essa usualmente instrumentalizada naquilo que na praxe ficou conhecido como "compromisso de investimento".[10] Nada impedia, e nem era incomum, que se fizesse uma modelagem

---

[7] A inclusão da possibilidade de adoção da limitação de responsabilidade aos cotistas de fundo de investimento, conforme justificativa apresentada, teve em vista "facilitar a canalização de recursos poupados para a economia real", com o fim de "aumentar a segurança da modalidade por meio dessas estruturas [de limitação de responsabilidade]". Cf: §18 da Exposição de Motivos nº 00083/2019 ME/AGU/MJSP da Medida Provisória nº 881/2019, convertida na Lei nº 13.874/2019 (BRASIL. Medida Provisória nº 881/2019. Institui a Declaração de Direitos de Liberdade Econômica, estabelece garantias de livre mercado, análise de impacto regulatório, e dá outras providências. *Diário Oficial da União*: Brasília, DF, 2019. Disponível em: https://www.planalto.gov.br/ccivil_03/_ato2019-2022/2019/mpv/mpv881.htm. Acesso em: 15 out. 2024).

[8] O patrimônio líquido do fundo era definido na antiga regulamentação como sendo a "diferença entre o total do ativo realizável e do passivo exigível" (CVM. *Instrução CVM nº 555, de 17 de dezembro de 2014 (Revogada)*. Dispõe sobre a constituição, a administração, o funcionamento e a divulgação das informações dos fundos de investimento. Brasília, DF: CVM, art. 2º, XXXVII, 17 dez. 2014. Disponível em: https://conteudo.cvm.gov.br/legislacao/instrucoes/inst555.html. Acesso em: 16 out. 2024). A Resolução CVM nº 175/2022 corretamente não mais traz essa definição.

[9] Cf.: MENEZES, Mauricio Moreira Mendonça de; DI BIASE, Nicholas Furlan; SOUZA, Paula Morais Borges de. A obrigação de aportes extraordinários de recursos pelo cotista de fundo de investimento. *In*: HANSZMANN, Felipe; HERMETO, Lucas (coord.). *Atualidades em Direito Societário e mercado de capitais*. Rio de Janeiro: Lumen Juris, 2021. v. 5, p. 125-127.

[10] Na anterior disciplina dos fundos de investimento, o compromisso de investimento tinha previsão no art. 27, p. único, da Instrução CVM nº 555/2014 e no art. 20, §1º, da Instrução CVM nº 578/2016. Na atual Resolução CVM nº 175/2022, encontra fundamento em seu art. 30, p. único. E note-se, ainda, que o caráter negocial da

do compromisso de aportes suplementares, seja para limitar a integralização de cotas em certo montante para cobrir despesas de determinada natureza, seja para estabelecer compromisso no sentido de que os cotistas realizassem aportes suplementares quando o fundo não tivesse recursos para fazer frente a determinadas despesas (em geral, despesas extraordinárias), desde que não existissem ativos suficientes no patrimônio do fundo. Essa sistemática, aliás, continua a prevalecer no regime atual e pode se fazer presente tanto em fundos de investimento com responsabilidade limitada como nos de responsabilidade ilimitada (como adiante se evidenciará, no item 4.3).

3 A limitação de responsabilidade dos cotistas no atual regime do Código Civil (CC) (com a Lei da Liberdade Econômica)

Além de introduzir no Código Civil (CC) uma inédita disciplina legal para os fundos de investimento em geral, qualificando-os como "condomínios de natureza especial" (CC, art. 1.368-C) aos quais não se aplicam as regras gerais do direito condominial (CC, art. 1.368-C, §1º), a Lei nº 13.874/2019 (Lei de Liberdade Econômica, ou LLE) trouxe nessa mesma disciplina geral a possibilidade de que, observada a regulamentação da Comissão de Valores Mobiliários (CVM), os fundos de investimento em geral contemplem a limitação da responsabilidade de cada investidor ao valor de suas cotas (CC, art. 1.368-D, I), desde que para tanto assim o prevejam em seus regulamentos, já à partida, quando instituídos, ou posteriormente, por meio de sua regular reforma.[11]

A atual regra do CC, introduzida pela LLE, tem a seguinte redação:

> Art. 1.368-D. O regulamento do fundo de investimento poderá, observado o disposto na regulamentação a que se refere o §2º do art. 1.368-C desta Lei, estabelecer:
>
> I - a limitação de responsabilidade de cada investidor ao valor de suas cotas.[12]

---

figura é inequívoco, como demonstra Carlos Martins Neto (*A responsabilidade do cotista de Fundo de Investimento em Participações*. São Paulo: Almedina, 2017. n. 3.1, p. 144): "O investidor poderá assinar 'instrumento mediante o qual o investidor fique obrigado, sob as penas nele expressamente previstas, a integralizar o valor do capital comprometido à medida que o administrador do fundo fizer chamadas, de acordo com prazos, processos decisórios e demais procedimentos estabelecidos no respectivo instrumento'". Mais adiante, "o compromisso de investimento poderá dispor que no decorrer da vigência do fundo haverá chamadas de capital e vincular o subscritor à obrigação de atender a tais chamadas, realizando tanto os aportes ordinários, isto é, aqueles destinados à integralização das cotas subscritas, quanto os aportes extraordinários que possam se fazer necessários para viabilizar o pagamento das despesas de manutenção do fundo".

[11] Otavio Yazbek (A Lei nº 13.874/2019 e os fundos de investimento. *In:* SALOMÃO, Luis Felipe; CUEVA, Ricardo Villas Bôas; FRAZÃO, Ana (coord.). *Lei da Liberdade Econômica e seus impactos no Direito brasileiro*. São Paulo: Revista dos Tribunais, 2020. p. 564) questiona, do ponto de vista da regulação, o acerto da previsão legal que permite "ao regulamento, que tem natureza contratual, dispor sobre a limitação ou não da responsabilidade a cada caso" e, assim, discute "em que medida a solução não se fragiliza em razão dessa 'terceirização', aos agentes privados, da capacidade de decidir sobre a limitação de responsabilidade". Cf., na mesma linha: GOUVÊA, Carlos Portugal. Comentários aos artigos 1.368-C a 1.368-F do Código Civil. *In:* MARTINS-COSTA, Judith; NITSCHKE, Guilherme (coord.). *Direito Privado na Lei de Liberdade Econômica*: comentários. São Paulo: Almedina, 2022. p. 602. Ainda quando se compreenda preocupação externada, fato é que, ao menos no regime societário, ela tem dois precedentes próximos. O primeiro encontra-se na disciplina da sociedade simples, na qual os sócios podem, no contrato social, afastar o regime da responsabilidade subsidiária, ilimitada e por cotas para, em substituição, prever a responsabilidade subsidiária, ilimitada e solidária dos sócios por dívidas sociais (CC, art. 1.023). O segundo precedente é o das sociedades cooperativas, para as quais o estatuto social pode disciplinar se a responsabilidade dos sócios será limitada ou ilimitada (CC, art. 1.095).

[12] O art. 1.368-C, *caput* e §2º, do CC assim dispõe:

O legislador seguramente pretendeu transpor para os fundos o regime de limitação absoluta de responsabilidade tal como previsto na Lei das Sociedades por Ações – em que "a responsabilidade dos sócios ou acionistas será limitada ao preço de emissão das ações subscritas ou adquiridas" (art. 1º).[13] Mas, verdade seja dita, a redação não é das mais felizes. Como bem anotou Daniel de Avila Vio,

> seria preferível indicar, nos moldes da disciplina dos fundos imobiliários, que a responsabilidade do investidor poderia, mediante previsão no regulamento, ser limitada à "obrigação de pagamento do valor das quotas subscritas". A redação que prevaleceu é ambígua, pois deixa margem para a interpretação literal segundo a qual um determinado investidor, mesmo após ter subscrito e integralizado suas cotas em fundo cujo regulamento preveja a limitação de responsabilidade individual, ainda assim estará exposto a cobranças de credores do fundo até o exato montante de sua participação. Não parecer ter sido essa a intenção do legislador, mas, pelo caráter excepcional da limitação da responsabilidade, existe grande possibilidade de que o dispositivo seja interpretado de forma restritiva (ou seja, desfavorável ao investidor). O art. 1.368-D, inc. I, não define exatamente o que seria 'valor de suas cotas', mas o mais razoável é concluir que se trate do valor nominal original da contribuição prometida pelo cotista ao fundo, por ocasião da subscrição de suas cotas.[14]

Seja como for, aceita – como pensamos que deva ser – a interpretação segundo a qual a responsabilidade do cotista é limitada ao valor de integralização das cotas subscritas, outras dúvidas ainda se verificam na interpretação dos comandos da LLE.

À partida, discute-se se a regra da LLE seria uma norma de eficácia plena, com aplicabilidade direta, imediata e integral, ou se a sua eficácia seria contida e, portanto, dependente da regulamentação da CVM.[15] Em favor da primeira interpretação, argumenta-se com a própria construção vernacular do art. 1.368-D do CC que, ao se reportar à regulamentação infralegal como algo a ser "observado", não estaria por esse modo se referindo a ela como um *pressuposto*, senão como um *limite* a ser respeitado, de tal forma que, já com a entrada em vigor da LLE, a faculdade de limitação de responsabilidade poderia ser adotada pelos fundos de investimento. Foi essa, aliás, a interpretação utilitarista prontamente abraçada pela quase totalidade dos prestadores

---

"Art. 1.368-C. O fundo de investimento é uma comunhão de recursos, constituído sob a forma de condomínio de natureza especial, destinado à aplicação em recursos financeiros, bens e direitos de qualquer natureza.

(...).

§2º. Competirá à Comissão de Valores Mobiliários disciplinar o disposto no *caput* deste artigo (...)" (BRASIL. Lei nº 10.406, de 10 de janeiro de 2002. Institui o Código Civil. *Diário Oficial da União*: Brasília, DF, 2002. Disponível em: https://www.planalto.gov.br/ccivil_03/leis/2002/l10406compilada.htm. Acesso em: 2 ago. 2024).

[13] Cf.: MENEZES; DI BIASE; SOUZA. A obrigação de aportes extraordinários de recursos pelo cotista de fundo de investimento. v. 5, p. 114.

[14] VIO, Daniel de Ávila. Comentários aos arts. 1368-C a 1.368-F. *In*: CUNHA FILHO, Alexandre J. Carneiro da; PICCELLI, Roberto Ricomini; MACIEL, Renata Mota (coord.). *Lei da Liberdade Econômica anotada*. São Paulo: Quartier Latin, 2020. v. 2, p. 308-309.

[15] Cf.: MARTINS NETO, Carlos. Natureza jurídica dos fundos de investimento e responsabilidade de seus cotistas à luz da Lei da Liberdade Econômica: como ficou e como poderia ter ficado. *In*: HANSZMANN, Felipe; HERMETO, Lucas (coord.). *Atualidades em Direito Societário e mercado de capitais*. Rio de Janeiro: Lumen Juris, 2021. v. 5, p. 67; MENEZES; DI BIASE; SOUZA. A obrigação de aportes extraordinários de recursos pelo cotista de fundo de investimento. v. 5, p. 114; VIO. Comentários aos art. 1368-C a 1368-F, v. 2, p. 306, para quem "a eficácia de algumas das principais inovações trazidas pela Lei Federal nº 13.874/2019 em matéria de fundos está sujeita à promulgação de novas normas pela CVM".

de serviços essenciais que, com o início da vigência da LLE, passaram a contemplar a limitação de responsabilidade nos regulamentos de novos fundos. Em sentido contrário a essa interpretação, no entanto, objeta-se que o art. 1.368-D do CC se reporta expressamente ao §2º do art. 1.368-C, que, por sua vez, dispõe que "competirá à Comissão de Valores Mobiliários disciplinar o disposto no *caput* deste artigo", de tal modo que a disciplina dos fundos de investimento trazida pela LLE estaria na dependência da sua regulamentação infralegal nos pontos em que os atos normativos então vigentes não lhes dessem suporte – sendo esse precisamente o caso do novel regime de limitação de responsabilidade.

Ainda quando esse debate esteja em larga medida superado, uma vez que uma nova e abrangente disciplina infralegal para os fundos de investimento sobreveio através da Resolução CVM nº 175/2022, o interesse prático dessa discussão ainda hoje remanesce. De fato, caso se entenda que a norma da LLE tinha eficácia contida e, portanto, estava na dependência da disciplina da CVM, pode-se questionar o efeito que se deva reconhecer à regra de limitação de responsabilidade inserida no regulamento de fundos constituídos sob a égide da LLE e antes da entrada em vigor da Resolução CVM nº 175/2022: seria a regra inválida; necessitaria ser ratificada, confirmada ou repetida por qualquer modo? A nosso ver, caso prevaleça a ideia de que a norma da LLE não tinha eficácia plena e não era autoaplicável, ainda assim, a regra de limitação de responsabilidade inserida em regulamentos de fundos constituídos no entretempo deve ser tida por válida, desde que em sua modelagem não contravenha a Resolução CVM nº 175/2022, e, ainda nesse caso, terá adquirido plena eficácia com a entrada em vigor desta: operou-se a sua *pós-eficacização*, a prescindir de qualquer ato adicional por parte dos interessados.[16] Só que, ainda nesse cenário (em que a regra da LLE venha a ser tida por norma de eficácia contida), a limitação de responsabilidade não colherá os créditos preexistentes à regulamentação da CVM – para os quais se deverá, então, aplicar o disposto no §1º, *in fine*, do art. 1.368-D do CC, isto é, "a adoção da responsabilidade limitada por fundo de investimento constituído sem a limitação de responsabilidade somente abrangerá fatos ocorridos após a respectiva mudança em seu regulamento".

Outra questão suscitada pela disciplina da LLE consiste em definir se a CVM, ao desempenhar o poder regulamentar previsto no art. 1.368-C, §2º, do CC, tinha que necessariamente estender a todos os fundos a faculdade de limitação da responsabilidade dos cotistas, como acabou por fazer, ou, então, se poderia ter restringido a regra a certos tipos de fundos (por exemplo, apenas àqueles dos quais participem investidores qualificados) ou, ainda, de acordo com critérios de exposição de suas carteiras, em especial tendo em conta as eventuais repercussões sistêmicas que a sua generalização possa trazer para o funcionamento do Sistema Financeiro Nacional.[17] O tema, de certo, pode interessar em futuras mudanças que a CVM pretenda implementar na regulamentação,

---

[16] Segundo explica Marcos Bernardes de Mello (*Teoria do fato jurídico*: plano da eficácia. 11. ed. São Paulo: Saraiva, 2019. p. 85), opera-se a pós-eficacização quando "o ato ineficaz pode tornar-se eficaz em decorrência de fato jurídico posterior". No caso, o fato jurídico superveniente é a entrada em vigor da Resolução nº 175/2022. Sobre a pós-eficacização em geral, Pontes de Miranda (*Tratado de Direito Privado*, t. 5, §534, n. 2, p. 81) destacava que o "fato ulterior tem a função de certeza", conferindo plena eficácia a negócio jurídico celebrado mas incapaz de produzir plenos efeitos. De todo modo, e até em acordo com o princípio da conservação dos negócios jurídicos, preservar-se-á válida tão somente a porção compatível com a regulamentação da CVM.

[17] Cf., sobre o ponto: YAZBEK. *A Lei nº 13.874/2019 e os fundos de investimento*, p. 565.

mas, em todo caso, a letra generosa do CC parece não compadecer com restrições na regulamentação infralegal.

Fato é que, em 2022, uma nova disciplina regulamentar veio a lume.

4 A limitação de responsabilidade dos cotistas na Resolução CVM nº 175/2022

De fato, cumprindo a missão regulamentar que lhe foi atribuída, a CVM editou, em 23 de dezembro de 2022, a Resolução nº 175 (cuja parte central entrou em vigor em 2 de outubro de 2023) dispondo "sobre a constituição, o funcionamento e a divulgação de informações dos fundos de investimento, bem como sobre a prestação de serviços para os fundos". Trata-se de norma geral, aplicável a todos os fundos de investimento, ressalvada as normas especiais a cada espécie ou tipo de fundo que, nessa medida, hão de prevalecer (art. 2º).[18]

No que interessa ao tema em análise, a Resolução CVM nº 175/2022 permitiu que o regulamento do fundo possa "prever a existência de diferentes classes de cotas, com direitos e obrigações distintos, devendo o administrador constituir um patrimônio separado para cada classe de cotas" (art. 5º, *caput*), e, nesse caso, "cada patrimônio segregado responde somente por obrigações referentes à respectiva classe de cotas" (art. 5º, §2º). Adotou-se, pois, a técnica de permitir a existência de patrimônios separados dentro de um mesmo patrimônio separado.[19]

Ademais, e especialmente no que toca ao regime de responsabilidade dos cotistas, consagrou-se a regra segundo a qual "o regulamento pode prever que a responsabilidade do cotista é limitada ao valor por ele subscrito" (art. 18, *caput*), com o que se aclarou o alcance do art. 1.368-D, I, do CC. E, confirmando tratar-se de uma *faculdade*, regrou-se a hipótese inversa: "caso o regulamento não limite a responsabilidade do cotista, os cotistas respondem por eventual patrimônio líquido negativo, sem prejuízo da responsabilidade do prestador de serviços pelos prejuízos que causar quando proceder com dolo ou má-fé" (art. 18, p. único).

Assim, nos fundos com responsabilidade ilimitada (*rectius*, naquele em que o regulamento não tenha adotado a regra de limitação de responsabilidade), os cotistas responderão pelo valor de integralização das cotas subscritas, no tempo e modo previstos (art. 30), e, também, pelo passivo a descoberto, isto é, pelo patrimônio líquido negativo (art. 18, p. único).[20][21] De outro lado, havendo a previsão de limitação de responsabili-

---

[18] As subsequentes referências a artigos, sem alusão a outra norma, devem ser entendidas como sendo referência à Resolução CVM nº 175/2022.

[19] No plano da teoria geral, Pontes de Miranda (*Tratado de Direito Privado*, t. 5, §596, n. 7, p. 378), de há muito ensinava que "nada obsta a que haja dois ou mais patrimônios especiais, um interior a outro, no todo, ou em parte".

[20] Aqui se está a utilizar as expressões "passivo a descoberto" e "patrimônio líquido negativo" como sinônimos; no entanto, pode haver situações específicas em que as duas realidades não sejam equivalentes – como, por exemplo, nos casos dos fundos de investimento em participações (FIP) em que seu patrimônio líquido seja calculado por meio do método de equivalência patrimonial. Nesses casos, embora o patrimônio líquido do FIP esteja negativo por reflexo do patrimônio líquido negativo da sociedade investida, não há verdadeiramente "passivo a descoberto" a ensejar a necessidade de aportes adicionais pelos cotistas do FIP.

[21] O art. 790 do CPC arrola vários responsáveis executivos secundários, sem mencionar os cotistas de fundos de investimento. Duas são as possíveis interpretações para o silêncio do legislador. A primeira é a de que o rol não é

dade no regulamento, os cotistas serão responsáveis pela integralização de suas cotas (art. 30), e, em princípio (e salvo se, de outro modo, tiverem assumido individualmente o compromisso de aporte suplementar), por nada mais (art. 18, *caput*).

Além disso, dadas as severas consequências associadas à assunção de responsabilidade ilimitada (CC, art. 391; CPC, art. 789), exige-se, para plena ciência dos investidores, que ao ensejo do ingresso no fundo: (i) o agente que tiver realizado a distribuição de cotas disponibilize a versão vigente do regulamento (art. 28) e (ii) o cotista assine um termo de adesão e ciência de risco, o qual, para efeitos jurídicos, terá o condão de declaração inequívoca da ciência dos riscos que, de uma forma ou de outra, advêm da participação recém adquirida no patrimônio do fundo (art. 29, §3º e Suplemento A).

4.1 Regulamento: competência e quórum

A limitação de responsabilidade, conforme esclarecido, deve constar necessariamente do regulamento (CC, art. 1.368-D, I; Resolução CVM nº 175/2022, art. 18), o que significa dizer que os fundos de investimento já operantes que a quiserem implementar deverão alterar as suas disposições, indicando a eleição do regime de responsabilidade limitada. Por outro lado, os fundos que forem instituídos após a entrada em vigor da Resolução CVM nº 175/2022 poderão limitar, já à partida, a responsabilidade de seus cotistas.

Isso abre diferentes caminhos para a questão da competência para atribuição do benefício.

No caso de previsão *originária* de limitação de responsabilidade dos cotistas, o benefício da limitação decorrerá de decisão conjunta do administrador fiduciário e do gestor, porquanto a estes incumbe a constituição do fundo e a determinação de seu regulamento (art. 7º). No caso de previsão *superveniente*, em fundos já constituídos sem tal regra, a limitação deverá ser inserida por deliberação privativa da assembleia de cotistas, a quem compete alterar o regulamento do fundo (art. 70, V). O quórum de deliberação, para tanto, será em princípio o da maioria de votos dos presentes (art. 76, *caput*), embora o regulamento possa prever quórum qualificado inclusive para essa matéria (art. 76, §1º).

Além disso, e meramente *em caráter transitório*, deixou-se à disposição dos prestadores de serviços essenciais a possibilidade de alteração *motu proprio* do regulamento de fundos operantes, limitando a responsabilidade dos investidores às cotas subscritas. A norma de direito intertemporal que permite essa alteração do regulamento do fundo (independentemente de reforma assemblear) tem sua eficácia restrita ao chamado

---

exaustivo (cf.: DINAMARCO, Cândido Rangel. *Instituições de Direito Processual Civil*. 4. ed. São Paulo: Malheiros, 2019. v. 4, n. 1.802, p. 389; MELLO, Rogério Licastro Torres de. Responsabilidade executiva secundária. 2. ed. São Paulo: Revista dos Tribunais, 2015. n. 15, p. 167; SIQUEIRA, Thiago Ferreira. *A responsabilidade patrimonial no novo sistema processual civil*. São Paulo: Revista dos Tribunais, 2016. n. 6.2.2, p. 219), e a regra processual seria simples norma secundária, prevalecendo o que no direito material se prevê. A segunda explicação possível seria concluir que o cotista seria responsável principal (CPC, art. 779, I), uma vez que o fundo não tem personalidade jurídica – embora essa explicação, a nosso sentir errada, seria dificilmente conciliável com o regime que o próprio código previu para os sócios de sociedades de responsabilidade ilimitada, além de ter potencialmente outros desdobramentos no campo da prática de atos de disposição patrimonial no curso do processo e do registro da própria distribuição do feito.

"período de adaptação",[22] permitindo que os prestadores de serviços (notadamente o administrador fiduciário) tomem para si competência que, fora do período compreendido pela norma, haverá de ser exclusivamente exercida pela assembleia de cotistas (art. 135, III).[23]

Sucede que a decisão de limitar a responsabilidade não é indiferente para cotistas e prestadores de serviços essenciais, podendo-se aqui identificar uma situação de potencial interesse contrastantes entre uns e outros. E as razões são claras: ao mesmo tempo em que a limitação de responsabilidade em fundos acresce os deveres e responsabilidades dos prestadores de serviços essenciais, sobretudo em caso de patrimônio líquido negativo, a sua previsão beneficia diretamente os cotistas, restringindo a sua vinculação patrimonial ao valor de cotas que adquiriram. Segue-se daí que, se no exercício da competência transitória à qual antes se aludiu os prestadores de serviços decidirem sozinhos não limitar a responsabilidade em fundos previamente constituídos, e se, como efeito direto e imediato dessa decisão, resultarem obrigações a serem solvidas pelos cotistas, estes poderão pretender questionar os prestadores de serviços essenciais. Por conta disso, e a despeito da possibilidade ofertada pela Resolução nº 175/2022 durante o período de adaptação, em muitos casos será medida de boa cautela dos prestadores de serviços essenciais convocar a assembleia, para que, ouvidos os cotistas, se decida implementar ou não a reforma estatutária.

Tudo o que até aqui se explicou se refere à hipótese de inclusão da regra de limitação de responsabilidade nos fundos de investimento. A hipótese inversa – de reforma do regulamento para *excluir* a regra de limitação de responsabilidade dos cotistas – não foi explicitamente tratada na Resolução CVM nº 175/2022.

Seria para ela também aplicável genericamente o quórum da maioria simples dos presentes? Exigir-se-ia, ao revés, a unanimidade? Caso não, haveria algum remédio para os dissidentes?

A indagação tem a sua razão de ser, pois, potencialmente, a exclusão da regra de limitação de responsabilidade prevista no regulamento do fundo de investimento por efeito de uma decisão da maioria expõe todo o patrimônio dos cotistas aos resultados negativos do investimento coletivo e, portanto, atinge diretamente a sua esfera jurídica individual e, assim, compromete, sem limites, a sua própria liberdade econômica – o que não deveria ser livremente admitido por decisão majoritária ou, no mínimo, demandaria remédios apropriados para lidar com essa situação. Até porque, do ponto de vista substancial, o afastamento da regra de limitação de responsabilidade dos cotistas corresponde a uma *autêntica transformação*, ainda quando o tipo de fundo permaneça o mesmo, e, consequentemente, no mínimo deve atrair as regras protetivas desse tipo de

---

[22] Consoante ao disposto no art. 134 da Resolução CVM nº 175/2022, o período de adaptação compreende, de regra, o interregno verificado entre 2 de outubro de 2023, data do início da vigência das novas regras, e 31 de dezembro de 2024; para os FIDCs, o termo final foi encurtado para 1 de abril de 2024.

[23] "Art. 135. No âmbito da adaptação dos fundos de investimento à presente Resolução, admite-se que os prestadores de serviços essenciais promovam alterações no regulamento para tratar das seguintes matérias:
I - taxas de administração, gestão e máxima de distribuição, desde que seu somatório não exceda à taxa de administração vigente;
II - procedimentos aplicáveis às manifestações de vontade dos cotistas por meio eletrônico, caso não previstos no regulamento; e
III - limitação da responsabilidade dos cotistas ao valor subscrito" (CVM. *Resolução CVM nº 175, de 23 de dezembro de 2022*).

operação e da própria ilimitação de responsabilidade – regras essas que, como visto, são bastante agravadas por ocasião da constituição dos fundos, com a necessidade de disponibilização individualizada do regulamento e a assinatura de termo de adesão e ciência de risco (arts. 28, 29, §3º e Suplemento A). Em todo caso, a mudança no regime de responsabilidade dos cotistas certamente configura também um fato relevante, a impor ampla divulgação (art. 64, §1º) – embora a divulgação, de per si, não seja proteção suficiente e proporcional para o tipo de operação em causa.

Uma comparação de regimes, neste ponto, pode ser esclarecedora.

Com efeito, no regime societário, a transformação exige, de regra, o consentimento unânime dos sócios ou acionistas, salvo se prevista no estatuto ou contrato social, caso em que o sócio dissidente tem assegurado o direito de retirar-se da sociedade (LSA, art. 221; CC, art. 1.114).

Na disciplina infralegal dos fundos, por sua vez, a Resolução nº 175/2022 não trouxe proteções mais estruturadas. Para as transformações envolvendo classe fechada (art. 119, §1º), assegurou o direito de reembolso, fixando para tanto um prazo excessivamente curto de 10 dias para o exercício desse poder (art. 119, §2º);[24] no mais, silenciou para as transformações envolvendo fundos abertos, possivelmente por supor que a possibilidade de resgate asseguraria o direito de saída para os insatisfeitos e, portanto, corresponderia a um contrarremédio adequado. Ainda assim, e admitindo-se que a eliminação da regra de limitação de responsabilidade não exija unanimidade e, portanto, possa ser submetida ao regramento próprio da transformação (o que, em si, é uma construção doutrinária e, como tal, sujeita a questionamentos e incertezas que não deveriam se colocar em tema tão sensível), fato é que as proteções aqui exploradas não são robustas, e esse quadro de anemia regulamentar demanda, no mínimo, atenção por parte dos interessados, seja na elaboração ou revisão de regulamentos seja na consequente previsão de quóruns reforçados. Em todo caso, lembre-se que o administrador fiduciário tem deveres fiduciários para com os cotistas e poderá ser chamado a responder perante estes pelo descumprimento de deveres de diligência, lealdade e cautela (art. 106, I), o que conclama de tais agentes especial circunspeção na implementação de uma reforma do regulamento que exponha os cotistas a prejuízos de monta.

4.2 Denominação

Os fundos de investimento operam necessariamente sob denominação – não se admite, pois, firma – da qual deve constar a expressão "Fundo de Investimento", acompanhada ou antecedida de um elemento de fantasia distintivo, e acrescida da referência a sua categoria (art. 6º, *caput*).

A análise da regulamentação vigente permite assentar que a formação da denominação dos fundos de investimento pauta-se por princípios comuns à formação dos nomes empresariais – até porque esses se princípios voltam, antes de tudo, à *segurança*

---

[24] Qual a natureza jurídica desse prazo? Tratando-se de prazo para o exercício de direito potestativo – porquanto ocasiona a extinção de uma relação jurídica –, o prazo é de decadência. A nota de destaque que o tema aqui merece é que o prazo, de rigor, não é convencional nem legal; é prazo previsto em regulamentação infralegal, editada nos termos de expressa delegação normativa (CC, art. 1.368-C, §2º).

do tráfego negocial, em cujo contexto os fundos também se inserem, e, portanto, à proteção de terceiros.[25]

Assim é que, em linha com o *princípio da unicidade*, cada fundo tem uma denominação, e não mais do que uma. Caso, porém, o fundo conte com diferentes classes de cotas, cada classe (que, de rigor, constitui de per si um fundo dentro de outro) deve possuir denominação própria, acrescida de referência a sua categoria (art. 6º, §1º).

Além disso, para atendimento do *princípio da novidade* ou *originalidade*, a CVM impede, até pelo seu próprio sistema eletrônico de registro, que dois fundos sejam constituídos com nome idêntico e, portanto, um elemento distintivo (numérico ou alfabético que seja), deve sempre existir.

De outro lado, em respeito ao *princípio da veracidade*, duas regras devem ser observadas. A primeira é a de que à denominação do fundo e de suas classes não podem ser acrescidos termos ou expressões que induzam à interpretação indevida quanto a seus objetivos, políticas de investimento, público-alvo ou eventual tratamento tributário específico a que estejam sujeitos o fundo, as classes ou os cotistas (art. 6º, §2º). A segunda – e que mais de perto aqui interessa – é a de que, caso o regulamento limite a responsabilidade dos cotistas ao valor por eles subscrito, à denominação da classe deve ser acrescido o sufixo "Responsabilidade Limitada" (art. 6º, §3º).[26] Ou seja, a existência de limitação de responsabilidade deverá integrar a denominação do fundo, em cuja composição deverão figurar, outrossim, um elemento de fantasia e a referência genérica a sua categoria. Essa exigência se justifica, pois, dentre outras funções, o nome, em qualquer de suas espécies (firma ou denominação), busca transmitir de pronto a terceiros informação essenciais sobre o ente jurídico com o qual venham a se relacionar, muito especialmente a sua qualificação jurídica e o regime de responsabilidade que lhe é aplicável.

Por fim, ainda no tema da denominação, restou em aberto na Resolução se a omissão da expressão "Responsabilidade Limitada" determina a responsabilidade solidária e ilimitada dos prestadores de serviços essenciais que assim a empregarem irregularmente perante terceiros.[27] Semelhante regra, como se sabe, está presente na disciplina societária (CC, art. 1.158, §3º), mas falta, às expressas, na regulamentação dos fundos (e é até questionável se a sua criação estaria dentro dos poderes regulamentares da CVM). Seja como for, ainda quando a aplicação analógica da regra societária aos fundos pudesse ser cogitada (sob o argumento de que a mesma é simples enunciação de uma regra geral de tutela positiva da aparência fundada na imputação de responsabilidade

---

[25] Cf.: CANARIS, Claus-Wilhelm. *Handelsrecht*. 23. Aufl. München: C.H. Beck, 2000. §11, I, p. 250; MERKT, Hanno. Kommentar zum § 18. *In:* HOPT, Klaus; KUMPAN, Christoph; LEYENS, Patrick C.; MERKT, Hanno; ROTH, Wulf-Henning. Kommentar zum § 19. *In:* KOLLER, Ingo; KINDLER, Peter; ROTH, Wulf-Henning; DRÜEN, Klaus-Dieter (Hg.). *Kommentar von Handelsgesetzbuch*. 9. Aufl. München: C.H. Beck, 2019. §19, n. 4, p. 124; SCHMIDT, Karsten. Handelsrecht. 5. Aufl. Köln: Heymanns, 1999. §12, III, p. 361.

[26] De rigor, a expressão "Responsabilidade Limitada" não é sufixo, tal como a designou a Resolução CVM nº 175/2022. Sufixos são elementos que, pospostos a um radical, formam nova palavra. Na composição do nome do fundo de investimento, a expressão "Responsabilidade Limitada" exerce o papel de adjunto adnominal composto. O que se pretendeu evidenciar na regulamentação, portanto, é apenas que a expressão deve ser acrescida aos demais elementos da denominação sempre em sua parte final.

[27] O poder de representação dos fundos de investimento compete separadamente, *ratione materiae*, ao administrador fiduciário (arts. 82 e 83) e ao gestor (arts. 84 e 85).

pela sua criação), tem-se que, de todo modo, o art. 1.368-E, *in fine*, do CC é suficiente para equacionar a responsabilidade dos prestadores de serviços essenciais por danos causados a terceiros.

4.3 Acordos de suprimento (aportes suplementares)

Os cotistas obrigam-se a integralizar as cotas subscritas e, nos fundos com responsabilidade ilimitada, respondem pelo patrimônio líquido negativo, conforme antes explicado. Mas, seja em fundos de responsabilidade ilimitada, seja nos de responsabilidade limitada, não podem os seus cotistas ser obrigados a efetuar *aportes suplementares*, se a tanto não se obrigaram individualmente.

Bem por isso, se o fundo de investimentos passar por problemas de iliquidez, caberá ao administrador fiduciário tomar as medidas necessárias para a obtenção de recursos direcionada à normalização do fluxo de caixa. Poderá, para tanto, convocar a assembleia de cotistas para decidir sobre a realização de novos aportes – hipótese em que, ainda assim, nenhum dos cotistas estará obrigado a realizá-los, embora fiquem sujeito à diluição, caso os demais decidam fazê-lo. De outro lado, se a capitalização não for suficiente, caberá de igual modo ao administrador fiduciário tomar as medidas para promover a alienação de ativos do fundo para fazer face aos pagamentos necessários. E, se ainda assim, não for possível manter o patrimônio líquido mínimo exigido pela CVM, o caso será de liquidação antecipada do fundo (art. 8º, §3º). Mas, note-se, em todos esses cenários o cotista não estará obrigado a efetuar aportes suplementares, se com tanto não estiver de acordo.

Em realidade, para que o cotista possa ser compelido a realizar novos aportes, pouco importando se o fundo é de responsabilidade limitada ou não, será de rigor que ele tenha prévia e individualmente assumido a obrigação de fazê-lo por meio de algum acordo de suprimento. A regulamentação dos fundos, em linha com o que adveio da prática, contempla esse tipo de acordo – que pode vir instrumentalizado através de "compromisso de investimento" (Resolução CVM nº 175/2022, art. 30, p. único).[28]

Outras vezes, sobretudo em fundos com estrutura grupal (em que um fundo *master* recebe aportes de fundos *feeders*, que são cotistas daquele, e os repassa outros fundos controlados pelo *master*), coloca-se a necessidade de conceder garantia aos credores dos fundos investidos pelo *master* e, para tanto, são celebrados os Equity Support Agreements (ESA) – que são contratos surgidos da indústria de *private equity* e das operações de *project finance*. Esses acordos, de regra, contemplam as obrigações globais de aportes pelos *feeders* (representados por seus administradores), os quais possuem capital comprometido em montante suficiente para fazer frente às obrigações assumidas pelo fundo *master* ou até fundos por este investidos, de realizar a chamada de capital de seus próprios investidores (conforme compromissos de investimento de capital previamente celebrados) para, com isso, poderem direcionar os recursos dos investidores para o fundo que assumiu a obrigação de pagamento garantida, sendo que tais contratos, não raro, outorgam ao credor-beneficiário o poder de tomar as providências para a realização de chamadas

---

[28] Cf.: ADAMEK, Marcelo Vieira von. Responsabilidade de cotistas e administradores. *In:* KUYVEN, Fernando (coord.). *Direito dos fundos de investimento*. São Paulo: Revista dos Tribunais, 2023. n. 3.1.1, p. 366-367.

de capital (junto aos investidores) para satisfação da obrigação pendente, em caso de inércia do administrador. Ou seja, concede-se ao credor um mecanismo não só para obter os recursos dos investidores dos fundos, mas para direcioná-los em seu proveito.[29]

Em todo caso, quer nos parecer que, para que a obrigação de aporte suplementar seja validamente convencionada, é imprescindível que nesse acordo de suprimento individual com o cotista se prevejam, além das condições gerais da prestação a que o mesmo se obriga (forma, prazo e modo), *limites específicos* – isto é, um valor máximo determinado ou determinável de aportes, visto que ninguém pode abdicar de sua liberdade econômica sem limites e, com isso, ficar obrigado a realizar aportes indefinidos –[30] ou,

---

[29] Em nosso sistema jurídico, de regra, os credores de fundo que seja beneficiário de pactos de suprimento não podem exigir os aportes; só o estipulante ou o beneficiário é que teriam essa legitimidade (CC, art. 436, *caput* e p. único), sem que haja espaço para uma medida sub-rogatória. No entanto, se para além da obrigação de capitalização através de aportes suplementares for prevista uma prestação direta em favor do credor dos fundos, *master* ou investidos, como em alguns ESAs isso é estipulado, pode este então agir.

[30] O compromisso de aporte ilimitado implicaria que o agente abdicasse de sua liberdade econômica, o que feriria não apenas sentimentos elementares de justiça contratual, designadamente a liberdade contratual e os seus limites imanentes (cf.: CARVALHO, Jorge Morais. Os limites à liberdade contratual. Coimbra: Almedina, 2016. p. 4, n. 1.1), mas, antes de tudo, os bons costumes – levando, pois, ao reconhecimento de sua invalidade (CC, art. 166, II, *in principio*). Afinal, reputam-se contrárias aos bons costumes, dentre outras, as estipulações contratuais que importem na eliminação ou excessiva limitação da liberdade de atividade econômica do agente. Cf.: BORK, Reinhard. *Allgemeiner Teil des Bürgerlichen Gesetzbuchs*. 4. ed. Tübingen: Mohr Siebeck, 2014. p. 471-472, n. 1.196; FLUME, Werner. El negocio jurídico. Traducción: José María Miquel González e Esther Gómez Calle. Madrid: Fundación Cultural del Notariado, 1998. p. 370-371, §18; e, em versão espanhola, El negocio jurídico. Tradcción: José María Miquel González e Esther Gómez Calle. Madrid: Fundación Cultural del Notariado, 1998. p. 443, §18. Estipulações dessa espécie constituem os assim denominados "contratos amordaçantes" (*Knebelungsverträge*). Cf.: BROX, Hans; WALKER, Wolf-Dietrich. *Allgemeiner Teil des BGB*. 38. Aufl. München: Vahlen, 2014. p. 153, n. 339; LARENZ, Karl; WOLF, Manfred; NEUNER, Jörg. *Allgemeiner Teil des Bürgerlichen Rechts*. 11. ed. München: C.H. Beck, 2016. p. 562, §46, especialmente n. 42, que se caracterizam, dentre outras situações, quando o sujeito vincula o seu inteiro patrimônio futuro, ou se compromete a prestações sem nenhum tipo de limite, cerceando de forma sobremodo excessiva a sua liberdade econômica. Sobre o ponto, cf.: HONSELL, Heinrich; VOGT, Peter; GEISER, Thomas. *Basler Kommentar zum Schweizerischen Privatrecht* – Zivilgesetzbuch. 2. ed. Basel-Genf-München: Helbing & Lichtenhahn, 2002. p. 241; LARENZ, Karl. *Lehrbuch des Schuldrechts*. 14. Aufl. München: C.H. Beck, 1987. v. 1, p. 53; PALANDT, Otto. *Bürgerliches Gesetzbuch*. 63. Aufl. München: C.H. Beck, 2004. p. 134; PRÜTTING, Hans; WEGEN, Gerhard; SCHULZE, Reiner. *Bürgerliches Gesetzbuch* – Handkommentar. 8. Aufl. Baden-Baden: Nomos, 2014. p. 138; TUOR, Peter; SCHNYDER, Bernhard; SCHMID, Jörg. *Das Schweizerische Zivilgesetzbuch*. Zürich: Schultess Polygraphischer Verlag, 1995. p. 90; WEINREICH, Gerd. *Bürgerliches Gesetzbuch*. 12. ed. Köln: Luchterhand, 2017. p. 183. Mesmo à falta de regra expressa – como a existente no direito suíço (ZGB, §27) e no alemão (BGB, §138) –, também no direito brasileiro o negócio jurídico contrastante com os bons costumes é ilícito e, pois, nulo (cf., por todos: MELLO. *Teoria do fato jurídico* – plano da validade, p. 107-108). De mais a mais, uma obrigação de realizar aportes indefinidos colocaria em causa a própria determinação do seu objeto (CC, art. 166, II, *in fine*) – visto que por indeterminada se tem a estipulação pela qual alguém se obrigasse a aportar valores sem saber *o quanto* seria necessário e *se e quando* precisaria fazê-lo. Cf., sobre a invalidade do negócio jurídico com prestação indeterminada: MELLO. *Teoria do fato jurídico* – plano da validade. p. 118, §33 (para quem é nulo o negócio jurídico quando houver "impossibilidade de identificação do objeto do negócio jurídico ou da prestação"); SANTOS, João Manuel de Carvalho. *Código Civil brasileiro interpretado*. 3. ed. Rio de Janeiro: Freitas Bastos, 1942. v. 3, p. 243 (que, por essa linha afirmava que "a locação de serviços indefinida, equiparável à escravatura, é condenada formalmente pela lei, que a considera ilícita"). No direito português, a mesma regra vem expressa no art. 280º/1 do Código Civil português e, comentando-a, António Menezes Cordeiro fornece exemplos bastante ilustrativos: "Uma pessoa que se obrigue a um negócio de *conteúdo indeterminável* – leia-se: *no momento da conclusão* – dá um salto no escuro". E exemplifica: "A jurisprudência relativa à indeterminabilidade de certos negócios, designadamente de tipo bancário e atinentes à concessão de garantias, é muito relevante. Ela exprime, de resto, uma área original, particularmente bem adaptada às realidades do País. Assim: + é nula, por seu objeto ser indeterminável, a fiança em que os fiadores se responsabilizam por todas e quaisquer responsabilidades a assumir por sociedade comercial perante um banco, provenientes de toda e qualquer operação em direito permitida, feita com aquela sociedade ou em que ela fosse, por qualquer modo, responsável (STJ 19 fev.1991, STJ 21 jan. 1993, RPt 28 maio 1996, STJ 18 jun. 1996 e STJ fev. 1999); + sempre o que o objeto da obrigação seja assumido de modo vago e incapaz de defini-la ou de concretizá-la, o negócio é nulo: nosso direito não acolhe a fiança *omnibus* (STJ 15jun. 1994); (...) + a garantia por fiança de relações resultantes de

alternativamente, que, pelo menos, haja algum mecanismo de autodesvinculação, com base no qual o cotista possa fazer cessar a sua obrigação de aportes adicionais, ainda que seja por meio da alienação de suas cotas. Ou seja, à obrigação de aportes suplementares deve ser aplicada solução análoga àquela que, no regime societário, se dá em sistemas estrangeiros para as prestações suplementares.[31]

4.4 Os direitos dos credores preexistentes

A regra de limitação de responsabilidade, como visto, poderá ser inserida originariamente no regulamento do fundo de investimento, já ao ensejo de sua constituição. Mas, de igual modo, poderá ser inserida posteriormente, através de reforma do regulamento. Sucede que, nessa segunda hipótese, caso a regra de limitação de responsabilidade fosse aplicada sem restrições, os credores preexistentes seriam potencialmente prejudicados – pois, se antes tinham acesso ao patrimônio dos cotistas para suprir eventual patrimônio líquido negativo do fundo, a partir a reforma do regulamento, já não mais teriam essa via disponível.[32]

Bem por isso, em linha com a tradicional solução prevista no regime societário para a operação de transformação (CC, art. 1.115; e LSA, art. 222), à qual a mudança do regime de responsabilidade dos cotistas de fundos de investimentos substancialmente equivale, previu-se na disciplina geral do CC que "a adoção da responsabilidade limitada por fundo de investimento constituído sem limitação de responsabilidade somente abrangerá fatos ocorridos após a respectiva mudança em seu regulamento" (CC, art. 1.368-D, §1º). Embora seguramente tivesse melhor andado o legislador se tivesse literalmente copiado para os fundos de investimento a regra do regime societário (que não se reporta a "fatos ocorridos após a respectiva mudança" e, sim, a créditos constituídos anteriormente à transformação), a lógica é a mesma:[33] a mudança de regime de responsabilidade não será oponível aos créditos previamente constituídos (ou seja, a hipótese é de ineficácia relativa).

Embora a regra seja de fácil enunciação, a sua aplicação não é tão simples.

Em princípio, os créditos constituídos antes da reforma do regulamento não são colhidos pela transformação; os posteriores, sim. Por exceção, se depois da transformação

---

um programa negocial ou relação complexa de negócios teria, inevitavelmente, um conteúdo indeterminável porque, dada a amplitude das relações em causa, os fiadores obrigar-se-iam, ilimitadamente, correndo um risco de difícil avaliação, ficando inteiramente à mercê do banco credor (STJ 19 out. 1999) (...). Existe uma manifesta pressão, favorável aos bancos, no sentido de 'reabilitar' as fianças *omnibus*, isto é, relativas a todo um conjunto indeterminado de créditos. Há que evitar regressões. As garantias são, já de per si, perigosas. Admitir-se por créditos indetermináveis, aquando da contratação, é uma autêntica disposição de bens futuros, contrária ao nosso direito" (CORDEIRO, António Menezes. *Tratado de Direito Civil*. 4. ed. Coimbra: Almedina, 2017. v. 2, p. 565-566, §39, n. 184).

31 As prestações suplementares são admitidas na sociedade limitada alemã (GmbHG §§26-28) ou portuguesa (CSC, arts. 17º a 19º); mas mesmo, em semelhantes hipóteses, "o montante da obrigação deve ser determinado ou pelo menos determinável *ex ante*, ou seja, previsível pelo sócio antes de entrar para a sociedade" (PEREIRA, Sofia Gouveia. *As prestações suplementares no Direito Societário português*. Cascais: Principia, 2004. p. 144).

32 Dadas as diferentes funções econômicas que os fundos exercem ou podem exercer no mercado, compreende-se que a preocupação do legislador para com os credores do fundo seja diferente da que a guia no regime geral societário.

33 São, por isso, plenamente aplicáveis a doutrina e a jurisprudência sobre transformação societária.

houver renovação do crédito ou outro ato que permita inferir, de maneira inequívoca, que o credor por título anterior concordou em sujeitar-se ao novo regime, não poderá mais pretender se beneficiar do regime pretérito e acessar o patrimônio pessoal dos cotistas. Essa conclusão, no entanto, não poderá resultar do só fato de o mesmo credor ter continuado a negociar com o fundo, já que, nesse caso, só os novos créditos é que, nascidos sob o império do novo regime, estarão sujeitos à regra de limitação da responsabilidade, o mesmo não ocorrendo com os constituídos antes da sua previsão.[34]

4.5 Patrimônio líquido negativo: plano de resolução

Dada a notória inadequação do regime legal de insolvência civil ao qual o legislador resolveu sujeitar os fundos de investimento em geral (CC, art. 1.368-E, §1º), a CVM houve por bem disciplinar no art. 122 da Resolução CVM nº 175/2022 um *procedimento pré-concursal*, designado de "plano de resolução" – que, na essência, constitui uma medida voltada a recompor o patrimônio líquido negativo do fundo e, com isso, evitar o processo de insolvência, por meio da aprovação pelos cotistas de um "plano de resolução do patrimônio líquido negativo do fundo", isto é, de um plano de capitalização.

Trata-se, porém, de um simples *procedimento pré-concursal* que, de per si, não impede que os legitimados a requerer a insolvência civil possam ir diretamente a juízo pleiteá-la.[35] No entanto, o poder de iniciativa do administrador fiduciário para, em representação do fundo, ir a juízo pedir a autoinsolvência deste (CPC/1973, art. 759) está condicionada à deliberação direta dos cotistas, ou à observância do procedimento previsto no art. 122 da Resolução CVM nº 175/2022.

O procedimento pré-concursal compreende as seguintes etapas:

(1º) Constatado o patrimônio negativo do fundo com responsabilidade limitada pelo administrador fiduciário, este deve, de conformidade com o disposto no art. 122, I, da Resolução CVM nº 175/2022, proceder com o imediato fechamento do fundo para resgate e não amortização das cotas (alínea "a"), impedir novas subscrições (alínea "b") e cancelar os pedidos de resgate pendentes de conversão (alínea "e"). Em decorrência dos deveres fiduciários impostos ao administrador, este deverá simultaneamente divulgar fato relevante ao mercado (alínea "d") e comunicar ao gestor do fundo (alínea "c")[36] a situação de patrimônio líquido negativo.

---

[34] Cf.: GONÇALVES NETO, Alfredo de Assis. *Direito de Empresa*: comentários aos artigos 966 a 1.195 do Código Civil. 9. ed. São Paulo: Revista dos Tribunais, 2019. p. 596-597, n. 540; FERREIRA, Waldemar Martins. *Instituições de Direito Comercial*. 4. ed. São Paulo: Max Limonad, 1957. v. 1, t. 2, n. 348, p. 507.

[35] Não se trata, pois, de um procedimento paraconcursal (como o de intervenção e liquidação extrajudicial de instituições financeiras) que, ao menos à partida, tem o efeito de afastar o regime concursal geral. No entanto, como adiante se verá, na situação prevista no §7º do art. 122 da Resolução CVM nº 175/2022, o poder de iniciativa do administrador fiduciário para, em representação do fundo, ir a juízo pleitear a auto insolvência deste, está em certas hipóteses condicionada à observância do rito de resolução de patrimônio líquido negativo de fundo com responsabilidade limitada (CNM. *Resolução CVM nº 175, de 23 de dezembro de 2022*, art. 122, §7º).

[36] "Art. 122 - Caso o administrador verifique que o patrimônio líquido da classe de cotas está negativo e a responsabilidade dos cotistas seja limitada ao valor por eles subscrito, deve: I – imediatamente, em relação à classe de cotas cujo patrimônio líquido está negativo: a) fechar para resgates e não realizar amortização de cotas; b) não realizar novas subscrições de cotas; c) comunicar a existência do patrimônio líquido negativo ao gestor; d) divulgar fato relevante, nos termos do art. 64; e) cancelar os pedidos de resgate pendentes de conversão" (CVM. *Resolução CVM nº 175, de 23 de dezembro de 2022*, art. 122).

(2º) Se, após tomadas as medidas indicadas anteriormente, os prestadores de serviços essenciais (administrador fiduciário e gestor, necessariamente em conjunto) reputarem, "de modo fundamentado", que o patrimônio líquido não resulta em perigo para a solvência das cotas do fundo, tornar-se-ão facultativas as medidas delimitadas no inciso II do art. 122, destacadas abaixo (art. 122, §1º).[37] A resolução não especifica os padrões de análise a que estão sujeitos os prestadores de serviços essenciais, de tal modo que, para preencher o que se entenda por fundamentado, hão de ser aplicados os deveres fiduciários gerais (art. 106).

(3º) Se, de outro modo, no mesmo interregno a situação patrimonial do fundo não deixar de ser negativa, o administrador fiduciário deverá diligenciar, no prazo mais dilatado de 20 dias a contar do início do procedimento, a elaboração de *plano de resolução do patrimônio líquido negativo*, em conjunto com o gestor (art. 122, II, "a"). Esse plano – que, na essência, é um plano de capitalização – deverá, no mínimo, conter: (i) a análise das causas e circunstâncias que resultaram no patrimônio líquido negativo; (ii) o balancete e (iii) a proposta de resolução para o patrimônio líquido negativo, que, a critério dos prestadores de serviços essenciais, pode contemplar as possibilidades previstas no §4º do art. 122 (aportes suplementares; cisão, fusão ou incorporação do fundo; liquidação da classe; ou requerimento de insolvência), assim como a possibilidade de tomada de empréstimo pela classe, exclusivamente para cobrir o patrimônio líquido negativo".

(4º) Uma vez concluído o plano de resolução do patrimônio líquido negativo, deve, em até dois dias, ser convocada a assembleia, encaminhando o plano aos cotistas junto com a convocação (art. 122, II, "b").

No entanto, se anteriormente à convocação o patrimônio do fundo não estiver mais negativo, o administrador deverá divulgar novo fato relevante em que constarão o patrimônio atualizado e, "ainda que resumidamente", as causas que motivaram a situação de iliquidez; ainda nesse cenário, tanto gestor quanto administrador estarão dispensados de prosseguir com o procedimento (art. 122, §2º). Mas, ainda que estejam dispensados do dever de prosseguir com o procedimento, não se vê óbice a que prossigam com a assembleia, até porque os cotistas podem decidir, se o caso, capitalizar o fundo – até para recompor o patrimônio mínimo e, com isso, evitar a sua liquidação antecipada.[38]

De outro lado, se posteriormente à convocação da assembleia e antes de sua realização verificar-se a retomada da saúde patrimonial do fundo, o conclave deverá ainda assim necessariamente se realizar, mas nesse caso o gestor apresentará aos cotistas o patrimônio atualizado e exporá os motivos que levaram o fundo à iliquidez (art. 122, §3º). Também nessa hipótese, nada impede que os cotistas decidam capitalizar o fundo, pelas mesmas razões anteriormente destacadas.

(5º) Submetido o tema à assembleia, devem os cotistas deliberar sobre (art. 122, §4º): (i) a cobertura do patrimônio líquido negativo com recursos próprios ou de terceiros (inc. I); (ii) a cisão, fusão ou incorporação da classe a outro fundo que tenha apresentado

---

[37] "Art. 122 - (...)
§1º - Caso após a adoção das medidas previstas no inciso I do *caput* os prestadores de serviços essenciais, em conjunto, avaliem, de modo fundamentado, que a ocorrência do patrimônio líquido negativo não representa risco à solvência da classe de cotas, a adoção das medidas referidas no inciso II do *caput* se torna facultativa" (CVM. *Resolução CVM nº 175, de 23 de dezembro de 2022*, art. 122, §1º).

[38] A persistente situação de fundo de investimento com patrimônio líquido inferior ao mínimo determina a sua liquidação (art. 8º, §3º).

proposta já analisada pelos prestadores de serviços essenciais (inc. II);[39] (iii) a liquidação da classe que estiver com o patrimônio líquido negativo, desde que não remanesçam obrigações a serem honradas pelo seu patrimônio (inc. III); ou (iv) a declaração judicial de insolvência da classe de cotas pelo administrador fiduciário (inc. IV).[40] O gestor deve necessariamente comparecer à assembleia, mas a sua falta não impede que o administrador ainda assim a realize (art. 122, §5º). Quanto aos credores do fundo, foi permitido que também se manifestem na assembleia, desde que prevista na "ata de convocação" (aviso de convocação) ou autorizada pela mesa ou pelos cotistas presentes (art. 122, §6º).

(6º) Não aprovada nenhuma das medidas previstas no item anterior, ainda que por falta de quórum ou diante da rejeição das matérias, prevê-se o dever do administrador de ingressar com pedido de declaração judicial de insolvência da classe (art. 122, §7º). Dado, porém, que a lei civil não legitimou o administrador a atuar em nome próprio em busca da insolvência (CC, art. 1.368-E, §2º), a única possível interpretação é que, nessa hipótese, o pedido de insolvência deverá ser formulado em nome do fundo ou da classe, representado pelo administrador fiduciário. Ainda quando essa se afigure a interpretação possível da regra, também ela não é indene a críticas – pois, em última análise, torna absolutamente anódina a hipótese prevista no inc. IV do art. 122, §4º, da Resolução CVM nº 175/2022: com ou sem deliberação dos cotistas, se nenhuma providência for adotada, o ingresso com pedido de insolvência será inexorável. Em todo caso, a outra interpretação em tese possível (no sentido de que o pedido de insolvência deveria ser formulado em nome do administrador fiduciário) significaria que a resolução teria ampliado o texto da lei, o que decerto não seria jurídico.

4.6 Patrimônio líquido negativo: pedido de declaração de insolvência

A insolvência civil de fundo de investimento com responsabilidade limitada poderá ser requerida (CC, art. 1.368-E, §2º): (i) pelo próprio fundo (CPC/1973, art. 759), representado pelo administrador fiduciário, amparado em deliberação positiva dos seus cotistas (art. 122, §4º, IV) ou por falta aprovação de outra solução por parte destes (art. 122, §7º); (ii) pela CVM, quando identifique "situação na qual seu patrimônio líquido negativo represente risco para o funcionamento eficiente do mercado de valores mobiliários ou para a integridade do sistema financeiro" (art. 123); ou (iii) por credor

---

[39] Tal como modelada, a regra não permite que, diante da urgência da situação, os cotistas deliberem que o administrador ou terceiro prestador de serviço saia em busca de propostas de terceiros – estas já devem ter se apresentado e necessariamente deverão ter sido previamente analisadas pelo administrador fiduciário e pelo gestor.

[40] "Art. 122. (...)
§4 (...) - Na assembleia de que trata a alínea 'b' do inciso II do *caput*, em caso de não aprovação do plano de resolução do patrimônio líquido negativo, os cotistas devem deliberar sobre as seguintes possibilidades:
I - cobrir o patrimônio líquido negativo, mediante aporte de recursos, próprios ou de terceiros, em montante e prazo condizentes com as obrigações da classe, hipótese que afasta a proibição disposta no art. 122, inciso I, alínea 'b';
II - cindir, fundir ou incorporar a classe a outro fundo que tenha apresentado proposta já analisada pelos prestadores de serviços essenciais;
III - liquidar a classe que estiver com patrimônio líquido negativo, desde que não remanesçam obrigações a serem honradas pelo seu patrimônio; ou
IV - determinar que o administrador entre com pedido de declaração judicial de insolvência da classe de cotas" (CVM. *Resolução CVM nº 175, de 23 de dezembro de 2022*, art. 122, §4º).

do fundo, de acordo com a lei processual civil (CPC/1973, art. 754). A iniciativa da CVM ou do credor do fundo, conforme antes destacado, não exige a prévia instauração do procedimento pré-concursal. A atuação do administrador fiduciário (*récitas*, os seus poderes de representação judicial do fundo no pedido de auto insolvência), de outro lado, é condicionada à frustração das medidas de capitalização e, portanto, só se coloca nas hipóteses previstas no art. 122, §4º, IV, e §7º da Resolução CVM nº 175/2022.

Apresentado o pedido de declaração judicial de insolvência, aplicam-se as disposições dos arts. 955 a 965 do CC e, no plano processual, os arts. 748 a 790 do Código de Processo Civil (CPC) de 1973 (mantidas em vigor pelo art. 1.052 do CPC de 2015).

Em todo caso, tão logo tenha ciência da distribuição de qualquer pedido de declaração judicial de insolvência de fundo ou de sua classe, o administrador fiduciário está obrigado: (i) a providenciar a divulgação de fato relevante, nos termos do art. 64 (art. 124, *caput*) e (ii) avaliar obrigatoriamente o patrimônio líquido da classe afetada (art. 124, p. único).

Ademais, tão logo tenha ciência da *declaração* judicial de insolvência do fundo ou de classe de cotas (CPC/1973, art. 761), o administrador fiduciário deve: (i) divulgar falto relevante, nos termos do art. 64 (art. 125, I); (ii) efetuar o cancelamento do registro de funcionamento do fundo ou da classe junto à CVM (art. 125, II) – sendo certo que, se o mesmo tardar em providenciar o cancelamento, a superintendência competente da CVM deverá fazê-lo de ofício e, com isso, (a) informar tal cancelamento ao administrador e (b) publicar comunicado na página da CVM na rede mundial de computadores (art. 125, §1º). O cancelamento de ofício do registro pela CVM não exime de responsabilidade o administrador e demais agentes por eventuais infrações praticadas (art. 125, §2º).

5 O regime de vinculação patrimonial dos fundos de responsabilidade limitada e as suas consequências

A ampla consagração da possibilidade de limitação da responsabilidade dos cotistas de fundos de investimento (CC, art. 1.368-D, I) exige, como lógica contrapartida, que se respeitem as regras de separação patrimonial – o que significa dizer que o fundo deve responder diretamente e com exclusividade pelas obrigações legais e contratuais que em seu nome forem assumidas e, de igual modo, que os direitos e ativos em geral que lhe cabem não podem ser livremente transferidos aos cotistas, em detrimento do direito dos credores do fundo que, exclusivamente no patrimônio deste, encontram a garantia geral dos seus créditos (CC, art. 391; e CPC, art. 789).[41]

Tratando-se de um patrimônio separado, mas com limitação absoluta de responsabilidade, o regime de *vinculação patrimonial* é estrito e o respeito às regras de *constituição* e

---

[41] Vale aqui novamente trazer a autorizada lição de Pontes de Miranda (*Tratado de Direito Privado*, t. 5, p. 379-380, §596, n. 7): "O patrimônio separado ou especial forma-se pelo que nele entrou simultaneamente ou após a criação dele, pelo que se adquire em virtude de direito pertencente ao patrimônio, pelo que se há de sub-rogar àqueles ou a esses elementos, e pelo que adquire em virtude de negócio jurídico ou ato jurídico *stricto sensu* referente ao patrimônio (...). O passivo do patrimônio especial é o conjunto de dívidas, obrigações, situações passivas nas ações e exceções que expõem o patrimônio especial a satisfação dos titulares desses elementos do passivo (...). Apenas pelo elemento especial ou os elementos do patrimônio especial é que se hão de cumprir (execução voluntária, execução forçada) aqueles deveres, obrigações, o que for. Às vezes, o patrimônio especial responde, sem que responda o geral (...). Outras vezes, o patrimônio geral responde, sem que responda o especial".

preservação do patrimônio devem ser fielmente observadas pelo administrador fiduciário e pelo gestor, bem como pelos cotistas. O descumprimento dessas regras de organização legítima, como umas das possíveis sanções do ilícito praticado, a desconsideração da personalidade jurídica (CC, art. 50) ou, melhor dizendo, a desconsideração da regra de limitação de responsabilidade.[42]

A separação patrimonial há de ser fielmente observada também quando do exercício de ações de indenização por prejuízos experimentados no investimento coletivo, de modo a assim diferenciar os danos diretamente experimentados no patrimônio do cotista (p. ex., uma falha na atividade de custódia e registro de transferência de cotas) daqueles que recaem sobre o fundo (p. ex., a gestão da carteira de investimento do fundo), e só indiretamente repercutem na órbita do cotista. Nessas situações pode-se colocar não só uma questão prévia sobre quem seria verdadeiramente o legitimado (CPC, art. 18), mas, em especial, a qual patrimônio deve verter o resultado da demanda (CC, art. 927) – pois que, se essa diferenciação não for feita, os credores do fundo é que poderão se ver prejudicados (CC, art. 391) e, conforme o caso, habilitados a pedir a desconsideração (CC, art. 50) e, portanto, a responsabilização do prestador de serviços essenciais e/ou dos cotistas. Trata-se, pois, de um tema que certamente demanda reflexões mais demoradas, de modo que, nesta altura, fazemos apenas o seu registro.

Referências

ADAMEK, Marcelo Vieira von; FRANÇA, Erasmo Valladão Azevedo e Novaes. *Direito Processual Societário*: comentários breves ao CPC/15. 3. ed. São Paulo: Malheiros, 2023.

ADAMEK, Marcelo Vieira von. *Responsabilidade civil dos administradores de S/A e as ações correlatas*. São Paulo: Saraiva, 2009.

ADAMEK, Marcelo Vieira von. Responsabilidade de cotistas e administradores. *In*: KUYVEN, Fernando (coord.). *Direito dos fundos de investimento*. São Paulo: Revista dos Tribunais, 2023. p. 349-390.

BORK, Reinhard. *Allgemeiner Teil des Bürgerlichen Gesetzbuchs*. 4. ed. Tübingen: Mohr Siebeck, 2014.

BRASIL. Medida Provisória nº 881/2019. Institui a Declaração de Direitos de Liberdade Econômica, estabelece garantias de livre mercado, análise de impacto regulatório, e dá outras providências. *Diário Oficial da União*: Brasília, DF, 2019. Disponível em: https://www.planalto.gov.br/ccivil_03/_ato2019-2022/2019/mpv/mpv881. htm. Acesso em: 15 out. 2024.

BRASIL. Lei nº 10.406, de 10 de janeiro de 2002. Institui o Código Civil. *Diário Oficial da União*: Brasília, DF, 2002. Disponível em: https://www.planalto.gov.br/ccivil_03/leis/2002/l10406compilada.htm. Acesso em: 15 out. 2024.

BRASIL. Supremo Tribunal de Justiça (3. Turma). Recurso Especial 1.965.982/SP. Relator: Min. Ricardo Villas Bôas Cueva, 5 de abril de 2022. *Dje*: Brasília, DF 7 abr. 2022.

BROX, Hans; WALKER, Wolf-Dietrich. *Allgemeiner Teil des BGB*. 38. Aufl. München: Vahlen, 2014.

---

42   Cf.: ADAMEK, Marcelo Vieira von; FRANÇA, Erasmo Valladão Azevedo e Novaes. *Direito Processual Societário*: comentários breves ao CPC/15. 3. ed. São Paulo: Malheiros, 2023. p. 138-13, n. 14.2, explicando que a tradicional denominação do instituto é equívoca, pois a sua aplicação não leva propriamente à desconsideração da personalidade jurídica, mas apenas a uma relativização do princípio da separação e, consequentemente, ao afastamento da regra de limitação de responsabilidade. Seja como for, a jurisprudência tem aplicado o instituto mesmo a fundos de investimento (cf., por todos: BRASIL. Supremo Tribunal de Justiça (3. Turma). Recurso Especial 1.965.982/SP. Relator: Min. Ricardo Villas Bôas Cueva, 5 de abril de2022. *Dje*: Brasília, DF 7 abr. 2022).

CANARIS, Claus-Wilhelm. *Handelsrecht.* 23. Aufl. München: C.H. Beck, 2000.

CARVALHO, Jorge Morais. *Os limites à liberdade contratual.* Coimbra: Almedina, 2016.

CORDEIRO, António Menezes. *Tratado de Direito Civil.* 4. ed. Coimbra: Almedina, 2017. v. 2.

CVM. *Instrução CVM nº 555, de 17 de dezembro de 2014 (Revogada).* Dispõe sobre a constituição, a administração, o funcionamento e a divulgação das informações dos fundos de investimento. Brasília, DF: CVM, 17 dez. 2014. Disponível em: https://conteudo.cvm.gov.br/legislacao/instrucoes/inst555.html. Acesso em: 16 out. 2024.

CVM. *Resolução CVM nº 175, de 23 de dezembro de 2022.* Dispõe sobre a constituição, o funcionamento e a divulgação de informações dos fundos de investimento, bem como sobre a prestação de serviços para os fundos, e revoga as normas que especifica. Brasília, DF: CVM, 23 dez. 2022. Disponível em: https://conteudo.cvm.gov.br/legislacao/resolucoes/resol175.html. Acesso em: 16 out. 2024.

DINAMARCO, Cândido Rangel. *Instituições de Direito Processual Civil.* 4. ed. São Paulo: Malheiros, 2019. v. 4.

FERREIRA, Waldemar Martins. *Instituições de Direito Comercial.* 4. ed. São Paulo: Max Limonad, 1957. v. 1, t. 2.

FLUME, Werner. *Allgemeiner Teil des Bürgerlichen Rechts.* 4. Aufl. Berlin: São Pauloringer Verlag, 1992. 2 Band.

FLUME, Werner. *El negocio jurídico.* Traducción: José María Miquel González e Esther Gómez Calle. Madrid: Fundación Cultural del Notariado, 1998.

FRANÇA, Erasmo Valladão Azevedo e Novaes. Natureza jurídica dos fundos de investimento. Conflito de interesses apurado pela própria assembleia de quotistas. Quórum qualificado para destituição de administrador de fundo. *In:* FRANÇA, Erasmo Valladão Azevedo e Novaes. *Temas de Direito Societário, Falimentar e teoria da empresa.* São Paulo: Malheiros, 2009. p. 185-215.

GONÇALVES NETO, Alfredo de Assis. *Direito de Empresa:* comentários aos artigos 966 a 1.195 do Código Civil. 9. ed. São Paulo: Revista dos Tribunais, 2019.

GONÇALVES NETO, Alfredo de Assis. *Direito de Empresa:* comentários aos artigos 966 a 1.195 do Código Civil. 10. ed. São Paulo: Revista dos Tribunais, 2021.

GOUVÊA, Carlos Portugal. Comentários aos artigos 1.368-C a 1.368-F do Código Civil. *In:* MARTINS-COSTA, Judith; NITSCHKE, Guilherme (coord.). *Direito Privado na Lei de Liberdade Econômica:* comentários. São Paulo: Almedina, 2022. p. 583-622.

HONSELL, Heinrich; VOGT, Peter; GEISER, Thomas. *Basler Kommentar zum Schweizerischen Privatrecht* – Zivilgesetzbuch. 2. ed. Basel-Genf-München: Helbing & Lichtenhahn, 2002.

LARENZ, Karl. *Lehrbuch des Schuldrechts.* 14. Aufl. München: C.H. Beck, 1987. v. 1.

LARENZ, Karl; WOLF, Manfred; NEUNER, Jörg. *Allgemeiner Teil des Bürgerlichen Rechts.* 11. ed. München: C.H. Beck, 2016.

MARCONDES, Sylvio. *Problemas de Direito Mercantil.* São Paulo: Max Limonad, 1970.

MARTINS NETO, Carlos. *A responsabilidade do cotista de Fundo de Investimento em Participações.* São Paulo: Almedina, 2017.

MARTINS NETO, Carlos. Natureza jurídica dos fundos de investimento e responsabilidade de seus cotistas à luz da Lei da Liberdade Econômica: como ficou e como poderia ter ficado. *In:* HANSZMANN, Felipe; HERMETO, Lucas (coord.). *Atualidades em Direito Societário e mercado de capitais.* Rio de Janeiro: Lumen Juris, 2021. v. 5, p. 55-72.

MELLO, Marcos Bernardes de. *Teoria do fato jurídico:* plano da existência. 22. ed. São Paulo: Saraiva, 2019.

MELLO, Marcos Bernardes de. *Teoria do fato jurídico:* plano da eficácia. 11. ed. São Paulo: Saraiva, 2019.

MELLO, Rogério Licastro Torres de. *Responsabilidade executiva secundária*. 2. ed. São Paulo: Revista dos Tribunais, 2015.

MENEZES, Mauricio Moreira Mendonça de; DI BIASE, Nicholas Furlan; SOUZA, Paula Morais Borges de. A obrigação de aportes extraordinários de recursos pelo cotista de fundo de investimento. *In:* HANSZMANN, Felipe; HERMETO, Lucas (coord.). *Atualidades em Direito Societário e mercado de capitais*. Rio de Janeiro: Lumen Juris, 2021. v. 5, p. 109-134.

MERKT, Hanno. Kommentar zum § 18. *In:* HOPT, Klaus; KUMPAN, Christoph; LEYENS, Patrick C.; MERKT, Hanno; ROTH, Markus (Hg.). *Handelsgesetzbuch*. 42. Aufl. München: C.H. Beck, 2023. p. 182-201.

PALANDT, Otto. *Bürgerliches Gesetzbuch*. 63. Aufl. München: C.H. Beck, 2004.

PEREIRA, Sofia Gouveia. *As prestações suplementares no Direito Societário português*. Cascais: Principia, 2004.

PONTES DE MIRANDA, Francisco Cavalcanti. *Tratado de Direito Privado*. Rio de Janeiro: Borsoi, 1955. t. 5.

PRÜTTING, Hans;WEGEN, Gerhard; WEINREICH, Gerd. *Bürgerliches Gesetzbuch*. 12. Aufl. Köln: Luchterhand, 2017.

ROTH, Wulf-Henning. *Kommentar zum § 19. In:* KOLLER, Ingo; KINDLER, Peter; ROTH, Wulf-Henning; DRÜEN, Klaus-Dieter (Hg.). *Kommentar von Handelsgesetzbuch*. 9. Aufl. München: C.H. Beck, 2019. p. 123-124.

SANTOS, João Manuel de Carvalho. *Código Civil brasileiro interpretado*. 3. ed. Rio de Janeiro: Freitas Bastos, 1942. v. 3.

SCHMIDT, Karsten. *Handelsrecht*. 5. Aufl. Köln: Heymanns, 1999.

SCHULZE, Reiner. *Bürgerliches Gesetzbuch* – Handkommentar. 8. Aufl. Baden-Baden: Nomos, 2014.

SIQUEIRA, Thiago Ferreira. *A responsabilidade patrimonial no novo sistema processual civil*. São Paulo: Revista dos Tribunais, 2016.

TUOR, Peter; SCHNYDER, Bernahard; SCHMID, Jörg. *Das Schweizerische Zivilgesetzbuch*. Zürich: Schultess Polygraphischer Verlag, 1995.

VIO, Daniel de Ávila. Comentários aos arts. 1.368-C a 1.368-F. In: CUNHA FILHO, Alexandre J. Carneiro da; PICCELLI, Roberto Ricomini; MACIEL, Renata Mota (coord.). *Lei da Liberdade Econômica anotada*. São Paulo: Quartier Latin, 2020. v. 2, p. 302-314.

YAZBEK, Otavio. A Lei nº 13.874/2019 e os fundos de investimento. *In:* SALOMÃO, Luis Felipe; CUEVA, Ricardo Villas Bôas; FRAZÃO, Ana (coord.). Lei da Liberdade Econômica e seus impactos no Direito brasileiro. São Paulo: Revista dos Tribunais, 2020. p. 551-569.

Informação bibliográfica deste texto, conforme a NBR 6023:2018 da Associação Brasileira de Normas Técnicas (ABNT):

ADAMEK, Marcelo Vieira von; FERREIRA, Kaio. A limitação de responsabilidade em fundos de investimento no Código Civil (CC) e na Resolução CVM nº 175/2022. *In:* JUSTEN, Monica Spezia; PEREIRA, Cesar; JUSTEN NETO, Marçal; JUSTEN, Lucas Spezia (coord.). *Uma visão humanista do Direito:* homenagem ao Professor Marçal Justen Filho. Belo Horizonte: Fórum, 2025. v. 3, p. 147-167. ISBN 978-65-5518-915-5.

ATIVIDADE EMPRESARIAL TRANSNACIONAL: CONSEQUÊNCIAS DE SUA CRISE E A COMPREENSÃO DO UNIVERSALISMO MODIFICADO

SABRINA MARIA FADEL BECUE

1 Introdução

O Professor Marçal Justen Filho, no seu habitual pioneirismo, publicou em 1998 um interessante artigo intitulado "Empresa, Ordem Econômica e Constituição".[1] Este trabalho aborda a transformação do processo produtivo após a Revolução Industrial, as muitas acepções do termo empresa e seu significado para além da regulação jurídica ou consequências econômicas.

Faço um recorte das várias camadas abordadas naquele trabalho para salientar algumas conclusões sustentadas pelo Professor Marçal quanto à internacionalização da atividade empresarial. Primeiro, "não é tarefa do Direito disciplinar os padrões organizacionais utilizados pelo empresário".[2] Segundo, "o vocábulo empresa é utilizado para indicar fenômeno nascido, desenvolvido e existente no plano da convivência social (objeto cultural)".[3] Terceiro, o "mercado internacional começa a adquirir maior relevo do que mercados regionais ou locais, especialmente em virtude das conquistas científicas que eliminam obstáculos antes insuperáveis".[4] Quarto, o "interesse da captação de recursos estrangeiros e da integração ao mercado internacional não podem toldar a persecução dos valores fundamentais relacionados no art. 32 da CF/88".[5]

---

[1] JUSTEN FILHO, Marçal. Empresa, Ordem Econômica e Constituição. *Revista de Direito Administrativo*, Rio de Janeiro, v. 212, p. 109-133, 1 abr. 1998.

[2] JUSTEN FILHO. Empresa, Ordem Econômica e Constituição, p. 111.

[3] JUSTEN FILHO. Empresa, Ordem Econômica e Constituição, p. 112.

[4] JUSTEN FILHO. Empresa, Ordem Econômica e Constituição, p. 121.

[5] JUSTEN FILHO. Empresa, Ordem Econômica e Constituição, p. 132.

Qualquer reflexão sobre a atividade econômica, sua organização e expansão para outras fronteiras não pode prescindir de ponderação sobre os efeitos das turbulências às quais a empresa está sujeita. Apoiado nas valiosas conclusões do Professor Marçal de que a existência e a transformação da empresa (objeto cultural) são frutos da criatividade humana e da interação social, o artigo trata da insolvência transnacional sob perspectiva da norma que lhe dá substrato.

Com a promulgação da Lei nº 14.112/2020 (que reformou a Lei nº 11.101/2005), o Brasil adotou um regramento inédito, sistematizado e de origem internacional para tratar das insolvências transnacionais. Nosso legislador, ao lado de dezenas de outros países,[6] recepcionou, com alterações, a *soft law* produzido pela Comissão das Nações Unidas para o Direito Comercial Internacional (UNCITRAL), a Lei Modelo UNCITRAL sobre Insolvência Transnacional.[7] Esse instrumento é formado por institutos próprios: (i) acesso direito; (ii) as medidas de assistência; (iii) a cooperação e coordenação direta entre as jurisdições; e, em especial, (iv) o procedimento de reconhecimento do processo estrangeiro. Cada um desses institutos desempenha funções bem desenhadas no âmbito do texto internacional e não encontra paralelo nas regras domésticas. Mas todos eles se conectam ao princípio do universalismo modificado.

O artigo divide-se em duas seções, além desta introdução e das notas conclusivas. A primeira parte apresenta os modelos universalista e territorialista que dominaram as discussões – inclusive no Brasil – sobre o melhor método para disciplinar as insolvências transnacionais no curso dos séculos XIX e XX, até a aprovação da Lei Modelo UNCITRAL em 1997. A segunda parte discute o sentido do universalismo modificado na construção de um sistema internacional de insolvência.

2 Insolvência transnacional: universalismo *vs.* territorialismo

Os regimes concursais modernos foram moldados – e continuam sendo – em resposta à crise das atividades empresariais conduzidas de acordo com o modelo capitalista e suas variações. O regime jurídico da insolvência transnacional é igualmente decorrência da integração dos mercados. Esclarece Westbrook que "no aspect of human endeavor is more clearly global than commerce and investment and no part of commercial law has been more in the forefront of international cooperation than the law of insolvency".[8]

Se por um lado o transbordamento da atividade empresarial ou de seus efeitos para além das fronteiras do país onde a empresa foi constituída é um traço da economia capitalista, por outro, a regulação da crise da empresa, apesar de compartilhar algumas características e princípios comuns entre países de diferentes tradições jurídica, não encontra uniformidade. As leis de insolvência refletem a política social e econômica de cada Estado, o que dificulta a aproximação dos regimes.

---

[6] Até a data de conclusão deste artigo – agosto de 2024 – são 60 países e 63 jurisdições que adotantes da The UNCITRAL Model Law on Cross-Border Insolvency (1997)". A lista completa pode ser consultada em: https://uncitral.un.org/en/texts/insolvency/modellaw/cross-border_insolvency/status. Acesso em: 17 ago. 2024.

[7] No original, em inglês: "The UNCITRAL Model Law on Cross-Border Insolvency (1997)" (Disponível para consulta nos seis idiomas oficiais da UNCITRAL, em: https://uncitral.un.org/en/texts/insolvency Doravante Lei Modelo UNCITRAL ou simplesmente Lei Modelo. Acesso em: 17 ago. 2024).

[8] WESTBROOK, Jay L. Interpretation Internationale. *Temple Law Review*, [S. l.], v. 87, p. 739, 2015.

A insolvência transnacional conecta-se com o direito internacional privado[9] e configura-se quando tramitam processos paralelos de liquidação ou reestruturação ou quando, na condução do procedimento de insolvência, uma jurisdição necessita da assistência de um outro país. A necessidade de auxílio de um país estrangeiro pode ser motivada por incontáveis circunstâncias:[10] questionamentos sobre foro competente, conflitos de leis para regular aspectos procedimentais e também de assuntos não regulados pela lei de insolvência, dúvida quanto à abrangência (extra)territorial das decisões judiciais.

Historicamente, a solução para os questionamentos acima foi ditada por duas visões opostas: universalismo e territorialismo. O primeiro advoga pela abertura de um único procedimento de insolvência, aplicação de uma única lei para disciplinar todos os conflitos e efeitos extraterritoriais de suas decisões. Segundo as regras do universalismo, há "universal bankruptcy court applying a universal bankruptcy law",[11] sujeitando todos os bens do devedor e seus credores, não importa sua localização ou nacionalidade. O problema óbvio do universalismo é que os países não aceitam essa vocação centralizadora e em nível global. No outro extremo, o territorialismo restringe os efeitos do procedimento e da lei aplicável aos bens localizados em seu território e, com isso, fomenta a proliferação de procedimentos de insolvência.

Esses dois modelos são desconectados da realidade: o universalismo é utópico e o territorialismo ignora as características do comércio internacional. Inobstante a artificialidade que hoje se atribui a eles, esses dois modelos ditaram as bases das leis de insolvência e de suas repercussões transnacionais durante os séculos XIX e XX, com predominância do territorialismo.[12]

A edição da Lei Modelo UNCITRAL, em 1997, foi um divisor de águas e culminou numa mudança de orientação nas discussões doutrinárias, legislativas e jurisprudenciais sobre o tema.

---

[9] Segundo Irit Mevorach (*The Future of Cross-Border Insolvency*: Overcoming Biases and Closing Gaps. Oxford: Oxford University Press, 2018. *E-book*. p. 1403): "Cross-border insolvency" (or international insolvency) means here any form of process or solution, including liquidation, reorganization, or restructuring processes, concerning commercial entities or financial institutions that have cross-border presence (*e.g.*, assets, creditors, branches, or subsidiaries)".

[10] "Many different factors are capable, either singly or in combination, of imparting a cross-border dimension to a case of insolvency. The debtor may have had dealings with one or more parties from other countries, or may own or have interests in property not all of which is exclusively within the jurisdiction of a single state. Liabilities may be owed to parties whose forensic connections are predominantly with a different country to that with which the debtor is associated; or the relevant obligations may be governed by foreign law, may have been incurred outside the debtor's home country, or may be due to be performed abroad" (FLETCHER, Ian F. *Insolvency in Private International Law*. 2nd. ed. Oxford: Oxford University Press, 2011. p. 5-6).

[11] DAWSON, Andrew B. The Problem of Local Methods in Cross-Border Insolvencies. *Berkeley Business Law Journal*, [*S. l.*], v. 12, n. 1, p. 50, 2015.

[12] BORK, Reinhard. *Principles of Cross-Border Insolvency Law*. Cambridge: Intersentia, 2017. p. 29-30.

2.1 Contexto histórico da disciplina normativa da insolvência transnacional no Brasil

O tratamento de insolvência transnacional constitui preocupação antiga[13] e foi estudada por tratadistas de Direito Internacional.[14] Conforme defendi na minha tese de doutorado, as primeiras leis brasileiras que disciplinaram o tema fornecem um exemplo interessante sobre o embate teórico entre o universalismo e o territorialismo.

O Decreto nº 6.982/1878, de autoria do Conselheiro Lafayette Rodrigues Pereira, foi o primeiro diploma a recepcionar sentença estrangeira que decretava falência de comerciante domiciliado no estrangeiro, mas que possuía bens no Brasil. A sentença estrangeira estava sujeita ao procedimento específico de homologação e expedição do *exequatur*, exigia a prova de reciprocidade da nação estrangeira, porém o síndico poderia realizar atos para proteger interesses e direitos da massa independentemente da recepção da sentença estrangeira e desde que tais atos não importassem arrecadação e alienação de bens.[15]

A primeira lei de falência do Brasil, Decreto nº 917/1890, eliminou o requisito de reciprocidade e tratou de forma minuciosa a matéria. De modo geral, a disciplina da insolvência transnacional nas legislações falimentares brasileiras, entre o século XIX e início do século XX, era marcada pelos seguintes traços: a) o domicílio definia a jurisdição para abertura de falência e, portanto, o devedor, independentemente da nacionalidade, se domiciliado no exterior poderia ter sua falência reconhecida no Brasil ou, se domiciliado no Brasil, restaria consolidada a competência local para decretação da quebra[16] ou concessão de concordata; b) eventual estabelecimento existente no Brasil

---

[13] NADELMANN, Kurt H. Bankruptcy Treaties. *University of Pennsylvania Law Review*, Harrisburg, v. 93, p. 58- 97, 1944.

[14] Segundo Haroldo Valladão (*Direito Internacional Privado*. Rio de Janeiro: Freitas Bastos, 1978. v. 3. p. 39): "O problema da falência no direito internacional privado foi abordado longamente desde as origens de nossa ciência, desde a teoria dos estatutos, classificado o instituto ora como pessoal (incapacidade do falido) levando à extraterritorialidade, e, pois à unidade e universalidade da falência (Ansaldus, DeLuca), ora como real (referente aos bens ou em geral ou para alguns: só quanto aos bens imóveis) conduzindo à territorialidade, à pluralidade da falência (Casaregis), e até segundo outros, ora real ora pessoal, teria mista ou sistema intermediário". Segundo Carvalho de Mendonça (*Tratado de Direito Comercial brasileiro*. 4. ed. Rio de Janeiro: Freitas Bastos, 1947. v. 8, p. 462), a lei alemã de 17 de maio de 1898 consagrava, em seus artigos 237 e 238, efeitos próximos ao universalismo ao permitir que sentença estrangeira de abertura de falência executasse bens situados no Império alemão, desde que o devedor não possuísse sede industrial ou foro geral no país.

[15] "O reconhecimento de efeitos extraterritoriais encontrava algumas limitações: a) a abertura de falência de comerciante domiciliado no exterior não repercutia em estabelecimento brasileiro, mesmo depois de recepcionada pelo juiz brasileiro, permanecendo a universalidade de bens como garantia dos credores locais e sujeita exclusivamente à jurisdição do Império; b) credores locais, com garantia hipotecária, conservavam suas preferências mesmo após a recepção da sentença estrangeira e os credores quirografários, cujos créditos estivessem sendo executados judicialmente na data do 'cumpra-se' outorgado à decisão estrangeira, poderiam prosseguir com suas demandas e executar os bens aqui localizados" (BECUE, Sabrina Maria Fadel. *Insolvência transnacional*: as contribuições que a lei modelo da UNCITRAL pode proporcionar para o Brasil. 2018. Tese (Doutorado em Direito Comercial) – Faculdade de Direito, Universidade de São Paulo, São Paulo, 2018. f. 69. DOI: 10.11606/T.2.2018.tde-06112020-185232).

[16] Segundo José Xavier Carvalho de Mendonça (*Tratado de Direito Comercial brasileiro*. v. 8, p. 478-479): "(...) o instituto da falência não é um privilégio dos brasileiros, mas uma forma de execução, instituída em benefício geral dos que residem no Brasil (...). Não há diversidade de tratamento entre credores brasileiros e credores estrangeiros na falência de estabelecimentos situados no Brasil, pertençam a brasileiros ou a estrangeiros, se aquela é declarada por tribunais da República. A situação jurídica de todos é a mesma". Todavia, a Lei 2.024, ao impedir a homologação de sentença estrangeira pela regra do domicílio no território brasileiro, se referia a "devedor brazileiro aqui domiciliado", distinção que foi corrigida pelo Decreto 5.746 para simplesmente

ficava resguardado dos efeitos da sentença estrangeira e servia para pagamento dos credores locais em regime de preferência aos credores estrangeiros que, inobstante, estavam autorizados a habilitar seus créditos;[17] c) por credores locais entendiam-se aqueles cujos créditos deveriam ser pagos aqui, sem qualquer discriminação baseada na nacionalidade; d) a sentença estrangeira só produzia efeitos depois de homologada pelo STF, porém os representantes da massa estavam autorizados a praticar atos conservatórios de direitos, independentemente da homologação; e) a sentença falimentar estrangeira, ainda que homologada, não inibia a execução das garantias hipotecárias dos bens situados no Brasil, em favor dos credores domiciliados em nosso país; f) credores quirografários, domiciliados aqui, desde que tivessem ação ajuizada contra falido em data anterior à homologação da sentença estrangeira, poderiam prosseguir com suas demandas; g) havendo pluralidade de massas falidas, a lei local – lei do foro – disciplinava a classificação de créditos.

Pelas regras consagradas de insolvência transnacional nas legislações especiais, a presença de um estabelecimento principal ou da filial de sociedade estrangeira no Brasil impedia a homologação da sentença estrangeira.[18] A jurisprudência confirmava a prevalência da jurisdição brasileira quando o comerciante ou sociedade comercial exercia atividade relevante e organizada no Brasil.[19][20]

"devedor aqui domiciliado". A mudança, afirma Haroldo Valladão (*Direito Internacional Privado*. v. 3, p. 410), consagrou a "equiparação constitucional de brasileiros e estrangeiros residentes".

[17] O Decreto nº 5.746/2000 dispensava a homologação da sentença estrangeira para fins de prova do crédito do credor estrangeiro.

[18] Isso ficou ainda mais claro com o art. 165, contido no Decreto nº 5.746/2000. A primeira versão do art. 165 dispunha que não seria suscetível de execução no Brasil sentença estrangeira que declarasse falência de estrangeiro e de sociedade estrangeira, ambos residentes e não domiciliados no país, mas que tivessem aqui um estabelecimento. Em 1933, foi incluída a palavra "somente" na parte final do artigo, com o intuito de afastar sua aplicação quando o estrangeiro ou sociedade estrangeira possuíssem estabelecimento no Brasil e em outro país. Segundo Haroldo Valladão (*Direito Internacional Privado*, v 3, p. 46): "(...) a alteração foi provocada e realizada durante o julgamento no STF da homologação de Sentença Estrangeira da França, que decretara a falência da Cia Port of Pará (...) o advogado do credor francês requerente conseguiu desencavar a discussão do Projeto da Lei, no Senado, em 1929 e provou que o texto então aprovado do art. 165 tinha a palavra 'somente'. Daí o decreto ratificativo".

[19] Carvalho de Mendonça (*Tratado de Direito Comercial brasileiro*. p. 477, nota 1) cita um acórdão de 27 de dezembro de 1906: "A 1ª Câmara da Côrte de Apelação (...) julgou que o fato de ter uma sociedade anônima a sua sede na Bélgica, não impedia se decretasse no Brasil a sua liquidação forçada (hoje falência), desde que tivesse aqui a sede da sua administração, com a direção de seus negócios".

[20] Caso interessante é da Cia Port of Pará. A sociedade era constituída nos Estados Unidos e tinha autorização para funcionar no Brasil. Foi decretada sua falência na França, com base no art. 14 do Código Civil Francês, que permitia a abertura de falência quando não cumprida obrigação contraída naquele país com um credor francês, independentemente do domicílio ou presença de estabelecimento. O síndico da massa pleiteou a homologação da sentença no Brasil, porém o pedido foi indeferido sob o argumento que apenas a jurisdição brasileira seria competente para abrir falência, já que a empresa possuía domicílio e estabelecimento no Brasil. O voto do Relator, Ministro Plínio Casado, enfrentou a mudança na redação do art. 165 para concluir que: "(...) cotejando-se os dois textos, o primitivo e o rectificado, verifica-se que, no fim deste, foram incluídas as palavras *sómente no Brasil*. Dessa rectificação resultou o seguinte: *Ex-vi* do texto velho, a questionada sentença franceza, declaratória da fallencia da Companhia 'Port of Pará' não é susceptível de execução no Brasil, porque a referida Companhia, além de ter estabelecimento em paiz estranjeiro, tem também no Brasil, ao passo que, *ex-vi* do texto novo, a referida sentença é susceptível de execução no Brasil, porque a Companhia 'Port of Pará' tem estabelecimento *não sómente no Brasil* (...). Qual dos dois textos deve reger a espécie sujeita? (...) Ora, é princípio consagrado na doutrina, na legislação e na jurisprudência que 'o direito de iniciar a execução de sentença se regula pela lei vigente no dia em que foi proferida a mesma sentença' (...). Logo, deve ser aplicada ao caso vertente a antiga disposição do art. 165". Todavia, o primeiro relator, Ministro Carvalho Mourão, divergiu parcialmente da fundação por entender que: "a sentença não é executória no Brasil, nem segundo o texto antigo da lei de fallencia, nem segundo o texto modificado. (...) O Estado de Maine, nos Estados Unidos, é, (...), pura e simplesmente, a séde, o domicílio de eleição, o domicílio convencional da companhia. Estabelecimento não tem

A distinção entre os modelos universalista e territorialista esteve presente nos debates doutrinários e jurisprudenciais do período.[21] Mas tantas eram as restrições que Miranda Valverde concluiu que a universalidade da falência "preconizada por Lafayette, não passava, como não passa, de uma bela frase".[22]

Para Carvalho de Mendonça o modelo universalista era superior, porém artificioso[23] e desvantajoso para o contexto brasileiro.[24] O autor cita o posicionamento predominante no Congresso Jurídico Americano, realizado pelo Instituto da Ordem dos Advogados Brasileiros (IAB) em 1900, pela imposição de restrições ao ideal da unidade e da universalidade da falência.[25]

A partir de 1939, a matéria atinente à insolvência transnacional foi transferida para o Código de Processo Civil (CPC). A mudança foi duramente criticada porque afetou a sistematização dessa matéria própria do direito comercial e culminou em um tratamento equivocado.[26] A lacuna instaurou-se com o advento do CPC de 1973, que

---

ella lá, (...), pois ella não realiza negócio algum nos Estados Unidos, que constitua seu objeto social, uma vez que é seu fim simplesmente realizar, por meio de contrato que tem como o Governo Brasileiro, as obras de construção e subsequente exploração do Porto de Belém do Pará. (...) Em direito commercial, realmente, faz-se distinção entre domicílio e estabelecimento; e, quanto a domicílio, distingue-se (...) o domicílio de eleição, convencional (...) do domicílio real, o qual, até certo ponto, é o principal, o que deve ser levado em consideração, por ser o lugar onde o commerciante ou a sociedade anonyma realiza o negócio que constitue o seu fim social e onde tem os seus estabelecimentos (...). Mas para fixação de competência, a lei toma em consideração o estabelecimento principal" (SENTENÇA estrangeira 919, 25 de agosto de 1933. *Arquivo Jurídico*, Palmas, v. 30, p. 133-138, 1933). A título de curiosidade, interessante citar que a sociedade Cia Port of Pará foi colocada, em 31 de maio de 1916, sob o regime do *receivership* norte-americano, denotando que a existência, de fato, de uma crise financeira que, em outro momento histórico e associado com a repercussão no França e Brasil, poderia caracterizar uma insolvência transnacional (NEW YORK. Southern District. *George B. Heath, Complainant vs. Port of Para: Empire Trust Company, As Trustee Etc., And National Trust Company, As Trustee, Etc., Defendants. No. 12-207, Equity*. First Report of Receivers. New York: Southern District, Sept. 1st, 1918. Disponível em: https://babel.hathitrust.org/cgi/pt?id=nyp.33433019203888;view=1up;seq=1. Acesso em: 12 dez. 2017).

21 Na visão do Conselheiro Lafayette: "Os escritores mais adiantados instam para que a falência perante o direito internacional privado revista de caracteres de uma e universal. (...) Não podemos caminhar tanto, (...), atenta a distância que estamos das grandes nações estrangeiras (...). No decreto, pois, consagrou-se, em princípio, a unidade e a universalidade da falência. Impuseram-se-lhe, porém, [as] restrições" (Exposição de Motivos do Decreto nº 6.982 citado por VALVERDE, Trajano de Miranda. *Comentários à Lei de Falências*: Decreto-Lei n º 7.661, de 21 de junho de 1945, p. 65).

22 VALVERDE. *Comentários à Lei de Falências*: Decreto-Lei nº 7.661, de 21 de junho de 1945, p. 67.

23 Nas palavras do autor: "O instituto da falência encontra-se organizado em tôdas as legislações cultas, predominando o caráter de unidade e de universalidade", e continua em outro trecho: "É atraente, sem dúvida, o sistema da unidade e universalidade da falência sob o ponto de vista internacional, desde que, partindo da ideia básica do instituto, a *par conditio creditorum*, lhe dá a maior extensão possível correspondente ao caráter eminentemente cosmopolita do comércio. Por outro lado, é indiscutível que êste sistema contraria as normas de direito positivo sôbre a competência dos tribunais a respeito dos estrangeiros (...). Ainda pelo lado prático, que é tudo nesta matéria, êle não traz vantagens, desde que não prevalecem em todos os países as mesmas normas legais sôbre a propriedade imóvel, sôbre a forma da realização do ativo, sôbre a limitação da falência aos comerciantes, sôbre a revogação dos atos do devedor praticados antes da falência, sôbre as causas de preferência, etc., etc., o que sòmente pela lei territorial pode ser solvido. (...) O que se alega em favor da pronta liquidação e economia das despesas com só processo universal não passa de artificioso argumento" (MENDONÇA. *Tratado de Direito Comercial brasileiro*, p. 457-468).

24 "Quanto ao ponto de vista brasileiro, não vemos a vantagem apregoada em teoria ao sistema da unidade e da universalidade. A nossa Lei n. 2.024 acentuou o caráter executivo da falência. As leis de execução são eminentemente territoriais. A distância que nos separa dos grandes centros comerciais da Europa e da América do Norte e a nossa situação de país novo, precisando do concurso de imigração, constituem, especialmente, empecilhos para a adoção daquele sistema" (MENDONÇA. *Tratado de Direito Comercial brasileiro*, p. 469).

25 MENDONÇA. Tratado de Direito Comercial brasileiro, p. 467.

26 Fortes foram as palavras de Haroldo Valladão (*Direito Internacional Privado*. v. 3, p. 42): "O CPC de 1939 reduziu os textos do DIP falimentar, omitindo normas relevantes, alterou para pior os que acolheu, enfim, desarticulou e prejudicou a matéria. Em princípio a lei de falência poderia manter os respectivos preceitos dos conflitos de leis.

dispunha de apenas dois artigos sobre homologação de sentença estrangeira[27] e, em razão da omissão, foi severamente crítico.[28]

Não podemos deixar de mencionar o Código de Bustamante, ratificado em 1929 pelo Brasil. Para Miranda Valverde, o "Código representa um grande esforço das nações americanas em prol das boas relações internacionais. Nada se fez de mais notável até agora. (...). Como quer que seja, não se legislou em vão". Outro elogio ao texto é que ele se afastou do protecionismo local.[29] Kurt Nadelmann observa que o Código de Bustamante estava em consonância com as regras adotadas nos países da Europa continental.[30] O tratado foi importante para introduzir alguns princípios tendentes à concepção universalista.[31]

2.2 Insolvência transnacional: universalismo modificado

Para não cairmos na mesma falácia de almejar um modelo universalista, mas o desnaturalizarmos na elaboração ou interpretação da lei, é preciso compreender o sentido e a importância do universalismo modificado. Ele foi desenhado como uma solução pragmática e baseada na premissa de que nenhum país consegue se manter isolado das consequências da insolvência transnacional.[32] É guiado pela aspiração de efeitos extraterritoriais do procedimento principal de insolvência, mas temperado por elementos territorialistas,[33] de modo a obter um resultado concreto equiparado ao universalismo no que diz respeito ao tratamento equânime dos credores, solução global para a crise e natureza coletiva do procedimento.[34]

Ela é um grande estuário jurídico, processual e substantivo, contendo normas e preceitos de todos os ramos de direito, inclusive do civil e do penal".

[27] "Art. 483. A sentença proferida por tribunal estrangeiro não terá eficácia no Brasil senão depois de homologada pelo Supremo Tribunal Federal. Parágrafo único. A homologação obedecerá ao que dispuser o Regimento Interno do Supremo Tribunal Federal.
Art. 484. A execução far-se-á por carta de sentença extraída dos autos da homologação e obedecerá às regras estabelecidas para a execução da sentença nacional da mesma natureza" (BRASIL. Lei nº 5.869, de 11 de janeiro de 1973. Institui o Código de Processo Civil. *Diário Oficial da União*: Brasília, DF, 1973. Disponível em: https://www.planalto.gov.br/ccivil_03/leis/l5869.htm. Acesso em: 12 dez. 2017).

[28] Para Haroldo Valladão (*Direito Internacional Privado*. v. 3, p. 42): "O desprezo pela matéria, e pela sua sistemática e classificação, chegou ao máximo com o novo Cód. de Proc. Civil, de 1973, que a *suprimiu do Código*, relegando-a para o Regimento Interno do Supremo Tribunal Federal, o qual da mesma não cuidou nem podia cuidar! E a matéria da falência no DIP, disciplinada secularmente, desde o Dec. de 1878, ficou, assim, não legislada (!) pela primeira vez na história do direito pátrio, e com a máxima probabilidade, na história do direito mundial".

[29] Destaque feito por: NADELMANN. *Bankruptcy Treaties*, p. 70.

[30] "Except for the rule which admits several bankruptcies in the case of separate establishments, the Bustamante Code does not fundamentally differ from the type of treaty which has developed in Europe" (NADELMANN. *Bankruptcy Treaties*, p. 71).

[31] Nas palavras do autor: "The Code of Bustamante provides a modest starting point for the introduction of some universality principles in Brazil, applying principles that attempt to effect equal treatment among creditors of member states. The Code creates some uniformity of procedure among its signatory states, particularly with respect to jurisdiction and enforcement matters" (FELSBERG, Thomas Benes. Cross-Border Insolvencies and Restructurings in Brazil. *International Business Law*, [S. l.], v. 109, n. 116, p. 110, 2003).

[32] FLETCHER. *Insolvency in Private International Law*, p. 15.

[33] BORK. *Principles of Cross-Border Insolvency Law*, p. 28.

[34] "The second component of the proposed internationalist principle involves a modification of the doctrine of Universality so that it complements rather than negates, the concept of Territoriality". What is required is that, at the culmination of the global operation to administer the insolvent debtor's estate, there shall have been sufficient coordination between the various component parts of the administration that it amounts to *de facto*

A pedra-angular do universalismo modificado reside na cooperação entre jurisdições. No entanto, não é qualquer grau ou forma de cooperação. Para que o universalismo modificado reine como princípio vetor da Lei Modelo UNCITRAL, é necessária a compreensão de que há um procedimento principal líder e que as demais jurisdições atuam como auxiliares. Sintetiza Westbrook, "at the heart of the system of modified universalism is the choice of a central court to coordinate a multinational case".[35] A arquitetura da Lei Modelo UNCITRAL reflete esse objetivo.[36] Podem existir outros meios de cooperação *ex post*, mas a essência do universalismo modificado – para os países que abraçam o princípio – é o compromisso normativo (*ex ante*) com a cooperação.

A doutrina sustenta que a insolvência transnacional não se restringe aos aspectos regulados à Lei Modelo UNCITRAL e que as trocas entre as jurisdições – uma vez admitida a centralidade de um procedimento e a natureza acessória dos demais – produzem efeitos que não são apenas procedimentais. A Lei Modelo UNCITRAL deve ser interpretada como uma peça de um sistema internacional de insolvência que, bem administrado, pode evitar colapsos financeiros.[37] Aos países adotantes da Lei Modelo, o papel dos Poderes Legislativo e Judiciário ultrapassa a mera transposição ao direito local e a aplicação uniforme das disposições do instrumento de *soft law* proposto pela UNCITRAL. Incumbe ao país adotante o comprometimento com os objetivos do sistema e a adaptação de outras normas locais para que os objetivos sejam alcançados:

> While uniformity is one legitimate goal in interpreting an international instrument the international rule must include a broader approach of which uniformity would be only a part. The objective should be to adopt rules that enable the contemplated international system to achieve its goals. (...) uniformity would be an important but subsidiary goal for a system text. There the overriding need is for decisions that enable the international system to function as designed. Uniformity would certainly contribute to that goal, but would hardly be enough by itself.[38]

---

universality. This eschews the unattainable dogma associated with the traditional notions of Universality, which argue for extraterritorial effects to take place on a *de iure* basis. In place of this, the pragmatic approach aspires to work via the rules and processes of private international law and cross-border cooperation (between courts, and also between office holders in insolvency proceedings). By this means, the net outcome can be one in which the worldwide estate is completely administered, with all creditors having the right of participation at some point, and with the principle of collectivity supplying the ultimate basis of the solutions" (FLETCHER. *Insolvency in Private International Law*, p. 16).

[35] WESTBROOK, Jay L. Global Insolvency Proceedings for a Global Market: The Universalist System and the Choice of a Central Court. *Texas Law Review*, [S. l.], v. 96, p. 1474, 2018.

[36] "Norms concerning recognition, cooperation, and relief ensure that the global collective proceedings are given worldwide effect, subject to specific safeguards where recognition or relief may be denied if universal standards of fairness, nondiscrimination, and due process are not respected" (MEVORACH, Irit. Modified Universalism as Customary International Law. *Texas Law Review*, [S. l.], v. 96, p. 1404, 2018). E ainda: "To ensure that a central forum can address the cross-border case collectively, or to achieve a common resolution strategy in case of the multinational default of a MFI, modified universalism requires that these proceedings or the measures taken in such proceedings be recognized, supported, and given effect (enforced) by courts or authorities in other countries. This is an inbound aspect of modified universalism, focusing on the role of the host countries where the debtor has some form of presence (*e.g.* assets, branches, or subsidiaries) or impact (*e.g.* impact on local stakeholders with whom the debtor had dealings) or where the debtor is engaged in local proceedings. It requires a certain surrender of sovereignty and control, and deference to a main forum" (MEVORACH. *The Future of Cross-Border Insolvency*: Overcoming Biases and Closing Gaps, p. 1404).

[37] MEVORACH. *The Future of Cross-border Insolvency*.

[38] WESTBROOK. Interpretation Internationale, p. 751-753.

Para Irit Mevorach o universalismo modificado não é um estágio intermediário e provisório, mas uma norma autônoma que, corretamente seguida, pode evitar conflitos entre a construção de solução global para a crise e o paroquialismo de normas nacionais. Alguns dos exemplos fornecidos pela autora se ajustam às dúvidas que a doutrina e a jurisprudência brasileiras enfrentarão na aplicação do Capítulo VI-A da Lei nº 11.101/2005, em razão do ineditismo do regime legal incorporado e por não estarmos habituados com a comunicação direta com jurisdições estrangeiras. Desse modo, a partir do regime ditado pelo universalismo modificado, não é possível afastar ou relativizar os efeitos do *stay* concedido no processo principal em razão de disposições contratuais, como cláusulas *ipso facto*, regidas pelo direito brasileiro.[39] Também não seria admitida a aplicação de normas procedimentais locais que culminassem na repetição de atos ou que de qualquer forma contrariassem decisões judiciais que ordenaram, no processo estrangeiro, a venda de ativos, ainda que localizados em nosso território.[40]

3 Conclusão

"Viver é superdifícil, o mais fundo está sempre na superfície",[41] inspirada no poeta curitibano concluo que as discussões doutrinárias sobre os arts. 167-A ao 167- Y, da Lei nº 11.101/2005, serão de pouca utilidade se desacompanhadas de uma reflexão sobre o universalismo modificado e sua função no bojo da Lei Modelo UNCITRAL.

Recepcionar a Lei Modelo e aderir às diretrizes da Judicial Insolvency Network (JIN Guidelines)[42] foram sinais importantes de que o Brasil enviou aos atores do comércio internacional. No entanto, não são por si sós suficientes.

As regras traduzidas, modificadas e adicionadas pelo legislador brasileiro podem ser destrinchadas de diferentes formas. No entanto, o que confirmará o compromisso de nosso país com os objetivos da insolvência transnacional – a exemplo dos objetivos descritos no art. 167-A – é o respeito ao paradigma do universalismo modificado e aquilo que ele implica a cooperação com jurisdições estrangeira.

O universalismo modificado alicerça o sistema internacional de insolvência, mas no anseio de discutir o texto legal, por vezes ignoramos as lições mais fundamentais.

---

[39] É criticável a posição do legislador de excepcionar categorias de credores do efeito do *stay* ordenado no exterior (art. 167-M, §3º, Lei nº 11.101/2005). Sob um viés do universalismo modificado, enquanto norma regente, essa disposição deveria ser afastada por antinomia com os objetivos do sistema de insolvência transnacional.

[40] "Thus, modified universalism understood as CIL can provide the separate, sui generis basis and justification for the uniform private international laws based on global collectivity. (...) In other circumstances, courts may be asked, for example, to give full effect to a foreign stay on actions concerning the assets of the enterprise, instead of (as happened in Pan Ocean) apply domestic ipso facto rules that allow them to terminate contracts, thus undermining the collectivity of the cross-border insolvency process. Similarly, courts could be asked to recognize transactions already approved by foreign main reorganization proceedings, instead of (as happened, e.g., in Elpida) applying the domestic rules concerning asset sales. The application of the domestic rule can undeniably delay the process, as well as provide local creditors an unjustified chance to challenge the sale, undermining the norm of a global, nondiscriminatory approach prescribed by modified universalism" (MEVORACH. Modified Universalism as Customary International Law, p. 1433-1434).

[41] LEMINSKI, Paulo. *Toda poesia*. São Paulo: Companhia das Letras, 2013. *E-book*.

[42] O conteúdo das JIN Guidelines pode ser acessado no *site* da Judicial Insolvency Network (Disponível em: http://www.jin-global.org/content/jin/pdf/Guidelines-for-Communication-and-Cooperation-in-Cross-Border-Insolvency.pdf. Acesso em: 12 dez. 2017). O Conselho Nacional de Justiça (CNJ) aderiu às diretrizes da Judicial Insolvency Network (JIN Guidelines), fixando regras de cooperação e de comunicação direta com juízos estrangeiros de insolvência, por meio da Resolução nº 394 de, 28 de maio de 2021.

Referências

BORK, Reinhard. *Principles of Cross-Border Insolvency Law*. Cambridge: Intersentia, 2017.

BRASIL. Lei nº 5.869, de 11 de janeiro de 1973. Institui o Código de Processo Civil. *Diário Oficial da União*: Brasília, DF, 1973. Disponível em: https://www.planalto.gov.br/ccivil_03/leis/l5869.htm. Acesso em: 12 dez. 2017.

BECUE, Sabrina Maria Fadel. *Insolvência transnacional*: as contribuições que a lei modelo da UNCITRAL pode proporcionar para o Brasil. 2018. Tese (Doutorado em Direito Comercial) – Faculdade de Direito, Universidade de São Paulo, São Paulo, 2018. DOI: 10.11606/T.2.2018.tde-06112020-185232.

DAWSON, Andrew B. The Problem of Local Methods in Cross-Border Insolvencies, *Berkeley Business Law Journal*, [S. l.], v. 12, n. 1, p. 45-80, 2015.

FELSBERG, Thomas Benes. Cross-Border Insolvencies and Restructurings in Brazil. *International Business Law*, [S. l.], v. 109, n. 116, 2003.

FLETCHER, Ian F. *Insolvency in Private International Law*. 2nd. ed. Oxford: Oxford University Press, 2011.

JUSTEN FILHO, Marçal. Empresa, Ordem Econômica e Constituição. *Revista de Direito Administrativo*, Rio de Janeiro, v. 212, p. 109-133, 1 abr. 1998.

LEMINSKI, Paulo. *Toda poesia*. São Paulo: Companhia das Letras, 2013. *E-book*.

McCORMACK, Gerard. Universalism in Insolvency Proceedings and the Common Law. *Oxford Journal of Legal Studies*, Oxford, v. 32, n. 2, p. 325-347, 2012.

MENDONÇA, José Xavier Carvalho de. *Tratado de Direito Comercial brasileiro*. 4. ed. Rio de Janeiro: Freitas Bastos, 1947. v. 8.

MEVORACH, Irit. Modified Universalism as Customary International Law. *Texas Law Review*, [S. l.], v. 96, p. 1403-1436, 2018.

MEVORACH, Irit. *The Future of Cross-Border Insolvency*: Overcoming Biases and Closing Gaps. Oxford: Oxford University Press, 2018. *E-book*.

NADELMANN, Kurt H. Bankruptcy Treaties. *University of Pennsylvania Law Review*, Harrisburg, v. 93, p. 58-97, 1944.

NEW YORK. Southern District. *George B. Heath, Complainant vs. Port of Para: Empire Trust Company, As Trustee Etc., And National Trust Company, As Trustee, Etc., Defendants. No. 12-207, Equity.* First Report of Receivers. New York: Southern District, Sept. 1st, 1918. Disponível em: https://babel.hathitrust.org/cgi/pt?id=nyp.33433019203888;view=1up;seq=1. Acesso em: 12 dez. 2017.

SOKOL, Eric. The Fate of Universalism in Global Insolvency: Neoconservatism and New Horizons. *Hastings International and Comparative Law Review*, [S. l.], v. 44, n. 1, p. 39-62, 2021.

SENTENÇA estrangeira 919, 25 de agosto de 1933. *Arquivo Jurídico*, Palmas, v. 30, p. 133-138, 1933.

UNITED NATIONS. UNCITRAL *Model Law on Cross-Border Insolvency with Guide to Enactment and Interpretation*. New York: UNCITRAL, 2014.

VALLADÃO, Haroldo. *Direito Internacional Privado*. Rio de Janeiro: Freitas Bastos, 1978. v. 3.

VALVERDE, Trajano de Miranda. *Comentários à Lei de Falências*: Decreto-Lei nº 7.661, de 21 de junho de 1945. 4. ed. atual. por J. A. Penalva Santos e Paulo Penalva Santos. Rio de Janeiro: Forense, 2001. v. 1.

WESTBROOK, Jay L. Interpretation Internationale. *Temple Law Review*, [*S. l.*], v. 87, p. 739, 2015.

WESTBROOK, Jay L. Global Insolvency Proceedings for a Global Market: The Universalist System and the Choice of a Central Court. *Texas Law Review*, [*S. l.*], v. 96, p. 1473-1494, 2018.

Informação bibliográfica deste texto, conforme a NBR 6023:2018 da Associação Brasileira de Normas Técnicas (ABNT):

BECUE, Sabrina Maria Fadel. Atividade empresarial transnacional: consequências de sua crise e a compreensão do universalismo modificado. *In*: JUSTEN, Monica Spezia; PEREIRA, Cesar; JUSTEN NETO, Marçal; JUSTEN, Lucas Spezia (coord.). *Uma visão humanista do Direito*: homenagem ao Professor Marçal Justen Filho. Belo Horizonte: Fórum, 2025. v. 3, p. 169-179. ISBN 978-65-5518-915-5.

Regulação e Infraestrutura

(Coordenador: Rafael Wallbach Schwind)

DA REGULAÇÃO POR COMANDO E CONTROLE À EXPERIMENTAÇÃO JURÍDICO-REGULATÓRIA: ARRANJOS COMBINATÓRIOS DE TECNOLOGIAS REGULATÓRIAS EM FACE DE PROBLEMAS PÚBLICOS COMPLEXOS, MULTIDIMENSIONAIS E DINÂMICOS DA CONTEMPORANEIDADE

ALICE VORONOFF

CESAR HENRIQUE LIMA

1 Introdução

O presente artigo tem por foco dois esforços centrais: um de *diagnose* e outro de *prognose*.[1] No *plano da diagnose*, a ideia é tratar da situação de declínio ou mesmo de falência vivenciada pelo modelo de regulação via comando e controle, regido essencialmente pelo binômio prescrição-sanção, em que os esforços fiscalizatórios se centram na identificação de irregularidades e na imposição, por parte dos reguladores, de penalidades administrativas como respostas únicas e indisponíveis em face dos regulados.

De sua vez, no *plano da prognose*, à luz das ideias relativas à experimentação jurídico-regulatória, que serão explicitadas no item 3 deste texto, serão abordadas algumas possíveis respostas a serem implementadas pelos administradores públicos

---

[1] Como explica Leonardo Coelho Ribeiro (*O Direito Administrativo como "caixa de ferramentas"*: uma nova abordagem da ação pública. São Paulo: Malheiros, 2016. p. 131), a percepção instrumental do direito administrativo, adotada no presente trabalho, tem o mérito, dentre outros, de colocar em evidência tanto uma *preocupação diagnóstica*, voltada ao mapeamento e identificação dos problemas públicos e fatores relevantes, quanto uma abordagem prognóstica, dirigida à previsão das possíveis consequências das medidas a serem adotadas. Cabe às autoridades públicas, assim, um dever constante de análise da aptidão das ferramentas (de direito administrativo) para mensurar a capacidade que dispõem, ou não, de solucionar os problemas públicos, bem como de definir, a partir desse diagnóstico e das alternativas institucionais disponíveis, os caminhos mais propensos à produção de incentivos adequados, considerados os possíveis efeitos de cada uma das opções disponíveis.

diante das desconformidades, por parte dos regulados, das regras jurídicas vigentes, em prol de ganhos de eficiência e de efetividade da atuação estatal.

Para se debruçar sobre as aludidas questões, o artigo está dividido em três partes, além desta breve introdução e da conclusão.

No item 2, o foco será o ocaso vivenciado pelo modelo de regulação por comando e controle, com destaque para as principais razões que têm levado a um cenário de generalizada ineficiência e inefetividade desse modelo, amplamente difundido na realidade brasileira.

No item 3, será explorado o paradigma da experimentação jurídico-regulatória, calcado especialmente nas ideias desenvolvidas por Charles F. Sabel. Como se verá, a experimentação regulatória representa um caminho apto a promover a abertura de rotas regulatórias ao lado do comando controle, com vista à construção de arranjos de regulação estatal potencialmente mais efetivos, em face dos desafios que marcam os problemas públicos da contemporaneidade.

Por fim, no item 4, serão tratadas as diferentes respostas estatais a serem eventualmente adotadas pelos administradores públicos em face da ameaça ou de descumprimentos regulatórios efetivos, dentre as quais as soluções consensuais, as ferramentas de economia comportamental, as sanções premiais e a própria ausência de regulação/desregulação.

2 O ocaso da regulação via comando e controle: ineficiência e inefetividade dos arranjos regulatórios pautados única ou prioritariamente no binômio prescrição-sanção

A regulação via comando e controle é um modelo pautado na lógica da coerção. Nele, a sanção é mola propulsora voltada a assegurar o cumprimento do Direito, seja quando desestimula quem pense em infringir as regras, seja quando afete, de modo exemplar, o administrado infrator, reafirmando a autoridade estatal.[2] Isso, em tese. É que, na prática, há tempos se observam sinais relevantes de que a punição pouco contribui para melhorar a realidade brasileira – ao menos, quando utilizada de modo único ou prioritário. Alguns dados evidenciam esse cenário.

O Tribunal de Contas da União (TCU), ao cotejar o valor das multas regulatórias aplicadas pelas agências reguladoras federais e por outras entidades e órgãos públicos federais[3] com os valores efetivamente arrecadados no período de 2005 a 2009, verificou

---

[2] Como explica Gustavo Binenbojm (Poder de polícia, ordenação, regulação: transformações político-jurídicas, econômicas e institucionais do direito administrativo ordenador. 2. ed. Belo Horizonte: Fórum, 2017. p. 153), "em linhas gerais, há regulação por normas de comando e controle quando a estrutura normativa incidente sobre o comportamento regulado faz uso do binômio prescrição-sanção. A conformação da conduta privada é garantida pela previsão da sanção estatal em caso de infração. (...)". No mesmo sentido, como leciona Juliana Bonacorsi de Palma (Regulação responsiva: a visão do TCU. *Jota*, São Paulo, 11 out. 2023. Disponível em: https://www.jota. info/opiniao-e-analise/colunas/controle-publico/regulacao-responsiva-a-visao-do-tcu-11102023. Acesso em: 16 ago. 2024), "a tradicional forma de fiscalização pautada no comando e controle é simples. A fiscalização verifica se as normas são, de fato, cumpridas; caso não sejam, o regulado é sancionado. Esta técnica regulatória se apoia no efeito simbólico da sanção para prevenir condutas infracionais".

[3] Refere-se ao Processo TC nº 022.631/2009-0. Foram fiscalizadas a Agência Nacional de Transportes Aquaviários (ANTAQ); a Agência Nacional de Transportes Terrestres (ANTT); Agência Nacional de Aviação Civil (ANAC);

que, em média, apenas 3,7% do montante aplicado teriam ingressado nos cofres públicos (cf. o Acórdão nº 1817/2010). Conclui, assim, pela gravidade desse diagnóstico por dois motivos: tanto pelo valor expressivo de receita potencial não concretizada em favor do erário (estimado em cerca de R$24,9 bilhões), quanto por comprometer a eficácia da atividade sancionatória estatal.[4]

Em 2017, após a realização de novo monitoramento, a Corte de Contas constatou mais uma vez a existência de baixíssimo índice de arrecadação das multas administrativas impostas por órgãos reguladores ou fiscalizadores federais.[5] Entre 2014 e 2017, em média, apenas 6,03% das multas regulatórias aplicadas foram efetivamente arrecadadas (Acórdão nº 1970/2017).[6] Especificamente no âmbito da Superintendência de Seguros Privados (SUSEP), apenas 0,13% das multas impostas teriam efetivamente ingressado nos cofres da Autarquia.

Mais recentemente, diante das queimadas que destruíram boa parte do bioma pantaneiro do Brasil, vieram a público informações de que, entre janeiro de 2020 e junho de 2024, o governo do Estado do Mato Grosso do Sul aplicou multas aos proprietários de terras da região que chegam ao montante total de R$54 milhões. Até o momento, porém, a Administração sul-mato-grossense não viu ingressar em seus cofres quaisquer valores relativos às aludidas penalidades administrativas.[7]

Os exemplos destacados dão sinais de um paciente na UTI. Eles ilustram o fato de que a regulação via comando e controle tem abarcado estratégias caras (já que todo um aparato público é mobilizado para fiscalizar e punir), mas que têm se provado, em grande medida, verdadeiros paradoxos regulatórios. Ao invés de levar à maior conformação da conduta dos agentes regulados, referidos arranjos, na prática, têm gerado incentivos invertidos e ampliado sensações de impunidade e de leniência. E

---

a Agência Nacional do Cinema (ANCINE); a Agência Nacional de Telecomunicações (ANATEL); a Agência Nacional de Energia Elétrica (ANEEL); a Agência Nacional de Petróleo, Gás Natural e Biocombustíveis (ANP); a Agência Nacional de Saúde Suplementar (ANS) e a Agência Nacional de Vigilância Sanitária (Anvisa). O TCU não avaliou os resultados relativos à Agência Nacional de Águas (ANA). Além dessas agências, apuraram-se dados da Comissão de Valores Mobiliários (CVM); da Superintendência de Seguros Privados (SUSEP); do Banco Central do Brasil (BCB); do Conselho Administrativo de Defesa Econômica (Cade); do Instituto Brasileiro do Meio Ambiente e dos Recursos Naturais Renováveis (Ibama) e do próprio Tribunal de Contas da União (TCU).

[4] "Em outras palavras, podem-se encontrar situações em que o volume original de multas aplicadas é muito elevado, mas tais multas são canceladas após os recursos administrativos impetrados pelos entes fiscalizados. Caso se verifique uma discrepância elevada entre os valores originalmente aplicados e os que permanecem válidos para cobrança após os recursos administrativos, restará evidenciada uma falha comprometedora da eficiência do ente regulador: ou estaria havendo aplicação inadequada de multas pela fiscalização, seja em termos de procedimentos adotados ou valores estipulados; ou as instâncias que julgam o contencioso administrativo não estariam aptas a manter as multas corretamente aplicadas pela fiscalização. Em qualquer dos casos, haveria desperdício de recursos em um processo ineficiente de autuação e cancelamento posterior das multas, ao mesmo tempo em que a eficácia do órgão ou entidade de regulação e fiscalização é minimizada, por não conseguir penalizar de forma satisfatória os entes sob sua regulação" (Acórdão nº 1.817/2010, p. 13).

[5] A exemplo da ANA, da ANAC, do BCB, da CVM e do Cade (Disponível em: https://portal.tcu.gov.br/imprensa/noticias/multas-administrativas-de-orgaos-reguladores-nao-sao-amplamente-divulgadas.htm. Acesso em: 16 ago. 2024).

[6] BRASIL. Tribunal de Contas da União. Multas administrativas de órgãos reguladores não são amplamente divulgadas. *Portal TCU*, Brasília, DF, 15 set. 2017. Disponível em: https://portal.tcu.gov.br/imprensa/noticias/multas-administrativas-de-orgaos-reguladores-nao-sao-amplamente-divulgadas.htm. Acesso em: 16 ago. 2024.

[7] MOREIRA, Rafael. Governo do MS aplica multas que somam R$ 54 milhões por incêndios no Pantanal, mas ainda não recebeu nenhum valor. *G1*, Rio de Janeiro, 4 jul. 2024. Disponível em: https://g1.globo.com/ms/mato-grosso-do-sul/noticia/2024/07/04/com-r-54-milhoes-em-multas-por-incendios-no-pantanal-governo-de-ms-nao-recebeu-nada-do-montante.ghtml. Acesso em: 16 ago. 2024.

basta olhar para as características das sociedades contemporâneas para se entenderem as razões dessa disfuncionalidade.[8]

As sociedades atuais são *dinâmicas* e *globais*. Já em 1984, o jurista português Antônio Moreira Barbosa de Melo, referindo-se ao Estado do século XX, apontava que os tempos são de "mobilidade constante",[9] em que interesses, prioridades, tendências e padrões de comportamento mudam rapidamente. Isso sem falar nos *riscos*, de todas as sortes:[10] relacionados ao meio ambiente, ao aquecimento global, à saúde pública, à segurança, ao abastecimento nacional de alimentos, dentre tantos outros.

As sociedades contemporâneas são, ainda, *complexas* e de *informação*. Tendo-se em conta que "há uma relação indissociável entre Direito e sociedade",[11] as mudanças nas estruturas sociais também têm impactado diretamente o ordenamento jurídico em vigor, o que inclui o prevalecente modelo de regulação via comando e controle. E a *tecnologia* se desenvolve a passos largos para revolucionar hábitos e preferências – para o bem e para o mal, o que também influi na construção, na interpretação e na aplicação da ordem jurídica e de seus instrumentos. Tudo isso, ademais, em ambientes nos quais a *escassez de recursos* dá o tom, num mundo ainda extremamente desigual. Daí os ciclos migratórios internos e internacionais constantes e a pressão permanente sobre os governos para que provejam utilidades básicas, como água e energia elétrica.

Bastam essas características para se concluir pela insuficiência – e, quiçá, completa inaptidão – dos modelos tradicionais de comando e controle nas sociedades contemporâneas. Tais modelos são marcados pela *abstração* e *pretensão de completude*.[12] Mas cenários de riscos e de enorme dinamismo tornam impossível, ou bastante difícil, predizer comportamentos futuros e suas consequências, o que compromete a funcionalidade das estratégias pautadas no binômio prescrição-sanção. De um lado, é provável que os tipos existentes não sejam capazes de acomodar novos riscos, atividades e relações humanas,

---

[8] As atenções voltadas para o mundo real proposta por este artigo divergem de um "direito administrativo do espetáculo", expressão cunhada por Marçal Justen Filho (O Direito Administrativo do Espetáculo. *In*: ARAGÃO, Alexandre dos Santos de; MARQUES NETO, Floriano de Azevedo (org.). *Direito Administrativo e seus novos paradigmas*. 2. ed. Belo Horizonte: Fórum, 2017. p. 57-79).

[9] "Quer dizer: para promover os ideais de justiça assumidos como exigências do bem-comum e para garantir a paz social, o Estado do século XX abandonou a posição de neutralidade e passou, ele mesmo, a fazer economia e a orientar as relações económico-sociais, intervindo activa, inventiva e globalmente na condução de uma Sociedade que, longe de ser estática, se encontra em evolução permanente. De facto a lei da mudança na Sociedade de hoje é outra: se no Século XIX as alterações se davam por saltos bruscos ou descontínuos, agora a mudança é 'contínua, dispersa nas suas fontes, rápida no seu curso mas só perceptível à escala de cada geração, caracterizando-se como permanência de um estado de mobilidade constante' – como observou Massenet" (MELO, Antônio Moreira Barbosa de. Introdução às formas de concertação social. *Boletim da Faculdade de Direito da Universidade de Coimbra*, Coimbra, n. 59, p. 27, 1984).

[10] Típicos das chamadas sociedades de risco, cf.: BECK, Ulrich. *Sociedade de risco*: rumo a uma outra modernidade. Tradução: Sebastião Nascimento. São Paulo: Editora 34, 2010; TORRES, Ricardo Lobo. A segurança jurídica e as limitações constitucionais ao poder de tributar. *Revista Eletrônica de Direito do Estado (REDE)*, Salvador, n. 4, 2005. A respeito da atividade de regulação na sociedade de riscos, ver: GUERRA, Sérgio. Riscos, assimetria regulatória e o desafio das inovações tecnológicas. *In*: FREITAS, Rafael Véras de; RIBEIRO, Leonardo Coelho; FEIGELSON, Bruno (coord.). *Regulação e novas tecnologias*. Belo Horizonte: Fórum, 2017. p. 83-98; SUNSTEIN, Cass R. *Laws of Fear*: Beyond the Precautionary Principle. New York: Cambridge University Press, 2005.

[11] JUSTEN FILHO, Marçal. *Introdução ao Estudo do Direito*. 2. ed. Rio de Janeiro: Forense, 2021. p. 45.

[12] A respeito da incompletude da ordem jurídica, explica Marçal Justen Filho (*Introdução ao Estudo do Direito*, p. 113) que, "em muitos casos, essa incompletude é um defeito, cuja gravidade pode acarretar até mesmo a inexistência da norma jurídica. (...) Porém, em muitos casos a incompletude é intencional, refletindo a inconveniência ou a inviabilidade de uma norma geral e abstrata contemplar todas as minúcias para a aplicação efetiva da disciplina".

a exemplo daquelas deflagradas por tecnologias disruptivas. De outro, ainda que o regulador consiga antever mudanças relevantes, precisará construir novos esquemas normativos abstratos para discipliná-las. E isso demanda tempo e recursos muitas vezes incompatíveis com o dinamismo inerente às sociedades atuais. Nas palavras de Natália de Almeida Moreno,

> (...) como nem todas as causas, tampouco todos os efeitos podem ser apreendidos, medidos e conhecidos, as relações de causalidade tornam-se cada vez mais complexas, turvando-se responsabilidades e relações, o que não só lhes retira o caráter linear e passível de predição, como, em consequência, dificulta sobremaneira a antevisão de efeitos – dada a dinâmica entre causas que nem sempre são ou podem ser todas avaliadas pelo decisor – e a escolha dos meios passíveis de e adequados a evitá-los.[13]

A *lógica de subsunção* também traz dificuldades. É que o seu foco é na fiscalização *a posteriori*: depois da disciplina em abstrato, deve-se inspecionar a atuação dos agentes regulados a fim de verificar se sua conduta obedece estritamente aos padrões de comportamento prefixados. Mas isso afasta do olhar do regulador a identificação de novos riscos, tecnologias[14] e, até, do efetivo alcance dos objetivos sociais desejados, em benefício de preocupações formalistas. John Braithwaite traz um exemplo desse tipo de disfunção. Ele relata que a regulação de lares de idosos nos Estados Unidos pode ser tida com um modelo de inspeção que desencorajou os agentes estatais de realizar um trabalho voltado às pessoas que eles próprios deveriam proteger – os moradores desses lares, em condição de fragilidade, abuso e negligência. É que, de forma paradoxal, a regulação ordenava aos inspetores "que ignorassem tais preocupações em favor de seguir protocolos e lidar com as consideráveis demandas de papelada dos protocolos de inspeção".[15]

Há ainda os problemas causados pela assimetria de *informação*. É improvável que legisladores e reguladores possuam as mesmas condições dos agentes privados para absorver dados, transformações, identificar preferências, desenvolver técnicas e produzir estudos sofisticados. Os agentes do setor têm maior capacidade de atuar

---

[13] MORENO, Natália de Almeida. Tecnologias regulatórias piramidais: *responsive regulation* e *smart regulation*. *Revista de Direito Público da Economia – RDPE*, Belo Horizonte, ano 13, n. 49, p. 128, 2015.

[14] Veja-se o exemplo dos serviços de transporte particular de passageiros por meio de aplicativos, popularizado pela plataforma Uber. Quando de seu surgimento, foram várias as polêmicas e dificuldades. No Brasil, grupos alinhados aos interesses dos prestadores de serviços regulados (permissionários de táxis) exerceram enorme pressão para proibir a atividade, quer por meio obtenção de decisões judiciais, quer pela interlocução com Poderes Legislativos locais, com vista à edição de leis que proscrevessem os novos serviços. O argumento era de que o transporte de passageiros consistiria em serviço público titularizado pelo Estado e que, por isso, o modelo trazido pelos novos aplicados violaria referida exclusividade. A discussão terminou pacificada pelo Supremo Tribunal Federal (STF), que, após analisar casos de três leis municipais que haviam proibido o serviço, fixou a seguinte tese de repercussão geral: "1 - A proibição ou restrição da atividade de transporte privado individual por motorista cadastrado em aplicativo é inconstitucional, por violação aos princípios da livre iniciativa e da livre concorrência. 2 - No exercício de sua competência para a regulamentação e fiscalização do transporte privado individual de passageiros, os municípios e o Distrito Federal não podem contrariar os parâmetros fixados pelo legislador federal (Constituição Federal, artigo 22, inciso XI)" (BRASIL. Supremo Tribunal Federal. Recurso Extraordinário 1.0541.10. Relator: Min. Roberto Barroso, 9 de maio de 2019. *Dje*: Brasília, DF, Tema nº 967, 5 set. 2019).

[15] BRAITHWAITE, John. The Essence of Responsive Regulation, Fasken Lecture. *University of British Columbia Law Review*, [*S. l.*], v. 44, n. 3, p. 519, 2011, tradução nossa.

nessas frentes, considerando-se a premissa de que o "Estado Regulador se peculiariza pelo compartilhamento entre Estado e sociedade na responsabilidade de promover a tão esperada "revolução social".[16] Por isso, os modelos tradicionais centrados na sanção estatal, quando alijam a participação do próprio regulado, de outros atores e instituições sociais das estratégias de *enforcement*, tendem a se revelar insuficientes.[17]

Insuficientes, inclusive, porque, quanto mais se expandem, mais exigem da burocracia em termos de fiscalização e aplicação de sanções (em que pesem os cenários crônicos de escassez de recursos). Os modelos coercitivos não se bastam na teoria: para serem efetivos, precisam ter credibilidade. E isso passa pela capacidade (irreal) do Estado de detectar todas as condutas desconformes, instaurar todos os procedimentos sancionatórios, aplicar todas as punições cabíveis e, não raro, defender a legalidade dessas sanções quando desafiadas em juízo.

O fato é que a regulação tradicional, estática e desenhada para atuar *a posteriori*, não é aderente às características das sociedades contemporâneas. Simplesmente não tem aptidão para produzir os efeitos esperados, além de gerar custos altos para os cidadãos – por força dos recursos mal utilizados e da frustração dos objetivos de interesse público almejados. Justamente porque é assim, insistir nesses modelos se torna irracional; deixa de ser uma dentre as alternativas possíveis. Como acentua Natália de Almeida Moreno, faz-se necessário "buscarem-se outras formas, mais condizentes com a pluralidade, fragmentariedade, complexidade e dinamismo dos ambientes regulados, para a realização das missões públicas e a garantia da boa qualidade da regulação".[18] De modo direto: não é dado ao Estado ser ineficiente. Até porque isso viola a exigência constitucional de uma Administração Pública de resultados; que seja capaz de bem gerir a coisa pública.

É no aludido cenário que ganha espaço o paradigma da experimentação jurídico-regulatória, que se presta a promover a abertura de novas rotas regulatórias *ao lado* do comando e controle. A ideia não é, necessariamente, de substituição daquela via de regulação, mas de construção de modelos mais inteligentes, potencialmente mais efetivos e capazes de fazer frente aos desafios da contemporaneidade. É sobre isso que se tratará no item a seguir.

---

[16] JUSTEN FILHO, Marçal. O Direito Regulatório. *Interesse Público – IP*, Belo Horizonte, ano 9, n. 43, p. 5, maio/jun. 2007.

[17] "(...) o método regulatório tradicional de regulação, que pressupõe um amplíssimo conhecimento do regulador acerca das técnicas, tecnologias, preferências e informações presentes no mercado e na sociedade e que se funda em um sistema de descrição pormenorizada e inflexível das condutas a serem levadas a efeito pelos agentes regulados e em comandos imperativos pretensamente completos voltados a alcançar predições exatas, já não é bastante a responder aos problemas regulatórios tal como hoje se apresentam" (MORENO. Tecnologias regulatórias piramidais: *responsive regulation* e *smart regulation*, p. 130).

[18] MORENO. Tecnologias regulatórias piramidais: *responsive regulation* e *smart regulation*, p. 126. Até porque, "(...) a vinculação da atividade administrativa à efetivação do interesse público faz com que a multiplicação desse mesmo interesse público importe também na multiplicação de meios para efetivá-lo, cabendo à Administração Pública apenas o espaço de decisão sobre a forma, e o momento dessa efetivação ('como' e 'quando', para ser mais exato). Efeito semelhante é agora experimentado com a explosão de novas tecnologias, que põe, ante às ferramentas de Direito Administrativo, o desafio de se amoldarem à regência dos temas com ela trazidos" (RIBEIRO, Leonardo Coelho. A instrumentalidade do Direito Administrativo e a regulação de novas tecnologias disruptivas. *In*: FREITAS, Rafael Véras de; RIBEIRO, Leonardo Coelho; FEIGELSON, Bruno (coord.). *Regulação e novas tecnologias*. Belo Horizonte: Fórum, 2017. p. 67).

3 A experimentação jurídico-regulatória: abertura de rotas regulatórias ao lado do comando controle voltadas à construção de modelos mais efetivos e eficientes

Como visto, a regulação via comando e controle, isoladamente considerada, tende a ser pouco efetiva para responder a problemas públicos complexos, multidimensionais e dinâmicos que se avolumam na contemporaneidade. Por isso, há razões para crer que arranjos combinatórios de estratégias jurídico-regulatórias sejam mais inteligentes, eficientes, efetivos e funcionais.

Em verdade, deve-se encontrar o equilíbrio ótimo à luz de cada setor regulado, para que a multiplicidade de ferramentas não se torne, ela própria, complexa demais a ponto de inviabilizar seu manejo. Mas o ponto é que deve haver abertura suficiente para a um *mix* de estratégias regulatórias, abrindo-se os caminhos para um experimentalismo responsável[19] capaz de oferecer respostas regulatórias mais adequadas para os problemas públicos que marcam os tempos de hoje.

Como apontam Charles F. Sabel e William H. Simon, as transformações tecnológicas e econômicas "têm ultrapassado as capacidades do mercado e das salvaguardas burocráticas para proteger os interesses públicos",[20] gerando-se, em muitos casos, cenários de verdadeira "desconexão regulatória".[21] Ao ver dos referidos autores, sob o prisma do direito, "intervenções experimentalistas se apresentam como uma abordagem promissora no crescente domínio dos desafios políticos caracterizados pela incerteza sobre a definição dos problemas relevantes e de suas eventuais soluções",[22] tendo-se em conta a percepção de Sabel e Simon de que a aposta na estratégia de comando e controle no bojo da gestão pública e da regulação econômico-social tem se deteriorado a cada dia.[23] Abre-se espaço, então, para o desenvolvimento de mecanismos de testes com a finalidade de atender às novas demandas. Verdadeiros experimentos jurídico-institucionais voltados à construção de novas soluções para os problemas públicos.

Nas palavras de Paulo Modesto, a experimentação jurídico-administrativa "é sempre quebra da uniformidade e reconhecimento do ambiente regulatório [em sentido amplo] como fator decisivo para o desenho de serviços novos, de impacto singular e valor

---

[19] SUNDFELD, Carlos Ari. O Direito Administrativo entre os clips e os negócios. *In:* ARAGÃO, Alexandre Santos de; MARQUES NETO, Floriano de Azevedo (coord.). *Direito Administrativo e seus novos paradigmas.* Belo Horizonte: Fórum, 2008. p. 88.

[20] No original: "(...) technological and economic change has outstripped the capacities of established market and bureaucratic safeguards to protect key public interests" (SABEL, Charles F.; SIMON, William H. Minimalism and Experimentalism in the Administrative State. *Georgetown Law Journal*, Georgetown, v. 100, n. 1, p. 78, 2011, tradução nossa).

[21] BLANCHET, Luiz Alberto; GAZOTTO, Gustavo Martinelli Tanganelli; FERNEDA, Ariê Scherreier. Sandbox regulatória e tecnologias disruptivas: incentivos à inovação e inclusão financeira por meio das Fintechs. *Revista Eurolatina de Direito Administrativo*, Santa Fe, v. 7, n. 2, p. 72, jul./dez. 2020; BROWNSWORD, Roger; GOODWIN, Morag. *Law and the Technologies of the Twenty-First Century*: Text and Materials. Cambridge: Cambridge University Press, 2012. p. 46-71.

[22] No original: "(...) experimentalist intervention is a more promising approach in the growing realm of policy challenges characterized by uncertainty about both the definition of the relevant problems and the solutions". (SABEL; SIMON. Minimalism and Experimentalism in the Administrative State, p. 53, tradução nossa).

[23] SABEL; SIMON. Minimalism and Experimentalism in the Administrative State, p. 54.

público".[24] Ruptura essa que "opera em pequena escala e visa a favorecer o aprendizado factual e incremental, a descoberta das variáveis relevantes e a coleta de informações antes da decisão regulatória geral ou a generalização de práticas bem-sucedidas".[25] Trata-se, ao ver do autor, de estratégia jurídica que "envolve análise controlada de erros e acertos, a descoberta da dose certa de disciplina normativa, o que não se faz sem 'teste de necessidade' e avaliação de impacto regulatório (prospectivo e retrospectivo)".[26] Na percepção de Sofia Ranchordas, que possui ampla produção acadêmica voltada ao tema da experimentação no campo do direito, "o método experimental surgiu para canalizar o poder e promover a autogovernança".[27]

O experimentalismo jurídico-administrativo é multifacetado e diverso. Por sua natureza, "acomoda a diversidade",[28] constituindo-se por múltiplos regimes jurídicos experimentais que ganham expressão em distintas formas jurídicas e instrumentos disponibilizados à Administração Pública pelo ordenamento jurídico brasileiro.[29] Como afirmam José Sérgio Cristóvam e Thanderson de Sousa, em texto que relaciona o experimentalismo às inovações estatais:

> (...) pode-se conceber o experimentalismo como iniciativas multicêntricas de exploração de arranjos e alternativas para o enfrentamento de desafios da gestão pública, compatibilizados normativamente, mediante metas e métricas referências, implementados de modo controlado para geração de valor público e, ao final, consolidação da inovação.[30]

Nessa mesma linha, apontam Carina de Castro Quirino, Helena Hocayen e Marcella Brandão Cunha que

> (...) o experimentalismo abarca soluções de caráter aberto em termos de sua formulação e execução por parte da Administração Pública. Isto é, as respostas a problemas identificados pelos poderes públicos não são vistas como soluções estanques: o ambiente – que está sempre em constante mudança – determina os ajustes necessários às respostas previamente construídas. Não levar em consideração a mutabilidade das circunstâncias fáticas tornaria improvável o sucesso dos remédios desenhados pela Administração Pública.[31]

---

[24] MODESTO, Paulo. Direito Administrativo da experimentação: uma introdução. *Conjur*, São Paulo, 14 out. 2021. Disponível em: https://www.conjur.com.br/2021-out-14/interesse-publico-direito-administrativo-experimentacao-introducao. Acesso em: 9 abr. 2024.

[25] MODESTO. Direito Administrativo da experimentação: uma introdução.

[26] MODESTO. Direito Administrativo da experimentação: uma introdução.

[27] No original: "the experimental method in law and policy emerged thus to channel power and promote self-governance" (RANCHORDAS, Sofia. Experimental Regulations and Regulatory Sandboxes: Law without Order? *Law & Method*, [S. l.], n. 30, p. 2, Sept. 2021, tradução nossa).

[28] SABEL; SIMON. Minimalism and Experimentalism in the Administrative State, p. 88, tradução nossa.

[29] MODESTO. Direito Administrativo da experimentação: uma introdução.

[30] CRISTÓVAM, José Sérgio da Silva; SOUSA, Thanderson Pereira de. Direito administrativo da inovação e experimentalismo: o agir ousado entre riscos, controles e colaboratividade. *Seqüência: Estudos Jurídicos e Políticos*, Florianópolis, v. 43, n. 91, p. 19, 2022.

[31] QUIRINO, Carina de Castro; HOCAYEN, Helena Gouvêa de Paula; CUNHA, Marcella Brandão Flores da. *Sandbox* regulatório: instrumento experimentalista à disposição da Administração Pública local como suporte ao desenvolvimento econômico. *Revista de Direito Público da Economia – RDPE*, Belo Horizonte, ano 21, n. 84, p. 15, out./dez. 2023.

Nas palavras de Sofia Ranchordas, os regimes jurídicos experimentais ganham corpo no mundo real, por exemplo, por meio da edição de leis experimentais, pela construção e implementação de novas políticas públicas, ou mesmo por intermédio do desenho e constituição de regimes jurídicos temporários, como os *sandboxes* regulatórios.[32] [33] Ao ver de Paulo Modesto, "o experimentalismo pode ser incentivado e controlado, como nos programas de *sandbox*, ou decorrer da própria aplicação de normas gerais flexíveis a partir de análise de evidências e estudos empíricos e estatísticos".[34] As bases do experimentalismo estão em perfeita consonância com característica que Marçal Justen Filho atribui ao Estado Regulador, nos seguintes termos:

> (...) a quarta característica do Estado Regulador reside na institucionalização de mecanismos de disciplina permanente e de fiscalização da atividade econômica privada. Passa-se de um estágio de regramento estático para uma concepção de regramento dinâmico. O Estado tem de disciplinar mecanismos de acompanhamento e controle dos agentes privados, o que significa a possibilidade (necessidade) de inovação contínua.[35]

Ressalte-se que o experimentalismo não é uma espécie de adendo, isto é, de um "jogo" de tentativa e erro desejável que atua em paralelo à atuação estatal tida por tradicional. É bem mais do que isso. Trata-se de um ferramental necessário em tempos atuais, diante das características da sociedade contemporânea, do "aumento da volatilidade e complexidade dos ambientes"[36] e do "ritmo acelerado das inovações tecnológicas",[37] narradas no item II deste artigo. Um caminho, ademais, que extrai fundamento de validade do próprio texto constitucional, mais especificamente, de seus arts. 37, *caput* (quando remete à eficiência); 174 e 218 da Constituição da República; bem como do Marco Legal das Startups e do empreendedorismo inovador (Lei Complementar nº 182/2021, art. 2º, II; art. 11).[38]

É verdade que os desafios para a incorporação do paradigma da experimentação são grandes. Como explica André Ribeiro Tosta, (i) "aqui, a Administração Pública (direta e indireta) opera sob a lógica do princípio da legalidade (...) A despeito de nem sempre a lei ser um obstáculo à inovação, muitas vezes ela serve de obstáculo à experimentação de novos modelos institucionais".[39] Isso porque "o propósito da normatização por lei

---

[32] RANCHORDAS. Experimental Regulations and Regulatory Sandboxes: Law without Order?, p. 2.

[33] Sofia Ranchordas (Experimental Regulations and Regulatory Sandboxes: Law without Order?, p. 2) define regimes jurídicos experimentais como "all forms of experiments with laws and regulations, normally take the form of a temporary derogation from general rules".

[34] MODESTO. Simplificação administrativa e experimentação.

[35] JUSTEN FILHO. O Direito Regulatório, p. 1.

[36] SABEL, Charles F.; ZEITLIN, Jonathan. Experimentalist Governance. *In:* LEVI-FAUR, David (ed.). *The Oxford Handbook of Governance*. Oxford: Oxford University Press, 2012. p. 10. Disponível em: https://scholarship.law.columbia.edu/faculty_scholarship/4355/. Acesso em: 17 ago. 2024.

[37] SABEL; ZEITLIN. Experimentalist Governance, p. 10.

[38] LIMA, Cesar Henrique Ferreira. *Direito Administrativo da Experimentação*: fundamentos, possibilidades, limites e experiências práticas na realidade brasileira. 2024. Dissertação (Mestrado em Direito) – Faculdade de Direito, Universidade do Estado do Rio de Janeiro, Rio de Janeiro, 2024. f. 46-66.

[39] TOSTA, André Ribeiro. *Instituições e o Direito Público*: empirismo, inovação e um roteiro de análise. Rio de Janeiro: Lumen Juris, 2019. p. 144-145.

é uniformizar; experimentar, ao contrário, é adotar a flexibilidade de modelos em prol da inovação".[40]

Demais disso, podem-se pensar em (ii) obstáculos de ordem cultural à inovação e à experimentação, já que, como também aponta André Ribeiro Tosta, "há elementos arraigados em nossa cultura que se contrapõem à experimentação propugnada por instituições públicas, muitos deles relacionados à percepção de distância entre o Poder Público e os cidadãos".[41] De modo direto: "(...) como sociedade, não esperamos do Estado brasileiro, e muito menos do Direito, que seja ele o responsável por soluções inovadoras".[42] Ainda, há (iii) obstáculos políticos, considerando-se que, "como agente político, eleger-se com base na promessa de experimentos com o próprio eleitorado é uma estratégia questionável: eleitores esperam propostas certas e retoricamente desprovidas de riscos, o que não é o caso de medidas experimentalistas".[43]

Seja como for, os contornos da sociedade contemporânea (dinâmica, complexa e plural) estão postos. De modo que, por maior que sejam os desafios, lidar com eles é necessário. O experimentalismo jurídico-administrativo se insere nas rotas regulatórias *ao lado* da regulação via comando controle e traz caminhos para a construção de modelos de resposta estatal mais efetivos e eficientes.[44] A seguir, serão abordadas algumas ferramentas que têm sido testadas e que podem ser aprimoradas a partir do paradigma do experimentalismo, para que se faça frente à atuação desconforme dos agentes regulados.

4 Experimentação regulatória em prol da diversificação de respostas estatais: consensualidade, economia comportamental, sanções premiais e ausência de regulação/desregulação

Partindo-se das premissas de que (a) a regulação via comando e controle tem se revelado inadequada e ineficiente para lidar com o perfil das sociedades atuais e de que (b) é possível e recomendável abrir novas rotas regulatórias, à luz do paradigma da experimentação jurídico-regulatória, passa-se a tratar de formas adicionais de respostas estatais aos comportamentos considerados desviantes adotados dos agentes regulados.

No lugar da sanção administrativa, pilar fundamental do modelo de regulação via comando e controle, a resposta ao ilícito cometido pode consistir, por exemplo, na celebração de um acordo substitutivo da punição,[45] que tome do particular o compromisso firme de não apenas reparar danos que tenham sido gerados – tanto à Administração, quanto a interesses difusos e coletivos protegidos, a exemplo de direitos dos consumidores –, mas cessar a conduta irregular.

Trata-se de solução inserida no marco da consensualidade, que já vinha sendo praticada, com maior ou menor intensidade, em diversos setores regulados, com amparo

---

[40] TOSTA. *Instituições e o Direito Público*: empirismo, inovação e um roteiro de análise, p. 145.
[41] TOSTA. *Instituições e o Direito Público*: empirismo, inovação e um roteiro de análise, p. 146.
[42] TOSTA. *Instituições e o Direito Público*: empirismo, inovação e um roteiro de análise, p. 147.
[43] TOSTA. *Instituições e o Direito Público*: empirismo, inovação e um roteiro de análise, p. 147.
[44] SABEL; SIMON. Minimalism and Experimentalism in the Administrative State, p. 88.
[45] PALMA, Juliana Bonacorsi de. *Sanção e acordo na Administração Pública*. São Paulo: Malheiros, 2015. p. 252 e ss.

em referências normativas esparsas.[46] Hoje, o art. 26 da Lei de Introdução às Normas de Direito Brasileiro (LINDB) positivou cláusula geral que dá respaldo à substituição da estratégia de comando e controle por um compromisso orientado pela boa-fé das partes envolvidas e sua disposição para colaborar, o qual deve observar condições obrigatórias no *caput* e incisos do §1º do referido dispositivo, bem como nas exigências constantes de seu Decreto Regulamentar (Decreto nº 9.830/2019).[47]

Por evidente, a escolha pela via consensual não prescinde da devida motivação, nem poderá ter lugar em todo e qualquer caso. É recomendável (embora, a nosso ver, não imprescindível), *e.g.*, que as exigências para a celebração do termo de compromisso estejam previstas em regulamentação do órgão ou entidade competente, o que proporciona maior segurança jurídica, transparência e imparcialidade. Hão de ser justificadas, em cada caso, as vantagens associadas ao ajuste firmado em detrimento da aplicação de penalidade, relacionadas à perspectiva de atendimento mais amplo e efetivo dos interesses públicos protegidos. Também é fundamental que se estabeleçam rotinas e critérios para a fiscalização do cumprimento do acordo, sem o que o compromisso firmado poderá ter sido em vão.[48]

A despeito das exigências adicionais que recaem sobre a celebração de acordos (e que não raro assustam os gestores e desestimulam a sua celebração), é inquestionável que soluções consensuais apresentam um conjunto importante de externalidades positivas e precisam ser levadas a sério enquanto ferramentas que, longe de serem alternativas, são tão ou mais importantes do que a técnica sancionatória para criar incentivos adequados e eficientes à conformação de condutas dos particulares.

A propósito, a consensualidade não deve ser tomada como uma tendência de feição única, mas como um leque de possibilidades que se abre à Administração Pública na identificação de respostas inteligentes a descumprimentos verificados, tendo-se em conta, mais uma vez, o paradigma da experimentação regulatória. Além dos acordos substitutivos de sanções, hoje já vêm sendo testadas outras iniciativas consensuais gestadas para tratar problemas internos e externos ínsitos às atividades administrativas. Podem-se mencionar os Termos de Ajustamento de Condutas (TACs) celebrados entre a Administração e seus servidores, para a resolução de infrações disciplinares leves;[49] ou mediações celebradas para prevenir ou solucionar infrações relacionadas quer ao dia a dia interno de órgãos ou entidades públicos, quer a relações travadas com o público externo, como usuários de serviços públicos. Outro setor em que a consensualidade tem sido aplicada com cada vez maior intensidade diz respeito aos contratos administrativos

---

[46] Não se ignora que há desafios relevantes no que tange à implementação de soluções consensuais. Sobre o tema, ver: VORONOFF, Alice; LIMA, Cesar Henrique. *Consensualidade na Administração Pública brasileira*: cinco desafios para a sua efetiva implementação. O Direito Público por elas: homenagem à Professora Patrícia Baptista. Rio de Janeiro: Lumen Juris, 2021. v. 3.

[47] GUERRA, Sérgio; PALMA, Juliana Bonacorsi. Art. 26 da LINDB: novo regime jurídico de negociação com a Administração Pública. *Revista de Direito Administrativo (RDA)*, Edição Especial: Direito Público na Lei de Introdução às Normas de Direito Brasileiro (LINDB), Rio de Janeiro, p. 147, nov. 2018.

[48] Sobre o tema, ver: BINENBOJM, Gustavo. A consensualidade administrativa como técnica juridicamente adequada de gestão eficiente de interesses sociais. *Revista Eletrônica da Procuradoria Geral do Estado do Rio de Janeiro – PGE-RJ*, Rio de Janeiro, v. 3, n. 3, set./dez. 2020.

[49] É o que se extrai, por exemplo, da Portaria Normativa nº 27/2022, editada pela Controladoria-Geral da União (CGU), que dispõe sobre o Sistema de Correição do Poder Executivo Federal e viabiliza a celebração de termos de ajustamento de condutas nos casos de infrações disciplinares de menor potencial ofensivo (art. 61 e ss.).

em geral, em que a previsão de *dispute boards* e comissões técnicas tende a evitar litígios altamente custosos e proporcionar condições mais eficientes e estáveis de atendimento ao objeto contratado pela Administração.[50]

Para além das técnicas do comando e controle e da consensualidade, outra lente pela qual podem ser enxergados os desafios regulatórios do Estado contemporâneo remete à chamada economia comportamental. De acordo com estudiosos dessa seara, os indivíduos não agem sempre de modo racional, porque sua razão é limitada. Muitas vezes, atuam por impulso ou de forma automática, a partir de vieses cognitivos e atalhos mentais.[51] Somos Humanos, e não Econs.[52] E ter consciência de tal limitação cognitiva é um passo importante para o desenho e implementação de modelos regulatórios efetivos.

Com efeito, quando se parte da condição humana de falibilidade e se conhecem exatamente quais os erros usualmente cometidos pelas pessoas, é possível cogitar de esquemas normativos menos interventivos e custosos – tanto para o Estado quanto para os agentes privados envolvidos –, bem como capazes de maximizar os índices de conformidade às regras estabelecidas. Afinal, se nem todos agem racionalmente diante de escolhas que tenham que ser feitas (como pagar ou não impostos), mesmo cientes da existência de consequências coercitivas que possam agravar sua situação (como a inscrição em dívida ativa, a aplicação de multas e até a penhora de bens), pode ser mais adequado estimular o comportamento humano por intermédio de incentivos de outra ordem (complementares ou substitutivos do comando e controle, conforme o caso), que atuem sobre padrões automáticos dos indivíduos –[53] como espécies de mensagens cifradas.

Essa é a proposta de Cass Sunstein e Richard Thaler, que cunharam a expressão *nudges* (ou "empurrõezinhos") para abarcar estratégias voltadas a induzir os indivíduos

---

[50] A Lei nº 14.133/2021 (Nova Lei de Licitações e Contratos Administrativos) prevê expressamente, em seu art. 151, que nas contratações regidas pela norma "poderão ser utilizados meios alternativos de prevenção e resolução de controvérsias, notadamente a conciliação, a mediação, o comitê de resolução de disputas e a arbitragem" (BRASIL. Lei nº 14.133, de 1º de abril de 2021. Lei de Licitações e Contratos Administrativos. *Diário Oficial da União*: Brasília, DF. Disponível em: https://www.planalto.gov.br/ccivil_03/_ato2019-2022/2021/lei/L14133.htm. Acesso em: 19 mar. 2024).

[51] TVERSKY, Amos; KAHNEMAN, Daniel. Judgment under Uncertainty: Heuristics and Biases. *Science*, [*S. l.*], v. 185, n. 4.157, p. 1124-1131, Sept. 1974. De forma resumida, veja-se a explicação de Marina Rodrigues Cyrino Baleroni (*Nudge* para alguns e *big stick* para outros. *In*: LEAL, Fernando; CARDOSO, Henrique Ribeiro (coord.). *Direito Regulatório Comportamental e consequencialismo*: nudges e pragmatismo em temas de Direito. Rio de Janeiro: Lumen Juris, 2020. p. 345): "De acordo com estudos da ciência comportamental, a grande maioria das decisões que tomamos em nosso dia a dia são automáticas. Não são decisões pensadas, agimos de maneira irracional e utilizamos atalhos mentais desenvolvidos ao longo da vida. Esses atalhos, ou como são chamados pelos pesquisadores, 'heurísticas', são processos de decisão predefinidos ou previamente avaliados em nossas mentes. Os mesmos atalhos costumam ser utilizados por pessoas de mesmos grupos sociais e culturas".

[52] THALER, Richard H.; SUNSTEIN, Cass. *Nudge*: como tomar melhores decisões sobre saúde, dinheiro e felicidade. Tradução: Ângelo Lessa. Rio de Janeiro: Objetiva, 2019. Sobre o assunto, no Brasil, ver: QUIRINO, Carina de Castro. *Regulação comportamental*: justificação, diagnósticos e aplicação em políticas públicas no Brasil. 2019. Tese (Doutorado em Direito Público) – Faculdade de Direito, Universidade do Estado do Rio de Janeiro, Rio de Janeiro, 2019.

[53] Abordando a insuficiência da técnica do comando e controle na conjuntura atual, a partir da compreensão histórica das ferramentas a cargo do Estado ao longo da evolução de seu papel (desde o modelo liberal até o regulador, passando pelo Estado social), ver: CARDOSO, Henrique Ribeiro; PIRES, Pedro André Guimarães. Direito Regulatório Comportamental: a sintonia fina entre Estado e cidadão. *In*: LEAL, Fernando; CARDOSO, Henrique Ribeiro (coord.). *Direito Regulatório Comportamental e consequencialismo*: nudges e pragmatismo em temas de Direito. Rio de Janeiro: Lumen Juris, 2020. p. 5-8.

à eleição das melhores escolhas para suas vidas e/ou para a comunidade em geral, mas sem lhes suprimir a liberdade de optar por caminho diverso.[54] Nisso se inseririam, por exemplo, a disposição de produtos em supermercados de modo que os mais saudáveis fiquem mais facilmente expostos ao consumidor, a discriminação nos rótulos de alimentos de seus nutrientes e a divulgação de frases e imagens de advertência em maços de cigarros. Em todos os casos, o Estado estaria sugerindo aos consumidores escolhas socialmente desejáveis, mas sem lhes retirar a pior opção (consumir *junk food* e gastar com cigarros). Um Estado, portanto, ao mesmo tempo paternalista e libertário.[55]

Gustavo Feitosa e Antonia Camily da Cruz trataram do tema no campo específico das relações tributárias, em artigo que traz exemplos concretos e bastante interessantes quanto à potencialidade do uso de "*nudges* fiscais".[56] Vale reproduzir:

> O sistema de cobrança da dívida ativa é território promissor para a aplicação de *insights* fiscais se consideradas algumas premissas: a) inércia dos devedores para adimplir dívidas fiscais; b) falta de conhecimento prévio do contribuinte sobre sua situação fiscal e sobre soluções possíveis para se regular; c) burocracia ao optar por se regularizar; d) aversão a pagar tributo pela perda financeira; d) influência social na decisão de pagar.
>
> (...)
>
> Um exemplo viável de *nudge* fiscal é o lembrete encaminhado ao contribuinte informando sua inclusão em dívida ativa e todas as opções de regularização antes da adoção de medidas mais gravosas, que aumentam os encargos legais da dívida, como o protesto e o ajuizamento da respectiva execução fiscal.
>
> Esse tipo de técnica pode ter efeito sobre grupo de devedores que se mantêm inertes diante da inadimplência, seja porque estavam mal informados sobre sua situação fiscal, seja porque sequer sabiam que eram devedores e quais as consequências da inadimplência.
>
> (...)
>
> Além de lembretes constantes, facilitar o acesso à regularização de dívidas fiscais é um *nudge* simples, que visa ao interesse comum, mas encontra empecilhos em exigências burocráticas desnecessárias. Os cidadãos, mesmo com desagrado, podem até decidir adimplir suas obrigações fiscais, mas, se no meio do caminho, encontrarem algum empecilho de ordem burocrática, ou se não lhe for facilitada a informação, podem ser levados pelo "viés do

---

[54] THALER; SUSTEIN. *Nudge*: como tomar melhores decisões sobre saúde, dinheiro e felicidade.

[55] "O lado libertário das nossas estratégias se encontra na convicção de que as pessoas devem ter liberdade para fazer o que quiserem, inclusive recusar acordos desvantajosos. Citando uma expressão do falecido economista Milton Friedman, os paternalistas libertários prezam a 'liberdade de escolha'. Procuramos criar políticas que mantenham ou aumentem a liberdade de escolha. Quando usamos o adjetivo 'libertário' para modificar o substantivo 'paternalismo', é apenas no sentido de preservar a liberdade. Os paternalistas libertários querem que cada vez mais as pessoas sigam seu próprio caminho, e não impor obstáculos. Já o lado paternalista se encontra na ideia de que os arquitetos de escolha têm toda a legitimidade para tentar influenciar o comportamento das pessoas, desde que seja para tornar a vida delas mais longa, mais saudável e melhor. Em outras palavras, somos a favor de que os setores público e privado direcionem de forma consciente as pessoas a fazerem escolhas que melhorem sua vida" (THALER; SUSTEIN. *Nudge*: como tomar melhores decisões sobre saúde, dinheiro e felicidade. p. 13-14, tradução nossa).

[56] FEITOSA, Gustavo Raposo Pereira; CRUZ, Antonia Camily Gomes. *Nudges* fiscais: a economia comportamental e o aprimoramento da cobrança da dívida ativa. *Pensar – Revista de Ciências Jurídicas*, Fortaleza, v. 24, n. 4, p. 1-16, out./dez. 2019.

status quo" e deixar para outro momento, mesmo que isso possa lhe implicar prejuízos futuros. Isto porque "muitas pessoas aceitam a opção que exige o menor esforço – seja ela qual for – ou o caminho de menor resistência" (...).[57]

Indo adiante, se o desafio é estimular a maior conformidade da conduta dos particulares, outra ferramenta que não pode ser desprezada pelo poder público diz respeito à criação de sanções premiais. Segundo Gustavo Binenbojm:

> As sanções premiais são (...) posições de vantagem que o particular poderá galgar, desde que voluntariamente adapte a sua conduta às condições previstas na disciplina ordenadora. Enquanto as normas ordenadoras de comando e controle são estruturadas a partir do binômio prescrição-sanção, as normas de indução de comportamentos baseiam-se na atribuição de uma situação ampliativa de direitos a quem se dispuser a adotar previamente os comportamentos exigidos.[58]

Por fim, a consciência de que a sanção administrativa é um dos meios possíveis para lidar com a infração, e não o único – nem, frequentemente, o melhor –, aponta também para a possibilidade de não se fazer nada (ou se desfazer o que não funciona). Afinal, punir exige recursos de quem tenha a competência para fazê-lo (financeiros e humanos); capacidade de fiscalização e de aplicação das penalidades (para evitar o risco de que a impunidade esvazie a credibilidade do sistema sancionatório); aptidão efetiva para inibir comportamentos ilícitos; dentre outras variáveis. Na prática, se atender a tais condições se revelar inviável – por faltarem recursos, *expertise* técnica dos agentes públicos, capacidade de fiscalização, grau de informação necessário sobre o setor regulado, credibilidade institucional, dentre outros elementos –, deve-se avaliar se a criação ou a manutenção de um modelo inefetivo se justifica. Pode ser que não regular por comando e controle, ou simplesmente não regular, ainda que temporariamente, exsurja como a decisão mais racional.

Não à toa, mais recentemente, manuais e guias produzidos para orientar gestores e instituições públicas na realização de análises de impacto regulatório (AIRs) indicam a não regulação como uma dentre as opções a ser avaliada durante o procedimento.[59]

Em suma, são enormes os potenciais ganhos de eficiência e racionalidade quando se busca ampliar o leque de respostas estatais *vis-à-vis* a atuação dos regulados. Não se trata de excluir o comando e controle como técnica para lidar com a infração administrativa – que, inclusive, pode continuar sendo a principal –, mas, à luz da experimentação jurídico-regulatória, combinar essa estratégia com outras mais adequadas, ou mesmo substituir esquemas sancionatórios por modelos não coercitivos quando estes se provem mais aptos a incentivar o maior cumprimento da regulação. A título de exemplo, mencionaram-se

---

[57] FEITOSA; CRUZ. *Nudges fiscais: a economia comportamental e o aprimoramento da cobrança da dívida ativa*, p. 8.

[58] BINENBOJM. *Poder de polícia, ordenação, regulação*: transformações político-jurídicas, econômicas e institucionais do direito administrativo ordenador, p. 119.

[59] É o que consta, por exemplo, do documento intitulado *Guia Orientativo para Elaboração de Análise de Impacto Regulatório – AIR*, produzido pelo Governo Federal (BRASIL. Casa Civil da Presidência da República. *Diretrizes gerais e guia orientativo para elaboração de Análise de Impacto Regulatório – AIR*. Brasília, DF: Presidência da República, jun. 2018. p. 44-49. Disponível em: https://bit.ly/40gTffN. Acesso em: 19 mar. 2024).

anteriormente as vias da consensualidade, da economia comportamental, das sanções premiais e da não regulação (ou da desregulação, quando for o caso). Mas as hipóteses são ilustrativas. Não há por que impor limites *a priori* à criatividade na construção de técnicas sociais mais aptas e eficazes para incentivar comportamentos humanos, especialmente em um mundo dinâmico marcado pelo avanço de tecnologias, e desde que respeitadas as balizas do ordenamento jurídico-constitucional.

5 Considerações finais

Foi-se o tempo em que a certeza e a força ditavam as regras. Em que o Estado podia antever comportamentos e apenas ameaçar para inibi-los. Em que a vida era ainda previsível e calculável.

Se o mundo mudou, não há como insistir em soluções incapazes de acompanhá-lo. A ideia não é rejeitar o passado, mas oxigená-lo com novos meios e modos para lidar com o presente. E com o futuro. Isso se aplica às relações sociais, políticas e pessoais, mas também à regulação econômico-social, que precisa se reinventar para ser efetiva.

No presente estudo, defendeu-se que a experimentação jurídico-regulatória é mais do que uma boa ideia. É um olhar que precisa estar infiltrado no dia a dia das instituições regulatórias e um ferramental que permite avanços. No ambiente regulatório, pode ser peça fundamental para o desenho de estratégias mais inteligentes e adequadas para o Estado lidar com infrações e incentivar a conformação do comportamento dos agentes regulados.

Experimentar, então, é preciso. Por evidente, com responsabilidade e cautela, já que a regulação lida com interesses e bens caros e sensíveis à sociedade, que não devem ser colocados em risco. Mas é justamente em nome desses interesses e bens que não se podem admitir arranjos custosos, irracionais e extremamente ineficientes. A visão do futuro pode ser mais alvissareira. Vale o teste.

Referências

BALERONI, Marina Cyrino Rodrigues. *Nudge* para alguns e *big stick* para outros. *In*: LEAL, Fernando; CARDOSO, Henrique Ribeiro (coord.). *Direito Regulatório Comportamental e consequencialismo*: *nudges* e pragmatismo em temas de Direito. Rio de Janeiro: Lumen Juris, 2020.

BECK, Ulrich. *Sociedade de risco*: rumo a uma outra modernidade. Tradução: Sebastião Nascimento. São Paulo: Editora 34, 2010.

BINENBOJM, Gustavo. A consensualidade administrativa como técnica juridicamente adequada de gestão eficiente de interesses sociais. *Revista Eletrônica da Procuradoria Geral do Estado do Rio de Janeiro – PGE-RJ*, Rio de Janeiro, v. 3, n. 3, set./dez. 2020.

BINENBOJM, Gustavo. *Poder de polícia, ordenação, regulação*: transformações político-jurídicas, econômicas e institucionais do direito administrativo ordenador. 2. ed. Belo Horizonte: Fórum, 2017.

BLANCHET, Luiz Alberto; GAZOTTO, Gustavo Martinelli Tanganelli; FERNEDA, Ariê Scherreier. Sandbox regulatória e tecnologias disruptivas: incentivos à inovação e inclusão financeira por meio das Fintechs. *Revista Eurolatina de Direito Administrativo*, Santa Fe, v. 7, n. 2, p. 71-87, jul./dez. 2020.

BRAITHWAITE, John. The Essence of Responsive Regulation, Fasken Lecture. *University of British Columbia Law Review*, [S. l.], v. 44, n. 3, p. 475-520, 2011.

BRASIL. Casa Civil da Presidência da República. *Diretrizes gerais e guia orientativo para elaboração de Análise de Impacto Regulatório – AIR*. Brasília, DF: Presidência da República, jun. 2018. p. 44-49. Disponível em: https://bit.ly/40gTffN. Acesso em: 19 mar. 2024.

BRASIL. Lei nº 14.133, de 1º de abril de 2021. Lei de Licitações e Contratos Administrativos. *Diário Oficial da União*: Brasília, DF. Disponível em: https://www.planalto.gov.br/ccivil_03/_ato2019-2022/2021/lei/L14133.htm. Acesso em: 19 mar. 2024.

BRASIL. Supremo Tribunal Federal. Recurso Extraordinário 1.0541.10. Relator: Min. Roberto Barroso, 9 de maio de 2019. *Dje*: Brasília, DF, 5 set. 2019.

BRASIL. Tribunal de Contas da União. Multas administrativas de órgãos reguladores não são amplamente divulgadas. *Portal TCU*, Brasília, DF, 15 set. 2017. Disponível em: https://portal.tcu.gov.br/imprensa/noticias/multas-administrativas-de-orgaos-reguladores-nao-sao-amplamente-divulgadas.htm. Acesso em: 16 ago. 2024.

BROWNSWORD, Roger; GOODWIN, Morag. *Law and the Technologies of the Twenty-First Century*: Text and Materials. Cambridge: Cambridge University Press, 2012.

CARDOSO, Henrique Ribeiro; PIRES, Pedro André Guimarães. Direito Regulatório Comportamental: a sintonia fina entre Estado e cidadão. *In*: LEAL, Fernando; CARDOSO, Henrique Ribeiro (coord.). *Direito Regulatório Comportamental e consequencialismo*: *nudges* e pragmatismo em temas de Direito. Rio de Janeiro: Lumen Juris, 2020.

CRISTÓVAM, José Sérgio da Silva; SOUSA, Thanderson Pereira de. Direito administrativo da inovação e experimentalismo: o agir ousado entre riscos, controles e colaboratividade. *Seqüência: Estudos Jurídicos e Políticos*, Florianópolis, v. 43, n. 91, p. 1-50, 2022.

FEITOSA, Gustavo Raposo Pereira; CRUZ, Antonia Camily Gomes. *Nudges* fiscais: a economia comportamental e o aprimoramento da cobrança da dívida ativa. *Pensar – Revista de Ciências Jurídicas*, Fortaleza, v. 24, n. 4, p. 1-16, out./dez. 2019.

GUERRA, Sérgio; PALMA, Juliana Bonacorsi. *Art. 26 da LINDB*: novo regime jurídico de negociação com a Administração Pública. *Revista de Direito Administrativo (RDA)*, Edição Especial: Direito Público na Lei de Introdução às Normas de Direito Brasileiro (LINDB), Rio de Janeiro, p. 135-169, nov. 2018.

GUERRA, Sérgio. Riscos, assimetria regulatória e o desafio das inovações tecnológicas. *In*: FREITAS, Rafael Véras de; RIBEIRO, Leonardo Coelho; FEIGELSON, Bruno (coord.). *Regulação e novas tecnologias*. Belo Horizonte: Fórum, 2017.

JUSTEN FILHO, Marçal. *Introdução ao Estudo do Direito*. 2. ed. Rio de Janeiro: Forense, 2021.

JUSTEN FILHO, Marçal. O Direito Administrativo do Espetáculo. *In*: ARAGÃO, Alexandre dos Santos de; MARQUES NETO, Floriano de Azevedo (org.). *Direito Administrativo e seus novos paradigmas*. 2. ed. Belo Horizonte: Fórum, 2017. p. 57-79.

JUSTEN FILHO, Marçal. O Direito Regulatório. *Interesse Público – IP*, Belo Horizonte, ano 9, n. 43, maio/jun. 2007.

LIMA, Cesar Henrique Ferreira. *Direito Administrativo da Experimentação*: fundamentos, possibilidades, limites e experiências práticas na realidade brasileira. 2024. Dissertação (Mestrado em Direito) – Faculdade de Direito, Universidade do Estado do Rio de Janeiro, Rio de Janeiro, 2024.

MELO, Antônio Moreira Barbosa de. Introdução às formas de concertação social. *Boletim da Faculdade de Direito da Universidade de Coimbra*, Coimbra, n. 59, 1984.

MODESTO, Paulo. Direito Administrativo da experimentação: uma introdução. *Conjur*, São Paulo, 14 out. 2021. Disponível em: https://www.conjur.com.br/2021-out-14/interesse-publico-direito-administrativo-experimentacao-introducao. Acesso em: 9 abr. 2024.

MOREIRA, Rafael. Governo do MS aplica multas que somam R$ 54 milhões por incêndios no Pantanal, mas ainda não recebeu nenhum valor. *G1*, Rio de Janeiro, 4 jul. 2024. Disponível em: https://g1.globo.com/ms/mato-grosso-do-sul/noticia/2024/07/04/com-r-54-milhoes-em-multas-por-incendios-no-pantanal-governo-de-ms-nao-recebeu-nada-do-montante.ghtml. Acesso em: 16 ago. 2024.

MORENO, Natália de Almeida. Tecnologias regulatórias piramidais: *responsive regulation* e *smart regulation*. *Revista de Direito Público da Economia – RDPE*, Belo Horizonte, ano 13, n. 49, p. 125-158, 2015.

PALMA, Juliana Bonacorsi de. Regulação responsiva: a visão do TCU. *Jota*, São Paulo, 11 out. 2023. Disponível em: https://www.jota.info/opiniao-e-analise/colunas/controle-publico/regulacao-responsiva-a-visao-do-tcu-11102023. Acesso em: 16 ago. 2024.

PALMA, Juliana Bonacorsi de. *Sanção e acordo na Administração Pública*. São Paulo: Malheiros, 2015.

QUIRINO, Carina de Castro; HOCAYEN, Helena Gouvêa de Paula; CUNHA, Marcella Brandão Flores da. *Sandbox* regulatório: instrumento experimentalista à disposição da Administração Pública local como suporte ao desenvolvimento econômico. *Revista de Direito Público da Economia – RDPE*, Belo Horizonte, ano 21, n. 84, p. 9-33, out./dez. 2023.

QUIRINO, Carina de Castro. *Regulação comportamental*: justificação, diagnósticos e aplicação em políticas públicas no Brasil. 2019. Tese (Doutorado em Direito Público) – Faculdade de Direito, Universidade do Estado do Rio de Janeiro, Rio de Janeiro, 2019.

RANCHORDAS, Sofia. Experimental Regulations and Regulatory Sandboxes: Law without Order? *Law & Method*, [*S. l.*], n. 30, Sept. 2021.

RIBEIRO, Leonardo Coelho. A instrumentalidade do Direito Administrativo e a regulação de novas tecnologias disruptivas. *In*: FREITAS, Rafael Véras de; RIBEIRO, Leonardo Coelho; FEIGELSON, Bruno (coord.). Regulação e novas tecnologias. Belo Horizonte: Fórum, 2017. p. 61-82.

RIBEIRO, Leonardo Coelho. *O Direito Administrativo como "caixa de ferramentas"*: uma nova abordagem da ação pública. São Paulo: Malheiros, 2016.

SABEL, Charles F.; SIMON, William H. Minimalism and Experimentalism in the Administrative State. *Georgetown Law Journal*, Georgetown, v. 100, n. 1, p. 53-94, 2011.

SABEL, Charles F.; ZEITLIN, Jonathan. Experimentalist Governance. *In*: LEVI-FAUR, David (ed.). *The Oxford Handbook of Governance*. Oxford: Oxford University Press, 2012. Disponível em: https://scholarship.law.columbia.edu/faculty_scholarship/4355/. Acesso em: 17 ago. 2024. p. 10.

SUNDFELD, Carlos Ari. O Direito Administrativo entre os *clips* e os negócios. *In*: ARAGÃO, Alexandre Santos de; MARQUES NETO, Floriano de Azevedo (coord.). *Direito Administrativo e seus novos paradigmas*. Belo Horizonte: Fórum, 2008.

SUNSTEIN, Cass R. *Laws of Fear*: Beyond the Precautionary Principle. New York: Cambridge University Press, 2005.

TORRES, Ricardo Lobo. A segurança jurídica e as limitações constitucionais ao poder de tributar. *Revista Eletrônica de Direito do Estado (REDE)*, Salvador, n. 4, 2005.

THALER, Richard H.; SUSTEIN, Cass. *Nudge*: como tomar melhores decisões sobre saúde, dinheiro e felicidade. Tradução: Ângelo Lessa. Rio de Janeiro: Objetiva, 2019.

TOSTA, André Ribeiro. *Instituições e o Direito Público*: empirismo, inovação e um roteiro de análise. Rio de Janeiro: Lumen Juris, 2019.

TVERSKY, Amos; KAHNEMAN, Daniel. Judgment under Uncertainty: Heuristics and Biases. *Science*, [*S. l.*], v. 185, n. 4.157, p. 1124-1131, Sept. 1974.

VORONOFF, Alice. *Direito Administrativo Sancionador no Brasil*: justificação, interpretação e aplicação. Belo Horizonte: Fórum, 2018.

VORONOFF, Alice; LIMA, Cesar Henrique. Consensualidade na Administração Pública brasileira: cinco desafios para a sua efetiva implementação. *O Direito Público por elas*: homenagem à Professora Patrícia Baptista. Rio de Janeiro: Lumen Juris, 2021. v. 3.

Informação bibliográfica deste texto, conforme a NBR 6023:2018 da Associação Brasileira de Normas Técnicas (ABNT):

VORONOFF, Alice; LIMA, Cesar Henrique. Da regulação por comando e controle à experimentação jurídico-regulatória: arranjos combinatórios de tecnologias regulatórias em face de problemas públicos complexos, multidimensionais e dinâmicos da contemporaneidade. *In*: JUSTEN, Monica Spezia; PEREIRA, Cesar; JUSTEN NETO, Marçal; JUSTEN, Lucas Spezia (coord.). *Uma visão humanista do Direito*: homenagem ao Professor Marçal Justen Filho. Belo Horizonte: Fórum, 2025. v. 3, p. 183-200. ISBN 978-65-5518-915-5.

ALGUNS APONTAMENTOS SOBRE A RENEGOCIAÇÃO DE CONTRATOS DE CONCESSÃO

ALINE LÍCIA KLEIN

1 Introdução

Tem sido observado um incremento significativo dos procedimentos de solução consensual que estão avançando e pondo fim a controvérsias em contratos de concessão estabelecidas há anos e agravadas pela passagem do tempo sem solução. Trata-se das renegociações ou repactuações de contratos de concessão, em que há alteração das condições e critérios inicialmente previstos para aqueles contratos.

Em termos práticos, um dos entraves para a renegociação de contratos, com alterações substanciais nas condições contratadas, era a possibilidade de o controle externo, em análise posterior, discordar das premissas que orientaram a solução consensual. Diante disso, poderia acabar não apenas invalidando a solução pactuada, mas também aplicando sanções aos gestores que dela participaram.

Daí adveio o período em que soluções consensuais mais significativas na atividade administrativa, apesar de contarem com o amplo apoio da doutrina, foram afastadas, adotando-se uma postura mais conservadora.[1] Transferiu-se especialmente ao Judiciário e aos árbitros a missão de resolver problemas mais complexos das concessões. Porém, logo percebeu-se que a intervenção desses terceiros não era adequada para a produção de resultados satisfatórios, por diversos fatores: morosidade da solução, custos elevados e ausência de conhecimentos técnicos e específicos do caso discutido, entre outros.

---

[1] Nas palavras do Ministro do TCU Bruno Dantas, deu-se espaço ao "apagão das canetas" e à "infantilização da Administração", referindo-se às situações em que os gestores públicos deixaram de decidir temas relevantes por receio de serem posteriormente sancionados pelos órgãos de controle. As expressões foram utilizadas em diversas manifestações públicas. A título de exemplo, cf.: MIAZZO, Leonardo. Anos terríveis da Lava Jato levaram a um 'apagão das canetas', diz o presidente do TCU. *Carta Capital*, São Paulo, 22 abr. 2024. Disponível em: https://www.cartacapital.com.br/politica/anos-terriveis-da-lava-jato-levaram-a-um-apagao-das-canetas-diz-o-presidente-do-tcu/. Acesso em: 18 ago. 2024; SCHROEDERDA, Lucas. Jurisprudência da Lava Jato "infantilizou e paralisou" gestor público, diz Bruno Dantas. *CNN*, São Paulo, 22 abr. 2024. Disponível em: https://www.cnnbrasil.com.br/politica/jurisprudencia-da-lava-jato-infantilizou-e-paralisou-gestor-publico-diz-bruno-dantas/. Acesso em: 18 ago. 2024.

Um grande marco das chamadas renegociações ou repactuações de concessões foi a criação, em dezembro de 2022, de uma nova unidade do Tribunal de Contas da União (TCU), a Secretaria de Controle Externo de Solução Consensual e Prevenção de Conflitos (SecexConsenso).[2] Estão ganhando destaque nesse contexto as soluções negociais envolvendo a Administração Pública Federal, a partir dos trabalhos desenvolvidos pela SecexConsenso do TCU.

A atuação do TCU nessa seara não passou imune. Foi alvo de diversas críticas, especialmente pela mediação não estar entre as suas funções institucionais previstas na legislação e por poder implicar a adoção de decisões discricionárias, considerando aspectos que não consistem apenas em questões estritamente técnicas.[3]

Apesar disso, a realização de repactuações com a participação do TCU tem propiciado o encaminhamento das soluções. Não se trata de a Corte de Contas ser parte nas negociações, e sim de fiscalizar os acordos inclusive durante a sua formação. O controle concomitante permite melhor conhecimento dos aspectos discutidos e das razões que conduziram à solução acordada.

Mas os contratos renegociados não se restringem àqueles submetidos à SecexConsenso. Há outros exemplos de contratos repactuados na esfera federal bem como na estadual e municipal. Usualmente os resultados visados com esses procedimentos de conciliação são designados como repactuação, renegociação ou otimização contratual, ainda que não exista regulamentação sobre o tema nem uniformidade no seu tratamento.

As breves anotações que seguem procuram analisar alguns dos aspectos dessas renegociações dos contratos de concessão.[4] Evidentemente, trata-se de tema bastante amplo, sendo possível nesse espaço apenas trazer algumas provocações de questões a serem consideradas nessas discussões.

2 A mutabilidade contratual

A mutabilidade sempre foi tomada como uma das características essenciais dos contratos administrativos. Tendo em vista o longo prazo que costuma caracterizar os contratos de concessão, a mutabilidade se apresenta ainda com mais intensidade nessas avenças.[5] Diante da impossibilidade de os contratos, ainda mais para aqueles de longo

---

[2]   Instituída pela Instrução Normativa nº 91/2022.

[3]   Não é objeto deste estudo a análise do controle operacional exercido pelo TCU sobre os contratos de concessão e dos seus limites. O tema demanda análise específica, à luz dos fundamentos normativos da atividade do TCU em face dos contratos de concessão (em especial o art. 71 da CF/88 e o art. 18, inciso VIII, da Lei nº 9.491/1997).

[4]   Os contratos de concessão têm grande destaque na produção acadêmica do homenageado. De forma inovadora, em 1997 Marçal Justen Filho lançou o *Concessões de serviços públicos*: comentários às Leis nº 8.987 e 9.074, de 1995, tratando detalhadamente da disciplina dos contratos de concessão de acordo com a legislação então recém editada. Em 2003, a obra foi objeto de reformulação e ampliação, resultando no *Teoria geral das concessões de serviço público*, que tem sido ao longo dos anos referência segura e completa para todos os que lidam com contratos de concessão. A adoção de soluções consensuais na atividade administrativa também é um tema recorrente na produção acadêmica do homenageado, tendo sido tratada, por exemplo, ainda em 2002, em *O Direito das Agências Reguladoras*.

[5]   Não se pode deixar de mencionar a colocação já clássica de Egon Bockmann Moreira (*Direito das Concessões de Serviço Público*: parte geral: inteligência da Lei 8.987/1995. São Paulo: Malheiros, 2010) p. 37), à qual aqueles que tratam do tema recorrem com frequência: "Em tempos de Pós-Modernidade, nada mais adequado que falar

prazo com objeto complexo, esgotarem todos os temas possíveis, é necessária a recorrente revisão e atualização dos seus termos.[6]

A teoria econômica da incompletude dos contratos e a existência de lacunas nos contratos, a serem preenchidas em um contínuo processo de negociação, boa-fé e cooperação entre as partes, demanda uma atuação com maior autonomia e a realização de escolhas discricionárias:

> A rigor, se os contratos contêm elementos de incompletude e são dotados de lacunas a serem posteriormente integradas pelas partes ou por terceiros, é preciso reconhecer que será conferida certa dose de autonomia *ex post* aos agentes públicos para buscarem soluções consensuais em conjunto com o concessionário, em especial quando o contrato não estipular os critérios para o preenchimento das lacunas. Não seria absurdo afirmar que a incompletude gera necessariamente maior autonomia.[7]

Outra perspectiva de análise é a dos contratos relacionais, que considera a complexidade dos interesses nos contratos. Uma das consequências dessa abordagem relacional é a possível ineficácia da intervenção externa para a solução de problemas na relação contratual. Afinal, qualquer solução deve considerar os múltiplos interesses envolvidos e quem tem melhores condições de assim proceder são as próprias partes. Daí que as partes devem atuar como colaboradoras entre si, uma vez que a parceria e a contínua construção de soluções para os impasses encontrados é que irão propiciar a efetiva obtenção dos resultados visados com a contratação.

As causas tradicionais de alteração dos contratos originárias do Direito francês – teoria da imprevisão, fato do príncipe e fato da Administração, caso fortuito e força maior e *ius variandi* – já foram objeto de amplas análises pela doutrina.

No presente contexto, importam especialmente as alterações bilaterais, cujas causas não são necessariamente reconduzidas a uma das hipóteses tradicionais de modificação. Ou, pelo menos, as causas tradicionais podem não aparecer isoladamente, revelando-se a conjugação de diversos fatores que determinam a mutação contratual. Ao final, são promovidas alterações das condições contratuais objetivando a sua melhor adequação à prestação do serviço, ainda que as causas da alteração não estejam entre aquelas tradicionalmente consideradas.

A construção de soluções consensuais, com a participação efetiva do administrado na concepção da solução, é uma das características do direito administrativo hodierno. A participação ativa do administrado na formulação das decisões na esfera administrativa, em substituição à decisão unilateral imposta ao administrado, encontra amplo amparo na regulação, seja normativa seja contratual.

---

em segurança advinda da certeza da mudança. Pois este aparente contrassenso é o que se passa nas concessões contemporâneas: a flexibilidade dos contratos é um dos itens que reforçam a segurança jurídica na prestação adequada do serviço. Ou, melhor: a segurança contratual presta-se a garantir a mutabilidade do negócio jurídico firmado".

[6] A questão diz respeito à teoria da incompletude dos contratos, que teve grande desenvolvimento a partir do estudo de Oliver D. Hart (Incomplete Contracts and the Theory of the Firm. *Journal of Law, Economics & Organization*, [S. l.], v. 4, n. 1, p. 119-139, 1988).

[7] GARCIA, Flávio Amaral. *A mutabilidade nos contratos de concessão*. 2. ed. São Paulo: Juspodivm, 2023. p. 105.

Porém, em termos práticos, nem sempre foi de simples implementação – em especial quando se trata de promover alterações mais significativas. É o que se tem verificado nas denominadas repactuações ou renegociações de contratos de concessão.

Sem que haja propriamente uma diferença de natureza jurídica e sim de grau de mutação, as alterações contratuais mais significativas têm sido denominadas renegociações ou repactuações. Como definem Maurício Portugal Ribeiro e Lucas Navarro Prado:

> As revisões são procedimentos pautados por critério estabelecidos no contrato ou em regulamento emitido pela Agência Reguladora, e ocorrem periodicamente, com o objetivo de adequar as condições contratuais às vicissitudes da prestação do serviço ou para a realização da recomposição do equilíbrio econômico-financeiro.

> Já a renegociação é a modificação de condições do contrato independentemente de critérios nele previamente estabelecidos ou em regulamentos gerais da respectiva Agência Reguladora.[8]

Diante dos maiores impactos no contrato, a renegociação chama mais a atenção – ainda que não deixe de ser consequência da mutabilidade contratual:

> Renegociar contratos concessionais é, em certa medida, uma decorrência natural da sua intrínseca mutabilidade. Claro que não se defende uma renegociação que concretize uma degeneração da mutabilidade, mas o fato é que ela deveria ser encarada com mais naturalidade e sem tanta prevenção.[9]

A renegociação não deixa, portanto, de ser a aplicação do instituto da mutação contratual. Porém, os seus resultados são mais abrangentes, alterando ao mesmo tempo diversos aspectos dos contratos. É ponto comum que a renegociação implica alterações significativas no contrato, apesar de não haver um critério objetivo para identificar o ponto a partir do qual uma alteração contratual passa a ser caracterizada como negociação.

Também pelo impacto mais significativo da mutação, as renegociações e as repactuações acabam sendo menos comuns e contendo as especificidades dos contratos renegociados, o que dificulta a sua sistematização.[10]

---

[8] RIBEIRO, Maurício Portugal; PRADO, Lucas Navarro. *Comentários à Lei de PPP Parceria Público-privada*: fundamentos econômico-jurídicos. São Paulo: Malheiros, 2007. p. 128.

[9] GARCIA. *A mutabilidade nos contratos de concessão*, p. 201.

[10] No âmbito dos contratos de concessões rodoviárias federais, há diversos processos de repactuação em curso no âmbito da SecexConsenso, ainda não finalizados por ocasião da elaboração deste artigo. Pode ser citada como exemplo de renegociação a federalização do contrato de concessão da Ecosul em 1999. Tratava-se de concessão do Estado do Rio Grande do Sul, baseada em Convênio de Delegação celebrado com a União. Houve a denúncia do Convênio pelo Estado e a retomada da administração dos trechos rodoviários pela União. Com isso, o contrato de concessão então detido pela Ecosul foi renegociado, objetivando a sua adequação às diretrizes adotadas nas concessões federais. Outro exemplo de renegociação é o acordo celebrado em relação ao contrato de concessão da Rota do Oeste, integrante da 3ª etapa das concessões rodoviárias federais. Mediante troca de controle da concessão, que foi assumido pela MTPar, empresa de economia mista do Estado do Mato Grosso, o instrumento contratual passou por diversas modificações, objetivando a retomada dos investimentos no trecho.

3 Alguns pontos em comum dos contratos renegociados

Como se mencionou, não há definição normativa para os contratos renegociados ou repactuados. Tal se deve inclusive à ausência de sistematização como um todo para a mutabilidade contratual no Direito nacional. Daí que, além de ausência de definição dos institutos, muitas vezes os termos são utilizados indistintamente – tal como é o caso de denominar renegociação processos que são de reequilíbrio contratual.

As renegociações e as repactuações no sentido que tem sido utilizado para os contratos que estão sendo analisados no âmbito da SecexConsenso do TCU representam poucos casos dentro do universo de contratos de concessão alterados. Sendo assim, propõem-se algumas premissas para a identificação de quais seriam os contratos renegociados ou repactuados que são objeto do presente artigo.

Em primeiro lugar, cabe ressalvar que a renegociação é diferente de reequilíbrio contratual.[11] Nos reequilíbrios, não há propriamente uma negociação acerca dos termos originais do contrato. Reequilibrar é aplicar o contrato em seus termos atuais, contrapondo os fatos ocorridos à matriz de risco prevista no instrumento. O reequilíbrio contratual deve sim estar presente no resultado final do contrato repactuado. Mas a renegociação não se restringe à recomposição, abrangendo outros aspectos contratuais. Logo, o contrato repactuado deve resultar equilibrado, mas o reequilíbrio não é causa – ou pelo menos não é a sua única causa - e sim uma das consequências da repactuação.

Os contratos repactuados abrangem questões complexas. São, na verdade, diversas questões envolvidas, com repercussões mútuas, de modo que não há uma resposta única para a sua solução. A melhor acomodação de determinada questão pode comprometer a resolução definitiva de outro ponto. Daí a necessidade de se realizar uma série de ponderações, considerando causas e consequências e à luz do princípio da proporcionalidade, para se atingir uma solução adequada que seja aceita pelas partes envolvidas.

As renegociações abrangem em geral situações imprevisíveis de efeitos graves, supervenientes à celebração do contrato. Dizem respeito, portanto, a aspectos que se encontravam na zona da incerteza. Reportando-nos à distinção de Frank Knight,[12] o risco é a incerteza que pode ser, de algum modo, estimada quanto à probabilidade de sua ocorrência e mensurada e quantificada quanto aos seus impactos – que podem inclusive ser minimizados – na elaboração da proposta. Já a incerteza propriamente dita não é passível de ser transformada em risco e submeter-se a prévia quantificação.

Além disso, as renegociações podem implicar maior ou menor medida, a alteração da alocação original de riscos. Aliás, um dos pontos comuns a esses casos consiste no

---

[11] Em estudo em que analisaram a utilização do termo "renegociação" pelo TCU no exame de contratos de concessão rodoviária, André Martins Bogossian e Guilherme Freire Baptista Aleixo (Problemas na e da operacionalização do conceito de renegociação de contratos de concessão rodoviária pelo tribunal de contas da União. *In*: LEAL, Fernando; MENDONÇA, José Vicente Santos de. *Transformações do Direito Administrativo*: debates e estudos empíricos em direito administrativo e regulatório. Rio de Janeiro: FGV Direito Rio, 2021. p. 92) constataram a sua utilização equivocada pelo Tribunal: "o termo "renegociação" vem sendo utilizado pelo TCU para indicar situações de mero cumprimento das cláusulas contratuais, como o reequilíbrio econômico-financeiro, situações essas que não se enquadrariam no conceito de "renegociação" utilizando os critérios delineados pelo próprio autor [Guasch] em que se baseia o TCU, quais sejam, substancialidade da modificação e ausência de previsão contratual".

[12] KNIGHT, Frank. *Risk, Uncertainty and Profit*. New York: Hart, Schaffner & Marx, 1921.

reconhecimento de que houve uma inadequada alocação contratual de determinados riscos.[13]

Não é desnecessário enfatizar que a matriz de riscos é um dos principais aspectos dos contratos de concessão e que a inadequada alocação contratual de determinados riscos pode comprometer gravemente a execução da atividade pública, caso estes riscos se materializem. Assim se passa principalmente em relação a determinados riscos – tais como demanda, preços de insumos, custo de financiamento e assim por diante – que, apesar de terem sido alocados a uma das partes, são fatores que estão fora do controle de quaisquer das partes. Não há instrumentos disponíveis para prever com relativa precisão ou mitigar esses riscos. E uma vez materializados em grau elevado, podem conduzir à inviabilidade do projeto concessório.

4 O poder-dever de renegociar

O denominado dever de renegociar é oriundo do Direito privado, em que são usuais as cláusulas de renegociação (*hardship*) previstas, por exemplo, nos Princípios Relativos aos Contratos Comerciais Internacionais do Instituto Internacional para a Unificação do Direito Privado (Princípios UNIDROIT).

Tais cláusulas estipulam que, no caso de onerosidade excessiva no curso da execução contratual, por fatores supervenientes que não poderiam ter sido previstos no momento de celebração do contrato, aquele que estiver em desvantagem poderá exigir a renegociação do contrato. Ou seja, a cláusula de renegociação no Direito Privado impõe um dever de repactuação em determinadas circunstâncias, se houver alteração substancial das condições originais do contrato.

Anderson Schreiber destaca que, apesar da ausência de norma expressa no ordenamento nacional impondo um dever de renegociação de contratos privados desequilibrados, este pode ser extraído dos princípios da solidariedade social e da boa-fé objetiva, que impõem padrões de conduta às partes de recíproca cooperação para o atingimento do objetivo contratual.[14]

No Direito público, André Martins Bogossian chamou a atenção para o poder-dever de renegociação dos contratos ditos "irreequilibráveis", ou seja, dos contratos em que soluções de reequilíbrio não são viáveis ou efetivas para recuperar a sua viabilidade.[15] O autor apresenta os seguintes fundamentos legais para tal conclusão:

---

[13] Pode-se dizer que a alteração da matriz de riscos dos contratos de concessão era um dos grandes dogmas. Entendia-se que a sua modificação após a assinatura do contrato poderia violar a isonomia e o dever de licitar. Importantes marcos para essa flexibilização foram duas decisões do TCU. O Acórdão nº 2139/2022 (Plenário) admitiu a já mencionada transferência do controle da concessão da Rota do Oeste para a MTPar, mediante modificações significativas do contrato, inclusive da matriz de risco. Já o Acórdão nº 1593/2023 – Plenário, em resposta a consulta do Ministério dos Transportes e do Ministério de Portos e Aeroportos, confirmou a possibilidade de desistência da relicitação mediante acordo comum entre as partes, repactuando o contrato inclusive com alteração da matriz de risco original, desde que observadas determinadas condições (15 no total).

[14] SCHREIBER, Anderson. Construindo um dever de renegociar no Direito brasileiro. *Revista Interdisciplinar de Direito da Faculdade de Direito de Valença*, Valença, v. 16, n. 1, p. 13-42, jan./jun. 2018.

[15] BOGOSSIAN, André Martins. O poder-dever de renegociação dos contratos "irreequilibráveis" de concessão comum e PPP. *Revista de Contratos Públicos – RCP*, Belo Horizonte, ano 7, n. 13, p. 11-28, mar./ago. 2018.

(...) afirma-se o poder-dever de renegociação com fulcro no princípio da continuidade do serviço público – também chamado princípio da permanência – presente no artigo 6º, §1º da Lei nº 8.987/95.42 Na mesma linha, recorrendo-se à teoria geral dos contratos, há suporte no princípio da conservação dos negócios jurídicos e na boa-fé objetiva, constante do artigo 422 do Código Civil, e que possui entre seus corolários o dever de colaboração entre as partes contratuais.[16]

Sendo assim, o chamado poder-dever de renegociar decorre do fato de se tratar da solução mais eficiente para os múltiplos interesses envolvidos em diversos casos dos contratos ditos "em crise", de modo que a não adoção de tal solução pelo Poder Público demanda a devida fundamentação.[17]

5 A influência da Lei de Introdução às Normas do Direito Brasileiro (LINDB)

Grande reforço à renegociação dos contratos públicos decorreu da LINDB.[18] Não é mera coincidência que as repactuações têm ocorrido com maior frequência recentemente, após a entrada em vigor da Lei nº 13.655/2018. A LINDB estimula um ambiente de maior consensualidade entre Administração e particulares, propiciando melhores condições e segurança jurídica para o atingimento de soluções em mútuo acordo.

No que pode ser aplicado mais diretamente às renegociações, a LINDB prevê no seu art. 26 a celebração do denominado "compromisso administrativo" para "eliminar irregularidade, incerteza jurídica ou situação contenciosa na aplicação do direito público". Trata-se de situações existentes nos contratos a serem repactuados, podendo esse dispositivo consistir em um dos fundamentos legais do acordo.

Depois, a LINDB traz como premissa o consequencialismo.[19] As decisões, inclusive as administrativas, devem considerar as suas consequências práticas. Neste ponto, cabe ponderar especialmente as consequências da não realização do acordo e a permanência do contrato em situação "de crise". Ainda que, em não havendo acordo, o contrato poderá acabar sendo extinto para fins de relicitação ou por decretação de caducidade, será necessário determinado lapso temporal para a elaboração dos estudos necessários para a realização de nova licitação e mais tempo ainda para a efetiva retomada dos serviços nos parâmetros adequados.

O tempo de litígio é muito importante para o contrato de concessão e mais ainda para a política pública a ser implementada. Durante esse período de controvérsia, enquanto as partes litigam, o principal prejudicado é o usuário, que é privado do

---

[16] BOGOSSIAN. O poder-dever de renegociação dos contratos "irreequilibráveis" de concessão comum e PPP, p. 23.

[17] "Fato é que a renegociação das concessões pode se apresentar, em diversas ocasiões, como a melhor oportunidade para resolver os complexos impasses que certamente advirão destes contratos de concessão. Não renegociar ou não modificar o contrato pode, em determinadas situações, causar muitos prejuízos, como a extinção do contrato, o custo de elevadas indenizações, danos aos usuários e à sociedade e a perpetuação de litígios" (GARCIA. *A mutabilidade nos contratos de concessão*, p. 202).

[18] Decreto-Lei nº 4.657/1942, com as alterações da Lei nº 13.655/2018.

[19] Arts. 20 e 21 da LINDB.

serviço adequado a que tem direito. Logo, o tempo é um dos principais fatores a serem considerados ao se tomar a decisão de realizar ou não o acordo.

6 A busca por soluções específicas para cada contrato renegociado

Considerando que o campo por excelência da incidência da renegociação são os contratos complexos de longo prazo, é natural que cada caso tenha que ser tratado de acordo com as especificidades.

Conceito importante nesse sentido é o de "margem de normatividade contratual", enunciado por Floriano de Azevedo Marques Neto como sendo a tendência para os contratos de concessão de que sejam estabelecidas regras específicas para cada objeto contratado.[20] Isso também implica a necessidade de que sejam moldadas soluções específicas para cada contrato. Tendo em vista a diversidade de fatores envolvidos nos problemas contratuais complexos e a assimetria informacional presente, o procedimento consensual é o mais adequado para a construção da solução jurídica para esses impasses.

Ainda que cada contrato tenha as suas particularidades, sempre que for possível é importante serem estabelecidos determinados padrões comuns para as repactuações. Assim se passa porque possivelmente vários contratos podem ter causas de renegociação em comum. A necessidade de adoção de critérios uniformes para as renegociações, nesse caso, consiste em decorrência dos princípios da isonomia e da moralidade.

7 Causas da renegociação: contratos "em crise"

As causas de renegociação são múltiplas, tal como também são as próprias causas de alteração dos contratos de concessão.[21] Não há restrição *a priori* do que pode ser alterado em um pacto concessório.

Mas as renegociações ou repactuações têm sido utilizadas nos denominados contratos "em crise". São aqueles contratos que não estão sendo executados adequadamente por diversos fatores. A conjugação desses vários eventos conduziu à situação de inviabilidade de manutenção dos contratos nas condições em que se encontram.

---

[20] "O regime jurídico aplicável a essa relação jurídica foi sendo construído ao longo do tempo, ora tendo por móvel a preservação das prerrogativas absolutas do soberano, ora se voltando para a garantia dos direitos dos particulares (concessionários). E esse percurso foi fortemente marcado pelas especificidades de cada objeto concedível, o que parece demonstrar, de um lado, a dificuldade de se conceber um regime jurídico único aplicável a todas as modalidades e espécies de concessão e, de outro, que cada concessão (ou seja, cada objeto concedido, mais do que cada modalidade concessória) deve ter uma normatividade própria, aderente ao objeto concedido. Isso parece apontar para a necessidade de conferir maior margem de normatividade contratual (é dizer, regras que sejam estipuladas pelo poder concedente a cada pacto regulatório ensejador da concessão) evitando insistir na busca de uma normatividade geral e abstrata do texto legal (MARQUES NETO, Floriano de Azevedo. *Concessões*. Belo Horizonte: Fórum, 2015. p. 111).

[21] "Pode-se afirmar, portanto, que nas concessões a competência para alterações vai muito além da Lei 8.666/1993 (máxime no art. 65, a delimitar *numerus clausus* as modificações ditas quantitativas e qualitativas). As normas da Lei de Licitações que circunscrevem as alterações não se aplicam ao regime concessionário (restrições interpretam-se restritivamente). Não se está diante de singela balança de encargos e receitas, nem tampouco frente a desembolso de verbas do erário, mas sim de fluxos de caixa projetados para mais de 10 anos (...)" (MOREIRA. *Direito das Concessões de Serviço Público*: parte geral: inteligência da Lei 8.987/1995. p. 379).

Os principais prejudicados são o próprio usuário, que deixa de receber serviço adequado, e a política pública a que aquele contrato se destina.[22]

Uma das premissas das repactuações é que se prestam a promover a reordenação contratual em face de fatores supervenientes cujos riscos não foram assumidos por uma das partes. Para tanto, é essencial o elemento da extraordinariedade. Ainda que determinados riscos em princípio tenham sido atribuídos a uma das partes – tais como os de demanda, de custo de obras e assim por diante –, isso se deu em relação às variações ordinárias destes riscos, dentro da esfera de previsibilidade. A partir do momento em que o contrato é gravemente desequilibrado, ao ponto de impedir a sua continuidade (entrando "em crise"), pela ocorrência de eventos que não poderiam ter sido previstos, ao menos quanto à dimensão dos impactos ocorrida, é cabível a renegociação.

8 Natureza jurídica da decisão consensual

A repactuação consiste na mutabilidade consensualizada, exercida dentro da autonomia conferida ao Poder Público nas relações contratuais. O resultado da solução consensual de renegociação não deixa de ser um ato administrativo praticado em consenso entre as partes. Em se tratando de ato administrativo, inclusive tem o condão de alterar atos administrativos anteriores de mesma hierarquia. Por exemplo, no âmbito da renegociação, podem ser revistas decisões administrativas anteriores sobre reequilíbrio contratual.

Apesar de a prática dos atos consensuais não consistir em nenhuma novidade na Administração, a renegociação implica a tomada de decisões que demandam maiores cuidados justamente pelas suas causas não serem determinadas previamente, inclusive porque não seria possível se preverem todas essas ocorrências futuras no momento de elaboração do contrato. E os seus resultados também não são necessariamente aqueles previstos ou já experimentados em outros casos, tendo em vista a diversidade de fatores a serem considerados.

Daí a necessidade de que sejam adotadas cautelas, especialmente na forma de dever de motivação reforçado, para que os resultados da mutabilidade contratual permaneçam dentro da juridicidade.

9 Procedimento da renegociação

Não há normas gerais no Direito nacional que tratem especificamente do procedimento a ser observado nas repactuações.[23] Flávio Amaral Garcia destaca a ausência

---

[22] Nas palavras de Marçal Justen Filho (*Teoria geral das concessões de serviço público*. São Paulo: Dialética, 2003. p. 62): "Existe uma comunhão de interesses entre Estado, Sociedade e concessionário. Todos têm uma finalidade comum, consistente na obtenção do melhor serviço público possível, com a tarifa mais reduzida. A frustração do empreendimento sob o prisma do concessionário representa a inviabilização da satisfação do interesse coletivo. Prejudicará o Estado e a Sociedade".

[23] A ausência de norma acerca do procedimento não constitui um obstáculo em si à renegociação. Como pondera José Jair Marques Júnior (*Negociação aplicada aos contratos de concessão de infraestrutura*. 2022. 186 f. Tese (Doutorado em Direito) – Faculdade de Direito da Universidade de São Paulo. São Paulo, 2022. f. 173), "a existência de diretrizes gerais procedimentais sobre o processo negocial em busca de aprimoramento das condições apresentadas na

de sistematização da mutabilidade contratual, tanto no aspecto substantivo quanto no procedimental.[24] Como anota o autor, uma das consequências dessa ausência de sistematização é a tendência de importação da racionalidade das leis gerais de licitações para a celebração de aditivos – nitidamente inadequadas ao caso, ainda mais em se tratando de renegociações.

A ausência de sistematização da alteração dos contratos de concessão e a complexidade dos processos instaurados foram alguns dos fatores que conduziram anteriormente à frustração da obtenção dos resultados visados por esses meios.[25] Diante desse cenário, é recomendável a existência de normas que disciplinem os entes envolvidos na negociação, o papel a ser desempenhado por cada qual e o momento de intervenção, bem como um prazo para seu encerramento.[26]

À medida que foi crescendo a quantidade de procedimentos de renegociação, foram sendo estabelecidas determinadas regras, de modo a se observar a isonomia entre os diversos contratados que se encontram em situação similar. Nesse sentido, pode ser citada como exemplo a Portaria nº 848, de 25 de agosto de 2023, do Ministério dos Transportes. Esse ato estabeleceu os procedimentos relativos à renegociação (denominada pela Portaria de "otimização") dos contratos de concessões rodoviárias federais, descrevendo prazos, procedimentos e requisitos a serem adotados.

Em qualquer caso, é necessário destacar o reforço do ônus argumentativo à medida que são promovidas alterações significativas no contrato original. Modificações significativas promovidas nos primeiros anos após a pactuação demandam motivação ainda mais reforçada, de modo a justificar a imprevisibilidade daqueles eventos que justificaram a mutação contratual.

10   Os limites à renegociação

A ausência de sistematização da mutação contratual no Direito nacional implica também a ausência de limites claramente definidos para os seus efeitos.[27] Ainda que a

---

proposta não constitui obstáculo ao seu impulso. O advento do art. 26 da LINDB certamente significa um ponto de evolução, ao conferir conforto decisório ao administrador público que toma parte no processo negocial e confiança do parceiro privado no sentido de que a decisão pelo acordo não será invalidada por descumprimento do processo".

[24] GARCIA. *A mutabilidade nos contratos de concessão*, p. 44.

[25] Sabino Cassese (La partecipazione dei privati alle decisioni pubbliche. Saggio di Diritto Comparato. *Rivista Trimestrale di Diritto Pubblico*, Milano, v. 57, n. 1, p. 19, 2007) trata do tema sob a perspectiva da "overjudicialisation", para aludir às situações em que a participação privada pode assumir excessivamente a forma judicial (garantindo-se o direito de ser informado, de ser ouvido, ao contraditório etc.), o que determinaria a perda da sua eficácia. Diante desse cenário de inspiração no processo judicial, os processos administrativos decisórios sobre questões complexas tendem a demorar excessivamente.

[26] Rafael Véras de Freitas (Regulação por contratos de concessão em situações de incerteza. *Interesse Público – IP*, Belo Horizonte, ano 23, n. 125, p. 204, jan./fev. 2021) propõe a celebração de um termo aditivo disciplinador, de natureza transitória, para disciplinar a relação contratual durante determinado período de exceção. Trata-se de instrumento eficiente para lidar com situações excepcionais e delimitadas, tal como a pandemia da Covid-19.

[27] Por se tratar de discussão já superada, apenas se registra a inaplicabilidade dos limites previstos no art. 65 da Lei nº 8.666/1993 e no art. 125 da Lei nº 14.133/2021 aos contratos de concessão. O art. 22 da Lei nº 13.448/2017 estabelece que: "As alterações dos contratos de parceria decorrentes da modernização, da adequação, do aprimoramento ou da ampliação dos serviços não estão condicionadas aos limites fixados nos §§1º e 2º do art. 65 da Lei nº 8.666, de 21 de junho de 1993".

premissa deva ser a de que, em qualquer caso, as mudanças devem sempre ser funcionalizadas ao atendimento da atividade pública que é seu objeto, resta ampla margem para a avaliação discricionária do tema.

Ainda que seja ponto relativamente comum na doutrina que os limites da mutabilidade contratual sejam os princípios da concorrência e da intangibilidade do objeto contratado, em termos práticos, durante as negociações, nem sempre é fácil diferenciar quando tais limites são ultrapassados.

Sabe-se que o acesso aos contratos públicos, como regra geral, ocorre pela concorrência entre os potenciais interessados. Evidentemente não se trata de mercado aberto. A contratação daquele que oferecer a melhor proposta depende do preenchimento de determinados requisitos, estabelecidos pelo contratante de acordo com as especificidades do objeto. Trata-se de um limitador da contratação, de modo a restringir a autonomia da vontade na escolha do contratante, em nome da isonomia entre os potenciais interessados e da moralidade.

A relação entre a mutabilidade contratual e o princípio da concorrência é bastante direta. O objeto contratado não pode ser desnaturado, de modo que, se o objeto contratado desde o início fosse este, teria atraído o interesse de outros potenciais interessados em participar do certame além ou no lugar daqueles que efetivamente participaram.

O bem protegido aqui é o interesse de potenciais licitantes que poderiam ter participado da licitação, no sentido de se garantir a isonomia no acesso ao mercado público. Por outro lado, protege-se também a publicidade, tendo em vista a ampla divulgação do projeto que ocorre na fase de licitação, sendo que o mesmo não se verifica no processo de mutação do contrato.

Porém, a garantia de concorrência não fornece os limites propriamente ditos para a mutabilidade contratual. Estes se encontram na vedação à desnaturação do objeto contratado.

A enunciação da vedação à desnaturação do objeto contratado é relativamente simples. O objeto licitado não pode ser completamente descaracterizado em decorrência da alteração contratual. Ou seja, deve ter o seu núcleo essencial protegido. Porém, a aplicação prática também não deixa de dar origem a diversas problematizações.

Em sua origem, a vedação à desnaturação do objeto contratado destinava-se especialmente à proteção do contratado em face do poder de alteração unilateral do contrato detido pela Administração. Em se tratando de alterações consensuais, a intangibilidade do objeto assume outras facetas.

A vedação de alteração radical do objeto contratado objetiva proteger também outros potenciais licitantes que participaram da licitação ou que dela poderiam ter participado, caso o objeto resultante da alteração contratual tivesse sido oferecido ao mercado desde o início. Os próprios requisitos de habilitação, que delimitam o universo daqueles que podem apresentar propostas no certame, poderiam ter sido diversos e, portanto, possibilitado que um grupo distinto de interessados tivesse apresentado a sua proposta se o objeto resultante da alteração radical tivesse sido licitado.

Porém, para que essas restrições à concorrência efetivamente se verifiquem, a alteração do objeto licitado deve ser efetivamente bastante significativa, de modo a não se reconhecer no objeto resultante aquilo que havia sido proposto inicialmente. Em um exemplo extremo, seria converter um contrato de concessão rodoviária em concessão ferroviária.

Mas há outro ponto a ser considerado. O princípio da licitação é instrumental, não é um fim em si mesmo. Deve ser analisado à luz das circunstâncias concretas.

Com frequência as causas que motivam a renegociação são supervenientes à celebração do contrato. Ou seja, não eram de conhecimento e não poderiam ter sido objeto de previsão seja pelo poder concedente seja pelos licitantes. Logo, não se trata de suposta omissão na divulgação de informações para beneficiar o contratado, mas sim de ocorrência superveniente e imprevisível. Assim, pelo menos em se tratando de alterações decorrentes da teoria da imprevisão, não concebemos possível impacto no princípio da concorrência porque não era possível o conhecimento de tal condição previamente.

Cabe considerar também que aqueles que contratam com a Administração sabem que os contratos podem sofrer modificações. Em se tratando de contratos de longo prazo, pode-se ter a certeza de que serão alterados. A mutação pode decorrer inclusive de alteração unilateral do contrato, cabendo ao contratado dar continuidade à execução contratual diante das novas condições.

Logo, os possíveis impactos ao princípio da concorrência devem ser analisados à luz do que poderia e deveria ter sido considerado à época da licitação. Caso contrário, boa parte das alterações decorrentes da teoria da imprevisão poderão ser consideradas inadmissíveis, porque potencialmente poderiam ter resultado em modificações no procedimento competitivo realizado. Porém, tal solução, ao final, poderia comprometer a prestação do serviço adequado ao privar o contrato de passar por modificações necessárias para sua melhor adequação à política pública.

11 Eventual comportamento oportunista na negociação

Como já se mencionou, a doutrina alude com frequência à teoria dos contratos incompletos, que não são passíveis de esgotar todas as variáveis e possibilidades já no momento de sua elaboração e demandam ajustes ao longo da execução contratual.

O que se pretende destacar aqui são os custos de transação relacionados aos contratos incompletos, igualmente estudados pela teoria econômica. Nas negociações, diante da assimetria informacional, as partes tendem a utilizar as informações de que dispõem em seu benefício, o que pode dar ensejo a comportamentos oportunistas. E em um contrato quase sempre uma das partes vai deter informações mais específicas e aprofundadas sobre determinados aspectos do que a outra parte.

A questão é de a mutabilidade contratual, reconhecida pela doutrina e pela legislação, poder acabar sendo utilizada para comportamentos oportunistas. Comportamentos oportunistas na teoria econômica são aqueles em que os agentes atuam nas transações buscando os seus próprios interesses e em benefício próprio, aproveitando-se da assimetria informacional em detrimento dos parceiros.[28]

Por um lado, as negociações eventualmente podem ser utilizadas para obter alterações com o objetivo de colocar uma das partes em condições mais vantajosas em relação àquelas em que se encontrava por ocasião da assinatura do contrato. Trata-se

---

[28] SILVA, Adilson Aderito da; BRITO Eliane Pereira Zamith. Incerteza, racionalidade limitada e comportamento oportunista: um estudo da indústria brasileira. *RAM – Revista Administração Mackenzie*, São Paulo, v. 14, n. 1. p. 180-181, jan./fev. 2013.

do risco moral (*moral hazard*) das renegociações, se as partes fizerem uso da assimetria informacional e adotarem comportamentos oportunistas objetivando obter maiores vantagens.

Por outro lado, fala-se também da consensualidade abusiva no sentido de os acordos poderem acabar embutindo imposições unilaterais do Poder Público, que o particular acaba por aceitar contra a sua vontade para que o acordo possa ser celebrado, ainda que o resultado seja desproporcional.[29] Seria uma das consequências possíveis da assimetria do poder de negociação, que podem fazer com que o particular aceite condições com as quais não concordaria em uma relação de igualdade entre as partes.

Ou seja, o risco moral pode se apresentar em relação à atuação de ambas as partes contratantes.

A existência do risco moral não pode impedir que sejam feitas as alterações necessárias em face da natural incompletude dos contratos de concessão, de modo a torná-los mais adequados para o atingimento da finalidade visada com a contratação. A paralisia da Administração em promover as alterações contratuais cabíveis, em razão do risco de comportamento oportunista das partes, acaba por prejudicar, em última análise, o próprio usuário, que deixará de usufruir o serviço adequado a que tem direito.

Diante disso, a solução não é evitar a repactuação de contratos de longo prazo, mas sim adotar as cautelas necessárias para que os possíveis comportamentos oportunistas sejam neutralizados. Daí a necessidade de se recorrer a instrumentos aptos a incentivar negociações pautadas nos deveres de confiança, boa-fé e lealdade, de modo a inibir eventuais condutas oportunistas.[30]

Como sendo alguns dos mecanismos desse controle, podemos mencionar a observância da isonomia, o desenvolvimento do devido processo, com a participação dos vários atores institucionais competentes, observando-se a publicidade e a transparência, bem como a motivação das decisões.

A isonomia se apresenta sob diversas vertentes. Por um lado, consiste em tratar com isonomia todos os contratados que se encontram em situação similar e têm interesse na renegociação. Por outro lado, trata-se de avaliar com isonomia e objetividade os impactos econômicos e sociais da repactuação, de modo que sejam oferecidas condições similares aos diversos interessados. Já a isonomia em relação a outros particulares potencialmente interessados no projeto não se dá necessariamente com a submissão do

---

[29] André Cyrino e Felipe Salathé (A consensualidade abusiva no Direito Administrativo: notas iniciais de teorização. *Revista Estudos Institucionais*, [S. l.], v. 10, n. 2, p. 644, maio/ago. 2024) assim definem consensualidade abusiva: "Há casos em que o discurso do consenso é usado para acobertar posturas autoritárias. Refere-se a hipóteses em que, no lugar de diálogo, tem-se decisão unilateral por parte daquele a quem compete exercer autoridade: o Poder Público. Casos em que a celebração de um acordo foi imposta por determinada instituição pública sem grande margem de manobra para que o destinatário possa evadir-se. É o que chamamos de *consensualidade abusiva*".

[30] "As fronteiras práticas entre renegociações de interesse público e renegociações resultantes de oportunismo das partes são muitas vezes obscuras, colocando em risco o princípio da segurança jurídica e banalizando a força obrigatória dos contratos.
O remédio para isso não é a vedação à renegociação, com consequente sepultamento contratual, mas sim a construção de camadas de institucionalismo que sejam capazes de assegurar seriedade, integridade e limites a esse processo de evolução e amadurecimento contratual" (GOMES, Milton Carvalho. Contratos de concessão devem ser renegociados? *Agência Infra*, [S. l.], 15 ago. 2024. Disponível em https://agenciainfra.com/blog/opiniao-contratos-de-concessao-devem-ser-renegociados. Acesso em: 18 ago. 2024).

contrato repactuado, mas sim com a oferta de condições similares a todos os potenciais interessados – atuais e futuros – e com a devida motivação das soluções adotadas.

A observância do devido processo é de extrema importância, propiciando-se transparência nas discussões, com a participação de todos os interessados e se adotando critérios objetivos nas negociações, devidamente divulgados.

O dever de motivação é reforçado à medida que as alterações contratuais forem mais significativas. O principal ponto a ser demonstrado é que, ao se comparar com o cenário de manutenção da situação atual – com possível relicitação ou caducidade da concessão –, o cenário do contrato repactuado é o que se apresenta mais vantajoso. E essa vantajosidade deve ter em vista principalmente o atendimento do usuário, a prestação de serviço adequado e a execução da política pública que é objeto daquele contrato.

12 Alguns elementos de Direito Comparado

Como já se mencionou, na legislação brasileira não se encontra sistematização sobre o tema das renegociações dos contratos de concessão. A análise tende a ser casuística, procurando-se identificar a aceitabilidade da alteração contratual em cada caso, em vista das circunstâncias concretas tanto em termos de causas quanto de consequências.

Por isso, a título ilustrativo, apresentam-se algumas sistematizações construídas no Direito Comparado.

12.1 Renegociação na teoria de Guasch

Ao se falar em renegociação de contratos de concessão no Direito nacional, alguns se reportam à doutrina de José Luis Guasch.

Cabe destacar sobre o tema inclusive a análise do TCU acerca de aditivos em determinados contratos de concessão. Em mais de uma oportunidade,[31] o TCU considerou que o modelo das concessões nacional teria permitido o comportamento oportunista de concessionários que, mesmo em um cenário de significativo inadimplemento das obrigações originais, teriam celebrado aditivos contratuais com acréscimos de obras e serviços mediante aumento das tarifas para fins de reequilíbrio. Essas situações eram definidas pelo TCU como "renegociação" contratual, fazendo alerta em relação a ocorrências do tipo com base na teoria de Guasch.

Por um lado, essa é uma situação específica de alteração contratual, referente à ampliação do escopo contratado com inclusão de obras e serviços. Como se buscou demonstrar nos tópicos anteriores, a repactuação vai bastante além disso.

Por outro lado, o cenário considerado por Guasch,[32] em relação ao qual o TCU alerta, é o de suposta pressão exercida pelos concessionários em face do Poder Público para obter alterações dos termos originais dos contratos, sob pena de inviabilização do

---

[31] Citem-se, a título de exemplo, o Acórdão nº 1.174/2018 (Plenário) e o Acórdão nº 2.190/2019 (Plenário).

[32] Descrito especialmente em: GUASCH, José Luis. *Granting and Renegotiating Infrastructure Concessions*: Doing it Right. Washington, D.C.: The World Bank Institute, 2004.

contrato e seu abandono.[33] Porém, na prática, essa dependência de uma parte em relação à outra pode ser mútua, "o que impõe a busca de soluções negociadas para a superação de crises contratuais".[34]

De todo modo, a definição de renegociação de Guasch pode ser útil para os procedimentos recentes de repactuação dos contratos de concessão. Guasch assim define a hipótese de renegociação: "quando o contrato original e o impacto financeiro do contrato de concessão são significativamente alterados e tais modificações não são resultados de contingências previstas inicialmente no contrato".[35]

Desse conceito, podem ser extraídos dois elementos relevantes para a concepção de renegociação: a alteração deve ser significativa, tanto do contrato original quanto da equação econômico-financeira original; a alteração não pode decorrer de risco previsto no contrato. Esse segundo elemento é de especial relevância, para diferenciar de processos de reequilíbrio econômico-financeiro, em que se trata de aplicar o contrato tal como previsto e não de modificá-lo.[36]

12.2 As alterações substanciais dos contratos públicos no Direito europeu

O Direito europeu não adota os mesmos conceitos de contrato administrativo ou de fato do príncipe, fato da Administração, sujeições imprevistas e assim por diante do Direito nacional, inspirado no Direito francês. De todo modo, a sistematização feita pelo Parlamento Europeu, objetivando regular as alterações substanciais dos contratos públicos, traz elementos importantes para a análise do tema no Direito nacional.

A mutabilidade dos contratos públicos foi objeto de regulação específica nas diretivas sobre contratação pública.[37] Importa destacar as limitações impostas pela regulação às mudanças contratuais, tendo em vista especialmente a proteção da concorrência, concebidas a partir da jurisprudência do Tribunal de Justiça da União Europeia (TJUE) sobre o tema.

---

[33] Trata-se da situação de dependência de uma das partes conhecida como *hold up*, do sujeito aprisionado ao contrato e exposto às ameaças da outra parte de pôr fim à relação, a não ser que sejam promovidas modificações nos termos originais do pacto. O tema é analisado por Patrícia Sampaio e Thiago Araújo (Previsibilidade ou Resiliência? Notas sobre a Repartição de Riscos em Contratos Administrativos. *Revista de Direito da Procuradoria Geral do Rio de Janeiro*, Rio de Janeiro, p. 311-333, 2014).

[34] GOMES. Contratos de concessão devem ser renegociados?

[35] GUASCH. *Granting and Renegotiating Infrastructure Concessions*: doing it right, p. 34.

[36] Como destacam André Martins Bogossian e Guilherme Freire Baptista Aleixo (Problemas na e da operacionalização do conceito de renegociação de contratos de concessão rodoviária pelo tribunal de contas da União. In: LEAL, Fernando; MENDONÇA, José Vicente Santos de. *Transformações do Direito Administrativo*: debates e estudos empíricos em direito administrativo e regulatório. Rio de Janeiro: FGV Direito Rio, 2021. p. 81), ao comentar o conceito de Guasch: "Esse segundo requisito é particularmente relevante e foi confirmado pelo próprio autor em escritos posteriores, ao definir renegociação como uma "mudança nos termos e condições do contrato original, em oposição a ajustes no pagamento (ou tarifas) que decorrem de mecanismos definidos no próprio contrato".

[37] Trata-se especialmente da Diretiva nº 2014/23/EU, relativa aos contratos de concessão, e da Diretiva nº 2014/24/EU, a contratos públicos (DIRETIVA nº 2014/23/EU. *Jornal Oficial da União Europeia*, Genebra, p. 1-64, 28 mar. 2014. Disponível em: https://eur-lex.europa.eu/legal-content/PT/TXT/PDF/?uri=CELEX:32014L0023. Acesso em: 18 ago. 2024; DIRETIVA nº 2014/24/EU. *Jornal Oficial da União Europeia*, Genebra, 26 fev. 2014. Disponível em: https://eur-lex.europa.eu/legal-content/PT/TXT/PDF/?uri=CELEX:02014L0024-20180101&from=FR. Acesso em: 18 ago. 2024).

As diretivas tratam da questão apresentando os parâmetros para as alterações contratuais que não implicam necessariamente a realização de novo procedimento competitivo. Em linhas gerais, os obstáculos são a natureza do contrato, que deve ser necessariamente mantida, e as alterações substanciais, que são admitidas com restrições, desde que preenchidos determinados requisitos. A concorrência é um elemento nuclear para a definição das alterações possíveis, à medida que são diferenciadas as hipóteses de alterações admitidas daquelas que demandariam nova concorrência, por se tratar de um contrato materialmente diferente.

Para os contratos de concessão, importa especialmente o art. 43 da Diretiva nº2014/23/EU. O art. 43, I, apresenta 5 hipóteses de alterações contratuais que não demandariam a realização de nova licitação. São elas:

a) Modificações previstas no edital, compreendendo situações em que futuras expansões do objeto contratado, a incorporação de novos modos de execução ou a substituição de tecnologias, por exemplo, já se encontravam previstas no edital, com a indicação do âmbito das eventuais alterações e previsão das condições em que poderiam ocorrer. Nesse caso, as alterações já eram previsíveis e delas tiveram ciência todos os potenciais participantes da licitação. A diretiva não prevê limitação de valor para estas modificações.

b) Modificações decorrentes da necessidade de obras ou serviços adicionais abrangendo a inclusão de novos investimentos em contratos de concessão. O art. 43, I, "b", da Diretiva nº 2014/23/EU condiciona essas alterações sem a realização de novo procedimento concorrencial ao enquadramento em uma das seguintes situações: existência de justificativas técnicas ou econômicas para a substituição ou inclusão de obras ou serviços adicionais; ou inconveniência significativa ou elevado aumento de custos no caso destes itens serem executados por outro contratado. Ou seja, deve ser demonstrada a vantajosidade técnica e econômica para a alteração contratual. Além disso, esse dispositivo da diretiva coloca um limite quantitativo para estas alterações, de modo que cada alteração considerada isoladamente não pode ser superior a 50% do valor original do contrato.

c) Modificações decorrentes da imprevisibilidade, motivadas por situações que não poderiam ter sido previstas à época do contrato. Trata-se de alterações admitidas desde que a sua necessidade decorra de circunstâncias que autoridades diligentes não poderiam prever à época da elaboração do contrato e não alterem a natureza global da concessão.38 Também nesse caso há limite quantitativo para estas alterações, que é de 50% do valor original do contrato apurado em relação a cada modificação isoladamente.

---

[38] Como esclarece o Considerando nº 76 da Diretiva nº 2014/23/EU: "As autoridades e entidades adjudicantes podem ser confrontadas com circunstâncias externas que não podiam ter previsto quando adjudicaram a concessão, em especial quando a sua execução abrange um maior período de tempo. Nesses casos, é necessário ter alguma flexibilidade para adaptar a concessão a essas circunstâncias sem um novo procedimento de adjudicação. O conceito de circunstâncias imprevisíveis refere-se a circunstâncias que não podiam ter sido previstas, apesar de a autoridade ou entidade contratante ter preparado a adjudicação inicial de forma razoavelmente diligente, tendo em conta os meios que tinha à sua disposição, a natureza e as características do projeto específico, as boas práticas no domínio em questão e a necessidade de assegurar uma relação adequada entre os recursos gastos na preparação da adjudicação do contrato e o seu valor previsível" (UNIÃO EUROPEIA. Diretiva nº 2014/23/EU, p. 14).

d) Substituição do concessionário, admitida sem a realização de nova concorrência em três situações: se esta substituição estiver prevista no edital, se decorrer de operações de reestruturação e reorganização societária, fusões, aquisições ou mesmo situações de insolvência ou ainda para fins de assunção pelo contratante de determinadas obrigações do concessionário em face de seus terceiros contratados. Enquanto as duas primeiras hipóteses são bastante frequentes no Direito nacional, a terceira situação é admitida apenas excepcionalmente.

e) Modificações não substanciais, assim compreendidas por exclusão como sendo aquelas não enquadradas entre as modificações substanciais.

Já as modificações substanciais encontram-se definidas no art. 43, 4, da Diretiva nº 2014/23/EU, no sentido de que assim se caracteriza "caso torne a concessão materialmente diferente da celebrada inicialmente". Em seguida, são apresentadas condições em que a modificação seria substancial, sem prejuízo de outras ocorrências que possam ser verificadas: se a modificação introduz condições que, se previstas no edital, teriam permitido a participação de outros interessados e a seleção de outra proposta;[39] se a modificação altera o equilíbrio econômico-financeiro do contrato em favor do concessionário; se a modificação amplia consideravelmente o âmbito da concessão ou se há substituição do concessionário por outro, em casos não previstos na legislação.[40]

13 Observações finais

As renegociações de contratos de concessão têm sido mais frequentes porque se provaram ser um meio mais adequado – e talvez o único – de resolver impasses que se prolongavam por anos, comprometendo a realização de investimentos, a prestação dos serviços e, em última análise, o atendimento do usuário.

O surgimento de controvérsias nesse ambiente é natural e produtivo, à medida que propicia o amadurecimento da ferramenta e a sua utilização com segurança jurídica. A renegociação apresenta diferenças em relação aos processos de reequilíbrio e revisão, não sendo possível adotar automaticamente o arcabouço teórico construído para estes institutos. Trata-se de procedimento marcado pela consensualidade, com um dever reforçado de motivação em razão do maior impacto das alterações nos contratos

---

[39] Flávio Amaral Garcia (*A mutabilidade nos contratos de concessão*. p. 297) pondera corretamente a importância de, nesse caso, considerar-se se a causa da alteração é superveniente ou não à licitação: "Não obstante a Diretiva não tenha avançado no ponto, poder-se-ia agregar que o tema comportaria o acréscimo da discussão acerca da superveniência, ou não, do fato ensejador da modificação. Se a causa da mutação for superveniente (ou seja, caso tenha se operado após a celebração do contrato) e se mostrar efetivamente necessária ao atendimento do interesse público, parece rigoroso o seu enquadramento como modificação substancial pelo simples fato de que poderia ter influenciado o procedimento de adjudicação. Bem vistas as coisas, toda e qualquer modificação que decorra de fato superveniente poderia, em tese, ter produzido como efeito uma alteração nas regras iniciais do procedimento licitatório e, também em tese, poderia ter modificado substancialmente o seu resultado ou, mesmo, ter implicado maior interesse por parte de outros operadores econômicos".

[40] O Direito europeu interpreta a alteração da natureza do contrato de forma global, ou seja, de modo que resultaria em um objeto contratado materialmente distinto. No Considerando nº 109 da Exposição de Motivos da Diretiva nº 2014/24/UE, ao descrever a modificação por situações imprevistas, o Parlamento Europeu e o Conselho da União Europeia esclarecem: "(...) este conceito não se pode aplicar nos casos em que uma modificação dê lugar a uma alteração da natureza global do contrato público, por exemplo substituindo obras, fornecimentos ou serviços a adjudicar por algo diferente ou alterando profundamente o tipo de contrato, uma vez que, em tal situação, é previsível que o resultado final seja influenciado" (UNIÃO EUROPEIA. Diretiva nº 2014/24/EU).

e destinado a resolver problemas concretos. O seu procedimento deve observar essas peculiaridades.

O importante é que as discussões conduzam ao aprimoramento das renegociações e ao incremento da sua utilização, por se tratar de instrumento eficaz para a retomada de investimentos e a realização de políticas públicas.

Referências

BOGOSSIAN, André Martins; ALEIXO, Guilherme Freire Baptista. Problemas na e da operacionalização do conceito de renegociação de contratos de concessão rodoviária pelo tribunal de contas da União. *In*: LEAL, Fernando e MENDONÇA, José Vicente Santos de. *Transformações do Direito Administrativo*: debates e estudos empíricos em direito administrativo e regulatório. Rio de Janeiro: FGV Direito Rio, 2021. p. 70-96.

BOGOSSIAN, André Martins. O poder-dever de renegociação dos contratos "irreequilibráveis" de concessão comum e PPP. *Revista de Contratos Públicos – RCP*, Belo Horizonte, ano 7, n. 13, p. 11-28, mar./ago. 2018.

CASSESE, Sabino. La partecipazione dei privati alle decisioni pubbliche. Saggio di Diritto Comparato. *Rivista Trimestrale di Diritto Pubblico*, Milano, v. 57, n. 1, p. 13-41, 2007.

CYRINO André; SALATHÉ Felipe. A consensualidade abusiva no Direito Administrativo: notas iniciais de teorização. *Revista Estudos Institucionais*, [S. l.], v. 10, n. 2, p. 634-686, maio/ago. 2024.

DIRETIVA nº 2014/23/EU. *Jornal Oficial da União Europeia*, Genebra, p. 1-64, 28 mar. 2014. Disponível em: https://eur-lex.europa.eu/legal-content/PT/TXT/PDF/?uri=CELEX:32014L0023. Acesso em: 18 ago. 2024.

DIRETIVA nº 2014/24/EU. *Jornal Oficial da União Europeia*, Genebra, 26 fev. 2014. Disponível em: https://eur-lex.europa.eu/legal-content/PT/TXT/PDF/?uri=CELEX:02014L0024-20180101&from=FR. Acesso em: 18 ago. 2024.

FREITAS, Rafael Véras de. Regulação por contratos de concessão em situações de incerteza. *Interesse Público – IP*, Belo Horizonte, ano 23, n. 125, p. 167-211, jan./fev. 2021.

GARCIA, Flávio Amaral. *A mutabilidade nos contratos de concessão*. 2. ed. São Paulo: Juspodivm, 2023.

GOMES, Milton Carvalho. Contratos de concessão devem ser renegociados? *Agência Infra*, [S. l.], 15 ago. 2024. Disponível em https://agenciainfra.com/blog/opiniao-contratos-de-concessao-devem-ser-renegociados. Acesso em: 18 ago. 2024.

GUASCH, José Luis. *Granting and Renegotiating Infrastructure Concessions*: Doing it Right. Washington, D.C.: The World Bank Institute, 2004.

HART, Oliver D. Incomplete Contracts and the Theory of the Firm. *Journal of Law, Economics & Organization*, [S. l.], v. 4, n. 1, p. 119-139, 1988.

JUSTEN FILHO, Marçal. *Teoria geral das concessões de serviço público*. São Paulo: Dialética, 2003.

KNIGHT, Frank. *Risk, Uncertainty and Profit*. New York: Hart, Schaffner & Marx, 1921.

MARQUES JÚNIOR, José Jair. *Negociação aplicada aos contratos de concessão de infraestrutura*. 2022. 186 f. Tese (Doutorado em Direito) – Faculdade de Direito da Universidade de São Paulo. São Paulo, 2022.

MARQUES NETO, Floriano de Azevedo. *Concessões*. Belo Horizonte: Fórum, 2015.

MIAZZO, Leonardo. Anos terríveis da Lava Jato levaram a um 'apagão das canetas', diz o presidente do TCU. *Carta Capital*, São Paulo, 22 abr. 2024. Disponível em: https://www.cartacapital.com.br/politica/anos-terriveis-da-lava-jato-levaram-a-um-apagao-das-canetas-diz-o-presidente-do-tcu/. Acesso em: 18 ago. 2024.

MOREIRA, Egon Bockmann. *Direito das Concessões de Serviço Público*: parte geral: inteligência da Lei 8.987/1995. São Paulo: Malheiros, 2010.

RIBEIRO, Maurício Portugal; PRADO, Lucas Navarro. *Comentários à Lei de PPP Parceria Público-privada*: fundamentos econômico-jurídicos. São Paulo: Malheiros, 2007.

SAMPAIO, Patrícia; ARAÚJO, Thiago. Previsibilidade ou Resiliência? Notas sobre a Repartição de Riscos em Contratos Administrativos. *Revista de Direito da Procuradoria Geral do Rio de Janeiro*, Rio de Janeiro, p. 311-333, 2014.

SCHREIBER, Anderson. Construindo um dever de renegociar no Direito brasileiro. *Revista Interdisciplinar de Direito da Faculdade de Direito de Valença*, Valença, v. 16, n. 1, p. 13-42, jan./jun. 2018.

SCHROEDERDA, Lucas. Jurisprudência da Lava Jato "infantilizou e paralisou" gestor público, diz Bruno Dantas. *CNN*, São Paulo, 22 abr. 2024. Disponível em: https://www.cnnbrasil.com.br/politica/jurisprudencia-da-lava-jato-infantilizou-e-paralisou-gestor-publico-diz-bruno-dantas/. Acesso em: 18 ago. 2024.

SILVA, Adilson Aderito da; BRITO Eliane Pereira Zamith. Incerteza, racionalidade limitada e comportamento oportunista: um estudo da indústria brasileira. *RAM – Revista Administração Mackenzie*, São Paulo, v. 14, n. 1. p. 176-201, jan./fev. 2013.

Informação bibliográfica deste texto, conforme a NBR 6023:2018 da Associação Brasileira de Normas Técnicas (ABNT):

KLEIN, Aline Lícia. Alguns apontamentos sobre a renegociação de contratos de concessão. *In*: JUSTEN, Monica Spezia; PEREIRA, Cesar; JUSTEN NETO, Marçal; JUSTEN, Lucas Spezia (coord.). *Uma visão humanista do Direito*: homenagem ao Professor Marçal Justen Filho. Belo Horizonte: Fórum, 2025. v. 3, p. 201-219. ISBN 978-65-5518-915-5.

DISTRIBUIÇÃO DE COMPETÊNCIAS NO SETOR DO GÁS NATURAL: *BY-PASS* COMERCIAL DO SISTEMA DE SERVIÇOS LOCAIS DE GÁS CANALIZADO

ANDRÉ MONTEIRO DO REGO

ANDREIA NOLASCO MONTEIRO DO REGO

1 Introdução

Alguns fatores têm convergido, nos últimos 15 anos, para elevar o gás à condição de relevantíssima fonte ou matriz energética no Brasil, em perspectivas política, econômica e socioambiental.

A preocupação mundial com a migração de energéticos fósseis, de efeitos nocivos ao meio ambiente, para fontes renováveis (eólica, solar, biomassa e marítima), dá ao gás situação de destaque na transição. Além da redução da emissão de efeito estufa, agrega segurança energética ao setor elétrico.

O setor tem merecido cuidados específicos e iniciativas legislativas e regulatórias, a exemplo dos programas federais Gás Para Crescer e Novo Gás, com edição da Lei do Gás no ano de 2009, complementada no ano de 2021.

Os conflitos entre a União e os Estados-membros, no que concerne ao ciclo econômico do gás natural, precedem as políticas governamentais mais recentemente implementadas no sentido de abertura do mercado de gás.

Houve disputas em inúmeras frentes e diversos Estados da Federação, tendo como matéria de fundo a delimitação do âmbito de atuação das esferas estadual e federal.

Este é o objeto deste artigo.

O enfrentamento do problema pressupõe a compreensão de conceitos básicos e noções preliminares acerca da indústria do gás natural. Especialmente as fases dessa cadeia produtiva, onde se tem verificado o *by-pass*, a saber: transporte e serviços locais de gás canalizado, atividades de movimentação do gás por dutos.

O deslinde dos conflitos relacionados ao *by-pass* está intimamente ligado à compreensão do âmbito de competência material e legislativa dos Estados-membros e da

União, na cadeia do gás. A natureza e o regime jurídico das atividades de deslocamento do gás natural por dutos (transporte e serviços locais de gás canalizado), estabelecidos na Constituição Federal de 1988 (CF/88), serão o norte do racional encaminhado, em perspectiva jurídica.

2 Noções preliminares acerca da indústria do gás natural

O gás natural é composto orgânico utilizado como combustível para consumo industrial, comercial, veicular e residencial, e como matéria-prima pela indústria. O gás passa por complexos processos desde a sua descoberta até a entrega ao consumidor, envolvendo diversos agentes.

Diversamente do petróleo, o gás natural, nas condições normais de temperatura e pressão, é encontrado no estado gasoso.[1]

Não sem razão, encontrando-se no estado físico gasoso, nas Condições Normais de Temperatura e Pressão (CNTP), uma das principais preocupações da indústria do gás natural diz respeito ao seu deslocamento dos reservatórios até as diversas classes de consumidores, em razão do seu volume e alto custo.

O deslocamento do gás por dutos, destinado ao consumidor final, conforma o gás canalizado a que se refere em seu art. 25, §2º, da CF/88, ao disciplinar as competências dos Estados e do Distrito Federal. Precisamente o alcance e os limites dessa competência são os pontos centrais deste artigo.

2.1 Cadeia do gás

Cadeia do gás é terminologia que refere às atividades econômicas, em sentido lato, desenvolvidas desde a busca de reservatórios de gás natural até a sua comercialização para as diversas finalidades (industrial, residencial, comercial, veicular e geração termoelétrica).

Conhecer o funcionamento da cadeia do gás natural e noções técnicas sobre as atividades nela contidas, e, principalmente, entender as relações entre os diversos agentes que nela atuam, são elementos imprescindíveis a este estudo.

Encontra-se conceito da cadeia do gás natural como o conjunto de atividades econômicas (em sentido lato) que compõem a indústria do gás natural (Lei nº 14.134/202,[2] Lei do Gás).

As principais atividades que compõem a cadeia do gás são: (i) a exploração ou pesquisa; (ii) a produção ou lavra; (iii) o transporte e (v) os serviços locais de gás canalizado, incluída a distribuição. Daí advém a subdivisão da cadeia do gás em *upstream*, *midstream* e *downstream*.[3]

---

[1] Sobre o tema, veja-se: "O gás natural, assim como o petróleo, é composto de hidrocarbonetos, diferenciando-se deste último por ser composto por frações tão leves que ocorrem naturalmente em estado gasoso" (WATT NETO, Artur. *Petróleo, gás natural e biocombustíveis*. São Paulo: Saraiva, 2014. p. 99).

[2] BRASIL. Lei nº 14.134, de 8 de abril de 2021. *Diário Oficial da União*: Brasília, DF, 2021. Disponível em: https://www.planalto.gov.br/ccivil_03/_ato2019-2022/2021/Lei/L14134.htm. Acesso em: 29 jul. 2024.

[3] Sobre as fases da cadeia produtiva do gás natural, assevera Giovani Loss (A regulação setorial do gás natural. Belo Horizonte: Fórum, 2007. p. 65-66): "É importante observar que na cadeia do gás natural as atividades estão

A fase *upstream* da cadeia compreende as atividades voltadas à identificação de jazidas e à extração do insumo. Na produção,[4] o gás natural é extraído da jazida e passa por uma separação preliminar de outras substâncias, como água e hidrocarbonetos líquidos.[5]

No *midstream*, processado ou não, tem-se o deslocamento do gás natural, quando não alterado o seu estado físico gasoso, nas CNTP necessariamente por condutos, a que se denomina transporte.

O *downstream* compreende as atividades econômicas, comerciais e de serviços, voltadas ao retalhamento do gás natural e sua entrega aos destinatários em diversas frentes, como combustível ou insumo, nas atividades de cunho comercial, industrial, geração de energia e uso veicular.

Tanto o transporte como a distribuição de gás, necessariamente, em dado momento do segmento espacial do seu deslocamento, imporão a sua movimentação por dutos, dada a necessária condição e estado físico gasoso que deverá assumir.

Considera-se transporte a movimentação do gás até os pontos de entrega, ou *city gates*, onde ele é transposto à custódia do serviço público local de gás canalizado, que, a seu turno, o destina aos consumidores.

Além de consistirem em movimentação de gás natural por meio de dutos, o transporte e a distribuição se assemelham entre si nas características econômicas. São considerados monopólios naturais, apresentando oportunidades de economias de escala.[6]

A CF/88 atribuiu ao transporte de gás natural natureza de atividade econômica em sentido estrito, submetida a regime jurídico de direito privado, marcado por forte regulação estatal, dada a circunstância de ser um monopólio natural. Atribuiu à União a competência para sua exploração.[7]

---

divididas em fases que se convencionou denominar de *upstream*, *midstream* e *downstream*. As citadas atividades de exploração, desenvolvimento e produção constituem o *upstream* da cadeia do gás natural. As atividades de processamento e transporte (incluindo-se aí a exportação e importação), por sua vez, são denominadas de *midstream*. E, por fim, as atividades de distribuição e consequentemente comercialização são o *downstream*".

[4] BRASIL. Lei nº 9.478, de 6 de agosto de 1997. *Diário Oficial da União*: Brasília, DF, 1997. Disponível em: http://www.planalto.gov.br/ccivil_03/leis/l9478.htm. Acesso em: 29 jul. 2024.

[5] Precisos os esclarecimentos de Giovani Loss, Feres e Mattos (Contratos de gás natural – peculiaridades. *In*: COSTA, Maria D'Assunção (org.). *Gás natural no cenário brasileiro*. Rio de Janeiro: Synergia Editora, 2015. p. 98-99): "Durante a produção, que pode se dar em terra, *onshore*, ou no mar, *offshore*, o gás natural passa por vasos separadores, que são equipamentos projetados para retirar a água e separar do gás os hidrocarbonetos em estado líquido. Caso o gás esteja contaminado com enxofre, deverá ser ainda enviado a uma unidade de dessulfurização, onde será depurado. Uma parte do gás é utilizada na própria geração de energia na unidade de produção. No caso do gás associado ao petróleo, outra parte do gás é utilizado no processo conhecido como reinjeção de gás nos campos, objetivando aumentar a recuperação do petróleo dos reservatórios. Após essa etapa, o gás é enviado para a fase de processamento".

[6] Sobre monopólios naturais e economias de escala, assevera Marçal Justen Filho (*O Direito das agências reguladoras independentes*. São Paulo: Dialética, 2002. p. 33): "(...) o monopólio natural, indesejável sob o prisma da ausência de concorrência, envolve um benefício potencial para o consumidor. Por um lado, o monopólio natural se configura quando a natureza da atividade e as circunstâncias a ela inerentes tornam economicamente inviável a multiplicação das estruturas empresariais para produção e (ou) circulação de bens e serviços. Isso equivale a afirmar que a supressão do monopólio configuraria solução de menor eficiência econômica, acarretando elevação dos preços praticados em face do consumidor. Mais ainda, as hipóteses de monopólio refletem situação de retornos crescentes de escala. São as hipóteses em que a ampliação do número de consumidores permite benefícios crescentes para todos, especialmente para os futuros consumidores".

[7] "Art. 177. Constituem monopólio da União:

(...)

Aos serviços locais de gás canalizado – incluída a distribuição – foi conferida natureza de serviço público, submetida a regime jurídico de direito público. A competência para explorá-los, com exclusividade, diretamente ou mediante concessão, foi atribuída aos Estados e ao Distrito Federal, na forma do seu art. 25, §2º.

A doutrina e a jurisprudência têm se valido, diferenciando transporte e distribuição, cumulativamente ou não, de cinco critérios: interesse geral *versus* interesse específico; técnico; origem e destino do insumo; análise do usuário e interpretação (sistemática) das normas constitucionais.

2.2 Tratamento constitucional do gás no Brasil

A CF/88, ao dispor sobre a distribuição de competências entre os entes federativos e sobre as formas de intervenção do Estado na economia, cuidou das principais atividades econômicas (em sentido lato) que compõem a cadeia do gás natural.

O constituinte atribuiu aos serviços locais de gás canalizado natureza de serviço público, em regime de exclusividade. Criou monopólio estatal para a realização das atividades de pesquisa, lavra, importação, exportação e transporte por conduto de gás natural. Atribuiu ao Estado forte atuação no setor energético.

3 Delimitação do âmbito de atuação da união e dos estados na movimentação do gás natural

Compreender a distribuição de competências materiais e legislativas referentes ao deslocamento de gás pressupõe assimilar a lógica de repartição adotada pela CF/88 sob uma ótica sistemática. Inútil analisar os preceitos constitucionais que fazem menção ao gás isoladamente.

A distribuição de competências é meio de concretização do princípio federativo.[8][9] O bom funcionamento do Estado Federal depende do respeito às competências previstas na Carta Política. E a doutrina é assente sobre não haver hierarquia[10] na Federação. José

IV - o transporte marítimo do petróleo bruto de origem nacional ou de derivados básicos de petróleo produzidos no País, bem assim o transporte, por meio de conduto, de petróleo bruto, seus derivados e gás natural de qualquer origem (...)" (BRASIL. [(Constituição 1988)]. *Constituição da República Federativa do Brasil de 1988*. Brasília, DF: Presidência da República. Disponível em: http://www.planalto.gov.br/ccivil_03/Constituicao/ Constituicao.htm. Acesso em: 20 ago. 2024).

[8] "A autonomia das entidades federativas pressupõe repartição de competências para o exercício e desenvolvimento de sua atividade normativa. *Esta distribuição constitucional de poderes é o ponto nuclear da noção de Estado federal*" (SILVA, José Afonso da. *Curso de Direito Constitucional Positivo*. 40. ed. rev. e atual. até a Emenda Constitucional nº 95, de 15 de dezembro de 2016. São Paulo: Malheiros, 2017. p. 481, grifos nossos).

[9] No mesmo sentido: AGRA, Walber de Moura. Curso de Direito Constitucional. 9. ed. Belo Horizonte: Fórum, 2018. p. 395; MOREIRA NETO, Diogo de Figueiredo. *Curso de Direito Administrativo*: parte introdutória, parte geral e parte especial. 16. ed. rev. e atual. Rio de Janeiro: Forense, 2014. p. 34-35; SARLET, Ingo Wolfgang; MARINONI, Luiz Guilherme; MITIDIERO, Daniel. *Curso de Direito Constitucional*. 8. ed. São Paulo: Saraiva Educação, 2019. p. 905.

[10] DALLARI, Dalmo de Abreu. *Elementos de teoria geral do Estado*. 32. ed. São Paulo: Saraiva, 2013. p. 255.

Afonso da Silva[11] assere que é imprescindível, no regime federativo, a atribuição de competências *exclusivas* aos entes federativos.[12]

Na CF/88, o federalismo está assentado tanto como princípio fundamental, contido já no seu primeiro artigo[13] quanto como cláusula pétrea.[14] Nem mesmo ao poder constituinte reformador é dada legitimidade para alterá-lo.[15]

Tradicionalmente, o princípio da predominância do interesse orienta a partilha de competências. Confere à União o tratamento das matérias e questões de predominante interesse geral; aos Estados, os temas de predominante interesse regional; aos Municípios, os de interesse local.[16]

No Brasil, em razão da dificuldade de identificar a quem pertence um ou outro interesse, o constituinte originário adotou critério híbrido de repartição, ora pautado em decisões políticas, ora pautado no princípio da predominância do interesse.[17]

Assim, foram atribuídas à União e aos Estados competências materiais exclusivas (repartição horizontal) e comuns (repartição vertical), bem assim competências legislativas exclusivas ou privativas (repartição horizontal) e concorrentes (repartição vertical). A CF/88 cuidou de enumerar os poderes administrativos da União, conferindo aos Estados-membros as competências reservadas, residuais ou remanescentes.[18]

Assim, a competência reservada conferida aos Estados-membros funciona como verdadeiro norte exegético para definição de competências, ficando a cargo da esfera estadual: "(i) atividade não prevista na Constituição e (ii) atividade situada em zona de penumbra entre as competências de distintos entes federados".[19]

Conferindo aos Estados as competências não atribuídas à União ou aos Municípios, a competência reservada orienta, em favor dos Estados-membros, a interpretação de zonas nebulosas das competências. Da lógica do sistema de repartição decorre que, em caso de dúvida acerca da titularidade de determinada competência, a interpretação deverá se orientar em direção à esfera estadual.

---

[11] SILVA. *Curso de Direito Constitucional Positivo*, p. 102.

[12] O relevo conferido à atribuição de competências exclusivas aos entes federados será de grande valia para a interpretação do alcance da única competência material exclusiva conferida aos Estados-membros, qual seja, a competência para prestar, com exclusividade, os serviços locais de gás canalizado.

[13] "Art. 1º A República Federativa do Brasil, formada pela união indissolúvel dos Estados e Municípios e do Distrito Federal, constitui-se em Estado Democrático de Direito e tem como fundamentos.

[14] "Art. 60. A Constituição poderá ser emendada mediante proposta:
(...)
§ 4º Não será objeto de deliberação a proposta de emenda tendente a abolir:
I - a forma federativa de Estado (...)" (BRASIL. [(Constituição 1988)]. *Constituição da República Federativa do Brasil de 1988*).

[15] O reconhecimento da forma federativa como cláusula pétrea é reforçada por André Ramos Tavares como condição *sine qua non* do próprio federalismo: "A divisão do modelo federalista encontra previsão normativa na própria Constituição, que, nesse sentido, é a "carta de atribuições" dos entes federados. (...) Em virtude disso é preciso que essa Constituição seja rígida, de maneira que fiquem vedadas as alterações conjunturais do desenho federalista traçado originalmente. (...) *Assegurar o patamar constitucional do federalismo sem vedar sua supressão ou degradação por reforma constitucional posterior é medida insuficiente*" (TAVARES, André Ramos. *Curso de Direito Constitucional*. 13. ed. rev. e atual. São Paulo: Saraiva, 2015. p.832-833, grifos nossos).

[16] SILVA. *Curso de Direito Constitucional Positivo*, p. 482.

[17] AGRA. *Curso de Direito Constitucional*, p. 906.

[18] SARLET; MARINONI; MITIDIERO. *Curso de Direito Constitucional*, p. 937.

[19] BINENBOJM, Gustavo. Transporte e distribuição do gás natural no Brasil: delimitando as fronteiras entre as competências regulatórias federais e estaduais. *Revista de Direito da Procuradoria-Geral do Estado do Rio de Janeiro*, Rio de Janeiro, v. 61, p. 184, 2006.

Dirley da Cunha frisa que a CF/88, criando exceção à regra da competência remanescente, conferiu aos Estados-membros poder administrativo exclusivo expresso: "Trata-se da competência para os Estados explorarem diretamente, ou mediante concessão, os serviços locais de gás canalizado".[20]

Esclarece ainda que a lei e a medida provisória referidas no art. 25, §2º, da CF/88 são, necessariamente, estaduais.[21]

Considerando-se a competência material exclusiva conferida pela CF/88 aos Estados-membros para explorar, em regime de exclusividade, os serviços públicos de gás canalizado, não se afigura minimamente razoável que se tenha atribuído a competência (legislativa) para regulamentar tal serviço a outro ente federado, qual seja, a União.

Irrazoável, a interpretação de que teria a União competência para regulamentar serviço público prestado pelos Estados-membros esvaziaria, por completo, a competência atribuída pela CF/88 aos Estados.[22]

A outra conclusão não se pode chegar, senão que ao ente ao qual compete explorar, compete também regulamentar a exploração por legislação de sua lavra.

Inadmissível, no particular da cadeia do gás natural, a interpretação de que à União caberia a edição de normas gerais.[23] Não há previsão expressa nesse sentido. Abrir-se-ia espaço para que um ente federativo esvaziasse a competência exclusiva de outro.

Examina-se singular repartição de competências, com fulcro nos arts. 25 e 177 da CF/88, porquanto a confira, a respeito do gás natural, a duas esferas políticas (federal e estadual).[24]

À União Federal cabe explorar, sob monopólio, as atividades de pesquisa, exploração, lavra, produção, importação, exportação e transporte dutoviário de gás natural. Aos Estados-membros e ao Distrito Federal prestar, com exclusividade, os serviços locais de gás canalizado, aí incluída a distribuição, que compõe a fase *downstream* da cadeia.

Daí o problema enfrentado: a identificação dos contornos das competências federal e estadual, definindo-se a fronteira.

O sistema de repartição de competências, na CF/88, não atribui à União Federal legislar sobre serviços locais de gás canalizado. Não há previsão de competência nesse sentido, mesmo para normas gerais.

---

[20] CUNHA JÚNIOR, Dirley da. *Curso de Direito Constitucional*. 13. ed. rev. ampl. e atual. Salvador: Juspodivm, 2018. p. 833.

[21] CUNHA JÚNIOR. *Curso de Direito Constitucional*, p. 833.

[22] Sobre o tema, leciona Gustavo Binenbojm (Transporte e distribuição do gás natural no Brasil: delimitando as fronteiras entre as competências regulatórias federais e estaduais, p. 178): "De outra banda, convém lembrar que o art. 25, §2º, da Carta Magna, remete à "lei" a regulamentação dos serviços locais de gás canalizado. Por evidente, tal "lei", aludida no texto constitucional, não pode ser uma lei federal, mas a legislação estadual. (...) Por evidente, caso a União pudesse, por meio de sua legislação, ampliar ao infinito o conceito de "transporte por conduto de gás natural" , disto decorreria um inadmissível estreitamento (quiçá não verdadeira ablação), por lei federal, do campo próprio de atuação dos Estados-membros. A Federação define, justamente, por um peculiar regime de competências constitucionalmente cravejadas, de modo a estabelecer os diferentes papeis – nacional, regionais e locais – dos diversos entes federativos".

[23] Em muitos casos, a Constituição produz uma determinada discriminação de competências políticas e administrativas, assegurando aos entes federados estaduais e municipais a titularidade de uma atribuição. No entanto, a própria CF/88 consagra a competência legislativa da União para editar "normas gerais", o que permite reduzir a margem de autonomia do ente federado e estabelecer soluções de integração nacional. Entretanto, tal previsão só poderia ser expressa, o que não ocorre no caso dos serviços locais de gás canalizado.

[24] GONÇALVES, Gustavo Mano. Distribuição de gás canalizado. *In*: COSTA, Maria D'Assunção (org.). *Gás natural no cenário brasileiro*. Rio de Janeiro: Synergia Editora, 2015. p. 127.

Gustavo Binenbojm anota que não se pode extrair da competência da União, para legislar sobre energia, competência sua para legislar sobre serviços locais de gás.[25]

Quando não houvesse a norma expressa do art. 25, § 2º, da CF/88, a competência legislativa dos Estados-membros nessa temática decorreria do princípio da subsidiariedade.[26]

A competência material dos Estados-membros não pode ser interpretada restritivamente. A competência de legislar e regulamentar os serviços locais de gás canalizado é conferida aos Estados. Estará eivada de inconstitucionalidade qualquer norma federal que pretenda fazê-lo.[27]

3.1 Natureza das atividades econômicas de deslocamento dutoviário de gás natural

Os serviços locais de gás canalizado e o seu transporte dutoviário foram alçados à atuação direta do Estado, respectivamente em regime de exclusividade e de monopólio.

Daí a importância de se entender as circunstâncias econômicas que induzem à restrição de concorrência no seu âmbito.

O setor do gás natural, absolutamente dependente de infraestrutura,[28] conforma indústria de rede, caracterizada pela "presença de distintas atividades constituídas sob a forma de uma rede física, na qual a interconexão é essencial à sua operação e prestação do serviço",[29] circunstância da qual decorre a aplicabilidade de uma série de conceitos econômicos.

Atividades que compõem a indústria de rede exigem altos custos de implantação e instalação de infraestrutura e baixos custos para sua operação e manutenção,[30] conformando falhas de mercado,[31] que justificam, quando não impõem, a atuação do Estado Regulador.

---

[25] BINENBOJM. Transporte e distribuição do gás natural no Brasil: delimitando as fronteiras entre as competências regulatórias federais e estaduais, p. 178.

[26] BINENBOJM. Transporte e distribuição do gás natural no Brasil: delimitando as fronteiras entre as competências regulatórias federais e estaduais, p. 180.

[27] "Assim, será incompatível com a normativa constitucional qualquer norma constitucional que pretenda limitar o espectro da competência dos Estados, por esta ou aquela via, tendo por objetivo ampliar o sentido e o alcance da competência federal para o transporte do gás, por conduto" (BINENBOJM. Transporte e distribuição do gás natural no Brasil: delimitando as fronteiras entre as competências regulatórias federais e estaduais, p. 186).

[28] "As atividades econômicas relacionadas com as infraestruturas possuem algumas especificidades técnicas e econômicas que as caracterizam como "indústrias de rede", isto é, são compostas por estruturas físicas que se conectam para possibilitar a operação" (GONÇALVES. Distribuição de gás canalizado, p. 129).

[29] BRASIL. Agência Nacional do Petróleo, Gás Natural e Biocombustíveis. Transporte de Gás. *Gov.br*, Brasília, DF, [2024]. Disponível em: http://www.anp.gov.br/movimentacao-estocagem-e-comercializacao-de-gas-natural/transporte-de-gas-natural. Acesso em:19 ago. 2023.

[30] LOSS; FERES; MATTOS. Contratos de gás natural – peculiaridades, p. 101.

[31] "Segundo a teoria do "Law and Economics", as indústrias de rede são indústrias em que existem falhas de mercado, que, no caso da indústria do gás canalizado, traduz-se fundamentalmente na ausência de concorrência entre os agentes econômicos que transportam e distribuem o energético. Dada a natureza destas atividades, seu desenvolvimento eficiente somente é viável se realizado por um único agente, através de uma infraestrutura de grandes dimensões, cuja duplicação é economicamente ou tecnicamente inviável pelos seus concorrentes. Em sendo o monopólio a solução mais eficiente à indústria do gás, tanto seu transporte quanto sua distribuição são considerados monopólios naturais" (SANTOS, Karina Martins Araújo. Expansão da malha de distribuição de

Tais indústrias se caracterizam por: "(i) externalidades ou economias de rede; (ii) oportunidades de economias de escala; (iii) articulação, em torno da infraestrutura propriamente dita, dos serviços finais a ela conectados".[32]

Compreendidas como "quedas no custo médio de longo prazo à medida que se expande a escala de produção",[33] economias de escala são propícias à exploração em regime de monopólio. Pois "o custo de acréscimo de uma unidade do produto é decrescente, implicando a possibilidade de um baixo preço final do produto, criando barreiras à entrada de outras empresas, porque a exploração por uma única firma possui uma maior racionalidade".[34] A operação de outras empresas no mesmo mercado teria o condão de criar escalas sub-ótimas.

Raciocínio que se aplica à movimentação dutoviária do gás: altíssimos custos de implantação da infraestrutura e a presença de economia de escala implicam que a multiplicação de redes de gasoduto seria demasiadamente custosa e ineficiente.[35] Configura-se monopólio natural, conformando falha de mercado.[36]

É verdadeira exceção à regra da otimização do mercado pelo incremento da concorrência. A introdução de outros agentes no mercado acarreta "uma ou mais plantas de escala subótima, e, portanto, custos médios mais elevados que o mesmo nível de produção realizado pela oferta existente (monopolista ou oligopolista)".[37] Afasta-se a estrutura de mercado competitiva em favor da eficiência econômica.[38]

Donde transporte[39] e distribuição[40] de gás serem reconhecidos como monopólios naturais.

As demais atividades da cadeia do gás natural não se enquadram no conceito de monopólio natural. A exploração de algumas delas, sob monopólio, decorre de decisão política. Não de questões econômicas.

---

gás natural canalizado a partir do fornecimento de GNC e/ou GNL formação de mercados em áreas desprovidas de gasodutos. *Revista do IBRAC – Direito da Concorrência, Consumo e Comércio Internacional*, São Paulo, v. 23, p. 4, jan./jun. 2013).

[32] GONÇALVES. Distribuição de gás canalizado, p. 102.

[33] PINHO, Diva Benevides; VASCONCELOS, Marco Antonio S. de; TONETO JÚNIOR, Rudinei. *Manual de economia*. 7. ed. São Paulo: Saraiva, 2017. p. 236.

[34] COSTA, Hidran Katarina de Medeiros. Aspectos concorrenciais e regulatórios da distribuição de gás natural canalizado. *Revista do IBRAC – Direito da Concorrência, Consumo e Comércio Internacional*, São Paulo, v. 13, p. 6, jan. 2006.

[35] GONÇALVES. Distribuição de gás canalizado, p. 130.

[36] ARAGÃO, Alexandre Santos de. *Curso de Direito Administrativo*. 2. ed. rev., atual. e ampl. Rio de Janeiro: Forense, 2013. p. 415; JUSTEN FILHO, Marçal. Serviço público no Direito brasileiro. *In*: CARDOZO, José Eduardo Martins; QUEIROZ, João Eduardo Lopes; SANTOS, Márcia Walquíria Batista dos (org.). *Direito Administrativo Econômico*. São Paulo: Atlas, 2011. v. 1, p. 397.

[37] SILVA, Anderson Souza da. Acesso aos dutos de transporte e o caso do gás natural: uma abordagem no âmbito do direito da concorrência. *Revista do IBRAC – Direito da Concorrência, Consumo e Comércio Internacional*, São Paulo, v. 10, p. 7, jan. 2003.

[38] MARQUES NETO, Floriano Peixoto de Azevedo. Universalização de serviços públicos e competição: o caso da distribuição de gás natural. *Revista do IBRAC – Direito da Concorrência, Consumo e Comércio Internacional*, São Paulo, v. 8, n. 4, p. 135, 2001.

[39] ARAGÃO, Alexandre Santos de; SCHIRATO, Vitor Rhein. Algumas considerações sobre a regulação para concorrência no setor de gás natural. *Revista de Direito Público da Economia – RDPE*, Belo Horizonte, n. 14, ano 4, p. 3, abr./jun. 2006; GONÇALVES. Distribuição de gás canalizado, p. 130.

[40] SANTOS. Expansão da malha de distribuição de gás natural canalizado a partir do fornecimento de GNC e/ou GNL formação de mercados em áreas desprovidas de gasodutos, p. 5; GONÇALVES. Distribuição de gás canalizado, p. 131.

3.2 Regime jurídico aplicável aos serviços locais de gás canalizado e ao transporte de gás por conduto

A CF/88 conferiu tratamento complexo e assimétrico às atividades econômicas (em sentido lato) que compõem a indústria do gás natural: porquanto configurado *monopólio natural*, a *União* atua na movimentação de gás, *explorando atividade econômica em sentido estrito*, o transporte de gás por conduto, sob *regime de monopólio*; os Estados-membros promovem a movimentação de gás, *caracterizado serviço público* local, com *exclusividade*, também por ser *monopólio natural*.

A doutrina define serviços públicos a partir da verificação de três elementos, a saber: essencialidade para atendimento de condições de vida dignas; não atendimento adequado pela sociedade, através do mercado ou terceiro setor e qualificação atribuída pela Constituição ou por lei.[41]

Identifica-se elemento material, que consiste na consecução de interesse público primário, e elemento formal, que consiste na atribuição, pelo ordenamento constitucional, de regime jurídico próprio à atividade.[42]

Aos serviços públicos, decorrência do relevo que lhes é conferido e considerando que são verdadeiro instrumento de concretização de interesse público primário, aplicam-se princípios que orientam sua prestação, dentre outros: (i) igualdade; (ii) universalização ou generalidade; (iii) continuidade; (iv) modicidade tarifária; (v) regularidade e (vi) supremacia do interesse público.

A nota distintiva entre o transporte de gás por conduto e os serviços locais de gás canalizado está assentada no interesse público primário constitucionalmente caracterizado no âmbito do *downstream*.

Ambos são monopólios naturais e sua exploração foi atribuída a entes públicos, com fortes restrições à concorrência. Há, no entanto, um reconhecimento de que o serviço local de gás canalizado concretiza, diretamente, o interesse da coletividade, enquanto o transporte nacional o faz indiretamente. Daí a decisão política do constituinte de elevar os serviços locais de gás canalizado à condição de serviço público, advindo um sem-número de consequências. A esse propósito, as proposições de Floriano Marques Neto são irrefutáveis.[43 44]

Assim, na interpretação das competências no setor de movimentação do gás natural, como vetor exegético, deve-se ter em mente a natureza de serviço público dos serviços locais de gás canalizado, atribuição dos Estados e do Distrito Federal.

---

[41] ARAGÃO. *Curso de Direito Administrativo*, p. 462.

[42] "Cada povo diz o que é serviço público em seu sistema jurídico. A qualificação de uma dada atividade como serviço público remete ao plano da concepção do Estado sobre seu papel. É o plano da escolha política, que pode estar fixada na Constituição do país, na lei, na jurisprudência e nos costumes vigentes em um dado tempo histórico" (GROTTI, Dinorá Adelaide Musetti. Teoria dos serviços públicos e sua transformação. *In*: SUNFIELD, Carlos Ari (coord.). *Direito Administrativo Econômico*. São Paulo: Malheiros, 2006. p. 184).

[43] MARQUES NETO. Universalização de serviços públicos e competição: o caso da distribuição de gás natural.

[44] LOSS, Giovanni Ribeiro; MARQUES NETO, Floriano Peixoto de Azevedo. Pósfacio. *In*: LOSS, Giovanni Ribeiro. *A regulação setorial do gás natural*. Belo Horizonte: Fórum, 2007; LOSS, Giovanni Ribeiro; MARQUES NETO, Floriano Peixoto de Azevedo. Prefácio. *In*: LOSS, Giovanni Ribeiro. *A regulação setorial do gás natural*. Belo Horizonte: Fórum, 2007.

3.3 Conceitos de serviços locais de gás canalizado e de transporte de gás por conduto

Conceituando e diferenciando o transporte de gás por conduto e os serviços locais de gás canalizado, doutrina e jurisprudência têm se valido, cumulativamente ou não, de quatro critérios: (i) de cunho técnico; (ii) natureza do usuário; (iii) origem e destino do gás natural e (iv) predominância de interesses.

O critério de cunho técnico, de acordo com o qual o transporte seria a movimentação de gás por dutos de alta pressão e de maior vazão, e a distribuição ocorreria através de dutos de menor pressão, menor vazão e capilarizados, foi adotado pela Secretaria de Direito Econômico do Ministério da Justiça (SDE), quando da elaboração de parecer sobre o tema.[45]

Os aspectos técnicos do gasoduto, malgrado tenham importância prática para sua operação, não se prestam a diferenciar a atividade de transporte dos serviços locais de gás canalizado, porque da interpretação da CF/88 não se extrai qualquer restrição de cunho técnico à atuação dos Estados-membros, especialmente porque as características dos gasodutos de transporte e de distribuição não são homogêneas no contexto brasileiro, conforme os ensinamentos de Floriano Marques Neto.[46][47]

O critério que parte da análise do usuário para verificar se determinada atividade se enquadra como transporte ou como distribuição é defendido por doutrina minoritária, a exemplo do jurista Carlos Ari Sundfeld.[48]

Sem qualquer consenso, a doutrina que adota tal critério entende, por vezes, que a distribuição estaria restrita aos usuários residenciais ou se estenderia ao comercial ou ao automotivo.

A doutrina majoritária, em contrapartida, enfatiza que, igualmente, não se extrai do texto constitucional qualquer restrição quanto ao tipo de usuário para fins de definição do campo de atuação dos Estados-membros.[49]

Corrente que examina a origem e o destino do insumo para distinguir as atividades, identifica o transporte na movimentação realizada desde a UPGN até os *city gates*. A distribuição no deslocamento dos *city gates* para entrega aos usuários finais.

Sucede que tal metodologia mostra-se simplista, na medida em que ignora a complexidade da cadeia do gás e deixa de considerar as inúmeras possibilidades de deslocamento com origens e destinos diferentes, não se prestando, portanto, a solucionar a questão do *by-pass*.

O critério que parece mais arrazoado: o da predominância do interesse, segundo o qual seria serviço local toda a movimentação de gás realizada em atendimento a interesse específico de um ou outro usuário, sendo serviço individualizável, ao passo

---

[45] Parecer exarado no ano de 2001, versando acerca das potenciais privatizações no âmbito da indústria de gás natural.

[46] MARQUES NETO. Universalização de serviços públicos e competição: o caso da distribuição de gás natural.

[47] LOSS; MARQUES NETO. Pósfacio; LOSS; MARQUES NETO. Prefácio.

[48] SUNDFELD, Carlos Ari; CÂMARA, Jacintho Arruda. Distribuição de gases industriais não é serviço público estadual. *Revista Brasileira de Infraestrutura – RBINF*, Belo Horizonte, ano 4, n. 8, p. 13-24, jul./dez. 2015.

[49] BINENBOJM. Transporte e distribuição do gás natural no Brasil: delimitando as fronteiras entre as competências regulatórias federais e estaduais, p. 180.

que seria transporte a movimentação de gás voltada a satisfazer interesse geral, não individualizável, portanto.

Para a delimitação da competência dos Estados-membros é de grande relevância a definição do que é gás natural.

O conceito de gás, para fins de delimitação da competência dos Estados e da União, não pode ser outro senão o conceito técnico, legal e regulamentar, que engloba os gases secos, úmidos, residuais e raros. Assim, gás é todo hidrocarboneto que permaneça em estado gasoso nas condições atmosféricas normais (CNTP).

Nessa definição estão incluídos, como não poderia deixar de ser, os gases mais pesados – propano, propeno, butano e buteno, moléculas formadas, respectivamente, por três e quatro átomos de carbono –, que correspondem ao gás liquefeito do petróleo (GLP).

São, portanto, elementos essenciais para a caracterização dos serviços de competência estadual: existência de hidrocarboneto em estado gasoso; deslocamento por dutos; entrega a consumidores específicos, individualizáveis; dentro do território de um Estado.

O transporte de gás por conduto cinge-se ao deslocamento do insumo em zonas de interesse geral, para entrega às concessionárias responsáveis pelo serviço público, que atuam no *downstream*. Volta-se, por conseguinte, à movimentação do gás pelo território nacional, com vistas a possibilitar, na ponta da cadeia, a distribuição por malha capilarizada.

4 *By-pass* no setor de movimentação dutoviária de gás

No âmbito da cadeia de gás, o *by-pass* consiste na supressão de uma das etapas da indústria de rede – no caso, a etapa de entrega do gás ao usuário, através de gasoduto –, o que teria o propósito de reduzir os custos do insumo e potencializar a concorrência no setor.

Sobre o tema, sustenta a União que muitas das situações indicadas pelos Estados como configuradoras de *by-pass* em verdade não o são. Naquelas em que admite a existência de *by-pass*, entende que cabe à esfera federal, ao elaborar normas gerais, prever os requisitos para a realização do *by-pass*, com remuneração dos Estados.

De outra parte, as concessionárias estaduais apontam a tentativa de generalização do *by-pass* ilícito. Afirmam ser dos Estados-membros a competência para prever as hipóteses e os requisitos do *by-pass* comercial.

Pois bem. Para melhor compreender o *by-pass* comercial, parte-se de visão mais aprofundada e completa da cadeia do gás, representada na figura a seguir:

Figura 1

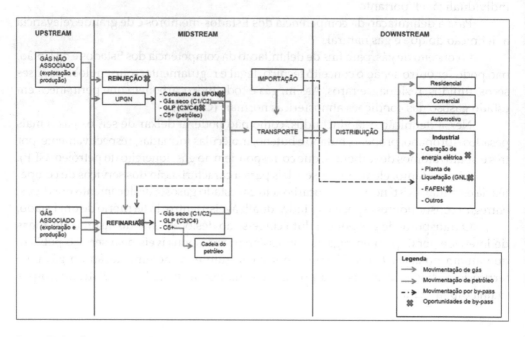

Fonte: Dados da pesquisa (2024).

Ao tratar das fases *upstream*, *midstream* e *downstream* da indústria do gás natural, a figura anterior (i) considera a interseção entre as cadeias do gás natural e do petróleo; (ii) diferencia, na fase *upstream*, a produção de gás não associado do gás associado; (iii) acrescenta a figura da reinjeção de gás natural nas jazidas; (iv) abarca a importação de gás natural e (v) identifica os pontos críticos nos quais os Estados vêm apontando a ocorrência do *by-pass*, representando o caminho percorrido pelo gás quando realizado o *by-pass*.

Contemplando as possibilidades de produção do gás, verifica-se que, notadamente na produção de gás associado, são enviadas para as UPGN e para as refinarias de petróleo misturas de substâncias, dentre as quais compostos de gás natural, de petróleo, água salgada e alguns contaminantes.

Isso porque, tratando-se de substâncias quimicamente similares (hidrocarbonetos de origem fóssil) e sendo tênue a linha que as diferencia (estado físico nas CNTP), é certo que, na mistura líquida que compõe o petróleo, estão dissolvidas moléculas de gás natural, ao passo que, no gás úmido enviado às UPGN, estão dispersos compostos do petróleo.

Destarte, após o tratamento do gás úmido, as UPGN comumente apresentam como substrato compostos do petróleo, que são enviados às refinarias e passam a compor a cadeia do petróleo. Do mesmo modo, o gás produzido nas refinarias passa a compor a cadeia do gás.

As UPGN, a par da parcela do gás que utilizam para o próprio funcionamento, dão origem a três produtos: (i) gás natural processado (metano e etano), que segue para transporte por conduto e permanece na cadeia do gás; (ii) GLP (propano e butano), comercializado por outros meios de transporte e (iii) um condensado com características de gasolina, denominado gasolina natural, incorporado à cadeia do petróleo.[50]

Surgem aí três situações que os Estados vêm denunciando como *by-pass* ilícito: (i) o consumo de gás natural pelas próprias UPGN, para sua operação; (ii) a comercialização direta do GLP – que está incluído no conceito de gás – e (iii) o fornecimento de gás natural direto para refinarias, à margem dos serviços locais de gás canalizado.

Nas duas primeiras situações, a UPGN é consumidora final do insumo, recebendo o gás natural por dutos – sem a participação do Estado-membro – e dando-lhe destinação econômica: uso como combustível para sua operação e comercialização do GLP.

Deve-se considerar, no particular, que o conceito legal, técnico e regulamentar de gás natural anteriormente abordado – utilizado para delimitar o âmbito de competência dos Estados-membros – contempla todo hidrocarboneto que permaneça em estado gasoso nas CNTP, aí incluídos os gases mais pesados (propano, propeno, butano e buteno), que compõem justamente o GLP.

Destarte, o GLP não deixa de ser gás natural pelo fato de se liquefazer com facilidade e de ser amplamente utilizado em estado líquido. Também não perde a natureza de gás (tornando-se derivado do petróleo, como sustenta parte da doutrina), quando proveniente do refino do petróleo. Tal interpretação significaria, em sentido inverso, considerar que os compostos líquidos (C5+) encontrados no processamento do gás não seriam petróleo, mas sim "derivados do gás", o que não cogita a União, nem mesmo os Estados-membros.

Na terceira hipótese, o *by-pass* físico fica mais claro, uma vez que o consumidor final é um terceiro – a refinaria –, que recebe o gás por conduto da transportadora, sem atuação do Estado-membro.

De outra parte, o quadro contempla a figura da reinjeção de gás nas jazidas de petróleo, método utilizado no processo de recuperação secundária do óleo, processo que eleva a produção de petróleo pela injeção de água ou gás imiscível, para além do que seria possível com a produção primária.[51]

Trata-se, portanto, de outra destinação econômica conferida ao gás natural,[52] na medida em que, "como em todo processo de recuperação secundária, o objetivo é o aumento do fator de recuperação".[53] É dizer: o agente econômico que atua na exploração e na produção opta por, ao invés de destinar o gás ao processamento e à comercialização, usá-lo para potencializar a recuperação de outro combustível fóssil – o petróleo –, dotado de poder calorífico e de valor de mercado superiores aos do gás.

Na espécie, o consumidor final do gás é o próprio produtor, e a concessionária que sofre o *by-pass* é aquela à qual incumbe explorar os serviços públicos locais de gás canalizado no Estado em que localizado o poço.

---

[50] LOSS; FERES; MATTOS. Contratos de gás natural – peculiaridades.

[51] FERNÁNDEZ Y FERNÁNDEZ, Eloi; PEDROSA JÚNIOR, Oswaldo A.; PINHO, António Correia de. *Dicionário do petróleo em língua portuguesa*: exploração e produção de petróleo e gás: uma colaboração Brasil, Portugal e Angola. Rio de Janeiro: Lexikon; PUC Rio, 2009.

[52] LOSS; FERES; MATTOS. Contratos de gás natural – peculiaridades, p. 98-99.

[53] FERNÁNDEZ Y FERNÁNDEZ; PEDROSA JÚNIOR; PINHO. *Dicionário do petróleo em língua portuguesa*: exploração e produção de petróleo e gás: uma colaboração Brasil, Portugal e Angola.

Seguindo a linha da cadeia antes representada, nota-se a inclusão da atividade de importação de gás natural, que evidencia mais um ponto crítico para realização de *by-pass*.

Isso porque é crescente a prática de importação de gás estrangeiro na forma liquefeita (GNL), transportado por navios criogênicos – que conservam o gás natural em estado líquido pela manutenção de temperaturas baixíssimas –, para posterior regaseificação e comercialização em território nacional.

Nesse contexto, o insumo é regaseificado em um terminal de GNL,[54] para posterior inserção na malha dutoviária, meio de movimentação até o consumidor, necessariamente, em algum segmento desse percurso. O *by-pass* surge, então, quando há entrega direta do insumo ao adquirente, à margem e sem remuneração do sistema público de gás canalizado.

Por fim, também se verificam algumas hipóteses de *by-pass* mediante a entrega direta do gás a grandes consumidores industriais, a exemplo (i) das Usinas Termoelétricas (UTE) que utilizam o gás como fonte de energia; (ii) das fábricas de fertilizantes nitrogenados (FAFEN) e (iii) das plantas de liquefação, que utilizam o gás natural como matéria-prima para produção de GNL.

Consoante já mencionado, parte da doutrina entende que os serviços locais de gás canalizado estariam restritos ao fornecimento de gás tão-somente para consumo residencial, comercial e automotivo.[55]

Contudo, o entendimento que a jurisprudência pátria vem firmando, com a aderência de boa parte da doutrina,[56] é no sentido de que (i) não há qualquer restrição aos serviços locais de gás canalizado pautada no setor no qual se enquadra o usuário (podendo ser industrial, comercial, automotivo, residencial etc.) e (ii) o fornecimento direto do gás canalizado, por parte da União, aos consumidores industriais significa invasão do âmbito de competência exclusiva dos Estados-membros e configura *by-pass* ilícito.

Verifica-se, no cenário nacional, que já foram travados ao menos dois embates judiciais, tornados públicos, acerca da possibilidade ou não de realização do *by-pass* com a finalidade de fornecer gás natural às FAFEN. Nessas oportunidades, o Tribunal de Justiça do Estado de Sergipe, o Tribunal de Justiça do Estado de São Paulo (TJSP) e o Superior Tribunal de Justiça (STJ)[57] reconheceram que, ao realizar a comercialização direta de gás natural para FAFENs, sem participação das concessionárias locais, a Petrobras teria invadido o âmbito de competência exclusiva dos respectivos Estados-membros para prestar os serviços locais de gás canalizado, realizando *by-pass* ilícito.

---

[54] "Art 3º - (...)

(...)

XL - Terminal de GNL: instalação, terrestre ou aquaviária, destinada a receber, movimentar, armazenar ou expedir gás natural na forma liquefeita, podendo incluir os serviços ou instalações necessários aos processos de regaseificação, liquefação, acondicionamento, movimentação, recebimento e entrega de gás natural ao sistema dutoviário ou a outros modais logísticos" (BRASIL. Lei nº 14.134/2021. art. 3º, XL).

[55] SUNDFELD, Carlos Ari. Conflito de competências regulatórias entre entes federativos: o caso do gás natural liquefeito. *Interesse Público – IP*, Belo Horizonte, ano 8, n. 37, maio/jun. 2006.

[56] BINENBOJM. Transporte e distribuição do gás natural no Brasil: delimitando as fronteiras entre as competências regulatórias federais e estaduais; MARQUES NETO. Universalização de serviços públicos e competição: o caso da distribuição de gás natural.

[57] BRASIL. Supremo Tribunal de Justiça. Recurso Especial 1.4311.35. Relator: Min. Sérgio Kukina, 15 de agosto de 2016. *Dje*: Brasília, DF, 2016.

De efeito, se reconheceu que (i) não se extrai da CF/88 qualquer restrição quanto ao setor do usuário do gás natural submetido aos serviços locais de gás canalizado; (ii) o fato de ser a FAFEN subsidiária da Petrobras não retira a exclusividade do Estado-membro para entregar o insumo e (iii) o fornecimento direto de gás a consumidores não se enquadra nas atividades econômicas atribuídas à União pela CF/88.

Por outro lado, no que concerne ao fornecimento direito de gás a plantas de liquefação, sem a participação dos Estados, também se verifica a existência de conflitos relevantes, tal qual o "Caso Gemini", levado pelo Estado de São Paulo ao Supremo Tribunal Federal (STF), hoje a Reclamação nº 4210, reconhecido, na espécie, conflito federativo entre o Estado-membro e a União Federal, a impor que a questão seja julgada, originariamente, pelo STF, onde foram cassadas as decisões *a quo*.

Na oportunidade, conquanto tenham apenas reconhecido a ocorrência de conflito federativo a ensejar a competência do STF para julgar o feito, a Turma, ao assim fazer, fixou premissas relevantíssimas quanto ao mérito, inclinando-se ao reconhecimento da ilicitude do *by-pass* praticado pela Petrobras.[58]

Sem a pretensão de esgotar o tema e os conflitos em curso sobre o tema, verifica-se que a política de *by-pass* sustentada pela União encaminha a tentativa de relegar os serviços locais de gás canalizado apenas ao atendimento dos consumidores residenciais e comerciais (ou industriais de pequeno porte), excluindo do seu alcance o abastecimento de setor industrial relevante, correspondente à quase totalidade do volume de gás consumido no país.

5 Potenciais consequências da generalização do *by-pass* no setor do gás canalizado

Passa-se, por fim, a analisar os possíveis efeitos da generalização do *by-pass* no setor de movimentação dutoviária do gás natural, partindo-se dos dados publicados pela ANP no Boletim Mensal de Acompanhamento da Indústria de Gás Natural,[59] referente ao mês de março de 2019, no qual está disposta uma série de informações sobre a produção, a oferta e a demanda de gás natural no Brasil.

Da análise conclui-se que, considerando a produção nacional no ano de 2018 (111,94 milhões de m^3/dia) e a efetiva oferta nacional no mesmo ano (55,09 milhões de m^3/dia), apenas 49,21% do gás produzido foi ofertado. É dizer: os agentes econômicos que atuam nas fases *upstream* e *midstream* da cadeia do gás conferiram uso econômico

---

[58] "De fato, se se entender de modo diverso, creio que se negaria vigência, e efeitos, portanto, no caso concreto à dicção constitucional no que toca à competência estatal, pelo menos uma parcela substancial dela. Isso porque, na espécie, a Petrobras poderia, como parece-me, estar fornecendo gás natural diretamente à empresa, que, por meio de sua planta de liquefação, em Município pertencente ao Estado de São Paulo, transformá-lo-á em gás natural liquefeito para repassar à empresa de comercialização. Assim, se a empresa de liquefação está sediada no Município de Paulínia, encontra-se, pois, dentro da área de contrato de concessão obtido pela distribuidora COMGÁS" (BRASIL. Supremo Tribunal Federal (2. Turma). Reclamação Constitucional 4.210. Relator: Min. Ricardo Lewandowski, 26 de março de 2019. *Dje*: Brasília, DF, 2019).

[59] BRASIL. Ministério de Minas e Energia. Empresa de Pesquisa Energética. *Boletim Mensal de Acompanhamento da Indústria do Gás Nacional*, Brasília, mar. 2019. Disponível em: http://www.mme.gov.br/web/guest/secretarias/petroleo-gas-natural-e-combustiveis-renovaveis/publicacoes/boletim-mensal-de-acompanhamento-da-industria-de-gas-natural/2019. Acesso em: 29 jul. 2024.

– ora para reinjeção, ora para consumo das Unidades de Exploração e Produção (E&P) ou das UPGN – a mais de 50% do volume de gás produzido no ano, sem assegurar remuneração aos Estados-membros pelo *by-pass* realizado.

De outra parte, os setores industrial e de geração de energia – sobre os quais parte da doutrina sustenta que não incidiriam os serviços locais de gás canalizado – consumiram uma média de 70,28 MM m³/dia, correspondentes a 89,13% do consumo nacional.

De sorte que, caso se conformasse a generalização do *by-pass*, os Estados ficariam relegados à exploração de serviços de movimentação de gás incidentes sobre 10,87% do consumo nacional, o que, se não inviabilizasse a prestação dos serviços públicos locais de gás canalizado em todo o território nacional, por certo comprometeria as metas de universalização do serviço e de modicidade tarifária.

Conclui-se, portanto, que, dependendo do contexto produtivo local, generalizar o *by-pass* não remunerado significa inviabilizar por completo a própria prestação do serviço público local de gás canalizado, esvaziando a competência material conferida constitucionalmente aos Estados-membros e comprometendo a persecução do interesse público primário que levou o constituinte a elevar a distribuição de gás à condição de serviço público.[60]

Em outras hipóteses, quando não inviabilizada completamente a prestação do serviço público, inviabiliza-se a utilização dos chamados "subsídios cruzados" e da conformação de economia de escala característica dos monopólios naturais, malferindo, a um só tempo, os princípios da igualdade, da universalização e da modicidade tarifária, que norteiam a prestação dos serviços públicos.

Referências

ABREU, Percy Louzada de; MARTINEZ, José Antônio. *Gás natural*: o combustível do novo milênio. Porto Alegre: Plural Comunicação, 1999.

AGRA, Walber de Moura. *Curso de Direito Constitucional*. 9. ed. Belo Horizonte: Fórum, 2018.

ALVARENGA, José Eduardo de. *O serviço público. In*: SANTOS, Márcia Walquiria Batista dos (org.). Curso de direito administrativo econômico. São Paulo: Malheiros, 2006. v. 1.

ARAGÃO, Alexandre Santos de. *Curso de Direito Administrativo*. 2. ed. rev., atual. e ampl. Rio de Janeiro: Forense, 2013.

ARAGÃO, Alexandre Santos de; SCHIRATO, Vitor Rhein. Algumas considerações sobre a regulação para concorrência no setor de gás natural. *Revista de Direito Público da Economia – RDPE*, Belo Horizonte, n. 14, ano 4, abr./jun. 2006.

---

[60] Tal entendimento é corroborado pelo jurista Floriano Azevedo Marques Neto (Universalização de serviços públicos e competição: o caso da distribuição de gás natural. *Revista do IBRAC* – Direito da Concorrência, Consumo e Comércio Internacional, São Paulo, v. 8, n. 4, p. 95-122, 2001): "Se o *by-pass* não oneroso se generalizasse, teríamos um benefício apropriado por alguns poucos consumidores industriais em detrimento de outros segmentos inteiros (o residencial, por exemplo) e mesmo parcelas relevantes do segmento industrial ou comercial (os que por escala ou por distância da rede de transporte não lograssem conseguir o *by-pass*). Ora, neste contexto estaríamos indo contra as pautas principais justificadoras da privatização da exploração de uma utilidade pública. Estaríamos comprometendo tanto as metas de universalização (ampliação da transferência do consumidor potencial para o consumidor ativo) e mesmo da continuidade (pois que a redução das receitas da concessionária enseja o risco de interrupção ou redução da prestação aonde ela não mais se fizer viável ou inconveniente)".

BANDEIRA DE MELLO, Celso Antônio. *Curso de Direito Administrativo*. 34. ed. rev. e atual. até a Emenda Constitucional 99, de 14 de dezembro de 2017. São Paulo: Malheiros, 2019.

BARBOSA, Luiz Cláudio Almeida. *Introdução à química orgânica*. 2. ed. São Paulo: Pearson Prentice Hall, 2011.

BINENBOJM, Gustavo. Transporte e distribuição do gás natural no Brasil: delimitando as fronteiras entre as competências regulatórias federais e estaduais. *Revista de Direito da Procuradoria-Geral do Estado do Rio de Janeiro*, Rio de Janeiro, v. 61, p. 169-190, 2006.

BRASIL. Agência Nacional do Petróleo, Gás Natural e Biocombustíveis. Gás Natural. *Gov.br*, Brasília, DF, [2024]. Disponível em: http://www.anp.gov.br/producao-de-derivados-de-petroleo-e-processamento-de-gas-natutal /gas-natural. Acesso em:30 ago. 2024.

BRASIL. Agência Nacional do Petróleo, Gás Natural e Biocombustíveis. Movimentação, estocagem e comercialização de gás natural. *Gov.br*, Brasília, DF, [2024]. Disponível em: http://www.anp.gov.br/ movimentacao-estocagem-e-comercializacao-de-gas-natural. Acesso em:15 ago. 2024.

BRASIL. Agência Nacional do Petróleo, Gás Natural e Biocombustíveis. Petróleo. *Gov.br*, Brasília, DF, [2024]. Disponível em: http://www.anp.gov.br/petroleo-e-derivados2/petroleo. Acesso em:15 ago. 2024.

BRASIL. Agência Nacional do Petróleo, Gás Natural e Biocombustíveis. Transporte de Gás. *Gov.br*, Brasília, DF, [2024]. Disponível em: http://www.anp.gov.br/movimentacao-estocagem-e-comercializacao-de-gas-natural/ transporte-de-gas-natural. Acesso em:19 ago. 2023.

BRASIL. Agência Nacional do Petróleo, Gás Natural e Biocombustíveis. *Resolução ANP nº 41*, de 5 de novembro de 2013. Brasília, DF: Agência Nacional do Petróleo, Gás Natural e Biocombustíveis, 5 nov. 2013. Disponível em: http://legislacao.anp.gov.br/?path=legislacao-anp/resol-anp/2013/novembro&item=ranp-41-2013. Acesso em:30 ago. 2024.

BRASIL. Agência Nacional do Petróleo, Gás Natural e Biocombustíveis. *Resolução ANP nº 51*, de 26 de dezembro de 2013. Brasília, DF: Agência Nacional do Petróleo, Gás Natural e Biocombustíveis, 26 dez. 2013. Disponível em:http://legislacao.anp.gov.br/?path=legislacao-anp/resol-anp/2013/dezembro&item=ranp-51--2013. Acesso em: 29 de junho de 2024.

BRASIL. Agência Nacional do Petróleo, Gás Natural e Biocombustíveis. *Portaria ANP nº 125*, de 5 de agosto de 2002. Brasília, DF: Agência Nacional do Petróleo, Gás Natural e Biocombustíveis, 5 ago. 2022. Disponível em: https://www.legisweb.com.br/legislacao/?id=184128. Acesso em: 29 de junho de 2023.

BRASIL. Agência Nacional do Petróleo, Gás Natural e Biocombustíveis. Instituto Nacional de Metrologia, Qualidade e Tecnologia. *Resolução Conjunta ANP/Inmetro nº 1*, de 10 de junho de 2013. Brasília, DF: Agência Nacional do Petróleo, Gás Natural e Biocombustíveis; Instituto Nacional de Metrologia, Qualidade e Tecnologia, 12 jun. 2013. Retificada 17 jun. 2013.

BRASIL. [(Constituição 1988)]. *Constituição da República Federativa do Brasil de 1988*. Brasília, DF: Presidência da República. Disponível em: http://www.planalto.gov.br/ccivil_03/Constituicao/ Constituiçao.htm. Acesso em: 20 ago. 2024.

BRASIL. Lei nº 9.478, de 6 de agosto de 1997. *Diário Oficial da União*: Brasília, DF, 1997. Disponível em: http:// www.planalto.gov.br/ ccivil_03/leis/l9478.htm. Acesso em: 29 jul. 2024.

BRASIL. Lei nº 14.134, de 8 de abril de 2021. *Diário Oficial da União*: Brasília, DF, 2021. Disponível em: https:// www.planalto.gov.br/ccivil_03/_ato2019-2022/2021/Lei/L14134.htm. Acesso em: 29 jul. 2024.

BRASIL. Ministério de Minas e Energia. Empresa de Pesquisa Energética. *Boletim Mensal de Acompanhamento da Indústria do Gás Nacional*, Brasília, DF, mar. 2019. Disponível em: http://www.mme.gov.br/web/guest/ secretarias/petroleo-gas-natural-e-combustiveis-renovaveis/publicacoes/boletim-mensal-de-acompanhamento-da-industria-de-gas-natural/2019. Acesso em: 29 jul. 2024.

BRASIL. Ministério de Minas e Energia. Empresa de Pesquisa Energética. *Balanço Energético Nacional 2019.* Brasília: Ministério de Minas e Energia. Empresa de Pesquisa Energética, 2019. Disponível em: http://www.epe.gov.br/sites-pt/publicacoes-dados-abertos/publicacoes/Publicacoes Arquivos/publicacao-377.pdf. Acesso em: 30 ago. 2023.

BRASIL. Supremo Tribunal de Justiça. Recurso Especial 1.4311.35. Relator: Min. Sérgio Kukina, 15 de agosto de 2016. *Dje*: Brasília, DF, 2016.

BRASIL. Supremo Tribunal Federal (2. Turma). Reclamação Constitucional 4.210. Relator: Min. Ricardo Lewandowski, 26 de março de 2019. *Dje*: Brasília, DF, 2019.

CARNEIRO, Manuel Sérgio de Sá. *Introdução à Química Orgânica*. [*S. l.*]: [*s. n.*], jan. 2010. Disponível em: http://educa.fc.up.pt/ficheiros/noticias/70/documentos/107/introducao_quimica_organica.pdf. Acesso em: 20 jul. 2024.

COSTA, Hidran Katarina de Medeiros. Aspectos concorrenciais e regulatórios da distribuição de gás natural canalizado. *Revista do IBRAC – Direito da Concorrência, Consumo e Comércio Internacional*, São Paulo, v. 13, jan. 2006.

COSTA, Maria D'Assunção. O CNPE e a Importância da política pública para o gás natural no Brasil. *In:* COSTA, Maria D'Assunção (org.). *Gás natural no cenário brasileiro*. Rio de Janeiro: Synergia Editora, 2015.

CUNHA JÚNIOR, Dirley da. *Curso de Direito Constitucional*. 13. ed. rev. ampl. e atual. Salvador: Juspodivm, 2018.

DALLARI, Dalmo de Abreu. *Elementos de teoria geral do Estado*. 32. ed. São Paulo: Saraiva, 2013.

FERNÁNDEZ Y FERNÁNDEZ, Eloi; PEDROSA JÚNIOR, Oswaldo A.; PINHO, António Correia de. *Dicionário do petróleo em língua portuguesa*: exploração e produção de petróleo e gás: uma colaboração Brasil, Portugal e Angola. Rio de Janeiro: Lexikon; PUC Rio, 2009.

FOGAÇA, Jennifer Rocha Vargas. Séries Orgânicas. *Mundo Educação*, [*S. l.*], [2024]. Disponível em: https://mundoeducacao.bol.uol.com.br/quimica/series-organicas.htm. Acesso em: 25 jul. 2024.

GONÇALVES, Gustavo Mano. Distribuição de gás canalizado. *In:* COSTA, Maria D'Assunção (org.). *Gás natural no cenário brasileiro*. Rio de Janeiro: Synergia Editora, 2015.

GROTTI, Dinorá Adelaide Musetti. Teoria dos serviços públicos e sua transformação. *In:* SUNDFELD, Carlos Ari (coord.). *Direito Administrativo Econômico*. São Paulo: Malheiros, 2006.

HAGE, José Alexandre Altahyde. Bolívia, Brasil e o gás natural: um breve debate. *Revista de Estudos e Pesquisas sobre as Américas*, [*S. l.*], v. 2, n. 1, jan./jun. 2008.

JUSTEN FILHO, Marçal. Serviço público no Direito brasileiro. *In:* CARDOZO, José Eduardo Martins; QUEIROZ, João Eduardo Lopes; SANTOS, Márcia Walquíria Batista dos (org.). *Direito Administrativo Econômico*. São Paulo: Atlas, 2011. v. 1.

JUSTEN FILHO, Marçal. *Curso de Direito Administrativo*. 12. ed. São Paulo: Revista dos Tribunais, 2016.

JUSTEN FILHO, Marçal. *O Direito das agências reguladoras independentes*. São Paulo: Dialética, 2002.

LOSS, Giovani; FERES, Felipe; MATTOS, Nilton. Contratos de gás natural – peculiaridades. *In:* COSTA, Maria D'Assunção (org.). *Gás natural no cenário brasileiro*. Rio de Janeiro: Synergia Editora, 2015.

LOSS, Giovani Ribeiro. *A regulação setorial do gás natural*. Belo Horizonte: Fórum, 2007.

LOSS, Giovanni Ribeiro; MARQUES NETO, Floriano Peixoto de Azevedo. Prefácio. *In:* LOSS, Giovani Ribeiro. *A regulação setorial do gás natural*. Belo Horizonte: Fórum, 2007.

LOSS, Giovanni Ribeiro; MARQUES NETO, Floriano Peixoto de Azevedo. Pósfacio. *In:* LOSS, Giovanni Ribeiro. *A regulação setorial do gás natural*. Belo Horizonte: Fórum, 2007.

MARQUES NETO, Floriano Peixoto de Azevedo. Universalização de serviços públicos e competição: o caso da distribuição de gás natural. *Revista do IBRAC – Direito da Concorrência, Consumo e Comércio Internacional*, São Paulo, v. 8, n. 4, p. 95-122, 2001.

MENDES, Gilmar Ferreira; BRANCO, Paulo Gustavo Gonet. *Curso de Direito Constitucional*. 12. ed. rev. e atual. São Paulo: Saraiva, 2017.

MOREIRA NETO, Diogo de Figueiredo. *Curso de Direito Administrativo*: parte introdutória, parte geral e parte especial. 16. ed. rev. e atual. Rio de Janeiro: Forense, 2014.

PESTANA, Márcio. *Direito Administrativo brasileiro*. Rio de Janeiro: Elsevier, 2008.

PINHO, Diva Benevides; VASCONCELOS, Marco Antonio S. de; TONETO JÚNIOR, Rudinei. *Manual de economia*. 7. ed. São Paulo: Saraiva, 2017.

RIBEIRO, Marilda Rosado de Sá. *Direito do Petróleo*. 3. ed. Rio de Janeiro: Renovar, 2014. v. 1.

SANTOS, Karina Martins Araújo. Expansão da malha de distribuição de gás natural canalizado a partir do fornecimento de GNC e/ou GNL formação de mercados em áreas desprovidas de gasodutos. *Revista do IBRAC – Direito da Concorrência, Consumo e Comércio Internacional*, São Paulo, v.23, jan./jun. 2013.

SARLET, Ingo Wolfgang; MARINONI, Luiz Guilherme; MITIDIERO, Daniel. *Curso de Direito Constitucional*. 8. ed. São Paulo: Saraiva Educação, 2019.

SILVA, Anderson Souza da. Acesso aos dutos de transporte e o caso do gás natural: uma abordagem no âmbito do direito da concorrência. *Revista do IBRAC – Direito da Concorrência, Consumo e Comércio Internacional*, São Paulo, v. 10, jan. 2003.

SILVA, José Afonso da. *Curso de Direito Constitucional Positivo*. 40. ed. rev. e atual. até a Emenda Constitucional nº 95, de 15 de dezembro de 2016. São Paulo: Malheiros, 2017.

SILVA NETO, Manoel Jorge e. *Curso de Direito Constitucional*. 8. ed. São Paulo: Saraiva, 2013.

SILVA, Roberto Ribeiro da. Pressão, Temperatura e Volume Molar. *Química na Nova Escola*, [S. l.], n. 2, 1995. Disponível em: https://www.ibp.org.br/observatorio-do-setor/maiores-produtores-mundiais-de-gas-natural-em-2018/. Acesso em: 25 jul. 2024.

SUNDFELD, Carlos Ari; CÂMARA, Jacintho Arruda. Distribuição de gases industriais não é serviço público estadual. *Revista Brasileira de Infraestrutura – RBINF*, Belo Horizonte, ano 4, n. 8, p. 13-24, jul./dez. 2015.

SUNDFELD, Carlos Ari; CAMPOS, Rodrigo Pinto de. Conflito de competências regulatórias entre entes federativos: o caso do gás natural liquefeito. *Interesse Público – IP*, Belo Horizonte, ano 8, n. 37, maio/jun. 2006.

SUNDFELD, Carlos Ari. Conflito de competências regulatórias entre entes federativos: o caso do gás natural liquefeito. *Interesse Público – IP*, Belo Horizonte, ano 8, n. 37, maio/jun. 2006.

TAVARES, André Ramos. *Curso de Direito Constitucional*. 13. ed. rev. e atual. São Paulo: Saraiva, 2015.

TAVARES, André Ramos. *Direito Constitucional Econômico*. 3. ed. Rio de Janeiro: Forense; São Paulo: Método, 2011.

WATT NETO, Artur. *Petróleo, gás natural e biocombustíveis*. São Paulo: Saraiva, 2014.

WORLD Energy Balances. IEA, [2024]. Disponível em: https://www.iea.org/statistics/?country=WORLD&year=2016&category=Key%20indicators&indicator=TPESbySource&mode=chart&dataTable=BALANCES. Acesso em: 24 ago. 2024.

Informação bibliográfica deste texto, conforme a NBR 6023:2018 da Associação Brasileira de Normas Técnicas (ABNT):

REGO, André Monteiro do; REGO, Andreia Nolasco Monteiro do. Distribuição de competências no setor do gás natural: *by-pass* comercial do sistema de serviços locais de gás canalizado. *In*: JUSTEN, Monica Spezia; PEREIRA, Cesar; JUSTEN NETO, Marçal; JUSTEN, Lucas Spezia (coord.). *Uma visão humanista do Direito*: homenagem ao Professor Marçal Justen Filho. Belo Horizonte: Fórum, 2025. v. 3, p. 221-240. ISBN 978-65-5518-915-5.

A ABORDAGEM ESG+T E O ENQUADRAMENTO DA ATIVIDADE RODOVIÁRIA COMO INFRAESTRUTURA

AUGUSTO NEVES DAL POZZO

BRUNO JOSÉ QUEIROZ CERETTA

1 Introdução

A partir da década de 2010, o tema Environmental, Social And Governance (ESG) entrou em pauta. Considerado, por muitos, como uma agenda, ou, tão somente, um conjunto de princípios, o assunto passou a figurar com destaque nos meios acadêmicos, na mídia e nas discussões sobre modelos de gestão e responsabilidade corporativa. Podemos afirmar que ele busca redefinir, ao menos em parcela expressiva, muitas das práticas empresariais, considerando o meio ambiente, a repercussão social e a governança, e rediscutindo, portanto, o modo com que os investimentos são concebidos e operacionalizados.

Sua abrangência e potencial impacto são evidentes. Hoje, o desafio consiste em transpor o panorama teórico, aplicando seus postulados, e, assim, viabilizando suas proposições. Em outras palavras, o ponto crucial reside em inserir o assunto em temas proeminentes e que possibilitem resultados tangíveis.

É o que se pretende com este estudo. Ele conecta a plataforma ESG ao debate acerca das rodovias brasileiras. No contexto, propõem-se dois aspectos: em primeiro lugar, uma ênfase à tecnologia, junto com a tríade formada pelo meio ambiente, os aspectos sociais e a governança, antes mencionados. Na sequência, sugere-se o enquadramento das atividades rodoviárias na categoria de infraestrutura, superando-se o entendimento de que integraria a classificação generalista de serviço público. Por fim, somam-se as considerações, demonstrando-se a incidência dos postulados ESG+T na concessão das rodovias brasileiras.

Nosso país não tem alternativa senão enfrentar suas deficiências estruturais, entre as quais, com destaque, estão aquelas pertinentes ao plano rodoviário. O Direito – e o Direito Administrativo, em particular – pode dar uma resposta frente ao cenário, garantindo que as configurações jurídicas relativas ao assunto observem patamares mais adequados, por um lado, e inovadores, por outro. Tem-se, aqui, um ponto de convergência com a agenda ESG. O debate teórico pode confluir para a promoção do desenvolvimento, um dos objetivos fundamentais da República Federativa do Brasil.[1]

2 ESG: uma nova interpretação, considerando o protagonismo da tecnologia

Na contemporaneidade, à luz dos desafios sociais crescentes, conceitos outrora consolidados passaram a ser reinterpretados. Com relação ao desenvolvimento, por exemplo, precisa ser alcançado por meio de um conjunto mínimo de balizas, ou seja, mediante a observância de determinadas formas, sendo harmônico e almejando o equilíbrio entre aspirações tipicamente sociais e corporativas, por exemplo. Em parte, é o que se denomina como desenvolvimento sustentável.[2]

O índice ESG foi concebido como mecanismo de avaliação das operações empresariais frente aos parâmetros ambientais, sociais e de governança, como a terminologia sugere e outras vezes foi mencionado. Ele procura promover algumas diretrizes e práticas que incrementam as relações corporativas sob um prisma ético bastante abrangente.

O referido conjunto de princípios transformou-se em importante recurso para os investidores, que passaram a contar com um conjunto de elementos quando buscam efetuar investimentos de qualidade. Ao adotar essas premissas, é possível acessar oportunidades com custos de capital mais baixos, menor volatilidade, maior produtividade e potencial de lucratividade ampliado.

Ora, à luz do quadro em questão, propõe-se o reconhecimento de outro elemento, mesmo que esteja presente de maneira implícita junto aos vetores anteriormente apontados: a tecnologia. Trata-se da valorização das dinâmicas pertinentes ao avanço científico e à inovação. É a confirmação de que as estruturas tecnológicas são uma força propulsora. Outrossim, as circunstâncias vigentes confirmam como a plena integração de pessoas e instituições com a tecnologia é um fenômeno irreversível.[3]

Não há exagero em afirmar que a implementação do aparato e de práticas tecnológicas são condições *sine qua non* para a manutenção e o sucesso das atividades empresariais. Basta remontar à pandemia da Covid-19 para que se possa recordar a importância da incorporação tecnológica à adaptação e à própria sobrevivência das mais diversas práticas empreendedoras.

Também não se exigem grandes abstrações para compreender a pertinência da transposição do paradigma à esfera pública. Toda a aludida estrutura de gestão de riscos,

---

[1] Conforme art. 3º, II, da Constituição de 5 de outubro de 1988.

[2] No entendimento da Comissão Mundial sobre Meio Ambiente e Desenvolvimento, consolidado no relatório da Comissão Brundtland, em documento intitulado *Nosso Futuro Comum* (*Our Common Future*), publicado em 1987, desenvolvimento sustentável é "aquele que atende às necessidades do presente sem comprometer a possibilidade de as gerações futuras atenderem as suas próprias necessidades" (WORLD COMMISSION ON ENVIRONMENT AND DEVELOPMENT. *Report of the World Commission on Environment and Development*: Our Common Future. [*S. l.*]: WCED, 1987. Disponível em: https://sustainabledevelopment.un.org/content/documents/5987our-common-future.pdf. Acesso em: 14 ago. 2024).

[3] Conforme anteriormente sustentado em: DAL POZZO, Augusto; KRAMER, Evane Beiguelmer. Esg+T: um novo agir estatal. *Valor Econômico*, São Paulo, 5 jul. 2021. Disponível em: https://valor.globo.com/legislacao/noticia/2021/07/05/esg-t-um-novo-agir-estatal.ghtml. Acesso em: 14 ago. 2024.

direcionada para investimentos de alto impacto no mercado, reforça a necessidade de proteção de valores fundamentais no âmbito administrativo. Como é cediço, o exercício da função pública pressupõe não a concretização da vontade do agente público, mas a realização das aspirações do ordenamento jurídico, isto é, do Direito objetivamente consolidado nas normas e nos princípios jurídicos vigentes.[4] Não à toa, a Lei de Licitações e Contratos (Lei nº 14.133/2021) determina que o administrador, seja ele quem for, observe o princípio da sustentabilidade ao promover contratações públicas.[5] Adiante, o mesmo diploma consolida o desenvolvimento sustentável e o incentivo à inovação como desígnios de qualquer processo licitatório.[6]

Com efeito, a governança também foi contemplada na Nova Lei de Licitações. Enfatiza-se a necessidade de processos e estruturas para a gestão de riscos e controles internos.[7] Esses mecanismos têm a função de monitorar tanto os processos de licitação quanto os contratos firmados, sob o intento de criar um ambiente ético e confiável, além de garantir que as contratações estejam em consonância com o planejamento estratégico e as normas orçamentárias.

Ainda, especial importância possui o princípio da inovação tecnológica na seara das condutas prescritas ao Estado. A Emenda Constitucional nº 85/2015 endossou o referido axioma com o acréscimo do art. 218. O dispositivo determina a promoção e o incentivo ao "desenvolvimento científico, a pesquisa, e a capacitação tecnológica". Trata-se de competência comum. Deve ser cumprida por todos os Entes da organização federativa. Seu conteúdo alude a um dos mais relevantes pilares do Estado brasileiro. Consiste em um comando para que se forneça, aos membros da sociedade, o desenvolvimento social integral.[8]

Os esforços para incorporar o princípio da inovação tecnológica ao desempenho das atividades administrativas têm se tornado cada vez mais evidentes. Um exemplo é a estreita relação entre o tema e os contratos de infraestrutura. As sucessivas ondas de

---

4   "A função estatal consiste na edição de normas jurídicas que concretizem os princípios constitucionais. Se as normas editadas concretizarem os princípios e obedecerem às primazias previstas no ordenamento (infra, Capítulo III-1.4.1, 2.5 e 3.2), é irrelevante o elemento volitivo, ou seja. a vontade do agente editor da norma" (MARTINS, Ricardo Marcondes. *Efeitos dos vícios do ato administrativo*. São Paulo: Malheiros, 2008. p. 55).

5   "Art. 5º Na aplicação desta Lei, serão observados os princípios da legalidade, da impessoalidade, da moralidade, da publicidade, da eficiência, do interesse público, da probidade administrativa, da igualdade, do planejamento, da transparência, da eficácia, da segregação de funções, da motivação, da vinculação ao edital, do julgamento objetivo, da segurança jurídica, da razoabilidade, da competitividade, da proporcionalidade, da celeridade, da economicidade e do desenvolvimento nacional sustentável, assim como as disposições do Decreto-Lei nº 4.657, de 4 de setembro de 1942" (BRASIL. Decreto-Lei nº 4.657, de 4 de setembro de 1942. Lei de Introdução às normas do Direito Brasileiro. *Diário Oficial da União*: Brasília, DF, 1942. Disponível em: https://www.planalto.gov.br/ccivil_03/decreto-lei/del4657compilado.htm. Acesso em: 12 jul. 2024).

6   "Art. 11. O processo licitatório tem por objetivos:
(...)
IV - incentivar a inovação e o desenvolvimento nacional sustentável" (BRASIL. Lei nº 14.133, de 1º de abril de 2021. *Diário Oficial da União*: Brasília, DF, 2021. Disponível em: https://www.planalto.gov.br/ccivil_03/_ato2019-2022/2021/lei/l14133.htm. Acesso em: 12 jul. 2024).

7   "Art. 11. (...)
Parágrafo único. A alta administração do órgão ou entidade é responsável pela governança das contratações e deve implementar processos e estruturas, inclusive de gestão de riscos e controles internos, para avaliar, direcionar e monitorar os processos licitatórios e os respectivos contratos, com o intuito de alcançar os objetivos estabelecidos no *caput* deste artigo, promover um ambiente íntegro e confiável, assegurar o alinhamento das contratações ao planejamento estratégico e às leis orçamentárias e promover eficiência, efetividade e eficácia em suas contratações" (BRASIL. Lei nº 14.133, de 1º de abril de 2021).

8   DAL POZZO, Augusto Neves. *O Direito Administrativo da infraestrutura*. São Paulo: Contracorrente, 2020. p. 193.

avanços tecnológicos impactam significativamente os contratos de concessão com prazos muito longos. No cenário, surge o desafio de desenvolver alternativas para mensurar as inovações tecnológicas na estruturação contratual, visando garantir a estabilidade de seus efeitos e assegurar a satisfação das necessidades coletivas.

Não menos relevantes são os efeitos do referido princípio. A inovação tecnológica contribui de maneira incisiva para a maximização de outros valores jurídicos. Exemplos novamente não faltam. A digitalização de processos judiciais tem proporcionado mais transparência e agilidade processual.[9] Estatísticas demonstram que a implementação de iluminação LED resulta na redução do consumo de energia e em melhores índices de segurança pública,[10] por exemplo.

Não se pode olvidar, por fim, a inteligência artificial. A sua adequada utilização pode propiciar uma atividade administrativa ainda mais eficiente, eliminando burocracias e retrabalhos, de modo a permitir que o centro das atenções dos agentes públicos esteja no oferecimento de prestações adequadas aos cidadãos e não em tarefas repetitivas, que atrasam o andamento da máquina pública e postergam a efetividade do interesse público.

Portanto, a promoção da tecnologia, como um fator equivalente aos três outros eixos da agenda ESG, resulta, em grande medida, na confirmação de uma tendência presente tanto na sociedade quanto na própria Administração Pública. É um processo que, em maior ou menor proporção, pode ser percebido por todos. Trata-se mais de um reconhecimento do que uma proposição abstrata.

O paradigma converge com o caminho de desenvolvimento perquirido por Roberto Mangabeira Unger ao demandar cooperação e inovação em uma roupagem sustentável. Afirma:

> Qualquer desenvolvimento de nossas capacidades práticas – dos quais o crescimento econômico e o aumento da produtividade são apenas um subtipo – exige que cooperemos e também inovemos. Inovação requer cooperação para formulá-la, para implementá-la e para desenvolvê-la, seja ela tecnológica, organizacional, institucional.[11]

Mais do que uma orientação, as diretivas ESG+T podem expressar um caráter normativo, impondo ao administrador público sua completa observância, não por utópica benevolência, mas porque o ordenamento jurídico prescreve a tutela dos mesmos valores, enquanto autênticos mandados de otimização, no dizer de Robert Alexy.[12]

---

[9] BRASIL. Presidência da República. Programa Nacional de Processo Eletrônico traz agilidade e transparência à administração pública. *Gov.br*, Brasília, DF, 13 mar. 2024. Disponível em: https://www.gov.br/planalto/pt-br/acompanhe-o-planalto/noticias/2024/03/programa-nacional-de-processo-eletronico-traz-agilidade-e-transparencia-a-administracao-publica. Acesso em: 12 jul. 2024.

[10] ACOSTA, Pablo. A iluminação pública como fator de segurança, inclusão e sustentabilidade. *Folha de S.Paulo*, São Paulo, 6 out. 2022. Disponível em: https://www1.folha.uol.com.br/colunas/pablo-acosta/2022/10/a-iluminacao-publica-como-fator-de-seguranca-inclusao-e-sustentabilidade.shtml. Acesso em 12 jul. 2024.

[11] UNGER, Roberto Mangabeira. *A economia do conhecimento*. São Paulo: Autonomia Literária, 2018. p. 108.

[12] ALEXY, Robert. *Teoria dos direitos fundamentais*. 2. ed. São Paulo: Malheiros, 2011. p. 90.

3 Rodovia: serviço público ou atividade de infraestrutura?

Passa-se ao exame do objeto material do estudo, a saber, a atividade rodoviária. Trata-se de setor fundamental para o desenvolvimento nacional, como antes mencionado. Sua operacionalização interliga-se direta e indiretamente com os objetivos da República. Tamanha relevância garante que o tema contribua para o desenvolvimento científico da disciplina.

Em primeiro lugar, tem-se a necessidade de estabelecer alicerces a respeito da natureza do plexo de atividades administrativas consistentes em construir, operar e manter rodovias, para, assim, aferir-se o regime jurídico aplicável. Deve-se, de antemão, separar a atividade de construção do meio físico, isto é, as rodovias, da sua manutenção e operacionalização. No contexto, é possível atribuir às últimas a natureza jurídica de infraestrutura. Para que o raciocínio seja desenvolvido com segurança, será necessário retomar alguns pressupostos, mesmo que sejam elementares.

3.1 Conceito jurídico de serviço público

A conceituação jurídica do serviço público revelou-se uma tarefa historicamente complexa. Com origem no Direito francês, a concepção encontrou diversas roupagens. É, pois, uma das razões pelas quais as atividades administrativas, que na realidade não se enquadram na categoria, acabam assim confundidas.

No Direito brasileiro, constata-se a existência de um movimento que, ao conceituar serviço público, acaba por agrupar um número excessivo de realidades. Tem-se uma série de entendimentos que variam na extensão de seus sentidos.[13] A título de exemplo, comenta Hely Lopes Meirelles, tratando da concepção ampla: "(...) serviço público é todo aquele prestado pela Administração ou por seus delegados, sob normas e controles estatais, para satisfazer necessidades essenciais ou secundárias da coletividade ou simples conveniências do Estado".[14] Não há maiores detalhamentos acerca de quais tipos de atividades estão enquadradas no conceito exarado. Portanto, faltam critérios para a classificação das atuações administrativas. Na realidade, a definição demonstra ser imprecisa.

Por outro lado, no âmbito das classificações restritas, é possível recorrer à definição de Celso Antônio Bandeira de Mello:

> Serviço público é toda atividade de oferecimento de utilidade ou comodidade material destinada à satisfação da coletividade em geral, mas fruível singularmente pelos administrados, que o Estado assume como pertinente a seus deveres e presta por si mesmo ou por quem lhe faça as vezes, sob um regime de Direito Público – portanto, consagrador de prerrogativas de supremacia e de restrições especiais – instituído em favor dos interesses definidos como públicos no sistema normativo.[15]

---

[13] ARAGÃO, Alexandre dos Santos. *Direito dos serviços públicos*. 2. ed. Rio de Janeiro: Forense, 2008. p. 144-149.

[14] MEIRELLES, Hely Lopes. *Direito Administrativo brasileiro*. 34. ed. São Paulo: Malheiros, 2008. p. 333.

[15] BANDEIRA DE MELLO, Celso Antônio. *Curso de Direito Administrativo*. 32. ed. São Paulo: Malheiros, 2014. p. 695.

A consagração de alguns elementos sugeridos pelo professor Celso Antônio é absolutamente pertinente para a configuração do serviço público, como, por exemplo, a fruição singular, que representa a necessidade de uma atividade específica e divisível. Com inspiração nas lições do mestre da Pontifícia Universidade Católica de São Paulo (PUC-SP) e consoante apresentado em outro trabalho acadêmico, passa-se à formulação do conceito de serviço público, nos seguintes termos:

> Serviço público é a atividade administrativa de titularidade do Estado, que ele tem o dever de prestar por si mesmo ou por quem lhe faça as vezes, consistente em oferecer ao usuário um benefício pessoal específico e divisível, devidamente previsto na Constituição ou na legislação infraconstitucional, sob incidência do regime jurídico-administrativo geral e dos princípios específicos que o regem.[16]

Da acepção proposta se depreendem elementos que identificam o serviço público em relação às demais atividades administrativas e que conformam sua identidade singular. A prestação de serviços públicos impõe a ocorrência de relações jurídicas concretas entre o Estado e o usuário do serviço. Essa relação jurídica tem um traço fundamental, o oferecimento, por parte da Administração, de um benefício pessoal (ou seja, específico) a ser usufruído pelo particular devidamente identificável e suscetível de quantificação individual (isto é, divisível).

Em síntese, existem dois alicerces para a caracterização do serviço público: a *especificidade* e a *divisibilidade*. Com efeito, reitera-se, uma relação jurídica obrigacional em que se possam aferir, categoricamente, o indivíduo que fruirá o serviço – especificidade – e a quantidade de serviço efetivamente utilizada por esse mesmo usuário, seguindo métrica razoável de seu consumo – divisibilidade – é necessária.

No que concerne à especificidade, um elemento preliminar precisa ser considerado: a admissibilidade ao gozo da prestação. Ela origina a relação jurídica concreta entre o ente público e o particular. A admissão ao serviço público pode ser tácita ou expressa, a depender do critério procedimental.[17]

No mesmo sentido, a divisibilidade, como se mencionou, é um pilar essencial para qualificar a atividade como serviço público. A ampla maioria dos serviços públicos em nosso país são onerosos aos usuários. Realiza-se a arrecadação direta para o seu custeio. O usuário paga somente o que consumiu.

É importante ressaltar o caráter prestacional da relação jurídica, qualificado pela especificidade e pela divisibilidade, uma vez que ele atrai uma obrigação de fazer do

---

[16] DAL POZZO. *O Direito Administrativo dos serviços públicos.*

[17] "A admissão tácita é aquela que decorre de um procedimento simplificado, tal como ocorre no serviço postal, em que se aceita o envio da correspondência por estar devidamente selada. A admissão expressa, por sua vez, revela um procedimento mais complexo, mais solene e formal, imprescindível para que o serviço público possa ser prestado. Como exemplo da admissão expressa, pode-se citar a admissão de um estudante em uma universidade pública (serviços públicos de educação). Para que ele possa ser devidamente matriculado, exige-se toda uma documentação e aprovação em exame vestibular. O estudante deverá formalizar o pedido de matrícula devidamente instruído e somente quando essa vem a ser formalizada (com todos os atos necessários) é que nasce a relação jurídica concreta entre o ente público e o estudante individualmente considerado" (DAL POZZO, Augusto Neves. O reconhecimento da rodovia como atividade de infraestrutura. In: DAL POZZO, Augusto Neves; ENEI, José Virgílio Lopes (org.). *Tratado sobre o setor de rodovias no Direito brasileiro.* São Paulo: Contracorrente, 2022. v. 1, cap. 1, p. 43).

Estado, o que gera, para o usuário, o direito subjetivo de ser atendido pela provisão em questão. Tal fator constitui verdadeira garantia aos particulares caso o Poder Público desfigure a incumbência de sua atuação regular. Tem-se a prerrogativa do usuário proteger seu direito individual diretamente no Poder Judiciário sem necessidade de representação processual.

3.2 Conceito jurídico de infraestrutura

Tem-se sustentado o conceito jurídico de infraestrutura em reiteradas ocasiões. O tema recebeu exame detalhado na obra *O Direito Administrativo da Infraestrutura*. Nela, propôs-se a definição:

> Infraestrutura é a atividade administrativa que o Estado ou quem lhe faça as vezes, tem o dever de realizar, consistente em prover, manter e operar ativos públicos de modo a oferecer um benefício à coletividade, tendo em vista a finalidade de promover concretamente o desenvolvimento econômico e social, sob um regime jurídico-administrativo.[18]

A conceptualização é formada por quatro elementos: subjetivo, objetivo, teórico e formal. Ainda, uma premissa deve ser fixada no sentido de distinguir a atividade de infraestrutura do meio físico em que ela deve operar, mesmo havendo, entre elas, uma interferência recíproca, como também foi antes sustentado. No caso das rodovias, os meios físicos são ativos públicos. Sua finalidade é permitir que se realize a atividade de infraestrutura.[19] A diferenciação permite aferir que a complexidade da atividade infraestrutural exige uma categoria jurídica diversa daquela concernente à construção do meio físico.

Diferentemente do que ocorre com o serviço público, a Administração Pública desenvolve outras atividades que beneficiam toda a coletividade. No caso, a atividade não se dirige para cada indivíduo isoladamente considerado, mas, de forma genérica, à totalidade dos cidadãos, adquirindo caráter *uti universi*, em contraposição à qualidade *uti singuli*, típica dos serviços públicos.

A atividade de infraestrutura é caracterizada por proporcionar um benefício coletivo e não um benefício individual. Ao mobilizar recursos para tanto, a Administração Pública não objetiva uma comodidade específica para determinado indivíduo. Em verdade, a infraestrutura proporciona um benefício geral, acessível a todos os membros da sociedade – propósito alinhado ao desenvolvimento econômico e social desejado pelo Estado. Embora evidentemente surjam vantagens individuais, o fenômeno é uma consequência da implementação da infraestrutura.

Com efeito, a figura do usuário, presente na relação concernente ao serviço público, é substituída pela presença do beneficiário. Como apontado, a figura do usuário pressupõe um ato de admissão (expressa ou tácita) ao serviço público. Na atividade de infraestrutura, a admissibilidade não é necessária, uma vez que os ativos estão disponíveis para o uso geral.

---

[18] DAL POZZO. *O Direito Administrativo da infraestrutura*, p. 69.

[19] DAL POZZO. O reconhecimento da rodovia como atividade de infraestrutura, v. 1, cap. 1, p. 37.

Conforme Renato Alessi:

(...) a realização dessas atividades por parte dos entes administrativos não pode dar lugar à instauração de uma relação jurídica concreta entre o ente e os cidadãos de fato beneficiados, tal de poder conferir à atividade em questão aquele caráter de prestação, no sentido técnico, que se disse caber apenas quando daquelas atividades pessoais, as quais constituem o objeto de uma concreta relação jurídica de natureza obrigacional. Justamente pela falta do caráter de prestação, a realização da atividade em questão não poderá ser reconstruída com base na teoria das prestações administrativas.[20]

As atividades *uti universi* jamais podem ser tomadas como serviços públicos. São inespecíficas e indivisíveis.

3.3 Identificação da atividade rodoviária como atividade de infraestrutura

Dentre as atividades administrativas *uti universi*, é possível delimitar, para efeitos do presente estudo, aquelas que têm por finalidade a promoção do desenvolvimento econômico e social. Elas englobam o setor de rodovias. A justaposição dos conceitos jurídicos de infraestrutura e de serviço público explicita a distinção entre as duas atividades administrativas. Em suma, a breve elucidação buscou balizar as características distintivas entre serviço público e atividade de infraestrutura: (in)especificidade e (in)divisibilidade.

Por inespecificidade se entende que não há necessidade de identificação clara e plena do particular que se beneficia da atividade de infraestrutura. Ela é concebida para provisionar toda a coletividade. Não existe relevância jurídica em pormenorizar expressamente aquele que está sendo contemplado.

No que concerne à indivisibilidade, conforme já examinado, os serviços públicos exigem uma quantificação do seu consumo e a mensuração de sua utilização individual. Assim, viabiliza-se o cálculo do custo relativo a cada usuário. Na atividade de infraestrutura, no entanto, o Estado deve promover a operação e a manutenção dos ativos públicos. Não há necessidade de quantificar qualquer forma de consumo pelo beneficiário. É o que ocorre no caso das rodovias. Inexiste formalização de uma relação jurídica. Mesmo no caso do pedágio, antes citado, quando ocorre a sua cobrança, não se trata de divisibilidade, pois não há qualquer pertinência lógica entre o seu valor e a quantidade de serviço usufruído pelo beneficiário da rodovia.

O que se origina da atividade de infraestrutura, na realidade, não é uma relação concreta entre o ente público e o particular, mas sim entre aquele e a coletividade. O cidadão não pode, em seu nome individual, exigir do Estado a prestação de uma atividade de infraestrutura. A referida exigência só prosperaria mediante outras vias, como a substituição processual, por intermédio de ação ajuizada, por exemplo, pelo Ministério Público. O particular não detém direito subjetivo público (individual) em face do Estado em relação à atividade ministrada *uti universi*. É um direito da coletividade.

---

[20] ALESSI, Renato. *Le prestazioni amministrative rese ai privati*. 2. ed. Milano: A. Giuffre, 1956. p. 69 e ss.

Esclarecidos os pontos, parece-nos incontroverso o reconhecimento da atividade rodoviária como de infraestrutura. Evidentemente, sua delegação pode ocorrer por concessões e Parcerias Público-Privadas (PPPs).

4 A aplicação dos princípios ESG+T às rodovias, enquanto atividade de infraestrutura

A discussão anterior não se configura apenas como um debate teórico, restrito ao âmbito acadêmico. Na realidade, é uma controvérsia com incidência concreta. Ela se reflete na compreensão da dimensão jurídica das atividades rodoviárias.

Considerando os elementos que foram apresentados na primeira parte, a título de orientação da abordagem, bem como o enquadramento jurídico posterior, pode-se constatar como os postulados ESG+T – naquilo que possuem de transformador, isto é, na sua essência –, podem convergir, plasmando-se com o enquadramento das atividades rodoviárias como de infraestrutura.

É fato que os argumentos guardam certa distância. As categorias não são equivalentes. Os temas que compõem a pauta ESG+T são transversais e, a princípio, não possuem natureza jurídica. Eles têm dimensão universalizante. Podem abranger uma totalidade de temas. O enquadramento da atividade rodoviária, por sua vez, é uma discussão jurídica em sentido estrito. É um debate doutrinário. Sendo assim, o distanciamento teórico entre os aspectos – com natureza diferente, cabe especificar mais uma vez – não pode ser ignorado.

Cabe reconhecer que o enquadramento da atividade rodoviária junto à categoria de serviço público também permitiria a aplicação dos princípios ESG+T. Inexiste impeditivo. Porém, em consonância com a argumentação apresentada, entende-se que o enquadramento das rodovias junto à tipologia de atividade de infraestruturas permite que os efeitos e consequências sejam produzidos com maior perfeição. Isso porque a atividade está situada junto à tipologia correta. O enquadramento permite que se alcancem os fins propostos com maior êxito, incluindo-se, necessariamente, os objetivos da pauta ESG+T.

Além disso, por tratar-se de atividade *uti universi*, portanto, com características gerais, a atuação do Estado precisa considerar tamanha amplitude, o que implica a necessidade de um planejamento estratégico mais amplo do que ocorreria nos serviços públicos – cuja preocupação reside, mais especificadamente, no atendimento do usuário daquele determinado serviço. Na atividade de infraestrutura, a figura do usuário é substituída pelo beneficiário, o que equivale, potencialmente, a todos os membros da coletividade. Diante dessa circunstância, a aplicação dos ditames ESG+T acaba sofrendo também certa recontextualização.

Os entornos das rodovias podem ser ilustrativos. A dimensão social presente na agenda ESG+T comporta preocupação não apenas com os benefícios mais imediatos das vias públicas, mas, também, com as atividades socioeconômicas que ocorrem nos seus entornos. Podem-se promover iniciativas que possam atenuar as desigualdades sociais imediatas. O planejamento do próprio percurso da rodovia deve também considerar a referida dimensão. Essas características não se encontram centradas na figura do usuário do serviço público. Tratando-se de atividade de infraestrutura, coloca-se a coletividade no cerne das atenções.

No médio e no longo prazo, os resultados podem ser mais bem percebidos. O caráter abrangente da atividade de infraestrutura – indivisível, cabe reiterar – converge com a amplitude presente na pauta ESG+T.

5 Conclusão

O presente estudo pretendeu demonstrar como temas de grande abstração, como os princípios ESG – ou ESG+T, conforme proposto –, podem correlacionar-se com questões de profunda densidade doutrinária, como a discussão quanto à classificação da atividade rodoviária. Como assinalado, apesar do primeiro tema deter dimensão teórica elevada, ele possui correlação, sim, com questões de concretude evidente, como no caso das rodovias, campo que perpassa por intensa regulamentação.

Na realidade, os princípios ESG+T podem desvendar novas compreensões quanto ao impacto da atividade rodoviária. Os temas estão interligados. Trata-se de uma interseção não apenas possível, como também necessária. Caso contrário, corre-se o risco de resvalar para o terreno das teorias abstratas e desconexas da realidade. A integração favorece a efetividade do Direito e a busca de seus fins legítimos.

Tem-se um momento de validação e aplicação dos princípios ESG+T. São temas que podem guiar a prática jurídica e a governança de forma efetiva. Com a perspectiva, o Direito, ao invés de um mecanismo de refreamento, passa a ser um fator motivador de mudanças. Valorizam-se, ainda, questões como a interconexão e a interdisciplinaridade.

Outro fator também entra em perspectiva: a necessidade de cultivarmos visões de longo prazo. Uma atividade complexa, como a rodoviária, precisa, necessariamente, deter mecanismos jurídicos bem delimitados para que a agenda ESG+T possa produzir efeitos dentro da temporalidade que lhe é própria.

Referências

ACOSTA, Pablo. A iluminação pública como fator de segurança, inclusão e sustentabilidade. *Folha de S.Paulo*, São Paulo, 6 out. 2022. Disponível em: https://www1.folha.uol.com.br/colunas/pablo-acosta/2022/10/a-iluminacao-publica-como-fator-de-seguranca-inclusao-e-sustentabilidade.shtml. Acesso em 12 jul. 2024.

ALESSI, Renato. *Le prestazioni amministrative rese ai privati*. 2. ed. Milano: A. Giuffre, 1956.

ALEXY, Robert. *Teoria dos direitos fundamentais*. 2. ed. São Paulo: Malheiros, 2011.

ARAGÃO, Alexandre dos Santos. *Direito dos serviços públicos*. 2. ed. Rio de Janeiro: Forense, 2008.

BANDEIRA DE MELLO, Celso Antônio. *Curso de Direito Administrativo*. 32. ed. São Paulo: Malheiros, 2014.

BRASIL. Decreto-Lei nº 4.657, de 4 de setembro de 1942. Lei de Introdução às normas do Direito Brasileiro. *Diário Oficial da União*: Brasília, DF, 1942. Disponível em: https://www.planalto.gov.br/ccivil_03/decreto-lei/del4657compilado.htm. Acesso em: 12 jul. 2024.

BRASIL. Lei nº 14.133, de 1º de abril de 2021. *Diário Oficial da União*: Brasília, DF, 2021. Disponível em: https://www.planalto.gov.br/ccivil_03/_ato2019-2022/2021/lei/l14133.htm. Acesso em: 12 jul. 2024.

BRASIL. Presidência da República. Programa Nacional de Processo Eletrônico traz agilidade e transparência à administração pública. *Gov.br*, Brasília, DF, 13 mar. 2024. Disponível em: https://www.gov.br/planalto/pt-br/acompanhe-o-planalto/noticias/2024/03/programa-nacional-de-processo-eletronico-traz-agilidade-e-transparencia-a-administracao-publica. Acesso em: 12 jul. 2024.

DAL POZZO, Augusto; KRAMER, Evane Beiguelmer. Esg+T: um novo agir estatal. *Valor Econômico*, São Paulo, 5 jul. 2021. Disponível em: https://valor.globo.com/legislacao/noticia/2021/07/05/esg-t-um-novo-agir-estatal.ghtml. Acesso em: 14 ago. 2024.

DAL POZZO, Augusto. *O Direito Administrativo da Infraestrutura*. São Paulo: Contracorrente, 2020.

DAL POZZO, Augusto. O reconhecimento da rodovia como atividade de infraestrutura. *In*: DAL POZZO, Augusto Neves; ENEI, José Virgílio Lopes (org.). *Tratado sobre o setor de rodovias no Direito brasileiro*. São Paulo: Contracorrente, 2022. v. 1, cap. 1, p. 33-54.

DAL POZZO, Augusto. *O Direito Administrativo dos serviços públicos*. Inédito.

MARTINS, Ricardo Marcondes. *Efeitos dos vícios do ato administrativo*. São Paulo: Malheiros, 2008.

MEIRELLES, Hely Lopes. *Direito Administrativo brasileiro*. 34. ed. São Paulo: Malheiros, 2008.

UNGER, Roberto Mangabeira. *A economia do conhecimento*. São Paulo: Autonomia Literária, 2018.

WORLD COMMISSION ON ENVIRONMENT AND DEVELOPMENT. *Report of the World Commission on Environment and Development*: Our Common Future. [*S. l.*]: WCED, 1987. Disponível em: https://sustainabledevelopment.un.org/content/documents/5987our-common-future.pdf. Acesso em: 14 ago. 2024.

Informação bibliográfica deste texto, conforme a NBR 6023:2018 da Associação Brasileira de Normas Técnicas (ABNT):

DAL POZZO, Augusto Neves; CERETTA, Bruno José Queiroz. A abordagem Esg+T e o enquadramento da atividade rodoviária como infraestrutura. *In*: JUSTEN, Monica Spezia; PEREIRA, Cesar; JUSTEN NETO, Marçal; JUSTEN, Lucas Spezia (coord.). *Uma visão humanista do Direito*: homenagem ao Professor Marçal Justen Filho. Belo Horizonte: Fórum, 2025. v. 3, p. 241-251. ISBN 978-65-5518-915-5.

OBJETO DA CONCESSÃO DE SERVIÇO PÚBLICO COMO ATIVIDADE PÚBLICA E SEUS EFEITOS SOBRE A MUTABILIDADE DO CONTRATO

BERNARDO STROBEL GUIMARÃES

1 Prelúdio: Marçal Justen Filho existe mesmo?

Este artigo foi escrito para obra que se organiza por ocasião dos 70 anos do Professor Marçal Justen Filho.

Segundo consta do convite que me foi generosamente dirigido, serão vários volumes que tratarão de diversos temas enfrentados pelo Professor Marçal. Haverá seção destinada ao Direito Tributário, à Teoria Geral, ao Direito Societário, ao Direito Administrativo e tantos outros temas que o homenageado desenvolveu ao longo da sua carreira de imenso sucesso.

O volume colossal da obra reflete a importância do autor para o Direito brasileiro. Marçal é daquelas pessoas que desconfiamos que existam. Eu mesmo, se não o tivesse visto e falado com ele pessoalmente, duvidaria. É muita coisa para uma pessoa só.

Poucas pessoas conseguem se dedicar a mais de uma área do Direito. Poucas pessoas conseguem escrever muito; menos ainda escrever bem. Marçal o faz com maestria. E ainda advoga, dá palestra, faz pareceres etc. Tudo isso sem deixar de lado a família (e sem deixar de acompanhar o futebol). É impressionante. Enfim, se Marçal existe, ele deve ter, no mínimo, alguns clones.

Por todos os títulos a homenagem que lhe é feita agora é mais do que justa. Afinal, como um samba antigo do Nelson Cavaquinho ensina,[1] homenagem boa é a feita em vida. E, seguramente, Marçal merece todas as homenagens que lhe são feitas pela comunidade jurídica brasileira.

Minha geração foi e é profundamente impactada pela obra do Professor Marçal, que tem contribuições fundamentais para o Direito em geral, e para o Direito

---

[1] "Quando eu me chamar saudade", escrita por Nelson Cavaquinho e Guilherme Brito.

Administrativo em particular. Muitos temas que hoje são batidos tiveram suas primeiras luzes lançadas nas obras do Professor.

O tema aqui desenvolvido, relativo às concessões, é apenas um daqueles cuja influência de Marçal é incontornável. Sua teoria geral das concessões, que foi precedida de um comentário à Lei de Concessões, é daquelas obras que estamos sempre revisitando. Seja quando estamos escrevendo artigos e livros, seja quando estamos advogando. Elegância, profundidade e erudição são marcas presentes no trabalho do Professor Marçal.

Da minha parte, e pedindo indulgência pelo tom pessoal e pela dose de humor, tive a honra de cursar como ouvinte disciplina que o Professor Marçal ofertou na UFPR, e depois disso de privar de sua companhia, que sempre gentilmente esteve à minha disposição (às vezes só para tomar café e conversar fiado sobre a vida).

Convivendo com ele pude testemunhar que a grandeza acadêmica convive com a generosidade pessoal e o amor sincero pelo debate. Marçal não é um grande jurista, é um grande ser humano que calha, também, de ser um grande jurista. Um homem íntegro que não foge de dizer o que pensa.

Por fim, não posso deixar de dizer que contribuir para esta obra é motivo de imenso orgulho para mim. Nem nos meus melhores sonhos, pensei em chegar a poder homenagear o Professor em uma obra especialmente dedicada a ele. Fico feliz em fazê-lo. Daquelas alegrias que carregarei para sempre.

2 Introdução

Grande parte dos temas controversos acerca dos contratos de concessão dizem respeito à compreensão do seu objeto. Afinal de contas, qual é o objeto do contrato de concessão? A pergunta parece óbvia, quase tola. E, portanto, não estimula de pronto maiores reflexões. Haveria coisas mais importantes para tratar do que cuidar de banalidades.

Contudo, lembre-se que Alfredo Augusto Becker fazia referência ao chamado sistema dos fundamentos óbvios. Isto é, aqueles assuntos e temas que todo mundo imagina conhecer e, por isto, não os discute.[2] Como ele notava com ironia fina, grande parte das confusões em que os juristas se envolvem tem por base a ausência de discussão sobre temas raiz.

Não é difícil perceber, todavia, que o desacordo sobre as premissas leva a um diálogo de surdos. Esclarecer os pontos de partida é fundamental. Discutir sintomas sem conhecer as causas leva a diagnósticos errados.

O objeto do contrato de concessão parece ser um desses temas que de tão óbvios ninguém discute (ou não o faz de modo direto). Isso desloca as discussões relevantes para os sintomas e não para as causas. Mas sem se compreender com clareza qual é a natureza do objeto do contrato de concessão diversas, discussões importantes sobre esse instituto se tornam inconsistentes. Ele é um contrato personalíssimo? Ele pode ser alterado em quais circunstâncias? E em qual intensidade? Para responder a todas essas questões é necessário, antes de mais nada, tratar do objeto do contrato de concessão.

---

[2] BECKER, Alfredo Augusto. *Teoria geral do Direito Tributário*. 7. ed. São Paulo: Noeses, 2018. p. 12-15.

Nessa perspectiva, este texto tem dois objetivos. Primeiro, indicar que *o objeto do contrato de concessão é a prestação de uma atividade econômica pública, em que um particular atua administrando os riscos de um empreendimento.*

O objeto desse contrato se assemelha a um contrato de constituição de empresa, que se caracteriza não pela previsão concreta de um corpo definido de obrigações, mas pela estruturação de um espaço de atuação legítimo do empresário. De igual modo, o contrato de concessão não se constitui em um objeto determinado *a priori*, e não se reduz às obrigações originalmente indicadas no instrumento celebrado. Tais obrigações são instrumentos a serviço de uma finalidade: assegurar que um particular assuma a gestão de uma atividade própria do Estado.

Segundo, por conta da natureza do seu objeto, o contrato de concessão é naturalmente mutável. Se o objeto é a atividade orientada a uma finalidade, os meios para tal se tornam menos importantes que a finalidade a ser obtida. O que vincula efetivamente as partes é a produção dos resultados necessários à prestação adequada dos serviços públicos. E isso se implementa por meio da colaboração recíproca entre os contratantes.

Assim, a mutabilidade do contrato de concessão é explicada pelo fato de que seu objeto é a prestação da atividade delegada, sendo as obrigações originalmente meio de implementação (e não um fim em si). Em prol de proteger a finalidade (capacidade de o contrato gerar os benefícios que dele se esperam), ele é essencialmente mutável. Mutabilidade essa que seria ainda maior que nos outros contratos administrativos, haja vista o objeto peculiar da concessão.

Tais conclusões e as premissas e fundamentos que as embasam serão desenvolvidas abaixo. Espero, com este texto, contribuir para o debate e, quem sabe, desfazer alguns mal-entendidos.

3 Regime de serviço público e vinculação do concessionário à natureza da atividade

Correndo o risco de dizer o óbvio, contratos de concessão (em sentido amplo) transferem a particulares atividades que, normativamente, são de responsabilidade do Estado. Cuida-se, portanto, de uma atividade especialmente vinculada à satisfação de interesses coletivos.[3]

Ao lado das atividades sujeitas à livre iniciativa, existem atividades econômicas que são imputadas ao Estado. Em sentido estrito, serviços públicos são atividades que o ordenamento jurídico reserva ao Estado e, por isso, se sujeitam a um corpo de regras próprio que visa a assegurar que elas não só sejam disponibilizadas à coletividade, mas que elas, de fato, sejam capazes de atender às necessidades coletivas.

O regime de serviço público, portanto, parte da perspectiva de que as necessidades coletivas exigem especial compromisso do Estado em relação a certas atividades.

---

[3] Algumas das ideias aqui expostas já foram desenvolvidas em texto escrito por mim em coautoria com Andréa Vasconcelos a propósito dos efeitos da pandemia sobre os contratos de parceria. Aqui, algumas das ideias que lá foram expostas de modo sintético são aprofundadas (Contratos de parceria: algumas ideias velhas para os problemas de hoje. *In:* CUNHA, Alexandre Jorge Cordeiro da; ARRUDA, Carmem Silvia L. de; ISSA, Rafael Hamze; SCHWIND, Rafael Wallbach (coord.). *Direito em tempos de crise Covid-19.* São Paulo: Quartier Latin, 2020. v. 4, p. 289-302).

Conforme os definiu Louis Rolland: "Le service publique est ainsi toujours une enterprise d'interêt general".[4]

Esse regime de especial vinculação às necessidades coletivas é desdobrado em algumas exigências que caracterizariam os serviços públicos. Esse feixe de obrigações especiais converge para a ideia de *serviço adequado*, expressamente prevista no inc. IV do parágrafo único do art. 175 da Constituição. Sem buscar ser analítico e examinar cada um dos vértices da ideia de serviço adequado (que é naturalmente aberta), tem-se que as atividades do Estado devem ser prestadas de modo contínuo, pois são essenciais à coletividade. Não apenas devem estar disponíveis sempre, como também devem ser constantemente atualizadas.

Além disso, tendo em vista que serviços públicos devem ser fruídos universalmente e estar acessíveis a todos, fato é que eles devem ser prestados a preços módicos. Assim, em havendo *déficit* na capacidade de pagamento de certos usuários, devem ser estruturadas políticas de inclusão que viabilizem o acesso universal (*v.g.*, subsídios cruzados e aportes públicos).

Em síntese, tais atividades existem para que os habitantes de um determinado país tenham acesso a alguns serviços normativamente reputados fundamentais à vida em sociedade. Daí por que ao se buscar um critério material de serviço público sempre se chega à ideia de que eles são fundamentais à sociedade e devem ser prestados de modo amplo, constituindo um atributo inerente à cidadania.

Quanto ao modo de prestação dos serviços públicos, ele pode se dar de forma direta, por meio de pessoas jurídicas que integram organicamente a Administração Pública, ou de maneira indireta. No último caso, a atividade é delegada a um particular, que se encarrega de oferecê-la, atuando em regra com autonomia.[5]

A delegação a particulares pode se dar de duas formas: a concessão e a permissão.[6] Em ambos os casos, o particular explora uma atividade que é própria do Estado, o que acaba impactando sua posição jurídica.

O particular atua como agente do Estado e, por isso, está sujeito a restrições que não se colocam aos agentes privados que desenvolvem atividades privadas, assim como goza de certas prerrogativas que comumente não são garantidas aos agentes econômicos. Daí se dizer que o ato ou negócio jurídico que atribui ao particular a atividade tem natureza constitutiva ou translativa.[7] Isso implica que o vínculo formado atribui ao

---

[4] ROLLAND, Louis. *Précis de Droit Administratif*. Paris: Daloz, 1953. p. 2. Interessante notar que o autor assume a premissa de que o serviço público é, antes de mais nada, uma empresa; é dizer, uma atividade que implica a gestão de recursos materiais e humanos, qualificada pelo especial dever de produzir um determinado resultado de interesse geral.

[5] Sobre os modos de prestação indireta e a natureza das atividades públicas, consulte-se: GUIMARÃES, Bernardo Strobel. Formas de prestação de serviços públicos. *In*: CAMPILONGO, Celso Fernandes, GONZAGA, Alvaro de Azevedo; FREIRE, André Luiz (org.). *Enciclopédia jurídica da PUC-SP*. São Paulo: Editora da PUC-SP, 2021. Disponível em https://enciclopediajuridica.pucsp.br/verbete/85/edicao-2/formas-de-prestacao-de-servicos-publicos. Acesso em: 12 ago. 2024.

[6] Por precisão terminológica, não nos interessa neste momento fazer uma resenha de todas as modalidades de contrato de concessão e nem mesmo discutir se as permissões têm ou não natureza contratual. As ideias aqui alinhavadas valem para todos os vínculos jurídicos que transferem em caráter estável a gestão de uma atividade estatal para um particular, que a desenvolverá por sua conta e risco. Assim, o texto fará referência a contratos de concessão *tout court*, sem maiores preocupações com as particularidades de cada um deles, assim como não se discutirá a natureza da permissão.

[7] GONÇALVES, Pedro. *A concessão de serviços públicos*. Coimbra: Almedina, 1999. p. 139.

particular um direito que ele não possui e transfere, nos limites do instrumento firmado, a gestão da atividade.

A transferência da prestação, contudo, não implica a desnaturação do caráter materialmente público da atividade.[8] Isso significa que o Estado deve garantir que os serviços sejam prestados adequadamente, de modo a que os benefícios esperados sejam de fato alcançados. A titularidade estatal não é um fim em si, mas sim uma maneira de assegurar que a coletividade receba os benefícios. Aliás, uma das formulações originárias acerca do serviço público é a de Léon Duguit, que via no Estado nada além de uma comunidade de serviços públicos, o que marca a percepção de que o que define a sua natureza (e, portanto, do Direito Administrativo) não é a autoridade, mas a sua vinculação à satisfação concreta de necessidades coletivas.[9]

O ponto a ser destacado aqui é a *ligação indelével que existe entre a prestação dos serviços públicos e a satisfação dos interesses da coletividade.* O vínculo não *congela* a atividade, que pode vir a ser alterada com vistas a melhor atender à coletividade. Nessa perspectiva, inclusive, é que sempre se considerou que as concessões seriam dotadas de uma cláusula implícita relativa ao dever de atualidade.[10]

Dito de modo direto, sempre se reconheceu que o contrato de concessão precisa conviver com as alterações decorrentes da necessidade de o serviço permanecer adequado. Não por acaso que, durante muito tempo, relutou-se em atribuir às concessões natureza propriamente contratual. A existência de um conteúdo mutável por definição era acomodada com dificuldade na figura clássica do contrato, concebido a partir da noção de força obrigatória das convenções. As diversas teorias que disputavam sobre a natureza do vínculo concessionário tinham por *leitmotiv* a existência de um conteúdo instável que não poderia ser acomodado de modo fácil ao contrato.[11]

Como se nota, todas essas ideias convergem para que se afirme que a natureza pública da atividade impacta sobre os vínculos de delegação eventualmente constituídos. Na síntese de Marçal Justen Filho "deverão considerar-se integradas no contrato de concessão as cláusulas inerentes ao regime jurídico de direito público".[12] Tais exigências decorrem do próprio ordenamento jurídico, e não têm sua fonte no próprio contrato. *O objeto que é transferido à exploração privada é que define a natureza do vínculo formado entre Estado e particular.*

---

[8] Sobre a preservação da flexibilidade, ainda que o contrato seja delegado: "(...) los usuarios (el público), no deben sufrir las consecuencias que pudieran derivar del hecho de que el servicio haya sido concedido; el servicio debe conservar su flexibilidad institucional. (PICIRILLI, Rodolfo. *El privilegio en las concesiones de servicios públicos*. Buenos Aires: Libreria Juridica, 1936. p. 15).

[9] L'État n'est pas, comme on a voulu le faire et comme on a cru quelque temps qu'il l'était, une puissance que command, une souveraineté; il est une coopération de services publics organisés et contrôlé par les gouvernants (DUGUIT, Léon. *Manuel de Droit Contitutionnel*. Paris: Editions de Boccard, 1923. p. 71-72).

[10] Sobre o tema consultar JUSTEN FILHO, Marçal. *Teoria geral das concessões de serviço público*. São Paulo: Dialética, 2003. p. 299.

[11] Sobre as diversas teorias existentes sobre a natureza da concessão e seus pressupostos, consultar: MASAGÃO, Mário. *Natureza jurídica da concessão de serviço público*. São Paulo: Livraria Acadêmica, 1933. E também, de Marçal Justen Filho: *Teoria geral das concessões de serviço público*, p. 156-159. Como se nota, a disputa entre os diversos doutrinadores se dá em face da dificuldade de acomodar a natureza variável do vínculo na figura do contrato. Apenas se ampliando a ideia de contrato, admitindo que ele possa ter um conteúdo mutável, é que é possível afirmar a natureza contratual da concessão.

[12] JUSTEN FILHO. *Teoria geral das concessões de serviço público*, p. 157.

Disso deriva uma percepção fundamental para compreender os contratos que delegam tais atividades: tais instrumentos, ao fim e ao cabo, são modos de concretização de objetivos públicos.

Tanto que uma das características do vínculo concessionário é que ele gera efeitos que não impactam apenas as partes que celebram o contrato, mas se projetam sobre terceiros. Evidente que todo contrato público está, nalguma medida, afetado a interesses coletivos. Entretanto, nas concessões a posição jurídica dos usuários é imediatamente atingida, pois eles são destinatários diretos da atividade.

Em suma, *o objeto desses contratos é assegurar a prestação adequada de certos serviços à coletividade*. Essa conclusão, inclusive, é expressamente reconhecida pelo nosso direito positivo. Quando o art. 6º da Lei das Concessões indica, em linha com a Constituição, que "toda concessão ou permissão *pressupõe a prestação de serviço adequado* ao pleno atendimento dos usuários, conforme estabelecido nesta Lei, nas normas pertinentes e no respectivo contrato", é precisamente isso que se enfatiza.

O objeto do contrato de concessão não se reduz, portanto, a um corpo definido de obrigações, mas à gestão de uma atividade pública com vistas à produção de resultados socialmente úteis.[13] Lembre-se que a definição de Rolland parte inclusive da afirmação de que o serviço público é uma empresa, no sentido de se tratar de uma atividade de gestão de recursos orientada a um fim. E empresa porque o concessionário gere uma atividade econômica, ainda que pública.

Desse modo, quando a lei prevê qual é o conteúdo do contrato (como no art. 23 da Lei de Concessões), indicando o que ele deve conter para ser celebrado de modo válido, ela está indiretamente remetendo a essa ideia. O conteúdo necessário do contrato é a maneira pela qual se estrutura os termos em que a gestão da atividade deve acontecer. Essa ideia, embora simples, tem efeitos substanciais no modo de ser dos contratos de concessão. Especialmente, tendo em vista que o objeto desses vínculos não se confunde com as obrigações específicas postas.

4 O objeto do contrato de concessão como atividade de gestão e suas consequências sobre a mutabilidade do vínculo originário

Como já se deixou antever acima, o contrato de concessão transfere ao particular a gestão de uma atividade pública, sujeita a regras especiais que visam assegurar a satisfação da coletividade. Ao contrário de outros contratos em que o objeto constitui um corpo definido de obrigações certas e definidas, contratos de concessão pressupõem uma zona de autonomia, em que alguém toma decisões com vistas a implementar um objetivo.

---

[13] Desde sempre a doutrina registra esse aspecto de que o objetivo final da concessão passar por assegurar a variabilidade. Em trecho quase centenário sobre o assunto, lê-se que: "A organização do serviço não é feita fixando-se *ne varietur* a forma da sua exploração futura. A breve trecho esta deixaria de corresponder aos intuitos da sua criação e o serviço, apesar do seu carácter de constância, perderia as qualidades de meio regular e contínuo, passando a tornar-se um meio intermitente de satisfação de necessidades. *A obrigação primeira de quem quer que gere a exploração de um serviço público é a de assegurar-lhe uma execução suficiente, e todos sabem que as necessidades a que um serviço público deve satisfazer não são, de modo algum, invariáveis*" (COLLAÇO, João Maria de Oliveira Tello. *Concessões de serviço público (sua natureza jurídica)*. 2. ed. Coimbra: Coimbra Editora, 1928. p. 67, grifos nossos).

Em regra, o objeto do contrato deve ser lícito e definido. Isso implica que ele é o elemento de estabilização dos vínculos firmados entre as partes. Daí que o objeto da relação precisa ser certo e determinado, dando clareza a cada uma das partes acerca do que pode exigir da outra.[14]

Nesse particular, como diz Pedro Gonçalves, a função do contrato de concessão é justamente a de operar a transferência do direito à gestão de um serviço público.[15] A concessão transfere uma atividade pública por "conta e risco" do particular. A expressão enfatiza, precisamente, que a concessão é um empreendimento econômico para o particular, que está sujeito a colher os ônus e bônus de suas escolhas. A expressão, inclusive, integra a própria definição normativa de concessão de serviço público (art. 2º, inc. II, da Lei de Concessões).

Claro que a gestão do concessionário não ocorre de modo completamente livre, pois a atividade é materialmente pública. Os objetivos públicos envolvidos limitam a atuação do particular. Contudo – e esse é o ponto –, o contrato de concessão garante uma zona de autonomia gerencial ao particular, que não apenas executa um objeto que lhe é transferido, mas tem liberdade para organizar a atividade, titularizando em seu nome as relações jurídicas com terceiros necessárias à execução da concessão. E esse espaço é juridicamente protegido, devendo ser respeitado pelo Poder Concedente. Apenas quando a atuação privada se mostra incapaz de gerar os benefícios esperados é que o Poder Concedente pode intervir na concessão (arts. 32 a 34 da Lei de Concessões).

Essa ideia de que o particular assume o negócio por conta e risco aparta os contratos de concessão de outras modalidades de contratos administrativos. Claro que todo contrato traz em si a ideia de que as partes assumem certos riscos. Contudo, nos contratos de concessão o risco é a própria base do negócio celebrado. O particular é contratado para gerir o serviço, atuando como empresário (nos termos do art. 966 do Código Civil).

Daí ser usual a concepção de que nesses contratos haveria riscos ordinários que são necessariamente assumidos pelo particular, e riscos extraordinários que correm à conta do Estado.[16] Embora esta perspectiva mereça temperamentos – especialmente considerando que os riscos devem ser alocados às partes pelo contrato, não havendo uma divisão natural –, fato é que ela reforça a visão de que cabe ao particular gerenciar os riscos por ele assumidos.

Ao formular sua proposta, o particular atesta conhecer uma série de riscos que concorda assumir e gerenciar. E ele só terá direito à revisão caso haja a materialização de riscos que ele não assumiu. Não se admite, portanto, que o particular busque transferir à coletividade, ainda que por meio da imputação da responsabilidade à Administração, prejuízos decorrentes de risco que ele optou por assumir. Há uma relação entre os riscos assumidos pelo particular e a extensão da tutela do equilíbrio econômico-financeiro.

---

[14] Como anota Marcel Planiol (*Traté élémentaire de Droit Civil*. Paris: LGDJ, 1949. t. 2, p. 91-94), tecnicamente o objeto do contrato nada mais é do que o objeto das obrigações nele contempladas. Falar em objeto do contrato – como faz, inclusive, o Code Napoléon, no seu art. 1108 – é, portanto, uma simplificação. De todo modo, o conteúdo obrigacional deve ser certo e determinado, além de lícito.

[15] GONÇALVES, Pedro. *A concessão de serviços públicos*. p. 117 e ss.

[16] Sobre o tema das áleas ordinárias e extraordinárias, consultar: DI PIETRO, Maria Sylvia Zanella. *Parcerias na Administração Pública*. 5. ed. São Paulo: Atlas, 2006. p. 114-123.

Quanto mais o particular for livre para administrar os riscos do empreendimento, menor será a extensão do direito à revisão de tarifas. Evidente que isso não pode levar à transferência de todos os riscos ao particular.

Primeiro, porque isso implicaria ineficiência do ponto de vista econômico, o que tenderia a onerar a própria execução do serviço. Em regra, somente os riscos passíveis de serem gerenciados e mitigados pelo particular é que devem ser transferidos a ele. Segundo, porque a transferência integral do risco parece ofender o conteúdo constitucional que trata do equilíbrio econômico-financeiro. Em última análise, a transferência integral implicaria demitir o Estado de qualquer responsabilidade em relação à atividade, o que não parece legítimo.

Então, o ponto a ser assinalado é que o contrato de concessão serve como definidor desse espaço de gestão. É a partir dessa zona da autonomia que o serviço será prestado. O particular, portanto, não é um satélite da Administração (que se integra organicamente ao corpo do Estado), mas um empresário que se dispôs a administrar o serviço de modo a obter um resultado financeiro almejado. Inclusive, é interessante notar que a tendência de que as concessionárias sejam sociedades de propósito específico reforça essa percepção, associando o contrato ao objeto social da própria concessionária.

A autonomia do particular, nessa perspectiva, é instrumento de satisfação de objetivos coletivos. Isso não implica dizer que o Estado está manietado. Muito pelo contrário. Ele persiste sendo capaz de dirigir os rumos do contrato, pois ele atua em nome da coletividade. Todavia, o particular que executa o contrato não é um apêndice da Administração, sujeito a um controle do tipo hierárquico. Ele é um empresário, que tem o direito de dirigir o empreendimento em busca do lucro que o atraiu.

Em poucas palavras, o espaço de autonomia de que o particular disporá é definido pelo contrato e integra o próprio conteúdo econômico do vínculo celebrado.

Visto isso, é preciso ir além e buscar compreender quais os efeitos de se entender que o objeto do contrato de concessão é uma atividade orientada a um fim de interesse público. Talvez a característica mais relevante seja que o objeto do contrato não pode ser confundido com as obrigações originárias que foram previstas como modo de implementação dos valores coletivos. Estas são meios para a concretização do objeto.

Aliás, não faz o menor sentido recusar essa premissa em se considerando que, caso o serviço não tivesse sido delegado, a Administração poderia alterar o modo de prestação do serviço, com vistas a que ele persista contínuo e atual. A concessão não pode ser uma *capitis diminutio* no que se refere ao atendimento dos objetivos sociais envolvidos na prestação de atividades públicas.

Delegado ou não, o serviço deve ser adequado. O fato de ele ter sido transferido à gestão privada não implica que não possa haver modificação do modo de execução, de modo a garantir que haja a efetiva concretização dos interesses da coletividade. Em termos sintéticos, é o contrato que se amolda às exigências do serviço público, e não o contrário. Tanto é assim que foi exatamente em vistas dessas considerações que se criou na jurisprudência do Conselho de Estado a possibilidade de alteração das regras pactuadas, inclusive para além do que foi previsto no caderno de encargos.[17]

---

[17] Originalmente, o Conselho de Estado recusava a alteração dos contratos de concessão, com base na intangibilidade do que foi convencionado pelas partes. Progressivamente, a ideia de que os contratos deveriam ser preservados permitiu que houvesse alteração do que foi pactuado, inclusive permitindo-se assegurar a remuneração do particular.

Em rigor, toda discussão quanto à natureza da concessão (se ato ou contrato) é reconduzida a esse ponto: o fato de que há na relação um conteúdo mutável por definição, que se altera e se adapta para persistir aderente ao interesse público. E é esse conteúdo mutável que não cabe bem na teoria tradicional do contrato, que pressupõe a existência de obrigações certas e determinadas.

De qualquer forma, é nesse sentido que o contrato de concessão tem similitude estrutural com o contrato de constituição de empresa. Em ambos, o contrato organiza o exercício de uma atividade econômica.[18] Na empresa privada, uma atividade que visa produzir excedentes econômicos em favor do particular. No contrato de concessão, a par do lucro, tem-se que a atuação do particular deve criar benefícios públicos, inerentes ao objeto do contrato.

E se o contrato visa ao desenvolvimento de uma atividade, é natural que ele seja flexível. Flexível no sentido de permitir uma série de decisões por parte de quem administra em concreto aquela atividade, buscando produzir lucro. Nessa perspectiva, o objeto serve precipuamente como limite da atuação legítima. Define-se o objetivo, e nem tanto os meios. Como anotou José Alexandre Tavares Guerreiro, a par do objeto social, "[o] que o estatuto deve definir, de modo preciso e completo, é a atividade negocial ou empresarial, e não atos ou negócios jurídicos em particular".[19]

Como se nota, contratos de constituição de empresa também criam, ainda que pela via do encontro de vontades privadas, a delimitação de um espaço para desenvolvimento de uma atividade econômica. O objeto constitui a fronteira para além da qual a atividade do empresário é considerada desviada.[20] Isso se observa também nos contratos de concessão. Em ambos os casos, o contrato estrutura regras a serem observadas pelo empresário, que deve buscar, observando os limites que lhe são postos,[21] gerir uma atividade em busca da produção de certos resultados.[22]

A atuação do concessionário, assim como do empresário, está circunscrita à realização do objeto do contrato, e as obrigações especificamente previstas são instrumentais. Elas constituem uma avaliação inicial sobre qual o modo adequado de implementar

---

[18] Sobre a natureza do objeto social e que ele implica o desenvolvimento de uma atividade, consultar GUERREIRO, José Alexandre Tavares. Sobre a interpretação do objeto social. *Revista de Direito Mercantil*, [S. l.], n. 54, p. 69-72, abr./jun. 1984.

[19] GUERREIRO. Sobre a interpretação do objeto social, p. 69-72.

[20] José Lamartine Corrêa de Oliveira (*A dupla crise da pessoa jurídica*. São Paulo: Saraiva, 1979. p. 184-186) aborda a questão pelo viés do chamado princípio da especialidade. Uma das manifestações do princípio seria a chamada especialidade estatutária, que limita a atividade da pessoa jurídica ao objeto consignado no estatuto ou contrato social. O autor também registra a dificuldade de definir *a priori* qual é esse limite, o que enseja problemas especialmente quando considerados os terceiros que negociam com a empresa.

[21] Modesto Carvalhosa (*Comentários à Lei de Sociedades Anônimas*. 4. ed. São Paulo: Saraiva, 2002. v. 1, p. 16) assinala esse caráter de limite do objeto social, no sentido de que ele define um espaço de autonomia em que a atuação é legítima e não pode ser violada.

[22] André de Laubadère (*Traité theorique et pratique des contrats administratifs*. Paris: LGDJ, 1956. t. 1, p. 374, grifos nossos) já enfatizava esse caráter dinâmico do contrato de concessão, cujo escopo é indeterminado *a priori*, exatamente por constituir uma atividade. Nesse sentido: "Nous écarterons ici la thèse contractuelle qui nous paraît avoir été ruinée par les critiques ci-dessus indiquées; nous ajouterons que *la concession de service public ne nous semble pas pouvoir constituer un contrat en raison de l'objet même sur lequel elle porte; cet objet est l'organisation et le fonctionnement d'un service public, l'établissement de règles de ce service; une telle matière, tout à fait différente de celles qui font l'objet des autres contrats administratifs,* par exemple des marchés de travaux ou de fournitures, échappe au domaine contractuel en vertu du principe fondamental selon lequel l'organisation des services publics relève de la compétence unilatérale et exclusive des pouvoirs publics".

os objetivos que levaram à celebração da concessão. Contudo, isso não implica que elas sejam imutáveis e que não possam vir a ser recalibradas, caso haja necessidade. Havendo desalinhamento entre a produção dos objetivos e as obrigações especificamente previstas, estas não só podem como devem ser alteradas, de modo a se manter íntegro o objeto da relação.

O contrato de concessão aproxima-se aqui dos chamados contratos relacionais,[23] em que o conteúdo do vínculo padece de limitações estruturais, o que implica e acentua o dever de as partes cooperarem entre si, especificando o seu comportamento em função de condições trazidas pelo advir. Essa espécie de relação traz ênfase ao dever de colaboração entre as partes para que o contrato consiga atingir seus objetivos comuns.[24]

Note-se inclusive que o dever de cooperação entre Poder Concedente e concessionário é expressamente previsto na nossa legislação ao referir ao modo amigável de solução de controvérsias, o que dá um bom indício acerca do caráter dúctil do vínculo jurídico que existe na concessão.

Essa premissa, embora simples, tem efeitos bastante relevantes na execução dos contratos de concessão. Em especial quando se pensa na mutabilidade dos contratos administrativos e seus limites, o que se tem em conta é que o vínculo constituído não pode servir de empecilho ao atendimento às necessidades da coletividade. É por isso que a nota essencial dos contratos administrativos é o chamado *jus variandi*; circunstância ainda mais pronunciada nos contratos de concessão, em que o objeto (gestão da atividade) está sujeito a obrigações de ser aderente ao interesse público.[25]

Por força disto, as ideias de modificação do contrato ficam muito mais fáceis de serem compreendidas em se partindo da perspectiva de que não se está mudando o objeto do contrato – que é a prestação do serviço adequado –, mas as obrigações acessórias originalmente planejadas para executá-lo.

Quando se percebe que o contrato de concessão desenha as condições necessárias para que o particular atue de modo a implementar os resultados públicos desejados, sob fiscalização do Poder Concedente, tem-se que os atos que promovem aquela finalidade não são um fim em si mesmo, mas modos de satisfação de um objetivo maior. O meio pelo qual o objetivo será atingido é menos relevante do que o objetivo ele mesmo. Logo, a alteração desses vínculos não se sujeita à mesma racionalidade aplicável a

---

[23] Os contratos relacionais admitem amplos ajustes e renegociações entre as partes. Como eles não possuem uma finalidade exclusivamente econômica, e envolvem também elementos de comunicação e cooperação entre as partes, naturalmente vão se estabelecendo vínculos entre as partes que não estavam previstos no momento da contratação. Esse tipo de contrato caracteriza-se, entro outros, pela longa duração; pela mutabilidade e flexibilidade dos seus termos; pela indeterminação das obrigações originalmente estipuladas e pelo caráter processual e comunicativo (MACEDO JÚNIOR, Ronaldo Porto. *Contratos relacionais e defesa do consumidor*. 2. ed. São Paulo: Revista dos Tribunais, 2007. p. 121 e ss.).

[24] Sobre o dever de colaboração das partes e sua especial importância para superar os desafios pelos quais a relação de concessão passará, consultar: MOREIRA, Egon Bockmannn. *Direito das Concessões de Serviço Público*: parte geral: inteligência da Lei 8.987/1995. São Paulo: Malheiros, 2010. p. 37-46.

[25] Nesse sentido é a lição de André de Laubadère (*Traité theorique et pratique des contrats administratifs*. t. 2, p. 341, grifos nossos): "La concession de service public est d'abord caractérisée par la nature de son objet. Cet objet est d'organiser le fonctionnement d'un service public. Or c'est un principe maintes fois affirmé que *l'autorité administrative doit rester constamment mai-tre du service et de son fonctionnement en vue notamment de s'assurer que le service fonctionne conformément aux exigences de lintérêt public et des évolutions possibles de ses exigences*. Il est évident que *cette idée constitue un fondement particulièrement fort des pouvoirs d'intervention de l'administration concédante dans l'exécution du contrat de concession*".

outros contratos da Administração, em que o objeto já traz consigo as obrigações que necessariamente devem ser adotadas pelo particular.[26] Isso porque o objeto do contrato de concessão, ainda que certo e determinado numa perspectiva mais geral, não se exaure em um conjunto de obrigações específicas e predeterminadas.[27]

Em suma, existe uma tensão entre o que foi estipulado por ocasião da contratação e o que, de fato, será exigido ao longo do tempo. A adequação do serviço é algo que se impõe em caráter constante. Como sintetizou Marçal Justen Filho, "as características do serviço público impõem não apenas sua continuidade, mas sua adequação permanente".[28] Ora, se fosse possível prever com perfeição o que seria necessário para atender ao interesse público ao longo do tempo, não faria sentido falar no dever de adequação. Se nos contratos ordinários as obrigações descrevem o objeto adequado, nos contratos em que o objeto é a gestão de uma atividade, isso não ocorre.

Voltamos, portanto, à uma conclusão já exposta anteriormente: *a alteração das obrigações específicas contempladas pelo contrato não implica uma alteração do próprio objeto da concessão, mas somente mudança dos meios necessários para satisfazê-lo.* Em se mantendo estável a finalidade, não há razão para recusar que haja mudança nas obrigações originalmente previstas. A finalidade permanece estável. Isso está absolutamente em linha com o fato de o objeto contratual na concessão ser a gestão de uma atividade orientada à produção de finalidades públicas.[29]

Ao se colocar o foco nesse aspecto, percebe-se que mudanças nas obrigações originárias são tanto possíveis quanto necessárias; não significam qualquer desnaturação do objeto do contrato, mas algo natural e esperado tendo em vista que tais vínculos se caracterizam pela gestão de uma atividade. Colocar o foco nas obrigações originárias é tomar o acessório como principal, o que somente tende a gerar confusões.

5 Mutabilidade dos contratos de concessão: causas, limites e objetivos

Visto que o contrato de concessão tem por objeto a gestão de uma atividade, o que implica que as obrigações específicas previstas são um modo para implementar os objetivos sociais correlatos ao serviço, tem-se que ele é por definição mutável. Todavia, mudar nesse contexto é algo que implica inovação sem desnaturação. O quanto se pode mudar é questão das mais complexas. Há aqui algo similar ao chamado *paradoxo do navio*

---

[26] Esta posição é antiga na nossa doutrina. Ainda em 1998, pouco depois de editada a Lei Geral de Concessões, Eurico Andrade de Azevedo e Maria Lúcia Mazzei de Alencar (*Concessão de serviços públicos.* Comentários às Leis 8.987 e 9.074 (parte geral) com as modificações introduzidas pela Lei 9.648, de 27.5.98. São Paulo: Malheiros, 1998. p. 69), nos comentários ao ato normativo, já assinalavam que o caráter peculiar das concessões recomendava a criação de soluções próprias, sem a aplicação imediata das regras aplicáveis aos contratos regidos pela Lei de Licitações.

[27] Nesse sentido, GARCIA, Flávio Amaral. *Concessões, parcerias e regulação.* São Paulo: Malheiros, 2019. p. 147-154.

[28] JUSTEN FILHO. *Teoria geral das concessões de serviço público.* p. 299.

[29] André Luiz Freire (*Direito dos Contratos Administrativos.* São Paulo: Revista dos Tribunais, 2023. p. 522-523) registra interessante precedente do STF acerca do tema (ADI nº 3.944). Ele diz respeito ao serviço de radiodifusão de sons e imagens. No caso, questionava-se dispositivo do Decreto Federal nº 5.820/2006 que permitia a outorga às televisões de um canal digital, que deveria replicar a programação da emissora. O questionamento dizia respeito precisamente à outorga de um suposto objeto novo, que desnaturaria o contrato originário. Segundo entendeu o STF, por ser público a alteração seria legítima exatamente para preservar a atualidade do serviço. A alteração seria legítima e estaria em linha com a Constituição, que prevê o dever de manter o serviço adequado.

de Teseu.[30] Por um lado, sabe-se que a mudança é possível; por outro, ela não pode ser tão radical a ponto de desfigurar o que foi convencionado. E o problema é que entre a zona de certeza negativa e positiva há um oásis de incertezas.

O tema é espinhoso e sem referências a situações concretas, apenas algumas ideias podem ser traçadas em abstrato. A riqueza do caso concreto sempre trará um sem-número de considerações que iluminam a questão. Não se pode deixar de perceber que a alteração do contrato se submete a uma boa dose de pragmatismo.

Um bom ponto de partida para falar de mudanças nos contratos de concessão diz respeito a se esclarecerem os fundamentos que a legitimam. Qual é, por assim dizer, a causa da alteração? A resposta abstrata é simples: o contrato é alterado para que as obrigações executadas em concreto pelas partes sejam de fato capazes de dar cumprimento aos objetivos públicos que levaram à concessão. A alteração é o recalibramento entre o objetivo e o meio de ele ser atingido.

A necessidade de ajustes decorre das limitações existentes na formação desses contratos. Há, quando menos, duas ordens de limitação. A primeira decorre da incerteza sobre o futuro. A segunda, dos limites do conhecimento utilizado para elaboração do contrato.

Em regra, alterações decorrem da superveniência de uma circunstância fática ou jurídica que torne o que foi originalmente pactuado inadequado para efetivar os benefícios esperados. É intuitivo que um serviço que deva ao longo do tempo permanecer adequado será impactado por eventos supervenientes.

Contudo, as limitações dos juízos de prognose não envolvem apenas o futuro. Há ainda a questão das falhas na própria informação utilizada para elaboração do contrato. Pode ser que haja falhas honestas decorrentes dos limites inerentes ao planejamento. Contratos complexos assumem diversas informações, muitas delas presumidas. No entanto, esses juízos valem o que valem: eles são bons para construir modelos, e ruins para descrever a realidade.

É, portanto, perfeitamente possível que algumas das premissas assumidas por ocasião do contrato se mostrem inadequadas, e isso não pode servir como um empecilho para a correção de rumos do contrato. O conhecimento de que se parte também está sujeito a limitações. Daí não ser correto exigir que o contrato seja alterado apenas em vista da incidência de eventos futuros.

A alteração se legitima sempre que houver desalinhamento entre o que foi planejado e o que, de fato, é necessário para atender o interesse público. Note-se ainda que essa relação é dinâmica e não se estabiliza. Nada impede que haja diversos ciclos de alteração, tendo em vista a complexidade desses contratos.

Ao tratar dos fundamentos que autorizam mudanças, está se destacando que nem toda alteração é lícita, mas aquelas que tenham razão de ser. Chamar a atenção para essas circunstâncias implica destacar que a alteração dos contratos exige a existência de motivos verdadeiros.

Evidente que mudar o que foi originalmente pactuado traz riscos, e para atenuá-los a seriedade dos motivos deve ser levada em conta. Em termos diretos, as alterações nos

---

[30] Em termos simples, a ideia é indagar se o navio de Teseu persistiria sendo ele mesmo em havendo sido substituídas todas as suas peças. O paradoxo remete à questão da identidade e da sua preservação diante das mudanças.

contratos de concessão exigem que se demonstre com clareza que o que está pactuado não atende às exigências do interesse coletivo e, por isso, deve ser promovida a alteração capaz de recalibrar a relação original.

Quanto aos limites, o primeiro que se coloca é a preservação da integridade do próprio objeto do contrato. Ainda que se admita a mutabilidade das obrigações previstas no contrato, a atividade delegada ao particular deve ser mantida estável.

Com efeito, a capacidade de alteração não pode implicar a alteração da própria atividade delegada. Daí por que não pode mudar a natureza da atividade, que deve permanecer a mesma.

O que pode se alterar são as obrigações específicas originalmente previstas, que constituem o modo de implementação da atividade e se orientam à produção dos objetivos desejados. E mesmo aqui deve-se ponderar sobre os limites da possibilidade de as partes alterarem a relação originária.

A primeira ideia a ser esclarecida aqui diz respeito à completa inutilidade de raciocinar sobre o tema utilizando premissas aplicáveis aos contratos ordinários da Administração,[31] até mesmo porque, como consagrado há tempos, inclusive pelos órgãos de controle, os limites quantitativos previstos em lei podem ser superados em hipóteses excepcionais em que se reputam que as modificações são qualitativas.[32] Essa criação denota como o tema da alteração é influenciado pelos fatos.

Isso pela simples razão de que o objeto não consegue ser descrito em termos quantitativos. As regras que regem os limites de alteração dos contratos administrativos ordinários não se aplicam às concessões, que são regidas por pressupostos próprios. A legitimidade da concessão se mede pela implementação dos objetivos que se esperam dela. Assim, não é correto buscar uma banda de limitação para contratos que transferem a gestão de uma atividade. Isso é próprio de outro tipo de contrato.

O limite, como visto, está na preservação do objeto original, que não pode ser desnaturado (se o Navio de Teseu não tem mais nenhuma de suas peças originais, já não é mais o que era...).

Afirmado isso é necessário ainda se ocupar das objeções habitualmente levantadas quando se trata da alteração dos contratos. O tema da mutabilidade dos contratos parece se submeter a uma dupla ordem de limitação, fundadas em razões distintas.

A primeira se traduz na proteção do particular contratado. A ausência de qualquer limite ao poder de modificar o contrato implicaria submeter o contratado à vontade da Administração, deturpando o caráter convencional do vínculo firmado entre as partes. Nessa linha, o contrato deve proteger o particular de modo a que ele não seja obrigado a fazer algo substancialmente distinto do que foi ajustado originalmente.[33]

---

[31] Sobre esse tema consultar: MARQUES NETO, Floriano de Azevedo; LOUREIRO, Caio de Souza. O equilíbrio econômico-financeiro nas concessões. Dinamismo e segurança jurídica na experiência brasileira. *In:* MOREIRA, Egon Bockmann (coord.). *Tratado do equilíbrio econômico-financeiro:* contratos administrativos, concessões, Parcerias Público-Privadas. Taxa Interna de Retorno, prorrogação antecipada e relicitação. 2. ed. Belo Horizonte: Fórum, 2019. p. 135-157.

[32] Para uma resenha acerca do tema: FREIRE. *Direito dos Contratos Administrativos*, p. 515-518.

[33] Sobre a relação entre determinabilidade do objeto como elemento de proteção do particular consultar: ATAÍDE, Augusto de. Para a teoria do contrato administrativo: limites e efeitos do poder de modificação pela administração. *In:* AMARAL, Diogo Freitas do. Estudos *de Direito Público em honra do Professor Marcello Caetano*. Lisboa: Ática, 1973. p. 81-90.

Em segundo lugar, apontam-se restrições à mutabilidade que se fundam na ideia de proteger o processo público de escolha que levou à seleção do contratado pela Administração. A ideia, em linhas gerais, é que, para além de um certo limite, modificações implicariam um novo objeto, diferente daquele disputado na licitação, o que seria uma burla ao certame. Disso decorre que qualquer alteração futura, para ser legítima, deveria ter sido prevista quando do momento da disputa, o que permitiria a todos os interessados considerarem isso no momento das suas propostas.[34]

Tais considerações, ainda que válidas, não conduzem à rejeição da ideia de mutabilidade dos contratos de concessão. Para que se perceba isto, um primeiro passo é afastar as objeções que partem da premissa de que mudanças substanciais implicariam fraude ao processo de seleção que deu origem ao contrato. A objeção não parece acertada. Ela ignora que uma vez que o contrato tenha sido assinado, a posição do concessionário é específica.

A existência de um vínculo específico – o concessionário já apresentou a melhor proposta – impõe que a questão seja tratada com base na ideia de isonomia. Isonomia existe entre sujeitos que têm o mesmo *status* jurídico. Não é o caso do concessionário, que possui uma posição única.

Se quando da licitação vigora a ideia de que todos os concessionários devem ser tratados da mesma maneira, uma vez encerrado o certame o que existe é um particular contratado para gerir um serviço público. A lógica aqui é outra: existe um sujeito específico que já foi selecionado por ter a melhor proposta (os licitantes que participaram do certame não têm essa posição jurídica).

Finalizada a licitação, o que preside a relação entre as partes é o contrato. E se o contrato tiver que ser alterado para se ajustar ao interesse público, nada impede que assim o seja. Os antigos licitantes não têm uma pretensão juridicamente válida para exigir que o contrato seja executado tal qual foi licitado. Claro, seria possível argumentar que as alterações futuras teriam impactado o certame. Sim, é verdade. Contudo, elas não existiam naquele instante, não podendo uma conjectura acerca da competitividade impactar sobre as necessidades presentes do interesse público.

O que parece que se pode extrair dessa crítica é a ideia de que a mudança não pode servir de fraude à licitação, evitando que o contrato seja modificado ardilosamente para beneficiar um particular. O diagnóstico está correto, mas não o remédio sugerido. Devemos sempre exigir a apresentação de justificativas e exigir seriedade para as mudanças; agora, proibi-las totalmente porque elas podem ser utilizadas de má-fé não é uma posição sustentável, seja jurídica ou pragmaticamente.

Neste ponto, outra objeção merece ser enfrentada: a de que as alterações para serem legítimas deveriam estar previstas no contrato ou no edital. A ideia novamente remete à necessidade de se preservar a integridade do procedimento de escolha do contratante. Mas, respeitosamente, parece indiferente que a modificação a ser levada a efeito já tenha sido originalmente contemplada no vínculo original. Isso porque a capacidade de alteração não tem fonte contratual; sua fonte é a Lei.

---

[34] Nessa linha, inclusive, manifesta-se Marçal Justen Filho (*Teoria geral das concessões de serviço público*. p. 321) ao indicar que as alterações devem ter sido comtempladas de modo expresso no edital, pois só assim seria dado a todos os potenciais interessados anteverem essa situação quando optassem por participar do processo de disputa pelo contrato de concessão.

A competência de regulamentar as condições de execução do serviço é algo que integra as atribuições do Poder Concedente (art. 29, inc. I, da Lei das Concessões), não sendo criada pelo contrato e, portanto, não sendo limitada por ele. Pretender que as alterações tenham sido previstas no contrato, apelando para a isonomia dos licitantes, desconsidera a circunstância já explicitada acima de que uma vez firmado o contrato a posição do contratado é específica. Não há mais aqui o dever de respeitar a isonomia entre os licitantes; a lógica é a preservação do contrato e dos benefícios que ele implementa.

A terceira ordem de objeções é aquela que vê na limitação um elemento de proteção do particular. As limitações servem para assegurar ao contratado o mínimo de estabilidade em relação à sua situação. Se não houvesse limites, a Administração poderia exigir esforços superiores àqueles avaliados pelo particular quando apresentou sua oferta.

Dois pontos merecem destaque aqui: o primeiro diz respeito ao fato de que as alterações supervenientes dependem da preservação do equilíbrio econômico-financeiro. Logo, em grande parte, o risco decorrente de alterações futuras é neutralizado pela intangibilidade das condições efetivas da proposta – para utilizar a expressão consagrada na Constituição. Respeitado o objeto do contrato (que é a atividade), não parece que a modificação implique risco substancial ao particular.

Por outro lado, note-se que a ênfase de que contratos de concessão são contratos de colaboração induz que alterações e suas consequências sejam construídas conjuntamente. Embora isso não substitua a capacidade de mando da Administração, fato é que negociações entre as partes, especialmente nos casos em que se evidencia a crise do contrato, denotam que as alterações em si não são danosas à posição jurídica do particular. O que pode vir a agredir direitos é a imposição de alterações injustas, em especial as que comprometam o equilíbrio do contrato originário.

Com efeito, embora seja necessário definir limites à alteração dos contratos de concessão, isso não implica que elas devam ser modestas ou se alinhar integralmente àquilo que já havia sido previsto. Aqui, inclusive, entra um argumento bastante pragmático. No fundo, definir se o contrato será ou não alterado implica comparar essa opção com as alternativas que se apresentam. O contrafactual da alteração é compará-la com os efeitos de deixar as coisas como estão ou ainda rescindir o contrato de modo a constituir outro vínculo contratual. Nesse contexto, a decisão por alterar o contrato passa por avaliar os efeitos dessas opções, nos termos propostos pela Lei de Introdução às Normas do Direito Brasileiro (LINDB).

Em conclusão, a ideia de que proteger a rigidez do contrato é proteger o interesse público é equivocada. O que protege a razão de ser desses contratos é, precisamente, a capacidade que eles têm de se manterem aderentes às necessidades da coletividade. A capacidade de adaptação é fundamental aos contratos que transferem a particulares a gestão de atividades públicas.

Assim, independente das obrigações concretamente previstas originariamente, o contrato pode ser alterado desde que preservado o seu objeto, que é a própria integridade da atividade. Modificar é inovar sem perder a essência. Contudo, e insista-se, a capacidade de alteração desses contratos é bastante ampla, exatamente por conta da natureza particular das obrigações previstas.

6 Conclusões

Com base no exposto, sintetizam-se as conclusões mais importantes do que foi dito:

i) Serviços públicos são atividades estatais que estão sujeitas – independentemente de quem os preste, se o Estado ou particular – ao dever de continuidade e de adequação;

ii) O objeto dos contratos de concessão não se confunde com as obrigações específicas descritas no instrumento, vez que estas são instrumentos para a promoção de objetivos públicos;

iii) Contratos de concessão se assemelham aos contratos de constituição de empresa, em que o que vincula as partes contratantes é o dever de envidar seus esforços para produzir um resultado;

iv) A mutabilidade dos contratos de concessão se explica por conta do fato de que, para preservar os objetivos públicos envolvidos na relação pode (e é esperado que assim o seja), ser necessário modificar as cláusulas que preveem as obrigações específicas;

v) O dever de colaboração entre as partes é expressão da determinação do objeto e tem sua razão de ser, precisamente porque vinculado a que o contrato seja de fato capaz de gerar os benefícios coletivos que dele se esperam;

vi) A modificação do contrato tem por causa o desalinhamento entre as obrigações específicas e as exigências decorrentes da necessidade de se satisfazer o objeto do contrato, e isso pode decorrer tanto por força de razões supervenientes como da insuficiência ou falhas de planejamento;

vii) O processo de modificação deve estar fundamentado de maneira a destacar o porquê de as alterações serem necessárias, o que é fundamental para controlar eventuais desvios;

viii) O contrato não precisa prever as alterações a serem implementadas; a implementação de modificações não decorre do que está contratualmente previsto, mas sim da competência geral da Administração de regular o serviço;

ix) O limite à alteração é a preservação do objeto contratado, que não pode ser desfigurado, sob pena de se criar uma relação originária, distinta daquela já existente;

x) Não se aplicam aos contratos de concessão limites baseados em quantitativos, pois isso não se coaduna com o objeto do contrato que é a gestão de uma atividade orientada a uma finalidade;

xi) A objeção tradicionalmente levantada contra a ampla modificação, no sentido de que isso implicaria uma burla à licitação, despreza que, uma vez que a relação contratual tenha sido constituída, a posição do contratado é específica e pretensões de eventuais licitantes não mais se aplicam;

xii) A necessidade de proteção do particular, que também é vista como um limite à alteração do contrato, é assegurada pela necessidade de se manter estável o equilíbrio econômico-financeiro, bem como pela preferência que se dá pela negociação entre as partes para promover alterações.

Referências

ATAÍDE, Augusto de. Para a teoria do contrato administrativo: limites e efeitos do poder de modificação pela administração. *In:* AMARAL, Diogo Freitas do. *Estudos de Direito Público em honra do Professor Marcello Caetano.* Lisboa: Ática, 1973. p. 81-90.

AZEVEDO, Eurico Andrade de; ALENCAR, Maria Lúcia Mazzei de. *Concessão de serviços públicos.* Comentários às Leis 8.987 e 9.074 (parte geral) com as modificações introduzidas pela Lei 9.648, de 27.5.98. São Paulo: Malheiros, 1998.

BECKER, Alfredo Augusto. *Teoria geral do Direito Tributário.* 7. ed. São Paulo: Noeses, 2018.

CARVALHOSA, Modesto. *Comentários à Lei de Sociedades Anônimas.* 4. ed. São Paulo: Saraiva, 2002. v. 1.

COLLAÇO, João Maria de Oliveira Tello. *Concessões de serviço público (sua natureza jurídica).* 2. ed. Coimbra: Coimbra Editora, 1928.

DI PIETRO, Maria Sylvia Zanella. *Parcerias na Administração Pública.* 5. ed. São Paulo: Atlas, 2006.

DUGUIT, Léon. *Manuel de Droit Contitutionnel.* Paris: Editions de Boccard, 1923.

FREIRE, André Luiz. *Direito dos Contratos Administrativos.* São Paulo: Revista dos Tribunais, 2023.

GARCIA, Flávio Amaral. *Concessões, parcerias e regulação.* São Paulo: Malheiros, 2019.

GONÇALVES, Pedro. *A concessão de serviços públicos.* Coimbra: Almedina, 1999.

GUERREIRO, José Alexandre Tavares. Sobre a interpretação do objeto social. *Revista de Direito Mercantil,* [S. l.], n. 54, p. 67-72, abr./jun. 1984.

GUIMARÃES, Bernardo Strobel. Formas de prestação de serviços públicos. *In:* CAMPILONGO, Celso Fernandes, GONZAGA, Alvaro de Azevedo; FREIRE, André Luiz (org.). *Enciclopédia jurídica da PUC-SP.* São Paulo: Editora da PUC-SP, 2021. Disponível em https://enciclopediajuridica.pucsp.br/verbete/85/edicao-2/formas-de-prestacao-de-servicos-publicos. Acesso em: 12 ago. 2024.

GUIMARÃES, Bernardo Strobel; VASCONCELOS, Andréa. Contratos de parceria: algumas ideias velhas para os problemas de hoje. *In:* CUNHA, Alexandre Jorge Cordeiro da; ARRUDA, Carmem Silvia L. de; ISSA, Rafael Hamze; SCHWIND, Rafael Wallchach (coord.). *Direito em tempos de crise Covid-19.* São Paulo: Quartier Latin, 2020. v. 4, p. 289-302.

JUSTEN FILHO, Marçal. *Teoria geral das concessões de serviço público.* São Paulo: Dialética, 2003.

LAUBADÉRE, André de. *Traité théorique et pratique des contrats administratifs.* Paris: LGDJ, 1956. t. 1.

MACEDO JÚNIOR, Ronaldo Porto. *Contratos relacionais e defesa do consumidor.* 2. ed. São Paulo: Revista dos Tribunais, 2007.

MARQUES NETO, Floriano de Azevedo; LOUREIRO, Caio de Souza. O equilíbrio econômico-financeiro nas concessões. Dinamismo e segurança jurídica na experiência brasileira. *In:* MOREIRA, Egon Bockmann (coord.). *Tratado do equilíbrio econômico-financeiro:* contratos administrativos, concessões, Parcerias Público-Privadas. Taxa Interna de Retorno, prorrogação antecipada e relicitação. 2. ed. Belo Horizonte: Fórum, 2019. p. 135-157.

MASAGÃO, Mário. *Natureza jurídica da concessão de serviço público.* São Paulo: Livraria Acadêmica, 1933.

MOREIRA, Egon Bockmannn. *Direito das Concessões de Serviço Público:* parte geral: inteligência da Lei 8.987/1995. São Paulo: Malheiros, 2010.

OLIVEIRA, José Lamartine Corrêa de. *A dupla crise da pessoa jurídica.* São Paulo: Saraiva, 1979.

PICIRILLI, Rodolfo. *El privilegio en las concesiones de servicios públicos*. Buenos Aires: Librería Jurídica, 1936.

PLANIOL, Marcel. *Traté élémentaire de Droit Civil*. Paris: LGDJ, 1949. t. 2.

ROLLAND, Louis. *Précis de Droit Administratif*. Paris: Daloz, 1953.

Informação bibliográfica deste texto, conforme a NBR 6023:2018 da Associação Brasileira de Normas Técnicas (ABNT):

GUIMARÃES, Bernardo Strobel. Objeto da concessão de serviço público como atividade pública e seus efeitos sobre a mutabilidade do contrato. *In*: JUSTEN, Monica Spezia; PEREIRA, Cesar; JUSTEN NETO, Marçal; JUSTEN, Lucas Spezia (coord.). *Uma visão humanista do Direito*: homenagem ao Professor Marçal Justen Filho. Belo Horizonte: Fórum, 2025. v. 3, p. 253-270. ISBN 978-65-5518-915-5.

CONSIDERAÇÕES SOBRE AS ENCAMPAÇÕES IMPRÓPRIAS (E DE TODO ANTIJURÍDICAS)

BRUNO AURÉLIO

MARIA VIRGINIA N. DO A. MESQUITA NASSER

1 Introdução

O mercado é repetidor de alguns mantras próprios ao campo das leis. Aquele que mais reverbera no ambiente dos negócios públicos é pela busca de segurança jurídica nas relações. Certa também é a lamúria constante sobre sua ausência ou, sob a ótica do otimista, do eterno avanço em direção a um ideal que parece cada vez mais longínquo.

Procedimentos e mecanismos de resolução antecipada de contratos são elementos situados no quadrante da segurança jurídica. Isso porque impactam a certeza, a estabilidade e a continuidade das relações contratuais. No campo das hipóteses próprias à resolução antecipada dos contratos e suas nuances está situado este artigo, uma vez ser foco de receio ou, em não tão raros casos, de dramas sentidos pelos contratados. Vejamos.

Em 25 de julho de 2014, a Agência Infra publicou matéria intitulada "Proposta para caducidade das concessões rodoviárias é alvo de questionamento no RCR5".[1] Como sugere o título, noticiavam-se preocupações de agentes do setor rodoviário com algumas regras relativas principalmente a critérios para a instauração do processo de caducidade e para a indenização da concessionária na minuta do Regulamento de Concessões Rodoviárias 5, então levada à consulta pública pela Agência Nacional de Transportes Terrestres (ANTT).

O setor de rodovias é considerado maduro no mercado brasileiro de infraestrutura e isso se estende às concessões rodoviárias federais, que pertencem ao ambiente regulatório em que está sendo formulado o RCR 5. Os contratos de concessão postos em licitação e firmados pela ANTT trazem as cláusulas regulando eventuais eventos de

---

[1] SANTOS, Sheyla. Proposta para caducidade das concessões rodoviárias é alvo de questionamento no RCR5. *Agência Infra*, Brasília, DF, 25 jul. 2024. Disponível em: https://agenciainfra.com/blog/proposta-para-caducidade-de-concessoes-rodoviarias-e-alvo-de-questionamentos-no-rcr-5/. Acesso em: 10 ago. 2024.

encampação e caducidade com razoável nível de detalhe. Ainda assim, como se vê, o tema suscita e sempre suscitará preocupações, sobretudo quando se trata da caducidade.

Nossa proposta neste artigo é analisar as razões práticas que tornam esses temas tão sensíveis, reclamando tratamento adequado por parte de quem formula e de quem aplica a regulação, para, a partir de então, discutir alguns episódios em que, ao que nos parece, o instituto da encampação e da caducidade foi manejado de maneira inadequada.

Ao longo deste trabalho, procuramos integrar a doutrina e prática do Direito Administrativo com institutos do Direito Empresarial, sem o que não é possível abordar o tema das concessões, de maneira especial as de serviço público. Essa nos parece ser uma boa maneira de render homenagem ao Professor Marçal Justen Filho, que, reconhecendo que os fenômenos jurídicos não se manifestam em classificações estanques, transitou com excelência por distintas áreas do Direito e fez disso uma marca de sua doutrina.

2 A concessão de serviço público como instituto integrador de função pública e lógica empresarial

Em estudo sobre o instituto da concessão, Floriano de Azevedo Marques assevera que "a concessão desafia o antagonismo entre interesses públicos e interesses privados",[2] porque

> o objeto de uma concessão apresenta, a um só tempo, um interesse público, correspondente à finalidade justificadora da delegação de uma atribuição sua, e um interesse privado. Embora movidos por distintas finalidades, concedente e concessionário convergem para atingir um objetivo comum: realizar um cometimento público. O Poder Público visa a delegar ao particular a tarefa de dar uso a uma parcela de seu patrimônio ou disponibilizar uma utilidade pública. O privado vê nisso a oportunidade de desempenhar uma atividade que satisfaça seus interesses, mormente de natureza econômica.[3]

As concessões envolvem, assim, interesses distintos, mas que convergem para o objetivo de oferecer à coletividade um serviço público *strictu sensu* ou uma atividade de interesse público. Ao delegar a prestação de um serviço público ou de uma atividade de interesse público ao particular e, mais especificamente, a uma empresa privada, o Poder Público está reconhecendo a conveniência de submeter tais prestações à lógica empresarial. Os motivos para se reconhecer essa conveniência podem ser vários. Destacamos três deles, que nos parecem mais relevantes: (i) a maior *expertise* e eficiência do particular na prestação de determinadas atividades, permitindo ao Estado se concentrar em outras funções indelegáveis; (ii) as possibilidades mais amplas de que gozam os particulares de mobilizar capitais de terceiros para a realização dos investimentos necessários à operacionalização das atividades delegadas; (iii) a possibilidade de transferir a parceiros privados riscos inerentes a certos projetos ou atividades, ou compartilhá-los com tais entes, na medida em que cada parte os gerencie com mais eficiência.

---

[2] MARQUES, Floriano Peixoto de Azevedo. *Concessões*. Belo Horizonte: Fórum, 2015. p. 163.

[3] MARQUES. *Concessões*. p. 163-164.

Contratos sinalagmáticos para aquisição de bens ou serviços não devem ser objeto de concessão. Há, inclusive, vedações legais nesse sentido.[4] Reservam-se às concessões as atividades complexas, que dependem de uma verdadeira parceria entre Estado e particular, em geral envolvendo investimentos vultosos para viabilizar a prestação de serviço público ou atividade de interesse público. Não só são relevantes investimentos, mas também antecipados em relação ao fluxo de receitas e pagamentos, que resulta na aposta futura de que a promessa potencial de ganhos irá se aperfeiçoar.

Por terem objeto complexo, de caráter essencial, cuja consecução demanda investimentos relevantes e imediatos, e, para tanto, a mobilização de capitais de terceiros a ser pago no longo prazo, os contratos de concessão têm ou precisam ter por característica essencial a *estabilidade* e certeza de sua execução distante de influxos políticos ou rompantes de toda natureza.

Novamente voltando à lição de Floriano de Azevedo Marques:

> (...) a concessão implica uma delegação por prazo certo e determinado, com garantias ao particular de que tal prazo não cessará antes, salvo em situações excepcionais. Por essa razão, o regime geral das concessões pressupõe garantias de estabilidade da relação muito mais reforçadas do que aquelas aplicáveis aos contratos administrativos em sentido estrito (os contratos bilaterais, sinalagmáticos).
>
> Não se está a dizer que o vínculo concessório é inquebrantável.
>
> Pode haver ruptura antecipada por iniciativa de qualquer das partes nas hipóteses de descumprimento de obrigações da outra parte, força maior ou inviabilidade técnica ou econômica do prosseguimento da concessão. Contudo, a regra geral do instituto da concessão é impedir rompimentos antecipados do vínculo concessório por decisão unilateral de uma das partes. Por essa razão é que o ordenamento jurídico restringe, para as concessões, as hipóteses de desfazimento do contrato por interesse público.[5]

Por exigir grandes investimentos por parte do particular, que em geral se financia junto a terceiros com a cessão de uma expectativa futura de receitas, a busca da estabilidade da relação concessória implica garantias para mais de uma categoria de interessados. Essa estabilidade consiste não apenas na restrição das hipóteses legais em que uma parte pode unilateralmente rescindir o contrato e da imposição de um devido processo para que assim o faça, mas também na determinação de que o concessionário receba justa indenização pelos investimentos feitos e não amortizados até o momento.

É claro que o concessionário é o maior beneficiário dessa garantia. Ela encontra paralelo na garantia fundamental que a Constituição Federal reserva aos particulares

---

[4] As concessões de serviços públicos, como diz o próprio nome, são reservadas a serviços definidos como tais. No exíguo espaço desse artigo não temos como nos aprofundar nessa discussão, mas basta aqui afirmar que, seja qual for o critério utilizado, serviços públicos envolvem utilidades essenciais que cabe ao Estado oferecer aos cidadãos. Adicionalmente, o art. 2º, §4º, da Lei nº 11.079/2004 veda a celebração de contratos de Parceria Público-Privada (PPP) (i) que tenha valor inferior a R$10.000.000,00; (ii) prazo inferior a cinco anos e (iii) e cujos objetos únicos sejam o fornecimento de mão de obra, o fornecimento e a instalação de equipamentos ou a execução de obra pública.

[5] MARQUES. *Concessões*, p. 167.

de não serem desapropriados sem prévia e justa indenização.[6] Não se pode olvidar, entretanto, que também o Poder Público se beneficia da estabilidade contratual, podendo ter a expectativa de que as funções públicas por ele delegadas seguirão sendo prestadas. O mesmo vale para os usuários. Para os financiadores da concessão, é imprescindível a certeza de que o contrato não será desfeito de uma hora para outra, impedindo que a concessionária aufira as receitas necessárias para pagar suas dívidas junto aos financiadores.[7] E que, sobrevindo a rescisão antecipada, a concessionária será indenizada em montante suficiente para cobrir os empréstimos tomados para a realização dos investimentos.

É verdade que o pacto concessório não pode ser inquebrantável e não deve ser mantido a qualquer custo. A lei admite, repita-se, com justificadas restrições, a encampação da concessão por relevante e justificado interesse público, mediante lei autorizativa e pagamento de indenização prévia em dinheiro. Nos casos de falta do concessionário (basicamente relacionados a descumprimentos significativos da lei ou do contrato de concessão), admite-se a caducidade. Nesse caso, a indenização será posterior à retomada da concessão pelo Poder Concedente. É certo que, no caso da caducidade, o que autoriza a indenização posteriormente à reversão dos bens é o elemento de culpa do particular pela caducidade, aliado, potencialmente, a uma eventual urgência na retomada do serviço, se este estiver sendo prestado sofrivelmente.

Para a verificação da ocorrência de inadimplemento que justifique a caducidade, deve ser instaurado procedimento administrativo, garantida a ampla defesa e contraditório à concessionária (art. 38, §2º da Lei nº 8.987/1995).

Embora não encontremos na legislação a indicação de que são os inadimplementos e faltas graves que justificam a decretação de caducidade, isso resulta de uma interpretação holística das regras envolvendo o tema. Em primeiro lugar, se os contratos de concessão predicam a proteção de sua estabilidade, não pode qualquer falta da concessionária redundar em caducidade. Em segundo, se qualquer inadimplemento pudesse levar à caducidade, desnecessária seria a exigência de processo administrativo prévio, em que fosse garantido o contraditório e ampla defesa da concessionária, bastando a constatação da falta. Em terceiro lugar, são cláusulas essenciais dos contratos de concessão aquelas determinando as multas e demais penalidades aplicáveis em caso de inadimplemento contratual e faltas regulatórias. Essas penalidades é que devem ser o primeiro recurso de que lança mão o Poder Público para garantir a estrita observância do contrato de concessão. A decretação de caducidade seria o último.

Uma característica particular do nosso direito financeiro torna o tema da caducidade ainda mais sensível e potencialmente deletério ao concessionário. As dívidas contratuais de entes públicos são quitadas pelo regime de precatórios (art. 100 da

---

[6] Ver, em sentido semelhante: ENEI, José Virgílio Lopes. O estarrecedor caso da linha amarela no município do Rio de Janeiro: defesa do interesse público ou quebra de contrato? *In:* DAL POZZO, Augusto Neves; ENEI, José Virgílio Lopes (org.). *Tratado sobre o setor de rodovias no Direito brasileiro.* São Paulo: Contracorrente, 2022. p. 362-363.

[7] As concessões de serviço público e boa parte das concessões administrativas são financiadas sob a lógica daquilo que a prática internacional chama de *project finance.* Trata-se do modelo de financiamento em que a expectativa de repagamento da dívida está baseada no fluxo de caixa futuro do projeto, sendo as garantias do financiamento tomadas sobre esses recebíveis, e não na forma de garantias corporativas ou sobre ativos (daí por que *project finance* e não *corporate finance,* nem *asset finance*). Essa característica da modalidade de financiamento faz com que, para assegurar o repagamento do financiamento, seja necessária a continuidade do projeto ou, em caso de rescisão antecipada, a correta indenização dos investimentos feitos e não amortizados.

Constituição Federal). Por questões que não nos cabe analisar neste trabalho, os créditos de precatórios têm sido pagos por muitos anos (talvez cinco, talvez dez, talvez mais) após o reconhecimento judicial dessas dívidas.

Isso significa dizer que uma empresa concessionária de serviço público que sofra um processo de caducidade ficará sem o seu mais importante ativo – o contrato de concessão –, e pode levar anos para receber sequer a indenização pelos investimentos feitos e não amortizados.

Não por outra razão, a mera instauração do procedimento para averiguação do(s) inadimplemento(s) que podem culminar na declaração de caducidade já coloca em estado de alerta os financiadores da concessionária. Não há contrato de financiamento de uma concessão de serviço público ou administrativa que não preveja a imediata notificação do financiador em caso de instauração de processo administrativo dessa natureza, quando não forem previstas também outras consequências como a retenção de fluxos adicionais de receita para o reforço de garantias de repagamento do financiamento tomado. De igual forma, os modelos padrão de acordo direto e de acordo tripartite,[8] em projetos recentes de concessão, colocam o início do processo de caducidade como um dos eventos a serem notificados pelo Poder Concedente ao financiador, para que este tome as providências cabíveis visando à proteção de seu crédito.

A quase certeza da ruína da concessionária em caso de decretação da caducidade da concessão também se evidencia no campo da insolvência. As concessionárias são em geral sociedades de propósito específico voltadas exclusivamente a operar a concessão. Trata-se de exigência contida na maioria dos contratos de concessão e na própria Lei de Parcerias Público-Privadas (PPPs), como forma de isolar os riscos da concessionária daqueles de suas acionistas. Mesmo as receitas acessórias exploradas pelas concessionárias são auferidas em razão da existência da relação de concessão. Não por outro motivo, a concessão é equiparada pelo juízo recuperacional a bem de capital essencial à preservação da empresa (talvez o mais essencial deles). Nessa linha de raciocínio, o Superior Tribunal de Justiça (STJ), no Recurso Especial nº 1.828.901/SP, restabeleceu os efeitos da decisão do 8º Juízo da Vara Cível de Campinas-SP para manter a suspensão do processo de caducidade da concessionária Aeroportos Brasil – Viracopos S.A. instaurado pela Agência Nacional de Aviação Civil, sem o que não seria possível a reestruturação da empresa. Uma das razões de decidir foi o fato de que os serviços prestados por aquela concessionária eram satisfatórios, tendo sido a caducidade intentada em razão de inadimplementos financeiros (valores de outorga, basicamente) em face do Poder Concedente.[9]

Isso tudo demonstra a existência de uma proteção sistêmica à estabilidade do contrato de concessão e, ainda mais importante, que o manejo da caducidade predica cautelas.

---

[8] Acordo direto e acordo tripartite são versões adaptadas daquilo que a prática internacional de *project finance* chama de *direct agreements*. *Direct agreements* são contratos firmados entre terceiros interessados na concessão e o financiador, visando a garantir a continuidade do projeto em caso de inadimplemento por parte de seu desenvolver (*sponsor*). Podem ser firmados com o poder concedente de uma concessão, com construtores ou outros fornecedores relevantes.

[9] BRASIL. Superior Tribunal de Justiça. Tutela Provisória no Recurso Especial 1.828.901/SP. Relator: Pres. João Otávio de Noronha, 22 de janeiro de 2020. *Dje*: Brasília, DF, 2020.

Entretanto, temos visto em episódios recentes que esse entendimento está longe de ser pacífico no fazer da Administração Pública. Ainda se verifica, com alguma frequência, não apenas a tentativa de encampar a concessão sem o devido respeito ao direito do concessionário, como também o manejo da caducidade contra a concessionária que tem prestado o serviço que lhe incumbe a contento. É aquilo que chamamos de encampação imprópria. Ocorrem quando não há motivo justo para a caducidade, mas não se deseja fazer o pagamento da prévia indenização e sequer há interesse público que legitime a medida, como exige a encampação regular.

Descobre-se, um belo dia (em geral um dia que sucede a troca de mandato do chefe do Executivo que outorgou a concessão), que uma concessão que vinha operando há anos sem mais questionamentos do Poder Concedente, ofertando serviços a contento, está contaminada por alguma ilegalidade insanável e que, em nome de um interesse público abstrato, precisa ser imediatamente retomada.

Esses episódios de encampação imprópria costumam aparecer travestidos de cruzadas em defesa do interesse público, em que a Administração Pública, tendo dificuldades para demonstrar de forma concreta o preenchimento dos requisitos para promover a encampação ou a caducidade de maneira regular, afirma vícios insanáveis e riscos de lesão ao erário e à coletividade abstratas mas sempre muito graves, justificando os atalhos jurídicos de encampar sem indenização prévia ou decretar a caducidade sem o devido processo legal. Tudo isso ao gosto do "Direito Administrativo de espetáculo", criticado de forma muito pertinente por Marçal Justen Filho, em que importa mais a projeção da aparência de tutela da probidade e do interesse público que a concreta verificação dos reais benefícios e prejuízos que as medidas podem resultar para usuários, para a coletividade e para a própria higidez do ambiente institucional.[10]

Passamos a examinar dois episódios recentes razoavelmente recentes.

3 O caso da Linha Amarela

A Avenida Carlos Lacerda (também conhecida como Linha Amarela), no Rio de Janeiro-RJ, é uma via urbana pedagiada e concedida à iniciativa privada desde 1994.O prazo inicial da concessão era de 10 anos. O contrato sofreu sucessivos aditamentos,[11] que foram estendendo seu prazo original, ampliando seu objeto e pactuando reequilíbrios. O quinto aditamento visava aprimorar o tratamento contratual dos eventos de reequilíbrio econômico-financeiro e estabeleceu que suas recomposições se dariam tendo como parâmetro a manutenção da taxa interna de retorno do projeto. Previu, ainda, que os riscos de variação de demanda seriam alocados inteiramente à concessionária, fosse ela positiva ou negativa.

---

[10] JUSTEN FILHO. Marçal. O Direito Administrativo de espetáculo. *In:* ARAGÃO, Alexandre Santos de; MARQUES NETO, Floriano de Azevedo (coord.). *Direito Administrativo e seus novos paradigmas.* Belo Horizonte: Fórum, 2008. p. 65-84.

[11] Um deles (o terceiro), contempla a transferência da concessão da Construtora OAS S.A. para a Linha Amarela S.A., controlada pela Invepar. Baseamos esse resumo na excelente análise crítica do caso encontrada em: ENEI. O estarrecedor caso da linha amarela no município do Rio de Janeiro: defesa do interesse público ou quebra de contrato?, p. 347-371.

Em 2018, na administração do Prefeito Marcelo Crivella, a Controladoria-Geral do Município (CGM), ao realizar uma auditoria na concessão, concluiu que as obras pactuadas no âmbito do 11º aditamento contratual estavam superfaturadas (embora orçadas pela própria Prefeitura) e que o novo prazo contratual acordado (40 anos após 1º de janeiro de 1998) não se justificava, tendo em vista a real demanda verificada no trecho. Uma comissão parlamentar de inquérito instituída na Câmara Legislativa do Rio de Janeiro chegou a conclusões similares.

Em resposta a essas conclusões, a concessionária alegou que os riscos de variação de demanda haviam sido integralmente alocados a ela, de modo que a variação positiva não deveria ensejar reequilíbrio.

Sem instaurar processo de caducidade – já que de inadimplemento não se tratava e, se houvesse alguma irregularidade nos aditivos, no mínimo a culpa era recíproca, eis que livremente pactuados com a Administração Pública –, sem tomar as medidas necessárias para encampação, e, sem qualquer fundamento normativo, o Prefeito editou dois decretos municipais em sequência, determinando a suspensão da cobrança de pedágio na via. Ambos foram rechaçados pelo Poder Judiciário.[12]

Em outubro de 2019, Marcelo Crivella anuncia o rompimento unilateral do contrato e ordena a remoção dos funcionários da via e a destruição das praças de pedágio, protagonizando a cena das retroescavadeiras avançando sobre as cabines que entraram para os anais da infraestrutura (com notas de desencanto).[13] No dia seguinte, uma liminar do Judiciário carioca determinava que a Prefeitura deixasse de destruir as cabines de pedágio e restabelecia a cobrança de pedágio na via.

Foi então que o Executivo Municipal propôs e obteve aprovação em tempo recorde do projeto de lei que resultou na Lei Complementar nº 213, de 5 de novembro de 2019, autorizando a encampação da Linha Amarela. A lei previa, de forma bastante criativa, que a indenização eventualmente devida seria "amortizada em razão dos prejuízos apurados pelo poder Executivo, pelo Tribunal de Contas do Município e reconhecidos em investigação conduzida pela Câmara de Vereadores".[14]

Não bastasse a compensação unilateral da indenização prévia devida (sem qualquer amparo constitucional e da Lei Geral de Concessões), o Prefeito ofereceu imóveis do Município em caução ao pagamento de eventual saldo de indenização. Ativos sem qualquer liquidez, inclusive porque afetos a uso público.

---

[12] Decreto Municipal nº 45.546, de 20 de dezembro de 2018, e Decreto Municipal nº 45.645, de 1º fevereiro de 2019, datas bastante impróprias para que o particular seja surpreendido com tais medidas, como se pode supor.

[13] A respeito do lamentável evento e de como a insegurança jurídica gerada por esse tipo de atitude aumenta o risco de corrupção, ao invés de proteger o interesse público, ver nosso: NASSER, Maria Virginia N. do Amaral Mesquita. Tarcísio, Moro e Crivella: um olhar sobre corrupção e infraestrutura em 2019. *Jota*, São Paulo 31 jan. 2020. Disponível em: https://www.jota.info/artigos/tarcisio-moro-e-crivella-uma-olhar-sobre-corrupcao-e-infraestrutura-em-2019-31012020. Acesso em: 10 ago. 2024. Um registro de como o caso repercutiu muito negativamente no mercado foi ser encontrado em: GOLDBERG, Daniel. A Municipalidade Bolivariana do Rio de Janeiro. *Brazil Journal*, Rio de Janeiro, 1 nov. 2019. Disponível em: https://braziljournal.com/opiniao-a-municipalidade-bolivariana-do-rio-de-janeiro/. Acesso em: 10 ago. 2024.

[14] RIO DE JANEIRO. Lei Complementar Municipal nº 213, de 5 de novembro de 2019. Autoriza a encampação da operação e da manutenção da Avenida Governador Carlos Lacerda – Linha Amarela, e dá outras providências. Rio de Janeiro: Poder Executivo Municipal, 2019. art. 1º, §1º. Disponível em: https://aplicnt.camara.rj.gov.br/APL/Legislativos/contlei.nsf/a99e317a9cfec383032568620071f5d2/7a3ccdcda3b5a77a832584aa004d7f84?OpenDocument#:~:text=Lei%20Complementar&text. Acesso em: 10 ago. 2024.

A concessionária LAMSA obteve diversas medidas judiciais visando evitar a encampação da concessão nas bases propostas pelo Município, dentre elas a decisão liminar proferida nos autos da Representação de Inconstitucionalidade nº 0073142-71.2019.8.19.0000, determinando a suspensão do procedimento de encampação por reconhecer indícios de inconstitucionalidade da lei que a autorizava.[15]

Essa decisão, entretanto, foi objeto da Suspensão Liminar de Segurança nº 2.792/RJ, interposta pelo Município do Rio de Janeiro perante o Superior Tribunal de Justiça (STJ). Apreciando liminarmente a questão, o Ministro Humberto Martins proferiu nova medida liminar, dessa vez acolhendo o pleito do Município, tantas vezes rechaçado, para permitir a encampação da concessão nas bases da Lei Complementar nº 213.

Como o Município acabou por não consumar a encampação – provavelmente por falta de condições de assumir o serviço – mas mantinha a suspensão da cobrança de pedágio na via, a questão foi levada ao Supremo Tribunal Federal (STF) por meio da Reclamação nº 43.697, dessa vez proposta pela Associação Brasileira de Concessionárias de Rodovias (ABCR). Há notícia de que foi fixada uma tarifa de pedágio provisória que vem sendo cobrada enquanto as partes realizam perícias que deverão apurar o que é devido a cada uma das partes.

4 O caso Piauí Conectado[16]

A concessionária SPE Piauí Conectado S.A. (Piauí Conectado) firmou um contrato de parceria público-privada na modalidade concessão administrativa com o Estado do Piauí em junho de 2018 (Contrato de PPP ou Contrato). O contrato tinha por escopo a construção, operação e manutenção de infraestrutura de transporte de dados, voz e imagem no estado, além de serviços associados para o governo do Estado do Piauí.[17]

Entre os anos de 2018 e 2022, os serviços contratados foram entregues de forma adequada, com aprovação pelo verificador independente e repercussão nacional muito positiva sobre o Projeto Piauí Conectado. Nesse intervalo, não houve qualquer tipo de advertência ou de notificação por parte do Poder Concedente indicando que existisse ou tenha sido praticada qualquer irregularidade no âmbito do contrato pela concessionária. A execução dos serviços era reconhecidamente adequada e satisfatória. No período em questão, o Estado do Piauí passou do último ao primeiro lugar no ranking Minha Conexão, que mede a velocidade média de *internet* de todos os Estados do país, sendo um dos poucos estados brasileiros e o único da Região Nordeste integralmente conectado por uma rede de fibra ótica de capilaridade significativa, apta a modernizar os serviços de telecomunicações.

A partir de 1 de janeiro de 2023, com a mudança de gestão no governo do estado, a concessionária passou a enfrentar uma série de dificuldades e arbitrariedades, que acabaram impedindo a execução do contrato. Inicialmente, o Estado do Piauí instaurou

---

[15] Até a data de conclusão deste artigo, o processo não teve julgamento definitivo.

[16] Embora não representem a Piauí Conectado no Procedimento Arbitral CCBC nº 84/2023/SEC7, os autores atuaram como consultores do principal acionista da empresa em dado momento. As informações fornecidas neste trabalho são públicas e podem ser objetivamente conferidas em decisões sobre o caso.

[17] Os autores agradecem a Telma Lisowski pela colaboração no resumo do caso envolvendo a Piauí Conectado.

processo administrativo para apurar um suposto desequilíbrio econômico-financeiro em desfavor do Poder Concedente. Nesse processo, o verificador independente concluiu pela inexistência de desequilíbrio. Na sequência, foi instaurado processo sancionatório, supostamente em razão da ausência de prestação de informações acerca da rede de fibra ótica efetivamente construída e da deficiência na contabilização dos bens reversíveis. Veja-se que o tema central do processo de caducidade são alegadas falhas de contabilidade regulatória e prestação de informações fiscais. Não havia demonstração cabal de prestação deficitária do serviço contratado.

O Estado do Piauí, então, aplicou uma medida cautelar de retenção de nada menos que 65% da contraprestação mensal, o que levou a concessionária a instaurar um procedimento de árbitro de emergência perante o Centro de Arbitragem e Mediação da Câmara de Comércio Brasil-Canadá (CAM-CCBC), em razão de cláusula compromissória existente no contrato.

A concessionária obteve uma decisão favorável do árbitro de emergência, que, dentre outras medidas, determinou o pagamento imediato dos valores unilateralmente deduzidos pelo Estado e o restabelecimento do fluxo de pagamentos previsto no contrato.

Porém, a decisão não chegou a ser cumprida, pois o Estado do Piauí ajuizou uma ação anulatória perante o Poder Judiciário e obteve decisão liminar determinando a suspensão de seus efeitos.

Em 5 de dezembro de 2023, o Estado do Piauí decretou intervenção na concessão administrativa, nomeando interventor e suspendendo o mandato dos diretores da SPE, sob a alegação de descumprimentos contratuais relativos à construção da rede de fibra ótica e prestação de informações. A concessionária, então, seguiu atuando em duas frentes: na arbitragem, agora já com o Tribunal Arbitral formado, após ser exaurida a jurisdição do árbitro de emergência (Procedimento Arbitral CCBC nº 84/2023/SEC) e perante o Poder Judiciário.

Após a obtenção de uma decisão favorável em mandado de segurança que acabou determinando o sobrestamento dos efeitos do decreto de intervenção, o Estado do Piauí subitamente decretou a caducidade da concessão, em apenas dois dias úteis após a apresentação de extensa defesa administrativa pela concessionária. Esta, por sua vez, formulou novo pedido de tutela de urgência em sede arbitral, requerendo a suspensão do decreto de caducidade e o retorno dos pagamentos suspensos pelo Poder Concedente, dentre outras medidas.

Em 25 de março de 2024, o Tribunal Arbitral proferiu decisão concedendo os pedidos da Concessionária para suspender imediatamente os efeitos do decreto de caducidade, determinar a retomada da prestação dos serviços, o retorno e restituição dos administradores, diretores e membros do conselho fiscal e da administração da concessionária, o pagamento imediato dos valores inadimplidos e o restabelecimento do fluxo de pagamentos previsto no contrato. Segundo o entendimento do Tribunal Arbitral, para fins de análise cautelar, havia elementos suficientes para demonstrar que o contrato vinha sendo adequadamente cumprido, notadamente atestados de capacidade técnico-operacional, avaliação do verificador independente e documentação proveniente do Tribunal de Contas do Piauí (TCE-PI), da Controladoria-Geral do Estado (CGE PI) e do Comitê de Monitoramento e Gestão.

Ademais, o Tribunal Arbitral também destacou, como fundamento para sua decisão, o exíguo espaço de tempo decorrido entre a apresentação da defesa administrativa pela concessionária e o decreto de caducidade, o que revelava que essa medida foi decretada sem o necessário enfrentamento das considerações da concessionária sobre o mérito do relatório final da intervenção.[18]

Novamente, a decisão favorável obtida pela Concessionária não chegou a ser cumprida, pois o Estado do Piauí obteve nova decisão judicial determinando sua suspensão, proferida nos autos da mesma ação anulatória ajuizada em face da decisão do árbitro de emergência. Atualmente, está pendente de julgamento final um Conflito de Competência suscitado pela concessionária perante o STJ (CC nº 206.850), justamente em razão da prolação de decisões conflitantes pelas jurisdições arbitral e estatal.

Nesse meio tempo, o financiador da concessão declarou o vencimento antecipado das debêntures que compunham a dívida de longo prazo da concessionária, que entrou em recuperação judicial. A depender do desfecho da recuperação judicial, credores privados da empresa deverão se sacrificar para permitir o soerguimento de uma concessionária que entra em dificuldades financeiras por conta do manejo controverso dos chamados poderes extroversos da administração contratante. A situação não nos parece em nada aderente ao interesse público.

5 Considerações finais

As concessões de serviço público e as concessões administrativas de atividades de interesse público têm como elemento fundante a estabilidade dos pactos concessionários. As razões para tanto não se restringem à necessidade de continuidade da atividade delegada, embora ela por si constitua razão suficiente para a proteção dessa estabilidade. A estabilidade desses contratos visa a proteger outras partes afetadas pelo pacto concessionário, como financiadores, a empresa-concessionária e aqueles que dela dependem.

Assim, o manejo de institutos como a encampação e a caducidade predica cautelas e a estrita observância dos requisitos legais e eles aplicáveis, como a indenização prévia, em caso de encampação, e o inadimplemento contratual grave, verificado por meio de procedimento administrativo específico, em que se assegure o contraditório e ampla defesa da concessionária, no caso da caducidade.

---

[18] Bastante equilibrada, a decisão pontua que, embora a cognição até aquele momento tenha sido sumária e ficando a resguardada a possibilidade de o Estado do Piauí provar as falhas apontadas:

"(...) chama atenção, no contexto fático em que se insere, a substancial redução da contraprestação devida à Requerente, na ordem de 65%, juntamente às implicações dos Decretos de Intervenção e Caducidade à execução do Contrato, quando contrapostas aos inadimplementos suscitados pelo Requerido. No caso da redução da contraprestação, ademais, salta aos olhos a acentuada diferença entre, de um lado, o percentual de 65% arbitrado pelo Requerido para a diminuição do valor da contraprestação, e, de outro lado, o valor máximo da multa por inadimplemento contratual previsto na cláusula 31.3.2 do Contrato correspondente a "1% (um por cento) do valor da última contraprestação Pública".

Como elementos hábeis a indicar a probabilidade do direito da Requerente, porém, o Tribunal considera suficiente a constatação de (i) impactos financeiros severos decorrentes das medidas aplicadas pelo requerido e (ii) a existência de documentação apta a sugerir o regular cumprimento do Contrato até a presente disputa.

Nesse sentido, o Tribunal Arbitral observa que a requerente reuniu vasta coleção de registros com o intuito de demonstrar o cumprimento contratual, notadamente mediante atestados de capacidade técnico-operacional e avaliação do verificador independente, além de documentação proveniente do TCE-PI, da CGE PI e do Comitê de Monitoramento e Gestão.

Fora dessas hipóteses, teremos a aplicação de corruptelas desses institutos em afronta à segurança jurídica, fazendo corroer o ambiente institucional que seria adequado ao desenvolvimento de projetos capazes de oferecer serviços de qualidade à população.

Que saibamos praticar o Direito Administrativo da concreção dos direitos sociais e de uma ordem jurídica justa, em detrimento do "Direito Administrativo de espetáculo".

Referências

BRASIL. Superior Tribunal de Justiça. Tutela Provisória no Recurso Especial 1.828.901/SP. Relator: Pres. João Otávio de Noronha, 22 de janeiro de 2020. *Dje*: Brasília, DF, 2020.

ENEI, José Virgílio Lopes. O estarrecedor caso da linha amarela no município do Rio de Janeiro: defesa do interesse público ou quebra de contrato? *In*: DAL POZZO, Augusto Neves; ENEI, José Virgílio Lopes (org.). *Tratado sobre o setor de rodovias no Direito brasileiro*. São Paulo: Contracorrente, 2022. p. 347-371.

GOLDBERG, Daniel. A Municipalidade Bolivariana do Rio de Janeiro. *Brazil Journal*, Rio de Janeiro, 1 nov. 2019. Disponível em: https://braziljournal.com/opiniao-a-municipalidade-bolivariana-do-rio-de-janeiro/. Acesso em: 10 ago. 2024.

JUSTEN FILHO. Marçal. O Direito Administrativo de espetáculo. *In*: ARAGÃO, Alexandre Santos de; MARQUES NETO, Floriano de Azevedo (coord.). *Direito Administrativo* e seus novos paradigmas. Belo Horizonte: Fórum, 2008. p. 65-84.

MARQUES, Floriano Peixoto de Azevedo. *Concessões*. Belo Horizonte: Fórum, 2015.

NASSER, Maria Virginia N. do Amaral Mesquita. Tarcísio, Moro e Crivella: um olhar sobre corrupção e infraestrutura em 2019. *Jota*, São Paulo 31 jan. 2020. Disponível em: https://www.jota.info/artigos/tarcisio-moro-e-crivella-uma-olhar-sobre-corrupcao-e-infraestrutura-em-2019-31012020. Acesso em:10 ago. 2024.

RIO DE JANEIRO. Lei Complementar Municipal nº 213, de 5 de novembro de 2019. Autoriza a encampação da operação e da manutenção da Avenida Governador Carlos Lacerda – Linha Amarela, e dá outras providências. Rio de Janeiro: Poder Executivo Municipal, 2019. Disponível em: https://aplicnt.camara.rj.gov.br/APL/Legislativos/contlei.nsf/a99e317a9cfec383032568620071f5d2/7a3ccdcda3b5a77a832584aa004d7f84?OpenDocument#:~:text=Lei%20Complementar&text. Acesso em: 10 ago. 2024.

SANTOS, Sheyla. Proposta para caducidade das concessões rodoviárias é alvo de questionamento no RCR5. *Agência Infra*, Brasília, DF, 25 jul. 2024. Disponível em: https://agenciainfra.com/blog/proposta-para-caducidade-de-concessoes-rodoviarias-e-alvo-de-questionamentos-no-rcr-5/. Acesso em: 10 ago. 2024.

Informação bibliográfica deste texto, conforme a NBR 6023:2018 da Associação Brasileira de Normas Técnicas (ABNT):

AURÉLIO, Bruno; NASSER, Maria Virginia N. do A. Mesquita. Considerações sobre as encampações impróprias (e de todo antijurídicas). *In*: JUSTEN, Monica Spezia; PEREIRA, Cesar; JUSTEN NETO, Marçal; JUSTEN, Lucas Spezia (coord.). *Uma visão humanista do Direito*: homenagem ao Professor Marçal Justen Filho. Belo Horizonte: Fórum, 2025. v. 3, p. 271-281. ISBN 978-65-5518-915-5.

A EVOLUÇÃO DA MATRIZ DE RISCOS NOS CONTRATOS DA AGÊNCIA NACIONAL DE TRANSPORTES TERRESTRES (ANTT)

CRISTINA M. WAGNER MASTROBUONO

1 Introdução

Com a evolução dos contratos administrativos, os instrumentos contratuais tornaram-se mais complexos. Eles passaram a envolver muitas obrigações e deveres para ambas as partes. Muitos fatores, certos ou incertos, previsíveis ou não, são capazes de impactar as receitas esperadas para a sustentabilidade econômico-financeira de um projeto. Por isso, surgiu a necessidade de inclusão de um capítulo específico nos contratos. Essas cláusulas tratam dos riscos mais comuns e definem a responsabilidade de cada parte pelos custos ou prejuízos decorrentes, caso venham a ser concretizados.

Isso vem sendo denominado como a "matriz de riscos", o que, atualmente, é parte imprescindível de um contrato, em especial, dos contratos complexos. A matriz de riscos nada mais é do que a identificação e a distribuição dos riscos que incidem sobre um projeto entre as partes e tem estreita relação com os incentivos que se quer incutir ao comportamento destas.

A distribuição dos riscos é aspecto determinante na estruturação econômico-financeira de um projeto, juntamente com os indicadores de desempenho, a estrutura de pagamentos, o conjunto de penalidades e o sistema de equilíbrio econômico.[1] Este artigo busca analisar a evolução desse elemento dos contratos para a construção e exploração de serviços nas rodovias e toma como base concreta o desenvolvimento ocorrido nos contratos utilizados pela Agência Nacional de Transportes Terrestres (ANTT). Em especial, cabe destacar o processo de aperfeiçoamento do Regulamento das Concessões Rodoviárias, atualmente regido pela Resolução nº 5.950/2021, que está sendo conduzido

---

[1] RIBEIRO, Maurício Portugal. *Concessões e PPPs*: melhores práticas em licitações e contratos. Rio de Janeiro: Atlas, 2010. p.76.

pela ANTT, inclusive no que diz respeito ao tratamento dado aos riscos que são inerentes aos contratos por ela regulados.

Para tanto, traçaremos um breve histórico do tratamento legal dado ao tema, apresentaremos as etapas do programa federal de concessões e os modelos de contratos utilizados e, ao final, exploraremos a nova regulamentação da agência federal.

2 Matriz de riscos e sua relação com o equilíbrio econômico-financeiro contrato

O direito à manutenção do equilíbrio econômico-financeiro de um contrato é considerado por alguns doutrinadores como um direito constitucional, construído a partir da interpretação de diversos dispositivos que constam na Constituição Federal. Nesse sentido, Marçal Justen Filho afirma: "O princípio da tutela à equação econômico-financeira do contrato administrativo tem sede constitucional. Relaciona-se a certos postulados assegurados pela Constituição Federal".[2] Em sua tese, cita o renomado jurista o princípio da indisponibilidade do interesse público, calcada na moralidade administrativa, o princípio da isonomia e o princípio da propriedade privada.

Em termos regulatórios, o risco é um evento incerto ou certo, previsível ou não, que pode ou não se concretizar ao longo da execução de um contrato, e cuja materialização tem o potencial de gerar ônus ou bônus às partes envolvidas e, consequentemente, gerar um desequilíbrio econômico-financeiro ao contrato em relação a uma das partes.

A Lei nº 8.666/93 – a antiga Lei de Licitações – continha previsão (art. 65) das situações que, uma vez ocorridas, ensejavam o direito ao reequilíbrio econômico-financeiro dos contratos, em especial, nos casos de alteração unilateral do ajuste pela Administração Pública e na ocorrência de fatos imprevisíveis ou previsíveis, porém de consequências incalculáveis, retardadores ou impeditivos da execução do ajustado, ou, ainda, em caso de força maior, caso fortuito ou fato do príncipe, configurando álea econômica extraordinária e extracontratual.

Conquanto essa previsão possa ter se mostrado suficiente nos contratos de curto prazo envolvendo a entrega de objeto(s) único(s) ou do mesmo tipo, verificou-se que, em contratos mais complexos e de longo prazo, que envolvem múltiplos objetos sob um único instrumento contratual – como é o caso de concessões e Parcerias Público-Privadas (PPPs) –, seria necessário prever com mais detalhes acerca de todos os riscos certos ou incertos que eventualmente poderiam se materializar e, com isso, impactar fortemente o projeto objeto do contrato e o seu equilíbrio econômico-financeiro.

No que concerne às concessões comuns, a Lei nº 8.987/95 (Lei de Concessões) optou por inserir o risco como uma atividade inerente a esse modelo contratual, alocando-o, em princípio, à concessionária, ao indicar que a prestação do serviço público ocorrerá "por conta e risco" da pessoa jurídica delegatária.[3] O que não impede, como se verá,

---

[2] JUSTEN FILHO, Marçal. *Teoria geral das concessões de serviço público*. São Paulo: Dialética, 2003. p. 392.

[3] "Art. 2º Para os fins do disposto nesta Lei, considera-se:

(...)

II - concessão de serviço público: a delegação de sua prestação, feita pelo poder concedente, mediante licitação, na modalidade concorrência ou diálogo competitivo, a pessoa jurídica ou consórcio de empresas que demonstre

que o contrato adote uma matriz de riscos na qual o Poder Público fique responsável por alguns deles ou que se opte por um compartilhamento dos riscos entre as partes contratantes. O conteúdo literal da lei não pode ser interpretado como uma vedação à possibilidade de a Administração Pública estabelecer cláusulas contratuais impondo determinadas obrigações e riscos ao poder concedente, se tal medida for mais eficiente para o resultado do projeto e refletir em benefícios diretos e indiretos, como a redução na precificação do contrato, por exemplo.

Já a lei que cria as concessões administrativas e as patrocinadas, Lei nº 11.079/2004 (Lei das PPPs), estabelece que a repartição objetiva dos riscos entre as partes é uma das diretrizes do modelo contratual.[4] De fato, a complexidade e a multiplicidade de obrigações alocadas às partes, a unicidade de cada projeto, que exigem um conjunto de cláusulas customizadas, tornam "conveniente que a matriz de risco seja explícita e que a sua elaboração seja fruto de reflexão sobre ao menos os principais riscos do projeto".[5]

Durante a estruturação do projeto, deverão os agentes envolvidos fazer um exercício de previsão de toda a sorte de fatores que podem de alguma forma influenciar a sua execução. Trata-se de tarefa complexa e não isenta de falhas. Como bem esclarece Marcos Nóbrega,[6] "um dos pontos mais sensíveis da modelagem de contratos de infraestrutura em geral e Parcerias Público-Privadas em particular é a detecção dos riscos envolvidos e a melhor forma de distribuí-los e minimizá-los".

A necessidade de definir uma clara distribuição de riscos entre as partes e, assim, evitar discussões acerca da possibilidade ou não do reequilíbrio do contrato, foi incorporada pela Nova Lei de Licitações e Contratos Administrativos (NLLCA), a Lei nº 14.133/2021, que traz definição de matriz de riscos[7] e a possibilidade de sua inserção

---

capacidade para seu desempenho, por sua conta e risco e por prazo determinado; (já com a redação dada pela Lei 14.133, de 2021) (...)" (BRASIL. Lei nº 8.987, de 13 de fevereiro de 1995. Dispõe sobre o regime de concessão e permissão da prestação de serviços públicos previsto no art. 175 da Constituição Federal, e dá outras providências. *Diário Oficial da União*: Brasília, DF, 1995).

4   "Art. 4º Na contratação de parceria público-privada serão observadas as seguintes diretrizes:
I - eficiência no cumprimento das missões de Estado e no emprego dos recursos da sociedade;
II - respeito aos interesses e direitos dos destinatários dos serviços e dos entes privados incumbidos da sua execução;
III - indelegabilidade das funções de regulação, jurisdicional, do exercício do poder de polícia e de outras atividades exclusivas do Estado;
IV - responsabilidade fiscal na celebração e execução das parcerias;
V transparência dos procedimentos e das decisões;
VI - repartição objetiva de riscos entre as partes;
VII - sustentabilidade financeira e vantagens socioeconômicas dos projetos de parceria" (BRASIL. Lei nº 11.079, de 30 de dezembro de 2004. Institui normas gerais para licitação e contratação de parceria público-privada no âmbito da Administração Pública. *Diário Oficial da União*: Brasília, DF, 2004. Disponível em: https://www.planalto.gov.br/ccivil_03/_ato2004-2006/2004/lei/l11079.htm. Acesso em: 18 jul. 2024).

5   RIBEIRO. *Concessões e PPPs*: melhores práticas em licitações e contratos, p. 77.

6   NÓBREGA, Marcos. Riscos em projetos de infraestrutura: incompletude contratual; concessões de serviço público e PPPs. *Revista Brasileira de Direito Público – RBDP*, Belo Horizonte, ano 8, n. 28, jan./mar. 2010. Disponível em: http://www.bidforum.com.br/bid/PDI0006.aspx?pdiCntd=66032. Acesso em: 10 ago. 2024.

7   "Art. 6º Para os fins desta Lei, consideram-se:
XXVII - matriz de riscos: cláusula contratual definidora de riscos e de responsabilidades entre as partes e caracterizadora do equilíbrio econômico-financeiro inicial do contrato, em termos de ônus financeiro decorrente de eventos supervenientes à contratação, contendo, no mínimo, as seguintes informações:
a) listagem de possíveis eventos supervenientes à assinatura do contrato que possam causar impacto em seu equilíbrio econômico-financeiro e previsão de eventual necessidade de prolação de termo aditivo por ocasião de sua ocorrência;

no edital da licitação,[8] tornando seu uso obrigatório em alguns tipos de contrato, como no regime de contratação integrada e semi-integrada.[9]

Ainda, a NLLCA prevê que devem ser identificados os riscos contratuais previstos e presumíveis, sua alocação deve ser feita entre contratante e contratado e considerará, dentre outros aspectos ali indicados, "a capacidade de cada setor para melhor gerenciá-lo".[10] Considerando essa capacidade de gerenciamento e solução das consequências da materialização do risco, há uma preferência de que os riscos seguráveis sejam alocados ao contratado.

A nova legislação de licitações e contratos administrativos veio, portanto, exigir que o contrato trate claramente sobre o tema, e traça diretrizes para a elaboração da matriz de riscos, dos quais se destacam a necessidade de quantificação dos "riscos para fins de projeção dos reflexos de seus custos no valor estimado da contratação",[11] e, de grande importância, a alçou a parâmetro para a definição do equilíbrio econômico-financeiro inicial do contrato em relação a eventos supervenientes, impondo sua observância na solução de eventuais pleitos das partes. Por fim, a nova legislação administrativa impõe o dever de renúncia ao contratado de apresentar pleitos de reequilíbrio dos contratos em relação a desequilíbrio causados por riscos assumidos.[12]

3 A evolução dos contratos de concessão da ANTT

A ANTT foi criada por meio da Lei nº 10.233/2001, com a finalidade de regular, supervisionar e fiscalizar as atividades de prestação de serviços e de exploração da infraestrutura de transportes, exercidas por terceiros, visando garantir a movimentação de pessoas e bens; harmonizar os interesses dos usuários com os das empresas concessionárias, permissionárias, autorizadas e arrendatárias e de entidades delegadas, preservando o interesse público; arbitrar conflitos de interesses e impedir situações que configurem competição imperfeita ou infração contra a ordem econômica.[13]

---

b) no caso de obrigações de resultado, estabelecimento das frações do objeto com relação às quais haverá liberdade para os contratados inovarem em soluções metodológicas ou tecnológicas, em termos de modificação das soluções previamente delineadas no anteprojeto ou no projeto básico;
c) no caso de obrigações de meio, estabelecimento preciso das frações do objeto com relação às quais não haverá liberdade para os contratados inovarem em soluções metodológicas ou tecnológicas, devendo haver obrigação de aderência entre a execução e a solução predefinida no anteprojeto ou no projeto básico, consideradas as características do regime de execução no caso de obras e serviços de engenharia;

8   BRASIL. Lei nº 11.079, de 30 de dezembro de 2004, art. 22.

9   Nesses dois tipos de contrato, "os riscos decorrentes de fatos supervenientes à contratação associados à escolha da solução de projeto básico pelo contratado deverão ser alocados como de sua responsabilidade na matriz de riscos", nos termos do § 3º do art. 22 da NLCCA (BRASIL. Lei nº 14.133, de 1º de abril de 2021. *Diário Oficial da União*: Brasília, DF, 2021. Disponível em: https://www.planalto.gov.br/ccivil_03/_ato2019-2022/2021/lei/l14133.htm. Acesso em: 10 ago. 2024).

10   BRASIL. Lei nº 11.079, de 30 de dezembro de 2004, art. 103.

11   BRASIL. Lei nº 11.079, de 30 de dezembro de 2004.

12   Exceto nas alterações unilaterais do contrato por parte da Administração Pública e ao aumento ou à redução, por legislação superveniente, dos tributos diretamente pagos pelo contratado em decorrência do contrato (incisos I e II, §5º, do artigo 103).

13   BRASIL. Agência Nacional de Transportes Terrestres. Agência Nacional de Transportes Terrestres – ANTT. *Gov.br*, Brasília, DF, [2024]. https://dados.antt.gov.br/organization/about/agencia-nacional-de-transportes-terrestres-antt#. Acesso em: 18 jul. 2024.

Desde 1995, o Brasil vem implementando um programa de concessões rodoviárias com o objetivo de melhorar a infraestrutura de transporte, aumentar a eficiência operacional das rodovias e atrair investimentos privados. Esse programa é gerido pela ANTT, que também supervisiona os contratos.

O Programa de Concessões Rodoviárias Federais (PROCROFE) foi criado em 1993, pela Portaria Ministerial nº 10/1993, e, desde então, muitos foram os modelos adotados, no que se costumou denominar como "rodada de concessões rodoviárias". Seguem as principais características de cada um desses períodos.

3.1 Primeira rodada de concessões (1995-2000)

A primeira rodada de concessões rodoviárias ocorreu entre 1994 e 2000, sob o governo de Fernando Henrique Cardoso. Esse período foi marcado pela privatização de várias rodovias federais estratégicas, com o objetivo de atrair investimentos privados para a expansão e manutenção da infraestrutura rodoviária. As principais características dessa rodada foram: (a) modelo de outorga como critério de seleção: a licitação era baseada no maior valor de outorga oferecido pelas empresas participantes; (b) investimentos e melhoria: as empresas concessionárias eram responsáveis por investimentos em manutenção, expansão e melhoria das rodovias concedidas.

Os contratos mais notáveis celebrados desta fase incluíram: (1) Concessão da Rodovia Presidente Dutra (BR-116), ligando Rio de Janeiro a São Paulo, concedida ao Grupo CCR e (2) Concessão da Rodovia Fernão Dias (BR-381), ligando Belo Horizonte a São Paulo.

3.2 Segunda rodada de concessões (2007-2010)

A segunda rodada de concessões ocorreu entre 2007 e 2010, já sob o governo de Luiz Inácio Lula da Silva. Essa fase trouxe uma nova abordagem, focando na redução das tarifas de pedágio e na ampliação da malha concedida. As principais características dessa rodada foram: (a) o critério de seleção das concessões passou a ser o menor valor de pedágio oferecido e (b) as concessionárias tiveram que assumir compromissos mais robustos de investimentos e melhorias, incluindo a duplicação de rodovias e a implementação de tecnologias para segurança e eficiência.

Os contratos destacados desta rodada incluem a Concessão da BR-101, trecho entre o Espírito Santo e a Bahia, e a Concessão da BR-116 (São Paulo-Curitiba) e BR-324, no trecho que liga Feira de Santana a Salvador, na Bahia.

3.3 Terceira rodada de concessões (2013-2018)

A terceira rodada de concessões foi promovida durante o governo de Dilma Rousseff, com o objetivo de expandir ainda mais a infraestrutura rodoviária e promover a competitividade. As principais características dos projetos nessa fase são: (a) o critério de seleção permaneceu sendo o menor valor do pedágio oferecido e (b) foi colocada ênfase em investimentos substanciais na expansão e modernização das rodovias na fase inicial da concessão, com exigências de duplicação de vias e implementação de novas tecnologias.

Os contratos relevantes dessa rodada incluem a Concessão da BR-163, ligando Mato Grosso ao Pará, e a Concessão da BR-040, ligando Brasília ao Rio de Janeiro.

Cabe observar que o modelo desta rodada recebeu muitas críticas, sendo que, em 2020, anunciava-se que ao menos um terço das concessões do período provavelmente seria devolvido para uma nova licitação.[14]

3.4 Quarta rodada de concessões (2018-2022)

Com início ao final do governo Temer e até o final do governo Bolsonaro, a quarta rodada de concessões buscou equilibrar algumas das dificuldades enfrentadas nas etapas anteriores, preparando uma estrutura que favorece a execução contratual em longo prazo, alongando o período de investimentos e mecanismos de mitigação de riscos, como queda de demanda e aumento dos custos. Esclarece a ANTT que o novo contrato utilizado procurou avançar no modelo regulatório, com a criação de instrumentos "para que os contratos sejam mais rigorosos, mas, ao mesmo tempo, suficientemente dinâmicos para atender às mudanças que ocorrem ao longo dos 30 anos de concessão".[15]

Contratos assinados são os da Via Sul, Via Costeira, Ecovias do Cerrado, Ecovias do Araguaia, Via Brasil, EcoRioMinas e RioSP. Foram preservados pontos positivos das rodadas anteriores, como os relacionados à elaboração do Programa de Exploração de Rodovias (PER), a metodologia de revisão das tarifas de pedágio, e medidas que buscam garantir a sustentabilidade econômico-financeira do contrato.

3.5 Quinta rodada de concessões (2023-)

A quinta rodada ainda está em andamento. Já conta com a assinatura do contrato da BR-040/MG/BH a Juiz de Fora em 04.07.2024, e vários projetos em sendo preparados, dos quais se destacam os projetos "Rota dos Cristas", BR-040/GO/MG, e BR-040/GO-MG, com leilões previstos para 26 de agosto de 2024 e 29 de setembro de 2024, respectivamente.

É possível verificar uma evolução nos contratos, com alterações que dizem respeito ao regramento de penalidades, possibilidade de acordo direto, estabilidade tarifária, uso de *dispute board*, correspondência entre realização de obras e volume de tráfego,

---

[14] Conforme anunciado pela *Gazeta do Povo*, em edição de 15 de março de 2020: "Pelo menos um terço das 15 concessões de aeroportos e rodovias leiloadas no governo Dilma Rousseff, entre 2011 e 2013, deve enfrentar novo processo de licitação nos próximos anos. As concessionárias que administram a BR-040, a BR-163 (MS), o Aeroporto de Viracopos (Campinas/SP) e o Aeroporto de São Gonçalo do Amarante (RN) já decidiram devolver os ativos por causa de desequilíbrio econômico nos contratos. Outra concessão, a da BR-153 (GO/TO), foi retomada pelo governo em 2017 por descumprimento do edital. A fila ainda pode aumentar, pois outros contratos estão com problemas" (UM terço das concessões do governo Dilma deu errado; relicitações estão a caminho. *Gazeta do Povo*, [S. l.], 15 mar. 2020. Disponível em: https://www.gazetadopovo.com.br/republica/um-terco-das-concessoes-do-governo-dilma-deu-errado-relicitacoes-estao-a-caminho/. Acesso em: 10 ago. 2024).

[15] BRASIL. Agência Nacional de Transportes Terrestres. Histórico. *Gov.br*, Brasília, DF, [2024]. Disponível em: https://www.gov.br/antt/pt-br/assuntos/rodovias/concessionarias/historico. Acesso em: 16 out. 2024.

alavancas financeiras, padrões de responsabilidade ambiental e nova matriz de riscos. O modelo incluirá ainda o sistema de *free-flow* (sem o uso de praças de pedágio).[16]

Os novos editais em preparação, como por exemplo o da BR-163,[17] a Rodovia do Pantanal, serão regidos pelo novo Regulamento das Concessões Rodoviárias (RCR), que será abordado mais adiante.

4 A Matriz de riscos nos contratos da ANTT

A análise dos contratos utilizados pela ANTT[18] permite verificar a evolução positiva do tratamento dado à matriz de risco, trazendo maior atratividade à participação do setor privado e segurança jurídica nas relações contratuais que se estabelecem.

4.1 Primeira rodada

Na primeira rodada, que deu início do programa, em contrato celebrado em 31 de outubro de 1995, referente à Concessão da Rodovia BR-40/MG-RJ Trecho Juiz de Fora/Petrópolis/Rio de Janeiro (Concer), o risco da concessão – salvo quando não expressamente ressalvado – era integralmente atribuído à concessionária, inclusive o de demanda. No entanto, qualquer alteração nos encargos da concessionária, importaria na revisão da tarifa básica, por meio da inclusão da alteração dos custos de alguns dos componentes na fórmula paramétrica que calculava o reajuste tarifário básico (como terraplanagem e pavimentação).

O contrato celebrado em 1998, referente à Rodovia BR-116/392/RS, no qual a União figurou como interveniente, a qual foi posteriormente sub-rogada, também relativizou o risco quanto ao custo dos insumos, ao garantir a revisão dos encargos da concessionária sempre que ocorrerem situações supervenientes vinculadas à variação de receitas ou de custos, sobejamente fundadas em critérios técnicos juridicamente justificados.

O programa foi renovado com a criação da ANTT, e com a segunda rodada foram licitados 7 lotes de rodovias.

4.2 Segunda rodada

Na segunda rodada de concessões houve alteração substancial na estrutura do contrato, com a inserção de capítulo específico sobre os riscos contratuais. Tomando como estudo o Contrato da Rodovia BR116 (São Paulo-Curitiba),[19] verifica-se que o

---

[16] RIBEIRO, Jenifer. Nova concessão da BR-163/MS traz inovações da 5ª rodada. *Agência Infra*, Brasília, DF, 23 fev. 2023. Disponível em: https://agenciainfra.com/blog/nova-concessao-da-br-163-ms-traz-inovacoes-da-5a-rodada/. Acesso em: 10 ago. 2024.

[17] BRASIL. Agência Nacional de Transportes Terrestres. Rodovia - BR-163/MS Rota do Pantanal. *Gov.br*, Brasília, DF, [2024]. Disponível em: https://www.gov.br/antt/pt-br/assuntos/rodovias/novos-projetos-em-rodovias/rodovia-br-163-ms-rota-pantanal. Acesso em: 16 out. 2024.

[18] BRASIL. Agência Nacional de Transportes Terrestres. Histórico. *Gov.br*, Brasília, DF, [2024]. Disponível em: https://www.gov.br/antt/pt-br/assuntos/rodovias/concessionarias/historico. Acesso em: 18 jul. 2024.

[19] BRASIL. Histórico.

modelo adotado impôs maiores riscos à concessionária, como o risco de tráfego inerente à exploração do lote rodoviário, incluindo o risco de redução do volume de tráfego, mesmo em decorrência da transferência de trânsito para outras rodovias.

A concessionária passou a absorver os riscos relativos à variação dos insumos, que foram retirados da fórmula paramétrica utilizada para o reajuste tarifário do modelo anterior, embora o contrato previsse que nas revisões tarifárias seria considerada a data de efetiva implementação dos custos e dos equipamentos operacionais previstos no PER.

Foram alocados à concessionária todos os riscos inerentes à concessão, inclusive erros na determinação de quantitativos para execução de obras e serviços previstos no PER, a impossibilidade de pleito de revisão tarifária devido à existência de diferenças de quantidade ou desconhecimento das características da rodovia pela concessionária, o risco pela variação nos custos dos seus insumos, mão de obra e financiamentos, riscos decorrentes da regularização do passivo ambiental dentro da faixa de domínio da rodovia, cujo fato gerador tenha ocorrido após a data da assinatura do contrato de concessão.

Ao poder concedente foram apenas atribuídos os riscos decorrentes de seu inadimplemento contratual, alterações unilaterais no contrato ou de fato do príncipe que provoque impacto econômico-financeiro do contrato de concessão.

O mesmo modelo foi utilizado para a Rodovia do Aço, Autopistas Planalto Sul, Litoral Sul, Fluminense, Fernão Dias e Transbrasiliana.

Em 2009, ainda no escopo da 2ª. Rodada de concessões, foi assinado o contrato de concessão referente à "Via Bahia", contendo um modelo do que pode já ser chamado de matriz de riscos, pois adentra em detalhamento que abrange os riscos mais conhecidos, como volume de tráfego, riscos ambientais, riscos sociais, variação cambial, captação de financiamentos, tecnologia etc. A opção federal continuou sendo a de alocar praticamente todos os riscos à concessionária.

4.3 Terceira rodada

Conduzida dentro do Programa de Investimento em Logística (PIL_, e em 2011 foi assinado o Contrato "ECO101" – BR-101/ES/BA, a terceira rodada seguiu na linha do contrato referente à "Via Bahia".

A segunda fase dessa rodada levou à celebração de 5 contratos, MSVIA (2013), Concebra (2013), Via040 (2014), CRO (2013) e ECO050 (2013).

Introduziu-se no modelo uma alteração no risco do volume do tráfego. Este continuou sendo alocado à concessionária, que deveria absorver os impactos de uma demanda em desacordo com as suas projeções ou às do poder concedente, com exceção do disposto na subcláusula 22.5 e na aplicação do Fator C", um dos elementos considerados no cálculo de apuração do desequilíbrio econômico-financeiro do contrato quando verificada a ampliação ou redução de receitas ou a não utilização das verbas da concessionária nas hipóteses descritas no contrato.

O contrato ampliou as hipóteses de risco assumido pelo poder concedente, incluindo a recuperação, prevenção remediação e gerenciamento do passivo ambiental fora do sistema rodoviário licitado, atraso nas obrigações conferidas ao Departamento Nacional de Infraestrutura de Transportes (DNIT) pelo contrato e pelo edital, não realização de obras previstas no PER, atrasos causados pela demora – além da previsão legal – na análise dos órgãos ambientais no tocante ao licenciamento ambiental, salvo quando ocasionado pela conduta da concessionária, dentre outras previsões. Verifica-se que a cláusula explicitou em maiores detalhes a responsabilidade do poder concedente em relação a impactos causados em decorrência do não cumprimento de obrigações a seu cargo, seja em função do contrato, seja em razão da sua atuação como agente regulador, dando maior clareza ao tema.

Em nova fase dessa etapa foi assinado em 2015 o contrato da ponte Rio-Niterói – Ecoponte, que adaptou a cláusula para as peculiaridades do objeto do contrato (retirando, por exemplo, a referência a atrasos no licenciamento ambiental decorrentes de pesquisas arqueológicas e condicionantes relacionadas a áreas indígenas ou comunidades quilombolas) e incluindo os custos relativos a desocupações (e não apenas desapropriações).

A partir de 2016 os contratos passaram a ser estruturados dentro do Programa de Parcerias de Investimentos (PPI), criado pela Lei nº 13.334/2016, e em 5 de junho de 2017 foi publicada a Lei nº 13.448, estabelecendo diretrizes gerais para prorrogação e relicitação dos contratos de parceria.

4.4 Quarta rodada

A quarta rodada de concessões teve início com a assinatura do contrato da Via Sul, em 11 de janeiro de 2019 (Concessão nº 01/2019) e introduziu algumas alterações na cláusula relativa à matriz de riscos. O risco da demanda permaneceu alocado à concessionária, mas retirou-se a referência ao fator C e deixou-se claro que "a queda da receita em virtude da evasão de pedágio" é risco da concessionária. Além disso, foram explicitadas outras situações de risco da concessionária, relativas a interfaces com o poder concedente, como "custos advindos da realização de obras e serviços emergenciais, conforme descrito no PER" e "custos de manutenção e de consumo de energia dos sistemas elétricos e de iluminação existentes e novos, conforme previsto no PER". Por fim, esclareceu-se ser risco da concessionária os custos adicionais decorrentes da fiscalização do tráfego com veículos com eixos suspensos, afastando, com isso, uma grande discussão acerca da responsabilidade sobre tais gastos.

Na subcláusula que discrimina os riscos do poder concedente, foram incluídos eventuais gastos decorrentes da implantação do sistema de arrecadação de pedágio *free-flow*, ou outro que venha a existir, na hipótese da sua exigência pelo contratante. Também foi atribuído ao poder concedente a obrigação de obter o Decreto de Utilidade Pública (DUP), necessário para novas desapropriações, mediante solicitação justificada da concessionária. Ainda em 2019 foi assinado o contrato da Ecovias do Cerrado (referente ao Edital nº 01/2019), do qual se extrai uma preocupação com as especificidades do projeto, pois a alocação de risco à concessionária inclui expressamente possível redução na demanda causada pela implementação de outros corredores logísticos na BR-364/GO/MG e na BR-452/MG, custos com interferências de outra concessão, impacto na operação ou na demanda decorrente da inclusão ou não conclusão de obras a cargo do DNIT em trechos específicos e custos decorrentes do não aproveitamento de estruturas existentes em obras ali especificadas.

O contrato relativo à Via Costeira, assinado em 6 de julho de 2020 (Contrato de Concessão nº 01/2020), não traz inovações substanciais em relação à distribuição dos riscos, e exclui a previsão específica relativa a interferências e possíveis impactos no tráfego causados por outras vias.

Em setembro de 2021 foi assinado o contrato Ecovias do Araguaia (Contrato de Concessão Edital nº 01/2021), que incluiu uma ligeira alteração na redação no item que faz referência ao risco da demanda. Este continuou sendo alocado à concessionária, salvo impactos no equilíbrio econômico-financeiro causado pela implementação de novas rotas ou "caminhos alternativos terrestres concorrentes", livres ou com tarifa de pedágio, que não existiam ou não estavam previstos nos planos oficiais do governo na data da publicação do edital.

Outra mudança foi a criação de um mecanismo de proteção cambial a ser utilizado pela concessionária como medida mitigadora do risco cambial que permaneceu a ela alocado.

O subitem que aloca o risco dos vícios construtivos das obras realizadas pelo poder concedente que foram recebidas em definitivo pela concessionária passou a deixar claro que os vícios ocultos são excluídos do risco.

Na alocação dos riscos assumidos pelo poder concedente foi incluído item que a ele atribuiu os impactos negativos ou positivos na receita tarifária, associados à inclusão ou exclusão de praça de pedágio ou alteração da sua localização além do limite indicado no PER, e também as compensações decorrentes do desconto de usuário frequente.

Em 1º de abril de 2022, foi assinado o contrato Via Brasil (Contrato de Concessão Edital nº 02/2021), no qual se reproduz a cláusula de riscos do contrato Ecovias do Araguaia, acrescentando-se apenas como risco da concessionária "a obtenção do benefício fiscal de que trata o art. 1º da Medida Provisória (MP) nº 2.199-14, de 24 de agosto de 2001, não ensejando reequilíbrio econômico-financeiro" e, curiosamente, retirando-se o mecanismo de compartilhamento de riscos da variação cambial que havia sido incluído no contrato celebrado em setembro de 2021.

O contrato EcoRioMinas, de 19 de agosto de 2022 (Contrato de Concessão Edital 01/2022), retoma o compartilhamento do risco cambial previsto no contrato Ecovias do Araguaia e inova no que diz respeito ao risco do custo dos insumos necessários para a execução da obra e prestação dos serviços. Conquanto continue sendo risco da concessionária, criou-se um mecanismo de compartilhamento de risco e preço de insumo, incluído como anexo 15 do contrato.

É inserido o risco da concessionária de não operação do sistema *free-flow*, no trecho em área metropolitana, por razões caracterizadas como casos fortuitos ou de força maior, e o ônus de arcar com "investimentos e custos adicionais de intervenções e soluções geotécnicas necessárias em função de impactos decorrentes de eventos de instabilidade geológica ordinários". Custos adicionais e investimentos de intervenções e soluções geotécnicas em relação a eventos de instabilidade geológica extraordinários foram alocados ao poder concedente.

Os últimos contratos analisados, e que encerram a quarta rodada de concessões,[20] Via Araucária e Litoral Pioneiro, assinados em 30 de janeiro de 2024 (Concessões nº 01/2023 e 02/2023, respectivamente), trazem uma inovação de relevo que é a criação de um mecanismo de mitigação de risco de receita, que equaciona também os impactos

---

[20] Embora assinados em 2024, seguem o modelo da quarta rodada, por isso ainda são considerados como incluídos na referida fase. A quinta rodada é a que deverá ser iniciada com o uso do novo modelo.

no equilíbrio econômico-financeiro causado pela implementação de novas rotas ou "caminhos alternativos terrestres concorrentes".

4.5 Quinta rodada

As alterações exploradas anteriormente na análise da matriz de risco dos contratos demonstram que até o presente a ANTT vinha conduzindo a sua regulação por meio de cada contrato, sendo que os instrumentos contratuais não tinham uma uniformidade, sendo alterados a cada etapa, e às vezes a cada fase da etapa. Após alguns anos do programa de concessões e muitos contratos depois, essa forma de regulação da prestação dos serviços públicos se tornou muito difícil de ser executada, com o risco de haver tratamento desigual entre contratados prestando o mesmo tipo de serviço e gerando enormes dificuldades para a gestão por parte da agência. Nesse sentido, a fala de André Freire, responsável pela Superintendência de Infraestrutura Rodoviária da ANTT: "É ingerenciável. Um obstáculo para a gestão".[21] Essa dificuldade levou a ANTT a rever o modelo do contrato a ser utilizado e a forma de regulação a ser exercida, passando ao que se denomina de modelo de regulação discricionária, em que as concessionárias passam a estar submetidas às mesmas regras aprovadas pela agência.

A revisão vem sendo realizada desde 2022 objetivando a elaboração do novo Regulamento de Concessões Rodoviárias (RCR), que será o marco regulatório do setor. Trata-se de um procedimento conduzido sob os parâmetros do Processo de Participação e Controle Social (PPCS), previsto no Regimento Interno da Agência (Resolução nº 5.976/2022), que busca ser transparente, e envolve discussão com os setores interessados e audiências públicas em cinco etapas que irão abordar os seguintes temas: RCR 1) regras gerais e direitos dos usuários; RCR 2) bens, obras e serviços, e adequação dos procedimentos de obras e serviços; RCR 3 – equilíbrio econômico-financeiro; RCR 4) fiscalização e penalidades; RCR 5) meios de encerramento dos contratos.

O tema da matriz de riscos faz parte do RCR 4. Em 13 e 15 de dezembro de 2023, foram realizadas as sessões públicas (respectivamente em São Paulo e em Brasília) da Audiência Pública nº 13/2022, proposta pela Superintendência de Concessão da Infraestrutura (SUCON), em parceria com a Procuradoria Federal junto à ANTT, com o objetivo de colher as contribuições e manifestações dos usuários e interessados acerca de proposta de cláusula contratual sobre alocação de riscos nos contratos de concessão de rodovias federais, a ser utilizada na quinta etapa de concessões de rodovias federais. É noticiado pela ANTT que o novo modelo deverá ser utilizado no projeto "Rota dos Cristais" (trecho BR-040/GO/MG) e, após validação do Tribunal de Contas da União (TCU), será replicado nos demais projetos.[22] Os resultados podem ser consultados no sítio eletrônico da ANTT.[23]

---

[21] AMORA, Dimmi. Após 20 anos, ANTT mudará modelo de regulação de concessões rodoviárias e busca adesão de empresas. *FGV Transportes*, Rio de Janeiro, [2024]. Disponível em: https://agenciainfra.com/blog/tag/resolucao-5-859/. Acesso em: 10 ago. 2024.

[22] ANTT aprimora contratos de concessão de rodovias federais. *EBC*, Brasília, DF, 21 dez. 2023. Disponível em: https://agenciagov.ebc.com.br/noticias/202312/antt-aprimora-contratos-de-concessao-de-rodovias-federais. Acesso em: 18 ago. 2024.

[23] BRASIL. Audiência Pública.

O Relatório Final da Audiência Pública SEI nº 18/2023, produzido pela agência, apresenta um quadro contendo todos os assuntos trazidos pelos participantes e demonstra que os riscos que mais geram preocupação entre os interessados são relacionados a: equilíbrio econômico-financeiro e receita tarifária (26%); risco de receita (8%) e risco residual (5%).

Destaca, ainda, a evolução gradual dos contratos:

A evolução dos contratos de concessão de rodovias é um processo gradual, que reflete a constante melhoria dos documentos jurídicos-regulatórios construídos pela ANTT ao longo do tempo. Projetos específicos, como os da BR-153/414/080/TO, sob concessão da Concessionária Ecovias do Araguaia, da BR-116/101/RJ/SP, operada pela Concessionária RioSP, e da rodovia BR-116/465/493/RJ/MG, trecho concedido à concessionária EcoRioMinas, são demonstrações da gradual maturidade que levou à eleição do projeto de matriz de risco como prioritário e incluído na Agenda Regulatória da ANTT.[24]

A partir das contribuições feitas foi emitida em 13 de dezembro de 2023 a Nota Técnica SEI nº 9366/2023/GEREG/SUCON/DIR/ANTT, na qual a Agência reconhece que no passado houve um "histórico de insucesso de parte das concessões federais", o que "justifica a necessidade de melhorias regulatórias que visem a redução de custos regulatórios, aumento da atratividade nos leilões e a melhoria da sustentabilidade dos projetos".[25]

Especificamente quanto à alocação dos riscos, a nota técnica da ANTT registra a evolução dos principais temas relacionados ao risco, em que "C" é o risco da concessionária, e "PC" é o poder concedente:

Quadro 1 - Tabela de alocação de principais riscos

Riscos	1ª etapa	2ª etapa	3ª etapa	4ª etapa	5ª etapa (proposta)
Tráfego	C	C	C	C/PC	C/PC
Custo de insumos	C	C	C	C/PC	C/PC
Cambial	C	C	C	C/PC	C/PC
Desapropriação e desocupação	C/PC	C/PC	C	C/PC	C/PC
Condicionante ambientais	C	C	C	C/PC	C/PC
Efeitos extraordinários	C	C	C	C	C/PC
Riscos de acidentes geotécnicos	C	C	C	C/PC	C/PC
Residual	C	C	C	C/PC	C/PC

Fonte: BRASIL. Agência Nacional de Transportes Terrestres. Audiência Pública. *Gov.br*, Brasília, DF, [2024]. Disponível em: https://participantt.antt.gov.br/Site/AudienciaPublica/VisualizarAvisoAudienciaPublica.aspx?CodigoAudiencia=518. Acesso em: 27 nov. 2024.

---

[24] ANTT aprimora contratos de concessão de rodovias federais.

[25] BRASIL. Agência Nacional de Transportes Terrestres. Audiência Pública. *Gov.br*, Brasília, DF, [2024]. Disponível em: https://participantt.antt.gov.br/Site/AudienciaPublica/VisualizarAvisoAudienciaPublica.aspx?CodigoAudiencia=518. Acesso em: 10 ago. 2024.

A nova cláusula que trata da matriz de riscos, aprovada no processo de análise do RCR 4 está sendo aplicado no edital de contratação da Rodovia dos Cristais (Edital de Concessão nº 02/2024).

A primeira observação que se faz é que houve uma substancial modificação da estrutura utilizada na cláusula. Tradicionalmente, a redação utilizada arrolava os riscos da concessionária e após, os riscos do poder concedente. A nova redação é estruturada dando ênfase ao tipo de risco.

A segunda observação é a adoção de um sistema de compartilhamento da maior parte dos riscos do negócio. Isso decorre, como menciona a nota técnica produzida pela ANTT, do reconhecimento de que "a concessionária não tem capacidade de evitar ou mitigar os riscos atrelados a variáveis macroeconômicas, como o tráfego (essencialmente vinculado ao desenvolvimento econômico nacional e regional), custos de insumos (inflação) e câmbio".[26]

Assim, a ANTT passou a adotar "mecanismo de compartilhamento de risco de demanda", "mecanismo de compartilhamento de risco de preço de insumo", "mecanismo de proteção cambial", além do compartilhamento do risco da desapropriação e desocupação, dos riscos associados à variação nos custos e investimentos para cumprir as condicionantes das licenças, permissões e autorizações e riscos geotécnicos extraordinários, conforme detalhamento a seguir.

4.5.1 Risco de variação da receita tarifária

No que diz respeito à receita tarifária, criou-se o "mecanismo de compartilhamento de risco de demanda" (Anexo 14 do contrato), por meio do qual (i) impactos que afetem exclusivamente a receita tarifária da concessão e o custo dos insumos causados por efeitos extraordinários (incluindo caso fortuito e força maior) serão compartilhados entre poder concedente e concessionária, sendo que a qualificação de evento extraordinário será baseada em estatísticas (a ser regulamentado pela ANTT); (ii) quaisquer outros efeitos resultantes de eventos extraordinários deverão ser suportados pela parte à qual referido risco foi alocado; (iii) o risco decorrente da evasão de pedágio ou recusa no pagamento é exclusivo da concessionária; (iv) impactos na receita tarifária decorrente de alteração da localização da praça de pedágio em discordância com o PER, implementação do *free-flow*, fato do príncipe e decisões judiciais ou arbitrais que aferem a arrecadação, são suportados pelo poder concedente.

4.5.2 Riscos relativos aos aspectos financeiros da concessão

Questões ligadas à conjuntura econômica, captação dos recursos para investimentos e câmbio foram incluídas em cláusula específica denominada "riscos relativos aos aspectos financeiros da concessão". Foram alocados à concessionária riscos envolvendo a variação nos custos e investimentos necessários à execução das obras e serviços, adequação a normas técnicas, variação do custo de capital, modificação na legislação

---

[26] BRASIL. Audiência Pública.

do Imposto de Renda, obtenção do financiamento, inflação acima ou abaixo do reajuste da receita tarifária.

Quanto aos insumos necessários para a execução das obras ou serviços, a cláusula prevê o "mecanismo de compartilhamento de risco de preço de insumo", incluindo mudança nos impostos e contribuições incidentes.

4.5.3 Riscos relativos à gestão do sistema rodoviário

A cláusula que trata do assunto adota a alocação que vinha sendo utilizada nos contratos anteriores, deixando a redação mais clara em alguns aspectos.

4.5.4 Riscos relativos a cumprimento de obrigações contratuais

Permanecem sendo alocados à concessionária os riscos relativos a eventos que são da essência de um negócio, como o atraso no cumprimento do cronograma e demais prazos estabelecidos no contrato, salvo quando expressamente alocados ao poder concedente, casos fortuitos ou de força maior que sejam seguráveis e a arrecadação de receitas extraordinárias.

Ao poder concedente segue sendo alocado o risco quanto à elaboração temporânea do termo de arrolamento e transferência de bens, atraso nas obras em decorrência da demora na expedição do DUP, fato do príncipe ou da administração, interferências de infraestruturas não integrantes do sistema rodoviário objeto do contrato.

O custo das desapropriações e desocupações serão compartilhados entre as partes, sendo que a concessionária arca o valor até 20% de um valor pré-estipulado no contrato, cabendo ao poder concedente assumir os custos que ultrapassarem tal faixa.

4.5.5 Riscos relativos aos aspectos ambientais e geotécnicos da concessão

São alocados à concessionária os riscos ambientais e geotécnicos decorrentes das suas intervenções. Cabe ao poder concedente assumir os impactos causados por atrasos na emissão dos licenciamentos (desde que a concessionária tenha cumprido determinados requisitos em seus requerimentos), passivos ambientais ocultos acerca dos quais não se tinha conhecimento quando da delineação do sistema rodoviário licitado, achados arqueológicos, paleontológicos e/ou interferências ligadas ao patrimônio cultural, que não tenham sido identificadas no estudo de viabilidade técnica, econômica e ambiental.

Já a variação dos custos para cumprir os condicionantes das licenças e autorizações ambientais serão compartilhados entre concessionária e poder concedente, que assume 80% do valor excedente ao que foi utilizado como parâmetro no contrato.

Em caso de acidente geotécnico classificado como extraordinário pela ANTT, há previsão de compartilhamento, com alguns encargos a serem assumidos pela concessionária (limpeza da via) e outros compartilhados, como os custos para a construção de acessos e rotas alternativas, deverá ser suportado pela concessionária (até 20% do custo) e o restante pelo poder concedente.

4.5.6 Compartilhamento de eventos extraordinários e riscos residuais

Os riscos extraordinários ou residuais que não tenham sido objeto de previsão própria passam a ser compartilhados, diferentemente do que ocorria nos modelos anteriores, no qual os riscos residuais em geral eram alocados à concessionária. O sistema adotado consiste na criação de uma banda, em que os impactos que ultrapassem 5% do valor da receita tarifária bruta anual durante 1 ano de concessão são suportados pelo poder concedente.

4.5.7 Prazos

Vale ressaltar, por fim, que a cláusula de riscos passou a prever a obrigatoriedade da concessionária em dar ciência dos eventos que pode causar desequilíbrio no prazo de até dois anos, a contar da sua ocorrência, e estabelece o prazo de até cinco anos, a contar da ocorrência do evento, para ser formalmente pleiteado o reequilíbrio, sob pena de preclusão. Deverá ser seguido o procedimento previsto em regulamentação da ANTT.

5 Conclusão

A estruturação de um projeto de concessão é extremamente complexa e propicia um crescente aprendizado. O acompanhamento da execução de um contrato licitado e a efetiva implementação da rodovia permite ao setor público extrair lições valiosas, dentre as quais, identificar os pontos críticos do contrato, as dificuldades enfrentadas pela concessionária e as condições contratuais que levam ao sucesso ou fracasso do projeto. A análise crítica desses fatores é extremamente positiva e a adaptação do modelo contratual, necessária para a própria evolução do programa de concessões do governo.

Da análise conduzida, é possível constatar que a matriz de riscos utilizada pela ANTT tem sido objeto de aperfeiçoamento, objetivando mitigar os riscos atribuídos à concessionária, em especial, o risco de demanda, de variação cambial e do custo dos insumos e dar segurança jurídica ao setor. O pêndulo do risco se encontra numa posição mais centralizada do que vinha sendo a prática nos contratos de concessão até então praticados, que interpretava o dispositivo legal previsto no inciso II do art. 2º da Lei de Concessões restritivamente, alocando quase que a totalidade dos riscos ao setor privado.

Os resultados poderão ser verificados em breve, sendo que, espera-se, sejam no sentido de trazer uma estabilidade aos contratos e permitir o desejado desenvolvimento do setor no país.

Referências

ANTT aprimora contratos de concessão de rodovias federais. *EBC*, Brasília, DF, 21 dez. 2023. Disponível em: https://agenciagov.ebc.com.br/noticias/202312/antt-aprimora-contratos-de-concessao-de-rodovias-federais. Acesso em: 18 ago. 2024.

BRASIL. Agência Nacional de Transportes Terrestres. Agência Nacional de Transportes Terrestres – ANTT. *Gov.br*, Brasília, DF, [2024]. https://dados.antt.gov.br/organization/about/agencia-nacional-de-transportes-terrestres-antt#. Acesso em: 18 jul. 2024.

BRASIL. Agência Nacional de Transportes Terrestres. Audiência Pública. *Gov.br*, Brasília, DF, [2024]. Disponível em: https://participantt.antt.gov.br/Site/AudienciaPublica/VisualizarAvisoAudienciaPublica. aspx?CodigoAudiencia=518. Acesso em: 10 ago. 2024.

BRASIL. Agência Nacional de Transportes Terrestres. Histórico. *Gov.br*, Brasília, DF, [2024]. Disponível em: https://www.gov.br/antt/pt-br/assuntos/rodovias/concessionarias/historico. Acesso em: 18 jul. 2024.

BRASIL. Agência Nacional de Transportes Terrestres. Rodovia - BR-163/MS Rota do Pantanal. *Gov.br*, Brasília, DF, [2024]. Disponível em: https://www.gov.br/antt/pt-br/assuntos/rodovias/novos-projetos-em-rodovias/rodovia-br-163-ms-rota-pantanal. Acesso em: 16 out. 2024.

BRASIL. Lei nº 8.987, de 13 de fevereiro de 1995. Dispõe sobre o regime de concessão e permissão da prestação de serviços públicos previsto no art. 175 da Constituição Federal, e dá outras providências. *Diário Oficial da União*: Brasília, DF, 1995. Disponível em: https://www.planalto.gov.br/ccivil_03/leis/l8987cons.htm. Acesso em: 16 out. 2024.

BRASIL. Lei nº 11.079, de 30 de dezembro de 2004. Institui normas gerais para licitação e contratação de parceria público-privada no âmbito da Administração Pública. *Diário Oficial da União*: Brasília, DF, 2004. Disponível em: https://www.planalto.gov.br/ccivil_03/_ato2004-2006/2004/lei/l11079.htm. Acesso em: 18 jul. 2024.

BRASIL. Lei nº 14.133, de 1º de abril de 2021. *Diário Oficial da União*: Brasília, DF, 2021. Disponível em: https://www.planalto.gov.br/ccivil_03/_ato2019-2022/2021/lei/l14133.htm. Acesso em: 10 ago. 2024.

AMORA, Dimmi. Após 20 anos, ANTT mudará modelo de regulação de concessões rodoviárias e busca adesão de empresas. *FGV Transportes*, Rio de Janeiro, [2024]. Disponível em: https://agenciainfra.com/blog/tag/resolucao-5-859/. Acesso em: 10 ago. 2024.

JUSTEN FILHO, Marçal. *Teoria geral das concessões de serviço público*. São Paulo: Dialética, 2003.

NÓBREGA, Marcos. Riscos em projetos de infraestrutura: incompletude contratual; concessões de serviço público e PPPs. *Revista Brasileira de Direito Público – RBDP*, Belo Horizonte, ano 8, n. 28, jan./mar. 2010. Disponível em: http://www.bidforum.com,br/bid/PDI0006.aspx?pdiCntd=66032. Acesso em: 10 ago. 2024.

RIBEIRO, Maurício Portugal. *Concessões e PPPs*: melhores práticas em licitações e contratos. Rio de Janeiro: Atlas, 2010.

RIBEIRO, Jenifer. Nova concessão da BR-163/MS traz inovações da 5ª rodada. *Agência Infra*, Brasília, DF, 23 fev. 2023. Disponível em: https://agenciainfra.com/blog/nova-concessao-da-br-163-ms-traz-inovacoes-da-5a-rodada/. Acesso em: 10 ago. 2024.

UM terço das concessões do governo Dilma deu errado; relicitações estão a caminho. *Gazeta do Povo*, [S. l.], 15 mar. 2020. Disponível em: https://www.gazetadopovo.com.br/republica/um-terco-das-concessoes-do-governo-dilma-deu-errado-relicitacoes-estao-a-caminho/. Acesso em: 10 ago. 2024.

Informação bibliográfica deste texto, conforme a NBR 6023:2018 da Associação Brasileira de Normas Técnicas (ABNT):

MASTROBUONO, Cristina M. Wagner. A evolução da matriz de riscos nos contratos da Agência Nacional de Transportes Terrestres (ANTT). *In*: JUSTEN, Monica Spezia; PEREIRA, Cesar; JUSTEN NETO, Marçal; JUSTEN, Lucas Spezia (coord.). *Uma visão humanista do Direito*: homenagem ao Professor Marçal Justen Filho. Belo Horizonte: Fórum, 2025. v. 3, p. 283-298. ISBN 978-65-5518-915-5.

NOTAS SOBRE O REGIME JURÍDICO DA CONCESSÃO DE PARQUES NACIONAIS

DANYARA TAJRA BORDA

DANIEL BORDA

1 Homenagem ao Professor Marçal e introdução

Não há texto sobre concessão, no Brasil, que possa ser levado a sério se iniciado deixando de partir das lições elaboradas pelo Professor Marçal Justen Filho.

A construção de uma verdadeira teoria das concessões pelo Professor Marçal Justen Filho, quando o Brasil passou a desenvolver tal modelo de contratação, foi fundamental para pavimentar uma via de segurança jurídica para a delegação de serviços e gestão de bens públicos que ansiavam por melhorias.

O mérito do Professor Marçal Justen Filho está em sua capacidade (sobretudo de resiliência e disciplina) de sistematizar e dar coerência ao regime jurídico sobre o tema que se propõe meditar.[1]

Os autores tiveram (e ainda têm) a sorte de, ao buscar Curitiba para se formar em Direito, conviverem por longos anos na sede de seu escritório. Se ler uma obra do Professor Marçal Justen Filho já é um privilégio, aprender com ela na prática, a partir do exemplo de sua disciplina e retidão profissional (acadêmica e advocatícia), é uma honra incomensurável.

Não à toa, ambos os autores, inspirados pelo Professor Marçal, seguiram na academia, buscando se tornar advogados melhores, a partir do estudo do Direito Público,

---

[1] "O direito é um conjunto de processos sociais destinados a disciplinar a conduta humana, que se traduz em normas jurídicas. Essas normas revelam os valores reputados como dignos de proteção pela sociedade e pela civilização. (...) O direito não se reduz a um conjunto dos dispositivos legais. A dificuldade de compreender e aplicar o direito reside precisamente na sua natureza complexa. A lei e as palavras escritas num texto legislativo são apenas um ângulo desse fenômeno. (...) A aplicação do direito consiste em determinar a disciplina jurídica que incide sobre situações concretas. Essa tarefa envolve a identificação do regime jurídico aplicável, que em muitos casos se caracteriza como sendo de direito público" (JUSTEN FILHO, Marçal. *Curso de Direito Administrativo*. 13. ed. São Paulo: Revista dos Tribunais, 2018. p. 49).

das licitações e dos contratos administrativos (temas sobre os quais Professor Marçal formulou teorias e teses com primazia).

O tema escolhido para o presente artigo também é fruto da inspiração acadêmica e profissional extraída do magistério do Professor Marçal Justen Filho. Mais especificamente da autora, que obteve o título de mestre, ao defender a dissertação que busca conceber ferramentas para garantia de uma melhor administração dos parques nacionais – buscando delinear traços que fundamentam o regime jurídico do referido modelo.

O presente artigo busca retratar de que forma as concessões de parques nacionais estão estruturadas juridicamente, desenhando algumas linhas sobre seu regime jurídico.

Para tanto, o artigo será dividido em três tópicos, além da presente introdução (primeiro tópico) e conclusão (quinto tópico).

O segundo tópico apresentará o cenário atual dos parques nacionais. O terceiro tópico informará o leitor sobre como as concessões de parques nacionais no Brasil têm sido modeladas.

Por fim, e antes da conclusão, o quarto tópico apresentará a visão dos autores sobre o atual regime jurídico de concessão de parques nacionais – obviamente, sempre amparados na *Teoria geral das concessões*, de autoria do Professor Marçal Justen Filho.

2 Os parques nacionais

A designação *parque nacional* refere-se a parques que estão sob a competência federal.[2] A figura foi criada com o intuito primordial de dar especial proteção a áreas representativas de importantes ecossistemas. São áreas do meio ambiente dotadas de belezas naturais excepcionais, com atributos paisagísticos e que possuem grande relevância para fins científicos, turísticos e educacionais.

O primeiro parque nacional criado no Brasil foi o do Itatiaia, situado no Estado do Rio de Janeiro e de Minas Gerais, por meio do Decreto nº 1.713, de 14 de junho de 1937. Em seguida, em 1939, foi criado o Parque Nacional do Iguaçu, situado no Estado do Paraná, por meio do Decreto nº 1.035, de 10 de janeiro de 1939. À época, não havia uma unidade de regulação das áreas ambientalmente protegidas, inclusive os parques nacionais.

A Constituição de 1988 teve papel fundamental para a reestruturação do direito ambiental, impactando diretamente o regime jurídico dos parques nacionais. Estabeleceu dois regimes jurídicos principais de proteção ao meio ambiente: (1) o regime de proteção às florestas, regido pelo Código Florestal e (2) o regime dos espaços especialmente protegidos (conservação da natureza), regido pela Lei nº 9.985/2000.[3]

---

[2] Art. 1. (...)
§4º - As unidades dessa categoria, quando criadas pelo Estado ou Município, serão denominadas, respectivamente, Parque Estadual e Parque Natural Municipal" (BRASIL. Lei nº 9.985, de 18 de julho de 2000. Regulamenta o art. 225, §1º, incisos I, II, III e VII da Constituição Federal, institui o Sistema Nacional de Unidades de Conservação da Natureza e dá outras providências. *Diário Oficial da União*: Brasília, DF, 2015. Disponível em: https://www.planalto.gov.br/ccivil_03/leis/l9985.htm. Acesso em: 6 nov. 2023).

[3] "Parece razoável se entender que o Constituinte buscou instituir dois regimes jurídicos diferentes, de modo que o regime jurídico florestal não se confunde com o regime jurídico das áreas merecedoras de proteção especial" (ANTUNES, Paulo de Bessa. Código Florestal e a Lei do Sistema Nacional de Unidades de Conservação: normatividades autônomas. *Revista de Direito Administrativo*, [S. l.], v. 265, p. 97, 2014).

O art. 225 da Constituição Federal instituiu o dever do Poder Público e da coletividade, de defender e preservar o meio-ambiente para as presentes e futuras gerações. O §1º, inc. III, do referido dispositivo determina ao Poder Público "definir, em todas as unidades da Federação, espaços territoriais e seus componentes a serem especialmente protegidos, sendo a alteração e a supressão permitidas somente através de lei (...)".

O art. 24, inc. VI, da Constituição Federal, conferiu à União, aos Estados e ao Distrito Federal a competência para legislar sobre florestas e a conservação da natureza.

A partir desse mandamento constitucional é que foi promulgada a Lei nº 9.985/2000 (Lei do SNUC), com o objetivo de regular o art. 225, §1º, incisos I, II, III, VII, da Constituição. A normativa instituiu o Sistema de Unidades de Conservação da Natureza (SNUC) que sistematiza a criação, gestão e implantação de áreas especialmente protegidas – entre as quais estão os parques nacionais.[4]

A referida lei estabelece a estrutura jurídica dos parques nacionais e outras unidades de conservação, sistematizando as principais regras sobre sua criação, implantação, gestão, proteção, entre outros aspectos.

O sistema divide as unidades de conservação em dois grupos: Unidades de Proteção Integral e Unidades de Uso Sustentável.

As Unidades de Proteção Integral têm como objetivo "preservar a natureza, sendo admitido apenas o uso indireto dos seus recursos naturais" (art. 7º, §1º, da Lei nº 9.985/2000). Já as Unidades de Uso Sustentável têm como objetivo "compatibilizar a conservação da natureza com o uso sustentável de parcela dos seus recursos naturais" (art. 7º, §2º da Lei nº 9.985/2000).

Os parques nacionais fazem parte do Grupo de Unidades de Proteção Integral. São áreas com uso limitado de recursos naturais, sendo permitido apenas o seu uso indireto. Não é possível explorar os recursos naturais diretamente, pois a área do parque precisa ser inteiramente preservada.

No artigo 11 da Lei nº 9.985/2000, está elencado o objetivo do parque nacional:

> Art. 11. O Parque Nacional tem como objetivo básico a preservação de ecossistemas naturais de grande relevância ecológica e beleza cênica, possibilitando a realização de pesquisas científicas e o desenvolvimento de atividades de educação e interpretação ambiental, de recreação em contato com a natureza e de turismo ecológico.

A Lei nº 9.985/2000 determina que os parques nacionais sejam criados por meio de atos do Poder Público Federal (art. 22).[5]

As áreas em que os parques nacionais se encontram são "de posse e domínio públicos" (art. 11, §1º, da Lei nº 9.985/2000). Por lei, não se admite a propriedade privada

---

[4] O Código Florestal, promulgado por meio da Lei nº 12.651/2012, que revogou o Código Florestal de 1965, não tratou sobre os parques nacionais, reconhecendo a dualidade dos sistemas de proteção ambiental. Também, por isso, os parques nacionais diferenciam-se de outras áreas ambientalmente protegidas pelo Código Florestal, como as Áreas de Preservação Permanente e a Reserva Legal.

[5] A maioria dos parques nacionais foram criados por ato do Poder Executivo, por meio de decretos presidenciais, conforme autoriza o art. 84, inciso IV, da Constituição Federal. Conforme dados extraídos a partir do Painel de Unidades de Conservação Brasileira, apenas dois parques nacionais foram criados por meio de lei ordinária: o Parques Nacional de Saint-Hilaire/Lange (Lei Ordinária nº 10.227 de 23 de maio de 2001) e o Parque Nacional Marinho das Ilhas dos Currais (Lei Ordinária 12.829 de 20 de junho de 2013), ambos situados no Estado do Paraná, e de iniciativa de Luciano Pizzato (à época, Deputado Federal pelo Estado do Paraná) (Disponível em: https://cnuc.mma.gov.br/powerbi. Acesso em: 23 ago. 2024).

nas áreas de parques nacionais, sendo devida a desapropriação[6] e o pagamento da respectiva indenização pelo Poder Público.

Quanto ao acesso aos parques nacionais, o art. 11, §2º da Lei nº 9.985/2000 determina que "está sujeita às normas e restrições estabelecidas no Plano de Manejo da unidade, às normas estabelecidas pelo órgão responsável por sua administração, e àquelas previstas em regulamento".

O plano de manejo[7] é o principal instrumento de gestão dos parques nacionais e demais unidades de conservação.[8] Nele, são determinadas as permissões e proibições de uso em cada zona, o grau de intervenção de cada área, quais atividades deverão ser realizadas para o alcance dos objetivos da unidade de conservação, as regras para visitação, realização de pesquisas, entre outros.

É a partir desse documento que serão delimitadas "a área da unidade de conservação, sua zona de amortecimento e os corredores ecológicos, incluindo medidas com o fim de promover sua integração à vida econômica e social das comunidades vizinhas".[9] Quando são criadas, as unidades de conservação têm cinco anos para estabelecerem o seu plano de manejo.[10]

O uso dos parques pelos visitantes visa a garantir diversos direitos fundamentais ao cidadão, proporcionando lazer e turismo adequados, estabelecendo uma conexão do visitante com a natureza e sensibilizando os usuários em relação à conservação do meio ambiente, na medida que valoriza os recursos naturais.

Além disso, a visitação também pode resultar em fonte de renda para os moradores do entorno dos parques, incrementando a economia local, bem como servir para gerar receitas promovendo a sustentabilidade econômica da unidade de conservação.

Atualmente, o Brasil possui 75[11] parques nacionais, que estão sob a gestão do Instituto Chico Mendes de Conservação da Biodiversidade (ICMBio)[12] e, em caráter

---

[6] Caso não haja o acordo administrativo sobre a desapropriação, é cabível a desapropriação indireta (judicial), a exemplo do que ocorreu no Parque Nacional de Jericoacoara (CE) e no Parque Nacional das Araucárias – SC. Em ambos os casos foi reconhecido o direito à indenização aos particulares que possuíam propriedades privadas dentro dos parques nacionais – e tiveram suas propriedades transferidas ao Poder Público por força dos decretos de criação desses parques nacionais (EMPRESA que foi desapropriada para a criação do Parque Nacional das Araucárias (SC) será indenizada. *Portal TRF4*, Brasília, DF, 2 set. 2022. Disponível em: https://www. trf4.jus.br/trf4/controlador.php?acao=noticia_visualizar&id_noticia=26182. Acesso em: 30 out. 2023; PRIMEIRA Turma reconhece desapropriação indireta na criação do Parque Nacional de Jericoacoara. *Portal STJ*, Brasília, DF, 25 abr. 2023. Disponível em: https://www.stj.jus.br/sites/portalp/Paginas/Comunicacao/Noticias/2023/25042023-Primeira-Turma-reconhece-desapropriacao-indireta-na-criacao-do-Parque-Nacional-de-Jericoacoara.aspx. Acesso em: 30 out. 2023).

[7] Conforme dados extraídos do Painel Unidades de Conservação Brasileira, das 2.859 unidades de conservação brasileiras, apenas 1.396 possuem plano de manejo. Em relação aos parques nacionais, apenas 44 possuem plano de manejo (Disponível em: https://cnuc.mma.gov.br/powerbi. Acesso em: 23 ago. 2024).

[8] Para além desse instrumento de gestão, previstos na Lei do SNUC, há também o Plano de Uso Público (PUP), que é um "documento técnico não-normativo e essencialmente programático que contempla estratégias, diretrizes e prioridades de gestão com o objetivo de estimular o uso público" (ICMBio. *Cadernos de Visitação*. Brasília, DF: ICMBio, [20--?]. p. 6. Disponível em: https://www.icmbio.gov.br/parnasaojoaquim/images/stories/ ORIENTACOES_PUP_ICMBIO.pdf. Acesso em: 28 jul. 2023).

[9] BRASIL. Lei nº 9.985, de 18 de julho de 2000. art. 27, §1º.

[10] BRASIL. Lei nº 9.985, de 18 de julho de 2000. art. 27, §3º.

[11] PAINEL Unidades Conservação Brasileiras. [*S. l.*], [2024]. Disponível em: https://app.powerbi.com/ view?r=eyJrIjoiMGNmMGY3NGMtNWZlOC00ZmRmLWExZWItNTNiNDhkZDg0MmY4IiwidCI6IjM5NTdh MzY3LTZkMzgtNGMxZi1hNGJhLTMzZThmM2M1NTBlNyJ9&pageName=ReportSectione0a112a2a9e0 cf52a827. Acesso em: 6 out. 2023.

[12] Em 28 de agosto de 2007, por força da Lei nº 11.516/2007, o Ibama foi sucedido pelo ICMBio que passou a ser o responsável pela Política Nacional de Conservação da Natureza e, por consequência, executar ações no âmbito dos parques nacionais.

supletivo, o Instituto Brasileiro do Meio Ambiente e dos Recursos Naturais Renováveis (Ibama) – ambos vinculados ao Ministério do Meio Ambiente. –, conforme determina o art. 6º, inciso III, da Lei nº 9.985/2000.

A manutenção dos parques nacionais exige uma quantia considerável de recursos financeiros, sobretudo para viabilizar a consecução dos objetivos que determinam sua criação. Apesar de serem bens públicos, acabam sendo prejudicados pela escassez de recursos públicos, gerando um cenário alarmante de precariedade enfrentado há muito tempo.

Uma das soluções encontradas, em 1998,[13] para tentar lidar com tal cenário (semelhante a outros setores da infraestrutura brasileira), foi a "concessão" dessas áreas à iniciativa privada, por meio de contratos de concessão, nos moldes da Lei nº 8.987/1995.

Tais concessões permitem ao particular explorar economicamente, parte ou o todo da área do parque nacional, por meio, por exemplo, da cobrança de ingressos de entrada no parque, implantação de lojas de suvenires, restaurantes, lanchonetes, cobrança pelo uso de modais de transporte (ônibus, trem, teleférico etc.).

Em contrapartida, o particular contratado tem a obrigação de realização de investimentos significativos para a recuperação ou modernização de áreas do parque, bem como a gestão do equipamento por um longo período, que engloba o desenvolvimento de atividades de educação e interpretação ambiental, pesquisa científica, recreação, preservação ambiental.

O histórico das concessões de parques nacionais demonstra que o modelo de contratação por concessões tem proporcionado, para além de recursos financeiros necessários, diversas externalidades positivas para a sociedade. São negócios jurídicos que podem tornar os parques nacionais independentes da necessidade de injeção ininterrupta de recursos públicos – que se não são escassos, muitas vezes deixam de ser investidos nas áreas do parque, para serem vertidos para outros setores considerados mais prioritários.

Em outros termos, os parques concedidos podem ser capazes de gerar suas próprias receitas, sem que necessitem de orçamento público, para a consecução de seus objetivos.

3 Contexto dos contratos de concessão de parques nacionais

Dos 75 parques nacionais existentes, apenas 11[14] já foram objeto de contratos de concessão.

A primeira concessão de parque nacional no Brasil, implantada no Parque Nacional do Iguaçu, utilizou-se do modelo concessório da Lei nº 8.987/1995.

---

[13] Considerando a ausência de infraestrutura adequada e a ineficiência do Estado para ordenação da visitação e gestão do Parque Nacional do Iguaçu, foi que, em 1997, foram publicados dois editais de licitação, pelo Ibama, para concessão de uso das áreas do parque à iniciativa privada. Os Contratos de Concessão nº 01/98 e 02/98 foram firmados com a empresa Cataratas do Iguaçu S.A.

[14] As concessões feitas entre 1998 até junho de 2024 englobaram os seguintes parques nacionais: (i) Parque Nacional do Iguaçu; (ii) Parque Nacional Marinho Fernando de Noronha; (iii) Parque Nacional da Serra dos Órgãos; (iv) Parque Nacional da Tijuca; (v) Parque Nacional Pau Brasil; (vi) Parque Nacional da Chapada dos Veadeiros; (vii) Parque Nacional do Itatiaia; (viii) Parque Nacional Aparados da Serra; (ix) Parque Nacional da Serra Geral; (x) Parque Nacional da Chapada dos Guimarães; (xi) Parque Nacional de Jericoacoara.

A principal razão para adoção de tal modelo era a falta de recursos públicos para investir em melhorias no Parque Nacional do Iguaçu.[15] A adoção desse modelo concessório também se justificou pela necessidade de trazer a eficiência e a *expertise* do privado para a prestação dos serviços a serem oferecidos no parque, especialmente pelas dificuldades administrativas, de recursos humanos e operacionais do Ibama, à época.

A solução encontrada pelo governo federal foi adotar o modelo de contratação previsto na Lei nº 8.987/1995. Como forma de atender às finalidades do parque nacional, a utilização da concessão comum permitiu a transferência de todo o ônus financeiro para a iniciativa privada, impondo ao particular a obrigação de implantação ou reformas de novas infraestruturas, implantação de modais de transporte, vendas de alimentação e bebida, além da gestão e operação da visitação no parque, manutenção e conservação das áreas do parque, entre outras melhorias.

O modelo prevê que esses contratos sejam autossustentáveis e, portanto, que não prescindam de qualquer aporte público para o regular funcionamento da concessão. O particular investe no projeto concessionário e o valor investido deve retornar ao particular por meio da cobrança de ingressos aos usuários e exploração de receitas.

A partir da primeira e bem-sucedida concessão do Parque Nacional do Iguaçu, o governo federal passou a replicar o modelo concessório para outros parques nacionais.[16]

A adoção das concessões, em parques nacionais, vem se mostrando importante instrumento de política pública para consecução dos objetivos dessas unidades de conservação – especialmente porque não trazem nenhum ônus financeiro ao Poder Público.[17]

Embora o modelo tenha sido utilizado sem questionamentos de órgãos de controle até 2017, a partir de questionamento do TCU,[18] optou-se por promulgar autorização legislativa expressa para concessão de serviços e áreas em parques nacionais.[19]

A autorização foi inserida na Lei nº 11.516/2007, por meio da Lei nº 13.668/2018.

O art. 14-C da referida lei, definiu que a licitação e, por consequência, a contratação, deve seguir a Lei nº 8.987/1995 – cristalizando a opção feita pelo Administrador até então:

---

[15] Conforme o Termo de Referência da Licitação, também chamado de "Plano de Revitalização do Parque Nacional do Iguaçu", a concessão de uso de áreas do parque inaugurava um novo conceito de ação administrativa do Ibama: "O Ibama apresenta uma atualização do Plano de Uso Público do Parque Nacional do Iguaçu contendo propostas para viabilizar e intensificar o ecoturismo. A melhoria dos serviços prestados aos visitantes facilitará a recreação e a educação ambiental, ao tempo em que gerará os recursos necessários à execução das atividades previstas no Plano de Manejo. (...) A renovação e melhoria da infra-estrutura de atendimento ao visitante através de investimentos de capital privado, representa a fórmula de financiamento mais adequada, frente à inexistência de recursos públicos suficientes, para a conservação dos ecossistemas englobados pelo Parque" (PROCESSO Administrativo nº 02017.001802/9870. *Plataforma SEI*, [S. l.], [2024]).

[16] Outros tipos de contratos com privados também foram utilizados pelo ICMBio como as concessões de uso em áreas específicas dos parques e de espaços aéreos (serviço de voos panorâmicos), arrendamento de imóveis para fins de hotelaria; permissão de uso de lojas de *souvenir*, alimentação, bebida e autorizações para diversas atividades etc.

[17] Outros tipos de concessões como as administrativas e patrocinadas (ambas regidas pela Lei nº 11.079/2004) também podem ser utilizados no âmbito dos parques nacionais. Não há qualquer vedação para que isso ocorra.

[18] Em 2017, quando o ICMBio publicou dois editais de licitação para concessão do Parque Nacional Pau Brasil e de Brasília, o processo licitatório (pregão 3/2017) relativo à concessão do Parque Nacional de Brasília foi suspenso cautelarmente por decisão do TCU, no âmbito de uma denúncia (Acordão 2.626/2017, TCU, Plenário; TC nº 011.887/2017-6). Entendeu-se que não havia legislação a amparar a concessão dos serviços de apoio à visitação em parques nacionais.

[19] Apesar de a lei ter sido feita, fato é que tal exigência (constante no art. 2º da Lei nº 9.074/1995) é inaplicável às concessões de parques, dado que as concessões dessas atividades ou utilidades não se configuram como serviço público.

Art. 14-C. Poderão ser concedidos serviços, áreas ou instalações de unidades de conservação federais para a exploração de atividades de visitação voltadas à educação ambiental, à preservação e conservação do meio ambiente, ao turismo ecológico, à interpretação ambiental e à recreação em contato com a natureza, precedidos ou não da execução de obras de infraestrutura, mediante procedimento licitatório regido pela Lei nº 8.987, de 13 de fevereiro de 1995. (Incluído pela Lei nº 13.668, de 2018).

A partir do ano de 2018, portanto, houve um avanço no âmbito das concessões de parques. Isso se deu especialmente em decorrência também do Programa de Parcerias de Investimentos, ligado ao Ministério da Economia (PPI-ME)[20] e da parceria do BNDES com o ICMBio na estruturação de projetos de infraestrutura do setor – apoios fundamentais na estruturação de projetos no setor.

Em relação aos parques nacionais já concedidos, verifica-se que os contratos não são uniformes quanto à redação do objeto concedido. Diversas expressões são utilizadas, como: "concessão de uso de áreas"; "concessão para operação"; "concessão de prestação de serviços de apoio à visitação pública"; "concessão para prestação dos serviços públicos de apoio à visitação".

Independentemente da redação não uniforme, os referidos contratos são claros ao transferir ao particular parcela de atribuições do ICMBio ligados à gestão da visitação pública nos parques nacionais, bem como permitir a exploração de atividades econômicas que sirvam de suporte ao uso público do referido bem.

Em síntese, independentemente das diferentes expressões utilizadas nos contratos, os objetos estão relacionados principalmente: (i) à cobrança de ingressos; (ii) à gestão da visitação pública; (iii) ao transporte interno e estacionamento; (iv) à exploração de atividades de apoio ao visitante, como venda de alimentação e bebida; (v) à exploração de atividades de lazer em contato com a natureza.

Da análise dos objetos contratuais se verifica que o foco principal desses contratos é a exploração de atividades relacionadas ao turismo ecológico.

As disposições constitucionais e legais sobre parques nacionais, somadas aos contratos de concessão existentes, formam um conjunto de normas do qual é possível se extrair o regime jurídico das concessões de parques nacionais.

4 Características do regime jurídico das concessões de parques nacionais

Conforme exposto, a Lei nº 8.987/1995 é a base jurídica para criação de um contrato capaz de ser licitado, com a finalidade de transferir a um ente privado um feixe de obrigações inerentes à administração de parque nacional.

Para definição do regime jurídico da concessão de um parque nacional, deve-se ter em mente que sua gestão não se enquadra na categoria de um serviço público. Não

---

[20] Criado em 2016, por meio da Lei nº 13.334/2016, o PPI-ME é "destinado à ampliação e fortalecimento da interação entre o Estado e a iniciativa privada por meio da celebração de contratos de parceria para a execução de empreendimentos públicos de infraestrutura" (art. 1º). Os projetos qualificados no PPI são tratados como empreendimentos de interesse estratégico e tem prioridade nacional, conforme se extrai do art. 5º da referida lei.

há na lei ou na Constituição[21] elementos para tal classificação, com as consequências jurídicas inerentes a tal qualificação.

Isso não invalida a escolha feita pelo legislado de utilizar a Lei nº 8.987/1995 como um dos marcos para as concessões de parques nacionais.[22]

A doutrina, inclusive, defende a possiblidade de concessão de atividades econômicas ou serviços não qualificáveis como serviço público,[23] inclusive do uso de um bem público ou de uma obra pública,[24] mesmo que a Lei nº 8.987/1995 tenha por base o artigo 175 da Constituição Federal.[25]

A inexistência de um serviço público determina que a aplicação da Lei nº 8.987/1995 seja interpretada de forma coerente com o objeto concedido.

---

[21] "Serviço público é uma atividade pública administrativa de satisfação concreta de necessidades individuais ou transindividuais, materiais ou imateriais, vinculadas diretamente a um direito fundamental, insuscetível de satisfação adequada mediante os mecanismos da livre-iniciativa privada, destinada a pessoas indeterminadas, qualificadas legislativamente e executadas sob regime de direito público" (JUSTEN FILHO. *Curso de Direito Administrativo*, p. 632). Na mesma linha: "Não há que se falar em criação de serviço público, mormente quando reserva a titularidade de atividade ao Estado, sem esteio na Constituição ou em lei, mas jamais por iniciativa da própria Administração Pública que por vontade própria retire setores da iniciativa privada transformando-os em serviços públicos. Da mesma forma, não há de se falar em serviço público, por mais essencial que seja, apenas em razão da natureza das coisas, da sua importância ao liame social, sendo imprescindível, além desse dado, o reconhecimento pelo direito positivo da responsabilidade do Estado pela atividade" (ARAGÃO, Alexandre Santos de. *Curso de Direito Administrativo*. Rio de Janeiro: Forense, 2012. p. 370).

[22] Floriano de Azevedo Marques Neto (*Concessões*. Belo Horizonte, Fórum, 2015. p. 177-178) defende: "Seria acaciano dizer apenas que o objeto da concessão comum são a oferta e a prestação de um serviço público. (...)".

[23] Sobre o tema, ver: DI PIETRO, Maria Sylvia Zanella. *Direito Administrativo*. 25. ed. São Paulo: Atlas, 2012. p. 298; GUIMARÃES, Fernando Vernalha. *Concessão de serviço público*. 2. rev. atual. e ampl. São Paulo: Saraiva, 2014. p. 138-139; MARQUES NETO. *Concessões*, p. 121.

[24] Vale aqui a mesma lógica das concessões de rodovia, que até o advento da Lei nº 10.233/2001, não era tratado como serviço público, mas como hipótese de exploração de um bem público precedida de obras, a ser financiado pelo particular nos moldes da Lei nº 8.987/1995. Nesse sentido: "Veja-se que tanto pode ser aplicado o regime da concessão de serviço público à concessão de bem público que em alguns casos assim é, sem muita discussão. Observa-se, a respeito, o que ocorre na concessão de potencial de energia hidráulica e na concessão de rodovias, que têm por objeto precipuamente a outorga do uso privativo de bem público, malgrado associado à prestação de um serviço" (MARQUES NETO, Floriano de Azevedo. *Bens públicos*: função social e exploração econômica: o regime jurídico das utilidades públicas. Belo Horizonte: Fórum, 2014. p. 351).

[25] "Analisada com rigor a questão, a hipótese da concessão de obra pública propriamente dita não pode ser reconduzida à previsão do art. 175 da Constituição. Isso não significa, no entanto, vedação à sua adoção ou à aplicação do regime da concessão de serviço público. Não há necessidade de autorização constitucional para adoção dessas figuras. Ainda que o art. 175 da Constituição não existisse, permaneceria viável a consagração de concessões de serviço público - tal como se evidencia no Direito comparado. A maior parte dos países não apresenta norma constitucional autorizando o Estado a produzir concessões de serviço público. Nem se contraponha que, tendo a Constituição brasileira previsto apenas a concessão de serviço público, estaria vedada a concessão de obra pública. O argumento apresenta validade lógica diminuta (tal como se passa com todo o raciocínio fundado na premissa *inclusius unus, exclusius alterus*) e prova demais. Se a ausência de explícita referência constitucional fosse obstáculo à concessão de obra pública, então também estaria vedada a concessão de bem público - que é referida constitucionalmente apenas para algumas hipóteses. A circunstância de o dispositivo constitucional referir-se apenas à concessão de serviço público propriamente dita não autoriza a ilação de que outras formas de concessão teriam sido vedadas. Bem por isso, não houve qualquer vício na disciplina contemplada no art. 2º, inc. III, da Lei nº 8.987, que disciplinou de modo amplo a matéria, evitando, inclusive, disputas sobre a extensão dos conceitos de serviço e obra. Tanto assim que reconhece que atividades materiais de construção, conservação, reforma etc. caracterizam-se como obras (alude à concessão de serviço público precedida de obra). Mas a exploração tanto pode ser da obra propriamente dita como também de serviços públicos com ela relacionados. Isso fica claro na parte final do referido art. 2º, inc. III ('(...) mediante a exploração do serviço ou da *obra*') (...). Logo, é perfeitamente possível que haja concessão exclusiva de obra pública, sem prestação de serviço público propriamente dito. Mais precisamente, poderia considerar-se como desempenho de serviço público a edificação de uma obra - com o risco, então, de suprimir a categoria de obra, que passaria a ser englobada em um conceito amplo de serviço. Portanto, a Lei nº 8.987 disciplinou concessão de serviço e concessão de obra, ainda que aludindo apenas a serviço público" (JUSTEN FILHO, Marçal. *Teoria geral das concessões de serviço público*. São Paulo: Dialética, 2003, p. 98).

Em relação aos parques nacionais, a concessão é de um bem público –[26] o que determina a elaboração atenta de editais e contratos condizentes com a finalidade jurídica do bem.

Em termos gerais, e considerando os modelos concessionários adotados nos contratos de concessão de parques nacionais, verifica-se que:

(i) não se outorga a concessão de manejo da unidade de conservação, sobretudo porque é proibida a exploração direta dos recursos naturais nela inseridos;

(ii) a contrapartida do concessionário não envolve a exploração dos recursos naturais, mas, sim, de atividades econômicas (utilidades públicas), desenvolvidas na área do bem público, com vistas à adequada gestão do uso público nos parques nacionais;

(iii) as obrigações do concessionário podem envolver o financiamento de obras de grande vulto a serem remuneradas por meio da cobrança de preço público dos usuários.

Está claro, portanto, que o regime concessório da Lei nº 8.987/1995, quando aplicado aos parques, estabelece uma relação contratual de outorga ao particular dos direitos e obrigações que são próprios do ICMBio, relacionados à gestão de uso público dos parques nacionais e exploração de atividades econômicas de caráter empresarial.

Submetida à Lei nº 8.987/1995, a concessão de parques nacionais deve observância ao disposto no art. 6º. Porém, em função da dinâmica negocial estabelecida e consolidada, há de se evitar que o art. 6º seja aplicado de forma idêntica à que se aplica para serviços públicos – sob pena de inviabilizar o modelo concessório.

Por isso, o edital de licitação e o contrato de concessão são os elementos fundamentais e finais para compreensão das normas que regerão a delegação das atividades econômicas no âmbito de parques nacionais (bem público) – i.e., para compreensão do regime jurídico de uma concessão de parque nacional.

Assim, e considerando o art. 6º da Lei nº 8.987/1995, a elaboração de um edital de licitação para concessão e a execução do respectivo contrato deve permitir o uso adequado[27] do parque nacional. Cabe ao ICMBio o dever de conceber regras contratuais

---

[26] Anote-se importante lição de Marçal Justen Filho (*Teoria geral das concessões de serviço público*, p. 105) sobre a diferença entre concessão de serviço público e concessão de uso de bem público: "Mesmo quando se tratar da execução de obra pública, a forma de remuneração do particular residirá na exploração do bem. Atribui-se ao particular a faculdade de gestão do bem público por ser essa a forma para assegurar a ele a obtenção dos proveitos econômicos por meio dos quais amortizará os investimentos realizados e obterá seu lucro. Em face dessa situação, é usual o particular receber encargos adicionais de manutenção e ampliação dos bens e fornecimento de outras utilidades aos usuários, cujo custo correspondente se refletirá nas tarifas cobradas dos usuários. (...) A manifestação mais simples e superficial de diferenciação entre concessão de serviço público e concessão de uso de bem público refere-se ao objeto sobre o qual versam, traduzido nas próprias denominações. Enquanto uma tem por objeto um serviço público, a outra envolve o uso de bem público. Mas a diferença entre os institutos é muito mais extensa, talvez a ponto de inviabilizar a recondução de ambos a um único gênero".

[27] "Adequação é conceito indeterminado, incumbindo ao Estado precisá-lo diante da situação concreta, inclusive para assegurar o controle na prestação do serviço. Dito conceito não retrata opções subjetivas nem avaliações irracionais por parte do Estado ou do usuário. Devem ser estabelecidos parâmetros objetivos de avaliação da qualidade do serviço, que variarão em função da natureza do serviço e das circunstâncias de sua prestação. Se for o caso, aplicar-se-ão as regras técnico-científicas apropriadas. Assim, por exemplo, a avaliação do serviço de transporte urbano será efetuada com base na idade média da frota, da relação entre passageiros e número de veículos, da velocidade de cumprimento do percurso etc. É fundamental a existência de parâmetros objetivos, índices ou outros instrumentos que permitam exame empírico da qualidade do serviço. Somente assim será viável controlar o desempenho do prestador do serviço. Não se admitirá imputação de inadequação ou deficiência se não foram estabelecidos critérios objetivos. Nem teria cabimento avaliação subjetiva e personalíssima,

que imponham ao particular/concessionário que desenvolva serviços considerados, para fins do §1º do referido artigo, regulares, contínuos, eficientes, seguros, atuais, com generalidade e cortesia, e módicos aos cidadãos que acessem esses serviços.

Sobre o acesso do cidadão ao parque nacional, que garante o atingimento das finalidades da própria criação da unidade, os contratos de concessão de parques nacionais têm se valido de diversas formas de modelagem.

É possível que haja contrato de concessão de parques em que se opte pela não cobrança de ingressos, mas apenas seja permitido ao concessionário a exploração econômica das atividades ofertadas em sua área.

O mais comum é que haja a cobrança de ingressos para acesso ao parque. O artigo 103 do Código Civil admite que o "o uso comum dos bens públicos pode ser gratuito ou remunerado, conforme for estabelecido legalmente pela entidade cuja administração pertencerem". Ou seja, "nada obsta o uso remunerado de bem público por particular. Mesmo em relação aos bens de uso comum do povo essa possibilidade existe".[28]

A cobrança de valores pela concessionária tem previsão legal – que admite, inclusive, a cobrança de taxa[29] pela próprio Estado, no caso em que não há delegação das atividades:

> Art. 35. Os recursos obtidos pelas unidades de conservação do Grupo de Proteção Integral mediante a cobrança de taxa de visitação e outras rendas decorrentes de arrecadação, serviços e atividades da própria unidade serão aplicados de acordo com os seguintes critérios (...).[30]

---

proveniente de usuário ou agente público, acerca da qualidade do serviço. Escolhas dessa ordem são irracionais e retratam processos subconscientes, variáveis de sujeito para sujeito. São imprestáveis para fins jurídicos, a não ser que haja manifestações uniformes de proporções razoáveis, segundo padrões estatísticos e técnico-científicos consagrados" (JUSTEN FILHO. *Teoria geral das concessões de serviço público*, p. 308-309).

[28] DI PIETRO. *Uso privativo de bem público por particular*, p. 23. O Decreto nº 84.017/1979, que estabelece as normas que definem e caracterizam os Parques Nacionais, confirmam a classificação de "uso comum" das áreas destinadas ao Parque:
"Art. 1º (...)
§2º - Os Parques Nacionais destinam-se a fins científicos, culturais: educativos e recreativos e, criados e administrados pelo Governo Federal, constituem bens da União destinados ao uso comum do povo, cabendo às autoridades, motivadas pelas razões de sua criação, preservá-los e mantê-los intocáveis. (...)" (BRASIL. Decreto nº 84.017, de 21 de setembro de 1979. Aprova o Regulamento dos Parques Nacionais Brasileiros. *Diário Oficial da União*: Brasília, DF, 1979. Disponível em: https://www.planalto.gov.br/ccivil_03/atos/decretos/1979/d84017.html. Acesso em: 30 out. 2023).

[29] "A prestação de serviços públicos, como visto no tópico anterior, pode ensejar a cobrança de contraprestação por parte dos usuários. Dois são os regimes jurídicos aplicáveis a tal contraprestação: um de índole tributária, relativo à instituição de taxas; outro com natureza de direito administrativo, o modelo tarifário ou dos preços públicos. Os citados regimes apresentam distinções relevantes entre si. Em geral, considera-se o regime tributário mais rígido, dotado de maiores garantias aos particulares, enquanto o tarifário é visto como mais flexível. Assim, quando a cobrança ocorre por intermédio de taxa, exige-se a observância do princípio da estrita legalidade tributária, segundo o qual a fixação do valor e eventuais alterações somente são admitidas quando efetuadas por intermédio de lei (em sentido formal). Outro princípio tributário atrelado às taxas é o da anterioridade, que veda a cobrança de tributo criado num mesmo exercício orçamentário. As tarifas, por sua vez, podem ser criadas e alteradas por atos administrativos, que, por óbvio, devem ter base em lei (pois o princípio da legalidade também se faz aplicar no direito administrativo), mas não precisam ser instituídas diretamente por este instrumento (a lei). Também não lhes é aplicável o princípio da anterioridade, podendo as inovações tarifárias operar efeitos imediatos, isto é, no mesmo exercício financeiro em que forem editadas" (CÂMARA, Jacintho Arruda. *Tarifa nas concessões* São Paulo: Malheiros, 2009. p. 33-34).

[30] BRASIL. Decreto nº 84.017.

Art 47 - A visitação a utilização de áreas de acampamento, abrigos coletivos ou outros nos Parques Nacionais, ficam condicionadas ao pagamento das contribuições fixadas pela Presidência do Instituto Brasileira de Desenvolvimento Florestal – IBDF.[31]

A cobrança de ingresso tem natureza de *preço público.* Conforme Floriano de Azevedo Marques Neto,[32] o preço público é gênero da espécie tarifa:

> Embora haja doutrinadores que sustentem a natureza da remuneração pelo uso da obra pública concedida, tenho que conceitualmente a tarifa se refere à remuneração por um serviço público, de tal sorte nem todo preço público corresponde a uma tarifa. Ao meu ver preço público é gênero para designar toda a remuneração exigida pelo Poder Público ou seus delegatários em virtude da fruição de uma utilidade pública e que não seja objeto de imposição tributária. Já a tarifa é um tipo específico daquele gênero, consistente na remuneração pela fruição de uma atividade peculiar, com natureza de serviço público. De modo que, para mim, a remuneração principal, na concessão de obra pública, é um preço público. Tal preço pode ser ou não fixado pelo poder concedente. Diferentemente das tarifas (as quais, por envolver a remuneração por um serviço público, o Poder Público deve fixar e controlar, sendo a liberdade tarifária a exceção), no caso do preço público pela utilização da obra concedida o Poder Público só deve exercer uma regulação mais rígida caso a obra, para além de ser pública, tenha um caráter social ou uma relevância coletiva que justifique essa intervenção.

Como forma de evitar que os ingressos sejam um empecilho para o acesso ao parque, o governo federal não tem adotado como critério de julgamento a possibilidade de fixação do preço dos ingressos com base na proposta comercial da licitante.

O ICMBio tem definido de antemão o valor do ingresso ou o seu preço máximo (*price cap*)[33] e usado como critério de julgamento na licitação o maior valor de outorga.

A maioria dos contratos de concessão previram um valor certo a ser cobrado do usuário, com previsão de reajuste anual pelo índice determinado em contrato. Em 2022, o ICMBio adotou no âmbito do contrato de concessão do Parque Nacional do Iguaçu valores máximos de ingresso, permitindo à concessionária praticar valores menores a seu exclusivo critério.[34]

Essa postura do ICMBio indica que, para a autarquia, importa o controle do preço público de entrada dos parques nacionais. Assim, tem-se verificado uma preocupação com a formatação de regras regulamentares e contratuais que conformam o regime das

---

[31] BRASIL. Lei nº 9.985, de 18 de julho de 2000. À época da promulgação desse decreto, o IBDF era o órgão competente para administração dos parques nacionais – competência essa sucedida pelo Ibama e, em 2007, pelo ICMBio.

[32] MARQUES NETO. *Concessões,* p. 253.

[33] "Já os modelos de *price cap,* surgidos como tentativa de superação daqueles baseados no custo do serviço, consistem na estipulação de um valor-teto para o preço da tarifa, desinteressando a análise da contabilização dos custos do concessionário. Fixa-se uma tarifa máxima, que pode ser calculada para um serviço específico ou para uma cesta ou um conjunto de serviços" (GUIMARÃES. *Concessão de serviço público,* p. 192).

[34] A medida transfere o ônus de otimizar a visitação à concessionária, que deverá levar em consideração a sazonalidade da visitação na definição dos valores. Nos contratos anteriores ao Contrato de Concessão nº 001/2022, os descontos de sazonalidade são definidos previamente pelo ICMBio, por meio de portarias anuais, que levam em consideração feriados, férias escolares, baixa e alta temporada.

concessões de parques nacionais a fim de garantir a modicidade[35] no preço de acesso às áreas.

A modicidade do preço público, assim como em relação às tarifas no serviço público, não significa necessariamente a cobrança de ingresso com valores baixos. A questão é mais complexa. A modicidade da cobrança para acesso ao serviço ou ao bem público envolve diversos interesses que precisam ser equalizados pelo concedente quando dos estudos para a elaboração do projeto concessionário.

Na prática, e para fins de equalização dos deveres de acesso, atingimento dos objetivos que determinaram a criação do parque e a remuneração dos concessionários, tem-se verificado a utilização de diversos mecanismos de universalização.

Como exemplo, há iniciativas de tornar o acesso de parques nacionais isento para moradores e lindeiros, entre outras categorias de usuários. Nesse caso, é estabelecido ao turista (que tem capacidade econômica mais privilegiada) o encargo de arcar com os valores de entrada para acesso ao parque.

Nessa linha, o ICMBio tem como política pública[36] dar amplo acesso aos cidadãos aos parques nacionais. Por isso, em conjunto com o Ministério do Meio Ambiente, o ICMBio também define, por meio de portarias,[37] a política de ingressos de acesso aos parques nacionais com a indicação dos descontos, gratuidades e isenções incidentes na cobrança do ingresso.

Para manutenção de receitas necessárias para viabilidade do projeto concessionário, o privado poderá, além da cobrança de ingressos, explorar economicamente as áreas do parque.

São receitas de caráter comercial, que se relacionam com atividades de lazer e apoio ao visitante, como a venda de alimentação e bebida, exploração de atividades hoteleiras (alojamentos, *campings*, hotéis e pousadas no interior do parque nacional), transporte dentro do parque, estacionamento, atividades recreativas, entre outras vinculadas ao turismo ecológico.

A exploração de todas essas atividades precisa estar em consonância com o plano de manejo do parque nacional, sob pena de a concessionária ser responsabilizada por infringir a Lei do SNUC.

Por ser uma *expertise* do particular, o risco do desenvolvimento das atividades costuma ser imputado, nos contratos, à própria concessionária. Por isso, o preço da maioria dessas atividades comerciais (que compõem tais receitas) não tem sido regulado pelo concedente – mas tão somente fiscalizadas para fins de coibir o abuso do poder econômico e ilícitos consumeristas.

A concessionária, ao analisar o edital de licitação, considerará no seu plano de negócios o risco de desenvolver as atividades e ter o lucro esperado, podendo, inclusive,

---

[35] "Já o conceito de tarifa *módica* é extraído do direito posto. Traduz o valor-tarifa cuja dimensão numérica não impeça nem dificulte, mas, ao contrário, favoreça o acesso ao serviço público. Consiste num preço que, com vistas a cobrir as despesas da concessão e assegurar a justa remuneração ao concessionário, facilite o acesso ao serviço público" (GUIMARÃES. *Concessão de serviço público*, p.184).

[36] Vale aqui a seguinte lógica: "O poder concedente, além de intermediar esta constante tensão de interesses, tem como atribuição instituir, por intermédio do regime jurídico tarifário, uma política pública para o serviço em questão" (CÂMARA. *Tarifa nas concessões*, p. 67-88).

[37] Atualmente, a Portaria MMA nº 256/2020 dispõe sobre a Política de Ingressos em parques nacionais (Disponível em: https://www.in.gov.br/web/dou/-/portaria-n-256-de-10-de-junho-de-2020-261279220. Acesso em: 7 mar 2024).

implantar novas atividades.[38] Busca-se, assim, retirar o protagonismo do ingresso como principal pilar de retorno do investimento – o que tornaria o preço do ingresso suscetível a aumentos, caso o retorno esperado durante a execução do contrato não viesse a ser concretizado.

Aqui, já se percebeu que, a questão da modicidade também resvala na própria sustentabilidade econômica do projeto. Isso porque, em que pese a possibilidade de acesso livre ao parque, os projetos concessórios têm se estruturado por meio da previsão de remuneração da concessionária advinda da cobrança de ingresso para acesso ao parque e da exploração de receitas comerciais.

Mais do que isso, o próprio concedente tem arrecadado parte das receitas obtidas pela exploração dos parques nacionais no bojo desses contratos.

As regras de compartilhamento de receitas com o concedente podem variar de contrato para contrato. Em relação à cobrança de ingressos, a maioria dos contratos estabelecem o repasse[39] de uma parcela (ou valor total) do valor do ingresso para o concedente, a ser paga pela concessionária por meio de Guia de Recolhimento da União[40] (GRU), mensalmente. Esse percentual é definido a partir dos estudos de viabilidade econômico-financeira do projeto[41] e consta no edital de licitação.

O percentual de compartilhamento a incidir sobre as demais receitas auferidas pela concessionária (outorga variável), decorrentes da exploração de atividades comerciais, são também definidas em contrato.[42]

Em relação à regulação do contrato, pode-se afirmar que é essencialmente contratual.[43] Nesse tipo de regulação o contrato especifica de antemão todas as regras que regerão a concessão, como preço do serviço, reajuste e revisão, prazo do contrato, alocação de riscos, nível do serviço, regras para fins de reequilíbrio econômico-financeiro.

A flexibilidade (ou discricionariedade) do administrador, na regulação contratual, é mais restrita já que as regras contratuais estão postas às partes em contrato, devendo o administrador seguir as regras contratuais para fins de fiscalização.

Tal qual em contratos de concessão de outras áreas, também para os parques nacionais verifica-se a implantação de sistema de mensuração de desempenho da concessionária (conjunto de métricas para avaliar a *performance*).

---

[38] Conforme permite o art. 11 da Lei nº 8.987/1995.

[39] Os valores a serem pagos ao concedente, relativos à cobrança de ingressos, são denominados de "outorga" ou "repasse".

[40] Em regra, a base de cálculo do valor devido se dá por meio de verificação mensal da venda dos ingressos, em que a concessionária envia um Relatório de Visitação ao concedente para fins de emissão da GRU. O calculado ocorre em cima dos valores recebidos pela concessionária com a cobrança de ingressos.

[41] Nos primeiros contratos de concessão, cabia aos licitantes fazerem proposta tendo como base o percentual mínimo definido em edital para fins de compartilhamento das receitas com o concedente.

[42] Estes percentuais são diferentes em cada contrato, pois resultam de estudos econômico-financeiros próprios de cada projeto. Há concessões com repasse integral do valor do ingresso (Contrato de Concessão nº 01/2014), há outras que não se estabeleceu nenhum valor a título de pagamento de outorga variável (Contrato de Concessão nº 136/2010). A outorga variável (relativas às receitas comerciais) tem sido instituídas ao concedente tendo como base, geralmente, as Demonstrações do Resultado do Exercício auditadas anualmente. No contrato de concessão do Parque Nacional da Tijuca, por exemplo, foi estabelecido um valor mínimo de outorga variável a ser pago mensalmente ao concedente, devendo ser complementada anualmente com base nas receitas totais auferidas pela concessionária.

[43] Contrapõe-se à regulação discricionária "que tem como objetivo alinhar os preços regulados aos custos eficientes de prestação de serviço ao longo do tempo" (CAMACHO, Fernando Tavares; RODRIGUES, Bruno da Costa Lucas. Regulação econômica de infraestruturas: como escolher o modelo mais adequado? *Revista do BNDES*, Brasília, DF, n. 41, p. 261, jun. 2014).

A fiscalização da execução dos contratos de concessão é feita pelo próprio concedente. No âmbito do ICMBio, a fiscalização de cada contrato é designada por meio de Portarias[44] que determinam a Comissão de Fiscalização e Acompanhamento Contratual (CFAC) de cada contrato de concessão, composta por (i) um presidente; (ii) um fiscal administrativo; (iii) um fiscal contábil; (iv) um fiscal econômico-financeiro; (v) um fiscal de obras; (vi) um fiscal técnico. Todos os membros da comissão devem possuir um substituto.

A CFAC é a responsável por fiscalizar o cumprimento do contrato de concessão, podendo solicitar relatórios periódicos ou quaisquer informações complementares relacionadas à concessão.

A partir de 2019, o ICMBio passou a prever nos contratos de concessão a figura do verificador independente. No Contrato de Concessão nº 001/2022, foi previsto o verificador de conformidade para dar suporte ao acompanhamento e fiscalização da execução do contrato, especialmente na aferição da performance da concessionária por meio do Sistema de Mensuração de Desempenho.

Os contratos de concessão de parques nacionais também obedecem às regras de proteção ao equilíbrio econômico-financeiro estabelecido a partir das propostas apresentadas nas licitações.

Os primeiros contratos de concessão, firmados em 1998, não previram revisões ordinárias, apenas extraordinárias. A cláusula[45] que regulava o reequilíbrio econômico-financeiro do contrato se baseava preponderantemente na lógica de recomposição de preços da Lei nº 8.666/1993, prevendo hipóteses como "fatos supervenientes", "fato do príncipe", "fato da administração", "modificações substanciais nos preços dos insumos". Também não havia a definição de uma matriz de risco.

Entre 2010 até 2014, os contratos não previram nem sequer cláusula regulando a hipótese de reequilíbrio econômico-financeiro do contrato, nem de revisão ordinária e extraordinária; tampouco havia a definição de matriz de risco.

Apenas a partir de 2018 é que os contratos passaram a contar novamente com cláusulas[46] regulando o procedimento de reequilíbrio econômico-financeiro, prevendo revisões ordinárias, a cada cinco anos, e extraordinárias, bem como definindo matriz de risco para definição dos responsáveis por variações que afetem a execução do contrato.

Além disso, foi criado o Comitê Especial de Concessão (CEC) com competência para decidir sobre os pedidos de reequilíbrio econômico-financeiro dos contratos, com apoio da Procuradoria Federal Especializada (PFE), naquilo que se fizer necessário.

5 Conclusão

O modelo de concessão dos parques nacionais vem se revelando fundamental para atingimento dos objetivos da criação de unidades de conservação federais, sobretudo

---

[44] Conforme Instrução Normativa nº 9/2018/GABIN/ICMBio, de 10 de julho de 2018.

[45] Cláusula 5ª dos Contratos nº 01/1998 e 02/1998. Processo Administrativo nº 02070.023698/2021-76. Plataforma SEI.

[46] No Contrato de Concessão nº 01/2022, o ICMBio previu revisão ordinária, sendo a primeira em 8 anos e as demais a cada 10 anos; revisão extraordinária e regras e procedimentos para reequilíbrio, requisitos para a formulação do pleito, metodologia para recomposição do equilíbrio econômico-financeiro por meio de fluxo de caixa marginal, e indicação das taxas de descontos a serem utilizadas em impactos futuros ou presentes.

quanto à preservação, à conservação, à proteção da natureza, à proteção de espécies ameaçadas de extinção e à recuperação de ecossistemas degradados.

Compreender e tornar coerente o regime jurídico, sob o qual tal modelo se desenvolveu até aqui, poderá ser a chave para aprimorar o sistema e impulsionar novas concessões fundamentais para tornar sustentáveis parques que atualmente sofrem pela falta de recursos. Afinal, percebe-se que há um modelo próprio de concessão para parques nacionais.

Assim como em outras áreas, o modelo concessionário de parques nacionais está pautado em uma relação contratual, concebido a partir de diversas normas legais e administrativas, que visa a garantir previsibilidade e segurança para os investimentos realizados por privados.

Sem dúvida, as lições do Professor Marçal Justen Filho sobre o tema das concessões são de extrema relevância tanto para a reflexão e crítica do modelo atual da concessão de parques nacionais quanto para o desenvolvimento e atualização do sistema jurídico pelos estruturadores, investidores e responsáveis pelo controle de novos projetos.

Referências

ANTUNES, Paulo de Bessa. Código Florestal e a Lei do Sistema Nacional de Unidades de Conservação: normatividades autônomas. *Revista de Direito Administrativo*, São Paulo, v. 265, p. 87-109, 2014.

ARAGÃO, Alexandre Santos de. *Curso de Direito Administrativo*. Rio de Janeiro: Forense, 2012.

BRASIL. Decreto nº 84.017, de 21 de setembro de 1979. Aprova o Regulamento dos Parques Nacionais Brasileiros. *Diário Oficial da União*: Brasília, DF, 1979. Disponível em: https://www.planalto.gov.br/ccivil_03/atos/decretos/1979/d84017.html. Acesso em: 30 out. 2023.

BRASIL. Lei nº 9.985, de 18 de julho de 2000. Regulamenta o art. 225, §1º, incisos I, II, III e VII da Constituição Federal, institui o Sistema Nacional de Unidades de Conservação da Natureza e dá outras providências. *Diário Oficial da União*: Brasília, DF, 2015. Disponível em: https://www.planalto.gov.br/ccivil_03/leis/l9985.htm. Acesso em: 6 nov. 2023.

EMPRESA que foi desapropriada para a criação do Parque Nacional das Araucárias (SC) será indenizada. *Portal TRF4*, Brasília, DF, 2 set. 2022. Disponível em: https://www.trf4.jus.br/trf4/controlador.php?acao=noticia_visualizar&id_noticia=26182. Acesso em: 30 out. 2023.

CAMACHO, Fernando Tavares; RODRIGUES, Bruno da Costa Lucas. Regulação econômica de infraestruturas: como escolher o modelo mais adequado? *Revista do BNDES*, Brasília, DF, n. 41, jun. 2014.

CÂMARA, Jacintho Arruda. *Tarifa nas concessões*. São Paulo: Malheiros, 2009.

DI PIETRO, Maria Sylvia Zanella. *Direito Administrativo*. 25. ed. São Paulo: Atlas, 2012.

DI PIETRO, Maria Sylvia Zanella. *Uso privativo de bem público por particular*. 3. ed. São Paulo: Atlas, 2014.

GUIMARÃES, Fernando Vernalha. *Concessão de serviço público*. 2. rev. atual. e ampl. São Paulo: Saraiva, 2014.

ICMBio. *Cadernos de Visitação*. Brasília, DF: ICMBio, [20--?]. Disponível em: https://www.icmbio.gov.br/parnasaojoaquim/images/stories/ORIENTACOES_PUP_ICMBIO.pdf. Acesso em: 28 jul. 2023.

JUSTEN FILHO, Marçal. *Curso de Direito Administrativo*. 13. ed. São Paulo: Revista dos Tribunais, 2018.

JUSTEN FILHO, Marçal. *Teoria geral das concessões de serviço público*. São Paulo: Dialética, 2003.

MARQUES NETO, Floriano de Azevedo. *Bens públicos*: função social e exploração econômica: o regime jurídico das utilidades públicas. Belo Horizonte: Fórum, 2014.

MARQUES NETO, Floriano de Azevedo. *Concessões*. Belo Horizonte: Fórum, 2015.

PAINEL Unidades Conservação Brasileiras. [*S. l.*], [2024]. Disponível em: https://app.powerbi.com/view?r=eyJrIjoiMGNmMGY3NGMtNWZlOC00ZmRmLWExZWItNTNiNDhkZDg0MmY4IiwidCI6IjM5NTdhMzY3LTZkMzgtNGMxZi1hNGJhLTMzZThmM2M1NTBlNyJ9&pageName=ReportSectione0a112a2a9e0cf52a827. Acesso em: 6 out. 2023.

PRIMEIRA Turma reconhece desapropriação indireta na criação do Parque Nacional de Jericoacoara. *Portal STJ*, Brasília, DF, 25 abr. 2023. Disponível em: https://www.stj.jus.br/sites/portalp/Paginas/Comunicacao/Noticias/2023/25042023-Primeira-Turma-reconhece-desapropriacao-indireta-na-criacao-do-Parque-Nacional-de-Jericoacoara.aspx. Acesso em: 30 out. 2023.

PROCESSO Administrativo nº 02017.001802/9870. *Plataforma SEI*, [*S. l.*], [2024].

Informação bibliográfica deste texto, conforme a NBR 6023:2018 da Associação Brasileira de Normas Técnicas (ABNT):

BORDA, Danyara Tajra; BORDA, Daniel. Notas sobre o regime jurídico da concessão de parques nacionais. *In*: JUSTEN, Monica Spezia; PEREIRA, Cesar; JUSTEN NETO, Marçal; JUSTEN, Lucas Spezia (coord.). *Uma visão humanista do Direito*: homenagem ao Professor Marçal Justen Filho. Belo Horizonte: Fórum, 2025. v. 3, p. 299-314. ISBN 978-65-5518-915-5.

ARRENDAMENTO PORTUÁRIO: ONTEM, HOJE E AMANHÃ

DENIS AUSTIN

1 Introdução

Como o arrendamento portuário deixou de ser um contrato de natureza privada para se tornar um contrato administrativo densamente regulado? Como ele foi flexibilizado por mudanças regulatórias recentes, e, mais importante, como ele será no futuro?

As reflexões contidas neste artigo são fruto de diálogos e debates com diversos *players* e profissionais do setor portuário na busca de aperfeiçoar o arcabouço normativo vigente. O objetivo: alinhar incentivos entre o público e o privado de modo a abrir o caminho para novas oportunidades de desenvolvimento econômico do nosso país.

Sem pretensão de esgotar o assunto, busco enquadrar o arrendamento portuário nas suas origens normativas, diagnosticar a situação atual e submeter ao debate qualificado algumas propostas de aperfeiçoamento, tendo em vista problemas concretos enfrentados pelo setor público e pelo privado.

2 Ontem: como foi o arrendamento portuário?

2.1 Uma política pública através de contratos privados

A partir da década de 1960, a política pública para a atração de novos investimentos privados em infraestrutura portuária começa a orientar o surgimento de arrendamentos[1] e terminais privativos. Um dos objetivos era atender à demanda por especialização dos terminais. Já não bastava um píer com alguns guindastes e muita mão de obra para retirar cargas em caixas ou sacas de dentro dos porões dos navios. Com o desenvolvimento

---

[1] A figura do arrendamento para bens públicos não destinados ao serviço público já existia no direito brasileiro, por força do Decreto-Lei nº 9.760/46, que orientava sua utilização quando fosse objetivada a exploração de frutos ou prestação de serviços (arts. 64 e 96).

das diversas indústrias e a escalada do comércio internacional, foram surgindo novas tecnologias de transporte especialmente para granéis e combustíveis, demandando terminais especializados com equipamentos próprios que conferiam à operação ganhos de eficiência.

Ora, nessa época, ao passo que se fixou a estratégia de constituir empresas estatais para figurarem como autoridades portuárias dos portos organizados – através do Decreto nº 54.046/1964 –, também se fixou a orientação de transferir para a iniciativa privada a operação de terminais. O Decreto-Lei nº 83/1966 é testemunha disso, pois declinou: "Art. 10. Os concessionários dos portos organizados deverão adotar medidas objetivas para a descentralização das operações, estimulando a construção de 'piers' e o aluguel ou arrendamento das instalações portuárias pelos usuários ou por terceiros".

Nesse contexto, surgiram inúmeros arrendamentos ou locações, regidos pelo Decreto-Lei nº 5/1966 e pelo Decreto nº 59.832/1966. Os arrendamentos celebrados pelas Companhias Docas recém-criadas: (i) eram contratos sob regime de direito privado, muitas vezes celebrados por escritura pública em cartório; (ii) não requeriam licitação, sendo contratados mediante negociações diretas,[2] preferencialmente, com aqueles que se dispusessem a realizar investimentos; (iii) tinham prazos de 5 a 10 anos, podendo ser prorrogados sucessivas vezes; (iv) os bens implantados eram tratados, em geral, como benfeitorias sujeitas ao regime do Código Civil (CC).[3]

2.2 Uma política pública através de contratos administrativos

Sob a Ordem Constitucional de 1988, com a edição da Lei nº 8.630/1993, o contrato de arrendamento portuário ainda era celebrado diretamente pelas autoridades portuárias, mas deveria ser sempre precedido de licitação (art. 4º, inc. I) e passou a ser tratado como um típico contrato administrativo, algo que foi expresso no Decreto nº 4.391/2002, que criou o Programa Nacional de Arrendamento de Áreas e Instalações Portuárias.

Assim, o arrendamento portuário passava por um enrijecimento sensível: (i) tornou-se um contrato administrativo, sujeito a regras pré-definidas de formatação e a poderes exorbitantes da Administração, bem como a reequilíbrios econômico-financeiros em função de alterações ou eventos de álea econômica extraordinária; (ii) submetia-se à prévia licitação na modalidade concorrência (uma única proposta fechada por licitante) instruída com estudos de viabilidade; (iii) o prazo máximo, incluída prorrogação não

---

[2] "A liberdade operacional das entidades paraestatais, especialmente das empresas públicas e das sociedades de economia mista, decorre de sua assemelhação às empresas privadas, por preceito constitucional que assim dispõe: "Na exploração pelo Estado, da atividade econômica, as empresas públicas e as sociedades de economia mista reger-se-ão pelas normas aplicáveis às empresas privadas, inclusive quanto ao direito do trabalho e ao das obrigações" (Const. Rep., art. 170, §2º). (...) Seus métodos operacionais são os das empresas privadas; seus negócios admitem lucro; seu pessoal é empregado de empresa, regido em tudo e por tudo pela Consolidação das Leis do Trabalho e pelas normas acidentárias e previdenciárias comuns. (...) No consenso da doutrina e da jurisprudência pátrias não é exigível licitação nas entidades paraestatais, para qualquer de suas contratações" (MEIRELLES, Hely Lopes. A licitação nas entidades paraestatais. *In:* MEIRELLES, Hely Lopes(org.). *Estudos e pareceres de Direito Público.* São Paulo: Revista dos Tribunais, 1981. v. 3, p. 14-15).

[3] PRADO, Lucas Navarro; SILVA, Eber Luciano Santos; AUSTIN, Denis. Reversibilidade de bens e indenização nos arrendamentos portuários pré-1993. *Revista Direito Aduaneiro, Marítimo e Portuário,* [*S. l.*], v. 36, p. 99-117, jan./ fev. 2017.

deveria exceder 50 anos; (iv) os bens implantados passavam a ser encarados como bens reversíveis em função da ideia de continuidade da prestação do serviço público.

2.3 A grande batalha dos terminais privados *vs.* arrendados, a ADPF nº 139/DF e a Lei nº 12.815/2013

Pelo menos desde a década de 1960, os terminais arrendados conviviam com terminais privativos objeto de autorização.[4] Originalmente, os últimos movimentavam apenas carga própria. Com a edição da Lei nº 8.630/1993, surgiram os terminais de uso misto que se destinavam a admitir a utilização da capacidade ociosa desses terminais, via de regra terminais graneleiros de cadeia verticalizada, para a movimentação de carga de terceiros. Os terminais privativos eram explorados mediante outorga de autorização, sem necessidade de licitação e entendidos como exploradores de atividade econômica sob regime privado. Mas verificou-se, em verdade, muitos casos em que as cargas eram praticamente todas de terceiros, competindo francamente com os terminais arrendados nos portos organizados. O principal fenômeno dessa competição se deu no segmento de contêineres.

Em 1993, quando a Lei nº 8.630 foi editada, boa parte da carga geral no Brasil era transportada de forma rudimentar, através de *pallets*, ou ia amarrada. No entanto, com o processo global de conteinerização, começaram a surgir no Brasil terminais especializados em contêineres. Assim, importantes terminais surgiram tanto nos portos organizados sob o regime público de arrendamento quanto fora destes sob regime privativo misto, apesar de este não ter sido originalmente pensado para essa finalidade. Em alguns casos, como no do Porto de Itajaí, de um lado do canal de acesso se encontrava o terminal arrendado de contêineres do referido porto,[5] e na outra margem um terminal privativo sob regime misto pertencente à Portonave S.A.

Dada a assimetria regulatória de regimes jurídicos e a natureza materialmente idêntica das atividades, o conflito era inevitável e foi esgrimido em diversas frentes. O ponto culminante e de grande repercussão desse embate foi a propositura da ADPF nº 139/DF pela Associação Brasileira dos Terminais de Contêineres de Uso Público (ABRATEC) perante o Supremo Tribunal Federal (STF),[6] cujo patrocínio coube a ninguém menos que o Professor Marçal Justen Filho em brilhante demonstração do conhecimento

---

[4] LOBO, Carlos Augusto da Silveira. Os terminais portuários privativos na Lei nº 8.630/93. *Revista de Direito Administrativo – RDA*, Rio de Janeiro, v. 220, p. 19-34, abr./jun. 2000.

[5] Atualmente, planeja-se uma concessão parcial do Porto Organizado de Itajaí: MODELO para concessão do Porto de Itajaí (SC) estruturado pela Infra S.A. é apresentado pela ANTAQ. *INFRA S.A.*, [*S. l.*], 23 abr. 2024. Disponível em: https://www.infrasa.gov.br/modelo-para-concessao-do-porto-de-itajai-sc-estruturado-pela-infra-s-a-e-apresentado-pela-antaq/. Acesso em: 17 out. 2024.

[6] "A regulação do setor portuário, desde a edição da Lei nº 8.630/1990, foi modulada para promover, por meio de sua abertura à competição, a modernização e a expansão da infraestrutura portuária. Tal sistemática foi introduzida pela instituição de uma assimetria regulatória entre os prestadores dos serviços portuários, segundo a qual é atribuída uma maior ou menor dose de concorrência, de acordo com as peculiaridades das atividades por eles desenvolvidas. Essa assimetria regulatória gerou uma aguda controvérsia concorrencial sob a égide da Lei nº 8.630/1993 – entre os arrendatários e os autorizatários de Terminais Privativos de Uso Misto –, a qual pode ser resumida na Arguição de Descumprimento de Preceito Fundamental (ADPF) nº 139" (MOREIRA NETO, Diogo de Figueiredo; FREITAS, Rafael Véras. *A nova regulação portuária*. Belo Horizonte: Fórum, 2015. p. 78).

jurídico da matéria e do zelo profissional na advocacia, sendo instruída com pareceres de inúmeros dos mais prestigiados administrativistas, constitucionalistas e economistas.[7]

No entanto, a moldura legislativa e regulatória haveria de mudar substancialmente, levando à perda de objeto da ação, que, apesar de proposta em 2008, só foi julgada em fevereiro de 2013: foi editada a Medida Provisória nº 595/2012 – que seria convertida na Lei nº 12.815/2013 –, revogando a Lei nº 8.630/93 e provocando profunda alteração na regulação da ANTAQ, no sentido de garantir aos terminais autorizados a possibilidade irrestrita de movimentar carga de terceiros.

3 Hoje: como é o arrendamento portuário?

O arrendamento portuário hoje está regulado por uma diversidade de normativos: a Lei nº 12.815/2013, o Decreto nº 8.033/2013, a Resolução Normativa nº 07/2014-ANTAQ e outras resoluções da ANTAQ e portarias do poder concedente – hoje Ministério dos Portos e Aeroportos (MPOR). Destaca-se mais recentemente a edição da Lei nº 14.047/2020 e do Decreto nº 10.672/2021, que tiveram por intuito flexibilizar o regime jurídico do arrendamento.

3.1 A submissão ao planejamento estatal

A escolha do perfil de carga dos arrendamentos portuários está hoje condicionada aos Planos de Desenvolvimento e Zoneamento (PDZ), que, por sua vez, devem estar em consonância com o Plano Mestre do porto elaborado pelo poder concedente (Portaria nº 61/2020-MINFRA). Em relação à operação portuária, submetem-se ao Regulamento de Exploração Portuária (REP) da autoridade portuária, acerca da utilização de acessos terrestres e aquaviários, bem como a outros requisitos para realização de obras, ordenação do tráfego e de utilização de berços.

3.2 Contratação por licitação e contratação direta

A contratação está condicionada a prévio procedimento licitatório que, no setor portuário, tem sido realizado na modalidade leilão através da combinação de etapa fechada e aberta com lances em viva-voz, tendo por critério de seleção consagrado o maior valor pela outorga, embora sejam possíveis outros critérios. A licitação, via de regra, é realizada pela ANTAQ seguindo as diretrizes do poder concedente, embora exista a possibilidade de este delegar a realização da licitação assim como a gestão contratual para a autoridade portuária do porto organizado (Decreto nº 8.033/2013, art. 5º, p. único, Portaria nº 574/2018-MPTA). A fase preparatória envolve a elaboração de EVTEA, que,

---

[7] Os pareceres de Gesner de Oliveira, Alexandre Santos de Aragão, Celso Antônio Bandeira de Mello, José Afonso da Silva, Juarez Freitas, Antonio Delfim Netto, Tércio Sampaio Ferraz Júnior e Ruy Santacruz foram reunidos em: REGULAÇÃO portuária e concorrência: terminais de uso público e de uso privativo misto: pareceres jurídicos e econômicos relativos à ADPF n. 139. São Paulo: ABRATEC, 2009.

nos últimos anos, tem sido elaborado pela INFRA S.A. e remunerado posteriormente pelo licitante vencedor. Há necessidade de aprovação dos estudos perante o Tribunal de Contas da União (TCU), seguindo o rito definido na IN nº 81/2018-TCU. Alguns procedimentos requerem audiência e consulta pública.[8] Firmou-se a prática de realizar o leilão na B3. Em geral, os processos licitatórios são ultimados em cerca de 28 meses.[9]

Com a edição da Lei nº 14.047/2020, surge a possibilidade de dispensa de licitação desde que comprovada a existência de um único interessado. A comprovação deve ser feita mediante chamamento público promovido pela autoridade portuária, no qual o interessado deve apresentar necessariamente garantia de proposta e compromete-se a celebrar contrato de arrendamento caso seja o único interessado e, caso haja mais de um interessado, a apresentar proposta válida e participar da licitação (Decreto nº 8.033/2013, arts. 7º-B e 7º-C).

3.3 Pagamentos devidos pelo arrendatário

Além do valor de outorga devido por ocasião da licitação, o arrendatário deve pagar periodicamente à autoridade portuária o arrendamento fixo e o arrendamento variável cuja variação está atrelada ao volume de carga movimentada. Além disso, costuma haver a estipulação de uma Movimentação Mínima Contratual (MMC), uma quantidade mínima de carga que a arrendatária deve movimentar, sob pena de pagar o valor de arrendamento variável correspondente ao mínimo estipulado, mesmo que não tenha havido a correspondente movimentação.[10]

3.4 Remuneração dos serviços portuários

No setor portuário, verifica-se atualmente uma dissociação entre o operador portuário e o arrendatário (terminal), isto é, quem presta o serviço portuário não necessariamente é o próprio terminal portuário, mas um operador pré-qualificado que pode ser um terceiro contratado e que cobra do usuário um preço privado livremente negociado. Portanto, o usuário estabelece uma relação jurídica com o operador portuário, é dizer que estabelece uma relação jurídica – privada – que, acidentalmente, calha de ser com o próprio terminal onde a operação se desenvolve, se e enquanto este também for o próprio operador portuário. Tanto é assim que é o operador portuário quem se

---

[8]   É o caso dos arrendamentos com EVTEA simplificado, cf. Resolução nº 7.821/2020-ANTAQ e ANTAQ (BRASIL. Agência Nacional de Transportes Aquaviários. Proposição de Valores Referenciais Remuneratórios para Áreas Arrendáveis por meio de Estudos Simplificados. *Gov.br*, Brasília, DF, 2020. Disponível em: http://sophia.antaq. gov.br/terminal/Busca/Download?codigoArquivo=34781. Acesso em: 17 out. 2024).

[9]   BRASIL. Tribunal de Contas da União (Plenário). Auditoria Operacional sobre Limitações dos portos organizados em Comparação com os TUPs. Acórdão nº 2.711/2020. Relator: Min. Bruno Dantas, 2020. *Dje*: Brasília, DF, p. 21, 2020.

[10] Por exemplo, os contratos de arrendamento de: TERSAB (Terminal Salineiro de Areia Branca), objeto do Leilão nº 09/2021-ANTAQ; MAC13 terminal de armazenagem de granel sólido vegetal localizado no Porto Organizado de Maceió (Jaraguá), objeto do Leilão nº 07/2021-ANTAQ; STS08-A terminal de granel líquido combustível na região de Alemoa do Porto Organizado de Santos.

responsabiliza perante o usuário por falhas na prestação do serviço tais como perdas e danos à carga (art. 26, inc. II, da Lei nº 12.815/2013).[11]

A liberdade de preços foi enfatizada com a minirreforma promovida pela Lei nº 14.047/2020 através da inserção do inc. VI no art. 3º da Lei nº 12.815/2013.

3.5 Alocação de riscos e equilíbrio econômico-financeiro

Os contratos de arrendamento portuário mais recentes possuem sua equação econômico-financeira vinculada a uma alocação objetiva de riscos. Há dois tipos de eventos na alocação de riscos: (i) os eventos de compensação (*compensation events*) e (ii) os eventos de alívio (*relief events*). Os eventos de compensação são riscos alocados a uma parte cuja materialização, se houver impacto econômico-financeiro, implica desequilíbrio e enseja uma compensação através de recomposição do equilíbrio econômico-financeiro (REEF) à outra parte. Os eventos de alívio são eventos que, por mais que sejam formalmente alocados a uma parte e tenham seus impactos suportados pela outra parte, não levam a uma REEF, mas à não aplicação de penalidades e à prorrogação de cronograma de execução por eventuais descumprimentos contratuais decorrentes do evento. A Portaria nº 530/2019-MINFRA regulamenta o processo de recomposição que envolve uma atuação conjunta do poder concedente e da ANTAQ.

O cálculo do *quantum* do desequilíbrio é feito nos termos da Resolução nº 85/2022-ANTAQ, segundo a metodologia do fluxo de caixa marginal que consiste na projeção de um novo fluxo de caixa contendo as entradas e saídas de caixa derivadas do fato gerador de desequilíbrio, de modo que o Valor Presente Líquido (VPL) seja igual a zero. Para descontar o fluxo, é adotada como TIR um custo médio ponderado de capital (WACC) recalculado pela ANTAQ para a época em que ocorreu o fato gerador do desequilíbrio. No setor portuário, essa metodologia adquire algumas peculiaridades em relação aos outros setores que a adotam.[12]

Além do custo de capital, as demais premissas econômico-financeiras são atualizadas em relação à modelagem original do contrato. Isso é feito através de um EVTEA elaborado especificamente com a finalidade de promover o REEF. O EVTA deve seguir os parâmetros fixados na Nota Técnica nº 07/2014-GRP/SPO/ANTAQ/SEP e no Manual de Análise para Estudos de Viabilidade Técnica, Econômica e Ambiental.[13]

Quantificado o desequilíbrio, a decisão sobre a forma de recomposição fica a critério do poder concedente que poderá escolher entre: (i) aumentar ou diminuir

---

[11] Também há casos em que se distingue a atuação do operador portuário e do arrendatário a propósito da responsabilidade por dano ambiental. Nesse sentido: "O fato de a autora ser operadora portuária e não arrendatária do espaço portuário não a exime de responder por danos ambientais a que deu causa" (SÃO PAULO. Tribunal de Justiça do Estado. Apelação Cível 1006348-24.2016.8.26.0562. 1. Câmara Reservada ao Meio Ambiente, Foro de Santos. Relator: Des. Oswaldo Luiz Palu. *DJTJSP*: Poder Judiciário, 8 fev. 2018). Também tem sido atribuída ao operador portuário a responsabilidade solidária com o OGMO por débitos trabalhistas devidos a trabalhadores portuários: "(...) os operadores portuários e o OGMO respondem, solidariamente, pelo pagamento da remuneração devida ao trabalhador portuário avulso" (BRASIL. Tribunal Superior do Trabalho (4. Turma). AIRR 12967520125010069. Relator: Min João Oreste Dalazen. *DEJT*: Brasília, DF 27 maio 2016).

[12] FREITAS, Rafael Véras. *Equilíbrio econômico-financeiro das concessões*. Belo Horizonte: Fórum, 2023. p. 136.

[13] BRASIL. Agência Nacional de Transportes Aquaviários. *Manual de Análise para Estudos de Viabilidade Técnica, Econômica e Ambiental*. Brasília, DF: ANTAQ, 2022. Disponível em: http://sophia.antaq.gov.br/index.asp?codigo_sophia=27654. Acesso em: 17 out. 2024.

obrigações financeiras; (ii) modificar obrigações contratuais; (iii) estender ou reduzir o prazo do contrato e (iv) pagar indenização.

3.6 Contabilidade regulatória

Os arrendatários sujeitam-se à apresentação de demonstrações contábeis padronizadas de acordo com a contabilidade regulatória prevista em um Manual de Contas do Setor Portuário por força da Resolução nº 49/2021-ANTAQ. Esta resolução permite à agência, inclusive, condicionar a instrução de pleitos de recomposição do equilíbrio econômico-financeiro à apresentação de demonstrações contábeis padronizadas (art. 18). Através da contabilidade regulatória, a ANTAQ teria condições de mitigar a assimetria de informação existente entre regulador e regulado, permitindo monitorar uma série de indicadores e custos relacionados à operação e a investimentos realizados pelos arrendatários, possibilitando a formulação de *benchmarks* e comparação entre agentes, bem como a elaboração de regulações econômicas e de controles sobre abusividade de preços muito mais incisivas.

3.7 Definição de escopo de investimentos e novos investimentos

Na etapa de planejamento da licitação, o poder concedente define o escopo de investimentos que serão realizados pelo futuro arrendatário. Nos últimos anos, firmou-se a prática de que esses investimentos sejam definidos em termos de capacidade operacional mínima com *layout* meramente ilustrativo e prazo mínimo de consecução.[14]

Desse modo, o futuro arrendatário tem liberdade para desenvolver soluções e dimensionar a capacidade operacional, desde que acima do mínimo estipulado, ou para acelerar a fase de obras. Para tanto, o arrendatário deverá elaborar um Plano Básico de Implantação (PBI). Os riscos decorrentes do custo e do prazo de obras são alocados com o arrendatário, produzindo incentivo à eficiência, uma vez que o arrendatário se apropria dos ganhos decorrentes de incorrer em custos menores. O descumprimento do cronograma implica penalidades por inexecução, embora o poder concedente possa autorizar revisão do cronograma o que supõe reequilíbrio econômico-financeiro (Portaria nº 530/2019-MINFRA, art. 24-B).

Com relação a novos investimentos, há duas hipóteses de realização: (i) com reflexos no equilíbrio econômico-financeiro do contrato de arrendamento e (ii) por conta e risco do arrendatário sem direito à equilíbrio econômico-financeiro (hipótese inserida a partir de longo debate setorial com a edição do Decreto nº 10.672/2021).

---

[14] Por exemplo, MUC59 terminal de granéis líquidos no Porto Organizado de Fortaleza (Mucuripe), objeto do Leilão nº 08/2021-ANTAQ, com investimentos em "aquisição e instalação de sistema de armazenagem com capacidade estática mínima de 51.377,00 m³"; MAC13, já mencionado, com investimentos em "pavimentação e drenagem nas vias intraporto de acesso ao terminal" e "aquisição de equipamentos para sistema de defensas no cais do berço 06"; STS14 destinada a terminal de celulose no Porto Organizado de Santos, objeto do Leilão 01/2020-ANTAQ, investimentos em "obras de construção de novo armazém com capacidade estática mínima de 121 mil toneladas" e "aquisição de conjuntos de pontes rolantes com cobertura para área de recepção ferroviária, dotadas de capacidade mínima de 36 toneladas, para propiciar o descarregamento ferroviário de uma composição paramétrica, de 67 vagões com 88 toneladas cada, em no máximo 8,5 horas".

Na primeira hipótese (i), há necessidade de aprovação em duas etapas, no MINFRA, em relação ao mérito do Plano de Investimentos e, na ANTAQ, em relação às providências para aprovação de EVTEA e promoção da recomposição do equilíbrio econômico-financeiro (Decreto nº 8.033/2013, art. 42, inc. II, cf. Portaria nº 530/2019-MINFRA). Existe a possibilidade de que, a requerimento do arrendatário, o investimento seja realizado em caráter de urgência antes da promoção do reequilíbrio contratual, mediante a assinatura de TRI no qual a arrendatária assume o risco de o mérito final do investimento ser rejeitado e perder a possibilidade de reequilíbrio (Decreto nº 8.033/2013, art. 42, §6º). Para execução dos investimentos, deverá ser elaborado projeto executivo com detalhamento dos custos unitários, e, uma vez executada a obra, deverá ser apresentado à autoridade portuária o *as built*, que fará uma análise crítica comparativa de custos despendidos. Caso o valor despendido pela arrendatária não corresponda ao valor previsto no projeto executivo e esteja abaixo do previsto, o reequilíbrio será revisto.[15]

Na segunda hipótese (ii), desde que prescinda do reequilíbrio contratual realizando por sua conta e risco e obtenha autorização prévia da autoridade portuária, a arrendatária poderá fazer os novos investimentos.

3.8 Expansão e substituição de área

O arrendatário pode requerer ao poder concedente a expansão da área arrendada para área contígua dentro do porto organizado em três hipóteses: (i) se houver ganhos comprovados de eficiência à operação portuária; ou (ii) se houver inviabilidade técnica, operacional ou econômica da licitação em separado de novo arrendamento portuário (Lei nº 12.815/2013, art. 6º, §6º, c/c Decreto 8.033/2013, art. 24, incs. I e II). Em princípio, a expansão de área gera recomposição do equilíbrio econômico-financeiro, todavia esta pode ser dispensada *caso não altere substancialmente os resultados da exploração* (Decreto nº 8.033/2013, art. 24, §2º). A expansão de área, usualmente, é conjugada com a proposta de novos investimentos.

Pode haver a substituição de área arrendada dentro do mesmo Porto Organizado, desde que conforme o PDZ e ouvida a autoridade portuária. A substituição deverá ensejar a recomposição do equilíbrio econômico-financeiro do contrato e poderá ocorrer quando haja ganhos operacionais ou surja algum empecilho superveniente ao uso da área original (Decreto nº 8.033/2013, art. 24-A). Se a substituição partir do poder concedente, o arrendatário poderá recusá-la, ocasionando a rescisão do contrato de arrendamento sem aplicação de penalidades. Se a substituição tiver sido proposta pelo arrendatário, mas este não concordar com a decisão final do poder concedente, poderá desistir da substituição. Em qualquer caso, a substituição deve ser precedida de consulta pública e de análise de possíveis impactos concorrenciais (Decreto nº 8.033/2013, art. 24-A, incs. IV e V). A substituição de área tem papel fundamental na consolidação de clusters portuários como estratégia de aumentar a escala, a eficiência e a competividade dos portos.[16]

---

[15] Cf. BRASIL. Agência Nacional de Transportes Aquaviários. *Manual de Análise e Fiscalização do Projeto Executivo em Arrendamentos Portuários*. Brasília, DF: ANTAQ, 2020. p. 24-25. Disponível em: https://www.gov.br/antaq/pt-br. Acesso em: 17 out. 2024.

[16] CLUSTERIZAÇÃO dos portos no país deve ocorrer no longo prazo. *Revista Portos e Navios*, [S. l.], 16 jun. 2020. Disponível em: https://www.portosenavios.com.br/noticias/portos-e-logistica/clusterizacao-dos-portos-no-pais-deve-ocorrer-em-longo-prazo. Acesso em: 17 out. 2024.

3.9 Operação portuária

Para que possa haver operação portuária em terminais arrendados, faz-se necessário a intervenção de um operador portuário pré-qualificado perante a autoridade portuária (seguindo as diretrizes do poder concedente estabelecidas na Portaria nº 111/2013-SEP/PR), podendo ser pré-qualificado o próprio arrendatário ou um terceiro contratado. A pré-qualificação é dispensada em casos de automação e mecanização que dispense mão de obra, granel líquido, granel sólido que requerer atividade de rechego, gêneros de pequena lavoura e pesca, movimentação de materiais para estaleiros, entre outros casos relacionados a competências públicas e ao abastecimento de embarcações.

3.10 Órgão Gestor de Mão de Obra (OGMO)

Nos portos organizados, os operadores portuários pré-qualificados (seja o próprio arrendatário ou terceiro) estão sujeitos ao OGMO que detém o monopólio do fornecimento de mão de obra avulsa e do registro de trabalhadores portuários e cobram, em contrapartida, valores dos operadores portuários. O monopólio exercido pelo OGMO tem sido apontado como uma das principais causas de ineficiência dentro dos portos organizados e de acréscimo de custos operacionais, pois impede não só que o operador portuário tenha liberdade de escolher o regime trabalhista ou até mesmo terceirizar, bem como impede que escolha os próprios trabalhadores avulsos que quer contratar. Recentemente, o TCU, no Acórdão nº 622/2024-TCU-Plenário, avaliou as inúmeras ineficiências e problemas relacionados ao regime atual do trabalho portuário.

3.11 Dragagem

A Lei nº 12.815/2013 lançou o Programa Nacional de Dragagem Portuária e Hidroviária II, atribuindo à extinta SEP/PR a competência para executá-lo. As obras de dragagem seriam executadas com recursos do orçamento público e contratadas no modelo do RDC (regime absorvido pela Lei nº 14.133/2021). Entretanto, tem-se discutido como solução para a dragagem nos portos organizados que estas sejam realizadas pelas próprias autoridades portuárias, partindo do regime de contratação das empresas estatais – mais flexível – e financiando as obras com recursos das tarifas de acesso aquaviário pagas pelos armadores. Há também a proposição de concessão de canais de acesso com o intuito principal de viabilizar economicamente a dragagem.[17] No entanto, nada impede que sejam atribuídos a arrendatários dentro do respectivo contrato a realização de dragagens associadas aos próprios berços de atracação, quando estes forem privativos.

---

[17] A concessão de canal de acesso está sendo proposta para os portos organizados de Paranaguá e Antonina, de Itajaí, de Salvador, Aratu-Candeias e Ilhéus, de modo que a concessionária assuma as funções de gestão do canal de acesso e a execução de dragagens de manutenção e aprofundamento, remunerando-se mediante a cobrança de tarifa das embarcações que transitem pelo canal.

3.12 Propriedade e reversão dos bens, equipamentos e instalações

Apesar de a Lei nº 14.047/2020 ter eliminado da Lei nº 12.815/2013 a essencialidade da cláusula sobre bens reversíveis no regime dos arrendamentos portuários, praticamente a totalidade dos contratos vigentes possui cláusula sobre reversão de bens ao término com diferentes teores seja em matéria de identificação desses bens seja em matéria de quantificação do valor de indenização. Para dificultar ainda mais esse cenário, a ANTAQ, por meio da Resolução nº 43/2021, mantém uma definição de bens reversíveis abrangente e cria controles bastante rígidos para a incorporação/desincorporação, desfazimento e alienação desses bens, geralmente envolvendo aprovação da própria Agência após trâmites em comissões específicas de controle patrimonial. Consequentemente, muitos bens sem utilidade, obsoletos ou desnecessários terminam revertendo e ainda são objeto de litígio sobre a indenização da parcela não amortizada/depreciada ao término dos contratos, sob a justificativa formal, porém materialmente inválida, de que são bens necessários para a continuidade da prestação do serviço.[18]

3.13 Prorrogação antecipada

O prazo inicial dos contratos de arrendamento portuário é de até 35 anos, prorrogáveis sucessivas vezes até o limite de 70 anos, considerando o prazo original (Decreto nº 8.033/2013, art. 19, *caput*). A prorrogação depende de demonstração de que há vantagem em relação à realização de procedimento licitatório. A prorrogação pode ser antecipada desde que sejam realizados novos investimentos aprovados pelo poder concedente (Decreto nº 8.033/2013, art. 19-A). Caso seja realizada prorrogação, o contrato passará por um processo de recomposição do equilíbrio econômico-financeiro a ser promovido pela ANTAQ.

A lógica da prorrogação antecipada tem sido apresentada como sendo a de vender tempo em troca de investimentos, todavia pode haver uma ilusão de ótica. É indiscutível que a realização imediata de novos investimentos é benéfica para um setor dinâmico como o portuário, que, ante o crescimento contínuo das movimentações, encontra inúmeros gargalos na capacidade da infraestrutura.[19]

Investimentos que justifiquem uma prorrogação dificilmente seriam realizados se não houvesse uma expectativa de demanda, de modo que a prorrogação antecipada termina sendo, em última análise, um mecanismo de recomposição do equilíbrio econô-mico-financeiro por meio de extensão de prazo em decorrência de novos investimentos.[20]

---

[18] Cf. BRASIL. Tribunal de Contas da União (Plenário). Auditoria Operacional sobre Limitações dos portos organizados em Comparação com os TUPs. p. 42.

[19] SCHWIND, Rafael Wallbach. Prorrogação dos contratos de arrendamento portuário. *In:* PEREIRA, Cesar; SCHWIND, Rafael Wallbach (coord.). *Direito Portuário brasileiro.* 3. ed. Belo Horizonte: Fórum, 2020. p. 510-511.

[20] AUSTIN, Denis. Prorrogação antecipada: mecanismo de atração de novos investimentos portuários ou válvula de escape de investimentos represados? *Revista Direito Aduaneiro, Marítimo e Portuário*, [S. l.], v. 62, p. 9-35, maio/jun. 2021.

4 Amanhã: como será o arrendamento portuário?

A partir de questionamentos por parte dos *players* do setor, dos próprios usuários e dos profissionais que atuam quotidianamente com os portos, formou-se no setor portuário um certo consenso de que o trabalho de simplificação ou flexibilização da regulação deve continuar. Em boa medida, essa simplificação e flexibilização já ocorreu com a Lei nº 14.047/2020 e o Decreto nº 10.672/2021; porém, há uma sensação geral de 'algo faltando'.

Nesse sentido, a instituição pela Câmara dos Deputados de uma Comissão de Juristas[21] para reforma do arcabouço legal do setor portuário e o Navegue Simples do Ministério dos Portos e Aeroportos[22] são iniciativas recentes que se destinam a continuar o processo de desburocratizar as outorgas portuárias onde se inserem os arrendamentos.

No entanto, não existem apenas razões de ordem privada e concorrencial ou de "equidade regulatória" para uma flexibilização do regime dos arrendamentos portuários como a tão falada – e irrefutável – assimetria entre TUPs e terminais arrendados.

Existem aspectos do contexto de cadeias logísticas globais e de competição entre as Autoridades Portuárias que levam a uma necessidade de garantir que o arcabouço normativo tenha efetivamente a capacidade de responder com velocidade ao dinamismo do comércio global. No fim do dia, o que está em jogo é o desenvolvimento econômico do Brasil e o protagonismo da nossa economia no cenário internacional.

Se um arrendatário fica travado na renovação do *layout* de seu terminal para expansão de capacidade, porque há bens reversíveis obsoletos que precisam passar por um calvário de aprovações em comissão interna na autoridade portuária e posteriormente por validação da ANTAQ, possivelmente, um TUP concorrente que identifique a mesma demanda por expansão, sairá na frente com o investimento.

Se uma autoridade portuária fica travada para fazer investimentos em área comum, porque a ANTAQ ou o TCU entendem que o arrendatário ou o usuário não podem fazê-lo se houver qualquer apropriação econômica disso (como uma exclusividade ou uma preferência de utilização) é bem provável que o porto perca uma oportunidade de negócio que não irá voltar mais.

Além disso, principalmente no transporte de contêineres, há uma tendência de consolidação da movimentação em grandes portos concentradores que oferecem ganhos de escala.[23] O surgimento de um *hubport* permite a ampliação de um corredor logístico e da navegação de cabotagem em escalas superiores, sendo uma forma também de melhorar a alocação dos investimentos em infraestrutura logística com altos custos afundados, como p.ex., acessos rodoviários, acessos ferroviários, infraestruturas de atracação e dragagem de canais de acesso para atender a navios maiores.

---

[21] BRASIL. Câmara dos Deputados. Câmara dos Deputados instala comissão de juristas para revisar legislação de portos. *Agência Câmara de Notícias*, Brasília, DF, 12 mar. 2024. Disponível em: https://www.camara.leg.br/noticias/1042731-camara-dos-deputados-instala-comissao-de-juristas-para-revisar-legislacao-de-portos/. Acesso em: 17 out. 2024.

[22] BRASIL. Agência Nacional de Transportes Aquaviários. Decreto que institui o Programa Navegue Simples é publicado. *Gov.br*, Brasília, DF, 26 jun. 2024. Disponível em: https://www.gov.br/antaq/pt-br/noticias/2024/decreto-que-institui-o-programa-navegue-simples-e-publicado. Acesso em: 17 out. 2024.

[23] Cf.: HARALAMBIDES, Hercules E. Gigantism in container shipping, ports and global logistics: A time-lapse into the future. *Maritime Economics & Logistics*, [*S. l.*], n. 21, p. 1-60, 2019.

Se o Brasil quiser liderar esse movimento na América Latina, que ainda carece de um *hubport* na Costa Leste, deve se preparar antecipando modificações regulatórias que tornem favorável a escolha do país para a implantação de um porto concentrador.

Tendo isso em vista, seguem algumas medidas que poderiam ser tomadas para flexibilizar ainda mais o regime dos arrendamentos portuários e tornar nossos portos mais competitivos.

4.1 Desburocratização da gestão do arrendamento portuário

Há, basicamente, quatro medidas de desburocratização que podem melhorar a gestão dos arrendamentos portuários:

1. A desvinculação dos operadores portuários do monopólio exercido pelo OGMO, permitindo que os operadores portuários contratem diretamente a mão de obra ou contratem, inclusive, empresas terceirizadas como, simplesmente, acontece em todo o restante da economia nacional;

2. A simplificação do modelo de licitação dos arrendamentos portuários, com: (i) a liberdade para adotar para os arrendamentos de modo geral de outros tipos de estruturação distintas das que dependem de EVTEA, como o desenvolvimento de valores de sítio-padrão que já são utilizados nos arrendamentos simplificados; (ii) a adoção de outro critério de seleção, dentre os outros possíveis, que não seja o valor de outorga, permitindo a captura de benefícios diretos dos projetos sem oneração das cadeias;

3. A eliminação da obrigatoriedade de bens reversíveis em contratos de arrendamento, com a simplificação da gestão patrimonial dos terminais através de regras que definam que os bens e equipamentos removíveis sejam levados embora pelo arrendatário ao término do contrato, permanecendo apenas as edificações, a fim de facilitar e até induzir o investimento em novos *layouts*, mais modernos, e evitar o acúmulo de equipamentos obsoletos nos terminais;

4. A criação de um *fast track* nos processos de substituição de áreas e de expansão, permitindo que possam ocorrer de forma mais célere, semelhante a um pedido liminar com análise perfunctória do mérito e (quem sabe?) uma contrapartida de execução. Desse modo, permite-se o avanço na expansão de capacidade e do processo de clusterização, levando-se discussões sobre reequilíbrio para depois.

4.2 Descentralização com governança e planejamento

A descentralização da contratação e da gestão dos arrendamentos portuários de volta para as autoridades portuárias, como ocorria antes da Lei nº 12.815/2013, tem sido apontada como uma medida desejável desde que seja possível estabelecer como contrapartida que a autoridade portuária tenha níveis de governança aceitáveis. A descentralização operacional é desejável, mas sem uma visão estratégica de nível nacional pode resultar em ineficiências do ponto de vista da alocação de investimentos.

Nessa linha, além da previsão legal existente no art. 6º, §5º, já havia sido editada a Portaria nº 574/2018-MTPA que condicionou a delegação pelo poder concedente à autoridade portuária de competências para elaboração de editais de licitação, a execução do procedimento licitatório, a celebração dos contratos de arrendamento e a fiscalização de sua execução, bem como gestão.[24]

A quantidade de competências passíveis de delegação varia conforme a nota do Índice de Gestão das Autoridades Portuárias (IGAP), que, por sua vez, é composto por diversos subíndice (Retorno sobre o Capital, Índice de Eficiência Operacional, Índice de Eficiência Administrativa, Índice de Execução Orçamentária de Investimento, Índice de Atendimento de Notificações da ANTAQ, Índice de Desempenho Ambiental (IDA), Índice de Manutenção de Acessos Aquaviários, Regularidades Fiscal e Trabalhista, Divulgação de informações relevantes).[25] O processo de delegação, portanto, deve continuar sempre com a contrapartida da governança.

Sem prejuízo do aperfeiçoamento dos indicadores, bem como da ampliação das delegações, torna-se necessário que a estratégia de cada autoridade portuária não esteja dissociada de uma visão de cunho nacional ou, até mesmo, de integração no nível América Latina. Nesse sentido, as diretrizes de política pública estabelecidas na Lei nº 10.233/2001, art. 12, inc. II e III e na Lei nº 12.379/2011, art. 4º, inc. IV, direcionam a formação de corredores estratégicos e de eixos de integração que permitam maior eficiência. Além disso, com a edição do Decreto nº 12.022/2024 que estabelece o Planejamento Integrado de Transportes (PIT), é esperado que sejam evitadas visões isoladas e erráticas com investimentos em duplicidade para atender uma mesma demanda.

Através do Plano Setorial Portuário (PSPORT), submetido à consulta pública,[26] é esperada uma consolidação a nível nacional das ações (e sua respectiva priorização) que dependam de recursos privados e das ações que dependam de recursos orçamentários.

Se esse planejamento integrado funcionar como pretendido, as disposições do PSPORT devem se refletir na atualização dos Plano Mestres dos Complexos Portuários elaborados pelo MPOR e, por sua vez, na conformação dos PDZs dos portos organizados elaborados pelas Autoridades Portuárias. Investimentos como dragagem, novos berços de atracação e melhoramento dos acessos terrestres (ferroviário ou rodoviário), bem como de integração com a hinterlândia, em um contexto de recursos finitos – públicos ou privados –, podem contribuir mais para o desenvolvimento do país e redução dos custos logísticos se realizados de uma perspectiva de integração nacional.

---

[24] São autoridades portuárias que possuem total ou parcialmente delegações para a licitação/gestão de arrendamentos portuários as dos portos organizados de Santos (APS), de Paranaguá e Antonina (Portos do Paraná), de Suape (Suape) e São Francisco do Sul (SCPAR).

[25] Não cabe entrar em detalhes dos referidos indicadores, embora seja relevante apontar: (i) a conveniência de se refletir a respeito da adequação, relevância e significado desses indicadores, passados já mais de cinco anos desde seu estabelecimento e (ii) a possibilidade de se agregar algum indicador relacionado à governança das Autoridades Portuárias, tendo em vista que os indicadores existentes refletem sobretudo a saúde econômica e a eficiência operacional e ambiental.

[26] BRASIL. Ministério dos Portos e Aeroportos. *Plano Setorial Portuário 2035*. Brasília, DF: MPOR, 2024. Disponível em: https://valeccloud.valec.gov.br/s/TekcLAqLNdpLNZ4#pdfviewer. Acesso em: 17 out. 2024

4.3 Flexibilização do processo de contratação

No nível operacional da política pública portuária, para projetos de larga escala e alto impacto, pode-se cogitar a possibilidade de adotar negociação estruturada para celebrar parcerias vinculadas a oportunidades de negócio que se mostrem vantajosas de pontos de vista que não seriam passíveis de consideração em um procedimento licitatório tradicional.

Essa flexibilização não necessariamente precisaria valer para todos os arrendamentos portuários, mas teria por objetivo permitir uma análise mais qualificada de alinhamento dos empreendimentos com a política pública portuária e de captura de benefícios para o porto organizado e para as cadeias logísticas, mais do que a simples arrecadação de outorga, como ocorre hoje em dia.

No Brasil, se consolidou uma prática de a União extrair ou capturar o excedente econômico da operação dos terminais através do leilão por maior valor de outorga. O dimensionamento do valor mínimo de outorga é feito com base na análise de Valor Presente Líquido (VPL), isto é, consideram-se todos os fluxos de caixa futuros positivos e negativos da operação do terminal descontados a uma taxa de retorno, para precificar a outorga que, ainda, será objeto de competição entre os *players*. Essa prática onera as cadeias logísticas e não tem os olhos abertos para variações de projeto que podem ser mais ou menos benéficas do ponto de vista de objetivos de política pública.

Em outra linha, na Bélgica, o Porto de Antuérpia oferta áreas disponíveis mediante *request for project proposal* para que sejam objeto de *concession agreements*. A Autoridade Portuária de Antuérpia (APA) tem discricionariedade para pré-determinar os critérios de avaliação com base nos quais os projetos apresentados pelos interessados serão selecionados. Diversos critérios podem ser utilizados para a avaliação de projetos de terminais:[27]

1. Capacidade de geração de tráfego marítimo adicional para o porto;
2. Capacidade de geração de empregos diretos e indiretos;
3. Contribuição para o aperfeiçoamento do *cluster* de operações portuárias;
4. Otimização e eficiência na utilização do espaço disponível;
5. Alinhamento com a estratégia da política pública, especialmente sustentabilidade;
6. Incorporação de inovações nas operações;
7. Adequação aos objetivos de mobilidade do porto e adoção de *modal split*;[28]
8. Qualidade geral do projeto;
9. Capacidade financeira para realizar o projeto proposto;
10. Volume total de investimentos propostos, envolvendo descrição do projeto, método de implementação e implicações financeiras.

Já no Porto de Roterdã, a autoridade portuária realiza negociações *one-to-one* com empresas interessadas em celebrar *concession agreements* para estabelecer projetos no porto. Observa-se que, embora a autoridade portuária emita seus próprios regulamentos

---

[27] INVESTMENTS & concessions: Award procedure. *Port of Antwerp*, Antwerp, [2024]. Disponível em: https://www.portofantwerp.com/en/award-procedure. Acesso em: 17 out. 2024.

[28] Indicador que mede o número total de t/km viajado para um modal de transporte específico dividido pelo número total de t/km viajado em todos os modais existentes para uma determinada área de abrangência.

através de atos denominados *bye-laws*, não há algo que se assemelhe a um regulamento para negociação ou cessão de áreas. Todavia, em 2007, foi realizado um procedimento que a autoridade portuária denominou *open assessment* para a contratação de empresa com o intuito de desenvolver um grande terminal de contêineres – trata-se do Rotterdam World Gate. No procedimento, se estabeleceu um diálogo competitivo com etapas pré-definidas:[29]

1. Propostas iniciais foram solicitadas de várias empresas pré-qualificadas apresentando-se apenas uma estimativa de área e o objetivo de se fazer um terminal de contêineres;
2. Com base em discussões promovidas pela autoridade portuária com cada empresa, as propostas foram refinadas e ressubmetidas à autoridade portuária;
3. As duas melhores propostas modificadas foram posteriormente objeto de novas negociações e desenvolvidas no que se chamou de *best and final proposals*.

No Brasil, já existe um arcabouço normativo para permitir a negociação estruturada de projetos no intuito de aproveitar oportunidades de negócio. Trata-se do art. 28, §3º, incs. I e II, e §4º, da Lei 13.303/2016, que prevê a possibilidade de celebração de parcerias societárias e/ou contratuais vinculadas a oportunidades de negócio. Vale destacar que a adoção dos instrumentos de contratação previstos na Lei nº 13.303/2016 para a celebração de parcerias especificamente no setor portuário está em linha com as recomendações do TCU no âmbito do Relatório de Auditoria Operacional sobre as Limitações dos Portos.[30]

Adotado no contexto empresarial, os termos parceiro/parcerias são amplamente utilizados para se referir a parcerias estratégicas, isto é, qualquer contratação ou associação com terceiros que venha a ser considerada crucial para o atingimento dos objetivos estratégicos da empresa.[31] E, no caso de uma empresa estatal, por que não da política pública setorial? No contexto jurídico, o termo parceria, enquanto conceito legal, tem sido utilizado no direito empresarial e pode se referir a uma diversidade de contratos bilaterais,[32] o que não exclui o arrendamento.

Esse modelo de contratação já tem sido utilizado em empresas estatais, inclusive pela APS com a contratação da Ferrovia Interna do Porto de Santos (FIPS) e, hoje, já existem parâmetros definidos pelo próprio TCU para sua adequada utilização (os paradigmáticos Acórdãos nº 2.488/2018-Plenário e 2.033/2017-Plenário, relatados pelo Ministro Benjamin Zymler, e os Acórdãos nºs 581/2020-Segunda Câmara e 1.744/2021-Plenário).

---

[29] LANGEN, Peter de; BERG, Roy Van Den; WILLEUMIER, Aernoud. A new approach to granting terminal concessions: The case of the Rotterdam World Gateway terminal. *Maritime Policy & Management: The Flagship Journal of International Shipping and Port Research*, [*S. l.*], v. 39, n. 1, p. 85, 2012.

[30] BRASIL. Tribunal de Contas da União (Plenário). Auditoria Operacional sobre Limitações dos portos organizados em Comparação com os TUPs.

[31] HITT, A. Michael; IRELAND, Duane R.; HOSKISSSON, Robert E. *Administração estratégica*: competitividade e globalização. 7. ed. Tradução: Eliane Kanner e Maria Emilia Guttilla. São Paulo: Cengage Learning, 2011. p. 85.

[32] TEDESCHI, S. H. Contratos de parceria e aliança entre empresas. Uma análise da sua importância e do conteúdo jurídico relativo ao tratamento conferido por lei e jurisprudência. *In:* RIBEIRO, Márcia Carla Pereira; GIBRAN, Sandro Mansur; Antônio Carlos Diniz Murta (coord.). *Direito Empresarial*. XXII Encontro Nacional do CONPEDI/UNICURITIBA. Florianópolis: FUNJAB, 2013. Apesar de o art. 28, §4º, da Lei nº 13.303/2016 falar expressamente de "outras formas associativas, societárias ou contratuais", o Professor Marçal Justen Filho interpreta de forma mais restritiva o dispositivo. Cf.: A contratação sem licitação nas empresas estatais. *In:* JUSTEN FILHO, M. (org.). *Estatuto jurídico das empresas estatais*: Lei 13.303/2016. São Paulo: Revista dos Tribunais, 2016. p. 284-326. p. 302-303.

No entanto, no setor portuário, a adoção desse modelo de contratação dependeria de uma alteração da Lei nº 12.815/2013, tendo em vista as disposições atuais sobre a obrigatoriedade de licitação de arrendamentos, exceto em casos de um único interessado.

5 Conclusão

Em conclusão, o arrendamento portuário no Brasil evoluiu significativamente ao longo das décadas, adaptando-se às demandas econômicas do setor portuário. Esse processo de transformação, iniciado na década de 1960 com políticas públicas voltadas para a atração de investimentos privados, culminou em um regime densamente regulado a partir da década de noventa.

Não obstante, o dinamismo do setor portuário tem imposto desafios a esta figura contratual, criando um certo consenso de que deve haver uma simplificação ou flexibilização da regulação. Em boa medida, a simplificação e a flexibilização já ocorreram com a Lei nº 14.047/2020 e o Decreto nº 10.672/2021; porém, há uma sensação geral de 'algo faltando'.

Nesse processo, a Comissão de Juristas da Câmara dos Deputados para reforma do arcabouço legal do setor portuário e o programa Navegue Simples do MPOR poderão desempenhar papel fundamental de endereçar os desafios atuais do setor.

Em complemento desses esforços, propusemos três eixos de aperfeiçoamento:

1. Desburocratização da gestão, envolvendo: (i) desvinculação do monopólio exercido hoje pelo OGMO; (ii) simplificação do modelo licitatório; (iii) simplificação do regime de bens reversíveis; (iv) criação de *fast track* no processo de substituição e expansão de áreas para acelerar a expansão de capacidade e a clusterização.
2. Continuidade da descentralização da contratação e da gestão de arrendamentos para as Autoridades Portuárias com a contrapartida de governança, sem prejuízo da observância dos instrumentos de Planejamento Integrado de Transportes (PIT).
3. Flexibilização do modelo de contratação de arrendamentos para permitir a negociação estruturada de projetos no intuito de aproveitar oportunidades de negócio, aproveitando-se de arcabouço normativo existente (art. 28, §§3ºe 4º, da Lei nº 13.303/2016) e parâmetros definidos pelo TCU para celebração de parceiras.

O futuro da economia brasileira depende dos portos organizados e estes dos arrendamentos. Fazer o Brasil ocupar o protagonismo que lhe cabe no quadro das nações é um objetivo que requer, dentre muitas medidas estruturantes, dar continuidade ao processo de adaptação do arrendamento à dinâmica do setor portuário. Por fim, não é preciso dizer que isso é algo que deve estar muito claro na mente dos arquitetos de política pública.

Referências

AUSTIN, Denis. Prorrogação antecipada: mecanismo de atração de novos investimentos portuários ou válvula de escape de investimentos represados? *Revista Direito Aduaneiro, Marítimo e Portuário*, [*S. l.*], v. 62, p. 9-35, maio/jun. 2021.

BRASIL. Câmara dos Deputados. Câmara dos Deputados instala comissão de juristas para revisar legislação de portos. *Agência Câmara de Notícias*, Brasília, DF, 12 mar. 2024. Disponível em: https://www.camara.leg.br/noticias/1042731-camara-dos-deputados-instala-comissao-de-juristas-para-revisar-legislacao-de-portos/. Acesso em: 17 out. 2024.

BRASIL. Agência Nacional de Transportes Aquaviários. Decreto que institui o Programa Navegue Simples é publicado. *Gov.br*, Brasília, DF, 26 jun. 2024. Disponível em: https://www.gov.br/antaq/pt-br/noticias/2024/decreto-que-institui-o-programa-navegue-simples-e-publicado. Acesso em: 17 out. 2024.

BRASIL. Agência Nacional de Transportes Aquaviários. *Manual de Análise e Fiscalização do Projeto Executivo em Arrendamentos Portuários*. Brasília, DF: ANTAQ, 2020, p. 24-25. Disponível em: https://www.gov.br/antaq/pt-br. Acesso em: 17 out. 2024.

BRASIL. Agência Nacional de Transportes Aquaviários. *Manual de Análise para Estudos de Viabilidade Técnica, Econômica e Ambiental*. Brasília, DF: ANTAQ, 2022. Disponível em: http://sophia.antaq.gov.br/index.asp?codigo_sophia=27654. Acesso em: 17 out. 2024.

BRASIL. Agência Nacional de Transportes Aquaviários. Proposição de Valores Referenciais Remuneratórios para Áreas Arrendáveis por meio de Estudos Simplificados. *Gov.br*, Brasília, DF, 2020. Disponível em: http://sophia.antaq.gov.br/terminal/Busca/Download?codigoArquivo=34781. Acesso em: 17 out. 2024.

BRASIL. Ministério dos Portos e Aeroportos. *Plano Setorial Portuário 2035*. Brasília, DF: MPOR, 2024. Disponível em: https://valeccloud.valec.gov.br/s/TekcLAqLNdpLNZ4#pdfviewer. Acesso em: 17 out. 2024

BRASIL. Tribunal de Contas da União (Plenário). Auditoria Operacional sobre Limitações dos portos organizados em Comparação com os TUPs. Acórdão nº 2.711/2020. Relator: Min. Bruno Dantas, 2020. *Dje*: Brasília, DF, 2020.

BRASIL. Tribunal Superior do Trabalho (4. Turma). AIRR 12967520125010069. Relator: Min João Oreste Dalazen. *DEJT*: Brasília, DF 27 maio 2016.

CLUSTERIZAÇÃO dos portos no país deve ocorrer no longo prazo. *Revista Portos e Navios*, [*S. l.*], 16 jun. 2020. Disponível em: https://www.portosenavios.com.br/noticias/portos-e-logistica/clusterizacao-dos-portos-no-pais-deve-ocorrer-em-longo-prazo. Acesso em: 17 out. 2024.

FREITAS, Rafael Véras. *Equilíbrio econômico-financeiro das concessões*. Belo Horizonte: Fórum, 2023.

HARALAMBIDES, Hercules E. Gigantism in container shipping, ports and global logistics: A time-lapse into the future. *Maritime Economics & Logistics*, [*S. l.*], n. 21, p. 1-60, 2019.

HITT, A. Michael; IRELAND, Duane R.; HOSKISSSON, Robert E. *Administração estratégica*: competitividade e globalização. 7. ed. Tradução: Eliane Kanner e Maria Emilia Gutilla. São Paulo: Cengage Learning, 2011.

INVESTMENTS & concessions: Award procedure. *Port of Antwerp*, Antwerp, [2024]. Disponível em: https://www.portofantwerp.com/en/award-procedure. Acesso em: 17 out. 2024.

JUSTEN FILHO, Marçal. A contratação sem licitação nas empresas estatais. *In*: JUSTEN FILHO, M. (org.). *Estatuto jurídico das empresas estatais*: Lei 13.303/2016. São Paulo: Revista dos Tribunais, 2016. p. 284-326.

LANGEN, Peter de; BERG, Roy Van Den; WILLEUMIER, Aernoud. A new approach to granting terminal concessions: The case of the Rotterdam World Gateway terminal. *Maritime Policy & Management: The Flagship Journal of International Shipping and Port Research*, [*S. l.*], v. 39, n. 1, p. 79-90, 2012.

LOBO, Carlos Augusto da Silveira. Os terminais portuários privativos na Lei nº 8.630/93. *Revista de Direito Administrativo – RDA*, Rio de Janeiro, v. 220, p. 19-34, abr./jun. 2000.

MEIRELLES, Hely Lopes. A licitação nas entidades paraestatais. *In:* MEIRELLES, Hely Lopes (org.). *Estudos e pareceres de Direito Público*. São Paulo: Revista dos Tribunais, 1981. v. 3.

MODELO para concessão do Porto de Itajaí (SC) estruturado pela Infra S.A. é apresentado pela ANTAQ. *INFRA S.A.*, [*S. l.*], 23 abr. 2024. Disponível em: https://www.infrasa.gov.br/modelo-para-concessao-do-porto-de-itajai-sc-estruturado-pela-infra-s-a-e-apresentado-pela-antaq/. Acesso em: 17 out. 2024.

MOREIRA NETO, Diogo de Figueiredo; FREITAS, Rafael Véras. *A nova regulação portuária*. Belo Horizonte: Fórum, 2015.

PRADO, Lucas Navarro; SILVA, Eber Luciano Santos; AUSTIN, Denis. Reversibilidade de bens e indenização nos arrendamentos portuários pré-1993. *Revista Direito Aduaneiro, Marítimo e Portuário*, [*S. l.*], v. 36, p. 99-117, jan./fev. 2017.

REGULAÇÃO portuária e concorrência: terminais de uso público e de uso privativo misto: pareceres jurídicos e econômicos relativos à ADPF n. 139. São Paulo: ABRATEC, 2009.

SÃO PAULO. Tribuanl de Justiça do Estado. Apelação Cível 1006348-24.2016.8.26.0562. 1. Câmara Reservada ao Meio Ambiente. Foro de Santos. Relator: Des. Oswaldo Luiz Palu. *DJTJSP*: Poder Judiciário, 8 fev. 2018.

SCHWIND, Rafael Wallbach. Prorrogação dos contratos de arrendamento portuário. *In:* PEREIRA, Cesar; SCHWIND, Rafael Wallbach (coord.). *Direito Portuário brasileiro*. 3. ed. Belo Horizonte: Fórum, 2020. p. 497-521.

TEDESCHI, S. H. Contratos de parceria e aliança entre empresas. Uma análise da sua importância e do conteúdo jurídico relativo ao tratamento conferido por lei e jurisprudência. *In:* RIBEIRO, Márcia Carla Pereira; GIBRAN, Sandro Mansur; Antônio Carlos Diniz Murta (coord.). *Direito Empresarial*. XXII Encontro Nacional do CONPEDI/UNICURITIBA. Florianópolis: FUNJAB, 2013.

Informação bibliográfica deste texto, conforme a NBR 6023:2018 da Associação Brasileira de Normas Técnicas (ABNT):

AUSTIN, Denis. Arrendamento portuário: ontem, hoje e amanhã. *In:* JUSTEN, Monica Spezia; PEREIRA, Cesar; JUSTEN NETO, Marçal; JUSTEN, Lucas Spezia (coord.). *Uma visão humanista do Direito*: homenagem ao Professor Marçal Justen Filho. Belo Horizonte: Fórum, 2025. v. 3, p. 315-332. ISBN 978-65-5518-915-5.

REEQUILÍBRIO CAUTELAR NAS CONCESSÕES DE SERVIÇOS PÚBLICOS

DIOGO ALBANEZE GOMES RIBEIRO

1 Introdução

Poucos juristas trataram com tanta proficiência e profundidade do tema da intangibilidade da equação econômico-financeiro dos contratos administrativos como Marçal Justen Filho. A sua contribuição, além de riquíssima, vem servindo de norte para o enfrentamento de muitos problemas práticos relacionados aos pleitos de reequilíbrio.

Como destaca Marçal, a equação econômico-financeira decorre da preservação, ao longo da relação firmada, dos encargos e vantagens assumidas pelas partes por ocasião da contratação.[1] Daí por que se afirmar que equilíbrio econômico-financeiro também deriva da boa-fé que deve existir entre as partes, já que as suas bases decorrem *também* da preservação de premissas contratuais.

Quando essa discussão é transportada para as contratações de longo prazo, como são as concessões de serviço público, o tema ganha complexidades adicionais. Na medida em que os contratos de concessão impõem, usualmente, importantes obrigações de investimentos[2] aos parceiros privados (investimentos esses que precisarão ser amortizados ao longo do prazo contratual), surge a legítima preocupação de que as consequências econômicas decorrentes de fatos cujos riscos não tenham sido absorvidos pelo privado sejam celeremente compensados pelo Poder Público. Em outras palavras, mostra-se fundamental que as condições pactuadas em contrato (incluindo a alocação de riscos nele estabelecida) sejam preservadas para que se considere mantido o seu equilíbrio econômico-financeiro.

---

[1] JUSTEN FILHO, Marçal. *Curso de Direito Administrativo*. 11. ed. São Paulo: Revista dos Tribunais, 2015. p. 526.

[2] Como reconhecem Egon Bockmann Moreira e Rafaella Peçanha Guzela (Contratos administrativos de longo prazo, equilíbrio econômico-financeiro e Taxa Interna de Retorno (TIR). *In*: MOREIRA, Egon Bockmann. *Contratos administrativos, equilíbrio econômico-financeiro e a Taxa Interna de Retorno*. Belo Horizonte: Fórum, 2016. p. 338), para que esses investimentos sejam viáveis, faz-se necessário um ponto de encontro harmônico, ou um equilíbrio entre os bônus e ônus advindos do contrato para cada parte.

Afinal, diferentemente do Poder Público, a iniciativa privada tem, legitimamente, como um de seus objetivos fulcrais a obtenção do lucro, de modo que a exploração de atividades delegadas deve ser estruturada de tal forma a garantir a obtenção de um retorno econômico esperado e, ao mesmo tempo, a prestação de um serviço adequado, eficiente e mediante a cobrança de uma tarifa justa e módica dos usuários (observando-se, ainda, a eventual necessidade de tarifas subsidiadas – tarifas sociais – ou, ainda, de gratuidades para determinadas classes sociais).

No entanto, a experiência vem demonstrando que, em determinadas situações extraordinárias, o longo período de conclusão de pleitos de reequilíbrio (seja na via administrativa, seja na judicial ou arbitral) é capaz de causar danos importantes para as concessionárias, comprometendo, inclusive, a própria prestação dos serviços.

Diante dessa realidade, surgiu a figura do reequilíbrio cautelar – que corresponde a um instituto em que o ente público concede, em caráter cautelar, uma antecipação de parcela do reequilíbrio pleiteado, enquanto avalia o montante exato a ser compensado a título de reequilíbrio econômico-financeiro.[3]

2 O direito ao equilíbrio econômico-financeiro dos contratos de concessão

A manutenção do equilíbrio econômico-financeiro consiste numa característica essencial dos contratos administrativos. Pela regra do equilíbrio econômico-financeiro dos contratos, devem ser preservadas as premissas inicialmente pactuadas quando da apresentação da proposta comercial, na fase da licitação.

Como reconhece Marçal Justen Filho,[4] a equação econômico-financeira do contrato administrativo se aperfeiçoa quando se definem os encargos e as retribuições do particular que contrata com a Administração. São relevantes dois momentos: a data da publicação do edital da licitação e a data em que a Administração recebe a proposta apresentada pelo particular.

Com a publicação do edital, a Administração fixa as condições da contratação (que constituem as obrigações do particular). De outra parte, com a apresentação da proposta comercial, o particular estabelece as vantagens (o preço) que pretende perceber como contrapartida pelo cumprimento do objeto licitado.

O direito ao equilíbrio contratual visa, portanto, a proteger a proposta econômica e o balanço contratual de qualquer modificação que prejudique o equilíbrio econômico-financeiro, decorrente de qualquer fato exógeno que venha a afetá-lo, desestruturando a matriz de riscos do contrato, ampliando os encargos do parceiro privado ou reduzindo a sua expectativa de receitas em decorrência da materialização de riscos e/ou fatos extraordinários que não lhe competem.

---

[3] Sensível a essa realidade, a Secretaria de Parcerias em Investimentos do Estado de São Paulo (SPI-SP), por exemplo, publicou a Resolução SPI nº 19/2023, que justamente regulamenta a figura do reequilíbrio cautelar.

[4] JUSTEN FILHO, Marçal. *Comentários à Lei de Licitações e Contratações Administrativas*. São Paulo: Revista dos Tribunais, 2023. p. 1374. Essa é também a opinião de Márcio Cammarosano (Exequibilidade de proposta, equilíbrio econômico-financeiro do contrato e direito ao lucro – algumas considerações. ILC: Informativo de Licitações e Contratos Administrativos, Brasília, DF, v. 9, n. 100, p. 510-517, jun. 2002).

A tutela ao equilíbrio econômico-financeiro também deriva da boa-fé que deve existir entre as partes. Nem a Administração nem o particular devem tentar obter ganhos ilegítimos na relação contratual. Agustín Gordillo ensina que os contratos administrativos

> são essencialmente de boa-fé, o que leva a que a Administração não deva atuar como se tratasse de um negócio lucrativo, nem a tratar de obter ganhos ilegítimos à custa do contratante, nem a aproveitar-se de situações legais ou fáticas que a favoreçam em prejuízo do contratante.[5]

Esses fundamentos são refletidos no art. 37, inciso XXI, da Constituição da República, segundo o qual o administrado tem direito à manutenção "das condições efetivas da proposta".[6]

Portanto, uma vez alteradas as condições econômicas e/ou financeiras inicialmente previstas quando da elaboração da proposta, o contrato deve ser reequilibrado. Afinal, os contratos não devem ser fonte de prejuízos para nenhuma das partes, mesmo quando houver mudança das circunstâncias vigorantes ao tempo em que foram celebrados, notadamente nos contratos administrativos de longo prazo, como os contratos de concessão, em que mudanças e ajustes contratuais são esperados.

Não à toa, a Lei nº 8.987, de 13 de fevereiro de 1995 (Lei de Concessões), em seus arts. 9º e 10º, assegura ao concessionário a manutenção das condições contratadas, mediante a preservação do princípio do equilíbrio econômico-financeiro:

> Art. 9º A tarifa do serviço público concedido será fixada pelo preço da proposta vencedora da licitação e preservada pelas regras de revisão previstas nesta Lei, no edital e no contrato.
> (...)
> §2º Os contratos poderão prever mecanismos de revisão das tarifas, a fim de manter-se o equilíbrio econômico-financeiro.
> (...)
> Art. 10. Sempre que forem atendidas as condições do contrato, considera-se mantido seu equilíbrio econômico-financeiro.[7]

---

5   GORDILLO, Agustín;. Contratos administrativos. Buenos Aires: Astrea, reimpresión 1982.

6   "Art. 37. *A administração pública direta e indireta de qualquer dos Poderes* da União, dos Estados, do Distrito Federal e dos Municípios *obedecerá aos princípios* de legalidade, impessoalidade, moralidade, publicidade e eficiência e, também, ao seguinte:
(...)
XXI - ressalvados os casos especificados na legislação, as obras, serviços, compras e alienações serão contratados mediante processo de licitação pública que assegure igualdade de condições a todos os concorrentes, com cláusulas que estabeleçam obrigações de pagamento, *mantidas as condições efetivas da proposta, nos termos da lei*, o qual somente permite as exigências de qualificação técnica e econômica indispensáveis à garantia do cumprimento das obrigações" (BRASIL. [Constituição (1988)]. *Constituição da República Federativa do Brasil de 1988*. Brasília, DF: Presidência da República, 1988. grifos nossos. Disponível em: http://www.planalto.gov.br/ccivil_03/constituicao/constituicaocompilado.htm. Acesso em: 17 out. 2024).

7   BRASIL. Lei nº 8.987, de 13 de fevereiro de 1995. Dispõe sobre o regime de concessão e permissão da prestação de serviços públicos previsto no art. 175 da Constituição Federal, e dá outras providências. *Diário Oficial da União*: Brasília, DF, 1995. Disponível em: https://www.planalto.gov.br/ccivil_03/leis/l8987compilada.htm. Acesso em: 17 out. 2024.

Também a Lei nº 14.133, de 1º de abril de 2021 (Lei de Licitações),[8] traz como premissa para as contratações a possibilidade de alterações para restabelecer o equilíbrio econômico-financeiro inicial do contrato em caso de força maior, caso fortuito ou fato do príncipe ou em decorrência de fatos imprevisíveis ou previsíveis de consequências incalculáveis, que inviabilizem a execução do contrato tal como pactuado, respeitada, em qualquer caso, a repartição objetiva de risco estabelecida no contrato.

Em outras palavras, se houver a alteração das premissas que embasaram as condições efetivas da proposta e que subsidiaram a assinatura do contrato de concessão, haverá quebra da base do negócio jurídico, que resulta na necessidade de revisão da avença, sob pena de se violar a cláusula geral da boa-fé objetiva.[9]

3 A correta compreensão da expressão "por sua conta e risco" contida no art. 2º da Lei de Concessões

Outro aspecto fundamental do direito ao reequilíbrio das concessões de serviços públicos decorre da correta compreensão da expressão "por sua conta e risco", constante do art. 2º, inciso II, da Lei de Concessões.[10] É um erro achar que na delegação regida

---

[8] "Art. 124. Os contratos regidos por esta Lei poderão ser alterados, com as devidas justificativas, nos seguintes casos:
I - unilateralmente pela Administração:
a) quando houver modificação do projeto ou das especificações, para melhor adequação técnica a seus objetivos;
b) quando for necessária a modificação do valor contratual em decorrência de acréscimo ou diminuição quantitativa de seu objeto, nos limites permitidos por esta Lei;
II - por acordo entre as partes:
a) quando conveniente a substituição da garantia de execução;
b) quando necessária a modificação do regime de execução da obra ou do serviço, bem como do modo de fornecimento, em face de verificação técnica da inaplicabilidade dos termos contratuais originários;
c) quando necessária a modificação da forma de pagamento por imposição de circunstâncias supervenientes, mantido o valor inicial atualizado e vedada a antecipação do pagamento em relação ao cronograma financeiro fixado sem a correspondente contraprestação de fornecimento de bens ou execução de obra ou serviço;
d) para restabelecer o equilíbrio econômico-financeiro inicial do contrato em caso de força maior, caso fortuito ou fato do príncipe ou em decorrência de fatos imprevisíveis ou previsíveis de consequências incalculáveis, que inviabilizem a execução do contrato tal como pactuado, respeitada, em qualquer caso, a repartição objetiva de risco estabelecida no contrato" (BRASIL. Lei nº 14.133, de 1º de abril de 2021. *Diário Oficial da União*: Brasília, DF, 2021. Disponível em: https://www.planalto.gov.br/ccivil_03/_ato2019-2022/2021/lei/l14133.htm. Acesso em: 17 out. 2024).

[9] Nesse mesmo sentido também caminha a o entendimento do Superior Tribunal de Justiça:
"A equação econômico-financeira é um direito constitucionalmente garantido ao contratante particular (CF/1988, art. 37, XXI). Se as características do contrato não fossem asseguradas, permitindo ao poder público poderes ilimitados para alterar cláusula contratual, o particular não teria interesse em negociar com a Administração" (BRASIL. Superior Tribunal de Justiça (Corte Especial). AgRg na SL 76/PR. Relator: Min. Edson Vidigal, 1 jul. 2004. *Dje*: Brasília, DF, 20 set. 2004).
"(...) A prerrogativa de fixar e alterar unilateralmente as cláusulas regulamentares é inerente a Administração. A despeito disso, há cláusulas imutáveis, que são aquelas referentes ao aspecto econômico-financeiro do contrato. As prerrogativas da Administração, advindas das cláusulas exorbitantes do Direito Privado, contrapõe-se à proteção econômica do contratado, que garante a manutenção do equilíbrio contratual. É escusado dizer que ninguém se submeteria ao regime do contrato administrativo se lhe fosse tolhida a possibilidade de auferir justa remuneração pelos encargos que assume ou pagar justo preço pelo serviço que utiliza. Os termos iniciais da avença hão de ser respeitados e, ao longo de toda a execução do contrato, a contraprestação pelos encargos suportados pelo contratado deve se ajustar à sua expectativa quanto às despesas e aos lucros normais do empreendimento. (...)" (BRASIL. Superior Tribunal de Justiça (2. Turma). REsp 216.018/DF. Relator: Min. Franciulli Netto, 5 de junho de 2001. *Dje*: Brasília, DF, 10 set. 2001).

[10] "Art. 2º Para os fins do disposto nesta Lei, considera-se:

pela Lei de Concessões a concessionária assume, necessariamente, a integralidade dos riscos relacionados aos serviços. Também na concessão comum, assim como ocorre nas parcerias públicos-privadas (regidas, em âmbito federal, pela Lei nº 11.079/2004), deve existir uma repartição objetiva de riscos entre as partes.[11]

Afinal, a alocação adequada dos riscos é condição essencial à viabilização de qualquer contratação, sobretudo as de longo prazo. Não por outra razão e atenta a essa realidade, a Lei de Licitações reforçou a importância da matriz de riscos dos contratos para fins de definição do equilíbrio econômico-financeiro inicial do contrato em relação a eventos supervenientes.[12]

Não obstante a possibilidade de concessões serem estruturadas a partir de matriz de risco que amplie de forma indefinida os riscos atribuídos à concessionária – haja vista

---

I - poder concedente: a União, o Estado, o Distrito Federal ou o Município, em cuja competência se encontre o serviço público, precedido ou não da execução de obra pública, objeto de concessão ou permissão;

II - concessão de serviço público: a delegação de sua prestação, feita pelo poder concedente, mediante licitação, na modalidade concorrência ou diálogo competitivo, a pessoa jurídica ou consórcio de empresas que demonstre capacidade para seu desempenho, *por sua conta e risco* e por prazo determinado;

III - concessão de serviço público precedida da execução de obra pública: a construção, total ou parcial, conservação, reforma, ampliação ou melhoramento de quaisquer obras de interesse público, delegados pelo poder concedente, mediante licitação, na modalidade concorrência ou diálogo competitivo, a pessoa jurídica ou consórcio de empresas que demonstre capacidade para a sua realização, *por sua conta e risco*, de forma que o investimento da concessionária seja remunerado e amortizado mediante a exploração do serviço ou da obra por prazo determinado (...)" (BRASIL. Lei nº 8.987, de 13 de fevereiro de 1995).

[11] "Art. 5º As cláusulas dos contratos de parceria público-privada atenderão ao disposto no art. 23 da Lei nº 8.987, de 13 de fevereiro de 1995, no que couber, devendo também prever:

I - o prazo de vigência do contrato, compatível com a amortização dos investimentos realizados, não inferior a 5 (cinco), nem superior a 35 (trinta e cinco) anos, incluindo eventual prorrogação;

II - as penalidades aplicáveis à Administração Pública e ao parceiro privado em caso de inadimplemento contratual, fixadas sempre de forma proporcional à gravidade da falta cometida, e às obrigações assumidas;

III - a repartição de riscos entre as partes, inclusive os referentes a caso fortuito, força maior, fato do príncipe e álea econômica extraordinária (...)" (BRASIL. Lei nº 11.079, de 30 de dezembro de 2004. Institui normas gerais para licitação e contratação de parceria público-privada no âmbito da administração pública. *Diário Oficial da União*: Brasília, DF, 2004. Disponível em: https://www.planalto.gov.br/ccivil_03/_ato2004-2006/2004/lei/l11079. htm. Acesso em: 17 out. 2024).

[12] "Art. 103. O contrato poderá identificar os riscos contratuais previstos e presumíveis e prever matriz de alocação de riscos, alocando-os entre contratante e contratado, mediante indicação daqueles a serem assumidos pelo setor público ou pelo setor privado ou daqueles a serem compartilhados.

§1º A alocação de riscos de que trata o *caput* deste artigo considerará, em compatibilidade com as obrigações e os encargos atribuídos às partes no contrato, a natureza do risco, o beneficiário das prestações a que se vincula e a capacidade de cada setor para melhor gerenciá-lo.

§2º Os riscos que tenham cobertura oferecida por seguradoras serão preferencialmente transferidos ao contratado.

§3º A alocação dos riscos contratuais será quantificada para fins de projeção dos reflexos de seus custos no valor estimado da contratação.

§4º A matriz de alocação de riscos definirá o equilíbrio econômico-financeiro inicial do contrato em relação a eventos supervenientes e deverá ser observada na solução de eventuais pleitos das partes.

§5º Sempre que atendidas as condições do contrato e da matriz de alocação de riscos, será considerado mantido o equilíbrio econômico-financeiro, renunciando as partes aos pedidos de restabelecimento do equilíbrio relacionados aos riscos assumidos, exceto no que se refere:

I - às alterações unilaterais determinadas pela Administração, nas hipóteses do inciso I do *caput* do art. 124 desta Lei;

II - ao aumento ou à redução, por legislação superveniente, dos tributos diretamente pagos pelo contratado em decorrência do contrato.

§6º Na alocação de que trata o *caput* deste artigo, poderão ser adotados métodos e padrões usualmente utilizados por entidades públicas e privadas, e os ministérios e secretarias supervisores dos órgãos e das entidades da Administração Pública poderão definir os parâmetros e o detalhamento dos procedimentos necessários a sua identificação, alocação e quantificação financeira (...)" (BRASIL. Lei nº 14.133, de 1º de abril de 2021).

o disposto no inciso II do art. 2º da Lei de Concessões –,[13] tal posição representaria *uma verdadeira frustração do interesse coletivo,* seja em razão da elevação sensível dos custos inerentes ao projeto em razão da precificação dos riscos envolvidos, seja em razão da inviabilidade econômico-financeira do empreendimento após a verificação de condições diametralmente distintas daquelas apontadas pelo poder concedente nos estudos que instruíram a elaboração dos documentos editalícios.

Conforme elucida Marçal Justen Filho,[14] a atribuição de riscos ilimitados à concessionária implicaria, sobretudo: (i) a atração de investidores irresponsáveis; (ii) a atração de investidores que, quando responsáveis, ofertarão tarifas maiores no âmbito da licitação, visando obter a adequada remuneração pelos riscos por ele suportados[15] e (iii) o afastamento de investidores qualificados e seus respectivos financiadores, reduzindo a competição no certame licitatório, em prejuízo à contratação mais vantajosa para a Administração Pública:

> A ampliação indeterminada de riscos ilimitados conduz à decisão negativa quanto a empreendimento. *Somente empresários irresponsáveis arriscam-se em negócios cuja margem de risco é ilimitada e indeterminada.* Esses empresários costumam acabar arruinados. Pode dizer-se, então, que uma concessão até pode ser modelada de modo a transferir para a concessionária riscos ilimitados. (...) Mas *o resultado prático seria a frustração do interesse público.* A solução de impor à concessionária que arque com os efeitos negativos de todo e qualquer evento gerará a elevação relevante dos custos de transação. *Disso resultará que o empresário privado será obrigado a alocar verbas não para a prestação do serviço, mas para fazer face ao inadimplemento dos usuários.* O aumento do custo traduzir-se-á nas tarifas. Como decorrência, todos os usuários pagarão mais do que seria necessário, para compensar os riscos de inadimplemento. Mas não se pode afastar a possibilidade de que empresários mais cautelosos – que são, muitas vezes, os mais sérios e responsáveis – simplesmente se neguem a aplicar seus recursos num negócio destinado ao insucesso. Isso produzirá, quando menos, a redução da competição pela outorga, o que produzirá efeitos perniciosos evidentes.

O adequado balanceamento dos riscos atribuídos a cada uma das partes, incluindo aqueles considerados "ordinários" e inerentes à concessão realizada,[16] é, portanto,

---

[13] *In verbis:* "Art. 2º. Para fins do disposto nesta Lei, considera-se: (...) II – concessão de serviço público: a delegação de sua prestação, feita pelo poder concedente, mediante licitação, na modalidade de concorrência, à pessoa jurídica ou consórcio de empresas que demonstre capacidade para seu desempenho, por conta e risco e por prazo determinado" (BRASIL. Lei nº 8.987, de 13 de fevereiro de 1995).

[14] JUSTEN FILHO, Marçal. *Teoria geral das concessões de serviço público.* São Paulo: Dialética, 2003. p. 334, grifos nossos.

[15] Quanto maior os riscos assumidos pela concessionária, maior deverá ser sua remuneração, a fim de justificar e incentivar o aporte de investimentos em determinado empreendimento. Nas palavras de Rafael Wallbach Schwind (*Remuneração da concessionária.* Belo Horizonte: Fórum, 2010. p. 74): "Em tese, quanto maior o risco a ser assumido, maior a remuneração demandada para que 'valha a pena' correr aquele risco. É justamente esse raciocínio que um licitante faz ao participar de uma licitação. A licitante avalia no edital os riscos que terá de assumir caso seja o vencedor do certame e, desse modo, elabora proposta que preveja uma remuneração adequada em função daqueles encargos. Em última análise, portanto, a equação econômico-financeira constitui em uma precificação do risco em face das oportunidades de ganhos".

[16] Fazemos referência aqui à tradicional teoria das áleas, que disciplina a divisão dos riscos em duas categorias: (i) riscos ordinários, assim considerados aqueles inerentes à atividade concedida e (ii) riscos extraordinários (subdivididos em riscos econômicos e riscos administrativos), alocados ao poder concedente.

condição essencial para a obtenção de maior número de interessados em participar do certame licitatório e para viabilizar ofertas mais vantajosas à Administração Pública.

É possível dizer que o regime da concessão comum preconizado pela Lei de Concessão não pressupõe, de forma alguma, a transferência integral dos riscos ao particular. Nesse ponto, comungamos do entendimento de Marcos Augusto Perez,[17] para quem a expressão "por sua conta e risco", constante do art. 2º, inciso II, da Lei de Concessões, deve ser interpretada no sentido de que a concessionária assume todos os riscos que lhe foram alocados pelo contrato de concessão:

> Na verdade, o regime positivado da concessão de serviço público, corroborado pela própria doutrina (por meio das áleas ordinária e extraordinária), pela jurisprudência e pelos desenvolvimentos mais recentes (inclusive legislativos) desse tema, leva à conclusão de que o contrato de concessão não veicula a transferência de todos os riscos da contratação para a concessionária. (...) O que defendemos, nesse sentido, é que 'por sua conta e risco' não importa em transferência à concessionária de todos os riscos inerentes ao empreendimento. Importa, sim, transferência à concessionária dos riscos que o contrato indicar. Melhor dizendo, são por conta e risco da concessionária aqueles riscos que o contrato, expressa ou implicitamente, lhe transferir.

Fernando Vernalha Guimarães[18] também reconhece a possibilidade de partilha nos contratos de concessão de serviços públicos dos riscos ordinários e extraordinários:

> Não vejo na voz da Constituição o alcance mais abrangente do princípio da intangibilidade da equação econômico-financeira, a ponto de reconhecer que o âmbito tutelar da recomposição do equilíbrio contratual esteja informado pela indisponibilidade de interesses, não se reconhecendo espaço de autorregulação às partes quanto a uma distribuição de riscos (ordinários e extraordinários). (...) Parece-me claramente excessiva, portanto, uma interpretação que pretende extrair da Constituição a vedação a que os contratos administrativos em geral possam admitir uma partilha de riscos ordinários e extraordinários.

E arremata o mesmo autor:[19]

> No plano de uma interpretação sistemática, poder-se-ia invocar ainda a disciplina da Lei n. 11.079/2004, que expressamente autorizou às partes a partilha de riscos contratuais (ordinários e extraordinários) em contratos de parceria público-privada, sendo essa modalidade com maior afinidade jurídica com as concessões (...).

Dada a relevância para as contratações de longo prazo, o tema também foi tratado no âmbito da I Jornada de Direito Administrativo, promovida pelo Centro de Estudos Judiciários (CEJ) do Conselho da Justiça Federal (CJF), oportunidade na qual foi aprovado o Enunciado nº 28, nos seguintes termos:

---

[17] PEREZ, Marcos Augusto. *O risco nos contratos de concessão de serviço público*. Belo Horizonte: Fórum, 2006. p. 129-130, grifos nossos.

[18] GUIMARÃES, Fernando Vernalha. *Parceria Público-Privada*. São Paulo: Saraiva, 2012. p. 305-306.

[19] GUIMARÃES. *Parceria público-privada*, p. 309.

Enunciado 28. Na fase interna da licitação para concessões e parcerias público-privadas, o poder concedente deverá indicar as razões que o levaram a alocar o risco na concessionária ou no poder concedente, tendo como diretriz a melhor capacidade da parte para gerenciá-lo.

Com isso, reconhecemos que o direito ao reequilíbrio econômico-financeiro dos contratos de concessão está diretamente relacionado com os riscos assumidos em contrato.

No entanto, esse reconhecimento, por si só, não se mostra suficiente para conferir a segurança jurídica esperada. Há outros aspectos importantes e que estão na ordem do dia. Dentre eles, destacamos a necessidade de se endereçar com eficiência e *celeridade* os eventuais impactos que eventos extraordinários venham a causar nesses contratos.

4 A figura do reequilíbrio cautelar como instrumento de preservação do interesse da coletividade

Defender o direito ao reequilíbrio econômico-financeiro de uma concessionária traz a impressão de que se está privilegiando ou tutelando, apenas e tão somente, o interesse privado. Trata-se de uma inverdade.

Nos casos envolvendo a prestação de serviços públicos, a regra é eles sejam prestados diretamente pelo seu titular, sendo a delegação um ato discricionário; e, como tal, representa uma alternativa que exige a devida motivação e justificativa, que pode envolver diversas finalidades, incluindo a busca de maior eficiência, qualidade do serviço, universalização, investimentos etc.[20]

Não por outra razão, a Lei de Concessões impõe ao poder público, previamente ao edital de licitação, a publicação de ato justificando a conveniência da outorga de concessão ou permissão, caracterizando seu objeto, área e prazo.[21]

É, portanto, quando o Estado opta pela delegação que a vantajosidade para o interesse da coletividade e a viabilidade do negócio, incluindo todas as suas facetas técnicas e econômicas, precisarão ser comprovadas e demonstradas não apenas aos potenciais investidores,[22] mas também aos órgãos de controle.[23]

---

[20] Como nos ensina Marçal Justen Filho (*Curso de Direito Administrativo*. 11. ed. São Paulo: Revista dos Tribunais, 2015. p. 223), a discricionariedade é o modo de disciplina que normativa a atividade administrativa que se caracteriza pela atribuição do dever-poder de decidir, segundo a avaliação da melhor solução para o caso concreto, respeitados os limites impostos pelo ordenamento jurídico.

[21] "Art. 5º O poder concedente publicará, previamente ao edital de licitação, ato justificando a conveniência da outorga de concessão ou permissão, caracterizando seu objeto, área e prazo" (BRASIL. Lei nº 8.987, de 13 de fevereiro de 1995).

[22] BRASIL. Lei nº 8.987, de 13 de fevereiro de 1995, art. 21.

[23] No âmbito do Estado do Rio Grande do Sul, por exemplo, compete ao Tribunal de Contas do Estado do Rio Grande do Sul (TCE/RS) acompanhar e fiscalizar os procedimentos de planejamento, licitação, contratação e execução contratual das concessões e parcerias público-privadas realizadas pelos entes jurisdicionados (arts. 2º e 3º da Resolução nº 1.111/2019). De acordo com a referida resolução, deverá o poder concedente disponibilizar ao TCE/RS, no prazo mínimo de 90 dias anteriores à publicação do edital de licitação, os "estudos de viabilidade e as minutas do instrumento convocatório e respectivos anexos, incluindo a minuta contratual e caderno de encargos, já consolidados com os resultados decorrentes de eventuais consultas e audiências públicas realizadas". No âmbito do Estado do Rio de Janeiro, por sua vez, o poder concedente deverá enviar Edital, anexos e demais documentos da modelagem, para o TCE-RJ no prazo de 5 dias da data de publicação do Edital no Diário Oficial (cf.: art. 48, inciso II.4.d.1, do Regimento Interno do TCE-RJ – Deliberação nº167/1992). Caso seja constatada

Ou seja, a delegação pelo Estado da prestação de determinado serviço público apenas se justifica como mecanismo de atingimento do interesse da coletividade (i.e., viabilizar novos investimentos, garantir a universalização de determinado serviço etc.).

Disso deflui que preservar a equação econômico-financeira dos contratos de concessão é preservar a própria viabilidade da concessão e, consequentemente, a prestação dos serviços públicos em condições adequadas. Por essa razão, entendemos que um contrato de concessão equilibrado deve ser de interesse da concessionária, do poder concedente e dos próprios usuários – de modo que a defesa da manutenção das bases econômicas desses contratos tem relação direta com a preservação do interesse da coletividade.

Como destacado no item 2 deste artigo, há atualmente no ordenamento jurídico brasileiro todo um regramento que busca preservar a equação econômico-financeira dos contratos de concessão. Não à toa, a Lei de Concessões impõe como cláusula essencial dos contratos de concessão o preço do serviço e os critérios e procedimentos para o reajuste e a revisão das tarifas (art. 23, inc. IV).

No entanto, há situações extraordinárias, envolvendo assuntos de elevada complexidade, em que o tempo necessário para a conclusão de pleitos de reequilíbrio poderá ocasionar graves riscos à continuidade da prestação dos serviços. Mais precisamente, a manutenção, por longos períodos, de contratos em situação de desequilíbrio econômico-financeiro pode gerar impactos prejudiciais ao interesse da coletividade, com a elevação do valor do desequilíbrio contratual, comprometimento de indicadores financeiros das concessionárias, sem contar o risco de queda da qualidade da prestação dos serviços.

Por envolverem, em regra, prestação de serviços que não podem ser descontinuados ou reduzidos,[24] a morosidade no endereçamento de uma solução (ainda que parcial) para esses eventos de desequilíbrio servirá apenas para intensificar ou agravar os efeitos deletérios causados.

Pensando nessa realidade que a figura do reequilíbrio cautelar emergiu como mecanismo de mitigar consequências danosas decorrentes de longas discussões envolvendo pleitos de reequilíbrio.

Mais precisamente, o reequilíbrio cautelar veio como um mecanismo mitigatório utilizado para tratar eventos excepcionais de desequilíbrio em contratos, buscando reduzir os impactos negativos de negociações prolongadas, garantindo que a discussão sobre o evento não se estenda excessivamente a ponto de prejudicar os contratos vigentes e a prestação de serviços públicos.

No âmbito do Estado de São Paulo, o instituto foi regulamentado pela Resolução SPI nº 19, de 29 de maio de 2023. Trata-se de ato normativo que está em consonância

---

alguma irregularidade quanto à legitimidade e economicidade durante a fiscalização, o TCE-RJ notificará o responsável para apresentar justificativa no prazo de 30 dias, conforme se vê no art. 50, inciso II do Regimento Interno do TCE.

[24] NASSER, Maria Virginia Mesquita; AURÉLIO, Bruno Francisco Cabral. Reequilíbrio automático e reequilíbrio cautelar: porque o tempo pode ser senhor de alguma razão, mas nem sempre resolve os conflitos. *Agência Infra*, Brasília, DF, 18 dez. 2023. Disponível em: https://agenciainfra.com/blog/reequilibrio-automatico-e-reequilibrio-cautelar-porque-o-tempo-pode-ser-senhor-de-alguma-razao-mas-nem-sempre-resolve-os-conflitos/. Acesso em: 29 nov. 2024.

com os comandos mais recentes da Lei de Introdução às Normas do Direito Brasileiro (LINDB), especialmente no que diz respeito à possibilidade de compensação por benefícios indevidos ou prejuízos anormais.[25]

Pela referida resolução, o reequilíbrio cautelar constitui uma *faculdade* da Secretaria de Parcerias em Investimentos, não representando, portanto, direito subjetivo das concessionárias. Dentre as medidas cautelares passíveis de serem adotadas para reduzir eventual impacto de desequilíbrio, a resolução previu: a) antecipação, postergação ou cancelamento de investimentos programados; b) inclusão de investimentos adicionais; c) suspensão da exigibilidade de pagamentos devidos ao poder concedente ou à autarquia responsável pela fiscalização da execução contratual; d) elevação ou redução de valores devidos ao poder concedente ou à autarquia responsável pela fiscalização da execução contratual; e) elevação ou redução de tarifa ou outros valores contratualmente devidos à concessionária, inclusive a título de aporte de recursos ou contraprestação pecuniária; f) pagamento de valores à concessionária, a título de indenizações, ressarcimentos ou afins; g) elevação ou desoneração de encargos previstos no contrato de parceria; h) transferência a uma das partes de custos ou encargos originalmente atribuídos à outra.

Nas situações em que for cabível a aplicação de medidas cautelares de mitigação de desequilíbrio econômico-financeiro, o secretário de Parcerias em Investimentos solicitará ao órgão responsável pela regulação ou gestão do contrato de parceria que, no prazo máximo de 10 dias úteis: 1) apresente a estimativa preliminar do impacto do evento de desequilíbrio e 2) indique quais medidas podem ser aplicadas para mitigação cautelar do impacto do evento de desequilíbrio (art. 5º da resolução).

Em posse dessas informações, o secretário de Parcerias em Investimentos decidirá sobre os meios de mitigação de desequilíbrio econômico-financeiro, sendo que a aplicação de medida cautelar será limitada a 80% do impacto econômico-financeiro estimado do evento de desequilíbrio e não poderá importar em recebimento de recursos antecipadamente ao efetivo impacto financeiro do evento de desequilíbrio.

A figura do reequilíbrio cautelar tem, portanto, a virtude de buscar garantir, em situações excepcionais, a continuidade e a qualidade dos serviços públicos concedidos – até que seja concluída a avaliação do montante exato a ser compensado a título de reequilíbrio econômico-financeiro.

Em resumo, a Resolução SPI nº 19/2023 regulamenta um importante instrumento de gestão contratual, oferecendo uma solução prática e temporária para reduzir os impactos do desequilíbrio econômico-financeiro de contratos de concessão diante de circunstâncias extraordinárias.

---

[25] "Art. 27. A decisão do processo, nas esferas administrativa, controladora ou judicial, poderá impor compensação por benefícios indevidos ou prejuízos anormais ou injustos resultantes do processo ou da conduta dos envolvidos.

§1º A decisão sobre a compensação será motivada, ouvidas previamente as partes sobre seu cabimento, sua forma e, se for o caso, seu valor;

§2º Para prevenir ou regular a compensação, poderá ser celebrado compromisso processual entre os envolvidos" (BRASIL. Lei nº 13.655, de 25 de abril de 2018. Inclui no Decreto-Lei nº 4.657, de 4 de setembro de 1942 (Lei de Introdução às Normas do Direito Brasileiro), disposições sobre segurança jurídica e eficiência na criação e na aplicação do direito público. *Diário Oficial da União*: Brasília, DF, 1942. Disponível em: https://www.planalto.gov.br/ccivil_03/_ato2015-2018/2018/lei/l13655.htm. Acesso em: 17 out. 2024).

Em que pese o Estado de São Paulo ter publicado a referida resolução, o fato é que a figura do reequilíbrio cautelar decorre de premissas constitucionais e legais relacionadas ao direito ao reequilíbrio. Ou seja, a inexistência de um ato normativo sobre o referido instituto não impede que o seu uso venha a ser regrado contratualmente, ou mesmo no âmbito do devido processo administrativo de reequilíbrio contratual.

Referências

BRASIL. [Constituição (1988)]. *Constituição da República Federativa do Brasil de 1988*. Brasília, DF: Presidência da República, 1988. Disponível em: http://www.planalto.gov.br/ccivil_03/constituicao/constituicaocompilado. htm. Acesso em: 17 out. 2024.

BRASIL. Lei nº 8.987, de 13 de fevereiro de 1995. Dispõe sobre o regime de concessão e permissão da prestação de serviços públicos previsto no art. 175 da Constituição Federal, e dá outras providências. *Diário Oficial da União*: Brasília, DF, 1995. Disponível em: https://www.planalto.gov.br/ccivil_03/leis/l8987compilada.htm. Acesso em: 17 out. 2024.

BRASIL. Lei nº 11.079, de 30 de dezembro de 2004. Institui normas gerais para licitação e contratação de parceria público-privada no âmbito da administração pública. *Diário Oficial da União*: Brasília, DF, 2004. Disponível em: https://www.planalto.gov.br/ccivil_03/_ato2004-2006/2004/lei/l11079.htm. Acesso em: 17 out. 2024.

BRASIL. Lei nº 13.655, de 25 de abril de 2018. Inclui no Decreto-Lei nº 4.657, de 4 de setembro de 1942 (Lei de Introdução às Normas do Direito Brasileiro), disposições sobre segurança jurídica e eficiência na criação e na aplicação do direito público. *Diário Oficial da União*: Brasília, DF, 1942. Disponível em: https://www.planalto. gov.br/ccivil_03/_ato2015-2018/2018/lei/l13655.htm. Acesso em: 17 out. 2024.

BRASIL. Lei nº 14.133, de 1º de abril de 2021. *Diário Oficial da União*: Brasília, DF, 2021. Disponível em: https:// www.planalto.gov.br/ccivil_03/_ato2019-2022/2021/lei/l14133.htm. Acesso em: 17 out. 2024.

BRASIL. Superior Tribunal de Justiça (Corte Especial). AgRg na SL 76/PR. Relator: Min. Edson Vidigal, 1 jul. 2004. *Dje*: Brasília, DF, 20 set. 2004.

BRASIL. Superior Tribunal de Justiça (2. Turma). REsp 216.018/DF. Relator: Min. Franciulli Netto, 5 de junho de 2001. *Dje*: Brasília, DF, 10 set. 2001.

CAMMAROSANO, Márcio. Exequibilidade de proposta, equilíbrio econômico-financeiro do contrato e direito ao lucro – algumas considerações. *ILC: Informativo de Licitações e Contratos Administrativos*, Brasília, DF, v. 9, n. 100, p. 510-517, jun. 2002.

GORDILLO, Agustín. *Contratos administrativos*. Buenos Aires: Astrea, 1982.

GUIMARÃES, Fernando Vernalha. *Parceria Público-Privada*. São Paulo: Saraiva, 2012, p. 305-306.

JUSTEN FILHO, Marçal. *Comentários à Lei de Licitações e Contratações Administrativas*. São Paulo: Revista dos Tribunais, 2023.

JUSTEN FILHO, Marçal. *Teoria geral das concessões de serviço público*. São Paulo: Dialética, 2003.

MOREIRA, Egon Bockmann; GUZELA, Rafaella Peçanha. Contratos administrativos de longo prazo, equilíbrio econômico-financeiro e Taxa Interna de Retorno (TIR). *In*: MOREIRA, Egon Bockmann. *Contratos administrativos, equilíbrio econômico-financeiro e a Taxa Interna de Retorno*. Belo Horizonte: Fórum, 2016.

NASSER, Maria Virginia Mesquita; AURÉLIO, Bruno Francisco Cabral. Reequilíbrio automático e reequilíbrio cautelar: porque o tempo pode ser senhor de alguma razão, mas nem sempre resolve os conflitos. *Agência Infra*, Brasília, DF, 18 dez. 2023. Disponível em: https://agenciainfra.com/blog/reequilibrio-automatico-e-reequilibrio-cautelar-porque-o-tempo-pode-ser-senhor-de-alguma-razao-mas-nem-sempre-resolve-os-conflitos/. Acesso em: 29 nov. 2024

PEREZ, Marcos Augusto. *O risco nos contratos de concessão de serviço público*. Belo Horizonte: Fórum, 2006.

SCHWIND, Rafael Wallbach. *Remuneração da concessionária*. Belo Horizonte: Fórum, 2010.

Informação bibliográfica deste texto, conforme a NBR 6023:2018 da Associação Brasileira de Normas Técnicas (ABNT):

RIBEIRO, Diogo Albaneze Gomes. Reequilíbrio cautelar nas concessões de serviços públicos. *In*: JUSTEN, Monica Spezia; PEREIRA, Cesar; JUSTEN NETO, Marçal; JUSTEN, Lucas Spezia (coord.). *Uma visão humanista do Direito*: homenagem ao Professor Marçal Justen Filho. Belo Horizonte: Fórum, 2025. v. 3, p. 333-344. ISBN 978-65-5518-915-5.

ESTUDO COMPARADO SOBRE RECEITAS ACESSÓRIAS EM CONCESSÕES E PARCERIAS PÚBLICO-PRIVADAS (PPPS)

TARCILA REIS

EDUARDO JORDÃO

Nota pessoal preliminar

Os autores deste texto não perderiam a oportunidade de registrar o carinho, a admiração e a gratidão que têm por Marçal. A sua história com o mestre é quase de vida inteira. Conheceram-no em 1997, quando contavam apenas 15 anos – e quando Marçal tinha os 42 que, curiosamente, eles têm agora. Nem pensavam ainda em estudar Direito. Outras preocupações os ocupavam: estavam começando a namorar. E, enquanto Tarcila se dedicava ao balé, Eduardo encontrava tempo para a sua outra paixão, o futebol. Pois foi dessa "caixinha de surpresas" que apareceu o Marçal.

De Salvador, Eduardo conheceu, pela *internet*, o filho mais velho do mestre, residente em Curitiba. Juntos, os dois adolescentes criaram um *site* de futebol de relativo sucesso (FutBrasil.com). Como subproduto dessa incursão empresarial juvenil, uma amizade de três décadas com Marçalzinho e a aproximação natural com o seu pai.

Não há como precisar o tamanho do impacto de Marçal nas suas vidas e carreiras. Há, claro, os tantos influxos objetivos: sugestões de estratégias profissionais, indicações de trabalho, cartas de recomendação para programas acadêmicos. Mas são mais relevantes e menos mensuráveis os impactos subjetivos. Conhecer Marçal de perto e conviver com ele de modo quase familiar é imenso privilégio, de que os dois sabem ter usufruído por pura sorte.

Advogado de sucesso, professor genial, amigo generoso, Marçal inspira e influencia em qualquer de seus papéis, a quem quer que com ele tenha contato. Não é surpreendente que aqueles dois adolescentes apaixonados tenham depois escolhido trilhar exatamente os mesmos passos do mestre.

Nossa eterna gratidão a quem tocou tão intensamente a nossa vida, como a de tantos outros.

1 Introdução[1]

O tratamento das receitas acessórias na modelagem e na gestão dos contratos de concessão e Parcerias Público-Privadas (PPPs) está longe de ser tema novo, mas tampouco é trivial. Não é novo porque a legislação sempre fez referência à possibilidade de sua exploração.[2] Não é trivial porque o fato de a legislação ter sido sucinta no regramento dessa possibilidade, combinado com a variedade de setores e ativos objetos dessas parcerias, produziu cenário de ampla flexibilidade regulatória e customização contratual.

Após algum tempo de experimentos, houve avanços significativos. Primeiro, reconheceu-se a flexibilidade regulatória, e ela foi aproveitada para incentivar novos negócios e eventualmente gerar modicidade tarifária.[3] Segundo, atestou-se que as receitas acessórias são acessórias em relação aos *conceitos* de tarifa, aporte e contraprestação, não em relação aos *tamanhos* das respectivas receitas. Ou seja, podem inclusive ser mais elevadas que receitas tarifárias, contraprestações ou aporte numa dada concessão. Terceiro, surgiram concessões cuja remuneração decorre integralmente do auferimento de receitas acessórias, como as concessões de parques urbanos.[4] Nesses casos, não há sequer que se falar em comparação entre tamanhos de receitas e seus respectivos impactos na viabilidade financeira do projeto. Aqui, não há tarifa, não há contraprestação, muito menos aporte. É a receita acessória sendo, literalmente, sinônimo de receita do projeto.

Mas o reconhecimento de um contexto de flexibilidade regulatória e de customização contratual não evita estranhamentos e controvérsias sobre como lidar com as receitas acessórias. Talvez em razão de uma formação jurídica ainda arraigada a um princípio da legalidade que tudo diz sobre o que se pode e como se deve fazer, não raro se hesita diante de um cenário em que a liberdade para regular é a premissa. A heterogeneidade

---

[1] Agradecemos a Camila Castro Neves e a Julia Martel pela excelência como assistentes de pesquisa. Qualquer erro é de nossa inteira responsabilidade.

[2] "Art. 111. No atendimento às peculiaridades de cada serviço público, poderá o poder concedente prever, em favor da concessionária, no edital de licitação, a possibilidade de outras fontes provenientes de receitas alternativas, complementares, acessórias ou de projetos associados, com ou sem exclusividade, com vistas a favorecer a modicidade das tarifas, observado o disposto no art. 17 desta Lei" (BRASIL. Lei nº 8.987, de 13 de fevereiro de 1995. Dispõe sobre o regime de concessão e permissão da prestação de serviços públicos previsto no art. 175 da Constituição Federal, e dá outras providências. *Diário Oficial da União*: Brasília, DF, 1995. Disponível em: https://www.planalto.gov.br/ccivil_03/leis/l8987cons.htm. Acesso em: 18 ago. 2024).

[3] Cristiane Lucidi Machado (Receitas alternativas, complementares, acessórias e de projetos especiais nas concessões de serviços públicos: exegese do art. 11 da Lei no 8.987/95. *Revista de Direito Público da Economia – RDPE*, Belo Horizonte, ano 2, n. 7, jul./set. 2004) observa que as atividades que geram receitas acessórias não são serviços públicos delegados e, por isso, não deveriam ser reguladas como se fossem. A autora entende que, embora a concessionária tenha a liberdade de gerenciá-las como considerar mais adequado, o Poder Público pode incentivá-la a continuar ou expandir a exploração dessas atividades.

[4] Ver, por exemplo:
Cláusula 10.1 do Contrato de Concessão nº 02/2022 (Parques Água Branca, Villa-Lobos e Cândido Portinari): "Consideram-se RECEITAS da CONCESSIONÁRIA todos os valores auferidos pela CONCESSIONÁRIA, excetuados exclusivamente os previstos na Cláusula 10.1.1, especialmente em razão da exploração direta ou indireta, nos termos deste CONTRATO, da ÁREA DA CONCESSÃO, incluindo, mas sem limitação, as UNIDADES GERADORAS DE CAIXA, assim como demais bens e direitos a eles relacionados, tais como, mas não a isso se limitando, a direitos de imagem e patrocínios".
Cláusula 20.1 do Contrato de Concessão *nº* 057/SVMA/2019 (Parques Ibirapuera, Jacintho Alberto, Eucaliptos, Tenente Brigadeiro Faria Lima, Lajeado e Jardim Felicidade): "As receitas a serem auferidas pela CONCESSIONÁRIA decorrerão da exploração de FONTES DE RECEITAS na ÁREA DA CONCESSÃO".
Contrato de Concessão nº 002/SMVA/2022 (Parques Mário Covas e Tenente Siqueira Campos - Trianon): ""As receitas a serem auferidas pela CONCESSIONÁRIA decorrerão da exploração de FONTES DE RECEITAS na ÁREA DA CONCESSÃO".

de tratamentos contratuais das receitas acessórias oscila entre ser conforto, para os ávidos a usufruir da liberdade disponibilizada, e terreno pantanoso, para os incentivados a seguir *algum* padrão em suas decisões, ainda que as tornem objetivamente piores para o Poder Público e a iniciativa privada.

O objetivo deste artigo é discutir riscos, vantagens e desvantagens associados a três típicos de escolhas a respeito das receitas acessórias: (i) sua inclusão ao caso base[5] do projeto de concessão ou parceria público-privada; (ii) seu compartilhamento com o poder concedente e (iii) o modelo de governança na implantação, fiscalização e transferência dos negócios que geram receitas acessórias.

A fim de ilustrar nossas ponderações sobre riscos, vantagens e desvantagens dessas três escolhas, traremos exemplos de quatro setores: rodovias, aeroportos, iluminação pública e resíduos sólidos.[6] A escolha desses setores tem razão de ser: acessar de forma ampla o contexto de heterogeneidade das receitas acessórias, levando em consideração os *graus variados* de maturidade do setor e de conhecimento em relação ao impacto das receitas acessórias na viabilidade financeira do projeto. Graus variados de maturidade setorial e de conhecimento (série histórica) sobre o desempenho dos negócios acessórios tendem, em princípio, a levar a decisões de regulação diferentes nas modelagens destas parcerias. Observar a concretude contratual dessas decisões pode ajudar a compor o mosaico de incentivos diversos que se espera num cenário de flexibilidade regulatória. Além disso, a partir da análise deste mosaico, é possível elaborar novas decisões de modelagem e gestão contratual, de forma ainda mais deliberada e consoante à finalidade do caso concreto.

O setor rodoviário é bastante maduro, com programas mais institucionalizados[7] e agências reguladoras que, a despeito da contínua necessidade de melhorias, têm histórico, capacidade e *expertise*. Nesse setor, o volume de receitas acessórias tem perfil de baixa monta, em comparação com alto vulto das receitas tarifárias que fazem frente

---

[5] Por caso-base, queremos dizer o cenário base ou modelo econômico-financeiro referencial que subsidia as variáveis, inclusive de disputa, do projeto.

[6] Os contratos citados ao longo deste artigo incluem os seguintes:
Rodovias: (i) Contrato de Concessão nº 0521/ARTESP/2023 (Sistema Rodoviário Rodoanel Norte); (ii) Contrato de Concessão ANTT nº 02/2023 (Lote 2 das Rodovias Integradas do Paraná); (iii) Minuta do Contrato de Concessão decorrente da Licitação 01/2023-ARTESP (Sistema Rodoviário Litoral Paulista).
Aeroportos: (i) Contrato de Concessão nº 0465/ARTESP/2022 (Bloco Noroeste de aeroportos do Estado de São Paulo); (ii) Contrato de Concessão 001/ANAC/2021-Norte (Bloco Norte I de aeroportos federais); (iii) Contrato de Concessão 003/ANAC/2023/ANAC/2023 (Bloco Norte II de aeroportos federais).
Iluminação pública: (i) Contrato de Concessão nº 2018/19928/19928/00001 (rede de iluminação pública do Município de Manaus); (ii) Contrato de Concessão nº 21/2020 (rede municipal de iluminação pública do Município de Aracaju); (iii) Contrato de Concessão Administrativa nº 214/2020 (rede municipal de iluminação pública do Município de Vila Velha); (iv) Contrato de Concessão Administrativa 119/2023 (rede de iluminação pública de Canoas); (v) Contrato de Concessão Administrativa relativo à gestão, modernização, operação e manutenção da rede de iluminação pública do Município de Bauru (sem número); (vi) Contrato de Concessão Administrativa 25297 (concessão da rede municipal de iluminação pública do Município de Curitiba); (vii) *Resíduos sólidos:* (i) Contrato de Concessão nº 001/2022-Convale (coleta, transporte, transbordo e tratamento de resíduos sólidos domiciliares e limpeza urbana dos municípios do Convale); (ii) Contrato de Concessão para prestação de serviços públicos de manejo de resíduos sólidos no Consórcio de Gestão Integrada de Resíduos Sólidos do Cariri (sem número); Termo Aditivo Modificativo nº 06/2024 ao Termo de Contrato de Concessão nº 027/SSO/2004/São Paulo-SP.

[7] Claro, há grande variação de grau de maturidade institucional num mesmo setor, a depender da entidade federativa em questão. O artigo reconhece aproximações imprecisas num grande espectro de maturidade, vista sua utilidade quando se comparam setores distintos.

aos intensos ciclos de investimentos. Já o setor aeroportuário, em consistente amadurecimento, tem veiculado por meio das receitas acessórias o desenvolvimento de parques imobiliários destinados ao comércio, serviços e entretenimentos, impactando a visão de negócios atrelados ao perímetro da concessão. O setor de iluminação pública gozou de rápida e potente multiplicação de projetos, com a COSIP como sua rede de proteção, e direcionou as receitas acessórias como aposta para o desenvolvimento das cidades inteligentes, embora siga debatendo o grau de segurança que sua regulação proporciona.[8] Finalmente, o setor de resíduos sólidos, que, apesar de ser serviço essencial, padece de baixo amadurecimento institucional, mas já demonstra que, por meio de negócios futuros a serem gerados a partir dos resíduos, pode incrementar suas chances de florescer e ganhar mais espaço nas agendas de parcerias de investimento.

2 Incluir as receitas acessórias ao caso base do projeto de concessão ou parceria público-privada?

As receitas acessórias não têm limites conceituais, nem tampouco financeiros, do ponto de vista regulatório. O art. 11 da Lei nº 8.987/1995 não restringe as atividades das quais podem decorrer receitas acessórias. Ao contrário, alarga os possíveis formatos desses empreendimentos, chamando-os de projetos associados ou equiparando receitas acessórias com receitas alternativas ou complementares, sem fixar critérios ou condicionantes sobre a natureza da atividade.[9]

Há duas consequências para a inexistência desses limites conceituais. Primeiro, qualquer atividade econômica, seja ela corriqueira no mercado ou ainda uma ideia a ser desenvolvida,[10] pode ser classificada como geradora de receita acessória. Não há que se falar de rol exaustivo[11] de receitas acessórias, desde que, obviamente, leve-se em conta

---

[8] A literatura reclama da escassez das cláusulas sobre receitas acessórias para fins de gerar incentivos suficientes para novos negócios. Peresi (Concessões de iluminação pública e serviços de cidades inteligentes. Reflexões sobre receitas acessórias, contratação direta e destinação da Contribuição de Iluminação Pública. *Revista de Direito Público da Economia – RDPE*, Belo Horizonte, ano 21, n. 82, p. 11, abr./jun. 2023) analisou 35 contratos de concessão administrativa de iluminação pública, a partir de recorte temático (receitas acessórias) e temporal (30 de dezembro de 2004 a 27 de agosto de 2022), trazendo observações importantes sobre o setor.

[9] Art. 11: "No atendimento às peculiaridades de cada serviço público, poderá o poder concedente prever, em favor da concessionária, no edital de licitação, a possibilidade de outras fontes provenientes de receitas alternativas, complementares, acessórias ou de projetos associados, com ou sem exclusividade, com vistas a favorecer a modicidade das tarifas, observado o disposto no art. 17 desta Lei" (BRASIL. Lei nº 8.987, de 13 de fevereiro de 1995).

[10] De pagamento de aluguéis, publicidade, serviços e instalações hoteleiras à venda de crédito de carbono, *naming rights* ou geração de energia, não há descrição exaustiva das potenciais receitas acessórias de um contrato.

[11] Há vários contratos de concessão que contêm cláusulas especificando os tipos de atividades que podem ser exploradas pela concessionária, em diversos setores, que deixam claro que o rol de atividades previsto contratualmente é meramente exemplificativo.
No setor de rodovias, o Contrato de Concessão nº 0521/ARTESP/2023 (Sistema Rodoviário Rodoanel Norte) estabelece que: "Constituem fontes de RECEITAS ACESSÓRIAS, respeitadas as condições estabelecidas pela ARTESP em razão do CONTRATO, dentre outras, aquelas constantes do seguinte rol exemplificativo: i. Cobrança por publicidade permitida em lei, na forma regulamentada pelo Poder Público; ii. Cobrança pelo uso da FAIXA DE DOMÍNIO (...) iii. Receitas decorrentes do uso comercial de sistema eletrônico de rede de dados, inclusive o previsto no ANEXO 05 e APÊNDICE F, ou outro que seja posto à disposição dos USUÁRIOS; iv. Receitas decorrentes da prestação de SERVIÇOS COMPLEMENTARES; e v. Outras receitas cabíveis e permitidas pela legislação em vigor" (Cláusula 13.2).

o contexto de um contrato de concessão, a receita acessória não impacte negativamente a política pública perseguida[12] pelo contrato e seja naturalmente compatível com o ordenamento jurídico. O rol é exemplificativo, quem sabe criativo, e potencialmente mudará ao longo do contrato.[13]

Segundo, o tamanho e grau de rentabilidade das receitas acessórias não são fixos, podem variar ao longo do contrato, surpreendendo ou frustrando o investidor que considerou a decisão de investimento acessório na proposta elaborada para o leilão ou ao longo da execução contratual. Dessa forma, se não há exaustão conceitual nem teto remuneratório para as receitas acessórias, é esperado que sua precificação esteja atrelada aos riscos implicados. Assim, a série histórica e a maturidade do setor são variáveis importantes para conferir conforto a essa precificação. Por exemplo, já há muitas rodovias concedidas no Brasil e há muito tempo. Da mesma forma, a publicidade em rodovias é uma atividade já amplamente testada e com inteligência de mercado difundida. Como resultado, é possível prever, com algum grau de segurança, o quanto se espera da geração de receitas acessórias na modalidade publicidade numa modelagem de concessão rodoviária. Claro, customizações são cabíveis e necessárias, mas a decisão

---

Em aeroportos, o Contrato de Concessão 0465/ARTESP/2022 (Bloco Noroeste de Aeroportos do Estado de São Paulo) estabelece que "Constituem fontes de RECEITAS NÃO TARIFÁRIAS, respeitadas as condições estabelecidas pela ARTESP em razão do CONTRATO, dentre outras, aquelas constantes do seguinte rol exemplificativo (...)" (Cláusula 11.2).

No setor de resíduos sólidos, por sua vez, o Contrato de Concessão 001/2022 (coleta, transporte, transbordo e tratamento de resíduos sólidos domiciliares e limpeza urbana dos municípios do Convale) não indica expressamente que o rol de serviços complementares, alternativos e acessórios delimitado no Contrato é exemplificativo, mas dispõe que "outros serviços não expressamente listados devem ser submetidos à prévia autorização do CONCEDENTE (...)" (Cláusula 7.1.3). Isso significa que serviços não listados podem vir a ser receitas acessórias. A discussão aqui é quando há necessidade de autorização do poder concedente e quando esta autorização já existe a partir da assinatura do contrato.

[12] Alguns contratos de concessão têm previsto que a exploração de fontes alternativas e complementares de receita não pode comprometer a segurança da operação, nem os padrões de qualidade dos serviços públicos delegados. Nesse sentido, a Cláusula 13.1 do Contrato de Concessão nº 0521/ARTESP/2023 dispõe: "A CONCESSIONÁRIA, por sua exclusiva responsabilidade, direta ou indiretamente, poderá explorar fontes alternativas e complementares de receita, visando à obtenção de RECEITAS ACESSÓRIAS, desde que estas atividades não comprometam a segurança da operação e os padrões de qualidade do SERVIÇO DELEGADO, conforme previsto nas normas e procedimentos integrantes deste CONTRATO e na legislação vigente". Em linha semelhante, a Cláusula 12.1 da Minuta de Contrato de Concessão do Sistema Rodoviário Litoral Paulista, mais recente, estabelece que "A CONCESSIONÁRIA, por sua exclusiva responsabilidade, poderá, direta ou indiretamente, explorar fontes alternativas e complementares de receita, visando à obtenção de RECEITAS ACESSÓRIAS, desde que essas atividades não comprometam a segurança da operação e os padrões de qualidade do SERVIÇO DELEGADO, conforme previsto nas normas e procedimentos integrantes deste CONTRATO e na legislação vigente".

No setor aeroportuário, os contratos de concessão da sexta e sétima rodadas do Governo Federal têm previsto que os termos dos contratos celebrados pela concessionária com terceiros que envolvam a utilização de espaços nos complexos aeroportuários, para fins de obtenção de receitas não tarifárias, "não poderão comprometer os padrões de segurança e de qualidade do serviço concedido" (vide, por exemplo, Cláusulas 11.1.3 do Contrato de Concessão nº 003/ANAC/2023/ANAC/2023 (Bloco Norte II de Aeroportos), da sétima rodada, e do Contrato de Concessão nº 001/ANAC/2021-Norte (Bloco Norte I de Aeroportos), da sexta rodada).

Já no setor de iluminação pública, um exemplo é o Contrato de Concessão 2018/19928/19928/00001 (rede de iluminação pública do Município de Manaus), cuja Cláusula 7.2.1 estabelece que: "A CONCESSIONÁRIA poderá explorar fontes de Receitas Acessórias, ou de projetos associados nas áreas integrantes da Concessão, utilizáveis para a obtenção de qualquer espécie de receita, desde que tal exploração não comprometa os padrões de qualidade previstos nas normas e procedimentos integrantes do Contrato e também que estejam de acordo com a legislação ambiental vigente".

[13] Sobre o tema, ver estudo de Rafael Véras de Freitas que reflete sobre o desafio de compatibilizar a realização de atividades complementares com a incompletude dos contratos de concessão: Algumas propostas para a interpretação das fontes de receitas alternativas nas concessões. *Revista de Contratos Públicos – RCP*, Belo Horizonte, ano 4, n. 6, p. 160-162, set. 2014/fev. 2015.

sobre qual percentual adotar num caso base com estas características é uma decisão mais informada, com série histórica para justificá-la e riscos mais conhecidos. Por isso, haverá menor expectativa de erro de precificação.

A pergunta que se coloca, então, é como a maturidade do setor e a qualidade da série histórica da atividade podem influenciar a decisão de inserir ou excluir as receitas acessórias ao caso base?

Quando há muita insegurança quanto à regulação setorial e/ou à série histórica, é razoável supor que a inclusão de percentual de receita acessória ao caso base gere problemas. De partida, um problema de justificação, ou seja, relativo à motivação subjacente à decisão. O número percentual da expectativa de geração de receitas acessórias no projeto pareceria aleatório, pouco crível. Mas esse é um problema talvez menor (se a finalidade for incentivar novos negócios), de vício administrativo, implicando saneamento e produção de relatórios técnicos para apaziguar as preocupações legítimas do gestor público que terá que prestar contas das suas decisões.

Segundo, o problema de não gerar os incentivos mais adequados para atrair licitantes com análise de risco mais acurada, os quais não conseguirão assimilar um percentual com frágil fundamento e cujo desempenho foi considerado como *parte* da viabilidade econômico-financeira do projeto. Esse potencial licitante reduzirá ou retirará as receitas acessórias do seu próprio modelo econômico-financeiro, que respaldará a discussão interna de seguir adiante com uma proposta na licitação, sob pena de não ser bem sucedido na obtenção de aval para decisão de investimento na sua estrutura de governança.

Terceiro, as receitas acessórias normalmente são estipuladas como atividades de total risco da concessionária,[14] que naturalmente sofrerá sozinha todas as consequências negativas de sua eventual frustração. Só que, se as receitas acessórias fazem parte do caso base, há o risco de elas fazerem parte da quantificação do equilíbrio econômico-financeiro

---

[14] Há exemplos em diversos setores, incluindo rodovias, aeroportos, resíduos sólidos e iluminação pública. No setor de rodovias, o Contrato de Concessão nº 02/2023 (Lote 2 das Rodovias Integradas do Paraná) dispõe que "(...) a Concessionária é integral e exclusivamente responsável por todos os riscos relacionados à Concessão, inclusive, mas sem limitação, pelos seguintes riscos: (...) Receitas Extraordinárias em desacordo com as projeções da Concessionária ou do poder concedente" (Cláusula 22.1.32).
A Cláusula 13.3.5 do Contrato de Concessão nº 0521/ARTESP/2023 (Sistema Rodoviário Rodoanel Norte): "Para fins deste CONTRATO, as RECEITAS ACESSÓRIAS são consideradas aleatórias, sendo sua projeção um risco assumido exclusivamente pela CONCESSIONÁRIA, que não fará jus ao reequilíbrio econômico-financeiro, tampouco a quaisquer indenizações pelos investimentos realizados, ainda que o empreendimento associado tenha sido objeto de aceite pela ARTESP".
No setor de resíduos sólidos, o Contrato de Concessão para prestação de serviços públicos de manejo de resíduos sólidos no Consórcio de Gestão Integrada de Resíduos Sólidos do Cariri prevê que "A CONCESSIONÁRIA será integralmente responsável pelas projeções de RECEITAS EXTRAORDINÁRIAS, não sendo cabível qualquer tipo de REEQUILÍBRIO ECONÔMICO- FINANCEIRO do CONTRATO em razão da alteração, não confirmação ou prejuízo decorrente da frustração das RECEITAS EXTRAORDINÁRIAS por ela estimadas" (Cláusula 21.15).
Em iluminação pública, o Contrato de Concessão nº 21/2020 (rede municipal de Aracaju) estabelece que: "Todos os riscos e investimentos decorrentes da execução das ATIVIDADES RELACIONADAS [das quais decorrem as receitas acessórias] serão de exclusiva responsabilidade da CONCESSIONÁRIA, inclusive os prejuízos que resultem de sua execução, ressalvado o previsto neste CONTRATO" (Cláusula 26.7).
Olhando para os aeroportos, por fim, o Contrato de Concessão nº 0465/ARTESP/2022 (Bloco Noroeste de aeroportos do Estado de São Paulo) estabelece que: "A CONCESSIONÁRIA, por sua exclusiva responsabilidade, direta ou indiretamente, poderá explorar atividades econômicas que gerem RECEITAS NÃO TARIFÁRIAS" (Cláusula 11.1) (...). As RECEITAS NÃO TARIFÁRIAS são consideradas aleatórias, sendo a projeção de risco e responsabilidade da CONCESSIONÁRIA" (Cláusula 11.4).

do contrato, ao contrário do que ocorreria se o retrato do equilíbrio contratual na sua assinatura desconsiderasse as receitas acessórias.

Assim, na hipótese de um risco alocado ao poder concedente se materializar e implicar custos à concessionária, o cálculo do reequilíbrio poderia ser influenciado pelos eventuais montantes auferidos de receita acessória. Ou seja, ser mais eficiente no auferimento de receitas acessórias poderia reduzir, por exemplo, o prazo adicional a ser conferido à concessionária na compensação de um desequilíbrio econômico-financeiro do contrato, assumindo que as variáveis reais sejam utilizadas. Se esse impacto pode ser mais bem controlado, ou até isolado, em setores maduros e série histórica conhecida, pode soar demasiado arriscado em setores cujo desempenho das receitas acessórias resta uma aposta a ser descortinada no futuro.

Então, seria possível retirar as receitas acessórias do caso base e seus montantes não serem considerados para fins de quantificação do equilíbrio econômico-financeiro do contrato? É verdade, há interpretação doutrinária no sentido de que todas as receitas acessórias fazem parte do equilíbrio econômico-financeiro ou da equação econômico-financeira,[15] cuja implicação parece ser diretriz de que estes montantes de receitas seriam computados nos cálculos que restabelecem o equilíbrio econômico-financeiro do contrato. Uma hipótese é de que esse posicionamento decorra do parágrafo único do art. 11 da Lei nº 8.987/1995, que prevê que: "As fontes de receita previstas neste artigo serão obrigatoriamente consideradas para a aferição do inicial equilíbrio econômico-financeiro do contrato". Como lidar com esse parágrafo único, integrando-o ao que se tem veiculado contratualmente como compreensão concreta do conceito de equilíbrio do contrato?

O equilíbrio econômico-financeiro do contrato é sinônimo de assimilação pelas partes das consequências da materialização de riscos, de acordo com a alocação contratual. Integrar o equilíbrio econômico-financeiro não significa integrar o caso base da modelagem, nem tampouco o cálculo de reequilíbrio contratual. Ou seja, o fato de haver regulação de consequências a respeito da frustração ou do êxito da concessionária a partir de receitas acessórias significa que as receitas acessórias são uma (das muitas outras) variáveis cuja observação vai denotar se o contrato está ou não equilibrado. Isso não significa, de nenhuma forma, que as receitas acessórias precisam compor o caso base para passarem a compor o equilíbrio do contrato. Equilíbrio do contrato decorre de análise regulatória, não é sinônimo de equilíbrio de contas, de gestão financeiramente equilibrada, nem de acerto ou conserto das projeções elaboradas.[16]

---

[15] Luiz Felipe Hadlich Miguel (*A remuneração do particular na execução de atividades públicas*. Orientadora: Odete Meduar. 2014. 214 f. Tese (Doutorado em Direito do Estado) – Faculdade de Direito, Universidade de São Paulo, São Paulo, 2014. f. 75. Disponível em: https://teses.usp.br/teses/disponiveis/2/2134/tde-21082017-135939/pt-br. php. Acesso em: 18 ago. 2024.) aponta que "todas as 4 (quatro) espécies de receitas contêm um núcleo comum: seus frutos irão compor o equilíbrio econômico-financeiro da concessão". Fernando Vernalha Guimarães (As receitas alternativas nas concessões de serviços públicos no direito brasileiro. *Revista de Direito Público da Economia (RDPE)*, Belo Horizonte, ano 6, n. 21, p. 121-148, jan./mar. 2008) também diz que, "na medida em que a prestação destas atividades gera receita à prestação do serviço público, passa a integrar a equação econômico-financeira da concessão, merecendo daí a tutela administrativa correspondente".

[16] O contrato de manejo de resíduos sólidos do Município de São Paulo, renovado em junho de 2024, trouxe um exemplo contundente da compreensão dos impactos da decisão, no seu Anexo IV. De um lado, excluiu rol exemplificativo de receitas acessórias do caso base e as regulou como risco da concessionária. De outro lado, dada a definição de algumas atividades, tradicionalmente chamadas de receitas acessórias, sejam necessariamente desempenhadas no contrato, assimilando os atributos de valorização dos resíduos como parte

3 Determinar o compartilhamento das receitas acessórias com o poder concedente?

É bastante comum que a doutrina e os tomadores de decisão públicos exijam o compartilhamento com o poder concedente das receitas acessórias auferidas pela concessionária.[17] Pressupõe-se que o auferimento de receitas extraordinárias, acessórias ou complementares se beneficia da infraestrutura instalada, da logística e do longo prazo da relação contratual (entre outros) para explorar novos negócios. Parece, portanto, razoável destinar ao poder concedente parcela destas receitas "extras", dissociadas da curva de receitas diretamente decorrente da execução do objeto de concessão. Mas será que sempre é?

As escolhas relativas tanto (i) à obrigação de compartilhamento quanto (ii) ao seu percentual reflete preocupação sobre o grau de incentivo, a partir destas condicionantes, para que a concessionária tenha interesse de iniciar (sob seu completo risco) essas novas frentes de negócios. Ou seja, na hipótese em que o compartilhar ou o compartilhar em percentual excessivo passar a desincentivar esses novos negócios, nada ganharão nem a concessionária nem o poder concedente. Negócios não existirão se seu fardo regulatório os inviabilizar. Então, pode ser prejudicial para o poder concedente conferir essa exigência de forma indiscriminada e a variedade dos setores pode ajudar a orientar melhor a decisão.

Parte da doutrina[18] defende que sempre deve haver compartilhamento com o poder concedente, dado que esse ganho "extra" da concessionária deveria sempre ter

---

da política pública, as transformou em obrigação. Foi o caso da produção de energia (metano), material reciclado e créditos de carbono, que, de novo, tradicionalmente são tratados como receitas acessórias. No referido contrato, foram tratadas como obrigação (receitas operacionais não tarifárias), incluídas ao caso base e sujeitas a compartilhamento de risco entre Poder Público e parceiro privado. E este compartilhamento parece refletir a falta de histórico consistente e gerar incentivos para a busca de bom desempenho: se a frustração for maior que 5% do projetado, o Poder Público compensa totalmente. Caso o êxito seja superior a 5% do projetado, o compartilhamento será 50%/50%. Termo Aditivo Modificativo no. 06/2024 ao Termo de Contrato de Concessão nº 027/SSO/2004/São Paulo-SP.

[17] Em nossa pesquisa, não encontramos nenhum projeto no qual não haja qualquer compartilhamento das receitas acessórias com o Poder Público. Entretanto, há várias formas de operacionalizar o compartilhamento. Por exemplo, fazendo com que a receita acessória seja concentrada em conta da qual será debitado o percentual de ônus de fiscalização da agência ou de outorga variável. É o caso de editais de concessões rodoviárias recentes do Estado de São Paulo, como o do Lote Litoral Paulista, cuja Minuta de Contrato de Concessão estabelece: "Toda e qualquer RECEITA ACESSÓRIA integrará a RECEITA BRUTA da CONCESSIONÁRIA, que servirá como base de cálculo para incidência do percentual referente ao ÔNUS DE FISCALIZAÇÃO devido à ARTESP" (Cláusula 12.11) e que "Ao fim de cada mês, a CONCESSIONÁRIA deverá enviar à ARTESP a comprovação da realização de depósito, em conta específica a ser indicada pela ARTESP, do valor correspondente à incidência do percentual referente ao ÔNUS DE FISCALIZAÇÃO sobre a RECEITA ACESSÓRIA auferida no período, bem como documentação contábil que possibilite que a ARTESP verifique se os pagamentos foram realizados nos termos deste CONTRATO" (Cláusula 12.11.2). No setor de aeroportos, o contrato de concessão dos aeroportos do Bloco SP/MS/PA/MG da 7ª Rodada (Contrato de Concessão Nº 002/ANAC/2023) prevê que "A Contribuição Variável corresponderá ao montante anual em reais resultante da aplicação de alíquota sobre a totalidade da receita bruta da Concessionária e de suas eventuais subsidiárias integrais, auferida no ano anterior ao do pagamento" (Cláusula 21.16). E: "Para fins do presente item, será considerada receita bruta qualquer receita auferida pela Concessionária e por eventuais subsidiárias integrais a título de Remuneração, nos termos do presente Contrato" (Cláusula 21.16.1). Nesses casos, certamente, há compartilhamento, mas em veículo cuja incidência de percentual é concentrada em toda a receita do projeto.

[18] "A norma estabelece que a percepção dessas outras fontes de receita objetiva favorecer a modicidade tarifária, isto é, tais receitas não são incorporadas exclusivamente pela concessionária, cabendo ser compartilhadas com o poder concedente para que resulte na diminuição do valor da tarifa" (SOUZA. Concessões de iluminação pública e serviços de cidades inteligentes. Reflexões sobre receitas acessórias, contratação direta e destinação da

como finalidade a modicidade tarifária. A ponderação deixa de ser "como podemos incentivar novos negócios" e passa a ser o contraponto "como podemos reduzir a tarifa?". Em primeiro lugar, já apontamos que as receitas acessórias são acessórias em relação aos *conceitos* de tarifa, aporte e contraprestação, não necessariamente em relação aos *tamanhos* das respectivas receitas. Ou seja, receitas acessórias podem ser mais elevadas que receitas tarifárias, contraprestações ou aporte numa dada concessão, ou, ainda, responsáveis integralmente pela viabilidade econômico-financeira da concessão. Além disso, se fizerem parte do caso base, não serão "extras", mas uma variável integrante do projeto, independentemente do seu tamanho ou relevância. Nestes casos, o argumento de a receita ser "extra" e, portanto, absolutamente sujeita ao compartilhamento, parece infundada. Além disso, a modicidade tarifária, que é uma finalidade fundamental, corre o risco de servir de bode expiatório para decisões que simplesmente inibem novos negócios no âmbito da concessão.

Isso significa que o uso do art. 11 da Lei nº 8.987/1995 como argumento definitivo para um compartilhamento indiscriminado corre o risco de inviabilizar sua própria finalidade. Essa leitura pode ser bastante razoável em alguns setores, mas frágil no estímulo a novos negócios de outros setores. Por exemplo, há bastante entusiasmo sobre as possibilidades de valorização de resíduos por meio de uso de tecnologias existentes e desenvolvimento de outras. Ocorre que muitos desses projetos precisam de segurança e incentivos para serem desenvolvidos, sem qualquer série histórica sobre seus retornos. Um tempo de teste, não compartilhando receitas acessórias nos primeiros x anos de operação, por exemplo, pode ser interessante para sua consolidação.[19] De outro lado, a depender da urgência de acesso aos recursos e perfil de política pública que se quer concretizar, o compartilhamento pode ocorrer no momento da proposta na licitação. Nesse caso, justamente o investidor que conhece mais aquele risco traduzirá sua vantagem competitiva em compromisso financeiro concreto (outorga). O importante é ter atenção para não gerar desincentivo ao desenvolvimento das receitas acessórias.

Outra forma de ponderar o grau de compartilhamento de receitas acessórias é reconhecer que elas podem ser, dentro do mesmo contrato, muito variadas e, por isso,

---

Contribuição de Iluminação Pública, p. 12). Marcos Augusto Perez e Rafael Roque Garofano (O compartilhamento de receitas extraordinárias nas Parcerias Público-Privadas. *Revista de Contratos Públicos – RCP*, Belo Horizonte, ano 3, n. 4, p. 179, set. 2013/fev. 2014), também sobre a relação entre receitas acessórias e compartilhamento com o poder concedente, indicam que "uma vez autorizadas de acordo com o contrato, as receitas extraordinárias percebidas pelo parceiro privado passam a compor a equação econômico-financeira da concessão (ainda que o resultado econômico dessas atividades corra por conta e risco exclusivos do concessionário). É fundamental, nesse contexto, que o necessário compartilhamento dos ganhos obtidos entre concessionário e poder concedente se dê de modo a incentivar o concessionário a de fato realizar essas atividades (as quais podem aumentar seu retorno econômico) e para impulsioná-lo a ser mais eficiente e consequentemente aumentar a margem de lucro sobre a atividade ancilar (afinal, parte dessa margem de lucro será repartida com a Administração). Somente com esse viés é que se dará o efetivo cumprimento do móvel legal de busca de maior economicidade da concessão ou de modicidade tarifária".

19 O Contrato de Concessão Administrativa nº 25.297 (concessão da rede municipal de iluminação pública do Município de Curitiba) contém iniciativa em sentido semelhante, ao prever a possibilidade de que as partes negociem o estabelecimento de um período de carência para o início do compartilhamento de receitas acessórias. Nesse sentido: "Os valores resultantes do compartilhamento de que trata a Subcláusula 28.3 poderão ser negociados entre as partes, mediante a estipulação de um prazo de carência para início do compartilhamento das receitas apuradas na exploração da ATIVIDADE RELACIONADA, contados a partir do início de sua exploração" (Cláusula 28.3.1).

um único percentual de compartilhamento pode ser problemático. Isso porque, para algumas receitas acessórias, o percentual escolhido pode ser extremamente pesado, gerando desincentivo ao desenvolvimento daqueles negócios, ao passo que, para outras atividades, o mesmo percentual se demonstrar palatável para que a iniciativa privada continue interessada em levá-las adiante. Por exemplo, receitas estimáveis, de largo e consolidado histórico, podem justificar percentual mais agressivo porque o risco do concessionário já é relativamente baixo. Por outro lado, receitas não estimáveis, com risco de implantação e performance alto, vão exigir maior remuneração do privado e, portanto, compartilhamento mais conservador. Certamente, não é fácil "acertar" a medida ideal do percentual e, em muitos casos, ele poderá ser um excesso irrelevante de detalhamento contratual. O argumento aqui sustentado não é por um ou outro modelo, mas simplesmente pelo fomento à discussão no caso concreto sobre a tensão entre o (des) incentivo aos novos negócios x modicidade tarifária que o grau de compartilhamento pode gerar.

Os projetos de iluminação pública têm trazido essa tentativa de tratamento customizado. Alguns contratos estabelecem, por exemplo, diferentes percentuais de compartilhamento para distintos serviços.[20] Outros adotam modelo distinto, em que o contrato fixa um percentual máximo de compartilhamento, mas admite que as partes negociem para definir percentual inferior.[21]

---

[20] É o caso do edital da concessão de iluminação pública do Município de Foz do Iguaçu, cuja Minuta de Contrato fixa um percentual de compartilhamento mais alto (de 15%) para as atividades previstas como pré-autorizadas pelo poder concedente (que incluem o aluguel de espaços, a instalação de câmeras de videomonitoramento e a instalação de pontos de rede *wi-fi*), enquanto estabelece um percentual mais baixo (de 5%) para outras atividades que podem ser exploradas mediante solicitação da concessionária. Essa distinção, possivelmente, está associada ao fato de que as atividades pré-autorizadas são aquelas que já têm um histórico de desenvolvimento por concessionárias do setor e, por isso, implicam riscos mais baixos. Veja-se:
"As RECEITAS ACESSÓRIAS decorrentes da exploração de ATIVIDADE RELACIONADA serão compartilhadas pela CONCESSIONÁRIA em favor do PODER CONCEDENTE na proporção de:
i. 15% (quinze por cento) da receita bruta apurada na exploração da ATIVIDADE RELACIONADA prevista na Subcláusula 27.1.2.i;
ii. 5% (cinco por cento) da receita bruta apurada na exploração das ATIVIDADES RELACIONADAS previstas nas Subcláusulas 27.1.2.ii e 27.1.2.iii ou de outra ATIVIDADE RELACIONADA que venha a ser autorizada no curso da CONCESSÃO" (Cláusula 27.2.1).

[21] O Contrato de Concessão nº 21/2020 (rede municipal de iluminação pública do Município de Aracaju) estabelece que o compartilhamento das receitas acessórias ocorrerá na proporção de até 5% (cinco por cento) e admite negociação para fins de redução do percentual, nas hipóteses em que o compartilhamento estabelecido como base inviabilizar a exploração da atividade. Nesse sentido: "Os valores resultantes do compartilhamento de que trata a Subcláusula acima poderão ser negociados entre as PARTES para redução do percentual de compartilhamento com o PODER CONCEDENTE, nas hipóteses em que o compartilhamento pré-estabelecido na Subcláusula acima inviabilizar a exploração da ATIVIDADE RELACIONADA" (Cláusula 27.3.1).
Em linha semelhante, o Contrato de Concessão Administrativa 214/2020 (rede municipal de iluminação pública do Município de Vila Velha) prevê que as receitas acessórias decorrentes da exploração de atividades relacionadas serão compartilhadas entre concessionária e poder concedente na proporção de até 15% (quinze por cento) da receita bruta apurada e que os valores resultantes deste compartilhamento poderão ser negociados entre as partes, "mediante alteração do percentual de compartilhamento e/ou estipulação de um prazo de carência para início do compartilhamento das receitas apuradas na exploração da ATIVIDADE RELACIONADA, contado a partir do início de sua exploração" (Cláusula 25.3.1).

4 Qual modelo de governança escolher para implantação, fiscalização e transferência dos negócios que geram receitas acessórias?

O primeiro ponto a se discutir sobre a governança na implantação das receitas acessórias é a necessidade de prévia autorização do Poder Público para sua exploração. Há duas situações mais comuns, ambas suscetíveis de melhorias a depender da maturidade do setor e da série histórica das receitas acessórias: (a) lista de atividades contratualmente já pré-autorizadas e (b) necessidade de prévia autorização futura durante a execução contratual.

Se o setor é maduro ou se já há algum conhecimento sobre o desempenho de determinadas receitas acessórias e, inclusive, indicou-se o auferimento destas receitas como parte do caso base, é razoável que sua exploração já esteja previamente autorizada no contrato. Isso significa que caberia apenas à concessionária comunicar o início da exploração das receitas acessórias ao poder concedente, sem custos de transação de obter uma aprovação ao longo da execução contratual.[22] O inconveniente da necessidade de obtenção de autorizações é o fato de o conceito de autorização ser facilmente compreendido como sujeito ao exercício de juízo de discricionariedade do Poder Público, obstruindo o desenvolvimento de novos negócios. Além disso, a autoridade responsável pode demorar para emitir a sua decisão, silenciar ou gerar custos de transação que caracterizam um fardo regulatório potencialmente prejudicial para o desempenho de atividades associadas.

Claro, o Poder Público deverá sempre exigir que as atividades que impliquem receitas acessórias não acarretem qualquer prejuízo para a execução do objeto do contrato, ainda que estejam pré-autorizadas. Porém, essa exigência é muito distinta da submissão do início da sua exploração ao tempo e entraves institucionais. Em resumo, sugere-se esclarecer aos que participam do leilão quais as receitas acessórias que certamente poderão ser exploradas. Pode fazer diferença no ágio.

De outro lado, é factível imaginar que, justamente pela falta de conceito exaustivo de receitas acessórias, o Poder Público necessite realizar autorizações de inovações (geradoras de receitas acessórias) ao longo de contrato, com o intuito de preservar a operação da política pública que o fundamentou. Nesses casos, há alguns caminhos que

---

[22] No setor de iluminação pública, há o exemplo do edital da concessão da rede do Município de Olinda (Edital de Concorrência nº 03/2023), cuja Minuta de Contrato estabelece o seguinte regime para a aprovação de atividades geradoras de receitas acessórias:
"27.1.2 Fica desde já autorizada a exploração das seguintes ATIVIDADES RELACIONADAS:
i. aluguel, locação ou cessão de espaço na REDE MUNICIPAL DE ILUMINAÇÃO PÚBLICA;
ii. exploração de serviços que se utilizem da infraestrutura do SISTEMA DE TELEGESTÃO; a instalação de câmeras de videomonitoramento ou de pontos de internet sem fio (WiFi) pela CONCESSIONÁRIA.
(...)
27.1.3 Na hipótese de ATIVIDADES RELACIONADAS não descritas na Subcláusula 27.1.2, a CONCESSIONÁRIA deverá solicitar ao PODER CONCEDENTE autorização para a sua exploração, o qual terá o prazo de até 30 (trinta) dias, prorrogáveis por igual período, para se pronunciar a respeito da solicitação".
Os contratos de concessão de aeroportos federais, por sua vez, preveem que a concessionária poderá explorar atividades econômicas que gerem receitas não tarifárias, mas não estabelecem um procedimento que exija a anuência prévia do poder concedente ou da ANAC. A exceção refere-se à celebração de contratos com terceiros para a utilização de espaços no complexo aeroportuário por um período superior ao da vigência dos respectivos contratos de concessão. Nesses casos, os contratos da sexta e sétima rodadas de concessões preveem a necessidade de autorização prévia do Ministério da Infraestrutura, com consulta à ANAC (Cláusulas 11.1.1 do Contrato de Concessão 001/ANAC/2021-Norte, referente ao Bloco Norte I de aeroportos federais, e do Contrato de Concessão 003/ANAC/2023, referente ao Bloco Norte II de aeroportos federais).

podem regular essa maior imprevisibilidade: (i) reconhecimento de autorização tácita, na hipótese de silêncio para além de prazo; (ii) exigência de estudos econômico-financeiros específicos sobre o percentual a ser compartilhado e (iii) reforço de ônus justificador da eventual negativa à autoridade competente para autorizar.

A primeira possibilidade tem passado a ser mais constante dos contratos de concessão e parcerias público-privadas na regulação de diversos temas,[23] a despeito das discussões doutrinárias sobre aplicabilidade do silêncio positivo ou eloquente ao Poder Público.[24] De um lado, é verdade que prazos muitas vezes soam irrealistas em instituições assoberbadas de demandas e precarizadas em recursos humanos. A defesa da negativa da aplicabilidade do silêncio positivo reflete a defesa dos gestores que, de fato, têm um desafio impossível no sentido de cumprimento de prazos. De outro lado, a insatisfação com o fardo regulatório e a inércia em se manifestar (seja positiva ou negativamente) da iniciativa privada ecoou nas instituições públicas como questão central nas variáveis que culminam numa decisão de investimento, de modo que o silêncio positivo começou a aparecer. No caso de autorizações de receitas acessórias,[25] sobretudo considerando que

---

[23] O silêncio positivo, ou aprovação tácita, tem sido considerado em diversos temas relacionados a contratos de concessão, especialmente nos casos de ausência de manifestação do poder concedente ou da agência reguladora competente, conforme o caso, em situações envolvendo (i) a aprovação de projetos e planos da concessão; (ii) manifestações no âmbito de processos para aferição de indicadores de desempenho; (iii) a alienação de bens reversíveis no fim do prazo de concessões.

Em relação ao primeiro ponto, por exemplo, o Contrato de Concessão Administrativa nº 119/2023, relativo à operação e manutenção da rede de iluminação pública do Município de Canoas, prevê a apresentação de um "Plano de Modernização", que descreve os serviços a serem prestados durante a execução contratual, e um "Cadastro Base", que deve conter os equipamentos da rede municipal de iluminação. Esses documentos devem ser aprovados pelo poder concedente no prazo de 20 (vinte) dias. Caso não sejam, a Cláusula 14.3.3.2. prevê que "estes serão considerados aprovados".

Em relação ao segundo ponto, ver, por exemplo, o Contrato de Concessão Administrativa relativo à gestão, modernização, operação e manutenção da rede de iluminação pública do Município de Bauru: "Caso conste do RELATÓRIO TRIMESTRAL DE INDICADORES solicitações de desconsideração de itens da amostra em virtude da superveniência de eventos cujo risco de ocorrência não é atribuído por este CONTRATO à CONCESSIONÁRIA, o PODER CONCEDENTE poderá encaminhar, em até 5 (cinco) dias contados do recebimento do RELATÓRIO TRIMESTRAL DE INDICADORES, manifestação fundamentada sobre a aceitação das justificativas apresentadas pela CONCESSIONÁRIA (...) As solicitações de desconsideração apresentadas pela CONCESSIONÁRIA e eventuais manifestações apresentadas pelo PODER CONCEDENTE serão examinadas e decididas no prazo de 10 (dez) dias, sob pena de serem aceitas tacitamente" (Cláusulas 35.3.1.1 e 35.3.1.2)."

Em relação ao terceiro ponto, o Contrato de Concessão Patrocinada 01/2021 (Trem Intercidades Eixo Norte) prevê que, caso o poder concedente não se manifeste dentro do prazo estipulado no contrato sobre a alienação ou aquisição de bens móveis que se qualifiquem como bens reversíveis ao final da concessão, essa falta de manifestação será entendida como "não objeção" (Cláusula 8.12.8.1).

[24] Conforme sintetizado por Paulo Modesto (Silêncio administrativo positivo, negativo e translativo: a omissão estatal formal em tempos de crise. *Revista Brasileira de Direito Público – RBDP*, Belo Horizonte, ano 15, n. 57, p. 50, abr./jun. 2017), de acordo com a doutrina tradicional, sem uma norma jurídica que atribua efeitos explícitos, não se poderia inferir qualquer declaração de direito a partir da omissão ou inação administrativa. Contudo, diversos autores, como Paulo Modesto (Efeitos jurídicos do silêncio positivo no direito administrativo brasileiro. *Revista Brasileira de Direito Público – RBDP*, Belo Horizonte, ano 7, n. 25, p. 45-80, abr. 2009) e André Saddy e Thiago Marrara (Administração que cala consente? Dever de decidir, silêncio administrativo e aprovação tácita. *Revista de Direito Administrativo – RDA*, Rio de Janeiro, v. 280, n. 2, p. 227-264, maio/ago. 2021), têm destacado a importância do silêncio positivo como mecanismo de proteção ao administrado, especialmente em situações nas quais o Poder Público permanece inerte em questões que demandam sua manifestação.

[25] Por exemplo, no setor de resíduos sólidos, o contrato de concessão para prestação de serviços públicos de manejo de resíduos sólidos no Consórcio de Gestão Integrada de Resíduos Sólidos do Cariri dispõe: "O transcurso do prazo de que trata a subcláusula 21.9 sem qualquer manifestação por parte do PODER CONCEDENTE ensejará a aceitação tácita do referido plano comercial de RECEITAS EXTRAORDINÁRIAS" (Cláusula 21.11). Como exemplo do setor de iluminação pública, o Contrato de Concessão Administrativa nº 119/2023 (rede de iluminação pública de Canoas) prevê que o poder concedente terá o prazo de 30 dias para se pronunciar a

não são demandas recorrentes que vão sobrecarregar continuamente os gestores, mas, ao contrário, pontuais e específicas, parece sinalizar positivamente uma propensão à diligência, incentivando o desenvolvimento desses novos negócios.

A segunda possibilidade parece racional, afinal a decisão futura será embasada por estudos que vão identificar o modelo desse novo negócio e o percentual que parece razoável compartilhar com o Poder Público sem inviabilizá-lo. Há, porém, o risco de ser mecanismo que simplesmente posterga o problema. Isso porque discutir e chegar a um consenso sobre quanto o Poder Público "teria direito" não parece ser uma negociação equilibrada, na medida em que depende da autorização do Poder Público para iniciar o negócio. Além disso, é mecanismo que gera ruído e morosidade, dado que as partes podem assimilar premissas distintas na avaliação desse modelo. Se mais de um ator privado, num mesmo setor, adota premissas distintas na exploração de uma receita acessória, como imaginar que o Poder Público vai obter um "modelo correto" a ponto de respaldar sua concordância com o percentual que lhe será atribuído? Finalmente, assumindo que só ficarão para depois as receitas cujas séries históricas são menos conhecidas e, assim, não gozam de percentual de compartilhamento identificado, remanesce o risco de, no momento do pleito de autorização da atividade, essa série histórica ainda inexistir. Se esse risco se materializar, a ponderação que se faz é se o gestor deveria estar numa situação de busca da verdade sobre desempenho e rentabilidade de atividade, que ninguém detém (nem mesmo o investidor), simplesmente porque ela não é única. Uma eventual saída, já considerando que estas receitas não farão parte do caso base, é que o contrato pode prever a proteção à imprecisão desse percentual. Um percentual baixo desde o início do contrato pode ser uma saída mais conservadora e segura, evitando discussões futuras e conferindo mais isonomia na elaboração de propostas.

Três, considerando que para novas receitas acessórias o procedimento de autorização terá que ser percorrido, vale sublinhar o ônus da negativa. A lei, como assinalamos anteriormente, não delimitou o conceito de receitas acessórias. Dessa forma, nesse espaço de exploração econômica, que potencialmente reverterá em benefícios públicos e privados, a regra deve ser essa liberdade conceitual. A possibilidade de negativa, ainda que reste possível ao poder concedente, gozará de qualidade regulatória na hipótese de estar limitada à boa execução do objeto mesmo da concessão. Sim, se o Poder Público não acolher os pleitos de autorizações com base simplesmente em conveniência e oportunidade, talvez encontre guarida dos seus controladores. Porém, talvez parte do Poder Público queira encontrar guarida no reconhecimento da qualidade dos projetos disponibilizados, que, novamente, decorre da legitimidade sobre a distribuição de incentivos, para além da sua legalidade.

Outro desafio da governança das receitas acessórias é sua fiscalização, no que se refere ao problema das cadeias de receitas das eventuais diversas unidades geradoras de caixa coexistentes. A pergunta que se coloca é: as receitas acessórias se limitam à SPE que representa a concessionária ou pode ser auferida por outras empresas? O §1º e §2º do art. 25 da Lei nº 8.987/1995 preveem, respectivamente, que, "sem prejuízo da responsabilidade a que se refere este artigo, a concessionária poderá contratar com

---

respeito da solicitação da Concessionária para fins de exploração de atividade relacionada. Caso o poder concedente não se manifeste dentro desse prazo, "considera-se deferida a solicitação da CONCESSIONÁRIA, nas condições propostas".

terceiros o desenvolvimento de atividades inerentes, acessórias ou complementares ao serviço concedido, bem como a implementação de projetos associados", e "os contratos celebrados entre a concessionária e os terceiros a que se refere o parágrafo anterior reger-se-ão pelo direito privado, não se estabelecendo qualquer relação jurídica entre os terceiros e o poder concedente". A leitura dos dispositivos parece sinalizar que as receitas acessórias são geradas e conduzidas por personalidades jurídicas distintas e autônomas, cuja relação se dá pelo direito privado, sem haver notadamente qualquer relação entre o poder concedente e o terceiro contratado.

Como fiscalizar? Há aqui um ônus importante do regulador e o mecanismo de caixa único para viabilizar a solução desse desafio. Ônus do regulador no sentido de averiguar as informações trazidas pelo concessionário, o que pode ser frágil, dada a assimetria de informações. Quanto ao mecanismo de caixa único significaria o uso de conta centralizadora para facilitar a avaliação dos montantes e a dinâmica de incidência de percentual de compartilhamento. O desafio remanesce.

5 Conclusão

Há muitos outros temas que merecem discussão, no que concerne às escolhas a respeito das receitas acessórias. Por exemplo, (i) caracterização, ou não, dos equipamentos utilizados para exploração dessas receitas como bens reversíveis; (ii) a necessidade de celebração de contratos apartados e específicos com o poder concedente, quando este for o contratante das atividades que geram receitas acessórias; (iii) como a exploração das atividades excederá, ou não, o prazo da concessão e suas repercussões; (iv) a destinação dos recursos decorrentes do compartilhamento das receitas acessórias, dentre outros.[26]

O objetivo deste artigo não foi dar respostas definitivas ou fazer recomendações sobre a decisão a ser tomada em cada um dos três temas, mas alargar o arsenal (ou a consciência sobre esse arsenal) de possibilidades à disposição do Poder Público e da iniciativa privada. Ou seja, é um reconhecimento da falta (pertinente) de determinações legais fixas e da grande flexibilidade regulatória, ilustrada pelos casos concretos. O grau de maturidade do setor e o conhecimento da série histórica do comportamento dessas receitas podem ser variáveis a nos guiar na distribuição de incentivos. Cabe aos estruturadores e aos gestores de contrato assimilar a liberdade de que goza a exploração destas atividades econômicas, promovendo decisões customizadas, considerando seus riscos, vantagens e desvantagens. Processo talvez difícil, mas potencialmente rico e desencadeador de decisões responsáveis.

---

[26] No mesmo sentido, ver: SOUZA. Concessões de iluminação pública e serviços de cidades inteligentes. Reflexões sobre receitas acessórias, contratação direta e destinação da Contribuição de Iluminação Pública, p. 14.

Referências

ALDIGUIERI, Daniel Rodrigues. *Modelo normativo para o tratamento de receitas não tarifárias em processos de concessão de infraestrutura de transporte.* Orientador: Felipe de Melo Fonte. 2012. Tese (Doutorado em Engenharia) – Faculdade de Tecnologia, Universidade de Brasília, Brasília, 2012.

AMORA, Dimmi. ANTT cria mecanismo para apurar abusividade em cobrança de serviços acessórios de ferrovias. *Agência Infra*, Brasília, DF, 31 ago. 2021. Disponível em: https://agenciainfra.com/blog/antt-cria-mecanismo-para-apurar-abusividade-em-cobranca-de-servicos-acessorios-de-ferrovias/. Acesso em: 18 ago. 2024.

BONACOSSA, Rafael Barbosa; GUIMARÃES, Beatriz Sotto Maior. A exploração de receitas não-tarifárias como atrativo para as concessões de aeroporto no Brasil. *Agência Infra*, Brasília, DF, 8 abr. 2022. Disponível em: https://agenciainfra.com/blog/infradebate-a-exploracao-de-receitas-nao-tarifarias-como-atrativo-para-as-concessoes-de-aeroporto-no-brasil/. Acesso em: 18 ago. 2024.

BRASIL. Lei nº 8.987, de 13 de fevereiro de 1995. Dispõe sobre o regime de concessão e permissão da prestação de serviços públicos previsto no art. 175 da Constituição Federal, e dá outras providências. *Diário Oficial da União*: Brasília, DF, 1995. Disponível em: https://www.planalto.gov.br/ccivil_03/leis/l8987cons.htm. Acesso em: 18 ago. 2024.

COSTA, Pedro Henrique Lourenço. *Receitas não-tarifárias nas concessões de serviço público de transportes: uma análise crítica e propositiva sobre sua arrecadação e utilização.* 2017. 61 f. Trabalho de Conclusão de Curso (Graduação em Direito) – Escola de Direito, Fundação Getulio Vargas Rio, Rio de Janeiro, 2017. Disponível em: https://repositorio.fgv.br/items/b3a3a2f5-4f09-4230-ad19-aad9186e6f0b. Acesso em: 18 ago. 2024.

FREITAS, Rafael Véras de. Algumas propostas para a interpretação das fontes de receitas alternativas nas concessões. *Revista de Contratos Públicos – RCP*, Belo Horizonte, ano 4, n. 6, p. 151-164, set. 2014/fev. 2015.

GUIMARÃES, Fernando Vernalha. As receitas alternativas nas concessões de serviços públicos no direito brasileiro. *Revista de Direito Público da Economia (RDPE)*, Belo Horizonte, ano 6, n. 21, p. 121-148, jan./mar. 2008.

MACHADO, Cristiane Lucidi. Receitas alternativas, complementares, acessórias e de projetos especiais nas concessões de serviços públicos: exegese do art. 11 da Lei nº 8.987/95. *Revista de Direito Público da Economia – RDPE*, Belo Horizonte, ano 2, n. 7, p. 97-107, jul./set. 2004.

MARRARA, Thiago. Administração que cala consente? *Dever de decidir, silêncio administrativo e aprovação tácita.* *Revista de Direito Administrativo – RDA*, Rio de Janeiro, v. 280, n. 2, p. 227-264, maio/ago. 2021.

MIGUEL, Luiz Felipe Hadlich. *A remuneração do particular na execução de atividades públicas.* Orientadora: Odete Meduar. 2014. 214 f. Tese (Doutorado em Direito do Estado) – Faculdade de Direito, Universidade de São Paulo, São Paulo, 2014. Disponível em: https://teses.usp.br/teses/disponiveis/2/2134/tde-21082017-135939/pt-br.php. Acesso em: 18 ago. 2024.

MODESTO, Paulo. Silêncio administrativo positivo, negativo e translativo: a omissão estatal formal em tempos de crise. *Revista Brasileira de Direito Público – RBDP*, Belo Horizonte, ano 15, n. 57, p. 47-58, abr./jun. 2017.

PEREZ, Marcos Augusto; GAROFANO, Rafael Roque. O compartilhamento de receitas extraordinárias nas Parcerias Público-Privadas. *Revista de Contratos Públicos – RCP*, Belo Horizonte, ano 3, n. 4, p. 169-188, set. 2013/fev. 2014.

PICININ, Juliana de Almeida. A realização de atividades conexas, geradoras de fontes acessórias de receita, por sociedade de economia mista prestadora de serviço público. *Fórum de Contratação e Gestão Pública – FCGP*, Belo Horizonte, ano 5, n. 57, set. 2006.

RIBEIRO, Maurício Portugal. Receitas acessórias decorrentes de novos projetos imobiliários em concessões e PPPs; JUSTEN FILHO, Marçal; SCHWIND, Rafael Wallbach; DALLARI, Adilson Abreu; BICALHO, Alécia Paolucci Nogueira; NESTER, Alexandre Wagner (coord.). *Parcerias Público-Privadas*: reflexões sobre os 10 anos da Lei 11.079/2004. São Paulo: Revista dos Tribunais, 2015. p. 371-388.

SADDY, André. Efeitos jurídicos do silêncio positivo no direito administrativo brasileiro. *Revista Brasileira de Direito Público – RBDP*, Belo Horizonte, ano 7, n. 25, abr. 2009.

SOUZA, Ana Paula Peresi de. Concessões de iluminação pública e serviços de cidades inteligentes. Reflexões sobre receitas acessórias, contratação direta e destinação da Contribuição de Iluminação Pública. *Revista de Direito Público da Economia – RDPE*, Belo Horizonte, ano 21, n. 82, p. 9-44, abr./jun. 2023.

SCHWIND, Rafael Wallbach. *Remuneração do particular nas concessões e parcerias público privadas*. Orientadora: Maria Sylvia Zanella di Pietro. 2010. 377 f. Dissertação (Mestrado em Direito do Estado) – Faculdade de Direito, Universidade de São Paulo, São Paulo, 2010. Disponível em: https://teses.usp.br/teses/disponiveis/2/2134/tde-29052013-085755/pt-br.php. Acesso em: 18 ago. 2024.

Informação bibliográfica deste texto, conforme a NBR 6023:2018 da Associação Brasileira de Normas Técnicas (ABNT):

REIS, Tarcila; JORDÃO, Eduardo. Estudo comparado sobre receitas acessórias em concessões e Parcerias Público-Privadas (PPPs). *In*: JUSTEN, Monica Spezia; PEREIRA, Cesar; JUSTEN NETO, Marçal; JUSTEN, Lucas Spezia (coord.). *Uma visão humanista do Direito*: homenagem ao Professor Marçal Justen Filho. Belo Horizonte: Fórum, 2025. v. 3, p. 345-360. ISBN 978-65-5518-915-5.

A REGULAMENTAÇÃO DOS *DISPUTE BOARDS* NO SETOR DE TRANSPORTES TERRESTRES

LUÍSA QUINTÃO

ISABELLA ROSSITO

1 Introdução

A utilização de comitês de prevenção e solução de disputas – os *dispute boards* – nos contratos firmados pela Agência Nacional de Transportes Terrestres (ANTT) deve seguir regras específicas. A ANTT regulamentou a utilização desse mecanismo adequado de resolução de conflitos por meio da Resolução nº 6.040/2024, que alterou a Resolução nº 5.845/2019, que trata da resolução de disputas no âmbito da agência.

Os *dispute boards* foram concebidos no contexto de projetos de construção e têm o propósito de reduzir o tempo e os gatos geralmente associados à resolução de conflitos por vias jurisdicionais (processos judiciais ou arbitrais).[1] Eles são comitês geralmente compostos por três membros, profissionais independentes que normalmente contam com expertise técnica sobre a matéria do contrato (frequentemente, advogados e engenheiros) e que são encarregados de auxiliar na prevenção de conflitos no âmbito do contrato e, se necessário, dirimir eventuais divergências.[2]

Os *dispute boards* são principalmente utilizados em projetos grandes e em contratos de longa duração, tais como aqueles relacionados a obras de infraestrutura. Inclusive, o primeiro *dispute board* oficialmente utilizado do qual se tem notícia ocorreu justamente no setor de transportes terrestres – no contexto da construção do túnel Eisenhower, no Colorado (EUA).[3] No Brasil, uma das primeiras experiências com *dispute board* em

---

[1] DRBF. *Dispute Board Manual*: A Guide to Best Practices and Procedures. Charlotte: Spark Publications, 2019. *E-book*. chap. 1.

[2] ROCHA NETO, Edson Francisco. Os *dispute boards* nas parcerias público-privadas: aspectos processuais e procedimentais. *In*: JUSTEN FILHO, Marçal; SCHWIND, Rafael (coord.). *Parcerias Público-Privadas*: reflexões sobre a Lei 11.079/2004. São Paulo: Thomson Reuters Brasil, 2022. p. 647-664.

[3] SORIANO HINOJOSA, Álvaro. 16. *Dispute board*s – how to meet the platypus? *In*: GONZÁLEZ-BUENO, Carlos (ed.). *40 under 40 International Arbitration 2024*. Madrid: Editorial Dykinson, 2024. p. 245-258.

contratos públicos também ocorreu no setor de transportes, em contrato relacionado à Linha 4 do Metrô de São Paulo, em decorrência de exigência estabelecida pelo próprio financiador do projeto (o Banco Internacional para Reconstrução e Desenvolvimento – BIRD).[4] Os *dispute boards* são especialmente adequados para esses tipos de contrato porque eles permitem que soluções tecnicamente adequadas sejam tomadas e implementadas rapidamente, evitando a paralisação do projeto em questão.[5] Em qualquer caso, as decisões ou recomendações dos *dispute boards* podem ser revistas pela via jurisdicional adequada (judicial ou arbitral, conforme o caso). Ainda assim, conforme pesquisa da Dispute Resolution Board Foundation, apenas uma pequena porcentagem dos casos resolvidos por *dispute boards* seguem para a via jurisdicional.[6]

Conforme explica Marçal Justen Filho, o *dispute board* decorre da atribuição contratual a esses comitês "da função de examinar e decidir sobre incertezas, dúvidas e controvérsias relativamente a questões específicas atinentes à prestação contratual".[7] Na condição de um instrumento de natureza consensual, seu principal objetivo é reduzir a litigiosidade e traduzir soluções não apenas tecnicamente mais adequadas, mas também em certos casos merecedoras da adesão voluntária dos interessados.[8] Também de acordo com Marçal Justen Filho, a defesa de soluções consensuais no âmbito da Administração Pública não decorre apenas de razões ideológicas, mas também do reconhecimento de que a Administração Pública, por si só, não possui conhecimento suficiente para desenvolver as soluções mais eficazes e adequadas.[9] Por isso, "o consensualismo tornou-se ainda mais relevante em vista de contratações administrativas de longo prazo, relacionadas à implantação, ampliação e gestão de infraestruturas de interesse coletivo".[10] É justamente esse o caso de diversos dos contratos firmados pela ANTT.

A regulamentação dos comitês de prevenção e solução de disputas pela ANTT representa um passo significativo na gestão de conflitos, inclusive por meio do consensualismo, proporcionando alternativas técnicas e estruturadas para a resolução de disputas. O objetivo do presente artigo é expor e analisar criticamente o procedimento delineado pela Resolução nº 6.040/2024.

---

[4] FIGUEIREDO E SILVA NETO, Augusto Barros de. Os *dispute board*s no Brasil: evolução histórica, a prática e perspectivas futuras. *Revista Brasileira de Alternative Dispute Resolution – RBADR*, Belo Horizonte, ano 1, n. 2, p. 69-95, jul./dez. 2019.

[5] "These dispute resolution methods allow for the swift and economical resolution of disputes thus allowing construction project to proceed without delay and to benefit the parties involved" (CHERN, Cyril. The *Dispute board* Federation and the Role of *Dispute board*s in Construction – Benefits without Burden. *Revista del Club Español del Arbitraje*, [*S. l.*], n. 9, p. 5-10, 2010).

[6] Sobre resultado de pesquisa do Dispute Resolution Board Foundation, que considerou 230 projetos que previam a utilização de *dispute boards* e concluiu que eles têm uma taxa de 94% de sucesso – apenas 6% dos casos efetivamente submetidos aos comitês evoluíram para uma arbitragem, cf.: POLIDORO, Maúra Guerra. *Dispute board* é uma boa opção para resolução de disputas de alta complexidade. *Conjur*, São Paulo, 18 maio 2021. Disponível em: https://www.conjur.com.br/2021-mai-18/polidoro-dispute-board-opcao-disputas-alta-complexidade/. Acesso em: 19 ago. 2024.

[7] JUSTEN FILHO, Marçal. *Comentários à Lei de licitações e Contratações Administrativas*. 2. ed. São Paulo: Revista dos Tribunais, 2023. p. 1625.

[8] JUSTEN FILHO, Marçal. *Curso de Direito Administrativo*. 14. ed. Rio de Janeiro: Forense, 2023.

[9] JUSTEN FILHO, Marçal. O consensualismo é consenso: em defesa da SECEXConsenso. *Migalhas*, São Paulo, 11 jul. 2024. Disponível em: https://www.migalhas.com.br/depeso/411026/o-consensualismo-e-consenso-em-defesa-da-secexconsenso. Acesso em: 19 ago. 2024.

[10] JUSTEN FILHO. O consensualismo é consenso: em defesa da SECEXConsenso.

2 O contexto e o processo da regulamentação do *dispute board* pela ANTT

A edição da Resolução nº 6.040/2024 foi precedida por evolução tanto da disciplina legal aplicável à adoção de mecanismos adequados de resolução de controvérsias no âmbito da Administração Pública, bem como da prática na utilização desses mecanismos, que levaram a ANTT inclusive a solicitar subsídios através de audiência pública para a regulação adequada do tema.

2.1 A evolução da disciplina legal

A Lei nº 10.406, de 10 de janeiro de 2002, que institui o Código Civil, já admitia, em seu art. 581, a celebração de compromisso para resolver litígios entre pessoas que podem contratar, desde que a matéria tenha caráter estritamente patrimonial. Não havia, contudo, menção à possibilidade de celebração de compromisso pela Administração Pública.

A Lei nº 11.196, de 21 de novembro de 2005, alterou a Lei nº 8.987, de 13 de fevereiro de 1995 (que disciplina as concessões comuns) para incluir o art. 23-A, dispositivo que determina que o contrato de concessão "poderá prever o emprego de mecanismos privados para resolução de disputas decorrentes ou relacionadas ao contrato, inclusive arbitragem, a ser realizada no Brasil e em língua portuguesa, nos termos da Lei nº 9.307".

Apesar de o dispositivo não fazer referência expressa ao *dispute board*, a previsão é ampla o suficiente para albergar o uso do mecanismo. No entanto, não foi estabelecida qualquer disciplina para tanto. O art. 23-A limita-se a remeter à Lei nº 9.307, de 23 de setembro de 1996, que dispõe sobre a arbitragem. Considerando a remissão, chega-se à conclusão de que somente poderiam ser objeto de mecanismo privado de resolução de disputa os "direitos patrimoniais disponíveis".

Posteriormente, a Lei nº 13.448, de 5 de junho de 2017, trouxe diretrizes para a prorrogação e relicitação dos contratos de parceria nos setores rodoviário, ferroviário e aeroportuário. O art. 31 da lei prevê que as controvérsias surgidas em decorrência dos contratos nesses setores, após decisão definitiva da autoridade competente, podem ser submetidas a arbitragem ou a "outros mecanismos alternativos de solução de controvérsias".

A menção expressa à possibilidade de emprego do *dispute board* veio com a Lei nº 14.133/2021, que previu em seu art. 151 que as contratações por ela regidas poderão utilizar "meios alternativos de prevenção e resolução de controvérsias, notadamente a conciliação, a mediação, o comitê de resolução de disputas e a arbitragem", desde que se tratem de direitos patrimoniais disponíveis, a exemplo do reequilíbrio econômico-financeiro dos contratos, ao inadimplemento de obrigações contratuais por quaisquer das partes e ao cálculo de indenizações.

Atualmente, está pendente de aprovação pela Câmara dos Deputados o Projeto de Lei Federal nº 2.421/2021, de autoria do ex-senador Antonio Anastasia, que regulamenta o Comitê de Prevenção e Solução de Disputas. Esse projeto, já aprovado no Senado como Projeto de Lei nº 206/2018, propõe a instalação de comitês em contratos firmados pela União, Estados, Distrito Federal e Municípios, para resolver conflitos relativos a direitos patrimoniais disponíveis.

2.2 A experiência da ANTT que antecedeu a edição da norma

O *dispute board* foi inicialmente previsto pela ANTT no processo de prorrogação antecipada da concessão da Estrada de Ferro Vitória-Minas. O Anexo 9 do 3º Termo Aditivo, que efetivou a prorrogação antecipada do contrato de concessão, previu o *dispute board* como "mecanismo de gestão contratual e de mitigação de riscos à regular execução das Obrigações de Investimento (...) para prevenir e solucionar potenciais divergências de natureza eminentemente técnica".

A prorrogação antecipada foi objeto de apreciação do TCU por meio do Acórdão nº 1.947/2020-Plenário. No entanto, não houve nenhuma determinação em relação à adoção do mecanismo pela ANTT naquela ocasião.

Posteriormente, a novidade foi incluída no contrato de concessão do Sistema Rodoviário nº BR-153/414/080/TO/GO, que estabeleceu a possibilidade de constituição de *dispute board* para a solução de eventuais divergências de natureza técnica e econômico-financeira decorrentes da execução contratual.

Ao analisar a minuta do futuro contrato de concessão, por meio do Acórdão nº 4.036/2020-Plenário, o TCU determinou à ANTAQ que somente adotasse o *dispute board* após sua regulamentação:

> (...)
>
> 9.2. determinar à Agência Nacional de Transportes Terrestres (ANTT) que, previamente à publicação do edital de concessão dos trechos das rodovias federais BR-153/TO/GO e BR-080/414/GO, com fundamento no artigo 43, inciso I, da Lei 8.443/1992, c/c o art. 250, inciso II, do Regimento Interno do TCU, e em observância ao disposto no art. 4º da Resolução TCU 315/2020:
>
> (...).
>
> 9.2.22. adote as medidas necessárias para que a aplicação do mecanismo de *dispute board* ocorra somente após a sua regulamentação e que eventual omissão da autarquia não conferirá quaisquer direitos subjetivos à concessionária, em observância do art. 23, inciso XV, da Lei 8.987/1995.[11]

A determinação foi emitida em razão da preocupação do TCU com a ausência de detalhamento da disciplina na minuta do contrato de concessão submetida pela ANTT para avaliação, e foi repetida pelo Acórdão nº 4.037/2020-Plenário em relação à concessão da BR-163/MT/PA e BR-230/PA.

Acolhendo a determinação, a ANTT aperfeiçoou a redação da minuta de contrato, condicionando o emprego do mecanismo à edição da regulamentação pela Agência.

---

[11] BRASIL. Tribunal de Contas da União (Plenário). Acórdão 4.036/2020. Relator: Min. Vital do Rêgo, 8 de dezembro de 2020. *BTCU*: Brasília, DF, 2020. Disponível em: https://pesquisa.apps.tcu.gov.br/documento/acordao-comple to/%2522dispute%2520board%2522%2520%2522antt%2522/%2520/DTRELEVANCIA%2520asc%252C%2520NU MACORDAOINT%2520asc/0. Acesso em: 29 jun. 2024.

Entretanto, apesar de a determinação do TCU ter sido expedida em dezembro de 2020, a regulamentação da ANTT somente foi publicada em abril de 2024.

2.3 A Audiência Pública nº 06/2023 da ANTT e a subsequente regulamentação

A proposta da ANTT para a regulamentação do *dispute board* foi discutida no âmbito da Audiência Pública nº 06-2023-ANTT, que objetivou colher sugestões e contribuições para aperfeiçoamento da minuta de resolução.

De acordo com a Análise de Impacto Regulatório (AIR) que precedeu a abertura da audiência, a grande problemática regulatória intrínseca a ser combatida com a regulamentação dos comitês no âmbito da ANTT é a paralisação de obras nas fases mais críticas dos contratos de concessão, derivada de discordâncias técnicas quanto às soluções de engenharia aplicáveis.[12] A preocupação é legítima, considerando que os impactos decorrentes da interrupção de uma obra são de difícil mensuração e vão além dos valores já aplicados em sua execução, gerando diversos prejuízos sociais e econômicos.[13]

A audiência pública contou com ampla participação da sociedade, recebendo grande número de sugestões para aperfeiçoamento da minuta de resolução posta sob avaliação. No entanto, algumas das principais preocupações expressadas no bojo da audiência não foram objeto de acolhimento pela ANTT, especialmente no que diz respeito aos limites para emprego do mecanismo no âmbito da agência. O tema será retomado em detalhes no tópico 4.

O resultado da audiência pública foi a edição da Resolução ANTT nº 6.040/2024, que promoveu uma reforma na Resolução ANTT nº 5.845/2019, que, conforme adiantado no tópico introdutório, já dispunha sobre o tema da prevenção e solução de disputas no âmbito da agência.

3 As regras da Resolução ANTT nº 6.040/2024

A resolução apresenta uma regulamentação detalhada do uso de *dispute boards* pela ANTT, disciplinando (a) as hipóteses de cabimento do *dispute board*; (b) o grau de vinculação das decisões; (c) os tipos de comitês; (d) os requisitos para composição dos comitês; (e) os procedimentos a serem adotados e (f) a distribuição dos custos entre as partes.

As hipóteses de cabimento do *dispute board* serão discutidas no tópico 4. As demais questões serão analisadas a seguir.

---

[12] BRASIL. Agência Nacional de Transportes Terrestres. *Aviso de Audiência Pública nº 535*. Brasília, DF: ANTT, [2023]. Disponível em: https://participantt.antt.gov.br/Site/AudienciaPublica/VisualizarAvisoAudienciaPublica. aspx?CodigoAudiencia=535. Acesso em: 30 jun. 2024.

[13] POLLI, Rodrigo Carvalho; REIS, Luciano Elias. A relevância do *dispute board* como ferramenta de consensualidade para a legitimidade e eficiência da Administração Pública na nova Lei de Licitações. *Revista de Contratos Públicos – RCP*, Belo Horizonte, ano 11, n. 20, p. 171-172, set. 2021/fev. 2022.

3.1 O grau de vinculação das decisões dos comitês

As decisões emitidas pelo *dispute board* podem ser vinculantes ou recomendatórias, conforme acordado entre as partes. Dependendo da natureza da decisão, os comitês são classificados como adjudicatórios, recomendatórios ou híbridos.

Quando proferidas por um comitê adjudicatório, as decisões são de cumprimento obrigatório e imediato, desde que a matéria deliberada seja passível de submissão ao *dispute board*, nos termos da disciplina resolução.

Em contraste, as decisões dos comitês recomendatórios servem apenas para subsidiar a tomada de decisão da ANTT e devem ser emitidas antes da decisão administrativa sobre a matéria. Mesmo que não haja manifestação de discordância ou rejeição, essas decisões não se tornam vinculantes.

As decisões emitidas por um comitê híbrido podem ter caráter recomendatório ou vinculante. O contrato, ou as partes, na ausência de previsão contratual específica, devem previamente definir as matérias que estarão sujeitas a cada tipo de decisão.

Nota-se que as decisões de caráter meramente recomendatório não solucionam, efetivamente, a controvérsia objeto de disputa, já que a decisão final ainda caberá à ANTT, de forma não consensual. Desse modo, é cabível questionar sua utilidade.

É verdade que os comitês recomendatórios podem ajudar a subsidiar a tomada de uma decisão mais tecnicamente adequada pela agência. No entanto, tal objetivo também pode ser alcançado mediante o exercício, pelo contratado, das prerrogativas inerentes ao devido processo legal durante a tramitação do processo administrativo, como a de formular alegações e apresentar documentos antes da decisão (art. 3º, inc. III, da Lei nº 9.784, de 29 de janeiro de 1999).

Ao permitir a emissão de decisões meramente recomendatórias, a resolução age na contramão do objetivo pretendido, pois acaba apenas criando uma etapa adicional para a solução da controvérsia, o que acarreta dispêndio de tempo e recursos pelas partes para um resultado prático inconclusivo. Para alcançar uma solução mais eficiente, seria preferível que todas as decisões dos comitês tivessem um caráter vinculante, garantindo assim a resolução definitiva dos conflitos de maneira mais célere e eficaz.

3.2 Os tipos de comitês

A constituição do *dispute board* pode ser estabelecida no contrato para resolver futuras controvérsias ou acordada entre as partes, em um instrumento autônomo, para tratar de controvérsias específicas e já existentes. O regulamento da ANTT classifica os tipos de comitês de acordo com o momento de constituição e prazo de duração entre comitês permanentes, temporários ou *ad hoc*.

3.2.1 Permanente

O comitê permanente é normalmente constituído no início de um contrato específico. Esse comitê mantém sua atividade e relevância ao longo de toda a duração do contrato. A sua vigência perdura não apenas durante o prazo contratual, mas também até que qualquer questão ou matéria submetida ao comitê dentro desse período seja resolvida por meio de uma decisão ou recomendação.

Em termos práticos, isso significa que o comitê permanente tem a responsabilidade de supervisionar, avaliar e tomar decisões relativas ao contrato desde o seu início até o fim, assegurando que todas as questões levantadas durante a vigência do contrato sejam adequadamente tratadas. Esse mecanismo proporciona uma continuidade e estabilidade na gestão e resolução de assuntos contratuais, permitindo uma administração mais eficiente e eficaz do contrato, garantindo que qualquer problema seja resolvido de maneira oportuna e contínua.

3.2.2 Temporário

Já o *comitê temporário*, em contraste, é constituído com uma duração limitada e especificamente para atuação em um período específico da vigência do contrato. Esse tipo de comitê é estabelecido para tratar de um conjunto determinado de obrigações ou para supervisionar uma fase predeterminada de investimentos do contrato. Após a conclusão dos procedimentos relacionados às decisões que o comitê foi designado a emitir, ele deve ser extinto.

O comitê temporário endereça as preocupações da ANTT, expressas na Análise de Impacto Regulatório que precedeu a Resolução, em relação aos "períodos de maior criticidade quanto ao volume e características de obras", que correspondem aos ciclos de investimentos, quando são executadas as principais obras previstas nos Programas de Exploração de Rodovias anexos aos contratos de concessão.[14]

Desse modo, por exemplo, se um contrato inclui uma fase inicial de grandes investimentos em infraestrutura, um comitê temporário pode ser formado para supervisionar essa fase, garantindo que todos os procedimentos e obrigações sejam cumpridos adequadamente. Uma vez que essa fase específica seja concluída e todas as decisões pertinentes sejam tomadas e aplicadas, o comitê temporário é dissolvido.

3.2.3 *Ad hoc*

O *comitê ad hoc* é um grupo criado para resolver controvérsias específicas que surgem durante a vigência de um contrato. Esse tipo de comitê é constituído de forma pontual e temporária, com a finalidade de tratar de uma questão ou disputa que requeira uma resolução detalhada e especializada, extinguindo-se após o exaurimento dos procedimentos aplicáveis à decisão que gerou a sua constituição.

O comitê *ad hoc* somente pode ser constituído na ausência de comitê permanente ou comitê temporário, ou após a extinção do comitê temporário. No entanto, no último caso, a criação do comitê *ad hoc* depende da existência de controvérsias que envolvam obras ou serviços de engenharia considerados de alta complexidade ou de grande vulto, não previstos inicialmente no contrato.

---

[14] BRASIL. Agência Nacional de Transportes Terrestres. *Aviso de Audiência Pública nº 535.*

3.2.4 A aparente preferência da ANTT condizente com as melhores práticas internacionais

Conforme o guia de melhores práticas formulado pela Dispute Resolution Board Foundation (DRBF), os comitês permanentes são os que apresentam maior custo-benefício aos contratos maiores e mais complexos de infraestrutura.[15] No âmbito da audiência pública que antecedeu à regulamentação pela ANTT foram apresentadas contribuições do sentido de que os *dispute boards* seriam mais eficientes e efetivos se fossem permanentes ao menos enquanto as concessões estivessem em seus ciclos de investimentos relevantes.[16]

O regulamento da ANTT não criou efetivamente uma obrigação de adoção de comitê permanente (ou temporário durante o período mais intenso de investimentos), mas indica que o comitê *ad hoc* só poder ser constituído na ausência de comitê permanente ou temporário – o que sugere preferência da agência por comitês permanentes ou temporários.[17] Essa preferência é positiva, vez que esses formatos são os que permitem o desempenho pleno da função dos comitês, que começa com a *prevenção* de litígios.[18]

3.3 A composição dos comitês

O *dispute board* deve ser composto por três membros. Um deve ser indicado pela ANTT e outro pela concessionária. Os membros indicados pela concessionária e pela ANTT devem escolher um terceiro membro, que atuará na função de presidente do comitê.

A Resolução exige que os membros do *dispute board* (a) estejam no gozo de plena capacidade civil; (b) tenham formação técnica e experiência profissional reconhecidas e compatíveis com a natureza do contrato e com o objeto do comitê e (c) não estejam impedidos, suspeitos ou em conflito de interesses. Os membros indicados pela concessionária e pela ANTT podem ser impugnados caso algum dos requisitos seja descumprido. A resolução prevê o prazo específico de 15 dias (contados da comunicação de uma parte a outra acerca da nomeação de membro do comitê) para impugnação dos membros apontados pelas partes. Não há previsão de prazo específico para impugnação do terceiro membro, que exercerá a função de presidente do *dispute board*, que provavelmente deverá ser feita no prazo do regulamento da câmara especializada aplicável ao caso.[19]

---

[15] DRBF. *Dispute Board Manual*: A Guide to Best Practices and Procedures. chap. 7.

[16] BRASIL. Agência Nacional de Transportes Terrestres. *Transcrição de Áudio da Audiência Pública nº 006/2023*. Brasília, DF: ANTT, 2023. linhas 822-839. Disponível em: https://participantt.antt.gov.br/Site/AudienciaPublica/VisualizarAvisoAudienciaPublica.aspx?CodigoAudiencia=535. Acesso em: 2 jul. 2024.

[17] A redação do dispositivo que prevê que um comitê *ad hoc* somente pode ser constituído na ausência de comitê permanente ou comitê temporário, ou após a extinção do comitê temporário, não existia na redação anterior à audiência pública. Cf. Agência Nacional de Transportes Terrestres (ANTT). Audiência Pública nº 006/2023 (Minuta de Resolução). Disponível em: https://participantt.antt.gov.br/Site/AudienciaPublica/VisualizarAvisoAudienciaPublica.aspx?CodigoAudiencia=535. Acesso em: 2 jul. 2024.

[18] Cf. REISDORFER, Guilherme F. Dias. A Audiência Pública 6/23 e a perspectiva do uso de *dispute boards* pela ANTT. *Jota*, São Paulo, 8 ago. 2023. Disponível em: https://www.jota.info/artigos/a-audiencia-publica-6-23-e-a-perspectiva-do-uso-de-dispute-boards-pela-antt. Acesso em: 19 ago. 2024.

[19] Cf. tópico 3.5, a seguir.

Para garantir o cumprimento dos requisitos estabelecidos, a Resolução determina que os indicados devem revelar qualquer fato ou circunstância que possa gerar dúvida quanto à sua imparcialidade e independência. As hipóteses de impedimento, suspeição e conflito de interesses são aquelas previstas no Código de Processo Civil (CPC) para os juízes, sendo aplicáveis ao *dispute board* "no que couber" inclusive no que diz respeito aos seus deveres e responsabilidades, visto que os membros devem "proceder com imparcialidade, independência, competência e diligência".

3.4 Os princípios gerais aplicáveis

O procedimento dos *dispute boards* no âmbito da ANTT deve, em qualquer caso, observar o princípio da legalidade administrativa – a atividade administrativa está subordinada à lei; a Administração Pública só pode agir conforme a lei autoriza.

Em regra, os atos relacionados aos *dispute board*s também devem respeitar o princípio da publicidade – que garante à transparência e permite o controle dos atos administrativos –, ressalvadas as hipóteses legais de sigilo. Sem prejuízo da observância desse princípio, durante o procedimento de *dispute board*, as reuniões do comitê poderão se reservadas aos membros do comitê, às partes do contrato e aos seus respectivos procuradores e assistentes técnicos, testemunhas e pessoas previamente autorizadas pelo comitê.

Na prevenção de divergências, deve-se primar pela oralidade e informalidade dos comitês. Para a resolução de divergências, entretanto, a parte que pretender a o pronunciamento do *dispute board* deverá notificar a outra parte por escrito, com o detalhamento e documentos necessários para a compreensão da questão. O processamento de eventual divergência deverá observar as regras procedimentais aplicáveis.

3.5 As regras procedimentais

Em consonância com a regra que já havia sido estabelecida na Lei nº 13.448/2017, art. 31, §5º, para arbitragens no âmbito da Administração Pública Federal com relação a instituições de arbitragem, os *dispute boards* no setor de transportes terrestres também deverão observar o regulamento procedimental de câmara especializada e credenciada pela Advocacia-Geral da União (AGU).

Salvo previsão em contrário do regulamento da câmara especializada aplicável ou acordo entre as partes, o prazo para manifestação (parecer, recomendação ou decisão) fundamentada do *dispute board* sobre a divergência submetida a ele será de vinte dias úteis contados da apresentação do documento necessário à avaliação de divergência ou da última manifestação das partes, conforme determinação do próprio comitê.

Após a apresentação da manifestação do *dispute board*, as partes poderão (a) pedir esclarecimentos sobre erros materiais, omissão, obscuridade ou contradição na manifestação, no prazo previsto regulamento da câmara especializada aplicável ou acordado entre as partes; e/ou (b) pedir reconsideração pelo *dispute board*, no prazo de 20 dias, devendo a outra parte ter a oportunidade de manifestar-se no mesmo prazo.

Havendo pedido de reconsideração, o *dispute board* deverá proferir decisão final no prazo de 15 dias.

No caso de decisões proferidas por comitês adjucatórios, a ANTT poderá manifestar oposição ao cumprimento da decisão se houver violação de diretrizes da Resolução nº 5.845/2019 (com as alterações da Resolução nº 6.040/2024) ou no regulamento da câmara especializada aplicável.

3.6 Os custos

As despesas dos comitês deverão ser antecipadas pela concessionária, com compensação de 50% dos custos na revisão ordinária subsequente ao encerramento dos trabalhos do comitê, o que traduz o objetivo, na perspectiva da resolução, de que os custos não devem onerar excessivamente a execução contratual.

Os honorários dos membros indicados para o comitê de prevenção e solução de disputas devem seguir os valores sugeridos pelas câmaras especializadas. A exigência objetiva evitar que a execução do contrato se torne excessivamente onerosa, sob o entendimento de que essa solução garantiria uma remuneração justa e razoável para os membros do comitê sem comprometer financeiramente o projeto.

Aqui cabe a crítica de que as custas e despesas do *dispute board* constituem custos necessários à execução contratual eficiente. Não há fundamento aparente para que a ANTT tenha optado por não considerar integralmente esses valores em revisões ordinárias dos contratos.

4 Os limites à utilização do *dispute board* pela ANTT

A resolução determina que o *dispute board* pode ser instaurado para "solucionar divergências de natureza eminentemente técnica, que envolvam direitos patrimoniais disponíveis", estabelecendo as matérias que podem ser objeto de deliberação:

(a) Execução de serviços e obras, inclusive soluções de engenharia mais adequadas às finalidades do contrato, e respectivo orçamento;

(b) Adequação de obras e serviços aos parâmetros exigidos pela regulação e pelo contrato, e respectivo orçamento;

(c) Avaliação de ativos e cálculo de indenizações;

(d) Ocorrência de eventos que impactem o cumprimento das obrigações nos termos assumidos no contrato, incluindo o cálculo dos impactos financeiros decorrentes desses eventos.

Ainda, a resolução estabelece as matérias que não podem ser objeto de deliberação pelo *dispute board*:

(a) Divergências que envolvam questões de cunho estritamente jurídico, a exemplo da matriz de riscos e do equilíbrio econômico-financeiro do contrato de concessão, admitida a submissão de conflitos relativos aos aspectos factuais subjacentes a essas questões;

(b) Divergências relacionadas à validade e à legitimidade dos atos praticados pela ANTT no exercício de sua atividade fiscalizatória e regulatória e

(c) Divergências relacionadas à legalidade de normas regulatórias produzidas pela ANTT.

A sistemática estabelecida pela Resolução é excessivamente restritiva e merecedora de críticas. Listas restritivas do que *pode* ser submetido aos comitês de prevenção de conflitos geram incertezas, pois especialmente casos tecnicamente complexos (comuns em grandes projetos de infraestrutura) podem implicar dificuldade de enquadramento nos critérios estabelecidos pela norma. A parte da resolução que prevê o que *não pode* ser objeto de *dispute board* já seria suficiente para excluir os pontos realmente relevantes para a ANTT, e, além disso, as exclusões especificamente previstas na resolução podem não ter sido as mais acertadas.

4.1 Desnecessidade de restrição além do critério de direitos patrimoniais disponíveis

Enquanto mecanismo que visa especialmente à não paralisação do projeto ou atraso em seu cronograma, o ideal seria que o *dispute board* tivesse a liberdade de decidir sobre qualquer questão que pudesse gerar desacordo ou paralisar a execução do contrato. Se um ponto pode ser submetido à arbitragem (ou ao Poder Judiciário), ele deveria também poder ser apreciado pelo *dispute board*, justamente para prevenir a necessidade de acionamento da via jurisdicional e seus custos, significativamente mais altos. Por isso, não parece razoável ou eficiente aplicar critério distinto, especialmente mais restritivos, do de arbitrabilidade – direitos patrimoniais disponíveis (art. 1º da Lei nº 9.307/1996, refletido no art. 2º da Resolução nº 5.845/2019 da ANTT) – aos *dispute boards*.

4.2 A questão das matérias de "cunho estritamente jurídico" e do reequilíbrio econômico-financeiro

Especialmente, restringir a atuação do *dispute board* em pleitos de reequilíbrio econômico-financeiro e questões de natureza exclusivamente jurídica pode comprometer a efetividade do mecanismo. A principal função desse mecanismo é resolver, de maneira ágil, as questões que impactam diretamente a execução do contrato. Quando se limitam às áreas de atuação do *dispute board*, corre-se o risco de frustrar essa finalidade.

Atualmente, um dos maiores desafios enfrentados nas obras brasileiras de infraestrutura é justamente a resolução de impasses econômicos. Esses impasses, muitas vezes, são os principais responsáveis por atrasos e paralisações nos projetos. Do mesmo modo, questões de cunho estritamente jurídico também podem implicar a paralisação de um contrato ou seu atraso. Além de poder ser difícil determinar as questões que são efetivamente *estritamente* jurídicas, o *dispute board* deveria, em tese, poder funcionar como "guardião do contrato", prevenindo seu descumprimento e/ou garantindo seu cumprimento. O guia de melhores práticas da DRBF dispõe inclusive que, idealmente, os membros dos comitês devem contar com experiência nas matérias jurídicas relevantes, especialmente a interpretação de contratos e de suas especificações técnicas.[20] Ou seja,

---

[20] DRBF. *Dispute board Manual*: A Guide to Best Practices and Procedures.

como o comitê deve atuar conforme a disciplina contratual, "a consideração de matérias jurídicas é um elemento inafastável na avaliação dos atos praticados pelas partes, ainda que a relevância de discussões jurídicas varie conforme o tipo de controvérsia".[21] Se questões jurídicas forem retiradas de sua competência, o *dispute board* perde parte de sua capacidade de garantir que o contrato seja executado corretamente.

Diferentemente do que propõe a resolução e tal como ocorre no âmbito mais abrangente da Lei nº 14.133/2021,[22] os *dispute board* deveriam ter a possibilidade de atuar tanto em questões de reequilíbrio econômico-financeiro quanto em questões jurídicas para assegurar uma resolução mais completa e eficaz dos conflitos, evitando a fragmentação das decisões e contribuindo para a continuidade dos projetos sem a necessidade de intervenções externas mais onerosas e demoradas.

5 Conclusão

Com a previsão expressa de regras que adequam a utilização do mecanismo privado de resolução de conflito por ente público (como a aplicação dos princípios da legalidade e da publicidade), o regulamento da ANTT é coerente em muitos aspectos com a função e a prática internacional dos *dispute boards*. Ele responde a exigências de organismos internacionais financiadores de projetos de infraestrutura e desenvolvimento no sentido de haver previsão de mecanismos consensuais de resolução de conflitos, inclusive e especificamente os *dispute boards*, no âmbito de projetos complexos e de alta monta; contempla os diversos tipos de comitês utilizados internacionalmente, bem como a possível variação nos efeitos de suas decisões e, ainda, inclui prazos condizentes com a função de resolução rápida de conflitos submetidos aos comitês para que se previna a paralisação dos projetos.

Por outro lado, alguns dos aspectos do regulamento da ANTT podem ser aprimorados para que os *dispute boards* implementados no âmbito da agência cumpram plenamente a sua função e também atendam aos estândares das melhores práticas internacionais em outros aspectos. Especialmente, as regras poderiam ser aprimoradas para não restringir excessivamente o uso dos *dispute boards* para conflitos típicos de em contratos de concessão, tais como os relacionados à manutenção do equilíbrio econômico--financeiro dos contratos e questões de cunho jurídico, principalmente as relacionadas à interpretação contratual. Essas restrições excessivas podem frustrar o propósito e colocar em risco a própria efetividade dos comitês no âmbito da agência.

Em qualquer caso, a regulamentação dos *dispute boards* pela ANTT representa um avanço em relação à consensualidade e à segurança jurídica no âmbito da agência, especialmente por meio de mecanismos adequados de resolução de conflitos.

---

[21] REISDORFER. A Audiência Pública 6/23 e a perspectiva do uso de *dispute board*s pela ANTT.

[22] Cf. ROCHA NETO. Os comitês de resolução de disputas (*dispute board*s) na Lei 14.133/2021.

Referências

BRASIL. Agência Nacional de Transportes Terrestres. *Aviso de Audiência Pública nº 535*. Brasília, DF: ANTT, [2023]. Disponível em: https://participantt.antt.gov.br/Site/AudienciaPublica/VisualizarAvisoAudienciaPublica.aspx?CodigoAudiencia=535. Acesso em: 30 jun. 2024.

BRASIL. Agência Nacional de Transportes Terrestres. *Transcrição de Áudio da Audiência Pública nº 006/2023*. Brasília, DF: ANTT, 2023. Disponível em: https://participantt.antt.gov.br/Site/AudienciaPublica/VisualizarAvisoAudienciaPublica.aspx?CodigoAudiencia=535. Acesso em: 2 jul. 2024.

BRASIL. Tribunal de Contas da União (Plenário). Acórdão 4.036/2020. Relator: Min. Vital do Rêgo, 8 de dezembro de 2020. *BTCU*: Brasília, DF, 2020. Disponível em: https://pesquisa.apps.tcu.gov.br/documento/acordao-completo/%2522dispute%2520board%2522%2520%2522antt%2522/%2520/DTRELEVANCIA%2520asc%252C%2520NUMACORDAOINT%2520asc/0. Acesso em: 29 jun. 2024.

CHERN, Cyril. The Dispute Board Federation and the Role of Dispute Boards in Construction – Benefits without Burden. *Revista del Club Español del Arbitraje*, [S. l.], n. 9, p. 5-10, 2010.

DRBF. *Dispute Board Manual*: A Guide to Best Practices and Procedures. Charlotte: Spark Publications, 2019. E-book.

FIGUEIREDO E SILVA NETO, Augusto Barros de. Os dispute boards no Brasil: evolução histórica, a prática e perspectivas futuras. *Revista Brasileira de Alternative Dispute Resolution – RBADR*, Belo Horizonte, ano 1, n. 2, p. 69-95, jul./dez. 2019.

JUSTEN FILHO, Marçal. *Comentários à Lei de Licitações e Contratações Administrativas*. 2. ed. São Paulo: Revista dos Tribunais, 2023.

JUSTEN FILHO, Marçal. *Curso de Direito Administrativo*. 14. ed. Rio de Janeiro: Forense, 2023.

JUSTEN FILHO, Marçal. O consensualismo é consenso: em defesa da SECEXConsenso. *Migalhas*, São Paulo, 11 jul. 2024. Disponível em: https://www.migalhas.com.br/depeso/411026/o-consensualismo-e-consenso-em-defesa-da-secexconsenso. Acesso em: 19 ago. 2024.

POLIDORO, Maúra Guerra. Dispute board é uma boa opção para resolução de disputas de alta complexidade. *Conjur*, São Paulo, 18 maio 2021. Disponível em: https://www.conjur.com.br/2021-mai-18/polidoro-dispute-board-opcao-disputas-alta-complexidade/. Acesso em: 19 ago. 2024.

POLLI, Rodrigo Carvalho; REIS, Luciano Elias. A relevância do dispute board como ferramenta de consensualidade para a legitimidade e eficiência da Administração Pública na nova Lei de Licitações. *Revista de Contratos Públicos – RCP*, Belo Horizonte, ano 11, n. 20, p. 167-186, set. 2021/fev. 2022.

REISDORFER, Guilherme F. Dias. A Audiência Pública 6/23 e a perspectiva do uso de dispute boards pela ANTT. *Jota*, São Paulo, 8 ago. 2023. Disponível em: https://www.jota.info/artigos/a-audiencia-publica-6-23-e-a-perspectiva-do-uso-de-dispute-boards-pela-antt. Acesso em: 19 ago. 2024.

ROCHA NETO, Edson Francisco. Os comitês de resolução de disputas (*dispute boards*) na Lei 14.133/2021. *In*: NIEBUHR, Karlin; POMBO, Rodrigo Goulart de Freitas (coord.). *Novas questões em licitações e contratos (Lei 14.133/2021)*. São Paulo: Lumen Juris, 2023.

ROCHA NETO, Edson Francisco. Os *dispute boards* nas parcerias público-privadas: aspectos processuais e procedimentais. *In*: JUSTEN FILHO, Marçal; SCHWIND, Rafael (coord.). *Parcerias Público-Privadas*: reflexões sobre a Lei 11.079/2004. São Paulo: Thomson Reuters Brasil, 2022. p. 647-664.

SORIANO HINOJOSA, Álvaro. 16. Dispute boards – how to meet the platypus? *In*: GONZÁLEZ-BUENO, Carlos (ed.). *40 under 40 International Arbitration 2024*. Madrid: Editorial Dykinson, 2024. p. 245-258.

Informação bibliográfica deste texto, conforme a NBR 6023:2018 da Associação Brasileira de Normas Técnicas (ABNT):

QUINTÃO, Luísa; ROSSITO, Isabella. A regulamentação dos *dispute boards* no setor de transportes terrestres. *In*: JUSTEN, Monica Spezia; PEREIRA, Cesar; JUSTEN NETO, Marçal; JUSTEN, Lucas Spezia (coord.). *Uma visão humanista do Direito*: homenagem ao Professor Marçal Justen Filho. Belo Horizonte: Fórum, 2025. v. 3, p. 361-374. ISBN 978-65-5518-915-5.

A TAXA INTERNA DE RETORNO (TIR) COMO ELEMENTO DO EQUILÍBRIO ECONÔMICO-FINANCEIRO DAS CONCESSÕES

JACINTHO ARRUDA CÂMARA

1 Introdução

A Taxa Interna de Retorno (TIR) é um instrumento da ciência financeira empregado para diversas finalidades. No meio jurídico publicista, a sigla geralmente está associada à rentabilidade esperada da execução de contratos de concessão e à manutenção do seu equilíbrio econômico-financeiro.[1]

Mas nem todos os contratos de concessão têm seu equilíbrio econômico-financeiro assegurado por meio da previsão de uma TIR a ser mantida ao longo de todo o seu prazo de execução.[2] A fórmula foi empregada com muita frequência – e ainda é – no setor de concessões rodoviárias, um dos pioneiros na guinada de desestatização das infraestruturas no Brasil, ocorrida a partir da segunda metade da década de 1990. Devido à pulverização desse modelo contratual, muitas discussões jurídicas sobre o equilíbrio econômico-financeiro das concessões brasileiras foram desenvolvidas a partir de dúvidas sobre a aplicação da TIR, sua preservação ou alterabilidade.

---

[1] Para Egon Bockmann Moreira (Direito das concessões de serviço público: concessões, parcerias, permissões e autorizações. 2. ed. Belo Horizonte. Fórum, 2022. p. 369), por exemplo, "a utilização da TIR em concessões tem por escopo a estruturação de critério objetivo para o cálculo do equilíbrio econômico-financeiro. Ela o possibilita de modo predefinido, a fim de refletir a estimativa do agente privado quanto à rentabilidade necessária para compensar a atividade pública que lhe será outorgada. (...) Especificamente no âmbito das contratações públicas, o indicador permite realizar comparações da expectativa de retorno do projeto (consolidada à época da participação do certame e da assinatura do contrato), com os cenários efetivamente encontrados durante sua execução".

[2] A identificação e tratamento do assunto pela comunidade jurídica nem sempre identifica essas nuances, como bem demonstram Maurício Portugal Ribeiro e Felipe Sande, no interessante artigo: Mitos, incompreensões e equívocos sobre o uso da TIR – Taxa Interna de Retorno para equilíbrio econômico-financeiro de contratos administrativos: Um estudo sobre o estado da análise econômica do direito no direito administrativo. *Revista Brasileira de Direito Público – RBDP*, Belo Horizonte, v.18, n.71, out./dez. 2020. Disponível em: https://dspace.almg.gov.br/handle/11037/40004. Acesso em: 30 mar. 2021.

O método da vinculação do equilíbrio econômico-financeiro à preservação de uma TIR estimada na proposta vencedora permitiu que as concessões fossem outorgadas com tarifas precificadas pelos licitantes, que assumiam riscos pela variação de custos e receitas, desde que preservadas as condições econômicas indicadas no contrato. Até então, vigia quase que de maneira exclusiva, os modelos de tarifação baseados nos custos incorridos pelas concessionárias, a demandar aferição contínua desses custos, com as dificuldades operacionais e perdas para eficiência que podem gerar.

O presente artigo pretende explicar como a TIR funciona quando empregada como índice de aferição e retomada do equilíbrio econômico-financeiro das concessões e quais as principais consequências jurídicas daí extraídas.

2 Particularidades do equilíbrio econômico-financeiro nas concessões

Há um modo didático de explicar o equilíbrio econômico-financeiro dos contratos administrativos, muito reproduzido em obras jurídicas de divulgação, como manuais e cursos de direito administrativo. Para esse fim, o equilíbrio contratual é sintetizado como a relação entre a previsão de custos e de receitas estipuladas inicialmente no contrato.[3]

A fórmula não está equivocada, mas se mostra insuficiente para auxiliar na compreensão de todas as contratações. A mera descrição do equilíbrio econômico-financeiro como relação entre custos e receitas provenientes de um contrato é a base do preceito, mas encobre particularidades inerentes a mecanismos empregados para monitorar e implementar a execução de contratos mais complexos.

Num contrato de fornecimento de bens, por exemplo, é relativamente fácil identificar desequilíbrio provocado por acréscimo no seu objeto. Em tal hipótese, para reequilibrá-lo bastaria agregar à remuneração do contratado preço correspondente ao quantitativo acrescido. Para tanto, a própria legislação indica parâmetro a ser seguido: deve-se tomar como referência valores unitários previstos no contrato original.[4]

Assim, se o valor original do contrato fosse de R$100,00, correspondente ao fornecimento de 100 unidades de certo produto, o acréscimo de 5 unidades exigiria aumento de R$5,00 na remuneração do contratado, que passaria a R$105,00. Esse exemplo é útil para expor o conceito básico de reequilíbrio econômico-financeiro, pois traz uma conta fácil de fazer, um objeto contratual simples, uma racionalidade econômico-financeira intuitiva.

---

[3] Nas palavras de Hely Lopes Meirelles (*Direito Administrativo brasileiro*. 16. ed. São Paulo: Revista dos Tribunais, 1991. p. 193), talvez o autor mais influente na formação da cultura geral do direito administrativo brasileiro, "equilíbrio financeiro ou equilíbrio econômico ou equação econômica, ou, ainda, equação financeira do contrato administrativo é a relação estabelecida inicialmente pelas partes entre os encargos do contratado e a retribuição da Administração para a justa remuneração do objeto do ajuste".

[4] Esse é o tratamento legal conferido para as contratações da administração pública de caráter mais comum, como os contratos de empreitada de obra pública, de prestação de serviços, de fornecimento de bens. A tradicional Lei nº 8.666/1993 já previa esse tratamento ao determinar que o contratado é obrigado a aceitar "nas mesmas condições contratuais" os acréscimos ou supressões que se fizerem nas obras, serviços ou compras (art. 65, §1º), ressalvando que "se não houverem sido contemplados preços unitários para obras ou serviços, esses serão fixados mediante acordo entre as partes" (art. 65, §3º). A Nova Lei de Contratações Públicas, Lei nº 14.133, de 2021, possui regras semelhantes (arts. 125 e 127).

Num contrato de concessão, contudo, os desafios para aferir e retomar o equilíbrio econômico-financeiro são maiores. Há diferenças significativas na estruturação desses modelos contratuais. Enumerarei algumas, que servem para dimensionar as particularidades do modelo concessório em relação às contratações comuns.

Concessão de serviço público é espécie contratual por meio da qual o concedente transfere à concessionária o direito de explorar economicamente serviço público. Com a delegação da exploração do serviço, há também maior transferência de risco à concessionária; daí que a legislação ressalte, como característica dos contratos de concessão, a exploração do serviço pela concessionária "por sua conta e risco" (art. 2º, II, da Lei nº 8.987/1995).

A assunção de certo grau de risco inerente à exploração do serviço é algo que, naturalmente, influencia na dinâmica da aferição e manutenção do equilíbrio econômico-financeiro. Sem entrar nas discussões a respeito da variação e da adequada alocação de riscos nos contratos de concessão, tema que não está em foco neste artigo, convém apontar que a simples assunção do serviço para realizar sua exploração econômica distingue os contratos de concessão de outros mais simples (como os de fornecimento de bens, anteriormente empregado como exemplo, ou os de mera prestação de serviços).

Uma mostra de diferença relevante está na remuneração da concessionária. Sua remuneração não está vinculada apenas à execução de suas obrigações contratualmente assumidas, mas também à efetiva fruição do serviço pelos usuários. Mesmo em concessões administrativas, nas quais a contraprestação da concessionária é assumida integralmente pelo parceiro público, existe a possibilidade de a receita do parceiro privado variar em função da demanda pelo serviço.[5] É o que se dá, por exemplo, em concessões administrativas de esgotamento sanitário. A remuneração da concessionária corresponde ao volume de esgoto faturado dos usuários do serviço.

É um mecanismo de remuneração diverso de contratos como os de empreitada ou de mera prestação de serviço, nos quais cada etapa executada tem o seu preço, que será devido tão logo a obrigação seja adimplida. Nas concessões, inclusive em boa parte das concessões patrocinadas e administrativas, a remuneração depende da fruição do serviço pelo usuário.

Portanto, nas concessões, a remuneração a ser obtida pela concessionária não possui correspondência direta com a execução de suas obrigações em face do concedente (execução de obras ou realização de serviços de manutenção, por exemplo). Ela está vinculada à "exploração" do serviço, isto é, à fruição efetiva do serviço pelos seus usuários. Assim, é comum que investimentos em obras e equipamentos sejam realizados no início da execução do contrato (configurando o adimplemento de parte significativa das obrigações da concessionária perante o concedente) e sua amortização venha a ocorrer

---

[5] Engana-se quem supõe que um contrato de concessão administrativa, por vincular a remuneração da concessionária a pagamento realizado por parceiro público, confunde-se com mero contrato de empreitada ou com simples contrato de prestação de serviços. Na verdade, em sua estrutura, o único ponto de aproximação está justamente na assunção da obrigação pecuniária pelo parceiro público e não por usuários diretos do serviço. Mas a dinâmica de transferência de riscos, de investimentos e de remuneração é totalmente diferente dessas modalidades regidas pela legislação geral. Trata-se de modalidade de concessão em sentido próprio, como a legislação brasileira corretamente indica, com a particularidade de o parceiro público assumir o ônus pela remuneração da concessionária (art. 2º, §2º, da Lei nº 11.079/2004).

durante a execução do contrato (com a fruição paulatina dos serviços pelos usuários), respeitando-se os riscos contratuais ordinariamente assumidos.

Percebe-se, com esta singela exemplificação, que reequilibrar um contrato de concessão não é tão simples quanto fazê-lo em contratações comuns. A maior complexidade dos contratos e os múltiplos desafios a enfrentar fizeram surgir diversos modelos para aferição e recomposição do equilíbrio econômico-financeiro.

Outro fator peculiar reside no momento de restabelecer o equilíbrio do contrato. Como as concessões são contratos de longa duração, com grande probabilidade de descompasso entre os gastos incorridos e a receita auferida, é importante conceber metodologias que permitam a imediata retomada do equilíbrio, de modo a preservar o fluxo de caixa do empreendimento e a capacidade de a concessionária arcar com os custos inerentes à manutenção do serviço e às futuras expansões. Ao contrário do que se vê em contratos administrativos em geral (como os fornecimento de bens, de empreitada de obra pública ou de prestação de serviço), a retomada do equilíbrio não é relegada a uma etapa final do contrato, quando as obrigações da contratada já estejam adimplidas (condição para o pagamento da administração nos contratos comuns) e falte apenas o pagamento da contraprestação pela Administração.

Nas concessões, a retomada do equilíbrio deve ocorrer quando ocorre o evento causador do desequilíbrio, com medidas que projetem seus efeitos para todo o período remanescente do contrato.[6] Para simplificar essa diferença em termos mais ilustrativos: nas contratações ordinárias o reequilíbrio se dá sobre situações mais concretas, já plenamente consolidadas, enquanto nas concessões, em boa parte dos casos, o reequilíbrio, embora decorra de eventos já constatados, tem boa parte de seus efeitos projetados para o futuro. Nas concessões, o reequilíbrio acaba proporcionando um importante componente prospectivo, projetando efeitos econômicos para a exploração futura do serviço, algo muito distinto da dinâmica observada nas contratações comuns.

Outra questão relevante na matéria reside na divisão de riscos entre as partes contratantes. Existem contratos que transferem maior risco à concessionária, de modo que a ocorrência de certos fatos que interfiram nos custos ou receitas projetadas não se converterá em situações ensejadoras de revisão contratual. A oscilação, nesses casos, fará parte da álea contratual assumida por quem o executa. Há modelos contratuais, contudo, que reduzem o risco da concessionária, assegurando maior adesão dos níveis de remuneração (tarifa ou contraprestação paga pelo parceiro público) à variação de custos e receitas.

Não há modelo de divisão de riscos fixo, predeterminado juridicamente. São opções possíveis no amplo leque de modelagens contratuais admitidas pela legislação e que vêm sendo desenvolvidas ao longo do tempo e dos diversos setores. A procura de uma resposta única, de caráter geral, para a dinâmica do equilíbrio econômico-financeiro está na raiz de muitos problemas de compreensão e aplicação de vários contratos

---

6   Nessa linha determina a Lei nº 8.987/1995 que, "havendo alteração unilateral do contrato que afete o seu inicial equilíbrio econômico-financeiro, o poder concedente deverá restabelecê-lo, concomitantemente à alteração" (art. 9º, §4º). Não há previsão legal semelhante em relação às outras causas de desequilíbrio. Mas é frequente encontrar-se tratamento jurídico assemelhado, a partir de previsões contratuais, adotadas com base no art. 9º, §2º, da Lei nº 8.987/1995, que expressamente admite que os "os contratos poderão prever mecanismos de revisão das tarifas, a fim de manter-se o equilíbrio econômico-financeiro".

administrativos. Isso porque não há modelo único, determinado na Constituição ou na lei brasileira, para fixar e garantir a manutenção do equilíbrio econômico-financeiro de contratos administrativos.

O tema deste artigo envolve um dos possíveis mecanismos para aferir e retomar o equilíbrio econômico-financeiro das concessões, a TIR projetada para o empreendimento. Será apresentado como ela é utilizada para esse fim específico e as consequências jurídicas que decorrem dessa opção.

3 O papel da TIR no equilíbrio econômico-financeiro de concessões

Integra a dinâmica da maior parte das concessões uma significativa transferência de riscos à concessionária. De um lado, não se costuma prever que qualquer oscilação nos custos importe revisão tarifária ou do contrato. Há geralmente a assunção de certo nível de risco pela concessionária quanto a esse quesito, que terá estímulo para gerir bem seus custos, de modo a ampliar suas margens de lucro, assumindo o risco de, caso despenda mais do que o projetado, vê-las cair sem direito a recomposição.[7] De outro lado, também não está assegurado um valor certo como remuneração da concessionária. Sua remuneração costuma depender da variação de demanda pelo serviço. São muitas as concessões nas quais se prevê a transferência de risco de demanda à concessionária. Nesses casos, se a demanda for maior do que a projetada, o benefício da maior receita lhe proporcionará vantagem econômica; se for inferior, causará perdas em comparação com a projeção prevista em sua proposta econômica (plano de negócios). A variação de custos, se ocorrer em condições normais (isto é, desde que não seja provocada por risco não assumido), não importará revisão do contrato para retomada de seu equilíbrio econômico-financeiro. Do mesmo modo, oscilação na demanda pelo serviço e, consequentemente, na receita da concessionária, se não tiver sido provocada por situações especificadas como excludentes de risco, não deve provocar revisão do contrato.

Em parte significativa dos contratos de concessão, portanto, o equilíbrio econômico-financeiro não se estabelece ou se mede a partir do resultado efetivo da execução de obras pela concessionária e da efetiva obtenção de receita, pois o contrato não lhes assegura margem de lucro certa. O que o contrato e a lei garantem é a manutenção das condições econômico-financeiras inicialmente pactuadas e estas, quando afetadas, devem repercutir sobre as *projeções* realizadas, ou seja, sobre as *estimativas contidas no*

---

[7] Não é sempre, portanto, que a variação de custos afetará o equilíbrio econômico-financeiro das concessões, a ponto de justificar uma revisão do contrato: "Esta somente se caracterizará [a quebra do equilíbrio econômico-financeiro] nas hipóteses em que for demonstrada a ruptura com o padrão contratual estabelecido inicialmente. Trata-se, portanto, de conceito vago, a ser precisado necessariamente diante de situações concretas em que o problema seja posto" (ARRUDA CÂMARA, Jacintho. *Tarifa nas concessões*. São Paulo: Malheiros, 2009. p. 170). Na mesma linha esclarece Marçal Justen Filho (*Teoria geral das concessões de serviço público*. São Paulo: Dialética, 2003. p. 363): "O equilíbrio econômico-financeiro consiste em uma relação concreta, cujo perfil é determinado pelas condições efetivas da avença pactuada entre as partes. Se a outorga de uma concessão determinar como incumbência do concessionário a avaliação da solução tecnológica, os riscos ordinários deverão ser interpretados para abranger o eventual insucesso empresarial colhido pelo empresário na execução da alternativa por ele próprio escolhido. Quanto mais próximo estiver o concessionário de uma atuação em situação de mercado, tanto maiores são os riscos assumidos e tanto menor é a incidência do conceito de álea extraordinária. A garantia constitucional permanecerá aplicável, mas variará a dimensão do que se poderá reputar como *extraordinário*".

plano de negócios e incorporadas nos contratos de concessão e não no resultado efetivo que ele venha a produzir.

É geralmente sobre esse universo de contratos de concessão que se tem se adotado a TIR estimada na proposta como índice para aferir e restabelecer o equilíbrio econômico-financeiro dos contratos. A TIR estimada na proposta exerce a importante função de termômetro para fixar o equilíbrio inicial e, posteriormente, para restabelecê-lo na hipótese de ocorrência de evento desequilibrante não assumido como risco pela concessionária.

Nesses casos, geralmente o edital de licitação prevê a entrega das propostas dos licitantes acompanhada de um plano de negócios, no qual são projetados os custos e as receitas decorrentes da execução do contrato. Com base nisso, considerando as estimativas da proposta vencedora, fica estabelecida a TIR original do contrato, que deve ser utilizada como índice de referência quando necessária a revisão para restabelecimento do equilíbrio econômico-financeiro do contrato. É importante se ter em conta que a TIR do contrato também é uma estimativa, pois é igualmente baseada na projeção de despesas e de arrecadação ao longo do contrato.

Mantidas as condições inicialmente pactuadas e as condições da proposta, a TIR do contrato será mantida durante toda a sua execução e, consequentemente, será respeitado seu equilíbrio econômico-financeiro. Essa possibilidade, contudo, é praticamente retórica. Em contratos de longa duração, como costumam ser as concessões, é quase inevitável a ocorrência de eventos que venham a afetar as condições inicialmente pactuadas, de modo a desequilibrar o acordo inicial.

Assim, quando houver evento causador de desequilíbrio econômico-financeiro do contrato é que a TIR inicialmente pactuada adquire funcionalidade, pois será ela a referência para se restabelecer o equilíbrio econômico-financeiro original. O índice adquire a sua funcionalidade contratual, servindo de parâmetro para a retomada do equilíbrio econômico-financeiro.

O equilíbrio será alcançado a partir da alteração de variável capaz de restabelecer a TIR inicialmente projetada. De acordo com o que estiver previsto no contrato, para reequilibrar sua equação econômico-financeira será possível adotar diversas medidas, de maneira isolada ou combinada, tais como: prorrogar ou reduzir o prazo da concessão, rever o valor da tarifa (ou da contraprestação a que a concessionária tem direito numa PPP), rever o cronograma de investimentos, pagar indenização direta e assim por diante.

Essas variáveis devem ser alteradas em função das projeções constantes da proposta e não do resultado efetivo da concessão. Não interessa, para efeito de reequilíbrio, quanto objetivamente a concessionária acumulou com suas receitas ou quanto ela despendeu com seus investimentos e custeio. Para fins de retomada do equilíbrio, continuam a valer as projeções constantes da proposta e não os resultados efetivos da concessionária na exploração do serviço.

É relevante se ter em mente que não se busca, na retomada do equilíbrio econômico-financeiro da concessão, a realização de ajustes que proporcionem a obtenção pela concessionária de uma TIR efetivamente extraída do empreendimento. Não são cotejados resultados reais da empresa: seus custos, suas receitas efetivas e assim por diante. O reequilíbrio, nesse modelo de contrato, se dá para retomar a TIR estimada do contrato. As variáveis assumidas como álea ordinária do contrato (como os custos incorridos e a variação de demanda, por exemplo) podem fazer com que os resultados efetivos do empreendimento se distanciem do programado, sem que isso implique desequilíbrio do contrato. Trata-se, nessa hipótese, de variação inerente ao risco contratual, que pode gerar aumento ou redução na margem de retorno do empreendimento.

Mudar a TIR do contrato é, portanto, algo distinto de aferir os resultados financeiros da concessionária. Trata-se de uma alteração no índice para aferir a manutenção das condições projetadas de exploração econômica desse empreendimento. A mudança de TIR, portanto, é uma mudança de contrato (e não uma revelação dos resultados obtidos com a sua exploração). Ela provoca, inegavelmente, um reflexo em como se dará as condições de exploração do serviço após a revisão, pois a partir de uma mudança de TIR os ajustes serão feitos com base naquele índice de referência. Com isso, haverá impacto no equilíbrio econômico-financeiro do contrato. Com uma mudança na TIR, qualquer revisão que o contrato venha a sofrer se submeterá a parâmetro diferente de equalização. O equilíbrio será com base na nova TIR e não na original.

É por isso que alterar a TIR nesses modelos contratuais significa alterar o equilíbrio econômico-financeiro do contrato. A TIR a ser aplicada indicará os valores que serão considerados para implementar o reequilíbrio do contrato. Se o índice for reduzido, significa reduzir a estimativa de retorno do investimento que será levada em consideração no restante do contrato. Se o índice for majorado, a estimativa de retorno será maior. Mudança como essa, para ocorrer, deve se dar por meio de acordo; não pode ser feita de modo unilateral, como será visto a seguir.

4 Impossibilidade de alteração unilateral da TIR

A fixação da TIR do contrato, para fins de aferição e retoma do equilíbrio econômico-financeiro, como se viu, decorre da proposta vencedora da licitação. A TIR, portanto, é resultado das projeções que fundamentam a proposta econômica lançada pelo licitante.

Mas se são projeções apenas, caberia alguma revisão de mérito por parte do poder concedente, especialmente após o início da execução do contrato, a fim de corrigir eventuais equívocos nas projeções lançadas? Caberia, por exemplo, reduzir a TIR do contrato, por eventual constatação de discrepância entre as projeções do plano de negócios e o resultado efetivo obtido na execução do contrato? Eventuais discrepâncias poderiam ser tratadas como erros materiais da proposta e sanadas unilateralmente pelo poder concedente, determinando uma "correção" da TIR?

A concessionária, ao elaborar sua proposta, normalmente junta plano de negócios que contempla uma série de premissas a respeito de sua estimativa de receita, bem como dos custos que projeta incorrer ao longo da execução do contrato. É com base nessas premissas que investidores e financiadores se comprometeram em relação ao projeto, assumindo os correspondentes riscos de eventual desacerto nas projeções, seja por alguma inconsistência técnica, seja por frustração de algum prognóstico econômico. Com base nessas premissas, é ofertada uma proposta econômica para exploração do serviço. Não há como apartar as projeções do plano de negócios com a proposta financeira efetivamente ofertada e incorporada ao contrato. Não dá para, nesse tipo de contratação, rever a TIR a ser tomada como referência e preservar as demais condições econômicas estabelecidas na proposta.

Após o contrato ter sido assinado, glosar fontes de receita ou estimativas de despesas adotadas no plano de negócios, apontando que tais previsões, na prática, não se efetivariam não é simplesmente purgar um erro material. Significa alterar o plano no seu cerne; pois implica mexer com premissas balizadoras das decisões econômicas do autor da proposta e de seus financiadores e que foram incorporadas ao contrato.

Só seria possível falar de mera correção de erro material se a falha encontrada representasse simples erro de cálculo ou algum equívoco no momento da digitação de valores. Erro material é algo que, ao ser corrigido, não afeta a intenção e as bases da proposta oferecida; a correção de um simples erro material não afeta o conteúdo do que foi proposto, muito ao contrário, a reestabelece.

Logo, não se pode falar em mera correção de erro material se, na hipótese, o que se pretende é, a partir de revisões de estimativas presentes no plano de negócios, recalcular a TIR a ser adotada no contrato. Quando uma licitante apresenta plano de negócios e estima certas receitas, leva em conta determinadas estimativas para calcular seu fluxo de caixa, gerando, como resultado, uma TIR. Os cálculos para a fixação da TIR, a partir das premissas assumidas pela licitante, é parte essencial de sua proposta e do equilíbrio econômico-financeiro a ser contratado. Considerar imprópria uma ou outra premissa contida no plano, após o contrato ter sido assinado e até mesmo parcialmente executado, de modo a recalcular apenas e tão somente a TIR que dele se extrai é alterar o próprio plano de negócios. Significa modificar o referencial financeiro fixado na proposta, com base nas premissas que lhe são próprias, algo que cabia exclusivamente aos licitantes elaborar.

O que se poderia fazer, então, na hipótese de divergência entre licitante e concedente, em relação a alguma premissa econômica ou contábil contida em plano de negócios apresentado na licitação?

O plano de negócios também cumpre a importante função de demonstrar a seriedade e exequibilidade da proposta. Ele deve indicar, com base nos elementos integrantes da proposta econômica, como se daria sua exequibilidade, apontando a coerência daquelas premissas em face das obrigações assumidas. Se o plano contiver inconsistência verificada pela comissão de licitação, a medida cabível é a desclassificação da proposta, com a retirada da licitante da disputa.

Entretanto, se for examinada a consistência e coerência do plano de negócios e da proposta comercial, e esta vier a ser admitida, sagrando-se vencedora da licitação e passando a fazer parte do contrato de concessão, não há como, posteriormente, rever os seus termos essenciais e, de modo unilateral, propor uma alteração na TIR a ser adotada para reequilíbrio do contrato.

Discrepâncias entre projeções e realidade não são erros materiais. A divergência diz respeito a critérios econômicos na elaboração das premissas constantes do plano. Por isso mesmo não tem cabimento que se faça uma "revisão" das premissas econômicas que levaram à fixação da TIR. A ideia de "restaurar" a verdadeira TIR, a partir de expurgos de supostos equívocos do plano de negócios é fantasiosa. A TIR, assim como a proposta econômica, deriva igualmente das premissas e projeções contidas no plano de negócios. Não é possível expurgar parte de seu conteúdo por suposta incorreção e preservar o restante (como o valor da tarifa ou preço ofertado pela outorga), reconstruindo posteriormente o que seria a TIR supostamente verdadeira daquela proposta.

Não é possível considerar uma discrepância entre projeções e realidade como erro material da proposta. A alteração da TIR para sua adequação à realidade não representaria a supressão de equívocos materiais, mas a revisão de premissas econômicas e jurídicas assumidas na celebração do contrato.

Neste ponto é importante retomar a explicação do modelo de equilíbrio econômico-financeiro adotado em boa parte das concessões que utilizam a TIR como índice de aferição. Ele não é baseado em custos ou receitas efetivamente verificados na concessão, mas sim em projeções lançadas pelo licitante em sua proposta e que foram posteriormente analisadas e aceitas pela entidade contratante. Se fosse possível mudar de maneira unilateral o valor da TIR, alegando-se, por exemplo, que certas receitas projetadas não se efetivariam, o concedente abandonaria o modelo de projeções e se apegaria a análise de efetividade de certas premissas apontadas no plano de negócios.

Alterar o valor da TIR a partir de uma "correção" do plano de negócios implodiria o pactuado, pois tornaria incerto o elemento crucial do reequilíbrio que o contrato definiu com precisão.

O contrato de concessão é concebido a partir da transferência de certos riscos à concessionária. Na maioria dos casos, cabe a ela, concessionária, ainda na fase de elaboração da proposta, estimar quanto auferiria de receita com o empreendimento e quanto seria obrigada a investir com base nos encargos estabelecidos pela contratante. A partir dessas projeções, que constituem risco seu, assumido contratualmente, é formulada sua proposta. Como parâmetro também objetivo, fixado a partir de sua proposta, está a TIR, expressamente definida como referência para restabelecimento do equilíbrio econômico-financeiro do contrato.

Não se trata de modelo contratual no qual a contratante (administração pública) tenha assumido o risco pela gestão dos custos incorridos na execução do contrato, tampouco pelo total da receita que tenha sido estimado pela concessionária. Abolir o modelo de equilíbrio econômico-financeiro fixado a partir das projeções do plano de negócios e, para situação específica, valer-se de elementos da efetividade da receita auferida para promover revisão do pactuado, significa desatender à essência do modelo contratado.

Em linhas gerais, as balizas econômico-financeiras fixadas em contrato é que conferem segurança e certeza aos proponentes. É esse o modelo que, por decorrer do contrato, tem sua preservação assegurada, salvo acordo entre as partes. Essa garantia está prevista na Constituição, ao definir a natureza contratual dos contratos de concessão, na legislação aplicável, ao impor a observância do contrato como requisito de preservação do equilíbrio econômico-financeiro do contrato, e no próprio contrato, quando impõe a utilização da TIR da proposta como método de restabelecimento do equilíbrio econômico-financeiro.

Eventual inconsistência de uma ou outra fonte de receita prevista no plano de negócios, portanto, faz parte do nível de risco contratualmente alocado à concessionária, não sendo passível de revisão após assinatura do contrato: seja para compensá-la, seja para alterar a TIR fixada na proposta.

Se a concessionária vier a auferir receita inferior à projetada, esse terá sido um risco e será um ônus seu. Não cabe, após a aceitação da proposta e a celebração do contrato, rever a projeção e adotar medida que venha a compensar a perda da receita (o que favoreceria a concessionária). Do mesmo modo, como o equilíbrio econômico-financeiro foi fixado com base em projeções (de receitas e de custos), também é completamente descabido falar-se em alteração da TIR a ser aplicada ao contrato, para que esta passe a representar um retrato fiel da realidade.

O único efeito que eventual inconsistência das projeções econômico-financeiras do plano de negócios poderia exercer sobre a contratação se restringia à fase de licitação, quando ocorreu o exame de aceitabilidade das propostas. Nesse momento, e apenas nele, cabia à administração pública contratante, examinando o plano de negócios, eventualmente desclassificar a proposta, caso reputasse as projeções nele contidas inexequíveis. Mas se isso não tiver sido feito e a proposta tiver sido avaliada e aprovada, as projeções são incorporadas como referências efetivas do equilíbrio contratual, por mais que discrepem da realidade.

Como as projeções de índole econômico-financeira são risco assumido pela concessionária, a existência de frustração na receita estimada será naturalmente suportada pela concessionária. Nesse cenário, na prática, a concessionária viria a suportar frustração em suas receitas, mas como seria por risco por ela assumido, o contrato permaneceria em equilíbrio e ela permaneceria obrigada a executá-lo nas condições originalmente pactuadas.

Não há fundamento jurídico-contratual para justificar a alteração da TIR do contrato numa situação como esta. Muito pelo contrário, a TIR oriunda da proposta vencedora há de ser respeitada como índice para restabelecimento do reequilíbrio em qualquer cenário fático. É isso é que traz previsibilidade e segurança ao modelo contratual celebrado.

Essa conclusão decorre da própria racionalidade do pacto firmado. Não faria sentido jurídico celebrar um contrato dessa natureza, indicando com precisão o modelo de reequilíbrio, se o índice que amarra toda a equação fosse passível de questionamento a qualquer momento.

As concessões ganharam a forma de contrato justamente para proporcionar certeza e segurança aos contratados (concessionários), na maior parte dos casos investidores privados em infraestrutura pública. Esse tipo de avença, mesmo sendo de longa duração e com conteúdo variável no tempo em função do interesse público, possui núcleo sobre o qual não se admite modificação unilateral. Trata-se, justamente, das regras que definem como deve se estabelecer o equilíbrio econômico-financeiro. Uma vez fixada por meio de acordo, a TIR somente por acordo poderia ser alterada.

5 Alteração negociada da TIR

Não se deve concluir, porém, que a TIR empregada como índice de reequilíbrio seja, em qualquer situação, absolutamente imutável.

A imutabilidade diz respeito à garantia de preservação do equilíbrio econômico-financeiro do contrato, que visa a preservar o caráter contratual, de respeito ao pacto de vontades, inerente a qualquer contratação, inclusive nas travadas com o poder público. Assim, mostra-se inviável que o concedente altere unilateralmente a TIR, pois, se o fizesse, estaria rompendo o núcleo da relação contratual pública. Estaria, por si próprio, modificando as condições econômicas de prestação de serviço, fator decisivo da adesão do concessionário ao contrato.

Assim, é possível que, existindo razões econômico-financeiras que justifiquem a medida, a TIR para reequilíbrio venha a ser repactuada entre as partes. A limitação nessa hipótese envolve a preservação do resultado licitado. Deve-se, em qualquer caso, apontar as razões de fato que justificam a repactuação, especialmente se ela trouxer como resultado um aumento da TIR original.

Esse procedimento já é adotado como regra no segmento das concessões rodoviárias, especialmente para a inclusão de novas obrigações ao concessionário. Em tais casos, os novos investimentos devem ser remunerados com base em TIR específica, a ser calculada num *fluxo de caixa marginal*, compatível com as condições econômicas do período em que pactuado o novo encargo. A prática é justificável, principalmente em função da variabilidade do cenário econômico ao longo do tempo, que pode levar a TIR inicialmente prevista a ficar totalmente inadequada para previsão de remuneração de investimentos mais novos.[8]

Também é possível notar uma natural alteração da TIR de reequilíbrio em repactuações para prorrogação das concessões. Naqueles contratos que admitem prorrogação por igual período, a celebração do novo pacto para exploração dos serviços pressupõe uma ampla negociação, que importa a fixação de novas obrigações de investimento e de estimativas de receitas, com a correspondente reavaliação do índice a ser empregado como critério de retomada do equilíbrio econômico-financeiro.

A TIR, como se vê, é um instrumento de índole financeira que pode servir, nos termos fixados em contrato, como índice para se restabelecer o equilíbrio econômico-financeiro das concessões. Esse índice pode ser alterado desde que a mudança seja escorada em fundamentos econômicos que a justifiquem, bem como decorra de acordo firmado entre as partes.

Referências

ARRUDA CÂMARA, Jacintho. *Tarifa nas concessões*. São Paulo: Malheiros, 2009.

JUSTEN FILHO, Marçal. *Teoria geral das concessões de serviço público*. São Paulo. Dialética, 2003.

MEIRELLES, Hely Lopes. *Direito Administrativo brasileiro*. 16. ed. São Paulo. Revista dos Tribunais, 1991.

MOREIRA, Egon Bockmann. *Direito das concessões de serviço público*: concessões, parcerias, permissões e autorizações. 2. ed. Belo Horizonte. Fórum, 2022.

RIBEIRO, Maurício Portugal; SANDE, Felipe. Mitos, incompreensões e equívocos sobre o uso da TIR – Taxa Interna de Retorno para equilíbrio econômico-financeiro de contratos administrativos: Um estudo sobre o estado da análise econômica do direito no direito administrativo. *Revista Brasileira de Direito Público – RBDP,*

---

[8] Para uma detalhada descrição do processo que levou à implantação desse modelo de adoção do fluxo de caixa marginal, com TIR diferenciada, para eventos de desequilíbrio nas concessões rodoviárias federais, ver: SOUZA, Ana Paula Peresi de. *Mecanismos de equilíbrio econômico-*financeiro: uma análise das concessões de rodovias federais; Belo Horizonte, Fórum, 2022. p. 106-111. A autora informa que, no cenário que originou a discussão, as TIRs dos contratos celebrados na primeira etapa de concessões rodoviárias federais variavam entre 17% e 24%, enquanto nos contratos da segunda etapa, contemporâneos à discussão, o valor máximo da TIR tinha chegado a apenas 8,95%. Foi nesse contexto que se decidiu adotar a abertura de um fluxo de caixa específico (marginal), para ser aplicado em novos investimentos que importassem reequilíbrio dos contratos.

Belo Horizonte, v.18, n.71, out./dez. 2020. Disponível em: https://dspace.almg.gov.br/handle/11037/40004. Acesso em: 30 mar. 2021.

SOUZA, Ana Paula Peresi de. *Mecanismos de equilíbrio econômico-financeiro*: uma análise das concessões de rodovias federais. Belo Horizonte: Fórum, 2022.

Informação bibliográfica deste texto, conforme a NBR 6023:2018 da Associação Brasileira de Normas Técnicas (ABNT):

ARRUDA CÂMARA, Jacintho. A Taxa Interna de Retorno (TIR) como elemento do equilíbrio econômico-financeiro das concessões. *In*: JUSTEN, Monica Spezia; PEREIRA, Cesar; JUSTEN NETO, Marçal; JUSTEN, Lucas Spezia (coord.). *Uma visão humanista do Direito*: homenagem ao Professor Marçal Justen Filho. Belo Horizonte: Fórum, 2025. v. 3, p. 375-386. ISBN 978-65-5518-915-5.

A RELAÇÃO ENTRE A TEORIA ECONÔMICA E A POLÍTICA JUDICIAL ANTITRUSTE: FUNDAMENTOS E NOVOS PARADIGMAS

JULIANA OLIVEIRA DOMINGUES

VERÔNICA DO NASCIMENTO MARQUES

"A supressão da figura do Estado e dos mecanismos de repressão por ele desenvolvidos permitem uma visualização mais clara quanto à individualidade humana. O resultado não permite um grande otimismo. Os seres humanos, no passado e no presente, produzem grandes e belos feitos e grandes barbaridades. Em alguns casos, essas são apenas facetas de um mesmo indivíduo. Essa compreensão é essencial para todos nós, mas com grande certeza para os operadores do Direito."

(Marçal Justen Filho)

1 Introdução

Foi com muita alegria que recebemos o convite para participar de obra coletiva que visa homenagear o notável professor Marçal Justen Filho, cujos trabalhos na área do Direito Público são, há muito tempo, referência em muitas frentes, influenciando uma geração de professores e pesquisadores na área de Regulação e Contratos Administrativos. Por esse motivo, com a finalidade de homenagear o autor com um texto inédito, escolhemos um tema atual que une questões tratadas em processos administrativos com temas relevantes para a ordem econômica e política nacional de defesa da concorrência.

Nos últimos anos, a Federal Trade Commission (FTC) e a Divisão Antitruste do Departamento de Justiça (DOJ) dos Estados Unidos da América, órgãos governamentais responsáveis pela defesa da concorrência e regulação comercial nos EUA, passaram a intensificar seus esforços para uma aplicação mais rigorosa das políticas concorrenciais no país, especialmente em relação às grandes empresas de tecnologia, conhecidas como *big techs*.[1]

No âmbito regulatório, a nova liderança da FTC[2] passou a buscar a expansão dos limites dos poderes regulatórios da Comissão. Nesse sentido, por exemplo, a FTC e o DOJ publicaram, conjuntamente, em dezembro de 2023, nova versão do Guia de Fusões identificando os critérios e procedimentos que serão utilizados pelas autoridades para investigar fusões potencialmente anticoncorrenciais.[3]

A nova abordagem do atual governo norte-americano está refletida não apenas nas atividades das agências, mas, também, nos tribunais. Em 2023, a FTC e o DOJ apresentaram um número recorde de demandas judiciais com o objetivo de "bloquear" – i.e., interromper ou desfazer – fusões empresariais nos Estados Unidos.[4] Contudo, nos tribunais, os esforços das agências têm sido sistematicamente frustrados pelas cortes e juízes norte-americanos, os quais, na quase totalidade dos casos, rejeitaram os pedidos de bloqueio das transações.[5]

Os professores Elliot Ash, Daniel Chen e Suresh Naidu, no artigo "Ideas Have Consequences: The Impact of Law and Economics on American Justice", apontam que haveria uma explicação para esse cenário: a crescente presença do enfoque econômico nas decisões judiciais antitruste.[6] Contudo, o que seria esse enfoque econômico? Não estaríamos falando de direito, de todo modo.

Tradicionalmente, o direito da concorrência[7] é um ramo da teoria jurídica bastante propício ao influxo da teoria econômica.[8] Na medida em que o objeto elementar

---

[1] MARAR, Satya; ABBOTT, Alden. Antitrust Enforcement in 2023: Year in Review for the Federal Trade Commission and the Department of Justice. *Mercatus Center at George Mason University*, [S. l.], p. 1-2, 2024. Disponível em: https://www.mercatus.org/research/policy-briefs/antitrust-enforcement-2023-year-review-federal-trade-commission-and. Acesso em: 10 ago. 2024.

[2] Em 2021, a professora Lina Khan, um dos principais nomes do denominado movimento Neobrandeisiano ou Hipster Antitrust, linha de pensamento que defende um *enforcement* mais rígido do Direito Antitruste, foi nomeada pelo presidente norte-americano Joe Biden para assumir a presidência da Federal Trade Commission. Sobre o tema, ver: KLEIN, Vinicius; DOMINGUES, Juliana Oliveira; GABAN, Eduardo Molan. Quem tem medo de Lina Khan? *Revista Justiça do Direito*, [S. l.], v. 35, n. 3, p. 309-331, set./dez. 2021. Disponível em: https://seer.upf.br/index.php/rjd/article/view/13236. Acesso em: 10 ago. 2024.

[3] UNITED STATES. Department of Justice. Justice Department and Federal Trade Commission Release 2023 Merger Guidelines. Press Release, [S. l.], 18 dez. 2023. Disponível em: https://www.justice.gov/opa/pr/justice-department-and-federal-trade-commission-release-2023-merger-guidelines. Acesso em: 10 ago. 2024.

[4] MARAR; ABBOTT. Antitrust Enforcement in 2023: Year in Review for the Federal Trade Commission and the Department of Justice.

[5] A FTC perdeu todas as contestações de fusões julgadas em 2023 nos tribunais federais e administrativos, com a exceção parcial da decisão no caso envolvendo a fusão entre Illumina e GRAIL. O DOJ acumula um histórico semelhante de derrotas, com uma única vitória judicial em 2022, ao bloquear a fusão das editoras Penguin Random House e Simon & Schuster (MARAR; ABBOTT. Antitrust Enforcement in 2023: Year in Review for the Federal Trade Commission and the Department of Justice).

[6] ASH, Elliot; CHEN, Daniel; NAIDU, Suresh. Ideas Have Consequences: The Impact of Law and Economics on American Justice. *National Bureau of Economic Research*, [S. l.], [2024]. Disponível em: https://www.nber.org/system/files/working_papers/w29788/w29788.pdf. Acesso em: 10 ago. 2024.

[7] Apesar das discussões terminológicas existentes, para efeitos de simplificação, a expressão "direito antitruste" será utilizada como sinônimo de "direito da concorrência". O termo antitruste foi cunhado no direito norte-americano, em que os chamados *trusts* consistem na formação de grupos econômicos por empresas atuando

do antitruste é a análise estrutural dos mercados com base na definição do mercado relevante,[9] sua interpretação e aplicação passam, inevitavelmente, por conceitos econômicos.[10] Tanto é assim que o debate concorrencial desempenhou um papel central no surgimento do movimento Law and Economics, conhecido no Brasil como Análise Econômica do Direito (AED), tanto no que se convencionou chamar de sua primeira onda,[11] em 1890, quanto em sua versão atual, na década de 1960. O sucesso desse movimento no direito da concorrência foi central para que as novas premissas se espalhassem e avançassem para os outros ramos do Direito.[12]

Contudo, apesar da inegável interação entre teoria jurídica e teoria econômica no direito da concorrência, a aplicação judicial de conceitos econômicos tardou a se desenvolver. Desde a promulgação do Sherman Act até a primeira metade do século XX, observava-se uma prática judicial antitruste caracterizada por uma imposição mais agressiva do que aquela sugerida pela teoria econômica.[13] Esse rigor refletia a política antitruste predominantemente orientada para o combate aos oligopólios que marcava o período.[14]

A transformação desse cenário começa a tomar forma a partir da década de 1970, com a ascensão da chamada Escola de Chicago. A consolidação dessa escola de pensamento introduziu uma nova abordagem microeconômica e de organização industrial, rompendo com o modelo tradicional da Escola de Harvard e demandando um novo diálogo entre Direito e Economia.[15] Referido cenário culminou na integração mais profunda da teoria econômica na interpretação jurídica, especialmente no âmbito judicial dos Estados Unidos.

Diante desse contexto, o presente artigo se propõe a realizar uma análise tanto retrospectiva quanto prospectiva da relação entre teoria econômica e política judicial.

---

no mesmo segmento, ou em segmentos relacionados, com vistas a monopolizar os mercados. Apesar de hoje o direito da concorrência dar igual relevo aos controles de condutas (práticas anticompetitivas) e de estruturas, de que a monopolização pelos trustes era exemplo, o impacto da política antitruste nos Estados Unidos foi tamanho que a terminologia direito antitruste ainda é utilizada, por muitos doutrinadores e aplicadores do direito, como sinonímia de direito da concorrência (SEAE. *Introdução ao Direito da Concorrência*. Brasília, DF: SEAE, dez. 2014. p. 7-8).

[8] GABAN, Eduardo Molan; DOMINGUES, Juliana Oliveira. *Direito Antitruste*. 5. ed. São Paulo: Saraiva, 2024. p. 38.

[9] A delimitação do mercado relevante é essencial para o estabelecimento de uma análise antitruste, sendo que, no Brasil, é pressuposto obrigatório de incidência da Lei Antitruste. Assim, para se iniciar uma investigação sobre condutas anticoncorrenciais, ou mesmo para avaliar os efeitos de uma operação de concentração empresarial, preliminarmente averígua-se a real dimensão do mercado afetado para se delimitar o universo (material e territorial) sobre o qual se estabelecerá a avaliação antitruste (GABAN; DOMINGUES. *Direito Antitruste*, p. 61).

[10] KLEIN; DOMINGUES; GABAN. Quem tem medo de Lina Khan?, p. 314.

[11] Esta classificação foi apresentada por Hovenkamp (The First Great Law & Economics Movement. *Stanford Law Review*, [S. l.], v. 42, n. 1, p. 993-1058, 1990).

[12] KLEIN, Vinícius; DOMINGUES, Juliana Oliveira. Análise Econômica do Direito e defesa da concorrência: novos desafios. *In:* YEUNG, Luciana (org.). *Análise Econômica do Direito*: temas contemporâneos. São Paulo: Almedina, 2020. p. 81-82.

[13] HOW Chicago school economists reshaped American justice. *The Economist*, [S. l.], 2023. Disponível em: https://www.economist.com/finance-and-economics/2023/09/07/how-chicago-school-economists-reshaped-american-justice. Acesso em: 10 ago. 2024.

[14] O fenômeno da exacerbada concentração de poder econômico por meio dos *trusts standard oil* e US Steel Corporation motivava a fundação do movimento *anti-trust* e a criação da figura dos *trust-busters* (caçadores de trustes). A publicação do Sherman Act, em 1890 foi seu primeiro marco normativo e Theodore Roosevelt, o primeiro *trust-buster* (KLEIN; DOMINGUES; GABAN. Quem tem medo de Lina Khan?, p. 313).

[15] KLEIN; DOMINGUES. Análise Econômica do Direito e defesa da concorrência: novos desafios, p. 85.

Para enfrentar a missão de sintetizar os objetivos traçados, este artigo está dividido em mais duas sessões. Inicialmente, retomaremos os fundamentos da aplicação de critérios econômicos nas decisões jurídicas regulatórias, com ênfase na influência marcante da Escola de Chicago. Na sessão seguinte, examinaremos os impactos da revogação da Doutrina Chevron sobre o controle judicial das normas regulatórias, destacando o papel das ideias econômicas nesse novo contexto jurisdicional.

2 A teoria econômica: defesa da concorrência e o Judiciário

A AED é um campo interdisciplinar que tem por objetivo integrar a utilização do ferramental teórico e empírico econômico para a análise de institutos do Direito. Como observa Ivo Gico Teixeira Junior,[16] a AED visa expandir a compreensão e o alcance do direito e aperfeiçoar o desenvolvimento, a aplicação e a avaliação de normas jurídicas, principalmente em relação às suas consequências. Por essa razão, considera-se que a AED é um movimento alinhado ao chamado consequencialismo[17.]

Em Economia, o consequencialismo pode ser compreendido no contexto da criação de externalidades positivas ou negativas, ou seja, a geração de benefícios ou custos para terceiros quando uma decisão ou ação é tomada por um indivíduo, organização ou qualquer ente privado ou público. De acordo com a teoria econômica, na presença de externalidades, um mercado completamente livre, sem intervenções, não alcançaria o melhor resultado, ou seja, o resultado eficiente. Esse cenário constituiria um dos fundamentos para a atuação do Estado como ente normativo e regulador da atividade econômica, qual seja a necessidade de se corrigir falhas de mercado.[18]

Contudo, a AED não se restringe apenas ao estudo das normas jurídicas em abstrato, mas também à análise de como essas normas operam no mundo real e de como o Direito interage com a Economia. Nesse sentido, Ronald Coase, em seu seminal trabalho de 1960, já propugnava que que os tribunais e os produtos dos tribunais (ou seja, decisões judiciais) impactam a economia, criando externalidades. Diante desse cenário, estudar "como os juízes julgam" e "o que explica a tomada de decisões judiciais" se tornou uma tarefa central da AED.[19]

Assim, tendo em vista os evidentes efeitos das decisões judiciais sobre a economia, os expoentes do movimento Law and Economics, dentre os quais destaca-se Richard

---

[16]   Nesse sentido: GICO JUNIOR, Ivo Teixeira. Introdução à Análise Econômica do Direito. *In:* RIBEIRO, Marcia Carla Pereira; KLEIN, Vinicius (coord.). *O que é Análise Econômica do Direito*: uma introdução. 3. ed. Belo Horizonte: Fórum, 2022. p. 21.

[17]   Segundo Samuel Scheffler (*Consequentialism and its Critics.* Oxford: Oxford University Press, 1988. p. 8): "consequentialism, in its purest and simplest form is a moral doctrine which says that the right act in any given situation is the one that will produce to the best overall outcome, as judged from an interpersonal standpoint which gives equal weight to the interests of everyone. Somewhat more precisely, we may think of a consequentialist theory of this kind as coming in two parts. First, it gives some principle for ranking overall states of affairs from best to worst from an impersonal standpoint, and then it says that the right act in any given situation is the one that will produce the highest-ranked state of affairs that the agent is in a position to produce".

[18]   YEUNG, Luciana L. Comportamento judicial, decisões judiciais, consequencialismo e "efeitos bumerangues". *In:* YEUNG, Luciana (org.). *Análise Econômica do Direito*: temas contemporâneos. São Paulo: Almedina, 2020. p. 322.

[19]   YEUNG. Comportamento judicial, decisões judiciais, consequencialismo e "efeitos bumerangues", p. 323.

Posner,[20] propugnam a incorporação da teoria econômica na análise jurídica, especialmente no âmbito jurisdicional.[21]

É inegável que, atualmente, a AED constitui um conjunto de ideias – ou uma metodologia – particularmente influente tanto em âmbito acadêmico quanto jurisdicional. O que outrora era considerado um campo marginal, tornou-se, nas últimas décadas do século XX, uma corrente dominante na interpretação e aplicação do Direito.[22] Nesse sentido, estudos como o de Clarke e Kozinski[23] apontam que o uso de termos e conceitos econômicos em decisões judiciais nos Estados Unidos aumentou significativamente na década de 1970, atingindo seu ápice nos anos 1980.

A disseminação desses princípios econômicos no Judiciário norte-americano foi significativamente impulsionada pelo Programa Manne, que desempenhou um papel crucial na propagação das ideias da Escola de Chicago entre os magistrados. A influência dessas ideias é tão profunda que continua a moldar as decisões judiciais até os dias atuais.

Dessa forma, entender esse contexto histórico é fundamental para que se possa analisar a atual relação entre teoria econômica e política judicial. A seguir, detalharemos essa trajetória.

2.1 A Escola de Harvard e a Escola de Chicago

Durante os anos 1970, nos Estados Unidos, ocorreu um embate entre duas principais escolas de pensamento econômico do período: a Escola Neoclássica de Chicago e a Escola Estruturalista de Harvard. Esse confronto teórico exerceu profunda influência na formulação das normas de defesa da concorrência e na atuação judicial no campo antitruste.[24]

A Escola de Harvard, também denominada Escola Estruturalista, posicionava-se contra a concentração excessiva de poder de mercado, argumentando que tal concentração poderia gerar disfunções prejudiciais ao fluxo das relações econômicas. Seu modelo de "workable competition"[25] visava à manutenção e ao aumento do número de agentes econômicos, promovendo uma estrutura de mercado mais pulverizada e menos suscetível a práticas anticompetitivas.

No entanto, a partir do final da década de 1970, a Escola de Harvard começou a perder espaço, com muitos de seus defensores passando a aceitar grande parte dos

---

[20] POSNER, Richard. Perspectivas filosóficas e econômicas. *In*: POSNER, Richard. *Para além do Direito*. São Paulo: WMF Martins Fontes, 2009.

[21] Segundo Posner (Perspectivas filosóficas e econômicas): "O positivismo jurídico estrito e a livre interpretação constitucional representam os dois extremos na antiga controvérsia sobre a discricionariedade judicial. A teoria econômica, tal como explico neste livro, representa uma posição intermediária. De acordo com ela, os juízes exercem e devem exercer a discricionariedade. Esta, porém, deve seguir os ditames de uma teoria econômica aplicada ao direito: a chamada análise econômica do direito ou *law and economics*".

[22] ASH; CHEN; NAIDU. Ideas Have Consequences: The Impact of Law and Economics on American Justice, p. 7.

[23] CLARKE, Conor; KOZINSKI, Alex. Does Law and Economics help decide cases? *European Journal of Law and Economics*, [*S. l.*], 2019, v. 48, n. 1, p. 89-111.

[24] GABAN; DOMINGUES. *Direito Antitruste*, p. 38-44.

[25] O termo "workable competition" foi introduzido por John Maurice Clark em 1939 (FORGIONI, Paula A. *Os fundamentos do antitruste*. São Paulo: Revista dos Tribunais, 2015. p. 166).

pressupostos da Escola de Chicago, também denominada Escola Neoclássica. É nesse período que a Escola de Chicago passa a prevalecer tanto na doutrina econômica de defesa da concorrência quanto nos posicionamentos jurisdicionais dos Estados Unidos.

A ascensão da Escola de Chicago marcou uma mudança de paradigma na política antitruste norte-americana, que passou a ser focada no pressuposto de eficiência alocativa de mercado e na ênfase quanto à aplicação da teoria econômica para explicar vários fenômenos jurídicos. Nesse sentido, o encontro multidisciplinar entre Direito e Economia originou ricos preceitos analíticos traduzidos em princípios operacionais pela nova Escola de Chicago, que os juízes poderiam prontamente colocar em prática no processo de concretização normativa ao lidar com fatos alcançados pelo direito antitruste.[26]

É importante destacar que, apesar de a Escola de Chicago ter sido particularmente persuasiva junto às autoridades governamentais e ao Poder Judiciário dos EUA, moldando significativamente a interpretação e a aplicação das leis de defesa da concorrência no país, sua influência estendeu-se para além das fronteiras norte-americanas, afetando legislações e políticas de defesa da concorrência em diversas partes do mundo.

Apesar das críticas atuais à Escola de Chicago, especialmente diante da ascensão dos mercados digitais e da expansão do chamado movimento Neobrandeisiano ou Hipster Antitrust,[27] a importância da teoria econômica na análise antitruste permanece inquestionável. A ciência econômica oferece ferramentas analíticas capazes de explicar fenômenos que muitas vezes escapam ao alcance da teoria jurídica tradicional, permitindo uma regulação mais eficaz por meio das leis antitruste. Assim, a Escola de Chicago continua a desempenhar um papel crucial na evolução das políticas de defesa da concorrência, proporcionando uma base técnica que orienta tanto o desenvolvimento quanto a aplicação dessas normas.

2.2 A origem de uma ideia: Programa Manne

Uma vez que uma ideia se apodera da mente de um indivíduo, é quase impossível erradicá-la. Uma ideia, uma vez formada e compreendida, geralmente persiste. A célebre frase do personagem Don Cobb, interpretado por Leonardo DiCaprio no filme "*A Origem*", dirigido por Christopher Nolan, ilustra como a exposição a uma ideia pode influenciar a tomada de decisões. No longa de ficção científica, Cobb é encarregado de invadir os sonhos de uma pessoa para "implantar" a semente de uma ideia.

No entanto, essa premissa não se limita à ficção; na vida real, a introdução de novas ideias pode ter impactos profundos e duradouros. É nesse sentido que Elliot Ash, Daniel Chen e Suresh Naidu, no artigo "Ideas Have Consequences: The Impact of Law and Economics on American Justice",[28] publicado em fevereiro de 2022, analisam o impacto da introdução de ideias econômicas no pensamento jurídico por meio do

---

[26] GABAN; DOMINGUES. *Direito Antitruste*, p. 42.

[27] O movimento neobrandeisiano, também conhecido como Hipster Antitrust, é, em linhas gerais, um movimento contemporâneo de resgate às ideias do movimento *anti-trust* do final do século XIX, defendendo um retorno às preocupações históricas com o tamanho das empresas e seus impactos sobre a concorrência e a economia sob a premissa de que "grande é ruim" ("big is bad") (GABAN; DOMINGUES. *Direito Antitruste*, p. 47).

[28] ASH; CHEN; NAIDU. Ideas Have Consequences: The Impact of Law and Economics on American Justice.

Manne Economics Institute for Federal Judges sobre a formulação de políticas judiciais de defesa da concorrência nos Estados Unidos.[29]

Conhecido como "Programa Manne", esse curso intensivo de economia para juízes federais norte-americanos foi oferecido entre 1976 e 1998. Ministrado por eminentes economistas - como Milton Friedman e Paul Samuelson - o programa contou com a participação de quase metade dos juízes em exercício no país à época. Entre os participantes, destacam-se dois futuros juízes da Suprema Corte: Clarence Thomas e Ruth Bader Ginsburg.

Em seu trabalho, Ash, Chen e Naidu investigaram as decisões dos juízes que frequentaram o Programa Manne, comparando o período anterior e posterior à sua participação. Utilizando técnicas de *word embeddings*,[30] os autores encontraram evidências estatísticas de que esses juízes passaram a empregar com maior frequência a linguagem econômica em suas decisões, mostrando-se mais inclinados a utilizar termos como "eficiência" e "mercado".[31]

Os autores concluem que a exposição às ideias do movimento Law and Economics exerceu influência direta na política judicial norte-americana e continua a moldá-la até os dias de hoje. Mesmo um quarto de século após o término do Programa Manne, essa influência persiste, orientando a política judicial por uma abordagem que privilegia critérios de custo-benefício e, de forma mais ampla, a aplicação da AED.

Contudo, os autores ressalvam que, no contexto do Programa Manne, os impactos das ideias econômicas foram direcionados para políticas conservadoras, em virtude da ênfase do curso nas abordagens de Law and Economics dos anos 1970, centradas na análise quantitativa de eficiência da Escola de Chicago. Embora a ciência econômica tenha evoluído com o surgimento de novas escolas de pensamento e o refinamento da teoria econômica na aplicação da lei, ainda levará tempo para que os juízes alterem suas abordagens. Como afirma Don Cobb, uma vez formada e compreendida, a ideia permanece.

3 Novos paradigmas: a superação da Doutrina Chevron

O emblemático caso Chevron U.S.A. *v.* Natural Resources Defense Council,[32] de 1984, é um dos precedentes mais relevantes julgados no âmbito do Direito Administrativo pela Suprema Corte dos Estados Unidos. Esse caso estabeleceu uma fórmula legal de

---

[29] Sobre o assunto, cf.: FRAZÃO, Ana. Existe um mercado de ideias? *Jota*, São Paulo, 5 ago. 2020. Disponível em: https://www.jota.info/opiniao-e-analise/colunas/constituicao-empresa-e-mercado/existe-um-mercado-de-ideias-05082020. Acesso em: 10 ago. 2024.

[30] *Word embedding* é uma técnica de mineração de textos que representa palavras de maneira matemática por meio de vetores em um espaço multidimensional. Cada palavra é convertida em um vetor de números reais, onde palavras com significados semelhantes estão mais próximas entre si nesse espaço. Essa abordagem permite que algoritmos de aprendizado de máquina capturem relações semânticas e sintáticas entre palavras, facilitando tarefas como o processamento de linguagem natural.

[31] Segundo os autores: "Consistent with the event study, there is a positive effect of Manne attendance on the use of economics language, and the effect is statistically significant" (ASH; CHEN; NAIDU. Ideas Have Consequences: The Impact of Law and Economics on American Justice, p. 27).

[32] UNITED STATES. Supreme Court. *Chevron U.S.A. Inc. v. Natural Resources Defense Council, Inc., 467 U.S. 837*. Washington, D.C. Supreme Court, 1984. Disponível em: http://supreme.justia.com/us/467/837/case.html. Acesso em: 10 ago. 2024.

autorrestrição judicial ao introduzir a chamada "deferência técnico-administrativa",[33] influenciando profundamente a relação entre o Judiciário e as agências reguladoras não apenas nos Estados Unidos, mas também em outras jurisdições ao redor do mundo – inclusive o Brasil –[34] até tempos recentes. A relevância do precedente foi tal que originou o termo "Doutrina Chevron", que designa o raciocínio jurídico aplicado na análise das questões de Direito relativas ao controle judicial sobre o poder regulamentar dessas agências.[35]

A Doutrina Chevron teve como efeito a redução do espaço de interpretação de normas setoriais conferido ao Judiciário, que passou a estar vinculado às decisões das agências independentes sob o fundamento de que estas possuem maior conhecimento técnico e legitimidade política[36] em relação aos juízes para atuar em questões que não foram pré-determinadas de forma clara pelo legislador.

No entanto, em junho de 2024, ao decidir o caso Loper Bright Enterprises *et al. v.* Raimondo, Secretary of Commerce *et al.*,[37] a Suprema Corte dos EUA formalmente derrubou a Doutrina Chevron, estabelecendo que não competiria mais às agências independentes o monopólio de preenchimento das lacunas legais, mesmo em matérias de natureza técnica.

Essa decisão histórica representa uma mudança significativa na relação entre o Poder Judiciário e as agências reguladoras nos Estados Unidos, com implicações profundas, especialmente em áreas que exigem *expertise* técnica, como o direito antitruste. Ao conferir ao Judiciário maior poder para revisar as decisões das agências, a revogação da Doutrina Chevron tem o potencial de ampliar sobremaneira o controle judicial sobre normas regulatórias, reconfigurando, por conseguinte, a dinâmica entre os Poderes Executivo e Judiciário.

---

[33] A Suprema Corte definiu no caso Chevron que, quando o Judiciário revisa (no sentido de *judicial review*) a interpretação que uma agência faz da lei que a ela cabe aplicar, ele se vê diante de duas questões (ou dois passos). A primeira delas (*step one*) é se a lei tratou diretamente da matéria em questão, ou seja, se a intenção do Congresso é clara com relação ao tema. Se a resposta é sim, tanto o judiciário quanto a agência devem efetivar a intenção expressa pelo legislador. Se a corte constata que o legislador não tratou direta e precisamente da matéria, não deve simplesmente impor sua própria interpretação do texto da lei, a qual seria necessária na ausência de uma interpretação oriunda da administração pública. Nesse caso (*step two*), havendo ambiguidade ou silêncio da lei com relação à matéria, a questão a ser respondida pela corte é se a resposta dada pela agência é baseada numa construção admissível da lei (*permissible construction of the statute*) (PEDROLLO, Gustavo Fontana. O Caso Chevron: controle judicial do poder regulamentar das agências no Direito estadunidense. *Publicações da Escola da AGU*, Brasília, DF, v. 2, n. 13, p. 281, 2011. Disponível em: https://revistaagu.agu.gov.br/index.php/EAGU/article/view/1692. Acesso em: 10 ago. 2024).

[34] No Brasil, as agências reguladoras operam sob um regime jurídico especial que lhes confere uma margem de autonomia jurídica que não se encontra na maior parte das entidades autárquicas. Uma das particularidades desse regime é a ausência de revisibilidade das decisões da agência, ou seja, os atos da agência reguladora não se sujeitam à revisão por autoridade integrante da Administração direta, mas apenas perante o Poder Judiciário (JUSTEN FILHO, Marçal Justen. *Curso de Direito Administrativo*. 15. ed. Rio de Janeiro: Forense, 2024. p. 510).

[35] PEDROLLO. O Caso Chevron: controle judicial do poder regulamentar das agências no Direito estadunidense, p. 263.

[36] Sobre o tema, cita-se a análise de Marçal Justen Filho (*Introdução ao Estudo do Direito*. 2. ed. Rio de Janeiro: Forense, 2021. p. 128) do cenário contemporâneo de expansão da denominada "legitimidade técnica". Em tal contexto, agentes públicos não eleitos, tais como profissionais técnicos vinculados a agências reguladoras independentes, passam a ser identificados como capazes de produzir soluções práticas e de enfrentar os problemas concretos da sociedade. Essa capacidade técnica gera a aceitação de sua atuação e a ampliação de sua legitimidade.

[37] UNITED STATES. Supreme Court. *Loper Bright Enterprises et al. v. Raimondo, Secretary of Commerce et al.* Washington, D.C. Supreme Court, 2023. Disponível em: https://www.supremecourt.gov/opinions/23pdf/22-451_7m58.pdf. Acesso em: 10 ago. 2024.

Nesse sentido, administrativistas levantam diversos pontos críticos em relação à superação da Doutrina Chevron. Um deles é que não se pode perder de vista o risco de decisões judiciais menos qualificadas em matérias técnicas que eventualmente são submetidas aos tribunais.

No campo do antitruste, por exemplo, a interpretação e aplicação das leis dependem fortemente de conceitos econômicos complexos, conforme delineado nas seções anteriores. Nos Estados Unidos, assim como no Brasil,[38] as autoridades de defesa da concorrência possuem equipes de economistas e especialistas dedicados a analisar essas questões com profundidade técnica e científica. À medida que juízes, sem a mesma *expertise* econômica, passam a decidir sobre questões antes deferidas a especialistas do setor regulador, podem surgir desafios quanto ao rigor técnico das decisões.

Além disso, o fim da deferência administrativa também pode resultar em uma maior falta de uniformidade nas decisões judiciais, à medida que diferentes tribunais podem adotar interpretações variadas sobre questões regulatórias, o que, no final do dia, pode resultar em insegurança jurídica.

Assim, em última análise, a superação da Doutrina Chevron coloca em evidência a importância do trabalho iniciado pelo Programa Manne para integrar a teoria econômica no Judiciário. O fim da deferência às agências reguladoras, que possuem *expertise* técnica, torna ainda mais imperativa a capacitação dos magistrados em teoria econômica, de modo a assegurar a tecnicidade das decisões judiciais, especialmente em matéria antitruste.

4 Considerações finais: a importância da segurança jurídica e o papel da teoria econômica

A interdependência entre direito concorrencial e AED é inegável. Conforme explorado nesse artigo, a teoria econômica sempre desempenhou um papel central nesse ramo jurídico, desde a sua gênese. A complexidade inerente ao direito antitruste, que perpassa, inevitavelmente, por conceitos econômicos, exige decisões informadas por uma análise rigorosa e técnica. Nesse sentido, a AED, especialmente no campo do antitruste, oferece uma base técnica e objetiva para a interpretação e aplicação das normas jurídicas.

Em um cenário pós-superação da Doutrina Chevron, no qual a deferência às agências reguladoras é reduzida, a necessidade de uma fundamentação econômica robusta por parte do Judiciário torna-se ainda mais evidente, reforçando a inafastável vertente técnica que deve permear a aplicação do antitruste nos EUA e nos demais países que adotam o sistema de livre mercado, como o Brasil.[39]

Nesse contexto, a capacitação dos magistrados, por exemplo, por meio de programas de formação especializados, torna-se uma prioridade. Iniciativas como o Programa Manne, voltadas à formação de juízes em economia, são essenciais para dotar os membros do Judiciário das ferramentas analíticas necessárias para a compreensão e aplicação de conceitos econômicos em suas decisões.

---

[38] O Departamento de Estudos Econômicos (DEE) é um dos órgãos que compõem o Conselho Administrativo de Defesa Econômica (Cade), sendo responsável por elaborar estudos e pareceres econômicos com o objetivo de assegurar o rigor e a atualização técnica e científica das decisões do Cade.

[39] KLEIN; DOMINGUES; GABAN. Quem tem medo de Lina Khan?, p. 326.

Portanto, o debate técnico, que é intrinsecamente econômico, assume um papel preponderante na definição não só do presente como na escolha dos rumos futuros do direito concorrencial.[40] Dessa forma, a contínua integração entre as esferas jurídica e econômica se revela fundamental para assegurar a tecnicidade das decisões administrativas e judiciais em matéria antitruste.

Referências

ASH, Elliot; CHEN, Daniel; NAIDU, Suresh. Ideas Have Consequences: The Impact of Law and Economics on American Justice. *National Bureau of Economic Research*, [S. l.], [2024]. Disponível em: https://www.nber.org/system/files/working_papers/w29788/w29788.pdf. Acesso em: 10 ago. 2024.

CLARKE, Conor; KOZINSKI, Alex. Does Law and Economics help decide cases? *European Journal of Law and Economics*, [S. l.], 2019, v. 48, n. 1, p. 89-111.

DOMINGUES, Juliana Oliveira; GABAN, Eduardo Molan. Direito Antitruste e poder econômico: o movimento populista e "neo-brandeisiano". *Revista Justiça do Direito*, [S. l.], v. 33, n. 3, p. 222-244, 2019. Disponível em: https://seer.upf.br/index.php/rjd/article/view/10429. Acesso em: 10 ago. 2024.

FORGIONI, Paula A. *Os fundamentos do antitruste*. São Paulo: Revista dos Tribunais, 2015.

FRAZÃO, Ana. Existe um mercado de ideias? *Jota*, São Paulo, 5 ago. 2020. Disponível em: https://www.jota.info/opiniao-e-analise/colunas/constituicao-empresa-e-mercado/existe-um-mercado-de-ideias-05082020. Acesso em: 10 ago. 2024.

GABAN, Eduardo Molan; DOMINGUES, Juliana Oliveira. *Direito Antitruste*. 5. ed. São Paulo: Saraiva, 2024.

GICO JUNIOR, Ivo Teixeira. Introdução à Análise Econômica do Direito. In: RIBEIRO, Marcia Carla Pereira; KLEIN, Vinicius (coord.). *O que é Análise Econômica do Direito*: uma introdução. 3. ed. Belo Horizonte: Fórum, 2022. p. 21-30.

HOVENKAMP, Herbert. The First Great Law & Economics Movement. *Stanford Law Review*, [S. l.], v. 42, n. 1, p. 993-1058, 1990.

HOW Chicago school economists reshaped American justice. *The Economist*, [S. l.], 2023. Disponível em: https://www.economist.com/finance-and-economics/2023/09/07/how-chicago-school-economists-reshaped-american-justice. Acesso em: 10 ago. 2024.

KLEIN, Vinícius; DOMINGUES, Juliana Oliveira. Análise Econômica do Direito e defesa da concorrência: novos desafios. *In:* YEUNG, Luciana (org.). *Análise Econômica do Direito*: temas contemporâneos. São Paulo: Almedina, 2020. p. 79-108.

KLEIN, Vinicius; DOMINGUES, Juliana Oliveira; GABAN, Eduardo Molan. Quem tem medo de Lina Khan? *Revista Justiça do Direito*, [S. l.], v. 35, n. 3, p. 309-331, set./dez. 2021. Disponível em: https://seer.upf.br/index.php/rjd/article/view/13236. Acesso em: 10 ago. 2024.

JUSTEN FILHO, Marçal. *Introdução ao Estudo do Direito*. 2. ed. Rio de Janeiro: Forense, 2021.

JUSTEN FILHO, Marçal. *Curso de Direito Administrativo*. 15. ed. Rio de Janeiro: Forense, 2024.

MARAR, Satya; ABBOTT, Alden. Antitrust Enforcement in 2023: Year in Review for the Federal Trade Commission and the Department of Justice. *Mercatus Center at George Mason University*, [S. l.], 2024. Disponível em: https://www.mercatus.org/research/policy-briefs/antitrust-enforcement-2023-year-review-federal-trade-commission-and. Acesso em: 10 ago. 2024.

---

[40] KLEIN; DOMINGUES. Análise Econômica do Direito e defesa da concorrência: novos desafios, p. 87.

PEDROLLO, Gustavo Fontana. O Caso Chevron: controle judicial do poder regulamentar das agências no Direito estadunidense. *Publicações da Escola da AGU*, Brasília, DF, v. 2, n. 13, p. 261-283, 2011. Disponível em: https://revistaagu.agu.gov.br/index.php/EAGU/article/view/1692. Acesso em: 10 ago. 2024.

POSNER, Richard. Perspectivas filosóficas e econômicas. *In:* POSNER, Richard. *Para além do Direito.* São Paulo: WMF Martins Fontes, 2009.

SCHEFFLER, Samuel. *Consequentialism and its Critics.* Oxford: Oxford University Press, 1988.

SEAE. *Introdução ao Direito da Concorrência.* Brasília, DF: SEAE, dez. 2014.

UNITED STATES. Department of Justice. Justice Department and Federal Trade Commission Release 2023 Merger Guidelines. *Press Release*, [*S. l.*], 18 dez. 2023. Disponível em: https://www.justice.gov/opa/pr/justice-department-and-federal-trade-commission-release-2023-merger-guidelines. Acesso em: 10 ago. 2024.

UNITED STATES. Supreme Court. *Chevron U.S.A. Inc. v. Natural Resources Defense Council, Inc.*, 467 *U.S.* 837. Washington, D.C. Supreme Court, 1984. Disponível em: http://supreme.justia.com/us/467/837/case.html. Acesso em: 10 ago. 2024.

UNITED STATES. Supreme Court. *Loper Bright Enterprises et al. v. Raimondo, Secretary of Commerce et al.* Washington, D.C. Supreme Court, 2023. Disponível em: https://www.supremecourt.gov/opinions/23pdf/22-451_7m58.pdf. Acesso em: 10 ago. 2024.

YEUNG, Luciana L. Comportamento judicial, decisões judiciais, consequencialismo e "efeitos bumerangues". *In:* YEUNG, Luciana (org.). *Análise Econômica do Direito*: temas contemporâneos. São Paulo: Almedina, 2020. p. 322-343.

YEUNG, Luciana. Consequencialismo no Judiciário. *In:* RIBEIRO, Marcia Carla Pereira; KLEIN, Vinicius (coord.). *O que é Análise Econômica do Direito*: uma introdução. 3. ed. Belo Horizonte: Fórum, 2022. p. 193-200.

Informação bibliográfica deste texto, conforme a NBR 6023:2018 da Associação Brasileira de Normas Técnicas (ABNT):

DOMINGUES, Juliana Oliveira; MARQUES, Verônica do Nascimento. A relação entre a teoria econômica e a política judicial antitruste: fundamentos e novos paradigmas. *In:* JUSTEN, Monica Spezia; PEREIRA, Cesar; JUSTEN NETO, Marçal; JUSTEN, Lucas Spezia (coord.). *Uma visão humanista do Direito*: homenagem ao Professor Marçal Justen Filho. Belo Horizonte: Fórum, 2025. v. 3, p. 387-397. ISBN 978-65-5518-915-5.

A NOVA DIRETRIZ DA LEI Nº 14.133/2021 PARA O REEQUILÍBRIO ECONÔMICO-FINANCEIRO DOS CONTRATOS DE CONCESSÃO DE TRANSMISSÃO DE ENERGIA ELÉTRICA

MÁRCIO PINA MARQUES

GUSTAVO ASSIS DE OLIVEIRA

LUIZ ANTÔNIO BETTIOL

1 Introdução

Desde a Constituição de 1934, nosso modelo de federalismo, com tendência centralizadora, concentrou na União a disciplina das questões de natureza nacional ou regional, relegando à atuação estadual e/ou municipal os temas de interesse local. Nessa linha, a arquitetura institucional da Constituição Federal de 1988 (CRFB/88) reservou privativamente à União as competências públicas relativas à indústria da energia elétrica.[1] A exploração dos serviços de transmissão de energia elétrica foi reservada à União, que pode delegá-la às empresas privadas por meio de uma licitação pública e de um contrato de concessão de serviço público, firmado diretamente com a União ou por intermédio da Agência Nacional de Energia Elétrica (Aneel).

Os leilões de concessões de transmissão são precedidos de estudos de expansão do Sistema Interligado Nacional (SIN) realizados pela Empresa de Pesquisa Energética (EPE), pautados pela análise de menor custo global para atendimento da necessidade do SIN, mas não são precedidos de licença ambiental nem sequer de projeto básico. A responsabilidade pela condução do processo de licenciamento ambiental e pela elaboração dos projetos básico e executivo é alocada para o vencedor da licitação.

---

[1] LOUREIRO, Luiz Gustavo Kaercher. *Constituição, energia e setor elétrico*. Porto Alegre: Sérgio Antônio Fabris, 2009. p. 78.

Os leilões são realizados pelo regime do serviço pelo preço, sendo vencedor o agente que ofertar o menor valor de Receita Anual Permitida (RAP), para uma concessão de 30 anos de prestação de serviço de transmissão precedida da construção das instalações. O edital do leilão pressupõe um investimento no formato de *project finance*, com a participação de capital próprio e de terceiros e a possibilidade de se ofertarem os recebíveis e ativos vinculados ao serviço de transmissão em garantia do próprio financiamento. O transmissor fruirá a RAP a partir da disponibilização das instalações para operação comercial autorizada pelo Operador Nacional do Sistema Elétrico (ONS).

Os contratos de transmissão firmados até 2015 não preveem uma matriz clara e objetiva dos riscos alocados ao concessionário quanto ao processo de licenciamento e custos socioambientais. As regras contratuais dos contratos mais recentes também são insuficientes. Um contrato de concessão de longo prazo é incompleto por pressuposto. O contexto atual de maior atenção e maior impacto de eventos climáticos extremos pauta soluções e condições outrora não vislumbradas ao tempo dos leilões.

Os estudos de expansão do sistema indicam condições socioambientais e as características técnicas das instalações de um projeto em fase inicial, servindo de balizas para as propostas dos agentes no leilão. Contudo, as medidas de compensação e mitigação de impacto socioambientais somente são definidas e calibradas após os estudos e licenças ambientais, muito depois do certame. O projeto básico, a ser elaborado pelo vencedor, deve atender aos parâmetros mínimos do edital e ser submetido à aprovação do ONS. Eventuais imprecisões nos estudos preliminares devem ser supridas e corrigidas pelos competidores, que em tese assumem o risco ordinário na formulação de suas propostas.

Essas circunstâncias, contudo, somadas ao aumento da complexidade e dos custos da componente socioambiental, têm ensejado inúmeras discussões administrativas, judiciais e arbitrais, relativamente ao direito de restabelecimento do equilíbrio econômico-financeiro dos contratos de concessão de serviço público de transmissão, o que gera insegurança jurídica e aumento da percepção de risco no segmento de transmissão. Qual é o limite do risco do concessionário diante de custos e exigências ambientais imprevisíveis ao tempo do leilão?

Segundo dados do relatório de auditoria do Tribunal de Contas da União (TCU) no TC nº 029.387/2013-2, materializado no Acórdão nº 2.316/2014, cerca de 63% dos empreendimentos de transmissão de energia elétrica atrasaram, e a própria Aneel reconheceu que, nos levantamentos feitos em 2017, 62,5% dos empreendimentos que demandaram licenciamento ambiental tiveram atraso nessa etapa. Os dados mais recentes de atrasos dos empreendimentos de transmissão constantes do relatório de fiscalização – acompanhamento diferenciado da expansão da transmissão, divulgado em junho de 2024 – revela uma possível tendência de queda, mas ainda sim um cenário de grande preocupação:

> Considerando todos os empreendimentos monitorados classificados como atrasados, atualmente há 85 empreendimentos em andamento com previsão de atraso (12,61%). O percentual de empreendimentos em andamento com previsão de atraso vinha sofrendo constante redução, conforme ilustra a Figura 5, atingindo o mínimo de 28,9% em março de 2020. Em junho de 2020 observou-se um crescimento expressivo da porcentagem de previsões de atrasos, atingindo 41,3%. Todavia, em setembro de 2020 observou-se que a porcentagem de empreendimentos com previsões de atrasos voltou a ter tendência de

queda. Em dezembro/2023, essa tendência é mantida chegando a 15,07% de previsão de atraso para os empreendimentos que estão em andamento. Para junho/2024 verifica-se a tendência de queda nos atrasos dos empreendimentos, mesmo considerando o aumento da quantidade de obras em andamento.[2]

Em 20,42% desses empreendimentos, a causa do atraso encontra-se na etapa do licenciamento ambiental, cujas raízes vão desde a mora do órgão licenciador até a superveniência de exigências imprevisíveis, ou mesmo as alterações de requisitos previamente definidos nos estudos preliminares para atender demandas crescentes de populações tradicionais e proteção do meio ambiente.

Ignorando a imprevisibilidade de exigências adicionais, a agência reguladora tem sistematicamente negado o reequilíbrio econômico-financeiro dos contratos sob a alegação de assunção de risco ilimitado pelos concessionários ou mesmo de supostos óbices jurídicos formais decorrentes de uma "regulação pelo contrato" ou de limitações oriundas do regime do "serviço pelo preço".

Historicamente, a despeito dos inúmeros desafios envolvidos, os projetos de transmissão de energia elétrica sempre foram tidos como empreendimentos de menores riscos quando comparados com investimentos nas áreas de geração e até mesmo de distribuição de energia elétrica. Mas o ambiente de investimentos na transmissão de energia elétrica no Brasil passou a conviver com litígios e gerenciamento de novos riscos, entre eles o risco ambiental e o regulatório. O impacto dos eventos climáticos extremos compele a sociedade e o licenciador a demandarem maiores exigências no processo de licenciamento. Os custos médios outrora balizadores de propostas deixaram de servir de parâmetro para a execução dos projetos.

O presente artigo busca, portanto, trazer algumas reflexões sobre essa relevante controvérsia jurídica e, a partir das novas diretrizes fixadas pela Lei nº 14.133/21, lançar luz sobre o tema e tentar contribuir para o correto endereçamento das questões que ainda se encontram na ordem do dia no segmento de transmissão de energia elétrica.

2 A matriz de risco nos contratos de concessão e a manutenção do equilíbrio econômico-financeiro

Como esclarece o Professor Egon Bockmann Moreira, "os dados presentes definem as escolhas futuras, sem assunção de riscos não há atividade econômica capitalista".[3] O risco, portanto, é um elemento ínsito a qualquer atividade econômica. Como o contrato de concessão é expressão dela, nada mais natural que o risco passe a ser um elemento central do contrato de concessão.

A Lei nº 8.987/1995 definiu a concessão de serviço público, precedida ou não da execução de obra pública, como a delegação da sua prestação, mediante licitação, para pessoa jurídica ou consórcio de empresa que demonstre capacidade para seu desempenho, por sua conta e risco e por prazo determinado.

---

[2] BRASIL. Tribunal de Contas da União (Plenário). Processo 029.387/2013-2. Relator: José Jorge, 3 de setembro de 2014. *Dje*: Brasília, DF, 2014.

[3] MOREIRA, Egon Bockmann. *Direito das Concessões de Serviços Públicos*. Belo Horizonte: Fórum, 2022. p. 113.

A par da controvérsia acerca da extensão da expressão "por sua conta e risco" constante do art. 2º, II e III, da Lei de Concessões, a doutrina costuma registrar que ela significa, precisa e exatamente, que o concessionário presta o serviço em nome e por conta do Estado, mas que não assume ampla e ilimitada gestão do serviço como se fosse atividade econômica privada em sentido estrito. Mas não é só. Considerando que a autonomia do empresário para organizar o empreendimento é relativa, os riscos assumidos no projeto concessional são aqueles inerentes à atividade econômica, conformável pelas restrições impostas pelo poder concedente à luz do interesse público subjacente à delegação. Não se trata, portanto, de um risco ilimitado como há muito tempo já nos ensina o Marçal Justen Filho.[4] No mesmo sentido esclarece José Santos Anacleto Adbuch Santos:

> O particular, quando se propõe a desenvolver uma atividade com o fito de auferir vantagem econômica ou lucro, submete-se a situações de risco impostas pelo mercado. São riscos que alcançam qualquer atividade e qualquer tipo de negócio, "que todo empresário corre, como resultado da própria flutuação do mercado". (...).

> O concessionário assume, portanto, em face da Administração, o dever de assimilar, de suportar as variações de ordem econômico-financeira naturais e previsíveis impostas pelo mercado e pela própria natureza da atividade que se propôs a desenvolver.[5]

A doutrina tradicional, de matriz francesa, nos legou a classificação dos riscos no bojo da teoria das áleas. A álea ordinária, abrangendo os riscos inerentes a determinada atividade empresarial, normalmente atribuída ao concessionário e a álea extraordinária, derivada de eventos externos ao contrato e/ou não gerenciáveis pelas partes, cujos efeitos deveriam ser suportados pelo poder concedente.

Entretanto, esse modelo foi gradativamente se mostrando insuficiente para endereçar respostas às complexas relações derivadas dos contratos de concessão. A teoria da alocação de riscos surge, então, como um elemento para conferir maior objetividade e racionalidade na alocação das responsabilidades no bojo dos contratos concessionais.

De fato, ainda no escólio de Egon Bockmann Moreira,[6] a cláusula contratual que consagra a matriz de risco dos contratos de concessão define o contrato e "caracteriza o equilíbrio econômico-financeiro inicial do contrato", sendo impossível, pois, "compreender os contratos sem a análise desta cláusula".

Em linha com essas premissas, a Lei nº 14.133/2021 trouxe a definição da matriz de risco como sendo a "cláusula contratual definidora de riscos e de responsabilidades entre as partes e caracterizadora do equilíbrio econômico-financeiro inicial do contrato, em termos de ônus financeiro decorrente de eventos supervenientes à contratação" (art. 6º, XXVII), bem ainda a obrigatoriedade de inclusão nos editais e contratos administrativos de cláusula com a definição da matriz de risco, quando o caso, (art. 22 e art. 92, IX), assim como um capítulo específico sobre o tema no título dos contratos administrativos (art. 103).

---

[4] JUSTEN FILHO, Marçal. *Teoria geral das concessões de serviço público*. São Paulo: Dialética, 2003. p. 333.

[5] SANTOS, José Anacleto Abduch. *Contratos de concessão de serviços públicos*: equilíbrio econômico-financeiro. Curitiba: Juruá, 2002. p. 154.

[6] MOREIRA. *Direito das Concessões de Serviços Públicos*, p. 125.

Resumidamente, riscos são os eventos futuros e incertos que podem gerar custos extraordinários e causar (ou não) prejuízos, afetando a capacidade do investidor ganhar ou perder dinheiro.[7] Embora interrelacionados, risco não se confunde com incerteza. Enquanto os riscos demandam acontecimentos precedentes que permitam a sua estimativa de ocorrência e extensão, a partir de dados estatísticos, a incerteza assume contornos absolutamente aleatórios e imponderáveis. É justamente pela falta de acontecimentos passados, de fatos sobre os quais se possa fazer qualquer cálculo estatístico ou prognóstico para se tomar uma decisão para o futuro que se qualifica o evento no campo da incerteza e não do risco.[8] Esses conceitos não passaram despercebidos para Flávio Amaral Garcia, quando consignou que:

> (...) no plano contratual, para ser qualificável como risco, deve-se admitir mensuração e objetivação que permitam medir certos elementos da realidade. A avaliação do risco e a previsão das medidas preventivas ou atenuadoras dos seus efeitos integram a moderna gestão contratual do risco. Quando se está, contudo, no campo da absoluta imprevisibilidade, não mais se trata de risco, mas de incerteza.

A Nova Lei de Licitações e Contratos, portanto, está mais aderente à Análise Econômica do Direito (AED) e à teoria de alocação dos custos, e, conforme visão de Luciano Bennetti Timm,

> (...) as partes precisam considerar e alocar os riscos do contrato. A Distribuição de direitos e obrigações das partes num contrato segue o mesmo procedimento da distribuição de bens na sociedade. Ou seja, na ausência de custos de transação, os direitos são direcionados às partes que mais os valorizam, enquanto as obrigações e os riscos são repassados à parte que pode lidar com eles de forma menos custosa. Em outras palavras, as obrigações e os riscos são assumidos pelo *cheapest cost avoider* – a pessoa que tem melhores condições de evitar custos. Chega-se, portanto, a uma alocação eficiente dos riscos, direitos e obrigações.[9]

Nas relações contratuais de longo prazo, de investimento intensivo e com complexo arranjo econômico-financeiro, como é o caso dos contratos de concessão no setor elétrico, a definição da matriz de risco ganha importância tanto ao efeito do tempo no conjunto dos encargos e benefícios atribuídos ao concessionário como à natureza das atividades desenvolvidas, normalmente submetidas a avanços tecnológicos e incremento de variáveis relacionadas à qualidade dos serviços.

Nesse contexto, a intangibilidade da equação econômico-financeira do contrato de concessão possui matriz constitucional no art. 37, XXI, e decorre da necessidade de preservação das condições efetivas da proposta vencedora do certame. É preciso ter a

> compreensão do contrato de concessão como um negócio jurídico celebrado em determi- nado contexto histórico (e, assim, como não poderia deixar de ser, circunscrito à sua própria

---

[7]   MOREIRA. *Direito das Concessões de Serviços Públicos*, p. 113.
[8]   KNIGHT, Frank H. *Risk, Uncertainty and Profit*. Cambridge: The Riverside Press Cambridge, 1921. p. 229-232.
[9]   TIMM, Luciano Bennetti. *Direito e economia no Brasil*. São Paulo: Atlas, 2012. p 168.

historicidade objetiva), impondo-se a respectiva adaptação às alterações supervenientes, anormais imprevisíveis, relativas à sua base objetiva.[10]

As bases objetivas que pautaram a análise dos licitantes para participação no certame e as propostas nele apresentadas devem ser mantidas ao longo de toda a execução do contrato de concessão, de modo que eventuais intercorrências posteriores que tenham aptidão de afetar o equilíbrio dinâmico entre encargos e benefícios assumidos pelo concessionário sejam neutralizadas, preservando-se as condições originais.

Especificamente no que tange ao objeto do presente estudo, cumpre examinar a alocação dos riscos associados ao processo de licenciamento ambiental dos projetos de transmissão de energia elétrica.

3 O modelo de licitação do setor elétrico e a previsão legal para obtenção de licenciamento ambiental prévio aos leilões

Em um país de dimensões continentais cravejado de unidades de conservação, terras indígenas e de populações tradicionais protegidas, centros urbanos, com grande dispersão populacional, conectar a geração de energia elétrica aos centros de carga envolve a construção de linhas de transmissão com centenas de quilômetros e está longe de representar uma tarefa trivial.

As concessões de transmissão são licitadas sem licença ambiental prévia. Em regra, os únicos estudos balizadores das propostas dos competidores são os estudos de expansão do sistema elaborados pela Empresa de Pesquisa Energética (EPE), uma empresa pública vinculada ao Ministério de Minas e Energia. A Lei nº 10.847/2004, por seu turno, atribui expressamente à EPE a competência para obter a licença prévia ambiental necessária às licitações envolvendo empreendimentos de geração e transmissão de energia elétrica por ela selecionados. Em princípio, a prerrogativa estabelecida na lei especial deveria ser observada ao menos para instalações estruturantes, grandes linhas de transmissão, subestações de grande porte e importância sistêmica, de modo que seria recomendável que esses serviços fossem sempre licitados após a emissão das licenças ambientais prévias.

Entretanto, por decisão política, o poder concedente ordinariamente opta por promover a licitação das concessões de transmissão sem a prévia obtenção do respectivo licenciamento ambiental, o que traz para o centro das discussões os impactos decorrentes (i) de eventual atraso na obtenção do licenciamento ambiental e (ii) das alterações no "anteprojeto" em virtude de exigências inseridas ao longo do processo de licenciamento ambiental.

De fato, em regra, os editais promovidos pela Aneel e os contratos de concessão firmados até 2015 contêm cláusulas gerais no sentido de reconhecer como encargo e obrigação da contratada construir, operar e manter, por sua conta e risco, as instalações de transmissão com observância da legislação e dos requisitos ambientais.

---

[10] MOREIRA. *Direito das concessões de serviços públicos*, p. 377.

Esses mesmos contratos reconhecem a possibilidade de alteração dos cronogramas de construção em virtude de ocorrências no processo de licenciamento ambiental não imputáveis à transmissora, mas não contém disposições claras sobre eventuais alterações qualitativas e/ou quantitativas no projeto em virtude de exigências oriundas do processo de licenciamento ambiental.

A partir de 2016, os editais e os contratos de concessão passaram prever uma matriz de risco ainda incompleta e passível de aperfeiçoamentos, mas que também não se mostrou apta a solucionar as divergências entre os concessionários e o poder concedente. É impossível que o contrato preveja especificamente toda e qualquer situação. O detalhamento dos riscos assumidos pelo concessionário é importante, sendo que a responsabilidade por aquilo que os extrapola esses riscos não pode ser imputada ao agente privado. Entretanto, é certo que o contrato de concessão será sempre incompleto e demandará soluções específicas e extraordinárias para contornar eventos também extraordinários que afetem o equilíbrio contratual.

O ideal seria levar à licitação empreendimentos já licenciados ou definir claramente a alocação específica de riscos para mitigar uma pletora de riscos adicionais associados ao processo de licenciamento ambiental e daria mais elementos de análise para os empreendedores no momento de apresentação das propostas. Nas palavras de Eduardo Fortunato Bim, o licenciamento ambiental tem se convertido em redentor ou guardião das políticas públicas a cargo de outros órgãos e entidades públicas:

> Provavelmente pelo prestígio derivado da preocupação com o meio em que vivemos, aos poucos o licenciamento ambiental está se transformando no redentor de todos os problemas que o circundam. Existe uma tendência de internalizar no licenciamento ambiental questões que não agregam nada em termos de controle ambiental, como questões dominiais, possessórias, urbanísticas locais etc., ou para suprir a ausência de Estado.
>
> (...)
>
> Usar o licenciamento ambiental para alcançar outros fins pode caracterizar desvio de poder ou finalidade (legislativo ou administrativo), sobretudo quando eventuais imposições extrapolem a questão ambiental objeto do processo.[11]

Durante o licenciamento ambiental são encontrados inúmeros desafios que afetam as condições das propostas. Exigências de mitigação de impacto ambiental podem alterar completamente o traçado da linha de transmissão ou as caraterísticas técnicas das instalações. Essas alterações de características e eventuais atrasos relacionados ao processo de licenciamento ambiental são as grandes causas de divergência entre a Administração Pública e os concessionários privados.

Há muito a doutrina especializada tem apontado ao menos três hipóteses nas quais seria cabível a reavaliação, por parte do Poder Público, da equação econômico-financeira dos contratos, como exemplificam Adriana Coli Pereira e Vitor Gomes:

> a) Inviabilidade Ambiental atestada após a concessão ou autorização; b) Atraso no Licenciamento ocorrido por culpa da Administração Pública ou culpa de terceiros; c)

---

[11] BIM, Eduardo Fortunato. *Licenciamento ambiental*. Belo Horizonte: Fórum, 2018. p. 66.

Aumento extraordinário dos custos socioambientais impostos por condicionantes do licenciamento, decisões judiciais ou normas posteriores.[12]

O concessionário privado pode ser mais eficiente do que a Administração Pública na promoção do licenciamento ambiental das instalações de transmissão de energia elétrica. Entretanto, a Administração não pode fechar os olhos e se recusar a analisar com o devido acuro as hipóteses em que o processo de licenciamento ambiental impõe alterações extraordinárias substanciais nas condições de execução do contrato, seja ampliando o conjunto de encargos e obrigações atribuídas ao concessionário, seja reduzindo o prazo estimado para retorno dos investimentos.

É bem verdade que, como será desenvolvido nos tópicos seguintes, algumas medidas foram adotadas ao longo dos anos, mas estão longe de representar uma solução eficiente para o problema regulatório que se apresenta.

4 Os precedentes da Aneel e a negativa de reequilíbrio econômico-financeiro por eventos associados ao licenciamento ambiental

A Aneel não reconhece o direito ao reequilíbrio econômico-financeiro dos contratos de concessão de transmissão de energia elétrica em decorrência de sobrecustos extraordinários derivados do processo de licenciamento ambiental do projeto.

A negativa da agência está ancorada em quatro elementos centrais: (i) o licenciamento ambiental do projeto seria uma álea ordinária da concessão, devendo ser assumida integralmente pelo concessionário; (ii) o equilíbrio original é presumidamente preservado com o mero cumprimento das cláusulas contratuais e aplicação das regras de reajuste e revisão periódica da receita, na denominada regulação pelo contrato (*regulation by contract*), conforme previsão do art. 10 da Lei nº 8.987/1995; (iii) a remuneração do concessionário sob o regime do serviço pelo preço impede o repasse de custos extraordinários verificados após a apresentação da proposta vencedora do certame, na medida em que o elemento de equilíbrio do contrato seria o preço do serviço definido à partir do leilão; (iv) a única forma de reequilíbrio associada ao licenciamento ambiental seria a recomposição do prazo da concessão por meio da extensão do prazo da outorga pelo mesmo período do atraso sem culpa do concessionário, conforme previsto no art. 19 da Lei nº 13.360/2016.

A Aneel desconsidera que o próprio contrato de concessão de transmissão trata expressamente de três formas de recomposição das condições efetivas da proposta: reajuste anual, revisão periódica de receitas e reequilíbrio econômico-financeiro. Ocorre, ao contrário do que ocorre com o reajuste anual e revisão periódica de receitas, que o contrato não traz metodologia para o reequilíbrio econômico-financeiro.

Assim, sustenta a agência, que a eventual deficiência ou lacuna no regramento contratual para a hipótese do reequilíbrio deve ser considerada como risco assumido no âmbito do contrato, como esclarece Fernando Vernalha Guimarães:

---

[12] PEDREIRA, Adriana Coli; GOMES, Victor. Restabelecimento do equilíbrio econômico-financeiro dos empreendimentos de geração e transmissão de energia em decorrência de prejuízos advindos do processo de licenciamento ambiental: uma análise jurídica. *In:* ROCHA, Fabio Amorim da (coord.). *Temas relevantes no Direito de Energia Elétrica.* Rio de Janeiro: Synergia, 2014. t. 4, p. 706.

O contrato haverá de acolher forma que garanta a efetiva recomposição da equação econômico-financeira, o que significa restabelecer o status quo ante da parte eventualmente lesada pelo evento gravoso. (...) Tal significa que o fluxo de caixa do projeto deverá ser integralmente restabelecido, neutralizando os custos e investimentos que hão de ser necessários para fazer frente à materialização dos riscos. Isso não significa que a ineficácia das metodologias contratuais ao atingimento deste objetivo imponha sua invalidade. As imperfeições das metodologias contratuais para esse fim serão assumidas pelas partes como riscos no âmbito do contrato.[13]

Além disso, segundo a agência reguladora, a consideração dos custos extraordinários incorridos pelo concessionário por força do processo de licenciamento ambiental representaria um retrocesso ao regime de remuneração do "serviço pelo custo" previsto no vetusto Código de Águas (Decreto nº 24.643/1934), abandonado pelo novo marco regulatório do setor elétrico, pautado na regulação por incentivos e fixação da remuneração do "serviço pelo preço".

No referido modelo, vigente até a década de 1980, o cálculo das tarifas para alguns segmentos da indústria de energia elétrica considerava os custos reais praticados pelo concessionário – sujeitos a alguma fiscalização – acrescidos de uma remuneração do capital investido, criando um incentivo perverso à ineficiência dos agentes em detrimento da modicidade tarifária, visto que, quanto maiores os custos demonstrados, maior a remuneração do agente.

Os referidos argumentos apresentam inúmeras inconsistências e equívocos, além de contrariar a própria ideia de risco no contrato de concessão.

Em primeiro lugar, porque o risco ordinário atribuído ao concessionário recai sob a parcela gerenciável pelo próprio empreendedor, tais como a apresentação dos estudos nos prazos regulamentares, cumprimento das exigências, custeio das despesas do processo perante o órgão ambiental, mas não abrange o risco associado à demora do próprio órgão ambiental ou de exigências adicionais que representem alteração dos projetos já aprovados por outros órgãos.

É inegável que os debates atuais sobre impactos de eventos climáticos extremos ampliaram o rigor e as exigências dos órgãos ambientais. Um exemplo hipotético ilustra essa situação. Considere a licitação que envolva uma rede de transmissão *offshore*, na qual ao tempo do leilão eram admissíveis pelos órgãos ambientais, em casos análogos, o uso de cabos subaquáticos. A rede subaquática é indicada, inclusive, como a alternativa de menor custo global pelos estudos preliminares da EPE anexos ao edital. Alternativa considerada pelo licitante em sua proposta para o leilão. Contudo, no âmbito do processo de licenciamento, o licenciador se torna mais rigoroso, não aceita o cabo subaquático e exige uma rede aérea com número mínimo de elevadas torres sobre plataformas flutuantes. O sobrecusto dessa alternativa é inimaginável ao tempo da proposta.

Aplicando os precedentes da Aneel, ao caso hipotético, a agência sustentará que licitou o serviço de transmissão: a conexão do ponto A ou ponto B, com uma dada

---

[13] GUIMARÃES, Fernando Vernalha. O equilíbrio econômico-financeiro nas concessões e PPPs: formação e metodologias para recomposição. *In*: MOREIRA, Egon Bockmann (coord.). *Tratado do equilíbrio econômico-financeiro*: contratos administrativos, concessões, parcerias público-privadas, Taxa Interna de Retorno, prorrogação antecipada e relicitação. 2. ed. Belo Horizonte: Fórum, 2019. p. 110.

capacidade de transporte de energia. A agência tem alegado que não licitou a obra, mas apenas o serviço, muito embora se trate de serviço precedido de obra, cujos bens são reversíveis e o projeto básico tem de ser aprovado pela agência. Em casos como o exemplificado, a Aneel tem imputado o risco integral ao concessionário e negado o pleito de reequilíbrio.

Ocorre que o risco atribuído ao concessionário é aquele relativo à condução regular do processo de licenciamento ambiental à luz dos parâmetros objetivos fixados no edital e consolidados nas fases precedentes (requisitos técnicos, prazos regulamentares etc.). Exclui-se, portanto, qualquer elemento de custo imprevisível ou não passível de gerenciamento pelo empreendedor. Em robusto estudo sobre a matéria, Vládia Viana Regis consignou que:

> (...) não há como se arguir que o atraso do órgão ambiental na entrega das licenças ambientais seja um fato previsível, porque em primeiro lugar, não se pode pressupor o descumprimento de prazos pela administração pública, pois a ela cabe o cumprimento de seus deveres legais. Em segundo, não há como prever se o órgão exigirá alterações de um projeto eu já passou pela aprovação da Aneel, outro órgão integrante da Administração federal. Além disso, tampouco há como se prever os custos envolvidos em alterações determinadas pelo órgão ambiental, as quais não são conhecidas de antemão. (...)
>
> É importante pontuar, ainda, que o fato de haver uma cláusula no contrato de concessão de transmissão, atribuindo ao empreendedor a obrigação de obter o licenciamento ambiental, não tem o condão de transferir a ele o risco extraordinário associado ao licenciamento, mas somente a parcela qualificável como risco ordinário, por exemplo, a apresentação dos estudos devidos nos prazos regulamentares, o cumprimento tempestivo das exigências do órgão ambiental e o custeio de todas as despesas ordinárias associadas ao licenciamento. (...)
>
> Os atrasos, demoras e excessos da administração pública são, portanto, falhas de terceiros, não oponíveis ao concessionário que constituem álea extraordinária e impõem o reequilíbrio econômico-financeiro do contrato.[14]

A própria Advocacia-Geral da União (AGU) chegou a evoluir com relação à análise do tema à partir da edição do Parecer nº 003/2015/DECOR/CGU/AGU, aprovado em caráter normativo, e firmou a orientação no sentido de que o Poder Público é o responsável pelo licenciamento ambiental, com a consequente expedição da respectiva licença, de modo que, afastada a culpa do concessionário pela demora, o atraso na conclusão do processo de licenciamento por culpa do órgão licenciador caracteriza fato da Administração, dando ensejo ao reequilíbrio do contrato.

Entretanto, o referido entendimento não foi suficiente para orientar uma decisão da Aneel que viesse a reconhecer o atraso no processo de licenciamento ambiental como fato ensejador do dever de reequilíbrio.

Na clássica lição de Marçal Justen Filho:

---

[14] REGIS, Vládia Viana. Demora na obtenção de licenciamento ambiental: a necessária preservação do equilíbrio econômico-financeiro dos contratos de concessão de transmissão de energia elétrica. *In*: ROCHA, Fabio Amorim da (coord.). *Temas relevantes no Direito de Energia Elétrica*. Rio de Janeiro: Synergia, 2014. t. 4, p. 287-288.

(...) o direito à manutenção do equilíbrio econômico-financeiro da contratação não deriva de cláusula contratual nem de previsão no ato convocatório. Tem raiz constitucional. Portanto, a ausência de previsão ou de autorização é irrelevante. São inconstitucionais todos os dispositivos legais e regulamentares que pretendem condicionar a concessão de reajustes de preços, revisão de preços, correção monetária a uma previsão no ato convocatório ou no contrato.[15]

Não por outro motivo, aliás, é pacífica a orientação dos tribunais, resumida de forma primorosa pelo C. STJ no sentido de que: "Não há como interpretar literalmente cláusulas contratuais para defender metodologia de cálculo que não atinge o fim a que se destina que é o equilíbrio econômico-financeiro entre as partes, o qual se respalda nos dispositivos normativos acima citados e na própria Constituição".[16]

Portanto, se o contrato não traz solução satisfatória para todos os eventos verificados e que comprometem o equilíbrio original, é evidente que o regulador ou o poder concedente deve adotar mecanismos externos ao contrato para restabelecer e preservar o equilíbrio inicial.

O relevante, na presente análise, é qualificar e quantificar adequadamente os eventos que afetaram o equilíbrio do contrato e não restringir os instrumentos para a sua preservação, mesmo porque, conforme amplamente defendido pela doutrina, são múltiplos os mecanismos de reequilíbrio, a depender do caso concreto:

São variados os mecanismos que podem instrumentalizar a readequação do equilíbrio econômico-financeiro original, podendo-se, sem qualquer pretensão de ser exauriente, cogitar das seguintes medidas que podem atender a essa finalidade: realinhamento de tarifas,(quando for o caso de prestação de serviços públicos), expansão das fontes de receitas alternativas, extensão do prazo, reprogramação da outorga devida pelo concessionário, concessão de subsídios, redefinição dos encargos para adequação à nova realidade. Compensações financeiras – entre tantas outras opções capazes de variar em razão do segmento econômico e da própria conformação singular de cada contrato de concessão. (...)

A escolha do melhor mecanismo de reequilíbrio pode variar de acordo com o próprio substrato fático que originou o desequilíbrio. Em um plano hipotético, a extensão do prazo do contrato pode, diante das nuances fáticas, não se apresentar como mecanismo mais adequado a recompor a justa equivalência original.[17]

Equivocam-se aqueles que sustentam a impossibilidade de reequilíbrio econômico-financeiro no regime do serviço pelo preço. Isso porque a consideração de oscilação extraordinária nos custos de implantação do projeto em virtude de exigências decorrentes do processo de licenciamento ambiental é perfeitamente possível mediante utilização de instrumentos regulatórios que assegurem a verificação da aderência e eficiência das despesas.

---

[15] JUSTEN FILHO, Marçal. *Comentários à Lei de Licitações e Contratos Administrativos*. 11. ed. São Paulo: Dialética, 2005. p. 551.

[16] BRASIL. Supremo Tribunal Federal (2. Turma). AREsp n. 1.783.990/SP. Relator: Min. Herman Benjamin, 15 de março de 2022, *Dje*: Brasília, DF, 30 jun. 2022.

[17] GARCIA, Flávio Amaral. *A mutabilidade nos contratos de concessão*. São Paulo: Juspodivm; Malheiros, 2021. p. 228-229.

O reequilíbrio de um contrato de concessão de investimento ainda não realizados não precisa de pautar em custos efetivamente incorridos pelo concessionário. O cálculo da nova receita pode considerar custos eficientes definidos pelo próprio regulador. Referimo-nos à utilização do Banco de Preços de Referência da Aneel. É o que ocorre, por exemplo, com as adições de novas instalações ao contrato de concessão, definidas como reforços pela Aneel, situação na qual a agência reequilibra o contrato valorando os investimentos adicionais pelo seu Banco de Preços.

O mais curioso e contraditório é que a própria agência tem se valido dos parâmetros constantes do seu banco e preços de referência para promover reequilíbrios contratuais com vistas à redução da receita dos concessionários, mas se nega a aplicar a mesma metodologia quando o resultado seja o de incrementar as receitas.

À toda evidência, o reconhecimento do direito ao reequilíbrio econômico-financeiro por meio da utilização dos preços de referência regulatórios – mesmo parâmetro considerado para a própria realização do leilão – não parte dos próprios custos efetivamente incorridos pelo empreendedor, mas sim dos custos regulatórios projetados pela Aneel em seu Banco de Preços, que reflete as condições efetivas do mercado competitivo em um determinado momento.

Conforme consignado pelo Eg. TCU no relatório de auditoria que resultou no Acórdão nº 1.163/2014-Plenário,

> (...) o Banco de Preços de Referência Aneel é a ferramenta utilizada pela Agência para definir o valor do investimento nas instalações de transmissão (subestações e linhas de transmissão). O custo do investimento é um dos parâmetros de entrada para a modelagem econômico-financeira que resulta no cálculo da Receita Anual Permitida (RAP) utilizada nos processos de licitação para outorga de concessão, autorização de reforços e revisão das receitas das concessionárias de transmissão de energia elétrica.

Ele poderia perfeitamente ser utilizado como parâmetro de aferição do desequilíbrio, como de fato tem sido utilizado em alguns precedentes, sem qualquer ordem de violação ao regime do "serviço pelo preço". Aliás, a própria Aneel reconhece isso ao emitir a Resolução Homologatória nº 2.514/2019, que revisou o Banco de Preços de Referência:

> (...)
>
> 28. A segunda premissa apresentada é a de que, em um *regime de regulação por incentivos que se baseia em bancos de preços de referência*, é compreensível que parte dos agentes não terão êxito em sempre praticar preços inferiores aos bancos de preços na aquisição de bens e contratação de serviços para implantarem suas instalações, o que em nada obsta necessidade de sua atualização. O incentivo está, precisamente, no estímulo à competição e à eficiência, decorrente do estabelecimento de preços médios, de tal forma que, caso os agentes não adquiriram itens em valores compatíveis, existirá um descompasso do valor prudente reconhecido na tarifa, como proteção da Modicidade, e o seu custo efetivo.
>
> 29. A terceira premissa é a de que *não se busca repasse de custos efetivos para a tarifa. Assim, as empresas eficientes serão melhor remuneradas em relação aos seus custos.*[18]

---

[18] BRASIL. Agência Nacional de Energia Elétrica. *Resolução Homologatória nº 2.514, de 10 de dezembro de 2019.* Homologa as tarifas de fornecimento de energia elétrica. Brasília, DF: Agência Nacional de Energia Elétrica, 11 dez. 2019. grifos nossos.

Portanto, é possível a consideração dos custos extraordinários com respaldo no Banco de Preços de referência da Aneel dentro do regime do serviço pelo preço. Essa, inclusive, é a práxis administrativa em precedentes de redução extraordinárias de custos e reequilíbrio que reduzem a receita do concessionário.

Por fim, cumpre analisar o argumento de que o art. 19 da Lei nº 13.360/2016 encerraria de forma exaustiva os mecanismos de recomposição do equilíbrio econômico-financeiro por força de atrasos ou exigências no bojo do processo de licenciamento ambiental. Em primeiro lugar, porque a *ratio* do referido dispositivo, em linha com o princípio do paralelismo de formas, está apenas em conferir amparo legal à possibilidade extensão do prazo da outorga, como se infere da própria exposição de motivos do Projeto de Lei de Conversão da Medida Provisória (MP) nº 735/2016:

> Outro ponto de análise da MP refere-se à revogação de dispositivo da Lei nº 13.203, de 2015, que estabelece a competência do poder concedente de prorrogar os prazos de outorga de geração e transmissão em caso de excludente de responsabilidade dos agentes.
>
> A revogação deste dispositivo busca, de forma concreta, segregar as atividades exercidas pelo Ministério de Minas e Energia, representando o poder concedente, e as exercidas pela Aneel.
>
> Entretanto, com a revogação do dispositivo cria-se, no nosso entendimento, uma *lacuna legislativa sobre a possibilidade jurídica de se prorrogar os prazos de outorga em caso de reconhecimento de excludente de responsabilidade.*
>
> Por isso, de forma a *proporcionar segurança jurídica nas outorgas de geração e transmissão,* propomos o texto estabelecendo como competência da Aneel a possibilidade de prorrogação dos prazos de outorga de transmissão e distribuição em caso de atrasos decorrentes de causa reconhecida como excludente de responsabilidade dos agentes titulares de outorgas. O texto inserido vai ao encontro do disposto na emenda nº 55 do nobre Deputado Evandro Roman, com a diferença de estabelecermos que a eventual prorrogação dos prazos será realizada diretamente pela Aneel. Ressalta-se que as emendas nº 8 do Senador José Pimentel, nº 12 do Senador Valdir Raupp, e nº 108 do Senador Paulo Rocha também caminham na mesma direção da emenda do Deputado Evandro Roman, no sentido de *deixar estabelecido na legislação a possibilidade de prorrogação de prazo de outorga pelo poder concedente em caso de excludente de responsabilidade reconhecida pela Aneel.*[19]

Em segundo lugar, porque conforme já apontado em linhas anteriores, existem inúmeros mecanismos ou instrumentos para recomposição do equilíbrio econômico-financeiro do contrato, sendo a extensão de outorga apenas uma delas.

Não há uma presunção absoluta de que a extensão, isoladamente, seja capaz de neutralizar todos e quaisquer os impactos decorrentes do atraso. Há uma presunção relativa de mitigação dos impactos pela restituição do prazo para exploração da atividade, mas isso não impede a demonstração de elementos adicionais a ensejar medidas específicas de reequilíbrio.

---

[19] BRASIL. Câmara dos Deputados. *Exposição de Motivos do Projeto de Lei de Conversão da Medida Provisória nº 735, de 2016.* Dispõe sobre medidas do setor elétrico e altera a legislação correspondente. Brasília, DF: Câmara dos Deputados, 2016. grifos nossos.

Com efeito, o atraso do licenciamento pode alterar a matriz de risco e permitir o incremento de elementos adicionais que reclamem tratamento específico. A questão já foi inclusive identificada por Flávio Amaral Garcia:

> Imagine-se, por hipótese, que o *risco de licenciamento ambiental tenha sido alocado ao poder concedente* em razão de se reconhecer que o concessionário não tem qualquer ingerência na concessão da licença – ato administrativo que sempre dependerá da aquiescência do Poder Público.
>
> No caso de o *licenciamento atrasar em razão da omissão do poder concedente ou, mesmo, diante de entraves não atribuíveis ao concessionário*, acarretando perdas financeiras, (como em investimentos já realizados que contavam com a obtenção do licenciamento no prazo acordado), estará caracterizada uma *causa justificadora do desequilíbrio econômico-financeiro do contrato*, porque se trata de risco que deveria ser gerenciado pelo poder concedente.
>
> (...)
>
> (...) entretanto, nem sempre a materialização dos riscos se aperfeiçoa de forma estanque e totalmente isolada de outros acontecimentos. É bastante comum que existam *relação de interdependências entre as obrigações*, de modo que *um evento possa ser causa direta ou indireta de outro evento*, tornando mais complexa a tarefa de investigar se houve, ou não, situação justificadora de pleito de reequilíbrio do contrato de concessão.
>
> Para melhor visualização da hipótese proposta, e mantendo o exemplo supramencionado, suponha-se então que o atraso do licenciamento ambiental – obrigação contratualmente atribuída ao poder concedente – *retarde o início de execução das obras e que no novo prazo tenha ocorrido um aumente dos custos* de mão de obra, em razão da superveniência de dissídios coletivos das respectivas categorias, sendo esse um risco contratualmente assumido pelo concessionário.
>
> Nesse caso, conquanto o risco do aumento pertinente ao custo da mão de obra tenha sido assumido pelo concessionário, se o contrato tivesse sido executado no prazo ajustado – o que só não ocorreu em razão do atraso do licenciamento ambiental – não teria havido o aumento do custo da mão de obra. Haveria, assim, uma conexão direta entre os dois eventos, a justificar o reequilíbrio.[20]

Se a lógica é a de que o concessionário possa gerenciar os riscos dentro de uma determinada moldura fática e jurídica, o atraso que impede esse gerenciamento no contexto histórico do leilão, transportando os riscos para outro momento e conjuntura, autoriza o reequilíbrio do contrato. A ideia aqui se aproxima muito à regra geral das obrigações no sentido de que o agente que deu causa ao atraso deve responder pelos prejuízos que dela decorrerem.[21] Fatos supervenientes, verificados durante a mora da Administração em providenciar o licenciamento ambiental e a liberação para a execução das obras, devem ser alocados exclusivamente à parte contratual em mora.

---

[20] GARCIA. *A mutabilidade nos contratos de concessão*, p. 215-216, grifos nossos.

[21] "Art. 399. O devedor em mora responde pela impossibilidade da prestação, embora essa impossibilidade resulte de caso fortuito ou de força maior, se estes ocorrerem durante o atraso; salvo se provar isenção de culpa, ou que o dano sobreviria ainda quando a obrigação fosse oportunamente desempenhada."

Sempre pertinente o escólio de Celso Antônio Bandeira de Mello:

> A Administração há de atuar com boa-fé nos chamados contratos administrativos, pelo que, conforme a citada lição de Gordillo, não lhe cabe valer-se de expedientes pelos quais se "aproveite de situações legais ou fáticas que a favoreçam em prejuízo do contratante", vez que não está envolvida em negócio lucrativo, mas na busca de interesse público.[22]

Se a própria Administração criou a situação de atraso, não pode invocar esse mesmo atraso para se desobrigar do dever de reequilibrar o contrato. O fator tempo, o custo do dinheiro e a multilateralidade dos contratos de concessão também devem ser considerados na definição do mecanismo adequado para recomposição do equilíbrio original, tendo em vista que a arquitetura financeira dos contratos é severamente impactada pelo atraso e pela correspondente frustração de receita. Adriana Coli Pereira e Victor Gomes elucidam esse ponto:

> É da essência das novas concessões de serviços de transmissão, que são precedidas de vultosas obras públicas, que o projeto seja estruturado como um *project finance*, assim, não havendo o ingresso da RAP, por atraso na execução da obra por fatos pelos quais o empreendedor não seja responsável, ainda assim será devido o pagamento aos bancos e fornecedores. (...) Haverá, portanto, a desestruturação da equação inicialmente considerada pelo concessionário, no momento da formulação de sua proposta, que tomou em consideração fatores, tais como: montante total do investimento, custo de capital próprio e de terceiros, tempo de amortização e fluxo de caixa.[23]

> As medidas de restabelecimento devem ser completas, ou seja, devem promover o completo restabelecimento do status quo de direitos e deveres do delegatário, não se admitindo o restabelecimento parcial, como apenas a isenção de penalidades administrativas ou apenas a prorrogação dos termos iniciais dos contratos de compra e venda de energia.[24]

Finalmente, como ensina Maurício Portugal Ribeiro, "o parâmetro para a recomposição do equilíbrio econômico-financeiro do contrato deve ser a completa compensação do desvio no fluxo de caixa causado pelo evento que desencadeou a necessidade de recomposição do equilíbrio econômico-financeiro do contrato".[25]

Portanto, as soluções tradicionalmente apontadas pela Aneel, tem se mostrado insuficientes para a recomposição do equilíbrio econômico-financeiro dos contratos de concessão. A agência não pode fechar os olhos para importantes desequilíbrios que ao fim podem afetar a prestação do serviço público essencial.

---

[22] BANDEIRA DE MELLO, Celso Antônio. *Curso de Direito Administrativo*. 29. ed. São Paulo: Malheiros, 2019. nº X/71-72, p. 693-694.

[23] REGIS, Demora na obtenção de licenciamento ambiental: a necessária preservação do equilíbrio econômico-financeiro dos contratos de concessão de transmissão de energia elétrica, t. 4, p. 291.

[24] PEDREIRA; GOMES. Restabelecimento do equilíbrio econômico-financeiro dos empreendimentos de geração e transmissão de energia em decorrência de prejuízos advindos do processo de licenciamento ambiental: uma análise jurídica, p. 706.

[25] RIBEIRO, Maurício Portugal. *Concessões e PPPs*: melhores práticas em licitações e contratos. São Paulo: Atlas, 2011. p. 109.

5 A Nova Lei Geral de Licitações e Contratos e a oportunidade para a evolução da jurisprudência administrativa em casos de transmissão

Como um verdadeiro farol a orientar uma possível evolução no entendimento da Aneel, a Nova Lei Geral de Licitações e Contratos Administrativos (Lei nº 14.133/2021), vigente a partir de janeiro de 2024, tornou ainda mais clara a necessidade de uma definição precisa e objetiva da matriz de risco dos contratos e de limitação dos riscos dos agentes privados que contratam com a Administração Pública.

Os atrasos e as exigências adicionais derivadas do processo de licenciamento ambiental já podiam ser qualificados como álea extraordinária e equiparadas ao "Fato da Administração", nas hipóteses que já estavam previstas na Lei nº 8.666/1993 como causas de rescisão contratual, excludente de responsabilidade do concessionário ou mesmo de reequilíbrio econômico-financeiro.

Agora, a nova legislação foi ainda mais explícita no art. 137 da Lei nº 14.133/2021. O texto legal expressamente previu que o atraso na obtenção da licença ambiental, a impossibilidade de obtê-la ou alteração substancial do anteprojeto que dela resultar, ainda que obtida no prazo previsto na legislação, é causa de extinção do contrato, encontrando-se fora da responsabilidade do concessionário.

A alternativa colocada pela referida norma para evitar a extinção do contrato é o reequilíbrio econômico-financeiro. Nessa direção, esclarece que o contrato deverá refletir a alocação realizada pela matriz de riscos, especialmente quanto às hipóteses de alteração para o restabelecimento da equação econômico-financeira do contrato nos casos em que o sinistro seja considerado na matriz de riscos como causa de desequilíbrio não suportada pela parte que pretenda o restabelecimento (art. 22, §1º, Lei n. 14.133/2021).

E mais adiante, até como forma de extirpar as divergências então existentes, o art. 124, §2º, da Lei nº 14.133/2021 trouxe expressamente a possibilidade de alteração do contrato para restabelecimento do equilíbrio econômico-financeiro nos casos de atraso no licenciamento ambiental ou para compensar exigências adicionais inseridas como condição para aprovação do projeto, o que cai como uma luva para solução do problema regulatório criado pela interpretação restritiva conferida pela Aneel, de modo a se reconhecer o dever de restabelecimento das condições originais (Art. 124, II, "d" e §2º).

Infelizmente, essas regras, já inferidas da legislação anterior, mas agora enfatizadas com maior clareza na nova lei, ainda não foram incorporadas pela Aneel aos novos editais e minutas de contratos de concessão de transmissão. Não há nos contratos de concessão e nos editais dos respectivos leilões um quadro claro de alocação de riscos ou mesmo tratamento específico para o reequilíbrio derivado de intercorrências no licenciamento ambiental. Mas isso nem de longe obstaria a aplicação das novas disposições para os contratos já existentes e que veiculam pretensões reguladas pelos dispositivos.

A uma, porque a Lei nº 14.133/21 trouxe um conjunto de disposições transitórias e finais que autorizam a aplicação *cum grano salis* às referidas situações. Isso é o que se infere do art. 185 e 186, que estabelecem a sua aplicação subsidiária aos contratos regidos pelas leis nº 8.987/95, 11.079/07, 12.232/10 e 13.303/16, além do art. 189, que expressamente se refere à aplicação da nova lei para as hipóteses previstas na legislação que façam referência expressa à Lei 8.666/93 e 10.520/02.

A duas, porque a Lei nº 14.133/2021 prevê a possibilidade de acordo entre as partes para restabelecer o equilíbrio econômico-financeiro inicial do contrato em caso de força maior, caso fortuito ou fato do príncipe ou em decorrência de fatos imprevisíveis ou previsíveis de consequências incalculáveis, que inviabilizem a execução do contrato tal como pactuado, respeitada, em qualquer caso, a repartição objetiva de risco estabelecida no contrato (art. 124, inciso II, "b").

Seja como for, a nova lei reforça a necessidade de revisão do entendimento consolidado no âmbito da Aneel no sentido de recusar o reequilíbrio econômico-financeiro dos contratos de concessão de serviços de transmissão de energia elétrica, podendo representar uma restauração do ambiente de segurança jurídica que sempre pautou o segmento de transmissão de energia elétrica.

6 Conclusões

As concessões de serviços públicos constituem relações de longo prazo com forte influxo do fator tempo. Na feliz expressão de Egon Bockmann Moreira, "em tempos de Pós-Modernidade, nada mais adequado que falar em segurança advinda da certeza da mudança".[26]

Nesse sentido, os projetos concessionários, por essência, são impregnados de riscos. Como esclarece Flávio Amaral Garcia "a alteração das circunstâncias técnicas, sociais, econômicas, políticas e financeiras deve ser compreendida como integrante do núcleo essencial dos contratos de concessão, sendo a mutabilidade ínsita à sua própria natureza".[27]

A adequada definição da matriz de riscos passa a constituir elemento central da regulação jurídica e econômica dos contratos de concessão e fator preponderante para o desenvolvimento econômico dos setores de infraestrutura. É ela que estabelece uma estrutura racional de incentivos para as partes de modo a induzir os comportamentos que levem em consideração a assunção de responsabilidades e, principalmente, as consequências financeiras no caso da ocorrência de eventos descritos no contrato.[28]

O ordenamento jurídico brasileiro reconhece a intangibilidade da equação econômico-financeira dos contratos administrativos e disponibiliza inúmeros instrumentos para recomposição do equilíbrio inicial na complexa balança de encargos e benefícios dos contratos de concessão em geral, e em concessões de transmissão de energia elétrica em especial. Eventual lacuna ou incompletude, natural de contratos de concessão de longo prazo, não pode ser entendida como imputação integral de riscos extraordinários aos concessionários, sob pena da precificação futura desse entendimento afetar radicalmente a modicidade tarifária.

A falta de uma matriz de risco objetiva, analítica e transparente nos leilões e contratos de transmissão é agravada pela realização dos leilões sem a respectiva licença ambiental prévia. Muito embora exista previsão legal atribuindo a competência de obtenção de licença ambiental à Empresa de Pesquisa Energética (EPE), ciente da complexidade da matéria e dos custos associados, a própria Administração tem abdicado

---

[26] MOREIRA. *Direito das concessões de serviços públicos*, p. 34.

[27] GARCIA. *A mutabilidade nos contratos de concessão*, p. 45.

[28] GARCIA. *A mutabilidade nos contratos de concessão*, p. 47.

dessa prerrogativa e alocado ao concessionário vencedor da licitação a obtenção da respectiva licença.

O privado é mais eficiente na promoção do licenciamento ambiental, quando comparado com a Administração Pública, mas não está investido de todas as prerrogativas e ferramentas para a adequada gestão de riscos no bojo do processo de licenciamento, especialmente no que se refere ao prazo de análise dos órgãos licenciadores e mudanças drásticas de entendimento com imputação de condicionantes socioambientais imprevisíveis ao tempo do leilão.

Como sabido, o processo de licenciamento ambiental, com a respectiva emissão das licenças, embora impulsionado pelo concessionário, somente pode ser concluído pelo próprio Poder Público, de modo que a demora por eventos não imputáveis ao concessionário passa a constituir "fato da Administração" passível de consideração em sede de reequilíbrio econômico-financeiro.

Soma-se a isso o fato de que a complexidade do processo de licenciamento ambiental, impregnado de incertezas e não de riscos objetivamente identificáveis e quantificáveis, incrementado pela cada vez mais crescente inclusão de temas estranhos ao aspecto puramente ambiental, invariavelmente tem conduzido a alterações significativas de características técnicas dos projetos já aprovado pela Aneel, trazendo consigo um acréscimo de custos imprevisíveis e incalculáveis ao tempo das propostas.

Esse ambiente de incertezas que degradam as condições para a prestação dos serviços concedidos tem aumentado os litígios no ambiente da transmissão de energia elétrica. O Poder Público não pode alocar ao agente privado um risco que ele não possui instrumento eficaz para sua gestão e mitigação. O Poder Público não pode fechar os olhos para as dificuldades enfrentadas, não pode deixar de analisar o saldo de desequilíbrio do contrato e simplesmente negar todo e qualquer pleito de reequilíbrio de transmissão.

A nova Lei nº 14.133/2021 trouxe maior clareza para a limitação de riscos dos concessionários e não só permitirá que a Aneel reveja sua jurisprudência administrativa, mas também irá impor um maior ônus ao Regulador para definir com clareza e objetividade a matriz de risco para os leilões e contratos futuros.

Espera-se que a nova legislação seja um farol para a percepção de um problema que, se não tratado hoje, amanhã poderá gerar aumento na percepção de risco e, em última instância, se reverter em desfavor da modicidade tarifária e da prestação adequada dos serviços públicos.

Referências

BANDEIRA DE MELLO, Celso Antônio. *Curso de Direito Administrativo*. 29. ed. São Paulo, Malheiros, 2019.

BIM, Eduardo Fortunato. *Licenciamento ambiental*. Belo Horizonte: Fórum, 2018.

BRASIL. Agência Nacional de Energia Elétrica. *Resolução Homologatória nº 2.514, de 10 de dezembro de 2019*. Homologa as tarifas de fornecimento de energia elétrica. Brasília, DF: Agência Nacional de Energia Elétrica, 11 dez. 2019.

BRASIL. Câmara dos Deputados. *Exposição de Motivos do Projeto de Lei de Conversão da Medida Provisória nº 735, de 2016*. Dispõe sobre medidas do setor elétrico e altera a legislação correspondente. Brasília, DF: Câmara dos Deputados, 2016.

BRASIL. Supremo Tribunal Federal (2. Turma). AREsp n. 1.783.990/SP. Relator: Min. Herman Benjamin, 15 de março de 2022. *Dje*: Brasília, DF, 30 jun. 2022.

BRASIL. Tribunal de Contas da União (Plenário). Processo 029.387/2013-2. Relator: José Jorge, 3 de setembro de 2014. *Dje*: Brasília, DF, 2014.

JUSTEN FILHO, Marçal. *Teoria geral das concessões de serviço público*. São Paulo: Dialética, 2003.

GARCIA, Flávio Amaral. *A mutabilidade nos contratos de concessão*. São Paulo: Juspodivm; Malheiros, 2021.

GUIMARÃES, Fernando Vernalha. O equilíbrio econômico-financeiro nas concessões e ppps: formação e metodologias para recomposição. *In*: MOREIRA, Egon Bockmann (coord.). *Tratado do equilíbrio econômico-financeiro*: contratos administrativos, concessões, parcerias público-privadas, Taxa Interna de Retorno, prorrogação antecipada e relicitação. 2. ed. Belo Horizonte: Fórum, 2019.

KNIGHT, Frank H. *Risk, Uncertainty and Profit*. Cambridge: The Riverside Press Cambridge, 1921.

LOUREIRO, Luiz Gustavo Kaercher. *Constituição, energia e setor elétrico*. Porto Alegre: Sérgio Antônio Fabris, 2009.

MOREIRA, Egon Bockmann. *Direito das concessões de serviços públicos*. Belo Horizonte: Fórum, 2022.

PEDREIRA, Adriana Coli; GOMES, Victor. Restabelecimento do equilíbrio econômico-financeiro dos empreendimentos de geração e transmissão de energia em decorrência de prejuízos advindos do processo de licenciamento ambiental: uma análise jurídica. *In*: ROCHA, Fabio Amorim da (coord.). *Temas relevantes no Direito de Energia Elétrica*. Rio de Janeiro: Synergia, 2014. t. 4.

REGIS, Vládia Viana. Demora na obtenção de licenciamento ambiental: a necessária preservação do equilíbrio econômico-financeiro dos contratos de concessão de transmissão de energia elétrica. *In*: ROCHA, Fabio Amorim da (coord.). *Temas relevantes no Direito de energia elétrica*. Rio de Janeiro: Synergia, 2014. t. 4.

RIBEIRO, Maurício Portugal. *Concessões e PPPs*: melhores práticas em licitações e contratos. São Paulo: Atlas, 2011.

SANTOS, José Anacleto Abduch. *Contratos de concessão de serviços públicos*: equilíbrio econômico-financeiro. Curitiba: Juruá, 2002.

TIMM, Luciano Bennetti. *Direito e economia no Brasil*. São Paulo: Atlas, 2012.

Informação bibliográfica deste texto, conforme a NBR 6023:2018 da Associação Brasileira de Normas Técnicas (ABNT):

MARQUES, Márcio Pina; OLIVEIRA, Gustavo Assis de; BETTIOL, Luiz Antônio. A nova diretriz da Lei nº 14.133/2021 para o reequilíbrio econômico-financeiro dos contratos de concessão de transmissão de energia elétrica. *In*: JUSTEN, Monica Spezia; PEREIRA, Cesar; JUSTEN NETO, Marçal; JUSTEN, Lucas Spezia (coord.). *Uma visão humanista do Direito*: homenagem ao Professor Marçal Justen Filho. Belo Horizonte: Fórum, 2025. v. 3, p. 399-417. ISBN 978-65-5518-915-5.

SHOCK ABSORBER, TRACTION E EQUILÍBRIO DINÂMICO DOS CONTRATOS: PELA NECESSIDADE DE MODOS ADAPTATIVOS, NÃO LINEARES E INFORMADOS POR SISTEMAS COMPLEXOS PARA O REEQUILÍBRIO CONTRATUAL

FILIPE LÔBO GOMES

MARCOS NÓBREGA

1 Do cenário atual

A nova Lei de Licitações e Contratos (Lei nº 14.133, 1º de abril de 2021) estabelece o equilíbrio como elemento fundamental da estrutura do contrato e informa os momentos quando o reequilíbrio será possível, alocando para a matriz de risco a internalização dos riscos que hodiernamente se entende como de certeza adequada pelo grau de desenvolvimento da ciência.

Tirante as disposições sobre repactuação e reajuste, merecem ser reportados os seguintes dispositivos da novel Lei de Licitações por seu impacto ao desiderato do presente estudo:

Art. 6º Para os fins desta Lei, consideram-se:

(...)

XXVII - matriz de riscos: cláusula contratual definidora de riscos e de responsabilidades entre as partes e caracterizadora do equilíbrio econômico-financeiro inicial do contrato, em termos de ônus financeiro decorrente de eventos supervenientes à contratação, contendo, no mínimo, as seguintes informações:

a) listagem de possíveis eventos supervenientes à assinatura do contrato que possam causar impacto em seu equilíbrio econômico-financeiro e previsão de eventual necessidade de prolação de termo aditivo por ocasião de sua ocorrência;

(...)

Art. 22. O edital poderá contemplar matriz de alocação de riscos entre o contratante e o contratado, hipótese em que o cálculo do valor estimado da contratação poderá considerar taxa de risco compatível com o objeto da licitação e com os riscos atribuídos ao contratado, de acordo com metodologia predefinida pelo ente federativo.

(...)

§2º O contrato deverá refletir a alocação realizada pela matriz de riscos, especialmente quanto:

I - às hipóteses de alteração para o restabelecimento da equação econômico-financeira do contrato nos casos em que o sinistro seja considerado na matriz de riscos como causa de desequilíbrio não suportada pela parte que pretenda o restabelecimento;

(...)

Art. 103. O contrato poderá identificar os riscos contratuais previstos e presumíveis e prever matriz de alocação de riscos, alocando-os entre contratante e contratado, mediante indicação daqueles a serem assumidos pelo setor público ou pelo setor privado ou daqueles a serem compartilhados.

(...)

§4º A matriz de alocação de riscos definirá o equilíbrio econômico-financeiro inicial do contrato em relação a eventos supervenientes e deverá ser observada na solução de eventuais pleitos das partes.

§5º Sempre que atendidas as condições do contrato e da matriz de alocação de riscos, será considerado mantido o equilíbrio econômico-financeiro, renunciando as partes aos pedidos de restabelecimento do equilíbrio relacionados aos riscos assumidos, exceto no que se refere:

I - às alterações unilaterais determinadas pela Administração, nas hipóteses do inciso I do *caput* do art. 124 desta Lei;

II - ao aumento ou à redução, por legislação superveniente, dos tributos diretamente pagos pelo contratado em decorrência do contrato.

(...)

Art. 151. Nas contratações regidas por esta Lei, poderão ser utilizados meios alternativos de prevenção e resolução de controvérsias, notadamente a conciliação, a mediação, o comitê de resolução de disputas e a arbitragem.

Parágrafo único. Será aplicado o disposto no *caput* deste artigo às controvérsias relacionadas a direitos patrimoniais disponíveis, como as questões relacionadas ao restabelecimento do equilíbrio econômico-financeiro do contrato, ao inadimplemento de obrigações contratuais por quaisquer das partes e ao cálculo de indenizações.

Art. 152. A arbitragem será sempre de direito e observará o princípio da publicidade.[1]

Analisados os dispositivos em questão, depreende-se que a matriz de risco internaliza os riscos previstos e presumíveis a integrar a estrutura endógena do contrato, transformando as antes externalidades em condições vinculativas aos participantes.

---

[1] BRASIL. Lei nº 14.133, de 1º de abril de 2021. Lei de Licitações e Contratos Administrativos. *Diário Oficial da União*: Brasília, DF, 2021. grifos nossos. Disponível em: https://www.planalto.gov.br/ccivil_03/_ato2019-2022/2021/lei/L14133.htm. Acesso em: 30 abr. 2019.

Nesse sentido, deixa claro que ao Poder Público e aos particulares é possível a divisão na alocação de riscos, tudo com vistas a manter a sustentabilidade da avença.

Nesse passo, fortalecendo esse ideário, a Lei de Licitações e Contratos traz pautas de Justiça Multiportas que podem ser incorporadas ao contrato como elementos exógenos e vinculantes às partes, deixando clara a opção por mecanismos de consensualização das demandas, tais quais meios alternativos de prevenção e resolução de controvérsias, notadamente a conciliação, a mediação, o comitê de resolução de disputas e a arbitragem.

O Supremo Tribunal Federal (STF), muito embora a questão do equilíbrio singre para uma apreciação ordinária e probatória, vaza entendimento sobre sua ideia de equilíbrio, senão vejamos:

> EMENTA: AGRAVO REGIMENTAL EM RECURSO EXTRAORDINÁRIO. CONTRATO ADMINISTRATIVO. FATO DO PRÍNCIPE. DESEQUILÍBRIO DAS CONDIÇÕES ECONÔMICAS DO CONTRATO. RESPONSABILIDADE DA ADMINISTRAÇÃO. 1. Os fundamentos apontados no recurso não são aptos a alterar a conclusão da decisão agravada. 2. *Conforme já reconhecido pelo Plenário do Supremo Tribunal Federal, a norma constitucional do equilíbrio econômico-financeiro do contrato administrativo, derivada do princípio da segurança jurídica, busca conferir estabilidade ao ajuste, garantindo à contratada viabilidade para a execução dos serviços, nos moldes que motivaram a celebração do contrato (RE 571.969/DF, Relª. Minª. Cármen Lúcia). 3. Caracterizado o desequilíbrio econômico-financeiro do contrato, decorrente de nova e imprevisível incidência tributária, é desnecessário perquirir acerca de sua onerosidade excessiva para justificar a reparação dos danos daí decorrentes.* 4. Nos termos do art. 85, §11, do CPC/2015, fica majorado em 10% o valor da verba honorária fixada anteriormente, observados os limites legais do art. 85, §§2º e 3º, do CPC/2015. 5. Agravo regimental a que se nega provimento (...).[2]

Como visto, entende que o equilíbrio contratual constitucional tem fundamento no princípio da segurança jurídica, ou seja, na previsibilidade, de maneira a tornar estável o ajuste para que a contratada possa executar seus serviços, dentro do alinhamento de expectativas que motivou originariamente a celebração contratual. Esse é o estado de arte sobre o qual lançaremos as visagens e propostas deste ensaio.

2 Dos modelos clássicos ao modelo neoclássico – das dificuldades para a revisão dos contratos em um contexto de autoengano

Antes de adentrar no equilíbrio contratual, necessário se torna contextualizar e delimitar quais os problemas a resolver. A análise é importante para a reformulação de postulados clássicos que não conseguem enfrentar a dinamicidade contratual decorrente da incompletude, do longo prazo e do aspecto relacional dos contratos. A grande questão é saber: Como e por que os contratos de longo prazo se desequilibraram? Quais as formas heterodoxas de pensar o problema do equilíbrio desses contratos? De antemão, pode-se observar que há uma miopia técnica e teórica em relação a esse ponto. O mundo

---

[2] BRASIL. Supremo Tribunal Federal (1. Turma). RE 902.910 AgR. Relator: Min. Roberto Barroso, 6 de novembro de 2018. *Dje*: Brasília, DF, 19 nov. 2018, grifos nossos.

pragmático dos contratos é muito mais complexo, porque se está a tratar de contratos complexos e relacionais,[3] incompletos[4] e resilientes. Esses ângulos da relação do contrato de longo prazo merecem uma atenção especial.

O direito administrativo clássico (ou *mainstream*) vem calcado em quatro pilares que precisam ser redesenhados. Primeiro, a ideia da supremacia do Poder Público que precisa ser rediscutida no âmbito de relações entre o Estado e o particular cada vez mais dinâmicas e fluidas. A ideia de supremacia ainda é um mantra que os manuais de direito administrativo costumam usar para justificar os poderes extroversos do Estado cristalizados nas chamadas cláusulas exorbitantes. Essa reserva de poder do Estado pode (e deve) ser utilizada em situações excepcionais (segurança nacional, por exemplo) não como integrante hodierno entre o Poder Público e o particular. Assim, é preciso observar que as cláusulas exorbitantes são um risco no contrato carregado pelo particular que o precificará.

O segundo pilar é a ideia de indisponibilidade do interesse público, sobretudo, hoje, com a possibilidade e avanço dos métodos alternativos de resolução de conflito. Nesse ponto, parece que a ideia mais razoável seria considerar que se o Estado tem a disposição para celebrar contratos também teria disposição para renegociá-los ou submetê-los à arbitragem.[5] Cremos que essa é a direção mais adequada para essa discussão. Ocorre, no entanto, que essas duas primeiras âncoras estão sendo rediscutidas no direito administrativo atual e têm imensas repercussões nas relações contratuais, muito embora, uma análise mais profunda refuja à análise deste texto.

A supremacia e a indisponibilidade do interesse público devem, pois, despir-se dos resquícios absolutismo, voltando-se para a uma ideia de democratização do direito. Desse modo, tal qual entronizado na Lei de Segurança Jurídica, ou na Lei de Introdução às Normas do Direito Brasileiro (LINDB), ele está muito mais afeto ao conceito de interesse geral, ou seja, aquele que busca um ponto de equilíbrio ideal entre o Estado, o Mercado e Cidadão. Nesse passo, dentro dessa virada ontológica, tem-se que o Estado cumprirá seu desiderato se compor, dialogar e consensualizar suas ideias perante as instituições de seu país, informado pela eficácia horizontal e vertical dos direitos fundamentais.

O terceiro pilar é aquele conjunto de elementos que compõem o chamado contrato clássico, que remonta ao século XIX. Esse contrato é completo, estático, com baixos custos de transação e de curto prazo. É executado de maneira linear e a informação

---

[3] Nessa acepção, o contrato relacional é aquele que as partes não reduzem termos fulcrais do seu entendimento a obrigações precisamente estipuladas, porque não podem ou porque não querem, e se remetem a modos informais e evolutivos de resolução da infinidade de contingências que podem vir a interferir na interdependência dos seus interesses e no desenvolvimento das suas condutas, afastando-se da intervenção judicial irrestrita como solução para os conflitos endógenos para privilegiarem o recurso a formas alternativas de conciliação de interesses, seja as que vão emergindo da relação contratual, seja as que são oferecidas pelo quadro das normas sociais (ARAÚJO, Fernando. *Teoria econômica do contrato*. Coimbra: Almedina, 2007. p. 395).

[4] Os *regulatory contracts* qualificam-se como incompletos, categorização essa que decorre de relevante contribuição da Economic Analysis of Law para a teoria geral do contrato. São incompletos porque realisticamente impossibilitados de regular todos os aspectos da relação contratual, o que os torna naturalmente inacabados e com lacunas, que reclamarão uma tecnologia contratual capaz de resolver a infinidade de contingências que poderão surgir durante a sua execução (GARCIA, Flávio Amaral. Dispute boards e os contratos de concessão. *In:* CUÉLLAR, Leila; BOCKMAN, Egon; GARCIA, Flávio Amaral; CRUZ, Elisa Schimidlin. *Direito Administrativo e alternative dispute resolution*. 2. ed. Belo Horizonte: Fórum, 2022. p. 166; 171).

[5] ARAGÃO, Alexandre. A arbitragem No Direito Administrativo. *Revista da AGU*, Brasília, v. 16, n. 3, p. 19-58, jul./set. 2017.

entre as partes é livre e gratuita. Os incentivos são perfeitamente alinhados e os riscos repartidos de forma simétrica. É claro que esse contrato somente existe em situações muito excepcionais, como por exemplo em contratos *spot* de curtíssimo prazo. Mesmo assim é difícil encontrá-lo. Ocorre que essa maneira de dispor sobre a dinâmica contratual ainda é ensinada nos manuais e nas faculdade de Direito e (pasmem!) ainda alicerça as decisões administrativas e judiciais. Assim, estamos todos em um mundo do autoengano,[6] ou seja, achamos que os contratos são e se comportam de determinada maneira, mas a realidade insiste em desmentir estas assertivas.

O quarto pilar trata da ideia de equilíbrio, e nesse ponto o jurista brasileiro, em boa parte, está em algum lugar do passado, provavelmente no século XVII, com a ideia mecanicista de equilíbrio em sua mente. Assim, é importante superar a ideia de que o equilíbrio é algo como uma balança, ou um pêndulo, e de que essa ideia, encapsulada pelas noções de contrato clássico do século XIX, forma os postulados do direito *mainstream* dos contratos administrativos. Não é, portanto, o contrato que se pensa existir na realidade. Essa ideia *mainstream* se repete a tratar de contratos de longo prazo em contextos cada vez mais densos e em grande medida multidisciplinares. Quanto mais longo é o contrato, mais distorções ele pode assumir, mais ruídos na relação contratual ele estabelece e menos linearidade ele tem. O contrato de concessão, por exemplo, se enquadra nessa situação. É um contato dinâmico, de longo prazo, relacional e deliberadamente incompleto, no último caso, por duas razões. Primeiro, por não conseguir prever o futuro, o que gera o aumento de seu custo para a negociabilidade dos possíveis eventos que possam ocorrer no futuro. Segundo, porque o custo de transação se torna cada vez mais elevado em extensas negociações contratuais, tentando prever todas as suas contingências. Portanto, quanto mais longo o contrato, mais intrinsecamente incompleto ele é. A pergunta mais importante, então: Como prever o futuro?

Daí a importância de redefinir o conceito de equilíbrio. O que é o equilíbrio? Onde é que ele está? Como é que se calcula?

No Brasil, depreende-se da formulação doutrinária haurida a existência de três modelos para a discussão sobre equilíbrio de contratos de longo prazo.

O primeiro modelo analisa o equilíbrio de contrato baseado na mecânica e na física clássicas. A segunda abordagem vislumbra o equilíbrio com uma dimensão axiomática e o terceiro modelo vê o equilíbrio de maneira nocional, como uma estabilização das expectativas das partes.

2.1 Modelo mecanicista de reequilíbrio econômico-financeiro

Este modelo é embasado em um sistema simétrico e linear, como um pêndulo que vai e volta para o equilíbrio, sob uma força invisível que levaria à natural estabilização do contrato. Portanto, esta abordagem é mecanicista e previsível em muitas circunstâncias. Quer dizer, pode-se ter uma razoável probabilidade de como o contrato equilibrar-se-á no futuro porque o tempo, nesta abordagem, não tem muita importância, considerando que o agente econômico do futuro é praticamente igual ao agente econômico do presente.[7]

---

[6] GIANNETTI, Eduardo. *Autoengano*. São Paulo: Companhia das Letras, 2005.

[7] PRIGOGINE, Ilya. *O fim das certezas*: tempo, caos e as leis da natureza. Tradução: Roberto Leal Ferreira. São Paulo: Unesp, 1996. p. 11 e ss.

Em análises jurídicas sobre contratos administrativos de longo prazo, tem-se destacado a necessidade de superar paradigmas ultrapassados. Tradicionalmente, a abordagem utilizada era mecanicista, inspirada nos princípios da mecânica clássica, que assume um retorno ao equilíbrio de forma previsível e linear. No entanto, tal abordagem se mostra inadequada diante da complexidade e das dinâmicas não lineares que esses contratos apresentam.

O procedimento tradicional, ancorado no direito administrativo *mainstream* – largamente utilizado no Brasil e fortemente influenciado pela doutrina francesa e por autores do século passado – não atende às exigências dos desafios contratuais da prática administrativa contemporânea. Ele se baseia em conceitos considerados obsoletos, como a simetria e a gratuidade das informações, a completude contratual e a aplicação extensiva de cláusulas exorbitantes.

É crucial lembrar que, na doutrina clássica, o desequilíbrio em contratos de longo prazo é frequentemente visto como um sinal de falha. Porém, em contratos com duração de décadas, é irrealista esperar ausência de turbulências ou eventos que provoquem desequilíbrios. Portanto, o desequilíbrio em contratos de longo prazo deve ser tratado como um fenômeno comum, cabendo ao *designer* do contrato garantir sua flexibilidade e resiliência.

O modelo tradicional de reequilíbrio, repetimos, é baseado em equilíbrio econômico mecanicista, e considera os contratos como sistemas dinâmicos lineares que retornam a um estado de equilíbrio estável, desconsiderando o fator temporal. Esse modelo assume que as preferências e expectativas dos agentes permanecem constantes, o que não se sustenta em um contexto de dinâmicas contratuais não lineares.

Assim, observa-se que o modelo mecanicista de equilíbrio de contratos de longo prazo apresenta várias limitações. Por exemplo, ao utilizar fluxos de caixa projetados descontados para o valor presente, comparam-se cenários distintos, desconsiderando mudanças no ambiente e na estratégia dos agentes ao longo do tempo. Além disso, não linearidade nas relações contratuais significa que pequenas variações nas condições iniciais podem causar grandes impactos nos resultados. Essas limitações tornam o modelo inapropriado para lidar com a complexidade e dinâmica dos contratos de longo prazo, que exigem mudanças contínuas e adaptações.

2.2 O modelo axiomático do equilíbrio de contratos

A segunda versão é a ideia de que há uma axiomatização. Quer dizer, o equilíbrio, nesta segunda visão, não é uma questão mecanicista, mas é tratado como um axioma, ou seja, um pressuposto dado sobre o qual o edifício conceitual se instaura.[8] Para fins deste texto, chamaremos este contrato de contrato neoclássico.

É uma discussão que tem relação direta com o modelo de Kennedy Arrow e Gerard Debreu.[9] Então, em contratos mais sofisticados, deixa-se de ter como alicerce o contrato mecanicista e passa-se a ter como alicerce o equilíbrio axiológico. No modelo,

---

[8] PRIGOGINE. *O fim das certezas:* tempo, caos e as leis da natureza. p. 11 e ss.

[9] ARROW, Kenneth; HAHN, Frank. *General Competitive Analysis.* Holden Day, San Francisco, 1971.

o equilíbrio vai existir como uma verdade, uma verdade baseada em fundamentos axiomáticos e matemáticos.[10]

O pressuposto axiomático é fundado na visão do modelo de equilíbrio geral. Nessa teoria, o contrato é visto como um simples processo de barganha, esvaziado de conteúdo, sendo, portanto, uma mera formalidade.[11] Os agentes são dotados de racionalidade ilimitada e suas ações são observáveis, verificáveis e não há custo de transação. Esse é o contrato de Arrow-Debreu.

A transição da economia para uma abordagem mais formalizada e axiomática influenciou significativamente a análise de contratos administrativos de longo prazo, especialmente no que se refere ao equilíbrio econômico-financeiro desses contratos. Essa ideia de equilíbrio é tratada como um "dado" que deve ser alcançado pela resolução de um conjunto de equações matemáticas.

No século XX, a matemática passou por uma transformação significativa com a adoção da abordagem axiomática, inicialmente aplicada na geometria e em outros ramos. Essa abordagem buscava criar uma base lógica e coerente a partir de axiomas fundamentais, de onde se derivavam teoremas e resultados matemáticos. Durante o século XIX, crises na matemática, como paradoxos na teoria dos conjuntos e novas geometrias não euclidianas, levaram matemáticos a adotar a axiomatização no século seguinte para resolver tais questões e promover uma estrutura organizada para o conhecimento.

No início do século XX, economistas começaram a incorporar métodos matemáticos para formalizar teorias econômicas. A teoria do equilíbrio geral, desenvolvida por Léon Walras e aprimorada por Vilfredo Pareto, foi fundamental no processo. A axiomatização na economia implicava a construção de modelos baseados em hipóteses claramente definidas e a derivação de conclusões lógicas dessas hipóteses, de forma similar ao que era feito na matemática.

A ideia de equilíbrio econômico-financeiro em contratos administrativos de longo prazo segue a mesma lógica de axiomatização. Aqui, o equilíbrio é visto como uma solução a ser encontrada por meio de um conjunto de equações matemáticas que modelam as diversas variáveis e condições do contrato. A abordagem é fortemente influenciada pelo modelo de equilíbrio geral proposto por Kenneth Arrow e Gerard Debreu, conhecido como modelo Arrow-Debreu.

Gerard Debreu, em particular, foi uma figura central nesse movimento, e sua obra *Theory of Value* é um marco na axiomatização da teoria econômica. Ele utilizou rigor matemático para demonstrar a existência de equilíbrios econômicos, dissociando as interpretações econômicas dos formalismos matemáticos. A abordagem de Debreu exemplificou a transformação da economia em uma disciplina que utiliza estruturas matemáticas abstratas para analisar fenômenos econômicos.

A adoção da axiomatização na matemática e na economia trouxe um novo nível de rigor e clareza, essencial para o desenvolvimento de modelos formais aplicáveis a contratos de longo prazo. Esse movimento transformou a economia em uma ciência centrada em teorias matemáticas, permitindo uma análise mais precisa e estruturada dos

---

[10] DEBREU, Gérard. The mathematization of economic theory. *American Economic Review*, [S. l.], v. 81, n. 1, 1-7, 1991.

[11] WALRAS, Léon. *Eléments d'economie politique pure, outhéorie de larichessesociale*. Paris: L. Corbaz & cie, 1874.

fenômenos econômicos e garantindo que o equilíbrio econômico-financeiro de contratos administrativos possa ser rigorosamente alcançado através de equações bem definidas.

Kenneth Arrow e Gerard Debreu, por meio do modelo de equilíbrio geral, desempenharam um papel crucial na axiomatização da economia. Eles estabeleceram que, sob certas condições, um conjunto de preços pode existir de modo a equilibrar simultaneamente todos os mercados de uma economia. Essa formalização rigorosa, que utiliza conceitos de teoria dos conjuntos e topologia, permitiu que as suposições e conclusões econômicas fossem definidas e provadas com clareza matemática.

A principal contribuição de Arrow e Debreu foi demonstrar que, dadas as preferências dos consumidores e as tecnologias de produção, sempre haverá um equilíbrio de mercado, desde que certas condições sejam atendidas, como a convexidade das preferências e a continuidade das funções de produção. Essas preferências e tecnologias foram assumidas como dados que satisfazem axiomas essenciais, como completude, transitividade e convexidade, garantindo, assim, a existência de um equilíbrio.

A axiomatização trouxe uma clareza formal inigualável para a estruturação de contratos de longo prazo. Ao definir com precisão as condições para que os contratos sejam eficientes e estáveis, os modelos de Arrow-Debreu fornecem uma base sólida para minimizar riscos e incertezas ao longo do tempo. A análise de riscos associada a diferentes contratos se tornou mais precisa, permitindo entender melhor como as mudanças nas condições de mercado afetam a viabilidade e a sustentabilidade dos contratos de longo prazo. Além disso, ao se aplicarem os princípios de equilíbrio geral, garante-se que os contratos de longo prazo sejam orientados para a eficiência de Pareto, em que nenhuma parte melhora sua situação sem prejudicar outra, aspecto crucial para a estabilidade em mercados complexos.

No entanto, ao considerar a crítica fundamentada de Vinicios Klein,[12] percebe-se uma significativa limitação no modelo de Arrow-Debreu. Em tal modelo, os contratos são meramente formais, pois os bens e contingências são descritos de maneira precisa e perfeita, e os agentes têm racionalidade ilimitada, com ações completamente observáveis e verificáveis, eliminando quaisquer custos de transação. Assim, os contratos Arrow-Debreu, sempre eficientes e completos, tornam-se apenas indicadores do comportamento racional dos agentes, o que não reflete a complexidade das relações contratuais no mundo real.

Entende-se que o modelo de equilíbrio geral, ao ignorar a assimetria de informação e os custos de transação, não contempla a realidade dos contratos administrativos complexos. Ele aponta que, no mundo real, os contratos administrativos são repositórios de assimetrias *ex ante*, onde os contratados incorporam custos adaptativos em seus preços e o governo enfrenta o dilema de elaborar licitações mais complexas ou empurrar as tensões para a fase de execução contratual. Nóbrega e Silva argumentam que o reequilíbrio dos contratos administrativos deve considerar a assimetria informacional e a necessidade de adaptação contínua, destacando que a solução não pode ser apenas técnica, mas deve também envolver consenso e renegociação.[13]

---

[12] KLEIN, Vinicios. *A economia dos contratos: uma análise microeconômica*. São Paulo: Editora CRV, 2020.

[13] NÓBREGA, Marcos; CASTRO E SILVA, Eric. A reforma tributária e o equilíbrio econômico-financeiro dos contratos administrativos de longo prazo: a inadequação do modelo mecanicista; os pontos focais e a teoria dos múltiplos equilíbrios contratuais. *Revista Brasileira de Direito. Público – RBDP*, Belo Horizonte, ano 22, n. 85, p. 9-47, abr./jun. 2024.

A crítica central de Klein ao modelo de equilíbrio geral reside na sua incapacidade de lidar com a incerteza e a imperfeição da informação, elementos essenciais nas relações contratuais reais. A teoria dos contratos incompletos e a teoria dos incentivos surgem como respostas a essas limitações. A primeira considera a incompletude inevitável dos contratos, enquanto a segunda se concentra em alinhar os objetivos entre principal e agente em um cenário de informação assimétrica. Ambas as teorias representam avanços significativos ao trazer um enfoque mais realista e aplicável à economia dos contratos.

Portanto, embora a axiomatização promovida por Arrow e Debreu tenha revolucionado a análise teórica, a sua aplicação prática em contratos de longo prazo exige a integração de abordagens que considerem a incerteza e a informação imperfeita. Tal integração permite uma maior eficiência, estabilidade e confiança nas relações econômicas, adaptando-se de forma mais realista às complexidades do mundo atual.

Quadro 1 – Tratamento do contrato no modelo Arrow-Debreu

Aspecto	Modelo Arrow - Debreu
Descrição dos bens	Precisa e perfeita
Racionalidade dos agentes	Ilimitada
Observabilidade das ações	Completa
Custos de transação	Inexistentes
Eficiências dos contratos	Sempre eficiente
Incompletude dos contratos	Inexistente
Função do contrato	Formalidade

2.3 O equilíbrio nocional como um mecanismo de estabilização de expectativas

A terceira visão é o tema central deste ensaio. É uma ideia focada em um referencial teórico para explicar como é que as coisas são. A primeira ideia, de um equilíbrio mecanicista, é consolidada por leis e dados. A grande falha desse modelo decorre da desimportância do fator tempo, porquanto o tempo não distorceria o interesse das partes.[14]

A tese se desfaz por uma análise contextual, pois as partes mudam o seu comportamento estratégico ao longo do tempo e o modelo mecanicista não capta essa discussão, sendo esse é o argumento básico do direito administrativo *mainstream*. Assim, surge uma primeira indagação: o equilíbrio é uma narrativa? Pela linha de entendimento mecanicista é, sim, pois avalia o equilíbrio contratual pelo espectro formal e se distancia do seu espectro material e constitucionalmente referenciado.

---

[14] PRIGOGINE. *O fim das certezas:* tempo, caos e as leis da natureza, p. 11 e ss.

No modelo de equilíbrio geral, a segunda ideia, todas as relações são ótimas e idênticas em termos de análise. A imposição é perfeita, não há custos de transação, os contratos não têm incompletude. Se o contrato é sempre eficiente, ele não passa de um indicativo por escrito do comportamento racional e maximizador de cada agente. Esse modelo é baseado na ergodicidade, ou seja, na linearidade.

E é curioso que nesse modelo de ergodicidade o tempo tem uma importância relativa, porque ele não muda os incentivos e as expectativas adaptativas das partes. O contraponto a esse modelo é que faticamente o ambiente real no qual os contratos de longo prazo são executados é não linear, ou melhor, é não ergódico.[15] As expectativas são adaptativas e portanto os agentes se adaptam às mudanças no ambiente, no "estado de natureza". Pressupor que todo contrato de longo prazo se desenrole nesse ambiente de previsibilidade ontológica é o principal ponto de crítica e falha do modelo axiológico. Isso porque, na verdade, os agentes se adaptam estrategicamente ao ambiente e, o que é mais importante, mudam os seus desejos com o passar do tempo.[16][17][18][19]

---

[15] "No original: "(...) ergodicity means that a system is very insensitive to initial conditions or perturbations and details of the dynamics, and that makes it easy to make universal statements about such systems"(...). ["(...) Ergodicidade significa que um sistema é muito insensível às condições iniciais ou perturbações e detalhes da dinâmica, e isso torna mais fácil fazer afirmações universais sobre tais sistemas (...)"] (ANDRÁŠIK, Ladislav. Ergodic axiom: the ontological mistakes in economics. *Creative and Knowledge Society – International Scientific Journal*, [S. l.], v. 5, n. 1, p. 32, 2015, tradução nossa).
No original: "Ergodicity in systems (of agents, particles, or other elements) means that the properties and the constitution of the system usually do not change over space and time. So you can relatively easily tell future states of the system. Those systems may even return to earlier statuses, much like a mechanical system" ["A ergodicidade em sistemas (de agentes, partículas ou outros elementos) significa que as propriedades e a constituição do sistema geralmente não mudam no espaço e no tempo. Assim, você pode informar com relativa facilidade os estados futuros do sistema. Esses sistemas podem até retornar a status anteriores, como um sistema mecânico"] (ELSNER, Wolfram; HEINRICH, Torsten; SCHWARDT, Henning. *The economics of comples economies*: Evolutionary, Institutional, Neoclassical, and Complexity Perspectives. Oxford: Elsevier, 2015, p. 10, tradução nossa).

[16] Cf.: ELSNER; HEINRICH; SCHWARDT. *The Economics of Comples Economies*: Evolutionary, Institutional, Neoclassical, and Complexity Perspectives, p. 9.

[17] A verdade é ter apreendido o ser essencial da natureza, tê-la concebido como implicitamente infinita, como o processo mesmo (POPPER, K. *The Open Society and its Enemies*. Princeton: Princeton University Press, 1963.

[18] Com efeito, deve-se ter ressalvas a mecanismos reducionistas e simplificadores, pois devem ser consideradas as influências recebidas do ambiente interno e externo, enfrentar a incerteza e a contradição, e conviver com a solidariedade entre os fenômenos existentes. Consoante Morin (*Ciência com consciência*. 4. ed. Rio de Janeiro: Bertrand Brasil, 2000. p. 132-133), a complexidade sempre existiu e se amplia continuamente, aparecendo onde o pensamento simplificador falha. Surge para desvelar que sujeito e objeto estão implicados no mesmo processo, não se constituindo em polos dicotômicos. A teoria da complexidade questiona a forma fragmentada e tradicional de visualização do conhecimento, divergindo dos métodos utilizados pelas correntes do pensamento que acreditam que o conhecimento ocorre de forma linear e previsível, por meio de ideias reducionistas e preconcebidas.

[19] A ideia central da Modelagem Baseada em Agentes é que muitos (se não a maioria) dos fenômenos no mundo podem ser efetivamente modelados com agentes, um ambiente e uma descrição das interações agente-agente e agente-ambiente. Um agente é um indivíduo ou objeto autônomo com propriedades, ações e possivelmente metas. O ambiente é a paisagem na qual os agentes interagem e pode ser geométrico, baseado em rede ou extraído de dados reais. As interações que ocorrem entre esses agentes ou com o ambiente podem ser bastante complexas. Os agentes podem interagir com outros agentes ou com o ambiente, e não apenas os comportamentos de interação do agente podem mudar com o tempo, mas o mesmo pode acontecer com as estratégias utilizadas para decidir que ação empregar num determinado momento. Essas interações são constituídas pela troca de informações. Como resultado dessas interações, os agentes podem atualizar seu estado interno ou realizar ações adicionais (WILNSKY, Uri; RAND, William. *An Introduction to Agent-Based Modeling*: Modeling Natural, Social, and engineered complex systems with netlogo. Cambridge: MIT Press. 2015. p. 320).

Imagine-se um contrato de 30 anos de uma concessão de serviço público com uma negociação 20 anos depois da assinatura do contrato. As partes já aprenderam bastante com o passado, as partes já desejam outra coisa. Sem falar, evidentemente, de componentes adicionais que essa negociação madura estabelece, como o problema do oportunismo e do *hold-up*.

Assim, deve-se ter em mente que o contrato é uma máquina de processamento de informação, de maneira que serve como mecanismo de inventário e ponderação das assimetrias informacionais. A sua boa modelagem facilita o processamento adequado da informação, permitindo uma diminuição da assimetria informacional.

Desse modo, os paradigmas clássicos não dão conta das imperfeições do mundo real. Necessário se torna a construção de um modelo pragmático.

3 Propostas de revisão institucional do equilíbrio contratual - a teoria da complexidade como mecanismo de solução

Como melhor forma de compreender o fenômeno, pensa-se que o referencial teórico adequado está na teoria da complexidade,[20] que para alguns também é chamada de teoria do desequilíbrio.[21] Essa teoria vê a economia como um sistema não necessariamente em equilíbrio, mas um no qual os agentes mudam constantemente suas ações e estratégias em resposta ao estado de natureza e ao aprendizado estratégico.

Nesse aspecto, portanto, a economia pode funcionar sem um ponto de equilíbrio. Quer dizer, superar o postulado clássico de agentes maximizadores perfeitos e com presença de função de utilidade. Esses pressupostos, portanto, não são essenciais à análise da dinâmica contratual.

Evidentemente, nos contratos de longo prazo, nesse novo *approach*, não se pode falar em equilíbrio *ex ante* com base na ideia de *pacta sunt servanda*, porque essa discussão tem como alicerce a ideia da completude contratual. Ora, o pacto estabelecido naquele primeiro momento é um pacto para estabelecer as bases fundamentais.

---

[20] O termo "Economia da Complexidade" foi cunhado por Brian W. Arthur, do Santa Fe Institute (SFI), que liderou o Programa de Economia do SFI no final da década de 1980. No seu sentido mais geral, a economia da complexidade visa resolver problemas que consistem em sistemas complexos em economia no âmbito da ciência da complexidade (DURMUS, Deniz. Complexity in economics and beyond: Review paper. Heritage and Sustainable Development, [S. l.], v. 3, n. 1, p. 34, Mar. 2021).
O ponto de vista da economia da complexidade considera os constituintes da economia como estruturas de não equilíbrio em constante evolução B. Arthur (Complexity economics: A different framework for economic thought. *In*: ARTHUR, W. Brian. Complexity and the Economics. Oxford: Oxford University Press, 2015. p. 1-30).

[21] "De fato, ao longo das últimas décadas, nasceu uma nova ciência, a física dos processos de não-equilíbrio. Esta ciência levou a conceitos novos, como auto-organização e as estruturas dissipativas, que são hoje amplamente utilizados em áreas que vão da cosmologia até a ecologia e as ciências sociais, passando pela química e pela biologia. A física do não-equilíbrio estuda os processos dissipativos, caracterizados por um tempo unidirecional, e, com isso, confere uma nova significação à irreversibilidade. Procedentemente, a flecha do tempo estava associada a processos muito simples, como a difusão, o atrito, a viscosidade. Podia-se concluir que esses processos eram compreensíveis com o auxílio simplesmente das leis da dinâmica. O mesmo não ocorre hoje em dia. A irreversibilidade não aparece mais apenas nos fenômenos tão simples. Ela está na base de um sem número de fenômenos novos, como a formação de turbilhões, das oscilações químicas ou da radiação a laser (...) A irreversibilidade [entropia] não pode mais ser identificada com uma mera aparência que desapareceria se tivéssemos acesso a um conhecimento perfeito. Ela é uma condição essencial de comportamentos coerentes em populações de bilhões de bilhões de moléculas" (PRIGOGINE, Ilya. *O fim das certezas*: tempo, caos e as leis da natureza, p. 11).

Na verdade, quando as partes celebram o acordo, estabelecem um *gap de expectativas* e geralmente o retorno ao início não se dá dentro do ideal ergódico. Mas num ambiente variável onde podem estar envolvidas perspectivas e frustrações. Portanto, a trajetória temporal do equilíbrio do contrato administrativo de longo prazo é um processo estocástico, não ergódico, não linear.

Assim, a dinâmica do contrato administrativo não pode ficar presa à ilusão de sua inércia estrutural. Por natureza, os desequilíbrios são contingências naturais do passar do tempo. O modelo contratual padrão tem por premissa situações pré-definidas, ao passo em que num sistema complexo os indivíduos seguem regras mais simples, pois é de sua essência o efeito tempo como suporte constante às manifestações de vontade. Não existe uma tipologia *ex post*, mas uma adaptabilidade orgânica.[22]

Os padrões de equilíbrio mecanicista ou axiomático no modelo Arrow-Debreu demonstram que os indivíduos devem satisfazer os axiomas da racionalidade dos economistas, quando na realidade se sabe que os agentes são parcialmente racionais.

No modelo clássico, os agentes devem otimizar isoladamente, enquanto, no modelo de complexidade, eles têm informações limitadas. Ainda no modelo clássico, eles entendem a economia em que funcionam, ao passo em que no modelo complexo o comportamento agregado está na interação entre os indivíduos.

Como se depreende, toda a questão está encerrada no gerenciamento de informação. Em padrões clássicos, há previsibilidade, no modelo da teoria da complexidade, o que se pode fazer é precaver, pois a certeza é relativa.

3.1 Como estabilizar expectativas dos contratos de longo prazo?

Lançadas essas premissas, surge uma nova indagação. Como usar, então, esse novo modelo? Como estabilizar as expectativas em um ambiente com incerteza, não ergodicidade e carência de informação?

Há várias maneiras de fazê-lo e podemos dividi-las em propostas de equilíbrio endógeno ou exógeno. O primeiro diz respeito a soluções de *design* contratual que ensejariam mais eficiência para a resolução de desequilíbrios. O equilíbrio exógeno advém de alternativas fora do contrato, mas promovidas por um ambiente institucional adequado e por mecanismos que promovam o reequilíbrio dos contratos sob tensão.

Dessa forma, no mundo real, o equilíbrio é um cálculo que estabiliza expectativas. Isso pode se dar endogenamente, por via de cláusulas contratuais que permitam a estabilização e a adaptabilidade do contrato, ou exogenamente, via renegociação ou métodos de resolução de disputas, ou ainda por um terceiro verificador, como o Judiciário, as cortes de contas ou mesmo a figura de um verificador privado independente. O verificador independente, ou a quem se pretende nominar agente de governança ou agente de equilíbrio, seria o técnico que aferirá o cumprimento das obrigações e dos indicadores sendo o fiel da balança no momento de aquilatar a remuneração variável paga pelo poder concedente, a exemplo do que ocorre nos contratos longos como os de concessão

---

[22] NORTH, Douglas C. Desempenho econômico através do tempo. *Revista de Direito Administrativo – RDA*, Rio de Janeiro, v. 255, p. 28, set./dez. 2010.

de serviços públicos. A remuneração, nesse norte, seria adequada ao atingimento de metas e dos indicadores pactuados, influenciando diretamente a matriz de preço e de amortização dos investimentos do parceiro privado.[23] [24] [25] [26]

Como visto, o modelo neoclássico tem agentes homogêneos que possuem estratégias e comportamento previsível ao longo do tempo. No modelo que propomos,

---

[23] "O Verificador Independente é uma entidade imparcial, não vinculada à Concessionária e nem ao Estado, que atua de forma neutra e com independência técnica, fiscalizando a execução do contrato e aferindo o desempenho da Concessionária com base no sistema de mensuração e desempenho (indicadores de qualidade) e no mecanismo de pagamento, constantes no edital (SÃO PAULO. Secretaria de Governo. *Manual de Parcerias do Estado de São Paulo*. São Paulo: Secretaria de Governo, [2019]. Disponível em: http://www.parcerias.sp.gov.br/parcerias/docs/manual_de_parcerias_do_estado_de_sao_paulo.pdf. Acesso em: 30 abr. 2019).

[24] "Suas atribuições, estritamente definidas no contrato de concessão, lhe permitem desempenhar o papel de aferidor, mensurador e fiscal independente, responsável por calcular, com base em parâmetros técnicos e objetivos, e lançando mão das melhores práticas de mercado, a nota de desempenho da concessionária. Havendo discordância de qualquer das partes quanto ao resultado da avaliação do verificador independente, essas deveriam se socorrer dos mecanismos de solução de conflitos previstas nos respectivos instrumentos contratuais, não podendo, qualquer delas descartar de forma unilateral a aferição feita e fazer prevalecer sua vontade" (SANTO, Bruno Vianna Espírito; BARBOSA, Bianca Rocha; IZAR, João Filipi. O futuro do verificador independente: as recentes decisões do TCU. *Conjur*, São Paulo, 25 jun. 2021. Disponível em: https://www.conjur.com.br/2021-jun-25/opiniao-futuro-verificador-independente/ Acesso em: 6 jan. 2024).

[25] "Muito mais que um simples certificador de que as obrigações contratuais estão sendo cumpridas, o verificador independente deve ser visto como agente essencial para o bom funcionamento da engrenagem das concessões. Sua atuação é fundamental para ajudar na composição de desafios na execução contratual, preenchimento de lacunas, integração entre concedente, concessionária e demais *stakeholders*" (COHEN, Isadora. SANTANA, Luísa Dubourcq. O Verificador nas concessões rodoviárias e a exigência de creditação pelo Inmetro. *Jota*, São Paulo, 27 jan. 2023. Disponível em: https://www.jota.info/opiniao-e-analise/colunas/infra/o-verificador-nas-concessoes-rodoviarias-e-a-exigencia-de-acreditacao-pelo-inmetro-27012023 Acesso em: 6 jan. 2024).

[26] Como visto, a disciplina regulatória fala em riscos contratuais previstos e presumíveis, com a previsão da matriz de alocação, ou seja, quem será responsável, avaliando a natureza, o beneficiário, e aquele que terá melhor capacidade de gerenciá-lo, volvendo ao contratado a assunção pelos riscos cobertos pelas seguradoras. Ao falar em riscos contratuais, ele o internaliza como custo, tanto que seus reflexos são estimados na contratação, de maneira que áleas extracontratuais serão resolvidas por outra metodologia. O detalhe regulatório é o de se criar novo ponto de equilíbrio econômico-financeiro, sendo a matriz de risco inserida na estrutura das condições iniciais da proposta. Com a figura do verificador independente, temos mais um mecanismo de equilíbrio, de certa maneira exógeno, ou como defendemos, sendo contratualizado, sê-lo endógeno. Ele faria o acompanhamento concomitante da execução, resolvendo de pronto e de maneira preventiva eventuais litígios em seu Estado inicial. Isso é muito importante em contratos de longa duração, pois o risco do porvir é multidimensional e não se resolveria por técnicas avançadas de cláusulas escalonadas, negociações estruturadas etc.
No caso da matriz como elemento novo de direcionamento do equilíbrio, ela influenciará na renúncia das partes ao reequilíbrio do que foi assumido pela matriz de riscos, excepcionando as alterações unilaterais determinadas pela Administração e as hipóteses de aumento ou redução, por legislação superveniente, dos tributos diretamente pagos pelo contratado em decorrência do contrato dentre diversos outros eventos que possam impactar na matriz de preço inicialmente ajustada.
É um ponto de equilíbrio que somado à figura de um verificador independente, ou de um agente regulatório neutro, pode fomentar mais um mecanismo de composição e solução das controvérsias surgidas durante a execução contratual. A redução da assimetria informacional na especificação da matriz de risco, então, ganha no verificador independente um meio dinâmico, não estático, de retroalimentação e aclaramento das incompletudes. A cisão do equilíbrio em contratual e extracontratual é relevante na novel regulação. Nesse passo, então, a matriz revela a limitação da racionalidade e internaliza as externalidades negativas, tornando-a elementos inerentes ao contrato. Os demais eventos imprevistos serão resolvidos pela concepção clássica e usual do reequilíbrio econômico-financeiro dos contratos e ou pela mediação concomitante do verificador independente casado com a possibilidade de oferta de soluções técnicas interdisciplinares, transparentes, dialogadas e informadas. Isso, contudo, não revela a sinonímia de que contratual e extracontratual são o mesmo que endógeno e exógeno. Sendo o fenômeno jurídico multifacetado, os fatos, dificuldades e consequências passam a ser considerados, desde que por motivação, como elementos endógenos de qualquer relação, tal qual os artigos 21 e 22 da LINDB (GOMES, Filipe Lôbo; NÓBREGA, Marcos Antônio Rios da. Por uma revisão do verificador independente. Propostas de redimensionamento funcional e padrões de governança. Não seria o caso de tratá-lo como agente de eficiência privado com poderes estatais ou agente de resolução alternativa de disputas? *Revista Brasileira de Direito Público – RBDP*, Belo Horizonte, ano 22, n. 84, p. 9-43, jan./mar. 2024).

os agentes são diferentes e mudam seu comportamento estratégico com o tempo, se transformando e adaptando diante das circunstâncias, de acordo com informações que vão captando. Isso porque está se lidar com um ambiente de muita incerteza e a teoria da complexidade ganha relevo para entender sistemas dinâmicos, complexos, de longo prazo e os decorrentes de comportamentos imprevisíveis.

Logo, o equilíbrio de longo prazo não é estático, evoluindo ao longo do tempo. Assim, sistemas fora do equilíbrio têm a capacidade de evoluir para estados mais complexos e adaptativos. Existe uma adaptabilidade que eles vão encontrar na maneira de aprender novos arranjos ao longo do tempo. O controle não capta isso, o tribunal de contas não capta isso e o jurista não consegue perceber a realidade. Em contratos de longo prazo, as partes envolvidas vão se adaptar com suas interações de forma autônoma para otimizar a sustentabilidade do pacto.

Nesse sentido, a atenção às condições iniciais dos sistemas dinâmicos é essencial para formular o pacote de expectativas.

Com efeito, nos contratos de longo prazo, especialmente concessões de serviço público, a busca por um equilíbrio único e estático é irrealista e impraticável. Nesse passo, a intenção deve se pautar por um intervalo de "múltiplos equilíbrios" dentro do qual o contrato pode ser considerado sustentável. Esta gama de resultados aceitáveis reconhece a natureza dinâmica dos contratos de longo prazo e a inevitabilidade de mudanças nas condições externas e nas expectativas das partes ao longo do tempo. Para alcançar esse dinamismo contratual, podem ser apresentadas diversas medidas, entre elas:

a) cláusulas de reequilíbrio: que permitem ajustes preventivos em resposta a eventos que possam desequilibrar o contrato;

b) monitoramento contínuo e auditorias: permitem acompanhar o desempenho e a conformidade do contrato, identificando desequilíbrios em tempo hábil;

c) mecanismos alternativos de resolução de disputas: como a arbitragem e mediação, garantem uma resolução mais rápida e menos custosa de conflitos;

d) gatilhos de reequilíbrio: permitem reequilíbrios automáticos e periódicos nos contratos, por exemplo, a cada cinco anos, bem como estabelecem vetores ou balizas aos processos de equilíbrio;

e) reequilíbrio cautelar: permite ajustes preventivos em resposta a eventos com potencial de desestabilizar o contrato.[27]

A "Teoria do Barquinho Klink" serve para ilustrar esse ponto, pois argumenta que, devido à complexidade dos contratos de longo prazo e à presença de incertezas, é essencial incorporar mecanismos de renegociação e ajuste contratual. Em outras palavras, assim como um barco precisa de ajustes constantes para navegar em águas turbulentas, os contratos de longo prazo exigem flexibilidade e adaptabilidade para lidar com eventos imprevistos e manter um curso estável.[28]

---

[27] Cf.: NÓBREGA; SILVA E CASTRO, A reforma tributária e o equilíbrio econômico-financeiro dos contratos administrativos de longo prazo: a inadequação do modelo mecanicista; os pontos focais e a teoria dos múltiplos equilíbrios contratuais.

[28] Cf.: NÓBREGA, Marcos; TUROLLA, Frederico; VERAS, Rafael. Contratação incompleta de projetos de infraestrutura. PSB Hub, [S. l.], 9 jul. 2023. Disponível em: https://psphub.org/conhecimento/working-paper/contratacao-incompleta-de-projetosde-infraestrutura/. Acesso em: 3 jun. 2024.

Nos contratos de longo prazo duas coisas fundamentais se apresentam como elementos de inflexão: o ruído e a turbulência no relacionamento informacional. A tecnologia começa como um ruído e gera turbulências. Nos setores sensíveis a ela, essencial a flexibilidade contratual. A dinâmica entre cooperação e competição é fundamental em sistemas complexos[29][30] e em contratos de longo prazo.[31] É crucial equilibrar esses elementos para promover relações sustentáveis. Se ambos chegarem a uma posição de compensações recíprocas entre cooperação e competição, formularão termos contratuais para dar vazão a esse consenso. A primeira discussão de equilíbrio endógeno é o que é consenso quanto ao modo de estabelecer o equilíbrio. É no *gap* de expectativas que se tem espaço para o consenso.

Desse modo, não são todas as circunstâncias onde o reequilíbrio é necessário, pois se os contratos fossem internalizados para serem cem por cento flexíveis, não teríamos a segurança jurídica esperada.[32] A primeira circunstância é quando o tipo das partes muda e quando há transformação de incentivos contratuais. A segunda é justamente o espaço de renegociações. É o que se chama, em Análise Econômica do Direito (AED), de *optimal bridge* ou de mudanças ótimas de contrato.

Nesses momentos é que se propõe a teoria *shock absorber e do traction* [tracionamento], como mecanismo de equilíbrio dinâmico dos contratos. Nesse passo, faz-se a análise da questão comparando um veículo *off road* com um veículo de passeio. O mecanismo de absorção do impacto de um veículo de passeio é customizado para situações cotidianas e ordinárias. Lado outro, os mecanismos de absorção de veículos *off road* são dotados de modos variáveis a depender das condições do solo em que transitam. Os contratos de longo prazo precisam desses modos dinâmicos de absorção de impacto, e avançaríamos, de tracionamento, pois não há como prever de maneira antecipada o que virá a acontecer no tempo e no espaço. O tracionamento viria para dar o tom da mudança em intensidade da execução ou da otimização dos contratos. Diante da analogia com os veículos quatro por quatro, existem marchas de tração para terrenos mais instáveis e menos instáveis. Essas mesmas circunstâncias fariam com que o veículo, o contrato, recebesse um tracionamento maior quando se encontrasse em ambiente menos instável e menor no sentido contrário. Pensa-se até que o tracionamento poderia ser chamado de *otimizador da eficiência do objeto do contrato*, adaptando-o de dentro as dificuldades exógenas.

---

[29] "Um sistema complexo [é] um sistema no qual grandes redes de componentes sem controle central e regras simples de operação dão origem a um comportamento coletivo complexo, processamento sofisticado de informações e adaptação via aprendizagem ou evolução" (MITCHELL, Melanie. *Complexity*: A Guided Tour. Oxford: Oxford University Press, 2009. tradução nossa).

[30] "(...) sistemas complexos são sistemas com múltiplos elementos que se adaptam ou reagem ao padrão [agregado]. Através do tempo, através do ajuste e da mudança, à medida que os elementos reagem, o agregado muda; à medida que o agregado muda, os elementos mudam novamente" (ARTHUR. Complexity Economics: A different framework for economic thought, p. 2, tradução nossa).

[31] ELSNER; HEINRIC; SCHWARDT. *The Economics of Complex Economies*: Evolutionary, Institutional, Neoclassical, and Complexity Perspectives, p. 59-60.

[32] Assim sendo, a incerteza se apresenta como um componente inerente aos contratos de longo prazo, de maneira que é crucial distinguir entre incerteza ambígua, onde a capacidade de previsão é limitada, e incerteza fundamental, onde eventos são imprevisíveis. Enquanto a primeira pode ser mitigada com um bom *design* contratual, a segunda exige flexibilidade para adaptação a eventos imprevisíveis. Cf.: NÓBREGA; CASTRO E SILVA. A reforma tributária e o equilíbrio econômico-financeiro dos contratos administrativos de longo prazo: a inadequação do modelo mecanicista; os pontos focais e a teoria dos múltiplos equilíbrios contratuais.

Portanto, a ideia de *shock absorber* tem a ver com uma dimensão, a de adaptação a dificuldades tridimensionais de profundidade e comprimento e traction para dimensionar a intensidade na qual o contrato iria se adaptando ao longo do tempo, mais rápido, ou mais devagar, com mais tração, ou com menos tração, para que os mecanismos de absorção de choques possam atuar de uma maneira a manter a unidade na diversidade.

Assim sendo, entende-se que serão as circunstâncias que determinarão como isso deverá ser. Assim, mecanismos endógenos, como a teoria do barquinho de Klink e a renegociação, e exógenos, como a justiça multiportas (arbitragem, consensualismo etc.) e figuras externas ao contrato são importantes como modos dinâmicos de avaliar as condições nas quais o contrato se portará. Eles estariam dentro da dimensão do *shock absorber*. Do lado da *traction*, teríamos a antecipação de medidas, a mudança de intensidade, qualidade ou quantidade, a mutabilidade e os níveis nas quais ela evolui. Seria algo muito mais próximo de um mecanismo para se evitar o que chamaríamos de derrapagem contratual, perda do foco ou da finalidade, diante da modificação da intensidade em sua execução ou na dinâmica de seu cumprimento.

A ideia central é que tenhamos mais modais de *shock absorver* e de *traction* para fazer com que o serviço flua da melhor maneira em prestígio da coletividade. Reconhecer, então, não ergodicidade; expectativas adaptativas; oferta limitada de seguros; mercado maduro de *players*; contratos incompletos; assimetria informacional; bens públicos não rivais; monopólios naturais; custos transacionais e ativos específicos é o caminho para desvelar novos postulados teóricos que a teoria da complexidade pode dar ao direito para amortizar os danos e prejuízos decorrentes do atrito e da fadiga nas relações longas. Ao fim, o que se pretende é garantir a sustentabilidade da relação de longo prazo, ou seja, o *shock absorver* e o *traction* buscam manter o sistema funcional.[33]

Em suma, a chave para a sustentabilidade de contratos complexos e não lineares reside na sua capacidade de adaptação por meio de mecanismos múltiplos de equilíbrio, monitoramento constante e uma abordagem flexível em relação à incerteza. Um bom *design* contratual, portanto, deve priorizar a flexibilidade e a capacidade de adaptação a longo prazo.

4 À guisa de conclusão

Como visto, superar os modelos clássicos e compreender que os contratos de longa duração são incompletos, complexos, relacionais e resilientes implica a reformulação dos mecanismos de equilíbrio para pensar além. Propõem-se entronizar mecanismos endógenos, como a teoria do barquinho de Klink e a renegociação, e exógenos, como a

---

[33] Calha bem com a ideia acima, a teoria dos sistemas adaptativos complexos: os Sistemas Adaptativos Complexos (SAC) revisam e reordenam constantemente seus componentes como resposta aos estímulos que recebem do ambiente, e como rearranjos advindos das interações entre os agentes, e até mesmo como resposta às situações aleatórias e randômicas. Para Battram (*Navegar por la complejidad*. Barcelona: Granica, 2001. p. 35), conforme exposto, há a necessidade de mecanismos de absorção e dissipação de instabilidades para que se mantenha a unidade e diversidade inerente aos sistemas complexos), o clima é um sistema complexo, mas uma organização é um sistema adaptativo complexo porque não é só complexo, mas também se adapta ao seu entorno. Ou seja, um SAC aprende cada vez que se reorganiza, e as partes que o compõem não são de todo "gratuitas", mas estão limitadas por certos vínculos existentes entre elas.

justiça multiportas (arbitragem, consensualismo etc.). A ideia central é que esses modais sejam amortecedores, *shock absorver*, que mantenham sustentáveis os serviços e prestações destinadas à coletividade.

A conclusão deste artigo explora, então, de maneira analítica a necessidade de uma nova abordagem para o equilíbrio dos contratos administrativos de longo prazo, especialmente no contexto da Lei nº 14.133/2021. São lançadas luzes sobre a inadequação dos modelos tradicionais, como o mecanicista e o axiomático, que falham em capturar a complexidade inerente a esses contratos. Em vez disso, propõem-se uma abordagem que considera tanto fatores endógenos quanto exógenos para a manutenção do equilíbrio contratual.

Os fatores endógenos de equilíbrio referem-se aos mecanismos intrínsecos ao próprio contrato que permitem sua adaptação ao longo do tempo. Nesse passo, a importância da flexibilidade contratual e da capacidade de renegociação são elementos centrais para lidar com a natureza incompleta e relacional dos contratos de longo prazo. A teoria do barquinho de Klink é apresentada como uma metáfora para essa abordagem adaptativa, onde o contrato, assim como um barco, deve ser capaz de ajustar seu curso em resposta a mudanças nas condições ao longo do tempo. A renegociação contínua e a inclusão de cláusulas contratuais que permitam ajustes dinâmicos são vistas como essenciais para absorver choques e garantir a sustentabilidade do contrato.

Por outro lado, os fatores exógenos referem-se às influências externas ao contrato que podem afetar sua estabilidade e equilíbrio. O artigo enfatiza a importância de um ambiente institucional robusto, que inclui mecanismos como a arbitragem, a mediação e outras formas de resolução alternativa de disputas, para gerenciar desequilíbrios contratuais. Essas abordagens exógenas são vistas como complementares às adaptações endógenas, fornecendo um sistema de "justiça multiportas" que permite às partes resolverem conflitos de maneira eficiente e consensual, sem recorrer necessariamente ao Judiciário. Além disso, o papel de figuras externas, como verificadores independentes ou agentes de governança, é destacado como fundamental para assegurar que os contratos sejam executados de forma a atender às expectativas adaptativas das partes envolvidas.

Ao integrar essas perspectivas endógenas e exógenas, o artigo propõe uma visão de equilíbrio contratual que é dinâmica e pragmática. Em vez de buscar um equilíbrio estático e previsível, a abordagem sugerida reconhece a inevitabilidade da mudança e da incerteza nos contratos de longo prazo, propondo mecanismos que permitam ajustes contínuos e a gestão eficaz dos riscos. Assim, a sustentabilidade dos contratos não é apenas uma questão de prever o futuro, mas também de criar sistemas resilientes que possam evoluir e se adaptar às circunstâncias variáveis ao longo do tempo, buscando-se unidade na diversidade.

Referências

ANDRÁŠIK, Ladislav. Ergodic axiom: the ontological mistakes in economics. *Creative and Knowledge Society – International Scientific Journal*, [S. l.], v. 5, n. 1, 2015.

ARROW, Kenneth; HAHN, Frank. *General Competitive Analysis*. Holden Day, San Francisco, 1971.

ARAGÃO, Alexandre. A arbitragem no Direito Administrativo. *Revista da AGU*, Brasília, DF, v. 16, n. 3, p. 19-58, jul./set. 2017.

ARAÚJO, Fernando. *Teoria econômica do contrato*. Coimbra: Almedina, 2007.

ARTHUR, W. Brian. Complexity economics: A different framework for economic thought. *In:* ARTHUR, W. Brian. *Complexity and the Economics*. Oxford: Oxford University Press, 2015. p. 1-30.

BATTRAM, Arthur. *Navegar por la complejidad*. Barcelona: Granica, 2001.

BRASIL. Lei nº 14.133, de 1º de abril de 2021. Lei de Licitações e Contratos Administrativos. *Diário Oficial da União*: Brasília, DF, 2021. Disponível em: https://www.planalto.gov.br/ccivil_03/_ato2019-2022/2021/lei/L14133.htm. Acesso em: 30 abr. 2019.

BRASIL. Supremo Tribunal Federal (Pleno). ADI-MC 6.424. Relator: Min. Luís Roberto Barroso, 21 de maio de 2020. *Dje*: Brasília, DF, 2020. Disponível em: http://portal.stf.jus.br/processos/detalhe.asp?incidente=5912218. Acesso em: 27 maio 2020.

COHEN, Isadora. SANTANA, Luísa Dubourcq. O Verificador nas concessões rodoviárias e a exigência de creditação pelo Inmetro. *Jota*, São Paulo, 27 jan. 2023. Disponível em: https://www.jota.info/opiniao-e-analise/colunas/infra/o-verificador-nas-concessoes-rodoviarias-e-a-exigencia-de-acreditacao-pelo-inmetro-27012023 Acesso em: 6 jan. 2024.

DEBREU, Gérard. The mathematization of economic theory. *American Economic Review*, [*S. l.*], v. 81, n. 1, 1-7, 1991.

DURMUS, Deniz. Complexity in economics and beyond: Review paper. *Heritage and Sustainable Development*, [*S. l.*], v. 3, n. 1, Mar. 2021.

ELSNER, Wolfram; HEINRICH, Torsten; SCHWARDT, Henning. *The Economics of Complex Economies*: Evolutionary, Institutional, Neoclassical, and Complexity Perspectives. Oxford: Elsevier, 2015.

GARCIA, Flávio Amaral. Dispute boards e os contratos de concessão. *In:* CUÉLLAR, Leila; BOCKMAN, Egon; GARCIA, Flávio Amaral; CRUZ, Elisa Schimidlin. *Direito Administrativo e alternative dispute resolution*. 2. ed. Belo Horizonte: Fórum, 2022.

GELL-MANN, Murray. *The Quaek and the Jaguar*. London: Little Brown and Co., 1994.

GIANNETTI, Eduardo. *Autoengano*. São Paulo: Companhia das Letras, 2005.

GOMES, Filipe Lôbo; NÓBREGA, Marcos Antônio Rios da. Por uma revisão do verificador independente. Propostas de redimensionamento funcional e padrões de governança. Não seria o caso de tratá-lo como agente de eficiência privado com poderes estatais ou agente de resolução alternativa de disputas? *Revista Brasileira de Direito Público – RBDP*, Belo Horizonte, ano 22, n. 84, p. 9-43, jan./mar. 2024.

KLEIN, Vinicios. *A economia dos contratos: uma análise microeconômica*. São Paulo: Editora CRV, 2020.

MITCHELL, Melanie. *Complexity:* A Guided Tour. Oxford: Oxford University Press, 2009.

MORIN, E. *Ciência com consciência*. 4. ed. Rio de Janeiro: Bertrand Brasil, 2000.

NÓBREGA, Marcos; CASTRO E SILVA, Eric. A reforma tributária e o equilíbrio econômico-financeiro dos contratos administrativos de longo prazo: a inadequação do modelo mecanicista; os pontos focais e a teoria dos múltiplos equilíbrios contratuais. *Revista Brasileira de Direito. Público – RBDP*, Belo Horizonte, ano 22, n. 85, p. 9-47, abr./jun. 2024.

NORTH, Douglas C. Desempenho Econômico através do tempo. *Revista de Direito Administrativo – RDA*, Rio de Janeiro, v. 255, p. 13-30, set./dez. 2010.

PRIGOGINE, Ilya. *O fim das certezas:* tempo, caos e as leis da natureza. Tradução: Roberto Leal Ferreira. São Paulo: Unesp, 1996.

POPPER, K. *The Open Society and its Enemies*. Princeton: Princeton University Press, 1963.

SANTANA, Luísa Dubourcq. O Verificador nas concessões rodoviárias e a exigência de creditação pelo Inmetro. *Jota*, São Paulo, jan. 2023. Disponível em: https://www.jota.info/opiniao-e-analise/colunas/infra/o-verificador-nas-concessoes-rodoviarias-e-a-exigencia-de-acreditacao-pelo-inmetro-27012023 Acesso em: 6 jan. 2024.

SANTO, Bruno Vianna Espírito; BARBOSA, Bianca Rocha; IZAR, João Filipi. O futuro do verificador independente: as recentes decisões do TCU. *Conjur*, São Paulo, 25 jun. 2021. Disponível em: https://www.conjur.com.br/2021-jun-25/opiniao-futuro-verificador-independente/ Acesso em: 6 jan. 2024.

WALRAS, Léon. *Eléments d'economie politique pure, outhéorie de larichessesociale*. Paris: L. Corbaz & cie, 1874.

WILNSKY, Uri; RAND, William. *An Introduction to Agent-Based Modeling*: Modeling Natural, Social, and Engineered Complex Systems with Netlogo. Cambridge: MIT Press, 2015.

Informação bibliográfica deste texto, conforme a NBR 6023:2018 da Associação Brasileira de Normas Técnicas (ABNT):

GOMES, Filipe Lôbo; NÓBREGA, Marcos. *Shock absorber, traction* e equilíbrio dinâmico dos contratos: pela necessidade de modos adaptativos, não lineares e informados por sistemas complexos para o reequilíbrio contratual. *In*: JUSTEN, Monica Spezia; PEREIRA, Cesar; JUSTEN NETO, Marçal; JUSTEN, Lucas Spezia (coord.). *Uma visão humanista do Direito*: homenagem ao Professor Marçal Justen Filho. Belo Horizonte: Fórum, 2025. v. 3, p. 419-437. ISBN 978-65-5518-915-5.

O MARCO LEGAL DAS FERROVIAS: REFLEXÕES SOBRE A LEI Nº 14.273/2021 À LUZ DOS REGIMES DE EXPLORAÇÃO POSITIVADOS – DESAFIOS E PERSPECTIVAS

MÔNICA BANDEIRA DE MELLO LEFÈVRE

1 Considerações iniciais

Ainda antes da promulgação da Lei nº 14.273, de 23 de dezembro de 2021, que instituiu o marco legal das ferrovias, Marçal Justen Filho já destacava que o desenvolvimento do referido modal é indispensável "para superar os gargalos de infraestrutura" do país.[1]

A situação do transporte ferroviário brasileiro é conhecida. A despeito das dimensões continentais do território nacional e das consequentes dificuldades envolvendo a movimentação de pessoas e mercadorias, as ferrovias não evoluíram de modo compatível com as reais necessidades logísticas que se apresentam, inclusive no que diz respeito à ampliação e à modernização da malha existente.

Há consenso no sentido de que o transporte ferroviário operava (e opera) muito aquém do seu potencial.[2]

A Lei nº 14.273/2021 buscou modificar esse cenário.

As novas regras instituídas atendem a anseios do setor, promovendo relevantes inovações destinadas a incentivar a ampliação de investimentos privados, fomentar a

---

[1] JUSTEN FILHO, Marçal. Ferrovias estaduais são uma ótima solução. *O Globo*, Rio de Janeiro, 21 jul. 2021. Disponível em: https://blogs.oglobo.globo.com/opiniao/post/ferroviais-estaduais-sao-otima-solucao.html?utm_source=aplicativoOGlobo&utm_medium=aplicativo&utm_campaign=compartilhar. Acesso em: 1 jul. 2024.

[2] Dados da matriz nacional de transportes demonstram que, a despeito do contínuo crescimento do setor, as ferrovias contribuem com pouco mais de 20% da movimentação de cargas no país. A malha implantada ainda possui uma baixa densidade se comparada com a de outros países de ampla extensão territorial (tais como o Canadá, a Índia e a China) ou com outros países da América Latina (como o México e a Argentina). É o que apontam as informações colhidas pela Associação Nacional dos Transportadores Ferroviários (ANTF) (Disponível em: https://www.antf.org.br/informacoes-gerais/. Acesso em: 2 ago. 2024).

competitividade e permitir a otimização e expansão da capacidade ferroviária nacional. O Decreto nº 11.245, de 21 de outubro de 2022, publicado quase um ano depois do marco legal, regulamentou as suas disposições e instituiu o Programa de Desenvolvimento Ferroviário. Posteriormente, em 2023, o Congresso Nacional decidiu pela derrubada de diversos vetos, tendo restabelecido previsões que haviam sido afastadas do texto da lei tal como originalmente publicado.

Diante desse contexto, é oportuno refletir sobre o modelo de transporte ferroviário existente, a fim de contribuir para a identificação de alguns dos possíveis desafios e perspectivas verificados no cenário atual.

2 Breve histórico do setor ferroviário brasileiro

A primeira ferrovia brasileira (Estrada de Ferro Mauá) foi inaugurada em 1854, com traçado que ligava o Porto de Mauá, no Rio de Janeiro, à Serra de Petrópolis.

O desenvolvimento do setor ferroviário foi originalmente impulsionado pela necessidade de integração regional e pela busca de capacidade de transportes para os produtos agrícolas, mas os impactos derivados de crises econômicas e da crescente ascensão do transporte rodoviário provocaram a sua estagnação.[3] A falta de investimentos em modernização e manutenção da infraestrutura tiveram por consequências o gradativo declínio e o abandono de linhas férreas.

O governo foi chamado a interceder e a adotar providências no sentido de auxiliar as ferrovias em dificuldade.

A partir do século XX, a exploração das ferrovias passou a se dar predominantemente por meio da autuação de empresas estatais.[4] No entanto, a insuficiência de recursos públicos aptos a assegurar os parâmetros de investimento necessários, aliada a problemas de gestão e ao início do processo de desestatização verificado no país, culminaram na dissolução da RFFSA no início da década de 1990. A malha até então existente foi subdividida em trechos, que foram concedidos à iniciativa privada mediante prévia licitação.

Manteve-se o modelo verticalizado de exploração, que já vigorava enquanto as ferrovias estavam sob controle estatal. A manutenção da infraestrutura permaneceu conectada à prestação dos serviços ao consumidor final, de modo que os agentes responsáveis pela operação das linhas férreas assumiram também a oferta dos serviços de transporte à coletividade.

O cenário que se delineou a partir de então contribuiu para inspirar as leis nº 8.987/1995 e 9.074/1995, que tratam das concessões e permissões de serviços públicos e estabelecem regras para a sua outorga e prorrogação.

---

[3]   A propósito do desenvolvimento das ferrovias em âmbito nacional, cf.: PINHEIRO, Armando Castelar; RIBEIRO, Leonardo Coelho. *Regulação das ferrovias*. Rio de Janeiro: FGV Editora, 2017. p. 1-43.

[4]   A gestão das ferrovias foi centralizada na Rede Ferroviária Federal S.A. – RFFSA, sociedade de economia mista criada para administrar as estradas de ferro de titularidade da União (que correspondiam a aproximadamente 77% da malha). As ferrovias não controladas pela RFFSA eram geridas pela então empresa estatal Vale do Rio Doce (Estradas de Ferro Vitória-Minas e Carajás) e pela Ferrovia Paulista S.A. (FEPASA), controlada pelo governo do Estado de São Paulo.

Havia, à época, uma crescente preocupação com os riscos a serem assumidos pelos particulares em contratos de longo prazo, sem que houvesse um arcabouço legal apto a conferir segurança jurídica e a endereçar as preocupações da iniciativa privada. Portanto, não seria exagerado afirmar que há uma significativa imbricação entre a privatização das ferrovias, bem como da infraestrutura em geral, e a produção normativa que culminou no desenvolvimento do panorama legal aplicável aos contratos administrativos.[5]

Em 2001, a Lei nº 10.233, de 5 de junho de 2001, criou a Agência Nacional de Transportes Terrestres (ANTT), atribuindo à agência a responsabilidade pela regulação do transporte ferroviário, rodoviário e dutoviário (nos termos do art. 21). As alterações implementadas por força da Lei nº 12.743, de 19 de dezembro de 2012, tiveram por finalidade permitir a prestação do serviço de transporte desvinculada da titularidade da malha, buscando viabilizar a implantação de um modelo horizontal de exploração (o chamado *open access*) – em que as atividades de exploração de infraestrutura e prestação dos serviços são independentes e podem ser exercidas por agentes distintos.

Ao longo dos anos, diversos atos normativos vêm sendo editados com o objetivo de estimular a interoperabilidade – e a consequente ampliação da participação das ferrovias na matriz de transportes – e a fomentar a competição intramodal, de modo a tornar o setor mais eficiente e atrativo aos investimentos privados. Foram concebidas soluções regulatórias destinadas a fortalecer mecanismos de compartilhamento de infraestrutura, facilitar a entrada de novos transportadores, desenvolver categorias especiais de usuários e induzir as concessionárias verticais a disponibilizarem suas capacidades ociosas a outros agentes e operadores.[6]

Em agosto de 2021, a Medida Provisória nº 1.065 estabeleceu um novo marco regulatório para o setor ferroviário, dispondo sobre a exploração dos serviços e sobre as atividades a serem desempenhadas pelas administradoras ferroviárias e pelos operadores ferroviários independentes. Instituiu-se, naquela ocasião, o Programa de Autorizações Ferroviárias, que buscava "desburocratizar os investimentos ferroviários privados no Brasil, por meio da positivação do instituto da autorização para exploração indireta do serviço" (conforme constou da exposição de motivos do referido diploma normativo).

Apesar de não ter sido convertida em lei, a referida medida provisória lançou as bases para a promulgação da Lei nº 14.273/2021, alguns meses depois.

3 Exploração dos serviços de transporte ferroviário: coexistência dos regimes de direito público e privado

A principal inovação introduzida pelo marco legal das ferrovias corresponde à formal criação de um regime de exploração de direito privado em paralelo ao regime de direito público existente.

---

[5]   PINHEIRO; RIBEIRO. *Regulação das ferrovias*. p. 37.

[6]   Destacam-se, nesse cenário, a Lei nº 12.379/2011 (que dispõe sobre o Sistema Nacional de Viação), bem como as resoluções nº 3.694 (Regulamento dos Usuários dos Serviços de Transporte Ferroviário de Cargas – Reduf), 3.695 (Regulamento das Operações de Direito de Passagem e Tráfego Mútuo) e 3.696 (Regulamento para pactuação de metas de produção e segurança), todas editadas pela ANTT naquele mesmo ano. Também merece relevo a Resolução nº 4.348/2014, que aprovou o Regulamento do Operador Ferroviário Independente para a prestação de serviços não associados à exploração da infraestrutura.

Embora o texto constitucional já fizesse alusão à autorização[7] (nos termos do inc. XII do art. 21), tal modalidade de outorga apenas se consolidou – e passou a ser efetivamente adotada em relação aos serviços de transporte ferroviário – após a edição da Lei nº 14.273/2021.[8]

A partir de então, tais serviços foram reestruturados de forma a permitir a coexistência de disciplinas jurídicas distintas, dotadas de características e especificidades que lhes são próprias.

Essa possibilidade deve ser analisada à luz do próprio conceito de serviço público, que está indissociavelmente relacionado à satisfação concreta de necessidades individuais ou transindividuais vinculadas aos direitos fundamentais.[9] Ao tratar da classificação das atividades referidas na Constituição, Marçal, Justen Filho esclarece que elas poderão – ou não – ser qualificadas como serviços públicos, a depender das circunstâncias:

> Existirá *serviço público* apenas quando as atividades referidas na Constituição envolverem a prestação de utilidades destinadas a satisfazer direta e imediatamente os direitos fundamentais.
>
> (...)
>
> Idêntica interpretação prevalece a propósito de *todas* as previsões contempladas no art. 21. É pacífico que o elenco do art. 21 tem que ser interpretado no sentido de que haverá serviço público somente se presentes alguns requisitos específicos e determinados – sobre os quais o aludido art. 21 silencia.
>
> Exige-se o oferecimento de utilidades a pessoas indeterminadas, a exploração permanente da atividade e outros requisitos fixados em lei ordinária.
>
> Portanto, não basta a existência da norma constitucional para o surgimento do serviço público. Mais ainda, a lei ordinária pode estabelecer que algumas atividades, subsumíveis ao modelo constitucional, *não* serão serviço público, e nisso não haverá qualquer inconstitucionalidade.
>
> A interpretação é corroborada por um outro elemento literal, de não pequena relevância. Os incisos X, XI e XII do art. 21 da CF referem-se à competência da União para outorgar concessão, permissão ou *autorização* para o desempenho daquelas atividades.
>
> Ora, a expressão "autorização" é incompatível com a existência de um serviço público. Não se outorga *autorização de serviço público* – fórmula verbal destituída de sentido lógico-jurídico. Somente se cogita de autorização para certas atividades econômicas em sentido restrito, cuja relevância subordina seu desempenho à fiscalização mais ampla e rigorosa do Estado. Sendo outorgada autorização, não existirá serviço público. Logo – e como o art. 21,

---

[7] Sobre as diferentes acepções do vocábulo "autorização", cf.: NESTER, Alexandre Wagner. A evolução do conceito jurídico de autorização na doutrina brasileira. *In*: WALD, Arnoldo; JUSTEN FILHO, Marçal; PEREIRA, Cesar A. Guimarães Pereira (org.). *O Direito Administrativo na atualidade*: estudos em homenagem a Hely Lopes Meirelles. São Paulo: Malheiros, 2017. p. 123.

[8] Antes disso, a possibilidade de exploração de ferrovias por autorização era prevista apenas na legislação de alguns Estados (Mato Grosso, Pará e Minas Gerais), além de constar em alguns projetos de lei (em tramitação perante os estados do Paraná, Mato Grosso do Sul e Pernambuco). Posteriormente, iniciativas semelhantes se consolidaram também nos estados de São Paulo, Pará e Goiás.

[9] JUSTEN FILHO, Marçal. *Curso de Direito Administrativo*. 14. ed. Rio de Janeiro: Forense, 2023. p. 418.

X a XII, da CF refere-se expressamente tanto à concessão como à autorização a propósito de certas atividades –, se tem que concluir que elas comportam exploração sob ambas as modalidades jurídicas (destaques no original).[10]

A reconfiguração da noção de monopólio natural, derivada da evolução tecnológica e socioeconômica, conduziu à dissociação (*unbundling*) de diversas atividades até então enquadradas como serviços públicos. Tem-se, por consequência, a despublicização – total ou parcial – dessas atividades ou a criação de diferentes sistemáticas de prestação dos serviços mediante o estabelecimento de eventual competição entre concessionários e autorizatários.[11]

Sob esse ângulo, o marco legal das ferrovias consolidou a decisão política do legislador pela necessidade e cabimento de uma dualidade de regimes jurídicos.

O regime de direito público (previsto no art. 10 da Lei nº 14.273/2021) contempla as tradicionais concessões de serviço público, outorgadas aos particulares mediante licitação, na forma da Lei nº 8.987, de 13 de fevereiro de 1995. Por sua vez, o regime privado (instituído pelo art. 19 da Lei nº 14.273/2021) é operacionalizado por meio das autorizações ferroviárias, que se constituem como instrumentos mais maleáveis, destituídos de algumas das obrigações e garantias típicas dos contratos de concessão.

Não se trata de solução inédita no ordenamento brasileiro. São diversos os exemplos de atividades que, apesar de terem sido originalmente constituídas como serviços públicos (explorados diretamente pelo Estado ou mediante concessões), foram remodeladas e passaram a ser desenvolvidas também sob a égide da livre iniciativa e livre concorrência, por particulares detentores de autorizações.[12]

Diante desse contexto, a Lei nº 14.273/2021 instituiu os diferentes regimes de exploração dos serviços de transporte ferroviário, preocupando-se também em garantir a harmônica convivência entre os modelos legalmente previstos.

---

[10] JUSTEN FILHO, Marçal. Serviço Público no Direito Brasileiro. *In:* CARDOZO, José Eduardo Martins; QUEIROZ, João Eduardo Lopes; SANTOS, Márcia Walquiria Batista (coord.). *Direito Administrativo Econômico.* São Paulo: Atlas, 2011. p. 376-377. Nesse mesmo sentido: SUNDFELD, Carlos Ari. Introdução às agências reguladoras. *In:* SUNDFELD, Carlos Ari (coord.). *Direito Administrativo Econômico.* São Paulo: Malheiros, 2000. p. 33-34.

[11] JUSTEN FILHO, Marçal. Serviços de interesse econômico geral no Brasil: os invasores. *In:* WALD, Arnoldo; JUSTEN FILHO, Marçal; e PEREIRA, Cesar A. Guimarães Pereira (prg.). *O Direito Administrativo na atualidade*: estudos em homenagem a Hely Lopes Meirelles. São Paulo: Malheiros, 2017. p. 793-794.

[12] No setor elétrico, que pressupõe a existência de uma infraestrutura em rede, a legislação pertinente se preocupou em dissociar as diferentes atividades necessárias ao fornecimento de energia. Enquanto as atividades de transmissão e distribuição continuam sujeitas ao regime aplicável aos serviços públicos, a geração e comercialização podem se desenvolver sob uma perspectiva privatística (*v.g.*, arts. 7º e 11 da Lei nº 9.074/1995). Nesse mesmo sentido, a Lei nº 12.815/2013, que dispõe sobre a exploração de portos e instalações portuárias, previu dois regimes de outorga distintos: de um lado, tem-se os serviços do porto organizado e das instalações portuárias nele localizadas, outorgados à iniciativa privada mediante concessão ou arrendamento de bem público (nos termos do art. 4º e seguintes); de outro, admite-se a exploração indireta das instalações portuárias situadas fora da área do porto organizado, operacionalizada por meio de autorização (conforme prevê o art. 8º). O regime de autorização é verificado também nos setores de transporte de passageiros por via rodoviária, aeroportuário, de telefonia, dentre outros.

4 As concessões de serviços ferroviários

A despeito das peculiaridades que lhes caracterizam, os contratos de concessão dos serviços de transporte ferroviário continuam seguindo as regras gerais previstas na Lei nº 8.987/1995 e na Lei nº 14.133/2021.

4.1 A aplicabilidade do regime geral das concessões de serviço público

Os serviços são delegados pelo ente federativo competente mediante prévia licitação, a fim de que o concessionário assuma a obrigação de prestá-los "por sua conta e risco e por prazo determinado" (inc. II do art. 2º da Lei nº 8.987/1995). As características das atividades a serem desenvolvidas e o conjunto de encargos e retribuições que irá conferir substância ao contrato de concessão são definidos de antemão, pelo edital do procedimento licitatório. Com o aceite da proposta de preços e a consequente assinatura do respectivo contrato, o poder concedente e o concessionário firmam compromissos recíprocos com o objetivo de executar prestações permanentes e continuadas, orientadas à satisfação dos direitos fundamentais.

Em razão do núcleo essencial que compõe a referida modalidade de outorga, as concessões ferroviárias também são caracterizadas pela incidência de competências anômalas do poder concedente (isto é, pelas chamadas prerrogativas extraordinárias)[13] pela garantia de intangibilidade da equação econômico-financeira do contrato, pela reversibilidade dos bens afetados à prestação dos serviços e por um plexo de deveres-poderes relacionados ao intenso exercício de competências administrativas regulatórias e fiscalizatórias.

A atuação do concessionário não é pautada pela livre iniciativa nem tampouco pela livre concorrência.

A natureza essencialmente pública dos serviços prestados faz com que estejam sujeitos a uma regulação estatal mais intensa do que aquela aplicável às autorizações. A atuação dos concessionários deve ser monitorada e fiscalizada de forma contínua, para garantir que as obrigações pactuadas junto ao poder concedente sejam integralmente cumpridas e se mantenham alinhadas com os interesses coletivos que justificam a delegação.

4.2 As obrigações de investimento e a gestão da capacidade de transporte

O edital e o contrato devem obrigatoriamente dispor sobre a capacidade de transporte da ferrovia e as condições a serem observadas para a oferta do volume

---

[13] Trata-se das prerrogativas exclusivas da Administração, previstas no art. 104 da Lei nº 14.133/2021, que caracterizam o regime jurídico dos contratos administrativos: "No Brasil, usa-se, à francesa, chamar tais prerrogativas de 'cláusulas exorbitantes', no sentido de exorbitarem o que seria normal em termos do Direito privado. Em verdade, como exposto com a premissa geral desta tese, não haveria propriamente exorbitância, mas aplicação de regime específico" – que, em todo caso, apenas se justifica como instrumento de satisfação das necessidades coletivas (ALMEIDA, Fernando Dias Menezes de. *Contrato administrativo*. São Paulo: Quartier Latin, 2012. p. 218).

excedente aos agentes transportadores ferroviários[14] (arts. 9º, §2º e 10, inc. II, da Lei nº 14.273/2021). Além disso, têm de estabelecer cláusulas que prevejam a realização de investimentos para aumento de capacidade sempre que "atingido o nível de saturação da malha ou de trechos específicos", desde que assegurado o correspondente direito ao reequilíbrio (tal como prevê o inc. III do art. 10).

Não se admite, portanto, que a infraestrutura ferroviária outorgada sob regime público seja operada no limite de sua capacidade de tráfego.

Cabe ao regulador ferroviário acompanhar o efetivo cumprimento dos parâmetros contratualmente estabelecidos, não apenas para assegurar o seu atendimento pelos concessionários, mas também para permitir que os planos de investimento possam ser ajustados de acordo com a realidade da prestação dos serviços e com os níveis de saturação que vierem a ser por ele definidos (§§1º a 4º do art. 10 da lei).

As regras referidas, assim como outras tantas disposições do marco legal (*v.g.*, arts. 5º, 15, §2º, II, 18 e 66), evidenciam a nítida preocupação do legislador com a sustentabilidade e o desenvolvimento do setor.

Os contratos de concessão de serviços ferroviários não podem simplesmente disciplinar a relação do delegatário com o poder concedente ou se limitar a estabelecer obrigações genéricas quanto à modernização e aperfeiçoamento das atividades a serem desenvolvidas (consoante o modelo estabelecido por força dos arts. 18 e 23 da Lei nº 8.987/1995). Impõe-se a obrigatoriedade de as cláusulas editalícias e contratuais conferirem concretude aos deveres atinentes ao monitoramento, manutenção e ampliação da capacidade de transporte.

A obrigação de realizar intervenções voltadas à contínua modernização e expansão das ferrovias deve ser formatada a partir da necessidade de constante revisão dos planos de investimento, à luz da realidade da prestação dos serviços e das mudanças no setor de transportes, com o objetivo de permitir que os recursos sejam alocados da maneira mais eficiente possível. A capacidade da malha deverá ser constantemente monitorada pelo regulador, a fim de que sejam realizados ajustes com o propósito de evitar sobrecargas e garantir a fluidez e a eficiência do transporte ferroviário.

4.3 A remuneração do concessionário

Dentre as cláusulas obrigatórias dos contratos, inserem-se ainda aquelas atinentes à fixação das tarifas máximas a serem observadas para a prestação dos serviços de transporte e para o acesso à malha ferroviária por terceiros (direito de passagem, tráfego mútuo ou atuação de eventual agente transportador ferroviário).

Admite-se a livre negociação de preços apenas no que diz respeito aos serviços acessórios, nos termos da regulamentação,[15] sendo vedadas quaisquer práticas que possam ser tidas como abusivas (conforme arts. 10, inc. I, e 12 da Lei nº 14.273/2021).

---

[14] A figura do agente transportador ferroviário (ATF) será examinada mais adiante (ver tópico 6.3).

[15] A matéria foi disciplinada pela Resolução nº 6.031/2023, que estabelece as regras para a contratação e a execução de operações acessórias ao serviço de transporte ferroviário de cargas. O referido ato normativo prevê que, na impossibilidade de eventual acordo, a ANTT "poderá ser acionada para realizar a mediação ou o arbitramento dos assuntos não resolvidos" e que, em havendo indícios de prática abusiva, "deverá ser instaurado procedimento de apuração e providenciada comunicação ao Conselho Administrativo de Defesa Econômica (Cade)" – regras essas que se aplicam a ambos os regimes de exploração existentes, nos termos dos arts, 30 e 33 da resolução.

4.4 A possibilidade de devolução ou desativação de trechos

Outra das relevantes inovações trazidas pela Lei nº 14.273/2021 consiste na disciplina estabelecida quanto à desativação ou devolução de trechos ferroviários, nas hipóteses em que se constatar a ausência de tráfego comercial significativo (pelo menos, nos quatro anos anteriores à formulação do pedido) ou em que a operação se revelar antieconômica (em função da extinção ou do exaurimento das fontes de carga).

Ao longo dos anos, trechos inoperantes se tornaram passivos para os concessionários e o seu abandono passou a ser tido como um problema crônico do setor.[16] As controvérsias derivadas desse cenário e a ausência de um regramento legal adequado resultaram em infraestruturas ociosas, que se deterioraram e impediram que esses ativos pudessem ser utilizados para compor novos projetos.

A sistemática instituída pelo art. 15 endereçou tais questões, definindo o procedimento que deve ser seguido pelos operadores caso desejem se desvincular de algum trecho que lhes havia sido outorgado antes da vigência da Lei nº 13.448/2017.[17]

A regra afasta a imposição de eventuais penalidades e permite que os concessionários apresentem estudos indicando as possíveis alternativas para a destinação dos bens, mantendo-se responsáveis pela guarda e vigilância dos ativos até que o ente regulador apure eventual indenização devida ao poder concedente (§§2º e 3º). Com isso, contribui de forma significativa para reduzir a litigiosidade e viabilizar a expansão das ferrovias e a adequada gestão da sua capacidade de transporte – quer seja em razão da transferência do trecho para um novo investidor, quer seja mediante a sua alocação para outras finalidades (como, por exemplo, a criação de acessos ferroviários e a destinação para fins culturais, históricos ou turísticos).[18]

5 As autorizações ferroviárias

As autorizações constituem instrumentos mais maleáveis, se comparados às concessões de serviço público. Isso porque, em tese, os limites legalmente estabelecidos no que se refere aos direitos e obrigações dos autorizatários tendem a resultar na incidência de uma regulação estatal menos intensa.

---

[16] Auditoria realizada pelo TCU em 2014 apurou que, do total de 28.000 km concedidos, apenas 10.000 km encontravam-se em efetiva operação comercial. O restante das linhas férreas, equivalente a cerca de dois terços da malha até então concedida, não apresentava tráfego de trens de carga – o que teria conduzido ao seu gradativo abandono por parte das concessionárias (cf. Acórdão nº 2.888/2014, Relator Min. José Múcio Monteiro, julgado em 29 de outubro de 2014). Posteriormente, em nova auditoria realizada entre os anos de 2019 e 2021, constatou-se a subutilização do sistema ferroviário devido à assimetria de informações entre os concessionários e a agência reguladora e à deficiência no controle das malhas e de suas interfaces externas (nos termos do Acórdão nº 787/2021, Relator Min. Raimundo Carreiro, julgado em 7 de abril de 2021).

[17] A despeito da imprecisão do dispositivo, fica claro que a limitação estabelecida busca evitar possíveis distorções derivadas da prorrogação antecipada dos contratos de concessão. Seria desarrazoado admitir que o delegatário, tendo assumido determinadas obrigações para prorrogar antecipadamente a outorga que lhe foi concedida, pudesse se desonerar delas (e de trechos que compõem a sua malha) logo em seguida.

[18] A primeira devolução realizada com base na Lei nº 14.273/2021 abrangeu trecho pertencente à Rumo. Por meio de Acordo de Cooperação Técnica (ACN), firmado, em maio de 2024, com o Ministério dos Transportes e a Prefeitura Municipal de Araraquara, a concessionária formalizou o pedido de desativação e devolução, comprometendo-se a devolver o trecho ocioso ao DNIT e a celebrar aditivo com a ANTT para a retirada do traçado do contrato de concessão vigente, a fim de que a área seja cedida à Administração municipal para viabilizar a realização de obras de drenagem e projetos voltados à prevenção de enchentes.

5.1 A flexibilidade ínsita a tal modalidade de outorga

O risco da operação e dos investimentos é essencialmente privado, sem que se assegure o equilíbrio econômico-financeiro da outorga ou que se admita a imposição unilateral de eventuais obrigações ou modificações contratuais fundadas nas competências anômalas da Administração. Tampouco será cabível a reversão dos bens ao patrimônio público após o encerramento do contrato, exceto se o ente federativo competente tiver cedido ou arrendado eventuais ativos de sua propriedade com o objetivo de constituir a infraestrutura ferroviária autorizada – e, mesmo nesses casos, o particular não fará jus a qualquer indenização em razão das melhorias que efetuar em tais bens.

Caberá ao ente regulador examinar e processar os requerimentos de autorização, realizar eventual chamamento público (quando cabível) celebrar os respectivos contratos e fiscalizar as atividades dos autorizatários, especialmente sob a perspectiva da sua adequação e da defesa da concorrência. No entanto, a margem de atuação administrativa é significativamente mais reduzida do que aquela verificada no âmbito das ferrovias exploradas sob o regime de direito público, que estão sujeitas a um arcabouço normativo e contratual mais complexo.[19]

5.2 O procedimento legalmente estabelecido para a outorga de autorizações

A outorga de autorização para exploração dos serviços de transporte ferroviário pressupõe a apresentação de requerimento dirigido ao ente regulador (nos termos do art. 25 da Lei nº 14.273/2021) ou a participação do particular interessado em processo de chamamento público (previsto no art. 26 e ss.).

Ressalve-se que a realização de tal processo não configura propriamente uma imposição legal. O legislador não previu a sua obrigatoriedade, de modo que o Poder Executivo *pode* – ou não – optar por instaurá-lo com o objetivo de identificar a existência de potenciais interessados na obtenção de autorização para a exploração de ferrovias não implantadas, ociosas ou em processo de devolução ou desativação.

Compete ao ente regulador, ao final do processo de chamamento, examinar as propostas ofertadas pelos interessados e tomar a sua decisão. Havendo uma única proposta, a autorização será outorgada ao particular que a apresentou. Por outro lado, verificando-se a existência de mais de uma proposta (i.e., mais de um interessado pelo mesmo trecho), caberá ao regulador "promover processo seletivo público, na forma do regulamento", tendo como um dos critérios de julgamento a maior oferta de pagamento pela outorga (art. 28 e p. único).[20]

---

[19] Basta verificar, por exemplo, que a sistemática de extinção dos contratos de autorização é muito mais simples do que aquela aplicável às concessões – que podem ser encampadas por motivo de interesse público e cuja extinção demanda a adoção de providências, pelo poder concedente, no que se refere ao cálculo de eventuais indenizações ou ao recebimento e gestão dos bens reversíveis (nos termos dos arts. 35, inc. II, e §§1º a 4º, e art. 37, da Lei nº 8.987/1995). No caso das autorizações, o particular pode apenas manifestar o seu desinteresse em dar seguimento à outorga ou optar por uma espécie de "extinção parcial", mediante a desativação de determinados trechos, a seu exclusivo critério, e sem que tais circunstâncias demandem quaisquer medidas mais complexas por parte do regulador (arts. 34 e 36, *caput* e §2º da Lei nº 14.273/2021).

[20] A expressa menção à necessidade de regulamentação e a ausência de referência a outros diplomas normativos (tais como as leis nº 8.987/1995 ou 14.133/2021) permite concluir que o legislador teve a intenção de viabilizar

Não obstante a isso, as autorizações podem ser outorgadas independentemente de eventual processo público de seleção. O art. 25 é claro ao estabelecer que o interessado em explorar "novas ferrovias, novos pátios e demais instalações acessórias" pode formular requerimento dirigido ao regulador ferroviário, nos termos do §1º do referido dispositivo (cujas previsões foram reafirmadas e complementadas pelos arts. 25 a 27 do Decreto nº 11.245/2022).[21]

O ente regulador avaliará a conformidade do pedido com as políticas públicas do setor e dará publicidade ao extrato do referido requerimento. Em seguida, incumbe-lhe a análise dos estudos e projetos apresentados, considerando inclusive a viabilidade do empreendimento proposto em relação às ferrovias já implantadas ou outorgadas, com a consequente prolação e publicação de decisão fundamentada sobre o cabimento da outorga da autorização. Na hipótese de se verificar eventual incompatibilidade locacional, o requerente será instado a apresentar a solução técnica que reputar adequada para o conflito identificado (§§3º a 5º do art. 25 da lei).

Conforme expressa previsão legal, "nenhuma autorização deve ser negada, exceto por incompatibilidade com a política nacional de transporte ferroviário ou por motivo técnico-operacional relevante, devidamente justificado" (tal como prevê o 6º).

Trata-se de decisão administrativa vinculada, que não comporta juízos de conveniência e oportunidade. Em sendo atendidas as exigências legalmente estabelecidas, a autorização ferroviária *deve* ser outorgada àquele que a requereu.

5.3 Os contratos de autorização enquanto "contratos de adesão"

A denominação dos contratos de autorização ferroviária como "contratos de adesão" confirma a intenção de se instituir uma sistemática de exploração dos serviços sujeita à regulação mais branda, em comparação às concessões outorgadas sob o regime de direito público. Tanto é assim que o regramento legalmente estabelecido no que se refere às cláusulas essenciais a tais contratos é bastante simples.

O art. 29 da Lei nº 14.273/2021, tal como originalmente publicado, limitava-se a exigir que os contratos de autorização indicassem o objeto e prazo de vigência da outorga (que pode ser de 25 a 99 anos e é prorrogável por períodos sucessivos), os cronogramas a serem observados (para os investimentos e desapropriações), bem como aspectos atinentes à relação dos autorizatários com usuários e autoridades públicas (envolvendo a delimitação dos direitos e deveres, bem como as hipóteses de sancionamento e extinção

---

o estabelecimento de um processo de seleção simplificado, mais consentâneo ao marco legal e à flexibilidade que caracteriza as autorizações ferroviárias. Seria incompatível com a própria essência do instituto partir do pressuposto de que as autorizações devem ser outorgadas mediante licitações típicas, sujeitas a todos os procedimentos e formalidades desses certames.

[21] De acordo com §1º do art. 25 da lei, o requerimento deve ser instruído com: (i) a minuta do contrato de adesão e o memorial com a descrição do empreendimento e a indicação das fontes de financiamento; (ii) o relatório técnico descritivo (contendo, quando menos, informações sobre o georreferenciamento, a configuração logística, os aspectos urbanísticos relevantes, as características e especificações da operação pretendida, o cronograma de implantação ou recapacitação da infraestrutura ferroviária e o relatório executivo dos estudos de viabilidade técnica, econômica e ambiental) e (iii) as certidões de regularidade fiscal do requerente. Observe-se que as especificações técnicas da operação devem ser "compatíveis com o restante da malha ferroviária" existente (conforme prevê a alínea "c" do referido dispositivo).

do contrato). Posteriormente, com a reinserção de regras que haviam sido vetadas por ocasião da promulgação da lei, passou-a a exigir também a especificação da capacidade de transporte da malha e das condições técnico-operacionais para interconexão e compartilhamento de infraestrutura.

A disciplina estabelecida corrobora a responsabilidade exclusiva do autorizatário pelos investimentos a serem realizados, "por sua conta e risco", bem como pelos ônus relativos à fase executória dos procedimentos de desapropriação necessários à criação, expansão e modernização da infraestrutura ferroviária (§§1º a 3º). Há ainda expressa vedação à inclusão de cláusulas que assegurem o direito ao reequilíbrio econômico-financeiro ou que legitimem a imposição unilateral de vontades por parte da Administração (nos termos do §6º).[22]

Em 2022, a ANTT realizou audiência pública com o objetivo de colher contribuições para o aprimoramento dos contratos de adesão.[23]

Como resultado, verificou-se a necessidade de se estipular um regramento mínimo que, por um lado, fosse apto a conferir tratamento igualitário aos diferentes autorizatários e, por outro, apresentasse disposições mais claras e detalhadas. A minuta formatada a partir de então – e que tem disciplinado as relações efetivamente firmadas entre os autorizatários e a agência reguladora – vai além daquilo que prevê a lei, apresentando disposições que abrangem aspectos operacionais e regulatórios das outorgas.

As previsões contratualmente estabelecidas se destinaram a endereçar algumas das preocupações manifestadas pelos agentes privados. Embora os contratos de adesão tenham se mantido enxutos, suas disposições buscaram proporcionar maior segurança jurídica e flexibilidade operacional aos autorizatários, mitigando possíveis controvérsias quanto à abrangência de seus direitos e obrigações e quanto à própria interpretação do marco legal.[24]

---

[22] Como explica Paulo Roberto Azevedo Mayer Ramalho (*Assimetria regulatória no transporte ferroviário brasileiro: o novo marco legal das ferrovias em perspectiva*. Orientadora: Geovana Lorena Bertussi. 2023. 86 f. Trabalho de Conclusão de Curso (Especialização em Controle da Desestatização e Regulação) – Instituto Serzedello Corrêa do Tribunal de Contas da União, Brasília, DF, 2023. Disponível em: https://bdm.unb.br/bitstream/10483/37756/1/2023_RaphaelVieiraDosSantos_tcc.pdf. Acesso em: 10 jul. 2024. f. 68): "Desequilíbrios econômico-financeiros serão resolvidos não pelo deferimento de mecanismos de reequilíbrio por parte do poder público outorgante, mesmo porque o autorizatário tem ampla liberdade para gerenciar a sua ferrovia. Poderá recorrer, por exemplo, ao aumento da tarifa, à alienação de bens menos relevantes para a continuidade dos serviços, à alterações societárias, entre tantas outras medidas possíveis (...)".

[23] As principais contribuições apresentadas à época foram examinadas pela autora deste artigo em breve ensaio sobre o tema, publicado em coautoria com Victor Hugo Pavoni Vanelli (Autorizações ferroviárias e regulamentação. *Informativo Justen, Pereira, Oliveira e Talamini*, Curitiba, n. 185, jul. 2022. Disponível em: https://justen.com.br/wp-content/uploads/2023/06/aut-ferroviarias.pdf. Acesso em: 1 jul. 2024).

[24] Os contratos de adesão dispõem sobre a possibilidade de ampliação ou atualização dos traçados das ferrovias autorizadas, admitindo também o aumento da capacidade de transporte ou de armazenagem e a diversificação do uso da infraestrutura. Além disso, preveem o cabimento da transferência de titularidade da autorização a terceiros e os requisitos a serem observados para tanto. No mais, regulam questões gerais, atinentes ao início da operação ferroviária, ao procedimento aplicável para a prorrogação contratual, às prerrogativas da ANTT (limitadas ao exercício de suas competências fiscalizatórias e sancionatórias), aos direitos e deveres dos autorizatários, bem como às condições a serem observadas para a promoção de desapropriações e para o início das obras. Contemplam, por fim, a possibilidade de resolução de controvérsias e disputas por meio de mediação ou arbitragem.

5.4 A autonomia privada dos autorizatários

Os autorizatários operam sob os "princípios da livre concorrência, da liberdade de preços e da livre iniciativa de empreender" (p. único do art. 4º da Lei nº 14.273/2021) e, ao contrário dos operadores submetidos ao regime público, têm certa autonomia para gerir a capacidade de transporte das ferrovias que lhes são outorgadas.

Nas ferrovias autorizadas, é livre a oferta da capacidade de transporte aos agentes transportadores ferroviários (§2º do art. 9º). Ainda que a lei estabeleça expressa vedação à recusa injustificada de transporte de cargas (consoante prevê o *caput* do art. 38), verifica-se que as previsões obrigatórias dos contratos de autorização não contemplam eventuais obrigações relacionadas a gatilhos de investimento ou ao necessário aumento da capacidade de tráfego, como se verifica no âmbito das concessões.

Nem poderia ser diferente. A imposição de quaisquer encargos adicionais àqueles que foram delineados pelo autorizatário, e por ele assumidos com base na sua autonomia empresarial, seria incompatível com o regime privado de prestação dos serviços e com as características inerentes às autorizações ferroviárias.

O §2º do art. 7º é claro ao prever que será assegurada aos autorizatários "a liberdade de preços". A própria implementação de políticas públicas fica condicionada à previsão de mecanismos que assegurem a compensação do operador privado e o devido atingimento de suas legítimas expectativas. Veda-se, por exemplo, a criação de benefícios tarifários sem a indicação da respectiva fonte de custeio (como estabelece o art. 24).

Em síntese, o autorizatário fica vinculado aos termos e condições do empreendimento que ele se propõe a implantar, conforme a capacidade definida no bojo de eventual chamamento público ou a descrição constante do requerimento por ele formulado perante o regulador ferroviário.

6 O cenário delineado a partir dos regimes de exploração existentes

É inegável que as inovações trazidas pelo marco legal contribuem de forma significativa para o desenvolvimento do setor ferroviário ao criar um ambiente regulatório mais atraente aos investimentos privados.[25] A reestruturação da sistemática de prestação dos serviços promove a competitividade, facilitando a entrada de novos operadores no mercado e tornando viável a exploração das ferrovias mediante arranjos mais flexíveis, que permitem maior eficiência e inovação.

Em contrapartida, a coexistência de regimes jurídicos e a assimetria[26] provocada por essa dualidade gera desafios que exigem redobrada atenção.

---

[25] De acordo com informações disponibilizadas pela ANTT, foram firmados 45 contratos de adesão até 2024, os quais contemplam previsões de investimento superiores a R$240 bilhões. A expectativa ultrapassa questões atinentes à modernização da malha ferroviária nacional, abarcando a criação de 1,5 milhões de novos postos de trabalho, diretos e indiretos, bem como a diminuição dos custos de transporte e da emissão de CO2. Esses dados e as minutas dos respectivos contratos estão disponíveis no sítio eletrônico da agência Disponível em: https://www.gov.br/antt/pt-br/assuntos/ferrovias/autorizacoes-ferroviarias-1. Acesso em: 7 ago. 2024).

[26] Como ensinam Floriano de Azevedo Marques Neto e Mariana Fontão Zago (Limites das assimetrias regulatórias e contratuais: o caso dos aeroportos. *Revista de Direito Administrativo – RDA*, Rio de Janeiro, v. 277, n. 1, p. 182, jan./abr. 2018), "costuma-se referir à 'assimetria regulatória' para os casos em que o ordenamento jurídico admite a exploração de uma atividade em regimes jurídicos distintos, trazendo para cada qual, regras específicas de atuação. Nesse caso, atores de um mesmo setor poderão estar sujeitos a regras – obrigações e direitos – diferentes, conforme o regime no qual exploram suas atividades".

6.1 Aspectos concorrenciais

O atual panorama normativo tem por resultado o surgimento de um ambiente concorrencial multifacetado. O fato de os serviços de transporte ferroviário serem prestados à luz de disciplinas jurídicas distintas instaura uma dinâmica competitiva não apenas entre os agentes que operam sob o regime público e aqueles sujeitos ao regime privado, mas também entre os próprios autorizatários.

6.1.1 A relação entre autorizatários e concessionários

As autorizações não podem ser outorgadas indiscriminadamente, de forma desordenada. Caso contrário, o incremento da competitividade no setor ferroviário se dará às custas da desnaturação de serviço público essencial à concretização de direitos fundamentais e da possível degradação da qualidade das utilidades ofertadas aos usuários. A sobreposição de trajetos, a fragmentação do mercado e outras consequências deletérias derivadas de práticas concorrenciais potencialmente predatórias prejudicariam não apenas os operadores, mas também a coletividade e o próprio desenvolvimento nacional.

É precisamente por isso que o marco legal estabelece requisitos a serem preenchidos pelos interessados em obter autorizações.

Os estudos e relatórios técnicos que devem instruir o respectivo requerimento, além de contemplar o detalhamento da configuração e das características do projeto, têm de apresentar especificações operacionais "compatíveis com o restante da malha ferroviária" e demonstrar a sua "viabilidade técnica, econômica e ambiental" (nos termos do art. 25, §1º, II, "c" e "e").[27]

Isso não elimina, contudo, os possíveis impactos derivados da outorga de autorizações.

Mesmo que não haja incompatibilidade ou motivo técnico-operacional que justifique a negativa da autorização pretendida (conforme o §6º do art. 25), é possível que a exploração de uma ferrovia autorizada acabe afetando negativamente um contrato de concessão já existente.

Ressalve-se que a ampla maioria das concessões atualmente vigentes é disciplinada por contratos firmados ainda na década de 1990, sob um regime legal distinto, no âmbito do qual os serviços ferroviários não eram delegados aos particulares por meio de autorizações. Não seria razoável desconsiderar esse contexto e ignorar o conjunto de direitos e obrigações pactuados pelos concessionários junto ao poder concedente, com vistas a impor-lhes o ônus de suportar os impactos decorrentes das mudanças implementadas pela Lei nº 14.273/2021.

---

[27] A Resolução nº 5.987/2022, que regulamenta o processo de tramitação dos requerimentos de autorização, procurou disciplinar melhor alguns dos conceitos da Lei nº 14.273/2021, apresentando as definições de "áreas adjacentes", "aspectos urbanísticos", "viabilidade locacional", dentre outros (incs. I a VII do art. 2º). Ao tratar do procedimento a ser observado, o art. 5º reafirma as exigências da Lei, mas especifica as informações que devem constar dos relatórios técnicos e memoriais descritivos (inc. I e §2º), discriminando também as certidões e demais documentos que devem instruir os respectivos requerimentos (incs. III a V). As demais disposições da Resolução deixam claro que a ANTT poderá solicitar esclarecimentos a respeito da documentação e que informações suplementares podem ser apresentadas pelos interessados no curso da análise (§§5º a 7º do art. 5º).

Uma das possíveis soluções para esse impasse consiste na adaptação dos contratos de concessão em vigor.

O art. 64 do marco legal prevê que os concessionários podem requerer a adaptação de seus contratos, de concessão para autorização, nas hipóteses em que uma nova ferrovia, autorizada e em operação, tiver sido construída por pessoa jurídica concorrente ou integrante do mesmo grupo econômico (i.e., empresas que possuam vínculos de controle com o concessionário ou que sejam a ele coligadas). Significa que eles poderão optar pelo regime de direito privado, promovendo os necessários ajustes em seus contratos de concessão, caso reputem conveniente competir com o autorizatário no atendimento de determinado mercado logístico ou caso tenham interesse em expandir a extensão ou a capacidade de transporte das ferrovias que lhes foram concedidas, no mesmo mercado relevante e em percentual não inferior a 50% (incs. I e II do §1º).

Incumbe ao poder concedente examinar o cabimento dessa solução, que está condicionada ao preenchimento de certas condições (tais como a prévia oitiva dos órgãos de defesa da concorrência, a ausência de multas pendentes e a manutenção das obrigações financeiras, de investimento e de transporte anteriormente estabelecidas) e deverá ter como parâmetro a busca pela eficiência econômica.

As possíveis dificuldades ocasionadas pela assimetria regulatória que caracteriza a relação existente entre concessionários e autorizatários de ferrovias são mitigadas também pela previsão constante do §11 do art. 64, que estabelece regra de inequívoca relevância.[28]

Em caso de não adaptação dos contratos, garante-se aos concessionários o "direito à recomposição do equilíbrio econômico-financeiro" originalmente avençado com o poder concedente, desde que "provado o desequilíbrio decorrente de outorga de autorizações para a prestação de serviços de transporte dentro da sua área de influência". Essa recomposição poderá ser implementada mediante a redução do valor da outorga, o aumento do teto tarifário, a supressão de investimentos ou a ampliação do prazo contratual original (nos termos do §12).

Tal solução se aplica tanto aos casos em que o concessionário não tiver interesse em promover a adaptação como às hipóteses em que o particular não preencher os requisitos necessários para tanto. As regras constitucionais e legais que asseguram a intangibilidade do equilíbrio econômico-financeiro (CF, art. 37, XXI; Lei nº 8.987/1995, arts. 9º, §§3º e 4º, 10, dentre outros) não autorizam eventual entendimento em sentido diverso. Uma vez verificado o rompimento da relação entre encargos e vantagens originalmente pactuada entre as partes, o poder concedente terá o *dever* de restabelecê-la.

Além disso, o marco legal assegura aos concessionários o direito de preferência para a obtenção de autorizações, nos primeiros 5 anos de vigência da lei, se as ferrovias pretendidas ou oferecidas à iniciativa privada estiverem localizadas dentro da área de influência da outorga já existente. Nesses casos, os concessionários deverão ofertar

---

[28] O referido dispositivo havia sido vetado por ocasião da promulgação do marco legal, sob o (equivocado) argumento de que a proposição seria contrária ao interesse público, por extrapolar os direitos dos concessionários e desconsiderar as cláusulas já pactuadas e as respectivas hipóteses de reequilíbrio. As justificativas apresentadas à época indicavam, ainda, que a delimitação de uma área de influência representaria "um tipo de restrição geográfica" à atuação dos operadores e configuraria suposta prática anticompetitiva. O veto foi derrubado pelo Congresso Nacional em outubro de 2023, com a finalidade de restabelecer essa e outras regras que se destinam a propiciar o harmônico funcionamento do sistema de transporte ferroviário.

condições idênticas àquelas constantes do requerimento dos propositores originais ou às apresentadas na proposta vencedora (conforme dispõe o art. 67 da Lei nº 14.273/2021).

As medidas consagradas em âmbito legislativo confirmam a inviabilidade de se admitir que a consolidação de um novo regime de outorga se sobreponha aos contratos de concessão já firmados e às garantias que lhes são inerentes. Os concessionários têm de se ajustar à realidade existente, mas devem ter os seus direitos respeitados.

6.1.2 Os possíveis conflitos entre potenciais autorizatários

O cumprimento das exigências legalmente estabelecidas determina a outorga da autorização requerida pelo particular interessado. A negativa do pedido é admitida somente diante de hipóteses específicas e pressupõe a prolação de decisão devidamente fundamentada, que exponha as razões de fato e de direito que justificam o entendimento do regulador ferroviário à luz das hipóteses expressamente previstas no §6º do art. 25 da Lei nº 14.273/2021.

Nesse contexto, um dos principais desafios a ser enfrentado diz respeito a possíveis conflitos entre diferentes projetos.

Imagine-se, por exemplo, uma situação em que dois ou mais interessados formulam requerimentos com o objetivo de obter autorizações para construir e operar uma ferrovia no mesmo local. Considere-se ainda a possibilidade de o operador que desenvolve as suas atividades sob o regime de direito privado, tendo assumido obrigações e realizado substanciais investimentos, vir a ser surpreendido pela formulação de requerimento que abranja localidade situada dentro de sua área de influência.

O processo seletivo público, previsto no inc. II do art. 28 da lei, não parece solucionar tais questões.

Esse procedimento é aplicável diante de casos específicos, envolvendo o resultado de chamamento previamente realizado pelo Poder Executivo com a finalidade de viabilizar a outorga de ferrovias (não implantadas, ociosas ou em processo de devolução/desativação)[29] que apresentam características próprias. Ampliar a sua utilização, para ir além das hipóteses expressamente previstas na lei, significaria burocratizar a sistemática de outorga das autorizações e contrariar o próprio espírito do marco legal.

A ANTT procurou regulamentar possíveis conflitos entre autorizatários por meio da Resolução nº 6.014/2023, que alterou disposições do ato normativo anteriormente editado pela agência para disciplinar o processo de tramitação dos requerimentos (qual seja, a Resolução nº 5.987/2022). Ressalve-se que a solução formatada não contempla o direito de preferência do primeiro requerente nem tampouco assegura ao autorizatário, com outorga em vigor, qualquer exclusividade quanto ao traçado por ele operado.[30]

---

[29] As ferrovias não implantadas abrangem traçados cuja operação é tida pelo regulador ferroviário como relevante para os interesses coletivos e políticas públicas do setor, mas que ainda não estão sendo objeto de exploração. Por outro lado, a ociosidade é caracterizada pela existência de bens reversíveis não explorados pela concessionária e pela existência de trechos que não contam com tráfego comercial há mais de dois anos ou que não têm atingido as metas de desempenho contratualmente estabelecidas, também por mais de dois anos. Os trechos devolvidos e desativados, por sua vez, são aqueles que se revelaram inviáveis para o concessionário e se submeteram ao procedimento previsto no art. 15 da Lei nº 14.273/2021.

[30] O §4º do art. 8º da Lei nº 14.273/2021 indica expressamente que a "outorga de determinada ferrovia não implica a preclusão da possibilidade de outorga de outras ferrovias, ainda que compartilhem os mesmos pares de origem

A partir das modificações que lhe foram introduzidas, a Resolução nº 5.987/2022 passou a estabelecer um limite temporal de 60 dias, contados da publicação do extrato do primeiro requerimento de autorização apresentado.

Se eventual interessado apresentar um novo requerimento dentro desse prazo, contemplando traçado que se sobreponha à faixa de domínio da ferrovia já requerida e pendente de outorga, ele será chamado a apresentar (em até 60 dias) solução técnica alternativa, que possibilite a implantação de ambos os empreendimentos. Em não havendo resposta ou caso a proposta apresentada não atenda a esse objetivo, o requerente mais antigo será instado a propor tal solução, em igual prazo. Caso ele não se manifeste ou sua resposta seja insuficiente, será solicitada a ambos os requerentes a elaboração de estudos de traçado – e aqueles que não o fizerem terão o seu pedido arquivado (art. 8º, incs. I a IV da Resolução nº 5.987/2022).

Caberá à ANTT avaliar a adequação técnica dos respectivos estudos de traçado e decidir qual dos requerentes terá preferência na obtenção da autorização, utilizando como critério de seleção a maior oferta de pagamento pela outorga (incs. V a VII e §§1º e 2º do referido dispositivo).

Os requerimentos formulados após o limite temporal de 60 dias não serão considerados no âmbito do procedimento de deliberação sobre a outorga da autorização referente à ferrovia já requerida (§4º do art. 8º). Sua análise se dará em momento oportuno, observando a necessidade de verificação da compatibilidade locacional do empreendimento, bem como o cabimento da realização de novos estudos voltados a desenvolver e apresentar solução técnica adequada para o conflito identificado (§5º do art. 8º c/c arts. 6º e 7º da Resolução nº 5.987/2022).

As regras estabelecidas em âmbito infralegal representam um significativo avanço, na medida em que conferem maior segurança aos autorizatários quanto aos critérios e procedimentos aplicáveis frente aos requerimentos de autorização. Ainda assim, verifica-se significativa margem de subjetividade no que diz respeito às análises a serem conduzidas pela ANTT.

Tendo em vista as finalidades buscadas pela Lei nº 14.273/2021, bem como a magnitude dos desembolsos necessários à implantação e exploração de novas vias férreas, a limitação da discricionariedade e o estabelecimento de critérios ainda mais objetivos só têm a contribuir para o desenvolvimento de um ambiente efetivamente apto a atrair investimentos privados.

6.2 Integração e coordenação operacional

Outro dos desafios verificados em decorrência da modelagem concebida diz respeito à integração e coordenação operacional entre concessionários, autorizatários e demais operadores (agentes transportadores ferroviários – ATFs). A coexistência de regimes jurídicos tende a gerar complexidades adicionais, que são agravadas pelo

---

e destino ou a mesma região geográfica" (BRASIL. Lei nº 14.273, de 23 de dezembro de 2021. Estabelece a Lei das Ferrovias; altera o Decreto-Lei nº 3.365, de 21 de junho de 1941 (...). *Diário Oficial da União*: Brasília, DF, 2021. Disponível em: https://www.planalto.gov.br/ccivil_03/_ato2019-2022/2021/lei/l14273.htm. Acesso em: 7 ago. 2024).

fato de que a implantação da sistemática de prestação de serviços delineada pela Lei nº 14.273/2021 ainda está sendo aprimorada.

Os possíveis problemas derivados desse contexto são especialmente críticos se considerados sob a perspectiva de que eventuais impasses podem não só gerar conflitos concorrenciais e operacionais, mas também resultar na utilização ineficiente dos recursos ferroviários.

O marco legal estabelece, dentre as regras comuns a ambos os regimes, o *dever* de compartilhamento da infraestrutura e a vedação à recusa injustificada de transporte de cargas nas ferrovias outorgadas à iniciativa privada (arts. 37 e 38). Admite-se a recusa apenas nas hipóteses de saturação da via, não atendimento, pelo terceiro, das condições contratuais de transporte e eventual indisponibilidade de material rodante ou serviços acessórios necessários ao transporte de carga (incs. I a III do §1º do art. 38).

O compartilhamento de infraestrutura obedecerá às garantias de capacidade de transporte definidas nos contratos de concessão ou, no caso dos autorizatários, nos acordos operacionais que vierem a ser por eles firmados com os interessados. O valor cobrado será objeto de livre negociação, caso a infraestrutura seja operada em regime privado, ou deverá observar os tetos tarifários fixados pelo regulador, se a operação se der sob regime público (art. 41, *caput* e §§1º a 3º).

As regras em questão têm por objetivo garantir que o sujeito que detém a outorga ou registro para a prestação dos serviços de transporte ferroviário possa trafegar na malha do operador que detém os direitos de exploração da respectiva infraestrutura ferroviária.[31]

A Resolução nº 5.943/2021 (com a redação que lhe foi dada pela Resolução nº 5.990/2022) dispõe sobre as diferentes modalidades de compartilhamento.

No direito de passagem, o requerente trafega de um ponto a outro do Subsistema Ferroviário Federal (SFF), mediante pagamento, utilizando-se da via permanente e do sistema de licenciamento de trens do cedente. Já no tráfego mútuo, o requerente se vale também dos recursos operacionais do cedente (i.e., material rodante, pessoal, sistemas de sinalização e comunicação etc.).

Em ambos os casos, há que se tomar em conta a efetiva capacidade ociosa da malha, correspondente à diferença entre a capacidade instalada (capacidade máxima do trecho à luz das premissas técnico-operacionais e de segurança) e a capacidade vinculada (caracterizada pela quantidade de trens prevista para circular, nos dois sentidos, em um período de 24 horas). É o que preveem os arts. 6º, §1º, e 8º do referido ato normativo.

Disso decorre que o compartilhamento de infraestrutura está indissociavelmente relacionado às condições operacionais do trecho. As obrigações a ele inerentes deverão ser compatibilizadas com as disposições dos contratos de concessão e adesão, à luz da

---

[31] Como pondera Maurício Portugal Ribeiro (Aspectos jurídicos e regulatórios do compartilhamento de infraestrutura no setor ferroviário. *Revista do IBRAC – Direito da Concorrência, Consumo e Comércio Internacional*, São Paulo, v. 12, p. 163, jan. 2005), o objetivo dessa obrigação "é assegurar a permeabilidade da malha ferroviária do país e maximização da eficiência do uso do sistema ferroviário como um todo. No setor ferroviário, esta maximização de eficiência visa, ao mesmo tempo, permitir que o transporte se desenvolva por distâncias que o tornem competitivo e viabilizar a chegada da carga originária de uma malha em destino da outra malha". Sobre a relevância do compartilhamento de infraestrutura para a promoção da competitividade intramodal, cf.: DAYCHOUM, Mariam Tchepurnaya; SAMPAIO, Patrícia Regina. *Regulação e concorrência no setor ferroviário*. Rio de Janeiro: Lumen Juris, 2017. p. 85-92.

capacidade de tráfego disponível e das metas pactuadas entre os operadores cedentes e o regulador ferroviário.

Por questões de política regulatória, o tráfego mútuo deve ser tido como a opção preferencial, admitindo-se o compartilhamento mediante direito de passagem[32] apenas nas hipóteses em que tal modalidade se revelar inviável em razão de circunstâncias comerciais ou operacionais (art. 3º, *caput* e §2º, da resolução).

O compartilhamento de infraestrutura ou de recursos operacionais será regido por contrato operacional específico (COE), a ser livremente pactuado entre as partes após requerimento do interessado (concessionário, autorizatário ou ATF) ao operador cedente (arts. 6º e 12 da resolução). Tais contratos se prestam a estabelecer os direitos e obrigações a serem observados, respeitando os aspectos técnicos, econômicos e de segurança, bem como a capacidade ociosa do respectivo trecho ferroviário.

Caso não haja capacidade ociosa na malha ferroviária pretendida, a regulamentação admite que as partes (cedente e requerente) pactuem a realização de investimentos destinados a aumentar a capacidade ociosa e, assim, viabilizar o compartilhamento de infraestrutura.[33]

Em qualquer caso, fica evidente que o regulador ferroviário exerce papel fundamental na dinâmica estabelecida. Incumbe-lhe o dever de gerir e fiscalizar a saturação das malhas, a capacidade de tráfego e o cumprimento das obrigações de compartilhamento por parte dos concessionários e autorizatários.

Para mitigar os desafios derivados do cenário existente, é recomendável que os operadores que atuam sob os regimes público e privado procurem conciliar os seus respectivos planos de operação, de modo a contribuir com a integração e interoperabilidade das malhas. A gestão conjunta da infraestrutura ferroviária requer uma estreita colaboração entre os diferentes operadores do sistema para evitar a saturação da capacidade e garantir que os serviços sejam prestados de forma eficiente e segura.

6.3 Iniciativas voltadas à desverticalização

Com o advento do marco legal, a figura do Operador Ferroviário Independente (OFI), recebe a denominação de "Agente Transportador Ferroviário" (ATF), reafirmando a possibilidade de os serviços de transporte virem a ser prestados por agente

---

[32] Caracterizam-se como requisitos indispensáveis ao exercício do direito de passagem, a disponibilidade de materiais, equipamentos e sistemas (vagões, locomotivas e dispositivos de sinalização e comunicação) que atendam às exigências técnico-operacionais mínimas estabelecidas pelo cedente para a operação no trecho ferroviário pretendido. Além disso, caberá ao requerente arcar com o pagamento das respectivas tarifas de compartilhamento e dos treinamentos necessários à qualificação técnica exigida para habilitação da equipagem empregada na operação dos trechos ferroviários compartilhados (p. único do art. 4º da Resolução nº 5.943/2021).

[33] O art. 9º da Resolução estabelece que os investimentos em expansão poderão ser efetuados pelo cedente ou pelo requerente. Se os investimentos forem realizados pelo cedente, ele poderá exigir que o COE contemple cláusula de demanda firme, com prazos e taxas de retorno compatíveis à recuperação dos investimentos, respeitando-se o prazo final da concessão (§1º). Por outro lado, caso eventuais desembolsos sejam suportados pelo próprio requerente, ele terá direito à reserva de uso da capacidade ociosa gerada, podendo obter descontos nas tarifas de direito de passagem ou tráfego mútuo em razão da negociação dessa capacidade junto a terceiros (nos termos do §2º do art. 9º). Nessa hipótese, os bens decorrentes dos investimentos seriam incorporados ao patrimônio do cedente (art. 10 da resolução) e o requerente não teria direito a eventual indenização. O retorno de seu investimento deve ser atrelado à utilização da infraestrutura ferroviária nos termos do COE (conforme prevê o §2º do referido dispositivo).

diverso daquele que opera e mantém a ferrovia outorgada. Nos termos do art. 3º da Lei nº 14.273/2021, trata-se da "pessoa jurídica responsável pelo transporte ferroviário de cargas, desvinculada da exploração da infraestrutura ferroviária".

A execução dos serviços pelo ATF pressupõe sua regular inscrição em registro mantido pelo regulador ferroviário.

Sob essa ótica, coube à Resolução nº 5.990/2022 regulamentar a atuação de tais agentes e instituir o Registro Nacional do Agente Transportador Ferroviário (RENAFER-C), estabelecendo os requisitos a serem preenchidos, as hipóteses de cancelamento da inscrição, as condições de acesso à infraestrutura ferroviária, os direitos e deveres dos ATFs, dentre outros aspectos relevantes.

Em linhas gerais, o registro poderá ser requerido pelo particular interessado mediante a apresentação, à ANTT, do correspondente requerimento e dos documentos exigidos (art. 4º). Admite-se o seu indeferimento apenas quando os documentos e formalidades previstos na Resolução não forem atendidos e após a necessária concessão do prazo de trinta dias para que o interessado supra eventuais falhas identificadas pela Agência (art. 5º, *caput* e p. único).

A inscrição terá prazo indeterminado e não há qualquer limitação quanto ao número de possíveis inscritos. Após a efetivação do respectivo registro, a prestação do serviço de transporte ferroviário pelo ATF depende (i) da prévia celebração de contrato operacional específico (COE) com a operadora ferroviária da infraestrutura que se pretende utilizar (art. 10 da Resolução nº 5.990/2020); (ii) do atendimento das condições estabelecidas na regulamentação da ANTT e no COE, inclusive no que diz respeito a aspectos operacionais e de segurança, e da posse de material rodante (art. 11); (iii) da contratação de seguros de responsabilidade civil (nos termos dos arts. 11 e 22) e do (iv) pagamento pela utilização da infraestrutura ferroviária e pelos serviços prestados pelo operador originário, nos termos pactuados entre as partes no COE (art. 12).

Assegura-se ao ATF o recebimento de "informações sobre os requisitos e serviços relacionados à utilização da infraestrutura ferroviária para a realização do transporte ferroviário de cargas" (art. 14, inc. VII, da resolução), dos operadores com os quais firmar o COE. Em contrapartida, ele assume a obrigação de garantir a qualidade dos serviços prestados, devendo adotar medidas voltadas à prevenção de acidentes, à contratação de seguros e à mitigação e correção de eventuais danos ao meio ambiente, à saúde e à segurança das pessoas (conforme prevê o art. 15).

Por exercer atividade privada, o ATF recebe tratamento semelhante àquele conferido aos autorizatários no que se refere à liberdade tarifária. Ele tem autonomia para fixar os seus preços (inc. XIV do art. 14 da Resolução), mas sujeita-se a parâmetros de mercado e de razoabilidade, sob pena de incorrer em práticas que configurem abuso de poder econômico – e que podem e devem ser coibidas pela ANTT e pelos órgãos de defesa da concorrência.

As autorizações outorgadas aos antigos OFIs, sob a égide da disciplina normativa anterior, ficam automaticamente convertidas em registro (art. 36).

As iniciativas voltadas à desverticalização do transporte ferroviário têm a louvável intenção de promover a concorrência e a eficiência do setor. Ao permitir que empresas distintas sejam responsáveis pelo transporte e pela gestão e manutenção da infraestrutura, o legislador pretende modificar o regime monopolístico que se consagrou ao longo dos anos, de modo a incentivar a inovação e o aperfeiçoamento dos serviços. O objetivo é claro: atrair novos investidores e operadores com vistas a fomentar a competitividade e oferecer mais opções de transporte para os usuários.[34]

No entanto, a implementação da solução concebida gera diversos desafios, que devem ser examinados à luz da realidade concreta e da adequação do modelo horizontalizado de prestação dos serviços frente aos fins públicos que se busca atingir.

A exploração das ferrovias envolve atividades altamente especializadas, que demandam a realização de investimentos de elevada monta e o cumprimento de obrigações das mais diversas ordens (tais como deveres de natureza técnica, ambiental, fundiária, de segurança operacional etc.). A própria viabilidade das atividades de construção e operação da infraestrutura ferroviária depende, em alguma medida, de certa reserva de mercado.

De um lado, tem-se a necessidade de se assegurar o efetivo acesso dos ATFs à malha instalada, em condições competitivas e não discriminatórias. De outro, há que se garantir que a sua atuação não prejudique a segurança e a eficiência operacional da prestação dos serviços nem tampouco as expectativas de retorno dos agentes verticalizados e o consequente cumprimento das obrigações de investimento pactuadas no âmbito dos contratos de concessão e autorização.[35]

O regular funcionamento da sistemática de prestação de serviços delineada pressupõe o amadurecimento do quadro institucional existente e a atuação coordenada dos diferentes agentes e operadores. É essencial estabelecer um arcabouço normativo e regulatório robusto a ponto de garantir que todos os atores cumpram suas obrigações, de forma que o sistema funcione de maneira integrada e eficiente.

6.4 As questões pendentes de regulamentação

A Lei nº 14.273/2021 alude à necessidade de regulamentação de dezenas de aspectos relevantes para a operação das ferrovias e para a própria delegação dos serviços, incluindo questões atinentes às condições operacionais da malha (arts. 10, §4º, 19, §2º, II, 38, §1º), às atividades a serem desenvolvidas pelos operadores ferroviários e seus respectivos preços (arts. 12 e 40), às indenizações devidas em caso de desativação ou devolução de trechos (arts. 15, §2º, incs. II e III, e 26, §4º), às diferentes categorias de usuários e seus direitos e obrigações (arts. 16, §3º e 17º, §§2º e 3º), ao cabimento da alienação, cessão ou arrendamento de bens públicos (art. 21), ao procedimento que

---

[34] A despeito das iniciativas voltadas à desverticalização e das possíveis vantagens destacadas por aqueles que as defendem (notadamente relacionadas à ampliação do rol de agentes aptos a prestar os serviços de transporte e ao correspondente incremento da competitividade), estudos do setor indicam que há poucas evidências de que uma estrutura desverticalizada efetivamente contribua para a concorrência intramodal e para a ampliação do papel das ferrovias na matriz de transportes (cf.: DAYCHOUM; SAMPAIO. *Regulação e concorrência no setor ferroviário*, p. 97-98). A complexidade do desenho institucional proposto e os custos de transação dele decorrentes se somam a dificuldades de ordem técnico-operacional e a difícil convivência com o modelo vertical existente (cf.: PINHEIRO; RIBEIRO. *Regulação das ferrovias*, p. 358).

[35] A complexidade derivada desse cenário é confirmada pelo fato de que, desde a promulgação da Lei nº 14.273, em dezembro de 2021, apenas 8 agentes transportadores foram inscritos no RENAFER-C, conforme dados da ANTT disponíveis em: https://www.gov.br/antt/pt-br/assuntos/ferrovias/renafer-c/cadastro-de-registros/renafer-c-1. Acesso em: 7 ago. 2024).

deve reger eventual processo seletivo público (art. 28, *caput* e inc. II), à autorregulação ferroviária (art. 46), dentre outros.

As disposições do Decreto nº 11.245/2022 e as iniciativas adotadas pela ANTT em prol da regulamentação do marco legal ainda não abordaram todas essas questões.[36]

Não foram definidas, por exemplo, as métricas que devem ser consideradas pelo regulador ferroviário para a verificação dos níveis de saturação das ferrovias exploradas sob regime público (como determina o §4º do art. 10). Também não se sabe em que medida os direitos e obrigações previstos nos contratos firmados entre os usuários investidores, os investidores associados e as operadoras ferroviárias seriam estendidos a seus eventuais sucessores (tal como preveem os arts. 16, §º e 17, §3º, da lei). Do mesmo modo, não foram regulamentadas as hipóteses concretas em que os bens públicos poderão ser destinados aos detentores de autorizações e os critérios aplicáveis para a seleção dos beneficiários ou para a definição dos valores a serem pagos por eles (art. 21).

É bem verdade que o caráter dinâmico dos serviços de transporte ferroviário e a mutabilidade inerente às concessões e autorizações recomendam que tais prestações sejam formatadas de acordo com as reais necessidades existentes. A imposição de soluções predeterminadas e a excessiva rigidez da lei poderiam resultar em regras defasadas e pouco adequadas à realidade concreta.

Contudo, a falta de regulamentação pode gerar um ambiente de incerteza para os operadores ferroviários e potenciais investidores. Sem diretrizes suficientemente claras, a iniciativa privada tende a enfrentar dificuldades para planejar investimentos de longo prazo, avaliar riscos e verificar a efetiva conformidade de sua atuação com as exigências legais e regulatórias aplicáveis.

A potencial instabilidade derivada desse cenário se manifesta de diversas formas. Primeiramente, a indefinição normativa pode levar a interpretações divergentes das disposições legais, resultando em conflitos judiciais ou administrativos com o regulador ferroviário ou entre os diferentes agentes (operadores e usuários). De resto, a ausência de regulamentação dá margem a decisões arbitrárias por parte das autoridades competentes, prejudicando a previsibilidade e a estabilidade necessárias para a efetiva promoção de investimentos privados no setor.

No limite, tal conjuntura poderia impactar no fluxo de captação de recursos, conduzindo à postergação de projetos de implantação de ferrovias e comprometendo o crescimento e a eficiência do sistema de transporte ferroviário.

Portanto, para mitigar esses reflexos, é imperativo que os órgãos competentes avancem na elaboração e implementação das normas regulamentares necessárias à consolidação de um ambiente estável, previsível e propício ao efetivo desenvolvimento da matriz nacional de transportes.

---

[36] Até então, foram editadas a Resolução nº 5.987/2022, que disciplina o processo administrativo para requerimento de autorizações; a Resolução nº 5.990/2022, que institui o RENAFER-C e regulamenta a atuação dos agentes transportadores ferroviários; a Resolução nº 6.021/2023, que trata da destinação de recursos para desenvolvimento tecnológico e preservação da memória ferroviária; a Resolução nº 6.031/2023, que estabelece as regras para a contratação e execução de operações acessórias e as resoluções nº 6.035 a 6.037/2024, que disciplinam a metodologia para estimativa do custo médio ponderado de capital e para avaliação do nível de risco das ferrovias, em contratos de concessão já existentes ou nos estudos relativos aos projetos de futuras delegações ou prorrogações antecipadas.

6.5 A importância da autorregulação

Ao instituir a possibilidade de autorregulação, o art. 43 da Lei nº 14.273/2021 introduz significativa modificação na sistemática de coordenação e gestão dos serviços de transporte ferroviário. Passa-se a admitir que os diferentes operadores se associem voluntariamente, compondo uma entidade de direito privado sem fins lucrativos, com o objetivo de estabelecer normas, padrões e procedimentos voltados a disciplinar autonomamente suas próprias atividades.

As funções a serem exercidas por tal entidade constam do art. 44, que apresenta um elenco exemplificativo dos diferentes mecanismos de atuação que podem ser adotados para assegurar o protagonismo dos operadores frente à definição de soluções e à tomada de decisões relevantes para o setor.

Dentre elas, cabe destacar a instituição de parâmetros técnico-operacionais para a execução dos serviços de transporte (notadamente no que se refere à via permanente, aos sistemas de segurança e ao material rodante), a conciliação de conflitos – de ordem não comercial – entre seus membros, a coordenação do controle operacional das malhas, inclusive com vistas a assegurar neutralidade dos associados em relação aos interesses dos usuários, e a interação com o ente regulador e demais autoridades governamentais.

Como declaradamente exposto no inc. I do referido dispositivo, a autorregulação tem por finalidade a "maximização da interconexão e da produtividade ferroviárias", ao mesmo tempo em que busca conciliar os interesses envolvidos e assegurar um tratamento paritário aos diversos agentes. É razoável supor que a definição consensual de parâmetros operacionais, estipulados por representantes dos próprios operadores (art. 45), contribui para o estabelecimento de elevados padrões de desempenho e permite que os operadores mantenham níveis de serviço consistentes e adequados – o que é essencial para a eficiência, segurança e regularidade do transporte ferroviário.

Esse mesmo raciocínio é aplicável também no que diz respeito à mediação de disputas internas e ao planejamento operacional (incs. II a IV). A atuação coordenada dos concessionários, autorizatários e ATFs favorece o harmônico funcionamento do sistema de transportes existente e em implantação, reduzindo a litigiosidade do setor e garantindo que as operações sejam concebidas pelos operadores associados a partir das circunstâncias concretas que forem por eles identificadas.

De mais a mais, ao permitir que a interlocução com os órgãos governamentais fique centralizada no autorregulador, a lei contribuiu para que as demandas levadas ao poder público efetivamente retratem a realidade e as necessidades do setor. Reduz-se a influência desse ou daquele operador, bem como o risco de captura por eventuais agentes que possam ter maior influência.

Caberá à entidade autorregulatória interagir com o regulador ferroviário para solicitar a revogação ou alteração de normas incompatíveis com a eficiência ou com a produtividade dos serviços de transporte, em atenção às melhores práticas operacionais e às demandas do setor. Nessa esteira, ela assume também o ônus de dialogar com os diferentes entes federativos para permitir que o uso da via permanente de seus associados seja conciliado com outras vias terrestres e demais modos de transporte.

A governança do autorregulador é realizada em regime colegiado, com diretores escolhidos entre representantes das operadoras ferroviárias associadas, que devem possuir "experiência técnico-operacional em ferrovias e notório conhecimento das melhores práticas do setor ferroviário" (p. único do art. 45). Essa configuração permite que a tomada de decisões seja conduzida por profissionais qualificados, que têm profundo entendimento das operações ferroviárias e estão aptos a tomar decisões informadas e eficazes.

Nos termos dos arts. 46 e 47, o autorregulador ficará submetido à supervisão do regulador ferroviário (a quem cabe resolver contestações e decidir conflitos) e ao controle dos órgãos de defesa da concorrência (que podem adotar providências caso as normas ou especificações técnicas vinculantes para os associados venham a interferir na competitividade do mercado). Trata-se, contudo, de hipóteses excepcionais.

A lei ressalva expressamente que a regulação de temas técnico-operacionais permanece reservada à atividade de autorregulação (par. único do art. 46), de modo que a hipotética intervenção do regulador deverá ser admitida apenas diante de circunstâncias específicas – cuja definição ainda deve ser regulamentada. Assegura-se, com isso, a autonomia necessária para que as entidades autorregulatórias tenham condições de atuar de forma efetiva e eficiente.

É evidente a importância da autorregulação.

A constituição de uma entidade associativa composta por representantes dos diferentes operadores não só tem o potencial de mitigar conflitos e possibilitar que eventuais controvérsias sejam solucionadas de modo mais célere e adequado, como também contribui para que as decisões relevantes para o setor sejam tomadas de forma mais rápida e bem-informada, tomando por base a composição de interesses e observando as particularidades do sistema de transportes e da atuação de seus agentes.[37] O regular funcionamento da estrutura delineada pelo legislador tende a favorecer o desenvolvimento sustentável das ferrovias e a eficiência de suas operações.

Promove-se, assim, um ambiente propício à inovação e ao crescimento do transporte ferroviário brasileiro.

7 Considerações finais

As inovações introduzidas pela Lei nº 14.273/2021 representam significativos avanços, contribuindo para a dinamicidade e desenvolvimento do setor ferroviário. A consolidação do regime de exploração de direito privado, mediante a outorga de autorizações, e as demais inovações implementadas pelo marco legal têm o potencial de atrair investimentos privados, viabilizar a expansão da malha e permitir que os serviços de transporte sejam ajustados às reais demandas dos usuários e operadores.

Contudo, é imperativo reconhecer que esses avanços trazem consigo desafios substanciais, que precisam ser cuidadosamente gerenciados para assegurar a eficiência, competitividade e sustentabilidade do setor.

A cooperação entre os diferentes agentes, aliada à regulamentação clara e eficaz das disposições da lei e à atuação permanente do autorregulador e do regulador ferroviário

---

[37] Sobre as contribuições da autorregulação para o estabelecimento de práticas mais responsivas e adequadas, cf.: MELO FILHO, Marconi Arani. Novo marco regulatório do setor ferroviário (a Lei das Ferrovias): uma análise crítica à luz das teorias regulatórias apoiadas na responsividade. *Revista de Direito Setorial e Regulatório*, [S. l.], v. 8, n. 2, p. 159-169, out. 2022.

em prol do amadurecimento do regime estabelecido serão essenciais para viabilizar o enfrentamento desses desafios, de modo a permitir que as ferrovias se desenvolvam em consonância com as reais necessidades logísticas do país.

Referências

ALMEIDA, Fernando Dias Menezes de. *Contrato administrativo*. São Paulo: Quartier Latin, 2012.

ANDRADE, Ricardo Barreto de. A Nova Lei das Ferrovias (n. 14.273/2021). *In*: JUSTEN FILHO, Marçal; SCHWIND, Rafael (coord.). *Parcerias Público-Privadas: reflexões sobre a Lei 11.079/2004*. 2 ed. São Paulo: RT, 2022.

ARTES, Joana Schmidt. Considerações sobre as autorizações em serviços ferroviários. *Revista de Direito Público da Economia*, [*S. l.*], ano 20, n. 77, p. 201-220, jan./mar. 2022.

BRASIL. Lei nº 14.273, de 23 de dezembro de 2021. Estabelece a Lei das Ferrovias; altera o Decreto-Lei nº 3.365, de 21 de junho de 1941 (...). *Diário Oficial da União*: Brasília, DF, 2021. Disponível em: https://www.planalto.gov.br/ccivil_03/_ato2019-2022/2021/lei/l14273.htm. Acesso em: 7 ago. 2024.

DANTAS, Bruno; GUERRA, Sérgio. *Direito da Infraestrutura*: regulação e controle do TCU. Belo Horizonte: Fórum, 2021.

DAYCHOUM, Mariam Tchepurnaya; SAMPAIO, Patrícia Regina Pinheiro. *Regulação e concorrência no setor ferroviário*. Rio de Janeiro: Lumen Juris, 2017.

DI PIETRO, Maria Sylvia Zanella. Parcerias na Administração Pública: concessão, permissão, terceirização, Parceria Público-Privada e outras formas. 9. ed. São Paulo: Atlas. 2012.

HEINEN, Juliano. Os desafios do modelo de transporte ferroviário a partir da edição do novo marco legal – Lei 14.273/2021. *Revista de Direito Administrativo e Infraestrutura*, [*S. l.*], v. 27, p. 25-48, out./dez. 2023.

JUSTEN FILHO, Marçal. As diversas configurações da concessão de serviço público. *Revista de Direito Público da Economia*, Belo Horizonte, n. 1, p. 95-136, jan./mar. 2003.

JUSTEN FILHO, Marçal. Serviço público no Direito brasileiro. *In*: CARDOSO, José Eduardo Martins; QUEIROZ, João Eduardo Lopes; SANTOS, Márcia Walquíria Batista dos Santos (org). *Direito administrativo econômico*. São Paulo: Atlas, 2011. p. 376-392.

JUSTEN FILHO, Marçal. *Teoria geral das concessões de serviço público*. São Paulo: Dialética, 2003.

JUSTEN FILHO, Marçal. Serviços de interesse econômico geral no Brasil: os invasores. *In*: WALD, Arnoldo; JUSTEN FILHO, Marçal; PEREIRA, Cesar A. Guimarães Pereira (org.). *O Direito Administrativo na atualidade*: estudos em homenagem a Hely Lopes Meirelles. São Paulo: Malheiros, 2017.

JUSTEN FILHO, Marçal. Ferrovias estaduais são uma ótima solução. *O Globo*, Rio de Janeiro, 21 jul. 2021. Disponível em: https://blogs.oglobo.globo.com/opiniao/post/ferroviais-estaduais-sao-otima-solucao.html?utm_source=aplicativoOGlobo&utm_medium=aplicativo&utm_campaign=compartilhar. Acesso em: 1 jul. 2024.

JUSTEN FILHO, Marçal. *Curso de Direito Administrativo*. 14. ed. Rio de Janeiro: Forense, 2023.

JUSTEN FILHO, Marçal. *Comentários à Lei de Licitações e Contratações Administrativas*. 2. ed. São Paulo: Revista dos Tribunais, 2023.

JUSTEN FILHO, Marçal. Serviço Público no Direito Brasileiro. *In*: CARDOZO, José Eduardo Martins; QUEIROZ, João Eduardo Lopes; SANTOS, Márcia Walquiria Batista (coord.). *Direito Administrativo Econômico*. São Paulo: Atlas, 2011.

LANZA, João Felipe; SPENCIERE, Pedro Daniel. *Desafios e perspectivas do setor ferroviário brasileiro*: novos corredores e a proposta de *shortlines*. São Paulo: Labrador, 2022.

LEFÈVRE, Mônica Bandeira de Mello; VANELLI, Victor Hugo Pavoni. Autorizações ferroviárias e regulamentação. *Informativo Justen, Pereira, Oliveira e Talamini*, Curitiba, n. 185, jul. 2022. Disponível em: https://justen.com.br/wp-content/uploads/2023/06/aut-ferroviarias.pdf. Acesso em: 1 jul. 2024.

MARQUES NETO, Floriano de Azevedo. A nova regulação dos serviços públicos. *Revista de Direito Administrativo – RDA*, Rio de Janeiro, n. 228, p. 13-29, abr./jun. 2002.

MARQUES NETO, Floriano de Azevedo. *Concessões*. Belo Horizonte: Fórum, 2015.

MARQUES NETO, Floriano de Azevedo; ZAGO, Mariana Fontão. Limites das assimetrias regulatórias e contratuais: o caso dos aeroportos. *Revista de Direito Administrativo – RDA*, Rio de Janeiro, v. 277, n. 1, p. 175-201, jan./abr. 2018.

MELO FILHO, Marconi Arani. Novo marco regulatório do setor ferroviário (a Lei das Ferrovias): uma análise crítica à luz das teorias regulatórias apoiadas na responsividade. *Revista de Direito Setorial e Regulatório*, [S. l.], v. 8, n. 2, p. 146-171, out. 2022.

MOREIRA, Egon Bockmann. Autorizações e contratos de serviços públicos. *Revista de Direito Público da Economia*, Belo Horizonte, v. 8, n. 31, p. 57-69, jul./set. 2010.

NESTER, Alexandre Wagner. *Regulação e concorrência*: compartilhamento de infraestruturas e redes. São Paulo: Dialética, 2006.

NESTER, Alexandre Wagner. A evolução do conceito jurídico de autorização na doutrina brasileira. *In:* WALD, Arnoldo; JUSTEN FILHO, Marçal; PEREIRA, Cesar A. Guimarães Pereira (org.). *O Direito Administrativo na atualidade*: estudos em homenagem a Hely Lopes Meirelles. São Paulo: Malheiros, 2017.

OLIVEIRA, Ricardo Wagner Carvalho de. *Direito dos Transportes Ferroviários*. Rio de Janeiro: Lumen Juris, 2005.

PINHEIRO, Armando Castelar; RIBEIRO, Leonardo Coelho. *Regulação das ferrovias*. Rio de Janeiro: FGV Editora, 2017.

RAMALHO, Paulo Roberto Azevedo Mayer. *Assimetria regulatória no transporte ferroviário brasileiro*: o novo marco legal das ferrovias em perspectiva. Orientadora: Geovana Lorena Bertussi. 2023. 86 f. Trabalho de Conclusão de Curso (Especialização em Controle da Desestatização e Regulação) – Instituto Serzedello Corrêa do Tribunal de Contas da União, Brasília, DF, 2023. Disponível em: https://bdm.unb.br/bitstream/10483/37756/1/2023_RaphaelVieiraDosSantos_tcc.pdf. Acesso em: 10 jul. 2024.

RIBEIRO, Maurício Portugal. Aspectos jurídicos e regulatórios do compartilhamento de infraestrutura no setor ferroviário. *Revista do IBRAC – Direito da Concorrência, Consumo e Comércio Internacional*, São Paulo, v. 12, p. 163, jan. 2005.

SCHIRATO, Vitor Rhein. *Livre iniciativa nos serviços públicos*. Belo Horizonte: Fórum, 2012.

SCHWIND, Rafael Wallbach. A inviabilidade locacional nas autorizações ferroviárias e as novidades da Resolução 6.014 da ANTT. *Agência Infra*, Brasília, DF, 12 maio 2023. Disponível em: https://agenciainfra.com/blog/infradebate-a-inviabilidade-locacional-nas-autorizacoes-ferroviarias-e-as-novidades-da-resolucao-6-014-da-antt/. Acesso em: 1 jul. 2024.

SCHWIND, Rafael Wallbach. Autorizações ferroviárias. *Informativo Justen, Pereira, Oliveira & Talamini*, Curitiba, n. 175, set. 2021, disponível em: http://www.justen.com.br/informativo. Acesso em: 1 jul.2024.

SUNDFELD, Carlos Ari. Introdução às agências reguladoras. *In:* SUNDFELD, Carlos Ari (coord.). *Direito Administrativo Econômico*. São Paulo: Malheiros, 2000.

VALIATI, Thiago Priess. *Direito da Infraestrutura*: regulação dos setores de rodovias, ferrovias, portos e aeroportos. Rio de Janeiro: Lumen Juris, 2023.

VANELLI, Victor Hugo Pavoni. Autorizações ferroviárias e regulamentação. *Informativo Justen, Pereira, Oliveira e Talamini*, Curitiba, n. 185, jul. 2022. Disponível em https://justen.com.br/artigo_pdf_2/autorizacoes-ferroviarias-e-regulamentacao/. Acesso em: 1 jul. 2024.

Informação bibliográfica deste texto, conforme a NBR 6023:2018 da Associação Brasileira de Normas Técnicas (ABNT):

LEFÈVRE, Mônica Bandeira de Mello. O marco legal das ferrovias: reflexões sobre a Lei nº 14.273/2021 à luz dos regimes de exploração positivados – desafios e perspectivas. *In*: JUSTEN, Monica Spezia; PEREIRA, Cesar; JUSTEN NETO, Marçal; JUSTEN, Lucas Spezia (coord.). *Uma visão humanista do Direito*: homenagem ao Professor Marçal Justen Filho. Belo Horizonte: Fórum, 2025. v. 3, p. 439-464. ISBN 978-65-5518-915-5.

INDENIZAÇÃO DOS INVESTIMENTOS EM SUPERESTRUTURA DA VIA PERMANENTE NAS ESTRADAS DE FERRO BRASILEIRAS

RAFAEL VANZELLA

1 Introdução

A maior parte dos contratos de concessão de estradas de ferro celebrados na década de 90 do século passado no Brasil, sob o contexto da desestatização da antiga Rede Ferroviária Federal S.A. (RFFSA), apresentou uma cláusula cujo texto contratual e o comportamento ulterior das partes, tudo como se verá a seguir, trazem importante dificuldade interpretativa. Trata-se do seguinte dispositivo:

> (...)
>
> Com a extinção da CONCESSÃO, qualquer que seja a sua causa:
>
> (...)
>
> III - Os bens declarados reversíveis serão indenizados pela CONCEDENTE pelo valor residual do seu custo, apurado pelos registros contábeis da CONCESSIONÁRIA, depois de deduzidas as depreciações e quaisquer acréscimos decorrentes de reavaliação. Tal custo estará sujeito a avaliação técnica e financeira por parte da CONCEDENTE. Toda e qualquer melhoria efetivada na superestrutura da via permanente, descrita no Anexo V, não será considerada investimento para os fins deste contrato (...).

A parte final da cláusula desperta atenção de plano, na medida em que parece, à primeira vista, introduzir exceção ao art. 36 da Lei nº 8.987/1995, pelo qual "a reversão no advento do termo contratual far-se-á com a indenização das parcelas dos investimentos vinculados a bens reversíveis, ainda não amortizados ou depreciados, que tenham sido realizados com o objetivo de garantir a continuidade e atualidade do serviço concedido". Assim, a prosperar o entendimento *prima facie*, teria o contrato de concessão determinado que "toda e qualquer melhoria efetivada na superestrutura da via permanente" não seria considerada investimento e, por conseguinte, não seria indenizada, a despeito dos dados constantes dos registros contábeis da concessionária.

Será mesmo isso, ou seja, o autor de tal clausulado contratual teria buscado excluir as melhorias efetivadas na superestrutura da via permanente do regime geral de indenização dos bens reversíveis em matéria de concessões de estrada de ferro?

Excluiremos, na partida, para fins deste artigo, a possível contrariedade à lei da cláusula em comento. Contrariedade, em termos aparentes, há, sem dúvida. Está-se, entretanto, no plano das normas dispositivas, não cogentes: podem perfeitamente as partes em processo de contratação, nesse caso, iniciada mediante prévia licitação, dispor de direitos indenizatórios. É um campo estritamente patrimonial, sujeito inclusive à transação e, consequentemente, à arbitragem, no qual se insere a matéria indenizatória. Não há fundamento, só por tanto, para se sustentar que a cláusula contratual seria nula, caso fosse interpretada daquela maneira, por trazer exceção ao citado art. 36 da Lei nº 8.987/1995. Uma vez mais, o conteúdo normativo é, aí, sujeito ao regime próprio da disposição, da transação e da arbitragem.

O tema é difícil e talvez nunca se tornará objeto de coisa julgada – seja judicial, seja administrativa. Na verdade, não há litígios – judiciais ou mesmo administrativos – relevantes a respeito da matéria, ao menos até o momento, o que pode ser explicado pela política pública de prorrogação antecipada dos contratos de concessão de estradas de ferro, que passou a ser implementada em 2015 e, com muita ênfase, a partir da edição da Lei nº 13.448/2017. Sob essa política pública, que adiará por várias décadas o advento do prazo das concessões dos anos 1990, os contratos podem contar com prazo adicional suficiente para alcançar a amortização ou depreciação completa dos investimentos, neutralizando-se a parcela que restaria descoberta, caso tais instrumentos se extinguissem no termo final original.

Há outras razões para que a solução interpretativa daquela cláusula contratual sobre indenização dos investimentos na superestrutura da via permanente não decorra de um contencioso. O modelo de contrato de concessão utilizado naquele período histórico de início das desestatizações das estradas de ferro no Brasil não previa investimentos obrigatórios, ou seja, não se estabelecia um controle de meios das concessionárias em matéria de CAPEX. O modelo contratual então vigente estabelecia metas de produção e de segurança na operação ferroviária, isto é, na prestação dos serviços de transporte pelas estradas de ferro – lembrando-se que tais concessões eram verticalizadas, no sentido de reunir, sob um mesmo instrumento contratual, a infraestrutura ferroviária e o serviço público de transporte por ela disponibilizado. Essas metas, fixadas para os primeiros anos do contrato, submetiam-se a uma regulação discricionária de repactuação de tempos em tempos, como se verá a seguir. Tratava-se, por conseguinte, de um controle de fins em matéria de OPEX: no caso, metas de segurança e, sobretudo, de produtividade, definida por volume anual de cargas movimentadas, consistiam no critério primário de adimplemento das obrigações das concessionárias.

De toda forma, esse mesmo modelo foi abandonado pela ANTT a partir da subconcessão da Ferrovia Norte-Sul Tramo Central, cuja licitação ocorreu em 2019. De lá para cá, inclusive nos termos aditivos de prorrogação de concessões de ferrovias, o regime dos investimentos passou a se balizar por despesas obrigatórias, previstas em caderno de obrigações contendo planos de investimentos detalhados. Em função de os novos instrumentos contratuais definirem investimentos obrigatórios, modelados para serem inteiramente amortizados e depreciados no prazo original da contratação, disposições como a que está sob discussão neste artigo deixaram de existir.

Se não se avizinham litígios relevantes – cenário que naturalmente pode mudar, e servirão estas linhas para alumiar um pouco as disputas bilionárias que deverão ocorrer a respeito do assunto – a presente discussão pode contribuir para políticas públicas de investimentos em estradas de ferro. Essa sensibilidade já foi exposta em outros estudos, aliás. No âmbito no âmbito da Escola Superior do Tribunal de Contas da União (ESUC), colhem-se as seguintes considerações:

> Por certo que nenhum empreendedor iria, dentro de uma lógica econômica racional, realizar investimentos de melhoria na superestrutura da via permanente, especialmente porque os itens que compõem a superestrutura – brita, dormentes e trilho – são materialmente relevantes no custo de uma ferrovia e carecem de vários anos para serem depreciadas. Complementa-se que a ampliação da capacidade de carga por eixo como melhoria da superestrutura.
>
> É possível concluir, portanto, que além de não prever explicitamente a obrigação de se realizar investimentos na malha, os contratos desse período ainda desestimulavam a realização daqueles relacionados com a melhoria da superestrutura ao não os considerar passíveis de indenização pelo Poder Concedente.[1]

O entendimento, nesse ponto, é o de que, sem a garantia da indenização pela parcela não amortizada ou não depreciada dos investimentos efetivados na superestrutura da via permanente, investidores racionais resistiriam ao máximo a esse tipo de despesa de capital, possivelmente alocando recursos somente em trechos que, em função da rentabilidade, pudessem assegurar uma recuperação dos mesmos investimentos em tempo que não desafiasse os limites do prazo original do contrato de concessão. Seria esse um dos fatores para a antioperacionalidade de diversos segmentos ferroviários e a perda da infraestrutura ferroviária que vem sofrendo o Brasil?

Seja qual for a abordagem em termos de política pública, a questão jurídica de como interpretar aquela cláusula contratual permanece. E queremos, neste artigo, oferecer uma possível solução para a questão.

2 Regulação dos investimentos em superestrutura da via permanente

Antes de tudo, convém explicar, para os leitores não habituados com o léxico setorial, o que é superestrutura da via permanente. Uma estrada de ferro se subdivide, usualmente, conforme a engenharia dos transportes, na infraestrutura e na superestrutura da via permanente. Por infraestrutura compreende-se a terraplanagem, a drenagem e a preparação geral do solo para a colocação da superestrutura. A última consiste no conjunto da caixa de brita, dos dormentes e dos trilhos, essencialmente.

Esses itens da superestrutura – brita, dormentes e trilhos – são objeto de um amplo debate nas ciências contábeis, as quais reconhecem que as despesas incorridas

---

[1] GUERRA NETO, Paulo Pessoa. *Evolução dos contratos de concessões das ferrovias*. Brasília, DF: Instituto Sezerdello Corrêa, 2019. p. 31.

na aquisição de tais itens não se confundem com simples custos de conservação e/ou de manutenção. Invocam as ciências contábeis, então, um novo conceito: o *sustaining capital*, ou acréscimo contábil dos ativos existentes. O *sustaining* não é investimento de implantação e expansão, e sim investimento na preservação da capacidade produtiva do ativo ferroviário, assim reconhecido pela área técnica do Tribunal de Contas da União (TCU):

> (...) define-se como *sustaining* ou 'Investimentos Recorrentes em Bens de Capital' o agrupamento de dispêndios realizados pelas concessionárias visando a aquisição de bens de capital que sustentarão/preservarão o conjunto de ativos de propriedade da organização utilizados na produção (capacidade instalada). (...) o *sustaining* é realizado na aquisição de bens duráveis, de valores significativos, que preservam a capacidade produtiva. Esse conceito o diferencia do Capex de implantação ou de expansão, pois este último refere-se à aquisição de bens duráveis, de valores significativos, mas que aumentam a capacidade produtiva.[2]

Na Audiência Pública nº 10/2016 da ANTT, consta parecer técnico contábil de lavra de Eliseu Martins e Vinícius Aversari Martins a respeito da questão do *sustaining capital*. Os autores assim se manifestam:

> (...) quando o *sustaining* se refere a gasto para repor uma parte do ativo, o custo da parte nova precisa ser considerada como acréscimo ao ativo, ou seja, precisa ser "capitalizada"; não se pode simplesmente considerar a parte que repõe como despesa e continuar a depreciar a parte reposta. Há regras contábeis específicas sobre a parte reposta, mas aqui a discussão relevante diz respeito à parte que repõe.
>
> Assim, há que se distinguir, e muito bem, quando os gastos são de pura manutenção e quando são de *sustaining* com essa característica de acréscimos contábeis aos ativos existentes (...).

Vê-se fundamento na contabilidade para distinguir tipos diversos de investimento, um deles recorrente e de sustentação da capacidade produtiva de ativo preexistente, e que por sua vez não se confunde com custos de manutenção.

Como que prestando deferência a esse entendimento contábil, a ANTT, editou a Resolução nº 4.540, de 19 de dezembro de 2014, conforme alterada de tempos em tempos (última atualização em 2021). Essa resolução tem por objeto "regulamentar as taxas de depreciação e de amortização anuais para os ativos no âmbito das concessões ferroviárias". A mesma norma define ativos como "cada um dos itens constantes do imobilizado ou intangível da concessionária, conforme listados no anexo único". O anexo único, por seu turno, contém a descrição dos ativos em 30 categorias, cada uma sujeita a uma taxa anual própria. Os ativos em questão – correspondentes a investimentos na superestrutura da via permanente, especialmente relacionados a trilhos, dormentes e lastro de brita – podem ser classificados como "benfeitorias em superestrutura", que constam como uma das 30 categorias reconhecidas pela mesma resolução. A taxa

---

[2] Acórdão TCU nº 2.876/2019.

anual aplicável às benfeitorias em superestrutura é de 8,33%, o que significa que essas despesas, assim classificadas, são amortizadas ou depreciadas em 12 anos. São, portanto, investimentos, do ponto de vista tanto societário quanto regulatório.

De se questionar, a partir daí, como a agência reguladora, diante de disposições contratuais que excluem o caráter de investimento das melhorias efetivadas em superestrutura da via permanente, pôde aprovar uma norma que trata de tais melhorias, juridicamente, como, precisamente, investimentos, sem prestar maiores atenções às consequências jurídicas do seu ato, como, por exemplo, a necessidade de aditamentos contratuais.

A Resolução nº 4.540 da ANTT é sobretudo resultado de uma evolução regulatória, no âmbito da própria agência, a respeito dos investimentos em superestrutura da via permanente. Com efeito, antes dessa mesma resolução, os dispêndios realizados pelas concessionárias para tal fim, de acordo com a Resolução nº 44, de 4 de julho de 2002 (Resolução ANTT nº 44), e a Resolução nº 3.761, de 20 de dezembro de 2011 (Resolução ANTT nº 3.761), ambas da ANTT, não podiam ser apresentados como investimentos no Plano Trienal de Investimentos (PTI) (adjetivados pela Resolução ANTT nº 3.761/2011 como investimentos "regulatórios"), uma vez que tais normas afastavam expressamente tais dispêndios com superestrutura da via permanente do rol dos investimentos passíveis de serem apresentados à ANTT.

Essas resoluções foram sucedidas pela Resolução nº 5.443, de 6 de outubro de 2017 da ANTT (Resolução ANTT nº 5.443), que é a norma atualmente vigente acerca da elaboração e apresentação do PTI. Tal resolução não define critérios de enquadramento ou de exclusão da categoria de investimentos em superestrutura da via permanente – de resto, a Resolução ANTT nº 5.443 abandonou a expressão "investimentos regulatórios".

Existe um breve direcionamento posterior à Resolução ANTT 5443, que se deu com a Portaria nº 99/2021, da Superintendência de Transporte Ferroviário (SUFER). Essa portaria apresenta, em seu anexo, modelo de formulário com instruções para o envio do PTI, sendo que nesse mesmo documento consta a instrução de que as linhas contábeis referentes às despesas de conservação e manutenção "não devem ser informadas no PTI", relacionando tais despesas, em que pese tratadas como de conservação e manutenção, com investimentos futuros e investimentos já realizados.

Em suma, em razão da anterior vedação pelas resoluções nº 44 e 3.761 e da atual ausência de orientação regulatória mais específica, os investimentos em superestrutura da via permanente não foram e permanecem não sendo considerados obrigatórios para constarem do PTI.

A Resolução nº 2.695/2008 da ANTT (Resolução ANTT nº 2695) estabelecia os procedimentos a serem observados pelas concessionárias para a obtenção de autorização da agência relativa à execução de obras na malha objeto de concessão ferroviária (art. 1º), no que se refere às anteriores denominações de "obras de interesse das concessionárias" e "obras de interesse de terceiros". A esse respeito, a citada resolução previa a possibilidade de autorização prévia para determinadas espécies de obras, incluindo a "implantação de novos ramais, variantes, pátios, estações, terminais ou oficinas e obras de modificação ou demolição envolvendo quaisquer bens arrendados ou não", mediante a apresentação da documentação relacionada no anexo da norma (art. 4º).

Essa resolução foi revogada pela Resolução nº 5.956/2021, também da ANTT (Resolução ANTT nº 5.956), que adotou os conceitos de Projetos de Interesse da

Concessionária (PIC) e dos Projetos de Interesse de Terceiros (PIT). A Resolução ANTT nº 5.956, a exemplo da anterior revogada, abarca conceitualmente a implementação de obras de "melhoria e/ou expansão dos serviços relacionados ao transporte ferroviário". Não obstante, essa categoria não está relacionada, conforme o conteúdo da norma, aos dispêndios especificamente realizados na superestrutura da via permanente.

Pode-se concluir, destarte, que a atual resolução da ANTT acerca da autorização para determinados investimentos não indica uma classe vinculada a investimentos em superestrutura da via permanente.

A síntese das normas regulatórias a respeito tanto do conteúdo do PTI quanto do regime de autorização de investimentos é a seguinte: (i) no que se refere ao PTI, a regulação da ANTT caminhou de uma proibição da inclusão dos investimentos em superestrutura da via permanente nesse plano para uma lacuna regulatória a respeito do tema – a partir da Resolução ANTT nº 5.443, pelo menos, parece estar facultado à Concessionária incluir ou não tais investimentos no PTI, seja no demonstrativo dos investimentos previstos, seja no demonstrativo dos investimentos realizados, mas não existe uma obrigação a esse respeito; (ii) no que se refere ao regime de autorização de investimentos, a Resolução ANTT nº 5.956 – e nem mesmo sua anterior, revogada – submetem os investimentos em superestrutura da via permanente a um regime de ato autorizativo, em que pese determinados itens desses investimentos possam estar abarcados por projetos mais amplos, tratados pela regulação como PIC ou PIT, bem como pelas noções de "melhoria e/ou expansão dos serviços relacionados ao transporte ferroviário".

Nada obstante, a Resolução nº 4.540 da ANTT não deixa dúvidas de que as benfeitorias em superestrutura são investimentos, sujeitos à amortização e depreciação em cerca de 12 anos.

Diante dessas contradições e lacunas regulatórias, e talvez exatamente por causa delas, deve-se voltar ao direito mesmo para buscar compreender se os investimentos em superestrutura da via permanente foram realmente excepcionados do regime geral de indenização das concessões e, se sim, em que medida e extensão.

3 O problema interpretativo da palavra "melhoria"

Em termos jurídicos, a indenizabilidade ou não dos investimentos em superestrutura da via permanente depende da interpretação da palavra "melhoria" presente na disposição final da cláusula contratual sob discussão. Como se disse, essa cláusula parece ter determinado que certas despesas realizadas pelas concessionárias na superestrutura da via permanente, tratadas pela mesma disposição, como "melhorias", não poderiam ser consideradas investimentos, possivelmente buscando-se excluir do direito à indenização pela parcela não amortizada ou não depreciada dos investimentos em bens reversíveis, precisamente os gastos incorridos na aquisição de tais "melhorias".

À falta de uma definição legal da palavra melhoria, torna-se necessária uma abordagem ora mais literal na interpretação da cláusula contratual, cotejando-a exclusivamente com normas da Lei nº 8.987/1995 (Lei de Concessões), ora mais sistemática e que leva em conta outras normas do direito brasileiro, sem prejuízo das práticas regulatórias que foram antes apontadas.

3.1 Expansão e melhoria

A Lei de Concessões estabelece uma diferença implícita entre expansão e melhoria dos serviços públicos, no seguinte sentido:

Art. 6º Toda concessão ou permissão pressupõe a prestação de serviço adequado ao pleno atendimento dos usuários, conforme estabelecido nesta Lei, nas normas pertinentes e no respectivo contrato.

§1º Serviço adequado é o que satisfaz as condições de regularidade, continuidade, eficiência, segurança, atualidade, generalidade, cortesia na sua prestação e modicidade das tarifas.

§2º *A atualidade compreende a modernidade das técnicas, do equipamento e das instalações e a sua conservação, bem como a melhoria e expansão do serviço.*[3]

Entre os mais aceitos cânones da hermenêutica jurídica está o princípio de que o legislador jamais usa palavras repetidas ou em redundância:[4] se ele falou em melhoria e expansão do serviço, há de existir uma diferença entre essas duas palavras.

Na doutrina de direito administrativo, essa dupla de expressões também é sublinhada na descrição do princípio da atualidade na prestação do serviço adequado, a partir do art. 6º da Lei de Concessões, antes reproduzido. Veja-se:

A lei ainda estabeleceu que a atualidade 'compreende a modernidade das técnicas, do equipamento e das instalações e a sua conservação, bem como a melhoria e expansão do serviço' (art. 6º, §2º). Nesse contexto normativo, é natural que os contratos de concessão reproduzam, de algum modo, essa referência a serviços adequados, o que pressupõe a atualidade de técnicas, equipamentos e instalações, bem como a *melhoria* e a *expansão* de serviços. Mas isso não significa que basta o poder público celebrar um contrato de concessão para, por conta deste art. 6º, §2º, obter da concessionária o compromisso firme, por exemplo, de implantar qualquer "expansão do serviço" que depois lhe vier a ser exigida, sem que possa cobrar compensações pelo acréscimo.[5]

A esse respeito, do ponto de vista doutrinário, a atualidade do serviço adequado compreende os conceitos de "melhoria" e de "expansão", enquanto significados distintos entre si, mesmo quando não se menciona expressamente essa diferença.[6] Da mesma

---

[3] BRASIL. Lei nº 8.987, de 13 de fevereiro de 1995. Dispõe sobre o regime de concessão e permissão da prestação de serviços públicos previsto no art. 175 da Constituição Federal, e dá outras providências. *Diário Oficial da União*: Brasília, DF, 1995. grifos nossos. Disponível em: https://www.planalto.gov.br/ccivil_03/leis/l8987compilada.htm. Acesso em: 12 nov. 2024.

[4] Não custa lembrar os ensinamentos que indicam o seguinte: "Verba cum effectu, sunt accipienda: 'Não se presumem, na lei, palavras inúteis.' Literalmente: 'Devem-se compreender as palavras como tendo alguma eficácia.' As expressões do Direito interpretam-se de modo que não resultem frases sem significação real, vocábulos supérfluos, ociosos, inúteis" (MAXIMILIANO, Carlos. Hermenêutica e aplicação do direito. Rio de Janeiro: Forense, 2006. p. 204).

[5] SUNDFELD, Carlos Ari; CÂMARA, Jacintho Arruda. Atualidade do serviço público concedido e reequilíbrio da concessão. *Revista de Direito Público da Economia – RDPE*, Belo Horizonte, ano 16, n. 61, p. 43 jan./mar. 2018.

[6] O conceito de melhoria aparenta estar mais ligado à atualização tecnológica do serviço concedido. Veja-se: "Atualidade relaciona-se com outro ângulo do conceito de eficiência. (...)Haverá um certo ponto de ruptura entre ausência de modernidade e eficiência. As necessidades dos usuários podem ser atendidas satisfatoriamente por meio de serviços prestados segundo técnicas ultrapassadas pela evolução científica. Mas a manutenção

forma, normas da ANTT, inclusive já citadas anteriormente, também empregam as duas palavras:

Art. 2º Para fins desta Resolução, considera-se:

(...)

VIII - *expansão* da malha: construção de linhas férreas, pátios, estações, oficinas, retificações de traçados, sistemas de sinalização, telecomunicações, gerenciamento, controle e demais instalações para a *melhoria* ou *expansão* da oferta dos serviços da malha ferroviária; (Redação dada pela Resolução 5990/2022/DG/ANTT/MI).

Art. 18. O serviço de transporte ferroviário de cargas prestado por concessionária deverá ser realizado em observância às condições de qualidade, com vistas ao oferecimento de serviço adequado aos usuários, a ganhos de eficiência produtiva e em atenção aos seguintes requisitos:

(...) IV - atualidade: modernização constante de técnicas e bens necessários à prestação do serviço de transporte, bem como da *melhoria* e *expansão* do serviço"[7]

Indica-se, portanto, que esses são conceitos distintos, com significados concretos também distintos entre si, embora se refiram simultaneamente a aspectos da atualidade do serviço público adequado. Se se tratasse de conceitos idênticos, tanto a doutrina como a regulação da agência não apreenderiam e reproduziriam ambos os termos – já que poderiam optar por utilizar um só termo que abrangeria todo o significado pretendido pelo legislador.

Nessa perspectiva, em uma primeira interpretação, mais literal, da cláusula contratual sob discussão, as *melhorias* efetivadas na superestrutura da via permanente não seriam consideradas investimentos; não, assim, as demais *intervenções* efetivadas na superestrutura da via permanente que caracterizassem *expansão* do serviço público, isto é, por *melhoria*, na interpretação literal do contrato, entender-se-iam as intervenções na superestrutura da via permanente que não implicassem expansão da capacidade da ferrovia, notadamente com relação ao volume de produção da malha. Tais intervenções, que não corresponderiam a expansões, não seriam passíveis de indenização, já que não seriam consideradas investimentos pelo dispositivo contratual. Por outro lado,

---

das técnicas anteriores, diante de contínuas inovações da ciência, tenderá a produzir ineficiência. O progresso tecnológico produz redução de custos e de tempo e ampliação de utilidades ofertáveis ao público. Mais ainda, gera novas necessidades. Portanto, não adotar novas técnicas significa desatender às necessidades a ela relacionadas. (...) Aliás, os princípios fundamentais acerca da concessão de serviço público delinearam-se especialmente a propósito do fenômeno da modernização tecnológica. As hipóteses de substituição da iluminação pública a gás pela elétrica e dos transportes públicos movidos por animais pelos veículos automotivos propiciaram inúmeros conflitos e discussões. Pacificou-se o entendimento de que o interesse público exige atualidade na prestação dos serviços públicos, inclusive para autorizar o exercício de poderes de modificação ou extinção unilateral da concessão" (JUSTEN FILHO, Marçal. *Teoria geral das concessões de serviço público*. São Paulo: Dialética, 2003. p. 307).

[7] BRASIL. Ministério da Infraestrutura. Agência Nacional de Transportes Terrestres. Resolução nº 5.944, de 1º de junho de 2021. Brasília, DF, Ministério da Infraestrutura; Agência Nacional de Transportes Terrestres, 2021. Disponível em https://anttlegis.antt.gov.br/action/ActionDatalegis.php?acao=abrirTextoAto&link=S&tipo=RES&numeroAto=00005944&seqAto=000&valorAno=2021&orgao=DG/ANTT/MI&cod_modulo=161&cod_menu=7796. Acesso em: 12 nov. 2024.

as intervenções na superestrutura da via permanente que acarretassem expansão da capacidade de movimentação de cargas preservariam sua qualidade de investimento passível de indenização na parcela não amortizada ou não depreciada.

Assim, se as concessionárias demonstrassem os investimentos em superestrutura que se qualifiquem como investimentos em expansão, tais investimentos seguiriam a regra geral da indenização pela parcela não amortizada ou não depreciada dos investimentos em bens reversíveis.

Restaria saber, entretanto, a sorte dos investimentos na superestrutura da via permanente que não se caracterizam como investimentos em expansão, uma vez que, em princípio, todo o *sustaining capital* de superestrutura apenas recoloca ou reposiciona a mesma superestrutura em condições para manter – e não expandir – a prestação do serviço público.

3.2 Melhoria e o regime das benfeitorias no direito brasileiro

A própria Resolução ANTT nº 4.540 trata das intervenções na superestrutura da via permanente como benfeitorias em superestrutura – a palavra mesma *benfeitoria* é utilizada diretamente –, submetendo as despesas realizadas para a realização de tais intervenções a uma taxa de depreciação anual de 8,33%.

Benfeitorias são tratadas da seguinte maneira pelo Código Civil (CC):

Art. 96. As benfeitorias podem ser voluptuárias, úteis ou necessárias.

§1º São voluptuárias as de mero deleite ou recreio, que não aumentam o uso habitual do bem, ainda que o tornem mais agradável ou sejam de elevado valor.

§2º São úteis as que aumentam ou facilitam o uso do bem.

§3º São necessárias as que têm por fim conservar o bem ou evitar que se deteriore.

Art. 97. Não se consideram benfeitorias os melhoramentos ou acréscimos sobrevindos ao bem sem a intervenção do proprietário, possuidor ou detentor.[8]

A matéria é da tradição do nosso direito, e, por isso, justifica a citação de Clóvis Beviláqua, pai do primeiro CC que já positivava a disciplina:

As acessões naturais aumentam o valor da coisa, mas não entram na classe das benfeitorias, porque estas supõem a intenção de melhorar o bem, são o resultado do esforço de quem o tinha em seu poder, representam certo valor criado pela indústria humana. As benfeitorias levantam-se ou indenizam-se em virtude do princípio de direito que proíbe o enriquecimento com a jactura alheia.[9]

---

[8] BRASIL. Lei nº 13.105, de 16 de março de 2015. Código de Processo Civil. *Diário Oficial da União*: Brasília, DF, 2015. Disponível em: https://www.planalto.gov.br/ccivil_03/_ato2015-2018/2015/lei/l13105.htm. Acesso em: 12 nov. 2024.

[9] BEVILÁQUA, Clóvis. *Código Civil dos Estados Unidos do Brasil comentado*. 11. ed. Rio de Janeiro: Francisco Alves. v. 1, p. 238-239.

Pelo sistema do CC, regulatoriamente reconhecido pela própria ANTT ao utilizar a palavra *benfeitoria* na regulação, as melhorias na superestrutura da via permanente são classificadas como benfeitorias, isto é, são melhoramentos ou acréscimos na superestrutura da via permanente efetivados intencionalmente pelo seu titular, e que ou são levantadas – caso das benfeitorias voluptuárias – ou indenizadas – caso das benfeitorias úteis ou necessárias.

Em se tratando de benfeitorias, as melhorias efetivadas na superestrutura da via permanente precisam, por conseguinte, ser novamente classificadas, agora conforme a espécie: ou são voluptuárias, ou seja, não aumentam o uso habitual do bem, decorrendo de mera conveniência ou oportunidade empresarial das concessionárias; ou são necessárias ou úteis, ou seja, conservam ou aumentam o uso do bem. Na medida em que as metas contratuais de segurança e produtividade são repactuadas de tempos em tempos, representando um acréscimo sobretudo nos níveis de produção das estradas de ferro, as benfeitorias efetivadas na superestrutura da via permanente, a título de *sustaining* com o objetivo de atender às mesmas metas, devem obrigatoriamente ser indenizadas.

Ou seja, as melhorias que não seriam passíveis de indenização, por ter sido excluído seu caráter de investimento por força da cláusula contratual em discussão, seriam aquelas caracterizadas como benfeitorias voluptuárias.

Colocando-se em outros termos: para se atenderem às metas de produção das estradas de ferro, investimentos são requeridos não apenas a título de expansão, mas também para se preservar a capacidade preexistente da malha. Esse é o sentido também capturado pelos entendimentos contábeis a respeito do assunto, que autorizam considerar o custo da parte nova como acréscimo ao ativo, um acréscimo contábil, integrando-o diretamente como parte que repõe.

Talvez esse adendo que vem das ciências contábeis fosse desnecessário ou mesmo inócuo para reforçar o argumento jurídico por si só robusto sob o regime das benfeitorias necessárias e úteis. O problema é que o clausulado contratual sob discussão neste artigo incorreu em um sincretismo inapropriado: não pode o contrato ou qualquer norma jurídica pré-excluir qualidades ou aspectos que são dados ou pela realidade dos fatos ou por outras ciências. Quando o contrato buscou excluir o caráter de investimento de determinadas melhorias, a atecnica foi particularmente grande, pois não é ao contrato ou a qualquer um dos quadrantes do mundo do direito que compete qualificar determinada despesa de uma concessionária como investimento ou simples custo de manutenção. As ciências contábeis têm essa função precípua, e, se o tal clausulado contratual buscou, como parece ser o caso, uma renúncia a certos direitos patrimoniais da concessionária, deveria ter recorrido a outra linguagem, a qual deveria, por seu turno, ter enfrentado questões subsequentes a tal renúncia, exemplificativamente, por meio de balizas ou parâmetros que evitassem um incentivo perverso no setor de estradas de ferro, como a carência de despesas necessárias, ao menos para conservar o patrimônio ferroviário nacional.

Enfim, demonstrada a vinculação entre os investimentos na superestrutura da via permanente, inclusive a título de *sustaining capital*, com o atendimento das metas contratuais – não apenas das novas metas, mas também com o objetivo de conservar os níveis de produção das ferrovias –, veja-se que esse é o regime das benfeitorias *necessárias*, ao lado das úteis – sua indenização decorre do regime do CC combinado com a Lei de Concessões.

4 Conclusões

A cláusula contratual pela qual "toda e qualquer melhoria efetivada na superestrutura da via permanente (...) não será considerada investimento, para os fins deste contrato", sujeita-se a duas modalidades de interpretação: literal e sistemática.

Por interpretação literal, investimentos na superestrutura da via permanente que, segundo provas periciais, implicam expansão da capacidade da malha devem ser indenizados, na medida em que não consistem em simples melhorias. O art. 6º, p. 2º, da Lei de Concessões conhece as duas palavras, "expansão" e "melhoria", o que indica uma diferença entre elas. Resoluções da ANTT também conhecem as duas palavras, o que reforça a diferença entre elas.

Por interpretação sistemática, todos os investimentos em superestrutura de via permanente, como tais considerados pelas regras da contabilidade societária e regulatória, devem ser indenizados, inclusive o *sustaining* de via permanente, quando demonstrado que sua realização ocorreu para atender às metas de produção e/ou metas de segurança. Ainda que o direito à indenização pela parcela não amortizada ou não depreciada dos investimentos em bens reversíveis consista em um direito patrimonial disponível da concessionária, a imposição sem nenhum tipo de parâmetro ou limitação de uma renúncia a uma garantia institucional para as decisões de investimentos realizados pelas concessionárias para atender aos propósitos da prestação de serviços públicos levaria a um efeito confiscatório dos mesmos investimentos, de maneira que a única interpretação juridicamente possível da palavra "melhoria", naquela disposição contratual, é de investimento em superestrutura da via permanente realizado para atender à mera conveniência empresarial da concessionária, sem relação com a necessidade de cumprimento das suas obrigações contratuais, nesse caso as metas de produção e de segurança. Seria o âmbito das estritas benfeitorias voluptuárias, em que a melhoria não é feita para aumentar ou facilitar o uso da estrada de ferro; ou para conservá-la ou evitar que se deteriore, tudo consoante padrões regulatórios. Sob a conveniência empresarial da concessionária, ainda sob um modelo de contrato de concessão que estabeleceu um controle de resultados, não de meios, as despesas realizadas em determinados trechos avaliados como prioritários para o negócio, muitas vezes sob parâmetros muito acima do que aqueles exigidos como mínimo pela regulação, revelam, sob a Lei de Concessões, o que a lei civil considerou em consagrantes palavras *mero deleite ou recreio*, que não aumenta o uso *habitual* do bem, ainda que o torne *mais agradável* ou seja de *elevado valor*.

A própria ANTT, no âmbito da Resolução nº 4.540, ao tratar do tema das benfeitorias em superestrutura, classificando-os como investimentos passíveis de depreciação em 12 anos, deverá confirmar a conclusão, até para que essa mesma norma não traga contradição insuperável com contratos anteriormente celebrados: apenas os melhoramentos qualificados como benfeitorias voluptuárias estariam excluídos do direito à indenização de titularidade das concessionárias, não assim as benfeitorias necessárias e/ou úteis, ou seja, aqueles melhoramentos realizados para atender às necessidades da prestação do serviço público, em termos de conservação da via permanente (benfeitorias necessárias), ou de aumento dos níveis de produção (benfeitorias úteis).

Referências

BEVILÁQUA, Clóvis. *Código Civil dos Estados Unidos do Brasil comentado*. 11. ed. Rio de Janeiro: Francisco Alves. v. 1.

BRASIL. Lei nº 8.987, de 13 de fevereiro de 1995. Dispõe sobre o regime de concessão e permissão da prestação de serviços públicos previsto no art. 175 da Constituição Federal, e dá outras providências. *Diário Oficial da União*: Brasília, DF, 1995. Disponível em: https://www.planalto.gov.br/ccivil_03/leis/l8987compilada.htm. Acesso em: 12 nov. 2024.

BRASIL. Ministério da Infraestrutura. Agência Nacional de Transportes Terrestres. Resolução nº 5.944, de 1º de junho de 2021. Brasília, DF, Ministério da Infraestrutura; Agência Nacional de Transportes Terrestres, 2021. Disponível em https://anttlegis.antt.gov.br/action/ActionDatalegis.php?acao=abrirTextoAto&link=S&tipo=RES&numeroAto=00005944&seqAto=000&valorAno=2021&orgao=DG/ANTT/MI&cod_modulo=161&cod_menu=7796. Acesso em: 12 nov. 2024.

GUERRA NETO, Paulo Pessoa. *Evolução dos contratos de concessões das ferrovias*. Brasília, DF: Instituto Sezerdello Corrêa, 2019.

JUSTEN FILHO, Marçal. *Teoria geral das concessões de serviço público*. São Paulo: Dialética, 2003.

MAXIMILIANO, Carlos. *Hermenêutica e aplicação do Direito*. Rio de Janeiro: Forense, 2006.

SUNDFELD, Carlos Ari; CÂMARA, Jacintho Arruda. Atualidade do serviço público concedido e reequilíbrio da concessão. *Revista de Direito Público da Economia – RDPE*, Belo Horizonte, ano 16, n. 61, jan./mar. 2018.

Informação bibliográfica deste texto, conforme a NBR 6023:2018 da Associação Brasileira de Normas Técnicas (ABNT):

VANZELLA, Rafael. Indenização dos investimentos em superestrutura da via permanente nas estradas de ferro brasileiras. *In*: JUSTEN, Monica Spezia; PEREIRA, Cesar; JUSTEN NETO, Marçal; JUSTEN, Lucas Spezia (coord.). *Uma visão humanista do Direito*: homenagem ao Professor Marçal Justen Filho. Belo Horizonte: Fórum, 2025. v. 3, p. 465-476. ISBN 978-65-5518-915-5.

A SECEXCONSENSO E O REGIME JURÍDICO-ECONÔMICO DE RENEGOCIAÇÃO DE CONTRATOS DE CONCESSÃO

RAFAEL VÉRAS DE FREITAS

JOSÉ EGIDIO ALTOÉ JUNIOR

O homenageado

Um paradigma é considerado bem-sucedido pelo tempo de sua dominância. Acontece que, com o passar do tempo, o paradigma é acometido por anomalias. É dizer, por alguns resultados que não podem ser explicados por seu intermédio. Na maioria das vezes, tais anomalias são ignoradas, ou mesmo desconsideradas. Nada obstante, há momentos em que as anomalias começam a se acumular. Passam a ser notadas, por diversos pesquisadores, em vários foros de pesquisas acadêmicas. Nesse momento, a defesa da manutenção do paradigma pode perder o seu caráter científico; instalam-se, pois, as crises dos paradigmas. Cuida-se de um período de turbulência, que pode durar décadas, até séculos. Isso porque à comunidade científica, muitas vezes, é preferível manter-se afiliada a um paradigma – ainda que ele não se sustente mais – a ficar sem qualquer novo lastro teórico. Assim é que a quebra de um paradigma se dá quando um modelo alternativo é proposto. Quando um modelo mais robusto é apresentado, capaz de corrigir as anomalias apresentadas pelo paradigma que se pretende superar. Dito em termos diretos: um paradigma só é deposto pelo surgimento de um novo paradigma. Nesse quadrante, para os fins da presente investida, não poderiam ser mais adequados os ensinamentos de Thomas Kuhn.[1]

É que, se pudéssemos resumir (seria uma tarefa ingrata e tendencialmente inexequível) a produção oceânica do professor Marçal, temos para nós que suas obras tiveram por finalidade última a quebra de paradigmas no direito administrativo. Não é por outra razão que, malgrado a dificuldade, escolhemos o tema da incidência do

---

[1] KUHN, Thomas S. *The Structure of Scientific Revolutions*. Chicago: The University of Chicago Press, 1996. p. 12.

consenso, no âmbito dos contratos administrativos, mais especificamente, nos contratos que veiculam o trespasse de um cometimento público para particulares, para homenageá-lo, instrumento prenhe de prerrogativas publicísticas, que consubstancia a vetusta e sobranceira (mas em vias de superação, alvíssaras) supremacia do interesse público sobre o privado. Das lições de Marçal Justen Filho,[2] se colhe o impactante – e, à época, novidadeiro – ensinamento segundo o qual "o instituto do contrato administrativo caracteriza-se como um ato bilateral, com forte ingrediente consensual".

O tema tem sido objeto de reflexão, pelo homenageado, em diversos momentos de sua obra. Assim, cite-se, por exemplo, que, em 2002, o professor investigou o tema no seu *O Direito das agências reguladoras independentes*.[3] O tema voltou à sua agenda de pesquisa, em alguma medida, no seu *Teoria geral das concessões de serviço público*,[4] de 2003, e ganhou destaque, na primeira edição de seu *Curso de Direito Administrativo*,[5] publicado, em 2005. Mesmo em sede de investigação dos tradicionais contratos administrativos típicos, o tema não passou despercebido pelo homenageado. Em seu clássico *Comentários à Lei de Licitações e Contratos Administrativos*, ainda sob a égide da Lei nº 8.666/1993, o professor deixou assentado que "a utilização do contrato administrativo se insere num processo político de consensualização do desempenho dos poderes públicos".[6] Posição que restou encampada aos comentários à Lei nº 14.133/2021, quando o professor assevera que, no contrato administrativo tem-se "um consenso, que versa inclusive sobre o conteúdo da relação jurídica pactuada. As partes consagram normas destinadas a reger a sua conjuntura futura, no exercício de autonomia instituída pelo direito".[7]

Recentemente, o professor escreveu artigo de opinião intitulado "O consensualismo é consenso: em defesa da SECEXConsenso",[8] o qual se relaciona, diretamente, com o tema do presente escrito. Em tal oportunidade, o homenageado se manifestou no sentido de que a defesa do consensualismo não decorre apenas de fatores ideológicos, mas "resulta do reconhecimento da inviabilidade de a Administração dominar o conhecimento necessário à construção das soluções mais eficientes e satisfatórias". Trabalhando com a noção de contratos de longo prazo, Marçal Justen Filho observou que a dinâmica da realidade e "as variações atinentes a objetos contratuais com essa natureza exigem reavaliação constante entre as partes quanto às soluções mais eficientes e satisfatórias para a execução do objeto contratual".

Eis o tema escolhido para prestar uma singela homenagem ao professor que contribuiu sobranceiramente para com a nossa formação, bem como influenciou, diretamente, nossos escritos.

---

[2] JUSTEN FILHO, Marçal. *Teoria geral das concessões de serviço público*. São Paulo: Dialética, 2003. p. 162.

[3] JUSTEN FILHO, Marçal. *O direito das agências reguladoras independentes*. São Paulo: Dialética, 2002.

[4] JUSTEN FILHO. *Teoria geral das concessões de serviço público*.

[5] JUSTEN FILHO, Marçal. *Curso de Direito Administrativo*. São Paulo: Saraiva, 2005.

[6] E prossegue o autor: "(...) embora mantenha a competência para a prática de atos unilaterais e vinculantes perante terceiros, o Estado passa a se valer de institutos jurídicos de natureza consensual. Ao invés de impor unilateralmente aos particulares deveres e obrigações, o Estado recorre ao consenso. Essa solução amplia a legitimidade do poder estatal e reduz conflitos" (JUSTEN FILHO, Marçal. *Comentários à Lei de Licitações e Contratos Administrativos*: Lei 14.133/2021. São Paulo: Dialética, 2012. p. 12).

[7] JUSTEN FILHO. *Comentários à Lei de Licitações e Contratos Administrativos*: Lei 14.133/2021. p. 1194.

[8] JUSTEN FILHO, Marçal. O consensualismo é consenso: em defesa da SECEXConsenso. *Migalhas*, São Paulo, 11 jul. 2024. Disponível em: https://www.migalhas.com.br/depeso/411026/o-consensualismo-e-consenso-em-defesa-da-secexconsenso. Acesso em: 13 jul. 2024.

1 Introdução

Nos idos dos anos de 2014, foram licitados, pelo governo federal, ativos que vieram a se tornar inexequíveis, como, por exemplo, as modelagens previstas nos contratos de concessão de rodovia celebrados na 3ª Fase do Programa de Rodovias Federais (PROCROFE) e nas 2ª e 3ª Fases das Concessões de Infraestrutura Aeroportuária. Tal inexequibilidade restou reconhecida, inclusive, pela instituição de um regime normativo para disciplinar a relicitação de tais ativos, por intermédio da edição da Lei nº 13.448/2017.

Produziu-se um regime jurídico para dar conta das denominadas "concessões em crise" (*v.g.*, da Concessão da Rodovia BR-040, da Concessão da Rota do Oeste, da Concessão da Infraestrutura Aeroportuária do Galeão). Exemplo saliente desse cenário se materializou pelo Decreto sem número, de 15 de agosto de 2017, por intermédio do qual se declarou a caducidade da concessão de titularidade da Concessionária de Rodovias Galvão BR-153 SPE S.A. - BR-153/GO/TO. No âmbito da Lei nº 13.448/2017, se previu, expressamente, os institutos da "prorrogação antecipada" e da "relicitação", por intermédio dos quais se pretende, a partir da criação de um sistema de incentivos para todas as partes (evitando-se a prática de condutas oportunistas), fomentar a realização de novos investimentos, em contratos de concessão, ou estabelecer um regime de extinção amigável, que reduza os custos de transação relacionados à devolução de ativos.

Configurando-se como forma amigável de extinção contratual, a relicitação deve ocorrer de comum acordo entre as partes, cabendo ao poder concedente avaliar a pertinência de sua instauração, tendo em vista os aspectos operacionais, econômico-financeiros e a continuidade do serviço público. No bojo da Exposição de Motivos da Medida Provisória nº 752/2016, posteriormente convertida na Lei nº 13.448/2017, já se veiculava a ideia de que a relicitação era alternativa de "devolução coordenada e negociada" da concessão, que buscava evitar o processo de caducidade, muitas vezes demorado e permeado por longa disputa judicial, o que, ao cabo, prejudicava os próprios usuários do serviço público.

Acontece que as evidências sugerem que tal procedimento negociado de devolução de ativos não logrou êxito – considerando que, até a elaboração deste artigo, apenas a relicitação da concessão da infraestrutura aeroportuária restou ultimada. Disso decorreram inarredáveis investidas de renegociação de contratos de concessão.

Assim, cite-se, por exemplo, que a Agência Nacional de Transportes Terrestres (ANTT), no âmbito do contrato de concessão da BR-163/MT (Rota do Oeste), considerou possível a celebração de acordos, tanto no curso do processo de caducidade, quando no decorrer do processo de relicitação. Na mesma direção, em sessões realizadas nos dias 05/07/2023 e 02/08/2023, o Tribunal de Contas da União (TCU) deliberou o Processo TC nº 008.887/2023-8, no âmbito do qual foi apresentada consulta, formulada pelo Ministro de Portos e Aeroportos, Márcio Luiz França Gomes, e pelo Ministro dos Transportes, José Renan Vasconcelos Calheiros Filho, acerca da interpretação dos arts. 14, §2º, inciso III e 15, inciso I, da Lei nº 13.448/2017, os quais prescrevem que a adesão ao processo relicitatório é condicionada à apresentação, pelo contratado, "de declaração formal quanto à intenção de aderir, de maneira irrevogável e irretratável, ao processo de relicitação do contrato de parceria" e, ainda, que o termo aditivo relicitatório deve conter cláusula de aderência irrevogável e irretratável à relicitação do empreendimento. Fixadas tais premissas, o TCU respondeu aos questionamentos que foram lhe formulados, de modo a atestar a possibilidade de desfazimento do processo de relicitação, por iniciativa do poder concedente, desde que de comum acordo entre as partes. Nada obstante, tal desfazimento deverá observar as condicionantes estipuladas por esta Corte de Contas, no âmbito do Acórdão nº 1593/2023.[9]

Nesse contexto, foi editada a Portaria nº 848, de 25 de agosto de 2023, que estabelece a política pública e os procedimentos relativos à readaptação e otimização dos contratos de concessão, no que se refere à exploração da infraestrutura de transporte rodoviário federal. Tal normativo teve como motivos: (i) as características excepcionais de contratos de concessão, e complexidade das decisões que permeiam a implementação da política pública; (ii) a necessidade de se aprimorar a qualidade do processo decisório, garantir a conformidade com os princípios éticos e as normas legais, aumentar a confiança e a legitimidade da gestão perante os atores interessados; (iii) a importância da administração pública primar por ações e por boas práticas de governança, gestão de riscos, integridade e transparência e (iv) o disposto no Acórdão nº 1593/2023, do TCU, anteriormente referenciado.

Mais recentemente, ganhou destaque o expediente exógeno de renegociação de contratos de concessão, capitaneado pela SECEXConsenso,[10] do TCU. Tal modalidade de consenso exógeno representou um importante avanço no tema da "renegociação de contratos de concessão", motivo pelo qual será objeto do presente ensaio. Mais especificamente, pretende-se investigar quais foram os principais quadrantes que nortearam os precedentes produzidos até aqui pela SECEXConsenso, bem como propor – se for o caso – aperfeiçoamentos à sua execução. Claro que os achados ainda são reduzidos, o que nos impede de empreender uma pesquisa quantitativa robusta, mas temos para nós que isso não interdita (nem suprime) a utilidade da realização de uma investigação qualitativa.

Para tanto, este texto de homenagem terá o seguinte itinerário. Em primeiro lugar, investigaremos o regime jurídico-econômico das renegociações de contratos de concessão, para o efeito de balizar a análise dos precedentes da SecexConsenso à luz de uma metodologia lastreada no *benchmark* e nas melhores práticas internacionais de concessões e PPPs. Em prosseguimento, serão analisados os precedentes produzidos, pela SECEXConsenso, até a elaboração deste artigo, com o desiderato de extrair – se possível – notas características comuns de tal modalidade de renegociação capitaneadas pelo TCU. Ao final, serão apresentados os achados da pesquisa e conclusões prospectivas sobre o tema.

2 O regime jurídico-econômico das renegociações de contratos de concessão

Os contratos de concessão veiculam elevados custos de transação, em razão da incompletude que lhes é congênita. Não é por outra razão que é assente o entendimento

---

[9] BRASIL. Tribunal de Contas da União (Plenário). Acórdão nº 1593. Relator: Min. Vital do Rêgo, 2 de agosto de 2023. *DJTCU*: Brasília, DF, 2023.

[10] A escolha da SECEXConsenso é justificada pelo fato de ser um foro de consensualismo recente, com uma amostra de decisões que, embora não seja suficiente para retratar tendências, pode revelar características dos consensos negociados até o momento.

segundo o qual a economia de tais ajustes é forjada a partir do esquadrinhamento de uma adequada matriz de riscos. Não se discorda desse entendimento. Mas casos há – e isso é inevitável em contratos de concessão – que o ajuste será impactado não por "riscos", mas por "incertezas".[11] Os riscos são precificáveis, quando da estruturação do projeto, enquanto as incertezas se encontram alheias ao campo de visão das partes e do regulador.[12]

Nesse sentido, Marcos Nóbrega[13] assevera que "muitos ainda misturam o entendimento de risco e incerteza e persiste de fato certa indeterminação semântica sobre isso". Segue daí a importância dos ensinamentos de Dizikes,[14] ao fazer referência à distinção de risco e incerteza trazida por Frank Knight, quando afirma que "o risco se aplica a ocasiões em que não sabemos o resultado de uma determinada situação, mas podemos medir com precisão as probabilidades". Por sua vez, a incerteza, ainda nas suas palavras, "se aplica a situações em que não podemos conhecer todas as informações de que precisamos para estabelecer probabilidades precisas em primeiro lugar". Em prosseguimento,[15] ainda em suas palavras, "um risco conhecido é facilmente convertido em uma certeza efetiva, enquanto a verdadeira incerteza, como Knight a chamou, não é suscetível à medição".[16]

São precisamente nas situações qualificadas como "incertezas" nas quais se instala o regime jurídico-econômico de renegociação de contratos de concessão, na qualidade de um contrato de longo prazo. Nesse sentido, são os ensinamentos de Giuliana Bonnano Schunck,[17] para quem, em contratos de longo prazo, não apenas o devedor da obrigação possui deveres, mas igualmente o credor, que deve colaborar o tempo todo para o cumprimento da obrigação e agir de modo a permitir a completa realização do programa contratual. Cuida-se de uma espécie de "obrigação de contratar",[18] ou, melhor dizendo, de "recontratar".

A mesma autora ilustra o ponto, por intermédio de exemplo, de todo, compatível com o objeto do presente ensaio. De acordo com o exemplo da autora, destaca-se a cooperação espontânea que teve lugar, nas trincheiras da I Guerra Mundial, quando algumas pequenas unidades de tropas inimigas estavam em contato entre si, por um período mais extenso. Tal cooperação se lastrou na pouca mobilidade dessa guerra, a qual foi denominada de *live-and-let-live* (algo como "viva e deixe viver"). Por meio desse expediente, as tropas de ambos os lados cessavam fogo, por um determinado tempo

---

[11] CAMPOS, Marcelo Mallet Siqueira; CHIARINI, Tulio. Incerteza e não ergodicidade: crítica aos neoclássicos. *Revista de Economia Política*, São Paulo, v. 34, n. 2, p. 294-316, 2014.

[12] CAMPOS; CHIARINI. Incerteza e não ergodicidade: crítica aos neoclássicos.

[13] NÓBREGA, Marcos. Riscos em projetos de infraestrutura: incompletude contratual, concessões de serviço público e PPPs. *Revista Brasileira de Direito Público*, Belo Horizonte, ano 8, n. 28, 2010.

[14] DIZIKES, Peter. Explained: Knightian uncertainty. *MIT NEWS*, [S. l.], 2 Jun. 2010. Disponível em: http://news.mit.edu/2010/explained-knightian-0602. Acesso em: 5 ago. 2024.

[15] DIZIKES. Explained: Knightian uncertainty.

[16] Nesse sentido, CRUZ, Carlos Oliveira; MARQUES, Rui Cunha. *Infrastructure Public-Private Partnerships*: Decision, Management and Development. Berlin: Springer, 2013. p. 17.

[17] SCHUNCK, Giuliana Bonanno. *Contratos de longo prazo e o dever de cooperação*. Orientadora: Teresa Ancona Lopes. 2013. 239 f. Tese (Doutorado em Direito) – Faculdade de Direito da Universidade de São Paulo, São Paulo, 2013.

[18] ARAGÃO, Alexandre Santos de. Serviços públicos e concorrência. *Revista de Direito Público da Economia*, Belo Horizonte, ano 1, n. 2, p. 59-123, abr./jun. 2003.

ou certos momentos do dia, para que pudessem, por exemplo, fazer suas refeições, ou, ainda, em dias nos quais o clima castigava muito os soldados.

Para além disso, é de se destacar a pesquisa empírica de Julie de Brux,[19] na qual a autora apresenta dois estudos nos quais a cooperação entre o Poder Público e o concessionário convergiu para uma situação melhor para ambos. O primeiro é sobre o aeroporto de Camboja, que restou, profundamente, impactado, financeiramente, pela revolução militar que se insurgiu no país em 1997. Um segundo exemplo foi o de um túnel rodoviário explorado por particulares na França, no qual a necessidade da realização de novos investimentos fez surgir a necessidade da cooperação *ex post*.

Nesse cenário, exsurge o que Anderson Shreiber denomina por "dever de renegociar".[20] De acordo com o autor, "afigura-se não apenas possível, mas imperativa a construção de um dever de renegociação de contratos desequilibrados, como expressão do valor constitucional da solidariedade social, bem como de normas infraconstitucionais daí decorrentes, em particular a cláusula geral da boa-fé objetiva". Com o influxo trazido pelos ares democráticos da Constituição de 1988, o exercício de direitos passou a ser atrelado a valores constitucionalmente consagrados. Trata-se, pois, de uma das facetas da constitucionalização do direito civil.

Nesse sentido, esse dever de renegociar contratos desequilibrados tem lugar, no direito brasileiro, sob o aspecto privatístico, com a consagração de valores éticos às contratações, de modo que o contrato passa a se converter em uma relação dinâmica, que se encontra funcionalizada a objetivos comuns. Cuida-se, pois, do que a doutrina especializada denomina de "deveres anexos contratuais".[21] São, pois, fundamentos caudatários da teoria geral dos contratos, que, como é de conhecimento convencional, se aplicam aos contratos administrativos. É o que dispõe o art. 89 da Lei nº 14.133/2021 segundo o qual "os contratos de que trata esta Lei regular-se-ão pelas suas cláusulas e pelos preceitos de direito público, e a eles serão aplicados, supletivamente, os princípios da teoria geral dos contratos e as disposições de direito privado".[22]

Não se trata de desconsiderar as condutas oportunistas das partes, nem, tampouco, o fato de que procedimentos de renegociações, *ex post*, podem suprimir as eficiências obtidas no leilão (num ambiente competitivo).[23] Acontece que, de acordo com a lógica econômica, em situações de incerteza, as partes têm incentivos para praticar atos de cooperação. É que, em situações de incerteza, caso os agentes, de forma racional, visem, apenas, a maximizar seus interesses particulares (sob uma perspectiva microscópica), a coletivização de suas ações no mercado (sob um aspecto macroeconômico), provocará resultados desfavoráveis para os próprios agentes (provocando uma falha de mercado decorrente de problemas de coordenação).

---

[19] BRUX, Julie de. The dark and bright sides of renegotiation: An application to transport concession contracts. *Utilities Policy, Elsevier*, [*S. l.*],v. 18, n. 2, p. 77-85, 2010.

[20] SHREIBER, Anderson. Construindo um dever de renegociar no direito brasileiro. *Revista Interdisciplinar de Direito da Valença*, Valença, v. 16, n. 1, p. 13-42, 2018.

[21] TEPEDINO, Gustavo; BARBOZA, Heloísa Helena; MORAES, Maria Celina Bodin de. *Código Civil interpretado conforme a Constituição da República*: parte geral e obrigações (arts.1º a 420). 2. ed. rev. atual. e ampl. Rio de Janeiro: Renovar, 2007. v. 1. p. 17.

[22] BROUSSEAU, Eric; GLACHANT, Jean-Michel. (ed.). *The Economics of Contracts*: Theory and Applications. Cambridge: Cambridge University Press, 2002. p. 11.

[23] GUASCH, José Luis. *Granting and Renegotiating Infrastructure Concessions*: Doing It Right. Washington, D.C.: The World Bank, 2004.

Tal cenário não é desconhecido do benchmark internacional de concessões e PPPs. De fato, de acordo com o Managing PPP Contracts after Financial Close,[24] produzido pelo Global Infrastructure Hub, os módulos contratuais que veiculam a delegação da exploração de infraestruturas, congenitamente de longo prazo, são expostos a várias mudanças externas, que são experimentadas a partir de circunstâncias políticas, sociais e econômica, que têm lugar durante a sua execução. Por isso, a renegociação é sempre um mecanismo que será utilizado durante a sua vigência. Nesse quadrante, o estudo promovido, pelo Global Infrastructure Hub, analisou 48 casos de renegociação, no âmbito de 146 projetos, dos quais foram extraídas as seguintes informações:

Tabela 1 – Prevalência da renegociação por região

Table 1: Prevalence of renegotiation by region

Region	Projects with data	Renegotiation events	Percentage
East Asia	17	2	12%
Europe	43	12	28%
Latin America and the Caribbean*	43	25	58%
Middle East and North Africa	8	1	13%
North America	5	2	40%
South Asia	14	5	36%
South East Asia	8	1	13%
Total	**146**	**48**	**33%**

Figura 1 – Causas da renegociação, baseado em 48 projetos que passaram por renegociação

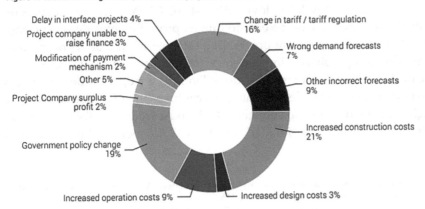

Figure 1: Causes of renegotiation, based on 48 projects that experienced renegotiation

---

[24] GIHUB. *Managing PPP Contracts After Financial Close*: Practical Guidance for Governments Managing PPP Contracts, Informed by Real-Life Project Data. [S. l.]: GIHUB, 2018. Disponível em: https://content.gihub.org/live/media/1465/updated_full-document_art3_web.pdf. Acesso em: 2 ago. 2024.

Nada obstante, não se pode desconsiderar que as concessionárias, no âmbito de uma lógica econômica de maximização de seus próprios interesses, tenderão a executar o objeto do contrato despendendo os menores custos possíveis, com o desiderato de incrementar a sua rentabilidade. Nesse quadrante, o regime de renegociação pode importar em uma captura de renda de uma parte em relação à outra.[25]

Afinal de contas, a renegociação é levada a efeito, em um ambiente não competitivo, o que poderá gerar uma seleção adversa de licitantes, os quais podem já ter conhecimento, previamente, que suas propostas são inexequíveis, mas confiarem (pela detença de informações privadas) que seus contratos serão renegociados. Cuida-se de ineficiências que, segundo estudos empíricos, observam o seguinte racional: (i) quanto maior capturado o regulador, maior a possibilidade de renegociação; (ii) quanto mais elevados forem os investimentos comprometidos, maior é a probabilidade de renegociação; (iii) a existência de um organismo regulador no momento da adjudicação de uma concessão diminui a probabilidade de renegociação e (iv) o estabelecimento de indicadores de desempenho contratuais sugere a redução da possibilidade de renegociação.[26]

Nada obstante as vicissitudes dos procedimentos de renegociação em contratos de infraestrutura, alinhamo-nos à posição de José Luis Guasc, Daniel Benitez, Irene Portabales e Lincoln Flor,[27] para quem tais renegociações devem: (i) ser permeadas pelo incremento do custo político, mediante o incremento da transparência, abrindo as informações na *internet*, desde o requerimento, passando pela análise das instâncias técnicas, chegando às decisões; (ii) ser realizadas em períodos contratuais pré-determinados; (iii) considerar o estabelecimento de regras para analisar e rejeitar ofertas agressivas e imprudentes, por exemplo, exigindo garantias adicionais; (iv) exigir a realização de um processo seletivo no caso de inclusão de novos investimentos.

São recomendações que foram, expressamente, encampadas pelo TCU. Tal Corte de Contas, ao proferir o Acordão nº 1096/2019,[28] que teve por objeto o acompanhamento do primeiro estágio de desestatização, relativo à concessão do lote rodoviário que compreende os segmentos das rodovias BR-364/365/GO/MG entre as cidades de Jataí-GO e Uberlândia-MG, deixou assentado que os procedimentos de renegociação dos contratos de concessão deveriam prever: (i) o estabelecimento de regras para analisar e rejeitar ofertas agressivas e imprudentes (mecanismo de capital social adicional proporcional aos deságios oferecidos no leilão); (ii) a exigência de um processo de licitação obrigatória no caso de inclusão de novos investimentos (normativo em fase de elaboração em atendimento ao subitem 9.3.1.1 do Acórdão nº 1.174/2018 –[29] em que a ANTT indica que avalia a possibilidade de utilização do modelo chileno ou adoção dos

---

[25] Nesse sentido: DECKER, Cristopher. *Modern Economic Regulation*: An Introduction to Theory and Practice. Cambridge: Cambridge University Press, 2015. p. 115.

[26] GUASCH. *Granting and Renegotiating Infrastructure Concessions*: Doing It Right.

[27] GUASCH, José Luis; BENITEZ, Daniel; PORTABALES, Irene; FLOR, Lincoln. *The Renegotiation of PPP Contracts*: An Overview of its Recent Evolution in Latin America. International Transport Forum Discussion Papers, 2014/18. Paris: OECD Publishing, 2014.

[28] BRASIL. Tribunal de Contas da União (Plenário). Acórdão nº 1.096/2019. Relator: Min. Bruno Dantas, 15 de maio de 2019. *DJTCU*: Brasília, DF, 2019.

[29] BRASIL. Tribunal de Contas da União (Plenário). Acórdão nº 1.174/2018. Relator: Min. Bruno Dantas, 23 de maio de 2018. *DJTCU*: Brasília, DF, 2018.

custos médios de contratação do DNIT); (iii) a fixação de períodos em que os contratos não serão negociados (nos cinco primeiros e nos cinco últimos anos do contrato) e (iv) o aumento do custo político do processo de renegociação (limitação do processo de inclusão de obras e investimentos às revisões quinquenais, as quais preveem mecanismo de participação social).

Sob o aspecto jurídico, temos para nós que já existe um regime jurídico de renegociação dos contratos de longo prazo. Nesse sentido, é de destacar a Lei nº 13.448/2017, já referenciada, na qual se estabelece um regime jurídico para relicitação e para a prorrogação antecipada de contratos de concessão – institutos que nada mais são do que instrumentos de renegociação ampla dos contratos de concessão. No mesmo sentido, no setor de concessão de aeroportos, digna de nota é a Medida Provisória nº 779, de 19 de maio de 2017, convertida na Lei nº 13.499/2017, por intermédio da qual se renegociou o pagamento de outorgas, bem como se reprogramou a realização de investimentos.

Mais que isso, não é novidadeiro o entendimento segundo o qual as relações contratuais travadas entre o Poder Público e os particulares, sobretudo após o advento da Constituição de 1988, devem ser pautadas pela consensualidade, e não pela imperatividade. Não é por outra razão que o ordenamento jurídico, há muito, vem disciplinando formas alternativas para endereçar soluções de conflitos em contratos públicos, assim como o sistema processual brasileiro vem reconhecendo a legitimidade de soluções não adversariais entre o Poder Público e particulares.

Assim, por exemplo, cite-se a Resolução nº 125/2010, do Conselho Nacional de Justiça (CNJ), que, em seus considerandos, dispõe que a "conciliação e a mediação são instrumentos efetivos de pacificação social, solução e prevenção de litígios, e que a sua apropriada disciplina em programas já implementados no país tem reduzido a excessiva judicialização dos conflitos de interesses, a quantidade de recursos e de execução de sentenças". E, na mesma direção, o disposto no art. 174 do CPC, que prevê a possibilidade de se criar câmaras de soluções consensuais de conflitos administrativos pelas entidades da federação. Mais recentemente, por intermédio do art. 32, §5º, da Lei nº 13.140/2015 (Lei de Mediação), previu-se, expressamente, que tal procedimento de mediação poderá ter por objeto "a resolução de conflitos que envolvam equilíbrio econômico-financeiro de contratos celebrados pela administração com particulares". Nada obstante, nos módulos concessórios, providência dessa ordem já fora autorizada pelo art. 11, III, da Lei nº 11.079/2004 (Lei de PPPs) e pelo art. 23-A da Lei nº 8.987/1995.

Ainda sob o aspecto jurídico, a renegociação, em situações de incerteza, pode ser lastreada no art. 26 da Lei nº 13.655/2018 (Lei de Introdução às Normas do Direito Brasileiro – LINDB), segundo o qual,

> para eliminar irregularidade, incerteza jurídica ou situação contenciosa na aplicação do direito público, inclusive no caso de expedição de licença, a autoridade administrativa poderá, após oitiva do órgão jurídico e, quando for o caso, após realização de consulta pública, e presentes razões de relevante interesse geral, celebrar compromisso com os interessados.

Cuida-se de permissivo genérico para celebração de acordos pelo Poder Público, que podem ter por objeto eliminar incertezas jurídicas, desde que o acordo: (i) busque solução jurídica proporcional, equânime, eficiente e compatível com os interesses gerais;

(ii) não importe em desoneração permanente de dever ou condicionamento de direito e (iii) preveja com clareza as obrigações das partes, o prazo para seu cumprimento e as sanções aplicáveis.

Por fim, é de se destacar o Código Civil (CC), que disciplina a teoria geral dos contratos, estabelece diretrizes interpretativas que podem ser endereçadas à interpretação de contratos complexos (de que são exemplos os contratos de concessão), sobretudo a partir da vigência da Lei nº 13.874/2019 (Lei da Liberdade Econômica), pois que este estatuto veiculou um sistema interpretativo de contratos incompletos. Nesse sentido, o art. 113 do CC, alterado pelo novel diploma, dispõe que os contratos devem ser interpretados no sentido do que: for confirmado pelo comportamento das partes posteriormente à celebração do negócio; corresponder aos usos, costumes e práticas do mercado relativas ao tipo de negócio; corresponder a qual seria a razoável negociação das partes sobre a questão discutida, inferida das demais disposições do negócio e da racionalidade econômica das partes, consideradas as informações disponíveis no momento de sua celebração (incisos I, IV e V). O § 2º do dispositivo prescreve que "as partes poderão livremente pactuar regras de interpretação, de preenchimento de lacunas e de integração dos negócios jurídicos diversas daquelas previstas em lei". O art. 421-A do CC, também incluído pela Lei nº 13.874/2019, estabelece que as partes negociantes poderão estabelecer parâmetros objetivos para a interpretação das cláusulas negociais e de seus pressupostos de revisão ou de resolução; a alocação de riscos definida pelas partes deve ser respeitada e observada e a revisão contratual somente ocorrerá de maneira excepcional e limitada (incisos I, II e III).

Diante de todo o exposto, é de se concluir esse item no sentido de que, à luz das experiências internacionais e do regime jurídico brasileiro, as renegociações de contratos de concessão devem seguir as seguintes diretrizes: (i) considerar as eficiências obtidas, pelo Poder Público, no procedimento licitatório, de modo a evitar a prática de comportamentos oportunistas pelos licitantes (seleção adversa); (ii) respeitar a base objetiva dos negócios jurídicos, sem prejuízo de as partes, em conjunto, estabelecerem novos quadrantes para sua interpretação; (iii) em razão da elevada assimetria de informações entre partes, priorizar soluções negociadas e proporcionais, a serem instaladas pelas partes, e não por um terceiro, exógeno à relação contratual, desde que ela não importe desoneração permanente de dever ou condicionamento de direito; (iv) deve indicar a vantajosidade em se renegociar suas bases ao invés de relicitar os ativos e indenizar o particular pelos investimentos realizados em bens reversíveis não amortizados.

3 A renegociação de contratos de concessão capitaneada pelo TCU

O TCU instituiu, por intermédio da Instrução Normativa (IN) nº 91/2022, procedimentos de solução consensual de controvérsias relevantes e prevenção de conflitos afetos a órgãos e entidades da Administração Pública federal. A solicitação de solução consensual pode ser formulada por três categorias de agentes: (i) pelos presidentes da República, do Senado, da Câmara e do STF, o Procurador-Geral da República e o Advogado-Geral da União; (ii) pelos dirigentes máximos das agências reguladoras, nos termos do art. 2º, da Lei nº 13.848/2019 e (iii) por relator de processo em tramitação no

TCU. Para os fins do presente ensaio, serão examinados os precedentes produzidos no setor elétrico, no setor de ferrovias, no setor de concessão de aeroportos e de telefonia, os quais se encontram disponíveis, por ocasião da elaboração deste artigo, no seu sítio eletrônico.

3.1 Das renegociações no setor elétrico

O TCU, por ocasião da prolação do Acórdão nº 1.130/2023,[30] aprovou, nos termos dos arts. 11 e 12 da IN nº 91/2022, proposta de solução consensual atinente ao setor de energia elétrica. Cuida-se de solicitação formulada pelo Ministério de Minas e Energia (MME), em face de controvérsias enfrentadas nos Contratos de Energia de Reserva (CER) decorrentes do Procedimento de Contratação Simplificado (PCS) nº 01/2021, relativos às usinas Karpowership Brasil Energia Ltda. (grupo KPS). Tal solicitação consensual foi lastreada, no PCS nº 01/2021, promovido, em outubro de 2021,[31] em caráter emergencial, contração expedida que fora justificada em razão de riscos de desabastecimento energético decorrente de crise hídrica, e consequente redução no nível dos reservatórios, ocorrida nos anos de 2020 e 2021. O certame foi realizado sob condições excepcionais, considerando os riscos de a escassez hídrica perdurar para além de 2021. Na ocasião, fazia-se necessário aumentar, em curto espaço de tempo, a potência instalada disponível no sistema, para fazer frente a períodos críticos de demanda.

Acontece que diversos projetos não entraram em operação na data prevista,[32] o que, de acordo com regime contratual delineado no art. 19 da Lei nº 13.360/2016, deveria ser objeto de aplicação de penalidades administrativas. Em razão dos inadimplementos constatados pela agência reguladora, determinados agentes pleitearam, na via administrativa, a aplicação de excludente de responsabilidade pela não conclusão da unidade geradora. Além disso, tinham vigência liminares judiciais que obstavam a rescisão contratual até que o processo administrativo fosse ultimado. Na visão do MME, ainda que fosse possível a rescisão contratual, cominada à aplicação de multas prevista no instrumento de contrato, havia alto risco de as liminares judiciais se tornarem definitivas, o que implicaria o fornecimento de energia mais cara aos usuários. Nesse sentido, eventual solução de consenso viabilizaria a redução dos custos gerais aos consumidores e colocaria fim aos litígios em curso no âmbito judicial.[33]

Diante desse cenário, a proposta de acordo submetida à homologação do TCU abrangia aspectos como a redução da geração inflexível, a preservação da eficácia das outorgas e da garantia física, a suspensão dos processos administrativos e o pedido de

---

[30] BRASIL. Tribunal de Contas da União (Plenário). Acórdão nº 1.130/2023. Relator: Min. Benjamin Zymler, 7 de junho de 2023. *DJTCU*: Brasília, DF, 2023.

[31] Disponível em: https://www2.aneel.gov.br/cedoc/avs2021001.pdf. Acesso em: 20 jul. 2024.

[32] Disponível em: https://www.gov.br/aneel/pt-br/assuntos/noticias/2022/fiscalizacao-das-usinas-contratadas-no-1-procedimento-de-contratacao-simplificado-pcs-2021. Acesso em: 20 jul. 2024.

[33] Trata-se de ver a sanção como um instrumento passível de transação, sobre o tema, ver: PALMA, Juliana Bonacorsi de. *Sanção e acordo na Administração Pública*. São Paulo: Malheiros, 2015. p. 56. De acordo com a autora, "o poder sancionador consiste em prerrogativa conferida pelo ordenamento jurídico à Administração para melhor consecução das finalidades legais, de onde se extrai a instrumentalidade das sanções administrativas, decorrência direta do exercício da potestade sancionatória" (PALMA. Processo regulatório sancionador e consensualidade: análise do acordo substitutivo no âmbito da Anatel, p. 56).

suspensão das medidas judiciais. Ao avaliar o mérito da demanda, o Ministro relator observou que o negócio jurídico consensual visava, em termos de vantajosidade econômica, reduzir em quase R$580 milhões "as contas de luz para o mercado regulado". Em relação à legalidade, o TCU considerou que não "há impeditivo, na teoria geral dos contratos, da revisão dos termos então pactuados, por acordo entre as partes". Além disso, não haveria ofensa ao dever de licitar, prescrito no art. 37, XXI, da Constituição, pois o motivo que levou à contratação da energia foi excepcional, e inexistia interesse em empreender leilão semelhante, naquele momento, sendo certo que "honrar os contratos então feitos, nos moldes concebidos, far-se-ia por demais custoso". De outro lado, como a energia gerada era custosa ao sistema e existiam litígios administrativas e judiciais em curso, "a inércia do Poder Público frente a um quadro antieconômico é que poderia importar em responsabilizações". No que tange à motivação, o Tribunal de Contas considerou haver "clara e relevante redução tarifária, com ganhos à coletividade um tanto óbvios". É dizer, de acordo com tribunal, a economia aos usuários seria suficiente para justificar a conveniência e a oportunidade do negócio jurídico consensual.

Em outro caso de solicitação de solução consensual, o TCU deliberou, por intermédio do Acórdão nº 1797/2023, por aprovar acordo relacionado às usinas Linhares Geração S.A., Povoação Energia S.A. e Termelétrica Viana S.A. (grupo BTG). O grupo BTG também se sagrou vencedor no PCS nº 01/2021. Nada obstante, diferente do grupo KPS, as usinas do BTG se encontravam adimplentes, inexistindo litígio, administrativo, judicial ou arbitral, entre o Poder Público, a ser dirimido. Nesse quadrante, o imbróglio levado à Corte dizia respeito ao elevado custo da energia repassado ao consumidor cativo, considerando as características do contrato firmado entre as partes. Nesse caso, um dos pontos destacados pelo TCU diz com o fato de que o grupo BTG se encontrava adimplente com seus contratos. Nesse sentido, a alteração cogitada, pela via consensual, tinha por desiderato diminuir o custo da energia pago pelo usuário. Nada obstante, tal alteração não poderia descurar da segurança jurídica garantida às contratadas e aos investidores do grupo BTG. Na visão da Corte de Contas, o PCS nº 01/2021 foi realizado com celeridade, razão pela qual o procedimento simplificado embutiu diversos riscos na contratação, os quais "foram, invariavelmente, monetizados pelos empreendedores como custo".

Em outra oportunidade, também envolvendo o setor elétrico e as externalidades causadas pelo PCS nº 01/2021, o TCU decidiu, por meio do Acórdão nº 597/2024, por arquivar o processo de solução consensual relacionado às usinas EPP II, EPP IV, Edlux X e Rio de Janeiro I (grupo Âmbar). Durante o procedimento consensual, a principal solução aventada foi a substituição da energia gerada pelas quatro usinas originalmente contratadas. A energia seria substituída por aquela produzida pela UTE Cuiabá, empreendimento já existente e pertencente ao grupo Âmbar.

Acontece que, durante o curso do processo, não houve consenso, entre a ANEEL e parcela dos representantes técnicos do TCU, acerca da real capacidade das usinas da Âmbar de fornecerem a energia contratada, nos termos fixados no edital do PCS nº 01/2021. Diante dessa dúvida, o TCU decidiu pelo arquivamento processual. Nada obstante, deixou assentado que a ausência de subscrição, pelo TCU, do termo de consenso, não tinha o condão de impedir que as partes optassem pela formulação do acordo. Nesse caso, o poder concedente poderia chegar a bom termo com os demais envolvidos, com o endosso de seu corpo técnico-jurídico, razão pela qual "o juízo pelo arquivamento do presente processo não é uma apreciação *ex ante*, seja de ilegalidade, seja de inoportunidade".

3.2 Das renegociações no setor de ferrovias

No âmbito do setor ferroviário, a primeira solicitação de solução consensual decidida pelo TCU, restou levada a efeito, por meio do Acórdão nº 2.472/2023,[34] o qual diz respeito às alterações do Caderno de Obrigações da Concessionária Rumo Malha Paulista (RMP), inserido no contexto da prorrogação antecipada do contrato concessório. Tal proposta foi levada ao Tribunal de Contas, pela ANTT, diante das discussões empreendidas com a concessionária acerca de atualizações no Plano de Investimentos e no Plano de Recuperação dos Ramais, ambos atinentes ao Caderno de Obrigações da renovação antecipada firmada em maio de 2020. Na visão do TCU, a antecipação de investimentos era o objetivo último da renovação antecipada da Malha Paulista, tendo em vista que o poder concedente alvitrava resolver os seguintes problemas no trecho ferroviário da Malha Paulista: (i) aumentar a capacidade de transporte da ferrovia e (ii) garantir a ampliação da segurança de transporte da linha ferroviária.

Dessa forma, qualquer avaliação técnica e econômica das soluções propostas deveria garantir que esses dois pontos seriam atendidos, de modo que cabia ao Tribunal "avaliar se as postergações de investimentos ou substituições de intervenções propostas são aptas a garantir esses parâmetros". Além disso, o Tribunal indicou que lhe cabia avaliar se a manutenção do cronograma de investimentos original trazia mais benefícios do que a alteração pretendida pelas partes, uma espécie de análise de "custo-benefício", por assim dizer. Além disso, o voto do relator do caso observou que os benefícios estimados, com a solução consensual, giravam em torno de R$1,1 bilhão, valor que compreenderia o excedente a ser pago, na qualidade de acréscimo à outorga, além de R$670 milhões a título de "vantajosidade", negociado entre o Ministério de Transportes e a Rumo Malha Paulista. Esse "valor de vantajosidade" atuaria na qualidade de uma "vantagem negocial, para além daquela proporcionada pelo pagamento de excedente de outorga decorrente das otimizações contratuais propostas". Na visão do relator do caso, esse valor nasceria da assimetria de informações inerente a qualquer contrato, no âmbito do qual o contratado acaba por deter maior conhecimento sobre o objeto contratado e suas nuances do que o próprio contratante, visto ser ele o executor (risco moral). Diante disso, dada a dificuldade de se prever e implantar controles para mitigar os impactos da assimetria de informação entre as partes contratuais, o valor de vantajosidade materializar-se-ia como um "mecanismo apropriado de compensação desse cenário".

Outra solução consensual que teve lugar, no setor ferroviário, também proposta pela ANTT, envolveu o processo de devolução de trecho ferroviário integrante da Malha Sul, entre Presidente Prudente-SP e Presidente Epitácio-SP, bem como da metodologia de cálculo para a indenização, a ser paga pela concessionária ao poder concedente, em razão da ausência de manutenção e conservação das vias férreas. Ao analisar o tema, por

---

[34] BRASIL. Tribunal de Contas da União (Plenário). Acórdão nº 2.472/2023. Relator: Min. Vital do Rêgo, 29 de novembro de 2023. *DJTCU*: Brasília, DF, 2023.

meio do Acórdão nº 2514/2023, o Ministro Relator, Jorge Oliveira, indicou que não cabia ao Tribunal definir como deveria ocorrer o processo de devolução de trechos ferroviários, em substituição à agência reguladora ou ao poder concedente. Em razão disso, a Corte de Contas restringiu sua análise apenas em relação à metodologia de cálculo dos trechos devolvidos, fazendo consignar que eventual solução adotada no processo poderia servir de paradigma para outros processos de devolução de trechos ferroviários, bem como para eventual reforma nos normativos da ANTT e do DNIT.

O cálculo da referida indenização se encontra disciplinado pela Instrução Normativa (IN) DNIT nº 31/2020, mas este ato normativo foi considerado parcialmente inadequado pelos membros da CSC para fins de valorar a indenização do trecho ferroviário da Malha Sul. A partir disso, foram definidos nove tópicos de discordância entre as partes, tendo havido consenso para sete deles.[35] Nada obstante, dois itens remanesceram sem endereçamento final de solução pela CSC: (i) o da bonificação e despesas indiretas (BDI) e (ii) o da data-base. No que tange ao BDI, o ponto de divergência da comissão foi a inclusão ou não da parcela BDI na composição dos custos. Após os debates, não tendo havido consenso sobre o tema, a CSC concluiu que essa questão fazia parte do "não-escopo" da proposta de acordo. Apesar disso, o Ministro relator entendeu que a questão merecia ser debatida no âmbito do Plenário do Tribunal. Isso porque, "ao buscar consensos em matérias de sua competência, o TCU não se despe do papel de fiscal das normas de gestão pública, ou seja, não é um mero expectador passivo dos acordos conduzidos no âmbito da SecexConsenso, notadamente, aqueles com impacto no Erário Federal". De acordo com o voto do relator, a diferença entre a aplicação ou não da taxa de BDI pode ser compreendida, em síntese, como assumir a indenização pelos seus custos ou por seus preços. O voto indicou, ainda, que a modelagem econômico-financeira da concessão considerou o trecho a ser devolvido como operativo, de maneira a remunerar a concessionária pelos custos demandados. Nesse quadrante, seria pressuposto lógico que, para não desequilibrar a equação econômico-financeira da concessão, as indenizações incluíssem a taxa de BDI em seu cálculo.

Um outro ponto sobre o qual a comissão não chegou a uma solução consensual foi a propósito da data-base, a ser utilizada para o cálculo da indenização. Em resumo, a controvérsia residia no seguinte ponto: a IN DNIT nº 31/2020 prevê a utilização da data-base mais atual disponível para calcular a indenização. Por sua vez, a concessionária argumentou que, devido à pandemia de Covid-19, houve aumento excessivo no preço do aço, impactando o preço dos trilhos. Nesse sentido, sugeriu utilizar uma data-base anterior ao início da pandemia, atualizada por um índice a ser definido, o que não foi acatado pela agência reguladora.

O Ministro relator, em seu voto, encampou proposta intermediária, que já havia sido levantada no âmbito da CSC. Essa proposta consistia em adotar uma data-base diferenciada para os trilhos, considerando a mediana do valor do trilho entre outubro de 2019 e abril de 2023. Em sua razão de decidir, o Ministro Jorge Oliveira apontou que a não adoção de uma média, mediana ou média móvel geraria um desincentivo para a

---

[35] São eles: (i) trilhos; (ii) dormentes; (iii) lastro; (iv) AMV; (v) taxas de manutenção e depreciação; (vi) ocupações irregulares em faixa de domínio e (vii) passivos ambientais. Ressalta-se que cada um destes itens foi avaliado pelo plenário do TCU em relação aos aspectos técnicos da solução consensual aventada, tendo o Tribunal considerado adequadas as soluções construídas pela CSC.

devolução de trechos não operacionais quando os valores dos insumos estivessem em alta no mercado. Para além disso, de acordo com o ministro, poderia haver um incentivo à devolução apenas quando os preços estivessem em baixa, prejudicando o interesse de dar uma destinação mais adequada aos trechos inoperantes. Em síntese, o TCU acatou, na essência, a proposta de encaminhamento da CSC. Nada obstante, a Corte fixou condicionantes para a aprovação da solução consensual, dentre os quais: (i) inclusão de cláusula fazendo incidir a parcela BDI no cálculo da indenização a ser paga pela concessionária e (ii) inclusão de cláusula com data-base diferenciada para indenização dos trilhos, considerando a mediana dos valores de outubro/2019 a abril/2023. Após o atendimento de todas as condicionantes, o Tribunal aprovou a solução consensual, por intermédio do Acórdão nº 857/2024.[36]

3.3 Renegociação no setor de aeroportos

O Acórdão nº 51/2024,[37] relatado pelo Ministro Aroldo Cedraz, aprovou a solicitação de solução consensual apresentada pela Agência Nacional de Aviação Civil (ANAC) para tratar de controvérsia envolvendo obrigações de investimento para adequação do sistema de pista do Aeroporto de Cuiabá-MT, prevista no âmbito do Contrato nº 002/ANAC/2019 – Centro-Oeste, celebrado entre a ANAC e a Concessionária Aeroeste Aeroportos S.A.

O referido contrato de concessão previa o cumprimento integral dos requisitos do RBAC nº 154, o que implicaria intervenções físicas para a readequação do aeroporto e para construção de nova pista. A proposta construída consensualmente, e anuída pelo TCU, foi pela desnecessidade de construir nova pista no espaçamento indicado pela normativa técnica, uma vez que, com a manutenção de determinados acordos operacionais, a manutenção da distância original entre as pistas não alterava a segurança do aeródromo e somente traria impacto na capacidade de processamento de aeronaves em condições meteorológicas específicas. No que tange ao equilíbrio econômico-financeiro decorrente da não realização dos investimentos de construção da nova pista do Aeroporto de Cuiabá, concluiu-se que haveria um desequilíbrio econômico-financeiro contratual, cujos efeitos deveriam ser anulados. Em síntese, a Comissão apurou o montante de R$64.964.827,18, a ser objeto de recomposição em favor do poder concedente, sendo que o Fluxo de Caixa Marginal – decorrente da exclusão da exigência de construção da pista – seria elaborado em processo administrativo específico na ANAC, oportunidade na qual a agência discutiria a forma de recomposição do desequilíbrio.

Além disso, um dos aspectos debatidos pelo TCU foi a possibilidade de tal alteração desfigurar o objeto contratual, materializando burla ao processo licitatório. Isso porque, em tese, caso o objeto licitado fosse aquele resultante da alteração do contrato, o interesse das licitantes poderia ter sido diferente do manifestado no leilão. Sobre o tema,

---

[36] BRASIL. Tribunal de Contas da União (Plenário). Acórdão nº 857/2024. Relator: Min. Min. Jorge Oliveira, 30 de abril de 2024. *DJTCU*: Brasília, DF, 2024.

[37] BRASIL. Tribunal de Contas da União (Plenário). Acórdão nº 51/2024. Relator: Min. Aroldo Cedraz, 24 de janeiro de 2024. *DJTCU*: Brasília, DF, 2024.

o relator considerou não haver risco de burla à licitação. Em sua visão, a modelagem contratual da quinta rodada de concessão de aeroportos passou a não definir, para certas obrigações, o que construir, mas sim o objetivo a ser alcançado pela concessionária, o que seria atendido no caso concreto.

3.4 Renegociação no setor de telecomunicações

O Acórdão nº 1315/2024,[38] relatado pelo Ministro Jorge Oliveira, deliberou sobre a solicitação de solução consensual formulada pela Agência Nacional de Telecomunicações (Anatel), com o objetivo de resolver controvérsias que envolviam a extinção antecipada dos contratos de concessão de Serviço Telefônico Fixo Comutado (STFC) firmados com a Oi S.A. – em Recuperação Judicial (Oi), e sua adaptação para autorizações, nos termos da Lei nº 13.879/2019 (Lei Geral de Telecomunicações – LGT). De acordo com o relatório técnico do TCU, ao término das negociações, os representantes da Anatel, do Ministério das Comunicações, da Oi e da SECEXConsenso manifestaram-se favoravelmente à solução consensual, propondo a aprovação do termo de autocomposição. Nada obstante, a AudComunicações e o Ministério Público junto ao TCU divergiram dos termos do acordo e manifestaram-se pela sua rejeição com o consequente arquivamento do processo, com fundamento no art. 7º, inciso III e § 5º, da IN nº 91/2022.

Para solucionar a divergência, o Ministro relator observou que os contratos de concessão celebrados em 1998, dos quais faziam parte os contratos da Oi, venceriam em 20/12/2025. Nesse quadrante, diante do "novo cenário determinado pelo progressivo desuso do STFC, da desidratação de sua essencialidade e da mudança do cenário competitivo", a LGT foi alterada de modo a prever, em seus arts. 144-A, 144-B e 144-C, a possibilidade de adaptação dos contratos de concessão do STFC para autorizações. Como consequência das vantagens proporcionadas pela migração de regimes, a lei estabeleceu a necessidade de mensuração do valor econômico da exploração do serviço nas duas modalidades, revertendo o benefício econômico auferido pelas concessionárias em compromissos de investimento, priorizados conforme diretrizes do Poder Público. Inicialmente, os valores econômicos associados à adaptação dos contratos de concessão da Oi foram avaliados em R$20,35 bilhões (valores nominais).

De outro lado, o Ministro relator ressaltou que o plano de recuperação judicial da Oi, aprovado pela Assembleia Geral de Credores, adotou como uma de suas premissas a assinatura da solução consensual levada ao TCU. É dizer, apenas com a extinção da concessão, os bens reversíveis passariam a ser de plena propriedade da Oi, possibilitando a alienação dos ativos. Logo, se a conclusão do TCU fosse pela rejeição da solução consensual, "todas as iniciativas previstas no âmbito da recuperação judicial teriam que ser revistas, já que isso implicaria sérios obstáculos à alienação dos ativos da companhia. Esse fato, conjugado com a dificuldade relatada pela Oi em obter financiamentos novos, indicam que a rejeição do acordo pelo TCU diminuiria em muito a viabilidade da recuperação judicial, tornando provável a falência da companhia".

De acordo com o relator, apesar de a saúde financeira de empresas comerciais não ser objeto de competência do Tribunal, a perspectiva de falência da Oi não deveria

---

[38] BRASIL. Tribunal de Contas da União (Plenário). Acórdão nº 1.315/2024. Relator: Min. Jorge Oliveira, 3 de julho de 2024. *DJTCU*: Brasília, DF, 2024.

ser ignorada, uma vez que poderia refletir na continuidade dos serviços prestados. Um cenário hipotético, em que a prestação de serviços essenciais ou de emergência ficasse ameaçada pela falência da companhia, demandaria que o Poder Público interviesse para assegurar a sua continuidade. Daí por que, na visão do Ministro, as dificuldades econômicas da Oi tornavam necessário que a análise de cenários contemplasse a possibilidade de não continuidade da empresa. Por esse motivo, a proposta de solução consensual debatida era "única e os resultados obtidos neste processo não poderão ser extrapolados ou estendidos para outras empresas da área de telecomunicação que optem pela adaptação de suas concessões".

Nada obstante, a solução consensual considerada adequada pela SecexConsenso foi criticada pela AudComunicações e pelo Ministério Público junto ao TCU. O voto condutor do acórdão apontou que o principal ponto objeto de críticas era o valor acordado para os compromissos de investimentos, de R$5,80 bilhões, muito distante do valor inicialmente estimado pela consultoria contratada pela Anatel, de R$20,35 bilhões. Na visão do relator, apesar de essa diferença causar um impacto inicial, um estudo aprofundado revelava as dificuldades e as incertezas que envolviam a quantificação do valor a ser investido pela adaptação dos contratos. De acordo com o Tribunal, o valor acordado seguia balizas de ordem pragmática, guardando razoabilidade com as premissas adotadas na modelagem econômica do negócio. Daí por que os investimentos de R$5,80 bilhões, objetos da proposta consensual, superariam os impactos econômicos advindos de um cenário de "não acordo". É dizer, em uma análise meramente econômica, sem a ponderação dos riscos de judicialização e de incertezas relativas ao valor efetivamente recuperável dos bens reversíveis, o acordo se mostrava possível e razoável, em face da realidade dos fatos.

4 Análise dos precedentes da SECEXConsenso

A análise dos acórdãos permite apontar, ao menos, *quatro parâmetros,* que lastrearam os precedentes produzidos pela SECEXConsenso, sendo certo que a evolução do tema na agenda da SECEXConsenso poderá revelar outros *standards* ou confirmar os que ora apresentamos. Nesse sentido, o *primeiro parâmetro* do consensualismo produzido pela SECEXConsenso diz com o fato de que *a solução consensual deve ser motivada.* Não basta a mera vontade de renegociar. É preciso que a proposta de alteração contratual seja justificada de forma endógena ou exógena ao módulo contratual.

Como exemplo de justificativa endógena, tem-se o precedente de alteração nos investimentos previstos na prorrogação antecipada da concessão da Malha Paulista. Nesse caso, chegou-se à conclusão de que a realização dos investimentos originais, constantes do Caderno de Obrigações, poderia ser ineficiente. Outra justificativa endógena pode ser extraída do precedente do Aeroporto de Cuiabá, na medida em que o cumprimento de uma cláusula contratual (que continha uma norma técnica específica) não se mostrou necessária, diante da realidade concreta do aeroporto, notadamente quando a modelagem licitatória (quinta rodada) beneficiava os investimentos a serem realizados, em detrimento do cumprimento de obras específicas. De outro lado, como exemplo de justificativa exógena, os precedentes do setor de energia elétrica demonstram que um evento imprevisível (não materialização da crise hídrica projetada) gerou efeitos antieconômicos (produção de energia mais cara, atrasos na realização de obras, judicialização dos contratos), os quais poderiam ser neutralizados, em parte, pela solução consensual negociada.

O precedente consensual da Oi também reforça o ponto. Um dos principais aspectos considerados, pelo Tribunal de Contas em sua decisão foi o fato de que o acordo consensual era condição *sine qua non* para o desfecho da recuperação judicial da companhia. Ainda que o TCU tenha reconhecido a excepcionalidade desse caso concreto, é razoável supor que o precedente abre a possibilidade de que outros contratos, com imbróglios ainda mais sensíveis, sejam renegociados com base nas consequências que poderão advir se o consenso não for alcançado. Os precedentes são lastreados em um forte viés consequencialista, o que os compatibiliza com os arts. 20 e 21 da LINDB.

O *segundo parâmetro*, que pode ser extraído dos precedentes do TCU analisados, é o que a *solução consensual deve ser vantajosa para o usuário (e, em alguns casos, para a Administração Pública)*. No caso do grupo KPS, o negócio jurídico consensual visava reduzir em quase R\$580 milhões "as contas de luz para o mercado regulado", enquanto, no caso do grupo BTG, projetou-se um benefício líquido ao usuário na ordem de R\$224,5 milhões. Mas não é só. Os precedentes do TCU, notadamente o precedente da Malha Paulista, revelam que, em determinados casos, a proposta deve ser vantajosa ao poder concedente. Relembre-se que a solução consensual negociada girou em torno de R\$1,1 bilhão, valor que correspondeu, para além da incidência do mecanismo de acréscimo à outorga, R\$670 como valor de vantajosidade. Esse valor de vantajosidade foi incluído na proposta como uma compensação por assimetrias informacionais (e consequente risco moral) da concessionária.

Dessa forma, tratou-se de um mecanismo de compensação de supostas informações assimétricas, o qual deve ser visto com extrema cautela em futuros acordos, sob pena de desestimular as concessionárias, que não teriam condições de arcar com tal "vantajosidade", a apresentarem a real situação dos serviços prestados e renegociar suas concessões. Por outro lado, o valor de vantajosidade tem o potencial de afastar ofertas agressivas e imprudentes, atuando como espécie de "garantia adicional", a qual já foi considerada relevante, para processos de renegociação, em outras oportunidades, pelo Tribunal de Contas, conforme Acórdão nº 1.096/2019.[39]

O *terceiro parâmetro* identificado foi o de que a *solução consensual deve preservar a segurança jurídica e a estabilidade da relação contratual*. Chamamos a atenção para dois efeitos desse parâmetro: (i) a necessidade de respeitar o equilíbrio econômico-financeiro do contrato e (ii) a necessidade de garantir a remuneração dos investidores. Em relação ao equilíbrio econômico-financeiro contratual, todos os precedentes analisados teceram considerações sobre a sua equalização. Tome-se o caso do Aeroporto de Cuiabá, como exemplo. A Comissão de Solução Consensual concluiu que a renegociação produziria um desequilíbrio contratual, em favor do poder concedente, na ordem de R\$64.964.827,18, a ser objeto de processo administrativo específico. No que tange à remuneração dos investidores, é paradigmático o caso do grupo BTG. Nesse caso, o grupo estava adimplente com seus contratos, mas a manutenção original da avença redundaria na produção de energia mais cara ao sistema como um todo. Apesar de a alteração consensual ser

---

[39] BRASIL. Tribunal de Contas da União. Acórdão nº 1.096/2019.

possível, o TCU ressaltou que a remuneração dos investidores deveria ser respeitada, por intermédio do manejo de variáveis contratuais-regulatórias. Isso porque, de acordo com o TCU, os licitantes precificaram o risco da contratação emergencial durante o certame, criando um fundo de investimento para alavancar o negócio.

O *quarto parâmetro* extraível dos precedentes é o de que a *proposta consensual não pode implicar burla ao dever de licitar e deve respeitar a política pública subjacente*. A possível burla licitatória foi aventada, nos precedentes de energia elétrica, tendo o Tribunal de Contas chegado à conclusão de que o procedimento de contratação foi regido por condições emergenciais, diante do risco de desabastecimento energético, o que justificava a renegociação sem desrespeito às condições fáticas subjacentes ao certame. No caso do Aeroporto de Cuiabá, por sua vez, o TCU bem observou que a modelagem da licitação da quinta rodada aeroportuária deu preferência ao estabelecimento de diretrizes-meio, razão pela qual a supressão de obra específica não teria o condão de alterar os incentivos dispostos originalmente aos licitantes.

Após as análises qualitativas empreendidas, compreende-se que a atuação da SECEXConsenso, até o momento, procurou encampar as diretrizes de renegociações de contratos de concessão extraídas das experiências internacionais e do regime jurídico brasileiro, tendo em vista que: (i) intentou considerar as eficiências obtidas, pelo Poder Público, no procedimento licitatório, de modo a evitar a prática de comportamentos oportunistas, tal como se depreende da exigência de acréscimos à outorga para o deslocamento de investimentos no tempo, assim como na recomposição do equilíbrio econômico-financeiro pela supressão de investimentos; (ii) alvitrou respeitar a base objetiva dos negócios jurídicos, de modo a não desnaturar o processo licitatório; (iii) procurou priorizar a construção de soluções negociadas, sendo certo que o TCU, agente exógeno à relação, apenas induziu o consenso, sem decidir em última instância sobre a solução negociada e (iv) buscou demonstrar a vantajosidade de renegociar as bases contratuais em face de outras alternativas economicamente desvantajosas.

5 Conclusões

Como visto, à luz das experiências internacionais e do regime jurídico brasileiro, as renegociações de contratos de concessão devem seguir as seguintes diretrizes: (i) considerar as eficiências obtidas, pelo Poder Público, no procedimento licitatório, de modo a evitar a prática de comportamentos oportunistas pelos licitantes (seleção adversa); (ii) respeitar a base objetiva dos negócios jurídicos, sem prejuízo de as partes, em conjunto, estabelecerem novos quadrantes para sua interpretação; (iii) em razão da elevada assimetria de informações entre partes, priorizar soluções negociadas, a serem instaladas pelas partes, e não por um terceiro, exógeno à relação contratual; (iv) deve indicar a vantajosidade em se renegociar suas bases ao invés de relicitar os ativos e indenizar o particular pelos investimentos realizados em bens reversíveis não amortizados.

Os precedentes produzidos pela SECEXConsenso, até a elaboração deste artigo, revelam que o Tribunal está, em linhas gerais, aderentes às diretrizes alinhavadas. Mais do que isso, as características dos julgados permitem apontar, ao menos, quatro parâmetros para a aplicação da consensualidade em contratos de concessão. O primeiro é que a solução consensual deve ser motivada de forma endógena ou exógena ao módulo contratual. O segundo é a demonstração da vantajosidade da solução desenhada para o usuário do serviço ou para o Poder Público. O terceiro é o respeito aos primados da segurança jurídica e da estabilidade da relação contratual, seja em relação ao equilíbrio econômico-financeiro, seja em relação à necessidade de garantir a remuneração dos investidores. O quarto é o de que a proposta consensual não pode implicar burla ao dever de licitar, o que desnaturaria a base objetiva do negócio, e deve respeitar a política pública subjacente.

Em termos propositivos, é possível cotejar o diagnóstico dos casos julgados pelo TCU com o regime jurídico-econômico das renegociações de contratos de concessão e, a partir disso, extrair proposições para as novas rodadas de renegociação a serem conduzidas pela SECEXConsenso. Uma das proposições diz com o incremento do custo político da renegociação, por meio da transparência, abrindo as informações, desde o requerimento. Isto porque, nos precedentes examinados, as informações do processo consensual só são tornadas plenamente públicas ao final do procedimento, quando o Plenário decide acerca do acordo. Cuida-se de tema que poderia ser aprimorado, baseando-se, inclusive, no exemplo do Conselho Administrativo de Defesa Econômica (Cade), que mantém somente informações comercialmente sensíveis como tarjadas, o que permite que todos os documentos possam ser acessados, a qualquer tempo, pelos interessados.

Outro tema que poderia ser endereçado pelo TCU diz com o estabelecimento de períodos contratuais em que o contrato não poderá ser renegociado. Como apontado, os primeiros e os últimos anos contratuais podem abrir margem para oportunismos na renegociação contratual. Essa limitação no início da execução contratual impõe a necessidade de que os concorrentes avaliem melhor os estudos de viabilidade e racionalizem o processo da agência, no que toca à inclusão de novos investimentos. Por sua vez, a limitação da renegociação ao final do contrato tende a desestimular situações que poderiam gerar desequilíbrios ou a criação de um passivo que, ao cabo, seria arcado pelo Poder Público.

Além disso, entende-se que a aplicação dos arts. 113 e 421-A do CC, conforme alterações da Lei nº 13.874/2019, poderia expandir o âmbito de renegociação consensual. Isso porque os dispositivos possibilitam que as próprias partes pactuem regras de interpretação, de preenchimento de lacunas e de integração dos negócios jurídicos, inclusive estabelecendo parâmetros objetivos para interpretação de cláusulas negociais. É dizer, a aplicação dos dispositivos civilistas aos acordos administrativos permitiria um novo olhar sobre o papel integrativo das lacunas contratuais, deslocando esse papel da agência para o consenso livremente negociado entre as partes.

Referências

ARAGÃO, Alexandre Santos de. Serviços públicos e concorrência. *Revista de Direito Público da Economia*, Belo Horizonte, ano 1, n. 2, p. 59-123, abr./jun. 2003.

BRASIL. Tribunal de Contas da União (Plenário). Acórdão nº 51/2024. Relator: Min. Aroldo Cedraz, 24 de janeiro de 2024. *DJTCU*: Brasília, DF, 2024.

BRASIL. Tribunal de Contas da União (Plenário). Acórdão nº 857/2024. Relator: Min. Min. Jorge Oliveira, 30 de abril de 2024. *DJTCU*: Brasília, DF, 2024.

BRASIL. Tribunal de Contas da União (Plenário). Acórdão nº 1.096/2019. Relator: Min. Bruno Dantas, 15 de maio de 2019. *DJTCU*: Brasília, DF, 2019.

BRASIL. Tribunal de Contas da União (Plenário). Acórdão nº 1.130/2023. Relator: Min. Benjamin Zymler, 7 de junho de 2023. *DJTCU*: Brasília, DF, 2023.

BRASIL. Tribunal de Contas da União (Plenário). Acórdão nº 1.315/2024. Relator: Min. Jorge Oliveira, 3 de julho de 2024. *DJTCU*: Brasília, DF, 2024.

BRASIL. Tribunal de Contas da União (Plenário). Acórdão nº 1.593. Relator: Min. Vital do Rêgo, 2 de agosto de 2023. *DJTCU*: Brasília, DF, 2023.

BRASIL. Tribunal de Contas da União (Plenário). Acórdão nº 1.174/2018. Relator: Min. Bruno Dantas, 23 de maio de 2018. *DJTCU*: Brasília, DF, 2018.

BRASIL. Tribunal de Contas da União (Plenário). Acórdão nº 2.472/2023. Relator: Min. Vital do Rêgo, 29 de novembro de 2023. *DJTCU*: Brasília, DF, 2023

BROUSSEAU, Eric; GLACHANT, Jean-Michel. (ed.). *The Economics of Contracts*: Theory and Applications. Cambridge: Cambridge University Press, 2002.

BRUX, Julie de. The dark and bright sides of renegotiation: An application to transport concession contracts. *Utilities Policy*, [*S. l.*], v. 18, n. 2, p. 77-85, 2010.

CAMPOS, Marcelo Mallet Siqueira; CHIARINI, Tulio. Incerteza e não ergodicidade: crítica aos neoclássicos. *Revista de Economia Política*, São Paulo, v. 34, n. 2, p. 294-316, 2014.

CRUZ, Carlos Oliveira; MARQUES, Rui Cunha. *Infrastructure Public-Private Partnerships*: Decision, Management and Development. Berlin: Springer, 2013.

DECKER, Cristopher. *Modern Economic Regulation*: An Introduction to Theory and Practice. Cambridge: Cambridge University Press, 2015.

DIZIKES, Peter. Explained: Knightian uncertainty. *MIT NEWS*, [*S. l.*], 2 Jun. 2010. Disponível em: http://news.mit.edu/2010/explained-knightian-0602. Acesso em: 5 ago. 2024.

GIHUB. *Managing PPP Contracts After Financial Close*: Practical Guidance for Governments Managing PPP Contracts, Informed by Real-Life Project Data. [*S. l.*]: GIHUB, 2018. Disponível em: https://content.gihub.org/live/media/1465/updated_full-document_art3_web.pdf. Acesso em: 2 ago. 2024.

GUASCH, José Luis; BENITEZ, Daniel; PORTABALES, Irene; FLOR, Lincoln. *The Renegotiation of PPP Contracts*: An Overview of its Recent Evolution in Latin America. International Transport Forum Discussion Papers, 2014/18. Paris: OECD Publishing, 2014.

GUASCH, José Luis. *Granting and Renegotiating Infrastructure Concessions*: Doing It Right. Washington, D.C.: The World Bank, 2004.

JUSTEN FILHO, Marçal. *Comentários à Lei de Licitações e Contratos Administrativos*: Lei 14.133/2021. São Paulo: Dialética, 2012.

JUSTEN FILHO, Marçal. *Curso de Direito Administrativo*. São Paulo: Saraiva, 2005.

JUSTEN FILHO, Marçal. O consensualismo é consenso: em defesa da SECEXConsenso. *Migalhas*, São Paulo, 11 jul. 2024. Disponível em: https://www.migalhas.com.br/depeso/411026/o-consensualismo-e-consenso-em-defesa-da-secexconsenso. Acesso em: 13 jul. 2024.

JUSTEN FILHO, Marçal. *O Direito das agências reguladoras independentes*. São Paulo: Dialética, 2002.

JUSTEN FILHO, Marçal. *Teoria geral das concessões de serviço público*. São Paulo: Dialética, 2003.

KUHN, Thomas. S. *The Structure of Scientific Revolutions*. Chicago: The University of Chicago Press, 1996.

NÓBREGA, Marcos. Riscos em projetos de infraestrutura: incompletude contratual, concessões de serviço público e PPPs. *Revista Brasileira de Direito Público*, Belo Horizonte, ano 8, n. 28, 2010.

PALMA, Juliana Bonacorsi de. Processo regulatório sancionador e consensualidade: análise do acordo substitutivo no âmbito da Anatel. *Revista de Direito de Informática e Telecomunicações*, Belo Horizonte, ano 5, n. 8, p. 7-38, 2010.

PALMA, Juliana Bonacorsi de. *Sanção e acordo na Administração Pública*. São Paulo: Malheiros, 2015.

SCHUNCK, Giuliana Bonanno. *Contratos de longo prazo e o dever de cooperação*. Orientadora: Teresa Ancona Lopes. 2013. 239 f. Tese (Doutorado em Direito) – Faculdade de Direito da Universidade de São Paulo, São Paulo, 2013.

SHREIBER, Anderson. Construindo um dever de renegociar no direito brasileiro. *Revista Interdisciplinar de Direito da Valença*, Valença, v. 16, n. 1, p. 13-42, 2018.

TEPEDINO, Gustavo; BARBOZA, Heloísa Helena; MORAES, Maria Celina Bodin de. *Código Civil interpretado conforme a Constituição da República*: parte geral e obrigações (arts.1º a 420). 2. ed. rev. atual. e ampl. Rio de Janeiro: Renovar, 2007. v. 1.

Informação bibliográfica deste texto, conforme a NBR 6023:2018 da Associação Brasileira de Normas Técnicas (ABNT):

FREITAS, Rafael Véras de; ALTOÉ JUNIOR, José Egidio. A SECEXConsenso e o regime jurídico-econômico de renegociação de contratos de concessão. *In*: JUSTEN, Monica Spezia; PEREIRA, Cesar; JUSTEN NETO, Marçal; JUSTEN, Lucas Spezia (coord.). *Uma visão humanista do Direito*: homenagem ao Professor Marçal Justen Filho. Belo Horizonte: Fórum, 2025. v. 3, p. 477-498. ISBN 978-65-5518-915-5.

FORMAS HETERODOXAS DE REEQUILÍBRIO ECONÔMICO-FINANCEIRO, DEFINIÇÃO DO MECANISMO APLICÁVEL E A QUESTÃO DO TEMPO DA RECOMPOSIÇÃO

RAFAEL WALLBACH SCHWIND

1 Introdução: uma justa homenagem a Marçal Justen Filho

Os grandes cientistas possuem duas características muito relevantes: seu poder de observação e sua capacidade de questionamento. Sem observação, não se identificam as questões relevantes. Sem questionamento, não há evolução da ciência.

Essas características são potencializadas quando o cientista dispõe de forte embasamento teórico – ainda que tais bases teóricas possam também ser objeto de questionamentos.

Sem pretender entrar na discussão sobre a qualificação do direito como uma ciência,[1] penso que Marçal Justen Filho reúne como poucos tais características. É incomum sua habilidade de identificar questões pouco óbvias. É rara sua capacidade de propor soluções – sempre embasadas em uma sólida formação teórica.

Mesmo depois de tantos anos de convívio constante com Marçal na vida acadêmica e no trabalho cotidiano da advocacia, confesso que essas características não me surpreendem mais. Mesmo assim, a passagem do tempo não me impede de continuar a admirá-las, tal como o fazia há mais de vinte anos, então como seu aluno na Graduação da Universidade Federal do Paraná (UFPR) e estagiário no escritório por ele fundado. Daí meu enorme orgulho em participar desta obra coletiva, em uma justa homenagem a Marçal.

---

[1] A discussão evidentemente não é objeto deste ensaio. De todo modo, para uma análise da questão, confira-se, por todos: FERRAZ JÚNIOR, Tércio Sampaio. *A ciência do Direito*. 2. ed. São Paulo: Atlas, 1980.

2 A concepção de Marçal Justen Filho acerca das "formas de recomposição da equação econômico-financeira"

A ideia que me fez produzir o presente ensaio deriva de uma reflexão de Marçal Justen Filho acerca das formas de recomposição da equação econômico-financeira dos contratos de concessão.

Em sua obra *Teoria geral das concessões de serviço público*, publicada em 2003, reformulação e aprofundamento de seu livro *Concessões de serviços públicos: comentários às leis nº 8.987 e 9.074 de 1995*, de 1997, Marçal explica que há diversas formas de recomposição da equação econômico-financeira dos contratos de concessão. Há providências "internas" à concessão, que consistem (i) na ampliação da remuneração do particular (a mais utilizada, segundo o doutrinador, normalmente por aumento de tarifas); (ii) na redução dos encargos do concessionário e (iii) na alteração do prazo contratual. E há providências "externas" à concessão, que são (i) indenizações mediante pagamento com recursos públicos; (ii) subsídios estatais e (iii) ampliação de benefícios externos à concessão.[2]

Portanto, Marçal Justen Filho classifica as providências de recomposição da equação econômico-financeira em dois gêneros (internas e externas à concessão) e os subdivide em três espécies cada um. Sem pretensão de esgotar as formas de reequilíbrio, Marçal as relaciona como meios genéricos e deixa aberta a possibilidade de que haja outros mecanismos viáveis para se operacionalizar o reequilíbrio dos contratos de concessão.

A partir dessa concepção, três questões me parecem relevantes. Primeira: quais são as formas de recomposição efetivamente admitidas no ordenamento? Segunda: quem decide qual forma de reequilíbrio será aplicada em cada caso, especialmente considerando que os efeitos concretos de cada uma serão diferentes para as partes? Terceira: como se lida especificamente com a questão do tempo no reequilíbrio econômico-financeiro, considerando que cada forma de recomposição gerará efeitos concretos em tempos diversos?

São estas questões que pretendo desenvolver neste ensaio.

Primeiro, estabelecerei algumas premissas e considerações iniciais que considero relevantes para a compreensão das questões propostas.

Na sequência, tratarei das formas heterodoxas de reequilíbrio econômico-financeiro. A ideia é demonstrar que existe um amplo leque de medidas possíveis, algumas pouco usuais, que podem ser adotadas para o reequilíbrio de contratos administrativos.

Depois, examinarei a questão da definição do mecanismo de reequilíbrio. Buscarei demonstrar que não há necessariamente uma discricionariedade absoluta do poder concedente na determinação da forma de recomposição da equação.

Por fim, farei algumas considerações a respeito do tempo nos reequilíbrios econômico-financeiros. Focarei basicamente a questão das medidas parciais e cautelares para redução dos efeitos do desequilíbrio.

Desde logo, esclareça-se que o foco da exposição ficará centrado nos contratos de concessão e afins. Ou seja, em contratos de longo prazo em que a remuneração do particular é obtida mediante a exploração da prestação de serviços. Isso porque

---

[2] JUSTEN FILHO, Marçal. *Teoria geral das concessões de serviço público*. São Paulo: Dialética, 2003. p. 402-408.

tais contratos têm uma lógica própria, típica de modelagens de *project finance*,[3] que os diferencia dos contratos de colaboração ou de cooperação.[4] Essa característica permite uma maior riqueza de soluções para a recomposição da equação econômico-financeira.

3 Premissas fundamentais e complexidades adicionais

Para o devido enfrentamento das questões propostas, é necessário estabelecer algumas ideias iniciais.

3.1 Premissas para a definição da forma de reequilíbrio

Ao menos duas premissas devem ser consideradas na definição da forma de reequilíbrio a ser adotada em cada caso concreto.

3.1.1 Ausência de neutralidade na definição da forma de reequilíbrio

A primeira premissa é a de que a definição da forma de reequilíbrio de um contrato de concessão não é neutra e, portanto, não é irrelevante para as partes do contrato. Cada uma das formas possíveis de recomposição da equação econômico-financeira apresentará vantagens e desvantagens para os interessados, sob ao menos dois aspectos: (i) o tempo necessário para que a medida surta efeitos concretos e (ii) o nível de certeza quanto ao atingimento dos efeitos pretendidos.

Quanto ao tempo, certas medidas de reequilíbrio geram efeitos imediatos. Trata-se das providências que têm a potencialidade de resolver o desequilíbrio de modo instantâneo. É o caso, por exemplo, da realização de um pagamento pelo poder concedente ao concessionário. Nessa situação, o equilíbrio econômico-financeiro é recomposto de forma imediata.

De outro lado, há medidas cujos efeitos demandam certo tempo para que possam ocorrer de fato. Nesse grupo de providências, enquadram-se, exemplificativamente, a prorrogação do prazo contratual e a redução de encargos do concessionário. Na prorrogação, apenas concede-se ao concessionário um prazo maior de exploração do serviço de modo que ele tenha mais tempo para obter resultados satisfatórios que compensem o desequilíbrio verificado. Na redução de encargos do concessionário, eliminam-se certos encargos que cumpriam a ele, mas os efeitos dessa redução normalmente levam

---

[3] MOREIRA, Egon Bockmann. Contratos administrativos de longo prazo: a lógica de seu equilíbrio econômico-financeiro. *In:* MOREIRA, Egon Bockmann (coord.). *Tratado do equilíbrio econômico-financeiro*: contratos administrativos, concessões, Parcerias Público-Privadas, Taxa Interna de Retorno, prorrogação antecipada e relicitação. 2. ed. Belo Horizonte: Fórum, 2019. p. 89-98. Para um aprofundamento sobre a lógica do *project finance*: YESCOMBE, E. R. *Principles of Project Finance*. 2nd. ed. Cambridge: Cambridge Academic Press, 2013.

[4] Segundo Marçal Justen Filho (*Comentários à Lei de Licitações e Contratações Administrativas*. 2. ed. São Paulo: Revista dos Tribunais, 2023. p. 69): "O contrato administrativo de cooperação tem por objeto prestação determinada, a ser executada por uma das partes para integração no patrimônio da outra. Esses contratos usualmente são bilaterais e comutativos. Ou seja, impõem prestações a ambas as partes e tais prestações apresentam uma equivalência econômica. Enquadram-se nessa categoria os contratos versando sobre compra, serviços, obras e alienações".

tempo para serem efetivamente sentidos. Nesses casos, o reequilíbrio é formalmente restabelecido assim que as alterações sejam estabelecidas, mas os seus efeitos concretos ocorrerão ao longo do tempo.

Em relação ao nível de certeza quanto ao atingimento do efeito pretendido, há casos em que a medida de reequilíbrio produz um resultado certo e há outros em que, muito embora se considere que a equação foi restabelecida, o efetivo atingimento do objetivo buscado com a medida adotada é incerto.

No primeiro caso, é o que acontece quando o poder concedente compensa o concessionário por meio de um pagamento. Ocorrido o pagamento, o efeito pretendido já foi automaticamente alcançado.

No segundo caso, enquadram-se medidas como a prorrogação contratual. Embora se considere que o equilíbrio foi alcançado com a simples formalização da prorrogação, o fato é que os efeitos concretos pretendidos com a medida (obtenção de retorno adicional em função da ampliação do prazo contratual) são incertos. Ao final do contrato, o concessionário poderá ou não ter obtido um retorno que compense efetivamente o desequilíbrio verificado. Isso não quer dizer que o não atingimento do efeito pretendido significa necessariamente a manutenção do desequilíbrio. Trata-se apenas do fato de que a medida adotada (prorrogação para reequilíbrio) envolve um certo nível de incerteza quanto aos seus efeitos. Sob um certo ângulo, o atingimento do efeito pretendido (ampliação do retorno do concessionário para compensação pelo desequilíbrio sanado) dependerá inclusive de uma gestão comercial e de riscos do próprio particular.[5]

3.1.2 Externalidades das medidas adotadas

A segunda premissa fundamental é que cada forma de reequilíbrio poderá gerar externalidades, cujos efeitos devem ser ponderados na decisão a ser tomada em cada caso concreto.

Um aumento tarifário, por exemplo, gera efeitos diretos sobre os usuários do serviço concedido. Em certas situações, o impacto pode ser considerado razoável. Em outras, pode tornar as tarifas proibitivas a ponto de comprometer a própria utilização do serviço – o que possivelmente demandará alguma medida adicional para reduzir esse efeito sem comprometer a intangibilidade da equação econômico-financeira. Em certos casos, aumentos de tarifas podem inclusive gerar efeitos negativos ao concessionário – por exemplo, quando se aumenta o valor de tal modo a gerar uma redução drástica do universo de usuários com capacidade econômica para pagar. Quando o concessionário presta serviço em regime de concorrência, isso fica ainda mais evidente já que um aumento tarifário pode comprometer a sua competitividade perante o mercado. Há, enfim, uma "elasticidade-preço da demanda" que deve ser considerada na implementação de um reequilíbrio mediante aumento tarifário.

---

[5] Para uma ampla análise a respeito da Taxa Interna de Retorno e dos riscos nas concessões: JUSTEN FILHO, Marçal. Considerações sobre a equação econômico-financeira das concessões de serviço público: a questão da TIR. *In:* MOREIRA, Egon Bockmann (org.). *Tratado do equilíbrio econômico-financeiro*: contratos administrativos, concessões, Parcerias Público-Privadas, Taxa Interna de Retorno, prorrogação antecipada e relicitação. 2. ed. Belo Horizonte: Fórum, 2019. p. 501-528.

Note-se que esse tipo de externalidade ocorre em relação a todas as possíveis providências de restabelecimento da equação econômico-financeira.

O pagamento de um valor pelo poder concedente ao concessionário gera efeitos sobre o orçamento público. Em determinadas situações, esse efeito não é problemático, mas pode vir a ser quando o poder concedente não dispõe de recursos necessários sem afetar outras obrigações suas que sejam igualmente relevantes.

Prorrogações contratuais não costumam ter efeitos perante os usuários nem perante o orçamento público. Entretanto, retiram do poder concedente a possibilidade de licitar novamente a concessão, o que pode gerar efeitos em termos de políticas públicas.

Não é possível relacionar todas as externalidades de cada providência de reequilíbrio, inclusive porque elas dependerão de cada caso concreto. De todo modo, é evidente que cada providência apresentará externalidades específicas, que podem ser positivas, negativas ou neutras. É fundamental que as partes avaliem esses efeitos. Afinal, externalidades decorrentes de medidas de reequilíbrio sempre existirão e esse fato de nenhum modo pode servir de justificativa para afastar a garantia da intangibilidade da equação econômico-financeira.

3.2 Complexidades envolvidas na definição da forma de reequilíbrio

Além das premissas antes expostas, deve-se ainda ter em conta que a definição das formas de reequilíbrio assume complexidades novas e mais desafiadoras com a evolução do ambiente regulatório e contratual em que se inserem as concessões. Ao menos três fatores podem ser apontados quanto a isso.[6]

3.2.1 Utilização da técnica concessória para atividades de naturezas distintas

Em primeiro lugar, a técnica concessória[7] tem sido utilizada para o desenvolvimento de atividades de diversas naturezas (não necessariamente serviços públicos), nas quais a cobrança de tarifas ou preços não é possível ou ao menos não é conveniente. Isso demanda a busca por soluções de reequilíbrio que levem em consideração essa peculiaridade e que não inviabilizem a modelagem financeira típica de concessão que foi concebida para o caso concreto.

Suponha-se, por exemplo, que determinado projeto foi concebido como uma concessão patrocinada de modo a viabilizar tarifas bastante reduzidas para a prestação de um serviço essencial, numa região em que os usuários possuem baixa renda. Nessa situação, o reequilíbrio mediante aumento tarifário, embora possa ser viável do ponto de vista jurídico, pode não ser a melhor solução do ponto de vista social por ter a potencialidade de gerar tarifas proibitivas. Para esse caso, podem ser cogitadas soluções alternativas ou complementares destinadas a não onerar os usuários de forma demasiada – tais

---

[6] SCHWIND, Rafael Wallbach. *Remuneração do concessionário*: concessões comuns e Parcerias Público-Privadas. Belo Horizonte: Fórum, 2010. p. 20-22.

[7] SCHWIND. *Remuneração do concessionário*: concessões comuns e Parcerias Público-Privadas, p. 20-22.

como o aumento da contraprestação pública, a redução de certos encargos que cabem ao concessionário ou mesmo a possibilidade de exploração de algum projeto associado.

Outro exemplo é o da concessão administrativa. Nesse tipo de contrato, não há cobrança de tarifas junto aos usuários e, portanto, devem-se procurar alternativas para o reequilíbrio contratual que não envolvam o estabelecimento de tarifas. Além disso, em situações nas quais o orçamento público já atingiu seus limites, podem ser cogitadas outras soluções, como o desenvolvimento de certos projetos associados e eventualmente uma ampliação ou redução do escopo do contrato de modo a aumentar a participação de atividades rentáveis em favor do particular.

3.3.2 Reconhecimento de espaços de liberdade ao concessionário para fixação de sua remuneração

Em segundo lugar, tem se reconhecido a existência de espaços de liberdade ao concessionário para a fixação de sua remuneração, muitas vezes em ambiente concorrencial – o que envolve a submissão das concessões e contratos similares à regulação econômica.[8]

Em ao menos boa parte das atividades e infraestruturas concedidas à iniciativa privada, não se pode dizer que o concessionário atua em regime de monopólio nem que dispõe de um "mercado cativo" derivado da utilização do serviço.[9]

Por um lado, isso demanda maior celeridade na definição e na implementação das medidas de reequilíbrio, sob pena de causar um prejuízo de ordem concorrencial ao concessionário. Afinal, a demora na recomposição da equação econômico-financeira pode comprometer seus níveis de endividamento e sua saúde financeira para execução de investimentos, podendo inclusive gerar a ruína do prestador. Isso reforça o cabimento de soluções como reequilíbrios cautelares e reequilíbrios parciais.

Por outro lado, quando há prestação em regime de concorrência, normalmente a alteração dos preços cobrados pelo concessionário não será uma medida adequada de restabelecimento da equação econômico-financeira – uma vez que a flexibilidade dos preços passa a ser um importante instrumento de política comercial do prestador perante o mercado. Um aumento de preços como medida de reequilíbrio, portanto, tende a ser impossível porque acaba comprometendo a competitividade do concessionário e, no limite, agravando o desequilíbrio econômico-financeiro identificado.

---

[8] SCHWIND. *Remuneração do concessionário*: concessões comuns e Parcerias Público-Privadas. p. 141-194.

[9] José Horácio Meirelles Teixeira, em trabalho de 1950 sobre serviços públicos de eletricidade e a autonomia local, citando Mosher e Crawford, afirmava que o Estado outorga a um concessionário de serviço público "direitos e privilégios de inestimável valor", tais como "uma larga dose de segurança, por serem os serviços essenciais, e existir, portanto, um mercado assegurado" e a "proteção contra empresas concorrentes similares" (MOSHER; CRAWFORD citados por TEIXEIRA, José Horácio Meirelles. *Os serviços de eletricidade e a autonomia local*. São Paulo: Departamento Jurídico da Prefeitura do Município de São Paulo, 1950. p. 15-16). Desde então, contudo, essa realidade se transformou e se tornou muito mais complexa. A técnica concessória é utilizada para serviços de diferentes níveis de essencialidade; não há que se falar em mercados cativos; há regime de concorrência em muitos casos, dentre outras diferenças que acabam sendo relevantes para a escolha e aplicação concreta das medidas de reequilíbrio econômico-financeiro.

3.3.3 Conveniência da exploração econômica intensiva das possibilidades identificadas

Em terceiro lugar, vem-se reconhecendo a conveniência da exploração econômica intensiva de todas as possibilidades geradas pela atividade ou infraestrutura delegada, de forma a permitir a obtenção de receitas marginais e a exploração de empreendimentos associados, que podem inclusive responder pela maior parte ou mesmo pela totalidade do interesse do particular.[10]

Nesse sentido, pode-se instituir uma relação jurídico-econômica entre o contrato de concessão e a exploração de empreendimentos associados, o que abre um amplo leque de variadas medidas de reequilíbrio nas quais o dimensionamento desses empreendimentos pode ser uma contrapartida ofertada ao concessionário para recompor a equação econômico-financeira do contrato. Assim, por exemplo, em vez de se utilizarem recursos públicos para compensar o concessionário por um desequilíbrio, autoriza-se esse concessionário a explorar determinadas atividades privadas que contribuirão para o custeio da prestação do serviço concedido.

Todas essas possibilidades tornam mais ricos e variados os instrumentos capazes de promover a recomposição da equação econômico-financeira dos contratos de concessão.

4 Mecanismos heterodoxos de recomposição da equação econômico-financeira

Tendo em mente as premissas e complexidades expostas anteriormente, e retomando a ideia de Marçal Justen Filho sobre os mecanismos de reequilíbrio, é possível verificar que existe uma grande variedade de formas de recomposição, tanto "internas" quanto "externas" ao contrato de concessão.

Dentre esses mecanismos, é intuitivo considerar que alguns deles são mais comuns, tais como as compensações financeiras em geral para o concessionário e as alterações das tarifas.[11]

Entretanto, esses mecanismos "tradicionais" podem apresentar algumas dificuldades práticas, tais como o desembolso de recursos orçamentários naturalmente escassos pelo Estado e o aumento de custo para os usuários. Em certos casos, essas dificuldades serão proibitivas. Contudo, mesmo quando forem viáveis do ponto de vista financeiro, poderão ser incapazes de solucionar adequadamente o desequilíbrio, dadas as complexidades envolvidas em cada situação.

---

[10] Desenvolvi estas ideias em: *Remuneração do concessionário*: concessões comuns e Parcerias Público-Privadas, p. 263-311. Muito do que foi defendido deriva de dois artigos seminais: BANDEIRA DE MELLO, Celso Antônio. Obra pública a custo zero: instrumentos jurídicos para realização de obras públicas a custo financeiro zero. *Revista Trimestral de Direito Público – RTDP*, São Paulo, ano 1, n. 3, p. 32-41; MARQUES NETO, Floriano de Azevedo. Concessão de serviço público sem ônus para o usuário. *In:* WAGNER JÚNIOR, Luiz Guilherme Costa. *Direito Público*: estudos em homenagem ao Professor Adilson Abreu Dallari. Belo Horizonte: Del Rey, 2004. p. 331-351.

[11] A própria prorrogação contratual também passou a ser um mecanismo mais utilizado. Entretanto, ele envolve diversas potencialidades ainda pouco exploradas, como é o caso das prorrogações antecipadas – como se verá a seguir.

Isso significa que os mecanismos "tradicionais" por vezes não dão conta das necessidades existentes.

Daí surge a necessidade de se encontrar soluções "heterodoxas" de reequilíbrio, que, além de compatíveis com o ordenamento, sejam capazes de recompor a equação econômico-financeira e ao mesmo tempo contornar as dificuldades existentes nos mecanismos tradicionais.

Portanto, cabe examinar alguns possíveis mecanismos heterodoxos de restabelecimento da equação econômico-financeira de contratos administrativos.[12]

4.1 Prorrogação do prazo contratual

Um mecanismo cabível para o restabelecimento da equação econômico-financeira de um contrato de concessão consistirá na readequação do prazo contratual.

O concessionário obtém um retorno financeiro com a exploração do objeto contratual. Havendo um desequilíbrio, a ideia é que se estabeleça a extensão do prazo do contrato de modo a permitir um tempo adicional de exploração que seja capaz de compensar o particular pelo desequilíbrio verificado. Em linhas gerais, deverão ser consideradas as vantagens obtidas com uma prorrogação, os investimentos e custos adicionais inerentes a um período que não havia sido previsto originalmente, e será definido um prazo razoável para anular os efeitos do desequilíbrio.[13]

Para que a prorrogação contratual como medida de reequilíbrio seja viável, será imprescindível a demonstração de que o prazo adicional efetivamente restabelecerá a equação econômico-financeira. Deverá haver uma expectativa real, reconhecida pelo concessionário, de que a prorrogação possui um valor intrínseco que a justifica como medida de reequilíbrio. Não é possível simplesmente impor ao particular uma prorrogação se ele tem fundados receios, devidamente comprovados, de que tal medida será insuficiente para a recomposição da equação.

Essa ressalva é importante porque há situações em que o contrato de concessão foi mal concebido ou houve um fato superveniente que provocou um desequilíbrio crônico. Em situações assim, prorrogar o prazo contratual não restabelecerá a equação econômico-financeira. Apenas estenderá por mais tempo o desequilíbrio, aprofundando os seus efeitos negativos.

---

[12] Desde logo, esclareça-se que não se trata aqui de um rol taxativo de mecanismos heterodoxos de reequilíbrio. Na verdade, seria contraditório defender o cabimento de soluções diversas, normalmente pouco (ou nunca) cogitadas, e ao mesmo tempo tentar enumerá-las com pretensão de exaustividade. Certamente haverá outros mecanismos de reequilíbrio além dos expostos a seguir. Os tópicos a seguir podem inclusive ser lidos como um estímulo à investigação e à criatividade – dentro dos quadrantes jurídicos aplicáveis, é claro.

[13] Sobre o assunto, aprofundar em: REIS, Márcio Monteiro. *O tempo nos contratos de concessão de serviço público*. Belo Horizonte: Fórum, 2024. p. 219-258. Consultem-se também: CANTO, Mariana Dall'Agnol; GUZELA, Rafaella Peçanha. Prorrogações em contratos de concessão. *In*: MOREIRA, Egon Bockmann (org.). *Tratado do equilíbrio econômico-financeiro*: contratos administrativos, concessões, Parcerias Público-Privadas, Taxa Interna de Retorno, prorrogação antecipada e relicitação. 2. ed. Belo Horizonte: Fórum, 2019. p. 281-294; FREITAS, Rafael Véras de; RIBEIRO, Leonardo Coelho. O prazo como elemento da economia contratual das concessões: as espécies de "prorrogação". *In*: MOREIRA, Egon Bockmann (org.). *Tratado do equilíbrio econômico-financeiro*: contratos administrativos, concessões, Parcerias Público-Privadas, Taxa Interna de Retorno, prorrogação antecipada e relicitação. 2. ed. Belo Horizonte: Fórum, 2019. p. 371-388.

Na realidade, a prorrogação do prazo contratual já é praticamente uma medida tradicional de reequilíbrio econômico-financeiro ("prorrogação-reequilíbrio", conforme nos referimos em outro estudo).[14] O prazo contratual, tal como a tarifa, integra o binômio de encargos e vantagens de uma contratação. Quando não se altera um dos elementos dessa equação, normalmente se altera o outro – sendo possível, evidentemente, que ambos sejam modificados ao mesmo tempo.

Apesar de ser um mecanismo já bastante utilizado, no entanto, a prorrogação contratual poderá buscar objetivos diversos – e aí sem dúvida reside uma de suas características heterodoxas. É o caso, por exemplo, da chamada "prorrogação antecipada", admitida pela regulação de certos setores.[15][16]

A prorrogação antecipada consiste em assegurar ao concessionário a prorrogação do contrato, por determinado período, de forma a viabilizar outro objetivo, normalmente relacionado à necessidade de investimentos adicionais àqueles previamente estabelecidos no contrato e que não eram de responsabilidade do concessionário. Nesses casos, identifica-se que há a necessidade de execução de investimentos não previstos inicialmente, e, para viabilizá-los, garante-se ao particular, de forma adiantada, um prazo contratual adicional para que ele seja compensado pelos ônus adicionais que suportará – ou seja, para que os investimentos novos possam ser amortizados por meio da exploração comercial da concessão.[17] Nesse contexto, a prorrogação antecipada terá a peculiaridade de não ser propriamente "reativa" a um desequilíbrio. Ela será, na verdade, não uma reação a um desbalanceamento da equação econômico-financeira, e sim um mecanismo destinado a viabilizar econômica e financeiramente uma outra alteração contratual, adotada de maneira deliberada, que se considerou relevante e justificável.

4.2 Ampliação de área de abrangência do contrato

Em tese, um desequilíbrio contratual poderá ser solucionado pela ampliação da área de abrangência do contrato. Com isso, mantém-se o objeto da concessão (mesma natureza dos serviços prestados), mas aumenta-se a extensão territorial de sua prestação

---

[14] SCHWIND, Rafael Wallbach. Prazo de vigência e prorrogação dos contratos de Parcerias Público-Privadas. *In:* SADDY, André; MORAES, Salus (coord.). *Tratado de Parcerias Públicos-Privadas*: teoria e prática. Rio de Janeiro: CEEJ, 2019. v. 5.

[15] Por exemplo, para o setor portuário, o art. 57 da Lei nº 12.815/2013, estabelece expressamente a possibilidade de prorrogação antecipada de contratos de arrendamento, nos seguintes termos:
"Art. 57. Os contratos de arrendamento em vigor firmados sob a Lei nº 8.630, de 25 de fevereiro de 1993, que possuam previsão expressa de prorrogação ainda não realizada, poderão ter sua prorrogação antecipada, a critério do poder concedente.
§1º A prorrogação antecipada de que trata o *caput* dependerá da aceitação expressa de obrigação de realizar investimentos, segundo plano elaborado pelo arrendatário e aprovado pelo poder concedente em até 60 (sessenta) dias" (BRASIL. Lei nº 12.815, de 5 de junho de 2013. Dispõe sobre a exploração direta e indireta pela União de portos e instalações portuárias e sobre as atividades desempenhadas pelos operadores portuários (...). *Diário Oficial da União*: Brasília, DF, 2013. Disponível em: https://www.planalto.gov.br/ccivil_03/_ato2011-2014/2013/lei/l12815.htm. Acesso em: 29 out. 2024). Sobre o assunto: SCHWIND, Rafael Wallbach. Prorrogação dos contratos de arrendamento portuário. *In:* PEREIRA, Cesar; SCHWIND, Rafael Wallbach (org.). *Direito Portuário brasileiro*. 3. ed. Belo Horizonte: Fórum, 2022.

[16] REIS. O tempo nos contratos de concessão de serviço público, p. 258-275.

[17] Sobre o tema, confira-se: RIBEIRO, Gabriela Miniussi Engler Pinto Portugal. *Novos investimentos em contratos de parceria*. São Paulo: Almedina, 2021. p. 109-135.

– e, consequentemente, a base de usuários e a demanda – com a expectativa de gerar ao concessionário uma receita adicional que seja suficiente para restabelecer a equação econômico-financeira da contratação.

Um exemplo disso seria a extensão da área de prestação do serviço de transporte intermunicipal ou interestadual rodoviário de passageiros. Para se solucionar um desequilíbrio contratual, pode-se cogitar da extensão da área de prestação do serviço com a inclusão de uma nova linha de transporte ou a extensão de uma linha já existente.

Evidentemente, esse tipo de solução demanda algumas cautelas. Uma delas consiste na avaliação adequada do "valor econômico" da ampliação da área de abrangência do contrato, de forma que ela seja suficiente para restabelecer a equação econômico-financeira. Além disso, não se pode desconsiderar a provável assunção de investimentos, custos e riscos adicionais pelo concessionário em decorrência da extensão da área de abrangência do contrato.

É recomendável também definir a alocação de riscos envolvidos na exploração da área estendida. É plenamente possível, por exemplo, que o concessionário continue assumindo o risco de demanda, o que significa que não haverá um "ganho indevido" se o seu retorno com a extensão da abrangência do contrato for maior do que a quantificação pretérita do desequilíbrio. O outro lado disso é que eventual insuficiência ou mesmo ausência de receita adicional efetiva tampouco será necessariamente uma nova causa de desequilíbrio. Clareza na definição dessas premissas e da alocação dos riscos envolvidos será essencial.

Note-se que a ampliação da área de prestação de um serviço concedido não necessariamente é positiva ao concessionário. Em certas situações, acarretará um aumento dos ônus assumidos pelo concessionário, não representando um benefício a ele. Pense-se, por exemplo, numa concessão de rodovias em que apenas se aumenta a extensão da malha concedida ao particular, sem a criação de novas praças de pedágio ou sem o deslocamento das praças existentes para pontos mais movimentados. Nessa situação, terá havido o aumento dos encargos do particular – que, afinal, ficará responsável pela conservação de trechos mais extensos do que os inicialmente pactuados – sem a ampliação da base de usuários pagantes.

Portanto, não se pode simplesmente deduzir que a ampliação da extensão da área de prestação de um serviço concedido seria sempre benéfica ao concessionário. Essa ampliação poderá, na verdade, gerar um aumento de encargos sem um correspondente aumento de expectativa de receita.

4.3 Ampliação do objeto contratual

A ampliação do objeto contratual também poderá ser uma medida viável para o restabelecimento da equação econômico-financeira de um contrato de concessão.

Diante de um desequilíbrio econômico-financeiro, pode-se cogitar da ampliação do objeto do contrato, de modo que o concessionário tenha a possibilidade de extrair novas oportunidades de obtenção de receitas, ainda que mantendo o escopo original. Em outras palavras, podem ser agregados novos serviços, que representem novas oportunidades de geração de receita, ainda que sem a exclusão das atividades que já compunham o objeto original do contrato.

Note-se que a hipótese aqui cogitada é um pouco diferente da anterior. Não se trata de ampliar a área ou extensão de prestação de um mesmo serviço, mas de ampliar o próprio rol de atividades prestadas pelo concessionário de modo que ele seja compensado pelo desequilíbrio contratual existente. Isso pode ocorrer com ou sem a ampliação da área de abrangência dos serviços prestados.

As novas atividades não serão necessariamente sujeitas ao mesmo regime jurídico daquelas que já compunham o escopo do contrato de concessão. É possível que a medida de reequilíbrio envolva uma autorização para o concessionário explorar atividades de natureza totalmente privada, ainda que guardem alguma relação com a concessão existente.

Um exemplo disso consiste na autorização para a exploração de atividades que gerem receitas ancilares ou que consistam em verdadeiros projetos associados. Muitos contratos de concessão não tratam desse assunto ou preveem que o concessionário não poderá explorar esse tipo de atividade. Uma possível medida para resolver um desequilíbrio econômico-financeiro da concessão seria autorizar o concessionário a explorar atividades que possam gerar receitas ancilares. Normalmente, essas atividades se submeterão a um regime de direito privado. Haverá uma autonomia ampla por parte do concessionário na forma de exploração dessas atividades. Mas é possível que apenas a liberação da sua exploração pelo particular já tenha uma relevância econômica que possa dar por resolvido o desequilíbrio contratual.

Também aqui, será necessário deixar clara a alocação de riscos entre as partes. É possível, por exemplo, que o concessionário assuma integralmente o risco da atividade que passou a ter o direito de explorar, mesmo quando ela é considerada uma atividade ancilar, na forma do art. 11 da Lei nº 8.987/1995.[18] Se os resultados efetivos, descontados os custos e considerados os riscos envolvidos, forem maiores ou menores do que o montante de desequilíbrio calculado, isso será um risco dele. Mas é possível também cogitar de outra solução quanto à alocação de riscos. A melhor solução deverá ser ponderada à luz de cada situação concreta.

4.4 Redução da área ou da extensão de prestação do serviço

De forma análoga à ampliação da área de abrangência do contrato, é possível que haja a redução da área ou extensão da prestação do serviço concedido como mecanismo de reequilíbrio contratual.

Tal hipótese será cabível nos casos em que o concessionário presta serviço numa área deficitária ou que deixou de ser relevante por algum motivo (como a ausência de demanda significativa). Nesses casos, é possível reduzir a abrangência física da prestação

---

[18] Já defendi em outra oportunidade que o parágrafo único do art. 11 da Lei nº 8.987/1995 não obriga que haja um compartilhamento das receitas decorrentes da exploração de atividades ancilares a uma concessão. O próprio fato de uma atividade dessa natureza poder ser utilizada como medida de reequilíbrio reforça essa conclusão. Significará que, em vez de aumentar a tarifa ou adotar outra providência custosa ao poder concedente para se promover o reequilíbrio, será utilizada uma atividade ancilar. Isso significa que, na prática, essa atividade estará contribuindo implicitamente para a modicidade tarifária nos casos em que o aumento de tarifa seria uma possibilidade igualmente a ser considerada como medida de reequilíbrio. Sobre o assunto: SCHWIND. *Remuneração do concessionário*: concessões comuns e Parcerias Público-Privadas, p. 298-304.

do serviço concedido e, com isso, diminuir os encargos do concessionário de modo que essa diminuição sirva para o reequilíbrio contratual.

Um exemplo claro dessa possibilidade diz respeito à desativação de trechos ferroviários abrangidos por uma concessão de ferrovia. Em determinadas hipóteses, tratadas no art. 15 da Lei nº 14.273/2021,[19] é possível que o concessionário da ferrovia solicite a desativação de certos trechos que são antieconômicos. Eventual medida dessa natureza poderá ser adotada em situações de equilíbrio econômico-financeiro, mas será cabível também como providência de reequilíbrio em situações de desbalanceamento da equação contratual.

Evidentemente, a desativação de trechos sem demanda relevante ou antieconômicos por outros motivos representa um ganho ao concessionário – ou seja, tem valor econômico –, tanto é que deve ser calculada uma indenização devida por ele ao poder concedente.[20] Assim, por exemplo, numa situação de desequilíbrio em prejuízo do concessionário, a desativação de um trecho ferroviário pode constituir medida de reequilíbrio.

4.5 Redução do escopo contratual

Uma possibilidade de reequilíbrio contratual consiste na redução do escopo do contrato de concessão.

Um contrato de concessão pode contemplar a prestação de serviços diversos, que, por óbvio, envolverão níveis de investimento também diversos. É comum que certos serviços proporcionem um retorno maior ao concessionário do que outros – que podem inclusive ser deficitários.

Por vezes, há um pretendido e consciente subsídio cruzado, em que as atividades que geram maior retorno ao concessionário acabam compensando a prestação de

---

[19] "Art. 15. A concessionária pode requerer ao regulador ferroviário a desativação ou a devolução de trechos ferroviários outorgados antes da vigência da Lei nº 13.448, de 5 de junho de 2017, que:
I - não apresentem tráfego comercial nos últimos 4 (quatro) anos anteriores à apresentação do pedido; ou
II - sejam de operação comprovadamente antieconômica no âmbito do respectivo contrato de concessão, independentemente de prazo sem tráfego comercial, em função da extinção ou do exaurimento das fontes da carga" (BRASIL. Lei nº 13.448, de 5 de junho de 2017. Estabelece a Lei das Ferrovias; altera o Decreto-Lei nº 3.365, de 21 de junho de 1941 (...). *Diário Oficial da União*: Brasília, DF, 2017. Disponível em: https://www.planalto. gov.br/ccivil_03/_ato2019-2022/2021/lei/l14273.htm#:~:text=Art.,associadas%20e%20d%C3%A1%20outras%20 provid%C3%AAncias. Acesso em: 29 out. 2024).

[20] O §2º do art. 15 da Lei nº 14.273/2017 estabelece o seguinte:
"(...)
§2º O valor da indenização devida pela concessionária em razão da desativação ou da devolução dos trechos de que trata o *caput* deste artigo:
I - deve ser apurado pelo regulador ferroviário, nos termos do contrato e da metodologia de cálculo vigente, ficando permitida a compensação de eventuais créditos de titularidade da concessionária perante o poder concedente e o regulador ferroviário;
II - pode ser investido na expansão da capacidade e na ampliação da malha que remanescer sob responsabilidade do concessionário, ressalvada a obrigação prevista em contrato, na solução de conflitos urbanos, na preservação do patrimônio ferroviário ou em outra malha de interesse do poder concedente, conforme acordado entre o regulador ferroviário e a concessionária, na forma da regulamentação;
III - pode ser pago no momento da cisão da malha ou ao termo do contrato de concessão, conforme regulamentação" (BRASIL. Lei nº 13.448, de 5 de junho de 2017).

atividades deficitárias.[21] Entretanto, em certas situações, alguns serviços que compõem as obrigações do concessionário perdem a atratividade ao longo do tempo por razões diversas – relacionadas, por exemplo, a inovações tecnológicas ou mesmo a uma ausência de interesse significativo que justifique a manutenção da sua prestação. Nesses casos, é cabível que se reduza o escopo do contrato de concessão, excluindo-se obrigações relacionadas a serviços que deixaram de ser úteis ou que passaram a não mais interessar aos usuários.

Portanto, é possível que haja a exclusão de certos serviços a cargo da concessionária e que por algum motivo deixaram de ser úteis. Com isso, reduzem-se os encargos da concessionária, o que pode contribuir para restabelecer a equação econômico-financeira do contrato.

Um exemplo disso é a eliminação de obrigações das prestadoras de telefonia fixa relacionadas à manutenção de telefones públicos.[22] Outro exemplo é a exclusão de obrigações de manutenção de *call boxes* ao lado de rodovias concedidas. Devido a uma mudança de hábitos dos usuários, que passaram a utilizar telefones móveis, os telefones públicos e os *call boxes* perderam praticamente toda a sua utilidade. Assim, passou a não fazer mais sentido obrigar os prestadores a realizar a manutenção desses equipamentos. Em situações de desequilíbrio contratual, a redução de escopo do contrato tem inegável valor econômico e pode contribuir para o restabelecimento da equação econômico-financeira. Aliás, mesmo se não houvesse um desequilíbrio contratual, a eliminação de escopos que se tornaram supervenientemente desnecessários pode chegar até mesmo a ser uma obrigação em favor da eficiência na prestação dos serviços concedidos.

4.6 Alteração do objeto contratual

A alteração do objeto de um contrato de concessão também poderá consistir numa medida de reequilíbrio econômico-financeiro. Isso significa que uma providência capaz de recompor a equação contratual consistirá na possibilidade de alteração do objeto do contrato, de forma que o concessionário seja autorizado a explorar uma atividade que

---

[21]   É o caso, por exemplo, das concessões que adotam a técnica do "filé com osso": em contrapartida pela assunção de um negócio rentável, obriga-se o particular a desempenhar também atividades que, isoladamente consideradas, são deficitárias. Com isso, viabiliza-se a concessão de atividades deficitárias, uma vez que elas são concedidas em conjunto com outras que são efetivamente lucrativas. O modelo de concessão de parques urbanos no Município de São Paulo, por exemplo, seguiu essa modelagem. Parques urbanos de localização menos interessante foram incluídos em lotes que continham parques mais atrativos à iniciativa privada, de modo que o concessionário de um parque mais atraente precisaria se tornar também o concessionário de parques que não teriam atratividade nenhuma se fossem concedidos isoladamente. Quanto a isso, os exemplos são numerosos, em diversos setores – não só em concessões, mas também para a alienação do controle de empresas estatais. Normalmente, é o que se verifica em licitações divididas em lotes. E é também o princípio que norteia a prestação de serviços de forma regionalizada, como no setor de saneamento (BRASIL. Lei nº 11.445, de 5 de janeiro de 2007. Estabelece as diretrizes nacionais para o saneamento básico; cria o Comitê Interministerial de Saneamento Básico; altera as Leis nos 6.766, de 19 de dezembro de 1979 (...). *Diário Oficial da União*: Brasília, DF, art. 17 e ss., 2007. Disponível em: https://www.planalto.gov.br/ccivil_03/_ato2007-2010/2007/lei/l11445.htm. Acesso em: 29 out. 2024), em que a receita obtida com municípios mais atrativos acaba viabilizando que se façam investimentos e se prestem os serviços em municípios deficitários.

[22]   Atualmente, os serviços de telefonia são prestados em regime de autorização. Entretanto, o exemplo serve bem para ilustrar a possibilidade de redução do escopo de contratos de concessão.

gerará potencialmente um maior retorno, em substituição total ou parcial da atividade inicialmente concedida.

Observe-se a diferença em relação à hipótese tratada no tópico anterior. Aqui, está se referindo à alteração total ou parcial do objeto do contrato de concessão de modo que sejam incluídas uma ou mais atividades a cargo do concessionário, em substituição ou não daquela anteriormente prevista. Não se trata da exclusão de uma atividade específica, mas da inclusão de uma ou mais atividades, possivelmente (mas nem sempre) em substituição à anterior.

O principal aspecto que deverá ser analisado na alteração do objeto de uma concessão diz respeito ao risco de desfiguração do contrato. Em princípio, não é possível que a alteração do objeto contratual seja tão drástica que resulte em um contrato sem qualquer relação com aquele que foi previamente celebrado. Entretanto, a mera existência desse risco não deverá afastar possibilidades muito mais razoáveis e que, na prática, não desfiguram um contrato.

Um exemplo diz respeito à possibilidade de alteração do tipo de carga movimentada em um terminal portuário arrendado. Tal medida está prevista no art. 28 e seguintes da Portaria nº 530/2019, do Ministério da Infraestrutura.[23] Sendo aceito o requerimento do arrendatário, é possível que haja uma alteração do tipo de carga movimentado pelo terminal, em substituição total ou parcial ao tipo previsto no contrato, ainda que a nova carga esteja dentro do perfil de carga inicialmente cogitado. Assim, por exemplo, pode-se permitir que um terminal inicialmente concebido para a movimentação e armazenagem de celulose passe a contemplar no seu objeto a movimentação e armazenagem de outras cargas que se enquadrem no perfil de carga geral.[24] Em princípio, esse tipo de alteração contratual pode servir para resolver um desequilíbrio econômico-financeiro. Ao se permitir que o arrendatário do terminal explore outro tipo de carga, com a qual potencialmente obterá um retorno maior do que aquele inicialmente previsto, essa medida poderá recompor a equação contratual.

Outro ponto de atenção dirá respeito aos aspectos mercadológicos e de demanda envolvidos. A alteração do escopo contratual pode ter efeitos na região de influência da concessão, com especial ênfase quando o serviço é prestado em regime de concorrência.

---

[23] "Art. 28. O poder concedente poderá aprovar, mediante requerimento do arrendatário, a alteração do tipo de carga que a instalação portuária está autorizada a movimentar e armazenar" (BRASIL. Ministério da Infraestrutura. Agência Nacional de Transportes Terrestres. Superintendência de Gestão. Portaria nº 530, de 23 de dezembro de 2019. Designa Fiscal da Ata de Registro de Preços nº 08/2019. Brasília, DF: Ministério da Infraestrutura. Agência Nacional de Transportes Terrestres. Superintendência de Gestão, 2019. Disponível em: https://anttlegis.antt.gov.br/action/ActionDatalegis.php?acao=abrirTextoAto&link=S&tipo=PT8&numeroAto=00000530&seqAto=INT&valorAno=2019&orgao=SUDEG/ANTT/MI&cod_modulo=161&cod_menu=7809. Acesso em: 29 out. 2024).

[24] O Decreto nº 8.033/2013, que regulamenta a Lei dos Portos, define quais são os perfis de carga. São eles: (i) granel sólido; (ii) granel líquido e gasoso; (iii) carga geral e (iv) carga conteinerizada. É o que se verifica no art. 29, §1º: "Art. 29. O instrumento da abertura de chamada ou de anúncio públicos, cujos extratos serão publicados no Diário Oficial da União e no sítio eletrônico da ANTAQ, indicará obrigatoriamente os seguintes parâmetros: (...) §1º O perfil de cargas a serem movimentadas será classificado conforme uma ou mais das seguintes modalidades: I - granel sólido; II - granel líquido e gasoso; III - carga geral; ou IV - carga conteinerizada" (BRASIL. Decreto nº 8.033, de 27 de junho de 2013. Regulamenta o disposto na Lei nº 12.815, de 5 de junho de 2013, e as demais disposições legais que regulam a exploração de portos organizados e de instalações portuárias. *Diário Oficial da União*: Brasília, DF, Disponível em: https://www.planalto.gov.br/ccivil_03/_ato2011-2014/2013/decreto/d8033.htm. Acesso em: 29 out. 2024).

A simples existência de efeitos nesse sentido não afastará por si só a possibilidade de alteração contratual, mas deverá haver uma decisão consciente por parte do poder concedente a respeito da questão.

Além disso, deve-se verificar a questão da capacitação do particular para o desempenho da nova atividade, tanto do ponto de vista técnico-operacional como econômico. Isso porque o concessionário capacitado ao desempenho de uma atividade não necessariamente reunirá as mesmas qualidades quando se trata de outros serviços.

Deverá também haver uma análise quanto aos impactos sobre o serviço inicialmente concedido. Isso porque, muito embora o concessionário possa demonstrar interesse pela prestação de outro serviço, aquele que foi incialmente previsto também pode envolver interesses de terceiros. Simplesmente deixar certos usuários desatendidos pode não ser uma solução cabível. Ao menos é um fato a ser ponderado na decisão.

Por fim, a ampliação do escopo contratual deverá avaliar o valor econômico dessa medida, ou seja, a possível valorização que ela gera sobre o contrato. Não há propriamente um problema nessa valorização. Ela é inclusive um pressuposto para que haja o reequilíbrio contratual. De nada adiantaria a ampliação do escopo para reequilíbrio da concessão se ela não gerasse uma valorização do empreendimento. Ademais, o particular normalmente continuará com o risco do negócio, inclusive em seu escopo ampliado ou alterado. A questão é que a aferição dessa valorização será complexa e deverá levar em conta os elementos envolvidos. Não é algo que impeça a utilização da ampliação do escopo contratual para fins de reequilíbrio, mas é importante que seja devidamente avaliada e mensurada.

4.7 Ampliação da liberdade no exercício de política comercial

Outra medida possível para fins de reequilíbrio de um contrato de concessão consistirá na ampliação da liberdade do concessionário quanto ao exercício de política comercial.

Como já defendemos em outra oportunidade, há uma diferença entre política tarifária (exercida pelo Estado) e política comercial, que pode ser exercida pelo concessionário nas concessões que admitam certa liberdade para a adoção de decisões comerciais quanto à fixação de preços e tarifas.[25] A flexibilidade tarifária é um gênero que envolve certas margens variáveis de liberdade ao prestador, desde a fixação de preços-teto (*price cap*) até uma ampla liberdade de fixação de contraprestação em regime de concorrência no mercado.

Tomando em mente a possibilidade de haver margens de liberdade no exercício de política comercial na fixação de tarifas, é possível cogitar de uma sistemática de reequilíbrio em que se amplie contratualmente a margem de liberdade conferida ao concessionário. Isso representará a concessão de uma vantagem ao particular, dotada de um valor econômico, que poderá compensá-lo por um desequilíbrio constatado.

Um exemplo pode ilustrar bem essa possibilidade. No setor portuário, em regra os preços praticados pelos arrendatários de terminais nos portos são livres, devendo

---

[25] SCHWIND. *Remuneração do concessionário*: concessões comuns e Parcerias Público-Privadas, p. 141-194.

ser observado um *price cap* estabelecido na tabela pública que é previamente submetida à Agência Nacional de Transportes Aquaviários (ANTAQ). Os preços-teto podem ser aumentados, inclusive sem vinculação a um índice inflacionário. Entretanto, certos contratos de arrendamento podem estabelecer preços-teto para determinados preços, o que significa um limite contratual ao exercício da flexibilidade de preços (política comercial) do prestador. Nessas condições, diante de um desequilíbrio contratual, havendo concordância das partes, é possível que se exclua do contrato o limite de preço fixado para um ou alguns serviços. Com isso, o particular assume a expectativa de que essa flexibilidade poderá viabilizar receitas adicionais que compensem o desequilíbrio existente – ainda que o resultado dessa política envolva um certo nível de incerteza.[26]

Em outras palavras: um acréscimo de liberdade nas opções comerciais do concessionário pode ter valor econômico e, nessas situações, poderá ser uma medida cabível para o reequilíbrio econômico-financeiro da concessão. Em certos casos, entretanto, essa ampliação de liberdade não terá valor ao concessionário. Tudo dependerá da configuração do mercado, da existência ou não de concorrência na prestação, da elasticidade-preço da demanda, dentre diversos outros fatores. Além disso, o resultado efetivo da ampliação da liberdade comercial do prestador será sempre incerto.

Obviamente, certas decorrências da ampliação da liberdade comercial do concessionário deverão ser examinadas, inclusive no aspecto concorrencial e de satisfação dos usuários. Contudo, parece inegável que a ampliação da liberdade do concessionário no exercício de sua política comercial é uma possibilidade compatível com o ordenamento.

4.8 Alteração da proporção dos resultados em atividades que geram receitas ancilares

Outro mecanismo de reequilíbrio econômico-financeiro de uma concessão poderá consistir na alteração da proporção dos resultados de atividades que geram receitas ancilares. Suponha-se que o concessionário tenha a possibilidade de desenvolver atividades geradoras de receitas adicionais, na forma do art. 11 da Lei nº 8.987/1995, e que o contrato estabeleça uma proporção de 50% dos resultados para cada uma das partes (concedente e concessionário). Para compensar um desequilíbrio econômico-financeiro, pode-se cogitar de um arranjo em que essa proporção seja alterada, de modo que o concessionário fique com uma parcela mais representativa (eventualmente total) dos resultados das atividades que geram receitas ancilares.

Obviamente, essa decisão envolverá riscos. O principal deles é que o resultado econômico de tais atividades sempre envolverá uma certa parcela de incerteza. Entretanto, a ampliação da parcela da receita cabível ao concessionário é algo que tem valor econômico e, portanto, poderá ser considerada como medida de reequilíbrio, ainda que envolva certos riscos conscientemente assumidos pelo prestador.

---

[26] A possibilidade está prevista em certos contratos de arrendamento de terminais portuários, ainda que não vinculada necessariamente a um reequilíbrio econômico-financeiro. Um exemplo de cláusula nesse sentido: "Os Preços-teto estabelecidos na Cláusula 10.1 poderão ser alterados ou suprimidos, de ofício ou por provocação da Arrendatária, caso seja comprovada, perante a ANTAQ, a existência de ambiente concorrencial competitivo, o que deverá ser formalizado mediante apostilamento ou termo aditivo".

4.9 Alteração de proporção do compartilhamento de riscos

Medida similar à do tópico anterior consiste na alteração do compartilhamento de riscos entre as partes.

É comum que certos contratos de concessão estabeleçam regras de compartilhamento de riscos relacionados a questões como demanda/volume e preços de insumos. Normalmente, estabelecem-se faixas dentro das quais o risco será assumido pelo concedente, pelo concessionário ou será compartilhado entre os dois – tanto em relação à demanda quanto em relação a preços de certos insumos. Trata-se de providência destinada a limitar os riscos assumidos pelas partes, tornando menos incertos os resultados e diminuindo-se, por exemplo, os riscos de crédito e securitário.

Considerando que a alteração da proporção de divisão dos riscos pode ter valor econômico ao concessionário, é possível cogitar uma alteração dessa proporção, de forma a ampliar ou reduzir a parcela assumida pelo concessionário, como medida de recomposição da equação contratual. Com isso, ou se confere maior segurança ao concessionário, ou maior liberdade, de modo a compensar um desequilíbrio verificado.

4.10 Execução de investimentos fora da área da concessão

Um possível desequilíbrio em favor do concessionário pode ser compensado também pela assunção, por ele, da obrigação de execução de investimentos sem uma relação direta com a concessão. Seria algo similar a uma dação em pagamento, na qual o concessionário compensaria o poder concedente por meio da assunção de um encargo inicialmente não previsto e que pode não ter relação direta com a concessão.

Mais uma vez, recorre-se ao setor portuário com um exemplo dessa natureza. No setor portuário, admite-se que o arrendatário de um terminal portuário execute investimentos fora da área do terminal arrendado, ou seja, na área comum do porto, e obtenha um reequilíbrio em função desse aumento de encargos.[27] Ou seja, quando são reconhecidos os pressupostos aplicáveis, pode-se autorizar essa sistemática mediante reequilíbrio. Se é assim, nada impede que, numa situação de desequilíbrio econômico-financeiro prévio, em favor do arrendatário, ele assuma a obrigação de investimentos na área comum do porto de forma a recompor a equação. Seria uma espécie de indenização ao poder concedente, mas mediante a execução de investimentos. Configuraria uma hipótese de ampliação dos encargos do particular, com a peculiaridade de que o investimento adicional será executado no porto e não na área arrendada.

4.11 Postergação de metas de qualidade e (ou) de universalização

A postergação de metas de qualidade e (ou) de universalização de um serviço pode ser uma medida de reequilíbrio contratual de uma concessão.

---

[27] A possibilidade é prevista no art. 42-A do Decreto nº 8.033/2013: "Art. 42-A. Nos casos de arrendamento portuário, o poder concedente poderá autorizar investimentos, fora da área arrendada, na infraestrutura comum do porto organizado, desde que haja anuência da administração do porto. Parágrafo único. Os investimentos novos de que trata o *caput* ensejarão recomposição do equilíbrio econômico-financeiro do contrato do proponente" (BRASIL. Decreto nº 8.033, de 27 de junho de 2013).

Suponha-se que uma concessão de serviços de saneamento (fornecimento de água potável e esgotamento sanitário) tenha metas de cobertura a ser atingidas. Obviamente, o atingimento dessas metas envolve um certo nível de investimento, ou seja, tem um custo ao prestador. Diante de um desequilíbrio econômico-financeiro, será plenamente possível cogitar da postergação de metas de cobertura intermediárias ou mesmo finais. Com isso, haverá a postergação de investimentos, o que pode servir para a reequilibrar a equação.

Obviamente, uma decisão nesse sentido deverá observar certos aspectos.

Deve-se avaliar se a postergação das metas de qualidade e de universalização compromete a qualidade do serviço e o atendimento das necessidades fundamentais de modo inaceitável. Em certos casos, essa avaliação levará à impossibilidade de postergação, mas em outros não. Suponha-se, por exemplo, que tenha sido estabelecida uma meta de qualidade que depois se revelou irrazoável. Ou ainda, que a meta inicialmente estabelecida, apesar de razoável, possa admitir uma flexibilização sem comprometer de modo inaceitável a satisfação das necessidades dos usuários. São diversas as variáveis envolvidas na decisão.

O fato é que não parece haver uma resposta simples, no sentido de que não se possa admitir nem mesmo em tese qualquer "piora" na prestação do serviço. Quando se altera um cronograma de investimentos (por exemplo, postergando-se a execução de obras de arte especiais que cabem ao concessionário de uma rodovia), pode-se afetar as condições de prestação de um serviço. Quando se aumenta uma tarifa como medida de reequilíbrio, também se afetam as condições do serviço (não propriamente a sua qualidade, mas a sua disponibilidade em termos econômicos para os usuários). Portanto, o ordenamento e a prática das concessões já admitem diversas situações em que, a rigor, há uma "piora" nas condições de prestação de um serviço. A questão é que essa alteração, por vezes, é a única cabível para a própria continuidade da concessão. Pode não haver alternativa viável em termos econômicos à postergação de metas de qualidade ou de universalização do serviço. Ou pode haver alternativas que sacrificariam outros aspectos igualmente importantes. Suponha-se, por exemplo, que uma alternativa seria um aumento tarifário que torne o serviço proibitivo, o que comprometeria a satisfação dos usuários. Em comparação com essa alternativa, a postergação de metas de qualidade ou de universalização poderá, em tese, ser a menos danosa.

Enfim, deverá haver um juízo de razoabilidade que precisará levar em conta os limites legais,[28] as alternativas cabíveis e os efeitos da postergação. Entretanto, não parece que a postergação de metas de qualidade ou de universalização deva ser excluída dentre o rol de possíveis medidas de reequilíbrio econômico-financeiro.

---

[28] A Lei de Saneamento, por exemplo, prevê metas legais de atingimento da universalização do serviço que deverão ser observadas – art. 11-B da Lei nº 11.445/2007:
"Art. 11-B. Os contratos de prestação dos serviços públicos de saneamento básico deverão definir metas de universalização que garantam o atendimento de 99% (noventa e nove por cento) da população com água potável e de 90% (noventa por cento) da população com coleta e tratamento de esgotos até 31 de dezembro de 2033, assim como metas quantitativas de não intermitência do abastecimento, de redução de perdas e de melhoria dos processos de tratamento" (BRASIL. Lei nº 11.445, de 5 de janeiro de 2007).

4.12 Alterações de valores e de proporção de outorgas fixas ou variáveis

Uma possível medida de reequilíbrio econômico-financeiro consistirá na alteração dos valores e da proporção das outorgas fixas e variáveis pagas pelo concessionário.

A rigor, a alteração de valores das outorgas fixas e variáveis poderia ser considerada um mecanismo tradicional. Trata-se de uma medida de ampliação ou redução dos encargos assumidos pelo concessionário, que gera efeitos imediatos e cuja possibilidade é amplamente reconhecida.

Mais heterodoxa, entretanto, é a alteração da proporção entre outorgas fixas e variáveis. Basicamente, é possível que haja um aumento de um tipo de outorga, com a correspondente redução da outra. Isso porque a alteração da proporção pode ter um valor econômico que se entenda suficiente para a recomposição da equação.

Suponha-se que o concessionário efetue um pagamento de outorga fixa anual e uma outorga variável em função da demanda atendida. Em tese é possível, por exemplo, que se reduza ou mesmo se elimine a outorga fixa, de modo que a outorga variável passe a ser a principal ou única outorga a ser paga pelo concessionário. Com isso, reduz-se um valor fixo que incide independentemente da demanda, mas aumenta-se o valor variável, que será pago em maior proporção apenas se a demanda for maior.

A alteração da proporção das outorgas fixas e variáveis, com a potencial eliminação de uma delas, pode ser uma medida de reequilíbrio. A modificação altera a relação entre encargos e vantagens assumidas e pode viabilizar uma recomposição contratual.

5 A definição do mecanismo de reequilíbrio em cada caso concreto

Como foi demonstrado, existem diversos mecanismos que em tese podem ser utilizados para a recomposição do equilíbrio econômico-financeiro de um contrato de concessão. Além disso, ficou claro que cada medida envolve riscos diversos, bem como demanda tempos diferentes para que seus efeitos sejam sentidos na prática.

Considerando-se essas variáveis, a questão que se coloca é: quem definirá qual mecanismo de reequilíbrio deverá ser adotado em cada situação concreta?

A pergunta envolve algumas ponderações.

5.1 O entendimento tradicional

É tradicional o entendimento de que o particular, numa relação contratual com a Administração Pública, não pode escolher a forma de reequilíbrio do contrato administrativo. Seu direito se restringiria a que fosse observada – e restabelecida, quando afetada – a equação econômico-financeira. A definição da forma de reequilíbrio – se por revisão tarifária, prorrogação do prazo contratual, alteração de encargos e cronogramas de investimentos ou outra medida – caberia exclusivamente à Administração Pública.

Entretanto, esse entendimento merece uma revisão. Não deve ser entendido de modo tão absoluto.

5.2 A ausência de neutralidade das medidas de reequilíbrio

A definição da forma de reequilíbrio é uma questão de evidente relevância prática. Reequilibrar um contrato administrativo de uma forma ou de outra produz efeitos diversos, que afetam o próprio cotidiano da exploração da concessão. É intuitivo que, para as partes de um contrato de concessão, faz muita diferença a definição da forma de recomposição da equação. Os custos e as formas de se lidar com cada solução apresentam diferenças marcantes.

5.3 A adoção de engenharias financeiras complexas

Outro fator a ser considerado é que os contratos de concessão têm se desenvolvido nas últimas décadas no sentido da adoção de engenharias financeiras complexas, tudo de forma a viabilizar a exploração de um serviço de forma economicamente mais racional. Afinal, maior racionalidade econômica tem a potencialidade de proporcionar a prestação de serviços mais baratos e eficientes.

5.4 Fatores endógenos e exógenos que contemplam limites à definição do mecanismo de reequilíbrio

Nesse contexto, existem fatores endógenos e exógenos ao contrato de concessão que podem colocar alguns limites à definição da forma de reequilíbrio.

Como fatores endógenos, podemos mencionar o cabimento de previsões contratuais que prevejam mecanismos preferenciais de reequilíbrio. O estabelecimento de previsões contratuais que estabeleçam mecanismos específicos ou ao menos preferenciais constituem limites à discricionariedade do poder concedente na definição do método de recomposição da equação econômico-financeira.

Dois exemplos ilustram bem essa questão.

O primeiro consiste no estabelecimento de garantias de uma parte à outra. Se o contrato de concessão houver estabelecido que, diante de um desequilíbrio, será adotada determinada medida (por exemplo, redução da outorga ou o acionamento de uma garantia), é este o reequilíbrio que deverá ser adotado. Não haverá discricionariedade, mesmo diante de um poder de alteração unilateral de certas condições, que essa previsão seja desconsiderada ou modificada sem a concordância da outra. Isso porque toda a engenharia financeira daquela contratação levou em conta os riscos envolvidos e a medida de reequilíbrio que seria adotada. A adoção de outro mecanismo, que tenha características diferentes (por exemplo, necessidade de maior tempo para surtir efeitos práticos) será indevida caso não conte com a concordância da outra parte.

Outro exemplo é o dos colchões de liquidez. Algumas concessões estabelecem que a utilização de certos valores arrecadados pelo poder concedente (por exemplo, a título de outorga) ficará reservada a situações de desequilíbrio econômico-financeiro, de modo que tais recursos possam ser utilizados de imediato para uma recomposição da equação – ou, ao menos, para minorar os efeitos de um desbalanceamento. Nesses casos, a utilização desse mecanismo será mandatória e, portanto, um limite à discricionariedade da Administração.

Portanto, os contratos de concessão podem contemplar soluções que confiram um maior direcionamento à definição das formas de reequilíbrio. Isso é cada vez mais frequente e necessário, dadas as complexas engenharias financeiras envolvidas.

Por fatores exógenos, podemos fazer referência à própria forma de prestação do serviço e à incidência das previsões regulatórias, as quais estabelecem o "contexto" de exploração da concessão.

Por exemplo, se uma concessão é explorada em regime de concorrência com preços livres, a definição da forma de reequilíbrio contratual tem a potencialidade de afetar a própria competitividade do particular no mercado em que atua. A redução de encargos (diminuição ou postergação de investimentos a cargos do particular), por exemplo, pode não fazer sentido. A pretexto de reequilibrar momentaneamente o contrato, pode-se gerar uma piora na qualidade do serviço que resultará numa distorção competitiva, com o potencial efeito de aprofundar o desequilíbrio.

É interessante observar que fatores exógenos podem se conectar com as previsões contratuais. No caso de prestação em regime de concorrência, por exemplo, a matriz de riscos do contrato provavelmente estabelecerá, implícita ou explicitamente, que os riscos derivados do exercício da política comercial estão alocados ao concessionário.

Um exemplo é o dos contratos de arrendamento portuário. Muito embora não sejam concessões propriamente ditas, sua lógica econômica é similar: há investimentos que são compensados pelo direito de exploração das atividades por um longo período. De acordo com a regulação aplicável, os arrendatários prestam serviços em concorrência com outros arrendatários e com autorizatários. Os preços e condições dos serviços são fixados livremente por cada agente econômico, ainda que haja um monitoramento pela agência reguladora competente. Nesse contexto, a definição da forma de reequilíbrio tem uma relevância marcante em termos de competitividade.

5.4 Os efeitos da consensualidade nas relações contratuais público-privadas

Há ainda uma questão mais conceitual que também pode ser considerada um fator exógeno na classificação ora proposta.

Ainda que em boa parte dos casos a definição da forma de reequilíbrio envolva uma decisão discricionária do poder concedente, não poderão ser ignorados os influxos da consensualidade que caracteriza as relações público-privadas na atualidade. Em ambiente contratual, a consensualidade se intensifica, ainda mais em contratos incompletos como os de concessão.

Considerando que cada mecanismo de reequilíbrio contempla riscos diferentes e tempos diversos de observação dos seus efeitos concretos, bem como que pode haver disputa sobre o valor econômico de cada providência, é natural que cada medida não possa ser simplesmente imposta pelo poder concedente ao concessionário, ou vice-versa. Na prática, é difícil pensar na adoção de um mecanismo de reequilíbrio que não derive de algum nível de consenso entre o poder concedente e o concessionário.

5.5 O dever de motivação

Há ainda para o poder concedente no mínimo um dever de fundamentação adequada da solução proposta, demonstrando que ela não provoca distorções concorrenciais nem gerará o aprofundamento de desequilíbrios em momento futuro. Nesse contexto, considerar os argumentos técnico-econômicos do concessionário é um dever. Eventuais discordâncias, sempre possíveis, deverão ser objeto de fundamentação adequada. Afinal, discricionariedade não se confunde com arbitrariedade.

5.6 Ausência de discricionariedade absoluta na definição do mecanismo de reequilíbrio

Em conclusão, a afirmação absoluta de que cabe ao poder concedente a definição da forma de reequilíbrio de um contrato de concessão deve ser revisitada. Pode ser correta em algumas situações, mas não em todas, e muito menos de modo absoluto, uma vez que sua definição provoca efeitos concretos diversos que precisam ser ponderados.

Poderá haver autovinculações contratuais, previsões de sistemáticas preferenciais nos contratos e mecanismos financeiros diversos. Além disso, a prestação em regime de concorrência, quando existente, trará nuances diferenciadas sobre o tema. Por fim, a consensualidade nas relações público-privadas conduz a uma releitura de certos dogmas.

No mínimo, a discricionariedade pode ser bastante reduzida a depender de cada situação. Mas o ideal é que a temática das formas de reequilíbrio seja enfrentada já na gênese do contrato, ainda que se esteja diante de contratos incompletos. Na ausência disso, os mecanismos de consensualidade deverão operar de modo a se evitar decisões impositivas. O fato é que a existência de discricionariedade plena por parte do poder concedente não se coaduna com a prática.

6 O tempo no reequilíbrio econômico-financeiro

Por fim, resta fazer algumas considerações a respeito do tempo no reequilíbrio econômico-financeiro.

Há dois aspectos centrais em relação ao tempo que devem ser levados em conta nos reequilíbrios.

6.1 O tempo para que a medida gere efeitos práticos

O primeiro aspecto reside na questão do tempo para que a medida de reequilíbrio gere efeitos concretos.

Como ficou claro ao longo da exposição, boa parte das medidas de reequilíbrio, notadamente as que qualificamos como heterodoxas, não geram efeitos concretos de imediato. Elas só começam a gerar efeitos depois de algum intervalo de tempo, que pode ser mais ou menos longo a depender das peculiaridades de cada caso.

De fato, boa parte das medidas consiste em atribuir ao concessionário a possibilidade de obter receitas adicionais por meio da exploração de certas atividades. Outras promovem alterações contratuais cujos efeitos tendem a demorar para serem sentidos na prática.

O aspecto do tempo para a geração de efeitos concretos é algo a ser ponderado na definição do mecanismo de recomposição da equação econômico-financeira. Por um lado, deve-se ter uma expectativa real, reconhecida por ambas as partes do contrato, de que a medida efetivamente gerará efeitos em termos de geração de receita adicional. Por outro lado, devem-se levar em conta as possíveis dificuldades de se conduzir uma concessão desbalanceada até que os efeitos concretos da medida de reequilíbrio sejam sentidos. Isso porque a permanência de uma situação de desequilíbrio por muito tempo pode comprometer índices financeiros do particular, dificultando a obtenção de financiamentos imprescindíveis para a execução contratual. O concessionário deve estar de acordo com a medida adotada, inclusive ciente de que é possível aguardar a geração de efeitos concretos sem o comprometimento dos serviços prestados.

6.2 A possibilidade de reequilíbrios parciais e reequilíbrios cautelares

Outro aspecto do tempo no reequilíbrio, relacionado com o referido fator, reside no cabimento de providências administrativas de natureza cautelar para reduzir os impactos do desequilíbrio.

Um dos grandes problemas dos contratos que têm por objeto a exploração de infraestruturas é a demora na implementação dos reequilíbrios contratuais. Essa demora acaba gerando prejuízos de difícil recuperação e provocam o agravamento de situações contratuais anômalas. No limite, podem comprometer a execução de investimentos, a prestação dos serviços com qualidade e a própria financiabilidade dos empreendimentos.

Nas situações em que a prestação dos serviços se dá em regime de concorrência, a existência de um desequilíbrio por longo tempo pode ser ainda mais desastrosa, uma vez que tem a potencialidade de comprometer a execução de investimentos, levando à incapacidade do prestador de concorrer no mercado.

Por esses motivos, criou-se a possibilidade de reequilíbrios cautelares parciais e cautelares.

O reequilíbrio parcial consiste na antecipação de parte do reequilíbrio cujo mérito não se discute mais, mas os valores envolvidos ainda dependem de avaliações mais profundas. A antecipação parcial do reequilíbrio, nesses casos, tende a evitar danos financeiros à concessão.

O reequilíbrio cautelar consiste na adoção de medidas de reequilíbrio quando estão presentes certos pressupostos, de modo a evitar o agravamento de desequilíbrios graves, que podem comprometer o próprio prosseguimento dos contratos – e que poderiam inclusive expor o poder concedente a arcar com indenizações substanciais.

O reequilíbrio cautelar é objeto da Resolução nº 19 da Secretaria de Parcerias em Investimentos (SPI) do Estado de São Paulo, publicada em 31 de maio de 2023.

Embora o art. 2º, I, da Resolução nº 19/2023 da SPI indique que a adoção de medidas mitigatórias seja uma "faculdade" da SPI, e não um direito subjetivo das concessionárias, a resolução acaba estabelecendo normas que afastam uma discricionariedade pública total por parte do poder concedente.

Tanto é que o art. 3º da Resolução estabelece hipóteses em que é obrigatória a avaliação do cabimento das medidas cautelares: (i) risco de comprometimento da continuidade do serviço público, inclusive por comprometimento da solvência da concessionária, ou de vencimento antecipado ou de aceleração de vencimento de compromissos contratados com financiadores; (ii) proximidade do término do prazo contratual que pode indicar a subsistência de saldo regulatório a ser pago na futura licitação; ou (iii) desequilíbrio econômico-financeiro de tal monta que haja chance concreta de um impacto significativo.

Não é objeto deste ensaio uma análise aprofundada dos mecanismos de reequilíbrio parcial ou cautelar. De todo modo, importa observar que os reequilíbrios parciais e cautelares consistem num tratamento adequado para as concessões em geral. Trata-se de inverter o ônus do tempo nos procedimentos de reequilíbrio.

Além disso, há um dever geral da Administração Pública de mitigar danos, inclusive porque as consequências de tais danos podem acabar prejudicando o próprio erário.

7 Conclusões

Não cabe aqui repetir todas as conclusões expostas ao longo do texto, mas convém retomar as mais centrais:

a) Há diversos fatores que justificam a existência de mecanismos heterodoxos de reequilíbrio. Relacionam-se normalmente à insuficiência das soluções tradicionais e ao entendimento de que providências menos frequentes podem restabelecer a equação econômico-financeira de modo mais eficiente;

b) Não é possível relacionar todos os mecanismos de reequilíbrio, embora se tenha feito aqui um exercício de enumerar alguns que parecem compatíveis com o ordenamento jurídico;

c) Importa considerar que a alteração contratual consistente num mecanismo heterodoxo de reequilíbrio deve apresentar um valor econômico a ponto de o concessionário aceitar a sua utilização. Nos mecanismos heterodoxos de reequilíbrio, pode haver uma dificuldade de se aferir esse valor econômico da medida de recomposição da equação. Mesmo assim, essa dificuldade não afasta a possibilidade de sua utilização;

d) Outro fator relevante é o tempo necessário para que a medida de reequilíbrio gere efeitos concretos;

e) Por conta desses fatores, não há discricionariedade absoluta por parte do poder concedente na definição dos mecanismos de reequilíbrio. Na prática, é difícil pensar numa medida de reequilíbrio que não envolva ao menos uma certa dose de consensualidade na sua definição;

f) Por fim, há um dever geral do poder concedente no sentido da mitigação de danos, contexto em que se inserem os reequilíbrios parciais e cautelares. Trata-se de medidas destinadas a conter danos e evitar que eles se intensifiquem.

Assim, como se pode notar, as ideias de Marçal Justen Filho a respeito dos mecanismos de reequilíbrio consistem no ponto de partida de uma série de questões relevantes, que merecem reflexões adicionais e constituem solução para diversos problemas práticos no âmbito dos contratos de concessão.

Referências

BANDEIRA DE MELLO, Celso Antônio. Obra pública a custo zero: instrumentos jurídicos para realização de obras públicas a custo financeiro zero. *Revista Trimestral de Direito Público – RTDP*, São Paulo, ano 1, n. 3, p. 32-41.

BRASIL. Lei nº 8.630, de 25 de fevereiro de 1993. Dispõe sobre o regime jurídico da exploração dos portos organizados e das instalações portuárias e dá outras providências. (...). *Diário Oficial da União*: Brasília, DF, 1993. Disponível em: https://www.planalto.gov.br/ccivil_03/leis/l8630.htm. Acesso em: 29 out. 2024.

BRASIL. Lei nº 11.445, de 5 de janeiro de 2007. Estabelece as diretrizes nacionais para o saneamento básico; cria o Comitê Interministerial de Saneamento Básico; altera as Leis nos 6.766, de 19 de dezembro de 1979 (...). *Diário Oficial da União*: Brasília, DF, 2007. Disponível em: https://www.planalto.gov.br/ccivil_03/_ato2007-2010/2007/lei/l11445.htm. Acesso em: 29 out. 2024.

BRASIL. Lei nº 12.815, de 5 de junho de 2013. Dispõe sobre a exploração direta e indireta pela União de portos e instalações portuárias e sobre as atividades desempenhadas pelos operadores portuários (...). *Diário Oficial da União*: Brasília, DF, 2013. Disponível em: https://www.planalto.gov.br/ccivil_03/_ato2011-2014/2013/lei/l12815.htm. Acesso em: 29 out. 2024.

BRASIL. Lei nº 13.448, de 5 de junho de 2017. Estabelece a Lei das Ferrovias; altera o Decreto-Lei nº 3.365, de 21 de junho de 1941 (...). *Diário Oficial da União*: Brasília, DF, 2017. Disponível em: https://www.planalto.gov.br/ccivil_03/_ato2019-2022/2021/lei/l14273.htm#:~:text=Art.,associadas%20e%20d%C3%A1%20outras%20provid%C3%AAncias. Acesso em: 29 out. 2024.

BRASIL. Ministério da Infraestrutura. Agência Nacional de Transportes Terrestres. Superintendência de Gestão. *Portaria nº 530, de 23 de dezembro de 2019*. Designa Fiscal da Ata de Registro de Preços nº 08/2019. Brasília, DF: Ministério da Infraestrutura. Agência Nacional de Transportes Terrestres. Superintendência de Gestão, 2019. Disponível em: https://anttlegis.antt.gov.br/action/ActionDatalegis.php?acao=abrirTextoAto&link=S&tipo=PT8&numeroAto=00000530&seqAto=INT&valorAno=2019&orgao=SUDEG/ANTT/MI&cod_modulo=161&cod_menu=7809. Acesso em: 29 out. 2024.

CANTO, Mariana Dall'Agnol; GUZELA, Rafaella Peçanha. Prorrogações em contratos de concessão. *In*: MOREIRA, Egon Bockmann (org.). *Tratado do equilíbrio econômico-financeiro*: contratos administrativos, concessões, Parcerias Público-Privadas, Taxa Interna de Retorno, prorrogação antecipada e relicitação. 2. ed. Belo Horizonte: Fórum, 2019. p. 281-294.

FERRAZ JÚNIOR, Tércio Sampaio. *A ciência do Direito*. 2. ed. São Paulo: Atlas, 1980.

FREITAS, Rafael Véras de; RIBEIRO, Leonardo Coelho. O prazo como elemento da economia contratual das concessões: as espécies de "prorrogação". *In*: MOREIRA, Egon Bockmann (org.). *Tratado do equilíbrio econômico-financeiro*: contratos administrativos, concessões, Parcerias Público-Privadas, Taxa Interna de Retorno, prorrogação antecipada e relicitação. 2. ed. Belo Horizonte: Fórum, 2019. p. 371-388.

JUSTEN FILHO, Marçal. *Comentários à Lei de Licitações e Contratações Administrativas*. 2. ed. São Paulo: Revista dos Tribunais, 2023.

JUSTEN FILHO, Marçal. Considerações sobre a equação econômico-financeira das concessões de serviço público: a questão da TIR. *In*: MOREIRA, Egon Bockmann (org.). *Tratado do equilíbrio econômico-financeiro*: contratos administrativos, concessões, Parcerias Público-Privadas, Taxa Interna de Retorno, prorrogação antecipada e relicitação. 2. ed. Belo Horizonte: Fórum, 2019. p. 501-528.

JUSTEN FILHO, Marçal. *Teoria geral das concessões de serviço público*. São Paulo: Dialética, 2003.

MARQUES NETO, Floriano de Azevedo. Concessão de serviço público sem ônus para o usuário. *In*: WAGNER JUNIOR, Luiz Guilherme Costa. *Direito Público*: estudos em homenagem ao Professor Adilson Abreu Dallari. Belo Horizonte: Del Rey, 2004. p. 331-351.

MOREIRA, Egon Bockmann. Contratos administrativos de longo prazo: a lógica de seu equilíbrio econômico-financeiro. *In*: MOREIRA, Egon Bockmann (coord.). *Tratado do equilíbrio econômico-financeiro*: contratos administrativos, concessões, Parcerias Público-Privadas, Taxa Interna de Retorno, prorrogação antecipada e relicitação. 2. ed. Belo Horizonte: Fórum, 2019. p. 89-98.

REIS, Márcio Monteiro. *O tempo nos contratos de concessão de serviço público*. Belo Horizonte: Fórum, 2024.

RIBEIRO, Gabriela Miniussi Engler Pinto Portugal. *Novos investimentos em contratos de parceria*. São Paulo: Almedina, 2021.

SCHWIND, Rafael Wallbach. Prazo de vigência e prorrogação dos contratos de Parcerias Público-Privadas. *In:* SADDY, André; MORAES, Salus (coord.). *Tratado de Parcerias Públicos-Privadas*: teoria e prática. Rio de Janeiro: CEEJ, 2019. v. 5.

SCHWIND, Rafael Wallbach. Prorrogação dos contratos de arrendamento portuário. *In:* PEREIRA, Cesar; SCHWIND, Rafael Wallbach (org.). *Direito Portuário brasileiro*. 3.ed. Belo Horizonte: Fórum, 2022.

SCHWIND, Rafael Wallbach. *Remuneração do concessionário*: concessões comuns e Parcerias Público-Privadas. Belo Horizonte: Fórum, 2010.

TEIXEIRA, José Horário Meirelles. *Os serviços de eletricidade e a autonomia local*. São Paulo: Departamento Jurídico da Prefeitura do Município de São Paulo, 1950.

YESCOMBE, E. R. *Principles of Project Finance*. 2nd. ed. Cambridge: Cambridge Academic Press, 2013.

Informação bibliográfica deste texto, conforme a NBR 6023:2018 da Associação Brasileira de Normas Técnicas (ABNT):

SCHWIND, Rafael Wallbach. Formas heterodoxas de reequilíbrio econômico-financeiro, definição do mecanismo aplicável e a questão do tempo da recomposição. *In:* JUSTEN, Monica Spezia; PEREIRA, Cesar; JUSTEN NETO, Marçal; JUSTEN, Lucas Spezia (coord.). *Uma visão humanista do Direito*: homenagem ao Professor Marçal Justen Filho. Belo Horizonte: Fórum, 2025. v. 3, p. 499-524. ISBN 978-65-5518-915-5.

A RECONFIGURAÇÃO DA REGULAÇÃO PROMOVIDA PELOS CONSELHOS PROFISSIONAIS DE SAÚDE (CPS) AO MODELO DE AGÊNCIAS REGULADORAS INDEPENDENTES

SILVIO GUIDI

"Tudo está em Marçal."

1 Introdução

Não há como iniciar um artigo em homenagem ao professor Marçal Justen Filho sem dizer um muito obrigado. As contribuições do professor Marçal para o mundo do direito e para a sociedade brasileira são conhecidas e festejadas há décadas. Sem receio de errar, é fácil apontá-lo como um dos principais nomes de toda a história da doutrina jurídica brasileira. Sorte de todos nós sermos dele contemporâneos. Esta introdução tem esse tom de reconhecimento.

Mas é preciso fazer um agradecimento pessoal. Embora eu tenha estado presencialmente pouquíssimas vezes com o professor Marçal, o conteúdo de suas obras esteve presente diariamente na minha vida profissional e acadêmica. É aquela típica relação de ídolo e fã.

No início do milênio, ainda na graduação, quando estagiava na consultoria em licitações e contratos Zênite, o livro de Comentários à Lei nº 8.666/1993[1] já era a bíblia do assunto. A compreensão da lei passava quase que exclusivamente pela leitura e interpretação dada pelo livro.

Ao final da graduação em Direito, em 2003, apresentei a monografia sobre divergência na interpretação da norma licitatória acerca da qualificação técnica operacional e

---

[1] JUSTEN FILHO, Marçal. *Comentários à Lei de Licitações e Contratos Administrativos.* 17. ed. São Paulo: Revista dos Tribunais, 2016.

profissional.[2] E lá estava o professor Marçal explicando não só detalhadamente o tema jurídico, mas também revelando valiosas compreensões filosóficas sobre como adquirir, acumular e demonstrar experiência.

Dez anos depois, recebi o convite para contribuir com a *Revista de Direito Administrativo Contemporâneo: REDAC*, revista recém-lançada e coordenada pelo professor. Foi minha primeira produção acadêmica. Ainda guardo, praticamente emoldurado, o *e-mail* com o agradecimento pela contribuição com a revista. E no artigo, que tratava de reintegração de cargo público,[3] a doutrina do *Curso de Direito Administrativo*, mais uma vez, foi base para a produção do trabalho. Honra maior foi ver o artigo referenciado nas edições posteriores do curso.

Alguns anos depois, na produção da dissertação de mestrado, sobre serviços públicos de saúde, lá estava novamente a onipresença do professor Marçal. Citei-o mais de 90 vezes, valendo-me dos livros *Teoria geral das concessões de serviço público,*[4] *O estatuto da microempresa e as licitações públicas,*[5] *Comentários à Lei de Licitações e Contratos e Curso de Direito Administrativo.*[6] Em resumo, sem a sua doutrina, provavelmente não haveria dissertação da minha parte a apresentar.

Atualmente, desenvolvendo pesquisas sobre regulação em saúde, que é o tema deste artigo, inclusive, a base é mais uma vez o professor Marçal. *O Direito das agências reguladoras independentes*[7] é por onde inicio os estudos de qualquer produção. E é impressionante como um livro que já tem mais de 20 anos continua apresentando novidades em todo momento que o leio.

E não tenho dúvida de que essa minha experiência foi vivida por uma imensidão de pessoas que produzem pesquisa no direito administrativo ou que trabalham com o tema. No final das contas, a produção científica do professor Marçal é uma espécie de ponto de partida para o direito administrativo. Mas esse princípio não raramente entrega tudo e mais um pouco daquilo que se buscava. O leitor de Marçal constantemente tem sua dúvida satisfeita, e ainda por cima recebe um conteúdo muito mais abundante, tradicionalmente mais relevante do que a resposta para suas dúvidas.

Aparentemente, "tudo está em Marçal".[8]

Assim o sendo, mais uma vez, vou me valer preponderantemente da doutrina do professor para apresentar uma revolução vivida na função dos conselhos profissionais de saúde (CPS). Em especial, tentarei revelar que, a partir da instalação de um modelo de

---

[2] GUIDI, Silvio. *Aspectos polêmicos da qualificação técnica nas obras e serviços de engenharia*. Orientador: Ivan Lelis Bonilha. 2003. Trabalho de Conclusão de Curso (Graduação em Direito) – Faculdade de Direito de Curitiba, Curitiba, 2003.

[3] GUIDI, Silvio. Reintegração ao cargo público: aspectos relevantes e orientação jurisprudencial. *Revista de Direito Administrativo Contemporâneo: ReDAC*, São Paulo, v. 2, n. 4, p. 45-61, jan. 2014.

[4] JUSTEN FILHO, Marçal. *Teoria geral das concessões de serviço público*. São Paulo: Dialética, 2003.

[5] JUSTEN FILHO, Marçal. *O estatuto da microempresa e as licitações públicas*. São Paulo: Dialética, 2007.

[6] JUSTEN FILHO, Marçal. *Curso de Direito Administrativo*. 10. ed. São Paulo: Revista dos Tribunais, 2014.

[7] JUSTEN FILHO, Marçal. *O Direito das agências reguladoras independentes*. São Paulo: Dialética, 2002.

[8] Uma alusão proposital à expressão "tudo está em Marshall", utilizada em Cambridge pelo mundo acadêmico da economia, especialmente no período pré Keynesiano (DELFIM NETTO, Antonio. *Folha de S.Paulo*, São Paulo, 22 jun. 2006. Disponível em: https://www1.folha.uol.com.br/fsp/opiniao/fz2203200607.htm. Acesso em: 21 ago. 2024). Nicholas Wapshott (*Keynes x Hayek*: as origens – e a herança – do maior duelo econômico da história. Tradução: Ana Maria Mandim. 6. ed. Rio de Janeiro: Record, 2021. p. 88) narra que a expressão utilizada era "tudo pode ser encontrado em Marshall". E conta que Joan Rodinson foi além: "Ela acreditava, 'tudo pode ser encontrado em Marshall, até a General Theory [de Keynes]'".

Estado Regulador no Brasil e da centralização constitucional dos direitos fundamentais, os CPS deixaram de ter uma função de normatizar questões *interna corporis* para, mesmo sem alteração de suas leis de regência, passar produzir regulação a serviço da satisfação do direito fundamental à saúde. Em razão disso, assumiram funções praticamente idênticas àquelas desempenhadas pelas agências independentes.

2 A evolução dos modelos de Estado – do Liberal ao Regulador

Em inúmeras esferas da sociais e econômicas do Brasil, vem se sentindo os efeitos da transformação do modelo de Estado. Trata-se de um fenômeno experimentado no mundo ocidental, pelo qual há a instalação de um Estado de direito nascendo com uma vertente liberal, esvaziando a intromissão estatal na vida privada. Passa-se por um Estado de Bem-Estar Social, no qual a atuação do Poder Público volta a se aproximar do cidadão para oferecer uma gama de serviços sociais. Essa transformação traz benefícios significativos, mas agiganta o Estado que, em razão disso, volta a se imiscuir demasiado na liberdade individual.[9] Chega-se aos dias atuais, nos quais passa a se experimentar a figura do Estado Regulador.

A perspectiva de um Estado Regulador se revela como uma espécie de terceira revolução no modelo estatal, voltada a desinflar o tamanho do Estado (e diminuir sua interferência na liberdade individual) sem descuidar da permanência e evolução das conquistas sociais. A premissa do Estado Regulador é a substituição da prestação estatal de serviços conectados às necessidades sociais por formas privatizadas de prestação (na sua concepção mais ampla possível).[10] Realocou-se a posição do Estado à função regulatória desses serviços todos, de modo a garantir[11] que o interesse público concretizado pela satisfação das necessidades sociais do indivíduo siga sendo atendido.

---

[9] "Ao longo do século XX, a ideologia do Estado de Bem-Estar significou a assunção pelo Estado de funções de modelação da vida social. O Estado transformou-se em prestador de serviços e empresário. Invadiu searas antes reputadas próprias da iniciativa privada, desbravou novos setores comerciais e industriais, remodelou o mercado e comandou a renovação das estruturas sociais e econômicas. (...)
O resultado foi extraordinariamente positivo; espantoso, poderia até dizer-se. As condições de vida elevaram-se a níveis nunca anteriormente experimentados. (...) Nunca anteriormente os seres humanos experimentaram tamanho conforto e tão grande quantidade de benefícios. (...) Mas o êxito (relativo) dessa revolução produziu uma das causas de sua inviabilização. O Estado Providência gerou benefícios e vantagens que redundaram na multiplicação da população, o que não foi acompanhado da modificação dos mecanismos do seu funcionamento. (...) A crise fiscal do Estado de Bem-Estar conduziu a perspectivas de redução das dimensões do Estado e sua intervenção direta no domínio econômico" (JUSTEN FILHO. *O Direito das agências reguladoras independentes*, p. 18-20).

[10] Di Pietro (*Parcerias na Administração Pública*: concessão, permissão, franquia, terceirização, parceria público-privada. 13. ed. Rio de Janeiro: Forense, 2022. p. 6) enfrenta a questão, informando que o conceito de privatização pertence mais a outras ciências sociais do que ao direito. Inspirando-se em lições de Aja Espil, anota que, no âmbito da ciência jurídica, na "ideia corresponde a um conceito bem amplo de privatização, que abrange todas as medidas adotadas com o objeto de diminuir o tamanho do Estado".

[11] A expressão "garantia" tem para Pedro Gonçalvez (Regulação, eletricidade e telecomunicações. *In*: GONÇALVEZ, Pedro. *Direito público e regulação*. 7. ed. Coimbra: Coimbra Editora. 2008. p. 9-10) um relevado conceito jurídico, especialmente no ambiente de transmutação do papel do Estado e em sua relação com a sociedade. Como se verá, jurista chega a reconhecer um "Estado de Garantia": "O conceito de garantia aparece, assim, no novo quadro, com um destaque de primeiro plano, esclarecendo que os processos de desmontagem dos serviços públicos e de privatização de tarefas públicas não postulam a 'batida em retirada' do Estado, nem, ao jeito de um renovado 'laissez-faireism' a entrega da economia às 'leis do mercado' ou a 'leis jurídicas' de mera definição, enquadramento e protecção da economia e da concorrência. A fórmula alude a um dever ou a uma incumbência,

É certo que a regulação estatal não surge a partir do Estado Regulador. O Estado, em suas versões anteriores, sempre atuou como regulador da economia, buscando corrigir as falhas dos mercados, tendo por objetivo um interesse geral de garantir uma adequada concorrência e os direitos dos consumidores.[12] "Mas essa era uma manifestação reputada menor da competência interventiva, inclusive por vigorar a concepção de que toda atividade privada retrata manifestações puramente egoísticas, voltadas à realização exclusiva de intentos individualísticos".[13] Essa é uma dimensão econômica da regulação que, no pensamento de Marçal Justen Filho, foi ampliada a partir da alteração para o modelo de Estado Regulador.[14] Avança-se de um Estado que tem a regulação como uma de suas funções para um Estado Regulador, o qual busca garantir os direitos fundamentais (sejam os da livre iniciativa e da propriedade, mas também os sociais, como saúde e educação, por exemplo) dos cidadãos, tendo a regulação econômica como protagonista.

Uma das características de um Estado Regulador é o policentrismo. Ou seja, o poder deixa de estar concentrado exclusivamente no chefe do Executivo, que, embora exerça fortemente a delegação, mantém o controle, a partir de uma posição hierarquicamente superior e com capacidade revisional da atividade delegada (poder de tutela). O Estado Regulador apresenta uma "miríade de novas autoridades administrativas dotadas de elevado grau de autonomia em relação ao chefe do Poder Executivo.[15] Assim, a realidade brasileira passa a conviver com inúmeros atores organizando a sociedade, exercendo poderes administrativos de maneira autônoma, com vistas a garantir a efetividade dos direitos fundamentais, promovendo a busca por sua satisfação e o equilíbrio entre tensões derivadas pelo exercício desse direito.

Formalmente, marco inaugural do Estado Regulador, no Brasil, é o Plano Diretor de Reforma do Estado (PDRE),[16] do qual derivou a criação de uma série de agências

---

que permanece na esfera do Estado, de 'garantir' ou de 'assegurar' a realização de certos fins de interesse público (como, *v.g.*, a defesa dos direitos dos cidadãos, a promoção do bem-estar, a segurança pública, o fornecimento de 'serviços de interesse geral'). Confinando-nos aos tradicionais serviços públicos económicos, verifica-se que, abandonado o encargo de, por si mesmo, proceder ao fornecimento, ao 'providing' de bens e serviços, entretanto privatizados, o (agora) 'Estado de Garantia' foi chamado a assumir uma nova posição de garante da realização de dois objectivos ou interesses fundamentais: por um lado, o correcto funcionamento dos sectores e serviços privatizados (cf. artigo 81.º, alínea f), da Constituição), e, por outro, a realização dos direitos dos cidadãos, designadamente dos direitos a beneficiar, em condições acessíveis, de serviços de interesse geral".

[12] Floriano de Azevedo Marques Neto (Finalidades e fundamentos da moderna regulação econômica. *Fórum Administrativo: Direito Público*, Belo Horizonte, n. 100, p. 85-93; 85, jun. 2009) anota, a esse propósito, que: "O Estado, de alguma maneira, sempre interferiu nas relações econômicas. Inicialmente, o fazia editando leis para disciplinar genericamente a ação dos agentes privados, manejava o poder de polícia ou, eventualmente, incumbia-se de algumas atividades de relevância social, elevadas à condição de serviços públicos. Posteriormente, essa intervenção se avulta e a interferência estatal no domínio econômico passa a ser a própria exploração de atividade econômica por ente estatal".

[13] JUSTEN FILHO. *O direito das agências reguladoras independentes*, p. 20.

[14] Segundo Justen Filho (*O Direito das agências reguladoras independentes*, p. 31): "Na doutrina econômica, é usual apontar a regulação estatal como instrumento para suprir as deficiências do mercado. Essa visão foi sendo alterada ao influxo dos acontecimentos, especialmente na segunda metade do século XX. No entanto, pode dizer-se que que a alteração consistiu muito mais numa ampliação da dimensão da regulação do que numa revisão essencial das concepções iniciais". Em sua obra, o autor apresenta a regulação exclusivamente econômica como "a primeira onda regulatória" e a regulação social como a "segunda onda regulatória".

[15] BINENBOJM, Gustavo. *Uma teoria do Direito Administrativo*. Rio de Janeiro: Renovar, 2014. p. 42.

[16] Disponível em: chrome-extension://efaidnbmnnnibpcajpcglclefindmkaj/http://www.biblioteca.presidencia.gov.br/publicacoes-oficiais/catalogo/fhc/plano-diretor-da-reforma-do-aparelho-do-estado-1995.pdf. Acesso em: 9 ago. 2024.

autônomas ao poder político central. Entretanto, o Brasil experimenta a consolidação do Estado Regulador, por outras fontes. Àquilo que interessa ao presente trabalho, foca-se a reconfiguração da atuação dos CPS.

3 A criação dos CPS

Boa parte dos CPS surge a partir da segunda metade do século XX, sempre por iniciativa legislativa. Os Conselhos de Medicina, Federal e Regionais, foram criados em 1957, pela Lei nº 3268. Já os de Farmácia, em 1960, pela Lei nº 3.820 e os de Odontologia, em 1964, pela Lei nº 4.324. Na primeira metade da década de 1970, são criados os de Psicologia e Enfermagem, pelas leis nº 5.766/71 e 5.905/73. Adiante, em 1975, os Conselhos de Fisioterapia e Terapia Ocupacional (Lei nº 6.316). Em 1978, a Lei nº 6.583 cria os Conselhos de Nutrição e, em 1979, os Conselhos de Biomedicina (Lei nº 6.684).

O conteúdo dessas normas todas revela que a preocupação do legislador da época sempre foi a de traçar requisitos mínimos para o exercício das profissões de saúde, mormente pelo risco que se apresentava a prestação de serviços por aqueles que não detinham conhecimento mínimo para tanto. De outro lado, especialmente com a medicina e a odontologia, havia uma preocupação com o status social da profissão. Um respeito deferido pela comunidade, cuja preservação caberia aos conselhos. As respectivas leis, ainda em vigência, conferiam competência a esses conselhos para zelar pelo "bom conceito e prestígio das profissões".[17]

As leis de regência de cada um dos CPS guardam incrível semelhança. É tranquilo afirmar que cada uma teve sua redação inspirada na(s) anterior(es). Em resumo, cria-se um requisito mínimo para o exercício de cada profissão, qual seja o respectivo diploma técnico ou universitário. Estrutura-se o sistema, bipartindo-o em conselhos regionais e federais, organizando a divisão de competências (materiais e procedimentais), a forma de preenchimento dos cargos diretivos (eleições) e o prazo de mandato, estipulando, por fim, as vias de arrecadação de receitas.

4 A natureza jurídica dos CPS e as problemáticas trazidas por Marçal Justen Filho

A quem compreendeu que a expressão "tudo está em Marçal" é um exagero, terá a prova no presente capítulo. O tema da natureza jurídica dos CPS não recebe muita atenção dos manuais clássicos de direito administrativo. Mas o professor Marçal, eu seu *Curso de Direito Administrativo*, não só se dedica ao tema, como também vai ao seu núcleo, mostrando o quão complexa é a questão.[18]

---

[17] "Art. 2º O Conselho Federal e os Conselhos Regionais de Medicina são os órgãos supervisores da ética profissional em toda a República e ao mesmo tempo julgadores e disciplinadores da classe médica cabendo-lhes zelar e trabalhar por todos os meios de seu alcance, pelo perfeito desempenho ético da medicina e pelo prestígio da profissão e dos que a exerçam legalmente."

[18] JUSTEN FILHO. *Curso de Direito Administrativo*. 15. ed. Rio de Janeiro: Forense, 2024. p. 116-118, item 14.4.

Todos os CPS (e isso vale para os conselhos de profissões distintas da saúde) foram criados por lei própria, recebendo estruturação jurídica de autarquia, cujo conceito é "uma solução de cunho organizacional, sendo a ela transferidas algumas competências administrativas de titularidade inerentemente estatal".[19] Trata-se criação de uma nova pessoa jurídica, mediante a aplicação de técnica jurídico-administrativa da descentralização, mecanismo que produz "a transferência de poderes e atribuições para um sujeito de direito distinto e autônomo. Portanto, a descentralização acarreta a existência de um número maior de sujeitos titulares de poderes públicos".[20]

Essa transferência de poder, entretanto, não tem um conteúdo absoluto. Como bem explica Justen Filho, há uma disciplina organizacional prevista no Decreto-Lei nº 200/1967, que estrutura uma dinâmica de descentralização, prevendo os perfis ordinários[21] de pessoas jurídicas a serem criadas pela Administração Pública Federal, incluindo a autarquia. E dentro daquilo concebido tradicionalmente no processo de descentralização, há o que se denomina como o poder de tutela sobre a autarquia, que é o "controle exercitado pela Administração direta sobre os sujeitos da Administração indireta que estão a ele vinculados".[22]

Dessa forma, ordinariamente a Administração cria uma pessoa jurídica sob o manto autárquico, delegando a ela competências, concedendo autonomia para o seu exercício. Contudo, preserva para si um poder hierárquico, seja revisional ou até interventivo. Mas essa regra geral não se aplica aos CPS, como explica Justen Filho:

> Em rigor, no entanto, atribuir a esses entes a natureza autárquica gera problemas jurídicos relevantes. Essas entidades não se subordinam ao poder de tutela jurídico do Estado brasileiro. A escolha, a indicação e a investidura nas funções de administradores dessas entidades decorrem de escolhas dos integrantes da categoria. Por isso, afirmava-se que essas entidades não eram propriamente integrantes da estrutura administrativa estatal, mas manifestações da própria sociedade civil, ainda que exercitassem competências tipicamente estatais.[23]

Essa afirmação acerca da não vinculação estatal dos CPS chegou ao legislativo, que, em 1998, intentou alterar a personalidade jurídica dos "serviços de fiscalização de profissões", enquadrando-os como entidades de caráter privado a exercer funções públicas em razão de delegação (art. 58 da Lei nº 9.649). Entretanto, em 2003, o Supremo Tribunal Federal (STF) julgou tal dispositivo inconstitucional, em resumo por ver indelegáveis certas atividades típicas de Estado, "que abrange até poder de polícia, de

---

[19] JUSTEN FILHO. *Curso de Direito Administrativo*, p. 116.

[20] JUSTEN FILHO. *Curso de Direito Administrativo*, p. 107.

[21] Destaca-se essa expressão, em razão de advertência trazida por Justen Filho (*Curso de Direito Administrativo*, p. 111), pela qual há tranquila possibilidade de previsão legislativa para criar pessoas jurídicas com perfis específicos, inovando ou escapando do conteúdo do inciso II do art. 4º do Decreto-Lei nº 200/1967. Diz o jurista: "Costuma-se examinar a esquematização contida no diploma como se fosse uma solução final e imutável. Mas o Dec.-Lei 200/1967 não tem hierarquia normativa superior a nenhuma lei federal ordinária. Não se trata de lei complementar. Portanto, a disciplina ali contida pode ser alterada por qualquer lei federal posterior.

[22] JUSTEN FILHO. *Curso de Direito Administrativo*, p. 114.

[23] JUSTEN FILHO. *Curso de Direito Administrativo*, p. 116.

tribur e de punir, no que tange ao exercício de atividades profissionais".[24] Os CPS, dessa forma, seguiram não só compreendidos como autarquias e, portanto, pertencentes à estrutura da Administração Pública Federal. Mas, ainda assim, não submetidos ao *poder de tutela* da Administração central.

5 O caráter híbrido (ou de autorregulação imposta) da regulação promovida no âmbito dos CPS – as lições de Vital Moreira

Os problemas apontados por Justen Filho acerca da real natureza jurídica dos CPS tinham sua razão de ser. Diz-se isso, especialmente porque o objeto daquilo que disciplinavam foi durante muito tempo de interesse preponderantemente privado, *interna corporis*, dizendo respeito somente aos profissionais das categorias de saúde. Para desvendar essa questão (interesses privados objeto de regulação pública), o professor Marçal se valeu das lições de Vital Moreira,[25] jurista lusitano que publicou, em 1997, relevante obra sobre o tema: *Auto-regulação profissional e Administração Pública*.[26] Aqui se fará o mesmo.

Nesta valiosa obra, Moreira dá certo alívio a quem imagina certas extravagâncias tipicamente brasileiras, pois informa que a autorregulação das profissões por meio de um "estatuto jurídico-público"[27] é regra na Europa continental. Ensina que a "auto-regulação é legalmente estabelecida; os organismos auto-regulatórios dispõem de poderes típicos das autoridades públicas. As normas de regulação profissional são para todos os efeitos normas jurídicas dotadas de coercibilidade".[28]

Dessa forma, por meio da respectiva lei de regência, são fixadas as condições-base para o exercício da profissão e conferidos aos CPS as competências para: organizar o exercício da profissão, por meio das normas de conduta; arrecadar as verbas necessárias ao seu funcionamento; fiscalizar e punir aqueles profissionais que descumprirem as normas criadas no âmbito da autorregulação. Esse plexo de competências, como advertiu o STF, só pode ser exercido na sua inteireza por entidades pertencentes à estrutura pública. Ou seja, a regulação só é pública para "organizar ou reconhecer oficialmente a organização profissional, para estabelecer as suas atribuições e definir a sua competência".[29] Assim, "ao remeter certo domínio para a auto-regulação o Estado prescinde de regular diretamente essa matéria. O regime substantivo, material, passa a competir às normas do próprio agrupamento".[30]

Em um bom resumo, há substancial complexidade na regulação promovida pelos CPS, na medida em que, materialmente, as normas de conduta são construídas

---

[24] BRASIL. Supremo Tribunal Federal (Pleno). ADI 1.717/DF. Relator: Min. Sydney Sanches, 7 de novembro de 2002. *Dje*: Brasília, DF, 28 mar. 2003.

[25] JUSTEN FILHO. *Curso de Direito Administrativo*. p. 116, nota n. 9.

[26] MOREIRA, Vital. *Auto-regulação profissional e administração pública*. Coimbra: Almedina, 1997.

[27] "(...) nos sistemas de direito administrativo continental, o exemplo mais típico de auto-regulação profissional é a das ordens profissionais, que são organismos de regulação das chamadas profissões liberais" (MOREIRA. *Auto-regulação profissional e administração pública*, p. 88).

[28] MOREIRA. *Auto-regulação profissional e administração pública*, p. 88.

[29] MOREIRA. *Auto-regulação profissional e administração pública*, p. 75.

[30] MOREIRA. *Auto-regulação profissional e administração pública*, p. 75.

preponderantemente pelo próprio coletivo de profissionais, revelando-se assim como autorregulação. Mas, é também regulação pública (heterorregulação), na perspectiva estrutural, porque a entidade reguladora tem poderes típicos do Estado para exercer sua competência regulatória coercitiva e punitiva. Moreira denomina essa combinação de "autorregulação imposta", pela qual "uma profissão é obrigada ou designada pelo Governo para estabelecer, aplicar e executar as normas".[31] "A auto-regulação opõe-se aqui à regulação estadual, por um lado, e à auto-regulação privada, por outro".[32][33]

6 Objeto e sujeitos da regulação promovida no âmbito dos CPS

É preciso seguir na carona de Moreira. Nesse relevante e singular trabalho, o professor português ensina que "o âmbito da auto-regulação depende da lei ou outro acto das autoridades públicas. A lei estadual tanto pode devolver integralmente para a instância auto-regulatória toda a formulação das normas (...), como definir desde logo em maior ou menor medida o regime regulador".[34]

A realidade brasileira revela que houve uma forte delegação legislativa para que fosse de competência dos CPS a criação das normas deontológicas "aquelas que estabelecem deveres de conduta".[35][36] É bem verdade que para várias dessas profissões foram editadas leis próprias, fosse para definição de competências profissionais exclusivas ou ainda para impor certas condutas quando do exercício profissional. Por exemplo, o Decreto-Lei nº 4.113/1942 definiu proibições específicas de anúncios realizados por médicos, dentistas e farmacêuticos. Em 1966, editou-se a Lei nº 5.081, com conteúdo específico a regulamentar o exercício da odontologia. Já a Lei nº 5.991/1973 listou o conjunto de atividades a serem desenvolvidas em farmácias, por profissionais farmacêuticos exclusivamente. E, para finalizar os exemplos, no ano de 2013, foi editada a Lei nº 12.842, conhecida como a Lei do Ato Médico, a qual estabeleceu quais atividades são privativas dos profissionais da medicina

---

[31] MOREIRA. *Auto-regulação profissional e administração pública*, p. 79.

[32] MOREIRA. *Auto-regulação profissional e administração pública*, p. 54.

[33] Fernando Aith chega à mesma conclusão: "Estas profissões contam com Conselhos Profissionais que possuem ao mesmo tempo um poder de autorregulação (pois os Conselhos são formados e constituídos apenas pelos respectivos profissionais que fazem normas voltadas para a própria classe) e um poder estatal de regulação (pois esses mesmos Conselhos são autarquias federais criadas por lei e com poderes normativos e fiscalizatórios estatais, incluindo o exercício do poder de polícia). Pode-se afirmar, assim, que no modelo brasileiro os Conselhos Profissionais assumem uma natureza jurídica híbrida, pois são ao mesmo tempo instituições corporativas de autorregulação profissional e instituições estatais de regulação" (AITH, Fernando. O interesse público na regulação estatal das profissões de saúde. *Jota*, São Paulo, 2 dez. 2022. Disponível em: https://www.jota.info/opiniao-e-analise/colunas/coluna-fernando-aith/o-interesse-publico-na-regulacao-estatal-de-profissoes-de-saude-02122022. Acesso em: 23 ago. 2024).

[34] MOREIRA. *Auto-regulação profissional e administração pública*, p. 70.

[35] COLTRI. Marcos. DANTAS. Eduardo. *Comentários ao Código de Ética Médica*. 4. ed. São Paulo: Juspodivm. 2022. p. 43.

[36] Na lei de criação dos Conselhos de Medicina, art. 5º, alínea "d": "São atribuições do Conselho Federal: votar e alterar o Código de Deontologia Médica, ouvidos os Conselhos Regionais". Na lei dos Conselhos de Odontologia, art. 4º, alínea d: "São atribuições do Conselho Federal: votar e alterar o Código de Deontologia Odontológica, ouvidos os Conselhos Regionais". Na lei dos Conselhos de Farmácia, art. 6º, alínea i: "São atribuições do Conselho Federal: organizar o Código de Deontologia Farmacêutica". Na lei dos Conselhos de Enfermagem, art. 8º, inciso III: "Compete ao Conselho Federal: elaborar o Código de Deontologia de Enfermagem e alterá-lo, quando necessário, ouvidos os Conselhos regionais".

Dessa forma, embora não absolutamente, as normas de conduta a serem seguidas pelos profissionais de saúde passaram a estar preponderantemente na normatização estabelecida pelos próprios CPS (em última análise, eventualmente concorrendo com prescrição estabelecidas em lei formal). Havia, como ainda há, um código de ética profissional, editado por meio de resolução. Além da codificação deontológica, surgiram certas determinações esparsas em outras normas resolutivas (*e.g.*, normas de publicidade médica organizadas em resolução própria).[37]

No nascer dos CPS, o objeto da regulação é a conduta. Os códigos de ética estabelecem como os profissionais devem exercer sua profissão. Por exemplo, como o profissional deve se identificar, quais são os limites publicitários da profissão, como deve agir com pacientes, com colegas de profissão, com alunos ou participantes em pesquisa clínica. De outra mão, raramente se encontrava um rol das atividades exclusivas de cada profissão de saúde (e isso acabou gerando um problema).

Nessa autorregulação, os profissionais de saúde ocupam preponderantemente o papel de sujeito passivo da norma, recaindo sobre ele o dever de agir ou deixar de agir de determinada maneira. Excepcionalmente, podem se enquadrar na figura de sujeito ativo, especialmente quando a autorregulação impõe deveres de um profissional em relação ao outro. Mas a regra geral é o paciente quem ocupa a posição de sujeito ativo.

7 A alteração do objeto e dos sujeitos submetidos à autorregulação dos CPS

Como dito, durante muito tempo, a regulação das profissões de saúde interessava quase que exclusivamente aos próprios profissionais. A preocupação era o adequado exercício profissional e a lealdade concorrencial. Claro, todos os códigos de ética identificavam o paciente como principal beneficiário da prestação profissional. Mesmo assim, o que afetava o paciente não era a regulação em si, mas seu descumprimento e os danos derivados dessa má-conduta. Em última instância, a autorregulação funcionava como mais uma camada protetiva para o paciente, construindo mais uma esfera de responsabilização (para além da administrativa, civil e penal).

Quando da concepção da autorregulação, a prestação de serviços de saúde se vinculava preponderantemente ao exercício das profissões liberais, caracterizadas por: "a) conhecimento técnico (gênero das espécies científico e manual), predominantemente intelectual; b) sobre profissão/atividade de serviço regulamentada; c) livremente exercida, com independência; d) relação de confiança *intuitu personae*".[38] A regulação de profissões liberais tinha como palco uma atividade predominantemente pessoal. A atuação profissional era consideravelmente diminuta, basicamente porque o prestador tinha limitações que o impediam de escalar sua atividade, fosse pela falta de recursos (financeiros, estruturais, tempo etc.), fosse porque o caráter personalíssimo marca as profissões liberais.

---

[37] Atualmente vige a Resolução CFM nº 2.363/2023.

[38] CRUZ, Guilherme. A Responsabilidade do Profissional Liberal. *In:* CRUZ, Guilherme. *Sistema de responsabilidade civil das relações de consumo*. São Paulo: Revista dos Tribunais, 2023. Disponível em: https://www.jusbrasil.com.br/doutrina/sistema-de-responsabilidade-civil-das-relacoes-de-consumo-ed-2023/2485141679. Acesso em: 21 ago. 2024.

Mas a saúde seguiu a tendência de tantos outros setores da sociedade e evoluiu. Não sendo uma atividade privativa do Estado, acompanhou inúmeros comportamentos do mercado. Um deles foi a transformação prestacional, que passou a ser executada por meio de empresas, cujos sócios já não mais eram somente os de formação em ciências humanas. Aliás, essas empresas, hoje, têm aporte ou participações de grupos financeiros, de fundos de investimentos nacionais e estrangeiros, bem como tantas outras formas concebidas pelo mercado financeiro. O profissional de saúde, claro, está inserido nessas estruturas todas, mas é apenas parte dessa complexa engrenagem.

Além disso, a cadeia prestacional já não mais se resume à relação paciente/prestador. Atualmente, existem empresas que intermediam essas relações (como operadoras de planos de saúde e de cartões de benefícios). E a cadeia prestacional se tornou muito mais complexa. Os prestadores executam diretamente, ou terceirizam, muito mais atividades-meio, tais como exames, hotelaria, limpeza, segurança, gestão de dados, *softwares*, aplicativos para as mais variadas finalidades, gestão de resíduos etc.

Com essa robusta ampliação e alteração da realidade da saúde, vários outros atores passaram a se submeter ou serem impactados pela regulação promovida no âmbito dos CPS, ainda que não tenham vinculação alguma com esses Conselhos. Exemplo disso, é a Resolução CFM nº 2.299/2021, que regulamenta a emissão de documentos médicos eletrônicos. O art. 8º da resolução gera obrigações para "instituições proprietárias ou mantenedoras de portais e plataformas" para emissão de documentos eletrônicos, mesmo que essas entidades não prestem nenhum serviço de saúde.[39]

O próprio perfil dos serviços de saúde foi significativamente ampliado. Nos últimos anos, cresceu demasiadamente a oferta de prestações meramente estéticas, que não têm como objetivo o tratamento ou prevenção de doenças. Esses serviços são prestados no âmbito de inúmeras profissões, gerando uma concorrência interprofissional até então inexistente. Aqui, o exemplo clássico é a aplicação da toxina botulínica. Vários CPS editaram normas legitimando essa prática por seus profissionais (*e.g.*, Conselhos de Fisioterapia – acórdão CFFITO 6090/2023,[40] Conselhos de Odontologia – Resolução CFO nº 176/2016[41] e Conselhos de Enfermagem – Resolução COFEN nº 529/2016).[42] A partir desses fatos, a regulação dos CPS começou a afetar uns aos outros, revelando-se que a atividade passou a ser também instrumento de defesa concorrencial corporativa.

Finalmente, não se pode ignorar o impacto da própria evolução tecnológica no setor da saúde, com consequente influência na regulação. Nesse sentido, é valiosa a opinião de Nelson Rosenvald:

> Esse volume é um palco iluminado das interseções entre direito e medicina no primeiro quartel do século XXI. Um cenário bem distante do século passado ou, até mesmo, de algumas décadas atrás. O avanço da medicina foi assombroso, admirável. O caminhar da

---

[39] Disponível em: chrome-extension://efaidnbmnnnibpcajpcglclefindmkaj/https://sistemas.cfo.org.br/visualizar/atos/RESOLU%C3%87%C3%83O/SEC/2016/176. Acesso em: 23 ago. 2024; Disponível em: chrome-extension://efaidnbmnnnibpcajpcglclefindmkaj/https://sistemas.cfm.org.br/normas/arquivos/resolucoes/BR/2021/2299_2021.pdf. Acesso em: 23 ago. 2024.

[40] Disponível em: http://www.abmes.org.br/legislacoes/detalhe/4296/acordao-coffito-n-609. Acesso em: 23 ago. 2024.

[41] Disponível em: chrome-extension://efaidnbmnnnibpcajpcglclefindmkaj/https://sistemas.cfo.org.br/visualizar/atos/RESOLU%C3%87%C3%83O/SEC/2016/176. Acesso em: 23 ago. 2024.

[42] Disponível em: https://www.cofen.gov.br/resolucao-cofen-no-05292016/. Acesso em: 23 ago. 2024.

genética nos convida a debater delicados dilemas éticos. Amadurece o biodireito, para cuja formulação confluem, além do direito, a medicina e a ética. As células-tronco surgem como luminosa esperança para doenças antes incuráveis e a edição gênica é mais do que uma simples possibilidade. Algoritmos definem procedimentos e se colocam como tecnologia de ponta em procedimentos cirúrgicos. Cresce vertiginosamente o conhecimento tecnológico humano, embora a resposta jurídica seja sempre insuficiente e lenta. Fato é que estamos realmente muito distantes da medicina em boa parte intuitiva, outrora desempenhada.[43]

O pensamento de Rosenvald é de significativa relevância, especialmente porque revela que a prestação dos serviços de saúde passou a ser instrumento para a satisfação de uma série de direitos individuais e fundamentais. Não só o direito à vida e à saúde, mas também, por exemplo, o direito à autodeterminação (incluindo o de não ser obrigado a se submeter a tratamento ou ainda à identificação de gênero), o direito ao planejamento familiar (pela possibilidade de formação de família por vias alternativas de concepção) e o direito da mulher em optar pelo aborto nas hipóteses de gravidez resultante de estupro.

No cenário atual, a regulação promovida no âmbito dos CPS, na perspectiva de normatização da atuação de seus respectivos profissionais, passa não só a ter maior grau de importância social, porque extrapola em muito o ambiente *interna corporis* (ampliando-se demasiadamente o objeto da regulação), como também passa incidir sobre o paciente de maneira diversa da anterior, colocando-o como sujeito da regulação, na medida em que as atividades reguladas pelos CPS se tornam instrumento para o exercício de direitos individuais.

8 A constitucionalização dos direitos fundamentais e a alteração da função dos CPS

A evolução no campo privado foi acompanhada da alteração do papel do Estado em relação à saúde do cidadão. Quando da criação dos CPS, a satisfação das necessidades de saúde não era uma função estatal. Naquela antiga realidade, a assistência à saúde não só ocupava papel pequeno na sociedade brasileira, como sua execução estava concentrada no âmbito privado, ainda que parcela dessa prestação ocorresse de modo beneficente. Havia prestação estatal de serviços de saúde, certamente. Mas as ações públicas com esse perfil eram aleatórias e não sistêmicas, não tendo como fonte uma previsão constitucional que consagrasse a saúde como direito do cidadão, tampouco uma imposição do mesmo quilate atribuindo ao Estado a incumbência de satisfazer esse direito.

Mas isso mudou radicalmente quando do advento da Constituição de 88. A saúde não só se consolidou como um direito, mas de categoria fundamental. Além da previsão expressa como direito social (direito fundamental de terceira geração),[44] a Constituição

---

[43]   ROSENVALD, Nelson. Prefácio à primeira edição. *In:* NETO, Miguel; NOGAROLI, Rafaella. *Debates Contemporâneos em Direito Médico e da Saúde.* São Paulo: Revista dos Tribunais, 2023. Disponível em: https://www.jusbrasil.com.br/doutrina/debates-contemporaneos-em-direito-medico-e-da-saude-ed-2023/1804175589. Acesso em: 23 ago. 2024.

[44]   Segundo Justen Filho (*Curso de Direito Administrativo*, p. 62), os direitos fundamentais de terceira geração envolvem "a prestação dos serviços públicos por parto do Estado, incluindo educação, saúde e outras necessidades".

cuidou de direcionar ao Estado o dever de atendimento a esse direito (art. 196). Mais do que impor esse dever, a Constituição cuidou de definir de qual forma o Estado haveria de atuar para cumprir sua missão. No próprio art. 196, a Constituição coloca a prestação de serviços voltados à recuperação do indivíduo como última alternativa. À frente estão ações de proteção, promoção e prevenção da saúde. Portanto, é dever do Estado criar camadas para que o indivíduo tenha uma vida saudável e que não adoeça. Se tais objetivos não forem alcançados, a assistência integral surge como obrigação prestacional.

Além disso, a Constituição, ainda no art. 196 (que se vê, de conteúdo riquíssimo), dispõe que é dever do Estado garantir aos cidadãos, mediante políticas públicas (sociais e econômicas), acesso universal e igualitário às ações e serviços de saúde. E aqui está a chave para se compreender os novos contornos da atuação normativa dos CPS. O constituinte criou uma política pública de satisfação do direito fundamental – o Sistema Único de Saúde (SUS).[45] Uma vez posta a política pública, as políticas regulatórias consequentes acabam por ser "a escolha dos meios e instrumentos que, no âmbito das competências regulatórias, melhor se coadunam para, de forma eficiente, ensejar o atingimento das políticas públicas setoriais".[46] Nessa perspectiva, cabe agora aos CPS a escolha dos instrumentos mais adequados para colaborar na satisfação dos objetivos e cumprimento das obrigações instituídas na política pública.

Relembre-se, como visto no item 4 deste artigo, que os CPS têm roupagem pública, precisamente para poder editar normas com força cogente. Se a norma é de caráter público, ainda que esse caráter seja instrumento para revelar a vontade do coletivo profissional de como se autorregular, não só não poderá a regulação se afastar das obrigações impostas constitucionalmente ao Estado, como também não poderá se revelar como obstáculo para a satisfação desse direito fundamental (aliás, nem a norma privada o poderia).

Avançando no raciocínio, os CPS são parte da estrutura estatal, ainda que se possa reconhecer certas excentricidades derivadas de seu caráter híbrido. E a Constituição não excepcionou certas parcelas do Estado como não submetidas ao dever de promover e garantir o direito fundamental à saúde. "Dessa forma, não se pode emprestar interpretação à norma constitucional que a afaste de sua principal finalidade ou que limite opções estatais para alcançar os fins definidos na Constituição Federal de 1988".[47] E não é demais se socorrer mais uma vez das lições do professor Marçal, que reforça que "todas as posições jurídicas são delimitadas e ordenadas de acordo com os direitos fundamentais. Nenhuma faculdade, proibição ou comando jurídico pode ser interpretado de modo dissociado dos direitos fundamentais".[48]

---

[45] "O SUS é uma política pública dotada de elementos que exigem um modelo de gestão mais condizente com as tendências atuais da moderna administração pública, que deve atuar mais próxima do cidadão e mediante permanente articulação entre os entes políticos. A instituição de uma rede interfederativa de saúde altera substancialmente a forma de relacionamento entre os entes políticos, que passam a discutir, sem hierarquia, os interesses e as realidades locais, as diversidades culturais, econômicas e sociais dos territórios" (AITH, Fernando; DALLARI, Analluza. A Digitalização do Prontuário de Pacientes do Sistema Único de Saúde e a Criação de uma Plataforma Única de Armazenamento de Dados: Vulnerabilidades e Adequação com a LGPD. *In*: AITH, Fernando; DALLARI, Analluza. LGPD na saúde digital. São Paulo: Revista dos Tribunais, 2022. Disponível em: https://www.jusbrasil.com.br/doutrina/lgpd-na-saude-digital/1620615596. Acesso em: 23 ago. 2024).

[46] MARQUES NETO, Floriano de Azevedo. *Agências reguladoras independentes*. Belo Horizonte: Fórum, 2005. p. 86.

[47] GUIDI, Silvio. *Serviços públicos de saúde*: credenciamento, permissão e Parcerias Público-Privadas. São Paulo: Quartier Latin, 2019. p. 105.

[48] JUSTEN FILHO. *Curso de Direito Administrativo*, p. 44.

O que sucede, portanto, a partir da virada constitucional que consagra a saúde como direito fundamental e aloca ao Estado o dever de satisfação desse direito, é que a autorregulação pública dos CPS não se presta mais à finalidade *interna corporis*. A regulação profissional agora é meio para que esses CPS atuem em favor da satisfação do direito fundamental à saúde. Evidentemente, há de se entender esse dever dentro do conjunto de competências atribuídas. Se a lei atribui funções regulatórias (e não prestacionais, por exemplo), a contribuição para a satisfação do direito fundamental à saúde se dará a partir da regulação profissional.

Os CPS passam, inclusive, a ser parte integrante do SUS. Aliás, o inciso II do art. 200 da Constituição deixa evidente que uma das competências do SUS é a ordenação da formação dos recursos humanos na área da saúde. A ordenação, conceito que compreende a regulação,[49] tem como parâmetro a construção das profissões para que os desígnios do SUS sejam atendidos. É função a ser exercida tanto no período da graduação (técnica ou profissional), quanto do exercício profissional, moldando sua execução de maneira sinérgica às finalidades do SUS.

Compreendidas as condições constitucionais, que conformam as atividades dos CPS às normas do SUS, tem-se adequado parâmetro de constitucionalidade das normas editadas pelos CPS. Está-se a falar que as normas reguladoras editadas devem ir ao encontro das finalidades do SUS (pois o atingimento desses fins significará o cumprimento da obrigação constitucional de satisfação do direito fundamental), em especial: acesso universal e igualitário, com prioridade às ações de promoção e prevenção da saúde, sem prejuízo das assistenciais. Dessa forma, normas que limitarem o acesso às ações e serviços de saúde hão de ser consideradas inconstitucionais, ainda que editadas anteriormente à Constituição de 1988 (diz-se aqui da não recepção dessas normas pelo ordenamento jurídico vigente). Esse raciocínio, aliás, é aplicável também às leis anteriores à Constituição, não raramente utilizadas como base de legitimidade para a edição de normas reguladoras por parte dos CPS.

9 Aproximação da regulação promovida pelos CPS com o modelo de regulação independente por agência

Após a compreensão do impacto, nos CPS, da virada constitucional de centralidade dos direitos fundamentais, fica fácil compreender sua proximidade com a figura das agências independentes. Justen Filho aloca ambos na categoria de autarquias especiais. E destaca o núcleo fundamental dessas autarquias consiste "na ausência de submissão da entidade, no exercício de suas competências, à interferência de outros entes federativos".[50]

Para revelar as características das agências reguladoras independentes, Justen Filho se vale do art. 3º da Lei das Agências Reguladoras, Lei nº 13.849/2019, quais

---

[49] "A função conformadora [ou ordenadora] é o conjunto de poderes para editar regras, produzir decisões e promover sua execução concreta visando a conformar, dentro de certos limites, liberdades e direitos individuais, como meio de produzir a harmonia social. (...) A função administrativa regulatória envolve uma manifestação diferenciada e peculiar da função conformadora antes referida. É composta por poderes para disciplinar setores empresariais, dispondo sobre conduta individual e coletiva" (JUSTEN FILHO. *Curso de Direito Administrativo*, p. 19-20).

[50] JUSTEN FILHO. *Curso de Direito Administrativo*, p. 115.

sejam: ausência de tutela ou subordinação hierárquica; autonomia funcional, decisória, administrativa e financeira; investidura a termo de seus dirigentes e estabilidade durante os mandatos. Além disso, as agências independentes têm competência para regular determinado setor econômico. Por tudo isso, é tranquilo afirmar a inegável semelhança com as características dos CPS.

Parece, no entanto, não haver tanta utilidade no esforço de dizer se os CPS são ou não agências independentes. A propósito disso, a referida Lei de Agências Reguladoras não os incluiu no rol taxativo das entidades consideradas como tal. O mais relevante, para concluir o presente artigo, é entender que atualmente os CPS têm novo conteúdo, bastante diferente daquele concebido que de sua criação. Estão atualmente inseridos em um modelo de regulação moderno, pelo qual o Estado se vale da função regulatória não mais para corrigir falhas de mercado, mas principalmente como instrumento de satisfação dos direitos fundamentais. E para esses fins, os CPS são inegavelmente o Estado. E a regulação promovida pelas agências reguladoras independentes tem precisamente essa função.

Diante disso, já é momento de os CPS e de a sociedade como um todo reconhecerem esse novo papel, especialmente para que a conquista e a perpetuação do direito à saúde sigam o caminho daquilo que se denomina a melhor regulação. Trata-se da aplicação de técnicas que forjam a regulação por meio de processo decisório participativo, dotado de contraditório, inclusivo, imparcial e que não mais objetiva interesses corporativos. Principalmente, os CPS precisam criar instrumento de diálogo e consenso entre si e com as demais parcelas e agentes do Estado que formam o SUS. É necessária a compreensão de que, para o cidadão, as várias regulações setoriais formarão um plexo normativo em favor da satisfação do direito fundamental à saúde.

Referências

AITH, Fernando; DALLARI, Annalluza. A Digitalização do Prontuário de Pacientes do Sistema Único de Saúde e a Criação de uma Plataforma Única de Armazenamento de Dados: Vulnerabilidades e Adequação com a LGPD. *In*: AITH, Fernando; DALLARI, Annalluza. *LGPD na saúde digital*. São Paulo: Revista dos Tribunais, 2022. Disponível em: https://www.jusbrasil.com.br/doutrina/lgpd-na-saude-digital/1620615596. Acesso em: 23 ago. 2024.

AITH, Fernando. O interesse público na regulação estatal das profissões de saúde. *Jota*, São Paulo, 2 dez. 2022. Disponível em: https://www.jota.info/opiniao-e-analise/colunas/coluna-fernando-aith/o-interesse-publico-na-regulacao-estatal-de-profissoes-de-saude-02122022. Acesso em: 23 ago. 2024.

BINENBOJM, Gustavo. *Uma teoria do Direito Administrativo*. Rio de Janeiro: Renovar, 2014.

BRASIL. Supremo Tribunal Federal (Pleno). ADI 1.717/DF. Relator: Min. Sydney Sanches, 7 de novembro de 2002. *Dje*: Brasília, DF, 28 mar. 2003.

COLTRI, Marcos; DANTAS, Eduardo. *Comentários ao Código de Ética Médica*. 4. ed. São Paulo: Juspodivm, 2022.

CRUZ, Guilherme. A Responsabilidade do Profissional Liberal. *In*: CRUZ, Guilherme. *Sistema de responsabilidade civil das relações de consumo*. São Paulo: Revista dos Tribunais, 2023. Disponível em: https://www.jusbrasil.com.br/doutrina/sistema-de-responsabilidade-civil-das-relacoes-de-consumo-ed-2023/2485141679. Acesso em: 21 ago. 2024.

DELFIM NETTO, Antonio. *Folha de S.Paulo*, São Paulo, 22 jun. 2006. Disponível em: https://www1.folha.uol.com.br/fsp/opiniao/fz2203200607.htm. Acesso em: 21 ago. 2024.

DI PIETRO, Maria Sylvia Zanella. *Parcerias na Administração Pública*: concessão, permissão, franquia, terceirização, Parceria Público-Privada. 13. ed. Rio de Janeiro: Forense, 2022.

GONÇALVES, Pedro. Regulação, eletricidade e telecomunicações. *In*: GONÇALVES, Pedro. *Direito Público e regulação*. Coimbra: Coimbra Editora, 2008. v. 7.

GUIDI, Silvio. *Aspectos polêmicos da qualificação técnica nas obras e serviços de engenharia*. Orientador: Ivan Lelis Bonilha. 2003. Trabalho de Conclusão de Curso (Graduação em Direito) – Faculdade de Direito de Curitiba, Curitiba, 2003.

GUIDI, Silvio. Reintegração ao cargo público: aspectos relevantes e orientação jurisprudencial. *Revista de Direito Administrativo Contemporâneo: ReDAC*, São Paulo, v. 2, n. 4, p. 45-61, jan. 2014.

GUIDI, Silvio. *Serviços públicos de saúde*: credenciamento, permissão e Parcerias Público-Privadas. São Paulo: Quartier Latin, 2019.

JUSTEN FILHO, Marçal. *Comentários à Lei de Licitações e Contratos Administrativos*. 17. ed. São Paulo: Revista dos Tribunais, 2016.

JUSTEN FILHO, Marçal. *Curso de Direito Administrativo*. 10. ed. São Paulo: Revista dos Tribunais, 2014.

JUSTEN FILHO, Marçal. *Curso de Direito Administrativo*. 15. ed. Rio de Janeiro: Forense, 2024.

JUSTEN FILHO, Marçal. *O Direito das agências reguladoras independentes*. São Paulo: Dialética, 2002.

JUSTEN FILHO, Marçal. *O estatuto da microempresa e as licitações públicas*. São Paulo: Dialética, 2007.

JUSTEN FILHO, Marçal. *Teoria geral das concessões de serviço público*. São Paulo: Dialética, 2003.

MARQUES NETO, Floriano de Azevedo. *Agências reguladoras independentes*. Belo Horizonte: Fórum, 2005.

MARQUES NETO, Floriano de Azevedo. Finalidades e fundamentos da moderna regulação econômica. *Fórum Administrativo: Direito Público*, Belo Horizonte, n. 100, p. 85-93, jun. 2009.

MOREIRA, Vital. *Auto-regulação profissional e Administração Pública*. Coimbra: Almedina, 1997.

ROSENVALD, Nelson. Prefácio à primeira edição. *In*: NETO, Miguel; NOGAROLI, Rafaella. *Debates Contemporâneos em Direito Médico e da Saúde*. São Paulo: Revista dos Tribunais, 2023. Disponível em: https://www.jusbrasil.com.br/doutrina/debates-contemporaneos-em-direito-medico-e-da-saude-ed-2023/1804175589. Acesso em: 23 ago. 2024.

WAPSHOTT, Nicholas. *Keynes x Hayek*: as origens – e a herança – do maior duelo econômico da história. Tradução: Ana Maria Mandim. 6. ed. Rio de Janeiro: Record, 2021.

Informação bibliográfica deste texto, conforme a NBR 6023:2018 da Associação Brasileira de Normas Técnicas (ABNT):

GUIDI, Silvio. A reconfiguração da regulação promovida pelos Conselhos Profissionais de Saúde (CPS) ao modelo de agências reguladoras independentes. *In*: JUSTEN, Monica Spezia; PEREIRA, Cesar; JUSTEN NETO, Marçal; JUSTEN, Lucas Spezia (coord.). *Uma visão humanista do Direito*: homenagem ao Professor Marçal Justen Filho. Belo Horizonte: Fórum, 2025. v. 3, p. 525-539. ISBN 978-65-5518-915-5.

HOMENAGEM AO LEGADO REGULATÓRIO DE MARÇAL JUSTEN FILHO: BREVES ANOTAÇÕES ACERCA DA ANÁLISE DE IMPACTO REGULATÓRIO (AIR)

THAÍS MARÇAL

1 Do homenageado

Marçal Justen Filho marca diversas gerações de pessoas que estudam Direito Público. Essa é uma premissa inquestionável. Seu nome é indissociável da matéria licitações e contratos administrativos, fruto de sua dedicação incomparável, seja sob o ponto de vista de produção intelectual escrita, seja oral.

Orador impecável, suas palestras arrebatam o público, com a clareza de ideia de que apenas os grandes mestres são detentores. A paixão com que explana é demonstração fidedigna de seu amor pelo Direito Público.

A inovação de suas ideias sempre perspicazes são inspiradoras para que sejamos todos incentivados a pensar "fora da caixa".

Seu texto "O meio é a mensagem. Há futuro para o Direito Administrativo? Do manual ao Instagram"[1] é a comprovação de seu engajamento com o ensino do Direito Administrativo contemporâneo.

Seu *Curso de Direito Administrativo* se encontra na sua 15ª edição! Seus *Comentários à Lei de Licitações de Contratos Administrativos* é instrumental básico para todos que atuam nas contratações públicas.

Sua obra *Introdução ao estudo do Direito*[2] é disruptiva da captura das normas sobre Direito pelo Direito Privado. Salve a LINDB!

---

[1] JUSTEN FILHO, Marçal. O meio é a mensagem. Há futuro para o Direito Administrativo? Do manual ao Instagram. *Fórum Administrativo: FA*, Belo Horizonte, v. 19, n. 223, p. 81-89, set. 2019.

[2] JUSTEN FILHO, Marçal. *Introdução ao estudo do Direito*. 2. ed. Rio de Janeiro: Forense, 2021.

Suas obras coletivas são marca de reunião dos melhores estudos de temas contemporâneos! Destaco aqui: *Estatuto jurídico das empresas estatais*,[3] *Parcerias Público- Privadas*[4] e *O regime diferenciado de contratações públicas*.[5] Todas essas obras saíram, quase que concomitantes, à edição dos diplomas legislativos correspondentes, fato que ratifica a intenso e constante dedicação do Professor Marçal ao que é mais atual no Direito Público.

Não posso deixar de registrar seu memorável livro *Reforma da Lei de Improbidade Administrativa*.[6] O primeiro a sair sobre a Lei nº 14.230/2021! Serviu de bússola para a compreensão das alvissareiras alterações do regime da probidade pública.

Suas diversas citações pelas Cortes Superiores confirmam sua liderança doutrinária acerca de temas fundamentais do Direito Administrativo na formação da jurisprudência brasileira.

Sua obra é de citação obrigatória para trabalhos acadêmicos e como fonte do Direito em peças jurídicas.

Enfim, nunca é demais agradecer ao Professor Marçal Justen Filho por seu legado ao Direito Administrativo de ontem, hoje e de amanhã. Obrigada, Professor!

2 Da Análise de Impacto Regulatório (AIR)

Inovações legislativas sempre dependem de um aculturamento da Administração Pública, a fim de que tenha seus efeitos concretos percebidos pela sociedade. Em maior medida, isso ocorre quando se depende de atuação multidisciplinar. Um exemplo típico pode ser percebido na instituição da AIR.[7]

O art. 5 da Lei nº 13.874, de 20 de setembro de 2019, define AIR da seguinte forma:

> Art. 5º. As propostas de edição e de alteração de atos normativos de interesse geral de agentes econômicos ou de usuários dos serviços prestados, editadas por órgão ou entidade da administração pública federal, incluídas as autarquias e as fundações públicas, serão precedidas da realização de análise de impacto regulatório, que conterá informações e dados sobre os possíveis efeitos do ato normativo para verificar a razoabilidade do seu impacto econômico.

Como forma de regulamentar no âmbito da administração pública federal, houve a edição do Decreto nº 10.411, de 30 de junho de 2020, que, na forma do *caput* do art. 1º, "dispõe acerca de seu conteúdo, os quesitos mínimos a serem objeto de exame, as hipóteses em que será obrigatória e as hipóteses em que poderá ser dispensada".

---

3   JUSTEN FILHO, Marçal (org.). *Estatuto jurídico das empresas estatais*. São Paulo: Revista dos Tribunais, 2016.

4   JUSTEN FILHO, Marçal; SCHWIND, Rafael Wallbach (coord.). *Parcerias Público-Privadas*: reflexões sobre a Lei 11.079/2004. 2. ed. São Paulo: Revista dos Tribunais, 2022.

5   JUSTEN FILHO, Marçal; PEREIRA, Cesar Guimarães (coord.). *O regime diferenciado de contratações públicas*. 3. ed. Belo Horizonte: Fórum, 2014.

6   JUSTEN FILHO, Marçal. *Reforma da Lei de Improbidade Administrativa*. Rio de Janeiro: Forense, 2022.

7   Acerca do tema, confira-se algumas considerações em: MARÇAL, Thaís; MOTTA FILHO, Humberto. Normatização da análise de impacto regulatório no Brasil. *Migalhas*, São Paulo, 2 mar. 2021. Disponível em: https://www.migalhas.com.br/depeso/341025/normatizacao-da-analise-de-impacto-regulatorio-no-brasil. Acesso em: 12 set. 2024.

O projeto da FGV Direito Rio, "Regulação em Números", publicou o relatório de pesquisa *Análise dos três anos da Regulamentação de AIR no Brasil*,[8] em que identificou os seguintes achados:

(i) Mais da metade dos atos normativos aprovados por agências reguladoras não foram acompanhados de Relatório de AIR ou de Nota de Dispensa de AIR. Trata-se de elevado volume de decisões sobre as quais não há informações sobre impactos ou sobre justificativas para não analisá-los.;

(ii) As agências reguladoras do setor de saúde (Anvisa e ANS) apresentaram a maior produção normativa dos últimos 3 anos, mas o uso da AIR foi inferior a 8%. É possível que a pandemia tenha exigido ampla atuação dessas agências e que os esforços para a realização da AIR não tenham sido priorizados.

(iii) O uso da dispensa de AIR variou muito entre as agências reguladoras. Enquanto a Anatel e a Aneel não utilizaram esse instituto, a ANVISA optou por dispensar a AIR na maior parte dos atos normativos que aprovou nos últimos 3 anos.

(iv) As hipóteses de "urgência", "baixo impacto" e "norma superior" foram as principais motivações para dispensa de AIR. Cerca de 87% das notas de dispensa continham ao menos uma dessas hipóteses.

(v) A maioria das agências reguladoras utilizou a AIR para subsidiar entre 13 e 25 atos normativos no período de três anos. Estes números podem revelar o limite operacional das agências para elaborar AIRs e embasar estudos futuros sobre teste de limiar.

(vi) Houve ampla variação no tamanho dos relatórios de AIR desenvolvidos pelas diferentes agências. A Anvisa e a Anac, por exemplo, realizaram análises com menor quantidade de páginas e palavras do que as outras agências, o que pode explicar o maior volume de AIRs que realizaram no período.

(vii) Em mais de um quarto das AIRs realizadas por ANS, Antaq, Ancine, Anac e ANA, foram consideradas apenas 1 ou 2 alternativas regulatórias. Esse fato pode significar o uso da AIR apenas para confirmar uma solução pré-estabelecida e comprometer a utilidade da AIR.

(viii) Análises econômicas que apuram custos e benefícios das alternativas regulatórias foram pouco usadas pelas agências na comparação de alternativas. Foram apenas 4 experiências, equivalentes a 1,5% do total de AIRs realizadas, nos últimos 3 anos.

(ix) O uso de mecanismos participativos em AIR ainda é um desafio para as agências brasileiras. Basta observar que Anac e Anvisa, as duas agências que realizaram AIR em maior volume, utilizaram mecanismos participativos em apenas 20,9% e 15,9% dos casos, respectivamente.

Tais achados denotam o quanto que ainda temos um caminhar em busca da concretização das premissas que norteiam a AIR, mas como disse o homenageado deste texto na apresentação do livro autoral *Introdução ao estudo do Direito*, o método pragmático "reconhece a ausência de pressupostos imutáveis e intocáveis do conhecimento, a

---

[8]   GUERRA, Sérgio (coord.). *Análise dos três anos de regulamentação da AIR no Brasil*. Relatório de Pesquisa. Rio de Janeiro: FGV Editora, 2024. Disponível em https://regulacaoemnumeros-direitorio.fgv.br/sites/regulacaoemnumeros-direitorio.fgv.br/files/relatorios/analise_dos_tres_anos_de_regulamentacao_da_air_no_brasil_1.pdf. Acesso em: 12 set. 2024.

contextualização das experiências e a relevância das consequências para as decisões (individuais, inclusive)".[9] Sejamos pragmáticos com a AIR!

Referências

GUERRA, Sérgio (coord.). *Análise dos três anos de regulamentação da AIR no Brasil Relatório de Pesquisa*. Rio de Janeiro: FGV Editora, 2024. Disponível em https://regulacaoemnumeros-direitorio.fgv.br/sites/regulacaoemnumeros-direitorio.fgv.br/files/relatorios/analise_dos_tres_anos_de_regulamentacao_da_air_no_brasil_1.pdf. Acesso em: 12 set. 2024.

JUSTEN FILHO, Marçal. Apresentação. *In:* JUSTEN FILHO, Marçal. *Introdução ao estudo do Direito*. 2. ed. Rio de Janeiro: Forense, 2021.

JUSTEN FILHO, Marçal (org.). *Estatuto jurídico das empresas estatais*. São Paulo: Revista dos Tribunais, 2016.

JUSTEN FILHO, Marçal. *Introdução ao estudo do Direito*. 2. ed. Rio de Janeiro: Forense, 2021.

JUSTEN FILHO, Marçal. O meio é a mensagem. Há futuro para o Direito Administrativo? Do manual ao Instagram. *Fórum Administrativo: FA*, Belo Horizonte, v. 19, n. 223, p. 81-89, set. 2019.

JUSTEN FILHO, Marçal. *Reforma da Lei de Improbidade Administrativa*. Rio de Janeiro: Forense, 2022.

JUSTEN FILHO, Marçal; PEREIRA, Cesar Guimarães (coord.). *O regime diferenciado de contratações públicas*. 3. ed. Belo Horizonte: Fórum, 2014.

JUSTEN FILHO, Marçal; SCHWIND, Rafael Wallbach (coord.). *Parcerias Público-Privadas*: reflexões sobre a Lei 11.079/2004. 2. ed. São Paulo: Revista dos Tribunais, 2022.

MARÇAL, Thaís; MOTTA FILHO, Humberto. Normatização da análise de impacto regulatório no Brasil. *Migalhas*, São Paulo, 2 mar. 2021. Disponível em: https://www.migalhas.com.br/depeso/341025/normatizacao-da-analise-de-impacto-regulatorio-no-brasil. Acesso em: 12 set. 2024.

Informação bibliográfica deste texto, conforme a NBR 6023:2018 da Associação Brasileira de Normas Técnicas (ABNT):

MARÇAL, Thaís. Homenagem ao legado regulatório de Marçal Justen Filho: breves anotações acerca da Análise de Impacto Regulatório (AIR). *In:* JUSTEN, Monica Spezia; PEREIRA, Cesar; JUSTEN NETO, Marçal; JUSTEN, Lucas Spezia (coord.). *Uma visão humanista do Direito*: homenagem ao Professor Marçal Justen Filho. Belo Horizonte: Fórum, 2025. v. 3, p. 541-544. ISBN 978-65-5518-915-5.

---

[9] JUSTEN FILHO, Marçal. Apresentação. *In:* JUSTEN FILHO, Marçal. *Introdução ao Estudo do Direito*. 2. ed. Rio de Janeiro: Forense, 2021.

AUTORIZAÇÃO LEGISLATIVA PARA CELEBRAÇÃO DE CONVÊNIOS DE REGULAÇÃO ENTRE MUNICÍPIOS E AGÊNCIAS

THIAGO MARRARA

Ao professor Marçal Justen Filho, com gratidão por todos os ensinamentos e pelas inúmeras contribuições ao avanço das contratações públicas no Brasil.

1 Introdução

A necessidade de adesão de municípios não consorciados a agências reguladoras interfederativas levanta um importante questionamento sobre a celebração de convênios de cooperação para a regulação dos serviços públicos, como os de saneamento básico. A indagação que se coloca é objetiva: é imprescindível a autorização legislativa para que municípios não consorciados deleguem suas funções regulatórias, por exemplo, no setor de saneamento básico, a uma agência reguladora criada por um ou vários outros entes federativos?

Para se compreender a indagação é preciso ter em mente que alguns municípios, titulares de serviços públicos, nem sempre criam suas próprias agências reguladoras. Para viabilizar a regulação, compulsória em setores como o de saneamento, valem-se do consorciamento nos termos da Lei nº 11.107/2005 ou, de maneira mais simples, da adesão a agências já instituídas por outros entes federativos. Para tanto, esses municípios, sem agências próprias, valem-se da celebração de convênio de cooperação para delegar o exercício de suas competências regulatórias a agências alheias. Como esses convênios têm prazo limitado, ocorre também de municípios já conveniados com agências pertencentes a outras esferas federativas necessitarem renovar os convênios ou alterar sua duração.

Na primeira situação ou na segunda, surge frequentemente a questão da necessidade ou não de autorização legislativa prévia, expedida pela Câmara de Vereadores, à assinatura do ajuste pelo Executivo Municipal. A questão é polêmica, seja porque envolve o tema da relação entre os Poderes, seja porque, no convênio de cooperação, estipula-se pagamento de Taxa de Regulação e Fiscalização em favor da agência.

2 Autorização legislativa para convênios nas leis de licitações

Para esclarecer a indagação acerca da necessidade ou não de autorização do Poder Legislativo para que o Poder Executivo Municipal celebre convênio com uma agência, constituída na forma de consórcio interfederativo, para viabilizar a regulação de seus serviços públicos, como os de saneamento básico, é preciso considerar as várias situações fáticas envolvidas, a saber:

- (A) dos municípios que celebram convênios pela primeira vez em relação aos municípios já conveniados que precisam renová-los e
- (B) a dos municípios que prestam o serviço público diretamente e a daqueles que prestam por meio de concessionárias, parceiras-privadas ou outras delegatárias.

De acordo com o art. 2º, §1º, inciso I, da Lei nº 11.107/2005, os consórcios podem "firmar convênios, contratos, acordos de qualquer natureza, receber auxílios, contribuições e subvenções sociais ou econômicas de outras entidades e órgãos de governo". De outra parte, conforme o art. 2º, 5º, os convênios viabilizam que entidades da Administração Indireta – mesmo quando vinculadas a esferas federativas não consorciadas – deleguem tarefas ao consórcio público.

A legislação de consórcios deixa evidente que o fato de um município não ser consorciado à agência interfederativa, ou seja, não ter assinado e ratificado por lei seu protocolo de intenções, em nada obsta que venha a se valer de suas atividades de regulação por meio de convênio. Quanto à autorização legislativa, porém, a lei nada diz, ou seja, diferentemente do que ocorre com o protocolo de intenções, que depende de autorização legislativa, o convênio não é expressamente submetido à autorização legislativa prévia por qualquer dispositivo da Lei nº 11.107/2005.

Essa diferença de tratamento tem sua razão. O *status* jurídico e os poderes dos conveniados são distintos dos conferidos pela lei aos consorciados. Estes tomam decisões de gerenciamento do consórcio, que passam a integrar sua Administração Indireta. Os conveniados apenas se valem de suas tarefas por cooperação interfederativa, mas não participam da gestão do consórcio, nem os integram em sua organização administrativa.

Inexistente a determinação de autorização legislativa prévia para o convênio na Lei de Consórcios, cumpre verificar se existe alguma norma de caráter geral ou setorial que imponha esse requisito. Para tanto, há que se cotejar a legislação de licitações e contratos, bem como a legislação setorial, como a de saneamento, que rege as funções regulatórias de agências, interfederativas ou não, em relação aos prestadores de serviços públicos.

Na Lei nº 8.666/1993, o art. 116 embutia regras gerais sobre convênios administrativos, submetendo-os, no que coubesse, ao regime dos contratos administrativos instrumentais, ou seja, contratos de obras, serviços e aquisição de bens. O §1º desse dispositivo tratava da celebração dos convênios explicitamente, exigindo, como requisito para tanto, apenas a "prévia aprovação do competente plano de trabalho proposta pela organização interessada". Esse plano deveria contemplar, entre outros elementos, cronograma de desembolsos e previsão de início e fim da execução do objeto. Já o §2º previa que, "assinado o convênio, a entidade ou órgão repassador dará ciência do mesmo à Assembleia Legislativa ou à Câmara Municipal respectiva".

O texto da Lei de Licitações de 1993 era explícito. O controle parlamentar direto exercido sobre convênios ocorreria apenas posteriormente. Assim, se o Poder Executivo local celebrasse convênio deveria, em seguida, comunicar à Câmara de Vereadores. O controle prévio dos convênios pelo legislativo ficava completamente afastado no regime da Lei de Licitações de 1993.

A seu turno, a Lei de Licitações de 2021 (Lei nº 14.133) mantém a norma geral de aplicação subsidiária do regime dos contratos instrumentais aos convênios e instrumentos de cooperação congêneres (art. 184), mas, de início, não explicitou as regras e requisitos detalhados sobre a celebração desses ajustes. Em 2023, a Lei nº 14.770 alterou a Lei nº 14.133, de maneira a modificar o art. 184 e a incluir o art. 184-A.

A Lei nº 14.770 veio em boa hora, pois a nova Lei de Licitações contava com uma lacuna inaceitável e problemática sobre o regime de convênios. Ocorre, porém, que os avanços foram bastante limitados. Basicamente, as modificações passaram a dispor sobre um regime simplificado para a celebração, execução, acompanhamento e prestação de contas dos convênios e instrumentos congêneres em que a União for parte e dentro de certo valor global.

As normas introduzidas na Lei nº 14.133, em 2023, não se mostram gerais, pois não incidem sobre estados e municípios. Mesmo que incidissem, fato é que, assim como as regras do antigo art. 116 da Lei de 1993, não preveem qualquer necessidade de autorização legislativa. Assim, *mesmo com a nova lei e as modificações nela introduzidas, além de não se exigir qualquer autorização legislativa prévia para convênios, sequer se prevê comunicação posterior da celebração ao Poder Legislativo.*

Sob esse novo contexto normativo geral, o regime dos convênios de cooperação envolvendo municípios deverá ser tratado na legislação municipal, seja na lei orgânica, seja na legislação licitatória municipal. Ocorre que esse tratamento legal não é amplamente discricionário, uma vez que deverá observar as normas nacionais de cada setor.

3 Autorização legislativa para convênios na legislação de saneamento básico

Especificamente no âmbito do saneamento, ao criarem suas leis sobre convênios envolvendo esse tipo de serviço público, os municípios deverão obrigatoriamente seguir as disposições gerais da Lei nº 11.445/2007, com as amplas alterações promovidas pela Lei nº 14.026/2020.

A referida Lei das Diretrizes Nacionais de Saneamento Básico (LDNSB) (Lei nº 11.445/2007) trata do convênio em inúmeros momentos. Para entender o alcance de suas normas, é imprescindível partir da premissa de que:

- (i) O serviço público de saneamento básico envolve os serviços de abastecimento de água potável, o esgotamento sanitário, a limpeza urbana e o manejo de resíduos sólidos, bem como a drenagem e o manejo das águas pluviais (art. 3º da LDNSB);

- **(ii)** A titularidade do saneamento atribui aos municípios as tarefas de planejamento, regulação, fiscalização e prestação. Por conseguinte, a cooperação interfederativa, por técnicas de gestão associada ou regionalização, não se resume à prestação do serviço. É lícito e recomendável que os titulares cooperem nos campos do planejamento ou da regulação.

A partir dessas duas premissas (conteúdo do serviço de saneamento e extensão das tarefas dos titulares), cabe examinar a LDNSB e seus dispositivos que cuidam de convênio e gestão associada.

Diz o art. 8º, §1º, da lei que "o exercício da titularidade dos serviços de saneamento poderá ser realizado por gestão associada, mediante consórcio ou convênio de cooperação, nos termos do art. 241 da Constituição Federal (...)". Já o art. 8º, §4º, tratando diretamente do tema em debate, explicita que

> os Chefes dos Poderes Executivos da União, dos Estados, do Distrito Federal e dos municípios poderão formalizar a gestão associada para o exercício das funções relativas aos serviços públicos de saneamento básico, *ficando dispensada, em caso de convênio de cooperação, a necessidade a autorização legislativa.*

O art. 8º, §4º, revela-se fundamental para o esclarecimento da indagação que move o presente estudo. Inserido no bojo da ampla reforma do setor, esse novo comando legal é explícito em relação a duas questões: (i) toda e qualquer função relativa ao saneamento pode ser objeto de gestão associada, ou seja, tanto a prestação dos serviços quanto sua regulação e fiscalização se sujeitam à união de esforços entre os titulares e (ii) *a autorização legislativa para celebração de convênios é expressamente vedada!*

Dessa legislação se conclui, portanto, o seguinte. Antes da reforma do saneamento pela Lei nº 14.026/2020, os convênios de regulação celebrados pela agência com os municípios não consorciados deveriam ser comunicados à Câmara de Vereadores por força do art. 116, §2º, da Lei nº 8.666/1993. Não havia necessidade de autorização legislativa prévia, salvo se imposta pela Lei Orgânica ou pela legislação licitatória local.

Após a reforma normativa operada no setor, dada a inclusão do §4º no art. 8º da Lei nº 11.445, fica expressamente proibida em território nacional a exigência de autorização legislativa prévia para convênios de gestão associada de qualquer função relativa ao saneamento, inclusive a regulação.

A solução da legislação de saneamento, consagrada com a reforma de 2020, vem em linha com as preocupações da doutrina e da jurisprudência brasileiras sobre o tema. Há muito tempo se discute a intervenção do Legislativa em decisões estritamente administrativas tomadas pelo Poder Executivo, como a celebração de convênios.

Apenas para exemplificar, Maria Sylvia Zanella Di Pietro aponta que a exigência de autorização legislativa para celebração de convênio ou consórcio, embora exigida em algumas leis orgânicas é inconstitucional, "por implicar o controle do Legislativo sobre atos administrativos do Poder Executivo, em hipótese não prevista na Constituição". Para Di Pietro, essa autorização somente se tornaria necessária quando envolvesse repasse de verbas não previstas na lei orçamentária.[1] Marçal Justen Filho também aborda

---

[1] DI PIETRO, Maria Sylvia Zanella. *Direito Administrativo*. 36. ed. Rio de Janeiro: Forense, 2023. p. 387.

o tema, ressaltando que a exigência de autorização legislativa não se aplica à pactuação de um convênio.[2]

4 A jurisprudência do STF e do TJSP sobre a autorização legislativa

Conforme expus alhures, na jurisprudência do STF, o assunto da autorização legislativa em matéria de contratação pública já foi objeto de decisões em diferentes sentidos. "Utilizando o argumento da separação dos Poderes e baseando-se no art. 2º da Constituição, o STF julgou inconstitucionais dispositivos da Constituição baiana que previam autorização legislativa de contratações públicas" (ADI nº 462, julgada em 1997, sob relatoria do Ministro Moreira Alves). Nesse mesmo sentido, o Supremo se manifestou em 2018 (AI nº 721.230/MG, sob relatoria do Ministro Roberto Barroso).

No entanto, em 2014, o Supremo

reconheceu a constitucionalidade de mandamento da Constituição Paraibana no sentido de preservar a necessidade de autorização legislativa para convênios e acordos que *acarretem encargos ou compromissos gravosos* ao patrimônio estadual (ADI 331/PB, sob relatoria do Ministro Gilmar Mendes). Isso se vislumbra em outros casos apreciados no STF (RE nº 1.159.814/SP, julgado em 2019, RE 602.458/SP, julgado em 2019; RE 974.493/MT, julgado em 2018).[3]

Vale resgatar em mais detalhes o julgado de referência.

Na ADI nº 177, julgada em 1996, o STF entendeu ser inconstitucional a aprovação prévia de convênios estaduais pela Assembleia Legislativa. *In casu*, a legislação estadual gaúcha previa competir à Assembleia Legislativa autorizar dívidas da administração pública direta e indireta cujo prazo de resgate excedesse o término do mandato dos contratantes. O art. 82 da Constituição Estadual, por sua vez, determinava as competências privativas do governador e, dentre elas, a de celebrar convênios com a União, com o Distrito Federal, com outros estados e com o municípios para a execução de obras e serviços.

Contudo, o §2º do art. 82 da Constituição gaúcha condicionava a celebração dos convênios à aprovação pela Assembleia Legislativa. Por isso, argumentou-se que tal exigência seria inconstitucional, dado que não respeitava a simetria com a Constituição Federal e abria espaço para interferências do Legislativo sobre o Executivo.[4] Ao tratar da situação narrada e relativa ao Rio Grande do Sul, o relator, Ministro Carlos Velloso, citou a ADI nº 676, relativa à legislação do Rio de Janeiro e de sua relatoria, para concluir que esses dispositivos da Constituição Estadual também eram ofensivos ao princípio da

---

[2] JUSTEN FILHO, Marçal. *Curso de Direito Administrativo*. 15. ed. Rio de Janeiro: Forense, 2024. p. 336.

[3] MARRARA, Thiago. *Manual de Direito Administrativo*: atos, processos, licitações e contratos. 2. ed. São Paulo: Foco, 2024. v. 3, p. 354-355.

[4] BRASIL. Supremo Tribunal Federal (Pleno). ADI 177. Relator: Min. Carlos Velloso, 1º de julho de 1996. *Dje*: Brasília, DF, 25 out. 1996.

independência e harmonia dos Poderes.[5] Assim, em ambas as ações, os pedidos foram julgados procedentes para declarar a inconstitucionalidade.

Na ADI nº 342, julgada em 2003, o relator, Ministro Sydney Sanches, citou o entendimento firmado pelo STF na Representação de Inconstitucionalidade nº 1.024-GO, de 1980, segundo o qual a regra que subordina a celebração de convênios em geral, por órgãos do Executivo, à autorização prévia da Assembleia Legislativa fere o princípio da independência dos Poderes. Essa orientação foi reproduzida também na Representação nº 1.210-RJ de 1984. Adotando essa fundamentação, o Tribunal julgou procedente a ação para declarar a inconstitucionalidade do inciso XXI do art. 54 da Constituição do Estado do Paraná.[6]

Na ADI nº 331, já brevemente mencionada e julgada em 2014, o STF alterou levemente seu posicionamento. No caso, o governador do estado da Paraíba questionou a constitucionalidade do art. 54, inciso XXII, da Constituição paraibana, segundo o qual é de competência privativa da Assembleia Legislativa autorizar e resolver definitivamente sobre empréstimos, acordos e convênios que acarretem encargos ou compromissos gravosos ao patrimônio estadual. O requerente alegou que a norma em questão ofenderia os arts. 49, inciso I, 50 e 52 da Constituição da República e só encontrava justificativa quanto aos empréstimos, excedendo a competência privativa da Assembleia Legislativa ao tratar de convênios, por força do princípio da simetria.[7]

O relator, Ministro Gilmar Mendes, entendeu não ser irrazoável que o constituinte estadual procure conferir maior controle nos casos em que acordos ou convênios possam acarretar encargos ou compromissos gravosos ao patrimônio estadual. A seu ver, esse controle não implica violação à separação dos Poderes quando acordos ou convênios geram encargos ou compromissos gravosos ao patrimônio estadual, exigindo-se, exatamente por isso, sua submissão à autorização do legislativo local. O Ministro ainda ressaltou que a norma paraibana estava em vigor há mais de vinte anos, sem sinal do alegado comprometimento à continuidade da administração pública. Assim, julgou improcedente o pedido em voto que foi acolhido de modo unânime pela Corte.

Na ADI nº 4.348, julgada em 2018, o Governador do estado de Roraima voltou-se contra os arts. 26 e 28 da Lei Complementar Estadual nº 149/2009, segundos os quais todo e qualquer Termo de Cooperação e/ou similares entre os órgãos componentes do Sistema Nacional de Meio Ambiente (SISNAMA), no estado de Roraima, deverão ser previamente aprovados pela Assembleia Legislativa (ALE/RR). Além disso, esses comandos vedam à FEMACT a transferência de responsabilidades ou atribuições de sua competência para qualquer outro órgão ambiental, do SISNAMA, ressalvado, quando autorizado pelo Legislativo Estadual, mediante Lei específica.

De acordo com o Executivo Estadual, proponente da ADI, referidos dispositivos legais haviam sido vetados, mas o veto foi derrubado pela Assembleia Legislativa.

---

[5] BRASIL. Supremo Tribunal Federal (Pleno). ADI 676. Relator: Min. Carlos Velloso, 1º de julho de 1996. *Dje*: Brasília, DF, 29 nov. 1996.

[6] BRASIL. Supremo Tribunal Federal (Pleno). ADI 342. Relator: Min. Sydney Sanches, 6 de fevereiro de 2003. *Dje*: Brasília, DF, 11 abr. 2003.

[7] BRASIL. Supremo Tribunal Federal (Pleno). ADI 331. Relator: Min. Gilmar Ferreira Mendes, 3 de abril de 2014. *Dje*: Brasília, DF, 30 abr. 2014.

Por isso, no mérito, o governo estadual sustentou que referidas regras deveriam ser consideradas inconstitucionais, pois violariam o princípio da separação de Poderes.

No STF, o relator, Ministro Ricardo Lewandowski, destacou que o Sistema Nacional do Meio Ambiente (SISNAMA) é constituído por órgãos e entidades da União, dos Estados, do Distrito Federal, dos Territórios e dos municípios, bem como por fundações instituídas pelo Poder Público, responsáveis pela proteção e melhoria da qualidade ambiental. É imprescindível que a atuação dos órgãos e entidades desse sistema se concretize mediante a celebração de termos de cooperação ou ajustes similares. Desse modo, os dispositivos questionados violaram o princípio constitucional da separação dos Poderes, pois permitiram a ingerência do Legislativo sobre o Executivo, em matéria de proteção ambiental, tema de índole claramente administrativa, por envolver a execução de políticas públicas. O Tribunal, por unanimidade, julgou procedente a ação para declarar a inconstitucionalidade dos artigos questionados.[8]

No Tribunal de Justiça do Estado de São Paulo (TJSP), também são muitos os julgados que já trataram da questão.

Na ADI nº 2282700-54.2019.8.26.0000, sob relatoria do des. Ferreira Rodrigues, julgada em 5 de junho de 2020, o TJSP tratou de questionamento trazido pelo Prefeito do Município de Valinhos, tendo por objeto o art. 8º, inciso XIV, da Lei Orgânica do Município, que conferia à Câmara Municipal a prerrogativa de "autorizar ou aprovar convênios, acordos ou contratos de que resultem encargos para o Município". Alegou-se ofensa ao princípio da separação dos Poderes.

Por sua parte, o relator entendeu não se vislumbrar a necessidade de invalidar a norma. Citando a ADI nº 331, do STF, afirmou ser constitucional a norma que prevê a submissão de convênios, acordos ou contratos à autorização ou aprovação pelo legislativo, quando deles resultem encargos não previstos na lei orçamentária, o que indica que *o controle de atos de tal natureza (convênios, acordos ou contratos), quando eles desbordam dos padrões da normalidade, inclusive quando importem em encargos gravosos, não implicam ofensa ao princípio da reserva da administração.* Assim, julgou-se parcialmente procedente a ação para conferir interpretação conforme a Constituição no sentido de que a exigência de autorização ou aprovação legislativa (prevista no dispositivo impugnado) é restrita aos convênios, acordos ou contratos de que resultem compromissos gravosos para o município.

Na ADI nº 2038160-60.2023.8.26.0000, sob relatoria do Desembargador James Siano, julgada em 9 de agosto de 2023, o TJSP cuidou de questionamento apresentado pelo prefeito do município de Álvares Machado em desfavor da nova Lei Orgânica do Município, de 23 de dezembro de 2022. Os dispositivos cuja constitucionalidade foi questionada tratam de diversos assuntos. Contudo, acerca do tema da celebração de convênios, merece destaque o art. 109, inciso XXII da Lei Orgânica, segundo o qual compete ao prefeito celebrar convênios e consórcios com prévia autorização da Câmara Municipal.

De acordo com o relator, deve ser dada interpretação conforme a Constituição para reconhecer a inconstitucionalidade da norma impugnada, apenas em relação a

---

[8] BRASIL. Supremo Tribunal Federal (Pleno). ADI 4.348. Relator: Min. Ricardo Lewandowski, 10 de outubro de 2018. *Dje*: Brasília, DF, 29 out. 2018.

convênios e consórcios que não resultem em compromissos gravosos para o município, ou seja, há necessidade de aprovação da Câmara Municipal apenas em relação a convênios e consórcios que resultem *compromissos gravosos* para o município. Assim, a ação foi julgada parcialmente procedente, e, especificamente quanto ao art. 109, inciso XXII, determinou que fosse conferida interpretação conforme a Constituição, no sentido de se exigir aprovação da Câmara Municipal somente para convênios e consórcios que resultem em compromissos gravosos ao município.

Na ADI nº 2307071-77.2022.8.26.0000, também sob relatoria do Desembargador James Siano, julgada em 14 de junho de 2023, o TJSP cuidou de questionamento trazido pela Prefeita do Município de Bauru em face do art. 17, inciso, VIII, alínea "b", da Lei Orgânica do Município, que dispõe sobre a necessidade de aprovação da Câmara Municipal, relativamente a convênios com entidades públicas ou particulares e consórcios com outros municípios.

De acordo com a Prefeitura, o dispositivo questionado viola o princípio da separação dos Poderes, já que a celebração de convênios com entidades públicas ou particulares e consórcios com outros municípios configura atividade nitidamente administrativa, de competência do administrador público, não podendo ser condicionada a prévia autorização legislativa.

O relator, porém, entendeu não se vislumbrar violação ao princípio da separação de Poderes, mas que deveria ser conferida à norma impugnada uma interpretação conforme a Constituição para reconhecer a *inconstitucionalidade apenas em relação a convênios e consórcios que não resultem em compromissos gravosos para o município*. Desse modo, julgou-se parcialmente procedente a ação, decisão que foi seguida pela maioria de votos.

Na ADI nº 2235789-76.2022.8.26.0000, sob relatoria do Desembargador Ademir Benedito, julgada em 19 de abril de 2023, o TJSP examinou questionamentos trazidos pelo Procurador de Justiça do estado de São Paulo, visando à declaração de inconstitucionalidade da Lei nº 2.285/2021, do município de Cabreúva. Referida lei municipal, de iniciativa parlamentar, autoriza o município a celebrar convênio com o estado de São Paulo, através da Secretaria de Segurança Pública, visando à adesão ao "sistema detecta" de acesso exclusivo aos dados de interesse da segurança pública e de cooperação entre os órgãos públicos.

Sustentou o MP que o normativo impugnado, de iniciativa parlamentar, ao prever a celebração de convênio não oneroso com outro ente federado, implica ato de gestão administrativa, matéria afeta à reserva da Administração, de iniciativa privativa do Chefe do Poder Executivo, havendo ofensa à separação de Poderes, incompatível com os preceitos estabelecidos nos arts. 5º e 47, II e XIV, 144, da Constituição do Estado de São Paulo. Alegou, ainda, que a autorização legislativa não se confunde com lei autorizativa.

O relator, a seu turno, destacou que usurpa a competência privativa do Chefe do Executivo matéria que envolva ato de gestão, de direção superior da administração, independentemente de criar ou não despesas para os cofres públicos. O Poder Legislativo, por meio da lei impugnada, de iniciativa parlamentar, invade a esfera do Poder Executivo, em clara ofensa ao princípio da separação dos Poderes. A atuação administrativa é uma atividade própria de direção superior da Administração Pública amparada pela discricionariedade administrativa, devendo ser observada pelas três esferas do governo, de modo que o município não pode delas se afastar, em harmonia com o art. 144 da

Constituição Estadual. Desse modo, o TJSP julgou procedente a ação para declarar a inconstitucionalidade da lei.

Essas variadas decisões revelam, em síntese, que a jurisprudência do STF e do TJSP é clara no sentido de que *o controle legislativo prévio da celebração de convênios pelo legislativo é inconstitucional. O controle prévio somente se justifica em situações de impacto gravoso aos cofres públicos, superando as situações de normalidade.* Por conseguinte, não pode qualquer Câmara de Vereadores condicionar a assinatura de convênio à sua autorização prévia quando não houver impacto aos cofres públicos ou esse impacto não for excessivo.

Essa lógica de impedimento da interferência do legislativo no tocante aos convênios se alinha, por exemplo, ao que se vislumbra no âmbito de outros contratos envolvendo serviços públicos, mais especificamente, as Parceiras Público-Privadas (PPPs). A Lei nº 11.079/2004 desde sua origem, também deixa claro que o controle legislativo prévio para celebração das parcerias é excepcional, sendo cabível apenas quando se onerar excessivamente o patrimônio público. Vale a transcrição do dispositivo legal:

> Art. 10 - (...)
>
> (...)
>
> §3º As concessões patrocinadas em que mais de 70% (setenta por cento) da remuneração do parceiro privado for paga pela Administração Pública dependerão de autorização legislativa específica.

5 Taxas de regulação e a desnecessidade da autorização legislativa

A cobrança de Taxa de Regulação e Fiscalização serve para remunerar o desempenho das atividades de regulação e fiscalização da prestação de serviços de saneamento básico dos municípios, consorciados ou conveniados a uma agência. Na prática, incumbe ao prestador dos serviços públicos regulados repassar os valores devidos ao regulador para custear a TRF. Disso decorre que o responsável pelo repasse variará de acordo com o modelo de prestação do serviço público em cada município.

Exemplificando-se com o setor de saneamento, esses serviços públicos locais podem ser prestados: (A) de maneira direta tanto por órgãos da Administração Direta Municipal, como departamentos de água e esgoto, quanto, de maneira descentralizada, por autarquias e empresas estatais locais ou (B) de maneira indireta, por meio de terceiros contratados pela municipalidade após a realização de processos licitatórios e que passam a figurar, por delegação, como concessionárias ou parceiras privadas. Isso significa que a taxa de regulação ora será assumida por entes estatais, ora por particulares no exercício de funções públicas delegadas.

As mencionadas decisões judiciais do STF e do TJSP não trataram especificamente do setor de saneamento e, por conseguinte, não abordaram a influência da taxa de regulação sobre a necessidade de autorização legislativa. Além disso, os julgados citados não cotejaram o novo §4º do art. 8º da Lei nº 11.445/2007, incluído pela Lei nº 14.026/2020. Como visto, esse dispositivo é claríssimo ao proibir a autorização legislativa prévia de convênios para gestão associada de tarefas atribuídas aos titulares do saneamento básico, a despeito de qualquer consideração sobre aspectos orçamentários. Ao considerar essa regra especial no futuro, a jurisprudência certamente tomará um caminho ainda mais restritivo a interferências do Poder Legislativo sobre celebração de convênios no setor em debate.

A despeito dos rumos vindouros da jurisprudência, fato é que as novidades normativas nada mudam em relação às conclusões já apontadas. Mesmo antes da Lei nº 14.026, já havia elementos suficientes para afastar a interferência do legislativo sobre a contratação pública pelo Executivo, salvo nas situações excepcionais indicadas pela jurisprudência.

Tampouco altera a conclusão o fato de se recolherem taxas de regulação para a sustentação das agências reguladoras do setor. Como visto, os recursos necessários para sustentar as atividades de regulação por parte dos municípios consorciados ou conveniados não advêm do orçamento público. Os valores repassados à agência são geralmente retirados da tarifa cobrada pelas concessionárias, parceiras-privadas ou outras delegatárias dos usuários dos serviços públicos de saneamento básico. Alternativamente, no caso de prestação direta por departamentos municipais, autarquias ou empresas locais, são retirados das taxas igualmente pagas pelos usuários, já devidamente aprovadas segundo o regime tributário e seus padrões rígidos de legalidade.

Não bastasse isso, os valores repassados à agência a título de taxa de regulação são geralmente de menor monta, ou seja, consistem em um reduzido percentual da arrecadação do prestador do serviço regulado. Assim, não há anormalidade, nem qualquer impacto gravoso significativo sobre o orçamento público. O orçamento sequer é modificado, pois, como dito, os percentuais são extraídos diretamente dos valores já arrecadados pelos prestadores.

Mais que isso, esses valores, destinados a sustentar o funcionamento das agências reguladoras, não são estranhos ao serviço público. Afinal, a legislação brasileira não mais aceita que os prestadores do saneamento básico operem sem se submeter a um regulador com natureza autárquica. Inclusive, de acordo com o art. 10-A da LDNSB, os contratos de saneamento que não prevejam a regulação são reputados nulos de pleno direito.

Sob essas circunstâncias, *mesmo que a LDNSB não contivesse vedação expressa e que essa exigência constasse de lei orgânica ou outra lei local, a autorização legislativa prévia para convênios permaneceria inconstitucional. Não mudariam essa conclusão os repasses financeiros do prestador ao regulador a título de taxa de regulação, os quais provêm de valores pagos pelos usuários, apresentam valores mínimos, não afetam o orçamento e mostram-se imprescindíveis por força de lei.* Sob essas circunstâncias, qualquer exigência de autorização legislativa para a celebração dos convênios de regulação afrontará a harmonia entre os Poderes e violará o art. 2º da Constituição da República por implicar interferência indevida do Poder Legislativo sobre as tarefas que o legislador atribui ao Poder Executivo na qualidade de titular de um serviço público.

6 Considerações finais

Diante dos fundamentos legais e jurisprudenciais expostos, viola tanto a Constituição da República, quanto o art. 8, §4º, da Lei das Diretrizes Nacionais de Saneamento Básico (Lei nº 11.445/2007, alterada pela Lei nº 14.026/2020), a exigência de autorização legislativa prévia para que o Executivo Municipal possa celebrar convênio de cooperação com agência reguladora instituída por outro ou outros entes federativos no intuito de viabilizar a regulação de seus serviços públicos, como os de saneamento básico, de modo a suprir a falta de uma agência local própria.

O repasse de reduzido percentual sobre a tarifa ou taxa do serviço, pelo prestador à agência, com o objetivo único e exclusivo de custear funções regulatórias, não configura oneração gravosa ao orçamento municipal nos termos da jurisprudência do STF e do TJSP. Ademais, usar recursos provenientes da tarifa ou taxa paga pelo usuário de serviço público com a regulação é situação não apenas normal, como obrigatória em setores como o de saneamento, no qual a LDNSB impõe a regulação por ente autárquico.

Nesses termos, pois, a previsão, nos convênios, de cláusulas de repasse financeiro por parte do prestador para o regulador não afasta a inconstitucionalidade de dispositivos de lei orgânica ou de outras leis municipais que venham a exigir a aprovação legislativa prévia para a celebração ou renovação de convênios de cooperação entre certo município, titular do serviço público de saneamento sem agência própria, e uma agência de regulação instituída por outro ente federativo de modo isolado ou no modelo de consórcio público interfederativo.

Referências

BRASIL. Supremo Tribunal Federal (Pleno). ADI 177. Relator: Min. Carlos Velloso, 1º de julho de 1996. *Dje*: Brasília, DF, 25 out. 1996.

BRASIL. Supremo Tribunal Federal (Pleno). ADI 331. Relator: Min. Gilmar Ferreira Mendes, 3 de abril de 2014. *Dje*: Brasília, DF, 30 abr. 2014.

BRASIL. Supremo Tribunal Federal (Pleno). ADI 342. Relator: Min. Sydney Sanches, 6 de fevereiro de 2003. *Dje*: Brasília, DF, 11 abr. 2003.

BRASIL. Supremo Tribunal Federal (Pleno). ADI 676. Relator: Min. Carlos Velloso, 1º de julho de 1996. *Dje*: Brasília, DF, 29 nov. 1996.

BRASIL. Supremo Tribunal Federal (Pleno). ADI 4.348. Relator: Min. Ricardo Lewandowski, 10 de outubro de 2018. *Dje*: Brasília, DF, 29 out. 2018.

DI PIETRO, Maria Sylvia Zanella. *Direito Administrativo*. 36. ed. Rio de Janeiro: Forense, 2023.

JUSTEN FILHO, Marçal. *Curso de Direito Administrativo*. 15. ed. Rio de Janeiro: Forense, 2024.

MARRARA, Thiago. *Manual de Direito Administrativo*: atos, processos, licitações e contratos. 2. ed. São Paulo: Foco, 2024. v. 3.

Informação bibliográfica deste texto, conforme a NBR 6023:2018 da Associação Brasileira de Normas Técnicas (ABNT):

MARRARA, Thiago. Autorização legislativa para celebração de convênios de regulação entre municípios e agências. *In*: JUSTEN, Monica Spezia; PEREIRA, Cesar; JUSTEN NETO, Marçal; JUSTEN, Lucas Spezia (coord.). *Uma visão humanista do Direito*: homenagem ao Professor Marçal Justen Filho. Belo Horizonte: Fórum, 2025. v. 3, p. 545-555. ISBN 978-65-5518-915-5.

ASPECTOS CONCORRENCIAIS DA REGULAÇÃO DO GÁS NATURAL NO BRASIL

VINICIUS KLEIN

ISABELLA TRIEBESS

1 Introdução

A busca por um futuro energético mais sustentável é um dos pontos chave na pauta mundial. O Brasil possuiu uma importante vantagem comparativa na sua matriz energética, que conta com um percentual significativo de fontes energéticas renováveis.[1] Entretanto, o papel do gás natural na matriz energética brasileira é inferir as potencialidades que o Brasil apresenta.

Nesse contexto, o país avança lentamente no processo de desenvolvimento e de abertura de mercado se comparado com outros países do globo. Dentre os motivos que dificultam tais avanços, podem-se mencionar a complexidade regulatória do setor e a posição dominante da Petrobras, bem como a ausência de uma política pública voltada ao fortalecimento e à expansão do mercado.

O preço do gás natural no Brasil é alto comparativamente a outros locais, atingindo valor de US$16,3 por *million British Thermal Units per hour* (MBtu), em 2019. No mesmo ano, a título comparativo, o preço nos Estados Unidos era de US$3,8 MBtu; no Canadá, de US$3,1 MBtu; na Coreia, de US$12,7 MBtu; e na França, de US$13,8 MBtu.[2] Para modificar tal cenário, reformas e políticas públicas foram iniciadas em busca de mais competição, menos concentração por parte da incumbente Petrobras e maior acessibilidade de terceiros à estrutura básica essencial.

---

[1] TOLMASQUIM, Mauricio; GUERREIRO, Amílcar; GORINI, Ricardo. Matriz Energética Brasileira: uma prospectiva. *Novos Estudos CEBRAP*, Brasília, DF, v. 79, p. 69, 2007.

[2] MATTOS, César. Novo mercado de gás no Brasil: desverticalizando para a concorrência. *In:* SILVA, Mauro (org.). *Concessões e Parcerias Público-Privadas*: políticas públicas para provisão de infraestrutura. Brasília, DF: Ipea, 2022. p. 399.

O setor energético, de forma geral, demanda planejamento considerável em função dos problemas logísticos, da complexidade da infraestrutura, do volume necessário dos investimentos, dos longos períodos de amortização, dentre outras questões. Até que ocorra a distribuição do gás natural aos consumidores finais, a cadeia conta com etapas de extração, processamento, estoque e transporte, que demandam uma coordenação para que investimentos elevados e estratégias de longo prazo sejam coordenadas. Justamente por tais características, o setor é concentrado em poucos agentes altamente verticalizados e, não raro, estatizados. Esse cenário é uma realidade para vários países, sendo o Brasil um deles.[3]

A Petrobras, historicamente monopolista no mercado de gás natural no Brasil, ainda mantém uma posição dominante, mesmo após a abertura do mercado para concorrência privada. Atualmente, o setor passa por um importante processo de fortalecimento da competição, que teve início em 2016 com o Programa Gás para Crescer, transformado, em 2019, no Programa Novo Mercado de Gás. Na versão mais recente, quatro fatores foram a base estrutural da reforma: (i) diretrizes definidas pelo Conselho Nacional de Política Energética; (ii) Termo de Compromisso de Cessação entre a Petrobras e o Conselho Administrativo de Defesa Econômica (Cade); (iii) aprovação da Nova Lei do Gás (Lei nº 14.134, de 8 de abril de 2021) e (iv) criação do Comitê de Monitoramento da Abertura do Mercado de Gás Natural.

Ao longo dos últimos anos, as medidas já resultaram em avanços percebidos no preço: no início de 2024, o preço do GN estava no patamar de US\$10,92 MBtu,[4] 32% abaixo do valor em 2019. Fomentar a competição de mercado vai ao encontro do interesse público por duas principais razões. A primeira delas é que, historicamente, maiores níveis de competitividade e investimentos privados são responsáveis pelo efeito de queda nos preços; a segunda é a consecução desse objetivo sem subsídios públicos.

O mercado de gás natural tem potencial para contribuir significativamente no bem-estar social. Com isso em mente, a promoção de estrutura regulatória estável e equilibrada é essencial. Isso vale tanto para o Brasil como para os demais países com infraestrutura básica verticalizada e monopolizada.[5] No Brasil, tem-se a presença da Petrobras em todas as etapas do sistema produtivo, fenômeno caracterizado pela doutrina como incumbente verticalmente integralizado. A situação resulta no problema de *self-dealing*, aumentando a imprevisibilidade no acesso de terceiros e gerando insegurança aos potenciais entrantes. Por exemplo, qualquer competidor que ingressar no mercado precisa utilizar dutos de escoamento, transporte ou distribuição que são detidos pela incumbente, no qual ela mesma também é concorrente.

Quando uma empresa atua no mercado à montante e a jusante, mas a concorrência ocorre somente no último, os incentivos para discriminação de *players* não associados ao grupo são elevados. Essa prática pode ocorrer por discriminação de preços, recusa a contratar, prejuízos à qualidade e outras dificuldades que elevam os custos de transação do negócio.

---

[3] IEA. *Gas Market Liberalization Reform*: Key Insights from International Experiences and the Implications for China. [*S. l.*]: IEA, 2019. p. 40.

[4] CAMPOS JÚNIOR, Geraldo. Preço do gás natural no Brasil deve cair 13,8% em 2024, projeta Cbie. *Poder 360*, [*S. l.*], 3 abr. 2024. Disponível em: https://www.poder360.com.br/economia/preco-do-gas-natural-no-brasil-deve-cair-138-em-2024-projeta-cbie/. Acesso em: 5 jun. 2024.

[5] OECD. *Recommendation of the Council Concerning Structural Separation in Regulated Industries*. Paris: OECD, 2001.

Naturalmente, a situação pode ser corrigida por regulação, entretanto, a Agência Nacional do Petróleo, Gás Natural e Biocombustíveis (ANP) vem enfrentando dificuldades para nivelar a competição de maneira eficaz. Isso decorre de diversos fatores, dentre eles a consolidada posição de dominância pela Petrobras e a sua relevância política e social, que representam obstáculos consideráveis. Paralelamente, diante de espaços concorrenciais construídos pelo legislador – tal como é verificado no mercado de gás natural –, condutas enquadradas como anticompetitivas justificam a intervenção pelo Cade. Um exemplo disso foi a celebração do Termo de Cessação de Conduta (TCC do Gás) entre Petrobras e Cade em 2019. Por outro lado, não se pode dizer o mesmo sobre sua recente revisão em 2024. De fato, o saldo final das medidas impostas pelo TCC foi amplamente positivo; no entanto, a mudança de direção tomada pelo Cade representa uma mudança no papel historicamente desempenhado pela autarquia, com potencial para prejudicar, senão diminuir, o ritmo de desenvolvimento da competição nesses espaços concorrenciais lentamente construídos pelo legislador e agência regulatória.

Assim, o presente trabalho busca refletir sobre a atuação do Cade no processo de abertura do mercado de gás natural (GN). A seção 2 introduzirá a infraestrutura básica do segmento e o papel da agência reguladora em mercados regulados. A seção 3 discutirá sobre as investigações concorrenciais e demais fatores políticos que culminaram na assinatura do TCC do Gás e o encabeçamento do programa Novo Mercado de Gás. Por fim, a seção 4 apresentará algumas considerações sobre o aditivo ao TCC do Gás homologado em 22 de maio de 2024 e o papel do Cade na proteção da concorrência em mercados regulados.

2 Estrutura de mercado

A estrutura regulatória do mercado de gás natural no Brasil é complexa, uma vez que traz regimes jurídicos diversos para as diferentes etapas do processo produtivo e diferentes camadas de regulação por entes federativos diversos.

Nos termos do art. 177 da Constituição Federal, a pesquisa, a lavra, a importação e a exportação e o transporte do gás natural são monopólio da União. Por sua vez, os serviços de distribuição de gás canalizado são reservados para a exploração com exclusividade aos estados, nos termos do art. 25, §2º, da Constituição Federal. Assim, tem-se a regulação federal incidindo sobre as etapas de produção ou importação do gás natural, processamento e transporte, e as normas regulatórias estaduais incidindo sobre a distribuição até o consumidor final do gás natural.

A regulamentação, em nível federal, historicamente tem como foco primordial o petróleo, relegando o gás natural a uma posição secundária.[6] A Lei nº 9478/1997, que foi promulgada para regulamentar o art. 177 da Constituição Federal e que ficou conhecida como Lei do Petróleo, é um exemplo, uma vez que a regulação do mercado de gás natural é incompleta nesse diploma normativo.[7] A Lei nº 11.909/2009, que tratava exclusivamente

---

[6] ARAGÃO, Alexandre Santos de. *Direito do petróleo e do gás*. Belo Horizonte: Fórum 2021. p. 256.

[7] LOBO, Marcello Portes da Silveira. *Agências reguladoras e a solução de conflitos no setor de gás*. São Paulo: Almedina, 2024. p. 115.

do gás natural e ficou conhecida como Lei do Gás, só veio mais de 10 anos depois, tendo sido posteriormente substituída pela Lei nº 14.134/2021, atualmente em vigor.

A Lei do Petróleo criou a Agência Nacional do Petróleo (ANP), que regula os mercados de petróleo e gás natural no âmbito federal. A análise acerca da Lei do Petróleo se reflete também para a ANP, que inicialmente tratou o gás natural como um mercado acessório ao do petróleo. Ademais, para além do espaço juridicamente definido de autonomia de cada agência, em termos fáticos cada agência tem as suas peculiaridades.[8] No caso da ANP, a relevância econômica, social e política da Petrobras é um desafio. Afinal, a Petrobras usualmente lidera *rankings* de maior empresa brasileira e é responsável por um volume muito significativo dos investimentos brasileiros. Ainda, a relevância política e a social da companhia superam não apenas a ANP, mas também diversas entidades e empresas estatais e privadas.

Afora esse desafio, existe o risco de captura das agências pelas empresas reguladas ou mesmo para fins de determinado grupo político ou social e em ambientes institucionais com mais penetração do patrimonialismo ou do capitalismo de laços isso é ainda mais crítico, o que demanda um sistema que busque maiores mecanismos de *accountability*. No Brasil, a primeira onda de criação de agências, na qual se enquadra a ANP, não veio com um conjunto mais amplo de sistemas de *accountability*, o que pode gerar uma *performance* inferior.[9]

Ainda, deve-se observar que até a promulgação da Emenda Constitucional nº 9/1995 o monopólio da União sobre as atividades de produção ou importação, processamento e transporte era acompanhado pela obrigatoriedade de contratação da Petrobras para essas atividades. Ainda, após a promulgação da Constituição de 1988, a grande maioria dos estados optou por explorar as atividades de distribuição por meio de sociedades de economia mista constituídas em parceria com a Petrobras por meio da sua subsidiária a Gaspetro.

Já nos estados é comum que a regulação seja feita por meio de órgãos da administração direta com predominância das sociedades de economia mista criadas para a exploração da distribuição de gás canalizado.

Essa coexistência de níveis regulação federal e estadual já gerou conflitos entre a União e os estados, e a Lei do Gás pode ser vista como uma tentativa de redução de tal cenário mais conflituoso.

Por fim, a comercialização de gás natural pode ser feita por agentes privados sem a necessidade de autorização prévia da ANP ou dos estados. Entretanto, a importação é monopólio da União. Então, trazer o gás natural do exterior depende de autorização prévia da ANP, mas adquirir gás natural das distribuidoras estudais e comercializar para o consumidor final não requer essa autorização.

---

[8]   "Não existe homogeneidade na configuração do regime jurídico das diversas agências reguladoras independentes. Isso permite, inclusive, a variação da intensidade e da extensão da sua autonomia" (JUSTEN FILHO, Marçal. *O Direito das agências reguladoras independentes*. São Paulo: Dialética, 2002. p. 343).

[9]   "O grande risco que se corre entre nós, consiste na implantação impensada, apressada de um sistema de agências incompleto. A ausência de providências destinadas a acompanhar o desempenho das agências e submetê-las ao dever de prestação de contas à sociedade e a outros órgãos políticos pode conduzir potencialização dos seus defeitos e a desnaturação das suas virtudes" (JUSTEN FILHO. *O Direito das agências reguladoras independentes*, p. 376).

Em termos de infraestrutura, deve-se destacar o Gasoduto Brasil-Bolívia (Gasbol). O Gasbol iniciou as suas operações em julho de 1999 no estado de São Paulo e, em março de 2000, inaugurava o trecho referente aos estados do Sul do país, em uma das maiores obras de infraestrutura da década.[10] Para operar o Gasbol, foram criadas duas companhias independentes: a Companhia Boliviana de Transporte (GTB), que é proprietária do gasoduto do lado boliviano, e a Transportadora Brasileira Gasoduto Bolívia-Brasil (TBG), que controla o lado brasileiro do empreendimento. Quando da sua constituição a TBG era controlada pela subsidiária da Petrobras, a Gaspetro com 51% do capital social e a GTB pela Transredes, que era formada por fundos de pensão bolivianos com 50% de participação e a Shell e a Eron com 25% cada. Para assumir os riscos iniciais do empreendimento, a Petrobras assumiu cerca de 90% do custo de financiamento do Gasbol e a responsabilidade pela construção do empreendimento nos dois lados da fronteira, sendo que em contrapartida ficou com o controle da TBG e a posição de carregador exclusivo do gás boliviano via Gasbol até 30 milhões de m3/dia, por meio de contratos de longo prazo com cláusula *take-or-pay*, o que garantia a compra do volume mínimo de gás por 20 anos.[11] Esse arranjo permitiu a posição dominante da Petrobras no mercado de gás, que, se por um lado permitiram o aumento da oferta de gás natural no Brasil, por outro, no médio prazo, geraram uma dependência do Gasbol e um custo elevado dessa *commodity*.

Nesse contexto, a Lei do Gás e o Programa Novo Mercado de Gás, que procuraram avançar na abertura do mercado de gás no Brasil e na atuação do Cade, quando da celebração do TCC do Gás, analisado adiante, foram igualmente nesse sentido.

Esse contexto regulatório complexo indica a necessidade de se abordar a interface entre concorrência e regulação. Trata-se de questão bastante debatida na literatura especializada, que reforça a necessidade de cooperação e transversalidade e na análise da atuação do Cade e costuma partir das premissas norte-americanas acerca dos limites das agências reguladoras em face da atuação concorrencial.[12]

A proposta aqui foca a análise da atuação do Cade dentro do espaço concorrencial delimitado pela regulação, em especial, protegendo os espaços que a regulação da ANP já delimitou como aptos à disputa concorrencial.[13]

Afinal, a posição da Petrobras, através da Gaspetro no mercado de gás, em especial na TBG, é decorrente dos riscos e investimentos feitos no Gasbol, que necessitam de uma remuneração adequada. Todavia, a atuação da Petrobras, decorrente da construção pela companhia da infraestrutura necessária para o transporte do gás natural boliviano,

---

[10]   TORRES FILHO, Ernani Teixeira. O Gasoduto Brasil-Bolívia: impactos econômicos e desafios de mercado. *Revista do BNDES*, Brasília, DF, v. 9, n. 17, p. 99, 2002.

[11]   TORRES FILHO. O Gasoduto Brasil-Bolívia: impactos econômicos e desafios de mercado, p. 101-102.

[12]   SAMPAIO, Patrícia Regina Pinheiro. *Regulação e concorrência*: a atuação do Cade em setores de infraestrutura. São Paulo: Saraiva, 2013. p. 140-145.

[13]   Nesse sentido: "Nessa interação entre concorrência e regulação, abrem-se duas vertentes para uma possível atuação do Cade em mercados regulados: (i) atuação sobre a própria delimitação dos espaços concorrenciais (i.e., promoção da competição em setores onde ela era inexistente); e (ii) proteção dos espaços concorrenciais já abertos pela regulação (i.e., prevenção e repressão a infrações contra a ordem econômica nos espaços competitivos dos mercados regulados). Como se verá a seguir, a postura adotada pelo Cade nestas duas vertentes têm sido bastante distinta, sendo cautelosa na primeira e muito ativa na segunda" (PEREIRA NETO, Caio Mário da Silva; PRADO FILHO, José Inácio Ferraz de. Espaços e Interfaces entre Regulação e Defesa da Concorrência. *Revista Direito GV*, São Paulo, v. 12, n. 1, p. 13-48, 2016).

demanda uma regulação concorrencial efetiva da ANP e um olhar atento do Cade para que essa posição não permita o fechamento de etapas do processo produtivo do mercado de gás que seriam espaços abertos à disputa concorrencial. Esse esforço regulatório deveria ser uma prioridade da ANP e ser observado de perto pelo Cade, como se discutirá na próxima seção.

3 A atuação do Cade no mercado de gás natural

Como demonstrado, o mercado de gás natural no Brasil possui uma estrutura altamente concentrada, marcada pela integração vertical da Petrobras. Essa configuração permite a Petrobras controlar desde a produção até a distribuição de GN, facilitando práticas de consolidação da posição dominante e discriminação de *players* a jusante não associados ao grupo.[14] A falta de regulação eficaz também contribui para a perpetuação da situação, elevando as barreiras à entrada de novos agentes. Por exemplo, a antiga Lei do Gás Natural (Lei nº 11.909/2009) não previu obrigatoriedade de acesso às infraestruturas essenciais,[15] questão sensível quando o agente monopolista à montante atua nesse mesmo segmento a jusante. Além disso, a ANP não regulou regras básicas com considerável potencial para abrir o mercado e aumentar a paridade entre os agentes, quesito no qual se citam mudanças na regra para (i) consumidores-livres e (ii) transações entre partes relacionadas, restringindo direito de voto e outros direitos dos acionistas quando existir conflito de interesses.[16]

Diante desse cenário, denúncias à incumbente do setor são frequentes. Uma das principais investigações realizadas pelo Cade teve início em 2014 pela denúncia da Gás de São Paulo (Comgás) por suposto abuso de posição dominante da Petrobras como detentora da condição de fornecedora única do mercado. De acordo com a reclamante, a Petrobras estaria prejudicando a concorrência por meio de discriminação na concessão de descontos ao beneficiar a Concessionária Gás Brasiliano (GBD), que é concessionária e subsidiária integral da Petrobras em detrimento de outras distribuidoras.[17]

De acordo com a Lei da Concorrência, a concessão de descontos por si só não configura conduta abusiva, desde que os critérios para tanto sejam objetivos ou justificados.[18] Assim, o procedimento teve longa fase de instrução a fim de apurar todos os elementos necessários à constituição da ilicitude: (i) posição dominante no mercado; (ii) prejuízo, ainda que potencial, à livre concorrência e (iii) existência de racionalidade econômica legítima capaz de justificar a prática.

---

[14] MATTOS. Novo mercado de gás no Brasil: desverticalizando para a concorrência, p. 403.

[15] BRASIL. Agência Nacional do Petróleo, Gás Natural e Biocombustíveis. Superintendência de Infraestrutura e Movimentação. *A promoção da concorrência na indústria de gás natural (Nota Técnica nº 14/2018).* Brasília, DF: Agência Nacional do Petróleo, Gás Natural e Biocombustíveis; Superintendência de Infraestrutura e Movimentação, 2018. p. 5.

[16] MOTTA, Lucas Griebeler. Antitruste, regulação setorial e a nova política de desinvestimentos da Petrobras: instrumentos para promoção da concorrência no mercado de gás natural. *Revista do IBRAC,* São Paulo, n. 1, p. 81, 2020.

[17] BRASIL. Ministério da Justiça. Conselho Administrativo de Defesa Econômica. *Processo Administrativo nº 08700.002600/2014-30 (Comgás vs. Petrobras).* Brasília, DF: Ministério da Justiça; Conselho Administrativo de Defesa Econômica, 2014.

[18] SALOMÃO FILHO, Calixto. *Direito Concorrencial.* São Paulo: Grupo GEN, 2021. *E-book.* p. 387.

Na Nota Técnica nº 26/2016, a Superintendência-Geral (SG) manifesta parecer condenatório consubstanciando a existência de discriminação não justificada para aplicação de descontos. Além da notória posição dominante da empresa, o documento analisou o potencial lesivo da conduta e os argumentos da investigada concluindo que " há um desalinhamento entre as justificativas oferecidas pela Petrobras, de um lado, e as características da política de desconto e o histórico de negociação contratual entre as partes, de outro".[19] Ao final, a SG considerou que o "alegado objetivo (competitividade do gás) da política de descontos não está alinhado à maneira discriminatória e danosa como foram colocados em prática esses descontos, motivo pelo qual não pode servir de justificativa legítima para a conduta do ponto de vista antitruste".[20] Tanto o Ministério Público Federal como a Procuradoria do Cade acompanharam a recomendação da SG.

Alguns anos depois, na sessão de julgamento em 2019, o relator Paulo Burnier da Silveira proferiu voto na direção oposta. Ele considerou que, em razão da cessação das práticas investigadas no ano de 2015, já não seria mais possível identificar prejuízos concretos à concorrência no ano em questão (2019). O transcurso de 4 anos sem a recorrência da conduta por parte da Petrobras, somado ao crescimento de mercado da Comgás, além de outros fatores marginais analisados pelo conselheiro, indicavam generalidade aos efeitos negativos, que mais permeavam o campo da potencialidade do que da concretude dos efeitos analisado.[21] Apesar de o voto ser favorável a Petrobras, o caso foi arquivado sem decisão de mérito em virtude da celebração de TCC do Gás.

O TCC do Gás englobou a baixa do caso Comgás e outros três em trâmite no Cade: *caso* Abegás,[22] caso *Âmbar*[23] e investigação de ofício instaurada pelo órgão.[24] O primeiro deles foi originado por representação da Associação Brasileira das Empresas Distribuidoras de Gás Canalizado (Abegás) que acusou a Petrobras de impor cláusulas contratuais abusivas e discriminar preço, afetando não só a reclamante, como outras empresas e consumidores-livres. O caso *Âmbar* versava sobre suposta recusa de fornecimento por parte da Petrobras à usina termoelétrica UTE-Cuiabá (operada pela Âmbar Energia Ltda.), que posteriormente foi arquivado por ausência de ilicitude. Por fim, a investigação de ofício pelo Cade buscava apurar prática de discriminação anticompetitiva, recusa de contratar e criação de dificuldade no funcionamento das empresas envolvidas na produção de energia por GN.

Ao final, todas as investigações foram cessadas pelo acordo firmado entre o Cade e a Petrobras, dando baixa nas investigações dirigidas ao mercado de gás e petróleo – denominado de TCC do Gás e TCC do Refino.[25] Ambos marcam o favorável momento

---

[19] BRASIL. *Processo Administrativo nº 08700.002600/2014-30 (Comgás vs. Petrobras)*.

[20] BRASIL. *Processo Administrativo nº 08700.002600/2014-30 (Comgás vs. Petrobras)*.

[21] BRASIL. *Processo Administrativo nº 08700.002600/2014-30 (Comgás vs. Petrobras)*.

[22] BRASIL. Ministério da Justiça. Conselho Administrativo de Defesa Econômica. Inquérito Administrativo nº 08700.007130/2015-82 (Abegás vs. Petrobras). Brasília, DF: Ministério da Justiça, Conselho Administrativo de Defesa Econômica, 2015.

[23] BRASIL. Ministério da Justiça. Conselho Administrativo de Defesa Econômica. *Inquérito Administrativo nº 08700.009007/2015-04 (Âmbar/UTE-Cuiabá vs. Petrobras)*. Brasília, DF: Ministério da Justiça, Conselho Administrativo de Defesa Econômica, 2015.

[24] BRASIL. Ministério da Justiça. Conselho Administrativo de Defesa Econômica. *Inquérito Administrativo nº 08700.003335/2018-31 (Cade de ofício vs. Petrobras)*. Brasília, DF: Ministério da Justiça; Conselho Administrativo de Defesa Econômica, 2018.

[25] BRASIL. Petrobras informa sobre Cessação do refino no Cade. *Agência Petrobras*, Brasília, DF, 22 maio 2024.

histórico e político de cooperação entre a Petrobras, o Cade e outros órgão federais para aumentar a competitividade do setor, atrair investimentos e aprimorar o arcabouço legal e fiscalizatório.[26]

Esse movimento deu origem ao programa denominado de Novo Mercado de Gás , uma continuidade do antigo Gás para Crescer, iniciado em 2016.[27] Trata-se de parceria entre Ministério da Economia (ME), Ministério de Minas e Energia (MME), ANP e o Cade, juntamente com a própria Petrobras, que, na época, se mostrou disposta a conversar com as autoridades governamentais, vender ativos estratégicos e abster-se de litigar em casos controversos.[28]

No tocante aos ativos, a Petrobras se comprometeu a alienar participações societárias na Nova Transportadora do Sudeste S.A. (NTS),[29] na Transportadora Associada de Gás S.A. (TAG),[30] na Transportadora Brasileira Gasoduto Bolívia-Brasil S.A. (TBG)[31] e demais distribuidoras de gás canalizado detidas pela Petrobras na Petrobras Gás S.A. (Gaspetro), tal como consta no Anexo II do TCC do Gás:

Tabela 1 - Política de desinvestimentos Petrobras

Empresa	Nome	Participação da Petrobras
NTS	Nova Transportadora do Sudeste S.A.	10%
TAG	Transportadora Associada de Gás S.A.	10%
TBG	Transportadora Brasileira Gasoduto Bolívia-Brasil S.A.	51%*
Gaspetro	Petrobras Gás S.A.	51%

* por meio da subsidiária Petrobras Logística de Gás S.A.

Fonte: BRASIL. Ministério da Justiça. Conselho Administrativo de Defesa Econômica. *Termo de Compromisso de Cessação de Prática (TCC do Gás)*. Processo Administrativo nº 08700.007130/2015-82. Doc. SEI/Cade nº 0635976. Brasília, DF: Ministério da Justiça, Conselho Administrativo de Defesa Econômica, 2019. p. 11.

Disponível em: https://agencia.petrobras.com.br/w/negocio/petrobras-informa-sobre-cessacao-do-refino-no-cade. Acesso em: 9 jul. 2024.

[26] BRASIL. *Termo de Compromisso de Cessação de Prática (TCC do Gás)*, p. 1-2.

[27] BRASIL. Confederação Nacional das Indústrias. *Uma análise da nova lei do gás à luz do interesse público*. Brasília, DF: Confederação Nacional das Indústrias, 2020. p. 26.

[28] MOTTA. Antitruste, regulação setorial e a nova política de desinvestimentos da Petrobras: instrumentos para promoção da concorrência no mercado de gás natural, p. 82.

[29] Responsável pela infraestrutura que conecta Rio de Janeiro, Minas Gerais e São Paulo (Disponível em: https://ntag.com.br/. Acesso em: 5 jul. 2024).

[30] Responsável pelo armazenamento e transporte do gás distribuído nas regiões Norte, Nordeste e Sudeste do Brasil (Disponível em: https://ntag.com.br/. Acesso em: 5 jul. 2024).

[31] Proprietária da infraestrutura que liga gasodutos brasileiros à boliviano e atravessa os estados de Mato Grosso do Sul, Paraná, Rio Grande do Sul, Santa Catarina e São Paulo, abastecendo CDLs, indústrias, termelétricas e refinarias que representam mais da metade da demanda nacional de gás natural (MOTTA. Antitruste, regulação setorial e a nova política de desinvestimentos da Petrobras: instrumentos para promoção da concorrência no mercado de gás natural, p. 76).

O TCC proíbe, ainda, a contratação, pela estatal, de novos volumes de gás natural adquiridos de terceiros e amplia acesso de terceiros a seus gasodutos de escoamento, terminais de regaseificação e UPGNs. Além disso, enquanto a participação nas referidas empresas permanecer sob domínio da Petrobras – o documento estabeleceu prazo de mais de dois anos para venda, sujeito à prorrogação –, esta deveria indicar conselheiros independentes para compor o Conselho de Administração das empresas objeto dos desinvestimentos. Trata-se de medidas mínimas de *compliance*, haja vista a constante situação de *self-dealing* envolvendo o controle ou coligação da Petrobras com a maioria das transportadoras.[32]

As medidas foram consideradas essenciais para reequilibrar o ambiente competitivo, no entanto, somente elas não seriam suficientes para "reverter o quadro crônico de ineficiência e concentração de mercado no setor, e suas implicações no âmbito dos preços e quantidades".[33] Justamente por isso, o programa Novo Mercado de Gás conta com outras três medidas basilares: (i) o estabelecimento de diretrizes pelo Conselho Nacional de Política Energética para aperfeiçoamento de políticas públicas voltadas à promoção da livre concorrência no mercado de GN (Regulação nº 16);[34] (ii) a aprovação da Nova Legislação do Gás[35] e (iii) a criação do Comitê de Monitoramento da Abertura do Mercado de Gás Natural (Comitê) para coordenar esforços entre o MME (coordenador), ME, Casa Civil, ANP, Empresa de Pesquisa Energética e o Cade.[36]

Dentre os diversos gargalos do segmento, resultado do expressivo poder de mercado da Petrobras em toda cadeia produtiva, dois deles chamam especial atenção da ANP: (i) acesso à infraestrutura e (ii) verticalização pelo monopólio natural. No primeiro ponto, a agência destaca, embora existam opiniões divergentes sobre o regime ideal de acesso (negociado ou regulado), é pacífico que o acesso de terceiros aos dutos de escoamento, UPGNs e terminais de GNL deve ser não discriminatório e transparente.[37] No entanto, é o segundo ponto que mais interessa à presente análise: "Para que se possa implantar um mercado concorrencial para a indústria do gás natural é fundamental que a atividade de transporte de gás seja independente das demais atividades da cadeia", destaca a ANP.[38] Esse era precisamente o caminho traçado no TCC do Gás junto ao Cade.

Corroborando com a lógica, a Regulação nº 16/2019, em seu art. 5º, alínea "f", é inequívoca ao estabelecer a necessidade da segregação das etapas produtivas, isto é, desverticalizar para promover a concorrência. Na mesma linha, o parágrafo 1º do art. 5º

---

[32] BRASIL. *A promoção da concorrência na indústria de gás natural (Nota Técnica nº 14/2018)*, p. 23.

[33] BRASIL. *Uma análise da nova lei do gás à luz do interesse público*, p. 27.

[34] BRASIL. Conselho Nacional de Política Energética. *Resolução nº 16, de 24 de junho de 2019*. Estabelece diretrizes para o mercado de gás natural e dá outras providências. Brasília, DF: Conselho Nacional de Política Energética, 2019. Disponível em: https://www.gov.br/mme/pt-br/assuntos/conselhos-e-comites/cnpe/resolucoes-do-cnpe/2019. Acesso em: 5 jul. 2024.

[35] BRASIL. Lei nº 14.134, de 8 de abril de 2021. Institui normas para a exploração das atividades econômicas de transporte de gás natural e dá outras providências. *Diário Oficial da União*: Brasília, DF, 2021. Disponível em: http://www.planalto.gov.br/ccivil_03/_ato2019-2022/2021/lei/l14134.htm. Acesso em: 5 jul. 2024.

[36] BRASIL. Decreto nº 9.934, de 24 de julho de 2019. Institui o Comitê de Monitoramento da Abertura do Mercado de Gás Natural. *Diário Oficial da União*: Brasília, DF, 2019. Disponível em: http://www.planalto.gov.br/ccivil_03/_ato2019-2022/2019/decreto/D9934.htm#:~:text=DECRETO%20N%C2%BA%209.934%2C%20DE%2024,que%20lhe%20confere%20o%20art. Acesso em: 5 jul. 2024.

[37] BRASIL. *A promoção da concorrência na indústria de gás natural* (Nota Técnica nº 14/2018), p. 31.

[38] BRASIL. *A promoção da concorrência na indústria de gás natural* (Nota Técnica nº 14/2018), p. 32.

da Nova Lei do Gás veda a relação societária de controle, seja direta ou indireta, entre transportadores e empresas que exerçam funções de exploração, desenvolvimento, produção, importação, carregamento e comercialização de gás natural. A lei impõe, na prática, uma separação estrutural entre as atividades da cadeia e a operação de transporte, exercida pelas empresas NST, TAG e TBG.

Se o propósito da Regulação nº 16 é recomendar, o da Lei do Gás é impor e o do Cade é fiscalizar. Nesse sentido, considerando todo material produzido sobre o tema, restou dúbia a súbita mudança de direção tomada pelo órgão ao anuir com o recente requerimento de aditivo ao TCC do Gás.[39] No pedido, a Petrobras reforça que cumpriu substancialmente as imposições do TCC original, alienando completamente as participações na NST, TAG e Gaspetro, no entanto, alega dificuldades para alienar a TBG, além de mudanças no mercado que justificariam a manutenção da empresa no grupo. O Cade, ao analisar o pedido, concedeu deferimento, embora todas as diretrizes e recomendações – das quais ele mesmo participou – indiquem a desverticalização como melhor caminho para promoção da concorrência.

Ademais, o programa Novo Mercado de Gás foi implementado no ano de 2019 depois longos debates e estudos, ou seja, transcorreram-se somente 5 anos, período razoavelmente curto para que mudanças tão substanciais tenham ocorrido no mercado de gás a ponto de justificar tal mudança de entendimento. A partir disso, a próxima seção analisa a revisão dos termos do TCC sobre dois enfoques: (i) as justificativas para manutenção da participação acionária da TBG pela Petrobras; (ii) os possíveis impactos a longo prazo disso em atenção aos objetivos delineados pelo programa Novo Mercado de Gás.

4 Análise crítica da atuação do Cade no mercado de gás natural e reflexões para uma agenda de longo prazo

O mercado de gás natural como já apresentado é um mercado regulado sendo que a ANP exerce a função de agência reguladora dos mercados de petróleo e gás natural. Nos mercados regulados a atuação do Cade envolve necessariamente coordenação e cooperação com a ANP.[40] O foco deste trabalho, entretanto é analisar se a partir dos limites regulados e dos espaços abertos a dinâmica concorrencial pela ANP ou mesmo pela legislação o Cade defendeu por meio das suas intervenções as escolhas legislativas e regulatórias já realizadas no sentido da ampliação da dinâmica concorrencial nesses mercados que iniciaram com a Emenda Constitucional nº 9/1995, como já indicado anteriormente.

A definição dos limites estabelecidos nos marcos regulatórios e na atuação da ANP não é objeto deste trabalho, mas pode-se afirmar que a sua construção de forma clara e

---

[39] BRASIL. Ministério da Justiça. Conselho Administrativo de Defesa Econômica. Cade e Petrobras firmam aditivos a TCC do Refino e do Gás. Gov.br, Brasília, DF, 22 maio 2024. Disponível em: https://www.gov.br/cade/pt-br/assuntos/noticias/cade-e-petrobras-firmam-aditivos-a-tcc-do-refino-e-do-gas. Acesso em: 5 jun. 2024.

[40] SEIXAS, Luiz Felipe Monteiro. Friends or Foes? Coordenação regulatória no âmbito do Cade e das agências reguladoras federais. *Revista de Direito Administrativo*, São Paulo, v. 283, n. 2, p. 121-145, 2024.

apta a gerar previsibilidade é essencial para evitar conflitos entre o regulador setorial e a autoridade concorrencial.[41] Entretanto, algumas situações podem gerar incertezas quanto à existência ou não de espaço concorrencial dentro do setor regulado, tornando indefinida a fronteira entre os limites da agência reguladora e a autoridade concorrência.

Seja por interpretação dúbia da lei ou por omissão dela própria, esses são casos em que o Cade busca, primeiro, identificar se existe de fato espaço concorrencial para, posteriormente, definir qual postura assumir diante da problemática. A conclusão acerca da primeira premissa é determinante para entender o curso de atuação do órgão. Isso porque o Cade demonstra posturas distintas para cada um dos dois cenários, isto é, se há espaço concorrencial claro ou apenas possível.

Assim, a atuação concorrencial do Cade em mercados regulados pode ser compreendida a partir da dicotomia entre: (i) atuação sobre a delimitação dos espaços, como pela promoção de competição em setores onde ela é inexistente; e (ii) proteção dos espaços concorrenciais já abertos pela regulação, promovendo a prevenção ou repressão de infrações anticompetitivas como abordado por Caio Mário Pereira Neto e José Inacio Prado Filho. Nesse sentido, quando a abertura não foi expressamente determinada pelo legislador, "o Cade tem atuado de forma cautelosa: efetivamente apreciando a compatibilidade da política regulatória frente ao direito antitruste, mas como resultado, requerendo ou solicitando às autoridades providências para o cumprimento da lei concorrencial".[42] Por outro lado, quando identificado espaços concorrenciais abertos por lei, a autarquia assume posição de liderança, exercendo "reiterada e plenamente sua competência de adjudicação no âmbito concorrencial, impondo sanções contra práticas restritivas e condicionamentos a operações de concentração".[43]

Portanto, o normal seria esperar postura ostensiva do Cade na defesa e na construção do processo de abertura do mercado de gás natural, uma vez que a escolha do legislador e do regulador setorial aponta para um mercado regulado com espaços concorrenciais abertos. Além da união de esforços entre o Cade, a ANP e demais órgãos do governo no Programa Novo Mercado de Gás, a Nova Lei do Gás expressamente trata do espaço concorrencial em diversas passagens do texto. Dentre elas, duas merecem menção detalhada: o art. 33 e o §3 do art. 4º da Lei nº 14.134/2021.

No primeiro, a lei prestigia a concorrência ao determinar o papel da ANP para "acompanhar o funcionamento do mercado de gás natural e adotar mecanismos de estímulo à eficiência e à competitividade e de redução da concentração na oferta de gás natural com vistas a prevenir condições de mercado favoráveis à prática de infrações contra a ordem econômica". Nessa oportunidade, a lei faz menção à proteção da ordem econômica, inerente de espaços competitivos, e emprega o termo "acompanhar" para estabelecer o sentido de complementaridade entre autoridades. Em outras palavras, o estímulo à competitividade do setor cabe à ANP *e demais* órgãos *competentes*.

---

[41] MARQUES NETO, Floriano A. Limites à abrangência e à intensidade da regulação estatal. *Revista de Direito Administrativo Econômico: REDAE*, [*S. l.*], n. 4, p. 7, 2006.

[42] PEREIRA NETO, Caio Mário da Silva; PRADO FILHO, José Inácio Ferraz de. Espaços e Interfaces entre Regulação e Defesa da Concorrência. *Revista Direito GV*, São Paulo, v. 12, n. 1, p. 42, 2016.

[43] PEREIRA NETO; PRADO FILHO. Espaços e interfaces entre regulação e defesa da concorrência: a posição do Cade, p. 42-43.

Ademais, a lei expressamente resguarda a atuação do Cade ao indicar a Lei de Defesa da Concorrência (Lei nº 12.529/2011) em seu artigo 4º, §3º,[44] A menção é feita na seção sobre transporte, atividade delicada no segmento por encontrar-se entre os dois extremos da cadeia. Caso haja integração vertical por apenas uma empresa entre os elos, elevam-se os incentivos ao fechamento de mercado à montante ou a jusante pela incumbente. Por isso, o artigo 5º, §1º, traz impedimento na concentração do transporte a outras atividades pelo mesmo agente:

> Art. 5º. (...)
>
> §1º É vedada relação societária direta ou indireta de controle ou de coligação (...) entre transportadores e empresas ou consórcio de empresas que atuem ou exerçam funções nas atividades de exploração, desenvolvimento, produção, importação, carregamento e comercialização de gás natural.[45]

A partir deste referencial teórico, seria razoável supor que, ainda que fosse permitido a Petrobras manter a TBG, ela não poderia fazê-lo, pois a TBG exerce atividade de transporte e a Petrobras atua nos demais elos da cadeia, logo, a relação entre elas seria proibida. Ocorre que, a questão da separação pode ser interpretada a partir da perspectiva funcional, na qual as empresas são consideradas não relacionadas quando os contratos e gestores são distintos.[46] A verificação de independência passaria pelo crivo da ANP, responsável por expedir autorização para o regular exercício da atividade após a verificação dos requisitos e critérios de autonomia determinados em sua regulação (art. 5º, §3º, da Lei nº 14.134/2021).

Importante ressaltar que a OCDE, em sua nota de Recomendações às Indústrias Reguladas, destaca que esse tipo de separação funcional auxilia no desenvolvimento da competição, mas não elimina por completo os incentivos da incumbente para restringir ou discriminar concorrentes.[47] Para tanto, a medida mais eficiente seria a separação estrutural, em que os acionistas ou sócios são diferentes para cada empresa, o que esse planejava ao determinar a venda da TBG no TCC do Gás original.

Embora a definição concreta quanto ao tipo de separação ainda encontra-se indefinido, o entendimento majoritário formado defende a separação apenas na modalidade funcional. Conforme o Parecer Técnico Independente elaborado pela LCA Consultoria Econômica, contratado pela Petrobras para juntar ao requerimento de TCC, "a lei não determina a obrigatoriedade de alienação do ativo – mas que sua operação seja independente",[48] defendendo, assim, que a modalidade funcional bastaria para garantir

---

[44] "Art. 4º A atividade de transporte de gás natural será exercida em regime de autorização, abrangidas a construção, a ampliação, a operação e a manutenção das instalações.

(...)

§3º Dependem de prévia autorização da ANP a cisão, a fusão, a transformação, a incorporação, a redução de capital da empresa autorizatária ou a transferência de seu controle societário, sem prejuízo do disposto na Lei nº 12.529, de 30 de novembro de 2011" (BRASIL. Lei nº 14.134, de 8 de abril de 2021, art. 4º, §3º).

[45] BRASIL. Lei nº 14.134, de 8 de abril de 2021.

[46] MATTOS. Novo mercado de gás no Brasil: desverticalizando para a concorrência, p. 406.

[47] OECD. *Recommendation of the Council Concerning Structural Separation in Regulated Industries.*

[48] BRASIL. Ministério da Justiça. Conselho Administrativo de Defesa Econômica. *Requerimento de TCC nº 08700.003136/2019-12 (TCC Petrobras)*. Brasília, DF: Ministério da Justiça; Conselho Administrativo de Defesa Econômica, 2019. p. 1124.

o cumprimento. Na mesma linha, a Petrobras declarou em seu requerimento que, "sob a premissa de que será mantida a relação de independência entre Petrobras e TBG, a alienação da empresa não é condição necessária para a abertura e maior competitividade do mercado".[49]

De fato, a lei foi genérica na definição de "separação", mas conferiu à ANP poderes para estipular requisitos de independência e autonomia, o que não aconteceu até a presente data.[50] Em 2020, a ANP chegou a expedir proposta de minuta para estabelecer os critérios, a questão caminhou até a realização de audiência pública e a partir disso parou de evoluir.

Esses critérios, uma vez expedidos, determinarão o grau de rigidez exigido para separação, podendo variar de separação contábil (mais amena), passando pela separação funcional (intermediária), até a separação estrutural (mais rígida).[51] Ao considerar que o legislador se preocupou em prever certificado de independência para transportadoras, é pouco crível esperar que a ANP opte pela opção mais rígida, de forma que, a separação funcional, como vem sendo defendida, seria o suficiente para atestar o cumprimento da lei. Nesse sentido, a Petrobras apresentou, no requerimento de TCC, a disposição dos diretores comerciais da TBG, demonstrando independência material e isolamento completo em relação ao controle da controladora (Petrobras).[52]

Diante da questão, o Cade ponderou sobre os argumentos apresentados e concluiu que:

> (...)
>
> i) os desinvestimentos pactuados no âmbito do TCC SEI 0636026 foram parcialmente cumpridos;
>
> ii) a Compromissária envidou seus melhores esforços para alienar a TBG, o que não se consumou em razão da ausência de proposta vinculante compatível com o *valuation* do ativo.
>
> iii) o TCC viabilizou a desverticalização da Petrobras nos elos de transporte, por meio da alienação de suas participações nas transportadoras NTS e TAG; bem como sua saída do quadro acionário das distribuidoras estaduais de gás natural (Gaspetro).[53]

Além disso, foi considerada também a divulgação da tabela de capacidade ociosa da TBG, apontando percentual disponível para contratação por terceiros no ciclo 2024-2028.[54] Essa medida mitiga o risco de recusa discriminatória a contratar por parte

---

[49] BRASIL. *Requerimento de TCC nº 08700.003136/2019-12 (TCC Petrobras)*, p. 1142.

[50] A ANP realizou, por ora, apenas consulta pública sobre a minuta de resolução que regulamentará os critérios de independência e autonomia dos transportadores de gás natural (BRASIL. Agência Nacional do Petróleo, Gás Natural e Biocombustíveis. ANP faz audiência pública sobre critérios de independência e autonomia dos transportadores de gás. *Gov.br*, Brasília, DF, 26 maio 2021. Disponível em: https://www.gov.br/anp/pt-br/canais_atendimento/imprensa/noticias-comunicados/anp-faz-audiencia-publica-sobre-criterios-de-independencia-e-autonomia-dos-transportadores-de-gas. Acesso em: 13 ago. 2024).

[51] MATTOS. Novo mercado de gás no Brasil: desverticalizando para a concorrência, p. 406.

[52] BRASIL. *Requerimento de TCC nº 08700.003136/2019-12 (TCC Petrobras)*, p. 1158.

[53] BRASIL. *Requerimento de TCC nº 08700.003136/2019-12 (TCC Petrobras)*, p. 1253.

[54] BRASIL. *Requerimento de TCC nº 08700.003136/2019-12 (TCC Petrobras)*, p. 1250.

da TBG em relação a concorrentes da Petrobras, uma vez que inviabiliza a alegação de demanda excessiva, normalmente utilizada na estratégia de fechamento de mercado por incumbentes monopolistas.

Mesmo considerando o cumprimento substancial dos termos do TCC do Gás original e todos os avanços conquistados no segmento, a decisão de acatar o aditivo proposto vai na contramão da postura historicamente praticada pelo Cade de proteger e maximizar os espaços já abertos à concorrência em mercados regulados. É difícil afirmar se a manutenção da TBG pela Petrobras tem real capacidade de prejudicar o mercado ou desestimular a entrada de participantes no setor.

De fato, existem vantagens reconhecidas pela doutrina na manutenção de elos verticalizados por incumbentes, que poderiam representar benefícios aos consumidores finais. De toda forma, qualquer tentativa de projetar o impacto da medida nos preços seria um mero palpite, inúmeras variáveis devem ser consideradas para tal exercício, que escapam do escopo do presente trabalho; no entanto, considerando a questão sob a perspectiva da concorrência, é certo dizer que a decisão não maximiza o espaço ou a dinâmica de competição no mercado. Além disso, contradiz frontalmente as sugestões sobre fomento da concorrência em mercados regulados, elaboradas tanto por órgãos internacionais,[55] como nacionais,[56] e contraria as próprias diretrizes definidas pelo Cade e demais atores do comitê do Gás em 2019.

Por fim, parece justo ressaltar que não cabe somente ao Cade fomentar e estimular a concorrência no mercado de gás. Como demonstrado, a ANP poderia atuar de maneira mais célere e definitiva, principalmente nas questões abertas que lhe cabem regular e decidir.

5 Conclusão

A regulação de mercados originalmente dominados por monopólio estatal é complexa por envolver serviços essenciais à sociedade, forte presença de incumbentes verticalizados e questões políticas. Não diferente, o mercado de gás natural demonstra tais preocupações. A Petrobras exerce posição dominante no mercado de gás natural não apenas nos elos da cadeia produtiva que são monopólio da União, mas de forma integrada em função da regulação do setor e dos investimentos feitos para a ampliação da oferta de gás natural no Brasil. Entretanto, apesar de esses investimentos terem desempenhado papel crucial na oferta do gás natural, a redução do preço e a maior eficiência do setor incluem a modernização da regulação e a redução da posição dominante da Petrobras.

Visando à modernização desse tipo de segmento, autoridades mundo afora apostam na ampliação de espaços concorrenciais em mercados regulados como mecanismo para ganhos de eficiência e redução de custos. Nesse sentido, o Brasil iniciou um projeto de construção de espaços concorrenciais, identificado por Novo Mercado de Gás, o qual contou com a participação de diversos órgãos públicos e, inclusive, pela própria Petrobras.

---

[55] OECD. *Recommendation of the Council Concerning Structural Separation in Regulated Industries.*

[56] BRASIL. *Uma análise da nova lei do gás à luz do interesse público.*

Naturalmente, pela complexidade da infraestrutura do serviço e necessidade de investimentos vultosos de maturação longa, verdadeiras mudanças levam tempo e envolvem esforços coordenados rumo à direção inicialmente proposta. Esse cenário dificulta a promoção unilateral de espaços concorrenciais pelo Cade, que demonstra postura de deferência a construções legais regulatórias e institucionais. Todavia, quando o legislador e o regulador indicam mudança institucional, conjuntamente ajustando a flexibilização da regulação com abertura do mercado, a atuação do Cade se torna essencial.

São traçadas diretrizes que, idealmente, servem para guiar o racional decisório das autoridades. Assim, mesmo restritas à sua área de atuação, é possível trabalhar pelo mesmo objetivo coletivamente determinado. Dentre as diretrizes mais relevantes, pode-se citar a desverticalização da incumbente, medida pretendida com a assinatura do TCC, além de claramente ambicionada pela Nova Lei do Gás. Com ela, mitigam-se os riscos a práticas de consolidação da posição dominante e discriminação de *players* não associados ao grupo, aumentando, consequentemente, a atratividade do setor para entrada de novos participantes ou novos investimentos.

Com isso, a importância da advocacia do Cade em favor da concorrência em setores regulados é defendida por boa parte da doutrina,[57] que se dá pela produção de estudos e pareceres, além da atuação em cooperação com os reguladores setoriais. Verificou-se que o Cade tende a ser mais cauteloso na abertura de espaços concorrenciais quando não determinada expressamente pelo legislador, no entanto, assume posição de liderança na proteção desse espaço quando claramente existente. Assim, a celebração do TCC foi o ponto culminante da trajetória de construção e ampliação da dinâmica concorrencial no mercado de gás natural, o que era de se esperar, dada a postura historicamente demonstrada pelo Cade.

Entretanto, a revisão do TCC do Gás pode significar uma ruptura nessa tendência e um descompasso na missão de ampliação da concorrência dentro dos limites apresentados pelo regulador. Mesmo considerando o cumprimento substancial do TCC original, a decisão vai na contramão do que seria esperado por contradizer as diretrizes definidas pelo Cade e demais atores do comitê do Gás em 2019.

A reversão ou não da tendência de abertura do mercado do gás natural, e ainda será definida no futuro. Todavia, a construção e a defesa de espaços concorrenciais no mercado de gás natural dependem do Cade como uma organização capaz de contribuir de forma decisiva para a construção de um ambiente concorrencial institucionalmente adequado.

Referências

ARAGÃO, Alexandre Santos de. *Direito do petróleo e do gás*. Belo Horizonte: Fórum, 2021.

CAMPOS JÚNIOR, Geraldo. Preço do gás natural no Brasil deve cair 13,8% em 2024, projeta Cbie. *Poder 360*, [S. l.], 3 abr. 2024. Disponível em: https://www.poder360.com.br/economia/preco-do-gas-natural-no-brasil-deve-cair-138-em-2024-projeta-cbie/. Acesso em: 5 jun. 2024.

---

[57] SAMPAIO. *Regulação e concorrência*: a atuação do Cade em setores de infraestrutura, p. 145-148.

BRASIL. Agência Nacional do Petróleo, Gás Natural e Biocombustíveis. ANP faz audiência pública sobre critérios de independência e autonomia dos transportadores de gás. *Gov.br*, Brasília, DF, 26 maio 2021. Disponível em: https://www.gov.br/anp/pt-br/canais_atendimento/imprensa/noticias-comunicados/anp-faz-audiencia-publica-sobre-criterios-de-independencia-e-autonomia-dos-transportadores-de-gas. Acesso em: 13 ago. 2024.

BRASIL. Agência Nacional do Petróleo, Gás Natural e Biocombustíveis. Superintendência de Infraestrutura e Movimentação. *A promoção da concorrência na indústria de gás natural* (Nota Técnica nº 14/2018). Brasília, DF: Agência Nacional do Petróleo, Gás Natural e Biocombustíveis; Superintendência de Infraestrutura e Movimentação, 2018.

BRASIL. Confederação Nacional das Indústrias. *Uma análise da nova lei do gás à luz do interesse público*. Brasília, DF: Confederação Nacional das Indústrias, 2020.

BRASIL. Conselho Nacional de Política Energética. Resolução nº 16, de 24 de junho de 2019. Estabelece diretrizes para o mercado de gás natural e dá outras providências. Brasília, DF: Conselho Nacional de Política Energética, 2019. Disponível em: https://www.gov.br/mme/pt-br/assuntos/conselhos-e-comites/cnpe/resolucoes-do-cnpe/2019. Acesso em: 5 jul. 2024.

BRASIL. Decreto nº 9.934, de 24 de julho de 2019. Institui o Comitê de Monitoramento da Abertura do Mercado de Gás Natural. *Diário Oficial da União*: Brasília, DF, 2019. Disponível em: http://www.planalto.gov.br/ccivil_03/_ato2019-2022/2019/decreto/D9934.htm#:~:text=DECRETO%20N%C2%BA%209.934%2C%20DE%2024,que%20lhe%20confere%20o%20art. Acesso em: 5 jul. 2024.

BRASIL. Lei nº 14.134, de 8 de abril de 2021. Institui normas para a exploração das atividades econômicas de transporte de gás natural e dá outras providências. *Diário Oficial da União*: Brasília, DF, 2021. Disponível em: http://www.planalto.gov.br/ccivil_03/_ato2019-2022/2021/lei/l14134.htm. Acesso em: 5 jul. 2024.

BRASIL. Ministério da Justiça. Conselho Administrativo de Defesa Econômica. Cade e Petrobras firmam aditivos a TCC do Refino e do Gás. *Gov.br*, Brasília, DF, 22 maio 2024. Disponível em: https://www.gov.br/cade/pt-br/assuntos/noticias/cade-e-petrobras-firmam-aditivos-a-tcc-do-refino-e-do-gas. Acesso em: 5 jun. 2024.

BRASIL. Ministério da Justiça. Conselho Administrativo de Defesa Econômica. *Inquérito Administrativo nº 08700.003335/2018-31 (Cade de ofício vs. Petrobras)*. Brasília, DF: Ministério da Justiça; Conselho Administrativo de Defesa Econômica, 2018.

BRASIL. Ministério da Justiça. Conselho Administrativo de Defesa Econômica. *Processo Administrativo nº 08700.002600/2014-30 (Comgás vs. Petrobras)*. Brasília, DF: Ministério da Justiça, Conselho Administrativo de Defesa Econômica, 2014.

BRASIL. Ministério da Justiça. Conselho Administrativo de Defesa Econômica. *Inquérito Administrativo nº 08700.009007/2015-04 (Âmbar/UTE-Cuiabá vs. Petrobras)*. Brasília, DF: Ministério da Justiça, Conselho Administrativo de Defesa Econômica, 2015.

BRASIL. Ministério da Justiça. Conselho Administrativo de Defesa Econômica. *Inquérito Administrativo nº 08700.007130/2015-82 (Abegás vs. Petrobras)*. Brasília, DF: Ministério da Justiça, Conselho Administrativo de Defesa Econômica, 2015.

BRASIL. Ministério da Justiça. Conselho Administrativo de Defesa Econômica. *Requerimento de TCC nº 08700.003136/2019-12 (TCC Petrobras)*. Brasília, DF: Ministério da Justiça. Conselho Administrativo de Defesa Econômica, 2019.

BRASIL. Ministério da Justiça. Conselho Administrativo de Defesa Econômica. *Termo de Compromisso de Cessação de Prática (TCC do Gás)*. Processo Administrativo nº 08700.007130/2015-82. Doc. SEI/Cade nº 0635976. Brasília, DF: Ministério da Justiça; Conselho Administrativo de Defesa Econômica, 2019.

BRASIL. Petrobras informa sobre Cessação do refino no Cade. *Agência Petrobras*, Brasília, DF, 22 maio 2024. Disponível em: https://agencia.petrobras.com.br/w/negocio/petrobras-informa-sobre-cessacao-do-refino-no-cade. Acesso em: 9 jul. 2024.

IEA. *Gas Market Liberalization Reform*: Key Insights from International Experiences and the Implications for China. [*S. l.*]: IEA, 2019.

JUSTEN FILHO, Marçal. *Curso de Direito Administrativo*. 15. ed. Rio de Janeiro: Forense, 2024.

JUSTEN FILHO, Marçal. *O Direito das agências reguladoras independentes*. São Paulo: Dialética, 2002.

LOBO, Marcello Portes da Silveira. *Agências reguladoras e a solução de conflitos no setor de gás*. São Paulo: Almedina, 2024.

MARQUES NETO, Floriano A. Limites à abrangência e à intensidade da regulação estatal. *Revista de Direito Administrativo Econômico – REDAE*, [*S. l.*], n. 4, 2006.

MATTOS, César. Novo mercado de gás no Brasil: desverticalizando para a concorrência. *In*: SILVA, Mauro (org.). *Concessões e Parcerias Público-Privadas*: políticas públicas para provisão de infraestrutura. Brasília, DF: Ipea, 2022.

MOTTA, Lucas Griebeler. Antitruste, regulação setorial e a nova política de desinvestimentos da Petrobras: instrumentos para promoção da concorrência no mercado de gás natural. *Revista do IBRAC*, São Paulo, n. 1, 2020.

OECD. *Recommendation of the Council Concerning Structural Separation in Regulated Industries*. Paris: OECD, 2001.

PEREIRA NETO, Caio Mário da Silva; PRADO FILHO, José Inácio Ferraz de. Espaços e Interfaces entre Regulação e Defesa da Concorrência. *Revista Direito GV*, São Paulo, v. 12, n. 1, p. 13-48, 2016.

SALOMÃO FILHO, Calixto. *Direito Concorrencial*. São Paulo: Grupo GEN, 2021. *E-book*.

SAMPAIO, Patrícia Regina Pinheiro. *Regulação e concorrência*: a atuação do Cade em setores de infraestrutura. São Paulo: Saraiva, 2013.

SEIXAS, Luiz Felipe Monteiro. *Friends or Foes*? Coordenação regulatória no âmbito do Cade e das agências reguladoras federais. *Revista de Direito Administrativo*, São Paulo, v. 283, n. 2, p. 121-145, 2024.

TOLMASQUIM, Mauricio; GUERREIRO, Amílcar; GORINI, Ricardo. Matriz Energética Brasileira: uma prospectiva. *Novos Estudos CEBRAP*, Brasília, DF, v. 79, p. 47-69, 2007.

TORRES FILHO, Ernani Teixeira. O Gasoduto Brasil-Bolívia: impactos econômicos e desafios de mercado. *Revista do BNDES*, Brasília, DF, v. 9, n. 17, p. 99-116, 2002.

Informação bibliográfica deste texto, conforme a NBR 6023:2018 da Associação Brasileira de Normas Técnicas (ABNT):

KLEIN, Vinicius; TRIEBESS, Isabella. Aspectos concorrenciais da regulação do gás natural no Brasil. *In*: JUSTEN, Monica Spezia; PEREIRA, Cesar; JUSTEN NETO, Marçal; JUSTEN, Lucas Spezia (coord.). *Uma visão humanista do Direito*: homenagem ao Professor Marçal Justen Filho. Belo Horizonte: Fórum, 2025. v. 3, p. 557-573. ISBN 978-65-5518-915-5.

PRESCRIÇÃO DA PRETENSÃO DE RESSARCIMENTO EM FACE DE AGENTES DO SETOR DE ENERGIA ELÉTRICA: A VISÃO DA AGÊNCIA NACIONAL DE ENERGIA ELÉTRICA (ANEEL)

ALINE ZAED DE AMORIM

VLÁDIA VIANA REGIS

1 Introdução

A prescrição é o instituto que encarta os efeitos do decurso do tempo, cuja relevância decorre da necessidade de se estipularem limites temporais para o exercício de direitos.[1] Relaciona-se, assim, com o princípio da segurança jurídica, uma vez que visa evitar a sujeição de pessoas físicas ou jurídicas à perpetuação de circunstâncias pendentes.

Na seara do Direito Administrativo, alguns diplomas já se ocuparam de estabelecer os efeitos jurídicos da inércia da Administração Pública e o prazo extintivo correspondente.[2] Em âmbito federal, a prescrição foi expressamente reconhecida em instrumentos legais, como a Lei nº 9.873/1999, que incorpora prazos extintivos em face do Estado, limitando sua pretensão punitiva e, assim, dando relevância ao interesse público consubstanciado na estabilização das relações sociais.

Certo é que, no recorte temático desta pesquisa, a Lei nº 9.873/1999 é útil especialmente sob perspectiva negativa, no sentido de evidenciar que, no campo da prescrição, as ações administrativas sem caráter punitivo contra o particular permanecem em um limbo jurídico.[3] Assim, persiste tratamento incerto quanto ao prazo prescricional aplicável

---

[1] FARIA, Cristiano Chaves de; ROSENVALD, Nelson. *Direito Civil*: teoria geral. 6. ed. Rio de Janeiro: Lumen Juris, 2007. p. 553.

[2] TOLEDO, Adriana Teixeira de; NAJJARIAN, Ilene Patrícia de Noronha (coord.). *Prescrição em processo administrativo sancionador*: para além da Lei nº 9.873, de 1999. São Paulo: Quartier Latin, 2023. p. 51.

[3] PRATES, Marcelo Madureira. Prescrição administrativa na Lei 9.873, de 23.11.99: entre simplicidade normativa e complexidade interpretativa. *Revista de Doutrina da 4ª Região*, Brasília, DF, n. 10, 19 jan. 2006. Disponível em https://bdjur.stj.jus.br/jspui/bitstream/2011/63499/prescricao_administrativa_lei_entre.pdf. Acesso em: 15 ago. 2024.

ao exercício de determinadas pretensões, como aquele relativo a pleitos de natureza ressarcitória manejados pela Administração em face dos administrados.[4]

Este artigo, portanto, insere-se na busca à identificação do parâmetro prescricional adequado, aplicável às demandas ressarcitórias promovidas pela Administração em face do administrado, observando especificamente casos do setor elétrico, deliberados no âmbito da Agência Nacional de Energia Elétrica (Aneel).[5]

Para tanto, no primeiro capítulo pretende, de forma conceitual e com fundamento em doutrina, explicitar as correntes de pensamento em relação à definição do regime prescricional incidente às pretensões ressarcitórias da Administração em face do administrado. O segundo tem por objetivo evidenciar o comportamento da jurisprudência dos tribunais superiores acerca do tema, por meio da análise das decisões objeto de Repercussão Geral do Supremo Tribunal Federal (STF). Por sua vez, o terceiro capítulo demonstra, por meio da análise de pareceres da procuradoria da Aneel adotados pela Diretoria, como a agência tem se manifestado acerca da matéria.[6] O quarto se presta a identificar como o posicionamento da Aneel se coaduna com o contido em tais julgados

---

[4] O ressarcimento, apesar de seu caráter aflitivo, não se caracteriza como uma medida repressiva, não sendo, portanto, uma sanção administrativa (OSÓRIO, Fábio Medina. *Direito Administrativo Sancionador*. 5. ed. São Paulo: Thomson Reuters Brasil, 2023. *E-book*. p. RB-2.10).

[5] O escopo desta afirmação compreende a análise dos entendimentos constantes nos pareceres da Procuradoria da Aneel, endossados no âmbito da Diretoria da Aneel.

[6] A seleção dos pareceres foi obtida por meio de pesquisa no site da Aneel, na área destinada à consulta processual, inserindo a palavra prescrição no campo da busca livre. O período da busca foi de 1º de fevereiro 2022 até 29 de fevereiro de 2024, resultando num total de 469 documentos que continham a palavra "prescrição" em seu conteúdo. No rol dos tipos de documentos elencados, foram identificados (i) análise de pedido de reconsideração; (ii) apólice; (iii) ata; (iv) autorização; (v) boletim; (vi) carta; (vii) certidão; (viii) comprovante; (ix) contrato; (x) cota; (xi) decisão; (xii) despacho de mero expediente; (xiii) despacho; (xiv) diário oficial da união; (xv) documentos de habilitação; (xvi) dossiê; (xvii) edital de licitação; (xviii) e-mail, (xix) estudo técnico preliminar; (xx) extrato;(xxi) formalização de demanda; (xxii) garantia; memorando; (xxiii) memória de reunião; (xxiv) nota técnica; (xxv) nota; notificação; (xxvi) ofício; (xxvii) parecer jurídico; (xxviii) portaria; (xxix) proposta (xxx)comercial; (xxxi) publicação; (xxxii) recurso; (xxxiii) registro de reunião; (xxxiv) relação; relatório; (xxxv) requerimento; (xxxvi) sentença; (xxxvii) solicitação de ouvidoria; (xxxviii) termo de abertura de processo; (xxxix) termo; (xl) voto. Aplicou-se filtro selecionando apenas os tipos de documento que encartavam manifestação decisória, ou conteúdo correspondente a entendimento ou posicionamento técnico de alguma área interna da Agência. Assim, a análise foi restrita aos seguintes tipos de documentos: "análise de pedido de reconsideração"; "decisão"; "despacho"; "memorando"; "nota técnica"; "nota"; "parecer jurídico"; "relatório" e "voto". Foram excluídos os documentos restritos, não disponíveis para consulta, bem como documentos cuja procedência ou interessado não era órgão interno da Aneel. Dentre os órgãos internos da Aneel excluíram-se os documentos de procedência da Comissão Permanente de Procedimentos Administrativos (CPP); Comissão Permanente de Procedimentos Administrativos Corregedoria (CRG); Secretaria de Inovação e Transição Energética (STE); Secretaria de Leilões/Secretaria executiva de leilões; Superintendência de Administrativa e Financeira (SAF); Superintendência de Gestão Administrativa, Financeira e de Contratações (SGA); Superintendência se Gestão De Pessoas (SGP); Superintendência de Licitações e Controle de Contratos e Convênios (SLC); Superintendência de Recursos Humanos (SRH) e Superintendência de Administração e Finanças (SAF). Dessa forma, observados os supramencionados limites, obteve-se um universo de 107 documentos, os quais foram objeto de análise, objetivando identificar menção a número de pareceres da Procuradoria da Aneel. Ademais, para os anos de 2023 e até 29 de fevereiro do ano de 2024 também foram feitas buscas com a palavra "prescricional" no site da Aneel. No resultado, aplicou-se um filtro para selecionar apenas os documentos caracterizados como "voto", bem como para excluir os documentos que já haviam aparecido com o critério de busca pela palavra "prescrição". Como resultado, obteve-se o total de mais 42 documentos para serem acrescentados à seleção anterior, resultando em um total de 149 documentos analisado. Foram descartados pareceres da procuradoria cuja prescrição estava relacionada a processos punitivos, prescrição intercorrente, bem como aos que discutiam a prescrição com o disposto na Lei nº 13.360/2016, chegando-se então a uma amostra do universo de pareceres referenciados nestes documentos, os quais estão relacionados à temática deste artigo. Chegou-se, portanto, ao universo dos 15 pareceres da procuradoria da Aneel mencionados ao longo do presente estudo.

e doutrina avaliada. Reserva-se, por fim, o quinto capítulo a analisar a aplicação da jurisprudência aos casos da Aneel, seguido da conclusão.

2 Regime prescricional aplicável ao direito de ressarcimento da Administração Pública: Entendimento doutrinário

A prescrição é tida como um veículo de estabilização das relações sociais, cujo escopo é impedir que situações jurídicas indefinidas se perpetuem.[7] Atrelando-se diretamente ao princípio da segurança jurídica e da proteção à confiança legítima, em seu núcleo reside a perspectiva de ser um prazo extintivo.[8]

Nesse contexto, o ordenamento jurídico na esfera federal, no que toca ao Direito Administrativo, já se ocupou de fixar alguns prazos, tanto em favor da Administração Pública, quanto do administrado. No primeiro caso, referindo-se às insurgências do administrado, o Decreto nº 20.910/1932 estabelece como regra que as ações em face do Poder Público prescrevem em 5 anos.

Quanto aos prazos oponíveis à Administração, que operam em favor do administrado, a Lei nº 9.873/1999 menciona de forma expressa prazos prescricionais para que a Administração exerça sua pretensão punitiva, sendo de 5 anos no exercício do poder de polícia e de 3 anos para a prescrição intercorrente, ocorrida na hipótese de paralisação do processo por tal período.

Embora de natureza decadencial, e não prescricional, outro prazo extintivo oponível em face da Administração Pública se apresenta na Lei nº 9.784/99, qual seja, o prazo decadencial quinquenal[9] aplicável ao poder atribuído à Administração Pública para anular seus próprios atos.

Todavia, em que pese a existência de tais regramentos, há uma lacuna legislativa no que concerne à prescrição das ações não punitivas promovidas pela Administração em face do particular, inexistindo norma expressamente estipulada aplicável à pretensão ressarcitória da Administração em face do administrado.

Sobre o tema, vigorou por muito tempo na doutrina e jurisprudência o entendimento de que as ações de ressarcimento do Estado em face do particular, independente da natureza do ilícito, seriam imprescritíveis, em virtude do disposto no art. 37, §5º, da Constituição da República (CRFB).[10] Ademais, a lei de improbidade administrativa,

---

[7]   CARVALHO FILHO. José dos Santos. *Manual de Direito Administrativo*. 37. ed. São Paulo: Atlas, 2023. p. 823.

[8]   Em apertada síntese, temos que enquanto a Prescrição diz respeito à perda do direito de ação, consubstanciada, portanto, na perda de um "meio de defesa de uma pretensão jurídica", a decadência enseja a perda do direito material propriamente dito, em virtude do seu não exercício em um prazo estipulado. Já a Preclusão é instituto processual que se refere a perda da oportunidade de praticar determinado ato no âmbito de um processo (BANDEIRA DE MELLO, Celso Antônio. *Curso de Direito Administrativo*. 31. ed. São Paulo: Malheiros, 2014. p. 1071-1073).

[9]   "Art. 54. O direito da Administração de anular os atos administrativos de que decorram efeitos favoráveis para os destinatários decai em cinco anos, contados da data em que foram praticados, salvo comprovada má-fé."

[10] "Art. 37.
     (...)
     §5º. A lei estabelecerá os prazos de prescrição para ilícitos praticados por qualquer agente, servidor ou não, que causem prejuízos ao erário, ressalvadas as respectivas ações de ressarcimento."

antes da alteração promovida pela Lei nº 14.023/2921, abarcava hipótese de improbidade por culpa, de forma que o espectro de ações que poderiam ser capituladas era amplo, deixando pouca margem de discussão para outras condutas que pudessem escapar do enquadramento.

Nesse cenário, como regra, as ações de ressarcimento em face do particular, pautadas em qualquer modalidade de ilícito, usualmente eram tidas como imprescritíveis.[11] Tal entendimento vigorou até as decisões do STF consubstanciadas nos temas de repercussão geral nº 666,[12] 897[13] e 899,[14] que serão adiante analisados.

Contudo, mesmo antes da citada alteração jurisprudencial, Celso Antônio Bandeira de Mello[15] já se posicionava em defesa da aplicação, às medidas ressarcitórias pretendidas pela Administração Pública decorrentes de ato ilícito, das regras gerais de Direito Público relativas à prescrição quinquenal, a saber:

> Vê-se, pois, que este prazo de cinco anos é uma constante nas disposições gerais estatuídas em regras de Direito Público, quer quando reportadas ao prazo para o administrado agir, quer quando reportadas ao prazo para a Administração fulminar seus próprios atos. *Ademais, salvo disposição legal explícita, não haveria razão prestante para distinguir entre Administração e administrados no que concerne ao prazo ao cabo do qual faleceria o direito de reciprocamente se proporem ações.*
>
> Isto posto, estamos em que, faltando regra específica que disponha de modo diverso, ressalvada a hipótese de comprovada má-fé em uma, outra ou em ambas as partes de relação jurídica que envolva atos ampliativos de direito dos administrados, *o prazo para a Administração proceder judicialmente contra eles é, como regra, de cinco anos, quer se trate de atos nulos, quer se trate de atos anuláveis* (grifos nossos).

No mesmo sentido, baseando-se na necessidade de se conferir tratamento isonômico entre Administração e particular, frente ao Decreto nº 20.910/1932, que fixa o prazo de 5 anos para a prescrição de pretensões do particular em face da Fazenda,[16] Marçal Justen Filho[17] aduz:

---

[11] Há algumas variantes nesse entendimento da imprescritibilidade, como o de que a imprescritibilidade não alcançaria as pretensões de ressarcimento do Estado em face de terceiro que não fosse agente público. (CARVALHO FILHO. *Manual de Direito Administrativo*, p. 627-628; URBANO, Raquel Melo. *Curso de Direito Administrativo*. Salvador: Juspodivm, 2008, p. 517-528 citada por SILVEIRA, Mateus Camilo Ribeiro da. Ressarcimento ao erário e prescrição: comentários aos temas de repercussão geral nº 666, 897 e 899. *Revista da Procuradoria-Geral do Estado de São Paulo*, São Paulo, SP, v. 94, p. 151-174, jul./dez. 2021).

[12] BRASIL. Supremo Tribunal Federal (Pleno). Recurso Extraordinário 669.069/MG. Relator: Min. Teori Zavascki, 3 de fevereiro de 2016. *Dje*: Brasília, DF, 28 abr. 2016.

[13] BRASIL. Recurso Extraordinário 669.069/MG.

[14] BRASIL. Supremo Tribunal Federal (Pleno). Recurso Extraordinário 636.886/AL. Relator Min. Alexandre de Moraes, 20 de abril de 2020. *Dje*: Brasília, DF: 24 jun. 2020.

[15] BANDEIRA DE MELLO. Curso de Direito Administrativo, p. 1082 -1083. Ao discorrer sobre o alcance do art. 37, §5º, da CRFB, Bandeira de Mello explicitou, ainda, seu entendimento de que o prazo a ser aplicado deverá ser de 5 anos quando não houver má fé e 10 anos, caso haja.

[16] "Art. 1º As dívidas passivas da União, dos Estados e dos Municípios, bem assim todo e qualquer direito ou ação contra a Fazenda federal, estadual ou municipal, seja qual for a sua natureza, prescrevem em cinco anos contados da data do ato ou fato do qual se originarem."

[17] JUSTEN FILHO, Marçal. *Curso de Direito Administrativo*. 15. ed. São Paulo: Grupo GEN, 2024. p. 856.

Não existe fundamento jurídico para adotar prazos distintos para a prescrição das ações versando sobre pretensões favoráveis ou contrárias à Fazenda Pública. A regra geral da prescrição das ações para pretensões contra a Fazenda Pública é de cinco anos. Idêntico prazo deve ser adotado relativamente à prescrição quando a pretensão for de titularidade do Poder Público. A existência de prazos distintos conduziria a situações iníquas.

Em sentido contrário, Carvalho Filho[18] entende não ser aplicável a prescrição quinquenal por razão de isonomia e sustenta que nas ações de direito pessoal da Fazenda em face do administrado, a prescrição deverá ser regulada pelo CC,[19] devendo ser aplicado o prazo de 10 anos do art. 205 do CC, quando não houver outro prazo especificado na lei, como segue:

(...) discordamos, com a vênia devida, daqueles que, em nome do princípio da isonomia, advogam a mesma prescrição quinquenal quando é titular da pretensão a Fazenda em face do administrado. Em nosso entender, a única aplicação do referido princípio é para o fim de serem consideradas situações desiguais e, portanto, sujeitas a tratamento diverso. O Decreto nº 20.910/1932 visou especificamente a regular a prescrição de pretensões de administrados em face da Fazenda, dispensando à matéria foros de direito público. Como nada foi regulado em relação à prescrição de pretensões da Fazenda em face de administrados, é de aplicar-se a lei geral, no caso o Código Civil, pode ocorrer que, de lege ferenda, os prazos venham a igualar-se, mas enquanto não houver lei específica em tal direção, aplicáveis serão as normas da lei civil.

É possível enxergar um olhar principiológico no que concerne ao fundamento da adoção de um ou outro posicionamento acerca do prazo prescricional incidente, em que num primeiro se prestigia a isonomia entre particular e Estado e no outro, uma perspectiva de supremacia Estatal em face do administrado. Pode-se notar, ademais, uma prevalência da primeira percepção doutrinária em relação à segunda, o que guarda consonância com o entendimento jurisprudencial, como adiante se verá.

3 Regime prescricional aplicável ao direito de ressarcimento da Administração Pública: jurisprudência

Nos últimos anos a temática da prescrição das ações de ressarcimento ao erário ganhou novos contornos, após o STF por meio de teses fixadas nos Temas de Repercussão Geral nº 666,[20] 897[21] e 899[22] ter reconhecido a prescritibilidade de ações reparatórias do erário, à exceção daquelas fundadas em ato doloso de improbidade.

---

[18]   CARVALHO FILHO. *Manual de Direito Administrativo*, p. 881.

[19]   Igualmente Hely Lopes Meirelles (*Direito Administrativo Brasileiro*. 29. ed. São Paulo: Malheiros, 2004. p. 704) afirma: "A prescrição das ações da Fazenda Pública contra o particular é a comum da lei civil ou comercial, conforme a natureza do ato ou contrato a ser ajuizado".

[20]   BRASIL. Recurso Extraordinário 669.069/MG.

[21]   BRASIL. Supremo Tribunal Federal (Pleno). Recurso Extraordinário 852.475/SP. Relator: Min. Alexandre de Moraes, 8 de agosto de 2018. *Dje*: Brasília, DF, 25 mar. 2019.

[22]   BRASIL. Recurso Extraordinário nº 636.886/AL.

Primeiro, por meio do Tema nº 666 ficou estabelecido ser prescritível a ação de reparação de danos à Fazenda Pública decorrente de ilícito civil, firmando-se o entendimento de que o art. 37, §5º, da CRFB engloba somente as ações de ressarcimento de danos advindos de ilícito penal ou de improbidade administrativa. Entretanto, apesar de ser uma evolução relevante sobre o tema, ainda restara dúvida acerca do alcance da expressão "ilícito civil", contida na referida tese.[23]

O Tema nº 897, então, plasmou a imprescritibilidade das ações de ressarcimento ao erário decorrentes de ato doloso tipificado na Lei nº 8.429/1992. *A contrario sensu*, portanto, os atos culposos de improbidade seriam prescritíveis. Todavia, restou incerteza quanto à incidência de prazo extintivo a outras modalidades de ilícitos, como os oriundos de descumprimento de normas de Direito Público que não fossem objeto desta Lei de Improbidade Administrativa.[24]

Foi somente por meio da fixação da tese do Tema 899 que restou estabelecida a incidência de prescrição no tocante à pretensão de ressarcimento ao erário calcada em decisão de Tribunal de Contas. Desse modo, por meio da tríade de Temas fixados pelo STF, é possível concluir que, à exceção do ato doloso de improbidade, todos os demais ilícitos se sujeitam a prazos extintivos de prescrição.

Todavia, uma vez pacificado que tais ações são prescritíveis, a subsequente indagação diz respeito ao prazo prescricional incidente. Importante frisar que a fixação de prazos não foi objeto dos julgados ensejadores dos supracitados Temas, contudo, as próprias decisões que suportaram sua emissão geral podem ser tidas como um ponto de partida para tal análise.

Na ação ressarcitória promovida pela Fazenda Pública Federal, que veiculou a situação concreta[25] do Tema nº 666, aplicou-se o prazo de 3 anos estabelecido no art. 206, §3º, V, do Código Civil (CC), referente às pretensões de reparação civil, apesar da decisão de origem mencionar o prazo de cinco anos. Relevante notar, entretanto, a particularidade do caso, pois a decisão em questão tratava da violação de normas de direito privado, em caso que versava sobre ação de ressarcimento por dano ao patrimônio público proveniente de um acidente de trânsito envolvendo ônibus de empresa privada e um veículo pertencente à Marinha do Brasil.[26]

No caso que deu origem ao Tema nº 897, apesar de o tribunal de origem ter acolhido a prescrição quinquenal, o STF analisou apenas a incidência de prescrição nas pretensões de ressarcimento ao erário oriundas de ato de improbidade, não tendo adentrado ao prazo aplicável, sob a justificativa de que tal apreciação redundaria em análise prévia de legislação infraconstitucional.[27]

---

[23] SILVEIRA. Ressarcimento ao Erário e prescrição: comentários aos temas de repercussão geral nº 666, 897 e 899, p 158.

[24] SILVEIRA. Ressarcimento ao Erário e prescrição: comentários aos temas de repercussão geral nº 666, 897 e 899, p. 168.

[25] O caso versava sobre ação de ressarcimento por dano ao patrimônio público proveniente de um acidente de trânsito envolvendo ônibus de empresa privada e um veículo pertencente à Marinha do Brasil.

[26] "A partir de 1º de janeiro de 2003, imediatamente sujeita às regras prescricionais da nova codificação, que, segundo o art. 206, §3º, V, é de três anos em matéria de reparação civil" (BRASIL. Supremo Tribunal Federal (Pleno). Recurso Extraordinário 669.069/MG. Relator: Min. Teori Zavascki, 3 de fevereiro de 2016. *Dje*: Brasília, DF, p. 7, 28 abr. 2016).

[27] Ou seja, o entendimento da aplicação do prazo de cinco anos foi do Tribunal de origem e não do STF, que deu provimento parcial ao recurso afastando a prescrição no âmbito de uma ação de improbidade proposta pelo Ministério Público.

Por fim, no Tema nº 899, o paradigma originou-se do reconhecimento da prescrição intercorrente[28] em caso que versava sobre execução de decisão de ressarcimento ao erário proveniente do Tribunal de Contas da União (TCU), não tendo havido, assim como nos demais casos, fixação do prazo prescricional incidente sobre a imputação de débito para pretensão ressarcitória.

Diante da ausência de prazo estabelecido no tema, cabe referir que Marçal Justen Filho[29] aponta os seguintes julgados como exemplo da mais recente orientação do STF, no sentido da aplicação do prazo quinquenal previsto no art. 1º da Lei nº 9.873/1999 para o exercício de fiscalização pelo TCU, uma vez que os casos envolvem o exercício do poder de polícia estatal, a saber:

> (...) A atividade de controle externo equipara-se, para fins de contagem do prazo prescricional, ao poder de polícia do Estado e, como tal, nos termos do art. 1º da Lei 9.873, de 1999, prescreve em cinco anos a ação punitiva da Administração Pública Federal (...).
>
> Pela mesma razão, incidem as causas legais da interrupção da prescrição, conforme previsão constante do art. 2.º da referida Lei: (...). Finalmente, o termo inicial da contagem do prazo deve ser o da entrada do processo de fiscalização no âmbito do Tribunal de Contas, ou dos órgãos que, por lei, são encarregados do controle interno. (Pleno, trecho do voto do rel. Min. Edson Fachin, j. 11.11.2021, DJe 22.02.2022).

> (...) o Tribunal de Contas ou o órgão de controle interno que proceda à tomada de contas especial possui o prazo de cinco anos para finalizá-la (decisão condenatória recorrível), sob pena de não poder mais fazê-lo por decurso do tempo razoável para tanto (Pleno, trecho do voto do Min. Gilmar Mendes, j. 11.11.2021, DJe 22.02.2022).

Sobre esse ponto, vale mencionar o trabalho realizado por Aline do Rego, em dissertação de mestrado, destinado a analisar a prescrição da pretensão ressarcitória do TCU. Após efetuar mapeamento da jurisprudência do STF, a autora demonstrou que o STF, mesmo sem efetuar uma distinção muito clara entre a pretensão punitiva e ressarcitória, aplica o prazo de 5 anos, da Lei nº 9.873/1999 – seja de forma direta ou por analogia – para fixação de marco temporal do exercício da pretensão ressarcitória do TCU.[30]

---

[28] É pertinente esclarecer que nesse caso concreto foi aplicado o prazo de 5 anos oriundo do art. 40, §4º, da Lei nº 6.830/80 por tratar-se de execução de débito oriundo de decisão do TCU, a qual por lei tem eficácia de título executivo (art. 24 da Lei nº 8.443/1992) Ou seja, o prazo de 5 anos consubstanciado na decisão não se refere ao prazo para apuração de responsabilidade ou para imputar o próprio débito.

[29] JUSTEN FILHO. *Curso de Direito Administrativo*, p. 858.

[30] REGO, Aline Paim Monteiro do. *O Tribunal de Contas da União e a prescrição da pretensão ressarcitória*. Orientador: André Janjácomo Rosilho. 2023. Dissertação (Mestrado Profissional) – Escola de Direito, Fundação Getulio Vargas, São Paulo, 2023. f. 85; 182. Disponível em: https://repositorio.fgv.br/server/api/core/bitstreams/63dd2cdb-7e6d-43d4-a7c2-4350f09e5f06/content. Acesso em: 15 ago. 2024.

4 Regime prescricional aplicável ao direito de ressarcimento da Administração Pública: visão da Aneel

Consoante art. 3º, XIX, da Lei nº 9.427/1996, dentre as atribuições da Aneel está o seu poder-dever de fiscalizar a prestação do serviço de energia concedido, permitido ou autorizado. Trata-se de prerrogativa tipicamente oriunda da relação jurídica da agência, entidade reguladora, e regulado.

Sua ação fiscalizatória é ampla, abarcando situações não afetas aos processos punitivos e que, portanto, não são alcançadas de forma direta pelo prazo prescricional quinquenal expresso da Lei nº 9.873/1999. Desse modo, o que se percebe é que, em detrimento de normas específicas de Direito Público, na maioria das vezes a agência tem utilizado o CC como principal fonte de integração normativa para fins de identificação de prazo prescricional. Sob a afirmação de que inexiste prazo específico para as situações que analisa, entende que o prazo decenal previsto no art. 205 do CC seria o mais adequado a ser utilizado.

Nota-se, todavia, que em algumas situações a perspectiva da Procuradoria Federal junto à Aneel para indicação do prazo prescricional aplicável, se deu sob o enfoque do poder de polícia exercido pelo regulador, que restara consubstanciado em fiscalizações não atreladas a processos punitivos. Sob essa ótica, em algumas situações a Procuradoria entendeu pela aplicação do art. 1º da Lei nº 9.873/1999 e do prazo quinquenal,[31] conforme consignado no consignado Parecer nº 00261/2018/PFAneel/PGF/AGU,[32] que seguiu o Parecer nº 00016/2017/PFEAneel/PGF/AGU.[33]

Por outro lado, em fiscalizações que resultem em determinação de ressarcimento de valores pelos agentes setoriais, bem como de descontos incidentes sobre suas receitas, o entendimento jurídico da agência vem sendo no sentido de que a inexistência de prazo específico deve atrair a aplicação do art. 205 do CC, indicativo da prescrição decenal, sendo desconsiderado o poder de polícia incidente da relação regulador-regulado e focada apenas a natureza jurídica do objeto da fiscalização.

É o que ocorre nos casos de desconto aplicado à Receita Anual Permitida (RAP) dos contratos de transmissão de energia elétrica, em decorrência da aplicação de parcela variável (PV), que consiste em deflator aplicável em decorrência da indisponibilidade de ativos de transmissão, considerada pela Aneel como instrumento de incentivo regulatório à qualidade da prestação do serviço, e não como mecanismo punitivo. Para tais hipóteses, foi adotado o posicionamento contido no Parecer nº 00294/2016/PFAneel/PGF/AGU,[34]

---

[31] Trata-se de casos de recontabilização de valores identificados em sede de fiscalização da Aneel. Não por outro motivo verificamos que casos em que a recontabilização não decorreu de fiscalização, a conclusão foi pela aplicação do prazo de 10 anos do CC (Parecer nº 00029.2021.PFAneel.PGF.AGU). Nesse caso restou consignado que o administrado fiscalizado não deu causa ao valor objeto de ressarcimento.

[32] BRASIL. Agência Nacional de Energia Elétrica. Processo nº 48500.000786/2011-11. Parecer nº 00261/2018/PFAneel/PGF/AGU. Brasília, DF: Agência Nacional de Energia Elétrica, 2018.

[33] Proc. nº 48500.000287/2015-58.

[34] BRASIL. Agência Nacional de Energia Elétrica. *Processo Administrativo nº*. 48500.002602/2016-62. Brasília, DF: Agência Nacional de Energia Elétrica, 3 mar. 2022. Disponível em: https://sicnet2.Aneel.gov.br/sicnetweb/default.asp. Acesso em: 15 ago. 2024. Há vários outros Pareceres citando o entendimento consignado nesse parecer: PARECER Nº 00480/2018/PFANEEI7PGF/AGII, PARECER n. 00115/2020/PFAneel/PGF/AGU, PARECER n. 00019/2020/PFAneel/PGF/AGU e Nota Interna nº 0002/2012/PGE-Aneel/PGF/AGU.

o de que, dada a natureza tarifária ou de preço público da PV, na ausência de norma prescricional específica,[35] deve ser utilizado o prazo de 10 anos do art. 205 do CC.

Em discussão acerca de prescrição de pretensão de revisão do Custo Variável Unitário (CVU) relativo ao preço de venda de energia de Usina Termoelétrica em contrato de compra e venda de energia em ambiente de contratação regulada (CCEAR), igualmente entendeu-se, por meio do Parecer nº 00159/2023/PFAneel/PGF/AGU,[36] que, como a lei não fixa prazo prescricional para revisão da Receita de Venda de CCEAR, seria aplicável o prazo decenal do art. 205 do CC.

No âmbito da pretensão de ressarcimento de valores buscada pela Aneel em face dos administrados, relativa a encargos setoriais e seus acessórios, amparada em pareceres da Procuradoria (e.g., Pareceres nº 0452/2013/PGE-Aneel/PGF/AGU, 00470/2017/PFAneel/PGF/AGU e 073/2019/PFAneel/PGF/AGU), vigorou por muito tempo na Agência a tese da imprescritibilidade. Entendia-se que os encargos setoriais são verbas que devem ser revertidas ao patrimônio público, e a inocorrência de repasse de forma adequada configuraria apropriação indevida, atraindo, assim, a incidência do §5º do art. 37 da CRFB.

Ao que consta, entretanto, após a fixação dos Temas de Repercussão Geral nº 666, 897 e 899 pelo STF, afastando a tese da imprescritibilidade de ilícitos civis praticados pelo administrado contra a Administração, tal entendimento começou a ser revisto.

Assim, alguns dos mais recentes Pareceres da Procuradoria da Aneel passaram a adotar o entendimento da prescritibilidade de pleitos de devolução de encargos setoriais, afirmando, contudo, que a regra de prescrição aplicável seria a decenal, constante do art. 205 do CC, sob o argumento de que não se trata de recursos públicos típicos, por não decorrerem do poder de tributar ou da exploração de bens públicos, e que apesar de terem dimensão pública e serem afetos à execução de políticas estatais, não seriam créditos de titularidade da União.[37] Por todos o Parecer nº 00075/2023/PFAneel/PGF/AGU,[38] complementado pelo Despacho nº 00393/2023/PFAneel/PGF/AGU.

Da análise de precedentes conclui-se que, tratando-se de processo não punitivo destinado a devolução de valores pelo agente setorial, a Aneel tem se valido predominantemente da regra do art. 205 do CC, sob a premissa de que sua aplicação é atraída pela inexistência de norma específica para as situações analisadas.

Esse entendimento tem prevalecido mesmo quando a determinação de devolução de valores pelo agente decorre de processos instaurados pela Agência no exercício do seu poder de polícia, o que ocasiona a incidência de prazo quinquenal fundada no art. 1º

---

[35] Para tanto, valeu-se de precedentes do STJ (por todos, o Recurso Especial nº 1163968/RS) nos quais (i) é fixada que a tarifa, por não ser taxa (tributo), não se sujeita ao prazo prescricional de 5 anos previsto no art. 1º do Decreto nº 20.910/1932, indicando, sob tal fundamento, a aplicação da citada regra geral prevista na Lei Civil.

[36] BRASIL. Agência Nacional de Energia Elétrica. *Processo Administrativo nº 48500.005710/2016-97*. Parecer nº 00159/2023/PFAneel/PGF/AGU. Brasília, DF: Agência Nacional de Energia Elétrica, 2023.

[37] No caso concreto (Processo nº 48500.005528/2016-36) que ensejou o referido despacho, o prazo de 3 anos do artigo 206, §3º, IV, do CC, referente a prescrição para a pretensão de enriquecimento sem causa, foi afastado, sob a alegação de que o pleito ressarcitório tinha por base relação contratual por meio da qual haveria o recebimento de recursos de encargos setoriais – no caso a CCC. Ponto digno de nota é que inicialmente o supracitado Parecer nº 00075/2023/PFAneel/PGF/AGU, em linha com parte da doutrina administrativista, consignou que a ausência de prazo específico previsto em lei atrairia, por simetria, o prazo quinquenal previsto no Decreto 20.910/32, dado ser de Direito Público a relação que originou o crédito. Todavia, a aprovação do parecer refutou tal entendimento, consignado que a integração normativa deveria seguir a regra do CC.

[38] BRASIL. Agência Nacional de Energia Elétrica. *NUP 48500.005528/2016-36. Parecer nº 00075/2023/PFAneel/PGF/AGU*. Despacho nº 00393/2023/PFAneel/PGF/AGU. Brasília, DF: Agência Nacional de Energia Elétrica, 2023.

da Lei nº 9.873/1999, como concluído pela Agência nos citados Pareceres nº 00261/2018/PFAneel/PGF/AGU[39] e nº 00016/2017/PFEAneel/PGF/AGU.[40]

Ao buscar uma norma de integração para o ressarcimento de valores em processos não punitivos, não têm sido aplicados pela agência[41] os princípios de isonomia ou de simetria, adotados por parte da doutrina administrativista para fins de analogia com o prazo quinquenal, constante de relevantes normas de Direito Público. Tampouco parece vir sendo adotado o entendimento jurisprudencial mais atual, como igualmente será apresentado.

5 A jurisprudência e o entendimento da Aneel

É possível extrair certa similaridade entre o racional aplicado pelo STF à atividade fiscalizatória exercida pelo TCU, com as de igual natureza conduzidas pela Aneel. Isso porque a perspectiva utilizada para a adoção do prazo prescricional de 5 anos funda-se no poder de polícia atinente às fiscalizações conduzidas pela Corte de Contas, razão pela qual a analogia se fez em relação à Lei nº 9.873/1999. Assim, diante da relação preponderantemente administrativa entre fiscalizador e fiscalizado, mesmo para as ações de ressarcimento, que não têm natureza punitiva, vigorou o entendimento de que a integração normativa deve ser feita com o regramento público existente, que estabelece o prazo quinquenal de prescrição.

Desse modo, independente da natureza jurídica daquilo que é objeto de fiscalização da Aneel, (e.g., encargo setorial) ou da relação privada estabelecida entre agentes setoriais fiscalizados, fato é que a razão que legitima a fiscalização e a eventual determinação de ressarcimento decorre do exercício do poder de polícia.

Logo o exercício hermenêutico de fixação do caráter tarifário dos encargos setoriais efetuados nos julgados paradigmáticos[42] mencionados pela agência, para fins

---

[39] BRASIL. Processo nº 48500.000786/2011-11.

[40] BRASIL. Processo nº 48500.000287/2015-58.

[41] É oportuno mencionar que os entendimentos da Procuradoria expostos, foram endossados pela Diretoria da Aneel, no bojo do respectivo processo que desencadeou o parecer da procuradoria, razão pela qual nos referiremos a esses entendimentos como o entendimento da Aneel.

[42] "PROCESSO CIVIL. RECURSO ESPECIAL REPRESENTATIVO DE CONTROVÉRSIA. ARTIGO 543-C, DO CPC. TRIBUTÁRIO. EXECUÇÃO FISCAL. CRÉDITO NÃO-TRIBUTÁRIO. FORNECIMENTO DE SERVIÇO DE ÁGUA E ESGOTO. TARIFA/PREÇO PÚBLICO. PRAZO PRESCRICIONAL. CÓDIGO CIVIL. APLICAÇÃO.
1. A natureza jurídica da remuneração dos serviços de água e esgoto, prestados por concessionária de serviço público, é de tarifa ou preço público, consubstanciando, assim, contraprestação de caráter não-tributário, razão pela qual não se subsume ao regime jurídico tributário estabelecido para as taxas (Precedentes do Supremo Tribunal Federal: RE 447.536 ED, Rel. Ministro Carlos Velloso, Segunda Turma, julgado em 28.06.2005, DJ 26.08.2005; AI 516402 AgR, Rel. Ministro Gilmar Mendes, Segunda Turma, julgado em 30.09.2008, DJe-222 DIVULG 20.11.2008 PUBLIC 21.11.2008; e RE 544289 AgR, Rel. Ministro Ricardo Lewandowski, Primeira Turma, julgado em 26.05.2009, DJe-113 DIVULG 18.06.2009 PUBLIC 19.06.2009. Precedentes do Superior Tribunal de Justiça: EREsp 690.609/RS, Rel. Ministra Eliana Calmon, Primeira Seção, julgado em 26.03.2008, DJe 07.04.2008; REsp 928.267/RS, Rel. Ministro Teori Albino Zavascki, Primeira Seção, julgado em 12.08.2009, DJe 21.08.2009; e EREsp 1.018.060/RS, Rel. Ministro Castro Meira, Primeira Seção, julgado em 09.09.2009, DJe 18.09.2009).
2. A execução fiscal constitui procedimento judicial satisfativo servil à cobrança da Dívida Ativa da Fazenda Pública, na qual se compreendem os créditos de natureza tributária e não tributária" (arts. 1º e 2º, da Lei 6.830/80).
3 A natureza jurídica da remuneração dos serviços de água e esgoto, prestados por concessionária de serviço público, é de tarifa ou preço público, consubstanciando, assim, contraprestação de caráter não-tributário, razão pela qual não se subsume ao regime jurídico tributário estabelecido para as taxas. É vintenário o prazo prescricional da pretensão executiva atinente à tarifa por prestação de serviços de água e esgoto, cujo vencimento,

de incidência do prazo genérico de 10 anos do art. 205 do CC, somente demonstra que, dado que o objeto de cobrança ou pleito de repetição diz respeito à tarifa e não à taxa, não há relação tributária estabelecida. Ou seja, apenas evidencia a não incidência do prazo prescricional quinquenal, previsto para as relações tributárias, aos encargos setoriais, o que não quer dizer, em uma lógica binária, que, por não ser aplicável o Código Tributário Nacional (CTN), aplica-se o CC. Em outros termos: isso não é suficiente, por si só, para desconsiderar os outros fundamentos aptos a atrair o prazo quinquenal.

Contudo, nos casos de fiscalização envolvendo a Aneel a premissa é justamente oposta: já há uma relação de direito público estabelecida entre agência reguladora e regulado. As fiscalizações que ensejam pleitos de devolução de valores decorrem do poder de polícia, tanto que, por exemplo, se o administrado não enviar documentos e informações demandados, incide em descumprimento de normativo ensejador de penalidades administrativas,[43] independentemente da natureza jurídica daquilo que é objeto de fiscalização.

Nesse panorama, o esforço hermenêutico de caracterização dos encargos setoriais como tarifa, não é capaz de atrair por si só o regramento privado do CC, dado que a lente posta para enfoque não é a dualidade taxa *versus* tarifa, mas sim a incidência de normas de direito público estabelecida na relação entre agente regulado e regulador. O objeto daquilo que se fiscaliza não tem o condão de excepcionar ou se sobrepor a relação, de direito público estabelecida na fiscalização, razão pela qual eventual integração normativa deve ser feita, a princípio, sob a égide das normas de Direito Público. Consoante consignou o Ministro Luís Roberto Barroso ao referir a Lei nº 9.873/1999 no julgamento do Mandado de Segurança nº 36.780/2021:[44]

> (...) Embora se trate, aqui, de pretensão de ressarcimento ao erário, e não de imposição de sanções, a referida lei representa a regulamentação mais adequada a ser aplicada por analogia, tendo em vista a autonomia científica do direito administrativo e a inexistência de razão plausível para o suprimento de possível omissão com recurso a normas do direito civil (...).

Assim, guardadas as devidas particularidades, as premissas adotadas pelo STF para o afastamento da aplicação do regramento do CC e da imprescritibilidade das ações de ressarcimento nas fiscalizações efetuadas pelo TCU, estão igualmente presentes na relação jurídica de direito público estabelecida entre a Aneel e agentes setoriais regulados.[45]

---

na data da entrada em vigor do Código Civil de 2002, era superior a dez anos. Ao revés, cuidar-se-á de prazo prescricional decenal (REsp n. 1.117.903/RS, relator Ministro Luiz Fux, Primeira Seção, julgado em 9/12/2009, DJe de 1/2/2010)".

[43] BRASIL. Agência Nacional de Energia Elétrica. *Resolução Normativa Aneel nº 846/2019*. Brasília, DF: Agência Nacional de Energia Elétrica, art. 9º, VI, 2019.

[44] BRASIL. Supremo Tribunal Federal (1. Turma). Embargos de Declaração em Mandado de Segurança 36.780/DF. Relator: Min. Luís Roberto Barroso, 4 de abril de 2022. *Dje*: Brasília, DF, 2022.

[45] Não por outro motivo, quando, em caso de fiscalização, a Aneel apurou diferenças de valores a serem devolvidos por agente, o Tribunal Regional Federal da 4ª Região fixou a incidência do prazo prescricional de 5 anos para o exercício de tal pretensão pela Agência, a saber:
"ADMINISTRATIVO. JUÍZO DE RETRATAÇÃO. RESSARCIMENTO AO ERÁRIO. ILÍCITO CIVIL. PRESCRITIBILIDADE. RE 669.069. Tema 666. (...)

6 Conclusão

Este artigo buscou abordar, a partir de elementos conceituais e referências doutrinárias, as possíveis correntes de pensamento aplicáveis em relação à definição do regime prescricional incidente em face da Administração Pública, particularmente da Aneel, em hipótese específica de lacuna legal relativa à pretensão de ressarcimento em face do particular, agente setorial.

Restou evidenciada a existência de doutrina que suporta a aplicação analógica do prazo prescricional quinquenal constante na maioria dos regramentos de Direito Público, fundada predominantemente na ideia de tratamento isonômico entre administração e administrado, existindo também, contudo, entendimento pela aplicação analógica do prazo decenal do artigo 205 do CC.

Para concluir sobre o tema, foi feita pesquisada jurisprudencial focada nos julgados do STF, em especial nos Temas de Repercussão Geral nº 666, 897 e 899 do STF, que atraem a conclusão de que a pretensão de ressarcimento por ilícito civil, inclusive quando oriunda de fiscalizações do TCU, não é imprescritível.

No que toca ao tratamento concedido ao tema pela Aneel, a partir de manifestações jurídicas contidas em processos deliberados pela Agência, constatou-se haver predominância pela aplicação do prazo decenal do CC para os casos em que houve pretensão de ressarcimento em face do agente setorial, sendo usualmente desconsiderado o fato de tais pleitos terem origem no exercício do poder de polícia, o que conforme precedentes da própria agência, atrairia a aplicação analógica do prazo quinquenal da Lei nº 9.873/1999.

Ao final, foi possível constatar que as razões constantes dos julgados do STF em que a Corte se vale da Lei nº 9.873/1999 como recurso integrativo normativo, principalmente naqueles que tratam da prescrição relativa a ressarcimento do particular à Administração, oriundos de ações fiscalizatórias do TCU, também estão presentes nos pleitos ressarcitórios promovidos pelo regulador em face do regulado, representados, neste estudo, pelos casos da Aneel em face do agente setorial. Igualmente por tais razões, a adoção do prazo quinquenal para fim prescricional se mostra adequada às pretensões de ressarcimento objeto de análise neste artigo.

Referências

BACELLAR FILHO, Romeu Felipe; HACHEM, Daniel Wunder. Transferências voluntárias na Lei de Responsabilidade Fiscal: limites à responsabilização pessoal do ordenador de despesas por danos decorrentes da execução do convênio. *Interesse Público – IP*, Belo Horizonte, ano 12, n. 60, p. 25-62, mar./abr. 2010.

BANDEIRA DE MELLO, Celso Antônio. *Curso de Direito Administrativo*. 31. ed. São Paulo: Malheiros, 2014.

---

3. Na hipótese, trata-se de debate acerca da prescritibilidade do dever de devolução de valores pela concessionária, nos termos do art. 2º, I, da Res. nº 295/2007, em ressarcimento ao Erário, decorrente de divergências entre os valores dos encargos setoriais previamente homologados pela Aneel e posteriormente apurados.

4. Afirmada a prescritibilidade da ação de reparação de danos à Fazenda Pública decorrente de ilícito civil, constata-se que transcorrido o prazo prescricional de cinco anos, sendo retificado o entendimento da Turma em juízo de retratação, e extinta a presente ação, nos termos do art. 269, IV, do CPC/1973. (...)" (BRASIL. Tribunal Regional Federal (4. Região. 3. Turma). APC 5072285-15.2014.4.04.7000. Relator: Des. Rogerio Favreto, 4 de setembro de 2018. *DJTR4*: Poder Judiciário, 2018).

BRASIL. Agência Nacional de Energia Elétrica. *NUP 48500.005528/2016-36*. Parecer nº 00075/2023/PFAneel/PGF/AGU. Despacho nº 00393/2023/PFAneel/PGF/AGU. Brasília, DF: Agência Nacional de Energia Elétrica, 2023.

BRASIL. Agência Nacional de Energia Elétrica. *Processo Administrativo nº 48500.000287/2015-58*. Parecer nº 00016/2017/PFEAneel/PGF/AGU. Brasília, DF: Agência Nacional de Energia Elétrica, 2015.

BRASIL. Agência Nacional de Energia Elétrica. *Processo Administrativo nº 48500.002602/2016-62*. Parecer nº 00294/2016/PFAneel/PGF/AGU. Brasília, DF: Agência Nacional de Energia Elétrica, 2016.

BRASIL. Agência Nacional de Energia Elétrica. *Processo nº 48500.000786/2011-11*. Parecer nº 00261/2018/PFAneel/PGF/AGU. Brasília, DF: Agência Nacional de Energia Elétrica, 2018.

BRASIL. Agência Nacional de Energia Elétrica. *Processo Administrativo nº*. 48500.002602/2016-62. Brasília, DF: Agência Nacional de Energia Elétrica, 3 mar. 2022. Disponível em: https://sicnet2.Aneel.gov.br/sicnetweb/default.asp. Acesso em: 15 ago. 2024.

BRASIL. Agência Nacional de Energia Elétrica. *Processo Administrativo nº 48500.005710/2016-97*. Parecer nº 00159/2023/PFAneel/PGF/AGU. Brasília, DF: Agência Nacional de Energia Elétrica, 2023.

BRASIL. Agência Nacional de Energia Elétrica. *Resolução Normativa Aneel nº 846/2019*. Brasília, DF: Agência Nacional de Energia Elétrica, 2019.

BRASIL. Supremo Tribunal Federal. ADI 5.509/CE. Rel. Min. Edson Fachin, 11 de novembro de 2021. *Dje*: Brasília, DF, 22 fev. 2022.

BRASIL. Supremo Tribunal Federal (1. Turma). Embargos de Declaração em Mandado de Segurança 36.780/DF. Relator: Min. Luís Roberto Barroso, 4 de abril de 2022. *Dje*: Brasília, DF, 2022.

BRASIL. Superior Tribunal de Justiça (1. Seção). Recurso Especial 1.117.903/RS. Relator: Min. Luiz Fux, 9 de dezembro de 2009. *Dje*: Brasília, DF, 1 fev. 2010.

BRASIL. Supremo Tribunal Federal (Pleno). Recurso Extraordinário 669.069/MG. Relator: Min. Teori Zavascki, 3 de fevereiro de 2016. *Dje*: Brasília, DF, 28 abr. 2016.

BRASIL. Supremo Tribunal Federal (Pleno). Recurso Extraordinário 852.475/SP. Relator: Min. Alexandre de Moraes, 8 de agosto de 2018. *Dje*: Brasília, DF, 25 mar. 2019.

BRASIL. Supremo Tribunal Federal (Pleno). Recurso Extraordinário 636.886/AL. Relator Min. Alexandre de Moraes, 20 de abril de 2020. *Dje*: Brasília, DF: 24 jun. 2020.

BRASIL. Superior Tribunal de Justiça (2. Turma). Recurso Especial 1.1639.68/RS. *Dje*: Brasília, DF, 23 abr. 2010.

BRASIL. Tribunal Regional Federal (4. Região. 3. Turma). APC 5072285-15.2014.4.04.7000. Relator: Des. Rogerio Favreto, 4 de setembro de 2018. *DJTR4*: Poder Judiciário, 2018.

CARVALHO FILHO. José dos Santos. *Manual de Direito Administrativo*. 37. ed. São Paulo: Atlas, 2023.

FARIA, Cristiano Chaves de; ROSENVALD, Nelson. *Direito Civil*: teoria geral. 6. ed. Rio de Janeiro: Lumen Juris, 2007.

JUSTEN FILHO, Marçal. *Curso de Direito Administrativo*. 15. ed. São Paulo: Grupo GEN, 2024.

MEIRELLES, Hely Lopes. *Direito Administrativo brasileiro*. 29. ed. São Paulo: Malheiros, 2004.

OSÓRIO, Fábio Medina. *Direito Administrativo Sancionador*. 5. ed. São Paulo: Thomson Reuters Brasil, 2023. *E-book*.

PRATES, Marcelo Madureira. Prescrição administrativa na Lei 9.873, de 23.11.99: entre simplicidade normativa e complexidade interpretativa. *Revista de Doutrina da 4ª Região*, Brasília, DF, n. 10, 19 jan. 2006. Disponível em https://bdjur.stj.jus.br/jspui/bitstream/2011/63499/prescricao_administrativa_lei_entre.pdf. Acesso em: 15 ago. 2024.

REGO, Aline Paim Monteiro do. O Tribunal de Contas da União e a prescrição da pretensão ressarcitória. Orientador: André Janjácomo Rosilho. 2023. Dissertação (Mestrado Profissional) – Escola de Direito, Fundação Getulio Vargas, São Paulo, 2023. Disponível em: https://repositorio.fgv.br/server/api/core/bitstreams/63dd2cdb-7e6d-43d4-a7c2-4350f09e5f06/content. Acesso em: 15 ago. 2024.

SILVA, João. A análise da legislação estadual. *Revista da Procuradoria-Geral do Estado de São Paulo*, São Paulo, SP, Brasil, v. 10, n. 2, p. 45-60, jul./dez. 2024.

SILVEIRA, Mateus Camilo Ribeiro da. Ressarcimento ao Erário e prescrição: comentários aos temas de repercussão geral nº 666, 897 e 899. *Revista da Procuradoria-Geral do Estado de São Paulo*, São Paulo, v. 94, p. 151-174, jul./dez. 2021.

SUNDFELD, Carlos Ari; SOUZA, Rodrigo Pagani de. A prescrição das ações de ressarcimento ao Estado e o art. 37, §5º da Constituição. *A&C – Revista de Direito Administrativo & Constitucional*, Belo Horizonte, ano 17, n. 68, p. 139-152, abr./jun. 2017.

TOLEDO, Adriana Teixeira de; NAJJARIAN, Ilene Patrícia de Noronha (coord.). *Prescrição em processo administrativo sancionador*: para além da Lei nº 9.873, de 1999. São Paulo: Quartier Latin, 2023.

Informação bibliográfica deste texto, conforme a NBR 6023:2018 da Associação Brasileira de Normas Técnicas (ABNT):

AMORIM, Aline Zaed de; REGIS, Vládia Viana. Prescrição da pretensão de ressarcimento em face de agentes do setor de energia elétrica: a visão da Agência Nacional de Energia Elétrica (Aneel). *In*: JUSTEN, Monica Spezia; PEREIRA, Cesar; JUSTEN NETO, Marçal; JUSTEN, Lucas Spezia (coord.). *Uma visão humanista do Direito*: homenagem ao Professor Marçal Justen Filho. Belo Horizonte: Fórum, 2025. v. 3, p. 575-588. ISBN 978-65-5518-915-5.

Direito Processual e Resolução de Disputas

(Coordenador: Eduardo Talamini)

INCLUSÃO DE CLÁUSULAS ARBITRAIS EM ACORDOS CELEBRADOS COM O CONSELHO ADMINISTRATIVO DE DEFESA ECONÔMICA (CADE): PRESSUPOSTOS E PERSPECTIVAS

ANA SOFIA MONTEIRO SIGNORELLI

CESAR PEREIRA

1 Introdução[1]

Este é um momento de homenagem a Marçal Justen Filho. Porém, em 2023, foi ele quem homenageou os autores ao concordar em prefaciar sua obra *Arbitragem concorrencial em perspectiva*. Em páginas breves que refletem sua clareza de raciocínio e de discurso, Marçal Justen Filho registra a "tendência à difusão e à afirmação da arbitragem" e destaca seu potencial para a solução de disputas concorrenciais.[2] A experiência do Conselho Administrativo de Defesa Econômico (Cade) corrobora essa visão. Há crescente esforço na adoção técnica e dogmaticamente precisa da arbitragem no direito concorrencial.[3]

Para Marçal Justen Filho, "as peculiaridades do direito material se refletem sobre a atividade jurisdicional".[4] Embora ancorada na Lei de Arbitragem, as particularidades

---

[1] Este artigo traz uma atualização do Capítulo 3 da obra *Arbitragem concorrencial em perspectiva*, publicada pelos autores em 2023, acerca das hipóteses de utilização da arbitragem nos acordos do direito concorrencial. Para uma análise mais abrangente dos temas debatidos no artigo, ver: SIGNORELLI, Ana Sofia Monteiro; PEREIRA, Cesar. *Arbitragem concorrencial em perspectiva*: da natureza jurídica aos desafios procedimentais. São Paulo: Revista dos Tribunais, 2023. p. 59-120. Os autores agradecem a Lorenzo Galan Miranda pelo auxílio inestimável na atualização da pesquisa e revisão do texto.

[2] JUSTEN FILHO, Marçal. Prefácio. *In:* SIGNORELLI, Ana Sofia Monteiro; PEREIRA, Cesar. *Arbitragem concorrencial em perspectiva*: da natureza jurídica aos desafios procedimentais. São Paulo: Revista dos Tribunais, 2023. p. 8.

[3] Ao refletir sobre o tema, ainda em 2017, no âmbito do voto-vogal proferido em sede do Ato de Concentração nº 08700.001390/2017-14 (AT&T Inc. e Time Warner Inc.), o então Conselheiro Paulo Burnier explicou: "Analisando a evolução da jurisprudência, é possível perceber que o Conselho tem cada vez mais se preocupado em fazer o uso da arbitragem de maneira técnica, sem descaracterizar a essência do instituto enquanto mecanismo heterocompositivo de resolução de conflitos cujo regime jurídico encontra-se estabelecido na Lei nº 9.307/1996".

[4] JUSTEN FILHO. Prefácio, p. 8.

da arbitragem concorrencial lhe imprimem características distintivas em relação à arbitragem comercial, com desafios próprios e significativos aos setores e atores envolvidos.[5]

Na prática do Cade acumulada até 2024, a arbitragem concorrencial é objeto de um compromisso unilateral, assumido no âmbito dos chamados Acordos de Controle de Concentração (ACCs) – ainda que, em tese, possa ser incluída também em Termos de Compromisso de Cessação (TCCs). Como ressalta Magalhães Júnior,[6] a inclusão dessas cláusulas poderá ser utilizada tanto "como meio para *enforcement* privado do Direito concorrencial por agentes privados" quanto como "uma ferramenta para as autoridades concorrenciais (SBDC) aplicarem o Direito concorrencial", o que estará intimamente relacionado ao tipo de acordo (se ACC ou TCC) em que foram incluídas. Ou seja, a arbitragem pode vir a fortalecer a execução privada das regras concorrenciais,[7] notadamente sob duas formas: (i) enquanto ferramenta de cunho dissuasório, e (ii) enquanto método de resolução de disputas em demandas reparatórias. Este artigo formula reflexões sobre ambos os temas.

2 Consentimento à cláusula compromissória nos acordos do direito da concorrência

A cláusula de arbitragem nos acordos com o Cade deve ser compreendida como manifestação unilateral e definitiva do compromissário de seu consentimento em submeter à arbitragem os litígios em questão, abrangidos pela cláusula e mais amplamente pelo teor do acordo. Essa manifestação, por parte do compromissário, é completa e definitiva, condicionada apenas aos eventuais requisitos que existam em cada cláusula de arbitragem que tenha assinado com o Cade. O que falta para o aperfeiçoamento da convenção de arbitragem é a manifestação da contraparte – aquele que se julga prejudicado pela conduta anticoncorrencial.

O consentimento da contraparte privada pode ser manifestado por meio de um aditivo ao contrato que não contenha cláusula arbitral ou mesmo por outras vias, como a própria solicitação de instauração da arbitragem. Havendo a concordância da parte privada com a submissão do litígio à arbitragem, o particular passa a integrar uma convenção de arbitragem ou a ter direito ao seu aperfeiçoamento. Esse direito pode conduzir diretamente à instauração do procedimento, inclusive por meio do sistema estabelecido pelos arts. 6º e 7º da Lei de Arbitragem para dar efetividade à convenção de arbitragem.

Não é o Cade que oferta a realização de arbitragem. Apenas a parte privada do acordo, isto é, o compromissário, é que se compromete a participar de um futuro procedimento arbitral em contrapartida aos benefícios oferecidos pela autarquia. Assim, é cediço que essa oferta só vinculará o próprio compromissário.

---

[5] JUSTEN FILHO. Prefácio, p. 8.

[6] MAGALHÃES JÚNIOR, Danilo Brum de. *Arbitragem e Direito Concorrencial no Brasil*. Rio de Janeiro: Lumen Juris, 2023. p. 134.

[7] Para Salton (A arbitrabilidade do direito concorrencial: uma análise do caso Eco Swiss. *Res Severa Verum Gaudium*, Porto Alegre, v. 6, n. 1, p. 433, jun. 2021), "a arbitragem pode ser uma ferramenta de estímulo à articulação do *public enforcement* com o *private enforcement* do direito antitruste".

Por sua vez, os terceiros que desejarem iniciar arbitragem podem fazê-lo, contanto que assim queiram. Se não o quiserem, o acesso ao Judiciário ainda será uma opção nas arbitragens reparatórias, uma vez que se trata de responsabilidade civil essencialmente extracontratual. Dessa forma, a arbitragem só se torna obrigatória para a parte lesada quando ela expressamente aceita a oferta contida no acordo, aperfeiçoando, portanto, a convenção de arbitragem.

No caso da arbitragem concorrencial destinada ao *enforcement* privado, é possível verificar um cenário semelhante ao disposto, mas com suas devidas peculiaridades. Ou seja, trata-se de terceiros, não signatários da cláusula compromissória firmada por compromissários de TCCs, que instauram demandas arbitrais em face dos últimos. Nesses casos, o interessado privado na possível arbitragem será o agente que se sentiu prejudicado por compromissários de TCCs que cometeram infrações à ordem econômica.

Por sua vez, as arbitragens iniciadas a partir de compromissos arbitrais inseridos em ACCs serão instauradas em face de compromissários que alegadamente não cumpriram as obrigações do acordo. Assim, embora os terceiros não tenham assinado o contrato em que está inserida a cláusula de arbitragem, eles poderão escolher se vincular aos efeitos de tal cláusula.

Em ambos os casos, a legitimidade ativa dos requerentes fundamenta-se em sua manifestação de vontade em se vincular à cláusula compromissória, aperfeiçoando, nesse momento, a convenção de arbitragem.

Por esse motivo, Siqueira, Cianfrani e Bernini enxergam uma característica comum entre a cláusula compromissória firmada nos acordos do direito concorrencial e aquela firmada em contratos de adesão: "Aqui, o paralelo que se pode estabelecer diz respeito aos signatários de contratos de adesão, que nos termos do artigo 4º, §2º, da Lei de Arbitragem, manifestam seu consentimento quando iniciam a arbitragem ou quando expressam sua vontade no próprio contrato, mediante certos requisitos".[8]

Assim como no caso dos aderentes, a cláusula arbitral inserida em TCCs ou ACCs só será aperfeiçoada como convenção de arbitragem caso o agente prejudicado manifeste a sua intenção de utilizar-se da arbitragem para demandas reparatórias ou demandas relativas ao descumprimento de obrigações no âmbito desses acordos. Até então, a cláusula não apresenta as eficácias positiva ou negativa própria das convenções de arbitragem: não impede o recurso ao Poder Judiciário, não pode ser invocada como matéria de defesa nem dá fundamento para se compelir a parte recalcitrante à arbitragem. Todas essas eficácias passam a existir no exato momento em que o agente prejudicado manifesta sua adesão à proposta de convenção de arbitragem contida em TCCs ou ACCs.

É nesse aspecto que importa diferenciar a arbitragem concorrencial de outras manifestações da arbitragem comercial. Ela não envolverá, desde o seu aperfeiçoamento, a manifestação de vontade de ambas as partes no sentido de celebrar uma convenção de arbitragem. Não se trata de uma convenção de arbitragem, mas de mera oferta unilateral da arbitragem.[9]

---

[8] SIQUEIRA, Christiane Meneghini S. de; CIANFRANI, Joana Temudo; BERNINI, Paula Müller Ribeiro. A arbitragem para reparação de danos concorrenciais. *In:* GOMES, Adriano Camargo (org.). *Reparação de danos concorrenciais:* Direito Material e processo. São Paulo: Quartier Latin, 2023. p. 259.

[9] PEREIRA, Cesar. Arbitragem ou Poder Judiciário nos Litígios com a Administração Pública: esboço de roteiro para uma escolha racional. *In:* CASADO FILHO, Napoleão; QUINTÃO, Luísa; SIMÃO, Camila (coord.). *Direito*

Blessing identifica essa cláusula arbitral como uma "oferta unilateral *erga omnes* feita pelas Requerentes/Compromissárias".[10] Essa oferta, segundo o doutrinador, só se perfaz a partir do momento que o terceiro der início ao procedimento, mediante requerimento de arbitragem. É nesse momento que o comprometimento unilateral realizado pelas requerentes de ACCs ou compromissárias de TCCs, quando da celebração desses acordos, será enfim convertido em uma convenção de arbitragem.[11]

A afirmação comporta esclarecimento. A manifestação de consentimento pelo terceiro pode ser anterior ao requerimento de arbitragem. Pode ser objeto de manifestação em separado (comunicação pelo terceiro) ou ser veiculada em face de atos praticados pelo obrigado incompatíveis com a previsão de arbitragem. Dois exemplos ilustram a situação. Diante de uma ação judicial proposta pelo obrigado, o terceiro pode defender-se arguindo a convenção de arbitragem; tal defesa implicará a adesão à oferta de convenção de arbitragem. Caso exista uma cláusula arbitral vazia, o terceiro pode propor a ação do art. 7º da Lei de Arbitragem; a medida também configurará essa adesão à convenção de arbitragem.

Tal como qualquer outra convenção de arbitragem, uma vez aperfeiçoada com tal adesão do terceiro, somente pode ser desfeita de modo bilateral. Depois de manifestar sua adesão à cláusula de arbitragem, a renúncia explícita ou tácita à arbitragem pelo terceiro só será eficaz se não for rejeitada pelo obrigado.

3 Hipóteses de utilização da arbitragem nos acordos do direito da concorrência

3.1 Acordos de ACCs

Em sede de controle preventivo, ou de controle de estruturas, nas hipóteses em que o Cade concluir que autorizar integralmente a continuidade de uma operação poderá implicar as hipóteses trazidas pelo §5º do art. 88 da Lei de Defesa da Concorrência (LDC),[12] será possível autorizar parcialmente a operação. Nessa hipótese, os riscos à concorrência poderão ser mitigados a partir da adoção dos chamados "remédios concorrenciais".

Conforme dispõe o Guia de Remédios do Cade,

> um remédio antitruste consiste em um processo, imposto pelo Cade ou negociado entre o Cade e as Requerentes, como condição de aprovação de um AC, que envolve (i) a delimitação de ações e comandos para as partes envolvidas na operação, (ii) a forma de aplicação

---

Internacional e arbitragem: estudos em homenagem ao Professor Cláudio Finkelstein. São Paulo: Quartier Latin, 2019. p. 596-597.

[10] BLESSING, M. Arbitrating Antitrust and Merger Control Issues. *Swiss Commercial Law Series*, [S. l.], p. 172, 2003. Disponível em: https://media.baerkarrer.ch/karmarun/image/upload/baer-karrer/4_3_14.pdf. Acesso em: 8 nov. 2024.

[11] SIGNORELLI; PEREIRA. *Arbitragem concorrencial em perspectiva*: da natureza jurídica aos desafios procedimentais, p. 52.

[12] "Art. 88:
(...)
§5º Serão proibidos os atos de concentração que impliquem eliminação da concorrência em parte substancial de mercado relevante, que possam criar ou reforçar uma posição dominante ou que possam resultar na dominação de mercado relevante de bens ou serviços, ressalvado o disposto no §6º deste artigo."

dessas ações, (iii) seu monitoramento e (iv) a verificação de cumprimento. Muitas vezes o desenho de um remédio refere-se apenas à etapa (i), mas este Guia destaca a necessidade de um remédio efetivo atender, para além da etapa (i), todas as demais etapas para que haja uma solução mais completa que de fato sane as preocupações concorrenciais advindas do AC da forma como apresentado.[13]

A negociação desses remédios, portanto, será formalizada através da figura dos ACCs, que Marrara conceitua como

> (...) instrumento de estabelecimento de condicionantes que acompanham a decisão administrativa final do Cade ao autorizar determinada concentração econômica que apresenta certos riscos ao bom funcionamento do mercado. O acordo é formal, escrito e integrativo da decisão final de aprovação da concentração, caracterizando-se por reduzida precariedade e cuja duração ultrapassa a do processo autorizativo. Fala-se de acordo integrativo, pois o ACC se acopla ao ato administrativo final. Ele não substitui o ato, mas a ele se harmoniza, dele retira sua base de validade, ao mesmo tempo em que condiciona sua eficácia.[14]

Os remédios concorrenciais dividem-se, ainda, entre remédios comportamentais e estruturais. De acordo com a *Background Note* divulgada pela OCDE em 2022, tratando do tema de remédios e acordos em casos envolvendo abusos de posição dominante, remédios estruturais são aqueles que "exigem das empresas compromissárias que elas alienem, liberem ou segreguem determinados ativos seus, sejam eles tangíveis ou intangíveis".[15]

Ao sopesar pontos positivos e negativos sobre os remédios estruturais, em comparação aos remédios comportamentais, o documento chama a atenção para a facilidade de sua adoção, os baixos custos de monitoramento e a dificuldade que as compromissárias terão para descumprir essas determinações. Por outro lado, a instituição também ressalta problemas como o risco de que esses remédios possam criar ineficiências (como o menor incentivo para inovação ou a possibilidade de inviabilizar o novo negócio pretendido a partir da operação) e possivelmente serem interpretados como condições desproporcionais, considerando que são baseados em exercícios preditivos e irreversíveis e que necessariamente modificarão direitos de propriedade dos compromissários que a eles precisem se submeter.[16]

---

[13] BRASIL. Conselho Administrativo de Defesa Econômica. *Guia de Remédios*. Brasília, DF: Conselho Administrativo de Defesa Econômica, 2018. Disponível em: https://cdn.cade.gov.br/Portal/centrais-de-conteudo/publicacoes/guias-do-cade/guia-remedios.pdf. Acesso em: 8 nov. 2024.

[14] MARRARA, Thiago. Acordos no direito da concorrência. *Revista de Defesa da Concorrência*, Brasília, DF, v. 8, n. 2, p. 78-103, 2020. Disponível em: https://revista.cade.gov.br/index.php/revistadedefesadaconcorrencia/article/view/451. Acesso em: 8 nov. 2024.

[15] No original: "Structural remedies require firms to divest, release or carve-out certain tangible or intangible assets they own" (OCDE. *Remedies and commitments in abuse cases*. OECD Competition Policy Roundtable Background Note. Paris: OCDE, 2022. p. 17, tradução nossa. Disponível em: https://www.oecd.org/daf/competition/remedies-and-commitments-in-abuse-cases-2022.pdf. Acesso em: 8 nov. 2024).

[16] No original: "They are also relatively simple to devise and implement as due to their one-off nature they do not typically require extensive, time-and resource-consuming monitoring, so typical of behavioural remedies. Moreover, they are difficult for companies to circumvent and avoid" (OCDE. Remedies and commitments in abuse cases, p. 17, tradução nossa).

No contexto brasileiro, o Guia de Remédios atualmente utilizado pelo Cade prescreve uma série de "boas práticas" quando do desenho desses remédios, com preferência expressa pela adoção dos remédios estruturais. Isso remete a uma compreensão historicamente compartilhada por outras autoridades antitruste no que diz respeito aos reduzidos custos de monitoramento dos remédios estruturais *vis-à-vis* os remédios comportamentais.[17]

Por outro lado, o documento da OCDE ressalta a previsão contida no Recital 12 do art. 7º da Regulação nº 1/2003 da União Europeia, que remete à preferência por remédios estruturais apenas nas hipóteses em que "não há remédio comportamental igualmente eficaz ou quando qualquer remédio comportamental igualmente eficaz for mais oneroso para a empresa em comparação ao remédio estrutural".[18] A OCDE sustenta, com referência ao trabalho de Kwoka e Valletti,[19] que os custos de monitoramento e implementação dos remédios não deveriam ser o primeiro *benchmark* utilizado pelas autoridades concorrenciais, apesar de esses custos serem preocupação válida, em razão da restrição de recursos orçamentários normalmente disponíveis às agências.

Nesse sentido, importa ressaltar que a preferência pela adoção de remédios estruturais trazida pelo *Guia de Remédios* brasileiro remete à justificativa de que eles "direcionariam a causa do dano concorrencial de forma mais direta", utilizando-se como argumento subsidiário o fato de "trazerem menor custo de monitoramento e menor risco de distorções no mercado pelos remédios impostos".

Ao definir remédios de natureza comportamental, o Guia de Remédios os conceitua como aqueles que "envolvam práticas comerciais sem a necessária transmissão de direitos e ativos".[20] No documento da OCDE, os remédios comportamentais recebem duas classificações. A primeira remete a uma classificação proposta pela Global Competition Review (GCR),[21] que segrega os remédios comportamentais entre internos e externos, no sentido de mensurar o escopo de sua abrangência, ou seja, se o remédio irá "além dos muros" da companhia, podendo afetar terceiros.

Nesse sentido, os remédios internos afetariam tão somente a administração da companhia e sua organização, ao passo que os externos, ao tratarem sobre a interação da firma com terceiros, também os afetaria – sem prejuízo de que, na implementação de remédios internos, também seja possível (e, possivelmente, desejável) que suas consequências respinguem em terceiros, ou mesmo no mercado de uma forma geral.

De acordo com a segunda classificação, remédios comportamentais podem igualmente ser divididos entre obrigações positivas (de fazer) ou negativas (de não fazer),

---

[17] Como observou Blessing (Arbitrating Antitrust and Merger Control Issues), a Comissão Europeia historicamente baseou-se no precedente da Gencor/Lonrho (1999; ECR II-753) para determinar essa preferência por remédios estruturais em função da vantagem de não necessitarem de medidas de monitoramento de médio ou longo-prazo.

[18] No original: "Where there is no equally effective behavioural remedy or where any equally effective behavioural remedy would be more burdensome for the undertaking concerned than the structural remedy" (OCDE. Remedies and commitments in abuse cases, p. 17, tradução nossa).

[19] KWOKA, John; VALLETTI, Tommaso. Unscrambling the eggs: breaking up consummated mergers and dominant firms. *Industrial and Corporate Change*, [S. l.], v. 30, n. 5, p. 1286-1306, 2021.

[20] BRASIL. *Guia de Remédios*.

[21] NON-Structural Remedies. *Global Competition Review*, [S. l.], 25 Oct. 2023. Disponível em: https://globalcom petitionreview.com/guide/the-guide-merger-remedies/fifth-edition/article/non-structural-remedies-and-their-key-strengths. Acesso em: 8 nov. 2024.

distinção puramente semântica, sem prejuízo de que tais remédios possam inclusive ser aplicados conjuntamente.

A distinção entre remédios comportamentais e estruturais é intimamente relacionada à questão das arbitragens concorrenciais. Como igualmente ressaltado pela OCDE em outro relatório, que reporta as audiências realizadas pelo Comitê de Concorrência sobre o tema "Arbitragem e Competição",[22] é mais provável que a arbitragem seja utilizada, quando no âmbito do controle preventivo/estrutural, como instrumento auxiliar no monitoramento de remédios de natureza comportamental. Nesse sentido, o documento observa que

> (...) Houve vários casos de fusão aceitando compromissos de arbitragem, mas isso é muito raro em situações em que o remédio é imposto. Por exemplo, com o objetivo de executar remédios estruturais, as partes recebem um prazo para vender o negócio alienado. Se o desinvestimento não for realizado dentro do prazo estipulado, o *trustee* de desinvestimento assume, com o poder de vender o negócio alienado sem qualquer preço mínimo. Adicionar uma arbitragem a este processo não seria prático. No entanto, onde a arbitragem pode e tem sido usada é em compromissos de acesso.[23]

3.1.1 Cláusulas compromissórias utilizadas firmados pelo Cade em ACCs após a vigência da Lei nº 12.529/2011

A Portaria nº 14, de 15 de junho de 2022, do Cade, criou um grupo de trabalho com o intuito de "elaborar estudos e pesquisas sobre a utilização de cláusulas arbitrais e *trustees* em sede de acompanhamento de decisão no âmbito do Cade, abrangendo ACCs e TCCs".

As primeiras situações em que o instituto foi utilizado remontavam muito mais a uma espécie de perícia ou arbitramento.[24] O modelo evoluiu para a adoção de

---

[22] OCDE. *Arbitration and Competition*. Competition – DAF/COMP(2010)40. Paris: OCDE, 13 dez. 2011. p. 1-86. Disponível em: https://www.oecd.org/daf/competition/49294392.pdf. Acesso em: 8 nov. 2024.

[23] No original: "There have been a number of merger cases accepting commitments to arbitrate, but this is very rare in an imposed remedy situation. For example, in order to enforce structural remedies the parties are given a time period in which to sell the divested business. If the divestiture is not carried out within the allocated time period then a divestiture trustee takes over, with the power to sell the divested business without any minimum price. The addition of arbitration to this process would not be practical. However, where arbitration can and has been used is in access commitments" (OCDE. Arbitration and Competition, p. 15).

[24] Na ocasião da decisão relativa ao AC nº 08700.001390/2017-14 (SEI nº 0399934), da AT&T/Time Warner, o relator Paulo Burnier ressalta a posição do Cade e a evolução da jurisprudência da agência em relação ao uso da arbitragem: "Analisando a evolução da jurisprudência, é possível perceber que o Conselho tem cada vez mais se preocupado em fazer o uso da arbitragem de maneira técnica, sem descaracterizar a essência do instituto enquanto mecanismo heterocompositivo de resolução de conflitos cujo regime jurídico encontra-se estabelecido na Lei n º 9.307/1996. Enquanto nos primeiros dois casos (ILC Brasil/Vale Fertilizantes e ALL/Rumo), o Cade previu a arbitragem como mecanismos de resolução de controvérsias entre concorrentes que serviria de apoio a uma decisão da autoridade antitruste, no ACC firmado no caso Bovespa/Cetip, pela primeira vez, outorgaram-se poderes suficientemente amplos para uma decisão arbitral com caráter definitivo e irrecorrível. No caso em análise, essa essência do instituto consagrada no Direito Privado é mais uma vez respeitada. Nos termos das cláusulas 6.1 e seguintes do ACC (SEI nº 0398711), poderá ser submetido à arbitragem qualquer litígio havido entre programadoras e prestadoras de SeAC que verse sobre condições de contratação. Assim, a princípio, o litígio levado ao juízo arbitral não necessariamente terá como causa de pedir disposição prevista no ACC, mas sim versará sobre qualquer direito patrimonial disponível, em consonância com o art. 1º da Lei nº 9.307/1996.

cláusulas arbitrais cheias, contendo, como se verá adiante, regras a serem seguidas para a nomeação de árbitros, indicação de câmara arbitral, entre outros detalhamentos sobre o procedimento arbitral a ser instaurado por força da inclusão dessas cláusulas.

Embora não exista qualquer tipo de padronização na redação dessas cláusulas (o que dificulta, inclusive, uma análise empírica sobre os efeitos da sua adoção), há "previsões comuns" como (i) a não vinculação/desobrigação do Cade em agir ou se manifestar durante o curso do procedimento arbitral; (ii) previsões sobre o compartilhamento de custos da arbitragem entre os litigantes ou atribuição desses custos à parte perdedora; e (iii) previsões que dizem respeito à necessidade de uma "duração razoável" do procedimento.[25] Essas "previsões comuns" podem ser identificadas nas nove ocasiões em que o Cade incorporou cláusula compromissória nos ACCs celebrados até o final de 2023.[26]

O ACC firmado em junho de 2023 no contexto da aquisição, pela GREPAR Participações Ltda. da integralidade das ações da Refinaria de Mucuripe S.A. (LUBNOR), subsidiária integral da Petrobras,[27] replicou largamente a redação utilizada em ACC firmado em setembro de 2022.[28] Além das "previsões comuns", a cláusula compromissória estipulou que a instituição de arbitragem a administrar o procedimento será uma daquelas credenciadas perante a Advocacia-Geral da União (AGU), a ser escolhida conjuntamente pela Compromissária e Proponente.[29] A similaridade entre as duas

---

Nessa perspectiva, portanto, o Acordo apenas facilita o ingresso no procedimento arbitral ao prever que o pagamento das custas correrá por conta das Compromissárias, na hipótese de o litígio envolver programadora ou distribuidora com participação de mercado inferior a 20% (vinte por cento). Também em respeito aos contornos jurídicos do instituto, o Cade não se vinculará a qualquer deliberação arbitral para a formação de suas decisões. Isso porque a sentença arbitral terá força de título executivo extrajudicial fazendo coisa julgada somente em relação às partes envolvidas, nos termos do art. 31 da Lei nº 9.307/1996".

[25] SIGNORELLI; PEREIRA. *Arbitragem concorrencial em perspectiva*: da natureza jurídica aos desafios procedimentais, p. 71.

[26] As nove instâncias foram nos ACCs a seguir: (1) AC: 08700.000344/2014-47, ACC (nº SEI): 0013475; (2) AC: 08700.000871/2015-32, ACC (nº SEI): 0022458; (3) AC: 08700.004211/2016-10, ACC (nº SEI): 0316974; (4) AC: 08700.004860/2016-11, ACC (nº SEI): 0316944; (5) AC: 08700.001390/2017-14; ACC (nº SEI): 0400801; (6) AC: 08700.004163/2017-32, ACC (nº SEI): 0441876; (7) AC: 08700.000726/2021-08, ACC (nº SEI): 1042433; (8) AC: 08700.006512/2021-37, ACC (nº SEI): 1112120; (9) AC: 08700.004304/2022-84, ACC (nº SEI): 1250881.

[27] O conteúdo pode ser acessado no Processo nº 08700.004304/2022-84, referente ao ACC nº 1250881 (numeração SEI).

[28] Referente ao Processo nº 08700.006512/2021-37, vinculado ao ACC nº 1112120 (nº SEI).

[29] "5.1. Durante o prazo do ACC, sem prejuízo das competências regulatórias da ANP e das competências do Cade, o Proponente poderá iniciar procedimento arbitral privado para buscar a solução de controvérsias decorrentes das obrigações previstas nas Cláusulas 3 e 4 do ACC.
5.2. A Arbitragem será conduzida por tribunal arbitral composto por 3 (três) árbitros ("Tribunal Arbitral") e será administrada por uma das câmaras de arbitragem credenciadas pela Advocacia-Geral da União (AGU), observando o procedimento previsto no respectivo regulamento, sendo que a câmara de arbitragem a ser utilizada deverá ser escolhida de comum acordo entre a Compromissária e o Proponente. Nos termos do regulamento aplicável, cada parte indicará um árbitro para compor o Tribunal Arbitral, os quais indicarão, em conjunto, um terceiro árbitro que figurará como Presidente do Tribunal Arbitral. A Arbitragem será conduzida em português e terá aplicação da lei brasileira.
5.3. Apenas disputas objetivas e fundamentadas, relacionadas exclusivamente a condições comerciais para aquisição de asfaltos e NH 10 e NH 20, conforme tratado nas Cláusulas 3 e 4 do ACC, poderão ser objeto da Arbitragem.
5.4. O Proponente somente poderá requerer o início de Arbitragem após demonstrar tentativa frustrada de solucionar a controvérsia de maneira negocial durante pelo menos 60 (sessenta) dias contados da primeira comunicação formal acerca da controvérsia, de boa-fé.
5.5. O Tribunal Arbitral terá poderes para decidir sobre qualquer divergência relacionada estritamente a questões comerciais mencionadas nas Cláusulas 3 e 4 do ACC, desde que (i) esses elementos tenham sido objeto de efetiva

últimas cláusulas compromissórias em ACCs pode sugerir que o Cade estaria alcançando algum nível de padronização na redação dessas cláusulas. Todavia, não há um número representativo de casos para confirmar essa possível tendência.

3.2 Termos de Compromisso de Cessação (TCCs)

Os TCCs possuem natureza substitutiva em relação ao processo administrativo sancionador.[30] Em função disso, são compreendidos como uma das opções possíveis ao administrado que cometeu a infração, conforme ilustrou o então Conselheiro Paulo Furquim, ao relatar o Requerimento nº 08700.004992/2007-43, proposto pela Cimpor Cimentos do Brasil Ltda.[31]

A hipótese de inclusão de cláusulas arbitrais nesses acordos variará, portanto, em função do propósito da sua incorporação. Se ela for incluída em contexto semelhante àquele dos ACCs, ou seja, como um instrumento adicional para o monitoramento de decisões, os terceiros poderão acionar o juízo arbitral, especialmente em casos de

---

e prévia tentativa de negociação entre as partes, na forma da Cláusula 5.4 do ACC, com vistas a obter um acordo que seja comercialmente razoável, e (ii) não tenha sido apresentada qualquer denúncia, representação ou reclamação perante o Cade e/ou ANP sobre o mesmo tema, inclusive os procedimentos de composição de conflitos existentes perante a ANP.

5.6. A Arbitragem deverá ter duração razoável, de modo que as partes da Arbitragem não deverão praticar atos protelatórios, e deverão adotar todas as medidas possíveis para buscar que o procedimento seja célere.

5.7. Os custos e despesas processuais da Arbitragem (excluídos custos incorridos por cada parte com consultores e advogados externos) ("Custos e Despesas da Arbitragem") serão inicialmente compartilhados entre a Compromissária e o Proponente.

a) Caso o pleito do Proponente seja julgado procedente ao final da Arbitragem, a Compromissária será exclusivamente responsável pelos Custos e Despesas da Arbitragem e reembolsará integralmente o Proponente pelos Custos e Despesas da Arbitragem, além de se comprometer a cumprir a decisão do Tribunal Arbitral.

b) Caso o pleito do Proponente seja julgado improcedente ao final da Arbitragem, e/ou for estabelecido que a reclamação foi feita pelo Proponente de má-fé, e/ou foi baseada em informações falsas ou enganosas e/ou com abuso de direito, o Proponente será exclusivamente responsável pelos Custos e Despesas da Arbitragem e reembolsará integralmente a Compromissária pelos Custos e Despesas da Arbitragem, além de se comprometer a cumprir a decisão do Tribunal Arbitral.

c) Caso o pleito do Proponente seja julgado parcialmente procedente, a responsabilidade pelos Custos e Despesas da Arbitragem será decidida pelo Tribunal Arbitral na proporção do acolhimento ou rejeição dos pedidos, além de Proponente e Compromissária se comprometerem a cumprir a decisão do Tribunal Arbitral.

5.8. A Compromissária deverá cumprir integralmente com a decisão do Tribunal Arbitral no prazo estipulado em sua decisão. Em caso de não cumprimento, o Cade poderá determinar o descumprimento deste ACC e impor as penalidades previstas na Cláusula 8.3 deste ACC.

5.9. A decisão do Tribunal Arbitral é irrecorrível e terá caráter vinculante para os Proponentes e Compromissária, observado o disposto na regulamentação aplicável.

5.10. A Compromissária deverá enviar cópia da sentença arbitral, e de quaisquer outras decisões interlocutórias, ao Cade e à ANP em até 5 (cinco) dias contados da ciência da decisão arbitral.

5.11. O Cade não se vincula a qualquer deliberação arbitral para a formação das suas decisões, e nem se obriga a se manifestar ou a tomar providências a cada decisão arbitral prolatada.

5.12. A arbitragem não vincula a ANP, que poderá, no âmbito do seu mandato legal e a seu exclusivo critério, aguardar o desfecho da arbitragem, mesmo que já lhe tenham sido submetidos assuntos relativos a políticas, regras, preços ou condições de acesso.

5.13. A Compromissária divulgará em seu sítio eletrônico, em até 15 dias a contar da entrada em vigor do ACC, todas as obrigações presentes na Cláusula 5."

30 MARRARA. Acordos no direito da concorrência.

31 Em seu voto, Furquim relembra que o TCC é um instituto originalmente previsto na Lei nº 8.884/1994 e que "tem o propósito de possibilitar à autoridade antitruste o encerramento de processo por infração à ordem econômica por meio de acordo em que o representado assume obrigações que visam à cessação da prática investigada ou de seus efeitos" (voto incluído nos autos do Processo Administrativo 08012.011142/2006-79, v. 2).

discriminação. Entretanto, caso sua inclusão seja relacionada com a possibilidade de os agentes prejudicados pela conduta poderem utilizar-se da arbitragem como foro para a resolução de pleitos reparatórios, haverá peculiaridades interessantes no que se refere à quantificação dos danos decorrentes de condutas unilaterais.[32]

3.2.1 A hipótese da inclusão de arbitragem como ferramenta dissuasória no âmbito do cumprimento de decisões

De forma semelhante ao que já ocorre no âmbito dos ACCs, é possível que TCCs celebrados com o Cade também prevejam cláusulas arbitrais como mais uma obrigação comportamental convencionada no âmbito desses acordos administrativos. Diferentemente do que vem acontecendo com os ACCs, contudo, não há registro de sua utilização até o presente momento.

Um dos motivos que se pode cogitar para a ausência de sua utilização seria a pouca adoção de obrigações comportamentais específicas, como as normalmente utilizadas em ACCs que incluem a previsão da solução por arbitragem, ou seja, obrigações de acesso à infraestrutura e obrigações de não discriminação.

Essa baixa recorrência é inclusive apontada pelo estudo conduzido por Saito, ao tratar sobre a adoção de cláusulas de duração dos TCCs, afirmando:

> Verificou-se que grande parte dos TCCs (203 Requerimentos, correspondentes a 58,2% dos TCCs) não possuem qualquer indicação expressa sobre a duração ou vigência do acordo, o que pode resultar em debates e trazer insegurança jurídica para as partes no futuro. *Destaca-se que a maioria dos TCCs que não possuem previsão quanto à sua duração (195 Requerimentos, que representam 55,87% dos TCCs) são relacionados a investigações de cartel. Acredita-se que esse fato seja decorrente da baixa utilização de obrigações comportamentais com prazos específicos em TCCs relacionados a esse tipo de conduta. A conclusão acima pode ser reforçada pelo fato de que a previsão sobre a duração do TCC é mais utilizada em Requerimentos que versam sobre conduta unilateral (representando 51,2% dos TCCs com previsão de duração),* enquanto as investigações de influência de conduta uniforme (25,17%) e as de cartel (23,81%) dividem a outra metade dos Requerimentos.[33]

3.2.2 A hipótese da inclusão de arbitragem como opção de foro para a resolução de disputas de cunho reparatório

Na segunda hipótese que se refere ao uso de cláusulas arbitrais nesses acordos, o procedimento arbitral será mais uma opção disponibilizada àqueles que se sentirem prejudicados em razão das consequências de uma infração à ordem econômica.

---

[32] SIGNORELLI; PEREIRA. *Arbitragem concorrencial em perspectiva*: da natureza jurídica aos desafios procedimentais, p. 102-103.

[33] BRASIL. Conselho Administrativo de Defesa Econômica. Documento de Trabalho: TCC na Lei 12.529/11. Brasília, DF: Conselho Administrativo de Defesa Econômica, fev. 2021. p. 10, grifos nossos. Disponível em: https://cdn. cade.gov.br/Portal/centrais-de-conteudo/publicacoes/TCC%20na%20Lei%20n%C2%BA%2012.52911/TCC%20 na%20Lei%20n%C2%BA%2012.529-11.pdf. Acesso em: 8 nov. 2024.

Tal possibilidade de buscar esse ressarcimento foi originalmente prevista no art. 47 da LDC.[34]

Apesar de, por definição, essas ações reparatórias possuírem a natureza de uma responsabilidade civil aquiliana, é possível que uma arbitragem originada da inclusão de cláusula arbitral em contrato entre particulares possa ter como objeto também uma demanda reparatória de outra natureza. Essa possibilidade é inclusive discutida por Kominos, ao tratar do contexto europeu, quando o autor explica que:

> Isso pode acontecer no caso de uma ação de indenização de um co-contratante devido a danos decorrentes da violação das regras da concorrência por sua contraparte ou em um caso semelhante envolvendo um membro de um cartel ilegal e seus compradores diretos. *Na maioria desses casos bastante raros, normalmente, haverá uma cláusula de arbitragem pré-existente (cláusula compromissória). Por outro lado, é raro ver um caso de responsabilidade extracontratual ser decidido por árbitros, se ainda não houver cláusula compromissória, pois seria quase impossível para os litigantes concluírem uma convenção de arbitragem após o surgimento da controvérsia (compromisso).*[35]

Como ressaltado pelo autor, há a possibilidade de iniciar uma arbitragem contratual com o propósito de obter uma indenização advinda dos prejuízos incorridos a partir de uma prática anticoncorrencial. Entretanto, essa possibilidade apenas abrange compradores diretos, uma vez que exige relação contratual pré-existente entre o demandante e o praticante da conduta em que haja cláusula de arbitragem ou a celebração de um compromisso arbitral.

Outra observação importante remete à raridade de a responsabilidade extracontratual ser remetida ao foro arbitral. Isso pressuporia compromisso arbitral celebrado após a identificação do conflito, o que envolveria baixíssimos incentivos da parte infratora.

Dessa maneira, a forma mais provável de uma demanda concorrencial reparatória ser remetida ao foro arbitral é em decorrência de "proposta de convenção de arbitragem" incluída nos acordos celebrados entre Cade e compromissárias em sede de TCCs.

---

[34] "Art. 47. Os prejudicados, por si ou pelos legitimados referidos no art. 82 da Lei nº 8.078, de 11 de setembro de 1990, poderão ingressar em juízo para, em defesa de seus interesses individuais ou individuais homogêneos, obter a cessação de práticas que constituam infração da ordem econômica, bem como o recebimento de indenização por perdas e danos sofridos, independentemente do inquérito ou processo administrativo, que não será suspenso em virtude do ajuizamento de ação" (BRASIL. Lei nº 12.529, de 30 de novembro de 2011. Estrutura o Sistema Brasileiro de Defesa da Concorrência; dispõe sobre a prevenção e repressão às infrações contra a ordem econômica; altera a Lei no 8.137, de 27 de dezembro de 1990 (...). *Diário Oficial da União*: Brasília, DF, 1990. Disponível em: https://www.planalto.gov.br/ccivil_03/_ato2011-2014/2011/lei/l12529.htm. Acesso em: 8 nov. 2024).

[35] No original: "This could happen in case of a co-contractor's damages claim because of harm incurred through his counter-party's violation of the competition rules or in a similar case involving a member of an illegal cartel and his direct purchasers. In most of these rather rare cases, typically, there will be a pre-existing arbitration clause (*clause compromissoire*). On the other hand, it is rare to see a non-contractual liability case be decided by arbitrators, if there is not yet any arbitration clause, since it would be almost impossible for the litigants to conclude an arbitration agreement after the dispute has arisen (*compromis*)" (KOMNINOS, Assimakis. Arbitration and EU Competition Law. *Ssrn*, [*S. l.*], p. 7, 12 Apr. 2009, tradução nossa, grifos nossos. Disponível em: https://ssrn.com/abstract=1520105. Acesso em: 8 nov. 2024. Disponível em: https://ssrn.com/abstract=1520105. Acesso em: 8 nov. 2024).

Importante esclarecer que tal possibilidade não seria possível no controle de estruturas por sua natureza preventiva, ou seja, pelo objetivo de impedir a constituição de estruturas que reduzam o grau de concorrência no mercado. Porém, como se apontou anteriormente, mesmo nos ACCs a inclusão de uma "proposta de convenção de arbitragem" é um mecanismo destinado a reforçar o *enforcement* privado de determinações relacionadas com o controle de estruturas.

Até 2024, não havia no Cade qualquer TCC que previsse a arbitragem para a solução de demandas reparatórias dele decorrentes.

Entretanto, conforme ressaltou Saito[36] dentre as iniciativas implementadas em sede de negociação de TCCs, o Cade começou a adotar a possibilidade de redução da contribuição pecuniária sempre que os compromissários forem capazes de comprovar despesas com a reparação de danos causados pela conduta objeto do acordo, implementando a disposição constante no art. 12 da Resolução nº 21/2018.[37]

Segundo o levantamento realizado por Saito, o uso dessas cláusulas teve início ao final de 2018 e envolveu tão somente 5% (18/349) dos TCCs negociados naquele período, com aproximadamente 90% dos acordos celebrados no âmbito da Operação Lava Jato.

Contudo, conforme ressaltou Carvalho, referindo-se ao cenário anterior à publicação da Lei nº 14.470/2022, "(...) apesar do também crescente reconhecimento interno da importância da ARDC, *o sistema brasileiro conta com um baixo número dessas ações, decorrente de particularidades que elevam o custo e o risco de ajuizar ações indenizatórias neste ramo do direito*".[38]

Em que pese algumas dessas "particularidades" referidas pelo autor terem sido endereçadas na Lei nº 14.470/2022, há desafios estruturais que não foram nem serão resolvidos com essa mudança legislativa. Esses desafios referem-se à própria natureza do tipo de litígio, como a necessidade de quantificar o dano produzido a partir da prática ilícita.

Um exercício importante sobre como projetar o futuro das ações reparatórias após a publicação da Lei nº 14.470/2022 diz respeito ao que se observou no cenário europeu após a adoção da Diretiva nº 2014/104/EU20, que reinventou a importância das reparatórias para o fortalecimento do *enforcement* concorrencial público.[39]

---

[36] "Recentemente, o Cade passou a adotar a possibilidade de redução da contribuição pecuniária quando há a comprovação de reparação de danos causados pela conduta anticoncorrencial objeto do TCC, como mais um elemento de incentivo ao *enforcement* privado (com base no art. 45, inciso V, da Lei nº 12.529/2011 e na Resolução nº 21/2018). A intenção do Cade é de "contribuir para (i) fomentar a reparação de danos concorrenciais no Brasil; (ii) articular a persecução pública e privada a condutas anticompetitivas; e (iii) fortalecer o instituto do TCC, pelo maior alinhamento da atuação do Cade em relação aos diferentes órgãos de controle, respeitando-se as suas competências" (BRASIL. Documento de Trabalho: TCC na Lei 12.529/11).

[37] A Superintendência-Geral do Cade e o Plenário do Tribunal do Cade poderão considerar como circunstância atenuante, no momento do cálculo da contribuição pecuniária em sede de negociação de TCC, ou no momento da aplicação das penas previstas nos arts. 37 e 38 da Lei nº 12.529/2011, o ressarcimento extrajudicial ou judicial, devidamente comprovado, no âmbito das Ações de Reparação por Danos Concorrenciais, considerada nos termos do art. 45, incisos V e VI, da Lei nº 12.529/2011 (BRASIL. Conselho Administrativo de Defesa Econômica. Resolução 21, de 12 de setembro de 2018. Brasília, DF: Conselho Administrativo de Defesa Econômica, art. 12, 12 set. 2018. Disponível em: https://www.gov.br/cade/pt-br/acesso-a-informacao/normas-e-legislacao/resolucoes-1#. Acesso em: 8 nov. 2024).

[38] CARVALHO, Henrique Araújo de. Quantificação do dano em ações reparatórias individuais por danos decorrentes de práticas de cartel no Brasil: indo além do An Debeatur. *Revista de Defesa da Concorrência*, Brasília, DF, v. 7, n. 1, p. 109, 2019, grifos nossos. Disponível em: https://revista.cade.gov.br/index.php/revistadedefesadaconcorrencia/article/view/387. Acesso em: 8 nov. 2024.

[39] Procurando resumir as contribuições do normativo europeu para o sistema, Botta, Monti e Parcu (*Private Enforcement of EU Competition Law*: The Impact of the Damage Directive. London: Elgar, 2018, p. 4-5) explicam:

Além das inovações materiais trazidas pela diretiva, que em grande parte remontam aquelas implementadas na jurisdição brasileira a partir da Lei 14.470/2022, houve também inovação de natureza procedimental, que remete ao estímulo de adoção de métodos alternativos de resolução de conflitos, como a arbitragem. Nesse sentido, o Recital nº 48 da diretiva dispõe que:

> É desejável alcançar um acordo 'de uma vez por todas' para os réus, a fim de reduzir a incerteza para os infratores e as partes lesadas. Portanto, os infratores e as partes lesadas devem ser incentivados a concordar em compensar os danos causados por uma infração ao direito da concorrência por meio de mecanismos consensuais de resolução de disputas, como (...) a arbitragem (...). Essa resolução consensual de disputas deve abranger tantas partes lesadas e infratores quanto for legalmente possível. *As disposições da presente diretiva sobre a resolução consensual de litígios destinam-se, portanto, a facilitar a utilização de tais mecanismos e a aumentar a sua eficácia.*[40]

Para Idot, logo após a adoção da diretiva, muitos doutrinadores entenderam que as ações reparatórias seriam então o novo campo da arbitragem na União Europeia. Entretanto, ressaltou o autor que, como o legislador europeu foi mais expresso em relação aos métodos consensuais em detrimento da arbitragem, apesar de a prioridade não ser tão clara com relação à escolha do foro arbitral, não haveria qualquer óbice para isso senão a necessidade de uma cláusula arbitral anterior. Nas suas palavras, "o principal obstáculo ao recurso à arbitragem para ações de indenização é claramente a necessidade de consentimento para a arbitragem de ambas as partes, infratores e vítimas".[41]

Ou seja, ainda que a hipótese de adoção da arbitragem concorrencial como foro para a resolução de disputas reparatórias seja possível, inclusive em uma disputa de natureza contratual, sua inclusão em acordos celebrados com o Cade parece ser a

---

"O objetivo da diretiva é harmonizar 'certas regras' aplicáveis a pedidos de indenização por infrações ao direito da concorrência da UE, a fim de estabelecer condições equitativas entre os Estados-Membros da UE. Em particular, a Diretiva codifica a decisão do TJEU em Manfredi, reconhecendo o princípio da 'compensação total dos danos' (Art. 3) e o princípio da transmissão (Art. 12-14). Em segundo lugar, o teste de proporcionalidade que os juízes nacionais devem realizar ao decidir ao ordenar a divulgação de provas (Art. 5) se inspira no 'exercício de ponderação' de considerações de execução pública e privada que, de acordo com a jurisprudência Pfleiderer, o nacional tribunais devem realizar ao decidir se devem ordenar a divulgação de um arquivo de leniência. Em contrapartida, a Diretiva das Indenizações afasta-se da Pfleiderer ao introduzir uma limitação temporária na divulgação dos documentos internos detidos pela Autoridade Nacional da Concorrência (ANC) e uma proibição total da divulgação dos pedidos de liquidação e da declaração de clemência. Finalmente, a Diretiva de Danos introduziu uma série de novas regras harmonizadas que não estavam presentes na jurisprudência anterior do TJUE, como o efeito vinculante das decisões da ANC em tribunais civis em casos de danos subsequentes, a responsabilidade solidária dos membros do cartel, e dispõe sobre o prazo prescricional para instauração de ação de indenização".

[40] No original: "Achieving a 'once and for all' settlement for defendants is desirable in order to reduce uncertainty for infringers and injured parties. Therefore, infringers and injured parties should be encouraged to agree on compensating for the harm caused by a competition law infringement through consensual dispute resolution mechanisms, such as (...) arbitration (...). Such consensual dispute resolution should cover as many injured parties and infringers as legally possible. The provisions in this Directive on consensual dispute resolution are therefore meant to facilitate the use of such mechanisms and increase their effectiveness" (UNIÃO EUROPEIA. Directive 2014-104/EU. Genebra: UE, 2014. tradução nossa. Disponível em: https://eur-lex.europa.eu/legal-content/EN/TXT/PDF/?uri=CELEX:32014L0104#:~:text=This%20Directive%20sets%20out%20certain,from%20 that%20undertaking%20or%20association. Acesso em: 8 nov. 2024).

[41] IDOT, Laurence. Arbitration and Competition Law – Have we entered a fourth phase in their relations? *Competition Law & Policy Debate*, [S. l.], v. 3, n. 1, p. 40, Mar. 2017.

única solução viável, em termos práticos, para deslocar as discussões da via judicial à arbitragem.[42]

Para tanto, ainda que inexista uma disposição expressa tornando obrigatória a inclusão de cláusulas arbitrais nos TCCs celebrados entre compromissários e o Cade, é possível que, seguindo a recomendação trazida pelo próprio veto presidencial ao art. 85, §16, da LDC,[43] essas cláusulas sejam ainda objeto de negociação, com o objetivo de incentivar as Ações Civis para a Reparação de Danos Concorrenciais (ARDCs) e, com isso, igualmente fortalecer o *enforcement* concorrencial privado.

A complexidade das hipóteses de sua utilização e as peculiaridades da própria natureza jurídica dessas cláusulas no âmbito dos acordos celebrados com o Cade tornam necessário pensar em uma série de questões, de ordem procedimental, relacionadas ao desenho da previsão contratual que elegerá a arbitragem como o foro de resolução de conflitos.

4 Peculiaridades envolvendo a utilização das cláusulas compromissórias como ferramenta dissuasória em cumprimento de decisões

A utilização da arbitragem como ferramenta dissuasória se volta a dar efetividade às decisões e a desestimular práticas anticompetitivas decorrentes da concentração. Bem observa Magalhães Júnior, nesse sentido, que

> o árbitro, neste contexto, serve como um auxiliar das autoridades de concorrência na aplicação coletiva do Direito concorrencial, cabendo a ele um papel de fazer serem cumpridos os termos dos acordos e compromissos firmados pelas empresas com as autoridades antitruste, evitando, assim, prejuízos à ordem econômica.[44]

Após revisar o formato de todas as cláusulas utilizadas até então pela autarquia, o que se limitou à análise de ACCs, foi possível identificar dois temas transversais, que se referem (i) à delimitação do objeto a ser discutido durante o procedimento arbitral e (ii) à interlocução do Cade com reguladores setoriais, o que normalmente assumirá o formato de uma cláusula que ressalva as competências regulatórias das respectivas autarquias.[45]

---

[42] SIGNORELLI; PEREIRA. *Arbitragem concorrencial em perspectiva*: da natureza jurídica aos desafios procedimentais, p. 108.

[43] "A proposição legislativa estabelece que o termo de compromisso de cessação de prática que contenha o reconhecimento da participação na conduta investigada incluiria obrigação de submeter a juízo arbitral a controvérsias que tivessem por objeto pedido de reparação de prejuízos sofridos por infrações à ordem econômica, quando a parte prejudicada tomasse a iniciativa de instituir a arbitragem ou concordasse, expressamente, com sua instituição. Entretanto, em que pese a boa intenção do legislador, a proposição legislativa contraria o interesse público, uma vez que a imposição legal de estipular o compromisso arbitral no termo de compromisso da cessação poderia gerar o aumento nos custos para as partes. Atualmente estas já são obrigadas a colaborar com a autoridade e a cessar a conduta anticompetitiva. A proposição legislativa poderia servir, assim, como um desincentivo à assinatura de acordo por alguns agentes, especialmente, por aqueles que não tivessem condições financeiras de arcar com os gastos de uma eventual arbitragem. Além disso, as cláusulas arbitrais podem ser negociadas com as partes compromissárias como um mecanismo de incentivar as Ações Civis de Reparação por Danos Concorrenciais (ARDCs)."

[44] MAGALHÃES JÚNIOR. *Arbitragem e Direito Concorrencial no Brasil*, p. 151.

[45] SIGNORELLI; PEREIRA. *Arbitragem concorrencial em perspectiva*: da natureza jurídica aos desafios procedimentais, p. 109.

As duas subseções a seguir se dedicam a discutir as implicações dos temas no transcorrer dos procedimentos arbitrais que serão originados a partir dessas cláusulas.

4.1 Delimitação do objeto da disputa

Como foi possível observar na evolução do modelo de cláusula utilizado pela autarquia ao longo dos anos, parece existir preocupação com a delimitação do objeto que será discutido no foro arbitral, o que guarda íntima relação com a questão da disponibilidade dos direitos envolvidos.

Em estudo publicado ainda em 2005 sobre o tema de remédios concorrenciais aplicados no contexto do controle de estruturas, a Direção-Geral de Concorrência da Comissão Europeia menciona a utilização da arbitragem tanto no contexto da transferência dos negócios desinvestidos, ou seja, como uma ferramenta para a consecução do remédio aplicado, quanto no sentido de resolver conflitos relacionados ao monitoramento das obrigações assumidas a partir dos acordos.[46]

Para Blessing,

> a função e responsabilidade particular do árbitro para determinar se houve ou não um comportamento anticompetitivo (ou discriminatório), é um aspecto da especificidade deste processo, o que o distingue de outras arbitragens mais usuais.[47]

Ao tratarmos de arbitragens comerciais, é incomum a prévia delimitação do que será objeto do futuro pleito arbitral. Na verdade, o mais comum é que tudo o que houver sido convencionado no contrato firmado entre as partes que decidiram celebrar a cláusula arbitral nele inserida possa vir a ser objeto da análise de um eventual tribunal arbitral.

No contexto de contrato com autoridade concorrencial, pode-se pretender que nem tudo seja delegado à resolução arbitral. Por exemplo, ao fixar obrigações de desinvestimento, a análise sobre a sua adequação normalmente será realizada pela própria autarquia (ou seja, a compra dos negócios desinvestidos será objeto de novas notificações de ACs perante o Cade, como no caso do AC nº 08700.003654/2021-42, em que se analisou a aquisição pelo Atacadão S/A da totalidade das ações do Grupo Big).

Considerando que os acordos firmados com o Cade envolverão autorização prévia à consumação de um negócio jurídico (no caso dos ACCs) ou compromisso de cessar a conduta anticoncorrencial em troca da suspensão do procedimento, é admissível que a autarquia não se utilize do foro arbitral para forçar o cumprimento de toda e qualquer obrigação ali assumida.

Nesse sentido, a utilização de cláusulas arbitrais pode ser direcionada para situações que envolvam terceiros (que serão futuros requerentes nesses procedimentos) e

---

[46] EUROPEAN COMMISSION. *Merger Market Study (Public Version)*. [S. l.]: European Commission, [2024]. p. 195-203 Disponível em: https://ec.europa.eu/competition/mergers/legislation/remedies_study.pdf. Acesso em: 8 nov. 2024.

[47] No original: "(...) the particular function and responsibility of the arbitrator to determine whether or not there has been an anti-competitive (or discriminatory) behaviour, is one aspect of the particular specificity of this process, and makes it distinct from the usual type of arbitrations" (BLESSING. Arbitrating Antitrust and Merger Control Issues, p. 164, tradução nossa).

que remetam a discussões cíveis decorrentes das obrigações assumidas com o objetivo de resguardar a concorrência nos mercados.

Ao analisar o conteúdo dos 9 ACCs que incluíram cláusulas arbitrais até junho de 2024, podemos notar que praticamente todos os casos remetem, em que pese a variação na linguagem utilizada na sua redação, a questões relacionadas com discriminação de acesso.

Esse padrão também é verificado por Blessing no caso europeu, que, por sua vez, o descreve como

> (...) a referência à arbitragem feita pela Comissão e/ou pela parte ou partes notificantes surge, na maioria dos casos, no quadro de um contexto ou círculo de preocupação claramente focalizado. *Por exemplo, uma parte que opera uma instalação essencial, como uma rede de telecomunicações, pode ser obrigada a conceder acesso a terceiros e concorrentes de forma não discriminatória.*[48]

Ao referir-se à prática de delimitar o tema que será objeto da disputa, Blessing aponta duas consequências positivas. A primeira será o foco da discussão, o que provavelmente também terá impacto na celeridade do procedimento, uma vez que a delimitação do objeto da disputa é prévia e não precisará ser feita, por exemplo, após várias trocas de petições até a celebração do termo de arbitragem, que normalmente estabilizará o conjunto de temas a ser discutido.

A segunda vantagem, segundo Blessing, diz respeito à redução dos riscos de uma eventual revisão da decisão arbitral, uma vez que a cláusula faz constar expressamente, com a anuência da autoridade concorrencial e da parte compromissária, o que poderá ser objeto do futuro litígio – o que naturalmente reduz os riscos de uma futura ação anulatória que tenha por objeto questionar a extensão da sentença arbitral. Ambas as vantagens parecem fazer sentido no contexto brasileiro, especialmente no que se refere à celeridade, que terá impacto nos custos do procedimento.

Analisando-se as redações utilizadas anteriormente, cabem algumas observações. A primeira está relacionada à clareza da redação, especialmente com o propósito de possibilitar amplo acesso à solução arbitral, no sentido de que uma linguagem mais clara poderá atrair mais terceiros interessados em fazer uso do instrumento, caso se sintam prejudicados pela conduta do compromissário.

Assim, além de tratar do caso específico, é necessário deixar claro (i) quem poderá ser discriminado pelo agente (por exemplo, a Cláusula 3.6.4 da ILC Brasil/Vale, refere-se ao "produtor independente de sais de fosfato de grau alimentício localizado no Brasil"); (ii) se a discriminação refere-se ao acesso a um "insumo essencial" (por exemplo, no caso REAM/ATEM-Petrobras, especificou-se que o acesso se referia ao TUP Reman) ou simplesmente "condições discriminatórias na prestação dos serviços". Nesse segundo caso, é importante determinar os parâmetros que precisarão ser avaliados, como, por exemplo, preços e volumes de fornecimento (Petromex/Petrobras).

---

[48] No original: "(...) the reference to arbitration made by the Commission and/or by the notifying party or parties arises, in most cases, in the framework of a clearly focused context or circle of concern. For instance, a party operating an essential facility such as a telecommunication network may be required to grant access to third parties and competitors on a non-discriminatory basis" (BLESSING. Arbitrating Antitrust and Merger Control Issues, p. 164, tradução nossa).

4.2 Interlocução com reguladores setoriais

Outro ponto relevante sobre cláusulas arbitrais não reparatórias diz respeito ao diálogo com os reguladores setoriais. A regulação setorial pode afetar a concorrência como uma variável independente, ou seja, um dado estrutural do mercado que poderá, por exemplo, criar barreiras à entrada em função dos custos regulatórios.

Becker e Mattiuzzo relembram que a regulação econômica e a defesa da concorrência são dois entre os três tipos de ferramentas que o Estado teria para intervir na economia. A terceira, por sua vez, seria a intervenção direta através de empresas estatais. Ao distinguir as duas primeiras ferramentas, os autores tratam de pelo menos três diferenças fundamentais: o tempo da intervenção,[49] sua abrangência e os objetivos por ela pretendidos.

Dessa forma, como a intervenção via regulação econômica não pode ser confundida com aquela realizada pela autoridade concorrencial, nos casos envolvendo setores regulados é sempre um desafio ao Cade dialogar e reportar sobre a evolução da análise ao regulador, o que acabou originando um capítulo próprio (Capítulo III) na Lei das Agências Reguladoras (Lei nº 13.848/2019), o qual trata "da interação entre as agências reguladoras e os órgãos de defesa da concorrência" e rege essa "dança orquestrada" entre regulação e concorrência no Brasil.[50]

Além de referir-se a uma estreita cooperação (art. 25), a lei igualmente impõe deveres de informação, tanto das agências em relação ao Cade, na sua função de auxiliá-lo na observância do cumprimento da LDC (art. 26), quanto do Cade em relação às agências, ao impor sobre o órgão o dever de notificar essas agências das suas decisões (art. 28), o que remete ao caso concreto do desenho das cláusulas arbitrais.

Aproximadamente metade das cláusulas até então adotadas em sede de ACCs no âmbito do Cade possuíam disposição expressa tratando da preservação da competência regulatória e suas implicações nos futuros litígios arbitrais que pudessem emergir da utilização daquela "oferta unilateral de arbitragem".

Ainda que o histórico demonstre a preocupação do Cade ao negociar essas cláusulas com uma possível – e preocupante – sobreposição da competência das agências reguladoras em relação ao órgão brasileiro de defesa da concorrência, é certo que casos envolvendo setores regulados têm sido recorrentes, especialmente no controle de estruturas,[51] fazendo com que cuidados adicionais precisem ser tomados para evitar

---

[49] A distinção realizada pelos autores com relação ao tempo da intervenção não se aplica, contudo, em se tratando do controle preventivo realizado pelo Cade ao analisar atos de concentração econômica, uma vez que, desde a vigência da Lei nº 12.529/2011, o controle de estruturas é realizado preventivamente, ou seja, antes que a operação possa ser consumada, o que se assemelharia, portanto, com o *timing* da intervenção via regulação econômica.

[50] "Art. 25. Com vistas à promoção da concorrência e à eficácia na implementação da legislação de defesa da concorrência nos mercados regulados, as agências reguladoras e os órgãos de defesa da concorrência devem atuar em estreita cooperação, privilegiando a troca de experiências" (BRASIL. Lei nº 13.848/2019. Dispõe sobre a gestão, a organização, o processo decisório e o controle social das agências reguladoras, altera a Lei nº 9.427, de 26 de dezembro de 1996 (...). *Diário Oficial da União*: Brasília, DF, 2019. Disponível em: https://www.planalto.gov. br/ccivil_03/_ato2019-2022/2019/lei/l13848.htm. Acesso em: 8 nov. 2024).

[51] ARAÚJO, Gilvandro; SIGNORELLI, Ana Sofia Monteiro. Regulação e Concorrência nas operações verticais: onde estamos e para onde vamos: GTs são um primeiro passo em direção à quarta onda do Antitruste. *Jota*, São Paulo, 29 set. 2022. Disponível em: https://www.jota.info/opiniao-e-analise/colunas/competindo-pela-infraestrutura/regulacao-e-concorrencia-nas-operacoes-verticais-onde-estamos-e-para-onde-vamos-29092022. Acesso em: 8 nov. 2024.

um procedimento ineficiente e a produção de insegurança jurídica ao jurisdicionado que celebra tais acordos com o objetivo de contribuir com o *enforcement* concorrencial.

Assim, para que esse nível de clareza em relação à escolha de eventual procedimento prévio seja alcançado, o ideal é que, quando existir esse tipo de procedimento de negociação prévia, não haja qualquer tipo de referência direta à agência reguladora, evitando-se assim a "confusão de guichês" e propiciando mais agilidade para uma solução finalística da disputa.

Outro ponto relevante refere-se à possibilidade de adiantar a intervenção da referida agência durante o procedimento arbitral. Tratar da forma como a respectiva agência poderá contribuir com o procedimento, por exemplo, subsidiando o tribunal arbitral com parâmetros para uma decisão, pode ser útil à celeridade da discussão e à qualidade da decisão final emanada pelos árbitros. Pense, por exemplo, nas recorrentes hipóteses de discussão sobre se houve ou não uma conduta discriminatória. A participação da agência, nesses casos, pode mostrar-se decisiva para auxiliar o Tribunal no entendimento do que poderia ser considerado discriminação naquele mercado para além de uma simples recusa a contratar.

4.3 Peculiaridades envolvendo demandas reparatórias

Gomes sugere que o avanço do *enforcement* privado acarretaria um aumento na utilização da arbitragem para a resolução de demandas reparatórias de danos,[52] o que contemplaria demandas fundadas em "elevação de custos, a perda de parcela do mercado, receita de vendas, 'perda de oportunidade', entre outros prejuízos".[53] Todavia, há grandes questões que permeiam o tema, especialmente quanto à quantificação dos danos envolvidos e à produção de provas, o que poderia, inclusive, ensejar a participação do Cade no litígio.

Cadwell e Lapuerta chamam atenção para a profundidade do trabalho de perícia técnica que precisará ser desenvolvido nesses litígios, ao passo em que o cômputo do dano pressupõe (i) a determinação do mercado relevante em que o demandante se encontra inserido e (ii) o cálculo do sobrepreço ou dos lucros cessantes, a depender do tipo de conduta envolvida (se cartel ou, por exemplo, uma conduta unilateral exclusionária).[54]

A necessidade de perícia técnica nesses casos pode acarretar uma preocupação com os custos envolvidos no procedimento e, consequentemente, sobre como se dará a distribuição dos custos entre as partes.

Como observam os autores,[55] no que se refere à facilitação da produção de provas, os tribunais arbitrais não gozam da máquina estatal disponível ao magistrado que os

---

[52] GOMES, Adriano Camargo. *Ação de reparação por danos concorrenciais*. São Paulo: Quartier Latin, 2023. p. 459.

[53] MAGALHÃES JÚNIOR. *Arbitragem e Direito Concorrencial no Brasil*, p. 138.

[54] CADWELL, Richard; LAPUERTA, Carlos. Damages in Competition/Antitrust Arbitration. In: TRENOR, John A. (ed.). *Global Arbitration Review*: The Guide to Damages in International Arbitration. London: GCR, 2016. p. 352-361. Disponível em: https://www.brattle.com/wp-content/uploads/2017/10/7354_damages_in_competition_antitrust_arbitrations.pdf. Acesso em: 8 nov. 2024.

[55] Como expõem os autores, "(...) However, arbitration tribunals may not have the ability to compel the respondent to produce detailed cost data, and must therefore strike a balance. Cost information can be useful, but it is not reasonable to insist on data if the tribunal cannot compel its production" (CADWELL; LAPUERTA. Damages in Competition/Antitrust Arbitration, p. 354).

possibilitaria, por exemplo, forçar a produção de provas ou a entrega de determinados documentos. Não obstante, as partes podem recorrer ao Poder Judiciário para a produção antecipada de provas, em casos de urgência, com base no art. 22-A da Lei de Arbitragem.[56] Ainda, o tribunal arbitral pode valer-se da carta arbitral, regulada no art. 22-C da Lei de Arbitragem, para a cooperação do Poder Judiciário na produção de determinada prova.[57]

O acesso à informação é elemento central e possui uma grande interlocução com o envolvimento do Cade, pois parte da documentação pode ser acessível à autarquia ao longo da instrução. Diante disso, em 11 de setembro de 2018, o Cade publicou a Resolução nº 21, disciplinando os procedimentos previstos na LDC (incluindo o art. 47, que, como vimos, trouxe a possibilidade dos pedidos reparatórios) no que se refere à "articulação entre persecução pública e privada às infrações contra a ordem econômica no Brasil". A Resolução regulamentou o acesso a documentos e informações constantes dos processos administrativos, inclusive aqueles oriundos de acordo de leniência, de TCCs e de ações judiciais de busca e apreensão.

Em que pese o propósito da referida regulamentação estar intimamente ligado ao fomento da política de acordos da autarquia, as limitações de acesso a documentos trazidas a partir da referida resolução criaram mais uma barreira à propositura das ações reparatórias no Brasil, o que torna ainda mais necessário que a cláusula arbitral que venha a ser utilizada em TCCs disponha a esse respeito – sempre observando a dinâmica de negociação dos acordos, para que sua inclusão não constitua um *deal breaker* e assim acabe prejudicando a autarquia e, consequentemente, o interesse público.

Durante a reunião realizada em 22 de novembro de 2022, no âmbito do grupo de trabalho já mencionado, o Instituto Brasileiro de Estudos de Concorrência, Consumo e Comércio Internacional (IBRAC) apresentou sugestões interessantes sobre o conteúdo do desenho de cláusulas arbitrais voltadas a demandas de natureza reparatória. Três delas remetem especificamente ao tema da produção de provas nesses procedimentos: (i) a possibilidade de admitir provas em outro idioma sem a necessidade de tradução; (ii) a determinação expressa do foro competente para as medidas antecedentes à arbitragem, como tutelas de urgência, bem como para o cumprimento de carta arbitral e de sentença arbitral e ações anulatórias e (iii) a determinação de parâmetros que norteiem o uso de provas técnicas produzidas em outros procedimentos (sejam eles procedimentos administrativos, judiciais ou arbitrais).

---

[56] Sobre o tema, ver exemplificativamente: MEIRELES, Carolina Costa. Produção antecipada de prova e arbitragem: uma análise sobre competência. *Revista de Processo: RePro*, São Paulo, v. 45, n. 303, p. 451-478, maio 2020; TALAMINI, Eduardo. Arbitragem e a tutela provisória no Código de processo civil de 2015. *In*: COSTA, Eduardo José da Fonseca; PEREIRA, Mateus Costa; GOUVEIA FILHO, Roberto P. Campos (coord.). *Tutela provisória*. 2. ed. rev. atual. aum. Salvador: Juspodivm, 2019. p. 233-258; VISCONTI, Gabriel Caetano. Produção antecipada de provas em arbitragem e jurisdição. *Revista de Arbitragem e Mediação*, São Paulo, ano 15, v. 59, p. 195-211, out./nov. 2018; ZAKIA, José Victor Palazzi. Ainda, é o que se verifica especialmente na jurisprudência paulista: TJSP, 2ª Câmara Reservada de Direito Empresarial, Apelação nº 1009775-24.2022.8.26.0625, julgada em 26 de abril de 2024, unânime; TJSP, 25ª Câmara de Direito Privado, AI nº 2015647-35.2022.8.26.0000, julgada em 30 de março de 2022, unânime; TJSP, 1ª Câmara Reservada de Direito Empresarial, Apelação nº 1086219-29.2019.8.26.0100, julgada em 28 de julho de 2021, unânime; TJSP, 1ª Câmara Reservada de Direito Empresarial, AI nº 2128557-73.2020.8.26.0000, julgada em 24 de agosto de 2020, unânime; TJSP, 26ª Câmara de Direito Privado, AI nº 2185413-33.2015.8.26.0000, julgada em 22 de outubro de2015, unânime.

[57] BIANCHI, Beatriz Homem de Mello. Provas na arbitragem e a carta arbitral. *Revista de Arbitragem e Mediação*, São Paulo, ano 15, v. 59, p. 213-244, out./nov. 2018.

A primeira sugestão, sobre a admissão de provas em outro idioma sem a necessidade de tradução, está intimamente relacionada com a barreira à entrada que os custos de uma tradução juramentada podem significar, especialmente em se tratando de procedimentos envolvendo cartéis internacionais, o que pode prejudicar a produção probatória documental. Não é incomum ver esse tipo de restrição procedimental sendo incluída, seja no desenho da cláusula ou mesmo posteriormente, no próprio termo de arbitragem – caso a cláusula arbitral seja silente a esse respeito e as partes livremente convencionem que a restrição faz sentido no caso concreto.

A sugestão sobre a eleição do foro competente no escopo da cláusula arbitral também poderá facilitar a produção de provas, seja ela de caráter urgente e antecedente à arbitragem ou, sob requerimento do tribunal arbitral, por cumprimento de carta arbitral.

Por sua vez, a terceira sugestão desdobra-se na necessidade de disciplinar quais seriam as condições e os critérios adotados para que os árbitros pudessem decidir sobre a admissão de provas técnicas produzidas no bojo de outros procedimentos, que tipo de prova seria admitida e, no caso da utilização de uma prova emprestada, se ela precisaria ser submetida à contraditório antes da sua efetiva utilização durante o procedimento.

Apesar de estarmos tratando especificamente sobre o tema das arbitragens de natureza reparatória, é relevante mencionar que a disciplina sobre os parâmetros para produção de provas já foi utilizada em cláusula arbitral no ACC AT&T/Time Warner, que parecia se preocupar bastante com a possibilidade de estender a duração do procedimento, havendo, em função disto, adotado uma limitação sobre o escopo da produção de provas, restrita à produção de provas documentais, exceto quando os árbitros decidirem de outra forma.

Voltando à distribuição de custos, ao tratarmos, por exemplo de reparatórias ajuizadas na qualidade de *follow-on suits*, com base em infrações colusivas, como um cartel, é possível que vários demandantes ingressem com esse tipo de ação, cenário em que repassar todos os custos iniciais do procedimento às compromissárias poderia estimular uma litigância temerária, punindo o infrator de forma excessiva. Entretanto, a alternativa desobrigaria os compromissários de arcarem com sua parcela inicial de custas, o que poderia ensejar o arquivamento do procedimento no caso de a parte contrária não aceitar arcar com a sua totalidade.[58]

Existem desenhos mais racionais em relação às regras aplicáveis ao adiantamento das custas, o que estará diretamente relacionado com a factibilidade das demandas reparatórias, pois, para além dos custos administrativos das câmaras arbitrais e dos honorários dos árbitros, ainda será necessária a contratação de assistentes técnicos, a realização de perícias, além de possíveis medidas cautelares ou de carta arbitral, para possibilitar o acesso a documentos que sejam imprescindíveis à quantificação dos danos.

5 Conclusão

A arbitragem concorrencial, no contexto de ACCs e TCCs, apresenta um potencial significativo para a resolução eficiente de disputas e a garantia do cumprimento de

---

[58] SIGNORELLI; PEREIRA. *Arbitragem concorrencial em perspectiva*: da natureza jurídica aos desafios procedimentais, p. 119.

obrigações que visam à proteção da concorrência. Sua implementação oferece a possibilidade de decisões mais céleres e especializadas, que garantam maior efetividade às obrigações assumidas junto ao Cade.

A experiência internacional oferece valiosos modelos que se identificam no contexto brasileiro, adaptados às especificidades do sistema jurídico e regulatório nacional. A colaboração entre o Cade e as autoridades regulatórias setoriais é fundamental, nesse sentido, para a eficácia da arbitragem concorrencial, permitindo uma atuação coordenada e harmônica na defesa da concorrência.

A arbitragem concorrencial desponta, assim, como um mecanismo promissor para a resolução de disputas e a promoção de um ambiente competitivo. Embora conte hoje com nove ocorrências em ACCs, a previsão da arbitragem como método de resolução de disputas nesses acordos, alinhada às melhores práticas, tem o potencial de fortalecer o sistema de defesa da concorrência, garantindo eficiência na aplicação das políticas concorrenciais. Deve-se perseguir o aprimoramento e uma maior padronização das cláusulas compromissórias, na forma sugerida ao longo deste estudo, a fim também de incentivar a sua disseminação.

Referências

ARAÚJO, Gilvandro; SIGNORELLI, Ana Sofia Monteiro. Regulação e Concorrência nas operações verticais: onde estamos e para onde vamos: GTs são um primeiro passo em direção à quarta onda do Antitruste. *Jota*, São Paulo, 29 set. 2022. Disponível em: https://www.jota.info/opiniao-e-analise/colunas/competindo-pela-infraestrutura/regulacao-e-concorrencia-nas-operacoes-verticais-onde-estamos-e-para-onde-vamos-29092022. Acesso em: 8 nov. 2024.

BECKER, Bruno Bastos; MATTIUZZO, Marcela. Plataformas digitais e a superação do antitruste tradicional: mapeamento do debate atual. *In:* PEREIRA NETO, C. (org.). *Defesa da Concorrência em Plataformas Digitais.* São Paulo: FGV Direito, 2020.

BIANCHI, Beatriz Homem de Mello. Provas na arbitragem e a carta arbitral. *Revista de Arbitragem e Mediação*, São Paulo, ano 15, v. 59, p. 213-244, out./nov. 2018.

BLESSING, M. Arbitrating Antitrust and Merger Control Issues. *Swiss Commercial Law Series*, [*S. l.*], 2003. Disponível em: https://media.baerkarrer.ch/karmarun/image/upload/baer-karrer/4_3_14.pdf. Acesso em: 8 nov. 2024.

BOTTA, Marco; MONTI, Giorgio; PARCU, Pier Luigi. *Private Enforcement of EU Competition Law*: The Impact of the Damage Directive. London: Elgar, 2018.

BRASIL. Conselho Administrativo de Defesa Econômica. *Documento de Trabalho*: TCC na Lei 12.529/11. Brasília, DF: Conselho Administrativo de Defesa Econômica, fev. 2021. Disponível em: https://cdn.cade.gov.br/Portal/centrais-de-conteudo/publicacoes/TCC%20na%20Lei%20n%C2%BA%2012.52911/TCC%20na%20Lei%20n%C2%BA%2012.529-11.pdf. Acesso em: 8 nov. 2024.

BRASIL. Conselho Administrativo de Defesa Econômica. *Guia de Remédios*. Brasília, DF: Conselho Administrativo de Defesa Econômica, 2018. Disponível em: https://cdn.cade.gov.br/Portal/centrais-de-conteudo/publicacoes/guias-do-cade/guia-remedios.pdf. Acesso em: 8 nov. 2024.

BRASIL. Conselho Administrativo de Defesa Econômica. Resolução 21, de 12 de setembro de 2018. Brasília, DF: Conselho Administrativo de Defesa Econômica, 12 set. 2018. Disponível em: https://www.gov.br/cade/pt-br/acesso-a-informacao/normas-e-legislacao/resolucoes-1#. Acesso em: 8 nov. 2024.

BRASIL. Lei nº 12.529, de 30 de novembro de 2011. Estrutura o Sistema Brasileiro de Defesa da Concorrência; dispõe sobre a prevenção e repressão às infrações contra a ordem econômica; altera a Lei no 8.137, de 27 de dezembro de 1990 (...). *Diário Oficial da União*: Brasília, DF, 1990. Disponível em: https://www.planalto.gov.br/ccivil_03/_ato2011-2014/2011/lei/l12529.htm. Acesso em: 8 nov. 2024.

BRASIL. Lei nº 13.848/2019. Dispõe sobre a gestão, a organização, o processo decisório e o controle social das agências reguladoras, altera a Lei nº 9.427, de 26 de dezembro de 1996 (...). *Diário Oficial da União*: Brasília, DF, 2019. Disponível em: https://www.planalto.gov.br/ccivil_03/_ato2019-2022/2019/lei/l13848.htm. Acesso em: 8 nov. 2024.

CADWELL, Richard; LAPUERTA, Carlos. Damages in Competition/Antitrust Arbitration. *In:* TRENOR, John A. (ed.). *Global Arbitration Review*: The Guide to Damages in International Arbitration. London: GCR, 2016. p. 352-361. Disponível em: https://www.brattle.com/wp-content/uploads/2017/10/7354_damages_in_competition_antitrust_arbitrations.pdf. Acesso em: 8 nov. 2024.

CARVALHO, Henrique Araújo de. Quantificação do dano em ações reparatórias individuais por danos decorrentes de práticas de cartel no Brasil: indo além do An Debeatur. *Revista de Defesa da Concorrência*, Brasília, DF, v. 7, n. 1, 2019. Disponível em: https://revista.cade.gov.br/index.php/revistadedefesadaconcorrencia/article/view/387. Acesso em: 8 nov. 2024.

EUROPEAN COMMISSION. *Merger Market Study (Public Version)*. [*S. l.*]: European Commission, [2024]. p. 195-203 Disponível em: https://ec.europa.eu/competition/mergers/legislation/remedies_study.pdf. Acesso em: 8 nov. 2024.

GOMES, Adriano Camargo. *Ação de reparação por danos concorrenciais*. São Paulo: Quartier Latin, 2023.

IDOT, Laurence. Arbitration and Competition Law – Have we entered a fourth phase in their relations? *Competition Law & Policy Debate*, [*S. l.*], v. 3, n. 1, Mar. 2017.

JUSTEN FILHO, Marçal. Prefácio. *In:* SIGNORELLI, Ana Sofia Monteiro; PEREIRA, Cesar. Arbitragem concorrencial em perspectiva: da natureza jurídica aos desafios procedimentais. São Paulo: Revista dos Tribunais, 2023.

KOMNINOS, Assimakis. Arbitration and EU Competition Law. *Ssrn*, [*S. l.*], 12 Apr. 2009. Disponível em: https://ssrn.com/abstract=1520105. Acesso em: 8 nov. 2024.

KWOKA, John; VALLETTI, Tommaso. Unscrambling the eggs: breaking up consummated mergers and dominant firms. *Industrial and Corporate Change*, [*S. l.*], v. 30, n. 5, p. 1286-1306, 2021.

MAGALHÃES JÚNIOR, Danilo Brum de. *Arbitragem e Direito Concorrencial no Brasil*. Rio de Janeiro: Lumen Juris, 2023.

MARRARA, Thiago. Acordos no direito da concorrência. *Revista de Defesa da Concorrência*, Brasília, DF, v. 8, n. 2, p. 78-103, 2020. Disponível em: https://revista.cade.gov.br/index.php/revistadedefesadaconcorrencia/article/view/451. Acesso em: 8 nov. 2024.

MEIRELES, Carolina Costa. Produção antecipada de prova e arbitragem: uma análise sobre competência. *Revista de Processo: RePro*, São Paulo, v. 45, n. 303, p. 451-478, maio 2020.

NON-Structural Remedies. *Global Competition Review*, [*S. l.*], 25 Oct. 2023. Disponível em: https://globalcompetitionreview.com/guide/the-guide-merger-remedies/fifth-edition/article/non-structural-remedies-and-their-key-strengths. Acesso em: 8 nov. 2024.

OCDE. *Arbitration and Competition*. Competition – DAF/COMP(2010)40. Paris: OCDE, 13 dez. 2011. Disponível em: https://www.oecd.org/daf/competition/49294392.pdf. Acesso em: 8 nov. 2024.

OCDE. *Remedies and commitments in abuse cases*. OECD Competition Policy Roundtable Background Note. Paris: OCDE, 2022. Disponível em: https://www.oecd.org/daf/competition/remedies-and-commitments-in-abuse-cases-2022.pdf. Acesso em: 8 nov. 2024.

PEREIRA, Cesar. Arbitragem ou Poder Judiciário nos Litígios com a Administração Pública: esboço de roteiro para uma escolha racional. *In:* CASADO FILHO, Napoleão; QUINTÃO, Luísa; SIMÃO, Camila (coord.). *Direito Internacional e arbitragem:* estudos em homenagem ao Professor Cláudio Finkelstein. São Paulo: Quartier Latin, 2019.

SALTON, Rodrigo. A arbitrabilidade do direito concorrencial: uma análise do caso Eco Swiss. *Res Severa Verum Gaudium*, Porto Alegre, v. 6, n. 1, p. 424-438, jun. 2021.

SIGNORELLI, Ana Sofia Monteiro; PEREIRA, Cesar. *Arbitragem concorrencial em perspectiva:* da natureza jurídica aos desafios procedimentais. São Paulo: Revista dos Tribunais, 2023.

SIQUEIRA, Christiane Meneghini S. de; CIANFRANI, Joana Temudo; BERNINI, Paula Müller Ribeiro. A arbitragem para reparação de danos concorrenciais. *In:* GOMES, Adriano Camargo (org.). *Reparação de danos concorrenciais:* Direito Material e processo. São Paulo: Quartier Latin, 2023. p. 255-270.

TALAMINI, Eduardo. Arbitragem e a tutela provisória no Código de processo civil de 2015. *In:* COSTA, Eduardo José da Fonseca; PEREIRA, Mateus Costa; GOUVEIA FILHO, Roberto P. Campos (coord.). *Tutela provisória.* 2. ed. rev. atual. aum. Salvador: Juspodivm, 2019. p. 233-258.

UNIÃO EUROPEIA. *Directive 2014-104/EU.* Genebra: UE, 2014. Disponível em: https://eur-lex.europa.eu/legal-content/EN/TXT/PDF/?uri=CELEX:32014L0104#:~:text=This%20Directive%20sets%20out%20certain,from%20that%20undertaking%20or%20association. Acesso em: 8 nov. 2024.

ZAKIA, José Victor Palazzi; VISCONTI, Gabriel Caetano. Produção antecipada de provas em arbitragem e jurisdição. *Revista de Arbitragem e Mediação*, São Paulo, ano 15, v. 59, p. 195-211, out./nov. 2018.

Informação bibliográfica deste texto, conforme a NBR 6023:2018 da Associação Brasileira de Normas Técnicas (ABNT):

SIGNORELLI, Ana Sofia Monteiro; PEREIRA, Cesar. Inclusão de cláusulas arbitrais em acordos celebrados com o Conselho Administrativo de Defesa Econômica (Cade): pressupostos e perspectivas. *In:* JUSTEN, Monica Spezia; PEREIRA, Cesar; JUSTEN NETO, Marçal; JUSTEN, Lucas Spezia (coord.). *Uma visão humanista do Direito:* homenagem ao Professor Marçal Justen Filho. Belo Horizonte: Fórum, 2025. v. 3, p. 591-613. ISBN 978-65-5518-915-5.

DELEGAÇÃO DE COMPETÊNCIA NO PROCESSO ESTRUTURAL: NOVOS INSTRUMENTOS PARA UM EFETIVO CONTROLE JUDICIAL DE POLÍTICAS PÚBLICAS

ANTONIO DO PASSO CABRAL

1 Introdução. O sistema de competências contemporâneo. Juiz natural e eficiência processual

Ao receber o convite para participar de uma coletânea em homenagem ao Professor Marçal Justen Filho, decidi escrever sobre o controle judicial de políticas públicas. A jurisprudência brasileira já fixou entendimento de que é possível ao Poder Judiciário controlar atos comissivos e omissivos da administração pública que interfiram em direitos fundamentais, um controle que é próprio do Estado de Direito[1] e cabe na separação de Poderes desenhada na Constituição.

Mas o controle judicial de políticas públicas tem evoluído, nos últimos anos, para um formato denominado de processo estrutural, um procedimento mais dialogal, consensual e construído em etapas, avançando paulatinamente para a (re)estruturação de uma atividade, sob a batuta do juiz, rumo à eliminação de um estado de coisas de ilegalidade. Processos estruturais normalmente versam sobre litígios muito complexos, com interesses multilaterais, grande quantidade de pessoas impactadas, e que objetivam operar alterações em práticas, condutas ou estruturas em uma dada instituição ou setor.[2]

---

[1] JUSTEN FILHO, Marçal. *Curso de Direito Administrativo*. São Paulo: Saraiva, 2005. p. 24; 732-735.

[2] ARENHART, Sérgio Cruz. Processos estruturais no direito brasileiro: reflexões a partir do caso da ACP do carvão. *Revista de Processo Comparado*, São Paulo, v. 2, p. 211 e ss., jul./dez. 2015; JOBIM, Marco Félix. *Medidas estruturantes*: da Suprema Corte estadunidense ao Supremo Tribunal Federal. Porto Alegre: Livraria do Advogado, 2013. *passim*.
"O processo estrutural é um processo coletivo no qual se pretende, pela atuação jurisdicional, a reorganização de uma estrutura burocrática, pública ou privada, que causa, fomenta ou viabiliza a ocorrência de uma violação pelo modo como funciona, originando um litígio estrutural" (VITORELLI, Edilson. *Processo civil estrutural: teoria e prática*. Salvador: Juspodivm, 2020. p. 60).

A literatura brasileira sobre processos estruturais tem se desenvolvido muito. A esse respeito, resolvi tratar de um tema relevante, mas ainda pouco abordado e subteorizado: a possibilidade de delegação de competências.

Essas delegações são frequentes nos processos estruturais. Pelas características desse tipo de litígio e de processo, o Judiciário não consegue a contento praticar todas as funções necessárias para desfazer o estado de coisas ilícito que é constatado. Os juízes dependem da coordenação das suas funções com atividades de outros sujeitos, que por vezes exercerão eles próprios, em caráter primário, atividades delegadas.

E isso acontece até mesmo aqueles conduzidos no âmbito do Supremo Tribunal Federal (STF). Nos últimos anos, vimos o STF proferir decisões constituindo comissões de acompanhamento ou monitoramento de suas decisões,[3] ou "salas de situação"[4] que devem reportar-se ao juízo, fiscalizando o cumprimento do que foi decidido.

Mas na doutrina tradicional, essas delegações sempre foram enxergadas como inválidas. Sem dúvida, até recentemente, o princípio do juiz natural – grande vetor do sistema de competências jurisdicionais – era interpretado de maneira a proibir modificações de competência após o ajuizamento da ação, e de modo a afastar qualquer análise casuística na alocação de funções jurisdicionais. Toda distribuição de competências deveria ser feita previamente ao processo, pelo legislador. Também foi a ortodoxa concepção em torno do juiz natural que proibia o chamado "poder de comissão", a prerrogativa de ceder ou transferir o poder jurisdicional.

Porém, contra essa visão, vimos sustentando que o sistema processual passou a prever inúmeros institutos e práticas que funcionam com atribuição ou modificação de competência operada caso a caso, muitas vezes no curso do processo, e com base em razões de eficiência.[5] E que é a partir de uma equação equilibrada entre juiz natural e eficiência que se torna possível propor avanços no campo da gestão das estruturas judiciárias e uma intensa reformulação do sistema de competências.[6]

No mesmo sentido, em outro texto de Edilson Vitorelli: Levando os conceitos a sério: processo estrutural, processo coletivo, processo estratégico e suas diferenças. *Revista de Processo: RePro*, São Paulo, v. 284, p. 333-369, 2018; VIOLIN, Jordão. *Protagonismo judiciário e processo coletivo estrutural*. Salvador: Jus Podivm, 2013. *passim*.

Veja-se ainda: "O processo estrutural se caracteriza por: (i) pautar-se na discussão sobre um problema estrutural, um estado de coisas ilícito, um estado de desconformidade, ou qualquer outro nome que se queira utilizar para designar uma situação de desconformidade estruturada; (ii) buscar uma transição desse estado de desconformidade para um estado ideal de coisas (uma reestruturação, pois), removendo a situação de desconformidade, mediante decisão de implementação escalonada; (iii) desenvolver-se num procedimento bifásico, que inclua o reconhecimento e a definição do problema estrutural e estabeleça o programa ou projeto de reestruturação que será seguido; (iv) desenvolver-se num procedimento marcado por sua flexibilidade intrínseca, com a possibilidade de adoção de formas atípicas de intervenção de terceiros e de medidas executivas, de alteração do objeto litigioso, de utilização de mecanismos de cooperação judiciária; (v) e pela consensualidade, que abranja inclusive a adaptação do processo" (DIDIER JUNIOR, Fredie; ZANETI JÚNIOR, Hermes; OLIVEIRA, Rafael Alexandria de. Elementos para uma teoria do processo estrutural aplicada ao processo civil brasileiro. *Revista de Processo: RePro*, São Paulo, v. 303, maio 2020).

[3] STF, RE nº 1.3662.43 (Tema nº 1.234 da repercussão geral), Relator Min. Gilmar Mendes.

[4] STF, ADPF nº 709, Relator Min. Roberto Barroso.

[5] CABRAL, Antonio do Passo. *Juiz natural e eficiência processual*: flexibilização, delegação e coordenação de competências no processo civil. São Paulo: Revista dos Tribunais, 2021. p. 201 e ss.

[6] Por exemplo, estruturas mais flexíveis na organização judiciária, mobilidade entre juízes, e prática de atos conjuntos e concertados por cooperação. Cf.: CABRAL. *Juiz natural e eficiência processual*: flexibilização, delegação e coordenação de competências no processo civil, p. 335 e ss.

Mas, para chegar lá, uma premissa importante é perceber como o exame da eficiência informa o sistema de competências, e isso se dá pelo chamado "princípio da competência adequada".

2 Competência adequada e capacidades institucionais: de "quem decide" para "quem decide melhor": o juiz natural como o juízo mais adequado

Na conjugação entre garantias e eficiência no núcleo essencial do juiz natural, o sistema processual não pode mais se escorar num exame superficial e literal da lei. A tutela jurisdicional deve ser prestada de maneira ótima, por meio de técnicas processuais apropriadas para cada caso, e as partes têm direito a que seu litígio, uma vez judicializado, seja decidido pelo juízo mais adequado dentre aqueles com competência para tanto.[7] E essa análise deve ser extraída de circunstâncias concretas a serem sopesadas pelo juiz.

Nesse cenário, o princípio do juiz natural não se limita à abstração "fria" da lei, mas incorpora alguma medida de adequação e eficiência da competência. O juiz natural passa a ser *o juiz que pode decidir melhor*. Trata-se de uma avaliação da correlação entre o estado de coisas a ser promovido e os efeitos decorrentes da conduta tida como necessária à promoção desse fim (no caso, a adequação da alocação de competência). Ao implementar o exame de qual o centro decisório mais habilitado para conduzir o processo e julgar a causa, o Judiciário está promovendo o *exercício responsável da competência* em nome da eficiência alocativa dos Poderes estatais.[8]

Essa orientação do sistema de competências para a eficiência e a adequação foi empreendida, de forma pioneira no Brasil, por Fredie Didier Jr. e Hermes Zaneti Jr. a partir do que denominaram "princípio da competência adequada",[9] corolário do princípio de adequação das formalidades processuais,[10] e pode ser extraído do próprio juiz natural (art. 5º, LIII da Constituição) em conjugação com a eficiência processual (art. 8º do CPC).

A esse exame, soma-se a análise das capacidades institucionais, tão conhecidas e aplicadas no direito público para comparar centros decisórios estatais (suas atribuições, estruturas, aptidão técnica do *staff*, dentre muitas outras características)[11]

---

[7] CALLIESS, Gralf-Peter. Der Richter im Zivilprozess: Sind ZPO und GVG noch zeitgemäß?. *In: Verhandlungen des 70*. Deutschen Juristentages. München: C.H. Beck, 2014. v. p. A-96.

[8] Por isso, para Schauer (*Playing by the Rules*: A Philosophical Examination of Rule-Based Decision-Making in Law and in Life. New York: Oxford University Press, 1991. p. 162), o reenvio da decisão a outras instituições não é incompatível com um modelo normativo baseado em regras. Ao contrário, "an agent who says, 'this is not my job', is not necessarily abdicating responsibility. One form of taking responsibility consists in taking the responsibility for leaving certain responsibilities to others".

[9] BRAGA, Paula Sarno. Competência adequada. *Revista de Processo: RePro*, São Paulo, ano 38, v. 219, p. 16-17, maio 2013; DIDIER JUNIOR, Fredie; ZANETI JÚNIOR, Hermes. *Curso de Direito Processual Civil*. 9. ed. Salvador: Juspodivm, 2014. v. 4, p. 105 e ss.

[10] Já defendemos a existência desse princípio em: *Nulidades no processo moderno*: contraditório, proteção da confiança e validade *prima facie* dos atos processuais. 2. ed. Rio de Janeiro: Forense, 2010. p. 63.

[11] Por todos, no Brasil: ARGUELHES, Diego Werneck; LEAL, Fernando. O argumento das 'capacidades institucionais' entre a banalidade, a redundância e o absurdo. *Direito, Estado e Sociedade*, [S. l.], n. 38, jan./jun. 2011.

e que sustentamos poder ser útil também ao exame da competência de órgãos jurisdicionais.[12]

É nesse contexto de um sistema de competências permeado por juízos de adequação e eficiência que queremos analisar um tabu que não se sustenta mais no direito brasileiro. A ideia de que as funções jurisdicionais, qualquer delas, nunca poderiam ser delegadas.

3 Da prática das delegações monárquicas à suposta indelegabilidade e improrrogabilidade das competências

A delegação de competências entre órgãos jurisdicionais não é novidade. Já se observava no direito romano, em várias de suas fases, e era uma prática comum também na jurisdição europeia medieval, naquela época em função de necessidades puramente práticas. Mas esses antecedentes históricos de delegação de competências jurisdicionais eram baseados numa concepção da jurisdição como poder soberano do monarca ou senhor feudal, vale dizer, um atributo de sua propriedade que podia ser transferido a outrem.[13]

Após a consolidação do Estado de Direito, a concepção publicista da jurisdição passou a enxergar a prestação da tutela como um dever ou um poder-dever,[14] o que levou à consagração de sua inafastabilidade e indeclinabilidade (vedação do *non liquet*).[15] Na mesma toada, as competências passaram a ser compreendidas como indelegáveis e improrrogáveis, e portanto o juiz competente não poderia remeter a outra sede a decisão a respeito da causa que foi posta diante dele.[16]

3.1 Previsão de delegação de atos jurisdicionais na legislação brasileira e no direito estrangeiro

Não obstante esse lugar comum da indelegabilidade da competência, é relevante salientar que, em muitos pontos previstos **há décadas na legislação** nacional, vemos

---

[12] CABRAL. *Juiz natural e eficiência* processual: flexibilização, delegação e coordenação de competências no processo civil, cap. 5.

[13] CABRAL. *Juiz natural e eficiência* processual: flexibilização, delegação e coordenação de competências no processo civil, p. 42 e ss.

[14] GELSI BIDART, Adolfo. Competencia y delegación. *In: Scritti giuridici in memoria di Calamandrei.* Padova: Cedam, 1958. v. 2, p. 242; SCHÖNKE, Adolf. *Lehrbuch des Zivilprozessrechts.* 7. Ausg. Karlsruhe: C.F. Müller, 1951. p. 145.

[15] CABRAL, Antonio do Passo. *Jurisdição sem decisão*: non liquet e consulta jurisdicional no Direito Processual Civil. 2. ed. São Paulo: Juspodivm, 2024. cap. 3.

[16] CHIOVENDA, Giuseppe. L'idea romana nel processo civile moderno. *In: Saggi di Diritto Processuale Civile.* Milano: Giuffré, 1993. v. 3, p. 79; KERN, Christoph A. Der gesetzliche Richter – Verfassungsprinzip oder Ermessensfrage? Zeitschrift für Zivilprozeβ, [S. l.], Jahr 130, n. 1, p. 117, 2017. No Brasil: ALVIM, José Manoel de Arruda. Anotações sobre o tema da competência. *Revista de Processo: RePro*, São Paulo, v. 24, p. 12, out./dez. 1981; CARNEIRO, Athos Gusmão. *Jurisdição e competência.* 16. ed. São Paulo: Saraiva, 2009. p. 9; CUNHA, Leonardo Carneiro da. *Jurisdição e competência.* 2. ed. São Paulo: Revista dos Tribunais, 2013. p. 28-29; GRECO, Leonardo. *Instituições de processo civil.* 5. ed. Rio de Janeiro: Forense, 2015. v. 1, p. 114-115; LIMA, Alcides de Mendonça. Jurisdição voluntária. *Revista de Processo: RePro*, São Paulo, ano 5, v. 17, p. 26, jan./mar, 1980; MARQUES, José Frederico. *Manual de Direito Processual Civil.* 2. ed. São Paulo: Saraiva, 1974. v. 1, p. 74-75; RAMALHO, Joaquim Ignacio. *Práctica civil e commercial.* São Paulo: Typographia Imparcial, 1861. título III, cap. I, §3, p. 26.

delegação de atos processuais e às vezes delegação total de prestação da jurisdição para outros juízos e até para particulares.

A delegação de competências começa na própria Constituição da República de 1988. O art. 93, XI, autoriza delegação de atos jurisdicionais do Tribunal Pleno ao Órgão Especial. O art. 93, XIV, autoriza a delegação de atos jurisdicionais para servidores do Judiciário. O art. 102, I, "m", permite que o STF delegue a competência para execução dos seus julgados.

Para os tribunais superiores, há várias previsões de delegação de competência. O regimento interno do STF admite genericamente a delegação de atos jurisdicionais pelo relator (art. 21, XIII), além de disciplinar muitas hipóteses de delegações de atos instrutórios e executivos a outros juízos (RISTF, art. 136 §2º, 211, 239, §1º, 247 §2º, 261, p. único, 341 e 342). Lembre-se ainda a hipótese das ações penais de competência originárias no STF ou STJ, nas quais o ministro relator pode delegar atos de instrução a juiz ou desembargador específico (art. 9º, §1º, da Lei nº 8.038/1090).

Um exemplo mais corriqueiro na legislação infraconstitucional é aquele das cartas precatórias e de ordem (entre juízos no território nacional), e as cartas rogatórias no plano internacional. As cartas precatória, rogatória e de ordem sempre foram atividade de delegação,[17] instrumentos utilizados em nome de uma estrutura coordenada de competências.[18]

Outros dispositivos legais reforçam a conclusão de que o ordenamento brasileiro possui ampla base normativa para delegações de competência. O art. 972 do CPC dispõe expressamente sobre a possibilidade, em ação rescisória, de delegação da competência para a produção da prova "ao juízo que proferiu a decisão rescindenda".[19] Os art. 159-161 do CPC/2015 preveem nomeação de administrador e depositário, com poderes de gestão sobre bens penhorados, arrecadados, arrestados ou sequestrados.[20] O art. 861, §3º, do CPC prevê possibilidade de nomeação de administrador para a liquidação de cotas ou ações penhoradas; o art. 862 do CPC prevê designação de administrador-depositário em caso de penhora de empresa.[21]

Cabe recordar também que, desde as reformas de 2006 ao CPC/1973, há previsão na legislação brasileira de uma desestatização dos atos de alienação dos bens penhorados. O CPC/2015 manteve a previsão de alienação por iniciativa particular por um corretor (art. 879, I e 880).[22]

---

[17] Com razão: Leonardo Greco (*Instituições de processo civil*, p. 82; 115).

[18] ABELHA, Marcelo. *Manual de Direito Processual Civil*. 6. ed. Rio de Janeiro: Forense, 2016. p. 350-351; MARINONI, Luiz Guilherme; ARENHART, Sérgio Cruz; MITIDIERO, Daniel. *Novo Código de Processo Civil comentado*. São Paulo: Revista dos Tribunais, 2015. p. 282 e ss.

[19] Sobre o tema: BARIONI, Rodrigo. Comentário ao art. 972. *In*: WAMBIER, Teresa Arruda Alvim; DIDIER JUNIOR, Fredie; TALAMIN, Eduardo; DANTAS, Bruno (coord.). *Breves comentários ao Código de Processo Civil*. 2. ed. São Paulo: Revista dos Tribunais, 2016. p. 2266 e ss.; CRAMER, Ronaldo. Comentário ao art. 972. *In*: CABRAL, Antonio do Passo; CRAMER, Ronaldo. *Comentários ao novo Código de Processo Civil*. 2. ed. Rio de Janeiro: Forense, 2016. p. 1431-1432.

[20] Defendendo a possibilidade do administrador exercer essas funções: ARENHART, Sérgio Cruz. *A tutela coletiva de interesses individuais*: para além da proteção dos direitos individuais homogêneos. São Paulo: Revista dos Tribunais, 2015. p. 362.

[21] ARENHART. Processos estruturais no direito brasileiro: reflexões a partir do caso da ACP do carvão, p. 224-229.

[22] Aliás, essa lógica de delegação de funções executivas a outros sujeitos, inclusive privados, é disseminada nos ordenamentos europeus, dentre eles França, Bélgica, Holanda, Portugal, Alemanha, e nos Países da Escandinávia. Em muitos deles, o próprio exequente atua como um "diretor" da execução, escolhendo muitos

Deve-se lembrar ainda a lei de falência e recuperação judicial (Lei nº 11.101/2005), alterada pela Lei nº 14.112/2020, que prevê formas de atuação de administradores judiciais sob delegação (e supervisão) do juiz, como se vê na insolvência internacional (art. 167-P, §2º, 167-Q, I).

Exemplo de delegação de competência encontra-se também no Estatuto da Criança e do Adolescente (Lei nº 8.069/1990), pelo qual diversas prerrogativas de execução das medidas socioeducativas (art. 112) podem ser delegadas. Essa delegação baseia-se na "integração operacional" entre órgãos do Judiciário, Ministério Público, Defensoria, Conselho Tutelar (art. 88, VI), e compreende atos decisórios a serem praticados por um "orientador".[23] Ao "orientador" caberão diversas medidas específicas (art. 119), como promover socialmente o adolescente e sua família, fornecendo-lhes orientação e o inserindo, se necessário, em programa oficial ou comunitário de auxílio e assistência social; fiscalizar a frequência e o aproveitamento escolar do adolescente, promovendo, inclusive, sua matrícula; diligenciar no sentido da profissionalização do adolescente e de sua inserção no mercado de trabalho.

O ECA (art. 147, §2º) prevê ainda delegação de competência para outro juízo da execução das medidas para outra "autoridade competente" no foro da residência dos pais ou responsável, ou do local onde sediar-se a entidade que abrigar a criança ou adolescente.[24]

Como se vê, todas essas normas demonstram que a transferência de competências por delegação não é estranha ao sistema jurídico. São hipóteses já bem conhecidas e praticadas no direito brasileiro, aplicáveis a quaisquer processos, em que se verifica a delegação a terceiros de funções que historicamente eram praticadas unicamente pelo Judiciário, a fim de emprestar maior eficiência e dinamismo às atividades desempenhadas.

E, dentro das características aqui preconizadas para o sistema de competências, que deve ser flexível, adaptável, funcional, a gestão da competência adequada também pode levar os juízes a tomar medidas que signifiquem delegar os atos jurisdicionais a outros juízos.

Essa necessidade é ainda maior nos processos estruturais, pela complexidade da matéria, pela multiplicidade de interesses envolvidos, pela frequente conflituosidade interna a respeito de tais interesses. No entanto, apesar da vasta previsão normativa anteriormente referenciada, vê-se muita resistência em admitir genericamente a delegação de competência para a prática de atos judiciais, por vários argumentos, que não procedem, como veremos a seguir.

---

dos subdelegatários. Cf., com amplas referências: CABRAL, Antonio do Passo. *Juiz natural e eficiência* processual: flexibilização, delegação e coordenação de competências no processo civil, p. 224 e ss.

[23] Os orientadores serão selecionados e capacitados na forma do art. 13 da Lei nº 12.594/2012 e de acordo com os programas definidos nessa lei.

[24] Vários tribunais disciplinam administrativamente alguns detalhes dessas delegações, e já se editaram súmulas que abordam expressamente a possibilidade de delegação de competências para a execução de medidas sócio-educativas.

4 Desconstruindo os argumentos contrários à delegabilidade. Compatibilidade da delegação de competências com a Constituição

Normalmente, nos ordenamentos de tradição romano-germânica,[25] não se admite a delegação de competência jurisdicional.[26] As justificativas para sustentar a indelegabilidade da competência são várias.

4.1 Suposta violação à separação de Poderes

De início, relaciona-se a indelegabilidade da jurisdição (e da competência) à separação de Poderes.[27] Afirma-se que o poder no Estado tem que ser exercido por órgãos diferentes e autônomos. Diz-se que a atividade jurisdicional de "dizer o direito" só pode ser exercida pelo Judiciário, não sendo possível transferi-la a órgãos da administração pública, mesmo quando estes possuem atribuições decisórias.[28] Haveria um "mandado de divisão funcional" (*Trennungsgebot*) a proibir qualquer mistura organizacional entre tribunais judiciários e órgãos da administração pública.[29] A divisão de Poderes seria um componente do Estado de Direito que serve para limitação e contenção do poder, protegendo o indivíduo contra o exercício abusivo da potestade estatal.[30] Então, a separação de Poderes seria uma garantia institucional que, caso desfeita, levaria ao arbítrio e ausência de controle.

Sustenta-se também que somente a Constituição define os órgãos estatais que podem exercer jurisdição e estes não podem atribuí-la a outros órgãos ou agentes.[31] Toda vez que as competências jurisdicionais fossem atribuídas a órgãos julgadores não judiciários (como o Senado Federal no processo de *impeachment* ou a justiça desportiva), essa determinação deveria ser feita pela própria Constituição, e não por um juiz no caso concreto.[32]

Inserido o Poder Judiciário na repartição de Poderes do Estado, a absorção ou mistura de competências entre um órgão jurisdicional e outra instituição externa ao

---

[25] Nos ordenamentos do *common law*, a delegação de competências é admitida e praticada. Conferir: CHAYES, Abram. The role of the judge in public law litigation. *Harvard Law Review*, [S. l.], v. 89, n. 7, p. 1300-1301, May 1976.

[26] GIMENO SENDRA, Vicente. El derecho constitucional al juez legal. *In:* GIMENO SENDRA, Vicente. *Constitución y proceso.* Madrid: Technos, 1988. p. 56; SABATINI, Giuseppe. La competenza surrogatoria ed il principio del giudice naturale nel processo penale. *Rivista Italiana di Diritto e Procedura Penale*, [S. l.], n. 4, p. 956, 1961; SCHENKE, Wolf-Rüdiger. Delegation und Mandat im Öffentlichen Recht. *Verwaltungs Archiv*, [S. l.], Jahr 68, p. 121, 1977; TRIEPEL, Heinrich. *Delegation und Mandat im öffentlichen Recht.* Stuttgart: W. Kohlhammer, 1942. p. 95.

[27] SANTOS, Moacyr Amaral. *Primeiras linhas de Direito Processual Civil.* 25. ed. São Paulo: Saraiva, 2007. v. 1, p. 72.

[28] HENKEL, Joachim. *Der gesetzliche Richter.* 1968. 1968. f. 13; JACOBS, Matthias. *In:* STEIN, Friedrich; JONAS, Martin. *Kommentar zur Zivilprozessordnung.* 22. Ausg. Tübingen: Mohr Siebeck, 2011. p. 890.

[29] JAUERNIG, Othmar; HESS, Burkhard. *Zivilprozessrecht.* 30. Ausg. München: C.H. Beck, 2011. p. 41.

[30] WILKE, Dieter. Die Rechtsprechende Gewalt. *In:* ISENSEE, Josef; KIRCHHOF, Paul (Verlag.). *Handbuch des Staatsrechts der Bundesrepublik Deutschland.* 3. Ausg. Heidelberg: C.F. Müller, 2007. v. 5, p. 636-639.

[31] CANOTILHO, José Joaquim Gomes. *Direito Constitucional e teoria da Constituição.* 5. ed. Coimbra: Almedina, 2002. p. 651 e ss.; WAMBIER, Luiz Rodrigues; TALAMINI, Eduardo. *Curso avançado de processo civil.* 16. ed. São Paulo: Revista dos Tribunais, 2016. p. 111.

[32] GAJARDONI, Fernando da Fonseca; DELLORE, Luiz; ROQUE, André Vasconcelos; OLIVEIRA JÚNIOR, Zulmar Duarte de. *Comentários ao CPC de 2015*: parte geral. São Paulo: Método, 2015. p. 168.

Judiciário revela-se mais sensível porque essa "promiscuidade funcional" geraria uma tensão no esquema tradicional da separação de Poderes: o Judiciário, por decidir a respeito da competência em última instância, poderia transformar-se num poder que se superpõe aos demais, suprimindo-lhes ou lhes conferindo competências sem qualquer outro controle possível.[33] Diante desse perigo, uma concepção *estatutária* das competências, previstas rigidamente em leis, evitaria a "tirania judiciária" na alocação de poder.

Pois bem, o argumento não convence para proibir delegações de competência. Primeiro porque, nessa perspectiva, a separação de Poderes *só impediria a delegação a órgãos não judiciários*. Não haveria qualquer vedação às delegações de competência entre juízos, i.e., entre órgãos dentro do próprio Judiciário.

E, mesmo para as delegações a órgãos não judiciários, a objeção não infirma a possibilidade de delegações de competência. Isso porque, no Estado de Direito contemporâneo, a separação de Poderes assumiu um caráter funcional.[34] Vale dizer, na atualidade, a separação de funções entre os Poderes do Estado não é compreendida em sentido orgânico, rígido e estanque, mas como uma atribuição de *tipos fundamentais de tarefas*. Essa separação de Poderes deve ser compreendida como uma delimitação de *modelos básicos de funções* com vistas à *racionalização das atividades estatais*. Assim, a perspectiva orgânica da separação de Poderes de Montesquieu é substituída por uma abordagem *funcional* e *teleológico-estrutural*. Funcional, porque a ênfase vem nas atividades, não nos sujeitos que as realizam; e teleológico-estrutural porque a *tipologia das funções* contribui para o *aprimoramento e eficiência das estruturas organizacionais* do Estado. Ao saber o que cabe a cada órgão, quando e em que condições suas competências são exercidas, podem as instituições estatais melhorar suas rotinas e estruturas, capacitar pessoal e incrementar eficiência.[35]

Nesse cenário, a divisão básica de funções deixa algum espaço para a assunção de tarefas por órgãos que não corresponderiam àqueles aos quais, dentro da distribuição fundamental, tais atividades seriam mais comumente confiadas. A separação de Poderes, a partir dessa abordagem funcional, baseia-se em *coordenação* e *complementaridade* das atividades entre os vários órgãos estatais, com a *prevalência do órgão de função típica*. Portanto, nessa vertente contemporânea, a separação de Poderes admite que certas funções não tipicamente enquadradas nas tarefas ordinárias de um poder sejam a ele conferidas.[36]

Claro que as hipóteses constitucionais ou legais de reserva de jurisdição excluem a possibilidade de atribuição da competência a qualquer órgão não jurisdicional.[37] Decisões de quebra de sigilo telefônico ou decretação de prisão civil, por exemplo, só podem ser proferidas pelo Judiciário. Todavia, não havendo reserva de jurisdição, uma maior coordenação e combinação de competências, em nome da eficiência, é imaginável e até

---

[33] GIULIANI, Alessandro; PICARDI, Nicola. Professionalità e responsabilità del giudice. *Rivista di Diritto Processuale*, anno 42, [S. l.], n. 2, p. 263, 1987.

[34] GUINCHARD, Serge. *Droit Processuel*: Droit commun et Droit comparé du procès. 2. éd. Paris: Dalloz, 2003. p. 1104; WILK. Die Rechtsprechende Gewalt, p. 637.

[35] KÜSTER, Otto. Das Gewaltenproblem im modernen Staat. *Archiv des öffentlichen Rechts*, [S. l.], Jahr 75, p. 402 e ss., 1949.

[36] Assim: HESSE, Konrad. *Grundzüge des Verfassungsrechts der Bundesrepublik Deutschland*. 20. ed. Heidelberg: Müller, 1995. p. 211.

[37] WILKE. Die Rechtsprechende Gewalt, p. 675.

recomendável. Lembremos que o exercício da jurisdição não é exclusivamente estatal ou tampouco judiciário.[38] A natureza jurisdicional da arbitragem, consagrada no Brasil, é o maior exemplo disso.[39]

4.2 O dever de prestar a jurisdição (vedação do *non liquet*) e a suposta inalienabilidade da competência. A delegação de competência como mais uma forma de implementar o acesso à Justiça e de prestar a tutela jurisdicional eficiente

Por outro lado, levanta-se potencial obstáculo à delegação de competência no princípio do acesso à Justiça (art. 5º, XXXV, da Constituição). Alguns setores doutrinários afirmam que, ao assumir o monopólio do exercício da jurisdição, o Estado toma para si não só o poder de decidir, mas também o compromisso de prestar tutela jurisdicional. A jurisdição e a competência seriam irrenunciáveis,[40] sendo vedado o *non liquet*, que significaria uma negativa de prestar a jurisdição. Nessa toada, assim como não pode ser alienada a qualquer título, o detentor da competência não poderia dela dispor.[41] Se a jurisdição e o processo são públicos, o Estado jamais poderia enxergar a competência como um direito próprio, e então a transferência da competência por delegação significaria uma "disposição" do juiz sobre a própria competência, o que lhe seria vedado.[42] A delegação de competências configuraria uma ofensa ao acesso à Justiça porque refletiria uma negativa de prestar jurisdição: a jurisdição delegada não proviria do Judiciário, mas de outro órgão do Estado ou de um particular.

Pois bem, em nosso entendimento, esse argumento também não procede. Pensamos que não há qualquer ofensa ao acesso à Justiça em razão da delegação de competência. Uma verdadeira "negativa de jurisdição" ocorreria com a recusa de prestar a tutela jurisdicional, o que não se observa aqui. O acesso à Justiça é *reforçado* pela prestação da tutela jurisdicional da forma mais eficiente possível. Pela delegação, não se verifica uma "recusa" de prestar a tutela jurisdicional; o que se implementa é

---

[38] Assim nos manifestamos em: Per un nuovo concetto di giurisdizione. *In:* BRIGUGLIO, Antonio; MARTINO, Roberto; PANZAROLA, Andrea; SASSANI, Bruno (org.). *Scritti in onore di Nicola Picardi.* Pisa: Pacini, 2016. p. 370. Com razão: DIDIER JUNIOR, Fredie. *Curso de Direito Processual Civil.* 18. ed. Salvador: Juspodivm, 2016. v. 1, p. 158; PERROT, Roger. *Institutions judiciaires.* 12. éd. Paris: Montchrestien, 2006. p. 57.

[39] Devem ser ressalvadas ainda as hipóteses em que a Constituição estabelece que uma determinada função será exercida com exclusividade por algum órgão. Nesses casos, não deve ser possível a delegação. O Tribunal Constitucional Federal alemão, por exemplo, ao analisar a possibilidade de delegação de funções para juízes, no quadro da separação de Poderes, admite regularmente as delegações, mas uma das ressalvas que faz é justamente a inexistência de previsão, na Constituição, de que tais funções sejam exclusivas de um outro órgão ou instituição. Em BVerfGE 64, 175 (179), diz o tribunal que podem ser atribuídas ao Judiciário funções "die nicht ohne weiteres zu den regelmäßigen und typischen Aufgaben der Gerichte gehören mögen, sofern das Grundgesetz deren Wahrnehmung nicht einer anderen Gewalt vorbehält".

[40] GELSI BIDART. Competencia y delegación, v. 2, p. 261.

[41] DUGUIT, Léon. *Leçons de Droit Public général.* Paris: La Mémoire du Droit, reimpressão, 2000. p. 239-240; PINHO, José Cândido de. *Breve ensaio sobre a competência hierárquica.* Coimbra: Almedina, 2000. p. 11; CUNHA. *Jurisdição e competência*, p. 47-48. Cf. a crítica de Triepel (*Delegation und Mandat im öffentlichen Recht*, p. 88-89) a essa concepção, encontrada, como visto, em Duguit e na maior parte da doutrina publicista francesa, e que foi uma das causas que levou à demonização da delegação de competências no direito público.

[42] DINAMARCO, Cândido Rangel. *Instituições de Direito Processual Civil.* 8. ed. São Paulo: Malheiros, 2016. v. 1, p. 478.

uma *forma mais adequada de prestá-la*. Assim, antes de ser contrária ao acesso à Justiça, a delegação da competência favorece uma implementação mais efetiva do princípio.

4.3 Confusão da indeclinabilidade da jurisdição com a indelegabilidade da competência

Para argumentar-se contra a delegação de competências, diz-se ainda que o monopólio da jurisdição pelos juízes se justifica pela sua característica de independência e imparcialidade, e portanto a jurisdição seria não só inafastável e indeclinável (proibição do *non liquet*), mas também indelegável a órgãos que não são do Judiciário.

Não concordamos com o argumento. Parece que, para justificar a impossibilidade de delegação, mistura-se a indelegabilidade *de competências* com as características da inafastabilidade e indeclinabilidade *da jurisdição*.[43]

Mas, como veremos, a delegação tem por objeto apenas o *exercício* da competência, e não a competência em si mesma.[44] Assim, a delegação de competências não significa negativa de jurisdição porque não representa uma transferência definitiva da competência, mas tão somente a *cessão episódica do seu exercício*.[45]

Além disso, uma proibição tão peremptória de delegação de competências não parece fazer sentido se a doutrina diferencia os conceitos de jurisdição e competência justamente porque a primeira não se fraciona (é exercida em toda sua plenitude por todos os juízos), enquanto a disciplina da competência remete a uma natural repartição de funções. Se assim é, não deveria haver qualquer preconceito contra a delegação: a própria distinção entre os conceitos de jurisdição e competência sugere justamente o contrário. Quando se repisa que a jurisdição não se fraciona, sendo exercida em toda sua inteireza por todos os juízos, enquanto a competência significa uma repartição de funções,[46] encontra-se nas entrelinhas a ideia de divisão e combinação da competência, com vistas a uma melhor alocação de funções.

4.4 A vedação do poder de comissão decorrente do juiz natural: a delegação vista como uma comissão extraordinária

Outra objeção à delegação de competências está na vedação do "poder de comissão" que decorreria do princípio do juiz natural. A Constituição impede a criação de *juízos extraordinários* ou de *tribunais de exceção*. E, na visão tradicional acerca do juiz natural, a delegação de competência era vista como criação de um tribunal *ex novo* ou modificação/ampliação indevida das competências de um juízo para julgar casos específicos. Haveria constituição de um juízo *ad hoc* que não corresponderia a um órgão regular

---

[43] Como parece fazer Marcelo Abelha (*Manual de Direito Processual Civil*, p. 87-88). O mesmo se pode ver em: MARQUES. *Manual de Direito Processual Civil*, v. 1, p. 75: "A jurisdição, por outra parte, é indeclinável, o que significa que é intransferível e não pode ser delegada".

[44] CUNHA. *Jurisdição e competência*, p. 27-28.

[45] Correto José Cândido de Pinho (*Breve ensaio sobre a competência hierárquica*, p. 11-13).

[46] Essa diferenciação é clássica, e vem sendo reproduzida já na vigência do CPC/2015. Por todos: GAJARDONI; DELLORE; ROQUE; OLIVEIRA JÚNIOR. *Comentários ao CPC de 2015*: parte geral, 2015, p. 98.

na estrutura jurisdicional. Por isso, sustenta-se a invalidade de qualquer delegação de competência.

Bom, por um lado, o argumento não corresponde às preocupações contemporâneas, refletindo uma *ratio* própria da gênese do princípio do juiz natural, na Revolução Francesa, que buscava evitar manipulações do Executivo na atividade do Judiciário. Como afirmamos anteriormente, não só a compreensão da separação de Poderes mudou, como hoje entram em cena as exigências de maior adequação, adaptabilidade, funcionalidade e eficiência na prestação da tutela jurisdicional.[47]

De outra perspectiva, o princípio do juiz natural também teve seu âmbito de proteção alterado no processo contemporâneo. Claro que as delegações de competência não podem servir para manipulações arbitrárias, pessoalizadas, para beneficiar certos sujeitos ou interferir no resultado final do processo. Porém, quando baseadas em razões de eficiência, as delegações de competências são compatíveis também com o juiz natural.[48]

Vistas as objeções às delegações de competência, e estando comprovado que não há qualquer óbice normativo à sua aplicação no direito processual brasileiro (ao contrário, há diversas normas na Constituição e nas leis que as autorizam), cabe tecer considerações acerca das características das delegações de competência jurisdicional.

5 Delegação de competências jurisdicionais: conceito, objeto e aspectos gerais

A delegação da competência é a declaração pela qual um juízo atribui a outro juízo, órgão ou pessoa a realização de atos que corresponderiam ordinariamente ao exercício de funções próprias. Pela delegação, o órgão delegante transfere voluntariamente o *exercício* da competência,[49] não a competência em si.[50]

Disso decorre que as possibilidades de subdelegação não são ilimitadas. A subdelegação é uma transferência subsequente do exercício da competência do delegatário ao subdelegatário.[51] A legitimidade para subdelegar existe nas delegações interjudiciais,

---

[47] CABRAL. *Juiz natural e eficiência processual*: flexibilização, delegação e coordenação de competências no processo civil, p. 344 e ss.

[48] Nesse sentido, o STF, a respeito das delegações instrutórias nas ações originárias, afirmou que: "(...) A garantia do juiz natural, prevista nos incisos LIII e XXXVII do artigo 5º da Constituição Federal, é plenamente atendida quando se delegam o interrogatório dos réus e outros atos da instrução processual a juízes federais das respectivas Seções Judiciárias, escolhidos mediante sorteio. (...)" (AP nº 470 QO/MG, Relator Min. Joaquim Barbosa, julgado em 6 de dezembro de 2007).

[49] GELSI BIDART. Competencia y delegación, v. 2, p. 256-257; JELLINEK, Georg. *Die Lehre von den Staatenverbindungen*. Aalen: Scientia, 1969. p. 41 e ss.

[50] Ou seja, o delegante não perde a competência. Esse é o motivo pelo qual deve ser rejeitada a tese de Heinrich Triepel (*Delegation und Mandat im öffentlichen Recht*, p. 23-24; 36-38; 41-42; 51) de que a delegação seria sempre *translativa* ou *devolutiva*, e levaria à perda da competência do órgão delegante, com o exercício da *própria* competência (não aquela do delegante) pelo delegatário *em nome próprio*. Em apoio a Triepel, OBERMAYER, Klaus. Zur Übertragung von Hoheitsbefugnissen im Bereich des Verwaltungsbehörden. *Juristen Zeitung*, ano 11, n.20, out., 1956, p.625. Contra o entendimento de Triepel, e em nosso sentir com razão: HEINZ, Karl-Eckhart. Delegation und Mandat: Eine rechts-und verfassungstheoretische Untersuchung. *Der Staat*, [S. l.], Jahr 36, n. 1, p. 498-499, 1997.

[51] OBERMAYER, Klaus. Zur Übertragung von Hoheitsbefugnissen im Bereich des Verwaltungsbehörden. *Juristen Zeitung*, [S. l.], n. 20, Oct. 1956, p. 625; RASCH, Ernst. Festlegung und Veränderung staatlicher Zuständigkeiten. *Die Öffentliche Verwaltung*, [S. l.], n. 12, p. 338, May 1957; TRIEPEL. *Delegation und Mandat im öffentlichen Recht*, p. 121 e ss.

porque os delegatários (juízes) também exercem com independência a função jurisdicional. Mas nas delegações de competência para entidades externas ao Judiciário, só pode haver subdelegação se esta for autorizada pelo juízo delegante (*delegata potestas delegari non potest*).

Sob outro ângulo, deve-se diferenciar a delegação do mandato, institutos que foram historicamente mesclados. A necessidade de distinção reside, primeiramente, no fato de a delegação ser um instrumento de empoderamento de órgãos, *entidades ou instituições*, enquanto o mandato habilita uma *pessoa* específica a atuar em nome do mandante.[52] Por outro lado, ao passo que o mandato é um negócio jurídico, guardando fundamento na autonomia da vontade, a delegação é um *ato jurídico em sentido estrito* que altera o sistema de competências.[53] Por esse motivo, a delegação de competências pressupõe fundamentos normativos, i.e., deve ser autorizada por uma norma prevista no sistema jurídico.[54]

A delegação de competências pode ser total ou parcial (apenas para alguns atos),[55] mas deve sempre ser embasada em juízos de eficiência. Terá lugar quando um juízo ou tribunal considerar que a transferência da competência para outro órgão ou instituição, *in totum* ou *ad actum*, poderá levar a um tratamento mais eficiente do litígio. Já o mandato não pressupõe eficiência mas mera conveniência das partes do negócio jurídico.

Outra característica da delegação de competências é que ela independe da vontade do órgão delegatário. Se este não concordar com a delegação, ou divergindo dos termos da transferência (quais atos processuais compreendidos, tempo, duração e cronograma de implementação etc.), o ordenamento processual deve oferecer meios para resolver a controvérsia e implementar o princípio da competência adequada porque não pode haver no sistema um impasse ou "vácuo de competências".[56]

Em caso de discordância do delegatário, se a delegação for direcionada a órgãos não jurisdicionais, o próprio juízo delegante poderá lançar mão de mecanismos processuais para fazer cumprir sua determinação (art. 139, IV e 536 do CPC; art. 84 do CDC).

Caso a delegação seja destinada à transferência de competência para outro órgão jurisdicional de mesma posição na estrutura do Judiciário (mesma instância),[57] ou para qualquer outro juízo não submetido hierarquicamente ao delegante, a divergência será decidida pelo órgão responsável por apreciar o respectivo conflito de competência.[58]

---

[52] TRIEPEL. *Delegation und Mandat im öffentlichen Recht*. Stuttgart: W. Kohlhammer, 1942, p. 27.

[53] De fato, pela delegação não há disposição, renúncia, nem cessão de prerrogativas próprias em razão de capacidade negocial. Cf. TRIEPEL. *Delegation und Mandat im öffentlichen Recht*, p. 28-29; 80-92.

[54] JELLINEK. *System der subjektiven öffentlichen Rechte*, p. 327-329; 328; 344.

[55] Há aqueles que entendem não poder haver delegação *total* de competência, como a que permitisse ao juízo delegado julgar o caso, decidindo a lide como Gelsi Bidart (Competencia y delegación, v. 2, p. 261).

[56] Como lembra Fredie Didier Junior (*Curso de Direito Processual Civil*, v. 1, p. 199-200), utilizando a teoria dos poderes implícitos. De fato, deve haver sempre um órgão competente, ainda que residualmente. Nesse sentido, YARSHELL, Flávio Luiz. *Tutela jurisdicional*. 2. ed. São Paulo: DPJ, 2006. p. 137.

[57] Triepel (*Delegation und Mandat im öffentlichen Recht*, p. 101), com razão, dissertando sobre o sistema das delegações de competência no direito público, afirma que nem sempre as delegações de funções se dão entre órgãos que se encontram hierarquicamente superpostos. É possível haver delegação horizontal entre órgãos sem que haja entre eles qualquer relação de subordinação.

[58] Se forem dois órgãos de diferentes instâncias, mas que se colocarem numa relação hierárquica dentro da estrutura judiciária, não há necessidade de conflito: a delegação se impõe naturalmente. A jurisprudência já consolidou entendimento no sentido de que não há conflito se os juízos ou tribunais estiverem em patamares diversos na estrutura judiciária, mas um estiver submetido ao outro na esfera recursal. Assim, por exemplo, STF, CC nº 7.161/RJ, Relator Min. Marco Aurelio, *Dje* 26 nov. 2004.

Sobre o objeto possível da delegação, não há concordância na doutrina. No caso de delegação para outros órgãos jurisdicionais, alguns autores entendem não poder haver delegação de atividade de caráter decisório, porque violaria o juiz natural.[59] Em nosso sentir, tratar-se ou não de ato decisório não pode ser um critério seguro para delimitar o objeto da delegação. É que, mesmo quando delega a prática de atos não decisórios, por exemplo, atos instrutórios, o juízo delegante também transfere ao juízo delegatário, ainda que implicitamente, prerrogativas de decisão. Veja-se o caso de uma carta precatória para oitiva de uma testemunha: o juízo deprecante transfere ao juízo deprecado não só o poder de formular perguntas, mas também de indeferir as perguntas das partes que sejam desnecessárias ou impertinentes. Assim, não se pode concordar com essa restrição da delegação de competência para atos decisórios: o objeto da delegação se nos afigura bem amplo.

Não obstante, uma característica absolutamente imprescindível para a delegação de competência é a precisão de seu objeto. Não é possível transferir competências por delegações genéricas, pois estas ampliam ilegitimamente os poderes do delegatário, dificultando ainda as formas de controle do cumprimento da delegação.

Por outro lado, quando se trata de delegação de competência jurisdicional *para órgãos administrativos* ou *entidades privadas*, também são poucas as restrições em termos de objeto. Por exemplo, deve-se ter cuidado redobrado nas causas de direitos humanos que envolvam minorias. Nestas, não cabe delegação para órgãos externos ao Judiciário porque essa delegação, ainda que mais eficiente, viola as garantias das minorias. É que, para esses grupos de pessoas, há um *déficit* de representatividade no debate político, e suas pretensões talvez só encontrem eco no Judiciário,[60] que tem vocação funcional e blindagem institucional para a proteção a esses grupos minoritários.

Além disso, quando a delegação é para servidores do próprio Judiciário, existe uma expressa restrição constitucional: não pode ser transferida competência para proferir decisões. Todos os demais atos jurisdicionais não decisórios, como os despachos (e atos ordinatórios, que não têm conteúdo decisório) podem ser delegados para servidores.[61]

Não obstante, nas delegações para entes privados ou órgãos da Administração Pública, como mencionamos, não se veem restrições no que se refere ao objeto da delegação (mesmo para os atos decisórios). Adiante veremos, todavia, que a possibilidade de delegação depende de supervisão jurisdicional sobre os atos do delegatário. Essa é a chave para que se compreenda porque a delegação de competência não ofende o acesso à Justiça e não significa negativa de jurisdição.

6 Instrumento da delegação: lei ou decisão judicial

Em muitos Países, admite-se que a lei delegue ao Executivo ou ao Legislativo dos Estados tanto o estabelecimento de regras de competência, como a constituição de juízos conjuntos ou a concentração de competências para campos específicos do

---

[59] MARINONI; ARENHART; MITIDIERO. *Novo Código de Processo Civil comentado*, p. 148.

[60] RODOTÀ, Stefano. Attuali asimmetrie del sistema istituzionale e legittimazione del potere giudiziario. *In: Atti del sesto Congresso Nazionale della Magistratura Democratica*. Napoli: Jovene, 1985. p. 187.

[61] Art. 93, XIV, da Constituição, na redação dada pela Emenda Constitucional nº 45/2004.

direito material. Em alguns, entende-se que até mesmo por lei delegada é possível transferir competências jurisdicionais; em outros, não admitem delegação legislativa de competências por decretos-lei.[62]

No Brasil, há expressa vedação constitucional que impede que haja delegação de competências jurisdicionais por instrumentos desse tipo. De um lado, a Constituição proíbe que se regule matéria processual (civil ou penal) por medidas provisórias (art. 62, §1º, "b"); além disso, leis delegadas não podem ser editadas a respeito de temas afetos a direitos individuais (como o juiz natural) ou que toquem a organização do Judiciário ou as garantias de seus membros (art. 68, §1º, I e II, da CR).

Portanto, a delegação legal de competência, no sistema brasileiro, teria que ser extraída da Constituição ou das leis ordinárias. Exemplos são o art. 109, §3º, da CR, em matéria de benefícios previdenciários;[63] a competência para a produção antecipada de prova (art. 381, §4º, do CPC), e várias outras regras, como aquelas previstas no art. 15 da Lei nº 5.010/1966.[64]

Mas a delegação de competência não precisa estar na lei, podendo ser operada, na prática, por um ato emanado do próprio Poder Judiciário (delegação judicial).[65] De fato, superadas as objeções contra a delegação de competência, é normal imaginar que a atribuição de funções a outros órgãos pode ser determinada em uma decisão jurisdicional. Nesses casos, a delegação tanto pode ter caráter geral e decorrer de um ato normativo editado pelo Judiciário, ou ter alcance particular e casuístico, sendo determinada por decisões no curso de um processo jurisdicional.

O ato judicial ou decisão jurisdicional de delegação é condição necessária para que o exercício da competência seja retomado por outro sujeito que não aquele ordinariamente legitimado.[66]

E há vários mecanismos processuais que podem ser usados para implementar delegações de competência no sistema brasileiro. As medidas de apoio de natureza indutiva ou coercitiva podem ser usadas para atribuir a terceiros a tarefa de cumprimento de decisões judiciais proferidas em processos estruturantes. A força e amplitude das cláusulas gerais dos art. 139, IV, e 536 do CPC, bem assim do art. 84 do CDC, oferecem instrumental suficiente.[67] Claro que, mesmo diante das técnicas para impor medidas de apoio, por vezes o cumprimento dessas decisões é complexo, e envolve estruturas empresariais e organizacionais intrincadas, conjugando diversas personagens e variados

---

[62] Amplas referências na análise do direito estrangeiro se veem em: CABRAL, Antonio do Passo. *Juiz natural e eficiência processual*: flexibilização, delegação e coordenação de competências no processo civil, p. 395 e ss.

[63] Note-se que a Emenda Constitucional (EC) nº 103/2019 alterou o do art. 109 da Constituição, restringindo a possibilidade de delegação legal para as hipóteses em que a comarca do domicílio do segurado não for sede de vara federal. Alguns autores entendem que, a partir dessa EC, tornaram-se inconstitucionais todas as normas legais de delegação de competência para a Justiça Estadual baseadas na redação anterior do art. 109, §3º, da Constituição.

[64] Na linha da Emenda Constitucional nº 103, de 2019 (ver nota de rodapé anterior), a Lei nº 13.876/2019 modificou o art. 15 da Lei nº 5.010/1966.

[65] Com razão Juliana Melazzi Andrade (A condução do processo de execução por agentes privados. *In*: MEDEIROS NETO, Elias Marques de; RIBEIRO, Flávia Pereira (org.). *Reflexões sobre a desjudicialização da execução civil*. Curitiba: Juruá, 2020. p. 458).

[66] GELSI BIDART. Competencia y delegación, v. 2, p. 253-257.

[67] ARENHART, Sérgio Cruz. Decisões estruturais no direito processual civil brasileiro. *Revista de Processo: RePro*, São Paulo, ano 38, v. 225, p. 403-404, nov. 2013; JOBIM. *Medidas estruturantes*: da Suprema Corte estadunidense ao Supremo Tribunal Federal, p. 183 e ss.

agentes econômicos, além de dependerem de práticas que exigem um acompanhamento dinâmico e quase diário. Nesses casos, as delegações de funções podem recair sobre figuras também conhecidas da praxe judiciária brasileira, como o administrador nomeado para gerir a empresa devedora, ou um "interventor" para implementar a execução específica.[68]

Para a escolha desses agentes, a fim de que se respeitem parâmetros de objetividade e impessoalidade, pode haver uma concorrência pública, mas a doutrina admite uma dispensa de "licitação" se as funções a serem praticadas pelo delegatário forem muito específicas ou necessitarem da estrita confiança do juiz.[69]

7 Supervisão jurisdicional como sucedâneo da delegação de competência

De outra parte, além de refletir sobre novas técnicas decisórias, e sempre objetivando operar, na prática, as delegações de competência, impende que se tenha uma concepção parcialmente diversa daquela que tradicionalmente se vê a respeito do instituto da competência.

Uma das objeções mais fortes à delegação de competências é baseada no argumento de que, em caso de delegação, estar-se-ia "comissionando" o juízo,[70] isto é, escolhendo o julgador.

Mas o argumento não procede porque *o juízo delegante não perde seu poder jurisdicional*.[71] Ocorre uma *mudança organizacional* das funções judiciais a respeito do caso:[72] se antes da delegação caberia ao juiz a *análise primária* das questões objeto da cognição, após a transferência de competência o Judiciário passa a desempenhar uma atividade de *supervisão*, que também pode ser descrita como monitoramento ou fiscalização.[73]

---

[68] Figura existente na legislação antitruste brasileira há décadas (art. 69 da anterior Lei no 8.884/1994; arts. 96, 102 e ss. da Lei nº 12.529/2011). Na doutrina: ARENHART. Decisões estruturais no direito processual civil brasileiro, p. 403-404; VIOLIN. *Protagonismo judiciário e processo coletivo* estrutural: o controle jurisdicional de decisões políticas, p. 258. Nos EUA, existem vários exemplos de delegação judicial de atribuições executivas aos *receivers*, que por vezes são particulares nomeados para gerir uma instituição (uma escola pública, por exemplo). Cf.: FLETCHER, William A. The discretionary Constitution: institutional remedies and judicial legitimacy. *Yale Law Journal*, [S. l.], v. 91, n. 4, p. 639-640; nota 18, Mar. 1982.

[69] ARENHART. *A tutela coletiva de interesses individuais*: para além da proteção dos direitos individuais homogêneos, p. 342-344. Ao falar sobre o interventor, Arenhart menciona várias espécies de intervenção: fiscalizatória (mera supervisão do cumprimento da decisão), cogestora (em conjunto, por exemplo, com o administrador da empresa) e expropriatória ou substitutiva (substitui o administrador original, que perde poder de comando).

[70] Como afirma Gelsi Bidart (Competencia y delegación, v. 2, p. 261-262).

[71] Aqui empregamos a ideia de delegação no sentido da "delegação conservativa" (*konservierende Delegation*) do direito público alemão, aquela em que o delegante mantém sua competência. Cf.: OBERMAYER. Zur Übertragung von Hoheitsbefugnissen im Bereich der Verwaltungsbehörden. *Juristen Zeitung*, ano 11, n.20, out., 1956, p.627; SCHENKE. Delegation und Mandat im Öffentlichen Recht, p. 143-144; TRIEPEL. *Delegation und Mandat im öffentlichen Recht*, p. 53-60. Para Börresen (Nach einem Deutschlandaufenthalt: Eindrücke und Gedanken eines norwegischen Juristen. *Deutsche Richterzeitung*, [S. l.], Jahr 40, p. 322, Sept. 1962), não haveria delegação se o delegante (o juiz) fica com a responsabilidade final. Não vemos dessa forma, tanto pelo objeto da delegação ser apenas o exercício da competência, como pela transformação da função jurisdicional primária no viés da supervisão.

[72] No mesmo sentido: HEINZ. Delegation und Mandat: Eine rechts und verfassungstheoretische Untersuchung, p. 498-499.

[73] COLE, Sarah Rudolph. Managerial litigants? The overlooked problem of party autonomy in dispute resolution. *Hastings Law Journal*, [S. l.], v. 51, p. 1217, 2000 (ainda que afirmando ter a supervisão natureza administrativa);

A supervisão é um *sucedâneo* da delegação de competências. Enquanto não resolvido o litígio, não se pode considerar que, para o juiz, está cumprido o ofício jurisdicional (art. 494 do CPC). Portanto, o Judiciário não perde totalmente seu poder de decidir pela transferência do exercício da competência. Ao contrário, retém suas prerrogativas jurisdicionais originárias.[74] O que muda é que, com a delegação, a cognição do juiz não será a primeira sobre o caso, mas uma *cognição secundária*.[75]

A supervisão jurisdicional do exercício da competência delegada, além de preservar a separação de Poderes (por manter o Judiciário como controlador e decisor último), permite uma "discricionariedade informada" por parte do juiz,[76] um procedimento dialógico[77] no qual os *inputs* iniciais são trazidos aos órgãos delegatários no exercício da competência delegada, e caso a questão retorne à cognição do juiz para controlar as determinações do delegatário, já terá havido debate e decisão na sede que fora considerada mais adequada, em termos de capacidades institucionais, para exercer primariamente aquela competência.[78]

7.1 Controle sobre os atos do delegatário

A atividade de supervisão, cognitivamente secundária, permite ao juiz (que retém seu poder jurisdicional a despeito da delegação) controlar os atos do delegatário. Mas como poderá desempenhar essa atividade?

Ao Judiciário é possível agir *ex ante*, estabelecendo desde logo, quando da delegação, algumas linhas gerais de atuação, redigindo "princípios-guia" ou "diretrizes interpretativas", estabelecendo metas, com ônus e deveres, e as respectivas consequências para as partes que não performarem como desejado.[79] Dessa maneira, estarão a informar

---

GILLES. Reinventing structural reform litigation: Deputizing private citizens in the enforcement of civil rights. *Columbia Law Review*, [S. l.], v. 100, n. 6, p. 1434, Oct. 2000; MBAZIRA, Christopher. *Litigating Socio-Economic Rights in South Africa*: A Choice between Corrective and Distributive Justice. Pretoria: Pulp, 2009. p. 222-223; MCGOVERN, Francis E. The what and why of claims resolution facilities. *Stanford Law Review*, [S. l.], v. 57, p. 1387-1388, 2005; RESNIK, Judith. Managerial judges. *Harvard Law Review*, [S. l.], v. 96, n. 2, p. 391; 394, 1982; ROACH, Kent; BUDLENDER, Geoff. Mandatory relief and supervisory jurisdiction: When is it appropriate, just and equitable? *The South African Law Journal*, [S. l.], v. 122, n. 2, p. 325 e ss., 2005.

[74] ROACH, Kent; BUDLENDER, Geoff. Mandatory relief and supervisory jurisdiction: When is it appropriate, just and equitable? *The South African Law Journal*, [S. l.], v. 122, n. 2, p. 335, 2005.

[75] Em sentido similar: RODOTÀ. Attuali *asimmetrie* del sistema istituzionale e legittimazione del potere giudiziario, p. 184. Essa função pode ser corretiva da atividade do delegatário, como ocorre na Suécia com a supervisão do Judiciário sobre as decisões da agência governamental para a execução de títulos judiciais, arbitrais e administrativos. Cf. HESS, Burkhard. Different enforcement structures. *In*: VAN RHEE, Cornelis Hendrik; UZELAC, Alan (ed.). *Enforcement and Enforceability*: Tradition and Reform. Antwerp: Intersentia, 2010. p. 53.

[76] ARENHART. *A tutela coletiva de interesses individuais*: para além da proteção dos direitos individuais homogêneos, p. 387.

[77] SATHANAPALLY, Aruna. *Beyond Disagreement*: Open Remedies in Human Rights Adjudication. Oxford: Oxford University Press, 2012. p. 28.

[78] A lógica tradicional é de que o juiz só recebe *inputs* das partes e produz atos vinculativos (determinações, ordens, condenações etc.); mas, a partir das premissas das interações processuais baseadas na influência, o juiz assume o papel de sujeito condicionante, e também fornece *inputs* aos demais envolvidos (SCOTT, Joanne; STURM, Susan P. Courts as catalysts: Rethinking the judicial role in new governance. *Columbia Journal of European Law*, [S. l.], v. 13, p. 568-570, 2006. Já defendemos esse entendimento em: *Nulidades no processo moderno*: contraditório, proteção da confiança e validade *prima facie* dos atos processuais, p. 132-138.

[79] HAZARD JR., Geoffrey C.; RICE, Paul R. Judicial Management of the Pretrial Process in Massive Litigation: Special Masters as Case Managers. *American Bar Foundation Research Journal*, [S. l.], v. 7, n. 2, p. 387; 389, 1982.

a cognição dos delegatários,[80] prevenindo que usurpem funções judiciais ou extrapolem os limites de sua atuação.[81]

Mas é mais frequente que o monitoramento se dê *ex post*, seja por determinação judicial ou convenção processual. No primeiro caso, é proferida uma *ordem de supervisão*, tipicamente mandamental, transferindo a competência e determinando um *dever de reportar-se* ao juízo delegante.[82] É possível ainda que a fiscalização se dê porque os envolvidos acordaram trazer à cognição do magistrado relatórios periódicos de cumprimento.[83] Já se verificaram também alguns casos em que os delegatários *consultavam* o juízo delegante a respeito de dúvidas interpretativas das diretrizes gerais fixadas, estabelecendo-se um diálogo para que a implementação se desse de maneira mais eficiente.[84]

A forma de reportar-se à supervisão judicial também pode variar, podendo ser escrita ou oral. No estrangeiro, são comuns as audiências de *follow-up* para apresentação dos relatórios,[85] como se vê no modo como algumas cortes internacionais monitoram o cumprimento de suas decisões,[86] ou reuniões de revisão, como se observa na supervisão da atividade dos *masters* no *common law*.[87] Não se descarta também que os relatórios sejam apresentados à sociedade civil (não apenas ao Judiciário) em audiências públicas.[88] A ideia é conferir maior transparência ao cumprimento da decisão, o que é importante em causas de impacto subjetivo mais alargado.

Sobre o controle de atos do delegatário, há diversos exemplos na lei processual brasileira. O relator da ação rescisória, ao delegar a competência para produção da prova, fixa prazo e mantém controle sobre a atividade do juízo delegado (art. 972 do CPC). O interventor nomeado para implementar a execução específica em uma empresa deve apresentar relatórios periódicos como prestação de contas ao juízo (art. 108, III, e 110

---

[80] Assim ocorreu no caso Grootboom na África do Sul (SATHANAPALLY. *Beyond Disagreement*: Open Remedies in Human Rights Adjudication, p. 18).

[81] BRAZIL, Wayne D. Special masters in complex cases: Extending the Judiciary or reshaping adjudication. *University of Chicago Law Review*, [S. l.], v. 53, p. 396, 1986; UZELAC, Alan. Privatization of enforcement services: a step forward for countries in transition? *In:* VAN RHEE, C.H.; UZELAC, Alan (ed.). *Enforcement and Enforceability*: Tradition and Reform. Antwerp, 2010 p. 91-92.

[82] Se forem determinadas outras medidas menos incisivas, que se demonstrem insuficientes, nada impede que o juiz suspenda seu cumprimento e as substitua por uma ordem de supervisão (ROACH; BUDLENDER. Mandatory relief and supervisory jurisdiction: When is it appropriate, just and equitable?, p. 335).

[83] FLETCHER. The discretionary Constitution: institutional remedies and judicial legitimacy, p. 639-640; HAZARD JR.; RICE, Judicial Management of the Pretrial Process in Massive Litigation: Special Masters as Case Managers, p. 387.

[84] Foi o que ocorreu no caso Mendoza na Argentina. Cf. El remedio estructural de la causa "Mendoza": antecedentes, principales características y algunas cuestiones planteadas durante los primeros tres años de su implementación. UNLP: Facultad de Cs. Jurídicas y Sociales. Anales de la Facultad de Ciencias Jurídicas y Sociales, [S. l.], año 10, n. 43, p. 279, 2013. No debate norte-americano, algunas corrientes de pensamiento divergem sobre a extensão do controle. Para certos autores, deve ser dada maior discricionariedade aos delegatários; para outros, o juiz deve exercer supervisão estreita, exigindo relatórios frequentes e detalhados. Sobre o tema: BRAZIL. Special masters in complex cases: Extending the Judiciary or reshaping adjudication, p. 418 e ss.; TURNER, Robert. A model for an enforcement regime: the High Court Enforcement Officers of the Supreme Court of England and Wales. *In:* VAN RHEE, C.H.; UZELAC, Alan (ed.). *Enforcement and Enforceability*: Tradition and Reform. Antwerp, 2010. p. 145.

[85] ROACH; BUDLENDER. Mandatory relief and supervisory jurisdiction: When is it appropriate, just and equitable?, p. 342.

[86] RAMOS, André de Carvalho. *Curso de direitos humanos.* 3. ed. São Paulo: Saraiva, 2016. p. 346.

[87] HAZARD JR.; RICE. Judicial Management of the Pretrial Process in Massive Litigation: Special Masters as Case Managers, p. 387.

[88] MCGOVERN. The what and why of claims resolution facilities, p. 1374.

da Lei nº 12.529/2011). O administrador judicial na recuperação judicial deve manter constante interlocução com o juízo, apresentando diversos relatóarios. E, ao implementar medidas de cooperação judiciária na insolvência internacional, o administrador judicial age sob supervisão do juiz, (art. 167-P, §2º, e 167-Q, I, da Lei nº 11.101/2005, inseridos pela Lei nº14.112/2020).

No caso de nomeação de administrador em execução, o CPC prevê que a liquidação pretendida pelo administrador será submetida ao juiz para "aprovação" (art. 861, §3º). Havendo penhora de empresa que recaia em estabelecimento comercial, industrial ou agrícola, bem assim nos casos em que a penhora incida sobre semoventes, plantações e edifícios em construção, a lei dispõe que o administrador formulará um "plano de administração", apresentando-o ao juiz para aprovação (art. 862 do CPC). Também na hipótese de penhora de percentual do faturamento de empresa, o juiz poderá nomear administrador-depositário, que será responsável por definir a forma de atuação, submetendo-a à supervisão e aprovação judicial, prestando contas mensalmente (art. 866, §2º, do CPC). Quando os frutos civis dos bens do executado forem penhorados, a lei também permite nomeação de administrador-depositário, que exercerá todos os Poderes de administração do bem, e de fruição e utilidade a respeito dos frutos (arts. 867 e 868 do CPC), mas terá que apresentar para aprovação do juiz a forma de administração e prestação de contas (art. 869 do CPC).

As delegações de competência para fiscalização e execução de medidas socioeducativas, previstas no Estatuto da Criança e do Adolescente, mantêm a supervisão do magistrado sobre a atividade do delegatário. O orientador deverá redigir relatório de suas atividades e apresentar ao juiz para controle (art. 118 da Lei nº 8.069/1990).

Em todos esses exemplos da legislação brasileira, vê-se controle judicial dos atos dos delegatários.

7.2 Revogação ou modificação dos termos da delegação

A supervisão jurisdicional permite ao juízo delegante não só controlar os atos do delegatário, como também revogar a delegação ou modificar seus termos.[89] De fato, se a prerrogativa de delegar o exercício de atos processuais é baseada em juízo discricionário de eficiência, também deve permanecer no espaço de conformação do juízo delegante a possibilidade de sua revogação ou modificação.[90]

E a revogação ou alteração dos termos da delegação também encontram exemplos na legislação brasileira. A nomeação de um interventor ou administrador para a prática de atos executivos é revogável pelo juiz, que pode também substituir a pessoa do interventor (arts. 105 e 107 da Lei nº 12.529/2011). Em casos em que haja necessidade de afastar o administrador da incorporadora anteriormente designado, o CPC prevê que a administração será exercida por uma comissão dos representantes dos adquirentes, ou por profissional ou empresa contratada para essa finalidade (art. 862, §4º).

---

[89] Como afirmam Roach e Budlender (Mandatory relief and supervisory jurisdiction: When is it appropriate, just and equitable? *The South African Law Journal*, [S. l.], v. 122, n. 2, p. 350, 2005), "a supervisão jurisdicional (...) é um meio de assegurar efetiva observância da Constituição, que deve ser a principal preocupação dos tribunais".

[90] TRIEPEL. *Delegation und Mandat im öffentlichen Recht*, p. 127-128.

A questão não é difícil de se verificar na prática. O juízo deprecante, que delegou a oitiva de uma testemunha, à vista da demora em se praticar o ato, pode revogar a delegação, recolher a carta precatória e proceder à oitiva por videoconferência.

7.3 Responsabilidade do juízo delegante

Como vimos, a transferência de competências estatais não exime o órgão de sua tarefa de supervisão ou fiscalização. Tampouco há cessão da competência em si, só do seu exercício.

Ora, então se pode razoavelmente concluir que o juízo delegante, ao reter jurisdição sobre a questão (agora exercida como supervisão da delegação de competência e de seu exercício pelo órgão delegatário), mantém também a sua potencial submissão a regras de responsabilização (civil, criminal ou administrativa) em razão dos atos praticados pelo órgão delegatário.[91]

Por isso é que, se houver algum obstáculo que esteja impedindo os delegatários de exercer as funções que lhes foram confiadas, estes devem reportar-se ao juízo delegante para que este possa agir – inclusive com a força estatal – para efetivar os atos que devam ser praticados.[92]

7.4 Vantagens da delegação com retenção de atividade de supervisão. A redução da coerção estatal e o incremento da função do juiz como "facilitador"

Alguns autores não negam a possibilidade de delegação, mas a retratam como algo incompatível com a jurisdição. Esse setor da doutrina manifesta-se contra as "tutelas abertas" e as novas formas de exercício da jurisdição em viés não coercitivo, como as recomendações e aconselhamentos judiciais,[93] as declarações de incompatibilidade etc. Diz-se que, ao invés de delegar competência e reter supervisão, o juiz deveria julgar ele mesmo, decidir todas as questões e esperar o inadimplemento, aplicando medidas de apoio coercitivas, como multas ou até mesmo a prisão civil (admitido no *common law* o chamado *contempt of court*) diante do incumprimento.[94]

Ora, essa é uma visão de que o Judiciário só deve atuar com força e imposição de poder. Porém, o Judiciário hoje não deve manejar apenas instrumentos coercitivos de "oportunidade única" (*one-shot* ou *one-way*).[95] Em várias relações jurídicas, como na

---

[91] Nesse sentido: HEINZ. Delegation und Mandat: Eine rechts und verfassungstheoretische Untersuchung, p. 517-518.

[92] É assim que ocorre com os *masters* nos EUA. Cf., a respeito: TARUFFO, Michele. L'attuazione esecutiva dei diritti: profili comparatistici. *Rivista Trimestrale di Diritto e Procedura Civile*, [S. l.], anno 42, p. 148, n. 1, 1988.

[93] Sobre o tema, amplamente: CABRAL, Antonio do Passo. *Jurisdição sem decisão: non liquet* e consulta jurisdicional no direito processual civil, cap. 2.

[94] Analisando e combatendo todos os argumentos contrários à supervisão jurisdicional, cf.: ROACH; BUDLENDER. Mandatory relief and supervisory jurisdiction: When is it appropriate, just and equitable?, p. 344-345.

[95] CHAYES. The role of the judge in public law litigation, p. 1292; FLETCHER. The discretionary Constitution: institutional remedies and judicial legitimacy, p. 650; GILLES. Reinventing structural reform litigation: deputizing private citizens in the enforcement of civil rights, p. 1425.

falência, recuperação judicial,[96] direito de família, direito econômico, direito ambiental, entre outras, é comum que o Estado-juiz decida mas mantenha um contato contínuo com os envolvidos, podendo retomar as prerrogativas de cognição e decisão em outros momentos.[97]

Trata-se de compreender que, em muitos casos, o magistrado atua como um "juiz-pivô", nem o soberano que exerce o poder desconsiderando os indivíduos, nem um tutor que os pressupõe inapetentes. O juiz atua como um "facilitador",[98] viabilizando a implementação eficiente dos direitos numa governança dos papéis que devem desempenhar os vários atores envolvidos.[99] Lembremos que as interações no processo são baseadas em influência, não em dominação.[100] O juiz-facilitador pode atuar com instrumentos de delegação não só para nutrir-se da melhor capacidade institucional de outros atores (a complementaridade que já salientamos),[101] mas também para poder concentrar suas atividades em outras funções que lhe sejam exclusivas ou que não convenha delegar.[102]

Essa postura é imprescindível no mundo contemporâneo porque o Judiciário não atua num vácuo institucional, e por isso deve incorporar alguma medida de delegação quando o cenário decisório for mais promissor em outra sede. Sua atuação deve considerar os canais de participação no processo de implementação dos direitos, levando em conta suas competências e capacidades institucionais comparadas com as de outros centros decisórios. Isso inclui não apenas as tarefas de condenar ou ordenar, mas também estabelecer condições fáticas para que os atores não judiciais atuem de maneira convergente e coordenada. Portanto, uma atenuação (e não eliminação) da coerção fomenta o diálogo sem deixar de criar incentivos para o cumprimento.[103] Além disso, economiza tempo e recursos do próprio Judiciário para focar seus esforços nas funções indelegáveis ou para as quais o processo jurisdicional seja a sede decisória apropriada.

Nessa perspectiva, não há nem ofensa ao acesso à Justiça nem uma negativa de jurisdição; o que se vê é o uso do mecanismo mais adequado para a implementação dos direitos declarados, emprestando ao processo, considerada também a fase de cumprimento ou execução, um resultado mais efetivo e eficiente.[104]

---

[96] A lei de falência e recuperação judicial (Lei nº 11.101/2005), alterada pela Lei nº 14.112/2020, prevê formas de atuação de administradores judiciais sob delegação (e supervisão) do juiz, como se vê na insolvência internacional (art. 167-P, §2º, 167-Q, I).

[97] Perceberam esse traço comum Chayes (The role of the judge in public law litigation, p. 1298; 1302); Roach e Budlender (Mandatory relief and supervisory jurisdiction: When is it appropriate, just and equitable?, p. 345; nota 93).

[98] Dodge (Facilitative judging: Organizational design in mass-multidistrict litigation. *Emory Law Journal*, [S. l.], v. 64, p. 332, 2014) fala de três modelos funcionais, o juiz "julgador", o juiz "gestor" e o juiz "facilitador".

[99] BRAZIL. Special masters in complex cases: Extending the Judiciary or reshaping adjudication, p. 420; SCOTT; STURM. Courts as catalysts: Rethinking the judicial role in new governance, p. 567.

[100] SATHANAPALLY. *Beyond Disagreement*: Open Remedies in Human Rights Adjudication, p.73.

[101] A delegação de funções permite maior foco na especialização, pois cada órgão ou entidade pratica atividades específicas, e consegue incrementar capacitação e ter resultados mais eficientes.

[102] No caso de processos repetitivos, o juiz pode delegar, por exemplo, atividades autocompositivas para mediadores e reservar suas energias e recursos humanos para estruturar métodos e técnicas para administrar todos os casos em que veiculadas pretensões isomórficas (DODGE. Facilitative judging: organizational design in mass-multidistrict litigation, p. 334-335).

[103] É a conclusão de Scott e Sturm (Courts as catalysts: Rethinking the judicial role in new governance, p. 570-571).

[104] RESNIK. Managerial judges, p. 391; 394; ROACH; BUDLENDER. Mandatory relief and supervisory jurisdiction: When is it appropriate, just and equitable?, p. 331.

Essas técnicas não coercitivas e dialogais adequam-se também às premissas da democracia deliberativa por criarem novos *loci* para o desenvolvimento da comunicação e da deliberação entre as diversas instâncias do exercício do poder estatal,[105] e por permitirem um contínuo resgate democrático da legitimação do Judiciário,[106] com formas de legitimação pela responsividade (*accountability*).[107] De fato, o envolvimento judicial contínuo e combinado com a atuação de outros atores é mais transparente e permite um maior compartilhamento da informação relevante entre todos (que de outra maneira poderia ficar assimetricamente nas mãos de poucos sujeitos,[108] criando desigualdade e desconfiança, e ao fim e ao cabo dificultando a implementação dos direitos). Então, tanto a democracia como o cumprimento às decisões judiciais são incrementados por mecanismos não coercitivos de atuação jurisdicional.[109]

Por todos esses aspectos, veem-se muitas vantagens nas delegações de competência, que conferem ao sistema mais funcionalidade e adaptabilidade.

Pois bem, ultrapassada a questão da admissibilidade da delegação de competências, e vistas suas vantagens, cabe agora começar a estudar os órgãos e pessoas que podem ser os delegatários dessas funções.

8 Delegatários

8.1 Delegação interjurisdicional de competências

A delegação de competências entre órgãos jurisdicionais respeita, em linhas gerais, a mesma lógica da delegação a órgãos administrativos, embora algumas diferenças mereçam ser ressaltadas.

Uma primeira referência é que, entre diversos órgãos jurisdicionais, não há necessariamente uma relação de subordinação entre o juízo delegante e o juízo delegatário.[110] Essa hierarquia pode existir, como nas delegações dos tribunais (por cartas de ordem) para que juízes de primeira instância produzam provas a serem utilizadas em processos de competência originária, ou para que promovam atos executivos de suas decisões. Mas pode haver delegação de atos jurisdicionais entre dois juízos de mesma posição na hierarquia judiciária (dois juízos federais de uma mesma região), ou entre ramos e Estados diferentes (pense-se, por exemplo, em um Tribunal de Justiça de um Estado delegando atos para um juiz de direito de outro Estado).

Essa ausência de subordinação não permite concluir que o juízo delegante não exerça controle sobre os atos do juízo delegatário. Esse controle se exerce até mesmo no próprio ato de delegação, quando se procura restringir os poderes do delegatário.

---

[105] FLETCHER. The discretionary Constitution: Institutional remedies and judicial legitimacy, p. 655-656; GILLES. Reinventing structural reform litigation: Deputizing private citizens in the enforcement of civil rights, p. 1420.

[106] SATHANAPALLY. *Beyond Disagreement*: Open Remedies in Human Rights Adjudication, p. 57-60; 94.

[107] FLETCHER. The discretionary Constitution: Institutional remedies and judicial legitimacy, p. 643; 655 ss; SCOTT; STURM, Courts as catalysts: Rethinking the judicial role in new governance, p. 575.

[108] SCOTT; STURM, Courts as catalysts: Rethinking the judicial role in new governance, p. 572; GILLES, Reinventing structural reform litigation: Deputizing private citizens in the enforcement of civil rights, p. 1431.

[109] ROACH; BUDLENDER. Mandatory relief and supervisory jurisdiction: When is it appropriate, just and equitable?, p. 339.

[110] GELSI BIDART. Competencia y delegación, v. 2, p. 255.

É recomendável, entretanto, que se tenha uma atitude de deferência. Assim, no retorno do processo, o juízo delegante não deve reverter ou revogar as decisões tomadas pelo delegatário a não ser que existam fortes razões para fazê-lo.

Por outro lado, o juízo delegatário também só deve recusar o cumprimento da medida em último caso, como se houver manifesta ilegalidade ou porque a prática do ato processual possa ser feita pelo próprio juízo delegante com mais eficiência.[111] Nessas hipóteses, como veremos, poderá restituir o processo ao delegante ou suscitar conflito de competência.

Outra diferença das delegações interjurisdicionais é que nestas pode haver sub-delegação determinada diretamente pelo juízo delegatário, que, como dito, é um órgão independente.[112] É o que ocorre nas cartas, que, pelo seu caráter itinerante, podem ser redirecionadas a outro órgão jurisdicional pelo juízo deprecado. Mas o juízo delegante não perde seu poder jurisdicional pela delegação: o CPC, a fim de racionalizar a coordenação entre as competências e viabilizar o controle da delegação, determina que o juízo deprecado deve informar imediatamente ao juízo deprecante o encaminhamento da carta a outro juízo (art. 262, p. único).

É possível também que, exercendo controle sobre os atos do delegatário, o juízo delegante revogue a delegação, por exemplo a partir de fato novo (desistência da oitiva da testemunha no juízo delegante) ou, como já exemplificado, à vista da demora excessiva na condução do processo ou da prática do ato processual no juízo delegado, fatos que podem justificar alteração nos termos da delegação ou a avocação do ato processual para que seja praticado no juízo delegante (pense-se, por exemplo, na oitiva da testemunha, anteriormente deprecada, passar a ser tomada diretamente pelo juízo delegante por videoconferência).

Nesses casos, a solução é que se solicite ao juízo delegado a devolução dos autos; não havendo concordância, que se provoque conflito de competência para que a superior instância decida a respeito.[113]

8.2 Servidores públicos do próprio Judiciário

É possível e frequente a delegação de funções jurisdicionais a outros órgãos do Judiciário no exercício ordinário de funções administrativas.[114] A delegação, nesse caso,

---

[111] O Superior Tribunal de Justiça decidiu que não é possível expedir carta precatória para proceder à alienação, em execução, de bem localizado em outra comarca, se os atos delegados possam ser praticados facilmente por meio eletrônico via *internet* (STJ, CC nº 147.746-SP, Relator Min. Napoleão Nunes Maia Filho, julgado em 27 de maio de 2020).

[112] Nesse sentido, o Tribunal Constitucional Federal alemão afirma que, em qualquer caso de delegação de funções para juízes, devem ser aplicadas as garantias dos juízes e os princípios e regras do processo judicial (BVerfGE 9, 89 (97); 25, 336 (346); 101, 397 (405)). Por isso, não há como entender que o juízo delegado perderia sua independência pela delegação.

[113] Hans Fasching (Rechtsbehelfe zur Verfahrensbeschleunigung. *In:* GERHARDT, Walter; DIEDERICHSEN, Uwe; RIMMELSPACHER, Bruno; COSTEDE, Jürgen (Verlag.). *Festschrift für Wolfram Henckel zum 70. Geburtstag.* Berlin: Walter de Gruyter, 1995. p. 165). já analisou hipótese de omissão judicial em julgar, quando causa demora excessiva do processo, poder gerar uma delegação de competência para outro juízo.

[114] Já admitia esse tipo de delegação Richard Posner (Will the Federal Courts of Appeals Survive until 1984? An Essay on Delegation and Specialisation of the Judicial Function. *Southern California Law Review,* [S. l.], v. 56, p. 768, 1983), com a observação de que não a considera uma solução para o problema da quantidade de processos e do excesso de trabalho dos juízes.

fica restrita ao âmbito do Poder Judiciário, a servidores que exercem regularmente funções judiciárias de natureza administrativa, e assumirão competência jurisdicional delegada pelo juiz.

Essa não é uma novidade no ordenamento brasileiro. A emenda constitucional 45/2004, justamente com o propósito de fomentar que a prestação da jurisdição tivesse mais eficiência, o art. 93, XIV, da Constituição foi alterado para prever a possibilidade de delegação para servidores não só de atividades administrativas mas de atos jurisdicionais sem caráter decisório (atos ordinatórios, despachos "de mero expediente").[115] Note-se que a única restrição constitucional diz respeito às decisões; todos os demais atos jurisdicionais não decisórios podem ser delegados. O CPC, no art. 152, VI e §1º, disciplinou o tema.

Essas delegações, embora não levantem problemas relacionados à separação de Poderes, podem gerar uma erosão na confiança dos indivíduos no Judiciário: as pessoas querem acreditar que a jurisdição provém do juiz. Porém, não é possível hoje ter a ilusão de pensar que todos os atos processuais são produto intelectual do magistrado. Atualmente, o juiz é gestor de uma equipe de servidores, e não é incomum que estes sejam os autores das minutas de decisão.[116] Evidente que o magistrado atuará como supervisor da equipe, e pode alterar totalmente a minuta, até porque é ele que tem a responsabilidade pela decisão. Quando, todavia, concorda com a proposta apresentada pelo servidor, o juiz assina sozinho, o que pode dar ao público em geral, sobretudo o leigo, a falsa impressão de que a produziu solitariamente.

Nesse contexto, admitir delegações formais, com os servidores assinando os atos processuais que praticam, é mais honesto e transparente que esconder as delegações de fato que diuturnamente ocorrem no Judiciário. Além disso, falaria em nome de um empoderamento dos servidores, que pode ter repercussões importantes na carreira desses agentes públicos, com a criação de níveis de ascensão funcional e contrapartida – até financeira – pelo acúmulo de atividades.[117]

Esse tipo específico de delegação não é incomum na prática. Em muitos juízos, diretores de secretaria e escrivães praticam diversos atos mais simples (juntada, vista às partes, designação de audiência) por delegação do juiz, geralmente por uma portaria.

8.3 Agências reguladoras e outros órgãos do Poder Executivo

Nos últimos tempos, temos observado delegações de poderes jurisdicionais a agências reguladoras e outros órgãos da administração pública.

---

[115] "Art. 93 (...)
(...)
XIV - "Os servidores receberão delegação para a prática de atos de administração e atos de mero expediente sem caráter decisório" (Emenda Constitucional nº 45/2004).

[116] POSNER. Will the Federal Courts of Appeals Survive until 1984? An Essay on Delegation and Specialisation of the Judicial Function, p. 771 e ss.

[117] Em outros países, o direito administrativo conhece a figura do *empowerment* ou empoderamento, um progressivo incremento nos poderes, deveres e responsabilidades dos servidores públicos, que os permite progredirem na carreira e, com o acúmulo das funções e a assunção de outras responsabilidades, possam ser remunerados com vencimentos maiores.

As ações coletivas têm sido um bom exemplo da utilização de mecanismos de delegação de atribuições executivas a órgãos fiscalizatórios (o Ibama, o Iphan ou agências reguladoras, por exemplo), para definir (i.e., decidir, ao menos em parte) e executar decisões judiciais.[118]

9 Conclusão. Tendências de delegação no campo dos processos estruturais

Como adiantamos no início, a delegação de competências tem sido comum nos processos estruturais, tanto aqueles conduzidos pelo STF, como aqueles que tramitam nas instâncias ordinárias.

Nesse tipo de processo, critica-se o modelo de decisão focado exclusivamente no juiz (*judge-centered*), sustentando-se a necessidade de flexibilização das formalidades para a prestação jurisdicional efetiva.[119]

No contexto dos processos estruturais, a delegação de competências serve para aumentar o fluxo informacional das interações das partes, encorajadas a comunicar-se de maneira informal e direta, recorrendo aos delegatários só quando entenderem necessário.[120]

No que interessa especificamente ao nosso estudo, os processos estruturantes admitem a flexibilização formal para a delegação de competência pela constatação de que o magistrado não pode atuar isoladamente na solução desses conflitos, mas conjuntamente com outros atores, públicos e privados, para prestar adequadamente a tutela jurisdicional.[121] Ademais, nesses processos, que frequentemente têm maior complexidade, a gestão do juiz tende a ser mais intensa, e a delegação de competências é um instrumento que pode garantir a imparcialidade, porque o juiz fica mais distante do jogo estratégico das partes.[122]

O tema tem ocupado estudos em diversos Países nos últimos anos. O maior exemplo estrangeiro é o direito norte-americano.[123] Por lá, desde os processos envolvendo litigância de direitos humanos (incluídos os direitos sociais), passando pelos

---

[118] JOBIM. *Medidas estruturantes*: da Suprema Corte estadunidense ao Supremo Tribunal Federal, p. 146 e ss. Nesse sentido, defendendo a nomeação de sujeitos – auxiliares da justiça, administradores judiciais, e os próprios *amici curiae* – para funções de fiscalização e organização do processo, à semelhança do que já ocorre com a autorização contida no art. 985, §2º, do CPC: TEMER, Sofia. *Participação no processo civil: repensando litisconsórcio, intervenção de terceiros e outras formas de atuação*. Salvador: Juspodivm, 2020, p. 379-380.

[119] ARENHART. *A tutela coletiva de interesses individuais*: para além da proteção dos direitos individuais homogêneos, p. 373; CHAYES. The role of the judge in public law litigation, p. 1284; FLETCHER, William A. The discretionary Constitution: institutional remedies and judicial legitimacy. *Yale Law Journal*, [*S. l.*], v. 91, n. 4, p. 637-638, Mar. 1982; GILLES. Reinventing structural reform litigation: Deputizing private citizens in the enforcement of civil rights, p. 1391-1392.

[120] HAZARD JR.; RICE. Judicial Management of the Pretrial Process in Massive Litigation: Special Masters as Case Managers, p. 390-395.

[121] ARENHART. Decisões estruturais no direito processual civil brasileiro, p. 391-396; FERRARO, Marcella Pereira. *Do processo bipolar a um processo coletivo-estrutural*. Orientador: Sérgio Cruz Arenhart. 2015. Dissertação (Mestrado em Direito) – Faculdade de Direito, Universidade Federal do Paraná, Belém, 2015. f. 93-94; JOBIM. *Medidas estruturantes*: da Suprema Corte estadunidense ao Supremo Tribunal Federal, p. 96-98.

[122] Foi o que observaram Hazard Jr. e Rice (Judicial Management of the Pretrial Process in Massive Litigation: Special Masters as Case Managers, p. 388).

[123] JOBIM. *Medidas estruturantes*: da Suprema Corte estadunidense ao Supremo Tribunal Federal, p. 39 e ss.

prison reform cases (referentes ao controle de política pública sobre o sistema carcerário), veem-se inúmeros casos de utilização de instrumentos de delegação por meio dos quais o Judiciário atribui a outros órgãos competências decisórias. Frequentemente são delegados poderes aos *masters*,[124] figuras parecidas com os administradores judiciais, e que por vezes funcionam como mediadores[125] ou agentes fiscalizadores das decisões,[126] mas que assumem também atribuições decisórias.[127]

Também têm sido muito estudadas as *claim resolution facilities*, entidades ou infraestruturas planejadas e criadas para gerir um caso específico, criadas por convenção processual ou decisão judicial, que definirá também os poderes que serão delegados.[128]

Sem dúvida que, no Brasil e no estrangeiro, têm sido observadas delegações de competência em processos estruturais, por meio das quais se promove a transferência de prerrogativas jurisdicionais para outros órgãos estatais. A ideia é imprimir maior eficiência na gestão de processos de alta complexidade, e o Judiciário muda suas funções, atuando como um supervisor ou fiscalizador.

Nesse contexto, é, de um lado, imperativo afastar os preconceitos históricos contra as delegações de competência; e, de outro ângulo, uma melhor dogmatização do tema da delegação de competências pode potencializar a utilidade desses mecanismos. Esses foram os objetivos deste texto.

Referências

ABELHA, Marcelo. *Manual de Direito Processual Civil*. 6. ed. Rio de Janeiro: Forense, 2016.

ALVIM, José Manoel de Arruda. Anotações sobre o tema da competência. *Revista de Processo: RePro*, São Paulo, v. 24, out./dez. 1981.

ANDRADE, Juliana Melazzi. A condução do processo de execução por agentes privados. *In:* MEDEIROS NETO, Elias Marques de; RIBEIRO, Flávia Pereira (org.). Reflexões sobre a desjudicialização da execução civil. Curitiba: Juruá, 2020.

ARENHART, Sérgio Cruz. *A tutela coletiva de interesses individuais*: para além da proteção dos direitos individuais homogêneos. São Paulo: Revista dos Tribunais, 2015.

ARENHART, Sérgio Cruz. Decisões estruturais no direito processual civil brasileiro. *Revista de Processo: RePro*, São Paulo, ano 38, v. 225, nov. 2013.

ARENHART, Sérgio Cruz. Processos estruturais no direito brasileiro: reflexões a partir do caso da ACP do carvão. *Revista de Processo Comparado*, São Paulo, v. 2, jul./dez. 2015.

---

[124] FLETCHER. The discretionary Constitution: Institutional remedies and judicial legitimacy, p. 639; 650. Em perspectiva comparada: TARUFFO. L'attuazione esecutiva dei diritti: profili comparatistici, p. 148.

[125] DODGE. Facilitative judging: organizational design in mass-multidistrict litigation, p. 334; 374.

[126] ARENHART. *A tutela coletiva de interesses individuais*: para além da proteção dos direitos individuais homogêneos, p. 361.

[127] BRAZIL. Special masters in complex cases: extending the judiciary or reshaping adjudication, p. 394 e ss.; ROTHSTEIN, Barbara J.; BORDEN, Catherine R. Managing Multidistrict Litigation in Products Liability Cases: A Pocket Guide for Transferee Judges. Cidade: Federal Judicial Center, 2011. p. 36; 38.

[128] Sobre o tema, no Brasil, cf.: CABRAL, Antonio do Passo; ZANETI JÚNIOR, Hermes. Entidades de infraestrutura específica para a resolução de conflitos coletivos: as *claims resolution facilities* e sua aplicabilidade no Brasil. *Revista de Processo: RePro*, São Paulo, ano 44, v. 287, p. 449 e ss., jan. 2019.

ARGUELHES, Diego Werneck; LEAL, Fernando. O argumento das 'capacidades institucionais' entre a banalidade, a redundância e o absurdo. *Direito, Estado e Sociedade*, [*S. l.*], n. 38, jan./jun. 2011.

BARIONI, Rodrigo. Comentário ao art.972. *In:* WAMBIER, Teresa Arruda Alvim; DIDIER JUNIOR, Fredie; TALAMINI, Eduardo; DANTAS, Bruno (coord.). *Breves comentários ao Código de Processo Civil*. 2. ed. São Paulo: Revista dos Tribunais, 2016.

BÖRRESEN, Hakon. Nach einem Deutschlandaufenthalt: Eindrücke und Gedanken eines norwegischen Juristen. *Deutsche Richterzeitung*, [*S. l.*], Jahr 40, Sept. 1962.

BRAGA, Paula Sarno. Competência adequada. *Revista de Processo: RePro*, São Paulo, ano 38, v. 219, maio 2013.

BRAZIL, Wayne D. Special masters in complex cases: Extending the Judiciary or reshaping adjudication. *University of Chicago Law Review*, [*S. l.*], v. 53, 1986.

CABRAL, Antonio do Passo. *Juiz natural e eficiência processual*: flexibilização, delegação e coordenação de competências no processo civil. São Paulo: Revista dos Tribunais, 2021.

CABRAL, Antonio do Passo. *Jurisdição sem decisão*: *non liquet* e consulta jurisdicional no Direito Processual Civil. 2. ed. São Paulo: Juspodivm, 2024.

CABRAL, Antonio do Passo. *Nulidades no processo moderno*: contraditório, proteção da confiança e validade *prima facie* dos atos processuais. 2. ed. Rio de Janeiro: Forense, 2010.

CABRAL, Antonio do Passo. Per un nuovo concetto di giurisdizione. *In:* BRIGUGLIO, Antonio; MARTINO, Roberto; PANZAROLA, Andrea; SASSANI, Bruno (org.). *Scritti in onore di Nicola Picardi*. Pisa: Pacini, 2016.

CABRAL, Antonio do Passo; ZANETI JÚNIOR, Hermes. Entidades de infraestrutura específica para a resolução de conflitos coletivos: as *claims resolution facilities* e sua aplicabilidade no Brasil. *Revista de Processo: RePro*, São Paulo, ano 44, v. 287, jan. 2019.

CALLIESS, Gralf-Peter. Der Richter im Zivilprozess: Sind ZPO und GVG noch zeitgemäß?. *In: Verhandlungen des 70*. Deutschen Juristentages. München: C.H. Beck, 2014. v. 1.

CANOTILHO, José Joaquim Gomes. *Direito Constitucional e teoria da Constituição*. 5. ed. Coimbra: Almedina, 2002.

CARNEIRO, Athos Gusmão. *Jurisdição e competência*. 16. ed. São Paulo: Saraiva, 2009.

CHAYES, Abram. The role of the judge in public law litigation. *Harvard Law Review*, [*S. l.*], v. 89, n. 7, May 1976.

CHIOVENDA, Giuseppe. L'idea romana nel processo civile moderno. *In: Saggi di Diritto Processuale Civile*. Milano: Giuffré, 1993. v. 3.

COLE, Sarah Rudolph. Managerial litigants? The overlooked problem of party autonomy in dispute resolution. *Hastings Law Journal*, [*S. l.*], v. 51, 2000.

CRAMER, Ronaldo. Comentário ao art. 972. *In:* CABRAL, Antonio do Passo; CRAMER, Ronaldo. Comentários ao novo Código de Processo Civil. 2. ed. Rio de Janeiro: Forense, 2016.

CUNHA, Leonardo Carneiro da. *Jurisdição e competência*. 2. ed. São Paulo: Revista dos Tribunais, 2013.

DIDIER JUNIOR, Fredie. *Curso de Direito Processual Civil*. 18. ed. Salvador: Juspodivm, 2016. v. 1.

DIDIER JUNIOR, Fredie; ZANETI JÚNIOR, Hermes. *Curso de Direito Processual Civil*. 9. ed. Salvador: Juspodivm, 2014. v. 4.

DIDIER JUNIOR, Fredie; ZANETI JÚNIOR, Hermes; OLIVEIRA, Rafael Alexandria de. Elementos para uma teoria do processo estrutural aplicada ao processo civil brasileiro. *Revista de Processo: RePro*, São Paulo, v. 303, maio 2020.

DINAMARCO, Cândido Rangel. *Instituições de Direito Processual Civil*. 8. ed. São Paulo: Malheiros, 2016. v. 1.

DODGE, Jaime. Facilitative judging: Organizational design in mass-multidistrict litigation. *Emory Law Journal*, [S. l.], v. 64, 2014.

DUGUIT, Léon. *Leçons de Droit Public géneral*. Paris: La Mémoire du Droit, reimpressão, 2000.

FASCHING, Hans W. Rechtsbehelfe zur Verfahrensbeschleunigung. *In:* GERHARDT, Walter; DIEDERICHSEN, Uwe; RIMMELSPACHER, Bruno; COSTEDE, Jürgen (Verlag.). *Festschrift für Wolfram Henckel zum 70.* Geburtstag. Berlin: Walter de Gruyter, 1995.

FERRARO, Marcella Pereira. *Do processo bipolar a um processo coletivo-estrutural*. Orientador: Sérgio Cruz Arenhart. 2015. Dissertação (Mestrado em Direito) – Faculdade de Direito, Universidade Federal do Paraná, Belém, 2015.

FLETCHER, William A. The discretionary Constitution: institutional remedies and judicial legitimacy. *Yale Law Journal*, [S. l.], v. 91, n. 4, Mar. 1982.

GAJARDONI, Fernando da Fonseca; DELLORE, Luiz; ROQUE, André Vasconcelos; OLIVEIRA JÚNIOR, Zulmar Duarte de. *Comentários ao CPC de 2015*: parte geral. São Paulo: Método, 2015.

GELSI BIDART, Adolfo. Competencia y delegación. *In: Scritti giuridici in memoria di Calamandrei*. Padova: Cedam, 1958. v. 2.

GILLES, Myriam E. Reinventing structural reform litigation: deputizing private citizens in the enforcement of civil rights. *Columbia Law Review*, [S. l.], v. 100, n. 6, Oct. 2000.

GIMENO SENDRA, Vicente. El derecho constitucional al juez legal. *In:* GIMENO SENDRA, Vicente. *Constitución y proceso*. Madrid: Technos, 1988.

GIULIANI, Alessandro; PICARDI, Nicola. Professionalità e responsabilità del giudice. *Rivista di Diritto Processuale*, anno 42, [S. l.], n. 2, 1987.

GRECO, Leonardo. *Instituições de processo civil*. 5. ed. Rio de Janeiro: Forense, 2015. v. 1.

GUINCHARD, Serge. *Droit Processuel*: Droit commun et Droit comparé du procès. 2. éd. Paris: Dalloz, 2003.

HAZARD JUNIOR, Geoffrey C.; RICE, Paul R. Judicial Management of the Pretrial Process in Massive Litigation: Special Masters as Case Managers. *American Bar Foundation Research Journal*, [S. l.], v. 7, n. 2, 1982.

HEINZ, Karl-Eckhart. Delegation und Mandat: Eine rechts-und verfassungstheoretische Untersuchung. *Der Staat*, [S. l.], Jahr 36, n. 1, 1997.

HENKEL, Joachim. *Der gesetzliche Richter*. 1968.

HESS, Burkhard. Different enforcement structures. *In:* VAN RHEE, Cornelis Hendrik; UZELAC, Alan (ed.). *Enforcement and Enforceability*: Tradition and Reform. Antwerp: Intersentia, 2010.

HESSE, Konrad. *Grundzüge des Verfassungsrechts der Bundesrepublik Deutschland*. 20. ed. Heidelberg: Müller, 1995.

JACOBS, Matthias. *In:* STEIN, Friedrich; JONAS, Martin. *Kommentar zur Zivilprozessordnung*. 22. Ausg. Tübingen: Mohr Siebeck, 2011.

JAUERNIG, Othmar; HESS, Burkhard. *Zivilprozessrecht*. 30. Ausg. München: C.H. Beck, 2011.

JELLINEK, Georg. *Die Lehre von den Staatenverbindungen*. Aalen: Scientia, 1969.

JELLINEK, Georg. *System der subjektiven öffentlichen Rechte*. Freiburg im Breisgau: Mohr, 1892.

JOBIM, Marco Félix. *Medidas estruturantes*: da Suprema Corte estadunidense ao Supremo Tribunal Federal. Porto Alegre: Livraria do Advogado, 2013.

JUSTEN FILHO, Marçal. *Curso de Direito Administrativo*. São Paulo: Saraiva, 2005.

KERN, Christoph A. Der gesetzliche Richter – Verfassungsprinzip oder Ermessensfrage? *Zeitschrift für Zivilprozeß*, [S. l.], Jahr 130, n. 1, 2017.

KÜSTER, Otto. Das Gewaltenproblem im modernen Staat. *Archiv des öffentlichen Rechts*, [S. l.], Jahr 75, 1949.

LIMA, Alcides de Mendonça. Jurisdição voluntária. *Revista de Processo: RePro*, São Paulo, ano 5, v. 17, jan./mar, 1980.

MARINONI, Luiz Guilherme; ARENHART, Sérgio Cruz; MITIDIERO, Daniel. *Novo Código de Processo Civil comentado*. São Paulo: Revista dos Tribunais, 2015.

MARQUES, José Frederico. *Manual de Direito Processual Civil*. 2. ed. São Paulo: Saraiva, 1974. v. 1.

MBAZIRA, Christopher. *Litigating Socio-Economic Rights in South Africa*: A Choice between Corrective and Distributive Justice. Pretoria: Pulp, 2009.

MCGOVERN, Francis E. The what and why of claims resolution facilities. *Stanford Law Review*, [S. l.], v. 57, 2005.

OBERMAYER, Klaus. Zur Übertragung von Hoheitsbefugnissen im Bereich des Verwaltungsbehörden. *Juristen Zeitung*, [S. l.], n. 20, Oct. 1956.

PERROT, Roger. *Institutions judiciaires*. 12. éd. Paris: Montchrestien, 2006.

PINHO, José Cândido de. *Breve ensaio sobre a competência hierárquica*. Coimbra: Almedina, 2000.

POSNER, Richard. Will the Federal Courts of Appeals Survive until 1984? An Essay on Delegation and Specialisation of the Judicial Function. *Southern California Law Review*, [S. l.], v. 56, 1983.

RAMALHO, Joaquim Ignacio. *Práctica civil e commercial*. São Paulo: Typographia Imparcial, 1861.

RAMOS, André de Carvalho. *Curso de direitos humanos*. 3. ed. São Paulo: Saraiva, 2016.

RASCH, Ernst. Festlegung und Veränderung staatlicher Zuständigkeiten. *Die Öffentliche Verwaltung*, [S. l.], n. 12, May 1957.

RESNIK, Judith. Managerial judges. *Harvard Law Review*, [S. l.], v. 96, n. 2, 1982.

ROACH, Kent; BUDLENDER, Geoff. Mandatory relief and supervisory jurisdiction: When is it appropriate, just and equitable? *The South African Law Journal*, [S. l.], v. 122, n. 2, 2005.

RODOTÀ, Stefano. Attuali asimmetrie del sistema istituzionale e legittimazione del potere giudiziario. *In: Atti del sesto Congresso Nazionale della Magistratura Democratica*. Napoli: Jovene, 1985.

ROTHSTEIN, Barbara J.; BORDEN, Catherine R. *Managing Multidistrict Litigation in Products Liability Cases*: A Pocket Guide for Transferee Judges. [S. l.]: Federal Judicial Center, 2011.

SABATINI, Giuseppe. La competenza surrogatoria ed il principio del giudice naturale nel processo penale. *Rivista Italiana di Diritto e Procedura Penale*, [S. l.], n. 4, 1961.

SANTOS, Moacyr Amaral. *Primeiras linhas de Direito Processual Civil*. 25. ed. São Paulo: Saraiva, 2007. v. 1.

SATHANAPALLY, Aruna. *Beyond Disagreement*: Open Remedies in Human Rights Adjudication. Oxford: Oxford University Press, 2012.

SCHAUER, Frederick. *Playing by the Rules*: A Philosophical Examination of Rule-Based Decision-Making in Law and in Life. New York: Oxford University Press, 1991.

SCHENKE, Wolf-Rüdiger. Delegation und Mandat im Öffentlichen Recht. *Verwaltungs Archiv*, [*S. l.*], Jahr 68, 1977.

SCHÖNKE, Adolf. *Lehrbuch des Zivilprozessrechts*. 7. Aufl. Karlsruhe: C.F. Müller, 1951.

SCOTT, Joanne; STURM, Susan P. Courts as catalysts: Rethinking the judicial role in new governance. *Columbia Journal of European Law*, [*S. l.*], v. 13, 2006.

TARUFFO, Michele. L'attuazione esecutiva dei diritti: profili comparatistici. *Rivista Trimestrale di Diritto e Procedura Civile*, [*S. l.*], anno 42, n. 1, 1988.

TEMER, Sofia. *Participação no processo civil*: repensando litisconsórcio, intervenção de terceiros e outras formas de atuação. Salvador: Juspodivm, 2020.

TRIEPEL, Heinrich. *Delegation und Mandat im öffentlichen Recht*. Stuttgart: W. Kohlhammer, 1942.

TURNER, Robert. A model for an enforcement regime: the High Court Enforcement Officers of the Supreme Court of England and Wales. *In:* VAN RHEE, C.H.; UZELAC, Alan (ed.). *Enforcement and Enforceability*: Tradition and Reform. Antwerp, 2010.

UZELAC, Alan. Privatization of enforcement services: a step forward for countries in transition? *In:* VAN RHEE, C.H.; UZELAC, Alan (ed.). *Enforcement and Enforceability*: Tradition and Reform. Antwerp, 2010.

VERBIC, Francisco. El remedio estructural de la causa "Mendoza": antecedentes, principales características y algunas cuestiones planteadas durante los primeros tres años de su implementación. UNLP: Facultad de Cs. Jurídicas y Sociales. *Anales de la Facultad de Ciencias Jurídicas y Sociales*, [*S. l.*], año 10, n. 43, 2013.

VIOLIN, Jordão. *Protagonismo judiciário e processo coletivo estrutural*: o controle jurisdicional de decisões políticas. Salvador: Juspodivm, 2013.

VITORELLI, Edilson. Levando os conceitos a sério: processo estrutural, processo coletivo, processo estratégico e suas diferenças. *Revista de Processo: RePro*, São Paulo, v. 284, 2018.

VITORELLI, Edilson. *Processo civil estrutural*: teoria e prática. Salvador: Juspodivm, 2020.

WAMBIER, Luiz Rodrigues; TALAMINI, Eduardo. *Curso avançado de processo civil*. 16. ed. São Paulo: Revista dos Tribunais, 2016.

WILKE, Dieter. Die Rechtsprechende Gewalt. *In:* ISENSEE, Josef; KIRCHHOF, Paul (Verlag.). *Handbuch des Staatsrechts der Bundesrepublik Deutschland*. 3. Ausg. Heidelberg: C.F. Müller, 2007. v. 5.

YARSHELL, Flávio Luiz. *Tutela jurisdicional*. 2. ed. São Paulo: DPJ, 2006.

Informação bibliográfica deste texto, conforme a NBR 6023:2018 da Associação Brasileira de Normas Técnicas (ABNT):

CABRAL, Antonio do Passo. Delegação de competência no processo estrutural: novos instrumentos para um efetivo controle judicial de políticas públicas. *In:* JUSTEN, Monica Spezia; PEREIRA, Cesar; JUSTEN NETO, Marçal; JUSTEN, Lucas Spezia (coord.). *Uma visão humanista do Direito*: homenagem ao Professor Marçal Justen Filho. Belo Horizonte: Fórum, 2025. v. 3, p. 615-643. ISBN 978-65-5518-915-5.

O NOVO DIREITO ADMINISTRATIVO. ARBITRAGEM COM A ADMINISTRAÇÃO PÚBLICA: ORIGEM, INSTITUCIONALIZAÇÃO E PRÁTICA. CONTRIBUIÇÕES DO PROFESSOR MARÇAL JUSTEN FILHO

ARNOLDO WALD

CLARISSA MARCONDES MACÉA

"Notre droit administratif classique est un droit du commandement, du privilège, du contrôle et, pour tout dire, de la méfiance. Le droit administratif de l'aléatoire, qui s'élabore sous nos yeux, présente et présentera de plus en plus des caractéristiques différentes: ce sera un droit de l'effort commun, encadré par des 'actes collectifs', de l'entraide entre l'Administration et ses partenaires et, pour tout dire, de la confiance."

(André Hauriou, *Le Droit Administratif de l'aleatoire*)

1 O novo direito administrativo

Após a Segunda Guerra Mundial, houve uma renovação do direito administrativo em virtude do novo papel atribuído ao Estado, com a sua progressiva democratização.

Desenvolveu-se, assim, no direito administrativo, a teoria dos contratos de colaboração ou de cooperação, que não eram concebíveis no século XIX e que são, em grande parte, o resultado prático da elaboração do "direito da crise" e da sociedade dominada pelas novas tecnologias.

Sabemos que o contrato administrativo pode ser de colaboração ou de atribuição. No contrato de colaboração, ou de cooperação, o particular, contratado pela Administração Pública, obriga-se a prestar-lhe determinado serviço ou a realizar determinada obra, como ocorre nos contratos de obras, serviços ou fornecimentos. No contrato de atribuição, a Administração confere ao particular determinadas vantagens ou direitos, como o uso especial de bem público.[1]

A colaboração entre a empresa privada e a Administração, direta ou indireta, decorre da necessidade de ser dado ao contrato administrativo maior flexibilidade, em virtude das próprias cláusulas exorbitantes, do atendimento imperativo do interesse público e da evolução tecnológica que tem ocorrido em progressões geométricas nas últimas décadas.

Dentro dos limites em que uma determinada obra é realizada pela administração ou para ela, pressupõe-se a possibilidade de ocorrência de situações imprevistas, que devem ser superadas, ou de modificações posteriores unilateralmente impostas pelo Poder Público, que devem repercutir o mínimo possível no ritmo dado à obra, resolvendo-se as consequências das novas situações criadas em compensação ao contratado. Impõe-se, assim, uma relação dinâmica, negociada ou concertada, que se deve estabelecer entre as partes.

Ademais, o gigantismo de algumas das obras estatais e a velocidade em que devem ser realizadas, para atender ao interesse público, nem sempre permitem um planejamento prévio e detalhado, tanto no campo técnico como financeiro, obrigando a Administração e o empresário a recorrerem, constantemente, à criatividade para dar soluções aos problemas que surgem.

Assim sendo, a viabilidade da realização de grandes obras, especialmente quando pioneiras, de tecnologia complexa e de execução demorada, pressupõe um diálogo constante entre o contratante e o contratado, abrangendo as decisões de situações não previstas contratualmente ou daquelas que sofreram profundas mutações, não imputáveis a qualquer das partes e que não se enquadram nos riscos comerciais assumidos pelo construtor. O mesmo acontece com as concessões, especialmente quando são de longo prazo.

Desse modo, enquanto o direito administrativo do século XIX caracterizou-se pelo seu caráter autoritário e pela possibilidade de predeterminação de todas as situações, num mundo considerado seguro e estável, a rápida evolução tecnológica e financeira, as constantes modificações legais e a impossibilidade de qualquer previsão, a médio ou longo prazo, no plano econômico, exigiram uma reformulação do direito administrativo. Este, como os demais ramos da ciência jurídica, passou a constituir um "direito flexível", na feliz expressão de Jean Carbonnier.[2]

Efetivamente, no passado, todo o esforço dos juristas foi no sentido de evitar as situações aleatórias e de transformá-las, sempre, mediante prévia regulamentação, em situações determinadas. A determinação das prestações constitui, em geral, uma das condições da própria validade do contrato. Por conseguinte, os riscos criados por oscilações do mercado ou pela própria variação das taxas de juros eram, ou podiam

---

[1] MEIRELLES, Hely Lopes. *Direito Administrativo brasileiro*. 26. ed. São Paulo: Malheiros, 2001. p. 203.

[2] CARBONNIER, Jean. *Flexible Droit*. 7. ed. Paris: Librairie Générale de Droit et de Jurisprudence, 1992.

ser previstos e aceitos pelos contratantes, pois as eventuais modificações, sendo diminutas e só ocorrendo paulatinamente, não abalavam a própria estrutura do contrato. A determinação, certeza e intangibilidade das prestações de ambas as partes puderam, por longo período, caracterizar as situações do direito administrativo, num mundo economicamente estável.

As incertezas decorrentes de mudanças econômicas cada vez mais rápidas, a globalização e a crescente volatilização das economias fizeram, todavia, com que o direito administrativo não mais pudesse deixar de reconhecer a crescente importância do aleatório, atribuindo-lhe efeitos específicos para, conforme o caso, rever o contrato ou rescindi-lo, diante de dificuldades novas e imprevistas para a sua execução. Como a rescisão sempre tem efeitos negativos, importando, muitas vezes, em aumentos de custo e prejuízos para ambas as partes, foi introduzida nos contratos de direito administrativo uma nova variante, que é a chamada "flexibilidade" (*souplesse* do direito francês), que significa uma interpretação construtiva e negociada do que foi pactuado, para preencher as eventuais lacunas e superar as dificuldades geradas por normas legais, regulamentares ou contratuais que não previram os fatos da maneira pela qual acabaram acontecendo, ou os efeitos deles decorrentes.

Verifica-se, assim, que não só no campo legal, mas também na área contratual, ocorreu a famosa "revolução dos fatos contra o direito", à qual alude a doutrina francesa.[3]

Efetivamente, fundadas na teoria da imprevisão ou nos princípios da boa-fé e da lealdade, que devem inspirar os contratos, a doutrina e a jurisprudência reconheceram a necessidade de permitir a revisão dos contratos administrativos, de tal modo que seus objetivos pudessem ser realizados, considerando-se os reflexos das novas situações criadas e que foram conceituadas, nas várias legislações, como interferências imprevistas (*sujétions imprévues ou changed conditions*), que ocorrem na vida dinâmica da operação.

Enquanto no direito privado as eventuais modificações surgidas podem levar à rescisão do contrato, ou à sua paralisação, com base na *exceptio non adimpleti contractus* (art. 1.092 do CC), ao contrário, no campo do direito administrativo, vigora, em tese, o princípio da continuidade das obras públicas, que leva à manutenção do contrato, com a necessária recomposição de preços e a eventual dilação de prazos.

Entramos, assim, num campo que o direito francês caracterizou como sendo, na feliz conceituação de Bloch-Lainé, o da economia concertada, na qual, para realizar seus planos, a Administração vê-se obrigada a cumprir suas obrigações de acordo com os princípios da negociação, da boa-fé e do respeito aos compromissos recíprocos das partes.[4]

A doutrina reconhece que existe, nesses contratos, uma obrigação de cooperação, que é até mais densa no seu conteúdo do que as de boa-fé e de lealdade, pois estas importam, na concepção tradicional, em simples omissão da conduta de má-fé, enquanto aquela impõe um comportamento ativo de lealdade e negociação construtiva. Como bem salienta o Professor Gérard Farjat, trata-se de uma ideia moderna, que a doutrina invoca cada vez mais frequentemente e de acordo com a qual "o contrato não se fundamenta

---

[3] MORIN, Gaston. *La revolte du Droit contre le Code*. Paris: Sirey, 1945.

[4] BLOCH-LAINE, François. *Pour une reforme de l'entreprise*. Paris: Editions du Seuil, 1963. p. 7. No mesmo sentido: PICOD, Yves. *Le devoir de loyaute dans l'execution du contrat*. Paris: Librairie Générale de Droit et de Jurisprudence, 1989.

necessariamente em relações antagônicas entre as partes, mas pode ter a sua base numa relação de cooperação".[5] Essa obrigação não se limita a ocorrer no contrato de sociedade, dominado pela *affectio societatis*, e no mandato dado no interesse comum das partes, mas também existe nos casos de colaboração contratual, como os referentes à subempreitada, à concessão exclusiva de venda e a concessão de serviço público.

Algumas vezes, o contrato que, por sua natureza, poderia não ser considerado associativo ou de colaboração, passa a sê-lo em virtude da sua própria duração. Assim, nos contratos de trato sucessivo, a cooperação impõe-se para superar as eventuais dificuldades de execução encontradas pelas partes. Nesse sentido, manifesta-se o Professor Jean Carbonnier quando escreve: "Se se considera que há – ou, no mínimo, que deveria haver – um espírito de associação entre as duas partes no contrato sucessivo, não é absurdo sustentar que ambas devem cooperar para superar a crise surgida na execução do contrato. É esta fórmula de colabora".[6]

Ademais, não há conflito entre o espírito de colaboração, que deve inspirar o contrato administrativo, e a existência das cláusulas exorbitantes que o particularizam e o distinguem dos contratos privados. Conforme observou Marcello Caetano:

> (...) não há contradição, senão aparente, entre a ida de associação ou colaboração e a de sujeição, visto que também o contraente público se encontra submetido ao interesse público; não existe, por conseguinte, colaboração possível entre as duas partes sem essa comum sujeição.[7]

No contrato administrativo, muitas vezes as partes estão participando de um verdadeiro contrato associativo, que se caracteriza pela flexibilidade, pela organização comum do trabalho e pela possibilidade de, frente às situações econômicas adversas ou imprevisíveis, admitir, necessariamente, soluções negociadas ou renegociadas em relação aos problemas que surgem na execução do acordo inicialmente feito, especialmente tratando-se de contratos de longo prazo.

A flexibilidade do direito administrativo contemporâneo, no setor econômico e, particularmente, nos aspectos referentes às relações negociais mantidas pelo Estado com os particulares, com vistas à execução de obras vinculadas às concessões de serviços públicos é um dos traços essenciais do direito administrativo-econômico hodierno.

Assim, conforme observou André de Laubadere:

> On considère très généralement que le Droit Administratif *Économique* est principalement caractérisé par une souplesse que l'on ne rencontre pas, du moins à ce degré, dans les autres parties du Droit Administratif. On ajoute du reste généralement que ce trait se retrouve dans toutes les branches du Droit *Économique*: en raison des caractéristiques de son milieu propre, en particulier de la matière à laquelle il s'adresse, le Droit *Économique* aspire à se mouvoir dans le cadre de notions, de règles, de théories moins rigides, moins catégoriques, moins fixes que les autres Droits.[8]

---

[5] FARJAT, Gérard. *Droit Privé de l'Économie*: theorie des obligations. Paris: Presses Universitaires de France, 1975. p. 274-276.

[6] CARBONNIER, Jean. *Théorie des obligations*. Paris: Presses Universitaires de France, 1963. p. 262.

[7] CAETANO, Marcello. *Manual de Direito Administrativo*. 10. ed. Coimbra: Almedina, 1980. t. 1, p. 589.

[8] LAUBADERE, André de. *Droit Public Économique*. 10. ed. Paris: Dalloz, 1976. p. 109.

Na realidade, podemos assinalar duas tendências paralelas e complementares. De um lado, flexibiliza-se o direito administrativo, nele incluindo-se fórmulas de direito privado com as adaptações necessárias. De outro, delega-se aos particulares a realização de determinados serviços públicos, de acordo com a regulamentação e sob a fiscalização do Estado, multiplicando-se as parcerias.

Por outro lado, multiplicaram-se as formas de parcerias, com densidade maior ou menor da presença do Estado, quer no caso das concessões, quer em virtude de determinadas privatizações, nas quais se manteve a ação especial do Poder Público também denominada *golden share*.

Toda essa revolução levou alguns autores a admitirem que, após uma fase de relativa publicização do direito privado, estamos agora flexibilizando, privatizando e democratizando o direito administrativo, ou ao menos alguns dos seus ramos e, em particular, o direito público econômico e o direito da regulação.

Há um verdadeiro movimento pendular entre a maior e a menor intervenção do Estado no mercado em decorrência da própria evolução política, econômica e social do mundo. Esse movimento pendular tem sido assinalado pela melhor doutrina, tanto no exterior quanto no Brasil. A própria distinção entre o direito público e o direito privado, que continua sendo importante para fins didáticos e para a boa compreensão dos princípios jurídicos básicos, não tem mais a importância que lhe foi atribuída no passado. Temos situações tangentes entre os dois direitos, sendo semipúblicas e semiprivadas, do mesmo modo que existem atos bifaces, com aspectos de direito comercial e outros de natureza administrativa, como ocorre em relação a diversos negócios jurídicos realizados no campo do direito bancário e nas relações decorrentes da atuação das sociedades de capital aberto.[9]

A doutrina brasileira tem reconhecido tanto a recente evolução do direito administrativo como a importância crescente do direito das Parcerias Público-Privadas (PPPs), o qual também tem sido um dos temas desenvolvidos recentemente pela doutrina estrangeira.

Em estudo intitulado "O retorno do pêndulo: serviço público e empresa privada. O exemplo brasileiro", escrito em homenagem ao Professor argentino Miguel Marienhoff, o Professor Caio Tácito reconhece que:

> A propriedade privada retoma, de certa forma, sua autonomia, obscurecida pela exacerbação do intervencionismo estatal na economia, mas fica nítida a subordinação de sua atividade aos pressupostos da função social que dela se exige.
>
> Em termos contemporâneos, o direito público passa a refletir – e são modelos desta tendência as novas constituições do final de século – duas vertentes específicas: a política de privatização e de desburocratização da máquina estatal fortalece a associação entre a iniciativa privada e o serviço público.[10]

---

[9] WALD, Arnoldo. Aspectos peculiares do Direito Bancário: o regime jurídico dos atos bifaces. *Revista de Direito Mercantil*, São Paulo, n. 48, out./dez. 1982.

[10] TÁCITO, Caio. O retorno do pêndulo: serviço público e empresa privada. O exemplo brasileiro. *Revista Forense*, Rio de Janeiro, n. 334, abr./jun. 1996.

E conclui:

> A abertura da economia e a relativa retirada da presença do Estado na prestação de serviços econômicos é uma das manifestações desta dança do pêndulo entre extremos em busca do equilíbrio estável da perfeição.[11]

Assim, não só se admitiu que, na palavra do Professor Massimo Severo Giannini, "el derecho privado, expulsado por la puerta, volvía a entrar por la ventana",[12] como se chegou a falar na "fuga (do direito administrativo) para o direito privado",[13] numa verdadeira reversão das situações.

No fundo, tratando-se de reflexos jurídicos de fatos econômicos e de decorrência da globalização, não se deve concluir nem pela privatização do direito público, nem pela publicização do direito privado, devendo, ao contrário, ser estabelecido um equilíbrio, uma complementação, um *modus vivendi* entre ambos, com a compatibilização das normas e das finalidades dos dois ramos do direito, cuja razão de ser é a mesma.

Mantendo-se, assim, algumas das estruturas tradicionais do direito administrativo, em vários campos de sua incidência, em outros deve predominar a flexibilidade com a criação de novos modelos.[14] Assim, o direito administrativo econômico deve ter um regime específico e um espírito próprio, ensejando as parcerias público/privadas, cuja importância crescente é atestada tanto pelos diplomas legislativos, como pelas decisões judiciais e pelos estudos doutrinários.[15][16]

Há um consenso de que, até 1970, havia no país "um clima de descaso pela arbitragem"[17] quando não a consideravam, como certo magistrado, que "o juízo arbitral é um doente terminal".[18]

A convergência de três movimentos culturais e profissionais, partindo de São Paulo, Rio de Janeiro e Recife, permitiu que, finalmente, se fizesse essa "revolução"

---

[11] TÁCITO. O retorno do pêndulo: serviço público e empresa privada.

[12] TÁCITO. O retorno do pêndulo: serviço público e empresa privada, p. 13.

[13] ESTORNINHO, Maria João. Fuga para o Direito Privado. Coimbra: Almedina, 1996; ESTORNINHO, Maria João. *Requiem para o contrato administrativo.* Coimbra: Almedina, 1990.

[14] Nesse sentido escreve Alice Gonzalez Borges (O contrato administrativo repensado. *Revista da Academia de Letras Jurídicas da Bahia*, Salvador, n. 3, p. 22-23, jul./dez. 1999) que: "O surgimento dessas novas tipologias contratuais, no setor público, expurgados os evidentes exageros e atecnias, não aparece por acaso, antes evidenciando o surgimento de novas necessidades, que as atuais estruturas contratuais já não mais satisfazem. A nosso ver, sinalizam no sentido de estudar-se uma nova dimensão para o modelo brasileiro do contrato administrativo, em nosso ordenamento jurídico, para que, efetivamente, torne-se mais consentâneo com as necessidades de aplicação das novas formas de parceria público-privada, que estão eclodindo por toda a parte".

[15] A respeito das parcerias na administração brasileira, consultem-se: DI PIETRO, Maria Sylvia Zanella. *Parcerias na Administração Pública*. São Paulo: Atlas, 1996; FERREIRA, Sergio de Andréa. A parceria no Direito Público da atualidade. *In:* MARTINS, Ives Gandra da Silva (coord.). *Direito contemporâneo*. Rio de Janeiro: Forense Universitária, 2001. p. 273-284. p. 273-284; MOREIRA NETO, Diogo de Figueiredo. O sistema de parceria entre os setores público e privado. *Boletim de Direito Administrativo*, São Paulo, n. 2, p. 75-81, fev. 1997, MOROLLI, Fábio Giusto. A evolução do Direito Público e a parceria com a iniciativa privada. *Boletim de Direito Administrativo*, São Paulo, n. 10, p. 636-645, out. 1998.

[16] Defendemos o ressurgimento da concessão como forma de parceria desde a década de 1980 em estudo que chegou a ser considerado como constituindo uma "contribuição histórica" (BORGES. O ressurgimento das concessões de serviços públicos e a eclosão de novos formas de contratos administrativos, p. 10).

[17] LOBO, Carlos Augusto de Silveira. História e perspectivas da arbitragem no Brasil. *RArb – Revista de Arbitragem e Mediação*, n. 50, p. 79-94, jul./set. 2016.

[18] MUNIZ, Petronio R. G. *Operação arbiter*. Recife: ITN, 2005. p. 37.

cultural que foi a introdução, ou melhor, a renovação, da arbitragem em nosso direito, numa verdadeira "destruição criadora"[19] em que desapareceu um tabu que era a desconfiança na justiça privada por parte tanto dos magistrados, como dos demais meios jurídicos e dos próprios empresários.

A CCI criou o seu Comitê Nacional Brasileiro, em 1967, em convênio com a Confederação Nacional do Comércio, tendo nos seus primeiros quinze anos de existência, atuado mais intensamente, no campo do comércio exterior, sem prejuízo de atender também outras áreas relevantes. Foi a partir do início de 1983, que a arbitragem passou a ser também um dos campos no qual esteve mais presente. Efetivamente, com a eleição de Theophilo de Azeredo Santos, que tinha sido presidente da CCI internacional, o Brasil passou a ser o centro da América do Sul para realização de seminários, congressos e júris simulados, procurando implantar a arbitragem em nosso país.

2 A arbitragem se desenvolveu paralelamente ao novo direito administrativo. Introdução da arbitragem no direito administrativo

Em 2016, um ano depois da positivação pela Lei nº 13.129/2015 da possibilidade de a Administração Pública figurar como parte em arbitragens, o Professor Marçal Justen Filho escreveu:

> A arbitragem é um instituto dotado de elevadas virtudes e que pode propiciar o aperfeiçoamento dos processos de composição de litígios envolvendo a Administração Pública. Isso produzirá reflexos sobre o conjunto das atividades administrativas. É uma solução cuja implementação é desejável e deve merecer incentivo generalizado.[20]

Passada uma década desde a atualização da Lei de Arbitragem com menção expressa à participação da Administração Pública nos procedimentos, é possível afirmar, com segurança, que o vaticínio do Professor Marçal Justen Filho vem se realizando. A arbitragem, como mecanismo de composição de conflitos envolvendo a Administração Pública, tem sido implementada de forma progressiva no país, indicativo claro da percepção de suas virtudes pelos operadores do direito e gestores públicos, notadamente para a solução de disputas atinentes a contratos públicos complexos.

Seguiu-se à Lei nº 13.129/2015 uma série de normas densificando a disciplina do uso do instituto pela Administração Pública, em todos os âmbitos federativos. Paralelamente, a prática da arbitragem envolvendo a Administração Pública, antes restrita a casos pontuais e segmentos econômicos específicos, floresceu e se disseminou em todo o país, numa variada gama de temas.

Pesquisa conduzida pela Professora Selma Lemes indica que no ano de 2022 foram processadas, nas principais Câmaras Arbitrais do país, 336 novas arbitragens. Entre essas, 36 tiveram como parte a Administração Pública Direta ou Indireta, é dizer, quase 11% das

---

[19] SCHUMPETER, Joseph A. The process of creative destruction. *In:* SCHUMPETER, Joseph A. *Capitalism, Socialism, and Democracy.* New York: Harper & Brothers, 1950. chap. VII, p. 81-86.

[20] JUSTEN FILHO, Marçal. Administração Pública e arbitragem: o vínculo com a câmara de arbitragem e os árbitros. *Revista do Tribunal Regional Federal da 1ª Região,* Brasília, DF, v. 28, n. 11/12, nov./dez. 2016.

novas arbitragens instauradas.[21] Os valores envolvidos nas disputas são significativos, muitas vezes na casa dos bilhões de reais, como noticia a Advocacia-Geral da União.[22]

Entre as virtudes apontadas para a solução de disputas por meio da arbitragem está a da qualidade técnica das decisões proferidas. A experiência tem mostrado que diversos contratos complexos de concessões e Parcerias Público Privadas (PPPs), em setores econômicos de infraestrutura portuária, rodoviária, aeronáutica, energia, telecomunicações, entre outros, têm na arbitragem via adequada para enfrentamento dos percalços eventualmente apresentados em sua execução.

A influência do Professor Marçal Justen Filho nos diversos temas relacionados à contratação administrativa, em todo o país, é evidenciada pelo sucesso editorial da obra *Comentários à Lei de Licitações e Contratos Administrativos*, que alcançou a notável marca de dezoito edições, tornando-se instrumento de apoio fundamental de operadores do direito e gestores públicos.

Como era de se esperar, também no âmbito da solução de disputas arbitrais decorrentes de contratos públicos, as lições do Professor Marçal Justen Filho mostram-se vivas e presentes, sendo frequentemente invocadas pelas partes dos procedimentos, para embasar seus pleitos, e pelos próprios Tribunais Arbitrais, na fundamentação de suas decisões. Um dado emblemático ilustra o que se acabou de afirmar. O sítio eletrônico da Agência Nacional dos Transportes Terrestres (ANTT) publica informações sobre 10 procedimentos arbitrais, ativos e encerrados, envolvendo a Agência.[23] Em 7 deles, há referência expressa, em petições das partes ou decisões dos Tribunais Arbitrais, à obra do Professor Marçal Justen Filho.[24]

No presente artigo, analisaremos, inicialmente, as origens da arbitragem envolvendo a Administração Pública na experiência brasileira e a sua crescente institucionalização. Na sequência, examinaremos alguns exemplos de sua prática no país, destacando a importância do Professor Marçal Justen Filho como norte seguro para o enfrentamento

---

[21] LEMES, Selma (coord.). Arbitragem em números: pesquisa 2021/2022. *Canal Arbitragem, São Paulo, 2023*. Relatório da CAM-CCBC aponta que a Câmara administra 34 procedimentos arbitrais em curso envolvendo entes da Administração Pública Direta e Indireta. Relatório da Câmara do Mercado registra que, ao longo de 2022, a Câmara administrou 12 procedimentos com o envolvimento da Administração Pública, direta ou indireta (CAM-CCBC. *Fatos e números do CAM-CCBC [relatório]*. Brasília, DF, 2023: CAM-CCBC. Disponível em: https://ccbc.org.br/cam-ccbc-centro-arbitragem-mediacao/fatos-e-numeros/#flipbook-df_45534/1/. Acesso em: 11 jun. 2024).

[22] BRASIL. Advocacia-Geral da União. Equipe de arbitragem da AGU completa um ano de funcionamento atuando em processos de mais de R$ 500 bilhões. *Gov.br*. Brasília, DF, 21 jun. 2023. Disponível em: https://www.gov.br/agu/pt-br/comunicacao/noticias/equipe-de-arbitragem-da-agu-completa-um-ano-atuando-em-processos-envolvendo-mais-de-r-500-bilhoes. Acesso em: 17 jun. 2024.

[23] Disponível em: https://portal.antt.gov.br/arbitragem. Acesso em: 18 ago. 2014.

[24] (i) "Via 040", Procedimento Arbitral nº 23.932/2018/GSS/PFF administrado pela CCI, sendo a Requerente Concessionária BR-040 S.A.; (ii) "ECO 050", Procedimento Arbitral nº 23.238/2018/GSS administrado pela CCI, sendo a Requerente ECO050 – Concessionária de Rodovias S.A.; (iii) "Galvão BR-153", Procedimento Arbitral nº 23.433/2018/GSS/PFF administrado pela CCI, sendo a Requerente Concessionária de Rodovias Galvão BR-153 S.A; (iv) "Concebra", Procedimento Arbitral nº 24.595/PFF/RLS administrado pela CCI, sendo a Requerente Concessionária das Rodovias Centrais do Brasil S.A – Concebra; (v) "Via Bahia", Procedimento Arbitral nº 64/2019/SEC7 administrado pela CAM-CCBC, sendo a Requerente VIABAHIA Concessionária de Rodovias S.A.; (vi) "MsVIA", Procedimento Arbitral nº 24.957/GSS/PFF administrado pela CCI, sendo a Requerente Concessionária de Rodovia Sul-Mato-Grossense S.A., e Interveniente Anômala a União Federal; (vii) e "Rota do Oeste", Procedimento Arbitral nº 23.960/2018/GSS/PFF, administrado pela CCI, sendo a Requerente Rota do Oeste – Concessionária Rota do Oeste S.A. (Disponível em https://portal.antt.gov.br/arbitragem. Acesso em: 18 ago. 2014).

das questões jurídicas apresentadas nas disputas arbitradas, seja em temas clássicos do direito administrativo, seja em temas de vanguarda.

3 A origem da arbitragem envolvendo a Administração Pública na experiência brasileira

Até meados do século passado, a arbitragem era desconhecida pela Administração Pública no país, não obstante a sua eventual utilização, em delimitação das nossas fronteiras e em certos casos esporádicos.[25] Se hoje a arbitragem em face da Administração Pública é verificada em cada vez mais casos no Brasil, por distintos entes federativos, a história mostra que a utilização do instituto pelo Poder Público chegou a encontrar focos de resistência, pacificados, antes da positivação na Lei de Arbitragem, pelo Supremo Tribunal Federal (STF) e pelo Superior Tribunal de Justiça (STJ).

Um caso paradigmático de utilização da arbitragem pela Administração Pública, é o caso do litígio entre a União e o Espólio Lage. O precedente foi julgado sob a vigência da Constituição de 1967 e da Emenda Constitucional nº 1/1969.

Os fatos remontam à década de 40 do século passado. Pelo Decreto-Lei nº 4.648/ 1942, a União havia incorporado ao seu patrimônio, por interesse de defesa nacional, durante a Segunda Guerra Mundial, bens e direitos da Organização Lage e do espólio de Henrique Lage. As Organizações Lage eram um conglomerado dos setores carbonífero e naval, com patrimônio útil ao interesse da defesa nacional.

Em razão da dificuldade para fixação da indenização devida pela União, propôs-se solucionar a controvérsia por arbitragem, o que foi determinado pelo Presidente da República por meio de decreto-lei (que tinha força de lei ordinária). Foi constituído um Tribunal Arbitral e proferida sentença arbitral, fixando o valor da indenização. Entretanto, o montante devido não foi integralmente pago, e, posteriormente, sob novo governo, foi suscitada a inconstitucionalidade do juízo arbitral. Em julgamento concluído em 1973, o STF confirmou a possibilidade de a Fazenda Pública ser parte em arbitragens e também a constitucionalidade da cláusula de irrecorribilidade da sentença arbitral.

Outro precedente digno de nota foi verificado na década de 1980. À época, a utilização da arbitragem pelo Estado Brasileiro foi prevista em sede de um acordo feito para pôr fim à suspensão dos pagamentos internacionais decretada pelo governo brasileiro que se desdobrou em vários instrumentos, entre os quais o chamado "Projeto Dois", pelo qual o Banco Central acertou o modo de solver as obrigações do nosso país com os bancos estrangeiros.

Quase duas décadas depois, já na vigência da Lei da Arbitragem, mas antes da alteração que explicitou sua aplicabilidade à Administração Pública, verificou-se mais

---

[25] Como observa Arnoldo Wald (O reconhecimento da constitucionalidade da Lei de Arbitragem pelo STF. *In:* WALD, Arnoldo; LEMES, Selma Ferreira (coord.). *25 anos da Lei de Arbitragem (1996-2021)*: história, legislação, doutrina e jurisprudência. São Paulo: Thomson Reuters Brasil, 2021. p. 302): "(...) as exceções foram alguns processos que marcaram a sua época, como o de Lord Cochrane, no fim do século XIX; o caso Minas x Werneck, em que funcionou Rui Barbosa, que data de 1913; o caso Lage, cuja decisão arbitral remonta a 1948 (...); e algumas eventuais homologações de sentenças arbitrais estrangeiras, que eram previamente aprovadas pela Justiça do seu país de origem, e que são mencionadas por Irineu Strenger".

um caso emblemático, conhecido como AES Uruguaiana. Havia uma sociedade de economia mista que litigava contra uma empresa privada e que não quis respeitar a cláusula compromissória do contrato que vinculava as partes. O Tribunal do Rio Grande do Sul (TJRS) entendeu, na época, que a cláusula era nula, pois não poderia prevalecer contra entidade da Administração Pública direta ou indireta.

O caso foi decidido pelo STJ em 2005. Foi um dos primeiros precedentes no qual foi firmada a tese de que a Administração Pública direta e indireta poderia utilizar-se da arbitragem para dirimir conflitos relativos a direitos patrimoniais disponíveis.[26]

Em virtude dessa decisão, outro caso anteriormente julgado pelo Tribunal gaúcho, mas que ainda não tinha sido submetido ao STJ, após ter provocado uma onda de artigos na imprensa internacional, suscitando dúvidas quanto ao futuro da arbitragem em nosso país,[27] acabou sendo resolvido por acordo entre as partes.

Desde então, foram proferidas outras decisões a respeito, sempre no sentido de que não existe óbice legal à estipulação da arbitragem pelo Poder Público, notadamente pelas sociedades de economia mista, para a resolução de conflitos relacionados a direitos disponíveis.

Um foco de resistência à utilização da arbitragem pela Administração Pública foi encontrado, ainda na década de 1990 e mesmo após a edição da Lei de Arbitragem, no Tribunal de Contas da União (TCU). A Corte de Contas chegou a impor severas restrições à utilização da arbitragem pela Administração Pública, ou mesmo a proibir a sua adoção. No Acórdão 587/2003, por exemplo, o TCU, ao examinar edital para contratação de obras de adequação de trechos rodoviários, determinou a supressão das cláusulas do edital que estipulavam a arbitragem para solução de conflitos decorrentes do ajuste. O entendimento então prevalecente era o de que o interesse tutelado na relação jurídica estabelecida no contrato seria público e indisponível.[28] Ainda em 2012, a Corte de Contas afirmou, por motivos semelhantes, a inaplicabilidade da arbitragem para resolução de divergências relativas a questões econômico-financeiras de contrato de concessão rodoviária envolvendo a ANTT.[29]

A positivação pela Lei nº 13.129/2015 da possibilidade de utilização da arbitragem pela Administração Pública na própria Lei de Arbitragem, aliada à reiterada jurisprudência do STF e do STJ em prol do instituto, serviu para aplacar os entraves verificados até então.

---

[26] A decisão foi proferida em 25 de outubro de 2005, no Resp nº 612.439/RS, pela 2ª Turma, então composta pelos Ministros Castro Meira, Francisco Peçanha Martins e Eliana Calmon, e presidida pelo Ministro João Otávio de Noronha (REsp nº 612.439/RS, Rel. Min. João Otávio de Noronha, 2ª Turma, *Dje* 14 set. 2006) (WALD, Arnoldo. A arbitragem nos contratos públicos. *Revista do Ministério Público*, Rio de Janeiro, n. 18, p. 21-24, jul./dez. 2003).

[27] Trata-se do caso Copel, referido por Arnoldo Wald em "Parcerias Público-Privadas e arbitragem" (*Carta Mensal*, [*S. l.*], n. 589, p. 5-6, abr. 2004) e que ensejou vários artigos em revistas jurídicas no Brasil e no exterior. Conforme Emmanuel Gaillard (*Teoria jurídica da arbitragem internacional*. Tradução: Natália Mizrahi Lamas. São Paulo: Atlas, 2014. p. 64-65).

[28] BRASIL. Tribunal de Contas da União (Plenário). Acórdão 587/2003. Relator: Min. Adylson Motta, 28 de maio de 2003. *DJTCU*: Brasília, DF, 2003.

[29] BRASIL. Tribunal de Contas da União (Plenário). Acórdão 2573/2012. Rel. Min. Raimundo Carreiro, 26 de setembro de 2012. *DJTCU*: Brasília, DF, 2003.

4 A institucionalização da arbitragem envolvendo a Administração Pública no ordenamento jurídico brasileiro

Assim como já se verificavam arbitragens envolvendo a Administração Pública antes de 2015 – quando da previsão, incluída na Lei de Arbitragem, da possibilidade de utilização da arbitragem pela Administração – também já havia legislação esparsa, porém escassa, em distintos níveis federativos, prevendo a adoção do instituto como mecanismo de solução de disputas pelo Poder Público.

Ainda em 1974, o Decreto-Lei nº 1.312 autorizou o Poder Executivo a aceitar a arbitragem nas operações financeiras internacionais.[30] Trata-se de diploma legal pioneiro, mas pouco conhecido e ao qual a doutrina não costuma aludir.

Após a promulgação da Lei de Arbitragem em 1996, mas antes da edição da Lei nº 13.129/2015, já havia previsão legal de arbitragem para contratos de exploração e produção de petróleo,[31] PPPs em âmbito federal,[32] contratos de concessão[33] e contratos que disciplinam a exploração pela União de portos e instalações portuárias.[34]

Em âmbito municipal, a Lei nº 9.038/2005 do município de Belo Horizonte,[35] a Lei nº 11.929/2006 do município de Curitiba e a Lei Municipal nº 8.538/2013 do município de Vitória, as quais dispuseram sobre os respectivos Programa Municipal de Parcerias Público-Privadas, estipularam a possibilidade de recurso à arbitragem.

Em âmbito estadual, em 2011, foi editada a Lei nº 19.477, no estado de Minas Gerais, com o objetivo de normatizar "a adoção do juízo arbitral para a solução de litígio em que o Estado seja parte". Tratou-se do primeiro diploma legal a disciplinar, em pouco mais de uma dezena de disposições legais, exclusivamente o uso da arbitragem em nível

---

[30] O art. 11 do Decreto-Lei nº 1312/1974 tem a seguinte redação:
"Art. 11. O Tesouro Nacional contratando diretamente ou por intermédio de agente financeiro poderá aceitar as cláusulas e condições usuais nas operações com organismos financiadores internacionais, sendo válido o compromisso geral e antecipado de dirimir por arbitramento todas as dúvidas e controvérsias derivadas dos respectivos contratos."

[31] Relacionados a Lei nº 9.478/1997, que dispõe sobre os contratos de concessão.

[32] Art. 11, inciso III da Lei nº 11.079/2004, de seguinte teor:
"(...)
III - o emprego dos mecanismos privados de resolução de disputas, inclusive a arbitragem, a ser realizada no Brasil e em língua portuguesa, nos termos da Lei nº 9.307, de 23 de setembro de 1996, para dirimir conflitos decorrentes ou relacionados ao contrato".

[33] O art. 120 da Lei nº 11.196/2005 acrescentou o art. 23-A na Lei nº 8.987/1995, de seguinte teor:
"Art. 23-A. O contrato de concessão poderá prever o emprego de mecanismos privados para resolução de disputas decorrentes ou relacionadas ao contrato, inclusive a arbitragem, a ser realizada no Brasil e em língua portuguesa, nos termos da Lei nº 9.307, de 23 de setembro de 1996."

[34] O art. 37. da Lei nº 12.815/213 tem a seguinte redação:
"Art. 37. Deve ser constituída, no âmbito do órgão de gestão de mão de obra, comissão paritária para solucionar litígios decorrentes da aplicação do disposto nos arts. 32, 33 e 35.
§1º Em caso de impasse, as partes devem recorrer à arbitragem de ofertas finais.
§2º Firmado o compromisso arbitral, não será admitida a desistência de qualquer das partes.
§3º Os árbitros devem ser escolhidos de comum acordo entre as partes, e o laudo arbitral proferido para solução da pendência constitui título executivo extrajudicial".

[35] "Art. 9º Os instrumentos de parceria público-privada previstos no art. 7º desta Lei poderão prever mecanismos amigáveis de solução de divergências contratuais, inclusive por meio de arbitragem.
§1º - Na hipótese de arbitragem, os árbitros serão escolhidos entre pessoas naturais de reconhecida idoneidade e conhecimento de matéria, devendo o procedimento ser realizado em conformidade com regras de arbitragem de órgão arbitral institucional ou entidade especializada.
§2º - A arbitragem terá lugar no Município de Belo Horizonte, em cujo foro serão ajuizadas, se for o caso, as ações necessárias para assegurar a sua realização e a execução de sentença arbitral."

estadual, dispondo, por exemplo, sobre os requisitos para a função de árbitro e regras para a escolha da câmara arbitral.

Como se vê, antes mesmo da previsão mais genérica na própria Lei de Arbitragem em 2015, já havia diversos registros de normas disciplinando a utilização da arbitragem pela Administração Pública.

A previsão específica na Lei da Arbitragem, operacionalizada pela Lei nº 13.129/2015, explicitou o cabimento da arbitragem *para dirimir conflitos relativos a direitos patrimoniais disponíveis* envolvendo a Administração Pública *direta e indireta,* e também cuidou de explicitar que a arbitragem que envolva a Administração Pública será sempre de direito e respeitará o princípio da publicidade.

Trata-se de importante marco legislativo, seguido por intensa normatização do tema no país, a seguir referida, ora versando sobre contratos setoriais específicos, ora reforçando, em distintos níveis federativos, a autorização genérica positivada na Lei de Arbitragem.

Ainda em 2015, poucos dias depois da alteração da Lei de Arbitragem, a Lei Pernambucana nº 15.627 regulamentou requisitos para a instituição de arbitragens com entes públicos e, assim como o Estado de Minas Gerais, apresentou densa normatização, prescrevendo requisitos de escolha de árbitros e até a necessidade de a cláusula compromissória dispor sobre o pagamento de honorários e despesas em geral.

Em 2019, foi publicado, em âmbito federal, o Decreto nº 10.025/2019, disciplinando a arbitragem envolvendo a Administração Pública federal nos setores portuário, aquaviário, ferroviário e aeroportuário – norma recorrentemente invocada, à medida em que disputas com os entes da Administração Pública destes setores têm surgido, com relação a contratos públicos de valores bastante expressivos. Destacamos ainda como norma federal infralegal de relevo, a Resolução nº 5.845/2019 da ANTT, objeto de recentes atualizações, a qual disciplina regras procedimentais para utilização de arbitragem pela autarquia em contratos de infraestrutura rodoviária.

No plano da legislação ordinária federal, dois diplomas legislativos merecem destaque.

O Novo Marco Legal do Saneamento Básico, instituído pela Lei nº 14.026/2020, reconheceu expressamente que os contratos que envolvem a prestação dos serviços públicos de saneamento básico poderão prever mecanismos privados para resolução de disputas decorrentes do contrato ou a ele relacionadas, inclusive a arbitragem (Art. 10-A, §1º da Lei nº 14.026/2020).

Já a nova Lei de Licitações e Contratos Administrativos (Lei nº 14.133/2021), inovando em relação à Lei nº 8.666/1993, trouxe uma série de dispositivos legais versando a resolução de controvérsias. Arrolou a arbitragem como um dos meios de solução de controvérsias relacionadas a direitos patrimoniais disponíveis, a respeito de questões relacionadas ao restabelecimento do equilíbrio econômico-financeiro do contrato, ao inadimplemento de obrigações contratuais por quaisquer das partes e ao cálculo de indenizações. Reafirmou, ademais, a necessidade de que a arbitragem seja sempre de direito e observe o princípio da publicidade. Estimulando a disseminação do instituto, previu a possibilidade de aditamento dos contratos para permitir a adoção dos meios alternativos de resolução de controvérsias. Cuidou ainda de estabelecer que o processo de escolha dos árbitros e dos colegiados arbitrais observará critérios isonômicos, técnicos e transparentes.

Em âmbito estadual, Rio de Janeiro, São Paulo, Rio Grande do Sul e Goiás regulamentaram a utilização da arbitragem por meio de decretos.[36] Em âmbito municipal, a disciplina da arbitragem também foi realizada na Cidade de São Paulo, pelo Decreto nº 59.963/2020. Registram-se ainda menções à arbitragem em leis de Salvador, Recife e Florianópolis.[37]

Ainda que não exista uniformização no tocante a diversos aspectos procedimentais disciplinados, a normatização em si é um grande avanço, por trazer segurança jurídica tanto para os entes do Poder Público quanto para aqueles entes privados contratados.

5 As contribuições do Professor Marçal Justen Filho à prática da arbitragem envolvendo a Administração Pública

A implementação do princípio da publicidade, previsto na Lei de Arbitragem, para os procedimentos que envolvam a Administração Pública, permite conhecermos, mais de perto, as matérias versadas e as decisões proferidas em mais de uma dezena de casos em curso ou encerrados, nos quais entes da Administração Pública de distintos níveis federativos figuram ou figuraram como parte. A inestimável contribuição para o direito do Professor Marçal Justen Filho é refletida em diversos procedimentos arbitrais, nos quais é costumeiramente invocado seja pelas partes, seja pelos membros dos Tribunais Arbitrais.

No Procedimento Arbitral CCI nº 23.932/PFF, requerido pela Concessionária BR-040 S.A., sendo requerida a ANTT, ambas as partes se valeram de lições do Professor Marçal Justen Filho em suas alegações, quando trataram da alegação de que o contrato merecia ser reequilibrado. A requerente, que defendia que o contrato de concessão rodoviária foi impactado por eventos extraordinários e imprevisíveis, pretendeu ressaltar, com base na doutrina do Professor Marçal Justen Filho, que a equação econômico-financeira do contrato deveria ser juridicamente tutelada – e mantida – desde a apresentação da proposta. A requerida, por sua vez, apoiada em outro texto do Professor Marçal Justen Filho, pontuou que, em contratos de concessão, os riscos ordinariamente assumidos pelo concessionário são maiores do que num contrato administrativo regido pela Lei Federal nº 8.666/1993, razão pela qual os eventos alegados não poderiam ser considerados 'extraordinários', para os fins do contrato debatido, já que estariam enquadrados como risco do concessionário.

O Professor Marçal Justen Filho também foi citado inúmeras vezes por membros de Tribunais Arbitrais em suas sentenças. Tomamos, como exemplos, procedimentos arbitrais em que figuravam como partes a União Federal, o estado de São Paulo e o município de São Paulo.

No Procedimento Arbitral citado (CCI nº 23.932/PFF), não apenas ambas as partes o mencionaram, como o Tribunal Arbitral também o fez, ao se manifestar, na Sentença Parcial de 16 de novembro de 2021, no sentido da inaplicabilidade, ao caso, da teoria

---

[36] Respectivamente, o Decreto nº 46.245/2018 do estado do Rio de Janeiro, o Decreto nº 64.356/2019 do estado de São Paulo, o Decreto nº 55.996/2001 do Rio Grande do Sul e o Decreto nº 9.929/2021 do estado de Goiás.

[37] Respectivamente, Lei nº 9.604/2021, do município de Salvador; Lei nº 18.824/2021, do município de Recife; na Lei nº 736/2023, do município de Florianópolis.

da imprevisão, citando entendimento do Professor Marçal Justen Filho sobre o assunto. Segundo o Tribunal, a sensível variação na demanda em razão das crises econômicas entre os anos de 2014 e 2016 (um dos eventos de desequilíbrio alegados pela requerente) não poderia ser considerada como um evento imprevisível ou extraordinário, nem como evento de força maior.

Já no Procedimento Arbitral nº 78/2016/SEC7/CAM-CCBC, em que foram requerentes Libra Terminais S.A. e Libra Terminais Santos S.A. e requeridas a Companhia das Docas do Estado de São Paulo (CODESP) e a União Federal, o Tribunal Arbitral, na Sentença Parcial de 7 de janeiro de 2019, ao tratar da vinculação da Administração Pública às suas próprias respostas aos pedidos de esclarecimentos ao edital, mencionou acórdão do STJ que, por sua vez, havia se firmado na doutrina do Professor Marçal Justen Filho a respeito do assunto.

Em outro momento, na mesma Sentença Parcial, o Tribunal Arbitral voltou a se fundamentar nas lições do Professor Marçal Justen Filho ao tratar da eventual repercussão, sobre contratos administrativos, de alterações nas regras tributárias, afastando a alegação da requerente de que a majoração de tributos impactou negativamente o contrato, na medida em que ela não teria comprovado o efetivo impacto na prestação objeto do contrato.

No Procedimento Arbitral nº 23002/2017 CCI, iniciado pelo Consórcio EFACEC/ Ansaldo em face da Companha Paulista de Trens Metropolitanos (CPTM) e do Estado de São Paulo, o Tribunal Arbitral, na Sentença Parcial de 24 de março de 2021, concordou expressamente com entendimento do Professor Marçal Justen Filho, que havia se manifestado como parecerista no processo e defendido que a interpretação de determinada cláusula contratual não pode conduzir à sua inutilidade.

Por fim, no Procedimento Arbitral nº 41/2019/SEC7/CAM-CCBC, em que foi requerente a Ambiental Transportes Urbanos S.A., e requeridos o Município de São Paulo e a São Paulo Transportes S/A, o coárbitro Regis Fernandes de Oliveira, ao declarar seu voto na Segunda Sentença Parcial de 19 de julho de 2021, aproveitou-se de lições do Professor Marçal Justen Filho tanto ao tratar dos bens da concessão, quanto ao explicar no que consistiria a Taxa Interna de Retorno (TIR) nas concessões.

As contribuições do Professor Marçal Justen Filho para a solução de disputas arbitrais vão muito além de temas clássicos em matéria de contratações públicas. Relevante questão jurídica ainda não decidida pelos Tribunais Arbitrais brasileiros, para a qual o Professor Marçal Justen Filho dedicou detida atenção, é a da responsabilização de sociedade de economia mista (a Petrobras) e o seu controlador (a União), em face de investidores e acionistas, pelos prejuízos decorrentes da desinformação e em virtude dos atos ilícitos dos diretores da empresa comprovados nos inquéritos e nas sentenças do Lava Jato.[38] As lições do Professor Marçal Justen Filho para o caso são claras:

> as infrações ao dever de informar caracterizam ilicitude civil em relação aos investidores, em virtude dos prejuízos sofridos em decorrência da ausência de informações precisas, completas e satisfatórias. Assim se passa, em primeiro lugar, porque a prática

---

[38] JUSTEN FILHO, Marçal. Parecer sobre responsabilidade direta da sociedade de economia mista por danos acarretados aos investidores. *In:* CARVALHOSA, Modesto; LEÃES, Luiz Gastão Paes de Barros; WALD, Arnoldo (org.). *A responsabilidade civil da empresa perante os investidores.* São Paulo: Quartier Latin, 2018. p. 203-277.

das irregularidades no âmbito da companhia pode acarretar a redução do preço de mercado dos valores mobiliários por ela emitidos. O atendimento satisfatório ao dever de informar implica providências internas adequadas a impedir e a reprimir a prática das irregularidades. Mas a prestação das informações ao mercado – independentemente da causa das irregularidades eventualmente verificadas – propiciaria aos investidores a oportunidade de adotar providências compatíveis com a defesa de seus interesses.

Este breve apanhado de alguns procedimentos arbitrais envolvendo entes da Administração Pública federal, estadual e municipal e ainda de notório caso envolvendo a Petrobras, obviamente não retrata todas as vezes que o Professor Marçal Justen Filho foi mencionado em arbitragens, mas serve para ilustrar como ele influenciou – e continua influenciando – a solução de disputas envolvendo toda a sorte de casos, especialmente os de grande complexidade. Sua doutrina concilia, como poucas, didatismo e profundidade, e são mencionadas mesmo num contexto em que, usualmente, textos doutrinários são pouco citados.

6 Observações finais

A arbitragem envolvendo a Administração Pública já conta com razoável amadurecimento institucional e experiências práticas em diversos entes federativos, em casos de grande relevo. Com olhar voltado ao futuro, o Professor Marçal Justen Filho fez importante alerta sobre o tema, no que denominou "a revolução secreta dos contratos públicos".

Ponderou, assim, o Professor Marçal Justen Filho:

(...) arbitragem não negará a existência das competências anômalas da Administração, mas exigirá a comprovação dos pressupostos concretos para as decisões administrativas. Não afastará a presunção de legitimidade dos atos administrativos, mas avaliará a observância do devido processo legal, do contraditório e da ampla defesa. (...) A ausência de documentação das decisões administrativas e a omissão em decisão tempestiva criarão o risco de derrota da Administração. A invocação a princípios abstratos ("interesse público", por exemplo) poderá ser insuficiente para superar defeitos na conduta administrativa".[39]

Em sua perspectiva, a arbitragem "acarretará a valorização das regras contratuais e da conduta das partes durante a execução do contrato". Enquanto para o Poder Judiciário e os órgãos de controle externo, "as normas legais prevalecem sobre o contrato", "as prerrogativas extraordinárias sobrepõem-se ao edital", na arbitragem, os julgadores "não ignoram nem desconhecem a lei, mas priorizam o contrato".[40]

Com base nessas percucientes observações, previu o Professor Marçal Justen Filho haver um grande potencial para a mutação do direito dos contratos administrativos, já

---

[39] JUSTEN FILHO, Marçal. A revolução secreta nos contratos públicos. Como a cultura da arbitragem muda a vinculação aos contratos. Jota, São Paulo, 24 set. 2019. Disponível em: https://www.jota.info/opiniao-e-analise/colunas/publicistas/a-revolucao-secreta-nos-contratos-publicos-24092019. Acesso em: 3 ago. 2024.

[40] JUSTEN FILHO. A revolução secreta nos contratos públicos. Como a cultura da arbitragem muda a vinculação aos contratos.

que "a cultura da arbitragem privilegia o contrato, cujas regras são a fonte primordial para disciplinar o relacionamento entre as partes".[41]

Se o aperfeiçoamento dos contratos administrativos e a mutação da conduta da Administração Pública na execução contratual decorrerão da prática arbitral, o percurso será iluminado pelas lições doutrinárias do Professor Marçal Justen Filho.

Referências

BLOCH-LAINE, François. *Pour une reforme de l'entreprise*. Paris: Editions du Seuil, 1963.

BORGES, Alice Gonzalez. O contrato administrativo repensado. *Revista da Academia de Letras Jurídicas da Bahia*, Salvador, n. 3, jul./dez. 1999.

BORGES, Alice Gonzalez. O ressurgimento das concessões de serviços públicos e a eclosão de novas formas de contratos administrativos. *In*: QUADROS, Cerdônio (org.). *Nova dimensão do Direito Administrativo*. São Paulo: NDJ, 1997.

BRASIL. Advocacia-Geral da União. Equipe de arbitragem da AGU completa um ano de funcionamento atuando em processos de mais de R$ 500 bilhões. *Gov.br*. Brasília, DF, 21 jun. 2023. Disponível em: https://www.gov.br/agu/pt-br/comunicacao/noticias/equipe-de-arbitragem-da-agu-completa-um-ano-atuando-em-processos-envolvendo-mais-de-r-500-bilhoes. Acesso em: 17 jun. 2024.

BRASIL. Tribunal de Contas da União (Plenário). Acórdão 587/2003. Relator: Min. Adylson Motta, 28 de maio de 2003. *DJTCU*: Brasília, DF, 2003.

BRASIL. Tribunal de Contas da União (Plenário). Acórdão 2573/2012. Rel. Min. Raimundo Carreiro, 26 de setembro de 2012. *DJTCU*: Brasília, DF, 2003.

CAETANO, Marcello. *Manual de Direito Administrativo*. 10. ed. Coimbra: Almedina, 1980. t. 1.

CARBONNIER, Jean. *Flexible Droit*. 7. ed. Paris: Librairie Générale de Droit et de Jurisprudence, 1992.

CARBONNIER, Jean. *Théorie des obligations*. Paris: Presses Universitaires de France, 1963.

CAM-CCBC. *Fatos e números do CAM-CCBC [relatório]*. Brasília, DF, 2023: CAM-CCBC. Disponível em: https://ccbc.org.br/cam-ccbc-centro-arbitragem-mediacao/fatos-e-numeros/#flipbook-df_45534/1/. Acesso em: 11 jun. 2024.

DI PIETRO, Maria Sylvia Zanella. *Parcerias na Administração Pública*. São Paulo: Atlas, 1996.

FERREIRA, Sergio de Andréa. A parceria no Direito Público da atualidade. *In*: MARTINS, Ives Gandra da Silva (coord.). *Direito contemporâneo*. Rio de Janeiro: Forense Universitária, 2001. p. 273-284.

ESTORNINHO, Maria João. *Fuga para o Direito Privado*. Coimbra: Almedina, 1996.

ESTORNINHO, Maria João. *Requiem para o contrato administrativo*. Coimbra: Almedina, 1990.

FARJAT, Gérard. *Droit Privé de l'Économie*: theorie des obligations. Paris: Presses Universitaires de France, 1975.

GAILLARD, Emmanuel. *Teoria jurídica da arbitragem internacional*. Tradução: Natália Mizrahi Lamas. São Paulo: Atlas, 2014.

---

[41] JUSTEN FILHO. A revolução secreta nos contratos públicos. Como a cultura da arbitragem muda a vinculação aos contratos.

HAURIOU, André. Le Droit Administratif de l'Aléatoire. *In:* HAURIOU, André. *Mélanges offerts à Monsieur le Doyen Louis Trotabas.* Paris: Librairie Générale de Droit et de Jurisprudence, 1970.

JUSTEN FILHO, Marçal. A revolução secreta nos contratos públicos. Como a cultura da arbitragem muda a vinculação aos contratos. *Jota,* São Paulo, 24 set. 2019. Disponível em: https://www.jota.info/opiniao-e-analise/colunas/publicistas/a-revolucao-secreta-nos-contratos-publicos-24092019. Acesso em: 3 ago. 2024.

JUSTEN FILHO, Marçal. Administração Pública e arbitragem: o vínculo com a câmara de arbitragem e os árbitros. *Revista do Tribunal Regional Federal da 1ª Região,* Brasília, DF, v. 28, n. 11/12, nov./dez. 2016.

JUSTEN FILHO, Marçal. Parecer sobre responsabilidade direta da sociedade de economia mista por danos acarretados aos investidores. *In:* CARVALHOSA, Modesto; LEÃES, Luiz Gastão Paes de Barros; WALD, Arnoldo (org.). A responsabilidade civil da empresa perante os investidores. São Paulo: Quartier Latin, 2018, p. 203-277.

LAUBADERE, André de. *Droit Public Économique.* 10. ed. Paris: Dalloz, 1976.

LEMES, Selma (coord.). Arbitragem em números: pesquisa 2021/2022. *Canal Arbitragem,* São Paulo, 2023.

LOBO, Carlos Augusto de Silveira. História e perspectivas da arbitragem no Brasil. *RArb – Revista de Arbitragem e Mediação,* n. 50, p. 79-94, jul./set. 2016.

MEIRELLES, Hely Lopes. *Direito Administrativo brasileiro.* 26. ed. São Paulo: Malheiros, 2001.

MOREIRA NETO, Diogo de Figueiredo. O sistema de parceria entre os setores público e privado. *Boletim de Direito Administrativo,* São Paulo, n. 2, p. 75-81, fev. 1997.

MORIN, Gaston. *La revolte du Droit contre le Code.* Paris: Sirey, 1945.

MOROLLI, Fábio Giusto. A evolução do Direito Público e a parceria com a iniciativa privada. *Boletim de Direito Administrativo,* São Paulo, n. 10, p. 636-645, out. 1998.

MUNIZ, Petronio R. G. *Operação arbiter.* Recife: ITN, 2005.

PICOD, Yves. *Le devoir de loyaute dans l'execution du contrat.* Paris: Librairie Générale de Droit et de Jurisprudence, 1989.

PERCEROU, Roger. Préface. *In:* MICHEL FLEURIET. *Les techniques de l'économie concertee.* Paris: Sirey, 1974.

SCHUMPETER, Joseph A. The process of creative destruction. *In:* SCHUMPETER, Joseph A. *Capitalism, Socialism, and Democracy.* New York: Harper & Brothers, 1950. chap. VII.

TÁCITO, Caio. O retorno do pêndulo: serviço público e empresa privada. O exemplo brasileiro. *Revista Forense,* Rio de Janeiro, n. 334, abr./jun. 1996.

WALD, Arnoldo. Aspectos peculiares do Direito Bancário: o regime jurídico dos atos *bifaces. Revista de Direito Mercantil,* São Paulo, n. 48, out./dez. 1982.

WALD, Arnoldo. O reconhecimento da constitucionalidade da Lei de Arbitragem pelo STF. *In:* WALD, Arnoldo; LEMES, Selma Ferreira (coord.). *25 anos da Lei de Arbitragem (1996-2021):* história, legislação, doutrina e jurisprudência. São Paulo: Thomson Reuters Brasil, 2021.

WALD, Arnoldo. Parcerias Público-Privadas e arbitragem. *Carta Mensal,* [*S. l.*], n. 589, abr. 2004.

Informação bibliográfica deste texto, conforme a NBR 6023:2018 da Associação Brasileira de Normas Técnicas (ABNT):

WALD, Arnoldo; MACÉA, Clarissa Marcondes. O novo Direito Administrativo. Arbitragem com a Administração Pública: origem, institucionalização e prática. Contribuições do Professor Marçal Justen Filho. *In*: JUSTEN, Monica Spezia; PEREIRA, Cesar; JUSTEN NETO, Marçal; JUSTEN, Lucas Spezia (coord.). *Uma visão humanista do Direito*: homenagem ao Professor Marçal Justen Filho. Belo Horizonte: Fórum, 2025. v. 3, p. 645-662. ISBN 978-65-5518-915-5.

"INTERESSE PÚBLICO", "PERSONALIZAÇÃO" DO DIREITO PROCESSUAL CIVIL E NEGÓCIOS PROCESSUAIS

BRUNO GRESSLER WONTROBA

1 Introdução

Entre as tantas e inúmeras contribuições do Professor Marçal Justen Filho ao direito brasileiro, encontram-se aquelas relativas ao conceito de "interesse público" e, em especial, à forma pela qual esse conceito foi tradicionalmente empregado no direito público pátrio.

O consensualismo no direito público e especificamente no direito administrativo também tem recebido dedicada atenção do Professor Marçal. Ele tem defendido (do ponto de vista teórico) e concretamente contribuído para a adoção de mecanismos negociais nesses setores.

Este artigo se propõe a demonstrar possíveis conexões entre esses temas e o direito processual civil. Do exame de Marçal Justen Filho sobre o conceito de interesse público e da sua convocação à "personalização" do direto administrativo, trataremos do processo de personalização do direito processual civil e buscaremos extrair aportes para o estudo de um de seus institutos jurídicos: os negócios processuais.

Com isso, e agradecidos pela oportunidade, esperamos prestar a nossa singela e devida homenagem aos 70 anos do Professor Marçal Justen Filho.

2 O conceito de "interesse público" e a crítica de Marçal Justen Filho

Em artigo publicado em 1999 intitulado "Conceito de interesse público e a 'personalização' do Direito Administrativo",[1] Marçal Justen Filho ensina que "a construção

---

[1] JUSTEN FILHO, Marçal. Conceito de interesse público e a "personalização" do Direito Administrativo. *Revista Trimestral de Direito Público*, São Paulo, v. 26, p. 115-136, 1999.

doutrinária que privilegia o interesse público representa uma evolução marcante em direção à democratização do poder político".[2]

Afinal, a elaboração do conceito de interesse público fez com que a atuação estatal passasse a estar vocacionada ao atingimento de determinados fins. Pelo menos em teoria, o Estado deixa de ser o fim para se converter em instrumento voltado à satisfação de determinadas necessidades.

Por isso, nas palavras do Professor Marçal, afirmar a supremacia do interesse público "corresponde a reconhecer natureza instrumental aos poderes titularizados pelo Estado e agentes públicos".[3] Graças a isso, passou-se a se admitir o controle jurídico e jurisdicional da atuação estatal, que é uma das notas da democracia.

Porém, a construção do conceito de interesse público não foi o bastante. Por muito tempo, o interesse público foi confundido com interesse do Estado, do poder político e/ou dos agentes públicos. Em última análise, o primado do interesse público significava o primado do Estado sobre o particular.

Daí por que a crítica do Professor Marçal recai não sobre o conceito de interesse público nem sobre sua indeterminação,[4] mas sobre a forma pela qual o conceito de interesse público e a sua indeterminação foram (e ainda são) usualmente empregados no direito público brasileiro.

Então, Marçal Justen Filho se propõe a "determinar o conceito de interesse público, em face do risco da aplicação equivocada do referido princípio".[5]

Nesse processo de determinação, o Professor Marçal inicia pela distinção do interesse público frente ao "interesse do Estado", ao "interesse do aparato administrativo" e ao "interesse privado da pessoa física do agente público". A partir dessas distinções, ele conclui que foi superada "qualquer identificação entre interesse público e as meras conveniências do Estado ou dos agentes públicos".[6]

Na sequência, Marçal Justen Filho expõe quatro vertentes tradicionais (ou "concepções técnicas") sobre o conceito de interesse público.[7] Como adiantado, todas essas concepções técnicas ainda são demasiadamente abertas e reconduzidas à primazia do Estado, do poder político e/ou dos agentes públicos sobre os particulares, postos em segundo plano.

Em razão disso, Marçal Justen Filho propõe o abandono do enfoque meramente técnico a respeito do interesse público. Ele defende que, em seu lugar, seja adotado um enfoque ético. Esse enfoque ético significa que *o interesse se torna público quando ele se relaciona* "à realização de princípios e valores fundamentais" cuja "satisfação não pode ser

---

[2] JUSTEN FILHO. Conceito de interesse público e a "personalização" do Direito Administrativo, p. 116.

[3] JUSTEN FILHO. Conceito de interesse público e a "personalização" do Direito Administrativo, p. 115.

[4] "Lembre-se que a função desempenhada pelos conceitos indeterminados exige uma abertura permanente em face da realidade. A indeterminação não é um defeito do conceito, mas um atributo destinado a permitir sua aplicação mais adequada caso a caso. A indeterminação dos limites do conceito propicia a aproximação do sistema normativo à riqueza do mundo real" (JUSTEN FILHO. Conceito de interesse público e a "personalização" do Direito Administrativo, p. 116).

[5] JUSTEN FILHO. Conceito de interesse público e a "personalização" do Direito Administrativo, p. 116.

[6] JUSTEN FILHO. Conceito de interesse público e a "personalização" do Direito Administrativo, p. 119.

[7] JUSTEN FILHO. Conceito de interesse público e a "personalização" do Direito Administrativo, p. 119-120.

objeto de alguma transigência",[8] ou, ainda, "quando a sua frustração acarreta inevitável ofensa ao princípio da dignidade da pessoa humana".[9]

O excerto a seguir bem sintetiza o raciocínio:

A transmutação do interesse de privado em público não deriva de um imperativo meramente técnico, mas de imposições éticas. É verdade que existem necessidades privadas que não podem ser satisfeitas pelo esforço individual e isolado de cada qual. Também procede o raciocínio de que a sociedade civil e as organizações econômicas privadas dispõem de recursos satisfatórios para atendimento a essas necessidades. Ocorre que tais demandas são diretamente relacionadas à *realização de princípios e valores fundamentais, especialmente a dignidade da pessoa humana. O interesse deixa de ser privado porque sua satisfação não pode ser objeto de alguma transigência.* É impossível admitir que se apliquem à satisfação dessas necessidades as regras jurídicas que disciplinam o atendimento aos demais interesses individuais, sob pena de admitir possibilidade de sua não realização.[10]

Em resumo, para Marçal Justen Filho, o conceito moderno de interesse público passa pelo reconhecimento de que existem determinados interesses da pessoa humana que precisam, inexoravelmente, ser atendidos.[11]

Esses interesses podem ser congregados no princípio da dignidade da pessoa humana. Segundo o Professor Marçal, "supremacia e indisponibilidade do interesse público são a via insubstituível para realização da dignidade da pessoa humana".[12]

3 A "personalização" do direito administrativo

Essa nova forma de lidar com o conceito de interesse público representa o que Marçal Justen Filho denomina de "personalização do Direito Administrativo".[13] Segundo o Professor Marçal:

A personalização do Direito Administrativo propicia reconhecer que a Administração Pública não apresenta valores intrínsecos. Também aqui a diretriz primeira é a dignidade da pessoa humana. A atividade administrativa tem de nortear-se pela realização desse valor, inclusive (e especialmente) quando se trata de interesses de minorias e dos destituídos de poder (...). O núcleo do Direito Administrativo não é o poder (e suas conveniências), *mas a realização do interesse público – entendido como afirmação da supremacia da dignidade da pessoa humana (...). A personalização do Direito Administrativo dá conteúdo próprio ao princípio da supremacia do interesse público e torna-o operacional do ponto de vista da concretização dos valores jurídicos fundamentais.*[14]

---

[8] JUSTEN FILHO. Conceito de interesse público e a "personalização" do Direito Administrativo, p. 124.

[9] JUSTEN FILHO. Conceito de interesse público e a "personalização" do Direito Administrativo, p. 134.

[10] JUSTEN FILHO. Conceito de interesse público e a "personalização" do Direito Administrativo, p. 124.

[11] JUSTEN FILHO. Conceito de interesse público e a "personalização" do Direito Administrativo, p. 125.

[12] JUSTEN FILHO. Conceito de interesse público e a "personalização" do Direito Administrativo, p. 125.

[13] JUSTEN FILHO. Conceito de interesse público e a "personalização" do Direito Administrativo, p. 128.

[14] JUSTEN FILHO. Conceito de interesse público e a "personalização" do Direito Administrativo, p. 129-130. Cf. também: JUSTEN FILHO, Marçal. *Curso de Direito Administrativo*. 14. ed. Rio de Janeiro: Forense, 2023. p. 48-49, grifos nossos.

Em resumo, trata-se de colocar a pessoa humana como centro de todo e qualquer raciocínio ou operação jurídicos, inclusive no âmbito do direito público e do direito administrativo.

Nesse sentido, como destacam Nelson Nery Junior e Rosa Maria de Andrade Nery, "o homem é sujeito de direito, e, nunca, objeto de direito", e a dignidade da pessoa humana "é a razão de ser do Direito".[15]

Em vez de concepções que privilegiam o Estado, o poder político e/ou os agentes públicos, é preciso situar a dignidade da pessoa humana, um dos fundamentos da República (art. 1º, III, da CF), como um dado antecedente.[16]

4 O processo de "personalização" do direito processual civil

Os escritos de Marçal Justen Filho a respeito do conceito de interesse público no direito administrativo são relevantes para o direito processual civil.

Isso porque o direito processual civil e seus institutos também passaram (e ainda passam) por um processo de "personalização".

4.1 O dogma da irrelevância da vontade no processo

Até meados do século XIX, o direito processual civil não existia como ramo e disciplina autônomos do direito. Ele era considerado parte do direito *privado*, especialmente do direito civil. O processo era definido apenas como o procedimento ou modo de exercício dos direitos materiais. Não se considerava o processo como relação jurídica própria, com pressupostos e objeto próprios.

Somente a partir da segunda metade do século XIX, na Europa, é que os conceitos fundamentais do direito processual civil (de ação, de jurisdição e de relação jurídica processual, por exemplo) começaram a ser elaborados. Isso lhe assegurou autonomia científica e didática em relação ao direito material.[17] O direito processual civil passou a ser considerado ramo autônomo do direito *público*.[18]

Esse fenômeno de autonomização do direito processual civil foi marcado por duas características fundamentais, relacionadas com a sua colocação dentro do direito público e que impactaram todo o seu desenvolvimento. De um lado, *a hiperpublicização do direito processual civil*. De outro lado, *o dogma do afastamento entre o direito processual civil e o direito material*.

---

[15] NERY JUNIOR, Nelson; NERY, Rosa Maria de Andrade. *Constituição Federal comentada*. 7. ed. São Paulo: Revista dos Tribunais, 2019. p. 234-235.

[16] Marçal Justen Filho (Conceito de interesse público e a "personalização" do Direito Administrativo, p. 126) alude à transcendentalidade do princípio da dignidade da pessoa humana, que significa "condição apriorística de possibilidade de existência e compreensão do sistema jurídico", ou, em outras palavras: "todo o sistema jurídico desenvolve-se a partir do princípio da dignidade da pessoa humana e somente adquire sentido e se torna compreensível em virtude dele". Ainda, ver: JUSTEN FILHO. *Curso de Direito Administrativo*, p. 60.

[17] DINAMARCO, Cândido Rangel; LOPES, Bruno Vasconcelos Carrilhos. *Teoria geral do novo processo civil*. São Paulo: Malheiros, 2016. p. 18.

[18] Afinal, como nota Marçal Justen Filho, é o ramo que trata da "disciplina da atividade jurisdicional do Estado relativa a litígios de natureza não penal" (JUSTEN FILHO, Marçal. *Introdução ao estudo do Direito*. 2. ed. Rio de Janeiro: Forense, 2021. p. 183).

Para afirmar a autonomia do direito processual civil frente ao direito material, foi necessário ressaltar o direito processual civil como ramo do direito público. As suas regras disciplinam uma função estatal e uma relação jurídica de que é parte o juiz, um agente estatal. Ainda, foi necessário pôr em relevo a distinção entre a relação jurídica de direito processual (necessariamente de direito público) e a relação jurídica litigiosa.[19]

Essas duas características (a hiperpublicização e o dogma do afastamento entre o direito processual civil e o direito material) não deixam de ser consequências das concepções de interesse público que dão primazia ao Estado, ao poder político e/ou aos agentes públicos. Na medida em que se ressalta o papel do Estado, os particulares são colocados em segundo plano também na relação jurídica processual.

Por isso, de acordo com o modelo ora examinado, o juiz, agente estatal responsável por conduzir o processo ao atingimento de objetivos ou escopos prioritariamente públicos, assume protagonismo na relação jurídica processual. O papel das partes (cujos objetivos são sempre particulares) na condução do processo é diminuído em desfavor desse agente, que é o protagonista da relação.[20]

Em conjunto, a hiperpublicização do direito processual civil e o dogma do afastamento entre o direito processual civil e o direito material produziram o *dogma da irrelevância da vontade das partes no processo*.

Conforme a doutrina:

> Esse pensamento formou o dogma da irrelevância da vontade no processo, pois não seria possível vincular o juiz à vontade de quem se encontrasse em posição de inferioridade [hiperpublicização do direito processual civil]. Logo, seria irrelevante a vontade das partes no processo. O dogma da irrelevância da vontade no processo decorre, ainda, do estigma de separar o direito processual do direito material [dogma do afastamento entre o direito processual civil e o direito material].[21]

Basicamente, de acordo com o dogma da irrelevância da vontade das partes no processo, *a partir da instauração do processo* (apenas ela sujeita ao impulso particular) *vigoraria o impulso oficial (estatal), que seria garantia de prosseguimento do procedimento previsto em lei. A lei seria a única fonte do direito processual civil, aplicável independentemente e mesmo contra a vontade das partes.*[22]

---

[19] Por exemplo, ver: BÜLOW, Oskar von. *La teoría de las excepciones procesales y los presupuestos procesales*. Buenos Aires: Ediciones Jurídicas, 1964. p. 1-2.

[20] O processualista colombiano Hernando Devis Echandía (*Teoría general del proceso*. 2. ed. Buenos Aires: Editorial Universidad, 1997. p. 288-289) afirmava, por exemplo, que "el sujeto principal de la relación jurídica procesal y del proceso es el juez". Cf. ainda: CALAMANDREI, Piero. *Instituciones de Derecho Procesal Civil*. Buenos Aires: Ediciones Jurídicas, 1973. v. 1, p. 393-400.

[21] CUNHA, Leonardo Carneiro da. Negócios jurídicos processuais no processo civil brasileiro. *In:* CABRAL, Antonio do Passo; NOGUEIRA, Pedro Henrique (coord.). *Negócios processuais*. 3. ed. Salvador: Juspodivm, 2017. p. 50. No mesmo sentido, ver: SILVA, Paula Costa e. *Acto e processo*: o dogma da irrelevância da vontade na interpretação e nos vícios do acto postulativo. Coimbra: Coimbra Editora, 2003. p. 19-20.

[22] Cf., nesse sentido, a concepção de Arruda Alvim (*Manual de Direito Processual Civil*. 7. ed. São Paulo: Revista dos Tribunais, 2001. v. 1, p. 122-123): "Um primeiro aspecto que se deve ter presente, no estudo da norma processual civil, é o de que ela é, predominantemente, uma norma de direito público e, de regra, uma norma cogente ou de ordem pública (...). A 'norma cogente' ou de 'ordem pública', desde que ocorram os pressupostos de seu funcionamento, necessariamente incide no caso concreto, uma vez verificados no plano empírico os fatos a que se referem os seus elementos definitórios, *independentemente da vontade dos interessados e mesmo contra*

Naturalmente, a hiperpublicização do direito processual civil, o dogma do afastamento entre o direito processual civil e o direito material e o dogma da irrelevância da vontade também caracterizaram o direito processual civil brasileiro do século XX. É o que se extrai das Exposições de Motivos dos Códigos de Processo Civil (CPC) de 1939 e de 1973, por exemplo.

A Exposição do Código de 1939 afirmava que "à concepção duelística do processo haveria de substituir-se a concepção autoritária do processo" e que a finalidade do processo "é a atuação da vontade da lei". A Exposição do Código de 1973, por sua vez, indicava que "o interesse das partes não é senão um meio, que serve para conseguir a finalidade do processo na medida em que dá lugar àquele impulso destinado a satisfazer o *interesse público* da atuação da lei na composição dos conflitos".

A concepção de Enrico Tullio Liebman sobre a vontade no direito processual civil sintetiza a concepção predominante no Brasil do século XX. Segundo o autor, embora os atos processuais sejam atos voluntários, a vontade não seria nem relevante, nem apta a delinear os efeitos processuais, todos necessariamente já previstos em lei – característica que distinguiria os atos processuais dos negócios jurídicos.[23]

Portanto, o direito processual civil dos séculos XIX e XX foi caracterizado pelo dogma da irrelevância da vontade no processo, que nada mais era do que uma faceta da primazia do interesse público sobre os interesses privados. Na medida em que o interesse público era tradicionalmente identificado com o interesse do Estado,[24] disso decorria o primado do interesse público ou do Estado sobre os interesses privados não apenas no direito administrativo, mas também no direito processual civil.[25]

4.2 A "personalização" do direito processual civil

A partir da segunda metade do século XX e mais tarde no Brasil, por diversas razões constatou-se que o processo não oferecia a tutela jurisdicional justa, efetiva e em tempo razoável que dele se esperava.

Com isso, gradativamente a publicização do direito processual civil foi redimensionada e o dogma do afastamento entre o direito processual civil e o direito material foi relativizado.

Em linhas gerais, assim pode ser descrito o processo de personalização do direito processual civil: redimensionamento do seu caráter público e sua reaproximação com o direito material.

---

tais vontades, que são impotentes (= irrelevantes) para impedir a sua incidência, a qual é, assim, inexorável (...). Mas, conquanto existam, no direito processual civil, algumas normas dispositivas, na sua imensa maioria elas são cogentes. É característica da norma processual civil o não ser possível afastar sua incidência nem às partes, nem ao juiz. Assim, está excluída a possibilidade de um processo convencional".

[23] LIEBMAN, Enrico Tullio. *Manual de Direito Processual Civil*. Rio de Janeiro: Forense, 1985. v. 1, p. 226.

[24] JUSTEN FILHO. Conceito de interesse público e a "personalização" do Direito Administrativo, p. 116.

[25] Trata-se do "modelo social de processo" de Franz Klein, na Áustria do fim do século XIX. Esse modelo, em que prevalecia a figura do juiz (agente estatal), contrapunha-se ao "modelo liberal de processo", e se espraiou para outros países da Europa. A esse respeito, consultar: ALMEIDA, Diogo Assumpção Rezende de. *A contratualização do processo*. São Paulo: LTr, 2015. p. 67-69; GRECO, Leonardo. Publicismo e privatismo no processo civil. *Revista de Processo: RePro*, São Paulo, v. 164, out. 2008. p. 31; e, especialmente, LUCCA, Rodrigo Ramina de. *Disponibilidade processual*: a liberdade das partes no processo. São Paulo: Revista dos Tribunais, 2019. p. 96-106.

Atualmente, em estágio mais avançado desse processo, além dos tradicionais escopos ou objetivos públicos do processo,[26] atribui-se ao processo civil o escopo ou objetivo particular de *prestar tutela jurisdicional aos jurisdicionados, solucionando de forma justa, efetiva e em tempo razoável os litígios.*[27]

Nesse novo modelo, partes e o juiz participam da relação processual não de forma assimétrica, mas em regime de contraditório e coordenação. As partes têm o direito de participar e o juiz tem o dever de colaborar para que se obtenha, em tempo razoável, decisão de mérito justa e efetiva (art. 6º do CPC).[28]

Ainda, foi esse mesmo processo de personalização do direito processual civil que culminou no abandono da ilusão de que todo e qualquer litígio, envolvendo toda e qualquer pessoa e todo e qualquer direito material, poderia ser adequadamente solucionado por um procedimento único e inflexível, indiferente às diferentes situações de direito material.

Como leciona José Roberto dos Santos Bedaque:

> O desenvolvimento da ciência processual exige a concepção de um instrumento perfeitamente adequado aos fins a que se propõe. Daí a necessidade de – diante da realidade material, das novas conquistas verificadas no plano dos direitos – criar modelos processuais compatíveis com as necessidades verificadas no plano substancial e aptos a solucionar essa gama enorme de novos conflitos, até então inconcebíveis. Para ser justo, não pode o processo prescindir das diferentes realidades litigiosas.[29]

A reaproximação entre direito processual civil e direito material fez com que se proliferassem procedimentos especiais, no lugar do procedimento único para a tutela de todo e qualquer direito. Alude-se ao princípio da adequação, que obrigou o legislador a criar técnicas processuais e procedimentos especiais adequados aos diferentes casos concretos que modernamente surgiram.[30]

5 Os negócios processuais

Apesar desse novo cenário do direito processual civil, o dogma da irrelevância da vontade das partes no processo vigorou ainda por muito tempo.

No Brasil, apenas com o CPC de 2015 é que se pode dizer que o nosso direito processual civil se desprendeu definitivamente do dogma da irrelevância da vontade das partes.

---

[26] Sobre eles, ver: CINTRA, Antonio Carlos de Araújo; GRINOVER, Ada Pellegrini; DINAMARCO, Cândido Rangel. *Teoria geral do processo.* 25. ed. São Paulo: Malheiros, 2009. p. 149.

[27] MARINONI, Luiz Guilherme; ARENHART, Sérgio Cruz; MITIDIERO, Daniel. *Novo curso de processo civil.* 2. ed. São Paulo: Revista dos Tribunais. v. 1, p. 288.

[28] WAMBIER, Luiz Rodrigues; TALAMINI, Eduardo. *Curso avançado de processo* civil. 21. ed. São Paulo: Revista dos Tribunais, 2022. v. 1, p. 83.

[29] BEDAQUE, José Roberto dos Santos. *Direito e processo*: influência do Direito Material sobre o processo. 5. ed. São Paulo: Malheiros, 2009. p. 59.

[30] MARINONI; ARENHART; MITIDIERO. *Novo curso de processo civil*, v. 1, p. 129.

Essa ruptura se deu principalmente em razão da previsão, no CPC de 2015, de diversos negócios processuais típicos e de uma cláusula que autoriza a celebração de negócios processuais atípicos.

Trata-se do art. 190 do CPC, que dispõe:

> Art. 190. Versando o processo sobre direitos que admitam autocomposição, é lícito às partes plenamente capazes estipular mudanças no procedimento para ajustá-lo às especificidades da causa e convencionar sobre os seus ônus, poderes, faculdades e deveres processuais, antes ou durante o processo.
>
> Parágrafo único. De ofício ou a requerimento, o juiz controlará a validade das convenções previstas neste artigo, recusando-lhes aplicação somente nos casos de nulidade ou de inserção abusiva em contrato de adesão ou em que alguma parte se encontre em manifesta situação de vulnerabilidade.

Em síntese, a regra autoriza que as pessoas celebrem negócios processuais atípicos, ou seja: fora dos casos expressamente previstos em lei, negociem com eficácia imediata (art. 200 do CPC) sobre o procedimento ("para ajustá-lo às especificidades da causa") e/ou sobre situações processuais (que são os "ônus, poderes, faculdades e deveres processuais").

Por meio de negócios processuais, sejam eles típicos ou atípicos, a regra processual positiva é substituída por uma regra processual negocial, que deve a priori ser observada e aplicada pelo juiz. As partes assumem papel de relevância não só na instauração do processo, mas também no seu desenvolvimento.

Trata-se de instrumento à disposição das partes com a função de adaptar as regras processuais e procedimentais ao caso concreto, a fim de assegurar a prestação de tutela jurisdicional justa, efetiva e em tempo razoável exigida pela Constituição Federal (art. 5º, XXXV e LXXVIII).

5.1 O conceito e algumas generalidades

Os fatos processuais em sentido amplo são também fatos jurídicos em sentido amplo. A teoria (especial) dos fatos processuais é a versão, que pertence ao direito processual, da teoria (geral) dos fatos jurídicos, que pertence à teoria do direito. Assim, o fato pode ser processual, desde que seja jurídico.[31]

O critério que atribui a um fato jurídico qualquer a qualidade processual é a natureza dos efeitos gerados pelo fato. Se o fato é capaz de gerar, ainda que em tese, efeitos processuais (criando, modificando ou extinguindo situações processuais ou modificando o procedimento), ele é um fato processual.[32]

---

[31] DIDIER JUNIOR, Fredie; NOGUEIRA, Pedro Henrique. *Teoria dos fatos jurídicos processuais*. 2. ed. Salvador: Juspodivm, 2013. p. 31; NERY, Rosa Maria de Andrade; NERY, Rosa Maria de Andrade; NERY JUNIOR, Nelson. *Instituições de Direito Civil*. São Paulo: Revista dos Tribunais, 2016. v. 3, p. 499; PASSOS, José Joaquim Calmon de. *Esboço de uma teoria das nulidades aplicadas às nulidades processuais*. Rio de Janeiro: Forense, 2009. p. 43-44.

[32] Para um exame mais detalhado do tema, remetemos o leitor a: WONTROBA, Bruno Gressler. *Negócios jurídicos processuais atípicos*: objeto lícito, disponibilidade do Direito Material e disponibilidade da tutela jurisdicional. 2019. Dissertação (Mestrado em Direito) – Faculdade de Direito, Universidade Federal do Paraná, Curitiba, 2019.

Assim, partindo da teoria geral dos fatos jurídicos[33] e considerando esse critério, *negócio processual é o ato humano, capaz de produzir efeitos processuais em um processo atual ou futuro e apenas eventual, previsto em hipótese de incidência de norma jurídica que contém, como elemento essencial, ato humano de vontade orientada à produção de efeitos processuais e ao delineamento dos efeitos processuais.*[34]

Os negócios processuais podem ser classificados de diversas formas.[35] Para os fins do presente artigo, importam duas classificações.

A primeira classificação é a que distingue negócios processuais *propriamente ditos* dos negócios processuais *procedimentais*, com base no objeto do negócio.[36] Se o negócio processual tem por objeto uma situação processual (ônus, poder, faculdade ou dever processual), ele é um negócio processual propriamente dito (ou negócio processual obrigacional). Se o negócio processual tem por objeto o procedimento, ele é um negócio processual procedimental.

Essa distinção (nem sempre tão clara nas situações concretas) está presente no próprio art. 190 do CPC, segundo o qual o objeto dos negócios processuais atípicos pode ser o *"procedimento* para ajustá-lo às especificidades da causa" ou "ônus, poderes, faculdades e deveres processuais". Ainda, tem respaldo na distinção entre processo e procedimento prevista na Constituição Federal (arts. 22, I, e 24, XI).

A segunda classificação é a que distingue negócios processuais *típicos* dos negócios processuais *atípicos*, com base na existência ou não de previsão legal do negócio processual.[37]

Em razão da hiperpublicização do direito processual civil, do dogma do afastamento entre o direito processual civil e o direito material e do dogma da irrelevância da vontade no processo, muitos autores tradicionalmente afirmavam que não existiam negócios processuais.[38] No máximo, com muito esforço se admitia que existiriam apenas negócios processuais *típicos.*[39]

---

f. 25 e ss. O critério do efeito produzido pelo fato está em conformidade com aquele que é costumeiramente adotado na teoria geral dos fatos jurídicos. Por exemplo, Marçal Justen Filho define fato jurídico em sentido amplo "como evento do mundo real que corresponde a uma previsão contida em uma norma jurídica, cuja consumação *produz efeitos previsto pelo Direito*" (JUSTEN FILHO. *Introdução ao estudo do Direito*, p. 213).

[33] Ver, por exemplo, o conceito de negócio jurídico na teoria geral dos fatos jurídicos em: MELLO, Marcos Bernardes de. *Teoria do fato jurídico*: plano da existência. 18. ed. São Paulo: Saraiva, 2012. p. 225. Ainda na teoria geral, Marçal Justen Filho alude a situações em que "uma norma jurídica geral atribui aos sujeitos o poder jurídico para produzir norma jurídica específica, destinada a disciplinar a própria conduta" (JUSTEN FILHO. *Introdução ao estudo do Direito*, p. 223).

[34] No mesmo sentido: TALAMINI, Eduardo. Um processo pra chamar de seu: nota sobre os negócios jurídicos processuais. *Migalhas*, São Paulo, 21 out. 2015. Disponível em: https://www.migalhas.com.br/arquivos/2020/6/2CCA2C38C91F32_Eduardo-umprocesso-pra-chamar.pdf. Acesso em: 1 out. 2024; WAMBIER; TALAMINI, v. 1, p. 593.

[35] Mais detalhadamente, ver: WONTROBA. *Negócios jurídicos processuais* atípicos: objeto lícito, disponibilidade do Direito Material e disponibilidade da tutela jurisdicional, f. 43 e ss.

[36] CABRAL, Antonio do Passo. *Convenções processuais*. 2. ed. Salvador: Juspodivm, 2018. p. 79-80.

[37] NOGUEIRA, Pedro Henrique. *Negócios jurídicos processuais*. 3. ed. Salvador: Juspodivm, 2018. p. 203.

[38] Por exemplo, no Brasil: CINTRA; GRINOVER; DINAMARCO. *Teoria geral do processo*, p. 358; DINAMARCO, Cândido Rangel. *Instituições de Direito Processual Civil*. 3. ed. São Paulo: Malheiros, 2003. v. 2, p. 471-472. Na Itália, ver: DENTI, Vittorio. Negozio processuale. *In*: CALASSO, Francesco (dir.). Enciclopedia del Diritto. Milano: Giuffré, 1978. v. 28, p. 257.

[39] Por exemplo: CHIOVENDA, Giuseppe. Instituições de Direito Processual Civil. Campinas: Bookseller, 1998. v. 1, p. 99; CHIOVENDA, Giuseppe. *Principii di Diritto Processuale Civile*. Nápoles: Jovene, 1965. p. 102; SATTA, Salvatore. Accordo (Diritto Processuale Civile). *In*: CALASSO, Francesco (dir.). *Enciclopedia del Diritto*. Milano: Giuffré, 1958. v. 1, p. 300-301.

Como anota Antonio do Passo Cabral:

Rapidamente, até pela adesão que a concepção publicista do processo ganhou tanto na Alemanha quanto no restante da Europa, a tese de Bülow se popularizou. Forjou-se uma premissa de proibição do chamado 'processo convencional' (Konventionalprozeü). Privilegiava-se o caráter público decorrente da presença da autoridade estatal e dele se extraía a ausência de espaços para os acordos processuais.[40]

No mesmo sentido, Remo Caponi ensina que um dos fatores para que o tema dos negócios processuais fosse pouco ou nada examinado no século XX foi o Código de Processo Civil italiano de 1942, caracterizado pelo "rafforzamento dell'autorità del giudice, nel quadro dela concezione del processo civile come mezzo di attuazione del diritto oggettivo nel caso concreto".[41]

Como visto, o direito processual civil do final do século XIX e do século XX foi caracterizado pelo hiperpublicismo. Os escopos ou objetivos públicos do processo seriam mais relevantes do que os escopos ou objetivos particulares do processo. A lei, em regra cogente, seria a única fonte do direito processual civil. A condução do processo seria responsabilidade exclusiva do juiz.

Se o interesse público era identificável com o interesse do Estado, do poder político e/ou dos agentes públicos, era natural que isso repercutisse no direito processual civil, ramo do direito público que trata de uma das manifestações estatais. Novamente, registra Antonio do Passo Cabral que:

Se o processo é público, um instrumento do Estado posto à disposição das partes, mas que a elas não pertence, seria natural que os litigantes não pudessem ser os 'senhores' dos rumos do procedimento. Assim, opondo-se ao 'processo de partes' individualista, que remetia ao privatismo romano, o movimento de publicização levou a um aumento dos poderes do juiz, tendo sido largamente difundida a ideia de que a direção formal do processo caberia exclusivamente ao magistrado.[42]

No Brasil, exceção à regra foi Barbosa Moreira. Em 1982, o jurista escreveu texto intitulado "Convenções das partes sobre matéria processual".[43] Ainda que timidamente, ele admitia a existência de negócios processuais atípicos.[44]

Apesar disso, alguns anos depois, o autor defendeu que o processo civil "é público por natureza e público deve permanecer". Mais alguns anos depois, o renomado jurista, com humor, afirmou sua vontade de incluir a "privatização" do processo "numa lista de modernas invenções do demônio".[45]

---

40   CABRAL, Antonio do Passo. *Convenções processuais*. 2. ed. Salvador: Juspodivm, 2018. p. 110-111.

41   CAPONI, Remo. Autonomia privata e processo civile: gli accordi processuali. *Rivista Trimestrale di Diritto e Procedura Civile*, Milano, v. 62, n. 3, p. 107, set. 2008.

42   CABRAL, Antonio do Passo. *Convenções processuais*. 2 ed. Salvador: Juspodivm, 2018, p. 124. No mesmo sentido: BARREIROS, Lorena Miranda Santos. *Convenções processuais e Poder Público*. Salvador: Juspodivm, 2017, p. 101-102; CAPONI. Autonomia privata e processo civile: gli accordi processuali, p. 101-102.

43   MOREIRA, José Carlos Barbosa. Convenções das partes sobre matéria processual. *In*: MOREIRA, José Carlos Barbosa. *Temas de Direito Processual*: terceira série. São Paulo: Saraiva, 1984.

44   MOREIRA. Convenções das partes sobre matéria processual, p. 91-92.

45   MOREIRA, José Carlos Barbosa. Privatização do processo? *In*: MOREIRA, José Carlos Barbosa. *Temas de Direito Processual*: sétima série. São Paulo: Saraiva, 2001. p. 18.

Como se vê, o cenário mundial e especialmente o brasileiro não eram propícios ao exame, desenvolvimento e emprego dos negócios processuais. No Brasil, somente a partir da primeira década do século XXI é que o tema se tornou objeto de estudos mais frequentes. A um só tempo, isso foi fator de estímulo e foi estimulado pelos debates acadêmicos que antecederam a edição do CPC de 2015.[46]

O mérito do CPC de 2015 foi não só o de prever número maior de negócios processuais típicos (em comparação com os diplomas que lhe antecederam), mas o de veicular uma cláusula geral que prevê a possibilidade de celebração de negócios processuais atípicos – o já citado art. 190 do CPC.

Basicamente, essa tendência mundial e brasileira de aprofundamento de estudo sobre os negócios processuais se deve à crise do direito processual civil dos séculos XIX e XX, caracterizado pela hiperpublicização e pelos dogmas do afastamento entre direito processual civil e direito material e da irrelevância da vontade das partes. O modelo processual que dava mais importância à função estatal do que aos interesses particulares envolvidos nos litígios se mostrou insuficiente e incapaz.[47]

Desde a constitucionalização do direito processual civil e da repercussão de valores como a dignidade da pessoa humana e a segurança jurídica, aos objetivos ou escopos públicos do processo se somou o objetivo ou escopo de prestar tutela jurisdicional aos jurisdicionados, solucionando de forma justa, efetiva e em tempo razoável (art. 5º, XXXV e LXXVIII, da CF) os seus litígios.[48]

5.2 O princípio do autorregramento da vontade

Somente um modelo que admitisse o princípio do autorregramento da vontade seria fértil para os negócios processuais.

A liberdade é direito fundamental e um dos objetivos da República Federativa do Brasil (preâmbulo e art. 5º, *caput*, da CF). Por sua vez, uma das dimensões da dignidade da pessoa humana, fundamento do Estado Democrático de Direito em que se constitui a República Federativa do Brasil (art. 1º, III, da CF), é o poder de autodeterminação dos indivíduos, que confere a cada um poder de escolha e atribui a todos o dever de as respeitar.[49]

Os sujeitos não perdem essa sua liberdade e esse seu poder de autodeterminação quando e apenas porque são ou podem ser partes em um processo. O direito processual civil deve respeitar a liberdade e o poder de autodeterminação que a Constituição Federal atribui a todos os indivíduos. Cada indivíduo é livre e tem o poder de se autodeterminar

---

46   CABRAL, Antonio do Passo. *Convenções processuais*. 2. ed. Salvador: Juspodivm, 2018. p. 145-146.

47   Conforme, por exemplo: ALMEIDA. *A contratualização do processo*, p. 77; 107-109; ARAGÃO, Egas Dirceu Moniz de. Procedimento: formalismo e burocracia. Revista Forense, Rio de Janeiro, v. 358, p. 49-57, nov./dez. 2001; BARREIROS, Lorena Miranda Santos. Convenções processuais e poder público. Salvador: Juspodivm, 2017. p. 102; 105-106; CABRAL. *Convenções processuais*, p. 135 e 219-221; CADIET, Loïc. Les conventions relatives au procès en droit français: sur la contractualisation du règlement des litiges. *Rivista Trimestrale di Diritto e Procedura Civile*, Milano, v. 62, n. 3, p. 8-10, sett. 2008; FARIA, Guilherme Henrique Lage. *Negócios processuais no modelo constitucional de processo*. Salvador: Juspodivm, 2016. p. 177-181.

48   MARINONI; ARENHART; MITIDIERO. *Novo curso de processo civil*, v. 1, p. 288.

49   BARROSO, Luís Roberto. *A dignidade da pessoa humana no direito constitucional contemporâneo*: a construção de um conceito jurídico à luz da jurisprudência mundial. Belo Horizonte: Fórum, 2016. p. 81-82.

também na relação jurídica processual, liberdade e poder que devem ser respeitados pelo Estado em todas as suas manifestações.[50]

O princípio do autorregramento da vontade faz com que seja imprescindível adotar postura que tenda à ampliação (e não à restrição) da liberdade e do poder de autodeterminação dos indivíduos.[51]

No direito processual civil, liberdade e autodeterminação foram os fundamentos dos tradicionais princípios dispositivo e do debate.

Segundo o princípio dispositivo, a titularidade dos direitos materiais envolvidos no litígio confere às partes, em regra, poder de disposição sobre eles.[52] Segundo o princípio do debate, a titularidade das situações processuais confere às partes, em regra, poder de disposição sobre elas.

A liberdade, a autodeterminação, o princípio dispositivo e o princípio do debate estão na base de todo e qualquer raciocínio em torno dos negócios processuais e do princípio do autorregramento da vontade das partes. As partes podem dispor sobre as situações processuais de que são titulares e sobre o procedimento que será adotado para se chegar à solução do litígio em que estão envolvidas.

5.3 A existência, a validade e a eficácia dos negócios processuais

Na teoria geral dos fatos jurídicos, prevalece a divisão do mundo jurídico nos planos da existência, da validade e da eficácia, conforme a construção doutrinária de Pontes de Miranda.

O fato ingressa no plano da existência a partir da incidência: quando, no mundo dos fatos, ocorre o fato previsto em hipótese de incidência de norma jurídica.[53]

Em segundo momento, se o fato jurídico em sentido amplo for ato jurídico em sentido estrito ou negócio jurídico,[54] ele passa para o plano da validade, "onde o direito fará a triagem entre o que é perfeito (que não tem qualquer vício invalidante) e o que está eivado de vício invalidante".[55]

A perfeição jurídica dos elementos de existência do ato jurídico em sentido amplo lhe assegura validade. Para que os elementos de existência do ato jurídico em sentido amplo sejam juridicamente perfeitos, requisitos devem estar presentes.

Segundo Marcos Bernardes de Mello, esses requisitos de validade são subjetivos (quanto ao sujeito e à declaração de vontade do ato jurídico em sentido amplo), objetivos

---

[50] Cf., nesse sentido: DIDIER JUNIOR, Fredie. Princípio do respeito ao autorregramento da vontade no processo civil. *In:* CABRAL, Antonio do Passo; NOGUEIRA, Pedro Henrique (coord.). *Negócios processuais.* 3. ed. Salvador: Juspodivm, 2017. p. 32-33.

[51] DIDIER JUNIOR. Princípio do respeito ao autorregramento da vontade no processo civil, p. 33.

[52] Conforme Rodrigo Ramina de Lucca (*Disponibilidade processual:* a liberdade das partes no processo. São Paulo: Revista dos Tribunais, 2019. p. 39), "o princípio dispositivo decorre, acima de tudo, da autonomia privada das partes e da liberdade que lhes é conferida para autorregrar a própria vontade e os próprios interesses. O princípio dispositivo traduz a liberdade individual no âmbito jurisdicional-processual".

[53] MIRANDA, Francisco Cavalcanti Pontes de. *Tratado de Direito Privado.* São Paulo: Revista dos Tribunais, 2012. t. 1, p. 145-146.

[54] Os fatos jurídicos em sentido estrito e os atos-fatos jurídicos não passam pelo plano da validade. Uma vez configurado o suporte fático da norma jurídica, opera-se a incidência e efeitos jurídicos são produzidos.

[55] MELLO. *Teoria do fato jurídico:* plano da existência, p. 135.

(quanto ao objeto do ato jurídico em sentido amplo) e formais (quanto à forma do ato jurídico em sentido amplo).[56]

Por fim, o plano da eficácia é "a parte do mundo jurídico onde os fatos jurídicos produzem os seus efeitos, criando as situações jurídicas, as relações jurídicas, com todo o seu conteúdo eficacial".[57]

Esse mesmo raciocínio pode e deve ser transposto para o estudo dos negócios processuais, típicos ou atípicos. Afinal, negócios processuais são também fatos jurídicos em sentido amplo ou simplesmente negócios jurídicos. Aos negócios processuais, também se aplica a teoria geral dos fatos jurídicos.

Assim, os negócios processuais, como qualquer negócio jurídico, também *existem* a partir de determinados elementos, são *válidos* se presentes determinados requisitos, e são *eficazes*, a partir de determinadas condições.[58]

5.4 O objeto do negócio processual

5.4.1 No plano da existência

No plano da existência, um dos elementos do negócio processual é o objeto sobre o qual recai a declaração de vontade. O objeto do negócio processual é uma situação processual ou o procedimento. O negócio jurídico é processual porque possui a capacidade de produzir efeitos processuais (criar, modificar ou extinguir situações processuais) ou modificar o procedimento.

As situações processuais são tradicionalmente classificadas em situações processuais ativas e situações jurídicas passivas.

Os poderes processuais em sentido amplo e as faculdades processuais são situações jurídicas processuais ativas. Os deveres processuais e a sujeição processual, por sua vez, são situações jurídicas processuais passivas.

A posição dos ônus processuais é controvertida. Alguns afirmam que se trata de situações processuais passivas, enquanto outros sustentam que se trata de situações jurídicas processuais ativas. Na teoria geral, Marçal Justen Filho coloca o ônus, por exemplo, entre as posições jurídicas de dependência, passivas.[59]

Com a devida vênia ao homenageado, o ônus processual é considerado por nós uma situação processual ativa. A discussão não é meramente teórica, pois tem relação direta com a maior ou menor disponibilidade de cada uma das situações processuais, como exposto mais adiante.

Os ônus processuais são condutas exigidas no interesse próprio daquele sobre quem recaem. Os sujeitos do processo têm ônus processuais que podem desempenhar se desejarem satisfazer interesses *próprios*. Por isso eles se distinguem dos deveres processuais: aquele sobre quem recai ônus processual o desempenha apenas se desejar obter vantagem ou evitar desvantagem – mas não tem o dever de o desempenhar.

---

[56] MELLO. *Teoria do fato jurídico*: plano da existência, p. 54.

[57] MELLO. *Teoria do fato jurídico*: plano da existência, p. 136.

[58] Para um exame mais completo dos negócios processuais nos planos da existência, da validade e da eficácia, remetemos novamente o leitor a: WONTROBA. *Negócios jurídicos processuais atípicos*: objeto lícito, disponibilidade do Direito Material e disponibilidade da tutela jurisdicional, f. 92 e ss.

[59] JUSTEN FILHO. *Introdução ao estudo do Direito*, p. 248.

A omissão de uma parte no desempenho de um ônus processual apenas impede que ela obtenha uma vantagem ou gera para ela uma desvantagem. Ninguém tem o dever de desempenhar ônus processual, pois, para os demais sujeitos do processo, a falta de desempenho do ônus gera no máximo vantagens (jamais desvantagens). Somente o sujeito sobre o qual recai o ônus processual é que pode sofrer desvantagem, se não o desempenhar.[60]

Ao lado das situações processuais, outro possível objeto dos negócios processuais é o procedimento. Em termos gerais, pode-se dizer que "procedimento" compreende a realização ou não, o encadeamento, a forma, o tempo e o lugar dos atos processuais no curso de uma relação jurídica processual. Nesse sentido, o Professor Marçal define o procedimento como "sucessão predeterminada de atos jurídicos, como uma espécie de itinerário a ser seguido".[61]

5.4.2 No plano da validade

No plano da validade, cumpre averiguar a perfeição jurídica dos elementos de existência de um ato jurídico em sentido amplo – no que se incluem os negócios processuais. Segundo Antônio Junqueira de Azevedo:

> A validade é, pois, a qualidade que o negócio deve ter ao entrar no mundo jurídico, consistente em estar de acordo com as regras jurídicas ('ser regular'). Validade é, como o sufixo da palavra indica, qualidade de um negócio existente. "Válido" é adjetivo com que se qualifica o negócio jurídico formado de acordo com as regras jurídicas.[62]

Com relação ao objeto dos negócios jurídicos (e dos negócios processuais, portanto), a perfeição jurídica significa licitude, possibilidade e determinação ou determinabilidade (art. 104, II, do Código Civil).

Sem qualquer dúvida, a perfeição jurídica do objeto dos negócios processuais atípicos e mais especificamente *a sua licitude* é o tema de maior relevância e discussão no estudo desse instituto jurídico-processual. O desafio é saber exatamente *por que e quando* o objeto do negócio processual atípico é lícito ou ilícito.

Diferentes autores tratam do tema a partir de diferentes métodos, com base em diferentes critérios e, naturalmente, chegam a diferentes resultados – cujo grau de diferença sequer permite compará-los.[63]

Nessa tentativa de explicar a licitude do objeto dos negócios processuais atípicos, é frequente a utilização de conceitos indeterminados, como "ordem pública processual", "garantias constitucionais ou fundamentais do processo", "norma cogente" e, inclusive, "interesse público".

---

[60] WAMBIER; TALAMINI. *Curso avançado de processo civil*, v. 1, n. 2.3.1, p. 48.

[61] JUSTEN FILHO, Marçal. *Curso de Direito Administrativo*. 14. ed. Rio de Janeiro: Forense, 2023, p. 213.

[62] AZEVEDO, Antônio Junqueira. *Negócio jurídico*: existência, validade e eficácia. 4. ed. São Paulo: Saraiva, 2002. p. 42.

[63] O tema e o panorama doutrinário a respeito dele foram tratados em: WONTROBA. *Negócios jurídicos processuais atípicos*: objeto lícito, disponibilidade do Direito Material e disponibilidade da tutela jurisdicional, f. 150 e ss.

Afirma-se, por exemplo, que negócios processuais que tenham por objeto a "ordem pública processual", as "garantias constitucionais ou fundamentais do processo", as "normas cogentes" e mesmo o "interesse público" seriam inválidos, porque os seus objetos seriam ilícitos.

Assim como os estudos de Marçal Justen Filho a respeito do interesse público e de sua indeterminação, os estudos recentes do Professor Marçal a respeito do consensualismo no direito administrativo brasileiro fornecem importantes subsídios para o estudo desse tema.

Ao tratar da disponibilidade de direitos públicos estatais, o Professor Marçal Justen Filho ressalta que interesse público e direito subjetivo são conceitos distintos, e que a disposição recai sobre *direitos subjetivos* (que são posições ou situações jurídicas), e não sobre o interesse público em abstrato:

> A tradicional afirmativa da indisponibilidade do interesse público não significa que os direitos subjetivos públicos de titularidade do Estado sejam igualmente indisponíveis. *As figuras de interesse público e de direito subjetivo público são distintas e inconfundíveis* e o Estado promove, de modo regular e contínuo, a disposição dos direitos subjetivos de que é titular (...).
>
> Sob um prisma abstrato, todos os interesses públicos são indisponíveis. Isso significa que existem certos fins cuja realização é obrigatória para o Estado. Não é facultado ao Estado ignorar, eliminar ou desmerecer qualquer um desses diversos fins. (...).
>
> Os interesses públicos apresentam essa dimensão de indisponibilidade, implicada na posição funcional do agente estatal e da proibição ao exercício de poder jurídico para a satisfação de necessidade pessoal. *Mas os direitos subjetivos, instituídos e disciplinados pela ordem jurídica como instrumento para o desenvolvimento da atividade administrativa, comportam disposição*, nos termos e nos limites contemplados pela mesma ordem jurídica.[64]

Assim como a utilização de conceitos indeterminados como "interesse público" não serve para explicar a adoção, pelo Estado, de mecanismos consensuais, a utilização de conceitos como "ordem pública processual", "garantias constitucionais ou fundamentais do processo" ou o mesmo "interesse público" não serve para explicar a licitude do objeto dos negócios processuais.[65]

Afinal, o objeto de um negócio jurídico (processual ou administrativo) jamais será o interesse público, a ordem pública processual, as garantias constitucionais ou fundamentais do processo *etc.* Ao celebrar negócio jurídico (processual ou administrativo), ninguém dispõe de ou sobre tais valores. O objeto de um negócio processual é algo específico: uma situação processual ou o procedimento.

---

[64] JUSTEN FILHO, Marçal. A indisponibilidade do interesse público e a disponibilidade dos direitos subjetivos da Administração Pública. *In:* OLIVEIRA, Gustavo Justino de (coord.); BARROS FILHO, Wilson Accioli de (org.). *Acordos administrativos no Brasil*: teoria e prática. São Paulo: Almedina, 2020. p. 54; 58; 60.

[65] Ao contrário, a utilização de tais conceitos costuma depor contra os negócios processuais e contra o princípio do autorregramento da vontade. Esses conceitos indeterminados não raramente são interpretados com lentes de primazia para o Estado em detrimento dos indivíduos. Conforme o alerta de Marçal Justen Filho (Conceito de interesse público e a "personalização" do Direito Administrativo, p. 122), "a desvinculação entre a dimensão individual e o interesse público contém o germe do autoritarismo".

Daí por que é de extrema relevância a distinção feita por Marçal Justen Filho entre interesse público e direito subjetivo público. Ele ensina que "não há pertinência em cogitar da indisponibilidade do interesse público (abstrato ou concreto), eis que estão em jogo direitos subjetivos de titularidade pública e privada".[66]

5.4.3 A disponibilidade

A licitude do objeto de um negócio processual pressupõe que ele – a situação processual ou o procedimento – seja disponível. A disponibilidade é a qualidade que atribui licitude ao objeto do negócio processual.

A disponibilidade significa renúncia (dispor *de* algo) ou modificação (dispor *sobre* algo), conforme Pontes de Miranda: "Se a *perda* ou a *modificação* do direito emana de vontade do seu titular, ou de outrem, a quem caiba o poder de perder, ou de modificar, embora seja o titular quem perca, ou sofra a modificação, diz-se que há disposição (...). Para se poder dispor, é preciso que se tenha o poder de disposição".[67]

Assim, combinando os planos da existência e da validade, tendo em conta que o objeto dos negócios processuais é uma situação processual específica ou o procedimento e, por fim, que sua licitude pressupõe disponibilidade em dupla acepção (renúncia ou modificação), em outra oportunidade[68] pudemos extrair algumas conclusões a respeito da licitude do objeto de negócios processuais atípicos, a seguir sintetizadas:

(1) O poder de renúncia (disponibilidade *de*) a situações processuais existe em se tratando de situação jurídica processual *ativa* (ônus processual, poder processual em sentido estrito, direito processual).

(2) O poder de renúncia (disponibilidade *de*) ao procedimento existe se o ordenamento jurídico processual confere ao sujeito diferentes possibilidades procedimentais.

(3) O poder de modificação (disponibilidade *sobre*) de situações processuais e do procedimento tende a ser mais amplo em perspectiva horizontal do que o poder de renúncia (disponibilidade *de*) a situações processuais e ao procedimento. Pode existir poder de modificação de situações processuais e do procedimento também nos casos em que não existe poder de renúncia.

(4) Em perspectiva vertical, é mais complexo enunciar de forma geral em quais hipóteses o sujeito possui ou não poder de modificação de situações processuais ou do procedimento.

---

[66] JUSTEN FILHO. A indisponibilidade do interesse público e a disponibilidade dos direitos subjetivos da Administração Pública, p. 61. A distinção também aparece em: JUSTEN FILHO. *Curso de Direito Administrativo*, p. 41-42.

[67] MIRANDA, Francisco Cavalcanti Pontes de. *Tratado de direito privado*. São Paulo: Revista dos Tribunais, 2012, t. V, p. 385-386. Para Marçal Justen Filho (A indisponibilidade do interesse público e a disponibilidade dos direitos subjetivos da Administração Pública", p. 49), "a disposição não significa renúncia. A renúncia consiste numa modalidade específica de disposição, caracterizada pela ausência de comutatividade e pela eliminação da titularidade de um poder, direito ou bem sem uma contrapartida econômica ou não econômica para o titular. A expressão 'disposição' é dotada de amplitude semântica muito mais ampla. Envolve ação ou omissão voluntária que produza a extinção de poder, direito ou bem. A disposição compreende não apenas a renúncia, mas também e quando menos a alienação e a transação".

[68] WONTROBA. *Negócios jurídicos processuais* atípicos: objeto lícito, disponibilidade do Direito Material e disponibilidade da tutela jurisdicional, f. 164 e ss.

(5) Em relação às situações processuais, em princípio, existe poder de modificação sobre situação processual ativa (pela mesma razão segundo a qual existe poder de renúncia a ela). Porém, o poder de modificação sobre situações processuais ativas não existe nos casos em que a matéria se submete a reserva de lei. Em contrapartida, não existe poder de modificação sobre situações processuais passivas para reduzi-las (pela mesma razão segundo a qual não existe poder de renúncia a elas). Contudo, o poder de modificação das situações jurídicas processuais passivas existe para criá-las ou intensificá-las.

(6) O poder de modificação do procedimento tende a ser mais amplo do que o poder de renúncia ao procedimento. Pode existir poder de modificação do procedimento também nos casos em que não existe o poder de renúncia. O poder de modificação do procedimento é menos amplo do que o poder de renúncia ou modificação de situações processuais ativas, porque a existência de um procedimento é indisponível.

(7) A reserva de lei retira dos sujeitos o poder de modificação. Quando a matéria se submete a reserva de lei, a única modificação de situação processual ou do procedimento válida é aquela autorizada pela lei ou proveniente da lei. Em geral, o ordenamento jurídico submete matérias à reserva de lei quando elas compõem o núcleo essencial de um princípio fundamental ou garantia fundamental e, por essa razão, existem em função de interesses de titularidades diversas.

(8) Existem casos em que, embora exista disponibilidade, tanto como poder de renúncia quanto como poder de modificação, o seu exercício, com fundamento no princípio do autorregramento da vontade das partes no processo, conflita com outro princípio fundamental do direito processual civil. Não há solução abstrata e apriorística para o conflito, que se resolve pela ponderação e pela proporcionalidade em sentido estrito.

(9) A (in)disponibilidade do direito material, sob a perspectiva da licitude do objeto de negócios processuais atípicos, é irrelevante. O objeto do negócio processual não é o direito material, e sim uma situação processual ou o procedimento.

5.5 A (in)disponibilidade da tutela jurisdicional: o "versando o processo sobre direitos que admitam autocomposição" (art. 190 do CPC)

Por fim, no caso do direito processual civil brasileiro, a validade do negócio processual pressupõe que o processo verse sobre direitos que admitam autocomposição, como prevê expressamente o art. 190 do CPC.

Os direitos que admitem autocomposição são aqueles que, para serem reconhecidos, exercidos, concretizados etc. não dependem de intervenção do Poder Judiciário. São direitos aos quais corresponde a *disponibilidade da tutela jurisdicional*.[69]

---

[69] TALAMINI, Eduardo. A (in)disponibilidade do interesse público: consequências processuais (composições em juízo, prerrogativas processuais, arbitragem, negócios processuais e ação monitória) – versão atualizada para o CPC/2015. *Revista de Processo: RePro*, São Paulo, v. 264, p. 103, fev. 2017.

Os direitos que admitem autocomposição se contrapõem àqueles direitos que, em menor número, somente podem ser reconhecidos, exercidos, concretizados etc. pela intervenção do Poder Judiciário. A esses direitos, que não admitem autocomposição, correspondem casos de *indisponibilidade da tutela jurisdicional*.[70]

Tal critério não tem (em regra) relação com o objeto do negócio processual. A disponibilidade *da tutela jurisdicional* (o "versar o processo sobre direitos que admitam autocomposição") não atribui ao objeto do negócio processual (situações jurídicas processuais e procedimento) a qualidade de (i)licitude. Trata-se de uma qualidade da tutela jurisdicional, e não do objeto de negócios processuais.

Portanto, a admissibilidade da autocomposição e a consequente disponibilidade da tutela jurisdicional não explicam *a licitude do objeto* do negócio jurídico processual atípico. Por isso, Eduardo Talamini reconhece, por exemplo, que "a fórmula geral utilizada para a definição do pressuposto objetivo dos negócios processuais, admissibilidade de autocomposição, ora diz menos, ora diz mais do que deveria".[71]

O que se pode concluir é que, excetuados os casos em que o objeto do negócio processual é a própria tutela jurisdicional (como a convenção de arbitragem, por exemplo), a (in)disponibilidade da tutela jurisdicional é irrelevante para a validade dos negócios processuais *sob a perspectiva de seu objeto*.

Contudo, trata-se de um requisito geral e objetivo de validade dos negócios processuais no direito processual civil brasileiro, por opção político-legislativa e por expressa previsão legal (art. 190 do CPC).

6 Conclusão

As críticas de Marçal Justen Filho à tradicional forma de utilização do conceito de interesse público e os seus estudos sobre mecanismos consensuais no direito administrativo trazem consigo uma série de contribuições para a compreensão da consensualidade no direito processual civil. Esses aportes colaboram para a concretização do princípio do autorregramento da vontade.

Primeiro, porque descartam a aplicação abstrata, genérica e automática de conceitos indeterminados (como o interesse público, por exemplo), e exigem que o operador concretize esses conceitos caso a caso.

Segundo, porque distinguem o interesse público do interesse e da primazia do Estado, do poder político e/ou dos agentes públicos, e aproximam esse interesse das pessoas e de sua dignidade humana.

Terceiro, porque destacam que, em um negócio jurídico – administrativo ou processual –, as partes não negociam sobre o interesse público ou equivalente. Os negócios recaem sobre objetos que podem ser identificados com precisão.

---

[70] São exemplos a interdição (art. 747 e seguintes do CPC), o divórcio ou a separação de casal que possui filho incapaz (arts. 733 do CPC) etc. O único meio de obter a interdição de alguém ou o divórcio ou a separação de casal que possui filho incapaz é pelo Poder Judiciário. Ainda que haja consenso entre todos os envolvidos, o resultado somente se obtém através de decisão do Poder Judiciário. *A tutela jurisdicional*, portanto, *é indisponível*: os direitos não admitem autocomposição. Os envolvidos não podem obter o mesmo resultado por outro meio, distinto da tutela jurisdicional prestada pelo Poder Judiciário.

[71] TALAMINI. Um processo pra chamar de seu: nota sobre os negócios jurídicos processuais, p. 9. Cf. ainda: WAMBIER; TALAMINI. *Curso avançado de processo civil*, v. 1, p. 600.

Assim, deve ser rejeitada a tradicional invocação de conceitos indeterminados (interesse público ou ordem processual, por exemplo) como óbices à celebração de negócios no âmbito da Administração Pública e do processo civil. Não é razoável que as soluções a respeito de mecanismo tão importante (os negócios jurídicos) sejam embasadas apenas e meramente em conceitos abertos, sem a devida concretização, como se eles fossem unívocos e autossuficientes.

A aptidão dos negócios jurídicos em contribuir para a solução de diversos problemas no âmbito da Administração Pública e no processo civil significa que o tema merece exame científico mais preciso sobre os limites de negociação.

Referências

ALMEIDA, Diogo Assumpção Rezende de. *A contratualização do processo*. São Paulo: LTr, 2015.

ALVIM NETTO, José Manoel de Arruda. *Manual de Direito Processual Civil*. 7. ed. São Paulo: Revista dos Tribunais, 2001. v. 1.

ARAGÃO, Egas Dirceu Moniz de. Procedimento: formalismo e burocracia. *Revista Forense*, Rio de Janeiro, v. 358, p. 49-57, nov./dez. 2001.

AZEVEDO, Antônio Junqueira. *Negócio jurídico*: existência, validade e eficácia. 4. ed. São Paulo: Saraiva, 2002.

BARREIROS, Lorena Miranda Santos. *Convenções processuais e poder público*. Salvador: Juspodivm, 2017.

BARROSO, Luís Roberto. *A dignidade da pessoa humana no direito constitucional contemporâneo*: a construção de um conceito jurídico à luz da jurisprudência mundial. Belo Horizonte: Fórum, 2016.

BEDAQUE, José Roberto dos Santos. *Direito e processo*: influência do Direito Material sobre o processo. 5. ed. São Paulo: Malheiros, 2009.

BÜLOW, Oskar von. *La teoría de las excepciones procesales y los presupuestos procesales*. Buenos Aires: Ediciones Jurídicas, 1964.

CABRAL, Antonio do Passo. *Convenções processuais*. 2. ed. Salvador: Juspodivm, 2018.

CADIET, Loïc. Les conventions relatives au procès en droit français: sur la contractualisation du règlement des litiges. *Rivista Trimestrale di Diritto e Procedura Civile*, Milano, v. 62, n. 3, sett. 2008.

CALAMANDREI, Piero. *Instituciones de Derecho Procesal Civil*. Buenos Aires: Ediciones Jurídicas, 1973. v. 1.

CAPONI, Remo. Autonomia privata e processo civile: gli accordi processuali. *Rivista Trimestrale di Diritto e Procedura Civile*, Milano, v. 62, n. 3, sett. 2008.

CINTRA, Antonio Carlos de Araújo; GRINOVER, Ada Pellegrini; DINAMARCO, Cândido Rangel. *Teoria geral do processo*. 25. ed. São Paulo: Malheiros, 2009.

CHIOVENDA, Giuseppe. *Instituições de Direito Processual Civil*. Campinas: Bookseller, 1998. v. 1.

CHIOVENDA, Giuseppe. *Principii di Diritto Processuale Civile*. Nápoles: Jovene, 1965.

CUNHA, Leonardo Carneiro da. Negócios jurídicos processuais no processo civil brasileiro. *In*: CABRAL, Antonio do Passo; NOGUEIRA, Pedro Henrique (coord.). *Negócios processuais*. 3. ed. Salvador: Juspodivm, 2017.

DENTI, Vittorio. Negozio processuale. *In*: CALASSO, Francesco (dir.). *Enciclopedia del Diritto*. Milano: Giuffré, 1978. v. 28.

DIDIER JUNIOR, Fredie. Princípio do respeito ao autorregramento da vontade no processo civil. *In:* CABRAL, Antonio do Passo; NOGUEIRA, Pedro Henrique (coord.). *Negócios processuais.* 3. ed. Salvador: Juspodivm, 2017.

DIDIER JUNIOR, Fredie; NOGUEIRA, Pedro Henrique. *Teoria dos fatos jurídicos processuais.* 2. ed. Salvador: Juspodivm, 2013.

DINAMARCO, Cândido Rangel. *Instituições de Direito Processual Civil.* 3. ed. São Paulo: Malheiros, 2003. v. 2.

DINAMARCO, Cândido Rangel; LOPES, Bruno Vasconcelos Carrilhos. *Teoria geral do novo processo civil.* São Paulo: Malheiros, 2016.

ECHANDÍA, Hernando Devis. *Teoría general del proceso.* 2. ed. Buenos Aires: Editorial Universidad, 1997.

FARIA, Guilherme Henrique Lage. *Negócios processuais no modelo constitucional de processo.* Salvador: Juspodivm, 2016.

GRECO, Leonardo. Publicismo e privatismo no processo civil. *Revista de Processo:RePro*, São Paulo, v. 164, out. 2008.

JUSTEN FILHO, Marçal. A indisponibilidade do interesse público e a disponibilidade dos direitos subjetivos da Administração Pública. *In:* OLIVEIRA, Gustavo Justino de (coord.); BARROS FILHO, Wilson Accioli de (org.). *Acordos administrativos no Brasil: teoria e prática.* São Paulo: Almedina, 2020.

JUSTEN FILHO, Marçal. Conceito de interesse público e a "personalização" do Direito Administrativo. *Revista Trimestral de Direito Público*, São Paulo, v. 26, p. 115-136, 1999.

JUSTEN FILHO, Marçal. *Curso de Direito Administrativo.* 14. ed. Rio de Janeiro: Forense, 2023.

JUSTEN FILHO, Marçal. *Introdução ao estudo do Direito.* 2. ed. Rio de Janeiro: Forense, 2021.

LIEBMAN, Enrico Tullio. *Manual de Direito Processual Civil.* Rio de Janeiro: Forense, 1985. v. 1.

LUCCA, Rodrigo Ramina de. *Disponibilidade processual*: a liberdade das partes no processo. São Paulo: Revista dos Tribunais, 2019.

MARINONI, Luiz Guilherme; ARENHART, Sérgio Cruz; MITIDIERO, Daniel. *Novo curso de processo civil.* 2. ed. São Paulo: Revista dos Tribunais. v. 1.

MELLO, Marcos Bernardes de. *Teoria do fato jurídico*: plano da existência. 18. ed. São Paulo: Saraiva, 2012.

MELLO, Marcos Bernardes de. *Teoria do fato jurídico*: plano da validade. 11. ed. São Paulo: Saraiva, 2011.

MIRANDA, Francisco Cavalcanti Pontes de. *Tratado de Direito Privado.* São Paulo: Revista dos Tribunais, 2012. t. 1.

MIRANDA, Francisco Cavalcanti Pontes de. *Tratado de Direito Privado.* São Paulo: Revista dos Tribunais, 2012. t. 5.

MOREIRA, José Carlos Barbosa. Convenções das partes sobre matéria processual. *In:* MOREIRA, José Carlos Barbosa. *Temas de Direito Processual*: terceira série. São Paulo: Saraiva, 1984.

MOREIRA, José Carlos Barbosa. Privatização do processo? *In:* MOREIRA, José Carlos Barbosa. *Temas de Direito Processual*: sétima série. São Paulo: Saraiva, 2001.

NERY JUNIOR, Nelson; NERY, Rosa Maria de Andrade. *Constituição Federal comentada.* 7. ed. São Paulo: Revista dos Tribunais, 2019.

NERY, Rosa Maria de Andrade; NERY JUNIOR, Nelson. *Instituições de Direito Civil.* São Paulo: Revista dos Tribunais, 2016. v. 3.

NOGUEIRA, Pedro Henrique. *Negócios jurídicos processuais*. 3. ed. Salvador: Juspodivm, 2018.

PASSOS, José Joaquim Calmon de. *Esboço de uma teoria das nulidades aplicadas às nulidades processuais*. Rio de Janeiro: Forense, 2009.

SATTA, Salvatore. Accordo (Diritto Processuale Civile). *In:* CALASSO, Francesco (dir.). *Enciclopedia del Diritto*. Milano: Giuffré, 1958. v. 1.

SILVA, Paula Costa e. *Acto e processo*: o dogma da irrelevância da vontade na interpretação e nos vícios do acto postulativo. Coimbra: Coimbra Editora, 2003.

TALAMINI, Eduardo. A (in)disponibilidade do interesse público: consequências processuais (composições em juízo, prerrogativas processuais, arbitragem, negócios processuais e ação monitória) – versão atualizada para o CPC/2015. *Revista de Processo: RePro*, São Paulo, v. 264, fev. 2017.

TALAMINI, Eduardo. Um processo pra chamar de seu: nota sobre os negócios jurídicos processuais. *Migalhas*, São Paulo, 21 out. 2015. Disponível em: https://www.migalhas.com.br/arquivos/2020/6/2CCA2C38C91F32_Eduardo-umprocesso-pra-chamar.pdf. Acesso em: 1 out. 2024.

WAMBIER, Luiz Rodrigues; TALAMINI, Eduardo. *Curso avançado de processo civil*. 21. ed. São Paulo: Revista dos Tribunais, 2022. v. 1.

WONTROBA, Bruno Gressler. *Negócios jurídicos processuais atípicos*: objeto lícito, disponibilidade do direito material e disponibilidade da tutela jurisdicional. 2019. Dissertação (Mestrado em Direito) – Faculdade de Direito, Universidade Federal do Paraná, Curitiba, 2019.

Informação bibliográfica deste texto, conforme a NBR 6023:2018 da Associação Brasileira de Normas Técnicas (ABNT):

WONTROBA, Bruno Gressler. "Interesse público", "personalização" do direito processual civil e negócios processuais. *In:* JUSTEN, Monica Spezia; PEREIRA, Cesar; JUSTEN NETO, Marçal; JUSTEN, Lucas Spezia (coord.). *Uma visão humanista do Direito*: homenagem ao Professor Marçal Justen Filho. Belo Horizonte: Fórum, 2025. v. 3, p. 663-683. ISBN 978-65-5518-915-5.

MANDADO DE SEGURANÇA COMO "AÇÃO DE REPETIÇÃO DE INDÉBITO": UMA HOMENAGEM AO PROFESSOR MARÇAL JUSTEN FILHO

CASSIO SCARPINELLA BUENO

1 Palavras iniciais

Há uma vasta possibilidade de meios para homenagear, justamente, o Professor Marçal Justen Filho, considerando sua vasta e profunda produção científica acadêmica.

Trata-se de verdadeiro jurista que voltou sua atenção a diversos ramos do direito, sempre produzindo obras verdadeiramente paradigmáticas.

Dentre os temas de seu interesse estão, como cediço, os desafios do controle jurisdicional dos atos do poder público.

Diante disso, entendi pertinente voltar-me ao mandado de segurança. Não só porque se trata de tema de excelência quando o assunto é o controle jurisdicional do ato de direito público, mas também, porque na perspectiva eleita para o desenvolvimento do presente trabalho, ele permite que se pergunte se ele, o mandado de segurança, como inegável direito fundamental, não poderia (*rectius*, deveria) ser pensado também na perspectiva de uma maior eficiência da ilegalidade ou abuso de poder nele reconhecido.

É o que passo a fazer, trazendo à tona a problemática sobre os efeitos condenatórios (monetários) de decisão que, em sede de mandado de segurança, reconhece o direito do contribuinte ao não recolhimento do tributo e que, ao mesmo tempo, constata que houve, por parte do impetrante, recolhimentos tributários que, diante da decisão, são considerados indevidos. A pergunta a ser respondida, objetivamente formulada, é a seguinte: o mandado de segurança pode fazer as vezes da chamada "ação de repetição de indébito"?[1]

---

[1] A expressão, sempre que empregada, é grafada entre aspas em função do que sustento em meu *Curso sistematizado de Direito Processual Civil*, v. 1, especialmente p. 247-255, no sentido de se indevida a denominação das "ações". Seja porque não há "ações" (no plural), mas "ação" (no singular), como direito fundamental de se romper a inércia da jurisdição e atuar ao longo do processo para a concretização da tutela jurisdicional, seja porque a ciência processual, há dois séculos, foi capaz de distinguir a "ação" do direito material, desvinculando-os.

A minha resposta é positiva pelas razões que passo a desenvolver nos números seguintes.

2 Mandado de segurança e ação condenatória

A questão a ser desenvolvida no presente trabalho deve ser compreendida a partir da relação entre mandado de segurança, restituição de indébito e cumprimento de sentença. Pensar o mandado de segurança como uma comumente chamada "ação condenatória" significa dizer que a decisão que o julga é título executivo apto a inaugurar a etapa de cumprimento de sentença do processo.[2] Se em tal etapa se perseguirão danos derivados do reconhecimento do pagamento indevido do tributo (repetição de indébito) é questão que, em rigor, interessa pouco ao processo. Há inúmeras outras situações de direito material que, tendo sua *lesão* reconhecida em decisão judicial, autorizam que se persiga, no patrimônio de quem for identificado como devedor, sua *indenização*.

Nesse sentido e propondo o indispensável diálogo entre os planos material e processual,[3] mostra-se correto afirmar que a restituição de indébito e o cumprimento de sentença são as faces (material e processual, respectivamente) de uma mesma moeda, ou, em outras palavras, é certo sublinhar que o reconhecimento de que o contribuinte faz jus à repetição é a premissa material da consequência processual consistente na condenação imposta ao Fisco para que pague o devido, dando ensejo à etapa de cumprimento de sentença do processo.

Contudo é nesse específico ponto que reside o âmago da controvérsia. Isso porque o mandado de segurança sempre evoca a noção de tutela *in natura* do bem jurídico a afastar, em idêntica medida, a viabilidade da *reparação* de dano pelo equivalente monetário.[4] Prova segura dessa compreensão está suficientemente estampada nas conhecidíssimas Súmulas nº 269 e 271 do STF.[5]

Não vejo razão para discordar do acerto da última afirmação quanto à finalidade precípua do mandado de segurança e, tampouco, com a literalidade das Súmulas nº 269 e 271, mormente à época de sua edição. Elas, contudo, não fazem sentido para excluir aprioristicamente que a vocação tradicional do mandado de segurança para a "tutela *in natura*" seja óbice insuperável para que *também* eventuais reflexos monetários do direito reclamado sejam perseguidos desde logo a partir de um mesmo julgamento, ainda que tais reflexos tenham ocorrido no passado, tal qual se dá com a repetição de indébito. Um

---

[2] Para a crítica da nomenclatura, ver meu *Curso sistematizado de Direito Processual Civil*. 14. ed. São Paulo: Saraiva, 2024. v. 1, especialmente p. 253-258; 287-291.

[3] Para o desenvolvimento do ponto, ver meu *Curso sistematizado de direito processual civil*, v. 1, especialmente p. 52-53.

[4] Tratando do tema na perspectiva da proteção da prestação *in natura* do direito do impetrante, ver a clássica lição de Castro Nunes (*Do mandado de segurança*. 9. ed. Atualização: José de Aguiar Dias. Rio de Janeiro: Forense, 1988. p. 38-39). De minha parte, ver meus *Liminar em mandado de segurança*: um tema com variações (2. ed. São Paulo: Revista dos Tribunais, 1999. p. 8-11, especialmente); *A nova Lei do Mandado de Segurança*: comentários sistemáticos à Lei nº 12.016, de 7 de agosto de 2009 (2. ed. São Paulo: Saraiva, 2010. p. 120-125) e, mais recentemente, *Manual do poder público em juízo* (São Paulo: Saraiva, 2022. p. 313-316).

[5] Cujos enunciados são, respectivamente, os seguintes: "O mandado de segurança não é substitutivo de ação de cobrança" e "Concessão de mandado de segurança não produz efeitos patrimoniais em relação a período pretérito, os quais devem ser reclamados administrativamente ou pela via judicial própria".

julgamento que, como já tive oportunidade de escrever em mais de uma oportunidade, pode se ocupar, tendo presente a situação de direito material subjacente ao conflito levado para resolução perante o Estado-juiz, não só do presente e do futuro, mas também do passado, sendo indiferente que tenha sido tomado em sede de mandado de segurança.[6]

Reconheço que o advento da Lei nº 12.016/2009 e a expressa revogação da Lei nº 5.021/1966 são fatores que não ajudam na compreensão do que vim de afirmar. Contudo, mesmo diante da solução dada pela textualidade do art. 14, §4º, do mais recente diploma legal e da expressa revogação do que lhe era anterior (art. 29 da Lei nº 12.016/2009), é possível (e, acredito, absolutamente correto) sustentar conclusão idêntica, ainda que com fundamentos diversos.

A propósito do tema, escrevi o seguinte:

> O precitado art. 515, I, do CPC de 2015, ao atribuir eficácia de título executivo judicial às 'decisões proferidas no processo civil que reconheçam a exigibilidade de obrigação de pagar quantia, de fazer, de não fazer ou de entregar coisa', é suficiente, por si só, para viabilizar a execução ou, como quer o CPC de 2015 de maneira generalizada (e correta), *cumprimento de sentença*.

Aplicando aquela regra ao mandado de segurança, é pertinente sustentar que o reconhecimento de que foi ilegal ou abusivo é suficiente para autorizar que a recomposição do direito violado se dê da forma mais ampla possível: para o *futuro*, na linha do que expressamente autoriza o §4º do art. 14 da Lei nº 12.016/2009, *mas também* – e aqui o ponto que merece ser sublinhado – para o *passado*. Para instrumentalizar a execução para o passado, é suficiente que o impetrante, obtido o reconhecimento de seu direito pela sentença, liquide os valores respectivos (arts. 509 a 512 e 524 do CPC de 2015), cumprindo a decisão respectiva em face da Fazenda nos moldes do art. 100 da Constituição Federal, com observância da disciplina dos arts. 534 e 535 do CPC de 2015. E é justamente com relação à *forma* do *cumprimento* desta sentença que, nos precisos termos do que lhe permite a Súmula nº 461 do STJ, o contribuinte pode *optar* pela *compensação* dos valores. Até

---

[6] De minha parte, ver meus: Mandado de segurança e efeito patrimonial pretérito: a *ratio decidendi* do acórdão exarado no REsp 1.176.713/GO e sua compatibilidade com a jurisprudência recente do STJ. *In*: CARVALHO, Paulo de Barros (coord.); SOUZA, Priscila de (org.). *Texto e contexto no Direito Tributário*: XVII Congresso Nacional de Estudos Tributários do Instituto Brasileiro de Estudos Tributários – IBET. São Paulo: Noeses, 2020. p. 306-318; A nova *Lei do Mandado de Segurança*: comentários sistemáticos à Lei nº 12.016, de 7 de agosto de 200, p. 313-316. Três orientandos meus dedicaram-se ao tema. Refiro-me aos seguintes trabalhos: CAMARGO, Andrea Capistrano. *O direito fundamental à efetividade das decisões proferidas em mandado de segurança*. Orientador: Cassio Scarpinella Bueno. 2023. Dissertação (Mestrado em Direito) – Faculdade de Direito de Vitória, Vitória, 2007; DORNA, Mario Henrique de Barros. *Efeitos patrimoniais do mandado de segurança: interpretação constitucional das Súmulas 269 e 271 do Supremo Tribunal Federal*. Orientador: Cassio Scarpinella Bueno. 2019. Dissertação (Mestrado em Direito) – Faculdade de Direito, Pontifícia Universidade Católica de São Paulo, São Paulo, 2019. Ver também, com base no art. 515, I, do CPC, as importantes considerações de: PAVAN, Dorival Renato. Comentários ao art. 515. *In*: SCARPINELLA BUENO, Cassio (coord.). *Comentários ao Código de Processo Civil*. São Paulo: Saraiva, 2017. v. 2, especialmente p. 605-611. O eminente processualista e Desembargador do Tribunal de Justiça do Estado do Mato Grosso do Sul (TJMS) conclui sua exposição quanto ao ponto destacando a necessidade de revisão da Súmula nº 271 do STF. Mais recentemente, Roberta Vieira Gemente de Carvalho defendeu importante dissertação, que lhe rendeu o título de mestre na Faculdade de Direito da PUC-SP. Sob a segura e exemplar orientação da Professora Doutora Isabela Bonfá de Jesus, voltou-se ao tema em trabalho intitulado *Mandado de segurança no âmbito tributário*: a legítima produção de efeitos patrimoniais pretéritos: superação normativa das Súmulas 269 e 271 do Supremo Tribunal Federal. Orientadora: Isabela Bonfá de Jesus. 2023. Dissertação (Mestrado em Direito) – Faculdade de Direito, Pontifícia Universidade Católica de São Paulo, São Paulo, 2023).

porque, caso ela seja negada por algum ato administrativo, justifica-se nova impetração, dessa vez com base na Súmula nº 213 daquele mesmo Tribunal.

A construção feita pelo parágrafo anterior pode muito bem ser afirmada e reafirmada com base na teoria de que uma decisão jurisdicional que afirma existir uma *lesão* a direito é, por si só, título hábil para fundamentar execução. Trata-se de lição do saudoso Teori Albino Zavascki e que parece ter sido a maior inspiração da redação que, passando pelo art. 475-N, I, do CPC de 1973, chegou ao art. 515, I, do CPC de 2015:

> (...) se tal sentença traz definição de certeza a respeito, não apenas da existência da relação jurídica, mas também da exigibilidade da prestação devida, não há como negar-lhe, categoricamente, eficácia executiva. Conforme assinalado anteriormente, ao legislador originário não é dado negar executividade a norma jurídica concreta, certificada por sentença, se nela estiverem presentes todos os elementos identificadores da obrigação (sujeitos, prestação, liquidez, exigibilidade), pois isso representaria atentado ao direito constitucional à tutela executiva, que é inerente e complemento necessário do direito de ação. Tutela jurisdicional que se limitasse à cognição, sem as medidas complementares necessárias para ajustar os fatos ao direito declarado na sentença, seria tutela incompleta. E, se a norma jurídica individualizada está definida, de modo completo, por sentença, não há razão alguma, lógica ou jurídica, para submetê-la, antes da execução, a um segundo juízo de certificação, até porque a nova sentença não poderia chegar a resultado diferente do da anterior, sob pena de comprometimento da garantia da coisa julgada, assegurada constitucionalmente. Instaurar a cognição sem oferecer às partes e principalmente ao juiz outra alternativa de resultados que não um já prefixado representaria atividade meramente burocrática e desnecessária que poderia receber qualquer outro qualificativo, menos o de jurisdicional. Portanto, repetimos: não há como negar executividade à sentença que contenha definição completa de norma jurídica individualizada, com as características acima assinaladas. Talvez tenha sido esta a razão pela qual o legislador de 1973, que incluiu o par. ún. do art. 4º do CPC, não tenha reproduzido no novo Código a norma do art. 290 do CPC de 1939' (Sentenças declaratórias, sentenças condenatórias e eficácia executiva dos julgados, p. 149/150. À mesma conclusão chegou o autor em outro trabalho de sua autoria, *Processo de execução: parte geral*, p. 307/313).

Assim, a despeito da timidez da Lei nº 12.016/2009, que não acompanhou, como lhe competia, a evolução legislativa iniciada em 1966, quiçá para ampliá-la, porque preferiu revogar expressamente aquele diploma legal – o que enobrecia, ainda mais, o mandado de segurança como mecanismo de tutela jurisdicional *efetiva* do direito reconhecido ao impetrante –, é certo que a construção destacada pelos parágrafos anteriores tem o condão de viabilizar que a concessão do mandado de segurança possa dar ampla proteção ao jurisdicionado, na medida em que se viabilize, ao longo do contraditório, o reconhecimento da lesão presente, futura e *pretérita* e a *necessidade* de sua reparação.

Não se trata, nessa perspectiva, de nada diverso do que se tem verificado na jurisprudência do Superior Tribunal de Justiça (STJ) quanto ao *reconhecimento* do direito ao crédito tributário e à viabilidade de o contribuinte *optar* pelo mecanismo executivo de que se valerá para obter o indébito: a cobrança pelo sistema dos precatórios (ou sua dispensa, em se tratando de "menor quantia") ou a compensação, orientação essa que acabou se consolidando na precitada Súmula nº 461 do STJ.

Nesse sentido, não é incorreto entender que o advento daquela súmula é prova segura de que a orientação da Súmula nº 271 do STF – se é que ela ainda podia ser compreendida como vigente no direito brasileiro desde o advento da Lei nº 5.021/1966 – não pode mais ser aplicada para impedir a satisfação plena do direito reconhecido existente em prol do impetrante, inclusive para período anterior à impetração".[7]

A se aceitarem tais conclusões, fica afastada, desde logo, qualquer crítica que se possa fazer em relação ao tema ora enfrentado: não há por que recusar que o mandado de segurança resulte no reconhecimento do recolhimento indevido pelo contribuinte *e* que a decisão respectiva seja título executivo bastante para autorizar em desfavor do fisco o cumprimento de sentença com a finalidade de recuperar os valores pagos erradamente. Se houver necessidade de apuração de valor para tanto, que se liquide a decisão exequenda. É para isso que serve a liquidação de sentença disciplinada pelos arts. 509 a 512 do CPC que pode ser facilitada de tal modo que leva a ampla maioria da doutrina a negar o status de liquidação à hipótese de bastar a apresentação de memória de cálculo para identificação do *quantum debeatur*. Superados eventuais questionamentos sobre o valor devido, que se siga nos termos do art. 100 da CF e consoante o procedimento dos arts. 534 e 535 do CPC para que se proceda ao pagamento por precatório ou por RPV, consoante a magnitude do valor envolvido. A isso se chama "cumprimento de sentença".[8]

3 Mandado de segurança e compensação tributária

São múltiplas as relações entre o mandado de segurança e a compensação tributária, indo além da compreensão de sua viabilidade como veículo processual adequado para o reconhecimento do direito do contribuinte a tanto.

Para o que importa para cá, cabe acentuar que a 1ª Seção do STJ teve oportunidade de precisar no âmbito do REsp repetitivo nº 1.111.164/BA, sob a relatoria do saudoso Ministro Teori Albino Zavascki, diretrizes mais claras a respeito do emprego do mandado

---

[7] "As Súmulas 213 e 461 do STJ e a Súmula 271 do STF: o mandado de segurança e a compensação tributária", p. 235/238. Em sentido similar também em meu "Mandado de segurança e compensação tributária: reflexões em homenagem ao Professor Walter Piva Rodrigues", p. 50-53. Antes do advento do CPC de 2015 já havia me voltado ao tema em duas outras oportunidades. Refiro-me ao meu "Sentenças concessivas de mandado de segurança em matéria tributária e efeitos patrimoniais: estudo de um caso" (*In:* SANTOS, Ernane Fidélis dos; WAMBIER, Luiz Rodrigues; NERY JÚNIOR, Nelson; WAMBIER, Teresa Arruda Alvim (coord.). Execução civil: estudos em homenagem ao Professor Humberto Theodoro Júnior. São Paulo: Revista dos Tribunais, 2007. p. 321-335) e ao meu "Mandado de segurança e compensação em matéria tributária: uma análise das Súmulas 213 e 461 do STJ e da Súmula 271 do STF" (*In:* CARVALHO, Paulo de Barros; SOUZA, Priscila de (coord.). *X Congresso Nacional de Estudos Tributários*: sistema tributário brasileiro e as relações internacionais. São Paulo: Noeses, 2013. p. 143-161).

[8] Manifestando simpatia a tal ideia, quando a apresentei no meu artigo "Sentenças concessivas de mandado de segurança em matéria tributária e efeitos patrimoniais: estudo de um caso", referido na nota anterior, ver os seguintes autores: GOMES JÚNIOR, Luiz Manoel; CRUZ, Luana Pedrosa de Figueiredo; CERQUEIRA, Luís Otávio Sequeira; FAVARETO, Rogerio; PALHARINI JUNIOR, Sidney. *Comentários à nova Lei do Mandado de Segurança*. São Paulo: Revista dos Tribunais, 2009. p. 127-128; RATTACASO, Marcus Claudius Saboia. Comentários ao art. 14. *In:* MAIA FILHO, Napoleão; ROCHA, Caio Cesar Vieira; LIMA, Tiago Asfor Rocha (org.). *Comentários à nova Lei do Mandado de Segurança*. São Paulo: Revista dos Tribunais, 2010. p. 263-266; THEODORO JÚNIOR, Humberto. *O mandado de segurança segundo a Lei nº 12.016, de 7 de agosto de 2009*. Rio de Janeiro: GEN; Forense, 2009. p. 38-41; YARSHELL, Flávio Luiz; RODRIGUES, Viviane Siqueira. Comentários ao art. 12. *In:* MAIA FILHO, Napoleão; ROCHA, Caio Cesar Vieira; LIMA, Tiago Asfor Rocha (org.). *Comentários à nova Lei do Mandado de Segurança*. São Paulo: Revista dos Tribunais, 2010. p. 193-195.

de segurança como veículo processual adequado para o reconhecimento do direito de o contribuinte de compensar tributos, levando em conta, inclusive (e nem haveria razão para ser diverso) as peculiaridades que, desde a Constituição, são impostas àquele procedimento, o seu "direito líquido e certo", ou, para ir direto ao ponto, a necessidade de o impetrante provar seu direito já com a petição inicial com prova pré-constituída.[9] Trata-se do Tema nº 118, cujo acórdão recebeu a seguinte ementa:

TRIBUTÁRIO E PROCESSUAL CIVIL. MANDADO DE SEGURANÇA. COMPENSAÇÃO TRIBUTÁRIA. IMPETRAÇÃO VISANDO EFEITOS JURÍDICOS PRÓPRIOS DA EFETIVA REALIZAÇÃO DA COMPENSAÇÃO. PROVA PRÉ-CONSTITUÍDA. NECESSIDADE.

1. No que se refere a mandado de segurança sobre compensação tributária, a extensão do âmbito probatório está intimamente relacionada com os limites da pretensão nele deduzida. Tratando-se de impetração que se limita, com base na súmula 213/STJ, a ver reconhecido o direito de compensar (que tem como pressuposto um ato da autoridade de negar a compensabilidade), mas sem fazer juízo específico sobre os elementos concretos da própria compensação, a prova exigida é a da 'condição de credora tributária' (ERESP 116.183/SP, 1ª Seção, Min. Adhemar Maciel, DJ de 27.04.1998).

2. Todavia, será indispensável prova pré-constituída específica quando, à declaração de compensabilidade, a impetração agrega (a) pedido de juízo sobre os elementos da própria compensação (v.g.: reconhecimento do indébito tributário que serve de base para a operação de compensação, acréscimos de juros e correção monetária sobre ele incidente, inexistência de prescrição do direito de compensar), ou (b) pedido de outra medida executiva que tem como pressuposto a efetiva realização da compensação (v.g.: expedição de certidão negativa, suspensão da exigibilidade dos créditos tributários contra os quais se opera a compensação). Nesse caso, o reconhecimento da liquidez e certeza do direito afirmado depende necessariamente da comprovação dos elementos concretos da operação realizada ou que o impetrante pretende realizar. Precedentes da 1ª Seção (EREsp 903.367/SP, Min. Denise Arruda, DJe de 22.09.2008) e das Turmas que a compõem.

3. No caso em exame, foram deduzidas pretensões que supõem a efetiva realização da compensação (suspensão da exigibilidade dos créditos tributários abrangidos pela compensação, até o limite do crédito da impetrante e expedição de certidões negativas), o que torna imprescindível, para o reconhecimento da liquidez e certeza do direito afirmado, a pré-constituição da prova dos recolhimentos indevidos.

4. Recurso especial provido. Acórdão sujeito ao regime do art. 543-C do CPC e da Resolução STJ 08/08.[10]

Posteriormente, o tema recebeu nova afetação para definir com maior precisão a distinção já anunciada no referido Tema nº 118, sobre a "delimitação do alcance da tese firmada no Tema repetitivo nº 118/STJ, segundo o qual é necessária a efetiva comprovação

---

[9] Assim, por exemplo: ALVIM, Eduardo Arruda. *Mandado de segurança*. 4. ed. Rio de Janeiro: GZ, 2022. p. 15-18; FERRAZ, Sergio. *Mandado de segurança*. São Paulo: Malheiros, 2006. p. 33-37, especialmente; FIGUEIREDO, Lúcia Valle. *Mandado de segurança*. 6. ed. São Paulo: Malheiros, 2009. p. 68-69; MEIRELLES, Hely Lopes; WALD, Arnoldo; MENDES, Gilmar Ferreira. *Mandado de segurança e ações constitucionais*. 37. ed. São Paulo: Malheiros, 2016. p. 36-40; e, mais recentemente, SCARPINELLA BUENO. *Manual do poder público em juízo*, p. 235-238.

[10] O julgamento, unânime, foi realizado em 13 de maio de 2009 e teve seu acórdão publicado no *Dje* de 25 maio de 2009.

do recolhimento feito a maior ou indevidamente para fins de declaração do direito à compensação tributária em sede de Mandado de Segurança".[11]

A decisão que se seguiu no julgamento do REsp nº 1.715,294/SP foi ementada do seguinte modo:[12]

> TRIBUTÁRIO E PROCESSUAL CIVIL. RECURSO ESPECIAL. REPRESENTATIVO DE CONTROVÉRSIA. TESE FIRMADA SOB O RITO DOS RECURSOS ESPECIAIS REPETITIVOS. ART. 1.036 E SEGUINTES DO CÓDIGO FUX. DIREITO DO CONTRIBUINTE À DEFINIÇÃO DO ALCANCE DA TESE FIRMADA NO TEMA 118/STJ (RESP. 1.111.164/BA, DA RELATORIA DO EMINENTE MINISTRO TEORI ALBINO ZAVASCKI). INEXIGIBILIDADE DE COMPROVAÇÃO, NO WRIT OF MANDAMUS, DO EFETIVO RECOLHIMENTO DO TRIBUTO, PARA O FIM DE OBTER DECLARAÇÃO DO DIREITO À COMPENSAÇÃO TRIBUTÁRIA, OBVIAMENTE SEM QUALQUER EMPECILHO À ULTERIOR FISCALIZAÇÃO DA OPERAÇÃO COMPENSATÓRIA PELO FISCO COMPETENTE.
>
> A OPERAÇÃO DE COMPENSAÇÃO TRIBUTÁRIA REALIZADA NA CONTABILIDADE DA EMPRESA CONTRIBUINTE FICA SUJEITA AOS PROCEDIMENTOS DE FISCALIZAÇÃO DA RECEITA FEDERAL, NO QUE SE REFERE AOS QUANTITATIVOS CONFRONTADOS E À RESPECTIVA CORREÇÃO.
>
> CASO CONCRETO: VIOLAÇÃO DO ART. 535 DO CPC/1973 NÃO CONFIGURADA. COMPENSAÇÃO RESTRITA A TRIBUTOS DE MESMA ESPÉCIE TRIBUTÁRIA, NOS TERMOS DA LEI 8.383/1991, VIGENTE À ÉPOCA DA IMPETRAÇÃO.
>
> AGRAVO DA FAZENDA NACIONAL CONHECIDO, PARA DAR PARCIAL PROVIMENTO AO RECURSO ESPECIAL, *A FIM DE RECONHECER A IMPOSSIBILIDADE DE SE COMPENSAR OS VALORES INDEVIDAMENTE RECOLHIDOS A TÍTULO DE FINSOCIAL COM VALORES DEVIDOS A TÍTULO DE CONTRIBUIÇÃO SOCIAL SOBRE O LUCRO.* RECURSO ESPECIAL DAS CONTRIBUINTES A QUE SE NEGA PROVIMENTO EM RELAÇÃO À ALEGADA VIOLAÇÃO DO ART. 535 DO CPC/1973, E PREJUDICADO EM RELAÇÃO AO MÉRITO.
>
> 1. Esclareça-se que a questão ora submetida a julgamento encontra-se delimitada ao alcance da aplicação da tese firmada no Tema 118/STJ (REsp 1.111.164/BA, da relatoria do eminente Ministro TEORI ALBINO ZAVASCKI, submetido a sistemática do art. 543-C do CPC/1973), segundo o qual é *necessária a efetiva comprovação do recolhimento feito a maior ou indevidamente para fins de declaração do direito à compensação tributária em sede de Mandado de Segurança.*
>
> 2. A afetação deste processo a julgamento pela sistemática repetitiva foi decidia pela Primeira Seção deste STJ, em 24.4.2018, por votação majoritária; de qualquer modo, trata-se de questão vencida, de sorte que o julgamento do feito como repetitivo é assunto precluso.
>
> 3. Para se espancar qualquer dúvida sobre a viabilidade de se garantir, em sede de Mandado de Segurança, o direito à utilização de créditos por compensação, esta Corte Superior

---

[11] O trecho entre aspas foi retirado das seguintes decisões, todas da 1ª Seção do STJ, sob a relatoria do Ministro Napoleão Nunes Maia Filho, j.m.v. em 24 de abril de 2018 e publicadas no *Dje* de 18 maio 2018: ProAfR no REsp nº 1.365.095/SP, ProAfR no REsp nº 1.717.294/SP e ProAfR no REsp nº 1.715.256/SP.

[12] As ementas do REsp nº 1.715.256/SP e do REsp nº 1.365.095/SP, ambos julgados por unanimidade pela 1ª Seção em 13.2.2019 e relatados pelo Min. Napoleão Nunes Maia Filho (*Dje* 11 mar. 2019), não contêm alguns itens da ementa do REsp nº 1.715.294/SP, dadas as peculiaridades dos casos concretos. A ressalva só enaltece a conclusão alcançada no texto.

reafirma orientação unânime, inclusive consagrada na sua Súmula 213, de que *o Mandado de Segurança constitui ação adequada para a declaração do direito à compensação tributária.*

4. No entanto, ao sedimentar a Tese 118, por ocasião do julgamento do REsp 1.111.164/BA, da relatoria do eminente Ministro TEORI ALBINO ZAVASCKI, a Primeira Seção desta Corte firmou diretriz de que, tratando-se de Mandado de Segurança que apenas visa à compensação de tributos indevidamente recolhidos, impõe-se delimitar a extensão do pedido constante da inicial, ou seja, a ordem que se pretende alcançar para se determinar quais seriam os documentos indispensáveis à propositura da ação. O próprio voto condutor do referido acórdão, submetido à sistemática do art. 543-C do CPC/1973, é expresso ao distinguir as duas situações, a saber:

(...) a primeira, em que a impetração se limita a ver reconhecido o direito de compensar (que tem como pressuposto um ato da autoridade de negar a compensabilidade), mas sem fazer juízo específico sobre os elementos concretos da própria compensação; a outra situação é a da impetração, à declaração de compensabilidade, agrega (a) pedido de juízo específico sobre os elementos da própria compensação (v.g.: reconhecimento do indébito tributário que serve de base para a operação de compensação, acréscimos de juros e correção monetária sobre ele incidente, inexistência de prescrição do direito de compensar), ou (b) pedido de outra medida executiva que tem como pressuposto a efetiva realização da compensação (v.g.: expedição de certidão negativa, suspensão da exigibilidade dos créditos tributários contra os quais se opera a compensação).

5. Logo, postulando o Contribuinte apenas a concessão da ordem para se declarar o direito à compensação tributária, em virtude do reconhecimento judicial transitado em julgado da ilegalidade ou inconstitucionalidade da exigência da exação, independentemente da apuração dos respectivos valores, *é suficiente, para esse efeito, a comprovação de que o impetrante ocupa a posição de credor tributário, visto que os comprovantes de recolhimento indevido serão exigidos posteriormente, na esfera administrativa, quando o procedimento de compensação for submetido à verificação pelo Fisco.* Ou seja, se a pretensão é apenas a de ver reconhecido o direito de compensar, sem abranger juízo específico dos elementos da compensação ou sem apurar o efetivo quantum dos recolhimentos realizados indevidamente, *não cabe exigir do impetrante, credor tributário, a juntada* das providências somente será levada a termo no âmbito administrativo, quando será assegurada à autoridade fazendária a fiscalização e controle do procedimento compensatório.

6. Todavia, a prova dos recolhimentos indevidos será pressuposto indispensável à impetração, *quando se postular juízo específico sobre as parcelas a serem compensadas, com a efetiva investigação da liquidez e certeza dos créditos,* ou, ainda, na hipótese em que os efeitos da sentença supõem a efetiva homologação da compensação a ser realizada. Somente nessas hipóteses o crédito do contribuinte depende de quantificação, de modo que a inexistência de comprovação cabal dos valores indevidamente recolhidos representa a ausência de prova pré-constituída indispensável à propositura da ação mandamental.

7. Passa-se à apreciação do caso concreto.

8. De início, cumpre destacar que a alegada violação do art. 535, II do CPC/1973 não ocorreu, tendo em vista o fato de que a lide foi resolvida nos limites propostos e com a devida fundamentação. As questões postas a debate foram decididas com clareza, não tendo havido qualquer vício que justificasse o manejo dos Embargos de Declaração. Observe-se, ademais, que o julgamento diverso do pretendido, como na espécie, não implica ofensa à norma ora invocada.

9. No mérito, pretendem as impetrantes garantir a compensação de valores indevidamente recolhidos a título de FINSOCIAL com a Contribuição Social sobre o Lucro instituída pela lei 7.689/1988, ou, à falta desta, com a Contribuição Previdenciária incidente sobre a folha de salários instituída pela lei 7.787/1989, tendo o Tribunal de origem mantido a sentença que julgou parcialmente procedente o pedido, concedendo a segurança apenas para garantir a compensação dos valores efetuados a título de FINSOCIAL com prestações relativas à Contribuição Social sobre o Lucro, limitando-os, todavia, àqueles devidamente comprovados nos autos.

10. Ao assim decidir, o Tribunal de origem deixou de observar que o objeto da lide se limitou ao reconhecimento do direito de compensar valores indevidamente recolhidos a título de FINSOCIAL, razão pela qual seria necessário tão somente demonstrar que as impetrantes estavam sujeitas ao recolhimento da exação com as majorações promovidas pelas Leis 7.787/1989, 7.894/1989 e 8.147/1990 e 7.689/1988, cuja obrigatoriedade foi afastada pelas instâncias ordinárias.

11. De fato, extrai-se do pedido formulado na exordial que a impetração, no ponto atinente à compensação tributária, tem natureza preventiva e cunho meramente declaratório, e, portanto, a concessão da ordem postulada só depende do reconhecimento do direito de se compensar tributo submetido ao regime de lançamento por homologação, sem as restrições impostas pela legislação tributária. Ou seja, não pretenderam as impetrantes a efetiva investigação da liquidez e certeza dos valores indevidamente pagos, apurando-se o valor exato do crédito submetido ao acervo de contas, mas, sim, a declaração de um direito subjetivo à compensação tributária de créditos reconhecidos com tributos vencidos e vincendos, e que estará sujeita à verificação de sua regularidade pelo Fisco.

12. Portanto, a questão debatida no Mandado de Segurança é meramente jurídica, sendo desnecessária a exigência de provas do efetivo recolhimento do tributo e do seu montante exato, cuja apreciação, repita-se, fica postergada para a esfera administrativa.

13. No pertinente à possibilidade de compensação entre os valores indevidamente recolhidos a título de FINSOCIAL com parcelas da Contribuição Social sobre o Lucro, a 1a. Seção desta egrégia Corte Superior, por ocasião do julgamento do REsp 1.137.738/SP, representativo de controvérsia, realizado em 9.12.2009, de relatoria do ilustre Ministro LUIZ FUX, firmou orientação de que, em se tratando de compensação tributária, deve ser considerado o regime jurídico vigente à época do ajuizamento da demanda, o que reiterou o posicionamento consignado anteriormente no EREsp 488.992/MG, da relatoria do Ministro TEORI ALBINO ZAVASCKI.

14. Na hipótese dos autos, à época do ajuizamento da demanda, em 13.7.1993, vigia a Lei 8.383/1991, sendo admitida a compensação das parcelas indevidamente recolhidas somente com tributos de mesma natureza. Portanto, merece reforma o acórdão de origem no ponto em que se reconheceu a possibilidade de compensação dos valores indevidamente pagos com parcelas devidas a título de Contribuição Social sobre o Lucro.

15. Agravo da Fazenda Nacional conhecido, para dar parcial provimento ao Recurso Especial, a fim de reconhecer a impossibilidade de se compensar valores indevidamente recolhidos a título de FINSOCIAL com valores devidos a título de Contribuição Social sobre o Lucro.

16. Recurso Especial das Contribuintes a que se nega provimento em relação à alegada violação do art. 535 do CPC/1973, e prejudicado em relação ao mérito, considerando a impossibilidade de compensação de valores indevidamente pagos com parcelas devidas a título de Contribuição Social sobre o Lucro.

17. Acórdão submetido ao regime do art. 1.036 do Código Fux, fixando-se a seguinte tese, apenas explicitadora do pensamento zavaskiano consignado no julgamento REsp 1.111.164/BA:

(a) tratando-se de Mandado de Segurança impetrado com vistas a declarar o direito à compensação tributária, em virtude do reconhecimento da ilegalidade ou inconstitucionalidade da exigência da exação, independentemente da apuração dos respectivos valores, é suficiente, para esse efeito, a comprovação de que o impetrante ocupa a posição de credor tributário, visto que os comprovantes de recolhimento indevido serão exigidos posteriormente, na esfera administrativa, quando o procedimento de compensação for submetido à verificação pelo Fisco; e

(b) tratando-se de Mandado de Segurança com vistas a obter juízo específico sobre as parcelas a serem compensadas, com efetiva investigação da liquidez e certeza dos créditos, ou, ainda, na hipótese em que os efeitos da sentença supõem a efetiva homologação da compensação a ser realizada, o crédito do contribuinte depende de quantificação, de modo que a inexistência de comprovação cabal dos valores indevidamente recolhidos representa a ausência de prova pré-constituída indispensável à propositura da ação.[13]

A decisão então alcançada não só reafirmou a orientação anterior do Tema 118 da jurisprudência repetitiva do STJ, mas, ao menos tempo, soube precisar as necessárias distinções que devem ser feitas a partir de cada caso, inclusive para a admissão do mandado de segurança como veículo processual potencializado contra ilegalidades e/ou abusividades praticados pelo fisco.

4 O tema em decisão recente da 1ª Seção do STJ

Não obstante as considerações tecidas até aqui, importa dar destaque ao quanto decidido, por unanimidade de votos, pela 1ª Seção do STJ ao julgar os EREsp nº 1.770.495/RS, sob a relatoria do Ministro Gurgel de Faria. O acórdão recebeu a seguinte ementa:

PROCESSUAL CIVIL E TRIBUTÁRIO. MANDADO DE SEGURANÇA. DIREITO À COMPENSAÇÃO. DECLARAÇÃO. SÚMULA 213 DO STJ. VALORES RECOLHIDOS ANTERIORMENTE À IMPETRAÇÃO NÃO ATINGIDOS PELA PRESCRIÇÃO. APROVEITAMENTO. POSSIBILIDADE.

1. O provimento alcançado em mandado de segurança que visa exclusivamente a declaração do direito à compensação tributária, nos termos da Súmula 213 do STJ, tem efeitos exclusivamente prospectivos, os quais somente serão sentidos posteriormente ao trânsito em julgado, quando da realização do efetivo encontro de contas, o qual está sujeito à fiscalização pela Administração Tributária.

2. O reconhecimento do direito à compensação de eventuais indébitos recolhidos anteriormente à impetração ainda não atingidos pela prescrição não importa em produção de efeito patrimonial pretérito, vedado pela Súmula 271 do STF, visto que não há quantificação dos créditos a compensar e, por conseguinte, provimento condenatório em desfavor da Fazenda Pública à devolução de determinado valor, o qual deverá ser calculado

---

[13] STJ, 1. Seção, REsp nº 1.715.294/SP, Rel. Min. Napoleão Nunes Maia Filho, julgamento único em 13 de março de 2019, *Dje* 16 out. 2019.

posteriormente pelo contribuinte e pelo fisco no âmbito administrativo segundo o direito declarado judicialmente ao impetrante.

3. Esta Corte Superior orienta que a impetração de mandado de segurança interrompe o prazo prescricional para o ajuizamento da ação de repetição de indébito, entendimento esse que, pela mesma *ratio decidendi*, permite concluir que tal interrupção também se opera para fins do exercício do direito à compensação declarado a ser exercido na esfera administrativa, de sorte que, quando do encontro de contas, o contribuinte poderá aproveitar o valor referente a indébitos recolhidos nos cinco anos anteriores à data da impetração.

4. Embargos de divergência providos.[14]

A boa notícia do referido acórdão é afastar do mandado de segurança direcionado ao reconhecimento do direito do contribuinte à compensação tributária qualquer crítica que lhe pudesse ser feito com base na Súmula nº 271 do STF, "visto que não há quantificação dos créditos a compensar e, por conseguinte, provimento condenatório em desfavor da Fazenda Pública à devolução de determinado valor, o qual deverá ser calculado posteriormente pelo contribuinte e pelo fisco no âmbito administrativo segundo o direito declarado judicialmente ao impetrante". Em tal perspectiva, a decisão reafirma, em contexto mais evoluído e devidamente testado do dia-a-dia forense a vocação do mandado de segurança para reconhecimento daquele direito, dando novas luzes e, no particular, mais segurança e previsibilidade às possibilidades de aplicação da Súmula nº 213 do STJ e também ao seu Tema nº 118 na sua mais recente apresentação.[15] De outro ponto de vista, o julgado também tem o mérito de resguardar o reconhecimento do indébito dos cinco anos anteriores à impetração, ainda que para fins de compensação tributária.

A má notícia, todavia, é o que se pode querer extrair do acórdão quanto ao não cabimento do mandado de segurança para a devida tutela do contribuinte em relação ao *passado*, isto é, sua eventual utilização para recuperar o indébito na modalidade "clássica" de cumprimento de sentença com expedição de precatório ou de RPV, consoante o valor envolvido.

Isso porque o acórdão leva em consideração a circunstância de a compensação pretendida, no caso concreto, efetuar-se *administrativamente* e que, por isso, embora englobando valores anteriores à impetração, não tinha o condão de infirmar a orientação da Súmula nº 271 do STF. A falta de "provimento *condenatório*", como se lê, inclusive, do trecho destacado anteriormente, mas meramente "declaratório", seria suficiente para não colocar em rota de colisão a vetusta orientação do STF e o emprego do mandado de segurança pelo contribuinte.

---

[14] STJ, 1. Seção, EREsp nº 1.770.495/RS, Rel. Min. Gurgel de Faria, julgamento único em 10 de novembro de 2021, *Dje* 17 dez. 2021. A orientação foi expressamente observada desde então em julgados das duas Turmas que compõem a 1ª Seção do STJ. Assim, *v.g.*: 2. Turma, AgInt no AREsp nº 2.331.856/RJ, Rel. Min. Herman Benjamin, julgamento único em 25 setembro de 2023, *Dje* 18.12.2023; 1ª Turma, AgInt no AgInt no AREsp nº 2.073.298/DF, Rel. Min. Gurgel de Faria, julgamento único em 29 de agosto de 2022, *Dje* 15 set. 2022 e AgInt no REsp nº 1.898.418/CE, Rel. Min. Og Fernandes, julgamento único em 15 de fevereiro de 2022, *Dje* 25 fev. 2022.

[15] Segurança e previsibilidade, de resto, que são características ínsitas ao direito jurisprudencial brasileiro – o "sistema brasileiro de precedentes" – como reconhece, à unanimidade, a doutrina levando em consideração também o art. 926 do CPC.

Tal questão foi evidenciada na ressalva feita no final do voto-vista do Ministro Herman Benjamin. Sua Excelência, na oportunidade, mostrou-se preocupado "(...) com os precedentes do STJ que facultam, inclusive em Mandado de Segurança, poder a parte em favor da qual foi declarado o direito de compensar exercer posterior opção pela Repetição de Indébito, via precatório judicial".[16]

"Isso porque", lê-se no voto de Sua Excelência,

> em Mandado de Segurança, a única forma de compatibilizar a jurisprudência do STJ com o enunciado da Súmula 271/STF é mediante a restrição à opção pela Repetição de Indébito, sob pena de, aí sim, admitir-se a utilização do *writ* para obtenção de efeitos patrimoniais pretéritos, como sucedâneo da Ação de Repetição de Indébito. Naturalmente, em tal contexto, eventual desejo da parte de convolar a compensação em Repetição de Indébito demandará o ajuizamento de Ação de Conhecimento com pedido condenatório nesse sentido, pois o Mandado de Segurança não pode ser empregado como sucedâneo da Ação de Cobrança. De notar que, para resguardar os interesses da parte impetrante, o STJ já possui jurisprudência de que a impetração do *writ* interrompe a prescrição, para fins de Repetição de Indébito. Isso reforça o entendimento de que o ressarcimento, por precatório judicial, relativo ao período anterior da impetração deverá ser pleiteado necessariamente pelas vias judiciais adequadas.

Após colacionar acórdãos ilustrativos daquele ponto de vista, Sua Excelência conclui o voto-vista voltando sua atenção para o caso concreto então em julgamento:

> A parte embargante deixou claro que pretende realizar apenas a compensação administrativa e futura. Não obstante, tenho como importante aproveitar o ensejo e analisar o tema acima, para fixar orientação em caso de impossibilidade, por evento futuro e incerto, de efetivação do encontro de contas. Com essas considerações, acompanho o judicioso voto do Ministro Relator para dar provimento aos Embargos de Divergência, com os acréscimos acima.[17]

---

[16] Dentre eles, merece destaque o AgInt no REsp nº 1.778.268/RS, Rel. Min. Mauro Campbell Marques, julgamento único em 2 de março de 2019, *Dje* 2.4.2019, da 2ª Turma do STJ, assim ementado: "PROCESSUAL CIVIL E TRIBUTÁRIO. AGRAVO INTERNO. MANDADO DE SEGURANÇA. RESTITUIÇÃO OU COMPENSAÇÃO DO INDÉBITO TRIBUTÁRIO. POSSIBILIDADE. SÚMULAS 213 E 461 DO STJ. 1. Esta Corte já se manifestou no sentido de que o mandado de segurança constitui instrumento adequado à declaração do direito à compensação do indébito recolhido em período anterior à impetração, observado o prazo prescricional de 5 (cinco) anos contados retroativamente a partir da data do ajuizamento da ação mandamental. Precedente: EDcl nos EDcl no REsp 1.215.773/RS, Rel. Ministro Arnaldo Esteves Lima, Primeira Seção, DJe 20/6/2014. 2. A sentença do Mandado de Segurança que reconhece o direito à compensação tributária (Súmula 213/STJ: 'O mandado de segurança constitui ação adequada para a declaração do direito à compensação tributária'), é título executivo judicial, de modo que o contribuinte pode optar entre a compensação e a restituição do indébito (Súmula 461/STJ: 'O contribuinte pode optar por receber, por meio de precatório ou por compensação, o indébito tributário certificado por sentença declaratória transitada em julgado'). 3. Agravo interno da FAZENDA NACIONAL não provido".

[17] O voto-vista, da lavra do Ministro Herman Benjamin recebeu a seguinte ementa: "PROCESSUAL CIVIL E TRIBUTÁRIO. EMBARGOS DE DIVERGÊNCIA. DECLARAÇÃO DO DIREITO À COMPENSAÇÃO. MANDADO DE SEGURANÇA. VIA ADEQUADA. O RECONHECIMENTO DO DIREITO, ABRANGENDO EVENTUAIS CRÉDITOS ANTERIORES À IMPETRAÇÃO, DESDE QUE NÃO FULMINADOS PELA PRESCRIÇÃO, NÃO IMPLICA OBTENÇÃO DE EFEITOS PATRIMONIAIS PRETÉRITOS. INAPLICABILIDADE, NO PONTO, DA SÚMULA 271/STF. 1. A leitura do voto condutor do acórdão embargado revela que o julgamento então realizado confirmou o entendimento do Tribunal de origem, isto é, de que o Mandado de Segurança somente permite a compensação das parcelas creditórias surgidas a partir da data da impetração. Consta no acórdão embargado, em síntese: a) o Mandado de Segurança constitui via adequada para pleitear compensação de tributos, inclusive

Embora a ressalva feita pelo Ministro Herman Benjamin não tenha alterado a decisão então alcançada, à unanimidade nos EREsp nº 1.770.495/RS, é importante tê-la presente porque tem aptidão de interferir na compreensão e alcance da Súmula nº 461 do STJ, justamente no que ela tem de mais saliente (e correto), que é de admitir ao contribuinte a opção da técnica de como recuperar o indébito tributário judicialmente reconhecido, se por compensação tributária ou pela sistemática do cumprimento de sentença contra o Fisco.

A observação do parágrafo anterior é tão mais correta quando se tem presente o que foi decidido pelo STF no Tema nº 1.262 da Repercussão Geral, quando teve a oportunidade de *reafirmar* seu entendimento "de que os pagamentos devidos pela Fazenda Pública em decorrência de pronunciamentos jurisdicionais devem ser realizados por meio da expedição de precatório ou de requisição de pequeno valor, conforme o valor da condenação, consoante previsto no art. 100 da Constituição da República". A tese então fixada foi enunciada do seguinte modo: "Não se mostra admissível a restituição administrativa do indébito reconhecido na via judicial, sendo indispensável a observância do regime constitucional de precatórios, nos termos do art. 100 da Constituição Federal".[18]

---

mediante o aproveitamento do indébito não atingido pela prescrição (Súmula 213/STJ); b) a despeito disso, o *mandamus* não se revela apto a perseguir efeitos patrimoniais pretéritos, os quais devem ser reclamados na via administrativa ou judicial própria. 2. A orientação que deve prevalecer é a mencionada no aresto paradigma, segundo a qual a concessão da Segurança, relativamente ao indébito anterior à impetração, mas ainda não atingido pela prescrição, não possui relação com a Súmula 271/STF, na medida em que são prospectivos os efeitos obtidos no *writ* que pleiteia o reconhecimento do direito à compensação. 3. De fato, a respectiva decisão judicial (concessiva da Segurança) apenas fixa em abstrato o reconhecimento de que a parte poderá submeter o encontro de contas à análise administrativa – ou seja, não há validação de compensação previamente realizada pelo contribuinte, à revelia da autoridade fiscal, tampouco da liquidez dos créditos e débitos compensados (matéria que, em regra, demanda ampla dilação probatória, com fase pericial, etc., incompatível com o célere rito do Mandado de Segurança). 4. Não se pode perder de vista, entretanto, a existência de precedentes do Superior Tribunal de Justiça que autorizam, na via mandamental, a livre opção, pela parte impetrante, do direito à utilização do *decisum* para o fim de requerer a compensação administrativa ou pleitear a Repetição de Indébito, via precatório judicial no próprio *writ*. Precedentes do STJ: AgInt no REsp 1.778.268/RS, Rel. Min. Mauro Campbell Marques, DJe 2.4.2019; REsp 1.596.218/SC, Rel. Min. Humberto Martins, DJe 10.8.2016; AgRg no REsp 1.176.713/GO, Rel. Min. Napoleão Nunes Maia Filho, DJe 7.10.2015. 5. Há precedentes também de minha relatoria no sentido acima exposto, mas o julgamento destes Embargos de Divergência leva-me a revisar tal entendimento. Isso porque, em Mandado de Segurança, a única forma de compatibilizar a jurisprudência do STJ com o enunciado da Súmula 271/STF é mediante a restrição à opção pela Repetição de Indébito, *sob pena de, aí sim, admitir-se a utilização do* writ *para obtenção de efeitos patrimoniais pretéritos, como sucedâneo da Ação de Repetição de Indébito*. Assim, a orientação jurisprudencial que admite, por livre opção do contribuinte, a utilização do título judicial para pleitear a compensação administrativa ou a restituição do indébito mediante pagamento em precatório (pela via judicial) deve ser aplicada nas decisões adotadas no julgamento da Ação de Conhecimento (Ações Declaratórias simples ou Ações Declaratórias/Anulatórias cumuladas com pedido condenatório na Repetição de Indébito), não em Mandado de Segurança. 6. Naturalmente, eventual desejo da parte de convolar a compensação em Repetição de Indébito demandará ajuizamento de Ação de Conhecimento com pedido condenatório nesse sentido, pois o Mandado de Segurança não pode ser empregado como sucedâneo da Ação de Cobrança. Precedentes do STJ. 7. Voto-vista no sentido de *acompanhar o judicioso voto do eminente Ministro Relator*, para dar provimento aos Embargos de Divergência, com acréscimos".

18 Eis a ementa do acórdão: "RECURSO EXTRAORDINÁRIO. REPRESENTATIVO DA CONTROVÉRSIA. DIREITO CONSTITUCIONAL E TRIBUTÁRIO. RESTITUIÇÃO ADMINISTRATIVA DO INDÉBITO RECONHECIDO NA VIA JUDICIAL. INADMISSIBILIDADE. OBSERVÂNCIA DO REGIME CONSTITUCIONAL DE PRECATÓRIOS (CF, ART. 100). QUESTÃO CONSTITUCIONAL. POTENCIAL MULTIPLICADOR DA CONTROVÉRSIA. REPERCUSSÃO GERAL RECONHECIDA COM REAFIRMAÇÃO DE JURISPRUDÊNCIA. DECISÃO RECORRIDA EM DISSONÂNCIA COM A JURISPRUDÊNCIA DO SUPREMO TRIBUNAL FEDERAL. RECURSO EXTRAORDINÁRIO PROVIDO. 1. Firme a jurisprudência deste Supremo Tribunal Federal no sentido de que os pagamentos devidos pela Fazenda Pública em decorrência de pronunciamentos jurisdicionais devem ser realizados por meio da expedição de precatório ou de requisição de pequeno valor, conforme o valor da condenação, consoante previsto no art. 100 da Constituição da República 2. Recurso extraordinário provido.

Não há como negar que haverá quem quererá extrair daquele julgado – em linha similar, aliás, do que já é extraível da ressalva feita no voto-vista do Ministro Herman Benjamin nos EREsp nº 1.770.495/RS –, que as (virtuosas) relações do mandado de segurança com a compensação tributária, ao estilo da Súmula nº 461 do STJ, podem estar com os dias contados.

Todo o cuidado com tal reflexão é pouco, contudo, e, ainda mais com o seu uso (indevido) como "precedente", já que estamos diante de julgamento de repercussão geral.[19] É que o caso então julgado pelo Supremo Tribunal Federal não traz maiores discussões fáticas e nem jurídicas que pudessem colocar à prova todos os prós e contras das teses opostas, para reafirmar não só a sua vetusta jurisprudência, inclusive na perspectiva de suas Súmulas nº 269 e 271, que dão fundamento às razões de recurso extraordinário da União, mas, muito mais do que isso, reafirmar a predisposição do mandado de segurança, como técnica de tutela jurisdicional potencializada desde a Constituição Federal, para superar lesões e ameaças a direito não só para o presente e para o futuro, mas também para o passado.

5 Considerações finais

Do exposto, não vejo razão para insistir no entendimento de que o mandado de segurança não pode ele mesmo permitir que não somente seja reconhecido o direito à repetição de indébito, mas também que a partir de tal decisão se dê início à etapa de cumprimento de sentença consoante as disposições do art. 100 da CF e o procedimento dos arts. 534 e 535 do CPC, intermediada, se houver necessidade para tanto, pela liquidação nos moldes dos arts. 509 a 512 do CPC. Não há nada na Súmula nº 461 do STJ que comprometa tal entendimento, muito pelo contrário.

Não se trata, no momento atual das leis de regência do instituto, de querer dar interpretação ampliativa à Lei nº 5.021/1966, que, em rigor, já era suficiente para justificar a perda de fundamento de validade para as Súmulas nº 269 e 271 do STF. Evidentemente que não, já que aquele diploma legal foi expressamente revogado pelo art. 29 da Lei nº 12.016/2009.

Trata-se, bem diferentemente, de buscar a máxima eficiência do próprio mandado de segurança, à luz do modelo constitucional e à solução expressamente agasalhada pelo legislador processual civil no art. 515, I, do CPC que deve ser interpretado ao lado do art. 14, §4º, da Lei nº 12.016/2009. A proposta não reduz o mandado de segurança a mera "ação de cobrança" – pecha que, invariavelmente, atrai a lembrança *acrítica* das Súmulas nº 269 e 271 do STF e o óbice intransponível que elas sempre representaram para qualquer reflexão em sentido contrário a despeito da profunda alteração do direito positivo desde sua edição –, mas, muito mais que isso, permitir que a combinação adequada das diversas cargas eficaciais da decisão nele proferida em favor do contribuinte sejam

---

3. Fixada a seguinte tese: Não se mostra admissível a restituição administrativa do indébito reconhecido na via judicial, sendo indispensável a observância do regime constitucional de precatórios, nos termos do art. 100 da Constituição Federal" (STF, Pleno, RE-RG 1.420.691/SP, Rel.a Min.a Rosa Weber, julgamento virtual em 22 de agosto de 2023, *Dje* 28 ago. 2023.

[19] E isso, a despeito, do silêncio do art. 927 do CPC a respeito. Para tal discussão, ver meu *Curso sistematizado de direito processual civil*, v. 2, p. 340-346, especialmente.

devidamente identificadas e postas em marcha à redução de complexidades, formalismos e duplicações procedimentais (jurisdicionais e/ou administrativas) que não podem mais ser justificadas. É, como tive oportunidade de acentuar em diversas ocasiões anteriores, de implementar concretamente o direito reconhecido em favor do contribuinte não só para o presente e para o futuro, mas também para o passado.

Assim, sempre com o devido respeito, não há como concordar com as restrições sugeridas pelo quanto decidido pela 1ª Seção do STJ nos EREsp nº 1.770.495/RS no que diz respeito à inviabilidade de o mandado de segurança autorizar, ao fim e ao cabo, a recuperação do indébito senão por compensação tributária e com efeitos exclusivamente prospectivos. Tal restrição fica ainda mais evidenciada com o voto-vista então proferido pelo Ministro Herman Benjamim, que tem aptidão de comprometer a aplicabilidade da Súmula nº 461 do STJ para o mandado de segurança.

É certo que o que estava em pauta para julgamento da 1ª Seção do STJ naquela oportunidade não era exatamente o que aqui se propõe para reflexão. Contudo, não há como deixar de observar que muito do que se debateu naquela oportunidade, seja a título de *ratio decidendi* como também de *obter dicta*, pode comprometer em algum caso futuro a proposta aqui feita, de ir *além* do reconhecimento (correto, mas insuficiente) de que o direito à compensação em sede de mandado de segurança tem efeitos prospectivos.[20]

Acrescente-se que a circunstância de os embargos de divergência não estarem previstos expressamente como "indexadores jurisprudenciais", "precedentes obrigatórios" ou "qualificados" ou, ainda, como "padrões decisórios" pelo art. 927 do CPC é de menor importância, por força da indispensável interpretação sistemática daquele artigo no contexto do direito jurisprudencial tão enfatizado pelo CPC.[21] Não será mero acaso, por isso mesmo, encontrar outros julgados da 1ª e da 2ª Turmas do STJ que vêm se referindo expressamente ao quanto decidido no âmbito do acórdão analisado com vagar no número anterior.

Tais preocupações merecem ser externadas também com relação ao Tema nº 1.262 da Repercussão Geral do STF, inclusive na perspectiva da falta de maiores cuidados na formação daquele precedente que, em rigor, baseou-se em um único caso, sem nenhuma sofisticação fática e nem jurídica, que sequer colocou à prova em audiências públicas e/ou mediante a intervenção de *amici curiae* os argumentos contrapostos, limitando-se ao *fast track* que tem caracterizado, negativamente, os julgamentos virtuais.

Que essas palavras possam ser lembradas na construção e reconstrução da jurisprudência do STJ (e do próprio STF) acerca do tema –[22] e o direito jurisprudencial

---

[20] Em outro trabalho, tive a oportunidade de examinar, para rechaçar, que a conclusão alcançada em julgado da 1ª Turma do STJ tivesse o condão de interferir na compreensão das Súmulas nº 213 e 461 do STJ. Refiro-me ao meu *Mandado de segurança e efeito patrimonial pretérito: a ratio decidendi do acórdão exarado no REsp 1.176.713/GO e sua compatibilidade com a jurisprudêcia recente do STJ*, já citado. Nos desdobramentos recursais que se seguiram àquele acórdão, contudo, acentuou-se o descabimento de se executar a sentença do mandado de segurança favorável ao contribuinte para perseguir valores anteriores à impetração. Assim nos EDcl no AgRg no REsp nº 1.176.713/GO (Relator Min. Manoel Erhardt, julgado em 17 maio 2022, *Dje*, 20 maio 2022) e nos EDcl nos EDcl no AgRg no REsp 1.176.713/GO (Relator: Mn. Paulo Sérgio Domingues, julgado em 13 de março de 2023, *Dje*, 20 mar. 2023).

[21] Para essa discussão, ver o meu *Curso sistematizado de Direito Processual Civil*, v. 2, p. 340-346.

[22] Em tal perspectiva, não é de se descartar que se possa extrair do acórdão proferido nos EREsp 1.770.495/RS uma *sinalização* (assim, *v.g.*: CRAMER, Ronaldo. *Precedentes judiciais*: teoria e dinâmica. Rio de Janeiro: Forense, 2016. p. 162-163); um "julgamento-alerta" (assim, *v.g.*: CABRAL, Antonio do Passo. A técnica de julgamento-alerta na mudança de jurisprudência consolidada. *Revista de Processo: RePro*, São Paulo, v. 221, p. 39, 2013)

é, inegavelmente, um dos pilares de sustentação do CPC de 2015 –,[23] sempre com a lembrança de que o mandado de segurança não pode ser um *minus* quando o que está em pauta, em última análise, são as formas de acesso à Justiça do contribuinte. Acesso à Justiça que, não é demasiado recordar, deve ser compreendido no sentido não só de se permitir que se ingresse no Poder Judiciário, mas também, que a decisão jurisdicional seja devidamente efetivada. Que mandado de segurança, restituição de indébito e cumprimento de sentença possam se apresentar, na prática do foro, com o apoio doutrinário e jurisprudencial, como um círculo virtuoso de efetividade do direito material pelo e no processo.

Que tais considerações tenham o condão de, a um só tempo, homenagear, com justiça, o Professor Marçal Justen Filho, mas também despertar naqueles que as leem interesse para o tema e para a produção de pesquisa que tenha o condão, se não de validar as conclusões aqui lançadas, ao menos para colocar em dúvida de orientações jurisprudenciais tão tradicionais quanto descompassadas da realidade normativa da atualidade como são as multicitadas Súmulas nº 269 e 271 do STF e, mais amplamente, o modo de produção dos precedentes (ainda quando queiram "reafirmar jurisprudência") que tem caracterizado a atuação dos Tribunais Superiores.

A iniciativa é tanto mais relevante para um CP, como o de 2015, que realmente pretende colocar súmulas e outros padrões decisórios como paradigmáticos para múltiplas funções, em busca de uma declarada segurança e previsibilidade jurídicas resultante em indispensável isonomia e uma não declarada forma de cuidar do número excessivo de processos que chegam aos Tribunais brasileiros. Tais discussões, contudo, merecem espaço adequado. Felizmente, iniciativas como a da presente obra, para homenagear o Professor Marçal Justen Filho, não faltarão.

Referências

ALVIM, Eduardo Arruda. *Mandado de segurança*. 4. ed. Rio de Janeiro: GZ, 2022.

CABRAL, Antonio do Passo. A técnica de julgamento-alerta na mudança de jurisprudência consolidada. *Revista de Processo: RePro*, São Paulo, v. 221, 2013.

CAMARGO, Andrea Capistrano. *O direito fundamental à efetividade das decisões proferidas em mandado de segurança*. Orientador: Cassio Scarpinella Bueno. 2023. Dissertação (Mestrado em Direito) – Faculdade de Direito de Vitória, Vitória, 2023.

---

ou, quando menos, tendo presente o voto-vista do Min. Herman Benjamin, mera ressalva de entendimento (assim, *v.g.*: FUGA, Bruno Augusto Sampaio. *Superação de precedentes*: da necessária via processual e o uso da reclamação para superar e interpretar precedentes. Londrina: Thoth, 2020. p. 132; p. 348-350; MIRANDA, Victor Vasconcelos. *Precedentes judiciais*: construção e aplicação da ratio decidendi. São Paulo: Revista dos Tribunais, 2022. p. 265, especialmente). Em qualquer das hipóteses, contudo, não é de se descartar que tenhamos, em breve, notícias a respeito de alguma alteração na jurisprudência do STJ, sumulada e/ou repetitiva, do STJ sobre o tema, máxime após o julgamento do Tema nº 1.262 da Repercussão Geral do STF levando em conta, inclusive, o quanto já fora decidido por aquele Tribunal no âmbito do Tema nº 831, cuja tese é a seguinte: "O pagamento dos valores devidos pela Fazenda Pública entre a data da impetração do mandado de segurança e a efetiva implementação da ordem concessiva deve observar o regime de precatórios previsto no artigo 100 da Constituição Federal".

[23] O quanto discutido no item 2, a respeito da reafirmação e do alcance do Tema nº 118, ilustra suficientemente a importância do tema.

CAMARGO, Angela Capistrano. *O direito fundamental à efetividade do processo*: uma análise dos efeitos pretéritos à impetração do mandado de segurança. Orientador: Cassio Scarpinella Bueno. 2007. Dissertação (Mestrado em Direito) – Faculdade de Direito de Vitória, Vitória, 2007.

CARVALHO, Roberta Vieira Gemente de. *Mandado de segurança no âmbito tributário*: a legítima produção de efeitos patrimoniais pretéritos: superação normativa das Súmulas 269 e 271 do Supremo Tribunal Federal. Orientadora: Isabela Bonfá de Jesus. 2023. Dissertação (Mestrado em Direito) – Faculdade de Direito, Pontifícia Universidade Católica de São Paulo, São Paulo, 2023.

CRAMER, Ronaldo. *Precedentes judiciais*: teoria e dinâmica. Rio de Janeiro: Forense, 2016.

DORNA, Mario Henrique de Barros. *Efeitos patrimoniais do mandado de segurança*: interpretação constitucional das Súmulas 269 e 271 do Supremo Tribunal Federal. Orientador: Cassio Scarpinella Bueno. 2019. Dissertação (Mestrado em Direito) – Faculdade de Direito, Pontifícia Universidade Católica de São Paulo, São Paulo, 2019.

FERRAZ, Sergio. *Mandado de segurança*. São Paulo: Malheiros, 2006.

FIGUEIREDO, Lúcia Valle. *Mandado de segurança*. 6. ed. São Paulo: Malheiros, 2009.

FUGA, Bruno Augusto Sampaio. *Superação de precedentes*: da necessária via processual e o uso da reclamação para superar e interpretar precedentes. Londrina: Thoth, 2020.

FUX, Luiz. *Mandado de segurança*. Rio de Janeiro: Forense, 2010.

GOMES JÚNIOR, Luiz Manoel; CRUZ, Luana Pedrosa de Figueiredo; CERQUEIRA, Luís Otávio Sequeira; FAVARETO, Rogerio; PALHARINI JUNIOR, Sidney. *Comentários à nova Lei do Mandado de Segurança*. São Paulo: Revista dos Tribunais, 2009.

MEIRELLES, Hely Lopes; WALD, Arnoldo; MENDES, Gilmar Ferreira. *Mandado de segurança e ações constitucionais*. 37. ed. São Paulo: Malheiros, 2016.

MIRANDA, Victor Vasconcelos. *Precedentes judiciais*: construção e aplicação da *ratio decidendi*. São Paulo: Revista dos Tribunais, 2022.

NUNES, Castro. *Do mandado de segurança*. 9. ed. Atualização: José de Aguiar Dias. Rio de Janeiro: Forense, 1988.

PAVAN, Dorival Renato. Comentários ao art. 515. *In*: SCARPINELLA BUENO, Cassio (coord.). *Comentários ao Código de Processo Civil*. São Paulo: Saraiva, 2017. v. 2.

RATTACASO, Marcus Claudius Saboia. Comentários ao art. 14. *In*: MAIA FILHO, Napoleão; ROCHA, Caio Cesar Vieira; LIMA, Tiago Asfor Rocha (org.). *Comentários à nova Lei do Mandado de Segurança*. São Paulo: Revista dos Tribunais, 2010.

SCARPINELLA BUENO, Cassio. *A nova Lei do Mandado de Segurança*: comentários sistemáticos à Lei nº 12.016, de 7 de agosto de 2009. 2. ed. São Paulo: Saraiva, 2010.

SCARPINELLA BUENO, Cassio. *Curso sistematizado de Direito Processual Civil*. 14. ed. São Paulo: Saraiva, 2024. v. 1.

SCARPINELLA BUENO, Cassio. *Curso sistematizado de Direito Processual Civil*. 13. edição. São Paulo: Saraiva, 2024. v. 2.

SCARPINELLA BUENO, Cassio. *Liminar em mandado de segurança*: um tema com variações. 2. ed. São Paulo: Revista dos Tribunais, 1999.

SCARPINELLA BUENO, Cassio. *Mandado de segurança*: comentários às leis nº 1.533/51, 4.348/64 e 5.021/66. 5. ed. São Paulo: Saraiva, 2009.

SCARPINELLA BUENO, Cassio. Mandado de segurança e compensação tributária: reflexões em homenagem ao Professor Walter Piva Rodrigues. *In:* AMADEO, Rodolfo da Costa Manso Real; ZVEIBIL, Daniel Guimarães; DELLORE, Luiz; BUENO, Júlio César; OLIVEIRA, Marco Antonio Perez de (org.). *Direito Processual Civil contemporâneo*: estudos em homenagem ao Professor Walter Piva Rodrigues. Indaiatuba: Foco, 2019.

SCARPINELLA BUENO, Cassio. Mandado de segurança e compensação em matéria tributária: uma análise das Súmulas 213 e 461 do STJ e da Súmula 271 do STF. *In:* CARVALHO, Paulo de Barros; SOUZA, Priscila de (coord.). *X Congresso Nacional de Estudos Tributários*: sistema tributário brasileiro e as relações internacionais. São Paulo: Noeses, 2013.

SCARPINELLA BUENO, Cassio. Mandado de segurança e efeito patrimonial pretérito: a *ratio decidendi* do acórdão exarado no REsp 1.176.713/GO e sua compatibilidade com a jurisprudência recente do STJ. *In:* CARVALHO, Paulo de Barros (coord.); SOUZA, Priscila de (org.). *Texto e contexto no Direito Tributário*: XVII Congresso Nacional de Estudos Tributários do Instituto Brasileiro de Estudos Tributários – IBET. São Paulo: Noeses, 2020.

SCARPINELLA BUENO, Cassio. *Manual do poder público em juízo*. São Paulo: Saraiva, 2022.

SCARPINELLA BUENO, Cassio. Sentenças concessivas de mandado de segurança em matéria tributária e efeitos patrimoniais: estudo de um caso. *In:* SANTOS, Ernane Fidélis dos; WAMBIER, Luiz Rodrigues; NERY JÚNIOR, Nelson; WAMBIER, Teresa Arruda Alvim (coord.). *Execução civil*: estudos em homenagem ao Professor Humberto Theodoro Júnior. São Paulo: Revista dos Tribunais, 2007.

THEODORO JÚNIOR, Humberto. *O mandado de segurança segundo a Lei nº 12.016, de 7 de agosto de 2009*. Rio de Janeiro: GEN; Forense, 2009.

YARSHELL, Flávio Luiz; RODRIGUES, Viviane Siqueira. Comentários ao art. 12. *In:* MAIA FILHO, Napoleão; ROCHA, Caio Cesar Vieira; LIMA, Tiago Asfor Rocha (org.). *Comentários à nova lei do mandado de segurança*. São Paulo: Revista dos Tribunais, 2010.

Informação bibliográfica deste texto, conforme a NBR 6023:2018 da Associação Brasileira de Normas Técnicas (ABNT):

SCARPINELLA BUENO, Cassio. Mandado de segurança como "ação de repetição de indébito": uma homenagem ao Professor Marçal Justen Filho. *In:* JUSTEN, Monica Spezia; PEREIRA, Cesar; JUSTEN NETO, Marçal; JUSTEN, Lucas Spezia (coord.). *Uma visão humanista do Direito*: homenagem ao Professor Marçal Justen Filho. Belo Horizonte: Fórum, 2025. v. 3, p. 685-702. ISBN 978-65-5518-915-5.

DECIDINDO SOBRE O DIREITO PÚBLICO:
O ÁRBITRO DIANTE DA LEI DE INTRODUÇÃO
ÀS NORMAS DO DIREITO BRASILEIRO (LINDB)
E NORMAS COGENTES

CESAR PEREIRA

"Rationality in law and in legal processes is the first virtue; but there are others beyond it. Without wisdom, compassion and a sense of justice, mere rationality may seem to give us reason to do what are truly unreasonable things."

(Neil MacCormick)

1 Introdução[1]

1.1 Uma lenda

"Como é trabalhar com uma lenda?": já me fizeram esta pergunta, que é até óbvia em se tratando do Marçal Justen Filho. Quando comecei a trabalhar com o Marçal, em 1990, eu tinha 22 anos e ele, 34. Já era uma lenda.

O momento desta homenagem permite parar e refletir. A segurança do Marçal como jurista e líder se traduz na generosidade com que proporciona a cada um as oportunidades para que desenvolva ao máximo seu próprio potencial.

O Marçal é um sujeito múltiplo, que atingiu os níveis mais altos de excelência em áreas muito diversas. Foi exaltado em Direito Comercial, em Direito Tributário, em Direito Econômico, como hoje e há muito tempo é admirado em Direito Administrativo.

---

[1] O autor agradece a colaboração de Leonardo F. Souza-McMurtrie e Lorenzo Galan Miranda, da Justen, Pereira, Oliveira e Talamini, na pesquisa e revisão do texto. A citação em epígrafe provém do capítulo *The Limits of Rationality* na obra *An Institutional Theory of Law*, escrita por Neil MacCormick em parceria com Ota Weinberger.

É reconhecido como advogado, como professor, como parecerista, como árbitro. É uma inspiração sob vários ângulos.

Um aspecto parece destacar-se. Quem é destinatário da generosidade intelectual do Marçal não pode senão replicar, na medida de sua própria capacidade, o modelo em face das gerações seguintes. Comprazer-se genuinamente com o sucesso e o crescimento alheios é uma das (muitas) lições do convívio com o Marçal. Trabalhar com uma lenda é aprender o tempo todo.

1.2 Teoria institucional do Direito

Pensando nas múltiplas oportunidades que o convívio com o Marçal tem trazido, lembrei-me de uma antiga. Em meados dos anos 1990, eu cursava o mestrado em Direito Tributário na Pontifícia Universidade Católica de São Paulo (PUC-SP) (seguindo os passos do Marçal, aliás: *imitation is the sincerest form of flattery*) e ele me convidou para acompanhar como ouvinte as suas aulas no doutorado da Universidade Federal do Paraná (UFPR).

Um dos textos era a versão em italiano da obra de Neil MacCormick e Ota Weinberger sobre a teoria institucional do Direito. Incorporei algumas ideias na dissertação, o que depois me rendeu perguntas complicadas do Marçal na banca de mestrado.

1.3 A revisão da Lei de Introdução às Normas do Direito Brasileiro (LINDB)

Muitos anos depois, no contexto da revisão da Lei de Introdução às Normas do Direito Brasileiro (LINDB) em 2018 – um esforço acadêmico coletivo que também contou com a colaboração do Marçal –, um dos pontos centrais do pensamento de MacCormick passou a ser muito discutido entre nós: o *consequencialismo*.

Conforme o Marçal explica em seu *Curso de Direito Administrativo*, consequencialismo é um dos pilares do pragmatismo, juntamente com o antifundamentalismo e o contextualismo:

> – A inviabilidade da adoção de pressupostos imutáveis e intangíveis, de natureza abstrata (antifundamentalismo);
>
> – O conhecimento e as proposições, tal como dominantes em um determinado momento, são o resultado da experiência concreta produzida pelas circunstâncias verificadas num determinado momento. A vida humana insere-se num processo dinâmico contínuo, que produz inovações e torna superadas as concepções pretéritas (contextualismo); e
>
> – Todas as decisões, escolhas e teorias produzem potenciais efeitos distintos. A seleção de uma dentre elas deve refletir uma previsão sobre essas consequências, cabendo adotar-se aquela cujos efeitos sejam avaliados como os melhores e mais adequados (consequencialismo).[2]

---

[2] JUSTEN FILHO, Marçal. *Curso de Direito Administrativo*. 15. ed. rev. e atual. Rio de Janeiro: Forense, 2024, p. 9-10.

1.4 Crescimento da arbitragem com a Administração Pública

Mais ou menos na mesma época, houve grande ampliação do papel da arbitragem na resolução de controvérsias submetidas ao Direito Público no Brasil.[3] Mesmo antes de a Lei nº 13.129/2015 alterar a Lei nº 9.307/1996 e consagrar que a arbitragem com a Administração Pública seria sempre *de direito* (não por equidade), essa já era a conclusão prevalente.[4] Afinal, o ambiente da solução do litígio – Judiciário ou arbitragem – não altera o direito aplicável às relações jurídicas envolvendo a Administração Pública.

1.5 Círculo hermenêutico

Aproveitando produtivamente a pandemia da Covid-19, o Marçal publicou um novo livro sobre introdução ao estudo do Direito. Nele, consolidou ideias longamente amadurecidas.

Uma das mais fascinantes diz respeito à interpretação e aplicação do Direito. Mostra que "a interpretação do Direito, que se interconecta com a sua aplicação, é um fenômeno da realidade social, que reflete as diversas dimensões fáticas e valorativas prevalentes numa comunidade".[5] E apresenta a ideia de círculo hermenêutico como uma realidade inevitável:

> Por mais hábil que seja o operador do Direito, sempre se defrontará com a questão do círculo hermenêutico. Cabe a cada um compreender que a aquisição da experiência também significa a elevação das pré-compreensões. Ninguém, por mais sábio e experiente, está imune ao erro, especialmente quando se submete *às próprias pré-compreensões e se torna incapaz de duvidar de si mesmo. A trajetória pelo círculo hermenêutico pode tornar-se mais rápida e mais fácil, mas nunca poderá ser dispensada.*[6]

1.6 Intuição, pré-compreensão e dados da realidade

Mais um tema caro ao Marçal é o da intuição, que integra a sua ideia de pré-compreensão.[7]

Ao impor ao julgador a análise das consequências práticas da sua decisão, a LINDB exige a consideração racional de dados externos. É interessante refletir sobre esse mecanismo no processo decisório, inclusive em face das evoluções tecnológicas.

O dever de evitar decisões amparadas por valores abstratos sem a consideração adequada de suas consequências práticas exige método. A falta de consciência das próprias pré-compreensões, construídas e condicionadas por vieses e intuições, tem

---

[3] TORRE, Riccardo Giuliano Figueira. *Arbitragem com a administração pública brasileira e a (in)segurança jurídica*. São Paulo: Quartier Latin, 2024. p. 266-275.

[4] Riccardo Giuliano Figueira Torre (*Arbitragem com a Administração Pública brasileira e a (in)segurança jurídica*, p. 266-275) relaciona leis setoriais anteriores à Lei de Arbitragem largamente autorizativas à arbitragem com o poder público, e que restringiam a arbitragem à de direito.

[5] JUSTEN FILHO, Marçal. *Introdução ao Estudo do Direito*. 2. ed. Rio de Janeiro: Forense, 2021. p. 309.

[6] JUSTEN FILHO. *Introdução ao Estudo do Direito*, p. 380.

[7] JUSTEN FILHO. *Introdução ao Estudo do Direito*, p. 378.

reflexos sobre o esforço de avaliação e consideração das consequências potenciais da decisão. Daniel Kahneman mostra a diferença fundamental entre a precisão de conclusões intuitivas adotadas antes e depois de uma análise estruturada dos dados disponíveis.[8] Deve-se confiar no processo.

1.7 As normas cogentes na arbitragem: limite da autonomia privada

A retomada da arbitragem com a Administração Pública, que ficou dormente no Brasil durante décadas até os anos 1990, criou desafios ao exigir dos árbitros a aplicação de normas cujo alcance transcende os interesses próprios das partes.

O fenômeno não é exclusivo dos litígios de direito público (aplicam-se normas cogentes mesmo em relações de direito privado) nem inédito (a arbitragem de investimento, baseada em tratados, leis ou contratos de investimento, funciona essencialmente assim).

O tema das normas cogentes ou imperativas (*mandatory rules*) é amplamente discutido na arbitragem em geral, com conclusões variadas. Mas a disseminação das arbitragens envolvendo a Administração Pública o tornou corriqueiro no Brasil. Por decorrência, é indispensável refletir sobre ele.

1.8 Um passo além (ou um passo atrás)

O tema geral desta coletânea em homenagem ao Marçal é uma visão humanista do Direito. É muito oportuno relembrar que o tema da tensão entre autonomia privada (liberdade contratual) e intervenção estatal (refletida nas normas cogentes, insuscetíveis de derrogação pela vontade das partes) tem origem em um dilema praticamente insolúvel da teoria geral do Direito.

Conforme resume Leonardo F. Souza-McMurtrie, em sua tese de doutoramento em Cambridge, a identificação da pessoa humana como origem do poder cria uma dualidade inconciliável entre a premissa de que o poder vem do indivíduo e a de que o poder vem da coletividade de indivíduos. O tema foi percebido por Mangabeira Unger[9] e aprofundado em 1989, em obras distintas, mas quase simultâneas, por David Kennedy[10] e Martti Koskenniemi.[11] Basicamente, conclui-se que não há um raciocínio jurídico consistente que possa justificar necessariamente uma posição em detrimento da outra – o que leva a uma oscilação argumentativa entre poder ascendente (do indivíduo para o coletivo) ou descendente (do coletivo para o indivíduo).

Portanto, a discussão aparente é entre a preservação da autonomia privada e a dos interesses coletivos traduzidos em normas inderrogáveis pela vontade das partes. Mas o dissenso é mais profundo pela impossibilidade de se adotar uma escala segura de prioridade entre um e outro, segundo a visão de Kennedy e Koskenniemi.

---

[8] KAHNEMAN, Daniel. *Thinking, Fast and Slow*. New York: Farrar, Straus and Giroux, 2011.

[9] UNGER, Roberto Mangabeira. *Knowledge and Politics*. New York: Free Press, 1984.

[10] KENNEDY, David, *International Legal Structures*. Baden-Baden: Nomos-Verl.-Ges, 1987.

[11] KOSKENNIEMI, Martti. From Apology to Utopia: the Structure Of International Legal Argument. Cambridge: Cambridge University Press, 2006; NOLL, Gregor, What Moves Law?: Martti Koskenniemi and Transcendence in International Law. *In:* WERNER, Wouter; DE HOON, Marieke; GALÁN, Alexis (ed.). *The Law of International Lawyers*: Reading Martti Koskenniemi, Cambridge: Cambridge University Press, 2017. p. 20-38.

De acordo com Souza-McMurtrie:

> Koskenniemi's oscillation thesis suggests that legal arguments constantly swing back and forth between opposing positions with no clear priority. Legal reasoning alone cannot resolve disputes because it continually shifts between these contradictory positions. As a result, it must depend on external factors such as practical, political, or moral considerations".[12]

1.9 Objeto

As considerações a seguir partem dessas ideias inspiradas pelo Marçal e inseridas em um conjunto próprio de experiências minhas, em grande medida proporcionadas ou incentivadas por ele. O texto divide-se em três partes: (i) a aplicação de normas cogentes (*mandatory rules*) na arbitragem envolvendo a Administração Pública, (ii) o caráter cogente dos artigos 20[13] e 21[14] da LINDB e (iii) a peculiaridade do papel do árbitro diante de normas cogentes de Direito Público.

2 Arbitragem e normas cogentes (*mandatory rules*)

2.1 Normas cogentes

Segundo Emmanuel Gaillard, cada ordem jurídica identifica as circunstâncias nas quais "considera apropriado descartar a aplicação de normas escolhidas pelas partes em virtudes de tais normas ofenderem suas convicções fundamentais".[15]

Trata-se de normas de caráter imperativo, voltadas a temas tipicamente relacionados a interesses que transcendem os das partes: as normas cogentes. Portanto, normas cogentes ou imperativas são aquelas que não podem ser modificadas ou afastadas pela autonomia das partes.[16]

---

[12] O trecho consta de versão preliminar da tese, excluído da versão apresentada embora reflita ainda o entendimento do seu autor sobre a doutrina de Koskenniemi. O tema é retomado no trecho seguinte: "This repeating movement – the law justifies the contract because the contract justifies the law – reoccurs in all factions and closely resembles Koskenniemi's descending and ascending positions. The difference is that aside from Koskenniemi's positional oscillation (whole and parts, law and contract, subjectivity and objectivity, order and individuals), there is also a conceptual circularity in which three normative beliefs reappear, eternally postponing justification to the next one" (SOUZA-MCMURTRIE, Leonardo F. *Paradox and Circularity*: The Epistemic Justification of the Hybrid Agreement Argument. 2024. Dissertation (PostGraduate Study), Cambridge University, Cambridge, 2024. l. 37).

[13] "Art. 20. Nas esferas administrativa, controladora e judicial, não se decidirá com base em valores jurídicos abstratos sem que sejam consideradas as consequências práticas da decisão.
Parágrafo único. A motivação demonstrará a necessidade e a adequação da medida imposta ou da invalidação de ato, contrato, ajuste, processo ou norma administrativa, inclusive em face das possíveis alternativas."

[14] "Art. 21. A decisão que, nas esferas administrativa, controladora ou judicial, decretar a invalidação de ato, contrato, ajuste, processo ou norma administrativa deverá indicar de modo expresso suas consequências jurídicas e administrativas.
Parágrafo único. A decisão a que se refere o *caput* deste artigo deverá, quando for o caso, indicar as condições para que a regularização ocorra de modo proporcional e equânime e sem prejuízo aos interesses gerais, não se podendo impor aos sujeitos atingidos ônus ou perdas que, em função das peculiaridades do caso, sejam anormais ou excessivos."

[15] GAILLARD, Emmanuel. *Teoria jurídica da arbitragem internacional*. Tradução: Natália Mizrahi Lamas. São Paulo: Atlas, 2014. p. 102.

[16] BERMANN, George. Introduction: Mandatory rules of law in international arbitration. *The American Review of*

Na medida em que devam aplicar um direito nacional (não meras *rules of law* escolhidas pelas partes), os árbitros estão tão vinculados às normas de ordem pública e regras cogentes quanto os juízes estatais.[17] Devem perseguir a aplicação e observância a essas normas, mesmo que em detrimento da vontade manifestada pelas partes.[18] A característica das normas cogentes é precisamente o seu caráter obrigatório mesmo em face da vontade contrária das partes.[19]

Nesse sentido, Giuditta Cordero-Moss afirma que as normas cogentes atuam como um limite à autonomia privada na arbitragem.[20]

2.2 Normas cogentes e arbitrabilidade

Cabe desde logo desfazer uma possível confusão teórica. O fato de um determinado litígio exigir a aplicação de normas cogentes, de cuja incidência as partes não podem dispor, não guarda qualquer relação com a arbitrabilidade objetiva.[21]

Não se trata da definição do meio de resolução do conflito (juízo estatal ou arbitral), mas das regras a serem aplicadas pelo julgador para a decisão do litígio. Em uma arbitragem de direito, todas as normas de um determinado ordenamento serão aplicáveis. As de caráter dispositivo poderão ser afastadas pela vontade das partes. Mas as normas imperativas, de caráter cogente, deverão ser aplicadas independentemente da escolha das partes. A indisponibilidade do direito objetivo a ser aplicado não infirma a existência de controvérsia relativa a direitos patrimoniais disponíveis, passível de solução por arbitragem.

International Arbitration, [S. l.], v. 18, p. 2-, 2007. Sob a ótica dos poderes instrutórios do árbitro frente a normas cogentes, ver: ARROYO, Diego. Arbitrator's Procedural Powers: The Last Frontier of Party Autonomy? *In:* FERRARI, Franco (ed.). *Limits to Party Autonomy in International Commercial Arbitration*. New York: Juris, 2016. Para uma análise ampla sobre a definição de "normas cogentes", ver: ALVES, Rafael Francisco. *Árbitro e Direito:* o julgamento do mérito na arbitragem. São Paulo: Almedina, 2018. p. 189-199.

[17] O autor já endereçou a questão em publicação anterior, ver: PEREIRA, Cesar; SOUZA-MCMURTRIE, Leonardo F. Arbitragem e corrupção: o que os árbitros podem (e devem) fazer? desafios da arbitragem com a Administração Pública. *Publicações da AGU*, Brasília, DF, v. 21, n. 2, abr./jun. 2022.

[18] GREENAWALT, Alexander K.A. Does International Arbitration Need a Mandatory Rules Method? *American Review of International Arbitration*, [S. l.], v. 18, p. 114, 2007. José Pereyó elenca seis fundamentos que amparariam um dever do árbitro de aplicar normas cogentes: "(...) (i) in light of analogies to conflict of laws provisions applicable to state courts; namely, Art. 9 of the Rome Convention 3 and Art. 19 of the Swiss Private International Law Act; (ii) as a rightful application of transnational public policy (also regarded as 'truly international public policy'); (iii) as either a consideration of the legitimate expectations of the parties, in and of itself, or, also coupled with, a sense of deference to State sovereignty which ultimately allows for arbitration to take place; (iv) under the guise that the arbitrator is to render a final and enforceable award; (v) as an inherent function of the arbitrator; and (vi) as a best practices approach" (PEREYÓ, Jose. A bridge too far. *Revista Brasileira de Arbitragem*, Brasília, DF, v. 9, n. 36, p. 111-113, out./dez. 2012).

[19] BARRACLOUGH, Andrew; WAINCYMER, Jeff. Mandatory rules of law in international commercial arbitration. *Melbourne Journal of International Law*, Melbourne, v. 6, 2005.

[20] CORDERO-MOSS, Giuditta. Limits on Party Autonomy in International Commercial Arbitration. *Penn State Journal of Law & International Affairs*, [S. l.], v. 4, n. 1, p. 190, Dec. 2015.

[21] BERMANN. Introduction: Mandatory rules of law in international arbitration, p. 13-14.

2.3 Arbitragem e regulação

A previsão de arbitragem em contratos regulados implica a possibilidade de revisão, pelos árbitros, de atos praticados pela parte pública no âmbito do escopo da convenção de arbitragem. O árbitro é juiz de fato e de direito (art. 18 da Lei nº 9.307/1996). Aplicará a lei a que se submetem tanto a parte pública quanto a parte privada do contrato e poderá adotar interpretação diversa da assumida por qualquer dos contratantes, inclusive o contratante público.[22]

2.4 Arbitragem e atos regulatórios

Nos setores regulados, é comum a posição de contratante público ser ocupada pelo ente regulador, ainda que no exercício de competências diversas. Mesmo quando as duas posições não se confundem em uma mesma entidade, a decisão do conflito pode exigir do árbitro que examine a validade ou eficácia de um ato regulatório – do mesmo modo que faria o exame, para o caso concreto, da validade, vigência ou eficácia de uma lei ou decreto.

Desse modo, a condução e o resultado de uma arbitragem em um setor regulado têm relevância para a regulação. Em estudo específico sobre o tema, Marie-Anne Frison-Roche aponta que a arbitragem deve ser compreendida como integrada ao sistema de regulação.[23]

2.5 Regulação por meio da arbitragem

Essa integração opera em ambos os sentidos. Especialmente em face da publicidade, as decisões arbitrais em matérias relativas a setores regulados compõem o conjunto de fatores que dão previsibilidade às condições em que operam os agentes do setor. Exceto na hipótese de arbitragens coletivas,[24] dizem respeito a casos concretos e litígios específicos. Ainda assim, podem gerar orientações aplicáveis às condutas futuras da Administração e particulares. Isso é especialmente presente em face dos deveres de moralidade e boa-fé impostos à Administração e aos particulares que com ela contratam, que lhes exigem coerência entre a conduta adotada em um determinado processo arbitral e seu comportamento futuro.

---

[22] Um exemplo da discricionariedade do árbitro na interpretação da norma advém do caso ICC 6320. Embora a requerente argumentasse pela aplicação imperativa do Racketeer Influenced and Corrupt Organizations Act (RICO), o tribunal arbitral concluiu em sentido contrário. Entendeu não haver conexão forte com os Estados Unidos ou interesse suficiente daquele país para tornar imperativa a sua disposição de *treble damages*, além de o contrato entre as partes, regido pela lei brasileira, excluir tais reivindicações: "Considering the above, and assuming that the treble damages provisions of the RICO statute are, according to United States law, mandatory in character, the Tribunal finds that there is in the present case no sufficiently strong and legitimate interest of the United States so as to mandate the application of such provisions. The criteria that lead to this conclusion mainly relate to two aspects: the type of interest and the connecting factor" (ICC Case 6320 (Claimant *v.* Respondent). Final Award issued in 1992. Extract published in *ICC International Court of Arbitration Bulletin*, v. 6, n. 1).

[23] FRISON-ROCHE, Marie-Anne. Arbitrage et droit de la régulation. *In*: SILVA-ROMERO, Eduardo; MANTILLA ESPINOSA, Fabricio. *El contrato de arbitraje*. Bogotá: Legis. 2005. p. 323-338.

[24] Pereira, Cesar; Quintão, Luísa. Entidades Representativas (art. 5º, XXI, da Constituição Federal) e Arbitragem Coletiva no Brasil. *Revista de Arbitragem e Mediação*, Brasília, DF, n. 47, out./dez. 2015.

2.5.1 Normas aplicáveis pelos árbitros

Por outro lado, os árbitros têm o dever de considerar a regulação setorial e os reflexos práticos de suas decisões ao proferir a sentença arbitral e ordens processuais. Esse dever passou a ser objeto de previsão expressa quando a Lei nº 13.655/2018 incluiu os arts. 20, 21 e 24 na LINDB. Segundo o art. 20, "não se decidirá com base em valores jurídicos abstratos sem que sejam consideradas as consequências práticas da decisão" e a "motivação demonstrará a necessidade e a adequação da medida imposta ou da invalidação de ato, contrato, ajuste, processo ou norma administrativa, inclusive em face das possíveis alternativas". O art. 21 complementa a norma que o antecede e o art. 24, por sua vez, preserva a segurança jurídica ao determinar que a

> revisão, nas esferas administrativa, controladora ou judicial, quanto à validade de ato, contrato, ajuste, processo ou norma administrativa cuja produção já se houver completado levará em conta as orientações gerais da época, sendo vedado que, com base em mudança posterior de orientação geral, se declarem inválidas situações plenamente constituídas.

Muito embora o texto legal não aluda à decisão arbitral, mas apenas à judicial ou à administrativa, o papel do árbitro na revisão da validade e na aplicação de atos ou contratos administrativos lhe impõe a observância dessas mesmas pautas.

2.5.2 Decisão imotivada

Conforme será retomado adiante, Marçal Justen Filho aponta que o art. 20 da LINDB equipara a decisão fundada em valores abstratos, sem análise das suas consequências práticas, à decisão imotivada.[25]

As consequências para a arbitragem são graves. Aplicando-se a premissa à sentença arbitral, a falta de motivação implica ofensa ao art. 26 da Lei nº 9.307/1996, com efeitos sobre a validade e a eficácia da sentença. Pode ensejar a invalidação da sentença arbitral ou, quando menos, o direito à sua complementação na forma do art. 33, §4º, da Lei nº 9.307/1996.

A ausência de motivação derivada da ausência de pronunciamento sobre a incidência da LINDB não pode configurar nem autorizar a chamada "nulidade de algibeira". A matéria deve ser suscitada espontaneamente pelas partes ou por provocação do árbitro no curso da arbitragem. Caso seja levantada pelo árbitro, cabe-lhe assegurar às partes oportunidade para manifestação sobre a aplicação dos arts. 20 e 21 da LINDB ao caso concreto. No caso de haver omissão da sentença arbitral sobre a aplicação dos referidos dispositivos, caberá à parte interessada suscitar o tema por meio de pedido de esclarecimentos (art. 30 da Lei nº 9.307/1996).[26] Ademais, a ausência de motivação

---

[25] JUSTEN FILHO, Marçal. Art. 20 da LINDB: dever de transparência, concretude e proporcionalidade nas decisões públicas. *Revista de Direito Administrativo*, Rio de Janeiro, Edição Especial: Direito Público na Lei de Introdução às Normas de Direito Brasileiro – LINDB (Lei nº 13.655/2018), p. 37, nov. 2018.

[26] O pedido de esclarecimentos cumpre a mesma função dos embargos de declaração no processo civil (BARBOSA MOREIRA, José Carlos. *Temas de Direito Processual*: oitava série. São Paulo: Saraiva. 2004. p. 192).

(omissão) configurar-se-á apenas na falta efetiva de análise pela sentença das consequências práticas da decisão, nos termos dos arts. 20 e 21 da LINDB. A mera discordância da parte quanto ao conteúdo da análise – ou seja, sobre quais são as consequências práticas em questão – não equivale ao defeito de falta de motivação.

2.5.3 Arbitragem e normas de ordem pública

As premissas estabelecidas se estendem à discussão acerca da aplicação de normas imperativas (de ordem pública) pelo árbitro. A arbitragem é uma instância revisora da conduta da Administração Pública no âmbito das controvérsias cobertas por uma convenção de arbitragem. Por decorrência, observado esse escopo, cabe ao árbitro aplicar as normas que disciplinam a conduta da Administração. Como juiz de fato e de direito (art. 18 da Lei nº 9.307/1996), aplicará a integralidade do ordenamento jurídico, inclusive as normas de ordem pública eventualmente necessárias à solução do litígio.[27]

Se o art. 25 da redação original da Lei nº 9.307/1996 poderia criar alguma dúvida a esse respeito, qualquer dificuldade foi eliminada pela revogação desse dispositivo por meio da Lei nº 13.129/2015.

O tema da ordem pública é frequentemente invocado no contexto da homologação de sentenças arbitrais estrangeiras. Tanto o Supremo Tribunal Federal (STF)[28] quanto o Superior Tribunal de Justiça (STJ)[29] tiveram já a oportunidade de examinar sentenças arbitrais estrangeiras envolvendo partes integrantes da Administração Pública em casos envolvendo potencial ofensa à ordem pública. Em todos os casos do STJ, afastou-se a discussão e se homologou a sentença, e, no caso do STF, rejeitou-se a homologação por motivo diverso, tendo a sentença arbitral sido posteriormente cumprida por determinação legal específica.[30]

---

[27] Sobre o tema, cf.: Sérvulo Correia, A arbitragem dos litígios entre particulares e Administração Pública sobre situações regidas pelo Direito Administrativo. *Revista de Contratos Públicos – RCP*, Belo Horizonte, n. 5, p. 175-77, set. 2014; Jorge Suescún (De las facultades de los árbitros para interpretar y aplicar normas de orden público. *In*: Silva-Romero, Eduardo; Mantilla Espinosa, Fabricio. *El contrato de arbitraje*. Bogotá: Legis, 2005. p. 255-284) aponta: "(...) los árbitros no pierden competencia por el hecho de que se debatan ante ellos materias en que tiene interés el orden público. En ese supuesto lo que deben hacer es aplicar rectamente las normas llamadas a gobernar el litigio, entre ellas, las pertinentes disposiciones de orden público".

[28] STF, SEC nº 4.724-2, Relator Min. Sepúlveda Pertence, julgado em 27 de abril de 1994, *Dje* 19 dez, 1994, p. 35.181. A sentença arbitral não foi homologada pela exigência, à época, de duplo *exequatur*. Porém, logo depois foi editada a Lei nº 8.874/1994, que expressamente determinou que a União pagaria o montante dessa sentença e de outras similares, mediante transação, observado o valor da condenação na arbitragem.

[29] STJ, SEC nº 10.432, Relatora Min.a Laurita Vaz, julgado em 16 de setembro de 2015, *Dje* 19 out. 2015. STJ, SEC nº 16.016, Relatora Min.a Nancy Andrighi, julgado em 20 de novembro de 2017, *Dje* 28 nov. 2017.

[30] Lei nº 8.874/1994.

3 O caráter cogente dos arts. 20 e 21 da LINDB

3.1 Contexto

O art. 21 da LINDB (alterada pela Lei nº 13.655/2018)[31] é uma continuação lógica do dispositivo que o precede.[32] Deve ser compreendido nesse contexto.

3.1.1 Art. 20, *caput*

Há uma sequência que se inicia com o *caput* do art. 20, segundo o qual as consequências práticas da decisão devem ser consideradas ao se aplicarem valores jurídicos abstratos.

Ou seja, a fundamentação da decisão deve tomar em conta seus efeitos no mundo material (práticos), não se limitando a seus efeitos jurídicos (abstratos).[33] Decidir sem considerar tais consequências práticas implica a invalidade da decisão por falta de motivação.[34] Marçal Justen Filho esclarece que o "art. 20 não impede que a decisão seja fundada em valores abstratos, mas exige um processo de sua concretização em vista das circunstâncias verificadas no mundo dos fatos".[35]

3.1.2 Art. 20, parágrafo único

O parágrafo único do art. 20 impõe balizas de proporcionalidade para a imposição de medida ou a prolação de decisão de invalidação. Não apenas a medida ou o ato devem ser proporcionais, mas a sua motivação – ou seja, o conjunto fático que justifica a sua prática – deve demonstrar sua necessidade e adequação, inclusive em face de possíveis alternativas.[36]

---

[31] Embora seus proponentes defendam sua aplicação exclusiva a relações de direito público (o que é sugerido pela própria ementa da Lei nº 13.655), o art. 21 já foi aplicado a relações de natureza privada. Em processo relacionado com um contrato privado, o TJSP invalidou o contrato, mas se ocupou de estabelecer detalhadamente as consequências jurídicas e práticas ("administrativas") da decisão (TJ-SP, AC nº 1007470-29.2017.8.26.0565, 19. Câmara de Direito Privado, Rel. Des. Mário de Oliveira, julgada em 13 de maio 2019).

[32] RIBEIRO, Leonardo Coelho. Comentários gerais ao art. 21 da Lei de Introdução às Normas do Direito Brasileiro (Decreto-Lei nº 4.657/1942, alterado pela Lei nº 13.655/2018). *In:* CUNHA FILHO, Jorge Carneiro; ISSA, Rafael Hamze; SCHWIND, Rafael Wallbach (org.). *Lei de Introdução às Normas do Direito Brasileiro*: anotada. São Paulo: Quartier Latin, 2019. p. 146.

[33] CAMILO JÚNIOR, Ruy Pereira. Nem xamãs nem pitonisas: consequencialismo e rigor técnico. Um comentário ao artigo 20, da LINDB, acrescido pela Lei nº 13.665/18. *In:* CUNHA FILHO, Jorge Carneiro; ISSA, Rafael Hamze; SCHWIND, Rafael Wallbach (org.). *Lei de Introdução às Normas do Direito Brasileiro – anotada*. São Paulo: Quartier Latin, 2019. p. 91-92; RIBEIRO. Comentários gerais ao art. 21 da Lei de Introdução às Normas do Direito Brasileiro (Decreto-Lei nº 4.657/1942, alterado pela Lei nº 13.655/2018), p. 147; SUNDFELD, Carlos Ari. *Direito Administrativo*: o novo olhar da LINDB. Belo Horizonte: Fórum, 2022. p. 44-45. Nesse sentido, Georges Abboud, Maira Bianca Scavuzzi de Albuquerque Santos e Matthäus Kroschinsky (Consequencialismo, teoria da decisão e jurisdição constitucional. *Revista dos Tribunais*, São Paulo, ano 111, v. 1.038, p. 249-279, abr. 2022) ressaltam que o dispositivo "não é um convite à discricionariedade, mas justamente o contrário".

[34] RIBEIRO. Comentários gerais ao art. 21 da Lei de Introdução às Normas do Direito Brasileiro (Decreto-Lei nº 4.657/1942, alterado pela Lei nº 13.655/2018), p. 145.

[35] JUSTEN FILHO, Marçal. Art. 20 da LINDB: Dever de transparência, concretude e proporcionalidade nas decisões públicas. *Revista de Direito Administrativo*, Rio de Janeiro, Edição Especial: Direito Público na Lei de Introdução às Normas de Direito Brasileiro – LINDB (Lei nº 13.655/2018), p. 25, nov. 2018.

[36] Sobre o art. 21 e a promoção da transparência no exercício do poder, cf.: ROBERTO, Luiz Fernando. Técnica de

3.1.3 Art. 21, *caput*

O *caput* do art. 21 trata de uma das hipóteses referidas no parágrafo único do art. 20: a invalidação de ato, contrato, ajuste, processo ou norma. Especifica que os fundamentos da decisão de invalidação, os quais levarão em conta consequências práticas (art. 20, *caput*) e demonstrarão a proporcionalidade da invalidação (art. 20, parágrafo único), indicarão de modo expresso as consequências jurídicas e administrativas da invalidação.[37]

3.1.4 Art. 21, parágrafo único

Por fim, o parágrafo único do art. 21 reafirma que o propósito da invalidação é restaurar a ordem jurídica e administrativa ferida pelo ato inválido. Ao mesmo tempo que invalida o ato defeituoso, a decisão deve dispor sobre as condições para o restabelecimento da ordem violada, mediante a observância de pautas destinadas a proteger tanto os interesses gerais, como os interesses individuais atingidos pela invalidade – inclusive os do próprio agente responsável pelo ato inválido. Tais pautas restringem a discricionariedade.[38]

3.2 Equanimidade e compreensão

A reação à invalidade deve ser proporcional e equânime e evitar ônus ou perdas anormais ou excessivas. O conceito central é o de *equilíbrio*. Vedam-se as soluções absolutas, que ignoram os matizes e nuances da vida real. Busca-se a *equanimidade*, que vai além da mera isonomia ou proporcionalidade e impõe a visão abrangente e compreensiva das circunstâncias que condicionam as posições dos diversos envolvidos ou afetados pela invalidade. Em especial, afastam-se as reações anormais – imprevisíveis, inesperadas, incoerentes – e excessivas – as vingativas, ofensivas ou emulativas, que ultrapassam o limite do necessário para distribuir de modo equilibrado os ônus do restabelecimento da ordem violada.

3.3 Enunciados do IBDA

Para auxiliar na interpretação dos artigos supracitados (e os demais inseridos na LINDB em decorrência da promulgação da Lei 13.655), o Instituto Brasileiro de Direito

---

decisão e simplificação administrativa. *In:* CUNHA FILHO, Jorge Carneiro; ISSA, Rafael Hamze; SCHWIND, Rafael Wallbach (org.). *Lei de Introdução às Normas do Direito Brasileiro*: anotada. São Paulo: Quartier Latin, 2019. p. 134.

[37] Sobre os dois aspectos do art. 21, cf.: RIBEIRO. Comentários gerais ao art. 21 da Lei de Introdução às Normas do Direito Brasileiro (Decreto-Lei nº 4.657/1942, alterado pela Lei n. 13.655/2018), p. 145. Ver também: OLIVEIRA, Carlos Eduardo Elias de. A segurança hermenêutica nos vários ramos do direito e nos cartórios extrajudiciais: repercussões da LINDB após a Lei nº 13.655/2018. *Textos para Discussão – Núcleo de Estudos e Pesquisas da Consultoria Legislativa*, Brasília, DF, jun. 2018. p. 23. Sobre a redução da discricionariedade face as recentes alterações da LINDB, cf.: NIEHBUR, Pedro de Menezes. A repercussão da LINDB em demandas ambientais e urbanísticas. *Jota*, São Paulo, 9 jul. 2019. Disponível em: https://www.jota.info/opiniao-e-analise/artigos/a-repercussao-da-lindb-em-demandas-ambientais-e-urbanisticas-09072019. Acesso em: 13 set. 2024.

[38] ROBERTO. Técnica de decisão e simplificação administrativa, p. 135.

Administrativo (IBDA) aprovou em junho de 2019 os "Enunciados relativos à interpretação da Lei de Introdução às Normas do Direto Brasileiro – LINDB e seus impactos no Direito Administrativo".[39] Os Enunciados IBDA consistem em 21 conclusões debatidas e acordadas relativamente à interpretação de conceitos incorporados à LINDB pela Lei nº 13.65/2018.[40]

3.4 Consequências jurídicas e administrativas

A divisão referida no *caput* do art.21 pretende aludir às derivações abstratas e práticas da invalidação.[41]

3.4.1 Avaliação das consequências jurídicas e administrativas

Caberá ao tomador de decisão avaliar as consequências jurídicas e administrativas da decisão de invalidação.[42] Para uma avaliação global das consequências jurídicas e administrativas, destaca-se o uso da Análise Econômica do Direito (AED). O arcabouço instrumental da AED é capaz de auxiliar o julgador quanto às externalidades, custos de transação e incentivos gerados pela decisão, contribuindo para a análise dos efeitos práticos da decisão.[43]

A AED, todavia, não é determinante e não compõe a norma do art. 21, *caput*, da LINDB – apesar de se apresentar como instrumento útil para sua aplicação. As consequências jurídicas ou administrativas da decisão de invalidação devem ser determinadas com referência aos seus efeitos práticos.

---

[39] Os Enunciados do IBDA são fruto de um seminário organizado pelo Instituto Brasileiro de Direito Administrativo, realizado em Tiradentes (MG) no dia 14 de junho de 2019, intitulado "Impactos de Lei nº 13.655/18 no Direito Administrativo" (SEMINÁRIO promovido pelo IBDA aprova enunciados sobre a LINDB Disponível em: http://www.direitodoestado.com.br/noticias/seminario-promovido-pelo-ibda-aprova-enunciados-sobre-a-lindb. Direito do Estado, [S. l.], 21 jun. 2019. Acesso em: 18 nov. 2024). Nessa oportunidade, foram debatidos e aprovados os 21 enunciados.

[40] MOTTA, Fabrício. Pela segurança jurídica, precisamos tratar da interpretação da LINDB. *Conjur*, São Paulo, 11 jul. 2019. Disponível em: https://www.conjur.com.br/2019-jul-11/interesse-publico-seguranca-juridica-precisamos-tratar-interpretacao-lindb. Acesso em: 1 nov. 2024.

[41] Sobre outro critério de interpretação de tais locuções, cf.: MENDONÇA, José Vicente dos Santos. Art. 21 da LINDB: Indicando consequências e regularizando atos e negócios. *Revista de Direito Administrativo*, Rio de Janeiro, Edição Especial: Direito Público na Lei de Introdução às Normas de Direito Brasileiro – LINDB (Lei nº 13.655/2018), p. 50, nov. 2018.

[42] "A Lei nº 13.655/2018 procurou alertar os aplicadores do direito de que não há valor abstrato que subsista sem avaliação concreta das consequências (e a LINDB determina expressamente que a decisão judicial, administrativa ou controladora as indique), justamente porque o equacionamento correto do "valor abstrato" só ocorre mediante cotejo dos fatos" (ABBOUD; SANTOS; KROSCHINSKY. Consequencialismo, teoria da decisão e jurisdição constitucional. *Revista dos Tribunais*, São Paulo, ano 111, v. 1.038, p. 249-279, abr. 2022).

[43] CARVALHO, Cristiano. A nova Lei de Introdução é Análise Econômica do Direito? *Jota*, São Paulo, 6 jun. 2018. Disponível em: https://www.jota.info/opiniao-e-analise/colunas/coluna-da-abde/introducao-analise-economica-direito-06062018. Acesso em: 1 out. 2024.

3.4.2 Limites práticos

A exigência de apreciação e consideração das consequências práticas da decisão não pode ser levada ao extremo de paralisar o processo decisório.

No Acórdão nº 561/2021-Plenário, de relatoria do Min. Bruno Dantas, julgaram-se embargos de declaração em que se alegava omissão quanto à apreciação das consequências jurídico-administrativas da decisão com base no art. 21 da LINDB. A decisão apontou que não havia omissão, pois os impactos (embora existentes e necessários) não haviam sido ignorados, mas expostos no relatório e mencionados na fundamentação. Consignou-se, ainda, que "indicar as consequências da decisão não significa que a decisão adotada seja isenta de efeitos de qualquer ordem".[44]

José Vicente dos Santos de Mendonça sugere que a expectativa de qualidade da análise da consequência variará conforme o órgão julgador. Pondera que, existindo expertises distintas, espera-se maior ou menor precisão na análise do órgão julgador a depender da matéria em discussão: "decisão do TCU poderá indicar consequências de um reequilíbrio de concessão melhor do que a decisão de juiz não especialista".[45] O raciocínio poderia ter repercussões na arbitragem, cujo órgão julgador pode ser formado por especialistas na matéria em discussão – muito embora um condicionamento dessa natureza possa apresentar um conteúdo especulativo e de difícil aferição prática. Na arbitragem, cada tribunal arbitral é constituído *ad hoc*. Não há uma capacitação presumível ou institucional que pudesse ser considerada em abstrato. Um critério como o proposto em relação a órgãos institucionais (como o TCU) encontraria dificuldades práticas e jurídicas para ser estendido à arbitragem.

3.4.3 Limites jurídicos

O tema da análise das consequências das decisões não é novo. Como se consignou no início deste texto, é um dos pontos centrais da obra de Neil MacCormick.[46] A questão foi retomada por Marçal Justen Filho em artigo publicado em 2018 na RDA, logo após a alteração da LINDB.[47]

Ambos os doutrinadores apontam que considerar as consequências da decisão é um processo lógico.[48] Identifica-se uma relação de causalidade[49] entre a decisão e efeitos que ela é apta a provocar.

---

[44] TCU, Acórdão nº 561/2021, Plenário, Relator Min. Bruno Dantas, julgado em 17 de março de 2021.

[45] MENDONÇA. Art. 21 da LINDB: Indicando consequências e regularizando atos e negócios, p. 51.

[46] MACCMORMICK, Neil. *Retórica e o Estado de Direito*. Tradução: Conrado Hübner Mendes e Marcos Paulo Veríssimo. Rio de Janeiro: Elsevier, 2008.

[47] JUSTEN FILHO. Art. 20 da LINDB: Dever de transparência, concretude e proporcionalidade nas decisões públicas.

[48] "Toda decisão fundada em normas gerais e abstratas pressupõe um processo de ponderação relacionado de modo inafastável com o universo fático existente. Isso exige considerar as consequências práticas de uma decisão, inclusive para evitar a consumação de danos irreparáveis aos próprios valores invocados como fundamento para decidir" (JUSTEN FILHO. Art. 20 da LINDB: Dever de transparência, concretude e proporcionalidade nas decisões públicas, p. 23).

[49] JUSTEN FILHO. Art. 20 da LINDB: Dever de transparência, concretude e proporcionalidade nas decisões públicas, p. 29.

Marçal Justen Filho situa a análise principalmente na aplicação do art. 20 da LINDB, que veda a decisão baseada em valores abstratos exceto se acompanhada de análise dos efeitos práticos da decisão.[50] Portanto, trata-se de uma medida de contenção de decisões baseadas exclusivamente em normas de generalidade excessiva.

MacCormick parte de outros pressupostos. Há dois propósitos na sua análise consequencialista.

Primeiro, a legitimidade de uma decisão depende da sua "universalizabilidade".[51] Ou seja, se um julgador toma uma determinada decisão, deve pressupor que a mesma decisão poderá ser tomada em qualquer outra situação idêntica envolvendo outras partes. Trata-se de um aspecto interno à decisão. Essa é a primeira consequência (jurídica) a ser examinada.

Depois, cabe ao julgador apurar os efeitos da decisão sobre o Direito.[52] Em que medida a decisão é compatível com os valores do ramo do Direito a que ela se refere?[53] Quais os incentivos positivos ou negativos que ela presumivelmente provocará sobre a conduta daqueles que estão sujeitos à norma aplicada?[54] Essa análise não exige a apuração de fatos, mas um raciocínio lógico à luz da experiência ou senso comum.[55]

Portanto, seja por um ângulo ou por outro, não cabe impor ao julgador uma análise exaustiva, baseada em ampla investigação fática e técnica, dos efeitos concretos da decisão a ser tomada. A análise é lógica e, no âmbito da LINDB, destina-se a ser um contraponto ao risco de determinada decisão ser tomada apenas com base em valores abstratos.

Há outro ponto relevante de coincidência entre as visões de MacCormick e Marçal Justen Filho sobre o tema. A análise das consequências práticas pressupõe o conhecimento do Direito a ser atingido pela decisão e, mais do que isso, dos seus valores subjacentes e da sua realidade prática. Caso contrário, é impossível aferir os impactos da decisão sobre os valores próprios do ramo do Direito em questão nem compreender os incentivos (positivos ou perversos) que a decisão pode gerar.

Confirma-se a conclusão de Marçal Justen Filho quanto à impossibilidade de a norma ser interpretada e aplicada sem referência aos valores e fatos ligados à sua incidência.

3.4.4 Consequências jurídicas

As consequências jurídicas estão no plano da eficácia própria da decisão de invalidação como ato jurídico, portanto, como um comando. A decisão declara ou constitui, de modo afirmativo ou negativo, relações jurídicas. Comanda a prática de

---

[50] JUSTEN FILHO. Art. 20 da LINDB: Dever de transparência, concretude e proporcionalidade nas decisões públicas, p. 29.

[51] MACCMORMICK. *Retórica e o Estado de Direito*, p. 136.

[52] "Decidir um caso e justificar a decisão exige que essa decisão possa ser universalizada, ao menos implicitamente, e que possa ser comparada qualitativamente com os méritos de uma outra possível proposição universal (ainda que pouco definida) que lhe seja rival. Então, razões devem ser dadas a favor da alternativa preferida, para a linha de decisão preferida neste caso e em todos os outros casos análogos" (MACCMORMICK. *Retórica e o Estado de Direito*, p. 137).

[53] MACCMORMICK. *Retórica e o Estado de Direito*, p. 151-152.

[54] MACCMORMICK. *Retórica e o Estado de Direito*, p. 152.

[55] MACCMORMICK. *Retórica e o Estado de Direito*, p. 152.

determinados atos, com eficácia mandamental. Ou atribui, com caráter condenatório, a alguém a posição jurídica de credor de determinadas condutas em face de outrem.

Evidentemente, tais consequências têm em vista modificações no mundo dos fatos – seria inútil um processo de invalidação incapaz de gerar efeitos práticos, como se se bastasse a si mesmo. Mas o seu mecanismo de atuação é jurídico, por meio da edição de uma norma concreta (ato jurídico de invalidação) cujo comando é uma *consequência jurídica*.

3.4.5 Consequências administrativas

A amplitude dos destinatários do art. 21, *caput*, da LINDB faz com que a norma seja aplicada não apenas por quem detém competência para editar normas concretas, mas também por quem atua materialmente na realidade.

Disso deriva a previsão de que o ato de invalidação pode ter não só consequências jurídicas – comandos da norma concreta –, mas também consequências administrativas: atuações diretas na realidade material, mediante condutas práticas.

Tais consequências administrativas do ato de invalidação não se confundem com o cumprimento de suas consequências jurídicas. Se se confundissem, não haveria razão para que o art. 21, *caput*, se ocupasse de distingui-las. Pretende-se alertar o intérprete que a decisão de invalidação deve indicar expressamente seus comandos jurídicos, como norma concreta, e seus efeitos práticos.

Assim, a decisão de invalidação de um embargo, por exemplo, terá as consequências jurídicas de um ato de eficácia declaratória ou constitutiva, conforme o caso, mas poderá ter a consequência administrativa de imediatamente produzir a liberação da atividade proibida.

O *caput* do art. 21 impõe clareza e objetividade ao julgador, em benefício dos afetados pela decisão. Se determinado efeito prático deriva imediatamente da decisão, cabe ao julgador indicar que se trata de uma consequência administrativa da decisão. Se a produção de efeitos práticos exige um ato de cumprimento do comando da decisão como norma concreta, trata-se de uma consequência jurídica da decisão, a ser assim indicada e qualificada.

3.5 Regularização

A regularização não se confunde com convalidação.[56] A regularização, todavia, pode-se dar *por meio* da convalidação, caso a autoridade encarregada detenha competência para tanto – o que é inclusive, prioritário em relação à invalidação do ato, contrato ou norma, conforme o enunciado nº 7 dos Enunciados IBDA.[57]

---

[56] RIBEIRO. Comentários gerais ao art. 21 da Lei de Introdução às Normas do Direito Brasileiro (Decreto-Lei nº 4.657/1942, alterado pela Lei nº 13.655/2018), p. 146. Em sentido oposto, aproximando a regularização da convalidação, cf.: JUNQUEIRA, André Rodrigues. O artigo 20 da Lei de Introdução às Normas do Direito Brasileiro: atuação dos tribunais de contas. *In:* CUNHA FILHO, Jorge Carneiro; ISSA, Rafael Hamze; SCHWIND, Rafael Wallbach (org.). *Lei de Introdução às Normas do Direito Brasileiro*: anotada. São Paulo: Quartier Latin, 2019. p. 131.

[57] Enunciado nº 7. "Na expressão "regularização" constante do art. 21 da LINDB estão incluídos os deveres de convalidar, converter ou modular efeitos de atos administrativos eivados de vícios sempre que a invalidação

O art. 21, *caput*, da LINDB, vai além da convalidação, regulando o saneamento de atos reconhecidos como defeituosos e não convalidados.[58] Não se trata de evitar a invalidação, mas de enfrentar os seus efeitos e, principalmente, realizar as suas finalidades.

3.5.1 Utilidade da invalidação

A ideia de regularização é diretamente ligada à de utilidade da invalidação.[59] Tal como o art. 20 impede a decisão baseada em meros valores abstratos, a qual satisfaz a ordem jurídica, mas ignora a realidade, o parágrafo único do art. 21 impõe que se dê conteúdo prático à invalidação.

A menos que se trate de ato inválido igualmente abstrato e sem efeito prático (o exemplo que se dá é a invalidação de norma ainda ineficaz), será o caso de a decisão de invalidação estabelecer as condições para a regularização da ruptura provocada pelo ato inválido.

3.5.2 Restauração da ordem jurídica

Declara-se a invalidade, reconhece-se o seu efeito danoso e se estabelecem os mecanismos adequados para a sua correção. Esse é o comando do parágrafo único do art. 21, que está alinhado com a ideia de autossaneamento,[60] de acordos substitutivos de sanções, de leniência, de termos de ajustamento de conduta e da variedade de outros instrumentos destinados a tornar íntegra a ordem jurídica e administrativa por meio de condutas ativas dos agentes e dos afetados por atos inválidos.

A solicitação de solução consensual (SCC) objeto da Instrução Normativa nº 91/2022 do Tribunal de Contas da União (TCU) é um dos atos de maior repercussão em uma longa sucessão de medidas que dão respaldo ao consensualismo como forma de restauração da ordem jurídica.

3.5.3 Neutralidade da regularização

O parágrafo único do art. 21 retira da invalidação em si qualquer caráter punitivo ou repressivo. Isso não impede que outras normas descrevam a prática do ato inválido como hipótese de incidência de mandamentos punitivos. Mas a configuração que o parágrafo único do art. 21 da LINDB lhe dá é neutra.

---

puder causar maiores prejuízos ao interesse público do que a manutenção dos efeitos dos atos (saneamento). As medidas de convalidação, conversão, modulação de efeitos e saneamento são prioritárias à invalidação".

[58] SUNDFELD. *Direito Administrativo*: o novo olhar da LINDB, p. 46.

[59] MEERHOLZ, André Leonardo. Interpretação e realidade – consequencialismo, proporcionalidade e motivação: o que se pretende com a precisão do *caput* do art. 20 da LINDB? *In:* CUNHA FILHO, Jorge Carneiro; ISSA, Rafael Hamze; SCHWIND, Rafael Wallbach (org.). *Lei de Introdução às Normas do Direito Brasileiro*: anotada. São Paulo: Quartier Latin, 2019. p. 69.

[60] JUSTEN FILHO. Art. 20 da LINDB: Dever de transparência, concretude e proporcionalidade nas decisões públicas, p. 34.

Promove-se a recomposição da ordem violada (regularização) mediante o estabelecimento de condições dotadas de (i) proporcionalidade e (ii) equanimidade, (iii) que não prejudiquem os interesses gerais nem (iv) imponham aos sujeitos atingidos – tanto os que tenham causado o ato inválido como os que tenham sofrido os seus efeitos indevidos – ônus ou perdas anormais ou (v) excessivos.

3.5.4 Proporcionalidade

A regularização deve ser proporcional. Cabe identificar o objetivo da regularização e estabelecer as condições para que este seja atingido. A proporcionalidade incide nas duas fases desse procedimento. O objetivo deve ser identificado de modo proporcional, de modo que não seja desnecessário para se recompor a ordem jurídica violada nem inapto para se atingir esse fim. Também deve ser definido com adequação, sem que a sua medida vá além da suficiente e necessária para tal recomposição.[61]

Definido de modo proporcional o objetivo a atingir, os meios para a sua concretização também devem ser definidos com proporcionalidade.[62]

Se é necessário o ressarcimento, a proporcionalidade incide na identificação do dano, na sua quantificação e na definição das condições de pagamento. Se a ordem jurídica pode ser tida como recomposta sem que haja o ressarcimento (por exemplo, pelo caráter hipotético ou eventual do dano em questão), é desproporcional impor-se um ressarcimento de dano meramente presumido. Se o dano pode ser razoavelmente quantificado em montante mais reduzido, é desproporcional sua elevação artificial com caráter meramente repressivo. Se o dano pode ser ressarcido com segurança mediante pagamento parcelado e com período de carência, é desproporcional a exigência de pagamento integral imediato.

3.5.5 Equanimidade

O parágrafo único adota um conceito incomum no Direito, o de *equanimidade*. Não se trata de termo referido nem na Constituição Federal nem no Código Civil.

Em sentido parcialmente divergente do ora defendido, o Enunciado IBDA nº 8 estabelece que a ideia de equanimidade remete aos conceitos de isonomia, razoabilidade, proporcionalidade, equidade e ponderação de interesses.[63]

---

[61] MEDAUAR, Odete. Comentários gerais ao dispositivo: comentário ao art. 20 da LINDB. *In:* CUNHA FILHO, Jorge Carneiro; ISSA, Rafael Hamze; SCHWIND, Rafael Wallbach (org.). *Lei de Introdução às Normas do Direito Brasileiro*: anotada. São Paulo: Quartier Latin, 2019. p. 67. Também: CARDOSO, André Guskow. O princípio da proporcionalidade e o dever instituído pelo art. 20, parágrafo único, da Lei de Introdução às Normas do Direito Brasileiro – LINDB. *In:* CUNHA FILHO, Jorge Carneiro; ISSA, Rafael Hamze; SCHWIND, Rafael Wallbach (org.). *Lei de Introdução às Normas do Direito Brasileiro*: anotada. São Paulo: Quartier Latin, 2019. p. 100.

[62] "Seja como for, a alteração da LINDB, ao inserir no sistema uma hipótese normativa com nítida margem para argumentações consequencialistas, pretendeu também, em alguma medida, alcançar determinadas regras com possibilidades de decisões diversas para um mesmo caso concreto, cujas soluções não se afastam do princípio da proporcionalidade e da ponderação de princípios" (ROSA, André Luiz Figueiredo; GUIMARÃES, Luciano Cézar Vernalha. A definição do conceito de "valores jurídicos abstratos" como hipótese normativa para o artigo 20 da Lei de Introdução às Normas do Direito Brasileiro. *Revista de Direito Tributário Contemporâneo*, ano 8, v. 36, p. 81-101, jan./mar. 2023).

[63] Enunciado nº 8. A expressão "equânime", contida no parágrafo único do art. 21 da LINDB, não transmite conceito novo que não esteja previsto no ordenamento jurídico, remetendo às ideias de isonomia, razoabilidade,

Porém, na visão aqui proposta, a expressão sugere algo além da isonomia ou da equitatividade. Aponta para a compreensão justa e ponderada da situação dos envolvidos ou afetados pelo ato invalidado. Oferece uma carga moral à proporcionalidade, vedando resultados que ofendam a noção aceitável de justiça.[64]

Cabe desde logo afastar a eventual objeção de que a ideia de equanimidade seria incompatível com a arbitragem envolvendo a Administração Pública, obrigatoriamente de direito e jamais por equidade (art. 2º, §3º, da Lei nº 9.307/1996). Primeiro, o art. 21 da LINDB integra o direito a ser aplicado pelo árbitro. Depois, a aplicação de critérios legais de equidade não confunde com o julgamento por equidade, desvinculado do direito positivo. Ao ser equânime, o aplicador do art. 21 da LINDB nada faz senão aplicar o Direito.

3.5.6 Interesses gerais

Se a alusão à equanimidade implica a interferência de um conceito francamente aberto sobre a definição das condições de regularização do ato invalidado, a determinação de que a regularização não deve prejudicar os interesses gerais oferece uma pauta objetiva.

3.5.6.1 Preservação da atuação administrativa

As condições de regularização não podem implicar a ofensa aos princípios e às regras que determinam a atuação administrativa. A expressão "interesse geral" tem significado que deve ser extraído do ordenamento jurídico, como preconiza o enunciado nº 9 dos Enunciados IBDA.[65]

Um caso julgado pelo Tribunal de Justiça do Rio de Janeiro em 22.5.2019 ilustra essa conclusão. Em ação proposta em face do Estado do Rio de Janeiro, foi deferida tutela de urgência para se determinar, em dez dias, sob pena de multa diária, a contratação de um profissional para acompanhar um aluno autista em colégio estadual. O TJRJ deu provimento a agravo e cassou a liminar, sob o fundamento de que a decisão "não indica as condições de seu cumprimento efetivo", pois "o provimento de cargos públicos depende de prévio concurso público, e, no que tange à contratação por tempo determinado, há exigência de procedimento seletivo".[66]

A decisão de cassação não aludiu à ofensa aos interesses gerais, mas esse parece ser o enquadramento adotado. Pode-se supor que a contratação de um profissional para auxiliar o aluno portador de autismo fosse a resposta adequada e proporcional à

---

proporcionalidade, equidade e ponderação dos múltiplos interesses em jogo.

[64] Sobre equanimidade como *fairness*, cf.: LAURENTIS, Lucas C. Comentários gerais ao dispositivo. *In*: CUNHA FILHO, Jorge Carneiro; ISSA, Rafael Hamze; SCHWIND, Rafael Wallbach (org.). *Lei de Introdução às Normas do Direito Brasileiro*: anotada. São Paulo: Quartier Latin, 2019. p. 151.

[65] Enunciado nº 9. A expressão "interesse geral" prevista na LINDB significa "interesse público", conceito que deve ser extraído do ordenamento jurídico.

[66] TJRJ, AI nº 0018987-21.2019.8.19.0000, 2. Câmara Cível, Relatora Des.a Maria Isabel Paes Gonçalves, v.u., julgada em 22 de maio de 2019.

necessidade identificada, reputando-se inválida a omissão do Estado no seu atendimento. Porém, a condição imposta para a correção da omissão – contratação imediata, em dez dias, sob pena de multa – era de atendimento impossível nos termos em que se desenvolve a atuação administrativa. A imposição de ordem para a instauração imediata de processo seletivo poderia haver evitado a reprovação da decisão – muito embora tal solução corretiva também pudesse haver sido adotada pelo TJRJ mediante o provimento meramente parcial do agravo.

3.5.6.2 Preservação do patrimônio público

Outro limite derivado dos interesses gerais é o da existência de dano ao patrimônio público.

Por um lado, a ausência de dano comprovado ou comprovável favorece a manutenção dos atos praticados, como parte da sua regularização.[67] Por outro, a verificação da existência de dano exige a sua recomposição e impede a adoção de mecanismos de regularização que deixem de enfrentar a necessidade de ressarcimento. Esse é um ponto central dos acordos de leniência e instrumentos similares.

3.5.7 Ônus anormais e excessivos

A noção de ônus excessivos retoma a ideia de proporcionalidade. Especializa essa ideia ao apontar especificamente que os ônus e perdas derivados da regularização não podem ser excessivos.[68]

A expressão abarca qualquer tipo de dano que eventualmente decorra da regularização, a exemplo de danos materiais, morais, emergentes e lucros cessantes (perdas), sendo aplicável também à imposição de obrigações de fazer ou não fazer (ônus), conforme defende o enunciado nº 10 dos Enunciados IBDA.[69]

3.5.8 Anormalidade e previsibilidade

Há inovação na alusão à proibição de *anormalidade* dos ônus e encargos impostos na regularização.

---

[67] TJSP, AC nº 1000860-10.2016.8.26.0297, 10. Câmara de Direito Público, Relator Des. Antonio Carlos Villen, julgada em 13 de maio de 2019. Sobre outro exemplo em que a regularização provocaria um estado jurídico ou administrativo inconstitucional ou inexequível (liberação imediata de grande número de presos), cf.: MENDONÇA. Art. 21 da LINDB: Indicando consequências e regularizando atos e negócios, p. 48.

[68] Sobre o chamado princípio da menor onerosidade da regularização, cf.: OLIVEIRA, Carlos Eduardo Elias de. Por uma sistematização da recente mudança da LINDB pela Lei nº 13.655/2018. *Revista Fórum de Direito Civil*, [S. l.], v. 7, n. 18, p. 13-30, maio/ago. 2018.

[69] Enunciado nº 10. A expressão "ônus e perdas anormais e excessivos", constante do parágrafo único do art. 21 da LINDB, faz referência à imposição de obrigações de fazer ou não fazer (ônus) e a qualquer tipo de dano, a exemplo dos danos materiais, morais, emergentes e lucros cessantes (perdas), que não se mostrem razoáveis e proporcionais no caso concreto.

A expressão sugere um dever de comedimento, de respeito à previsibilidade e de coerência com as condutas pretéritas na definição dos mecanismos de regularização.[70] Não é cabível que se concebam mecanismos não usuais de regularização, que imponham aos envolvidos condutas incompatíveis com as práticas estabelecidas.

A noção de ônus anormais e excessivos remete a institutos já conhecidos como o da expropriação regulatória e da restrição administrativa. Além disso, associa-se a instrumentos desenvolvidos precisamente para a métrica de tais parâmetros, como a Análise de Impacto Regulatório (AIR).[71]

3.5.9 Síntese

O conjunto de determinantes do parágrafo único se concentra na determinação de medidas discretas, usuais, comedidas, ponderadas (equânimes), que promovam a regularização do ato inválido sem que esta se transforme em espetáculo. Os ônus ou as perdas que não podem ser anormais ou excessivos não são só econômicos; protege-se também a imagem, a reputação: veda-se a imposição de qualquer agravo material ou imaterial desnecessário ou desproporcional em relação ao estrito objetivo de regularização.

3.6 Regularização e processo

Como se apontou, o art. 21 da LINDB diz respeito à forma e ao conteúdo da decisão de invalidação. Ou seja, relaciona-se com o resultado de um processo de natureza jurisdicional (judicial ou arbitral) ou administrativa, com caráter de gestão (autotutela) ou de controle.

3.7 Decisão como resultado de um processo

A circunstância de a decisão de invalidação resultar de um processo implica limites e condicionantes que afetam a aplicação concreta das premissas delineadas nos tópicos anteriores.

3.7.1 Objeto do processo

Ao dar aplicação aos arts. 20 e 21 da LINDB, o julgador não pode ultrapassar os limites do processo. As circunstâncias relevantes para tais dispositivos devem ser suscitadas e provadas pela parte interessada. Se necessário, devem ser levantadas de

---

[70] O tema se relaciona com a previsão de regimes de transição (art. 23 da LINDB), conforme assentado pelo STJ nos EDcl no REsp nº 1.630.889/DF, Terceira Turma, Relatora Min.a Nancy Andrighi, julgado em 27 de novembro de 2018.

[71] JUNQUEIRA. O artigo 20 da Lei de Introdução às Normas do Direito Brasileiro: atuação dos tribunais de contas, p. 129.

ofício pelo julgador (inclusive pelo árbitro, de quem se espera proatividade nesse campo) e submetidas à discussão das partes com base no art. 10 do CPC.[72]

3.7.2 Efeitos no processo arbitral

Como será visto adiante, essa premissa é fundamental para o processo arbitral. O árbitro detém não só a possibilidade, mas o dever de assegurar que as partes tenham a oportunidade de lhe trazer e debater os elementos necessários para a aplicação dos arts. 20 e 21 da LINDB.

A oportunidade de manifestação das partes do processo arbitral é fundamental para que elas possam ser atingidas pela decisão que dê aplicação aos arts. 20 ou 21 da LINDB.

Porém, a existência efetiva de manifestação ou mesmo o seu conteúdo não são impeditivos ou condicionantes da decisão. A aplicação dessas ou outras normas cogentes não dependem da vontade das partes. Exceto nos casos em que as normas cogentes tenham por objeto a proteção de interesses privados, nem mesmo podem ser objeto de renúncia.[73] Portanto, o julgador poderá dar aplicação a comandos como os desses dispositivos mesmo contra a vontade de uma ou ambas as partes.

3.7.3 Limites derivados da legitimidade

O objeto passível de discussão no âmbito de determinado processo é também delimitado pela legitimidade das partes envolvidas. Nem mesmo a iniciativa probatória própria do julgador permite ultrapassar esse limite. É inútil, insuficiente e inválido que o julgador investigue junto a um litigante individual elementos para a definição de potenciais condições de regularização de defeitos de dimensão coletiva.

3.7.4 Limites materiais e processuais

Por decorrência, a identificação das consequências jurídicas ou administrativas e a determinação das condições de regularização são sujeitas aos limites materiais já discutidos, mas também a limites derivados do processo em que a decisão é proferida. Não cabe ao julgador a construção ilimitada de um regime de regularização, tal como se

---

[72] "Art. 10. O juiz não pode decidir, em grau algum de jurisdição, com base em fundamento a respeito do qual não se tenha dado às partes oportunidade de se manifestar, ainda que se trate de matéria sobre a qual deva decidir de ofício". Sobre esse e outros aspectos processuais, cf.: TIMM, Luciano Benetti. Consequencialismo no Artigo 20 da LINDB: Levando as Consequências Decisórias a Sério. In: CUNHA FILHO, Jorge Carneiro; ISSA, Rafael Hamze; SCHWIND, Rafael Wallbach (org.). *Lei de Introdução às Normas do Direito Brasileiro*: anotada. São Paulo: Quartier Latin, 2019. p. 85.

[73] "Uncomfortable though the notion of waiving, or agreeing to displace, a mandatory rule may be, the possibility should not be categorically excluded. Audley Sheppard gives the example of Article 6 of the European Human Rights Convention, guaranteeing the right to a fair hearing. Article 6 may well be mandatory in the sense of binding on courts and arbitral tribunals, but that does not in itself mean that under no circumstances may the parties contract otherwise or waive the protections of the rule" (BERMANN. Introduction: Mandatory rules of law in international arbitration, p. 18).

se tratasse de um legislador ou administrador. É constrangido pela natureza e amplitude do processo em que produz a decisão.

3.7.5 Limites do processo individual

Assim, em um processo de cunho individual, não será cabível a adoção de consequências ou de condições de regularização que ultrapassem os limites do que a decisão no processo poderia proporcionar. O julgador não terá autoridade para formular tais determinações alheias ao objeto do processo[74] ou à sua própria competência.

3.7.6 Processo coletivo

A situação é diversa quando se tratar de processo de natureza coletiva, em que as partes detêm, de modo originário ou derivado, legitimidade para defender interesses mais amplos. Ainda assim, o limite da enunciação das consequências jurídicas e administrativas da decisão ou das condições de regularização é dado pela amplitude do processo. Por exemplo, em uma ação civil pública em que a eficácia da decisão é circunscrita a dada área geográfica, não será cabível a adoção de medidas de regularização que a ultrapassem.

3.7.7 Separação constitucional de funções

Além disso, as determinações de regularização são também limitadas pela separação de funções do Estado.[75] O art. 21 da LINDB não transforma o julgador (estatal ou arbitral) em administrador ou legislador: a delimitação das consequências da decisão ou a definição de condições de regularização devem ficar restritas ao campo próprio da função jurisdicional.

3.7.8 Determinação de providências administrativas

Os limites da jurisdição ou da competência administrativa, bem como os próprios limites materiais da cognição do julgador,[76] podem fazer com que os arts. 20 e 21 sejam cumpridos de modo indireto. Nessas circunstâncias, a decisão de invalidação não conterá ela própria a indicação das suas consequências jurídicas ou administrativas, mas a determinação de sua apuração segundo parâmetros ou diretrizes fixadas na decisão.[77]

---

[74] Sobre a inépcia da petição inicial que não trate da aplicação do art. 21 da LINDB, cf.: ROBERTO, Luiz. Técnica de decisão e simplificação administrativa, p. 136.

[75] CAMILO JÚNIOR, Ruy Pereira. Nem xamãs nem pitonisas: consequencialismo e rigor técnico. Um comentário ao artigo 20, da LINDB, acrescido pela Lei nº 13.665/18, p. 86.

[76] Sobre os limites do que pode ser objetivamente apurado, cf.: FRAZÃO, Ana. A importância da análise de consequências para a regulação jurídica. *Jota*, São Paulo, 29 maio 2019. Disponível em: https://www.jota.info/opiniao-e-analise/colunas/constituicao-empresa-e-mercado/a-importancia-da-analise-de-consequencias-para-a-regulacao-juridica-29052019. Acesso em: 18 nov. 2024.

[77] "É certo, por outro lado, que o administrador, controlador ou juiz não precisará produzir, ele próprio, todas as respostas acerca dos temas para os quais não detém aptidão decisória. Melhor proveito se colherá a partir

3.7.9 Limites da função jurisdicional

Do mesmo modo, as condições de regularização podem não ser integralmente determináveis pelo julgador, em face dos limites próprios do processo ou das limitações da instrução probatória realizada ou passível de realização no processo.

Nessas circunstâncias, caberá ao julgador realizar tanto quanto possível os objetivos dos arts. 20 e 21 por meio da determinação da instauração de procedimentos ou prática de outras atividades instrumentais aptas ao atingimento da regularização pretendida. Se for o caso, a apuração de tais circunstâncias e a adoção das medidas adequadas podem ser objeto de fase complementar do processo, tal como a de liquidação de sentença.

3.7.10 Consequências

Desse modo, a impossibilidade de o julgador ir além do que pode ser objeto do processo pode implicar providências variadas, como, por exemplo, (i) a determinação ou recomendação de tratamento legislativo, (ii) a determinação ou recomendação de tratamento administrativo, ou (iii) a adoção de solução administrativa provisória, sem caráter de coisa julgada, enquanto as autoridades competentes não praticam os atos necessários para uma solução definitiva que pressupõe competência alheia à do julgador. Isso não impede que eventual composição negociada vá além do objeto do processo.[78]

3.7.11 Processo administrativo

No processo administrativo, pode haver situações em que o exercício de uma posição ativa pelo julgador será inapropriado, em face da limitação de competência administrativa do próprio julgador.[79] Porém, os processos administrativos, por suas características, frequentemente envolvem amplitude maior de prerrogativas da autoridade administrativa e menor rigor quanto a tais limites derivados da legitimidade da parte.

3.8 Regularização por meios consensuais

Nos tópicos anteriores, aludiu-se a diversas circunstâncias em que o processo de que deriva a decisão implicaria limites ao conteúdo da decisão.

---

do manejo do processo administrativo em fomento às partes, ou à parte, em contenda, a prover estudos de substância capazes de formar a convicção do decisor e amparar sua justificativa nessas dimensões. Ao controlador, administrativo ou judicial, cumpre provocar o debate e demandar os fundamentos que amparam tal e qual posição defendida", cf. RIBEIRO. Comentários gerais ao art. 21 da Lei de Introdução às Normas do Direito Brasileiro (Decreto-Lei nº 4.657/1942, alterado pela Lei nº 13.655/2018), p. 148.

[78] "Também é possível que a autocomposição verse sobre aspecto que esteja fora dos limites do objeto litigioso. Nada impede que se incorpore à transação, por exemplo, outra lide, estranha à que está sendo discutida, assim como outros sujeitos" (DIDIER, Fredie. *Curso de Direito Processual Civil*. Salvador: Juspodivm, 2017. v. 1, p. 823). No mesmo sentido, cf.: TJPR, AC nº 1.286.309-1, 10. Câmara Cível, Rel. Des. Arquelau Araújo Ribas, julgada em 23 de abril de 2015.

[79] Sobre a inexistência de substituição do gestor pelo controlador, cf.: RIBEIRO. Comentários gerais ao art. 21 da Lei de Introdução às Normas do Direito Brasileiro (Decreto-Lei nº 4.657/1942, alterado pela Lei nº 13.655/2018), p. 147.

Porém, há outro aspecto processual relevante para a aplicação do art. 21 da LINDB. Embora o texto legal aluda à *decisão* de invalidação ao tratar das condições de regularização, não afasta a possibilidade de o julgador valer-se do próprio processo para a promoção da regularização.

3.8.1 Estímulo à consensualidade

O CPC de 2015 contém diversos dispositivos que favorecem e estimulam os meios consensuais ou extrajudiciais de resolução de conflitos. Em cumprimento ao parágrafo único do art. 21, o julgador pode instaurar procedimento de conciliação ou, inclusive, determinar a realização de mediação. Tais mecanismos podem conduzir a um resultado mais efetivo e coerente com os interesses gerais que a determinação unilateral de providências por parte do julgador.

3.8.2 Autocomposição

Os mecanismos autocompositivos podem ser utilizados mesmo no âmbito do processo administrativo, como prevê a Lei nº 13.140. Desse modo, a regularização pode ser objeto da decisão, como diz explicitamente o parágrafo único do art. 21, ou ser objeto do próprio processo, o que deriva implicitamente do dispositivo.[80]

4 O papel do árbitro

A redação dos arts. 20 e 21 faz menção a decisões judiciais, administrativas e controladoras – o que se reconduz a decisões judiciais e administrativas. Não há menção expressa a decisões arbitrais.

4.1 Omissão da LINDB acerca da arbitragem

A Lei nº 13.655/2018 é posterior à consagração legislativa explícita da possibilidade de adoção de arbitragem em praticamente qualquer contrato ou relação jurídica de conteúdo patrimonial da Administração Pública, trazida pela Lei nº 13.129, em 2015 – e que reflete a prática já então consolidada desde a edição da Lei nº 9.307/1996, ou mesmo no regime anterior. Porém, o texto da LINDB reformado em 2018 ignora o juízo arbitral nas regras inseridas para dirigir primordialmente o direito público.

---

[80] Em outra manifestação desse fenômeno, o STJ, em diversas decisões (RE nos EDcl no AgRg no AREsp nº 50.729/RS; EDcl no RE nos EDcl no AgRg no REsp/MG nº 1.424.804; AgInt no RE no AgRg no AREsp/SP nº 452.392; EDcl no RE no AgRg no no REsp/RS nº 1.289.506, decisões monocráticas, Min.a Maria Thereza de Assis) sobrestou recursos extraordinários que versam sobre tema pendente de julgamento pelo STF no RE nº 870.947/SE, em fase de modulação de efeitos. Com isso, a decisão final de tais processos poderá considerar suas consequências práticas.

4.2 Irrelevância da redação legal: aplicação da LINDB pelo árbitro

A omissão não é significativa. Observados os parâmetros de identificação das controvérsias relativas a direitos patrimoniais disponíveis, a função do juízo arbitral é idêntica à do juiz estatal também no que se refere à aplicação da LINDB.

A Lei nº 9.307/1996 chega a estabelecer em seu art. 18 que o árbitro é juiz de fato e de direito. No âmbito do processo arbitral – que envolve limites processuais ainda mais restritos do que o judicial em face do caráter materialmente limitado da convenção de arbitragem –, cabe dar aplicação plena aos arts. 20 e 21 da LINDB. Também o árbitro está obrigado a, nos limites do processo e de sua missão, investigar e determinar as consequências jurídicas e práticas de suas decisões e as condições adequadas para a regularização do ato invalidado.[81]

4.3 Exemplo concreto: invalidação de caducidade

Assim, suponha-se que a arbitragem tenha por objeto a invalidação de ato de caducidade de uma concessão. Caberá ao árbitro investigar as condições adequadas de regularização para poder determinar as providências adequadas de regularização, respeitadas as competências próprias da Administração.[82]

Um procedimento adequado, nessa situação, poderá ser a chamada "bifurcação"[83]: o árbitro profere uma sentença parcial decretando a nulidade da caducidade, mas dá sequência ao procedimento para investigar, por meio de instrução probatória complementar, as circunstâncias relevantes para poder determinar providências abrangentes de regularização – que pode implicar até mesmo a reintegração do concessionário na prestação do serviço público objeto da decretação de caducidade.[84]

---

[81] Nesse sentido, ver: CALDAS, Evandro Pereira. *Controle da administração pública pela via arbitral.* Orientador: Sérgio Guerra. 2020. Dissertação (Mestrado em Direito) – Escola de Direito do Rio de Janeiro, Fundação Getulio Vargas, Rio de Janeiro, 2020. f. 101; NASCIMENTO, Priscila Cunha do; ISFER, Tiago Beckert. A função do árbitro de controle externo da administração pública. *In:* GUANDALINI, Bruno; ELIAS, Carlos Eduardo Stefen (coord.). *A função de árbitro no Brasil.* São Paulo: Almedina, 2022. p. 602-603; OLIVEIRA, Weber Luiz de. A Nova Lei de Introdução às Normas do Direito Brasileiro e sua aplicação na arbitragem com a Administração Pública. *In:* MARINHO, Daniel Octávio Silva; ARAÚJO, José Henrique Mouta; PEIXOTO, Marco Aurélio Ventura; BECKER, Rodrigo Frantz (coord.). *Fazenda Pública:* atuação em juízo, consensualidade e prerrogativas. Londrina: Thoth, 2022. p. 87-88; TÂMEGA, Flávia Mattioli; MACHADO, Fernanda Neves Vieira. A aplicação da Lei nº 13.665/18 ("LINDB") às Decisões Arbitrais que Envolvem a Administração Pública. *In:* VALIM, Rafael; WARDE, Walfrido (org.). *Direito Público e arbitragem:* os desafios emergentes da resolução privada de conflitos do Estado. São Paulo: Contracorrente, 2022. p. 341-342.

[82] Vera Monteiro e Jolivê Rocha afirmam estar se consolidando a arbitrabilidade da decisão que decreta a caducidade de concessão, embora identifiquem ainda alguma resistência do poder público, que busca antagonizar o direito público e o direito privado. Os autores referem como exemplo o Caso Sagua e o Caso Águas de Itu, em que se invocou a indisponibilidade do direito. Para os autores, todavia, a "transposição desse direito administrativo da autoridade de forma acrítica ao direito administrativo dos contratos é um equívoco e um desserviço à arbitragem como mecanismo de solução de disputas" (MONTEIRO, Vera; ROCHA, Jolivê. Contratos administrativos e arbitrabilidade objetiva. *Jota,* 10 set. 2024. Disponível em: https://www.jota.info/opiniao-e-analise/colunas/ publicistas/contratos-administrativos-e-arbitrabilidade-objetiva. Acesso em: 12 set. 2024).

[83] "A sentença arbitral parcial é uma consequência da bifurcação do procedimento arbitral. Tal instituto ocorre quando se mostra necessário o fatiamento do processo para que, mediante sua divisão em duas etapas, parcela do litígio seja julgada em uma primeira decisão (sentença arbitral parcial) e o restante em decisão final (sentença arbitral final)" (PUCCI, Adriana Noemi. Sentença arbitral parcial. *In:* HOLANDA, Flavia; SALLA, Ricardo Medina (coord.). *A nova Lei da Arbitragem brasileira.* São Paulo: IOB, 2015. p. 106).

[84] Sobre o tema, cf.: MONTEIRO, Vera; ROCHA, Jolivê. Contratos administrativos e arbitrabilidade objetiva. *Jota,* São Paulo, 10 set. 2024. Disponível em: https://www.jota.info/opiniao-e-analise/colunas/publicistas/contratos-administrativos-e-arbitrabilidade-objetiva. Acesso em: 12 set. 2024.

Uma solução alternativa é a determinação à Administração que proponha medidas adequadas para discussão das partes e possível aprovação e adoção, por sentença, pelo árbitro.

Por fim, outro caminho possível é o da solução conciliatória promovida pelo próprio árbitro ou por mediador profissional indicado pelas partes ou nomeado pela instituição arbitral.

4.4 Consequências da inobservância dos arts. 20 e 21 da LINDB

O descumprimento dos arts. 20 e 21 da LINDB pode conduzir à nulidade da sentença arbitral – ou, quando menos, à necessidade de sua complementação na forma do art. 33, §4º, da Lei de Arbitragem. Alude-se a dois fundamentos distintos, embora apenas um pareça alinhado com a natureza dos dispositivos legais em questão.

4.5 Sentença arbitral imotivada

O primeiro fundamento se relaciona aos requisitos legais da sentença arbitral.

No âmbito da atividade administrativa e controladora, Marçal Justen Filho propõe a interpretação integrada do art. 20 da LINDB e do art. 489, §1º, do CPC. Esse último dispositivo prevê as hipóteses em que a decisão judicial não será considerada fundamentada. Para o autor, o art. 20 da LINDB impõe exigências de motivação cuja ausência implica a sua nulidade, seja por aplicação do próprio art. 20 da LINDB, seja por aplicação subsidiária do art. 489, §1º, do CPC.[85] O autor não trata da arbitragem em si, mas o raciocínio pode ser estendido à arbitragem. Por um lado, o art. 20 da LINDB se aplica ao árbitro. Por outro, o art. 489 do CPC deve ser tido como regra que traduz aspectos de teoria geral do processo vigentes na arbitragem, ainda que não por aplicação direta do CPC.

Priscila Cunha do Nascimento e Tiago Beckert Isfer sugerem que a mesma consequência (nulidade por falta de motivação) deve recair também em relação a sentenças arbitrais.[86]

Tratando-se de norma cogente, a análise segundo os arts. 20 e 21 da LINDB necessariamente comporia a fundamentação da sentença arbitral de que trata o art. 26, II, da Lei de Arbitragem. Logo, a sua inobservância poderia acarretar a nulidade da sentença arbitral com base no art. 32, III, da Lei de Arbitragem. O entendimento vem sendo acolhido pela doutrina.[87]

Reitere-se que esse defeito de falta de motivação derivada de omissão sobre a aplicação da LINDB não pode transformar-se em uma "nulidade de algibeira", reservada por alguma das partes para impugnar sentença que lhe seja desfavorável. Se houver

---

[85] JUSTEN FILHO. Art. 20 da LINDB: Dever de transparência, concretude e proporcionalidade nas decisões públicas, p. 37.

[86] NASCIMENTO; ISFER. A função do árbitro de controle externo da administração pública, p. 603.

[87] NASCIMENTO; ISFER. A função do árbitro de controle externo da administração pública, p. 603; TÂMEGA; MACHADO. A aplicação da Lei nº 13.665/18 ("LINDB") às decisões arbitrais que envolvem a Administração Pública, p. 341-342; OLIVEIRA. A Nova Lei de Introdução às Normas do Direito Brasileiro e sua aplicação na arbitragem com a Administração Pública, p. 91.

omissão da sentença arbitral, tenha ou não a questão sido endereçada pelas partes no curso da arbitragem, a parte interessada deve (tem o ônus de) suscitar o tema na forma art. 30 da Lei nº 9.307/1996, dando a oportunidade para que o tribunal arbitral decida a esse respeito e tome as medidas cabíveis – inclusive, se for o caso, mediante a conversão do julgamento em diligência para dar prosseguimento ao processo arbitral e analisar os temas ligados à LINDB. Ademais, a ausência de motivação se configura apenas na efetiva falta de análise dos temas em questão. A mera discordância da parte quanto às conclusões adotadas pela sentença arbitral não equivale ao defeito de falta de motivação – nem autoriza, por conseguinte, sua anulação.

4.6 Ofensa à ordem pública

O segundo fundamento possível vincula-se à não aplicação de norma cogente ou de ordem pública. Ao contrário do anterior, que é de aplicação indiscutível (sendo imotivada, a decisão é nula), há vasta discussão sobre se o direito brasileiro incorpora a "ordem pública" como hipótese implícita de anulação (não referida explicitamente no art. 32 da Lei de Arbitragem) e mesmo sobre o que configura efetivamente "ordem pública" para os fins do reconhecimento da validade da sentença arbitral. Por exemplo, Rafael Francisco Alves propõe distinguir as normas cogentes das normas de ordem pública. Quanto às primeiras, não haveria a possibilidade de anulação de sentença arbitral doméstica por sua inobservância.[88] Quanto às últimas, sugere haver a possibilidade de anulação quando disser respeito a normas de ordem pública *transnacional*.[89]

Em se tratando de sentença arbitral doméstica, Carlos Alberto Carmona sugere que, por coerência do sistema nacional, sentenças arbitrais nacionais e estrangeiras observem o mesmo critério geral de validade: "(...) não atentar contra a ordem pública".[90]

Todavia, o entendimento não é unânime.[91] Existe posicionamento robusto pela interpretação de taxatividade das hipóteses de nulidade da sentença arbitral, previstas no art. 32 da Lei de Arbitragem. A taxatividade foi posta em discussão pelo Tribunal de Justiça do Estado de São Paulo (TJSP) em 2023, em uma ação anulatória de sentença arbitral por abstenção de voto de um dos coárbitros sobre o mérito do litígio. A sentença arbitral foi declarada nula com fundamento na garantia constitucional de acesso à justiça: "(...) abstendo-se um dos árbitros de votar, não se pode considerar ter havido divergência qualitativa. Tinha ele o dever de decidir, de um modo, ou de outro, externando, enfim, convencimento".[92]

---

[88] ALVES. *Árbitro e Direito*: o julgamento do mérito na arbitragem, p. 272.

[89] ALVES. *Árbitro e Direito*: o julgamento do mérito na arbitragem, p. 283-284.

[90] CARMONA, Carlos Alberto. *Arbitragem e processo*: um comentário à Lei 9.307/96. 4. ed. São Paulo: Atlas, 2023. p. 428.

[91] NUNES, Thiago Marinho. O mau uso do direito comparado na arbitragem. *Migalhas*, São Paulo, 31 out. 2023. Disponível em: https://www.migalhas.com.br/coluna/arbitragem-legal/396140/o-mau-uso-do-direito-comparado-na-arbitragem. Acesso em: 1 out. 2024; WLADECK, Felipe Scripes. Ordem pública e sentença arbitral nacional. *In*: MACHADO FILHO, José Augusto Bitencourt; MACHADO FILHO, José Augusto Bitencourt; QUINTANA, Guilherme Enrique Malosso; RAMOS, Gustavo Gonzalez; BAQUEDANO, Luis Felipe Ferreira; BIOZA, Daniel Mendes; PARIZOTTO, Pedro Teixeira Mendes (org.). *Arbitragem e processo*: homenagem ao Professor Carlos Alberto Carmona. São Paulo: Quartier Latin, 2022. v. 1, p. 490.

[92] TJSP, 1. Câmara Reservada de Direito Empresarial, Apelação nº 1094661-81.2019.8.26.0100, Relator Des. Cesar Ciampolini, julgada em 24 de maio de 2023, unânime.

5 Síntese

A escassez de decisões relacionadas à aplicação dos arts. 20 e 21 da LINDB na arbitragem gera incerteza sobre a possibilidade de anulação da sentença arbitral sob os fundamentos antes elencados.

No entanto, é persuasiva a conclusão de Marçal Justen Filho no sentido de que, nos termos do art. 20 da LINDB, a decisão que resolva temas de Direito Público e se baseie em valores jurídicos abstratos sem a análise de suas consequências práticas é nula por falta de motivação.[93]

Assim, independentemente de se estar ou não diante de ordem pública e de a sua desconsideração configurar uma hipótese implícita de anulação, a falta de motivação é inequivocamente causa de nulidade da sentença arbitral.

Sob esse ângulo, o dever do árbitro de aplicar os arts. 20 e 21 da LINDB não é uma imposição vazia e sem efeitos práticos. Ignorar os dispositivos pode implicar, em certas circunstâncias, a nulidade da sentença arbitral.

Evidentemente, a falta de aplicação dos dispositivos não se confunde com sua aplicação deficiente. Tal como ressaltado no Acórdão nº 561/2021-Plenário do TCU já mencionado, a irresignação da parte contra o conteúdo (existente) da motivação apresentada na decisão acerca de seus efeitos práticos não enseja a nulidade da decisão.

6 Conclusões

O tema da aplicação de normas cogentes pelo árbitro é vasto e complexo. Não há respostas óbvias. Nem sempre as normas cogentes serão irrenunciáveis: as que se destinam precipuamente a proteger interesses privados podem ser afastadas pela vontade do titular do interesse protegido. Também nem sempre serão de ordem pública.

No contexto da proliferação das arbitragens envolvendo a Administração Pública no Brasil, com a exigência de que as arbitragens sejam de direito, cada vez mais haverá a interação entre a arbitragem e as normas cogentes do ordenamento jurídico brasileiro. Os arts. 20 e 21 da LINDB são exemplos de normas cogentes cuja desconsideração pela sentença arbitral pode implicar, em certas circunstâncias, um vício de falta de motivação, até mesmo comprometendo a sua validade.

Referências

ABBOUD, Georges; SANTOS, Maira Bianca Scavuzzi de Albuquerque; KROSCHINSKY, Matthäus. Consequencialismo, teoria da decisão e jurisdição constitucional. *Revista dos Tribunais*, São Paulo, ano 111, v. 1.038, p. 249-279, abr. 2022.

ALVES, Rafael Francisco. *Árbitro e Direito*: o julgamento do mérito na arbitragem. São Paulo: Almedina, 2018.

ARROYO, Diego. Arbitrator's Procedural Powers: The Last Frontier of Party Autonomy? *In*: FERRARI, Franco (ed.). *Limits to Party Autonomy in International Commercial Arbitration*. New York: Juris, 2016.

---

[93] JUSTEN FILHO. Art. 20 da LINDB: Dever de transparência, concretude e proporcionalidade nas decisões públicas, p. 37.

BARRACLOUGH, Andrew; WAINCYMER, Jeff. Mandatory rules of law in international commercial arbitration. *Melbourne Journal of International Law*, Melbourne, v. 6, 2005.

BARBOSA MOREIRA, José Carlos. Temas de direito processual: oitava série. São Paulo: Saraiva. 2004.

BERMANN, George. Introduction: Mandatory rules of law in international arbitration. *The American Review of International Arbitration*, [S. l.], v. 18, p. 1-20, 2007.

CALDAS, Evandro Pereira. *Controle da administração pública pela via arbitral*. Orientador: Sérgio Guerra. 2020. Dissertação (Mestrado em Direito) – Escola de Direito do Rio de Janeiro, Fundação Getulio Vargas, Rio de Janeiro, 2020.

CAMILO JÚNIOR, Ruy Pereira. Nem xamãs nem pitonisas: consequencialismo e rigor técnico. Um comentário ao artigo 20, da LINDB, acrescido pela Lei nº 13.665/18. *In:* CUNHA FILHO, Jorge Carneiro; ISSA, Rafael Hamze; SCHWIND, Rafael Wallbach (org.). *Lei de Introdução às Normas do Direito Brasileiro*: anotada. São Paulo: Quartier Latin, 2019.

CARDOSO, André Guskow. O princípio da proporcionalidade e o dever instituído pelo art. 20, parágrafo único, da Lei de Introdução às Normas do Direito Brasileiro – LINDB. *In:* CUNHA FILHO, Jorge Carneiro; ISSA, Rafael Hamze; SCHWIND, Rafael Wallbach (org.). *Lei de Introdução às Normas do Direito Brasileiro*: anotada. São Paulo: Quartier Latin, 2019.

CARMONA, Carlos Alberto. *Arbitragem e processo*: um comentário à Lei 9.307/96. 4. ed. São Paulo: Atlas, 2023.

CARVALHO, Cristiano. A nova Lei de Introdução é Análise Econômica do Direito? *Jota*, São Paulo, 6 jun. 2018. Disponível em: https://www.jota.info/opiniao-e-analise/colunas/coluna-da-abde/introducao-analise-economica-direito-06062018. Acesso em: 1 out. 2024.

CORDERO-MOSS, Giuditta. Limits on Party Autonomy in International Commercial Arbitration. *Penn State Journal of Law & International Affairs*, [S. l.], v. 4, n. 1, p. 186-212, Dec. 2015.

DIDIER, Fredie. *Curso de Direito Processual Civil*. Salvador: Juspodivm, 2017. v. 1.

FRAZÃO, Ana. A importância da análise de consequências para a regulação jurídica. *Jota*, São Paulo, 29 maio 2019. Disponível em: https://www.jota.info/opiniao-e-analise/colunas/constituicao-empresa-e-mercado/a-importancia-da-analise-de-consequencias-para-a-regulacao-juridica-29052019. Acesso em: 18 nov. 2024.

FRISON-ROCHE, Marie-Anne. Arbitrage et droit de la régulation. *In:* SILVA-ROMERO, Eduardo; MANTILLA ESPINOSA, Fabricio. *El contrato de arbitraje*. Bogotá: Legis. 2005.

GAILLARD, Emmanuel. *Teoria jurídica da arbitragem internacional*. Tradução: Natália Mizrahi Lamas. São Paulo: Atlas, 2014.

GREENAWALT, Alexander K.A. Does International Arbitration Need a Mandatory Rules Method? *American Review of International Arbitration*, [S. l.], v. 18, 2007.

JUNQUEIRA, André Rodrigues. O artigo 20 da Lei de Introdução às Normas do Direito Brasileiro: atuação dos tribunais de contas. *In:* CUNHA FILHO, Jorge Carneiro; ISSA, Rafael Hamze; SCHWIND, Rafael Wallbach (org.). *Lei de Introdução às Normas do Direito Brasileiro*: anotada. São Paulo: Quartier Latin, 2019.

JUSTEN FILHO, Marçal. Art. 20 da LINDB: dever de transparência, concretude e proporcionalidade nas decisões públicas. *Revista de Direito Administrativo*, Rio de Janeiro, Edição Especial: Direito Público na Lei de Introdução às Normas de Direito Brasileiro – LINDB (Lei nº 13.655/2018), p. 13-41, nov. 2018.

JUSTEN FILHO, Marçal. *Curso de Direito Administrativo*. 15. ed. rev. e atual. Rio de Janeiro: Forense, 2024.

JUSTEN FILHO, Marçal. *Introdução ao estudo do Direito*. 2. ed. Rio de Janeiro: Forense. 2021.

KAHNEMAN, Daniel. *Thinking, Fast and Slow*. New York: Farrar, Straus and Giroux, 2011.

KENNEDY, David. *International legal structures*. Baden-Baden: Nomos-Verl.-Ges, 1987.

KOSKENNIEMI, Martti. *From Apology to Utopia*: the Structure Of International Legal Argument. Cambridge: Cambridge University Press, 2006.

LAURENTIS, Lucas C. Comentários gerais ao dispositivo. *In*: CUNHA FILHO, Jorge Carneiro; ISSA, Rafael Hamze; SCHWIND, Rafael Wallbach (org.). *Lei de Introdução às Normas do Direito Brasileiro*: anotada. São Paulo: Quartier Latin, 2019.

MACCMORMICK, Neil. *Retórica e o Estado de Direito*. Tradução: Conrado Hübner Mendes e Marcos Paulo Veríssimo. Rio de Janeiro: Elsevier, 2008.

MEDAUAR, Odete. Comentários gerais ao dispositivo: Comentário ao Art. 20 da LINDB. *In*: CUNHA FILHO, Jorge Carneiro; ISSA, Rafael Hamze; SCHWIND, Rafael Wallbach (org.). *Lei de Introdução às Normas do Direito Brasileiro*: anotada. São Paulo: Quartier Latin, 2019.

MEERHOLZ, André Leonardo. Interpretação e realidade – consequencialismo, proporcionalidade e motivação: o que se pretende com a precisão do *caput* do art. 20 da LINDB? *In*: CUNHA FILHO, Jorge Carneiro; ISSA, Rafael Hamze; SCHWIND, Rafael Wallbach (org.). *Lei de Introdução às Normas do Direito Brasileiro*: anotada. São Paulo: Quartier Latin, 2019.

MENDONÇA, José Vicente dos Santos. Art. 21 da LINDB: Indicando consequências e regularizando atos e negócios. *Revista de Direito Administrativo*, Rio de Janeiro, Edição Especial: Direito Público na Lei de Introdução às Normas de Direito Brasileiro – LINDB (Lei nº 13.655/2018), p. 43-61, nov. 2018.

MONTEIRO, Vera; ROCHA, Jolivê. Contratos administrativos e arbitrabilidade objetiva. *Jota*, São Paulo, 10 set. 2024. Disponível em: https://www.jota.info/opiniao-e-analise/colunas/publicistas/contratos-administrativos-e-arbitrabilidade-objetiv. Acesso em: 12 set. 2024.

MOTTA, Fabrício. Pela segurança jurídica, precisamos tratar da interpretação da LINDB. *Conjur*, São Paulo, 11 jul. 2019. Disponível em: https://www.conjur.com.br/2019-jul-11/interesse-publico-seguranca-juridica-precisamos-tratar-interpretacao-lindb. Acesso em: 1 nov. 2024.

NASCIMENTO, Priscila Cunha do; ISFER, Tiago Beckert. A função do árbitro de controle externo da administração pública. *In*: GUANDALINI, Bruno; ELIAS, Carlos Eduardo Stefen (coord.). *A função de árbitro no Brasil*. São Paulo: Almedina, 2022.

NIEHBUR, Pedro de Menezes. A repercussão da LINDB em demandas ambientais e urbanísticas. *Jota*, São Paulo, 9 jul. 2019. Disponível em: https://www.jota.info/opiniao-e-analise/artigos/a-repercussao-da-lindb-em-demandas-ambientais-e-urbanisticas-09072019. Acesso em: 13 set. 2024.

NOLL, Gregor, What Moves Law?: Martti Koskenniemi and Transcendence in International Law. *In*: WERNER, Wouter; DE HOON, Marieke; GALÁN, Alexis (ed.). *The Law of International Lawyers*: Reading Martti Koskenniemi, Cambridge: Cambridge University Press, 2017.

NUNES, Thiago Marinho. O mau uso do direito comparado na arbitragem. *Migalhas*, São Paulo, 31 out. 2023. Disponível em: https://www.migalhas.com.br/coluna/arbitragem-legal/396140/o-mau-uso-do-direito-comparado-na-arbitragem. Acesso em: 1 out. 2024.

OLIVEIRA, Carlos Eduardo Elias de. A segurança hermenêutica nos vários ramos do direito e nos cartórios extrajudiciais: repercussões da LINDB após a Lei nº 13.655/2018. *Textos para Discussão – Núcleo de Estudos e Pesquisas da Consultoria Legislativa*, Brasília, DF, jun. 2018.

OLIVEIRA, Weber Luiz de. A Nova Lei de Introdução às Normas do Direito Brasileiro e sua aplicação na arbitragem com a Administração Pública. *In*: MARINHO, Daniel Octávio Silva; ARAÚJO, José Henrique Mouta; PEIXOTO, Marco Aurélio Ventura; BECKER, Rodrigo Frantz (coord.). *Fazenda Pública*: atuação em juízo, consensualidade e prerrogativas. Londrina: Thoth, 2022.

OLIVEIRA, Carlos Eduardo Elias de. Por uma sistematização da recente mudança da LINDB pela Lei nº 13.655/2018. *Revista Fórum de Direito Civil – RFDC*, Belo Horizonte, v. 7, n. 18, p. 13-30, maio/ago. 2018.

PEREIRA, Cesar; QUINTÃO, Luísa. Entidades representativas (art. 5º, XXI, da Constituição Federal) e arbitragem coletiva no Brasil. *Revista de Arbitragem e Mediação*, Brasília, DF, n. 47, out./dez. 2015.

PEREIRA, Cesar; SOUZA-MCMURTRIE, Leonardo F. Arbitragem e corrupção: o que os árbitros podem (e devem) fazer? desafios da arbitragem com a Administração Pública. *Publicações da AGU*, Brasília, DF, v. 21, n. 2, abr./jun. 2022.

PEREYÓ, Jose. A bridge too far. *Revista Brasileira de Arbitragem*, Brasília, DF, v. 9, n. 36, p. 90-119, out./dez. 2012.

PUCCI, Adriana Noemi. Sentença Arbitral parcial. *In:* HOLANDA, Flavia; SALLA, Ricardo Medina (coord.). *A nova Lei da Arbitragem brasileira.* São Paulo: IOB, 2015.

RIBEIRO, Leonardo Coelho. Comentários gerais ao art. 21 da Lei de Introdução às Normas do Direito Brasileiro (Decreto-Lei nº 4.657/1942, alterado pela Lei nº 13.655/2018). *In:* CUNHA FILHO, Jorge Carneiro; ISSA, Rafael Hamze; SCHWIND, Rafael Wallbach (org.). *Lei de Introdução às Normas do Direito Brasileiro*: anotada. São Paulo: Quartier Latin, 2019.

ROBERTO, Luiz Fernando. Técnica de decisão e simplificação administrativa. *In:* CUNHA FILHO, Jorge Carneiro; ISSA, Rafael Hamze; SCHWIND, Rafael Wallbach (org.). *Lei de Introdução às Normas do Direito Brasileiro*: anotada. São Paulo: Quartier Latin, 2019.

ROSA, André Luiz Figueiredo; GUIMARÃES, Luciano Cézar Vernalha. A definição do conceito de "valores jurídicos abstratos" como hipótese normativa para o artigo 20 da Lei de Introdução às Normas do Direito Brasileiro. *Revista de Direito Tributário Contemporâneo*, [*S. l.*], ano 8, v. 36, p. 81-101, jan./mar. 2023.

SEMINÁRIO promovido pelo IBDA aprova enunciados sobre a LINDB Disponível em: http://www.direitodoestado.com.br/noticias/seminario-promovido-pelo-ibda-aprova-enunciados-sobre-a-lindb. Direito do Estado, [*S. l.*], 21 jun. 2019. Acesso em: 18 nov. 2024.

SÉRVULO CORREIA, A arbitragem dos litígios entre particulares e Administração Pública sobre situações regidas pelo Direito Administrativo. *Revista de Contratos Públicos – RCP*, Belo Horizonte, n. 5, p. 175-77, set. 2014.

SOUZA-MCMURTRIE, Leonardo F. *Paradox and Circularity*: The Epistemic Justification of the Hybrid Agreement Argument. 2024. Dissertation (PostGraduate Study), Cambridge University, Cambridge, 2024.

SUESCÚN MELO, Jorge. De las facultades de los árbitros para interpretar y aplicar normas de orden público. *In:* SILVA-ROMERO, Eduardo; MANTILLA ESPINOSA, Fabricio. *El contrato de arbitraje.* Bogotá: Legis, 2005.

SUNDFELD, Carlos Ari. *Direito Administrativo*: o novo olhar da LINDB. Belo Horizonte: Fórum, 2022.

TÂMEGA, Flávia Mattioli; MACHADO, Fernanda Neves Vieira. A Aplicação da Lei n. 13.665/18 ("LINDB") às Decisões Arbitrais que Envolvem a Administração Pública. *In:* VALIM, Rafael; WARDE, Walfrido (org.). *Direito Público e arbitragem*: os desafios emergentes da resolução privada de conflitos do Estado. São Paulo: Contracorrente, 2022.

TIMM, Luciano Benetti. Consequencialismo no Artigo 20 da LINDB: Levando as Consequências Decisórias a Sério. *In:* CUNHA FILHO, Jorge Carneiro; ISSA, Rafael Hamze; SCHWIND, Rafael Wallbach (org.). *Lei de Introdução às Normas do Direito Brasileiro*: anotada. São Paulo: Quartier Latin, 2019.

TORRE, Riccardo Giuliano Figueira. *Arbitragem com a Administração Pública brasileira e a (in)segurança jurídica.* São Paulo: Quartier Latin, 2024.

UNGER, Roberto Mangabeira. *Knowledge and Politics.* New York: Free Pr, 1984.

WLADECK, Felipe Scripes. Ordem pública e sentença arbitral nacional. *In:* MACHADO FILHO, José Augusto Bitencourt; MACHADO FILHO, José Augusto Bitencourt; QUINTANA, Guilherme Enrique Malosso; RAMOS, Gustavo Gonzalez; BAQUEDANO, Luis Felipe Ferreira; BIOZA, Daniel Mendes; PARIZOTTO, Pedro Teixeira Mendes (org.). *Arbitragem e processo*: homenagem ao Professor Carlos Alberto Carmona. São Paulo: Quartier Latin, 2022. v. 1.

Informação bibliográfica deste texto, conforme a NBR 6023:2018 da Associação Brasileira de Normas Técnicas (ABNT):

PEREIRA, Cesar. Decidindo sobre o Direito Público: o árbitro diante da Lei de Introdução às Normas do Direito Brasileiro (LINDB) e normas cogentes. *In*: JUSTEN, Monica Spezia; PEREIRA, Cesar; JUSTEN NETO, Marçal; JUSTEN, Lucas Spezia (coord.). *Uma visão humanista do Direito*: homenagem ao Professor Marçal Justen Filho. Belo Horizonte: Fórum, 2025. v. 3, p. 703-734. ISBN 978-65-5518-915-5.

AUTOTUTELA E "AUTOTUTELAS" À BRASILEIRA

EDSON FRANCISCO ROCHA NETO

1 Introdução

Marçal Justen Filho é um daqueles fenômenos raros. Trata-se de autor indispensável em todas as áreas do Direito – muito além do Direito Administrativo. Não tive a oportunidade de tê-lo como professor. Recentemente, porém, tive a honra de trabalhar diretamente com o Dr. Marçal. Posso atestar muitas das qualidades que todos escutam.

Inspirador, o homenageado lê e escreve o tempo inteiro. Parece que percebeu que também gosta de viajar. Mesmo assim, não para de ler e de escrever. Sabe fazer o tempo render. Escreve, durante um voo, melhor do que qualquer mero mortal conseguiria em um mês habitando numa biblioteca. Redigiu, de cabeça, a melhor explicação da Teoria do Fato Jurídico que já vi.

O meu ex-professor de Direito Tributário, certa vez, brincou que o Marçal (o chamarei assim, já que quebrei protocolos iniciais) trocou de cadeira na Universidade Federal do Paraná (UFPR), porque Tributário estava muito fácil. Na hora, eu ri. Hoje, não duvidaria. Marçal faz tudo parecer fácil.

Costuma-se dizer que a árvore é identificada pelos frutos. Se a árvore é boa, os frutos serão bons.[1] E os frutos de Marçal são fantásticos, eternizados em suas obras[2] e nas de seus discípulos. Um deles – seu ex-aluno e, hoje, sócio –, Eduardo Talamini, é referência obrigatória no estudo do Direito Processual Civil. Marçal, de uma forma ou de outra, também é inevitável. Mesmo em Direito Processual Civil. Visando a revisitar a autotutela, a tese se confirma.

Não há como ignorar os estudos de Marçal. Para ele, deve-se reconhecer que o "protagonista do direito é o ser humano".[3] Ainda em suas palavras, reafirmando a

---

[1] É bíblico (!). Espero que o homenageado veja mais utilidade na passagem do que na de "Pilatos no Credo".

[2] Vale a consulta: http://lattes.cnpq.br/8706370224142002; https://www.justenfilho.com.br/. Isso é "só" o que está escrito. A obra, em sentido amplo, e o legado são ainda maiores.

[3] JUSTEN FILHO, Marçal. O Direito Administrativo de espetáculo. *Fórum Administrativo – Direito Público*, Belo Horizonte, ano 9, n. 100, p. 150, jun. 2009.

natureza instrumental do Estado, "existem apenas interesses humanos a serem realizados – não há interesses próprios, autônomos e isolados de titularidade do próprio Estado".[4] Marçal também ensina que "o Estado é instrumento para promoção da dignidade da pessoa humana", e pondera que "o Estado é incapaz de resolver todos os problemas".[5]

Adotadas tais premissas, é possível repensar a margem de liberdade das partes para a satisfação de suas pretensões, assumindo maior protagonismo, desde que respeitada a eficácia horizontal dos direitos fundamentais. É o que se investigará neste artigo.

1.1 Da autotutela ao monopólio da jurisdição

Costuma-se afirmar que a autotutela era a regra nos primórdios. Afinal, as partes envolvidas em eventual conflito estavam legitimadas a defender a sua posição por conta própria. Nesse cenário, a resolução da disputa poderia ser efetivada através da utilização da força, da brutalidade, prevalecendo quem tivesse mais poder físico, econômico ou social.[6] Progressivamente, a ideia de autotutela foi abandonada. As partes envolvidas em determinado litígio buscavam soluções consensuais ou, ainda, escolhiam de comum acordo um terceiro imparcial – normalmente com uma autoridade moral ou religiosa na comunidade – para impor uma solução.

Em momento posterior, a arbitragem (ainda que em um conceito primitivo) se tornou obrigatória. As partes passaram a ser obrigadas a submeter suas disputas a um terceiro que não teria interesse no objeto do litígio. Subsequentemente, a escolha do julgador privado ocorria junto a uma autoridade estatal que realizava um controle sobre a própria escolha e determinava parâmetros sobre a atividade processual conduzida pelo árbitro – como no Direito romano do século V a.C.[7]

Leonardo Greco e Ada Pellegrini, como destaca Roberto de Aragão Ribeiro Rodrigues, trazem explicação detalhada das origens da justiça em sociedades primitivas.[8] A prestação do serviço da justiça, portanto e em perspectiva histórica, não possui as suas origens na modalidade de função estatal típica.[9]

Com a consolidação da ideia de Estado que fundamentou a noção contemporânea, a missão de solucionar conflitos foi apropriada pelo Poder Estatal e, em seguida, pelo Poder Judiciário propriamente dito. Em síntese, esse é o panorama histórico geral das modalidades de resolução de conflitos no ocidente. A noção de jurisdição como expressão

---

[4] JUSTEN FILHO. O Direito Administrativo de espetáculo de espetáculo, p. 151.

[5] JUSTEN FILHO, Marçal. *O Direito das agências reguladoras independentes*. São Paulo: Dialética, 2022. p. 11.

[6] WAMBIER, Luiz Rodrigues; TALAMINI, Eduardo. *Curso avançado de processo civil*. 21. ed. São Paulo: Thomson Reuters Brasil, 2022. v. 1, p. 117.

[7] GUANDALINI JÚNIOR, Walter. O "Árbitro" na Antiguidade: releitura crítica de uma história da arbitragem. *História do Direito: RHD*, Curitiba, v.2, n.2, p. 29, jan./jun. 2021.

[8] "Nas sociedades primitivas, quando se perceberam os riscos e danos da autotutela, atribuiu-se a solução dos conflitos a terceiros (...)" (GRINOVER, Ada Pellegrini. O minissistema brasileiro de justiça consensual: compatibilidades e incompatibilidades. *Publicações da Escola Superior da AGU*, Brasília, DF, v. 8, p. 17, jan./mar. 2016). Ver, também: GRECO, Leonardo. *Instituições de processo civil*: introdução ao Direito Processual Civil. 5. ed. Rio de Janeiro: Forense, 2015. v. 1. p. 69.

[9] RODRIGUES, Roberto de Aragão Ribeiro. *Justiça Multiportas e advocacia pública*. Rio de Janeiro: GZ, 2021. p. 12.

da soberania estatal se difundiu, mas não deve retirar dos jurisdicionados a possibilidade de escolherem maneiras alternativas – desde que lícitas – de solucionar os conflitos.[10]

1.2 Desafios contemporâneos

A questão da efetividade é um dos grandes desafios do direito processual civil contemporâneo. Em 2001, Moniz de Aragão alertou que o período poderia ser considerado de crise e apontou a questão do formalismo e da burocracia "na realização do Direito através do Processo".[11] O aumento da população mundial e da complexidade das relações sociais agrava as dificuldades do Poder Judiciário em solucionar todos os conflitos trazidos pelos particulares e pela própria administração pública.[12]

De acordo com Moniz de Aragão, além de as partes fracassarem na solução dos conflitos por conta própria, recusando a conciliação ou o julgamento de entidades não estatais, o próprio Poder Judiciário não estaria se atualizando para enfrentar o problema, conservando regras e procedimentos antiquados com a preponderância de formalidades morosas.[13]

A Justiça deve ser encarada como um serviço.[14] O jurisdicionado, diante disso, deve ser encarado como consumidor do serviço da Justiça. Não significa dizer que o jurisdicionado se equipare ao participante de uma relação de consumo de maneira simplificada, mas que a tutela jurisdicional deve fornecer a atuação que atenda aos interesses dos jurisdicionados.[15]

Marçal Justen Filho explica que serviço público não é sinônimo de atividade estatal. Para o autor, por exemplo, a função jurisdicional envolve manifestação inerente de competências públicas, apenas se admitindo a configuração como "serviço público" em sentido "amplíssimo".[16] Compreende-se que há, portanto, autorização do homenageado para a comparação da Justiça com um "serviço".

A ideia de analisar a tutela jurisdicional com essa "perspectiva do consumidor", trazida desde Mauro Cappelletti,[17] é desenvolvida de maneiras diversas a depender das premissas adotadas. Adota-se o posicionamento de que, como serviço, a Justiça deve atender às necessidades de seus usuários e possibilitar a utilização de mecanismos que não necessariamente dependam de sua única e exclusiva utilização.

O Código de Processo Civil de 2015 (CPC), certamente, buscou se atualizar em muitas das questões criticadas previamente pela doutrina. Não foi suficiente, entretanto.

---

[10] WAMBIER; TALAMINI. *Curso avançado de processo civil*, v. 1, p. 118.

[11] ARAGÃO, Egas Dirceu Moniz de. Procedimento: formalismo e burocracia. *Revista do TST*, Brasília, DF, v. 67, n. 1, p. 114, jan./mar. 2001.

[12] ARAGÃO. Procedimento: formalismo e burocracia, p. 119.

[13] ARAGÃO. Procedimento: formalismo e burocracia, p. 119.

[14] ARENHART, Sérgio Cruz. Tutela atípica de prestações pecuniárias. Por que ainda aceitar o "é ruim, mas eu gosto"? *Revista do Ministério Público do Estado do Rio de Janeiro*, Rio de Janeiro, n. 80, p. 213, abr./jun. 2021.

[15] TALAMINI, Eduardo. *Tutela relativa aos deveres de fazer e de não fazer*: CPC, art. 461; CDC, art. 84. São Paulo: Revista dos Tribunais, 2001. p. 25.

[16] JUSTEN FILHO, Marçal. *Teoria geral das concessões de serviço público*. São Paulo: Dialética, 2003. p. 21.

[17] CAPPELLETTI, Mauro. Accesso alla giustizia come programma di riforma e come metodo di pensiero. *Rivista di Diritto Processuale*, Padova, v. 37, n. 2, 1982.

Trata-se de algo natural. A ciência jurídica possui um grau de dinamicidade que demanda o aprimoramento gradual a partir das relações entre legislação, jurisprudência e doutrina.

O art. 4º do CPC, prevê que "as partes têm o direito de obter em prazo razoável a solução integral do mérito, incluída a atividade satisfativa". O dispositivo traz como norma fundamental não apenas a tutela executiva judicial, mas a própria realização dos direitos. Justamente por essa razão, abre-se o caminho para se rediscutir a possibilidade e os limites de as partes se autotutelarem. A doutrina passou a propor a premissa de que a autotutela, sendo um mecanismo de tutela de interesses, não deve ser relacionada com a ilegalidade.[18]

1.3 Recorte da questão a ser analisada

Ante a banalização do conceito de autotutela, o escopo inicial deste trabalho parte da conceituação crítica do instituto. A partir da análise de um conceito restrito de autotutela, alguns dos institutos em que a autotutela supostamente existe serão analisados para verificar em que medida, ou em que momento, ela de fato existe. Com base na análise das disposições legais, também se ambiciona propor parâmetros e limites para que as partes exerçam a autotutela de maneira adequada.

2 A banalização do conceito de autotutela

Com a expansão da utilização de mecanismos extrajudiciais de resolução de conflitos, cogita-se um maior espaço para a autotutela. Ocorre que a autotutela, a rigor, é tipificada pelo Código Penal (CP). Conforme o art. 345, do CP, é vedado "fazer justiça pelas próprias mãos, para satisfazer pretensão, embora legítima, *salvo quando a lei o permite*".[19]

Duas noções são observadas no dispositivo citado. *Primeiro*, a regra é que a satisfação de pretensão – mesmo que legítima – não pode ser realizada unilateralmente. A satisfação de pretensões dependeria, assim, da jurisdição. *Segundo*, há hipóteses em que, excepcionalmente, admite-se a justiça pelas próprias mãos. Os exemplos clássicos do art. 23 do CP são o estado de necessidade, a legítima defesa, e o estrito cumprimento de dever legal ou o exercício regular de direito. Em todos os casos, o excesso é punível, de acordo com o art. 24 do CP.

Quanto à primeira noção exposta, o fato é que a satisfação de pretensões não ocorre – e nem nunca ocorreu – exclusivamente através da jurisdição estatal. Nem mesmo é possível afirmar que a satisfação de pretensões dependa necessariamente de jurisdição, estatal ou não. Já quanto à segunda noção, há certa margem para considerar legítima a autotutela quando haja permissivo legal. Tem sido realizado um trabalho doutrinário para identificar quais seriam essas autorizações legislativas para a tutela

---

[18] EID, Elie Pierre. A autotutela na teoria geral do processo. *In:* YARSHELL, Flávio Luiz; ZUFELATO, Camilo (coord.). *50 anos da teoria geral do processo*: passado, presente e futuro. Londrina: Thoth, 2024. p. 248.

[19] BRASIL. Decreto-Lei nº 2.848, de 7 de dezembro de 1940. Código Penal. *Diário Oficial da União*: Brasília, DF, art. 345, 1940. grifos nossos. Disponível em: https://www.planalto.gov.br/ccivil_03/decreto-lei/del2848compilado. htm. Acesso em: 29 jul. 2024.

egoística dos interesses. A questão é que nem sempre aquilo que é sugerido como autotutela representa, efetivamente, autotutela. Isso não é um problema. Na realidade, a *não configuração* como autotutela tende a legitimar os mecanismos sugeridos, haja vista a resistência jurisprudencial à aceitação da autotutela.

3 Conceito crítico de autotutela

Como nem tudo aquilo que é apontado como autotutela representa, de fato, a autotutela, deve-se separar a autotutela, em sentido estrito, das "autotutelas" sugeridas até o momento. As tentativas de definição do conceito parecem – além de ampliar o escopo do que se enquadraria como tal – esbarrar na tênue diferença entre aquilo que seria a autotutela vedada pelos ordenamentos e a autotutela legítima.

A autotutela, em sentido estrito, consiste numa solução egoística de conflito, na qual uma parte age para atingir o resultado por ela pretendido sem recorrer a um terceiro imparcial. A autotutela pode ser definida como "técnica de composição de conflitos baseada na possibilidade de que uma das partes possa impor uma solução à outra, para a preservação ou restabelecimento de um direito ameaçado ou violado".[20] Nesse sentido, a ação da autotutela é parcial, pois o juízo é feito pela própria parte.[21] O mecanismo que não pode operar contra a manifesta oposição da parte contrária não pode ser compreendido como autotutela.[22]

Cogita-se a definição da autotutela a partir de uma conceituação negativa. Seria autotutela aquilo que não se enquadra como autocomposição ou processo.[23] Para Niceto Alcalá-Zamorra y Catillo, a autotutela não estaria ligada nem à pré-existência de um ataque – como se fosse algo reativo – e nem à inexistência de procedimento.[24] Para o autor, a autotutela se caracteriza pela (i) ausência de um juiz distinto das partes, já que uma das partes atua parcialmente como juiz de si mesmo;[25] e (ii) imposição da decisão de uma das partes sobre as outras.[26]

Partindo da ideia supracitada, Alcalá-Zamora y Castillo classifica aquilo que denomina "setores da autotutela": (i) autotutela em sentido estrito, como resposta a um ataque – que não se confunde com o sentido estrito ora proposto; (ii) exercício pessoal ligado a um direito subjetivo, sem que haja prévio ataque; (iii) exercício de faculdades atribuídas para reagir a situações excepcionais; (iv) exercício de um direito potestativo

---

[20] CABRAL, Antônio do Passo. Da instrumentalidade à materialização do processo: as relações contemporâneas entre direito material e direito processual. *Civil Procedure Review*, [S. l.], v. 12, n. 2, p. 90, maio/ago. 2021.

[21] ALCALÁ-ZAMORA Y CASTILLO, Niceto. *Proceso, autocomposición y autodefensa*: contribución al estudio de los fines del proceso. 3. ed. Cidade do México: Universidad Autónoma de México, 2000. p. 51.

[22] TALAMINI, Eduardo. Adjudicação compulsória extrajudicial: pressupostos, natureza e limites. *Revista de Processo: RePro*, São Paulo, v. 336, p. 319-339, fev. 2023.

[23] ALCALÁ-ZAMORA Y CASTILLO. *Proceso, autocomposición y autodefensa*: contribución al estudio de los fines del proceso, p. 47.

[24] ALCALÁ-ZAMORA Y CASTILLO. *Proceso, autocomposición y autodefensa*: contribución al estudio de los fines del proceso, p. 53.

[25] ALCALÁ-ZAMORA Y CASTILLO. *Proceso, autocomposición y autodefensa*: contribución al estudio de los fines del proceso, p. 51.

[26] ALCALÁ-ZAMORA Y CASTILLO. *Proceso, autocomposición y autodefensa*: contribución al estudio de los fines del proceso, p. 53.

por um dos sujeitos de um conflito; (v) combate entre as partes, que escolhem a força em detrimento da razão; (vi) coação à outra parte para impor os seus próprios interesses.[27] O autor indica a possibilidade da autotutela de terceiros, exemplificando com o caso em que o capitão decide despejar a carga para proteger o navio.[28]

A definição clássica de Alcalá-Zamora, bem como o seu estudo realizado sobre a temática, tende a ampliar demasiadamente o conceito de autotutela – autorizando a inclusão de movimentos como greves e guerras nos exemplos de autotutela. A amplitude do conceito, igualmente, não resolve a diferenciação de autotutela legítima e autotutela ilegítima. A mesma dificuldade é encontrada na definição trazida por Castro, Vélez e Delgado, na qual a autotutela seria caracterizada pelo uso da força.[29]

Destrinchando a autotutela em todos os elementos que a compõem, Eduardo Talamini e André Guskow Cardoso – este também discípulo e sócio de Marçal Justen Filho – elaboraram um rol de dados fundamentais para identificar o instituto, evitando a confusão e o enquadramento indevido de determinados institutos em seu conceito. Para os autores, (i) é um mecanismo de solução de conflito de interesse; (ii) pressupõe uma ação, não podendo ser uma simples omissão em se submeter à pretensão alheia; (iii) pressupõe ação direta de uma parte com a outra, sem a intervenção de terceiros; (iv) é essencialmente privada; (v) é necessariamente unilateral; (vi) há um juízo próprio e parcial; (vi) a solução é egoística, mas não necessariamente injusta; (vii) há o atingimento de um bem de vida que estava sendo usufruído, detido ou titularizado pela outra parte.[30]

Como solução parcial, egoística, a autotutela não necessariamente será justa. Por isso, deve-se diferenciar as situações em que ela é devida das que ela é ilegal. Mesmo nos casos em que a autotutela é devida, poderá haver excesso em sua utilização. Assim, haverá a necessidade de controle jurisdicional posterior. Existem, portanto, três possibilidades: (i) a autotutela legítima e justa; (ii) a autotutela legítima, porém excessiva; (iii) a autotutela ilegítima. A regra é a vedação à autotutela. O roteiro sugerido por Talamini e Cardoso servirá como *checklist* para a análise dos institutos que, recentemente, têm sido enquadrados como autotutela.

4 Análise da autotutela e das "autotutelas" à brasileira

Os dados fundamentais propostos por Talamini e Cardoso (ver item anterior) devem servir de roteiro para a análise das situações a seguir elencadas.

---

[27] ALCALÁ-ZAMORA Y CASTILLO. *Proceso, autocomposición y autodefensa*: contribución al estudio de los fines del proceso, p. 59 e 60.

[28] ALCALÁ-ZAMORA Y CASTILLO. *Proceso, autocomposición y autodefensa*: contribución al estudio de los fines del proceso, p. 51.

[29] CASTRO, Jordi Delgado; VÉLEZ, Diego Palomo; DELGADO, Germán. Autotutela, solución adecuada del conflicto y repossession: revisión y propuesta. *Revista de Derecho – Universidad Católica del Norte*, [S. l.], año 24, n. 2, p. 269, 2017.

[30] TALAMINI, Eduardo; CARDOSO, André Guskow. *Smart contracts*, "autotutela" e tutela jurisdicional. *In:* BELLIZZE, Marco Aurélio e outros (coord.). *Execução civil*: novas tendências. Indaiatuba: Foco, 2022. p. 186-187.

4.1 Autoexecutoriedade das decisões administrativas

Em determinadas situações, os atos administrativos adquirem grau de eficácia máximo, de forma que a Administração Pública é legitimada a cumprir concreta e compulsoriamente os seus atos. Para Marçal Justen Filho, trata-se de poder jurídico de satisfazer um direito material ou dirimir um litígio sem a intervenção jurisdicional.[31]

A doutrina processual costuma citar esse poder jurídico da Administração Pública como sendo um exemplo de autotutela admitido no direito brasileiro.[32] Entretanto, adota-se a posição de que se trata de um poder jurídico inerente à atividade administrativa. Não existe uma "autotutela" administrativa. Existe, por decorrência legal e inerente a certos atos administrativos, a sua autoexecutoriedade.

A autoexecutoriedade das decisões administrativas, portanto, reflete a competência na qual a Administração Pública é investida. Nesse caso, não há a substituição do particular numa função que naturalmente seria pública. Não é uma ação privada. É o próprio Estado exercendo aquilo que é sua competência.

4.2 Direito de cortar raízes e ramos de árvores limítrofes que ultrapassam a extrema do prédio (art. 1.283, CC)

O art. 1.283 do Código Civil (CC) prevê que "as raízes e os ramos de árvore, que ultrapassarem a estrema do prédio, poderão ser cortados, até o plano vertical divisório, pelo proprietário do terreno invadido". Nesse caso, corriqueiramente apontado pela doutrina como exemplo remanescente de autotutela no ordenamento jurídico;[33] realmente, há o enquadramento no conceito em sentido estrito proposto.

4.3 Legítima defesa da posse e desforço imediato (art. 1.210, CC)

O art. 1.21 do CC prevê que "o possuidor tem direito a ser mantido na posse em caso de turbação, restituído no de esbulho, e segurado de violência iminente, se tiver justo receio de ser molestado". O parágrafo primeiro, por sua vez, dispõe que "o possuidor turbado, ou esbulhado, poderá manter-se ou restituir-se por sua própria força, contanto que o faça logo", e que "os atos de defesa, ou de desforço, não podem ir além do indispensável à manutenção, ou restituição da posse".

Trata-se, também, de permissivo legal de autotutela em sentido estrito. Existe um porém. A autotutela apenas é permitida havendo o requisito da urgência. Em um curto

---

[31] JUSTEN FILHO, Marçal. *Curso de Direito Administrativo*. 15. ed. Rio de Janeiro: Forense, 2024. p. 164.

[32] DIDIER JUNIOR, Fredie; FERNANDEZ, Leandro. *Introdução à Justiça Multiportas*: sistema de solução de problemas jurídicos e o perfil do acesso à Justiça no Brasil. Salvador: Juspodivm, 2024. p. 223; GUERRA FILHO, Willis Santiago. Breves notas sobre os modos de solução dos conflitos. *Revista de Processo: RePro*, São Paulo, v. 42, p. 271-278, abr./jun. 1986.

[33] NUNES, Dierle; VIANA, Aurélio; PAOLINELLI, Camilla Mattos. Autotutela e a incorporação da moeda digital Drex no Brasil. *Conjur*, São Paulo, 20 set. 2023. Disponível em: https://www.conjur.com.br/2023-set-20/artx-opiniao-autotutela-incorporacao-moeda-digital-drex-brasil/#_ftn14. Acesso em: 29 jul. 2024.

período, "desde que sua reação ocorra durante os atos de agressão ou logo depois",[34] o possuidor fica legitimado a substituir a função que seria do Estado (jurisdicionalmente). A proibição da autotutela não é absoluta no ordenamento jurídico brasileiro e este é um exemplo que permite ao agente o emprego da força para "evitar a inutilização prática de um direito próprio".[35]

Esbulho significa a perda total da posse, "situação na qual a coisa sai integralmente da esfera de disponibilidade do possuidor".[36] A turbação, por sua vez, é uma espécie de esbulho parcial, no qual há a "perda de algum dos poderes fáticos sobre a coisa, mas não a totalidade da posse".[37]

A reação do indivíduo deve ser imediata. Na primeira hipótese, havendo ameaça à sua posse, de turbação, o possuidor é legitimado a garantir a legítima defesa de sua posse. Na segunda hipótese, de esbulho, o indivíduo que perdeu a sua posse pode se reintegrar, desde que o faça imediatamente. Se o breve período em que existe a oportunidade de o indivíduo praticar a autotutela transcorrer, deverá buscar os mecanismos jurisdicionais de reintegração de sua posse.

4.4 Direito de retenção

O direito de retenção, previsto nos arts. 319, 578, 644, 1.219, 1.423, entre outros do CC, garante ao credor o direito de reter em seu poder determinados bens, a depender da situação concreta, enquanto a dívida não for paga. Em apertada síntese – e em regra –, o direito de retenção tende a servir como um meio de coerção do credor em face do devedor, não servindo para a tutela satisfativa do seu interesse. Tanto é assim que, no exemplo do art. 644, do CC, a doutrina confirma o direito de retenção "até que venha a receber a retribuição devida".[38] Como o conceito aqui adotado pressupõe que a autotutela representa uma ação direta para a satisfação da pretensão, movimentos de coerção para o cumprimento da obrigação tendem a não configurar a autotutela ideal, em sentido estrito.

Fredie Didier Junior classifica o direito de retenção, em regra, como uma modalidade de autotutela cautelar, "quando sua utilização se destina a assegurar a futura satisfação do interesse de titular de situação jurídica".[39] Não se rejeita tal enquadramento, desde que reconhecida a diferença para situações em que a autotutela é satisfativa. O direito de retenção assume o caráter de autotutela em sentido estrito apenas nas hipóteses em que há atividade satisfativa, como no art. 708 do CC, em que o comissário tem direito de ter bens e valores em virtude de sua comissão.

---

[34] SILVA, Ricardo Alexandre da. *Comentários ao Código de Processo* Civil: art. 539 ao 673. São Paulo: Thomson Reuters Brasil, 2021. p. 222.

[35] NERY JUNIOR, Nelson; NERY; Rosa Maria de Andrade. *Código Civil comentado*. 11. ed. São Paulo: Revista dos Tribunais, 2014. p. 1439.

[36] WAMBIER; TALAMINI. *Curso avançado de processo civil*, v. 4, p. 76.

[37] WAMBIER; TALAMINI. *Curso avançado de processo civil*, v. 4, p. 76.

[38] NERY JUNIOR; NERY. *Código Civil comentado*, p. 988.

[39] DIDIER JUNIOR; FERNANDEZ. *Introdução à Justiça Multiportas*: sistema de solução de problemas jurídicos e o perfil do acesso à Justiça no Brasil, p. 225.

4.5 Os direitos reais de garantia e a suposta autotutela executiva

A garantia real visa a assegurar ao credor reforço de responsabilidade patrimonial para satisfação do crédito, com dupla dimensão: "(1) preferência sobre os credores comuns (quirografários) do mesmo devedor; (2) determinação ou afetação prévia da coisa que responderá pelo adimplemento da dívida, destacando-a dos bens econômicos do devedor".[40] No CC, as garantias elencadas são o penhor, a hipoteca, a anticrese e a alienação fiduciária em garantia.[41] Tais institutos levaram à doutrina brasileira a cogitar um ambiente de "autotutela executiva" no Brasil.[42]

No penhor, em linhas gerais,[43] previsto nos arts. 1.431 a 1.472 do CC, o devedor (ou um terceiro garantidor) transfere ao credor a posse de um bem *móvel* como garantia de seu débito. Esse bem móvel será passível de alienação e, em regra, ficará em posse do credor até o cumprimento da obrigação. Caso a dívida não seja paga, o credor pode promover a venda judicial com preferência sobre outros credores.[44]

Na hipoteca, prevista nos arts. 1.476 a 1.505 do CC, não há transferência de posse para o credor. A hipoteca é aplicada a bens *imóveis* do devedor ou de terceiro e, caso o devedor não cumpra a sua obrigação no prazo determinado, o credor poderá solicitar a venda judicial do bem imóvel, exercendo o seu direito de excussão. Havendo a venda do imóvel, o credor hipotecário será preferencialmente pago. A Lei nº 14.711/2023 Marco Legal das Garantias") prevê, no art. 9º, procedimento de execução extrajudicial dos créditos garantidos por hipoteca – com dois leilões públicos e avaliação do valor do imóvel. No segundo leilão, será aceito o maior lance desde que seja igual ou superior ao valor da dívida. Há aproximação do conceito de autotutela com tais alterações do procedimento, mas segue havendo necessidade de intervenção de algum aparato estatal.

Na anticrese, prevista nos arts. 1.506 a 1.510 do CC, há a transferência da posse do bem ímovel do devedor para o credor. Nesse caso, a garantia é objeto de fruição pelo credor dos frutos e rendimentos do imóvel até que o montante da dívida seja quitado. A anticrese se aproxima da autotutela na medida em que a percepção dos frutos e a sua imputação para o pagamento da dívida independem da intervenção judicial.

Em todos esses institutos, autorizados pelo ordenamento jurídico brasileiro, há momentos de aproximação com a autotutela. Para fins de investigação preliminar, a intervenção estatal apontada no caso do penhor e da hipoteca tende a distanciar o seu enquadramento da autotutela em sentido estrito. Neste ensaio, serão analisadas mais detalhadamente (i) a alienação fiduciária de bem móvel; (ii) a alienação fiduciária de bem imóvel e (iii) o pacto marciano.

---

[40] LÔBO, Paulo. *Direito Civil*: coisas. 4. ed. São Paulo: Saraiva Educação, 2019. v. 4, p. 315.

[41] Diferentemente da alienação fiduciária – sobre bens móveis ou imóveis – existe a figura da "cessão fiduciária". A garantia, nesse caso, não diz respeito a determinado bem, mas sim a determinado direito.

[42] ANDRADE, Érico; GONÇALVES; Gláucio Maciel; MILAGRES; Marcelo de Oliveira. Autonomia privada e solução de conflitos fora do processo: autotutela executiva, novos cenários para a realização dos direitos? *Revista de Processo: RePro*, São Paulo, v. 322, p. 437-476, dez. 2021.

[43] Há, ainda, peculiaridades nas modalidades especiais de penhor, que não serão objeto deste ensaio.

[44] LÔBO. *Direito Civil*: coisas, p. 327.

4.5.1 Execução extrajudicial do bem móvel dado em garantia fiduciária

A alienação fiduciária é uma forma de garantia na qual o devedor, apesar de manter a posse do bem adquirido, transfere a sua propriedade para o credor até que a dívida referente à compra do bem seja paga. O credor se torna titular do direito real de propriedade temporariamente. O pagamento da dívida é condição resolutiva dessa propriedade temporária.[45]

O Decreto-Lei nº 911/1969, que "estabelece normas de processo sobre alienação fiduciária", trata de bem *móvel* dado em garantia. Através dos seus arts. 2º e 5º, assegura ao credor a opção de promover a execução judicial ou extrajudicial do crédito em caso de inadimplemento.

A possibilidade de execução extrajudicial deve estar prevista no contrato que formalizou a garantia. Caso contrário, a consolidação da propriedade deve ocorrer judicialmente, por meio da busca e apreensão. A execução extrajudicial do crédito é o que interessa para o fim de estudo da autotutela. Existe um procedimento para tanto.

Vencido o prazo de pagamento da dívida, o credor deverá enviar notificação ao devedor, com aviso de recebimento. Caso não haja o pagamento da dívida, e havendo previsão expressa, com cláusula destacada no contrato que permita a consolidação extrajudicial da propriedade (art. 8º-B do Decreto-Lei nº 911/1969, incluído pelo Marco Legal das Garantias), a consolidação da propriedade fiduciária poderá ser promovida no cartório de títulos e documentos do local do bem ou do domicílio do devedor.

Vencido o prazo de pagamento da dívida e enviada a notificação com aviso de recebimento, o oficial do cartório competente notificará novamente o devedor fiduciário para que pague voluntariamente a dívida no prazo de 20 dias, sob pena de consolidação da propriedade, ou impugne a cobrança, apresentando documentos que comprovem que a cobrança é total ou parcialmente indevida. Se o oficial constatar o direito do devedor, deverá sustar o prosseguimento do procedimento de consolidação de propriedade do bem. Por outro lado, no caso de rejeição da impugnação, o oficial fundamentará juridicamente a sua rejeição.

Para que haja a consolidação, o credor fiduciário deverá estar em posse do bem móvel. O devedor possui o prazo de 20 dias para entregar voluntariamente o bem nos termos em que foi determinado na notificação do cartório (art. 8º-B, VI, do Decreto-Lei nº 911/1969). Caso não entregue o bem, o devedor fica sujeito ao pagamento de multa de 5% (art. 8º-B, §11, do Decreto-Lei nº 911/1969). Na hipótese de o devedor não entregar o bem voluntariamente, cabe a busca e apreensão extrajudicial a requerimento do credor (art. 8º-C do Decreto-Lei nº 911/1969). Será a autoridade policial que terá competência para a apreensão do bem, ainda que os atos investigativos possam ser promovidos privadamente.

O credor fiduciário, estando em posse do bem móvel, pode promover a venda extrajudicial do bem independentemente de leilão, hasta pública, avaliação prévia ou qualquer outra medida judicial ou extrajudicial, salvo disposição expressa em contrário

---

[45] GRAMSTRUP, Erik Frederico. Alienação fiduciária em garantia. *In*: DONNINI, Rogério; FERRIANI, Adriano; GRAMSTRUP, Erik. *Enciclopédia jurídica da PUC-SP*. São Paulo: Editora da PUC-SP, 2024. t. Direito Civil. Disponível em: https://enciclopediajuridica.pucsp.br/verbete/471/edicao-1/alienacao-fiduciaria-em-garantia. Acesso em: 29 jul. 2024.

prevista no contrato (art. 2º do Decreto-Lei nº 911/1969). Esse momento, em específico, após todos os procedimentos legais devidos, representa uma ação direta do credor para satisfazer a sua pretensão. Há, nesse momento, uma espécie de autotutela satisfativa.

O preço da venda do bem móvel será aplicado para pagamento do crédito e das despesas decorrentes. Caso a venda represente valor superior ao do crédito, o credor deverá devolver ao devedor o saldo de diferença, acompanhado de prestação de contas. Esse é mais um parâmetro que legitima a medida, assim como todo o procedimento previamente descrito.

Verifica-se que não há autotutela globalmente na alienação fiduciária de bens móveis. Procedimento extrajudicial não é sinônimo de autotutela. No entanto, a alienação fiduciária, com previsão consensual de consolidação da propriedade extrajudicialmente, representa uma espécie de autotutela convencional. Isto é, pré-convencionada. A resistência do devedor não permite a satisfação da pretensão diretamente pelo credor. Depende de colaboração do aparato estatal, ainda que extrajudicialmente.

Ainda que de forma precária, o oficial do cartório realiza uma atividade heterocompositiva quanto aos fundamentos jurídicos de eventual impugnação do devedor – o que também escapa da conceituação de autotutela. Não há um poder de *imperium* na atividade registral, sendo a multa de 5% um meio coercitivo indireto. Havendo consensualidade e entrega espontânea do bem dado em garantia pelo devedor, afasta-se o enquadramento em autotutela e se aproxima a um acordo, já que tratar-se-ia de algo voluntário. A busca e apreensão realizada pela autoridade policial, igualmente, afasta a etapa do procedimento do que se cogita idealmente quanto à autotutela. No entanto, após todos os procedimentos descritos e com a devida prestação de contas, o bem móvel dado em garantia pode ser objeto de ação direta do credor para o fim de autotutelar satisfativamente o pagamento da dívida.

4.5.2 Execução extrajudicial do bem imóvel dado em garantia fiduciária (Lei nº 9.514/1997)

Seguindo a mesma lógica dos bens móveis dados em garantia sob a forma de alienação fiduciária, cuja definição foi trazida no item anterior, a Lei nº 9.514/1997 (que dispõe sobre o Sistema de Financiamento Imobiliário) instituiu a alienação fiduciária de bem *imóvel*, possibilitando a execução extrajudicial de bens *imóveis* dados em garantia fiduciária.[46]

O contrato do negócio fiduciário de garantia conterá o valor da dívida, o prazo e as condições de reposição do empréstimo, a taxa de juros e demais encargos, dentre outras informações descritas no art. 24. Nesse contrato, deverá ser estipulado o valor do imóvel e os critérios para a sua revisão em caso de venda em leilão, na hipótese de inadimplemento.

Vencida a dívida e não paga, o devedor[47] será intimado, a requerimento do credor fiduciário, pelo oficial do registro de imóveis para que satisfaça a prestação vencida no

---

[46] O STJ decidiu que "a lei não exige que o contrato de alienação fiduciária de imóvel se vincule ao financiamento do próprio bem, de modo que é legítima a sua formalização como garantia de toda e qualquer obrigação pecuniária" (BRASIL. Superior Tribunal de Justiça (3. Turma). AgInt no REsp 1.630.139/MT. Relator: Min. Ricardo Villas Bôas, 4 de maio de 2017. *Dje*: Brasília, DF, 18 maio 2017).

[47] O que for descrito para o devedor poderá valer para a figura do "terceiro fiduciário", se for o caso.

prazo de 15 dias. Vencido o prazo de 15 dias, o oficial do registro de imóveis certificará o fato e promoverá a averbação da consolidação da propriedade em nome do credor na matrícula do imóvel.

A consolidação da propriedade em nome do credor fiduciário será averbada no registro de imóveis 30 dias após a expiração do prazo de 15 dias para pagamento da dívida (art. 26-A, §1º). Durante esse período total de 45 dias, o devedor pode pagar as parcelas da dívida e as demais despesas relativas a ela.

Após esses prazos, o credor fiduciário de bens imóveis deve promover 2 leilões extrajudiciais. Caso não seja atingido o valor do imóvel no primeiro leilão, deverá ser promovido um segundo. No segundo leilão, será aceito o maior lance desde que seja igual ou superior ao valor da dívida garantida. Não havendo lance que atenda ao parâmetro mínimo, a dívida é considerada extinta e o credor poderá dispor livremente do imóvel.

A diferença da alienação fiduciária de bem imóvel é a de que o credor não precisa ter posse plena do bem para promover a venda extrajudicial. Ressalvadas as diferenças procedimentais, a análise realizada no item anterior (quanto aos bens móveis) deve ser reproduzida quanto à alienação fiduciária de bens imóveis.

Há um primeiro momento, consensual, em que as partes definem os parâmetros do negócio realizado. Há uma consensualidade sobre a forma de garantia. No momento posterior ao inadimplemento, o credor se socorre da estrutura estatal extrajudicial para promover as notificações e averbações, mas é ele quem unilateralmente declara a inadimplência. Nesse caso, não há espaço para impugnações ou análise jurídica pelo registro de imóveis, que apenas possui uma função de certificação de fato. Há, portanto, uma ação direta do credor visando à consolidação de propriedade, independentemente de posse. Subsequentemente, ao tentar promover dois leilões, há a autotutela satisfativa da pretensão do credor.

4.5.3 Pacto marciano

O pacto comissório, vedado pelo ordenamento jurídico brasileiro, representa cláusula contratual na qual um bem é dado em garantia e o credor possui a faculdade de se apropriar dele, no caso de inadimplemento do devedor, sem prévia avaliação imparcial. Nesse caso, a avaliação do bem dado em garantia seria feita unilateralmente pelo credor, que se beneficiaria economicamente da eventual diferença entre o valor do bem e o valor da dívida. Ante à ausência de avaliação justa do bem e ante a desnecessidade de restituição da diferença do valor do bem e do valor da dívida, o pacto comissório é considerado nulo pelos arts. 1.365[48] e 1.428[49] do CC. O pacto comissório, portanto, constitui uma modalidade de autotutela ilegítima.

---

[48] "Art. 1.365. É nula a cláusula que autoriza o proprietário fiduciário a ficar com a coisa alienada em garantia, se a dívida não for paga no vencimento.
Parágrafo único. O devedor pode, com a anuência do credor, dar seu direito eventual à coisa em pagamento da dívida, após o vencimento desta" (BRASIL. Lei nº 10.406, de 10 de janeiro de 2002. Institui o Código Civil. *Diário Oficial da União*: Brasília, DF, 2002. https://www.planalto.gov.br/ccivil_03/leis/2002/l10406compilada.htm. Acesso em: 29 jul. 2024).

[49] "Art. 1.428. É nula a cláusula que autoriza o credor pignoratício, anticrético ou hipotecário a ficar com o objeto da garantia, se a dívida não for paga no vencimento" (BRASIL. Lei nº 10.406, de 10 de janeiro de 2002).
Parágrafo único. Após o vencimento, poderá o devedor dar a coisa em pagamento da dívida (BRASIL. Lei nº 10.406, de 10 de janeiro de 2002).

O *pacto marciano*, por sua vez, também envolve cláusula contratual na qual o credor pode se apropriar do bem dado em garantia no caso de inadimplemento. A diferença é que a aquisição do bem dado em garantia apenas ocorrerá após justa avaliação de seu valor, para o fim de restituir o valor excedente em relação à dívida.

Na 8ª Jornada de Direito Civil, promovida pelo Conselho da Justiça Federal (CJF), foi aprovado o Enunciado 626, que prevê que, nas relações paritárias, o pacto marciano – entendido como "cláusula contratual que autoriza que o credor se torne proprietário da coisa objeto da garantia mediante aferição de seu justo valor e restituição do supérfluo (valor do bem em garantia que excede o da dívida)" – não afronta o art. 1.428, do CC.[50]

O pacto comissório representa autotutela ilegítima, vedada pelo ordenamento. O pacto marciano, ao seu turno, configura autotutela que tende a ser autorizada pelo ordenamento jurídico brasileiro. A justa avaliação é o que legitima o pacto marciano. Essa justa avaliação pode ser realizada a partir de tabelas de preço oficiais ou reconhecidas, ou através de um terceiro avaliador. Ainda que possa envolver a avaliação por um terceiro, existe uma ação direta do credor ao se apropriar do bem dado em garantia pelo devedor. Há, portanto, autotutela precedida de eventual procedimento de aferição do valor da garantia.

5 A processualização das "autotutelas"

A vedação ao pacto comissório, mas autorização de cláusula marciana, demonstra que não é apenas a violência que é vedada no ordenamento jurídico brasileiro. A justa avaliação é fundamental para a aceitação do pacto marciano. A violência, por sua vez, nem sempre é vedada – a exemplo da legítima defesa e da legítima defesa da posse. Havendo urgência, existem os casos em que a violência se torna autorizada.

Os casos em que as partes podem convencionar uma espécie de autotutela, entretanto, não estão vinculados à hipótese de urgência, mas ao alto grau de probabilidade do direito afirmado. Comparando à antecipação de tutela, do CPC, os mecanismos de autotutela que se cogita no ambiente contratual se aproximam da tutela da evidência.

Da mesma maneira que Cândido Rangel Dinamarco sustentou a necessidade de observância do devido processo legal na arbitragem,[51] deve-se verificar em que medida o devido processo é aplicado em relações privadas quando se cogita a autotutela. É certo que a autotutela representa ação direta de uma parte contra a outra, mas no cenário brasileiro a tendência é que, em muitos casos, uma "procedimentalização" prévia mínima tenda a legitimar os mecanismos.

A expressão "devido processo" faz referência ao processo que é justo e apropriado.[52] Devido processo "legal" significa o processo que é justo e apropriado conforme as etapas previstas em lei, em uma leitura intuitiva. Na realidade, porém, "legal" representa de acordo com o Direito como um todo.[53]

---

[50] CJF. Enunciado 626. *CJF Enunciados*, Brasília, DF, [2024]. Disponível em: https://www.cjf.jus.br/enunciados/enunciado/1209#Acesso em: 29 jul. 2024.

[51] DINAMARCO, Cândido Rangel. *A nova era do processo civil*. São Paulo: Malheiros, 2003. p. 30.

[52] BARACHO, José Alfredo de Oliveira. Processo e Constituição: o devido processo legal. *Revista da Faculdade de Direito da UFMG*, Belo Horizonte, n. 23-25, p. 89, 1982. Disponível em: https://revista.direito.ufmg.br/index.php/revista/article/view/907/850. Acesso em: 9 jul. 2024.

[53] DIDIER JUNIOR, Fredie. *Curso de Direito Processual Civil*. 21. ed. Salvador, Juspodivm, 2019. t. 1, p. 88.

É natural, portanto, que o devido processo legal esteja relacionado com outras garantias constitucionais. Por essa exata razão que se pode afirmar que o devido processo legal é uma garantia com caráter geral e subsidiário em relação às demais.[54] Dessa forma, na qualidade de direito fundamental, a doutrina sugere a sua incidência nas relações privadas.[55]

O movimento de desjudicialização – vinculado à potencialização do acesso à justiça via modelo "multiportas" – tende a não aceitar reducionismos no aspecto das garantias constitucionais processuais.[56] Na execução das garantias fiduciárias, a procedimentalização da atuação do credor via regulamentação do passo a passo para a sua atuação direta é o que as legitima.[57] Dessa maneira, cogitam-se as "autotutelas" à brasileira, na qual apenas em poucos momentos há características da autotutela em sentido estrito, precedidas de uma procedimentalização mínima.

Além do exemplo das etapas da execução das garantias fiduciárias, o controle realizado unilateralmente pelas redes sociais é pertinente para a avaliação concreta do que se defende neste ensaio. As redes sociais possuem normas para a sua utilização e, diariamente, excluem contas de usuários sumariamente por suposto desrespeito aos termos de uso.[58] Ao que os relatos indicam, a prática configura autotutela ilegítima; se legítima, excessiva. Os tribunais têm revertido essas decisões unilaterais das redes sociais. Nesse exemplo concreto, a prévia notificação do usuário e a oportunização de contraditório seriam suficientes para legitimar a autotutela, sem prejuízo de controle judicial posterior.

Mesmo a Administração Pública, que possui a prerrogativa de utilizar a força para realização do direito, está submetida a um devido processo legal que observe as formalidades necessárias e as garantias inerentes ao processo, conforme destaca Marçal Justen Filho.[59] Ainda que a autoexecutoriedade dos atos administrativos não represente autotutela em sentido estrito, o fato é relevante para confirmar uma espécie de processualização da atuação do direito material.

A autotutela, desde que congruente com a ordem constitucional, ganha legitimidade.[60] Deve-se vislumbrar a eficácia horizontal dos direitos fundamentais, pela qual eles se estendem às relações jurídicas privadas[61][62] e devem igualmente ser aplicados entre os particulares. Ignorar esse comando constitucional significaria desordenar as relações

---

[54] MENDES, Gilmar Ferreira; BRANCO, Paulo Gustavo Gonet. *Curso de Direito Constitucional.* 12. ed. rev. e atual. São Paulo: Saraiva, 2017. p. 573.

[55] AZEVEDO, Rafael Vieira de; ALBUQUERQUE JÚNIOR, Roberto Paulino de. Devido processo legal e relações privadas: limites e portas de entrada dos direitos fundamentais no direito privado. *Revista da Faculdade de Direito da UFMG*, Belo Horizonte, p. 374, jan./jun. 2021.

[56] HILL, Flávia Pereira. Desjudicialização e acesso à Justiça além dos tribunais: pela concepção de um devido processo legal extrajudicial. *Revista Eletrônica de Direito Processual – REDP*, Rio de Janeiro, ano 15, v. 22, p. 391, jan./abr. 2021

[57] ANDRADE; GONÇALVES; MILAGRES. Autonomia privada e solução de conflitos fora do processo: autotutela executiva, novos cenários para a realização dos direitos?

[58] A título exemplificativo, ver: SÃO PAULO. Tribunal de Justiça do Estado (35. CDP). AC 1066358-28.2017.8.26.0000. Relator: Des. Gilberto Leme, 1 de outubro de 2018. *DJTSP*: Poder Judiciário, 9 out. 2018.

[59] JUSTEN FILHO. *Curso de Direito Administrativo*, p. 165.

[60] SALLES, Raquel Bellini. *Autotutela nas relações contratuais.* Rio de Janeiro: Editora Processo, 2019. p. 375.

[61] JUSTEN FILHO, Marçal. *Introdução ao estudo do Direito.* 2. ed. São Paulo: Forense, 2021. p. 260-261.

[62] ANDRADE, Cássio Cavalcanti. O princípio do devido processo legal: histórico, dimensões e eficácia horizontal. *Revista dos Tribunais*, São Paulo, v. 948, p. 77-113, out. 2014.

privadas. A autotutela receberá maior aceitação caso respeite a eficácia horizontal dos direitos fundamentais e permita, dentro do possível, o respeito ao devido processo em relações privadas.

6 A ação de direito material e a Teoria do Fato Jurídico para a compreensão da autotutela

No âmbito do direito material, costuma-se estudar os conceitos de direito subjetivo e de pretensão. No âmbito do direito processual, contemporaneamente, estuda-se a ação (abstrata e condicionada, no sentido processual). Um conceito que deixou de ser observado pela doutrina é o de "ação de direito material", defendido no Brasil por autores como Pontes de Miranda e Ovídio Baptista da Silva. A "ação de direito material" se encontraria entre o direito material e o direito processual. Para compreendê-la, faz-se necessária uma recapitulação dos demais conceitos de acordo com essa teoria.[63]

O direito subjetivo é a expressão individual do direito objetivo. É certo que o direito objetivo antecede o direito subjetivo. A definição mais apropriada, de acordo com Ovídio Baptista da Silva, se relaciona com a ideia de que o direito subjetivo é "um status, uma categoria jurídica estática".[64] O elemento central da definição é o de que o direito subjetivo é um poder da vontade de seu titular, pois existe a sua faculdade de impor esse direito perante terceiros, bem como de exigir o seu reconhecimento pelos órgãos dotados de jurisdição, ou, ainda, renunciá-lo.[65] Marçal Justen Filho leciona que "a contrapartida do direito subjetivo é o dever jurídico ou a obrigação".[66]

Para Marçal Justen Filho, a pretensão consiste na "manifestação concreta de uma pessoa quanto a uma posição jurídica de que é titular, orientada a obter efetivamente uma prestação alheia ou a se opor à execução de uma prestação própria".[67] Para Baptista da Silva, a pretensão pode ser definida como "a faculdade de se poder exigir a satisfação do direito".[68] A definição de Baptista da Silva não se confunde com a qual Carnelutti defendia, de exigência da subordinação de interesse alheio ao interesse próprio.

A partir do momento em que o direito subjetivo (estático) se torna exigível, nasce a pretensão (dinâmica). Nos termos do art. 189 do CC: "Violado o direito, nasce para o titular a pretensão". A pretensão é o direito subjetivo potencializado. Quando o titular do direito exige o cumprimento do direito, está exercendo a pretensão. No entanto, não existe ação (de direito material) automaticamente a partir da pretensão.[69] A pretensão depende do cumprimento voluntário do obrigado, via de regra.

---

[63] Existem algumas diferenças conceituais entre a doutrina de Pontes de Miranda e Ovídio Baptista da Silva que não serão abordadas no presente artigo.

[64] SILVA, Ovídio Baptista da. Direito Subjetivo, pretensão de Direito Material e ação. *In*: MACHADO, Fábio Cardoso; AMARAL, Guilherme Rizzo (org.). *Polêmica sobre a ação*: a tutela jurisdicional na perspectiva das relações entre direito e processo. Porto Alegre: Livraria do Advogado, 2006. p. 16.

[65] SILVA. Direito Subjetivo, pretensão de Direito Material e ação, p. 15.

[66] JUSTEN FILHO, Marçal. *Introdução ao estudo do Direito*, p. 246.

[67] JUSTEN FILHO, Marçal. *Introdução ao estudo do Direito*, p. 249.

[68] SILVA. Direito Subjetivo, pretensão de Direito Material e ação, p. 17.

[69] "Se ainda é exigível a prestação, ou a satisfação do direito, sem já se ter ação, ainda há pretensão" (PONTES DE MIRANDA, Francisco Cavalcanti. *Tratado das ações*. Campinas: Bookseller, 1998. t. 1. p. 61).

A "ação de direito material" é "o agir do titular do direito para a realização, independentemente da vontade daquele".[70] A "ação de direito material", noutras palavras, é "o exercício do próprio direito por ato de seu titular, independentemente de qualquer atividade voluntária do obrigado".[71]

A autonomia científica do direito processual levou à doutrina a negar utilidade ao conceito de "ação de direito material", especialmente devido à vedação da autotutela e à absorção pelo Estado da resolução de conflitos. Além disto, a "ação de direito material", compreendida como o "agir para a satisfação independentemente de qualquer conduta do réu", parece se limitar às ações executivas e, no máximo, às mandamentais – não incluindo/explicando as ações declaratórias, constitutivas e condenatórias. Caso não houvesse o monopólio da jurisdição, supõe-se que inexistiria correspondente à declaração, à constituição ou à condenação.

O tema comporta maiores reflexões,[72] mas a utilidade que se vislumbra contemporaneamente diz respeito às novas reflexões sobre a autotutela. O agir próprio para satisfazer as pretensões em muito se aproxima da autotutela. E, repensando a autotutela, a ação de direito material auxilia a propor limites, momentos e parâmetros de sua utilização.

Além do conceito de "ação de direito material", a Teoria do Fato Jurídico é apta a desenhar os contornos do momento adequado da autotutela, quando autorizada. No âmbito do direito, existem os planos da existência, validade e eficácia.

O plano da existência se relaciona com o preenchimento, no mundo dos fatos, de elementos mínimos que sejam suficientes para corresponder ao núcleo de determinada norma jurídica.[73] O plano da validade, que pressupõe a existência, se relaciona com a real compatibilidade entre os fatos e elementos complementares da hipótese normativa.[74] O plano da eficácia, que pressupõe a existência (mas não a validade), é onde "os fatos jurídicos produzem os seus efeitos".[75]

Há situações em que, apesar da constituição da relação jurídica, o direito e a pretensão surgem sucessivamente – a exemplo do contrato de prestação futura – e a eficácia é sucessiva.[76][77] No grau máximo de eficácia, surge o direito da "ação de direito material", depois do inadimplemento. É nesse momento que surge a possibilidade de as partes se autotutelarem, quando cabível.

No caso das garantias reais, o que se verifica são direitos subjetivos travestidos de potestativos.[78] Também por esse motivo tendem a ser aceitos. Analisando sob o prisma da

---

70   SILVA. Direito Subjetivo, pretensão de Direito Material e ação, p. 19.

71   SILVA, Ovídio Baptista da. Direito Subjetivo, Pretensão de Direito Material e Ação..., p. 20.

72   Os debates foram registrados em: MACHADO, Fábio Cardoso; AMARAL, Guilherme Rizzo (org.). *Polêmica sobre a ação*: a tutela jurisdicional na perspectiva das relações entre direito e processo. Porto Alegre: Livraria do Advogado, 2006.

73   MELLO, Marcos Bernardes de. *Teoria do fato jurídico*: plano da existência. 21. ed. São Paulo: Saraiva, 2017. p. 161.

74   MELLO. *Teoria do fato jurídico*: plano da existência, p. 162.

75   MELLO. *Teoria do fato jurídico*: plano da existência, p. 163.

76   MELLO. *Teoria do fato jurídico*: plano da existência, Parte 1, p. 68.

77   Existem, assim, diferentes graus de eficácia. A percepção desse fenômeno foi extraída de parecer elaborado por Marçal Justen Filho.

78   A comparação foi feita em: HEITOR SICA. Live com Rodrigo Mazzei | Direito e Vinho – Autotutela e Carménère. [*S. l.*]: HEITOR SICA, 21 jul. 2020. 1 vídeo (1 h 5 min). Disponível em: https://youtube.com/watch?v=5qd2ySDnvYU. Acesso em: 29 jul. 2024.

Teoria do Fato Jurídico, e resgatando o "conceito de ação de direito material", constata-se que o grau de eficácia máximo no plano da eficácia é o que também, excepcionalmente, tem legitimado a potestatividade – respeitados os parâmetros "procedimentais" prévios e a garantia mínima de justa avaliação.

7 Conclusões

Diante do exposto, vislumbra-se uma tendência de incentivo a mecanismos extrajudiciais de resolução de conflitos. Com um olhar mais atento, percebe-se que nem tudo aquilo que é tratado como autotutela, de fato, representa autotutela. Conceitos importam. Inclusive na prática. Ao enquadrar erroneamente determinados mecanismos no suposto conceito – muitas vezes confuso – de autotutela, incorre-se no risco de deslegitimar mecanismos legítimos.

O fato é que os mecanismos devem existir para que funcionem, não para que sejam enquadrados unicamente em um conceito pré-existente. Por isso, pode-se separar a autotutela das "autotutelas à brasileira", que refletem uma ou outra característica da autotutela. Nessa linha de "autotutelas à brasileira", inclusive, constata-se uma valorização da processualização do direito material. Processualização essa que tende a auxiliar na legitimação dos mecanismos.

Quanto à autotutela em sentido estrito, conclui-se que não apenas a violência costuma ser vedada. Existem as exceções, em que a violência é autorizada, como na legítima defesa. O ordenamento jurídico brasileiro também rejeita a potestatividade para fins de avaliação do bem autotutelado, a exemplo da vedação ao pacto comissório. A margem para a autotutela, portanto, se torna menor.

Há limites legais e, mais do que isso, constitucionais, para a autotutela. Os novos estudos surgem visando a redescobrir, dentro dos permissivos do ordenamento jurídico, espaços em que as partes podem satisfazer as suas pretensões com maior efetividade – inclusive, em respeito ao art. 4º do CPC. O que se espera, afinal, é que a autotutela seja reinserida como – não como protagonista – uma das portas no sistema de Justiça Multiportas.

O art. 345 do CP autoriza a autotutela quando a lei permite. O permissivo legal não deve ser encarado restritivamente à expressa permissão legal. Diante de tantos exemplos de autotutela convencional admitida na lei, o art. 5º, *caput*, da CF; art. 3º, §2º e 3º e o art. 190 do CPC[79] servem de fundamento para que as partes – no exercício de sua liberdade contratual – definam previamente a autotutela como modo de solução de seus conflitos.

Apesar de encará-la como uma das portas desse sistema, sempre deverá haver espaço para revisão jurisdicional da autotutela. A diferença é que, seguindo a lógica das garantias reais, deixa de ser o credor que deve buscar o Poder Judiciário para exercer o seu direito. Passa a ser atribuída ao devedor a possibilidade de obstar judicialmente a excussão extrajudicial do crédito, tornando as relações jurídicas ainda mais dinâmicas.

---

[79] Como destacam Didier Junior e Fernandez (*Introdução à Justiça Multiportas*: sistema de solução de problemas jurídicos e o perfil do acesso à Justiça no Brasil, p. 228).

Referências

ALCALÁ-ZAMORA Y CASTILLO, Niceto. *Proceso, autocomposición y autodefensa*: contribución al estudio de los fines del proceso. 3. ed. Cidade do México: Universidad Autónoma de México, 2000.

ANDRADE, Cássio Cavalcanti. O princípio do devido processo legal: histórico, dimensões e eficácia horizontal. *Revista dos Tribunais*, São Paulo, v. 948, p. 77-113, out. 2014.

ANDRADE, Érico; GONÇALVES; Gláucio Maciel; MILAGRES; Marcelo de Oliveira. Autonomia privada e solução de conflitos fora do processo: autotutela executiva, novos cenários para a realização dos direitos? *Revista de Processo: RePro*, São Paulo, v. 322, p. 437-476, dez. 2021.

ARAGÃO, Egas Dirceu Moniz de. *Procedimento*: formalismo e burocracia. *Revista do TST*, Brasília, DF, v. 67, n. 1, jan./mar. 2001.

ARENHART, Sérgio Cruz. Tutela atípica de prestações pecuniárias. Por que ainda aceitar o "é ruim, mas eu gosto"? *Revista do Ministério Público do Estado do Rio de Janeiro*, Rio de Janeiro, n. 80, abr./jun. 2021.

AZEVEDO, Rafael Vieira de; ALBUQUERQUE JÚNIOR, Roberto Paulino de. Devido processo legal e relações privadas: limites e portas de entrada dos direitos fundamentais no direito privado. *Revista da Faculdade de Direito da UFMG*, Belo Horizonte, p. 373-390, jan./jun. 2021.

BARACHO, José Alfredo de Oliveira. *Processo e Constituição*: o devido processo legal. *Revista da Faculdade de Direito da UFMG*, Belo Horizonte, n. 23-25, 1982. Disponível em: https://revista.direito.ufmg.br/index.php/revista/article/view/907/850. Acesso 2:9 jul. 2024.

BRASIL. Decreto-Lei nº 2.848, de 7 de dezembro de 1940. Código Penal. *Diário Oficial da União*: Brasília, DF, 1940. Disponível em: https://www.planalto.gov.br/ccivil_03/decreto-lei/del2848compilado.htm. Acesso em: 29 jul. 2024.

BRASIL. Lei nº 10.406, de 10 de janeiro de 2002. Institui o Código Civil. *Diário Oficial da União*: Brasília, DF, 2002. https://www.planalto.gov.br/ccivil_03/leis/2002/l10406compilada.htm. Acesso em: 29 jul. 2024.

BRASIL. Superior Tribunal de Justiça (3. Turma). AgInt no REsp 1.630.139/MT. Relator: Min. Ricardo Villas Bôas, 4 de maio de 2017. *Dje*: Brasília, DF, 18 maio 2017.

CABRAL, Antônio do Passo. Da instrumentalidade à materialização do processo: as relações contemporâneas entre direito material e direito processual. *Civil Procedure Review*, [S. l.], v. 12, n. 2, maio/ago. 2021.

CAPPELLETTI, Mauro. Accesso alla giustizia come programma di riforma e come metodo di pensiero. *Rivista di Diritto Processuale*, Padova, v. 37, n. 2, 1982.

CASTRO, Jordi Delgado; VÉLEZ, Diego Palomo; DELGADO, Germán. Autotutela, solución adecuada del conflicto y repossession: revisión y propuesta. *Revista de Derecho – Universidad Católica del Norte*, [S. l.], año 24, n. 2, p. 265-289, 2017.

CJF. Enunciado 626. *CJF Enunciados*, Brasília, DF, [2024]. Disponível em: https://www.cjf.jus.br/enunciados/enunciado/1209#. Acesso em: 29 jul. 2024.

DIDIER JUNIOR, Fredie. *Curso de Direito Processual Civil*. 21. ed. Salvador, Juspodivm, 2019. t. 1.

DIDIER JUNIOR, Fredie; FERNANDEZ, Leandro. *Introdução à Justiça Multiportas*: sistema de solução de problemas jurídicos e o perfil do acesso à justiça no Brasil. Salvador: Juspodivm, 2024.

DINAMARCO, Cândido Rangel. *A nova era do processo civil*. São Paulo: Malheiros, 2003.

EID, Elie Pierre. A autotutela na Teoria geral do processo. *In*: YARSHELL, Flávio Luiz; ZUFELATO, Camilo (coord.). *50 anos da teoria geral do processo*: passado, presente e futuro. Londrina: Thoth, 2024. p. 247-264.

GRAMSTRUP, Erik Frederico. Alienação fiduciária em garantia. *In: DONNINI, Rogério; FERRIANI, Adriano; GRAMSTRUP, Erik. Enciclopédia jurídica da PUC-SP.* São Paulo: Editora da PUC-SP, 2024. t. Direito Civil. Disponível em: https://enciclopediajuridica.pucsp.br/verbete/471/edicao-1/alienacao-fiduciaria-em-garantia. Acesso em: 29 jul. 2024.

GRECO, Leonardo. *Instituições de processo civil*: introdução ao Direito Processual Civil. 5. ed. Rio de Janeiro: Forense, 2015. v. 1.

GRINOVER, Ada Pellegrini. O minissistema brasileiro de justiça consensual: compatibilidades e incompatibilidades. *Publicações da Escola Superior da AGU*, Brasília, DF, v. 8, p. 15-36, jan./mar. 2016.

GUANDALINI JÚNIOR, Walter. O "Árbitro" na Antiguidade: releitura crítica de uma história da arbitragem. *História do Direito: RHD*, Curitiba, v.2, n.2, p. 11-40, jan./jun. 2021.

GUERRA FILHO, Willis Santiago. Breves notas sobre os modos de solução dos conflitos. *Revista de Processo: RePro*, São Paulo, v. 42, p. 271-278, abr./jun. 1986.

HEITOR SICA. Live com Rodrigo Mazzei. Direito e Vinho – Autotutela e Carménère. [*S. l.*]: HEITOR SICA, 21 jul. 2020. 1 vídeo (1 h 5 min). Disponível em: https://youtube.com/watch?v=5qd2ySDnvYU. Acesso em: 29 jul. 2024.

HILL, Flávia Pereira. Desjudicialização e acesso à justiça além dos tribunais: pela concepção de um devido processo legal extrajudicial. *Revista Eletrônica de Direito Processual – REDP*, Rio de Janeiro, ano 15, v. 22, p. 379-408, jan./abr. 2021

JUSTEN FILHO, Marçal. *Curso de Direito Administrativo*. 15. ed. Rio de Janeiro: Forense, 2024.

JUSTEN FILHO, Marçal. *Introdução ao estudo do Direito*. 2. ed. São Paulo: Forense, 2021.

JUSTEN FILHO, Marçal. O Direito Administrativo de espetáculo. *Fórum Administrativo – Direito Público*, Belo Horizonte, ano 9, n. 100, p. 144-154, jun. 2009.

JUSTEN FILHO, Marçal. *O Direito das agências reguladoras independentes*. São Paulo: Dialética, 2022.

JUSTEN FILHO, Marçal. *Teoria geral das concessões de serviço público*. São Paulo: Dialética, 2003.

LÔBO, Paulo. *Direito Civil*: coisas. 4. ed. São Paulo: Saraiva Educação, 2019. v. 4.

MACHADO, Fábio Cardoso; AMARAL, Guilherme Rizzo (org.). *Polêmica sobre a ação*: a tutela jurisdicional na perspectiva das relações entre direito e processo. Porto Alegre: Livraria do Advogado, 2006.

MELLO, Marcos Bernardes de. *Teoria do fato jurídico*: plano da eficácia. 10. ed. São Paulo: Saraiva, 2015.

MELLO, Marcos Bernardes de. *Teoria do fato jurídico*: plano da existência. 21. ed. São Paulo: Saraiva, 2017.

MENDES, Gilmar Ferreira; BRANCO, Paulo Gustavo Gonet. *Curso de Direito Constitucional*. 12. ed. rev. e atual. São Paulo: Saraiva, 2017.

PONTES DE MIRANDA, Francisco Cavalcanti. *Tratado das ações*. Campinas: Bookseller, 1998. t. 1.

NERY JUNIOR, Nelson; NERY; Rosa Maria de Andrade. *Código Civil comentado*. 11. ed. São Paulo: Revista dos Tribunais, 2014.

NUNES, Dierle; VIANA, Aurélio; PAOLINELLI, Camilla Mattos. Autotutela e a incorporação da moeda digital Drex no Brasil. *Conjur*, São Paulo, 20 set. 2023. Disponível em: https://www.conjur.com.br/2023-set-20/artx-opiniao-autotutela-incorporacao-moeda-digital-drex-brasil/#_ftn14. Acesso em: 29 jul. 2024.

RODRIGUES, Roberto de Aragão Ribeiro. *Justiça Multiportas e advocacia pública*. Rio de Janeiro: GZ, 2021.

SALLES, Raquel Bellini. *Autotutela nas relações contratuais*. Rio de Janeiro: Editora Processo, 2019.

SÃO PAULO. Tribunal de Justiça do Estado (35. CDP). AC 1066358-28.2017.8.26.0000. Relator: Des. Gilberto Leme, 1 de outubro de 2018. *DJTSP*: Poder Judiciário, 9 out. 2018.

SILVA, Ovídio Baptista da. Direito Subjetivo, pretensão de Direito Material e ação. *In*: MACHADO, Fábio Cardoso; AMARAL, Guilherme Rizzo (org.). *Polêmica sobre a ação*: a tutela jurisdicional na perspectiva das relações entre direito e processo. Porto Alegre: Livraria do Advogado, 2006.

SILVA, Ricardo Alexandre da. *Comentários ao Código de Processo Civil*: art. 539 ao 673. São Paulo: Thomson Reuters Brasil, 2021.

TALAMINI, Eduardo. Adjudicação compulsória extrajudicial: pressupostos, natureza e limites. *Revista de Processo: RePro*, São Paulo, v. 336, p. 319-339, fev. 2023.

TALAMINI, Eduardo. *Tutela relativa aos deveres de fazer e de não fazer*: CPC, art. 461; CDC, art. 84. São Paulo: Revista dos Tribunais, 2001.

TALAMINI, Eduardo; CARDOSO, André Guskow. *Smart contracts*, "autotutela" e tutela jurisdicional. *In*: BELLIZZE, Marco Aurélio e outros (coord.). *Execução civil*: novas tendências. Indaiatuba: Foco, 2022.

WAMBIER, Luiz Rodrigues; TALAMINI, Eduardo. *Curso avançado de processo civil*. 19. ed. São Paulo: Thomson Reuters Brasil, 2022.

WAMBIER, Luiz Rodrigues; TALAMINI, Eduardo. *Curso avançado de processo civil*. 21. ed. São Paulo: Thomson Reuters Brasil, 2022. v. 1.

Informação bibliográfica deste texto, conforme a NBR 6023:2018 da Associação Brasileira de Normas Técnicas (ABNT):

ROCHA NETO, Edson Francisco. Autotutela e "autotutelas" à brasileira. *In*: JUSTEN, Monica Spezia; PEREIRA, Cesar; JUSTEN NETO, Marçal; JUSTEN, Lucas Spezia (coord.). *Uma visão humanista do Direito*: homenagem ao Professor Marçal Justen Filho. Belo Horizonte: Fórum, 2025. v. 3, p. 735-754. ISBN 978-65-5518-915-5.

CONVENÇÃO ARBITRAL COMO NEGÓCIO JURÍDICO PROCESSUAL: ARBITRABILIDADE OBJETIVA E "DIREITO PATRIMONIAL DISPONÍVEL"

EDUARDO TALAMINI

1 Viva Marçal Justen Filho!

É paradoxal. Eu vou dizer neste texto que tudo que escrevo, desde sempre, é escrito pensando em qual seria a avaliação do Marçal. E começo fazendo algo que ele reprovaria rotundamente. O Marçal jamais admitiria uma homenagem desbragada. E também jamais começaria um texto assim. Mas ele merece – e eu assumo o risco.

No curso do texto, eu indicarei algumas vezes pontos de pertinência temática entre meu ensaio e a produção científica do Marçal. Mas isso seria desnecessário. A relação entre o que eu escrevo e o Marçal vai muito além da pertinência temática. Como disse no parágrafo anterior, escrevo sempre supondo o crivo crítico dele. Obviamente, ele não perderá tempo lendo textos sobre o fundamento constitucional do agravo interno ou os limites às medidas executivas atípicas. Mas ele é minha baliza ideal. Quando o Tom Jobim morreu, o Chico Buarque disse que tudo o que ele compunha era feito pensando no Tom: será que o Tom gostaria? O Marçal é o Tom do direito. É o Villa-Lobos do direito. Eu evidentemente jamais serei o Chico (nem mesmo o Science, que já me estaria de bom tamanho). Mas em 1994, quando ouvi essa declaração do Chico, eu me identifiquei totalmente. Passados trinta anos, eu ainda me identifico. Escrevo pensando: o que o Marçal acharia?

O Marçal foi meu professor no primeiro ano da Faculdade de Direito da Universidade Federal do Paraná. Devo a ele a permanência no curso, que naquele início, de resto, era frustrante. Dois anos depois, ele me aceitou como estagiário em seu escritório. E lá estou até hoje. Um ambiente saudável, em que as pessoas se respeitam – algo raro, segundo as estatísticas da OIT. E o Marçal foi fundamental para isso. Deu o exemplo do respeito, da empatia, que os demais geralmente tiveram o bom-senso de assimilar.

Paro por aqui. Claro, eu ainda poderia falar sobre o quanto o Marçal é um dos maiores juristas do Brasil e tudo mais. Mas eu já disse que ele é o Tom Jobim do direito. É o que basta.

2 Introdução

A partir da regra do art. 190 do Código de Processo Civil (CPC) de 2015, assistiu-se à ampla aceitação da categoria do negócio jurídico processual no ordenamento brasileiro. Trata-se de ajuste entre os sujeitos de direito, fundado na autonomia da vontade, destinado a alterar direitos, ônus, poderes e deveres processuais. Doutrinadores que não reconheciam a validade dogmática do negócio processual passaram a aceitá-lo.[1]

O art. 190, portanto, foi crucial para que isso acontecesse. O dispositivo prevê a possibilidade de convenções processuais atípicas – que vão além daquelas já classicamente admitidas entre nós: eleição de foro, redistribuição do ônus da prova, suspensão do processo...

O cavalo de batalha para a aceitação de uma regra geral de admissão dos negócios processuais atípicos foi a convenção de arbitragem. Como escrevi em outra oportunidade, a arbitragem foi a fonte de inspiração – ou fator de incentivo – para o legislador instituir essa possibilidade de ampla formatação voluntária do processo judicial. O raciocínio subjacente à cláusula geral de negócios jurídicos processuais estabelecida no art. 190 é o seguinte: se as partes podem até mesmo retirar do Judiciário a solução de um conflito, atribuindo-a a um juiz privado em um processo delineado pela vontade delas, não há por que as impedir de optar por manter a solução do conflito perante o juiz estatal, mas em um procedimento e (ou) processo também por elas redesenhado.[2]

E os negócios processuais rapidamente se firmaram entre nós. Há sólida bibliografia –[3] e, já se pode arriscar a dizer, alguma prática do instituto.

Mas paradoxalmente, os problemas da arbitragem não costumam ser enfrentados sob a perspectiva do negócio processual. A convenção arbitral foi, em todo o discurso de afirmação da categoria, o negócio processual por excelência. Mas as grandes questões da arbitragem – e mesmo especificamente da convenção arbitral – não são usualmente examinadas sob essa perspectiva.[4]

---

[1] Nesse sentido, ver, por exemplo: Cândido Dinamarco (*Instituições de Direito Processual Civil*. 6. ed. São Paulo: Malheiros, 2006. v. 2, n. 637, p. 481-485), que originalmente negava a categoria dos negócios processuais, e passou a aceitá-la, "diante de dois dispositivos de expressiva relevância metodológica no vigente Código de Processo Civil", em alusão aos arts. 190 e 191 (DINAMARCO, Cândido. *Instituições de Direito Processual Civil*. 7. ed. São Paulo: Malheiros, 2017. v. 2, n. 748, p. 552-553).

[2] TALAMINI, Eduardo. Um processo pra chamar de seu: os negócios jurídicos processuais e a delimitação consensual das questões controvertidas e das provas. *Migalhas*, São Paulo, n. 2, p. 2-3, 21 out. 2015. Disponível em https://www.migalhas.com.br/arquivos/2020/6/2CCA2C38C91F32_Eduardo-umprocesso-pra-chamar.pdf. Acesso em: 19 nov. 2024. Quanto ao papel que teve a arbitragem na argumentação retórica da legitimação dos negócios processuais atípicos, ver, entre outros: APRIGLIANO, Dotti e Martins (org.). *Código de Processo Civil anotado*. Rio de Janeiro: GZ, 2016. n. I, p. 290; AMARAL, Paulo Osternack. Negócio processual e arbitragem. *In:* CAMPOS MELO, Leonardo de; BENEDUZI, Renato Resende. *A reforma da arbitragem*. Rio de Janeiro, Forense, 2016. n. 2.3, p. 271; CAIS, Fernando da Silva. Comentário ao art. 190. *In:* TUCCI, Ferreira Filho.

[3] Cito exemplificativamente as duas obras pioneiras: CABRAL, Antonio do Passo. *Convenções processuais*. Salvador, Juspodivm, 2016; NOGUEIRA, Pedro Henrique. *Negócios jurídicos processuais*. 2. ed. Salvador: Juspodivm, 2017 e a coletânea por ambos coordenada: NOGUEIRA, Pedro Henrique; CABRAL, Antonio do Passo (coord.). *Negócios processuais*. Salvador: Juspodivm, 2015. v. 1.

[4] Nesse ponto também Marçal Justen Filho (Administração Pública e arbitragem: o vínculo com a Câmara de Arbitragem e os árbitros. *Revista Brasileira da Advocacia*, São Paulo, v. 1, *passim*, 2016) é notável exceção. Ao examinar o tema da seleção de câmara arbitral e de árbitros pela Administração Pública, ele toma em conta o plexo de atos negociais subjacentes a tais escolhas – os quais, embora não se identifiquem com a convenção arbitral, integram com ela a mesma relação dinâmica e complexa.

Em larga medida, essa postura deve-se ao pudor de se tratar a arbitragem como um negócio, uma convenção – para exagerar retoricamente –, como um contrato. Especialmente no Brasil, a ampla aceitação da arbitragem fundou-se sobretudo na afirmação do seu caráter jurisdicional.[5] E isso parece constranger a abordagem sob a perspectiva negocial, convencional. A tradicional disputa "arbitragem como jurisdição *versus* arbitragem como contrato" sugere solução na base do tudo ou nada: se a arbitragem é jurisdição, não é convenção.

Primeiro, não há excludência. O reconhecimento de que o conteúdo da atividade desenvolvida pelos árbitros é jurisdicional ou o exato equivalente disso não é incompatível com a constatação de sua origem negocial.[6] De resto, a legitimação constitucional da arbitragem não provém de sua jurisdicionalidade, e, sim, de sua origem na autonomia da vontade, na liberdade.[7] Imponha-se a arbitragem como obrigatória, e não uma livre escolha das partes, que desaparece sua constitucionalidade – de nada servindo, então, afirmar-lhe caráter jurisdicional.

Como os demais temas arbitrais, os pressupostos de admissibilidade da convenção de arbitragem também não têm sido examinados sob a perspectiva do negócio jurídico processual. Alude-se a arbitrabilidade objetiva e subjetiva, mas não se considera o óbvio: arbitrabilidade é o pressuposto de admissibilidade do *negócio processual* de arbitragem.

Proponho-me neste texto a demonstrar que essa é a perspectiva adequada para o tema da arbitrabilidade. Com base nela, pretendo identificar os limites dos pressupostos objetivos da convenção de arbitragem extraíveis do art. 1º da Lei de Arbitragem (Lei nº 9.307/1996), que alude a "litígios relativos a direitos patrimoniais disponíveis".

O tema é de especial importância para a definição dos limites em que são arbitráveis os conflitos que envolvem a Administração Pública. Frequentemente, a "indisponibilidade dos bens públicos" ou a própria "indisponibilidade do interesse público" são invocadas como óbices à arbitrabilidade dos litígios dos entes administrativos. No passado, houve quem defendesse a absoluta incompatibilidade entre a arbitragem e a Administração Pública.[8] A recusa total ficou superada na jurisprudência e doutrina[9] e é

---

[5] Nesse sentido, ver desde a tese de Carlos Alberto Carmona (*A arbitragem no processo civil brasileiro*. São Paulo: Malheiros, 1993. p. 33 e ss.), inaugural do moderno estudo da arbitragem na doutrina processual brasileira e clara referência da Lei nº 9.307/1996 até o recente *Introdução à jurisdição multiportas*, de Fredie Didier Junior e Leandro Fernandez (Salvador: Juspodivm, 2024. cap. 13, n. 1, p. 377-378) – passando pela fundamentação invocada pelo STJ para justificar o cabimento do incidente de conflito de competência entre juiz estatal e árbitro ("A atividade desenvolvida no âmbito da arbitragem possui natureza jurisdicional, o que torna possível a existência de conflito de competência entre os juízos estatal e arbitral, cabendo ao Superior Tribunal de Justiça – STJ o seu julgamento" (STJ, *Jurisprudência em teses*, edição 122, Tese nº 9).

[6] Como já destacou o homenageado: "As duas questões são muito diversas. A natureza jurídica da convenção de arbitragem não se confunde com a natureza jurídica da própria arbitragem. Basta considerar os sujeitos que integram as duas relações jurídicas. A convenção de arbitragem é pactuada entre as partes. Os árbitros não são partes na convenção de arbitragem, ainda que se vinculem à arbitragem" (JUSTEN FILHO. Administração Pública e arbitragem: o vínculo com a Câmara de Arbitragem e os árbitros, n. 4.1.1, p. 111).

[7] "A arbitragem é expressão da própria liberdade: liberdade individual; liberdade de empresa; autonomia dos entes institucionais. A noção fundamental é a de que o Estado, quando atribui direitos e garantias aos jurisdicionados não lhes está impondo condutas obrigatórias. Garante-se aos cidadãos o acesso à jurisdição estatal. Mas isso não significa obrigá-los a levar a jurisdição todos os conflitos em que se envolvam" (TALAMINI, Eduardo. *Direito Processual concretizado*. Belo Horizonte: Fórum, 2010. cap. 10, n. 5, p. 329).

[8] Era esse, por exemplo, o posicionamento de Celso Antônio Bandeira de Mello (*Curso de Direito Administrativo*. 31. ed. São Paulo: Malheiros, 2014. cap. 11, n. 21, p. 734).

[9] Veja-se o amplo panorama que apresentei em: A (in)disponibilidade do interesse público: consequências processuais – versão atualizada para o CPC/2015. *Revista de Processo: RePro*, São Paulo, v. 264, n. 10.4, p. 100-102, 2017.

desautorizada por sucessivos textos legislativos.[10] Mas mesmo então a "indisponibilidade dos bens" e "do interesse público" continua a ser com frequência aduzida para justificar severos limites ao emprego da arbitragem: não seriam arbitráveis as disputas em que se discutissem "poderes exorbitantes" da Administração Pública, em que estivessem em jogo competências administrativas discricionárias, em que se questionasse a aplicação de sanções administrativas – e por aí afora.[11] Esses argumentos serão aqui também enfrentados.

De todo modo, os parâmetros da arbitrabilidade objetiva aqui destacados têm serventia que vai muito além dos conflitos envolvendo entes administrativos. Pontualmente, outros exemplos serão considerados.

3 Disponibilidade das pretensões

Não é apenas o art. 1º da Lei nº 9.307/1996 que se refere a "direito patrimonial disponível" como parâmetro da admissibilidade da arbitragem. Outras disposições normativas contêm a mesma referência –[12] além daquelas que remetem à Lei nº 9.307/1996.[13] Mesmo o Código Civil (CC), cujo atual art. 852 não alude a tal critério, é objeto de proposta de reforma que contempla a alteração desse dispositivo, para que dele passe a constar a disponibilidade do direito.

De resto, a questão da disponibilidade põe-se mesmo para arbitragens submetidas a leis especiais que autorizam o emprego desse meio sem estabelecer nenhuma condição ou limite expressos – como é o caso, por exemplo, da Lei do Petróleo (art. 43, X) e da Lei do Pré-Sal (art. 29, XVIII). Mesmo aí cabe investigar em que medida a "indisponibilidade do interesse público" ou "dos bens públicos" seria uma imposição constitucional que limitaria o emprego da arbitragem envolvendo entes da Administração Pública – de modo a conformar a interpretação do dispositivo legal.[14]

3.1 Pretensões, e não "direitos"

De plano, pode-se dizer que os dispositivos que aludem a *direitos patrimoniais disponíveis* como pressuposto de admissão da arbitragem não comportam interpretação literal.

A efetiva existência de um direito material não é questão que possa colocar-se como pressuposto da *admissibilidade* de um meio de tutela. Definir se um direito material

---

[10] Entre outros: Lei de Arbitragem, art. 1º, p. 1º (incluído pela Lei nº 13.129/2015); Lei do Petróleo (Lei nº 9.478/1997), art. 43, X; Lei das Parcerias Público-Privadas (Lei nº 11.079/2004), art. 11, III; Lei das Concessões (Lei nº 8.987/1995), art. 23-A (incluído pela Lei nº 11.196/2005); Lei do Pré-Sal (Lei nº 12.351/2010), art. 29, XVIII; Lei dos Portos (Lei nº 12.815/2013), art. 62, §1º; Lei nº 13.448/2017, art. 31; Lei das Licitações e Contratos Administrativos (Lei nº 14.133/2021), art. 151.

[11] Exemplo nesse sentido se tem na decisão proferida em primeiro grau de jurisdição no caso "ANP x Petrobrás – Campos de Lula e Cernambi" (TRF-2 Região, Ação Anulatória nº 0005966-81.2014.4.02.5101, julgada em 13 de maio de 2015).

[12] Por exemplo, Lei nº 14.133/2021, art. 151, p. ún.; Lei nº 13.448/2017, art. 31.

[13] Assim Lei nº 11.079/2004, art. 11, III; Lei nº 8.987/1995, art. 23-A; Lei nº 12.815/2013, art. 62, §1º.

[14] Como pretendeu, por exemplo, a decisão citada na nota 11 deste artigo.

existe é tarefa do pronunciamento final de mérito, quando superado positivamente o juízo de admissibilidade. Eventualmente – e ainda que admitida a via de tutela – no juízo de mérito pode-se concluir que não há direito material algum. Basta pensar na sentença de improcedência. Nem se diga que, nessa hipótese, o direito material seria do demandado. Essa assertiva pressupõe indevidamente que as ações sejam sempre dúplices – o que não corresponde à realidade. Se o demandante promove pedido reivindicatório de imóvel, a sentença de improcedência não constitui declaração de que o imóvel pertence ao demandado.[15] Ela simplesmente nega o direito ao reconhecimento da propriedade do autor da demanda. Logo, nesse caso, não há direito material algum. O que sempre houve foi uma *pretensão* ao reconhecimento da propriedade. Mais do que isso: uma demanda pode inclusive ter por finalidade o reconhecimento da inexistência de um direito (ação declaratória negativa). Nesse caso, o próprio julgamento de procedência conterá a afirmação da inexistência de direito material. A via de tutela, seja ela judicial ou privada (como a arbitragem), é *autônoma* e *abstrata*. Os seus pressupostos de admissibilidade independem da existência de um direito material. Tomam em conta simples *pretensões*.

Não se ignora que as pretensões possam ser qualificadas pelas características imputáveis ao hipotético direito pretendido. Daí se aludir a "pretensões reais", "pretensões pecuniárias", "pretensões patrimoniais" etc. Diante disso, alguém poderia sustentar que "direitos patrimoniais disponíveis", nos dispositivos legais em discurso, teria o sentido de "pretensões ao reconhecimento de direitos patrimoniais disponíveis". No curso deste texto, vai se procurar demonstrar porque essa interpretação não é correta. Por ora, o que se pretende destacar é apenas que o art. 1º da Lei de Arbitragem (e todos os outros que se valem da mesma fórmula) não comporta, de qualquer modo, interpretação literal.[16]

3.2 A multiplicidade dos significados de "(in)disponibilidade"

O tema exige algumas distinções fundamentais.[17] A categoria dos *direitos (in) disponíveis*, como parâmetro de cabimento da arbitragem, corre o risco de tornar-se um

---

[15] Ressalvada a óbvia hipótese de o demandado haver formulado reconvenção (isto é, *uma demanda própria*) e essa ter sido acolhida no mérito.

[16] Daí por que não procede a crítica que me dirigiu João Pedro Accioly, em alentado ensaio (Arbitrabilidade objetiva dos conflitos com a Administração Pública. *Revista Brasileira de Arbitragem*, São Paulo, v. 65, 2020, n. I.2.1.4, p. 19-20). Segundo ele, a formulação que proponho, de *pretensão de tutela judicial disponível*, "não guardaria aderência" com o texto legal, que aludiu a *direitos disponíveis* e não *pretensões*. Com a devia vênia, qualquer formulação que não retroceda à concepção imanentista de ação (que confundia ação e direito material) não poderá seriamente preservar a literalidade do art. 1º da Lei de Arbitragem e de dispositivos congêneres.

[17] O signatário propôs-se a estabelecê-las em oportunidades anteriores no artigo "Cabimento de arbitragem envolvendo sociedade de economia mista dedicada à distribuição de gás canalizado", publicado na *Revista Brasileira de Arbitragem*, São Paulo, v. 4, 2004; *Revista de Processo: RePro*, São Paulo, v. 119, 2005; *Revista de Arbitragem e Mediação*, São Paulo, v. 5, 2005 e no livro *Direito Processual concretizado*. Belo Horizonte: Fórum, 2010; e, com o título "Sociedade de economia mista. Distribuição de gás. Disponibilidade de direitos. Especificidades técnicas do objeto litigioso. Boa-fé e moralidade administrativa (*Revista de Arbitragem e Mediação*, São Paulo, v. 5, 2005; "Arbitragem e Parceria Público-Privada (PPP)". *In*: TALAMINI, Eduardo; JUSTEN, Monica S. (coord.). *Parcerias público-privadas*: análise crítica da Lei 11.079/2004. São Paulo: Revista dos Tribunais, 2005; "A (in)disponibilidade do interesse público: decorrências processuais, publicado em *Revista de Processo: RePro*, São Paulo, v. 128, 2005 e no livro *Curso de Direito Administrativo. In*: HARGER, Marcelo (coord.). Rio de Janeiro: Forense, 2007; em "A (in)disponibilidade do interesse público: consequências processuais – versão atualizada para o CPC/2015" (já citado); "Arbitragem e empresas estatais". *Interesse Público – IP*, Belo Horizonte, v. 105, 2017, em cooperação com Diego Franzoni; "Arbitragem e Administração Pública no direito brasileiro", na *Revista Brasileira da Advocacia*, São Paulo, v. 9, 2018. Parte das considerações a seguir formuladas é extraída desses textos.

"fundamento óbvio". A expressão, tomada de empréstimo de Alfredo Becker, presta-se a designar premissas que, por sua aparente obviedade, acabam ficando isentas de qualquer exame da sua correção ou da exata identificação de seu conteúdo – e que, bem por isso, acabam por autorizar as mais disparatadas conclusões.[18]

Os riscos do discurso da "indisponibilidade" são ainda maiores porque normalmente esse é atributo vinculado ao "interesse público" – conceito igualmente indeterminado e que já se prestou aos mais diversos usos e distorções.[19]

A expressão "direito (in)disponível" comporta, entre vários,[20] dois significados relevantes e inconfundíveis. Aliás, mais do que uma simples diferença de acepções, o objeto sobre o qual recai o atributo da "(in)disponibilidade" é diverso em um caso e outro.

3.3 "Indisponibilidade" como impossibilidade de abdicação do direito material

Em um primeiro sentido, a "indisponibilidade" retrata a pura e simples impossibilidade de renúncia ou outra modalidade de livre disposição de determinado direito material. Nessa acepção, afirma-se que o direito é "indisponível" quando o seu titular não puder abdicá-lo como e quando bem entender. Não pode dispor negocialmente sobre ele.

3.3.1 O princípio da disponibilidade dos direitos patrimoniais privados

No âmbito das relações patrimoniais privadas, em regra, os direitos materiais são disponíveis. Assim, e em princípio, o particular pode dar a um bem de sua propriedade o destino que melhor lhe aprouver. Pode doá-lo. Pode até mesmo destruí-lo – respeitadas as normas de segurança e salubridade públicas. Enfim, pode simplesmente abrir mão do direito que tem sobre tal bem, independentemente de qualquer contrapartida.

Não se ignora haver, na ordem jurídica contemporânea, marcante funcionalização da propriedade privada (CF, arts. 5º, XXIII; 170, III; 182, §2º; 184; 185, p. ún.) – que repercutirá sobre a disponibilidade desse direito, limitando-a em alguma medida (por exemplo, considerem-se os parâmetros impostos pelo art. 186 da CF ao uso da propriedade rural). De qualquer modo, permanece o elemento nuclear da disponibilidade, que permite, em seu ponto extremo, *a própria renúncia ao direito*. Dispor de um direito obviamente não significa apenas abdicar desse direito, abrangendo também todo um plexo de disposições eventualmente inseridas em relações comutativas, em que a abdicação de determinada posição jurídica pressupõe contrapartidas.[21] Mas em sua plenitude a disponibilidade do direito abrange necessariamente a possibilidade de se renunciar a ele.

---

[18] BECKER, Alfredo A. *Teoria geral do Direito Tributário*. 3. ed. São Paulo: Lejus, 1998. n. 3, p. 11.

[19] O que tem sido denunciado por Marçal Justen Filho desde seu célebre ensaio "O conceito de interesse público e a 'personalização' do direito administrativo" (*Revista Trimestral de Direito Público*, São Paulo, v. 26, 1999. p. 115-136).

[20] Sobre o caráter polissêmico do termo "(in)disponibilidade", veja-se: OLIVERO, Luciano. *L'indisponibilità dei Diritti*: analisi di una categoria. Torino: Giappichelli, 2008. n. 1.1, p. 17 e ss.

[21] JUSTEN FILHO, Marçal. A indisponibilidade do interesse público e a disponibilidade dos direitos subjetivos da Administração Pública. *Cadernos Jurídicos da Escola Paulista de Magistratura*, São Paulo, v. 58, n. 6.4, p. 90, 2021.

3.3.2 A indisponibilidade dos bens públicos

O poder público, por sua vez, titulariza posições jurídicas que são em grande medida "indisponíveis", na acepção ora destacada. Isso é decorrência direta do princípio constitucional republicano: se os bens públicos pertencem a todos e a cada um dos cidadãos, a nenhum agente público é dado desfazer-se deles a seu bel-prazer, como se estivesse dispondo de um bem particular seu. Mais ainda: existem valores, atividades, bens públicos que são inalienáveis em qualquer hipótese. Então, no que tange ao núcleo fundamental das tarefas, funções e bens essencialmente públicos, não há espaço para atos de disposição.

A indisponibilidade dos bens públicos, mesmo na acepção ora destacada, comporta gradações. Há atividades e bens que, em vista de sua absoluta essência pública, não podem ser abdicados em hipótese nenhuma (por exemplo, não se concebe que o Poder Público possa renunciar ao seu poder de legislar ou à sua titularidade do poder de polícia nem mesmo mediante contrapartida). Já em outros casos, embora o bem jurídico seja indisponível, outros valores constitucionais justificam que, observadas determinadas condições, o Estado renuncie a determinadas decorrências ou derivações desse bem "indisponível". Assim, a potestade tributária é indisponível, mas é possível lei autorizando a remissão, a anistia, do crédito fiscal. Na mesma linha, há na esfera federal autorizações legais bastante amplas e genéricas para a realização de acordos processuais, inclusive com renúncia a direitos (Lei nº 9.469/1997, art. 1º; Lei nº 10.259/2001, art. 3º c/c art. 10). De resto, e uma vez observado o devido processo administrativo e a devida contrapartida remuneratória, inúmeros bens jurídicos da Administração são suscetíveis de disposição contratual (o instituto do contrato administrativo tem sede constitucional: art. 37, XXI, CF – além das diversas disposições constitucionais que aludem ao contrato administrativo de concessão).

De qualquer modo, é desnecessário aqui qualquer aprofundamento da questão, porque, como se verá adiante, não é a "indisponibilidade" em tal acepção o parâmetro para cabimento da arbitragem.

3.4 "Indisponibilidade" como impossibilidade de submissão espontânea à razão alheia

Em uma segunda acepção, "indisponibilidade" consiste na impossibilidade de o sujeito, constatando que não detém razão em determinado conflito, curvar-se à pretensão alheia que é fundada, procedente. Vale dizer, proíbe-se o próprio reconhecimento espontâneo e extrajudicial de que não se tem razão e impõe-se como necessário e imprescindível o concurso da jurisdição estatal: apenas a essa caberá dizer quem tem razão.

Essa situação pode ser melhor designada como "necessariedade da intervenção judicial".

3.4.1 Excepcionalidade da hipótese

São excepcionais as situações de direito material para as quais o processo judicial é verdadeiramente indispensável.

O exemplo normalmente lembrado é o da persecução penal. Vigoram o princípio da necessariedade do processo penal e da indisponibilidade da defesa técnica. Por mais que o acusado esteja convencido de que é culpado e deve ser punido, é indispensável um processo judicial para tanto. Ainda que o acusado não queira defender-se, ser-lhe-á providenciado um defensor (indisponibilidade da defesa técnica). Nesses casos, não há como solucionar-se a lide, senão com a intervenção do juiz estatal. É a isso que se referem os processualistas penais quando aludem à "indisponibilidade da liberdade no processo penal". Como escreve Aury Lopes Júnior: "Não é possível a aplicação da reprovação sem o prévio processo, nem mesmo no caso de consentimento do acusado, pois ele não pode se submeter voluntariamente à pena, senão por meio de um ato judicial (*nulla poena sine iudicio*)."[22]

No âmbito civil, são raras as hipóteses em que isso ocorre. Como exemplos, podem ser citadas determinadas situações que envolvem o estado das pessoas, tais como a desconstituição de relação de filiação e a interdição; a falência e a insolvência. É o que se passa também com o regime sancionatório da improbidade administrativa (Lei nº 8.249/1992)[23] e com a decretação de invalidade de registros públicos (Lei nº 6.017/1973, art. 214, §1º; art. 216).

Nesses casos, a ação judicial é necessária; o processo judicial é indispensável. Não basta a própria parte reconhecer que não tem razão, que deve, que é culpada... Apenas uma sentença judicial poderá produzir o resultado devido.

Mas trata-se de circunstância excepcional. A *garantia* de acesso ao Judiciário não pode ser transformada em *obrigatoriedade* de acesso. Vigora, nesse sentido, o princípio geral da disponibilidade. Como escreveu Roberto Bacellar, "o Poder Judiciário" deve ser compreendido como "órgão oficial *disponível*": "(...) as pessoas sempre puderam resolver seus conflitos pessoalmente, por meios consensuais extrajudiciais e até com a eleição de terceiro não integrante dos quadros da magistratura".[24]

3.4.2 Sua não incidência, em regra, nas relações de direito público

A "indisponibilidade" – nesse segundo sentido, de necessariedade da intervenção judicial – é excepcional mesmo no âmbito do direito público. Os entes da Fazenda Pública podem e devem resolver seus conflitos com terceiros sem ter de recorrer ao Judiciário.

Os mesmos vetores constitucionais que ao Poder Público impõem o princípio da "indisponibilidade", na primeira acepção indicada (irrenunciabilidade de um direito existente), igualmente lhe impõem o dever geral de resolver seus conflitos extrajudicialmente. Vale dizer, também para a Administração Pública a regra é a "disponibilidade", no segundo sentido aqui exposto (possibilidade de solução de conflitos sem a intervenção do juiz estatal).

---

[22] LOPES JÚNIOR, Aury. *Direito Processual Penal*. 9. ed. São Paulo: Saraiva, 2012. cap. 1, n. 6, p. 7.

[23] "Quando se pretende a caracterização de ato de improbidade previsto nos artigos 9º, 10 e 11 da Lei n. 8.429 e se pretende a aplicação das penalidades ali previstas além da demissão, a investigação deve ser judicial" (STJ, MS 15.054, v.m. [v.u., quanto ao ponto], Relator p/ acórdão Min. Gilson Dipp, julgado em 25 de maio de 2011, *Dje* 19 dez. 2011).

[24] BACELLAR, Roberto. *Mediação e arbitragem*. 2. ed. São Paulo: Saraiva, 2016. cap. 3, n. 3.1, p. 68.

A Administração Pública, ao constatar que não tem razão em dado conflito, tem o *dever* de submeter-se aos parâmetros da legalidade (CF, arts. 5º, II, e 37, *caput*). Em regra, tal submissão independe da instauração de processo judicial. Trata-se de imposição inerente à própria relação material de direito público: se o Estado constata que o particular tem um determinado direito em face dele, cabe-lhe dar cumprimento a esse direito. Do mesmo modo, se o Estado verifica que não existe o direito ou poder que pretendia exercer em face do particular, cumpre-lhe abster-se de fazê-lo, sem que precise receber uma ordem judicial para tanto.

A não necessariedade da intervenção judicial nos litígios públicos deriva também do princípio constitucional da moralidade (CF, arts. 5º, LXXIII, 37, *caput* e §4º). Há a imposição de que a Administração Pública paute suas condutas de acordo com o princípio da boa-fé. Se a Administração constata que a posição jurídica do particular é correta, não lhe é dado valer-se de artifícios ou subterfúgios para subtrair-se ao cumprimento do dever dali extraível.

Por outro lado, o princípio da indisponibilidade dos bens públicos, na primeira acepção antes vista, tampouco desautoriza a constatação ora feita. A Administração Pública não está dispondo, "abrindo mão", de um bem público quando dá cumprimento a direito alheio. E isso pela óbvia razão de que, nessa hipótese, se não há direito em favor da Administração, não há que se falar na existência de um bem público.

Evidentemente, o reconhecimento da razão do particular precisará dar-se mediante devido processo administrativo; o cumprimento do dever junto ao particular precisará ser deferido pela autoridade administrativa competente – e assim por diante. Mas o fundamental é que é possível – mais do que possível, é dever da Administração – cumprir direitos alheios ou abdicar pretensões infundadas quando constata que não tem razão.

Enfim, os conflitos envolvendo o Poder Público em regra podem e devem ser resolvidos sem a intervenção do Poder Judiciário.[25]

3.5 Indisponibilidade do direito material *versus* indisponibilidade da pretensão à tutela jurisdicional estatal

Como indicado, a diferença entre as duas hipóteses ora destacadas, a rigor, não reside propriamente na diversidade de acepções do vocábulo "(in)disponibilidade", considerado em si mesmo. Antes, ela concerne ao *objeto* sobre o qual recai a indisponibilidade em um caso e em outro.

Em ambas as hipóteses, o termo "indisponibilidade" pode ser compreendido como impossibilidade de renúncia, abdicação, a uma posição jurídica.

Mas no primeiro caso (item 3.3) a indisponibilidade incide sobre o *próprio direito material*. O sujeito abdica do direito material de que é titular.

Na segunda hipótese (item 3.4), o atributo da indisponibilidade concerne ao direito à proteção judiciária. As partes envolvidas no conflito, notadamente aquela que não tem razão, abdicam da possibilidade de submeter o litígio ao Poder Judiciário. Aquele que

---

[25] Exceções, impondo a necessariedade da intervenção judicial nas relações de direito público (não criminais), são encontradas, por exemplo, no art. 95, I, da Constituição, e no já referido regime sancionatório por improbidade administrativa (arts. 12, p. ún., 16, 18 e 20, entre outros, da Lei nº 8.429/1992).

não tem razão deixa de valer-se do direito à tutela da jurisdição estatal, e desde logo curva-se à razão do adversário. A renúncia, nesse caso, nada tem a ver com o direito material – que eventualmente nem sequer existe –, mas com a *pretensão de tutela judicial*.

A pretensão de tutela judicial não se confunde com a pretensão de direito material, que é o poder de exigir concretamente o cumprimento de um dever de cunho prestacional e está no plano substancial. Também é inconfundível com o direito genérico de acesso à Justiça, que é abstrato e totalmente incondicionado (mesmo quando o pedido não cumpre minimamente os pressupostos de admissibilidade, o jurisdicionado tem o direito de receber do juiz a decisão que não conheça de sua demanda). A pretensão de tutela judicial é submetida a pressupostos de admissibilidade e se refere a um bem de vida específico, em face do qual tais pressupostos são aferidos.[26] Como se vê a seguir, essa pretensão em regra é disponível, mesmo que o eventual direito material a que ela se refira seja em si mesmo indisponível.

4 O critério para a definição da disponibilidade relevante para a arbitrabilidade objetiva

Diante dessa distinção, cumpre definir qual das duas hipóteses de indisponibilidade é relevante para a aferição do cabimento da arbitragem.

A resposta depende da identificação da função e, consequentemente, da natureza da convenção arbitral. Qual o objeto da convenção arbitral: dispor sobre o próprio direito material ou sobre a pretensão de proteção judicial? Trata-se de um pacto de direito material ou processual?

Caso se repute que a convenção arbitral consiste em um ato de disposição sobre o próprio direito material, será imprescindível, para sua validade e eficácia, que o próprio direito material seja disponível. Caso se reconheça ser a convenção arbitral um pacto pelo qual se renuncia à submissão da causa ao Judiciário para submetê-lo a um método heterônomo privado, sem afetar o direito material, daí então se imporá a conclusão de que a pretensão de tutela judicial é que precisa ser disponível, e não o direito material.

Estas considerações, que beiram o truísmo, têm sido, todavia, constantemente ignoradas no trato do tema.

4.1 A antiga noção do compromisso arbitral como causa extintiva ou modificativa das obrigações de direito material

A convenção arbitral já foi tratada como negócio jurídico substancial, que disporia diretamente sobre o próprio direito material.

---

[26] Sobre o tema, vejam-se: DINAMARCO, Cândido. Tutela jurisdicional. *Fundamentos do processo civil moderno*. 3. ed. São Paulo: Malheiros, 2000. v. 2, n. 429, p. 820-823; LENT, Friedrich. *Diritto Processuale Civile tedesco*. Traduzione: Edoardo Flavio Ricci. Napoli: Morano, 1962. n. 36, p. 145-147.

4.1.1 O CC de 1916

Era essa a concepção adotada pelo CC brasileiro de 1916, ao menos em seu teor literal (art. 1.037 a 1.048). O compromisso (arbitral) era incluído no rol dos "efeitos das obrigações". A ideia era a de que, pelo compromisso, as partes punham fim aos direitos até então existentes, substituindo-os, eventualmente, por outros que viessem a ser estabelecidos no laudo arbitral.

O compromisso era equiparado à transação – inclusive aplicando-se subsidiariamente àquele as regras dessa (CC 1916, art. 1.048). Aliás, essa equiparação já havia antes sido feita pelo Decreto 3.900/1867 (especialmente, art. 4º: "Podem fazer compromisso todos os que podem transigir").

4.1.2 A orientação doutrinária da época

São representativas dessa concepção as palavras de Clóvis Beviláqua, formulador do Código de 1916, a respeito do compromisso arbitral:

> É um instituto que se aproxima da transação, a cujos princípios se submete (art. 1.048), (...). Seu fim é também extinguir obrigações, o que obtém pela sentença arbitral. (...) Por isso, a sua colocação nos Códigos civis deve ser entre as regras das obrigações, e, em particular entre os modos de extingui-las.[27]

No mesmo sentido era o escólio de Carvalho Santos:

> A finalidade do compromisso é extinguir obrigações, pelo que, desde logo, se percebem alguns pontos de contato com a transação (...).
>
> (...)
>
> O compromisso é um meio de extinguir obrigações, de forma que não pode deixar de ser incluído entre as regras gerais das obrigações, e, em particular, entre os modos de extingui-las, como opina.[28]

Ainda mais incisiva era a lição de Carvalho de Mendonça: "Considerado, porém, em si, o compromisso é irredutivelmente um ato que incide no quadro do direito substantivo".[29]

Nesse contexto, era explicável a noção de que a convenção arbitral apenas poderia ter por objeto *direitos materiais* disponíveis. Na medida em que se supunha que o compromisso dispunha sobre as próprias obrigações substanciais das partes, extinguindo-as ou modificando-as, tal pacto apenas seria admissível quando tais obrigações estivessem na esfera de disponibilidade dos pactuantes.

---

[27] BEVILÁQUA, Clóvis. *Código Civil dos Estados Unidos do Brasil comentado*. 5. ed. Rio de Janeiro: Francisco Alves, 1938. v. 4, nota ao art. 1.037, p. 199.

[28] CARVALHO SANTOS, João Manuel de. *Código Civil brasileiro interpretado*. 10. ed. Rio de Janeiro: Freitas Bastos, 1982. v. 14, n. 1 ao art. 1.037, p. 5-6.

[29] CARVALHO DE MENDONÇA, Manoel Ignacio. *Doutrina e prática das obrigações*. 4. ed. Atualização: Aguiar Dias. Rio de Janeiro: Forense, 1956. t. 1, n. 386, p. 668.

4.1.3 Resquício da concepção não autônoma de processo e imanentista de ação

Em certa medida, tal orientação refletia a própria concepção privatista e não autônoma dos institutos processuais, posta em cheque então apenas recentemente pela doutrina alemã e italiana. Nessa ordem de ideias, a ação judicial nada mais seria do que um "efeito" do direito material (o "direito material em pé de guerra"); o processo era visto como um contrato ou quase-contrato, um desdobramento ou novação da relação de direito material controvertida – e assim por diante.

Se a própria ação e o processo judicial eram compreendidos como efeitos do direito material, não haveria como ser diferente o tratamento dado à convenção de arbitragem...[30][31]

4.2 O abandono da tese

Mas essa é hoje uma concepção superada.

4.2.1 Críticas e ressalvas da própria doutrina contemporânea ao Código de 1916

Aliás, na época em que consagrado no anterior CC, esse já era um entendimento controvertido. Basta ver as linhas gastas pelos comentadores do diploma àquela época para a defesa da inserção do compromisso entre os "efeitos das obrigações".[32]

Mais que isso: essa defesa se revelava tíbia – atenuada que era por uma série de ressalvas.

Assim, o próprio Beviláqua, após aproximar o compromisso da transação, acrescentava: "(...) embora dela se distinga sob pontos de vista essenciais".[33] Mais adiante, ele observava que as diferenças entre os dois institutos "são fundamentais e devem ter-se em vista, para não se tirar do dispositivo do Código uma ilação contrária aos seus intuitos nem se confundirem duas relações de direito muito diversas".[34] E ele então destacava a finalidade processual da convenção arbitral: "O fim do compromisso difere do da transação. O fim do compromisso é instituir uma jurisdição privada, em lugar da ordinária, para a solução de uma controvérsia jurídica (...)".[35]

---

[30] Exemplo didático disso se tem na obra de Carvalho de Mendonça (*Doutrina e prática das obrigações*, t. 1, n. 386, p. 668). Diante da ponderação dos defensores da natureza processual do instituto, no sentido de que o compromisso nada mais faria do que propiciar a instauração de um processo arbitral, ele respondia afirmando que esse argumento "prova demais", e invocava para tanto a concepção imanentista da ação judicial: "Nenhuma norma de direito [material] teria eficácia prática sem a ação correspondente, a ela intimamente ligada (...)".

[31] No sentido da constatação aqui exposta, ver: RICCI, Edoardo Flavio. Desnecessária conexão entre disponibilidade do objeto da lide e admissibilidade de arbitragem: reflexões evolutivas. *In:* LEMES, Selma Ferreira; CARMONA, Carlos Alberto; MARTINS, Pedro Batista. *Arbitragem*: estudos em homenagem ao Prof. Guido Fernando Silva Soares (*in memoriam*). São Paulo: Atlas, 2007. n. 3, p. 407.

[32] Ver, por exemplo: CARVALHO SANTOS. *Código Civil brasileiro interpretado*, n. 1 ao art. 1.037, p. 5-7; CARVALHO DE MENDONÇA. *Doutrina e prática das obrigações*, n. 386, p. 667-668.

[33] CARVALHO SANTOS. *Código Civil brasileiro interpretado*, p. 199.

[34] CARVALHO SANTOS. *Código Civil brasileiro interpretado*, n. 1 ao art. 1.048, p. 209.

[35] CARVALHO SANTOS. *Código Civil brasileiro interpretado*, n. 1 ao art. 1.048, p. 209.

Igualmente, Carvalho Santos acabava por reconhecer que a transação e o compromisso eram inconfundíveis, "na essência, na forma e nos efeitos":

> A transação ultima a contenda; se uma das partes tentar renová-la, opor-lhe-á a outra a *exceptio litis per transationem finitae*. O compromisso afirma e mantém o litígio para que o árbitro o dirima.
>
> É da essência da primeira ser um contrato comutativo. É da natureza do segundo nada cederem as partes nas suas pretensões.
>
> Naquela dá-se renúncia de direito, cada parte entende alienar uma porção do objeto da transação para conservar incontestado o restante. Nesse só se pactua a derrogação da ordem legal das jurisdições para se submeter à decisão arbitral todo o objeto do litígio – *compromitter est simul promittere stare sententiae arbitri*.[36]

Enfim, ao mesmo tempo que se afirmava que o compromisso incidiria diretamente sobre as obrigações materiais, reconhecia-se que ele nada mais fazia do que afastar a jurisdição dos juízes estatais para a solução do conflito – *sem portanto interferir sobre o direito material* ("é da natureza do instituto *nada cederem* as partes"; "*só se pactua a derrogação da ordem legal das jurisdições* (...)"). A contradição era ineliminável.

4.2.2 A doutrina subsequente

Bem por isso, a própria doutrina civilista subsequente, a despeito da letra do CC, abandonou por completo a concepção que atribuía ao compromisso efeitos jurídico-materiais preponderantes.

Assim, Orlando Gomes, embora, ao reproduzir o elenco da lei, cite o compromisso entre os "efeitos das obrigações", não dedica depois ao instituto nenhuma linha, em sua substanciosa obra sobre o tema – diferentemente do que faz com todos os demais institutos ali arrolados.[37] O tema tampouco é examinado pelo jurista baiano em sua obra sobre *Contratos*.[38] A razão não é outra senão a de considerar-se o instituto alheio ao direito material.

Pelo mesmo motivo, o Projeto de Código das Obrigações elaborado por Caio Mário da Silva Pereira não regulava o compromisso arbitral:

> Ao elaborar o Projeto de Código das Obrigações, omiti a disciplina do compromisso, que a meu ver é um instituto de direito processual, não obstante abalizadas opiniões em contrário. Embora inequívoca a base civilista, resultante do acordo de vontades, predominam as normas processuais, seja no procedimento, seja nos efeitos.[39]

---

[36] CARVALHO SANTOS. *Código Civil brasileiro interpretado*, n. 1 ao art. 1.037, p. 9.

[37] GOMES, Orlando. *Obrigações*. 8. ed. Rio de Janeiro: Forense, 1990. A referência ao compromisso está no n. 4, p. 7.

[38] GOMES, Orlando. *Contratos*. 12. ed. Rio de Janeiro: Forense, 1990.

[39] PEREIRA, Caio Mário da Silva. *Instituições de Direito Civil*. 11. ed. Atualização: Régis Fichtner. Rio de Janeiro: Forense, 2004. v. 3, n. 273-B, p. 514.

Essa orientação quanto à eficácia processual do efeito principal do compromisso tornou-se assente. Mesmo os autores que permaneceram defendendo que o tema fosse também regulado pelo CC reconhecem de modo explícito que o objeto da convenção arbitral não incide sobre o direito material das partes – cingindo-se ao afastamento da jurisdição estatal e à opção por árbitros privados. Está definitivamente descartada a ideia de que o compromisso extinguiria ou modificaria os eventuais deveres e obrigações substanciais discutidos no conflito.[40]

4.2.3 A Lei nº 9.307/1996 e o CC de 2002

Desse modo, quando a Lei nº 9.307/1996 revogou as regras do CC de 1916 que tratavam o compromisso como um efeito obrigacional, essa já era uma concepção sepultada.

O CC de 2002 tornou a ocupar-se do compromisso arbitral, mas já em perspectiva absolutamente diversa da do diploma de 1916. Focou apenas a inequívoca base negocial do instituto, incluindo-o entre as espécies de contrato (arts. 851 a 853). Não pretendeu atribuir-lhe eficácia de direito material. Pelo contrário, remeteu a disciplina do instituto, quanto a todos os demais aspectos, à lei própria.

5 O objeto e a eficácia processual da convenção arbitral

O objeto – e o consequente efeito – principal da convenção de arbitragem tem natureza processual.

5.1 Ato de disposição de posições jurídico-processuais

Na convenção arbitral, os contratantes dispõem essencialmente sobre posições jurídico-processuais.

Em regra, eles podem optar por não provocar a jurisdição. Assim, podem igualmente, de modo consensual, encontrar outro modo de solução para o conflito, que lhes pareça mais adequado às peculiaridades concretas da situação litigiosa. Com isso, estão exercitando sua liberdade, sua autonomia, mas não porque pretendam abrir mão de seu (possível) direito material – e sim porque desejam um modo de solução alternativo ao judicial.

Como precisamente observa António Sampaio Caramelo:

> Não há, com efeito, qualquer analogia entre o contrato de transacção, em que as partes põem termo a um litígio mediante abandonos ou concessões recíprocas (o que implica que possam dispor dos direitos que daquela são objecto), e a convenção de arbitragem,

---

[40] Tome-se como exemplo a lição de Silvio Rodrigues (*Direito civil*. 30. ed. São Paulo: Saraiva, 2006. v. 3, n. 184, p. 380-381). Ainda que defendendo a base contratual da convenção de arbitragem e a pertinência de sua regulação, quanto a esse aspecto, pelo CC, ele reconhece que a eficácia de tal negócio jurídico é essencialmente processual: "afastar a jurisdição ordinária, para confiar a decisão de suas pendências a árbitros de sua confiança.

mediante a qual as partes confiam a um decisor independente e imparcial, por elas directa ou indirectamente escolhido, a resolução de um litígio existente entre elas, de acordo com o direito ou com a equidade.

Igualmente nenhuma analogia se pode estabelecer entre a renúncia a um direito (ou a desistência dele em juízo) e a submissão a decisão por árbitro das controvérsias, actuais ou futuras, àquele respeitantes.[41]

Pela convenção arbitral, as partes ajustam que não irão valer-se da via judicial para a solução de um conflito atual ou futuro relativo a determinado bem de vida ou conjunto de bens de vida. Optam por uma forma de tutela também heterônoma, mas alternativa à solução estatal. Portanto, pactuam que não exercerão a pretensão de obter proteção jurisdicional estatal no que concerne àquele objeto disputado. É desse direito, *processual*, que dispõem.[42]

Sob outra perspectiva: as partes excluem a competência (ou jurisdição) dos agentes e órgãos judiciários para a solução do mérito de um litígio, selecionando ou definindo critérios para selecionar outros julgadores. Como nota Edoardo Flavio Ricci, "evidente que a convenção de arbitragem é, ela mesma, convenção. Contudo, não é convenção sobre o objeto da lide, nem ato de disposição do direito controvertido: é convenção sobre objeto diferente, sobre a simples escolha do juiz".[43]

Na convenção de arbitragem, por um lado, as partes renunciam ao emprego da jurisdição estatal (pretensão de tutela judiciária) por outro delineiam para a solução do conflito outro mecanismo adjudicatório, privado, mas em consonância com o devido processo legal.

Em suma, esses efeitos são eminentemente processuais.[44]

5.2 A convenção arbitral como negócio jurídico processual

Enfim, a convenção arbitral, em qualquer de suas modalidades, não é ato de disposição do direito material envolvido, mas *ato de disposição da pretensão de tutela pelo Judiciário*. Pode-se aludir a um *negócio jurídico processual*,[45] em lugar da vetusta noção francesa de contrato de direito privado.

---

[41] CARAMELO, António Sampaio. Critérios de arbitrabilidade dos litígios. Revisitando o tema. *In*: CENTRO DE ARBITRAGEM COMERCIAL; ASSOCIAÇÃO COMERCIAL DE LISBOA. *IV Congresso do Centro de Arbitragem da Câmara de Comércio e Indústria Portuguesa*: intervenções. Coimbra: Almedina, 2011. n. 12, p. 26. Na mesma linha: POLCINI, Antonella Tartaglia. *Modelli arbitrali tra autonomia negoziale e funzione giurisdizionale*. Napolis: Scientifiche Italiane, 2002. n. 26, p. 279.

[42] "No compromisso (...) realiza-se uma *disposição* (ou melhor, uma peculiar modalidade de exercício) do direito processual à tutela jurisdicional e (uma particular expressão) da legitimidade para agir em defesa de um direito próprio" (BARLETTA, Antonino. La 'disponibilità' dei diritti nel processo di cognizione e nell'arbitrato. *Rivista di Diritto Processuale*, Padova, v. 4, n. 5, p. 998, 2008, tradução nossa).

[43] RICCI. Desnecessária conexão entre disponibilidade do objeto da lide e admissibilidade de arbitragem: reflexões evolutivas, n. 2, p. 406.

[44] Não se ignoram efeitos materiais que eventual e secundariamente podem advir da convenção arbitral, tais como a distribuição dos custos do processo arbitral, quando isso já foi estabelecido na convenção.

[45] É a concepção prevalecente na doutrina alemã. Cf.: LEIBLE, Stefan; LEHMANN, Matthias. El arbitraje en Alemania. *Revista de Processo: RePro*, São Paulo, v. 162, n. 1.4, p. 31, 2008). Entre nós, vejam-se: GRECO, Leonardo. Os atos de disposição processual: primeiras reflexões. *In*: GOMES JÚNIOR, Luiz Manoel; MEDINA, José Miguel

A qualificação do pacto de arbitragem como negócio processual pode até ser objeto de alguma controvérsia terminológica ou taxonômica. Mas ninguém nega que sua eficácia preponderante é processual.

Comumente, tal pactuação ocorre fora de um processo judicial – e muitas vezes antes mesmo de existir um litígio (cláusula compromissória). Para parte da doutrina, a circunstância de um ato ser praticado fora do processo é irrelevante para que ele possa ser classificado como *processual*: importa é que ele gere efeitos processuais (constituindo, extinguindo ou modificando direitos ou poderes processuais). Nessa perspectiva, a convenção arbitral, em qualquer hipótese, merece ser qualificada como negócio jurídico processual.[46] Essa orientação hoje está consagrada no art. 190 do CPC, que autoriza convenções processuais "antes ou durante o processo" – imputando a ambas as hipóteses o mesmo regime. Outra vertente, contudo, prefere qualificar como processual somente o ato jurídico que não apenas gera efeitos processuais mas também é praticado dentro do processo, pelos sujeitos do processo. Para esses doutrinadores, a convenção de arbitragem, excetuado o compromisso arbitral realizado em juízo (Lei nº 9.307/1996, art. 9º, §1º; Lei nº 9.099/1995, art. 24), não poderia ser qualificada como um negócio processual. Mas o fundamental é que, mesmo esses autores, não negam que a convenção de arbitragem tem objeto e eficácia principal com natureza processual.[47]

Idêntica consideração é aplicável à doutrina que modernamente permanece enfatizando o caráter contratual da convenção de arbitragem. A afirmação de que o compromisso constitui um contrato é invariavelmente acompanhada do reconhecimento de sua eficácia processual – como visto (n. 4.2.2). Se é um contrato, é um contrato eminentemente processual. No dizer de Christian Larroumet, em ensaio dedicado ao "contrato de arbitragem internacional":

> O objetivo do acordo de arbitragem é excluir a competência dos juízes estatais, quaisquer que sejam esses juízes. Esse acordo é um contrato em virtude do qual as partes se comprometem reciprocamente, o que faz com que ele seja de natureza sinalagmática. Por isso, o acordo deveria observar os requisitos de validade dos contratos e produzir os efeitos desses. Todavia, é um contrato muito particular que tem como objeto um ato jurisdicional. Deste ponto de vista, se o acordo de arbitragem se aproxima a uma cláusula relativa a competência do juiz estatal na medida em que, como essa última, o acordo de arbitragem prepara um ato jurisdicional, o aspecto jurisdicional é distinto e muito mais completo, uma vez que as partes no acordo excluem a competência dos juízes estatais em favor da dos árbitros.[48]

Garcia; GRINOVER, Ada Pellegrini (coord.). *Os poderes do juiz e o controle das decisões judiciais*: estudos em homenagem a Teresa Arruda Alvim Wambier. São Paulo: Revista dos Tribunais, 2008. n. 1, p. 290-292; n. 6.3, p. 298-299. Na Itália, confiram-se: BOVE, Mauro. *La giustizia privata*. Padova: Cedam, 2009. cap. 2, n. 3, p. 33-36, e, muito antes, CARNELUTTI, Francesco. *Sistema del Diritto Processuale Civile*. Padova: Cedam, 1936. v. 2, n. 420, p. 78.

[46] Essa era a concepção de Carnelutti (*Sistema del Diritto Processuale*, v. 2, n. 420, p. 78. No Brasil, cf., por exemplo: MARQUES, Frederico. *Instituições de Direito Processual Civil*. 3. ed. Rio de Janeiro: Forense: 1966. v. 2, n. 421, p. 231.

[47] Veja-se, por exemplo: LIEBMAN, Enrico Tullio L. *Manual de Direito Processual Civil*. 2. ed. Tradução e notas: Cândido Rangel Dinamarco. Rio de Janeiro: Forense, 1985. v. 1, n. 98, p. 221.

[48] LARROUMET, Christian. A propósito de la naturaleza contractual del acuerdo de arbitraje en materia internacional y de su autonomía. *In:* ROMERO, Eduardo Silva; MANTILLA-ESPINOSA, Fabricio (org.). *El contrato de arbitraje*. Bogotá: Legis, 2005. n. 2, p. 14, tradução nossa. Ver também: APRIGLIANO, Ricardo. Cláusula compromissória: aspectos contratuais. *Revista do Advogado (AASP)*, São Paulo, v. 116, n. 1, p. 177, 2012.

5.3 A disponibilidade da pretensão à tutela judicial como elemento relevante para a arbitrabilidade

Uma vez reconhecido que a convenção arbitral constitui ato de disposição da pretensão à tutela judicial – e não ato de disposição do direito material –, não pode haver dúvidas quanto à qual é a "(in)disponibilidade" relevante para a arbitrabilidade objetiva.

O que necessita ser disponível é precisamente a posição jurídica que é objeto do ato de disposição. Portanto, é apenas a segunda acepção antes exposta de "indisponibilidade" – a indisponibilidade da pretensão de tutela judicial – que tem relevo para a aferição do cabimento da arbitragem. É a essa acepção de (in)disponibilidade que se vai referir, doravante neste texto, como parâmetro de cabimento da arbitragem.

Cabe a arbitragem sempre que a *pretensão à tutela judicial* for disponível. Vale dizer: sempre que a situação conflituosa puder ser resolvida pelas próprias partes, independentemente de ingresso em juízo. Se o litígio entre as partes versa sobre matéria que poderia ser solucionada diretamente por elas, sem que se fizesse necessária a intervenção jurisdicional, então a arbitragem é cabível. Se o conflito pode ser dirimido pelos próprios litigantes, não faria sentido que não pudesse também ser composto mediante juízo arbitral sob o pálio das garantias do devido processo.

Como escreve Montero Aroca:

> (...) não cabe arbitragem, e do mesmo modo sentença arbitral, quando uma consequência jurídica apenas pode ser obtida por meio de sentença [judicial]; ao passo que, se os particulares podem alcançar essa consequência por eles mesmos, nada impede que se alcance também por meio de arbitragem e de sentença arbitral.
>
> (...) Podem ser objeto de arbitragem as consequências jurídicas previstas nas leis que podem ser aplicadas pelos titulares das relações jurídicas.[49]

Esse é o único significado racional da regra do art. 1º da Lei nº 9.307/1996, quando alude ao cabimento da arbitragem *"para dirimir litígios relativos a direitos patrimoniais disponíveis"*.

Aliás, a norma do art. 852 do atual CC foi mais clara, ao definir por exclusão o campo objetivo de aplicabilidade da arbitragem: ficam de fora as "questões de estado, de direito pessoal de família e (...) outras que não tenham caráter estritamente patrimonial".[50] Obviamente, a expressão "questões de estado" nada tem a ver com "questões de direito público". Refere-se a *status* jurídico: estado familiar (*status familiae*), estado de cidadania (*status civitatis*) e o estado de liberdade (*status libertatis*). Vale dizer, causas que se enquadram na acepção de "indisponibilidade" ora destacada, de necessariedade de intervenção de um juiz estatal.

---

[49] MONTERO AROCA, Juan. *Proceso (civil y penal) y garantía*: el proceso como garantía de libertad y de responsabilidad. Valencia: Tirant Lo Blanch, 2006. cap. 10, p. 437, tradução nossa.

[50] Como indicado, na revisão do CC, ora em debate no Congresso Nacional, cogita-se da alteração desse dispositivo, para nele se incluir referência aos "direitos patrimoniais disponíveis". Seria preferível o contrário: eliminar-se a disposição do art. 1º da Lei de Arbitragem e se manter apenas a fórmula adotada no art. 852 do CC. De todo modo, se aprovada essa alteração legislativa, a nova disposição deverá receber a mesma interpretação aqui preconizada.

Em suma, a (in)disponibilidade do próprio direito material é irrelevante para a determinação do cabimento da arbitragem, em todo e qualquer caso. Se a convenção arbitral nada dispõe sobre o direito material, não há sentido em afirmar que o direito material precisaria ser disponível para caber arbitragem. Como escreveu Paula Costa e Silva, "não existe uma relação entre a disponibilidade do direito [matéria] e a arbitrabilidade".[51] Afinal, não há "ligação necessária entre a influência da vontade das partes sobre as vicissitudes de uma relação jurídica e a influência da vontade das partes para a determinação dos juízes dos seus litígios".[52]

Nem se diga que a indisponibilidade do direito material teria importância remota ou mediata, no sentido de que repercutiria sobre o regime da pretensão de tutela judicial, fazendo-a também indisponível. Isso é desmentido pelos exemplos óbvios, antes apresentados (n. 3.3 e 3.4). Não há essa correlação. Como nota Bedaque, os reflexos que a relação de direito material disponível pode produzir no processo "referem-se apenas à própria relação jurídico-substancial". Não há "vinculação" necessária entre a disponibilidade do direito material e a disponibilidade dos direitos, faculdades e poderes processuais.[53]

6 O princípio geral da arbitrabilidade dos litígios do poder público

Reitere-se que a indisponibilidade da pretensão de tutela judiciária é excepcional inclusive no âmbito do direito administrativo. No direito público, tanto quanto no direito privado, limita-se a casos específicos, tais como aqueles antes mencionados. O princípio geral é o de que o Poder Público tem o dever de cumprir obrigações e respeitar direitos alheios independentemente de intervenção jurisdicional.

E – não é demais repetir – apenas a (in)disponibilidade da pretensão de tutela judicial tem relevo para a aferição do cabimento da arbitragem.

6.1 Arbitragem e processo administrativo

Portanto, a Administração Pública pode pactuar a arbitragem – e, tendo-a pactuado, deve a ela submeter-se – sempre que a situação conflituosa for passível de solução que dispense a intervenção de um juiz estatal. Vale dizer: são arbitráveis todos aqueles casos em que, se constatasse que não tem razão, o Poder Público teria o dever de, desde logo, curvar-se à razão do adversário – sem ter de esperar, para tanto, um comando judicial.

Por força da procedimentalização da atividade administrativa e da vigência da garantia do contraditório, essa submissão à razão alheia é antecedida de processo administrativo.

---

[51] COSTA E SILVA, Paula. Anulação e recursos da decisão arbitral. *Revista da Ordem dos Advogados*, Lisboa, t. 3, parte 1, p. 922, nota 79, 1992.

[52] VENTURA, Raul. Convenção de arbitragem. *Revista da Ordem dos Advogados*, Lisboa, t. 3, parte 1, n. 4.5.2, p. 321, 1986.

[53] BEDAQUE, José Roberto Santos. *Poderes instrutórios do juiz*. 4. ed. São Paulo: Revista dos Tribunais, 2009. n. 3.3.1, p. 91. Ainda antes: Barbosa Moreira (O problema da "divisão de trabalho" entre juiz e partes: aspectos terminológicos. *In*: BARBOSA MOREIRA, José Carlos da. *Temas de Direito Processual Civil*. São Paulo, Saraiva, 1989. v. 4, especialmente n. 2-4, p. 36-38) já havia atentado para esse aspecto.

Assim, o pressuposto de cabimento da arbitragem envolvendo a Administração Pública pode também ser aferido nos seguintes termos: em todas as situações para as quais o poder público possa desenvolver um processo administrativo para a solução do conflito, há de se admitir também o emprego da arbitragem. Afinal, o processo administrativo desenvolve-se com a potencialidade de dar razão à Administração *ou ao particular* – hipótese essa em que a Administração curvar-se-á à pretensão fundada da parte contrária ou cessará prontamente o exercício de sua própria pretensão infundada. Apenas ao particular é dado recorrer à tutela jurisdicional, se o resultado do processo administrativo lhe é desfavorável. Já a decisão processual administrativa final favorável ao particular é vinculante e definitiva para a Administração Pública: a Administração fica impedida de, depois disso, formular no Poder Judiciário a pretensão ou defesa cuja insubsistência ela mesma já reconheceu no processo administrativo.[54] Sob esse aspecto, o cabimento de processo administrativo (com a potencialidade de decisão final favorável ao administrado) está indissociavelmente ligado à desnecessidade de intervenção judicial, ou seja, à disponibilidade de pretensão de tutela judiciária. E, não custa repetir, se é desnecessária a intervenção do juiz estatal, é sempre possível a arbitragem.

6.2 Manifestações doutrinárias

Exatamente nesse sentido, pode ser invocada a lição de Cândido Dinamarco. Endossando anterior manifestação doutrinária minha na linha ora exposta,[55] o i. Professor Titular do Largo de São Francisco arremata com precisa síntese:

> Tudo isso converge à natural conclusão de que, se a Administração tem a possibilidade e mesmo o *dever* de satisfazer certos direitos dos particulares à custa de bens patrimoniais de sua titularidade (especialmente, pecúnia), está ela livre, *a fortiori*, para louvar-se em árbitros com vista a obter uma solução para divergências relacionadas com esses bens – reputando-se pois satisfeito o requisito da *disponibilidade*, posto pelo art. 1º da Lei de Arbitragem como pressuposto da arbitrabilidade.[56]

Paulo Osternack Amaral, em monografia dedicada ao tema, também adere à concepção ora exposta:

> Se o conflito patrimonial puder ser legitimamente resolvido diretamente pelas partes, sem a intervenção estatal (i.e., extrajudicialmente), não parece razoável que a mesma solução

---

[54] Não cabe invocar contra essa constatação o poder que a Administração Pública tem de revisar seus próprios atos (Súmula nº 473 do STF; Lei nº 9.874/1999, art. 53). Primeiro, há limites ao emprego desse poder na revisão do resultado de processos administrativos (v. esp. STJ, RMS-AgInt nº 51.043, 2. T., v.u., Relator Min. Mauro Campbell, j. 27.09.2016, *Dje* 3 out. 2016; STJ, REsp nº 472.399, 1. T., v.u., Relator Min. José Delgado, julgado em 26 de novembro de 2002, *Dje* 19 dez. 2002). De todo modo, e mesmo se cabível o exercício de tal poder, ainda assim seria indispensável um novo processo administrativo específico para a eventual anulação do resultado do processo administrativo anterior (JUSTEN FILHO. *Curso de Direito Administrativo*, cap. 8, n. 25, p. 241-242). Ou seja, a Administração não poderia ingressar diretamente em Juízo apenas alegando de modo incidental a invalidade da decisão administrativa final que ela mesma produziu.

[55] TALAMINI. Arbitragem e Parceria Público-Privada (PPP), n. 4.5, p. 340-341.

[56] DINAMARCO, Cândido. *A arbitragem na teoria geral do processo.* São Paulo: Malheiros, 2013. n. 26, p. 90-91.

não possa ser atingida por meio de processo arbitral, que é permeado de um amplo rol de garantias, em especial a do devido processo legal.[57]

Gustavo Fernandes de Andrade igualmente se manifestou endossando essa orientação:

> Portanto, o critério norteador para a definição da arbitrabilidade de uma disputa envolvendo a Administração Pública consiste na possibilidade de a lide ser resolvida diretamente pelas partes interessadas, sem a intervenção judicial, e desde que o direito controvertido possua efetiva expressão patrimonial. Se esses requisitos estiverem presentes, a lide será passível de composição por arbitragem.[58]

Assim também Felipe Scripes Wladeck observa que "a necessariedade da intervenção judicial é, inclusive, *absolutamente excepcional* no ordenamento pátrio – e isso não apenas no âmbito das relações de direito privado, mas também nas de direito público". Complementa observando que mesmo nesse âmbito, "de um modo geral, os estados de insatisfação e crises de direito material podem ser eliminados independentemente da intervenção judicial", cabendo, portanto, a arbitragem.[59]

6.3 Irrelevância da indisponibilidade dos bens públicos

Por todas essas razões, confirma-se que a indisponibilidade dos bens públicos (isto é, a irrenunciabilidade de direitos materiais da Administração Pública) não interfere minimamente sobre a admissão da arbitragem.

Como afirmei em oportunidade anterior:

> A arbitragem não é aposta, jogo de azar. Quem remete a solução de sua causa ao processo arbitral não a está submetendo ao cara-ou-coroa nem à roleta-russa. Está buscando uma composição para o conflito em um processo pautado em parâmetros objetivos quanto ao seu desenvolvimento e ao conteúdo de suas decisões; um processo em consonância com as garantias do *due process of law* e, sob esse específico aspecto, controlável pelo Judiciário. Portanto, ao se submeter uma pretensão ao juízo arbitral não se está renunciando a ela, não se está abrindo mão do direito material que eventualmente existe. Apenas se está abdicando do direito de obter do Judiciário a solução para a questão. Mas isso também ocorre quando a solução é obtida diretamente pelas partes sem ingressar em Juízo – o que, reitere-se, é em regra possível também nas relações de direito público.[60]

---

[57] TALAMINI. Arbitragem e Administração Pública no direito brasileiro, n. 2.7, p. 82. Ver também: n. 2.2.2, p. 68-70.

[58] ANDRADE, Gustavo Fernandes de. Arbitragem e Administração Pública: da hostilidade à gradual aceitação. *In:* CAMPOS MELO, Leonardo de; BENEDUZI, Renato Resende. *A reforma da arbitragem.* Rio de Janeiro, Forense, 2016. n. 3, p. 428.

[59] WLADECK. *Impugnação da sentença arbitral,* cap. 1, nota 8, p. 29.

[60] TALAMINI. Arbitragem e Parceria Público-Privada (PPP), n. 4.6, p. 344.

Adilson Dallari teceu considerações bastante similares:

Ao optar pela arbitragem o contratante público não está transigindo com o interesse público nem abrindo mão de instrumentos de defesa de interesses públicos. Está, sim, escolhendo uma forma mais expedita ou um meio mais hábil para a defesa do interesse público. Assim como o juiz, no procedimento judicial, deve ser imparcial, também o árbitro deve decidir com imparcialidade.[61]

Mais especificamente nas palavras de Antonella Polcini, "a decisão da controvérsia será sempre um ato que escapa da autonomia das partes, recaindo na esfera valorativa do juiz terceiro, parcial, independente". Vincula-se a esse aspecto a "exigência do pleno respeito às garantias fundamentais (...) sob pena de nulidade da decisão final".[62]

Evidentemente, existe a possibilidade de a Administração receber uma sentença arbitral que lhe seja desfavorável. Mas tampouco nessa hipótese se configura qualquer renúncia ou ato de disposição de direito material por parte da Administração. A derrota tão somente significará que ela não tinha razão quanto ao que pretendia – conforme aferido mediante devido processo legal, por julgador imparcial, mediante decisão fundamentada. Então, não haverá nenhuma afronta ou menoscabo ao princípio da indisponibilidade dos bens públicos – pela singela razão de que se terá apenas constatado que a Administração não possuía o direito material que imaginava possuir. Ou seja, ela não estará dispondo de nenhum bem público porque, pura e simplesmente, ela não é a titular do bem jurídico-material em disputa.

7 A confirmação das premissas estabelecidas: a limitação à arbitragem por equidade

Nos termos do art. 2º, §3º, da Lei nº 9.307/1996, a arbitragem envolvendo entes da Administração Pública será sempre de direito. Fica excluída a arbitragem por equidade, que é admitida em outros âmbitos (Lei 9.307, art. 2º, *caput*).

Isso deriva da submissão do Poder Público ao princípio da legalidade (CF, art. 37). Nesse ponto, sim, tem relevância a (in)disponibilidade do próprio direito material. Tal constatação em nada infirma o que se expôs até aqui. A opção pela arbitragem por equidade pressupõe que o sujeito optante disponha das pretensões materiais envolvidas. Afinal, há a possibilidade de a solução por equidade ser diversa daquela que seria a solução de direito – de modo que o sujeito perderia algo a que, a rigor, ele teria direito. Isso é possível apenas relativamente a *direitos materiais disponíveis*.[63]

8 Patrimonialidade das pretensões

O outro aspecto relevante para a determinação da arbitrabilidade objetiva é o caráter patrimonial do bem jurídico objeto da pretensão. A tal requisito aludem o art. 1º

---

[61] DALLARI. Arbitragem na concessão de serviço público, p. 66.

[62] POLCINI. *Modelli arbitrali tra autonomia negoziale e funzione giurisdizionale*, n. 23, p. 236, tradução nossa.

[63] RICCI. Desnecessária conexão entre disponibilidade do objeto da lide e admissibilidade de arbitragem: reflexões evolutivas, n. 2, p. 405-406; TALAMINI. Arbitragem e Administração Pública no direito brasileiro, n. 9, p. 39-40.

da Lei nº 9.307/1996; o art. 151, p. ún., da Lei nº 14.133/2021; o art. 31 da Lei nº 13.448/2017 e o art. 852 do CC, entre outros.

8.1 Pressuposto infraconstitucional

Como destaquei em oportunidade anterior,[64] há parcial sobreposição entre o parâmetro da patrimonialidade e o da indisponibilidade. Muitos dos interesses jurídicos cujo reconhecimento e satisfação exigem necessariamente a intervenção do juiz revestem-se de caráter não patrimonial. Mas a identificação não é absoluta. Há pretensões de tutela judicial que, embora sendo disponíveis, não se revestem de caráter patrimonial (por exemplo, a dissolução do vínculo matrimonial, em certas condições, pode ser promovida diretamente pelos cônjuges, mas seu objeto, em si mesmo, não tem conteúdo patrimonial). É o que basta para afastar-lhes a arbitrabilidade.

Trata-se de uma opção do legislador infraconstitucional: não seria inviável que, respeitados os casos de necessariedade da intervenção judicial, a lei tornasse arbitráveis inclusive litígios não patrimoniais. Sob esse aspecto, os pressupostos da patrimonialidade e da disponibilidade da pretensão de tutela judicial diferenciam-se. Como visto, há normas constitucionais que em determinadas hipóteses impõem a indisponibilidade da pretensão de tutela judicial. Mas não há nenhuma imposição constitucional similar, que torne determinados bens jurídicos não arbitráveis apenas porque não têm carga patrimonial. Portanto, trata-se de simples escolha do legislador infraconstitucional. Não é inviável que, respeitados os casos de necessariedade da intervenção judicial constitucionalmente impostos, a lei admita como arbitráveis inclusive litígios não patrimoniais.

Essa constatação é relevante para as hipóteses em que leis especiais preveem a arbitragem como possível meio de solução dos conflitos decorrentes das modalidades contratuais por elas disciplinadas. Em determinados casos, tais normas remetem ao regime geral da arbitragem. Por exemplo, é o que se tem no art. 11, III, da Lei nº 11.079/2004, que prevê a possibilidade de arbitragem nos contratos de parceria público-privada, "nos termos da Lei 9.307". Outras reiteram a fórmula dos "direitos patrimoniais disponíveis" contida na Lei de Arbitragem. Nessas hipóteses, aplicar-se-á o pressuposto da patrimonialidade. Todavia, quando a norma especial simplesmente admite o emprego da arbitragem naquele âmbito específico, sem condicioná-la (diretamente ou por remissão) à patrimonialidade, tal pressuposto nem sequer se porá. É o que se tem, por exemplo, no art. 43, X, da Lei nº 9.478/1997 e no art. 29, XVIII, da Lei nº 12.351/2010.

8.2 O conceito de patrimonialidade

O conceito de bens, direitos ou interesses patrimoniais está de há muito consolidado em diferentes searas, notadamente no direito civil e no direito tributário.

O pressuposto da patrimonialidade põe-se em termos bastante amplos e flexíveis. A pretensão tem caráter patrimonial não apenas quando o interesse que lhe serve de objeto diretamente se reveste de valor econômico. A patrimonialidade também se

---

[64] TALAMINI. Arbitragem e Parceria Público-Privada (PPP), n. 5, p. 345.

configura pela aptidão de a violação a esse interesse poder ser reparada, compensada ou neutralizada por medidas com conteúdo econômico.[65]

8.3 Irrelevância da origem não patrimonial

Dessa própria conceituação já se extrai ser irrelevante que, na origem da pretensão patrimonial (por exemplo, indenização por dano moral), ponha-se a afirmação de uma posição jurídica não patrimonial (por exemplo, ofensa à honra). O atributo da patrimonialidade deve ser aferido relativamente à pretensão formulada. Na medida em que ela tenha dimensão econômica, o pressuposto está cumprido.

De resto, esse é o vetor aplicável a qualquer pressuposto de arbitrabilidade. A hipotética inarbitrabilidade de determinada situação ou posição jurídica não afeta, por si só, a arbitrabilidade da pretensão de que ela constitui premissa ou questão prejudicial. O tema será retomado no item 9.3.

8.4 Conclusão parcial: possíveis pretensões arbitráveis em litígios da Administração Pública

Portanto, podem ser objeto de arbitragem todas as questões que versem sobre interesses eminentemente patrimoniais (isto é, cujo objeto tenha cunho econômico ou cujo inadimplemento possa ser reparado, compensando ou combatido por medidas com conteúdo econômico) cujo conflito poderia ser resolvido diretamente pelas partes, independentemente de ingresso em juízo.

A título meramente exemplificativo podem ser citados aqui diversos conflitos envolvendo a Administração Pública que, à luz dos parâmetros postos, são normalmente arbitráveis. Evidentemente isso dependerá da prévia pactuação de convenção arbitral. Nas disputas decorrentes de contratos e outras relações jurídicas preexistentes, tanto poderá haver cláusula compromissória quanto, na sua ausência, as partes poderão estabelecer compromisso arbitral.[66] Nos demais casos, sempre será possível o compromisso arbitral. *Entre outros*, podem ser submetidos à arbitragem litígios sobre:

- o equilíbrio da equação econômico-financeira em contratos administrativos;
- a identificação e o cumprimento das obrigações contratuais de ambas as partes, inclusive as consequências do descumprimento;
- os pressupostos e as decorrências da extinção do contrato administrativo, revestidos de cunho patrimonial;

---

[65] Sobre a noção de "patrimonialidade", ver: COSTA, Mário Júlio de Almeida. *Direito das obrigações*. 4. ed. Coimbra: Coimbra Editora, 1984. n. 5.5, p. 63-66; JUSTEN FILHO, Marçal. *Sujeição passiva tributária*. Belém: Cejup, 1986. n. 5, p. 79-80; GOMES, *Obrigações*, n. 12, p. 20-21; LOPES, Miguel Maria de Serpa. *Curso de Direito Civil*. 5. ed. Atualização: José Serpa Santa Maria. Rio de Janeiro, Freitas Bastos, 1989. v. 2, n. 10, p. 23-25; PEREIRA. *Instituições de Direito Civil*, n. 126, p. 2-6; VARELA, Antunes. *Das obrigações em geral*. 7. ed. Coimbra: Almedina, 1991. v. 1, n. 21, p. 102-107; VARELA, Antunes. *Direito das obrigações*: conceito, estrutura e funções da relação obrigacional, fontes das obrigações, modalidade das obrigações. Rio de Janeiro: Forense, 1977. v. 1, n. 28, p. 90-94.

[66] A falta de previsão de cláusula arbitral no edital de licitação e (ou) no contrato administrativo não impede a subsequente celebração de compromisso arbitral (TALAMINI. Arbitragem e Parceria Público-Privada (PPP), n. 8, p. 351; STJ, REsp nº 914.813, 3. T., v.u., Relatora Min.a Nancy Andrighi, julgado em 20 de outubro de 2011, *Dje* 28 fev. 2012).

- as pretensões indenizatórias por atos ilícitos;
- as pretensões indenizatórias por expropriação ou limitação a direitos;
- a titularidade de bens móveis ou imóveis;
- a procedência de pretensões de créditos da Fazenda em face do particular, inclusive fiscais.

9 O regime de direito público e a arbitrabilidade

Nos limites até aqui traçados, é cabível a arbitragem mesmo quando a controvérsia envolver uma competência, uma potestade, precipuamente estatal titularizada pela Administração, tal como o poder de aplicar sanções ou de anular os atos inválidos.

Exemplificando: o particular contratado pretende cobrar mediante arbitragem o cumprimento de uma obrigação contratual. Eventual afirmação de que foi inválida a cláusula ou aditivo contratual que previu a obrigação exigida, acompanhada da assertiva de que a Administração tem o poder de anular seus atos, não afastará o cabimento do processo arbitral. Não se ignora o poder da Administração de anular atos e contratos – observado o devido processo administrativo. Mas essa potestade não afeta a arbitrabilidade objetiva do interesse patrimonial e disponível atinente à pretensão de cobrança do crédito obrigacional. Caberá a arbitragem quer a Administração já tenha exercido, quer ela pretenda futuramente exercer o seu poder de anulação. A validade da disposição contratual e a legitimidade concreta do exercício do poder administrativo de invalidação de atos constituirão apenas questões prévias ou prejudiciais ao conhecimento da pretensão creditícia. Essa em si é arbitrável.

Esse exemplo justifica um último conjunto de considerações.

As peculiaridades do regime de direito público não afetam os parâmetros da arbitrabilidade. A atribuição de competências discricionárias aos agentes públicos, a presença de poderes ("cláusulas") exorbitantes nos contratos administrativos ou a possibilidade de exercício de "atos de império" pelas autoridades não interferem nos termos da questão.

9.1 A irrelevância da discricionariedade

A circunstância da pretensão formulada pelo particular envolver a revisão de ato administrativo supostamente praticado com base em competência discricionária não prejudica a arbitrabilidade do conflito. Mais do que isso, ela nem mesmo representa qualquer limitação à atividade cognitiva do árbitro – como não representaria para a cognição judicial.

9.1.1 A noção de discricionariedade

Por "discricionariedade" entende-se a função que, em determinado caso concreto, se concede ao agente público para escolher, segundo critérios subjetivos de conveniência e oportunidade, um entre dois ou mais comportamentos – todos igualmente insertos nos limites da legalidade e com o mesmo grau ótimo de atendimento à finalidade da lei.

Nesses termos, a existência de discricionariedade só é aferível *in concreto*. Eventualmente, a norma abstrata confere, em tese, uma multiplicidade de alternativas ao agente, que são, porém, concretamente descartadas mediante a interpretação ou a integração (especialmente, a aplicação de princípios), até restar apenas uma solução válida e ótima para o atendimento das finalidades legais. Em tal caso, não há discricionariedade, mas competência vinculada: impõe-se adotar a solução única.

O agente não tem simples faculdade ou prerrogativa de agir discricionariamente. Trata-se de instrumento que a ordem jurídica lhe outorga para que possa cumprir do modo mais adequado possível suas atribuições. É, por isso, um dever-poder, uma *função*. Há o *dever* de o agente público proceder à atuação interpretativa e integrativa mais rigorosa possível, a fim de definir os exatos limites legais de sua atuação vinculada e a margem de discricionariedade que eventualmente lhe resta. Dentro desse exame também se inclui – igualmente como dever – a busca da solução ótima, considerado o caso concreto. Ultrapassada essa etapa, e remanescendo mais de uma solução que se enquadre nessa moldura, apenas então surgirá a liberdade para o agente escolher, subjetivamente, uma entre as duas ou mais alternativas. Nesses estritos limites, será juridicamente indiferente a opção que fizer, uma vez que todas as alternativas serão do mesmo modo válidas e ótimas. Realizará, nesse ponto – jamais antes –, juízo de conveniência e/ou oportunidade, relativo, respectivamente, ao conteúdo e/ou momento de sua atuação.[67]

Existe alguma fração de competência discricionária em toda atividade desempenhada pela Administração Pública. É impossível identificarem-se atividades que sejam puramente vinculadas ou puramente discricionárias. Então, há sempre simbiose entre elas; uma fração de discricionariedade na conduta da Administração Pública, que, sob outros aspectos, é vinculada. Sob esse aspecto, a submissão de qualquer conflito da Administração Pública à jurisdição estatal ou arbitral suscita a possibilidade de exame de aspectos discricionários da conduta administrativa.

9.1.2 Discricionariedade, pressupostos de admissibilidade processual e mérito da causa[68]

A discricionariedade não constitui escudo, elemento imunizador contra o controle jurisdicional. O julgador, diante do pedido de controle de determinada conduta

---

[67] Sobre a definição e as características ora expostas, vede, na doutrina brasileira: BANDEIRA DE MELLO, Celso Antônio. *Discricionariedade e controle jurisdicional*. São Paulo: Malheiros, 1992; cap. 1, *passim* (que preconiza o parâmetro da "solução ótima"); GRAU, Eros Roberto. Crítica da discricionariedade e restauração da legalidade. *In:* ROCHA, Carmen Lúcia Antunes; MACIEL, Adhemar Ferreira (coord.). *Perspectivas do Direito Público:* estudos em homenagem a Miguel Seabra Fagundes. Belo Horizonte: Del Rey, 1995. n. 1, p. 310; DI PIETRO, Maria Sylvia Zanella. *Discricionariedade administrativa na Constituição de 1988*. São Paulo: Atlas, 1991. cap. 2, *passim*; cap. 5, n. 7, p. 150-151; JUSTEN FILHO. *Curso de Direito Administrativo*, cap. 5, n. 11, p. 86. As noções expostas no presente parágrafo e nos anteriores já haviam sido por mim desenvolvidas em oportunidades anteriores em: TALAMINI, Eduardo. *Tutela relativa aos deveres de fazer e de não fazer*. 2. ed. São Paulo: Revista dos Tribunais, 2003. n. 16.2, p. 381-383; TALAMINI, Eduardo; FELIX, Marina Kirsten. O controle judicial da licitação. *In:* NIEBUHR, Karlin O.; POMBO, Rodrigo G. de Freitas (org.). *Novas questões em licitações e contratos*. Rio de Janeiro: Lumen Juris. n. 3.1, p. 683-68).

[68] O contido neste tópico coincide quase literalmente com o que expus em ensaio anterior (TALAMINI; FELIX, O controle judicial da licitação, n. 3.2, p. 684-686) – com uma diferença: lá eu me referia exclusivamente ao juiz estatal.

administrativa, não pode eximir-se de sua função invocando de plano o suposto caráter discricionário do ato. O agente público tampouco pode subtrair-se à revisão jurisdicional de seus atos mediante a abstrata invocação de que detêm competência discricionária para praticá-los.

Reitere-se: a existência de competência discricionária pressupõe a pluralidade de soluções jurídicas ótimas no caso concreto. Para constatar que existe discricionariedade, o julgador precisará desenvolver uma série de juízos: ele terá que investigar as circunstâncias concretas para ver quais eram as premissas fáticas, terá de definir igualmente quais eram as normas que se aplicavam, quais princípios incidiam – inclusive eventualmente constatando haver alguma colisão entre princípios, tendo de resolvê-la mediante o critério da proporcionalidade –, até chegar ao ponto em que concluirá que concretamente havia mais de uma solução ótima e o administrador adotou uma delas. Ou constatará que o caso comportava apenas um encaminhamento, que não foi o seguido – ou que, mesmo havendo pluralidade de soluções ótimas, a adotada pelo administrador não estava entre elas. Nessa segunda hipótese, na solução da lide posta, o julgador considerará a invalidade ou ineficácia da conduta administrativa indevida. E não haverá nisso nenhuma intromissão jurisdicional na esfera discricionária administrativa, pela óbvia razão de que se aferiu não haver ali margem de discricionariedade.

Então, quando averigua que há discricionariedade, o julgador desenvolve juízo de legitimidade da conduta administrativa. Ele considera todos os pressupostos, condicionantes e circunstâncias envolvidos e conclui que foi correta a atuação do administrador público porque ele tinha mais de um caminho para seguir e todos eram legítimos, de modo que sua escolha estava entre as adequadas.

Ao constatar determinada fração de discricionariedade na conduta do administrador, o julgador não pode se imiscuir no "mérito" da atuação administrativa – compreendido esse como a liberdade que tem o agente administrativo de, diante de duas ou mais soluções juridicamente ótimas, escolher a que bem entender. Mas essa decisão que constata a existência da discricionariedade e a consequente impossibilidade de revisão da escolha realizada pelo administrador veicula um juízo sobre o mérito do processo jurisdicional que tenha por objeto o controle da conduta administrativa. Não se trata de simples decisão negativa de resolução de mérito por falta de pressuposto processual ou condição da ação.

Em suma, ao constatar que concretamente a situação conferia ao administrador discricionariedade e que ela foi exercida em seus adequados limites, o julgador não terá se eximido de pronunciar-se sobre a validade da atuação do administrador. Estará, em verdade, reconhecendo a perfeição jurídica do ato administrativo submetido ao seu crivo. A constatação de que havia discricionariedade é o resultado de um processo investigativo – e não um bloqueio logo no ponto de partida –, como se a investigação não fosse possível por conta da existência da discricionariedade. A investigação é que conduz à constatação da discricionariedade.

Como ocorre na solução de qualquer questão de mérito no processo jurisdicional, haverá casos que exigirão mais aprofundada produção probatória e outros em que os fatos serão de plano averiguáveis, por estarem documentados ou serem notórios ou incontroversos; haverá casos que envolverão questões jurídicas complexas e outros em que tais questões serão simples, eventualmente já consolidadas na jurisprudência; haverá casos que comportarão juízo de plausibilidade ensejador de tutela provisória e outros que não permitirão uma resposta jurisdicional senão depois da cognição exauriente – e assim por diante. Agora, em nenhum desses casos é possível a mecânica, automática, afirmação de "discricionariedade" como pretexto para obstar, *in limine*, a averiguação da legitimidade da conduta administrativa.

9.1.3 Identidade de regimes entre juiz estatal e árbitro

Todo esse conjunto de considerações aplica-se exatamente nos mesmos termos tanto ao juiz estatal quanto ao árbitro. Nos termos do art. 18 da Lei de Arbitragem, "o árbitro é juiz de fato e de direito". Não há diferença de regimes. Tanto quanto ao juiz estatal, não é dado ao árbitro imiscuir-se na escolha discricionária de uma das soluções ótimas dada pelo administrador ao caso concreto. Por outro lado, e do mesmo modo que o juiz estatal, o árbitro tem o dever aferir a efetiva configuração concreta da discricionariedade – negando validade ou eficácia, para os fins específicos da solução do litígio, aos atos que ultrapassem os limites da competência discricionária e sejam, por isso, ilegais.

Cumpre tomar em conta uma das dimensões do princípio da competência-competência: a jurisdição arbitral é definida à luz de parâmetros próprios e prévios, inconfundíveis com o mérito da causa. Importa é que a pretensão de tutela judicial relativa ao bem em disputa seja disponível. Se o é, toda e qualquer questão relativa ao caráter discricionário ou vinculado de atos administrativos relevantes para o caso será resolvida pelo tribunal arbitral.

Como bem nota Maria Vaccarela, a "ampla margem de discricionariedade" que "caracteriza o agir da Administração" não é obstáculo ao reconhecimento de direitos do particular em sede arbitral:

> Com efeito, mesmo sendo caracterizada pela discricionariedade, a atividade da Administração Pública é também ligada ao cumprimento da função pública e assim não só substancialmente mas também necessariamente legal, ou seja, submetida a deveres que se concretizam em regras substanciais e procedimentais à cuja observância não se pode subtrair e que permitem no curso do procedimento evidenciar a procedência substancial [*sostanzialità*] da pretensão e, se as condições de fato e de direito o permitem, determinam, em consequência, o acolhimento da demanda.[69]

9.2 As "cláusulas exorbitantes" na relação contratual administrativa e o cabimento da arbitragem

Semelhante ordem de considerações é aplicável às chamadas "cláusulas exorbitantes" nos contratos administrativos. Utiliza-se o termo para designar um conjunto de prerrogativas que a Administração Pública detém na relação contratual administrativa que não são simetricamente atribuídas ao particular contratado nem

---

[69] VACCARELA, Maria. *Arbitrato e giurisdizione amministrativa*. Torino: Giappichelli. cap. 1, n. 7, p. 35-36, tradução nossa.

encontram equivalente nos contratos privados. A rigor, esses especiais poderes não são instituídos apenas por específicas disposições contratuais, mas já provêm da própria lei. Daí por que é preferível aludir a poderes ou competências exorbitantes. Justificam-se em nome da função que a Administração Pública tem de satisfazer as necessidades coletivas.[70] Constituem expressão da própria autoexecutoriedade da atuação administrativa no âmbito da relação contratual.

9.2.1 A inviabilidade da invocação genérica

Também nesse caso é despropositada qualquer invocação genérica e abstrata de tais prerrogativas extraordinárias como óbice ao cabimento da arbitragem.

Como escreve Oswaldo Aranha Bandeira de Mello, os contratos "(...) se consideram administrativos tão somente porque se incluem cláusulas exorbitantes do regime comum de ditos contratos".[71] Na mesma linha, Hely Lopes Meirelles qualifica como contrato administrativo aquele em que a Administração participa "derrogando normas de Direito Privado", não "em posição de igualdade com o particular contratante", mas "com supremacia do Poder Público". Daí "decorre para a Administração a faculdade de impor as chamadas *cláusulas exorbitantes do Direito Comum*", que consagram posições jurídicas favoráveis ao Poder Público que não seriam lícitas em contratos de direito privado.[72] Vale dizer, os "poderes exorbitantes" pairam sobre todo e qualquer contrato administrativo. A perspectiva de seu emprego permeia toda a relação contratual dessa espécie – funcionando precisamente como seu traço essencial.

Então, a tese de que, diante do exercício de poderes exorbitantes, ficaria afastada a possibilidade de emprego da arbitragem *prova demais*: ela conduziria à própria inviabilidade da arbitragem para a solução de qualquer litígio relativo ao contrato administrativo – noção que está de todo superada. Invariavelmente, os litígios decorrentes dos contratos administrativos, envolvem questões relativas ao exercício de prerrogativas administrativas exorbitantes. Se os poderes exorbitantes fossem incompatíveis com o instituto da arbitragem, não haveria a autorização normativa – como há – de emprego da cláusula arbitral nos contratos administrativos.

Portanto, constatada a arbitrabilidade do conflito – o que se tem com o reconhecimento da disponibilidade e da patrimonialidade da pretensão posta em disputa – o árbitro está investido de poderes inclusive para examinar a legitimidade do próprio pretenso ato de autoridade (suposto exercício de *jus imperii*). A simples invocação do exercício do *jus imperii* não pode servir de pretexto para a Administração subtrair-se à arbitragem quando bem entender.

---

[70] Sobre o tema, ver, por todos: JUSTEN FILHO. *Curso de Direito Administrativo*, cap. 10, n. 4.2, p. 298.

[71] MELLO, Oswaldo Aranha Bandeira de. *Princípios gerais de Direito Administrativo*. 3. ed. São Paulo: Malheiros, 2007. v. 1, n. 56.7, p. 686.

[72] MEIRELLES, Hely Lopes. *Direito Administrativo brasileiro*. Atualização: Eurico de Andrade Azevedo; Delcio Balestero Aleixo; José Emmanuel Burle Filho. 24. ed. São Paulo: Malheiros, 1999. cap. 5, n. I, p. 194-195.

9.2.2 A consideração específica dos poderes exorbitantes

A consideração específica de hipóteses de competências exorbitantes da Administração na relação contratual confirma essa constatação. São exemplos das "cláusulas exorbitantes": a alteração unilateral das prestações contratuais a que o particular está obrigado; a resilição unilateral do contrato por razões de conveniência e oportunidade; a resolução unilateral do contrato, diante do inadimplemento de obrigações pelo particular; a aplicação de sanções ao particular inadimplente; a ocupação provisória de bens ou a requisição de pessoal do particular contratado etc.

Algumas dessas prerrogativas fundam-se em competências discricionárias (por exemplo, a resilição unilateral do contrato; em certas hipóteses, a alteração unilateral das prestações do particular...). Mas já se viu que a hipotética presença da discricionariedade não afeta a arbitrabilidade. Caberá a aferição concreta de sua presença – e as alternativas postas ao árbitro são idênticas às que se põe para o juiz: confirmada efetiva existência de discricionariedade, o ato deve ser reputado válido; caso contrário (por exemplo, comprova-se o desvio de finalidade), nega-se validade ao ato e extraem-se disso as consequências cabíveis relativamente à lide posta (condenação em perdas e danos; condenação ao cumprimento específico do contrato etc.).

Outras das "cláusulas exorbitantes" têm seu exercício subordinado a pressupostos de competência vinculada: a aplicação de sanção ao particular pressupõe violação contratual por parte dele; a resolução contratual unilateral igualmente só se justifica pelo efetivo inadimplemento pelo contratado – e assim por diante. Nesse caso, tanto a aferição do cumprimento das obrigações contratuais quanto a aplicação de consequências do indevido exercício do poder exorbitante (indenização; desconstituição da sanção; condenação ao cumprimento específico do contrato etc.) são objeto de pretensões patrimoniais disponíveis.

Além disso, em muitos casos, mesmo que legítimo o exercício do poder exorbitante – e quer ele se funde em competência discricionária ou vinculada –, ainda será em tese cabível a intervenção do árbitro, a fim de julgar pretensões relativas às consequências patrimoniais da atividade administrativa fundada na "cláusula exorbitante". Por exemplo, ainda que legitimamente exercida a resilição unilateral do contrato, o particular deve ser indenizado. Do mesmo modo, a alteração unilateral das prestações do particular enseja o reequilíbrio da equação econômico financeira.[73]

Em suma, "a arbitragem pode ser cabível mesmo diante de atos de autoridade, sempre na medida em que estejam presentes direitos patrimoniais e em que não se esteja diante de um caso de necessariedade da intervenção judicial".[74]

---

[73] Eventualmente, impõe-se ao árbitro limite quanto à escolha do modo de recomposição do equilíbrio contratual, em face de alternativas discricionariamente postas para a Administração Pública. Todavia: (1º) tal limite não seria diverso daquele que se colocaria, na mesma hipótese, para o juiz estatal; (2º) mesmo quando há discricionariedade para a Administração quanto à escolha do meio de reequilíbrio da equação, a sua inércia na adoção de providência específica de reequilíbrio autorizará a conversão em perdas e danos (CPC, art. 499, aplicável também à sentença arbitral, por força do art. 31 da Lei de Arbitragem).

[74] PEREIRA, Cesar A. Guimarães. Arbitragem e a Administração Pública na jurisprudência do TCU e do STJ. *In:* TALAMINI, Eduardo. *Arbitragem e poder público* (coord.). São Paulo: Saraiva, 2010. n. 8, p. 145. No mesmo sentido: TALAMINI. Arbitragem e Parceria Público-Privada (PPP), n. 6, p. 346.

9.3 A distinção entre o objeto do conhecimento jurisdicional e o objeto do processo

Nem se diga que o poder estatal (o *jus imperii*) seria ele mesmo indisponível e (ou) não patrimonial – o que afastaria a arbitrabilidade do conflito. O poder estatal, em si mesmo, não constitui o objeto do processo arbitral. O objeto do processo, em todos os exemplos dados, seria outro: a aferição do cumprimento de obrigações contratuais (com a aplicação de suas devidas consequências, inclusive a desconstituição de sanções); a condenação em indenizações; a condenação ao cumprimento específico etc.

Para aferir se essas pretensões procedem, o juízo arbitral teria de averiguar a legitimidade de atos praticados pela Administração. Mas isso não constitui o objeto litigioso. Trata-se apenas de uma questão jurídica a ser conhecida pelos árbitros, para a solução do objeto processual.

Nesse ponto, impõe-se destacar que o objeto do processo não se confunde com o objeto do conhecimento do juiz.

9.3.1 Objeto do processo e objeto do conhecimento jurisdicional

O objeto do processo (o "mérito") consiste na pretensão a um provimento relativo a determinado "bem de vida".[75] Mas o objeto do processo não se confunde com as questões, processuais e de mérito, que o julgador deve resolver para solucionar a causa (o chamado "objeto de conhecimento do juiz").

Conforme leciona Dinamarco:

> *Todas as questões, enquanto tais, são decididas no processo incidenter tantum: mesmo as de mérito são resolvidas, como já se disse, na trajetória lógica do juiz rumo à decisão do próprio mérito. Questões de mérito não se confundem com o próprio mérito, da mesma forma como as dúvidas sobre a regularidade do processo se definem como questões processuais mas não se confundem com o processo em si mesmo.[76]*

A arbitrabilidade objetiva é aferida à luz do *objeto do processo* (patrimonialidade e disponibilidade, no sentido antes demonstrado, da pretensão relativa a tal bem de vida).

9.3.2 O árbitro e as questões de ordem pública

Precisamente por isso, é irrelevante, para o cabimento da arbitragem, saber se o árbitro terá de resolver questões de ordem pública. Importa é que a pretensão que é objeto da convenção e do processo arbitral seja patrimonial e disponível. A atividade meramente

---

[75] DINAMARCO, Cândido. O conceito de mérito em processo civil. *In*: DINAMARCO, Cândido. *Fundamentos do processo civil moderno.* 3. ed. São Paulo: Malheiros, 2000. v. 1, n. 110, p. 254-255.

[76] DINAMARCO. O conceito de mérito em processo civil, n. 111, p. 258-259. O autor retoma essas ideias, ao tratar especificamente do processo arbitral, em "O conceito de mérito em processo civil" (*In*: DINAMARCO, Cândido. *Fundamentos do processo civil moderno.* 3. ed. São Paulo: Malheiros, 2000. n. 63, p. 169).

lógica a ser desempenhada pelo árbitro para emitir sentença a respeito daquele objeto como tal permanecerá: simples atividade lógica, no terreno da fundamentação da sentença.[77] Não estará investida de nenhuma autoridade ou eficácia externa. Afinal, a coisa julgada não atinge a motivação da sentença.

E o árbitro inequivocamente está autorizado a enfrentar questões de ordem pública (compreendida como tais aquelas que versam sobre a aplicação de normas jurídicas cogentes). Os exemplos evidenciam a obviedade dessa constatação:

(i) em arbitragem, formula-se pretensão de condenação ao cumprimento de obrigação contratual. Em sua defesa, o demandado alega a nulidade absoluta do contrato, por inobservância de solenidade essencial à sua validade. A nulidade constitui questão de ordem pública. Nem por isso o conflito deixará de ser arbitrável – como, aliás, expressamente confirma o art. 8º, par. ún., da Lei nº 9.307/1996. Importa é que o objeto do processo é constituído por uma pretensão patrimonial e disponível. O tribunal arbitral está habilitado a conhecer todas as questões necessárias para julgar tal pretensão. Enfim, e como observa Edoardo Flavio Ricci, ainda que a nulidade contratual seja questão de ordem pública, é arbitrável a lide sobre nulidade do contrato, "porque são disponíveis os direitos contratuais";[78]

(ii) em demanda de responsabilização civil de administrador de companhia aberta, processada na via arbitral, põe-se questão concernente ao possível descumprimento de regras do mercado de capitais. São regras de caráter cogente. Sua violação pode implicar danos à sociedade e aos acionistas. Mas também acarreta sanções administrativas no âmbito da CVM. O tribunal arbitral conhecerá dessa questão, que é de ordem pública, especificamente para solucionar o objeto do processo arbitral (demanda de responsabilização civil);

(iii) na arbitragem em que duas empresas controvertem quanto ao cumprimento de obrigações previstas no contrato comercial celebrado entre elas, uma das partes imputa à outra violação a normas de direito concorrencial, de ordem pública. A ofensa a essas normas pode inclusive acarretar a incidência de sanções administrativas e penais. No âmbito do litígio entre as partes, a violação implicaria a nulidade ou inexigibilidade de determinadas obrigações. O tribunal arbitral poderá e deverá conhecer dessa alegação, para definir o tratamento jurídico aplicável às obrigações contratuais discutidas. Tratará da questão da ofensa à ordem econômica na motivação da sentença, como simples razão para decidir o objeto do processo (as posições jurídico-contratuais das partes). Seu pronunciamento não interferirá sobre o eventual exercício por órgãos públicos da competência de repressão a infrações à ordem econômica.[79]

---

[77] Nesse mesmo sentido: DINAMARCO. *A arbitragem na teoria geral do processo*, n. 63, p. 170-171; RICCI, Edoardo Flavio. O art. 8º, par. ún., da Lei de Arbitragem e sua constitucionalidade. *Lei de Arbitragem brasileira*: oito anos de reflexão: questões polêmicas. São Paulo: Revista dos Tribunais, 2004. n. 7, p. 64.

[78] RICCI. Admissibilidade de arbitragem nas lides sobre invalidade dos contratos: uma interpretação do art. 1º da Lei 9.307/96, n. 4, p. 141.

[79] O exemplo é de Ulf Nordenson (Commentaire au rapport de Goldman. *In*: CCI. *Arbitrage international*: 60 ans après. Paris: CCI, 1984. p. 318 e ss.).

Como observa Pedro Batista Martins:

> Equivoca-se quem sustenta que a matéria de ordem pública é inarbitrável. Ao árbitro não é vedado decidir *questões* que contemplem ordem pública mas, tão somente, conflitos que tenham por *objeto* direito indisponível. O árbitro não tem jurisdição para resolver conflitos de direito indisponível. Mas, por certo, tem autoridade e *iurisdictio* para apreciar e julgar matérias que enfrentem questões de ordem pública.[80]

Mais do que uma simples possibilidade, é *função* (poder-dever) do árbitro, em uma arbitragem de direito, dirimir as questões de ordem pública. Conforme a lição de Ricardo Aprigliano: "Além de ser perfeitamente possível que a matéria submetida a julgamento em processos arbitrais envolva questões de ordem pública, não se deve olvidar que é dos próprios árbitros a tarefa inicial e precípua de controlar a aplicação das leis de ordem pública na arbitragem".[81] No mesmo sentido, é o escólio de António Sampaio Caramelo:

> O árbitro a quem é cometida a função (jurisdicional) de dirimir um litígio de acordo com o direito aplicável, tem o dever de aplicar as regras imperativas e, em especial, as que sejam expressão da ordem pública, pelo que a circunstância de o litígio ser regido por normas dessa natureza não deve constituir impedimento a que ele seja resolvido por arbitragem.[82]

9.3.3 A revogação do art. 25 da Lei de Arbitragem

Se alguma dúvida havia, a aplicação desse regime jurídico à arbitragem foi confirmada pela revogação do art. 25 da Lei nº 9.307/1996. O *caput* de tal dispositivo previa que, "sobrevindo no curso da arbitragem controvérsia acerca de direitos indisponíveis e verificando-se que de sua existência, ou não, dependerá o julgamento, o árbitro ou o tribunal arbitral remeterá as partes à autoridade competente do Poder Judiciário, suspendendo o procedimento arbitral". O parágrafo único do art. 25 estabelecia que, "uma vez resolvida a questão prejudicial e juntada aos autos a sentença ou acórdão transitados em julgado, terá normal seguimento a arbitragem".

Ao menos em sua literalidade, o art. 25 sugeria a configuração de uma "prejudicial externa da devolução obrigatória" – vale dizer: uma questão prejudicial que não poderia ser sequer incidentalmente conhecida pelo julgador, impondo-se a suspensão do processo até que ela viesse a ser julgada pelo órgão competente. Mesmo naquela época, essa interpretação era controvertida. Parte da doutrina reputava que tal regra se aplicaria aos casos em que se tivesse pedido que a questão prejudicial versando sobre direitos indisponíveis fosse julgada em caráter principal (assumindo então o caráter de *lide* prejudicial), com força de coisa julgada. Nas hipóteses em que o enfrentamento da

---

[80] MARTINS, Pedro Batista. *Apontamentos sobre a Lei de Arbitragem*. Rio de Janeiro: Forense, 2008. cap. 1, p. 4.

[81] APRIGLIANO, Ricardo. *Ordem pública e processo*: o tratamento das questões de ordem pública no direito processual civil. São Paulo: Atlas, 2011. n. 3.2, p. 45.

[82] CARAMELO. Critérios de arbitrabilidade dos litígios. Revisitando o tema, n. 10, p. 23.

questão prejudicial se limitasse à motivação da sentença arbitral – sem a autoridade, portanto, da *res iudicata* –, descaberia qualquer remessa da questão para julgamento pelo Judiciário.[83]

Seja como for, a questão já não se põe. A Lei nº 13.129/2015 expressamente revogou o art. 25. O propósito foi inequívoco. Deixar clara a incidência, no processo de arbitragem, do princípio já incidente na generalidade do processo civil brasileiro: o juiz sempre detém competência para conhecer e resolver incidentalmente, como questão preliminar ou prejudicial, o objeto que, se constituísse questão principal, não seria de sua competência. Ele apenas não pode examiná-la como questão principal apta a fazer coisa julgada (CPC, arts. 503, §1º, III, e 504, I). Por exemplo, o juiz civil detém competência para examinar, na fundamentação da sentença, a existência de uma relação de emprego que constitua questão prejudicial de uma causa de sua competência. Pronunciamento sobre o tema na motivação sentencial não afronta a competência da Justiça do Trabalho. Do mesmo modo, embora o controle direto de constitucionalidade dos atos normativos seja de competência exclusiva do Supremo Tribunal Federal (STF), os demais órgãos jurisdicionais detêm o poder para o controle *incidenter tantum* – e assim por diante.

Portanto, o árbitro tem competência para incidentalmente pronunciar-se sobre a existência, inexistência ou modo de ser de posições e situações jurídicas que, em si mesmas, não seriam objeto de pretensões arbitráveis. Elas serão examinadas apenas na fundamentação da sentença, como questões prejudiciais, cuja resolução não fará coisa julgada.

10 Conclusão

Em suma, na convenção arbitral, as partes não dispõem a respeito de posições jurídico-materiais. Quem está pactuando arbitragem não pretende, em nenhuma hipótese, abdicar, extinguir ou transferir, nem mesmo mediante contrapartida ou remuneração, o direito substancial que reputa titularizar e que está envolvido no litígio. Não há aí ato de disposição de direito material. Não há negócio jurídico material. As partes da convenção arbitral dispõem exclusivamente sobre o modo de solução da controvérsia, constituindo mecanismo adjudicatório privado em lugar do processo judicial. É um negócio processual: a parte abdica de sua pretensão de tutela estatal, do seu direito de acessar ao Judiciário. Logo, a disponibilidade exigida para que se possa celebrar esse negócio jurídico é a do objeto desse negócio jurídico. A pretensão de tutela judiciária, o direito de acesso à jurisdição estatal, é que precisa ser disponível.

A (in)disponibilidade do hipotético direito material não repercute sobre a disponibilidade de respectiva pretensão de tutela judicial. Em regra, as pretensões de tutela judiciária, mesmo as da Administração Pública, são disponíveis: normalmente litígios podem ser compostos sem obrigatoriedade de intervenção do Judiciário. A própria possibilidade de solução em processo administrativo é expressão disso.

---

[83] Nesse sentido se pronunciavam, entre outros: DINAMARCO. *A arbitragem na teoria geral do processo*, n. 63, p. 168-170; RICCI, Edoardo Flavio. Para uma interpretação restritiva do art. 25 da Lei de Arbitragem. *In*: RICCI, Edoardo Flavio. *Lei de arbitragem brasileira*: oito anos de reflexão: questões polêmicas. São Paulo: Revista dos Tribunais, 2004. n. 2, p. 175-176.

A pretensão tem caráter patrimonial quando o interesse que lhe serve de objeto diretamente se reveste de valor econômico ou sua violação puder ser reparada, compensada ou neutralizada por medidas com conteúdo econômico.

As peculiaridades do regime de direito público não afetam os parâmetros da arbitrabilidade. A atribuição de competências discricionárias aos agentes públicos, a presença de poderes ("cláusulas") exorbitantes nos contratos administrativos ou a possibilidade de exercício de "atos de império" pelas autoridades não interferem nos termos da questão.

Referências

ACCIOLY, João Pedro. Arbitrabilidade objetiva dos conflitos com a Administração Pública. *Revista Brasileira de Arbitragem*, São Paulo, v. 65, p. 19-20, 2020.

AMARAL, Paulo Osternack. Negócio processual e arbitragem. *In:* CAMPOS MELO, Leonardo de; BENEDUZI, Renato Resende. *A reforma da arbitragem*. Rio de Janeiro, Forense, 2016.

ANDRADE, Gustavo Fernandes de. Arbitragem e Administração Pública: da hostilidade à gradual aceitação. CAMPOS MELO, Leonardo de; BENEDUZI, Renato Resende. *A reforma da arbitragem*. Rio de Janeiro, Forense, 2016.

APRIGLIANO, Ricardo. Cláusula compromissória: aspectos contratuais. *Revista do Advogado (AASP)*, São Paulo, v. 116, n. 1, 2012.

APRIGLIANO, Ricardo. *Ordem pública e processo*: o tratamento das questões de ordem pública no direito processual civil. São Paulo: Atlas, 2011.

BANDEIRA DE MELLO, Celso Antônio. *Curso de Direito Administrativo*. 31. ed. São Paulo: Malheiros, 2014.

BANDEIRA DE MELLO, Celso Antônio. *Discricionariedade e controle jurisdicional*. São Paulo: Malheiros, 1992.

BACELLAR, Roberto. *Mediação e arbitragem*. 2. ed. São Paulo: Saraiva, 2016.

BARBOSA MOREIRA, José Carlos da. O problema da "divisão de trabalho" entre juiz e partes: aspectos terminológicos. *In:* BARBOSA MOREIRA, José Carlos da. *Temas de Direito Processual Civil*. São Paulo, Saraiva, 1989. v. 4.

BECKER, Alfredo A. *Teoria geral do Direito Tributário*. 3. ed. São Paulo: Lejus, 1998.

BEVILÁQUA, Clóvis. *Código Civil dos Estados Unidos do Brasil comentado*. 5. ed. Rio de Janeiro: Francisco Alves, 1938. v. 4.

BOVE, Mauro. *La giustizia privata*. Padova: Cedam, 2009.

CABRAL, Antonio do Passo. *Convenções processuais*. Salvador, Juspodivm, 2016.

CAIS, Fernando da Silva. Comentário ao art. 190. *In:* TUCCI, Ferreira Filho; APRIGLIANO, Dotti e Martins (org.). *Código de Processo Civil anotado*. Rio de Janeiro: GZ, 2016.

CARAMELO, António Sampaio. Critérios de arbitrabilidade dos litígios. Revisitando o tema. *In:* CENTRO DE ARBITRAGEM COMERCIAL; ASSOCIAÇÃO COMERCIAL DE LISBOA. *IV Congresso do Centro de Arbitragem da Câmara de Comércio e Indústria Portuguesa*: intervenções. Coimbra: Almedina, 2011.

CARMONA, Carlos Alberto. *A arbitragem no processo civil brasileiro*. São Paulo: Malheiros, 1993.

CARNELUTTI, Francesco. *Sistema del Diritto Processuale Civile*. Padova: Cedam, 1936. v. 2.

CARVALHO DE MENDONÇA, Manoel Ignacio. *Doutrina e prática das obrigações*. 4. ed. Atualização: Aguiar Dias. Rio de Janeiro: Forense, 1956.

CARVALHO SANTOS, João Manuel de. *Código Civil brasileiro interpretado*. 10. ed. Rio de Janeiro: Freitas Bastos, 1982. v. 14.

COSTA, Mário Júlio de Almeida. *Direito das obrigações*. 4. ed. Coimbra: Coimbra Editora, 1984.

COSTA E SILVA, Paula. Anulação e recursos da decisão arbitral. *Revista da Ordem dos Advogados*, Lisboa, t. 3, 1992.

DALLARI, Adilson. Arbitragem na concessão de serviço público. *Revista de Informação Legislativa*, Brasília, DF, v. 128, n. 3, 1995.

DIDIER JUNIOR, Fredie; FERNANDEZ, Leandro. *Introdução à jurisdição multiportas*. Salvador: Juspodivm, 2024.

DINAMARCO, Cândido. *A arbitragem na teoria geral do processo*. São Paulo: Malheiros, 2013.

DINAMARCO, Cândido. *Instituições de Direito Processual Civil*. 6. ed. São Paulo: Malheiros, 2006. v. 2.

DINAMARCO, Cândido. *Instituições de Direito Processual Civil*. 7. ed. São Paulo: Malheiros, 2017. v. 2.

DINAMARCO, Cândido. O conceito de mérito em processo civil. *In:* DINAMARCO, Cândido. *Fundamentos do processo civil moderno*. 3. ed. São Paulo: Malheiros, 2000.

DINAMARCO, Cândido. Tutela jurisdicional. *In:* DINAMARCO, Cândido. *Fundamentos do processo civil moderno*. 3. ed. São Paulo: Malheiros, 2000. v. 2.

DI PIETRO, Maria Sylvia Zanella. *Discricionariedade administrativa na Constituição de 1988*. São Paulo: Atlas, 1991.

GOMES, Orlando. *Contratos*. 12. ed. Rio de Janeiro: Forense, 1990.

GOMES, Orlando. *Obrigações*. 8. ed. Rio de Janeiro: Forense, 1990.

GRAU, Eros Roberto. Crítica da discricionariedade e restauração da legalidade. *In:* ROCHA, Carmen Lúcia Antunes; MACIEL, Adhemar Ferreira (coord.). *Perspectivas do Direito Público*: estudos em homenagem a Miguel Seabra Fagundes. Belo Horizonte: Del Rey, 1995.

GRECO, Leonardo. Os atos de disposição processual: primeiras reflexões. *In:* GOMES JÚNIOR, Luiz Manoel; MEDINA, José Miguel Garcia; GRINOVER, Ada Pellegrini (coord.). *Os poderes do juiz e o controle das decisões judiciais*: estudos em homenagem a Teresa Arruda Alvim Wambier. São Paulo: Revista dos Tribunais, 2008.

JUSTEN FILHO, Marçal. Administração Pública e arbitragem: o vínculo com a Câmara de Arbitragem e os árbitros. *Revista Brasileira da Advocacia*, São Paulo, v. 1, 2016.

JUSTEN FILHO, Marçal. A indisponibilidade do interesse público e a disponibilidade dos direitos subjetivos da Administração Pública. *Cadernos Jurídicos da Escola Paulista de Magistratura*, São Paulo, v. 58, n. 6.4, p. 90, 2021.

JUSTEN FILHO, Marçal. O conceito de interesse público e a "personalização" do direito administrativo. *Revista Trimestral de Direito Público*, São Paulo, v. 26, p. 115-136, 1999.

JUSTEN FILHO, Marçal. *Sujeição passiva tributária*. Belém: Cejup, 1986.

LARROUMET, Christian. A propósito de la naturaleza contractual del acuerdo de arbitraje en materia internacional y de su autonomía. *In:* ROMERO, Eduardo Silva; MANTILLA-ESPINOSA, Fabricio (org.). *El contrato de arbitraje*. Bogotá: Legis, 2005.

LENT, Friedrich. *Diritto Processuale Civile tedesco*. Traduzione: Edoardo Flavio Ricci. Napoli: Morano, 1962.

LIEBMAN, Enrico Tullio L. *Manual de Direito Processual Civil*. 2. ed. Tradução e notas: Cândido Rangel Dinamarco. Rio de Janeiro: Forense, 1985. v. 1.

LEIBLE, Stefan; LEHMANN, Matthias. El arbitraje en Alemania. *Revista de Processo: RePro*, São Paulo, v. 162, n. 1.4, p. 31, 2008.

LOPES JÚNIOR, Aury. *Direito Processual Penal*. 9. ed. São Paulo: Saraiva, 2012.

LOPES, Miguel Maria de Serpa. *Curso de Direito Civil*. 5. ed. Atualização: José Serpa Santa Maria. Rio de Janeiro, Freitas Bastos, 1989. v. 2.

MARTINS, Pedro Batista. *Apontamentos sobre a Lei de Arbitragem*. Rio de Janeiro: Forense, 2008.

MARQUES, Frederico. *Instituições de Direito Processual Civil*. 3. ed. Rio de Janeiro: Forense: 1966. v. 2.

MEIRELLES, Hely Lopes. *Direito Administrativo brasileiro*. Atualização: Eurico de Andrade Azevedo; Delcio Balestero Aleixo; José Emmanuel Burle Filho. 24. ed. São Paulo: Malheiros, 1999.

MELLO, Oswaldo Aranha Bandeira de. *Princípios gerais de Direito Administrativo*. 3. ed. São Paulo: Malheiros, 2007. v. 1.

MONTERO AROCA, Juan. *Proceso (civil y penal) y garantía*: el proceso como garantía de libertad y de responsabilidad. Valencia: Tirant Lo Blanch, 2006.

NORDENSON, Ulf. Commentaire au rapport de Goldman. *In:* CCI. *Arbitrage international*: 60 ans après. Paris: CCI, 1984.

NOGUEIRA, Pedro Henrique; CABRAL, Antonio do Passo (coord.). *Negócios processuais*. Salvador: Juspodivm, 2015.v. 1.

NOGUEIRA, Pedro Henrique. *Negócios jurídicos processuais*. 2. ed. Salvador: Juspodivm, 2017.

OLIVERO, Luciano. *L'indisponibilità dei Diritti*: analisi di una categoria. Torino: Giappichelli, 2008.

PEREIRA, Caio Mário da Silva. *Instituições de Direito Civil*. 11. ed. Atualização: Régis Fichtner. Rio de Janeiro: Forense, 2004. v. 3.

PEREIRA, Cesar A. Guimarães. Arbitragem e a Administração Pública na jurisprudência do TCU e do STJ. *In:* TALAMINI, Eduardo. *Arbitragem e poder público* (coord.). São Paulo: Saraiva, 2010.

POLCINI, Antonella Tartaglia. *Modelli arbitrali tra autonomia negoziale e funzione giurisdizionale*. Napolis: Scientifiche Italiane, 2002.

RICCI, Edoardo Flavio. Desnecessária conexão entre disponibilidade do objeto da lide e admissibilidade de arbitragem: reflexões evolutivas. *In:* LEMES, Selma Ferreira; CARMONA, Carlos Alberto; MARTINS, Pedro Batista. Arbitragem: estudos em homenagem ao Prof. Guido Fernando Silva Soares (*in memoriam*). São Paulo: Atlas, 2007.

RICCI, Edoardo Flavio. Para uma interpretação restritiva do art. 25 da Lei de Arbitragem. *In:* RICCI, Edoardo Flavio. *Lei de arbitragem brasileira*: oito anos de reflexão: questões polêmicas. São Paulo: Revista dos Tribunais, 2004.

RODRIGUES, Silvio. *Direito civil*. 30. ed. São Paulo: Saraiva, 2006. v. 3.

TALAMINI, Eduardo. A (in)disponibilidade do interesse público: consequências processuais – versão atualizada para o CPC/2015. *Revista de Processo: RePro*, São Paulo, v. 264, n. 10.4, p. 100-102, 2017.

TALAMINI, Eduardo. A (in)disponibilidade do interesse público: decorrências processuais. *Revista de Processo: RePro*, São Paulo, v. 128, 2005.

TALAMINI, Eduardo. Arbitragem e Administração Pública no direito brasileiro. *Revista Brasileira da Advocacia*, São Paulo, v. 9, 2018.

TALAMINI, Eduardo. Arbitragem e Parceria Público-Privada (PPP). *In:* TALAMINI, Eduardo; JUSTEN, Monica S. (coord.). *Parcerias Público-Privadas*: análise crítica da Lei 11.079/2004. São Paulo: Revista dos Tribunais, 2005.

TALAMINI, Eduardo. Cabimento de arbitragem envolvendo sociedade de economia mista dedicada à distribuição de gás canalizado. *In:* TALAMINI, Eduardo. *Direito Processual concretizado*. Belo Horizonte: Fórum, 2010.

TALAMINI, Eduardo. Cabimento de arbitragem envolvendo sociedade de economia mista dedicada à distribuição de gás canalizado. *Revista de Arbitragem e Mediação*, São Paulo, v. 5, 2005.

TALAMINI, Eduardo. Cabimento de arbitragem envolvendo sociedade de economia mista dedicada à distribuição de gás canalizado. *Revista Brasileira de Arbitragem*, São Paulo, v. 4, 2004.

TALAMINI, Eduardo. Cabimento de arbitragem envolvendo sociedade de economia mista dedicada à distribuição de gás canalizado. *Revista de Processo: RePro*, São Paulo, v. 119, 2005.

TALAMINI, Eduardo. *Curso de Direito Administrativo. In:* HARGER, Marcelo (coord.). Rio de Janeiro: Forense, 2007.

TALAMINI, Eduardo. *Direito Processual concretizado*. Belo Horizonte: Fórum, 2010.

TALAMINI, Eduardo. *Tutela relativa aos deveres de fazer e de não fazer*. 2. ed. São Paulo: Revista dos Tribunais, 2003.

TALAMINI, Eduardo. Um processo pra chamar de seu: os negócios jurídicos processuais e a delimitação consensual das questões controvertidas e das provas. *Migalhas*, São Paulo, n. 2, 21 out. 2015. Disponível em https://www.migalhas.com.br/arquivos/2020/6/2CCA2C38C91F32_Eduardo-umprocesso-pra-chamar.pdf. Acesso em: 19 nov. 2024.

TALAMINI, Eduardo; FELIX, Marina Kirsten. O controle judicial da licitação. *In:* NIEBUHR, Karlin O.; POMBO, Rodrigo G. de Freitas (org.). *Novas questões em licitações e contratos*. Rio de Janeiro: Lumen Juris. p. 683-688.

TALAMINI, Eduardo; FRANZONI, Diego. Arbitragem e empresas estatais. *Interesse Público – IP*, Belo Horizonte, v. 105, 2017.

VACCARELA, Maria. *Arbitrato e giurisdizione amministrativa*. Torino: Giappichelli.

VARELA, Antunes. *Das obrigações em geral* 7. ed. Coimbra: Almedina, 1991. v. 1.

VARELA, Antunes. *Direito das obrigações*: conceito, estrutura e funções da relação obrigacional, fontes das obrigações, modalidade das obrigações. Rio de Janeiro: Forense, 1977. v. 1.

VENTURA, Raul. Convenção de arbitragem. *Revista da Ordem dos Advogados*, Lisboa, t. 3, 1986.

WLADECK. Felipe Scripes. *Impugnação da sentença arbitral*. Salvador: Juspodivm, 2014.

Informação bibliográfica deste texto, conforme a NBR 6023:2018 da Associação Brasileira de Normas Técnicas (ABNT):

TALAMINI, Eduardo. Convenção arbitral como negócio jurídico processual: arbitrabilidade objetiva e "direito patrimonial disponível". *In:* JUSTEN, Monica Spezia; PEREIRA, Cesar; JUSTEN NETO, Marçal; JUSTEN, Lucas Spezia (coord.). *Uma visão humanista do Direito*: homenagem ao Professor Marçal Justen Filho. Belo Horizonte: Fórum, 2025. v. 3, p. 755-791. ISBN 978-65-5518-915-5.

DESAFIOS DA AUTOCOMPOSIÇÃO COLETIVA E O PROJETO DE LEI (PL) Nº 1.641/2021 (PROJETO ADA PELLEGRINI GRINOVER)[1]

ELTON VENTURI

1 As propostas de reforma da Lei da Ação Civil Pública e a regulação dos acordos coletivos

Objetivando aperfeiçoar o sistema de tutela coletiva no Brasil, três projetos de lei tramitam atualmente na Câmara dos Deputados, na tentativa de se criar um verdadeiro "código de processos coletivos": o Projeto de Lei (PL) nº 4.478/2020, de iniciativa do Conselho Nacional de Justiça (CNJ); o PL nº 4.441/2020, coordenado por Fredie Didier Junior e o PL nº 1641/2021, elaborado por comissão de juristas nomeada pelo Instituto Brasileiro de Direito Processual (IBDP), denominado "Projeto de Lei (PL) Ada Pellegrini Grinover" em homenagem à saudosa jurista.

Em boa parte, a pretensão de reforma das ações coletivas se deve a um sentimento de certa decepção em relação às promessas de efetividade, de igualdade e de dispersão da tutela dos direitos no país. Essa frustração também ocorreu em outros sistemas de justiça, como no norte-americano[2] e no italiano.[3]

---

[1] Artigo desenvolvido em homenagem ao professor Marçal Justen Filho, de quem tive a sorte e o privilégio de ser aluno no curso de graduação da Faculdade de Direito da Universidade Federal do Paraná (UFPR) no ano de 1988, e a quem agradeço pela contínua inspiração que me lega desde então.

[2] Sobre o arrefecimento das *class actions* nos EUA: ISSACHAROFF, Samuel, Settled Expectations in a World of Unsettled Law: Choice of Law after the Class Action Fairness Act. *Columbia Law Review*, [S. l.], v. 106, 2006; KLONOFF, Robert H. The Decline of Class Actions. *Washington University Law Review*, Washington, D.C., v. 90, 2013; MULLENIX, Linda S. Class Actions Shrugged: Mass Actions and the Future of Aggregate Litigation. *The Review of Litigation*, [S. l.], v. 32, n. 591, 2013; SHERMAN, Edward F. The Class Action Fairness Act and the Federalization of Class Actions. *Federal Rules Decisions*, [S. l.], v. 238, 2007.

[3] Conforme Elisabetta Silvestri (Class actions in Italy: great expectations, big, in disappointment. *In*: SILVESTRI, Elisabetta. Multi-Party Redress Mechanisms in Europe: Squeaking Mice? [S. l.]: V. Harsági and C.H. van Rhee Editors, 2014. p. 198).

Ainda que forte ceticismo já se detecte quanto à receptividade parlamentar desses projetos de lei,[4] fato é que, desde logo, já fornecem importantes subsídios para a melhor compreensão, interpretação e aplicação das técnicas processuais no âmbito dos processos coletivos. Muitas das propostas apresentadas já poderiam ser implementadas de *lege lata*, na medida em que derivam de garantias constitucionais e infraconstitucionais relacionadas com o devido processo legal.

Por outro lado, de maneira verdadeiramente inovadora e em boa hora, ousa-se regular critérios para o aperfeiçoamento dos acordos (judiciais e extrajudiciais) envolvendo direitos difusos, coletivos e individuais homogêneos.

É cada vez mais clara a percepção de que a profusão das resoluções consensuais dos conflitos coletivos experimentada pelo sistema de Justiça nacional – nem sempre obedecendo procedimentos adequados –, passa a exigir a elaboração de regras claras quanto ao cabimento, limites, controle e fiscalização dos acordos coletivos.

Por tal motivo, o presente artigo busca analisar as propostas sugeridas especificamente pelo PL nº 1641/2021, na medida em que se afeiçoa como o mais completo e adequado quanto ao tema, contemplando um capítulo próprio para a regulação da consensualidade coletiva.

2 A admissibilidade da autocomposição coletiva

O ponto de partida da regulação dos acordos coletivos deve tomar em consideração, antes de mais nada, a *admissibilidade (cabimento) das soluções consensuais dos conflitos coletivos*.

Apesar de boa parte da doutrina e da jurisprudência qualificar os direitos difusos e coletivos como indisponíveis, não parece razoável que a mera transindividualidade ou multitudinariedade da pretensão material conflituosa redunde no seu automático enquadramento como indisponível.[5]

As características ínsitas aos interesses ou direitos difusos e coletivos atrelam-se à sua transindividualidade e indivisibilidade. Essas características, contudo, não implicam necessariamente sua indisponibilidade e, consequentemente, intolerabilidade de sujeição a procedimentos de negociação, mediação ou conciliação que eventualmente conduzam à sua transação.[6]

---

[4] Análises críticas de referidos projetos podem ser: GIDI, Antônio. O Projeto de Lei da Ação Civil Pública. Avanços, inutilidades, imprecisões e retrocessos: a decadência das ações coletivas no Brasil. *Civil Procedure Review*, [S. l.], v. 12, n. 25, 2021; OSNA, Gustavo. Primeiras impressões dos recentes projetos de ação coletiva. *Jota*, São Paulo, 9 nov. 2020, disponível em https://www.jota.info/opiniao-e-analise/artigos/acao-coletiva-primeiras-impressoes-dos-recentes-projetos-09112020. Acesso em: 13 nov. 2024.

[5] Como bem destacado pelo Ministro Benjamin (BRASIL. Supremo Tribunal Federal (2. Turma). REsp 1444842/ RJ. Relator: Min. Herman Benjamin. *Dje*: Brasília, DF, 17 nov. 2016): "Homogeneidade e indisponibilidade não se confundem. Uma se refere à gênese causal da pretensão em juízo, a origem comum; a outra diz respeito à liberdade plena ou limitada do titular para se desfazer, total ou parcialmente, do bem jurídico em litígio. Existem interesses e direitos disponíveis que nem por isso deixam de ser homogêneos, como há interesses e direitos indisponíveis que também são homogêneos. No plano estritamente pragmático da gestão de conflitos individuais, o que recomenda a defesa judicial coletiva não é a indisponibilidade, mas a homogeneidade".

[6] Segundo anota Antônio Gidi (*Rumo a um código de processo civil coletivo*. Rio de Janeiro: Forense, 2008. p. 275): "Um direito não passa a ser indisponível simplesmente por ser difuso, coletivo ou individual homogêneo".

A par das discussões a respeito da admissão de transações envolvendo direitos indisponíveis,[7] a convicção de que os acordos são, desde sempre, a forma mais econômica e eficiente de se evitar ou resolver um conflito, não pode simplesmente deixar de ser considerada na perspectiva das pretensões individuais homogêneas de massa envolvendo, dentre outros, consumidores, contribuintes, trabalhadores, segurados da previdência social e servidores públicos. Da mesma forma, a lógica econômica dos acordos não pode ser ignorada quando se pensa na prevenção ou solução de conflitos que envolvam, *v.g.*, o meio ambiente, o patrimônio público, as políticas públicas de saúde, segurança, educação e bem-estar social e a moralidade administrativa.[8]

Todavia, na medida em que nos deparamos com uma crescente disseminação de soluções consensuais de conflitos coletivos (impulsionadas pela exsurgência do movimento de Justiça Multiportas no Brasil), e a partir do momento em que nosso ordenamento jurídico passa a autorizar expressamente o emprego de procedimentos de mediação inclusive nos conflitos que envolvam direitos indisponíveis que admitam transação[9] (art. 3º, *caput*, da Lei nº 13.140/2015), o estudo e a sistematização dos acordos coletivos e das balizas de seu controle jurisdicional tornam-se necessários e urgentes.

Por tais motivos, o PL nº 1641/2021 sugere uma redação bastante ampla e flexível a respeito do cabimento, dos objetivos e das possíveis formas de autocomposição coletiva. Conforme preceitua o art. 38,

> (...) os conflitos envolvendo direitos difusos, coletivos e individuais homogêneos poderão ser objeto de autocomposição parcial ou total, definitiva ou temporária, judicial ou extrajudicial, por meio de todo e qualquer mecanismo adequado de solução consensual que viabilize acordos coletivos, tais como a conciliação, a mediação, a negociação, o compromisso de ajustamento de conduta e quaisquer outros meios consensuais adequados, dependendo das peculiaridades de cada tipo de conflito.

Da redação proposta, destaca-se a referência à *admissibilidade de todo e qualquer mecanismo adequado de autocomposição*, esclarecendo-se, portanto, que nem só de compromissos de ajustamento de condutas se deve cogitar para a consensualidade coletiva.

Mais do que isso, a genérica autorização para a realização de acordos coletivos proveniente do artigo 38 do Projeto Grinover escancara que *a admissibilidade do instrumento (judicial ou extrajudicial) resolutório consensual não pode estar condicionada à disponibilidade dos interesses em jogo*, como se reflete a seguir.

---

[7] Sobre o tema, ver: VENTURI, Elton. Transação de direitos indisponíveis? *In:* ZANETI JÚNIOR, Hermes; CABRAL, Trícia Navarro Xavier (coord.). *Justiça Multiportas*: mediação, conciliação, arbitragem e outros meios adequados de solução de conflitos. 3. ed. Salvador: Juspodivm, 2022.

[8] Admitindo, em maior ou menor grau, a possibilidade de transação envolvendo direitos coletivos: DIDIER JUNIOR, Fredie; ZANETI JÚNIOR, Hermes. Justiça Multiportas e tutela adequada em litígios complexos. *In:* ZANETI JÚNIOR, Hermes; CABRAL, Trícia Navarro Xavier (coord.). *Justiça Multiportas*: mediação, conciliação, arbitragem e outros meios adequados de solução de conflitos. Salvador: Juspodivm, 2018. p. 40-41; GIDI. *Rumo a um código de processo civil coletivo*, p. 77-278; GRAVONSKI, Alexandre. *Técnicas extraprocessuais de tutela coletiva*. São Paulo: Revista dos Tribunais, 2010. p. 160-168; NERY, Ana Luíza Andrade. *Compromisso de ajustamento de conduta*. 2. ed. São Paulo: Revista dos Tribunais, 2012. p. 151.

[9] VENTURI. Transação de direitos indisponíveis?

3 O equívoco da vinculação da admissibilidade dos procedimentos resolutórios à disponibilidade dos interesses em disputa

No sistema de Justiça brasileiro, assim como no dos demais países de *civil law*, é a partir da definição a respeito da disponibilidade ou da indisponibilidade dos direitos disputados nos conflitos sociais que se passa a determinar os possíveis fóruns resolutivos (judiciais ou extrajudiciais), bem como o cabimento e os limites de eventuais soluções consensuais (dentre as quais, a transação).

Tradicionalmente tem se entendido que apenas conflitos envolvendo *direitos patrimoniais disponíveis* seriam passíveis de resolução por via da adjudicação privada (arbitragem) ou de mecanismos resolutórios consensuais (conciliação, mediação ou negociação), na medida em que nenhum óbice seria oponível quanto às prerrogativas de gozo e de exercício pelos seus respectivos titulares.

A admissibilidade dos meios alternativos de resolução de conflitos, aliás, sempre foi condicionada e reservada às disputas concernentes aos direitos patrimoniais disponíveis. Essa a lógica sobre a qual foi construído o modelo arbitral brasileiro, que define como objeto do procedimento arbitral os "litígios relativos a direitos patrimoniais disponíveis" (art. 1º da Lei nº 9.307/1996).

Da mesma forma, o art. 3º Lei de Mediação (Lei nº 13.149/2015) restringe a admissibilidade do procedimento consensual de resolução de disputas ao conflito "que verse sobre direitos disponíveis ou sobre direitos indisponíveis que admitamtransação".

Por fim, o Código de Processo Civil (CPC) de 2015, muito embora informado por renovada principiologia consensual,[10] dispensa a designação de audiências de mediação ou de conciliação "quando não se admitir a autocomposição" (art. 334, §4º, II). Reforça-se, portanto, a ideia de que, em não se admitindo a transação do objeto litigioso, consequentemente sequer caberia a instauração de procedimentos destinados à solução consensual do conflito.

O equívoco da premissa que vincula o cabimento da *alternative dispute resolution* à disponibilidade do direito em disputa já fora vigorosamente criticado por Edoardo Ricci. A partir da análise da legislação arbitral de diversos países de *civil law* (Brasil, Itália, França, Bélgica, Espanha e Suíça), o saudoso jurista italiano revelou que, nesses ordenamentos, a indisponibilidade do objeto da lide implica a inadmissibilidade da arbitragem.[11]

Todavia, para Ricci, essa vinculação só se justificaria "se a sentença arbitral, em vez de ser o equivalente da decisão proferida pelo juiz, no que concerne a seus efeitos, fosse o equivalente de contrato estipulado pelas partes, com o propósito de resolver a lide mediante transação ou conciliação".[12]

---

[10] "O Estado promoverá, sempre que possível, a solução consensual dos conflitos" (art. 3º, §2º, do CPC). "A conciliação, a mediação e outros métodos de solução consensual de conflitos deverão ser estimulados por juízes, advogados, defensores públicos e membros do Ministério Público, inclusive no curso do processo judicial" (art. 3º, §3º, do CPC).

[11] RICCI, Edoardo Flavio. Desnecessária conexão entre disponibilidade do objeto da lide e admissibilidade da arbitragem: reflexões evolutivas. *In*: LEMES, Selma Ferreira; CARMONA, Carlos Alberto; MARTINS, Pedro Batista (org). *Arbitragem*: estudos em homenagem ao Professor Guido Fernando da Silva Soares (*in memoriam*). São Paulo: Atlas, 2007. p. 404.

[12] RICCI. Desnecessária conexão entre disponibilidade do objeto da lide e admissibilidade da arbitragem: reflexões evolutivas, p. 405.

Trata-se de crítica que pode ser estendida perfeitamente aos mecanismos resolutórios consensuais, na medida em que a confusão é idêntica. Afirmar-se, *a priori*, o descabimento de procedimentos de mediação, conciliação e negociação em virtude da vedação de um de seus possíveis e eventuais resultados (um acordo que gere cessão parcial ou total do direito indisponível em disputa), implica ignorar que, por via de referidos instrumentos, é perfeitamente lícito e viável a obtenção de soluções outras, distintas da transação.

Ou seja, abstraída unicamente a transação de pretensões indisponíveis como resultado, todo e qualquer procedimento judicial ou extrajudicial de conflitos se revela admissível, não importa qual seja o objeto da disputa. Daí por que não deveria causar estranheza, por exemplo, o cabimento de mediações ambientais, arbitragens envolvendo o patrimônio público ou negociações a respeito da imputação de sanções por atos de improbidade administrativa.

Por tais motivos, como adiante se destaca com mais profundidade, o PL Grinover estabelece (art. 39) que "os acordos coletivos que tenham por objeto direitos indisponíveis passíveis de autocomposição deverão ser homologados judicialmente, exigida a intervenção do Ministério Público".

Trata-se de correção histórica da maior importância para a admissibilidade de genuínas negociações em matéria de interesses ou direitos difusos, coletivos e individuais homogêneos, oferecendo, finalmente, aporte normativo adequado para acordos coletivos que necessitem envolver inclusive soluções transacionais.

4 Os princípios norteadores dos acordos coletivos

Assentada a ampla admissibilidade dos acordos coletivos, de forma totalmente inovadora, a comissão redatora do Projeto Ada Pellegrini Grinover (a qual tivemos a honra de integrar) resolveu indicar os *princípios fundamentais* que devem ser observados para a sua realização.

Conforme propõe o art. 37 do projeto, a autocomposição coletiva será regida pelos seguintes princípios:

(...)

I - melhor tutela do interesse público, difuso, coletivo ou individual homogêneo;

II - transparência e publicidade;

III - participação, sempre que possível, do grupo social titular da pretensão coletiva e dos demais legitimados processuais;

IV - representatividade adequada e informação suficiente sobre os melhores termos para a tutela coletiva;

V - preservação de todos os interesses envolvidos, permitindo-se, se for o caso, a segmentação do grupo em sub-grupos com representantes adequados que possam tutelar de modo adequado os respectivos interesses;

VI - boa-fé objetiva na previsão dos termos do acordo e na sua implementação;

VII - a observância à ordem pública, aos bons costumes e aos direitos fundamentais;

VIII - preservação da justiça, imparcialidade, proporcionalidade e razoabilidade na resolução da controvérsia por autocomposição; e

IX - isonomia e a segurança jurídica.

Por si só, a enunciação dos princípios da autocomposição coletiva já oferece aos operadores do sistema de Justiça, desde logo, base fundamental para a construção (procedimental e substancial) das soluções consensuais dos conflitos envolvendo direitos difusos, coletivos e individuais homogêneos. Seja qual for o instrumento ou a técnica utilizada no caso concreto para se atingir as soluções consensuais, não se pode deixar de observar as diretivas estabelecidas, na medida em que expressam a preocupação de uma necessária *accountability técnica e social* dos acordos coletivos.

Como se verá adiante, referidos princípios também passam a ser de extrema relevância para parametrizar eventuais controles institucionais e ou jurisdicionais, sobretudo nas hipóteses de acordos envolvendo direitos indisponíveis transacionáveis.

5 A regulação do devido processo legal da autocomposição coletiva

O grande desafio a ser enfrentado pelos sistemas de Justiça que, a exemplo do brasileiro, não possuem tradição na resolução consensual de conflitos que exijam uma intervenção estatal mais atenta (em especial, dos conflitos coletivos), é o da construção de um devido processo legal para os acordos.

Por óbvio, a admissão da autocomposição nos conflitos relativos aos direitos coletivos em sentido amplo suscita problemas de diversas ordens, derivados da complexidade da idealização e da implementação de um devido processo legal que legitime os acordos sob os pontos de vista social e jurídico.

Dentre os problemas que se apresentam à construção de um modelo de devido processo para os acordos podem ser destacados: i) a correta qualificação do conflito coletivo; ii) a identificação do grupo social titular da pretensão; iii) a adequação do(s) representante(s) do grupo para o procedimento resolutório escolhido; iv) a garantia da adequada oitiva dos membros e ou dos representantes do grupo social titular da pretensão; v) a adoção de procedimentos flexíveis, democráticos e participativos, que viabilizem a todos os partícipes informação adequada, tratamento isonômico e autonomia para a aceitação ou rejeição das propostas discutidas; vi) estrita observância das capacidades institucionais dos agentes públicos envolvidos nas negociações e vii) uma necessária fiscalização do sistema de Justiça quanto à adequação, justiça e razoabilidade dos acordos coletivos, inclusive, se necessário, por via da homologação judicial.

Atento à necessidade de uma gradativa implementação de técnicas e procedimentos para a adequada conformação dos acordos coletivos, o PL nº 1.641/2021 relegou à regulamentação administrativa das entidades públicas colegitimadas para a tutela coletiva, no que couber, o estabelecimento de diretrizes especificamente correlatas às suas naturezas e funções institucionais.

Consoante prevê o art. 37, §2º, do PL nº 1.641/2021, cumprirá aos órgãos superiores dos legitimados públicos para a tutela coletiva o estabelecimento de requisitos, padrões e critérios para a autocomposição de direitos difusos, coletivos e individuais homogêneos, atendidos os princípios estabelecidos no inciso VIII do *caput*.

Para além da previsão da necessária regulamentação administrativa – no âmbito institucional das entidades colegitimadas para a tutela coletiva –, o PL Grinover cuidou de regular a intervenção judicial nos acordos coletivos, o que suscita, preliminarmente, breve discussão a respeito do papel do Poder Judiciário em tal seara.

6 O papel do Poder Judiciário diante dos acordos coletivos[13]

Na definição do papel a ser desempenhado pelo Poder Judiciário diante dos acordos coletivos, uma primeira e prejudicial questão diz respeito à necessidade da intervenção jurisdicional – sobretudo quando a autocomposição se qualificar como verdadeira transação.

De fato, parece possível afirmar que ainda não há uma clara compreensão do sistema de Justiça nacional a respeito da necessidade da homologação judicial de acordos envolvendo direitos transindividuais ou individuais homogêneos.

Tal indefinição ocorre, ao menos, por dois motivos: a falta de tradição dos acordos coletivos diante da cultura da adjudicação e a disseminada prática dos compromissos de ajustamento de condutas como instrumento extrajudicial de resolução dos conflitos coletivos que, em princípio, dispensa qualquer chancela judicial por não implicar autêntica transação.[14]

Os acordos nos processos judiciais brasileiros são pouco frequentes, como apontam os mais recentes dados oficiais.[15] Apesar de inexistirem dados precisos sobre o índice de autocomposição no âmbito das diversas ações coletivas, ninguém ousaria duvidar de que são expressivamente ainda inferiores.

Tal cenário acarreta fundadas dúvidas a respeito de qual seria precisamente o papel da intervenção jurisdicional diante de propostas de acordos nas demandas coletivas já instauradas. Dentre elas, exemplificamos: a) a homologação da proposta de acordo seria obrigatória para lhe imprimir validade e eficácia?; b) a homologação do acordo seria necessária para a extinção da ação coletiva?; c) os critérios para a análise judicial chancelatória dos acordos coletivos seriam similares ou idênticos àqueles já seguidos pelo sistema de Justiça nas demandas individuais?; d) a homologação se circunscreveria à verificação dos pressupostos formais de validade?; e) a intervenção judicial deveria ser mais ativa e vertical, no sentido de um verdadeiro escrutínio a respeito do próprio mérito do acordo coletivo, em prol da defesa dos interesses dos membros do grupo tutelado?; f) a manifestação de vontade das partes formais da relação processual bastaria para a chancela judicial, ou os demais legitimados ativos para a tutela coletiva deveriam ser consultados?; g) para além da consulta dos representantes judiciais, os membros do

---

[13] Sobre o tema, com maior densidade, ver: VENTURI, Elton. A homologação judicial dos acordos coletivos no Brasil. *In*: VENTURI, Elton. *Mediação e arbitragem na Administração Pública*. São Paulo: Almedina, 2020.

[14] Conforme Antônio Gidi (*Rumo a um código de processo civil coletivo*, p. 271), "por uma deformação da nossa legislação, o tema dos acordos coletivos é debatido pela doutrina brasileira dentro do contexto limitado do compromisso de ajustamento de conduta", o que conduz a uma restritiva compreensão do tema.

[15] Segundo o relatório "Justiça em números", divulgado pelo CNJ no ano de 2022, refletindo dados levantados no ano anterior, a média geral de acordos nos processos cíveis ficou em 11,9%, sendo 17,4% na fase de conhecimento e 8,1% na fase de execução. Em segunda instância, o índice de acordos não passou de 0,9% (CNJ. *Justiça em números 2022*. Brasília, DF: CNJ, 2022. Disponível em: https://www.cnj.jus.br/wp-content/uploads/2022/09/justica-em-numeros-2022-1.pdf. Acesso em: 13 nov. 2024).

grupo também deveriam ser de alguma forma ouvidos?; h) poderiam os membros do grupo optar por não aceitar o acordo? Quais as consequências disso?; i) a intervenção do Ministério Público seria obrigatória nos acordos coletivos, sob pena de nulidade?; j) seria admissível o acordo coletivo mesmo estando fundamentada a ação coletiva na inconstitucionalidade de lei ou ato normativo?; k) a decisão homologatória de acordos coletivos gera eficácia oponível *erga-omnes* ou *inter partes*? Sua abrangência poderia ser regional ou nacional?; l) a decisão homologatória de acordos coletivos pode gerar coisa julgada material?; m) a coisa julgada estaria condicionada à cláusula *rebus sic stantibus*?; n) quais são os meios impugnativos cabíveis para a revisibilidade da decisão homologatória?; o) seria possível liquidação e execução individual de um acordo coletivo inadimplido?; p) o objeto do acordo coletivo poderia transcender o objeto do processo coletivo?

As respostas para essas e tantas outras dúvidas que o sistema de Justiça brasileiro já começa a enfrentar em tema de acordos coletivos serão gradativamente construídas, na medida da crescente provocação dos tribunais a respeito e do interesse da academia em explorá-los.

Por outro lado, se não há grande experiência do país quanto aos acordos judiciais em demandas coletivas, um instrumento extrajudicial de composição de conflitos coletivos vem sendo vastamente utilizado no Brasil desde 1990, parametrizando as soluções consensuais por iniciativa do Ministério Público e das pessoas jurídicas de direito público. Trata-se do Compromisso de Ajustamento de Condutas, inserido na Lei da Ação Civil Pública[16] e incorporado ao novo CPC de 2015.[17]

Segundo preponderante orientação doutrinária e jurisprudencial, o objetivo do compromisso de ajustamento de condutas seria restrito à regulação de comportamentos e eventuais sanções, aplicáveis convencionalmente a quem se imputa a prática ilegal e lesiva a qualquer interesse ou direito transindividual.[18] Dessa forma, o mecanismo serviria apenas a viabilizar "garantia mínima em prol do grupo, classe ou categoria de pessoas atingidas, não pode[ndo] ser garantia máxima de responsabilidade do causador do dano, sob pena de admitirmos que lesados fiquem sem acesso jurisdicional".[19]

Enquanto instrumento inapto à realização de autênticas transações, não haveria, em princípio, qualquer imposição para que os termos de ajustamento de conduta firmados sejam submetidos à homologação judicial.[20] Uma tal iniciativa constituiria,

---

[16] "Art. 6º - (...)
(...)
§6º - Os órgãos públicos legitimados poderão tomar dos interessados compromisso de ajustamento de sua conduta às exigências legais, mediante cominações, que terá eficácia de título executivo extrajudicial".

[17] O art. 784, IV, do CPC qualifica como título executivo extrajudicial "o instrumento de transação referendado pelo Ministério Público, pela Defensoria Pública, pela Advocacia Pública, pelos advogados dos transatores ou por conciliador ou mediador credenciado por tribunal". Perceba-se que o CPC, diferentemente da LACP, expressamente conceitua o mecanismo como autêntica transação.

[18] Nesse sentido, por todos, ver: RODRIGUES, Geisa de Assis. *A ação civil pública e o termo de ajustamento de condutas*. Rio de Janeiro: Forense, 2002. p. 97.

[19] Nesse sentido: BUENO, Cássio Scarpinella. As *class actions* norte-americanas e as ações coletivas brasileiras: pontos para uma reflexão conjunta. *Revista de Processo: RePro*, São Paulo, v. 82, p. 92, abr. 1996.

[20] A natureza não negocial do TAC restou reafirmada pela Resolução nº 179 do CNMP, no §1º do art. 1º: "Não sendo o titular dos direitos concretizados no compromisso de ajustamento de conduta, não pode o órgão do Ministério Público fazer concessões que impliquem renúncia aos direitos ou interesses difusos, coletivos e individuais

por essa lógica, mera opção das partes a fim de lhes garantir as vantagens processuais decorrentes da criação de um título executivo judicial.[21]

Contudo, na medida em que o instrumento dos ajustamentos de conduta começa a ser gradativamente manipulado com o intuito de prevenir ou solucionar conflitos coletivos a partir de processos de negociação que implicam verdadeira transação das pretensões substanciais tuteladas, parece indiscutível a necessidade de uma diferenciada intervenção jurisdicional para sua validação e legitimação.

A necessidade de homologação judicial de transações coletivas resultantes de negociações empreendidas extrajudicialmente (mediante os compromissos de ajustamento de condutas) ou judicialmente (no âmbito de um processo coletivo já instaurado) deve ser compreendida a partir do interesse público existente na fiscalização do devido processo legal processual e substancial dessas soluções consensuais.

Com base em tais premissas, o PL nº 1.641/2021 regulamenta a intervenção jurisdicional na autocomposição coletiva no art. 39, determinando que:

> (...) - os acordos coletivos que tenham por objeto direitos indisponíveis passíveis de autocomposição deverão ser homologados judicialmente, exigida a intervenção do Ministério Público.
>
> §1º Nas demais hipóteses de solução consensual, a homologação judicial dos acordos coletivos é facultativa, caso em que valerá como título executivo judicial, adquirindo presunção de legitimidade e de ciência geral.

A proposta, como se percebe, mantém a possibilidade de acordos coletivos extrajudiciais não submissíveis necessariamente a qualquer chancela judicial (hipótese típica dos compromissos de ajustamento de condutas que não impliquem transação de interesses transindividuais). E assim deve ser, para garantir maior agilidade e uma boa dose de discricionariedade dos entes públicos autorizados a empreender tal instrumento resolutório extrajudicial.

Por outro lado, em casos de acordos coletivos mais complexos (como naqueles implementados para a solução de problemas ou litígios estruturais),[22] e que eventualmente envolvam transação de direitos indisponíveis, tendo por fundamento o notório interesse público ou interesse social relevante, o PL Grinover determina a obrigatoriedade

---

homogêneos, cingindo-se a negociação à interpretação do direito para o caso concreto, à especificação das obrigações adequadas e necessárias, em especial o modo, tempo e lugar de cumprimento, bem como à mitigação, à compensação e à indenização dos danos que não possam ser recuperados".

[21] "O Termo de Ajustamento de Conduta é título executivo extrajudicial, conforme dispõe o art. 5º, §6º, da Lei 7.347/1985, e o seu descumprimento permite ajuizar Ação de Execução. Contudo, o Ministério Público pode optar por homologar judicialmente o acordo entabulado no TAC, art. 475-N, V, do CPC, pois obterá título executivo judicial, instrumento mais célere e efetivo para a proteção dos direitos coletivos. É importante salientar que a elaboração do TAC não põe fim ao litígio, porque não afasta a obrigação do Poder Judiciário de homologar o termo assinado pelos interessados. Precedentes: AgRg no AREsp 248.929/RS, Rel. Ministro Herman Benjamin, 2ª T., DJe 5/8/2015; AgRg no AREsp 247.286/PB, Rel. Ministro Og Fernandes, 2ª T., DJe 5/12/2014) e REsp 1.150.530/SC, Rel. Ministro Humberto Martins, 2ª T., DJe 8/3/2010)" (BRASIL. Supremo Tribunal Federal (2. Turma). REsp 1572000/SP. Relator: Min. Herman Benjamin, 23 de fevereiro de 2016. *Dje*: Brasília, DF, 30 maio 2016).

[22] A respeito das soluções consensuais em litígios estruturais: VITORELLI, Edilson. *Processo estrutural*: teoria e prática. São Paulo: Juspodivm, 2022.

da homologação judicial, no intuito de emprestar *máxima accountability técnica e social* à solução negociada e garantir *segurança jurídica* para os acordos de interesse público.[23]

Contudo, a necessária homologação judicial dos acordos coletivos de interesse público não significa autorização para que a solução – que se pretende construir com base no consenso entre os envolvidos – seja simplesmente convertida, subversivamente, em adjudicação estatal do conflito.

Para evitar referida subversão, o PL Grinover estabelece alguns critérios para a atuação jurisdicional chancelatória dos acordos coletivos, como adiante se destaca.

7 Critérios essenciais para a homologação judicial da autocomposição coletiva: ponderação sobre justiça, razoabilidade e adequação do acordo

Assentada a conclusão da necessidade de intervenção judicial para a validade e legitimidade de acordos coletivos que impliquem transação dos interesses ou direitos em jogo, a preocupação subsequente se volta à identificação de critérios a serem observados pelo Poder Judiciário.

Para tanto, não é possível um simples transplante dos pressupostos classicamente estabelecidos para a atuação jurisdicional homologatória dos acordos individuais envolvendo direitos patrimoniais disponíveis, quando a intervenção estatal é caracterizada pela verificação formal da capacidade e livre manifestação de vontade das partes, da licitude do objeto e da inexistência de ofensa à ordem pública.

A homologação judicial de acordos coletivos, por outro lado, assume viés diferenciado e altamente complexo, invocando verdadeiro escrutínio jurisdicional a respeito do devido processo legal quanto à sua forma (procedimento) e ao seu conteúdo.[24]

Essa tarefa desafia, dentre outros pressupostos, uma necessária autocontenção do Poder Judiciário no intuito de preservar sua imparcialidade para a fiscalização do *due process*. Para tanto, não podem os juízes aos quais se atribui a missão homologatória assumir a condição de partícipes da mesa de negociação, situação que poderia indevidamente forçá-los a forçar a aceitação da proposta.[25]

A avaliação substancial do ajuste coletivo deve ser realizada de forma a se preservar, tanto quanto possível, a autonomia das partes proponentes envolvidas nas negociações. Nesse sentido, não é dado ao Poder Judiciário a imposição de alterações no conteúdo da proposta avaliada – o que transformaria a atuação chancelatória em

---

[23] Analisando os acordos administrativos e o problema da indisponibilidade do interesse público, conclui Justen Filho (A indisponibilidade do interesse público e a disponibilidade dos direitos subjetivos da Administração Pública. *In:* JUSTEN FILHO, Marçal. *Acordos administrativos no Brasil.* São Paulo: Almedina, 2020. p. 61): "Ao invés de questionar um atributo intrínseco do interesse público, cabe avaliar o regime jurídico concreto adotado relativamente aos direitos subjetivos envolvidos. A ordem jurídica, mesmo de modo implícito, pode autorizar a Administração Pública a entabular negociações e acordos com os particulares, versando sobre os direitos subjetivos públicos, admitindo que tal solução é um meio para a realização mais adequada e satisfatória dos interesses públicos abstratos e concretos que se constituem no fim buscado pela atividade estatal".

[24] Sobre o papel judicial no controle da adequada representatividade, ver: GIDI, Antônio. *A* class action *como instrumento de tutela coletiva dos direitos.* São Paulo: Revista dos Tribunais, 2007. p. 320 e ss.

[25] Conforme sustenta Peter H. Schuck (The Role of Judges in Settling Complex Cases: The Agent Orange Example. *University of Chicago Law Review*, [S. l.], v. 51, p. 361, 1986).

autêntica adjudicação. No universo dos acordos, ao contrário da atividade jurisdicional adjudicatória, a função homologatória não implica substitutividade da vontade das partes pela vontade do Estado.[26]

Assim, *v.g.*, uma vez negada a homologação de um acordo coletivo considerado indevido, ao magistrado incumbiria tão somente devolver às partes as tratativas de negociação para que, eventualmente, nova proposta possa vir a ser por elas entabulada e novamente encaminhada à avaliação judicial.[27]

Os parâmetros da intervenção jurisdicional na aprovação de acordos coletivos desafiam, em última análise, os controversos limites da *judicial review*, sobretudo quando os magistrados se dispõem a averiguar se o conteúdo desses acordos se ajusta à garantia do devido processo legal em sentido substancial.[28]

E essa discussão ganha ainda maior complexidade nos sistemas de Justiça nos quais se percebe notória tendência de disseminação de um ativismo judicial que, muitas vezes, obscurece a necessidade de uma autocontenção da atuação jurisdicional, sem a qual torna-se praticamente inviável a manutenção da estabilidade da interrelação entre os poderes do Estado, tanto quanto a preservação dos valores da liberdade e da autonomia das vontades.

Em que pese a inexistência de critérios pré-estabelecidos pelo ordenamento brasileiro para a homologação judicial de acordos coletivos, assim como a rara atuação dos tribunais nacionais sobre o tema, a antiga experiência dos países de *common law* – em especial a dos Estados Unidos da América – revela-se extremamente útil a informar possíveis caminhos a serem trilhados por nós. A história da gradativa implementação do controle jurisdicional dos acordos nas *class actions* demonstra precisamente a tentativa de equalização das fortes tensões econômicas, ideológicas, políticas e sociais que atuam sobre a resolução dos conflitos de massa.[29]

A regulamentação dos critérios para a homologação judicial dos acordos nas *class actions* norte-americanas somente ocorreu no ano de 2003, fruto de forte reação do sistema de Justiça contra constantes abusos dos advogados, que transformaram os processos coletivos indenizatórios em negócio altamente lucrativo em termos de honorários, em prejuízo, muitas vezes, dos interesses dos milhares ou dos milhões de indivíduos por eles representados.[30]

---

[26] Ainda segundo Schuck (The Role of Judges in Settling Complex Cases: The Agent Orange Example, p. 362), nenhum acordo que tenha sido criado por obra quase que exclusivamente judicial pode ser considerado justo, razoável e adequado.

[27] Dentre os princípios informadores do *judicial review* dos acordos coletivos, o American Law Institute (*Princípios do Direito – processo agregado*. Tradução: Bruno Dantas. São Paulo: Revista dos Tribunais, 2017. p. 257) sugere: "Um tribunal pode aprovar ou desaprovar uma proposta de acordo coletivo, porém, não pode, por conta própria, intervir no acordo para adicionar, excluir ou modificar qualquer de seus termos. O tribunal pode, contudo, informar as partes de que não aprovará o acordo até que algum termo seja corrigido conforme sua determinação".

[28] A respeito da doutrina da *substantive due process* e dos riscos que ela traz para a transformação do Poder Judiciário em um "superLegislativo": DEL CLARO, Roberto. Devido processo substancial? *In:* MARINONI, Luiz Guilherme (coord.). *Estudos de Direito Processual*. Homenagem ao professor Egas Dirceu Moniz de Aragão. São Paulo: Revista dos Tribunais, 2005. p. 192-213.

[29] Sobre a função homologatória e revisional das cortes americanas sobre acordos coletivos: BRUMMER, Chris. Sharpening the Sword: Class Certification, Appellate Review, and the Role of the Fiduciary Judge in Class Action Lawsuits. *Columbia Law Review*, [S. l.], v. 104, n. 4, p. 1042-1071, 2004.

[30] Nesse particular, é interessante perceber como a predominância das soluções consensuais dos conflitos de massa nos Estados Unidos da América derivou de uma lógica econômica não exatamente relacionada à concretização

Muito embora a redação original da regra 23 das *Federal Rules of Civil Procedure* já previsse que qualquer extinção de uma *class action* deveria necessariamente ser aprovada pela corte.[31] a reforma levada a efeito em 2003 definiu como critérios para a aprovação judicial da proposta de acordos coletivos a sua *justiça, razoabilidade* e *adequação*.[32]

Nada obstante os graus de abstração e de generalidade contidos em tais critérios, ainda assim não deixam de constituir parâmetros fundamentais para uma intervenção jurisdicional essencialmente fiscalizatória das soluções consensualmente apresentadas ao escrutínio jurisdicional. Em última análise, fixam premissas para que os magistrados, em cada caso concreto, submetam as propostas de acordos coletivos a testes de ponderação pelos quais se afiram sua justiça, razoabilidade e adequação, tomando em consideração tanto o *procedimento* utilizado pelas partes, como o conteúdo substancial do ajuste.[33]

Para a execução dos referidos testes de ponderação, diversos são os fatores que podem ser utilizados pelo Poder Judiciário, em atenção, inicialmente, à necessidade de adequada justificação da discricionariedade judicial na homologação dos acordos coletivos. Ainda, a identificação dos fatores de ponderação se presta a sinalizar ao sistema de Justiça – e, em especial, às instituições responsáveis pela tutela dos interesses ou direitos transindividuais e individuais homogêneos de relevância social –, uma necessária e mínima previsibilidade da atuação jurisdicional, em homenagem à segurança jurídica e eficiência da proteção desses direitos.

Atento a tais premissas, o PL nº 1.641/2021 estabeleceu alguns critérios a serem observados para a homologação judicial dos acordos coletivos no art. 39, §2º, segundo o qual

> (...) A homologação judicial dos acordos coletivos envolverá a avaliação do respeito ao devido processo legal do procedimento utilizado, assim como da observância dos princípios estabelecidos no artigo 2º desta Lei, sob pena de devolução às partes para rediscussão, indicando-se expressamente na decisão judicial os motivos da rejeição da proposta e as cláusulas que devem ser reavaliadas ou o procedimento a ser observado.

Assim sendo, regula-se a intervenção judicial nos acordos coletivos sob parâmetros procedimentais (de forma) e substanciais (justiça, razoabilidade e adequação) imprescindíveis para o controle do devido processo legal da consensualidade coletiva: na hipótese de o magistrado entender ausentes ou insuficientes referidos critérios, deve apontar expressamente as inconsistências identificadas e devolver a proposta de acordo para que os envolvidos as retifiquem, atuando, todos, em necessária colaboração e cooperação para a obtenção da melhor solução possível para o conflito ou problema coletivo.

---

de indenizações viabilizadas às vítimas pelos acordos, mas, antes disso, aos altos interesses financeiros das corporações processadas e dos advogados do grupo. Sobre o tema: GIDI. A class action *como instrumento de tutela coletiva dos direitos*, p. 245.

[31] "23 (e) SETTLEMENT, VOLUNTARY DISMISSAL, OR COMPROMISE. The claims, issues, or defenses of a certified class—or a class proposed to be certified for purposes of settlement – may be settled, voluntarily dismissed, or compromised only with the court's approval."

[32] "23 (e)(2) Approval of the Proposal. If the proposal would bind class members, the court may approve it only after a hearing and only on finding that it is fair, reasonable, and adequate (...)."

[33] Conforme Rubenstein, William B. (The fairness hearing: Adversarial and regulatory approaches. *UCLA Law Review*, [S. l.], n. 53, p. 1435, 2006), "the proposed settlement of a class action should trigger a two-part fairness hearing, involving both judicial assessment of the value of the claims and regulatory assessment of the process of settlement".

8 Conclusão

A reavaliação do sistema adjudicatório estatal para a resolução de conflitos coletivos desafia não apenas a investigação a respeito da *viabilidade* das soluções consensuais das disputas envolvendo interesses ou direitos difusos, coletivos e individuais homogêneos, mas, também, sua *forma, limites e controle.*

Por isso, as propostas de regulamentação dos acordos coletivos apresentadas ao Parlamento brasileiro por via do Projeto Ada Pellegrini Grinover – que merecem cuidadoso escrutínio e aperfeiçoamento durante o processo legislativo –, constituem inegável avanço na medida em que, para além de definitivamente afirmar a viabilidade dos acordos coletivos, esboça suas essenciais premissas procedimentais e substanciais.

Independentemente da (esperada) aprovação parlamentar da propostas de aprimoramento da tutela coletiva no Brasil, a base principiológica e a definição dos objetivos e procedimentos da autocomposição coletiva esboçadas pelo PL nº 1.641/2021, por si sós, já autorizam a elaboração de adequados *designs* de solução consensual de conflitos coletivos por parte das instituições colegitimadas para a tutela coletiva, capazes de viabilizar a melhor proteção possível dos direitos transindividuais e individuais homogêneos.

Referências

BRASIL. Supremo Tribunal Federal (2. Turma). REsp 1.4448.42/RJ. Relator: Min. Herman Benjamin. *Dje*: Brasília, DF, 17 nov. 2016.

BRASIL. Supremo Tribunal Federal (2. Turma). REsp 1.5720.00/SP. Relator: Min. Herman Benjamin, 23 de fevereiro de 2016. *Dje*: Brasília, DF, 30 maio 2016.

BRUMMER, Chris. Sharpening the Sword: Class Certification, Appellate Review, and the Role of the Fiduciary Judge in Class Action Lawsuits. *Columbia Law Review*, [*S. l.*], v. 104, n. 4, p. 1042-1071, 2004.

BUENO, Cássio Scarpinella. As *class actions* norte-americanas e as ações coletivas brasileiras: pontos para uma reflexão conjunta. *Revista de Processo: RePro*, São Paulo, v. 82, abr. 1996.

CNJ. *Justiça em números 2022*. Brasília, DF: CNJ, 2022. Disponível em: https://www.cnj.jus.br/wp-content/uploads/2022/09/justica-em-numeros-2022-1.pdf. Acesso em: 13 nov. 2024.

DEL CLARO, Roberto. Devido processo substancial? *In*: MARINONI, Luiz Guilherme (coord.). *Estudos de Direito Processual*. Homenagem ao professor Egas Dirceu Moniz de Aragão. São Paulo: Revista dos Tribunais, 2005.

DIDIER JUNIOR, Fredie; ZANETI JÚNIOR, Hermes. Justiça Multiportas e tutela adequada em litígios complexos. *In*: ZANETI JÚNIOR, Hermes; CABRAL, Trícia Navarro Xavier (coord.). *Justiça Multiportas*: mediação, conciliação, arbitragem e outros meios adequados de solução de conflitos. Salvador: Juspodivm, 2018.

GIDI, Antônio. *A class action como instrumento de tutela coletiva dos direitos*. São Paulo: RT, 2007.

GIDI, Antônio. O Projeto de Lei da Ação Civil Pública. Avanços, inutilidades, imprecisões e retrocessos: a decadência das ações coletivas no Brasil. *Civil Procedure Review*, [*S. l.*], v. 12, n. 25, 2021.

GIDI, Antonio. *Rumo a um código de processo civil coletivo*. Rio de Janeiro: Forense, 2008.

GRAVONSKI, Alexandre. *Técnicas extraprocessuais de tutela coletiva*. São Paulo: Revista dos Tribunais, 2010.

ISSACHAROFF, Samuel, Settled Expectations in a World of Unsettled Law: Choice of Law after the Class Action Fairness Act. *Columbia Law Review*, [*S. l.*], v. 106, 2006.

JUSTEN FILHO, Marçal. A indisponibilidade do interesse público e a disponibilidade dos direitos subjetivos da Administração Pública. *In*: JUSTEN FILHO, Marçal. *Acordos administrativos no Brasil*. São Paulo: Almedina, 2020.

KLONOFF, Robert H. The Decline of Class Actions. *Washington University Law Review*, Washington, D.C., v. 90, 2013.

MULLENIX, Linda S. Class Actions Shrugged: Mass Actions and the Future of Aggregate Litigation. *The Review of Litigation*, [*S. l.*], v. 32, n. 591, 2013.

NERY, Ana Luíza Andrade. *Compromisso de ajustamento de conduta*. 2. ed. São Paulo: Revista dos Tribunais, 2012.

OSNA, Gustavo. Primeiras impressões dos recentes projetos de ação coletiva. *Jota*, São Paulo, 9 nov. 2020, disponível em https://www.jota.info/opiniao-e-analise/artigos/acao-coletiva-primeiras-impressoes-dos-recentes-projetos-09112020. Acesso em: 13 nov. 2024.

RICCI, Edoardo Flavio. Desnecessária conexão entre disponibilidade do objeto da lide e admissibilidade da arbitragem: reflexões evolutivas. *In*: LEMES, Selma Ferreira; CARMONA, Carlos Alberto; MARTINS, Pedro Batista (org). *Arbitragem*: estudos em homenagem ao Professor Guido Fernando da Silva Soares, *in memoriam*. São Paulo: Atlas, 2007.

RUBENSTEIN, William B. The fairness hearing: Adversarial and regulatory approaches. *UCLA Law Review*, [*S. l.*], n. 53, 2006.

SCHUCK, Peter H. The Role of Judges in Settling Complex Cases: The Agent Orange Example. *University of Chicago Law Review*, [*S. l.*], v. 51, 1986.

SHERMAN, Edward F., The Class Action Fairness Act and the Federalization of Class Actions. *Federal Rules Decisions*, [*S. l.*], v. 238, 2007.

SILVESTRI, Elisabetta. Class actions in Italy: Great expectations, big, in disappointment. *In*: SILVESTRI, Elisabetta. *Multi-Party Redress Mechanisms in Europe*: Squeaking Mice? [*S. l.*]: V. Harsági and C.H. van Rhee Editors, 2014.

THE AMERICAN LAW INSTITUTE. *Princípios do Direito* – processo agregado. Tradução: Bruno Dantas. São Paulo: Revista dos Tribunais, 2017.

VENTURI, Elton. A homologação judicial dos acordos coletivos no Brasil. *In*: VENTURI, Elton. *Mediação e arbitragem na Administração Pública*. São Paulo: Almedina, 2020.

VENTURI, Elton. Transação de direitos indisponíveis? *In*: ZANETI JÚNIOR, Hermes; CABRAL, Trícia Navarro Xavier (coord.). *Justiça Multiportas*: mediação, conciliação, arbitragem e outros meios adequados de solução de conflitos. 3. ed. Salvador: Juspodivm, 2022.

VITORELLI, Edilson. *Processo estrutural*: teoria e prática. São Paulo: Juspodivm, 2022.

Informação bibliográfica deste texto, conforme a NBR 6023:2018 da Associação Brasileira de Normas Técnicas (ABNT):

VENTURI, Elton. Desafios da autocomposição coletiva e o Projeto de Lei (PL) nº 1.641/2021 (Projeto Ada Pellegrini Grinover). *In*: JUSTEN, Monica Spezia; PEREIRA, Cesar; JUSTEN NETO, Marçal; JUSTEN, Lucas Spezia (coord.). *Uma visão humanista do Direito*: homenagem ao Professor Marçal Justen Filho. Belo Horizonte: Fórum, 2025. v. 3, p. 793-806. ISBN 978-65-5518-915-5.

APROVEITAMENTO DOS ATOS PROCESSUAIS DA ARBITRAGEM APÓS A ANULAÇÃO DA SENTENÇA ARBITRAL

FLÁVIO LUIZ YARSHELL

RAUL LONGO ZOCAL

1 Introdução

Há, na doutrina nacional e estrangeira, profícuo material sobre a invalidação de sentenças arbitrais. A possibilidade de anulação de sentenças arbitrais é, de fato, um dos pilares da Lei nº 9.307/1996,[1] tal como estruturada pelo legislador ao definir o acesso à arbitragem (a partir da convenção arbitral e da arbitrabilidade objetiva e subjetiva) e as razões e meios para oposição à arbitragem (ou, mais precisamente, à sentença arbitral como demanda autônoma ou em defesa no processo de execução da sentença arbitral).

Contudo, diversas questões erigem da invalidação da sentença arbitral e a lei não dá diretrizes claras sobre como contorná-las, exigindo reflexão sobre as regras disponíveis para obter uma solução. Uma das possíveis ocorrências após a anulação de sentença arbitral, tratada pela Lei nº 9.307/1996, é a determinação de que o árbitro ou tribunal, "se for o caso" (conforme dicção legal), profira nova sentença arbitral após a anulação (art. 33, §2º) – o que, por si, também demandaria análise mais detida, para se avaliar quando é caso de nova prolação pelo árbitro e sob quais condições. A partir disso, verifica-se qual o encaminhamento necessário para a solução da disputa, o que passa pela análise dos fundamentos que embasarem o pedido anulatório e que foi acolhido para desconstituir a sentença arbitral impugnada, indicando se seria o caso de prolação de nova sentença, na forma do art. 33, §2º, referido.

---

[1] Sobre a relevância da previsão de forma de impugnação das sentenças arbitrais para o próprio modelo de solução de disputas pela via arbitral, ver: PARK, William. Por que os tribunais revisam decisões arbitrais. *Revista de Arbitragem e Mediação*, São Paulo, v. 3, p. 161-176, set./dez. 2004; RICCI, Edoardo Flavio. A impugnação da sentença arbitral como garantia constitucional. *In*: FRANCO, Mariulza. *Lei de Arbitragem brasileira*: oito anos de reflexão – questões polêmicas. São Paulo: Revista dos Tribunais, 2004.

Os fundamentos para anulação são bastante tratados em doutrina para se formatar a aplicação das hipóteses taxativamente previstas no art. 32 da Lei nº 9.307/1996.[2] Porém, a relevância do fundamento jurídico da anulação da sentença arbitral também deve ser analisada com vistas ao que ocorre com os atos processuais da arbitragem *anteriores* à sentença arbitral *após* a sua desconstituição.

Não se nega que o objeto do pedido de anulação é a *sentença arbitral*: os arts. 32 e 33 da lei direcionam a demanda anulatória para a sentença arbitral (parcial ou final), consagrando o controle *a posteriori* do Poder Judiciário sobre a arbitragem no Brasil.[3] Mas a sentença arbitral é resultado do procedimento que a tem como ponto final no julgamento do pedido, de modo que a formação e desenvolvimento do processo arbitral estão abrangidos na avaliação da validade da sentença. Há, inclusive, vícios previstos na Lei nº 9.307/96 que não estão contidos *na sentença em si* e que, ainda assim, geram a sua anulação: por exemplo, a nulidade da convenção de arbitragem (inciso I do art. 32), a violação do contraditório durante o procedimento (inciso VIII do art. 32) ou o tratamento desigual conferido às partes em qualquer estágio do procedimento (inciso VIII do art. 32).

É preciso considerar ainda que a anulação da sentença gera consequências diversas para o procedimento arbitral em que foi proferida de acordo com os motivos que geraram a sua nulidade. A sentença invalidada por um vício na formação da convenção de arbitragem (art. 32, inciso I) – que, por consequência, deixa de conferir jurisdição ao árbitro sobre determinada disputa – impactará o procedimento com maior gravidade que a sentença arbitral invalidada por não conter, por exemplo, relatório com resumo do litígio (arts. 26, inciso I e 32, inciso III). No primeiro caso, não só os atos processuais da arbitragem não serão aproveitáveis, como sequer seria possível a prolação de nova sentença arbitral, afastando-se a aplicação do art. 33, §2º, ao caso.

Assim, definir o que ocorre com os atos do procedimento arbitral que foi encerrado por uma sentença posteriormente invalidada exige o exame dos fundamentos da anulação e dos atos processuais que antecederam a sentença e das particularidades no exame desses fundamentos à luz do aproveitamento dos atos processuais.

Para tanto, este ensaio inicialmente tratará da qualidade dos atos processuais na arbitragem, para distingui-los de acordo com a fase do procedimento e pelo grau de participação do árbitro na sua realização (tópico 2) e do papel do árbitro na sua realização, considerando o atributo da imparcialidade e a produção dos atos em contraditório perante ele (tópico 3). Na sequência, os atos processuais – com maior ênfase nos atos da fase instrutória – serão analisados à luz das considerações dos itens anteriores e dos fundamentos para anulação da sentença arbitral (tópico 4), encerrando-se, assim, com a conclusão do ensaio (tópico 5).

---

[2] Para a análise pormenorizada de hipóteses de anulação, ver: CARMONA, Carlos Alberto. *Arbitragem e processo*: um comentário à Lei nº 9.307/96. 4. ed. Barueri: Atlas, 2023. p. 414-423; FONSECA, Rodrigo Garcia da. Impugnação da sentença arbitral. *In*: CARMONA, Carlos Alberto; LEMES, Selma Maria Ferreira; MARTINS, Pedro Antônio Batista (coord.). *20 anos da Lei de Arbitragem*: homenagem a Petrônio R. Muniz. São Paulo: Atlas, 2017; LUCON, Paulo Henrique dos Santos; BARIONI, Rodrigo; MEDEIROS NETO, Elias Marques de. A causa de pedir das ações anulatórias de sentença arbitral. *Revista de Arbitragem e Mediação*, São Paulo, v. 46, p. 265-276, jul./set. 2015.

[3] A respeito do controle prévio, ver: YARSHELL, Flávio Luiz; STEFANINI AUILO, Rafael. Controle judicial prévio (e excepcional) de decisões arbitrais: exame sob a perspectiva da inafastabilidade do controle jurisdicional. *In*: ABBOUD, Georges; MALUF, Fernando; VAUGHN, Gustavo Favero (coord.). *Arbitragem e Constituição*. São Paulo: Revista dos Tribunais, 2023. p. 237-256.

2 Atos processuais na arbitragem

Situando-se a arbitragem no campo processual,[4] os atos que integram o procedimento arbitral – incluindo os atos das partes, mas não se restringindo a eles –, direcionados ao proferimento de decisão que ponha fim ao litígio, são atos de processo.[5] Tal como no processo judicial, os atos processuais são estruturais do procedimento, incluindo-se aqui atos das partes e dos árbitros, ainda que não haja preocupação do legislador em indicar, precisamente, quais os atos que compõem (ou devem compor) o procedimento.[6]

Os atos processuais na arbitragem devem ser considerados à luz do ambiente em que surgem. A arbitragem contempla particularidades procedimentais que compõem as características de seus atos. Assim, tomando-se um cenário comum nas arbitragens domésticas, identificam-se uma série de atos distintos quanto à sua base para que sejam praticados. Há atos: (i) que seguem a previsão contida nas convenções de arbitragem ou nos regulamentos de instituições arbitrais adotados pelas convenções (ainda que em arbitragens *ad hoc* que adotem um regulamento de arbitragem *per relationem*), que regem a forma de instauração da arbitragem, de cientificação da parte requerida, de formulação de pedidos contrapostos, de indicação, impugnação e nomeação de árbitros, dentre outros; (ii) negociados, pois dependem do acordo entre partes sobre o procedimento e, não raro, da anuência dos árbitros para sua formação, sendo a ata de missão (ou termo de arbitragem) o principal exemplo, além de outros atos negociados pontuais ao longo do procedimento (como calendários, acordos sobre produção de provas em audiências ou fora delas etc.); (iii) praticados ou provocados pelos árbitros na condução do procedimento, ao definir as providências em arbitragem, decidir pontos incidentais e, no limite, proferir sentença.

O problema do aproveitamento de atos da arbitragem após a anulação da sentença arbitragem se agrava com a evolução do procedimento, à medida que os atos processuais ganham traços que os particularizam para *aquela disputa*. Afinal, atos do início do procedimento arbitral são, por assim dizer, "tabelados", isto é, comuns a qualquer arbitragem, com variações que não dizem respeito ao litígio em si. São os atos previstos nos regulamentos de arbitragem e na própria ata de missão (ou termo de arbitragem). A partir de determinado momento – principalmente pela presença do árbitro na condução do procedimento –, os atos processuais passam a refletir cada vez mais a disputa, os rumos que ela exige e as decisões de condução do processo pelos árbitros, especialmente na fase de produção da prova, em que diversas definições impactam o conteúdo e a extensão da prova pericial, a produção da prova oral em audiência ou mesmo a determinação de ofício, da produção de determinada prova. Veja-se, aqui, a diferença entre se aproveitar a prova documental produzida pelas partes em uma arbitragem futuramente anulada

---

[4] São nesse sentido as colocações feitas por Cândido Rangel Dinamarco (*A arbitragem na teoria geral do processo.* São Paulo: Malheiros, 2013. p. 15-17; 21-26, em especial) ao situar a arbitragem como processo e submetida à teoria geral do processo. No mesmo sentido: APRIGLIANO, Ricardo de Carvalho. *Fundamentos processuais da arbitragem.* Curitiba: EDC, 2023. p. 81-84. Similarmente, sob o aspecto da aplicação das garantias processuais à arbitragem: GRINOVER, Ada Pellegrini. Arbitragem. Litisconsórcio. Nulidade da sentença arbitral. *In:* GRINOVER, Ada Pellegrini. *O processo.* Brasília: Gazeta Jurídica, 2013. série 2. p. 700-706.

[5] COSTA E SILVA, Paula. *Acto e processo:* regressando ao dogma da irrelevância da vontade na interpretação e nos vícios do acto postulativo. São Paulo: Revista dos Tribunais, 2019. p. 161.

[6] DINAMARCO. *A arbitragem na teoria geral do processo,* p. 112.

por ter sido proferida fora do prazo e aproveitar-se a prova oral produzida perante árbitro futuramente considerado impedido de julgar a disputa.

Nesse sentido, necessário dar ênfase à fase instrutória do procedimento, que é posterior a atos postulatórios praticados na forma do regulamento de arbitragem ou convencionados no termo de arbitragem ou ata de missão e na qual os árbitros têm forte atuação como regentes da arbitragem. Passemos, assim, a explorar os aspectos da relação entre o árbitro e a produção da prova para, na sequência, utilizar esses aspectos na análise do aproveitamento ou não dos atos do processo arbitral.

3 O árbitro na produção da prova

Conforme salientado anteriormente, a relevância do árbitro na produção da prova não é uniforme no curso do processo arbitral. O papel do árbitro é relativamente restrito na fase inicial do procedimento, após a celebração do termo de arbitragem ou da ata de missão, em que o procedimento se concentra nas alegações principais escritas das partes (alegações iniciais, respostas, réplicas etc.), com produção de prova documental que tem pouca intervenção do árbitro neste momento.

Com a evolução do procedimento, as novas provas produzidas (prova pericial, prova oral, provas produzidas por requisição de qualquer das partes em exibição de documento ou por iniciativa do árbitro para conhecer melhor os fatos da causa) passam a dar destaque à atuação do árbitro na condução do procedimento.

O árbitro, na função de conduzir a instrução do procedimento arbitral, deve observar os atributos regentes da sua atuação – imparcialidade, independência, competência, diligência e discrição, conforme art. 13, §6º, da Lei nº 9.307/1996 – e os princípios estabelecidos no art. 21, §2º, que define que o procedimento arbitral deverá observar "os princípios do contraditório, da igualdade das partes, da imparcialidade do árbitro e de seu livre convencimento". Essa observação é relevante porque não apenas a não observância de qualquer dessas diretrizes poderá acarretar a anulação da sentença arbitral proferida (art. 32, inciso VIII), mas também porque essas diretrizes definem qual deve ser a condução adequada do procedimento – inclusive para evitar futuras arguições sobre a validade da sentença arbitral[7]-, de modo que discutir tais preceitos na produção da prova é necessário para se estabelecer o que é a prova adequadamente produzida.

O objetivo é analisar como o contraditório e a imparcialidade do árbitro impactam a produção da prova. Com isso, ficará mais claro qual o impacto de eventual anulação de sentença arbitral – a depender do fundamento da anulação – para o aproveitamento ou não dos atos do processo arbitral.

---

[7] "(...) a condução do procedimento arbitral deve garantir a higidez do procedimento. Afinal, de nada adianta a arbitragem ser conduzida de modo que, por mais que atenda aos predicados sobre sua duração e adequação ao direito material em disputa, resultar em uma decisão que não sobreviverá a um juízo sobre a validade da sentença arbitral. A observância do devido processo legal (arbitral), como 'princípio tutelar da observância de todos os demais princípios' no âmbito da arbitragem, é fundamental para garantir um processo íntegro e que, de fato, coloque fim à disputa submetida à arbitragem" (LUCON, Paulo Henrique dos Santos; ZOCAL, Raul Longo. Condução eficiente dos processos arbitrais e devido processo legal. *In:* YARSHELL, Flávio Luiz; ZUFELATO, Camilo (coord.). *50 anos da teoria geral do processo no Brasil.* Londrina: Thoth, 2024. p. 615-616).

3.1 Contraditório

O contraditório é identificado com a ciência bilateral dos atos que se traduz em informação necessária e reação possível,[8] o que fundamenta o tratamento paritário e permite, estruturalmente, um processo justo.[9] Destaca-se a possibilidade de reação, tendo em vista que o demandado tem o ônus (e não o dever) de se contrapor à demanda.[10] Na arbitragem, a noção de informação necessária e manifestação são também adotadas como expressão do contraditório,[11] dizendo-se em bilateralidade da audiência.[12]

É comum traduzir o contraditório na arbitragem como *right to be heard*, o que não é incorreto, mas não é uma particularidade da arbitragem e tampouco esgota a noção de contraditório. O *right to be heard* revela uma dimensão primária e imediata da garantia do contraditório, que protege as partes de que sejam arbitrariamente limitadas na apresentação do caso e das provas[13] e que, apesar de não possuir regras muito detalhadas (ficando a cargo dos árbitros defini-lo em concreto), está refletida nas diversas previsões dos regulamentos das instituições arbitrais sobre condução do procedimento.[14] Porém, é preciso conceber o contraditório por seu aspecto menos formal e mais estrutural, envolvendo a qualidade da participação e sua efetividade, ainda que observe os preceitos da flexibilidade e da simplicidade do procedimento arbitral.[15]

É também dever do árbitro provocar as partes sobre ponto fundamental do litígio para assegurar a possibilidade efetiva de influir no resultado do julgamento.[16] Trata-se de uma noção do contraditório voltada à democratização do processo decisório, no sentido de reconhecer que o processo pertence às partes – não ao julgador – e que mesmo a qualificação jurídica, pelo árbitro, diversa da atribuída pelas partes (o que integra o *iura novit curia*) deve ser precedida pela oitiva das partes neste ponto.[17] Assim, o árbitro tem o poder-dever – seja em função das normas de devido processo legal, seja em

---

[8] YARSHELL, Flávio Luiz. *Curso de Direito Processual Civil*. 2. ed. São Paulo: Marcial Pons, 2020. v. 1, p. 137; 140.

[9] COMOGLIO, Luigi Paolo. Il "giusto processo" civile in Italia e in Europa. *Revista de Processo: RePro*, São Paulo, v. 116, p. 107, giu./ago. 2004. A evolução do contraditório de um princípio meramente formal para um elemento que ofereça standards para um processo justo é também registrada em: OLIVEIRA, Carlos Alberto Alvaro de. Garantia do contraditório. *In:* CRUZ E TUCCI, José Rogério (coord.). *Garantias constitucionais do processo civil*. São Paulo: Revista dos Tribunais, 1999. p. 136. O contraditório é reconhecido como um "mínimo denominador comum" no direito constitucional europeu no que diz respeito às partes, ao lado das garantias relativas aos juízes (independência e imparcialidade) e ao procedimento (celeridade e efetividade) (TARUFFO, Michele. Garanzie processuali e dimensione transnazionale della giustizia civile. *In:* YARSHELL, Flávio Luiz; MORAES, Maurício Zanoide de (org.). *Estudos em homenagem à Professora Ada Pellegrini Grinover*. São Paulo: DPJ, 2005. p. 692-693).

[10] "Il principio del contraddittorio non significa che il convenuto o l'imputato debba necessariamente contraddire o difendersi, ma soltanto che essi debbono essere posti nelle condizioni di farlo, ove lo ritengano nel loro interesse" (MARTINETTO, Giuseppe. Contraddittorio (principio del). *In:* AZARA, Antonio; EULA, Ernesto (dir.). *Novissimo digesto italiano*. Turim: UTET, 1957. v. 4, p. 459).

[11] CARMONA. *Arbitragem e processo*: um comentário à Lei nº 9.307/96, p. 301.

[12] APRIGLIANO. *Fundamentos processuais da arbitragem*, p. 191.

[13] SCHANER, Lawrence; SCHLEPPENBACH, John. Due process in international arbitration: anything goes? A U.S. perspective. *Revista de Arbitragem e Mediação*, São Paulo, v. 22, p. 173-183, jul./set. 2009.

[14] Conforme observado por Rolf Stürner (citado por ANDREWS, Neil. Global perspectives on commercial arbitration: part 2. *Revista de Arbitragem e Mediação*, São Paulo, v. 202, p. 293-337, dez. 2011).

[15] DINAMARCO. *A arbitragem na teoria geral do processo*, p. 26-27.

[16] "O contraditório processual emerge como garantia de influência das partes nas decisões proferidas no processo" (ELIAS, Carlos Eduardo Stefen. *Imparcialidade dos árbitros*. São Paulo: Almedina, 2021, p. 88). No mesmo sentido: CARMONA. *Arbitragem e processo*: um comentário à Lei nº 9.307/96, p. 301.

[17] APRIGLIANO. *Fundamentos processuais da arbitragem*, p. 197.

função dos limites do mandato a ele outorgado[18] – de consultar previamente as partes sobre fundamento não ventilado para permitir que as partes influenciem no julgamento dos argumentos para a motivação da decisão dos árbitros.[19] É possível que o as partes estipulem que o árbitro está vinculado aos fundamentos por ela trazidos, não podendo adotar, *sponte propria*, qualificação jurídica diversa daquela definida pelas partes,[20] o que exacerba a noção de vedação à decisão surpresa.

A importância do contraditório na fase instrutória do processo – judicial ou arbitral – não se encerra na manifestação da parte sobre o que foi apresentado ou produzido. Se, na prova documental, a parte produz autonomamente a prova que traz aos autos, na prova pericial e testemunhal isso ganha contornos mais profundos, diante da participação dos sujeitos do processo na própria produção da prova. Trata-se do próprio movimento de evolução do princípio do contraditório entre os séculos XIX e XX, no sentido de referido princípio "ultrapasse o momento inicial de contraposição à demanda e comece a constituir um atributo inerente a todos os momentos relevantes do processo".[21] Justamente por isso, já se afirmou que o contraditório não se esgotaria na ciência bilateral dos atos do processo e na possibilidade de reação, mas também abrangeria a participação efetiva das partes na formação dos provimentos judiciais.[22] Há, na doutrina, a formulação do contraditório como direito de participação das partes e dever de diálogo do julgador com elas, a fim de que o contraditório atinja dimensão substancial e não apenas formal.[23]

Embora seja incorreto afirmar que (somente) o juiz é "destinatário" da prova, no sentido de que a prova interessaria apenas à decisão que o julgador que preside sua produção tomará, o contraditório no processo é exercido perante o juiz – se ele não é o único destinatário da prova, é o sujeito perante quem o contraditório é efetivado. O raciocínio guarda proximidade com o princípio da imediatidade, que "[obriga] o juiz a ficar em contato direto com as partes e as provas, recebendo assim, também de maneira direta, o material, provas e elementos em que se baseará para julgar".[24] Embora a oralidade e o debate oral possam ser tomados como instrumentos de imediatidade entre partes e juiz para consecução do direito ao devido processo,[25] eles não se identificam (e tampouco estão necessariamente ligados) com a imediatidade, que também se revela no procedimento

---

[18] SANTOS, Leonardo Mäder Furtado dos. *Iura novit curia* em arbitragem e as cortes europeias. *Revista Brasileira de Arbitragem*, Alphen aan den Rijn, v. 36, p. 27-55, out./dez. 2012.

[19] VAUGHN, Gustavo Favero. Reflexões a propósito da aplicação do aforismo *iura novit curia* ao processo arbitral. *Revista de Arbitragem e Mediação*, São Paulo, v. 67, p. 161-187, out./dez. 2020.

[20] ALVES, Rafael Francisco. *Árbitro e direito*: o julgamento do mérito na arbitragem. São Paulo: Almedina, 2018. p. 112; LUCCA, Rodrigo Ramina de. *Iura novit curia* nas arbitragens. *Revista Brasileira de Arbitragem*, São Paulo, v. 50, p. 70, abr./jun. 2016; FICHTNER, José Antonio. A atualidade do princípio *iura novit curia* no CPC e na arbitragem. *Revista de Arbitragem e Mediação*, São Paulo, v. 53, p. 249-262, abr./jun. 2017.

[21] OLIVEIRA. Garantia do contraditório, p. 136.

[22] OLIVEIRA. Garantia do contraditório, p. 144.

[23] DINAMARCO, Cândido Rangel; BADARÓ, Gustavo Henrique Righi Ivahy; LOPES, Bruno Vasconcelos Carrilho. *Teoria geral do processo*. 33. ed. São Paulo: Malheiros, 2021. p. 88-92.

[24] MARQUES, José Frederico. *Instituições de direito processual civil*. 3. ed. Rio de Janeiro: Forense, 1966. v. 2, p. 107.

[25] No âmbito das reformas processuais que transitam entre a formalização escrita e a maior oralidade do processo, apontando a relação entre imediação e oralidade, ver: OTEIZA, Eduardo. El debido proceso: evolución de la garantía y autismo procesal. *In*: FALCÓN, Enrique M. (coord.). *Reformas al Código Procesal Civil y Comercial de la nación*. 2. ed. Buenos Aires: Rubinzal Culzoni Editores, 2002. p. 36-39.

escrito, que coloca partes e julgador em contato direto.[26] Ainda que superado do ponto de vista legislativo,[27] a ideia contida no princípio da imediatidade se reproduz sob a ótica do contraditório, na medida em que, como corolário do contraditório, a prova deve ser produzida com a participação das partes e perante o juiz.[28]

O raciocínio é inteiramente aplicável à arbitragem. O árbitro é fundamental na formação da prova em contraditório porque participa da extração dos elementos de prova com as partes. A ideia não é nova e tampouco desconhecida do processo civil, que constata o prejuízo de se estabelecer monólogos para a "investigação solitária do órgão judicial", de modo que "a faculdade concedida aos litigantes de pronunciar-se e intervir ativamente no processo impede (...) sujeitem-se passivamente à definição jurídica ou fáctica da causa".[29] Porém, a ideia acentua-se diante da postura mais ativa do árbitro frente à escassez de regras procedimentais e maior flexibilidade do processo,[30] o que torna ainda mais central a figura do árbitro – que pessoalmente tem a confiança das partes, conforme art. 13 da Lei nº 9.307/1996 – na produção da prova sob contraditório.

Tais observações se refletirão no tema do aproveitamento dos atos processuais, como se verá no tópico 4.3.2 adiante. Igualmente, a condição de imparcialidade do árbitro deve ser considerada, como será abordado no tópico a seguir.

3.2 Imparcialidade

O processo arbitral é método que pressupõe sua condução e decisão por árbitro imparcial. A imparcialidade consiste na condição subjetiva do julgador em ser influenciado e persuadido pelos argumentos das partes sem preferências ou predisposições.[31]

---

[26] MARQUES. *Instituições de Direito Processual Civil*, v. 2, p. 107. Em sentido diverso, estabelecendo o princípio da imediação como uma das manifestações da oralidade, ver: BEDAQUE, José Roberto dos Santos. O Código Modelo na América Latina e na Europa: relatório brasileiro. *Revista de Processo: RePro*, São Paulo, v. 113, p. 147-190, jan./fev. 2004.

[27] O art. 132 do CPC de 1973, em sua redação original, previa que "o juiz, titular ou substituto, que iniciar a audiência, concluirá a instrução, julgando a lide, salvo se for transferido, promovido ou aposentado; casos em que passará os autos ao seu sucessor. Ao recebê-los, o sucessor prosseguirá na audiência, mandando repetir, se entender necessário, as provas já produzidas". A previsão, identificada como imediação (ao lado do art. 446, inciso II do mesmo diploma) ou identidade física do juiz, foi "atenuada" pela reforma empreendida pela Lei nº 8.637/1993 (BARBOSA MOREIRA, José Carlos. Reformas processuais e poderes do juiz. *In*: BARBOSA MOREIRA, José Carlos. *Temas de Direito Processual*. 2. ed. Rio de Janeiro: GZ, 2023. v. 8, p. 95), mas seguiu na legislação até adoção do Código de Processo Civil de 2015.

[28] GRINOVER, Ada Pellegrini. Prova emprestada. *Revista Brasileira de Ciências Criminais*, São Paulo, v. 4, p. 60-69, out./dez. 1993.

[29] OLIVEIRA. Garantia do contraditório, p. 139. O autor observa ainda que essa perspectiva do contraditório "exclui (...) o tratamento da parte como simples 'objeto' de pronunciamento judicial, garantindo o seu direito de atuar de modo crítico e construtivo sobre o andamento do processo e seu resultado, desenvolvendo antes da decisão a defesa das suas razões" (OLIVEIRA. Garantia do contraditório, p. 139).

[30] Conforme destaca Ricardo de Carvalho Aprigliano (*Fundamentos processuais da arbitragem*, p. 193-194), no processo arbitral, "o contraditório se faz presente, é respeitado, mas assume peculiaridades". Dentre essas peculiaridades, no âmbito da produção da prova, está "(...) a maior liberdade para a arguição de parte e testemunhas, a fluidez com que se realiza a comunicação entre árbitros e advogados, a possibilidade de realização de acareações (*hot tubing*), não porque se tenha constatado alguma inverdade que precise, *a posteriori*, ser revelada e retificada, mas como uma providência a priori, para permitir a intensificação dos debates e o exaurimento do tema sob análise. Aliás, a oitiva de peritos e testemunhas técnicas é prática comum no processo arbitral, pelas quais igualmente se intensifica a observância do contraditório".

[31] ELIAS, Carlos Eduardo Stefen. *Imparcialidade dos árbitros*. São Paulo: Almedina, 2021. p. 89.

Tomada em sentido amplo, considera a ótica subjetiva do estado de mente ou de espírito do julgador frente à causa e a ótica objetiva – associada à independência – de ausência de vínculos profissionais com as partes ou de interesses financeiros sobre a disputa[32] e busca, ao lado da paridade de armas, garantir um processo equitativo em prol da tutela jurisdicional.[33] Imparcialidade distingue-se de neutralidade, sendo a primeira identificada com a equidistância – atribuição desejada à função do árbitro – e a segunda uma desconsideração de elementos culturais e históricos.[34]

A imparcialidade do julgador é mais facilmente associada ao julgamento em si, isto é, ao momento da prolação da sentença arbitral e à condição de equidistância do árbitro para realizar a valoração da prova e a decisão sobre a demanda. Contudo, se é dever do árbitro manter-se imparcial durante todo o período de desempenho de sua função,[35] é também exigido que a condução do procedimento arbitral seja feita por quem igualmente seja imparcial e equidistante durante os diferentes atos da arbitragem. Os caminhos adotados pelos árbitros na condução da causa, as decisões tomadas incidentalmente no processo (relativas, por exemplo, ao deferimento ou não da produção de provas e sua extensão) e a avaliação da causa para fins de decidir a melhor condução possível pressupõem árbitro independente e imparcial.

Essa circunstância tem reflexo direto na igualdade das partes, dado que a predisposição do árbitro a uma das partes desequilibra a relação de paridade entre elas. A imparcialidade do árbitro torna-se, assim, elemento necessário à efetivação da igualdade das partes,[36] outro princípio fundamental da arbitragem (art. 21, §2º da Lei nº 9.307/1996).

Portanto, imparcialidade e igualdade durante o processo arbitral (e não só no momento do julgamento) são pressupostos para a realização dos atos processuais, nos quais se inserem os atos da fase instrutória da arbitragem, o que também deve orientar, como veremos a seguir, a análise sobre eventual aproveitamento dos atos processuais da arbitragem após a anulação da sentença arbitral.

---

[32] BAPTISTA, Luiz Olavo. Dever de revelação do árbitro: extensão e conteúdo. Inexistência de infração. Impossibilidade de anulação da sentença arbitral. *Revista de Arbitragem e Mediação*, São Paulo, v. 36, p. 199-218, jan./mar. 2013; LEMES, Selma Maria Ferreira. O dever de revelação do árbitro, o conceito de dúvida justificada quanto a sua independência e imparcialidade (art. 14. §1º, da Lei 9.307/1996) e a ação de anulação de sentença arbitral (art. 32, II, da Lei 9.307/1996). *Revista de Arbitragem e Mediação*, São Paulo, v. 36, p. 231-251, jan./mar. 2013. No sentido de que a independência não teria função processual própria, sendo, quando muito, um indicativo da imparcialidade e um guia para cumprimento do dever de revelação, ver: ELIAS, Carlos Eduardo Stefen. *Imparcialidade dos árbitros*. São Paulo: Almedina, 2021. p. 207.

[33] TELES, Miguel Galvão. Processo equitativo e imposição constitucional da independência e imparcialidade dos árbitros em Portugal. *Revista de Arbitragem e Mediação*, São Paulo, v. 24, p. 127-134, jan./mar. 2010.

[34] DINAMARCO. *A arbitragem na teoria geral do processo*, p. 27-28; ELIAS, Carlos Eduardo Stefen. *Imparcialidade dos árbitros*. São Paulo: Almedina, 2021. p. 208-210; MAGALHÃES, José Carlos de. Os deveres dos árbitros. In: CARMONA, Carlos Alberto; LEMES, Selma Maria Ferreira; MARTINS, Pedro Antônio Batista (coord.). *20 anos da Lei de Arbitragem*: homenagem a Petrônio R. Muniz. São Paulo: Atlas, 2017. p. 222-223.

[35] Como se extrai do art. 13, §6º, da Lei nº 9.307/1996: "(...) No desempenho de sua função, o árbitro deverá proceder com imparcialidade, independência, competência, diligência e discrição".

[36] Para a relação entre imparcialidade e igualdade de partes na arbitragem, como atributos complementares para manutenção do equilíbrio da relação processual, ver: ALVES, Rafael Francisco. A imparcialidade do árbitro no direito brasileiro: autonomia privada ou devido processo legal?. *Revista de Arbitragem e Mediação*, São Paulo, v. 5, p. 109-126, out./dez. 2005.

4 Fundamentos de invalidação da sentença arbitral e aproveitamento dos atos processuais da arbitragem

Até o momento, verificou-se que os predicados para que o árbitro desempenhe adequadamente sua função devem nortear não apenas a valoração da prova produzida – isto é, a fase decisória –, mas também as etapas que compõem a admissão e a produção da referida prova, passando pelas decisões proferidas no curso da instrução para orientar essa produção. E, na arbitragem, a figura pessoal do árbitro – em quem as partes depositam sua confiança para condução e decisão da disputa – deve ser considerada para realçar essa relevância.[37]

Com isso, o aproveitamento dos atos processuais da arbitragem após anulação de uma sentença arbitral deve considerar os fundamentos utilizados para sua anulação, mas também as condições em que os atos serão ou não aproveitados em uma futura e nova arbitragem. Isso é particularmente sensível nas hipóteses que envolvam participação direta do árbitro, não apenas sob o viés patológico – como o árbitro que age de forma parcial –, mas também sob o viés do contraditório exercido pelas partes perante o árbitro. Evidentemente, a análise caso a caso é determinante; porém, dentro dos limites traçados para este ensaio, é possível estabelecer algumas linhas para nortear a análise de aproveitamento ou não dos atos da arbitragem após a anulação da sentença arbitral.

A partir disso, é possível sugerir um método de análise do tema para considerar as premissas constituídas nos tópicos anteriores:

1. Conforme discutido no tópico 2, os atos processuais da arbitragem possuem contextos e participantes distintos a depender do momento de sua realização. Há atos que são realizados de forma "automática" – no sentido de realizados a partir das regras dos regulamentos de arbitragem ou de regras pré-definidas em termo de arbitragem ou ata de missão, por exemplo, e não provocados pelos árbitros –, com pouca ou nenhuma influência de quaisquer agentes que não as próprias partes. Assim, atos como o requerimento de arbitragem ou a apresentação de alegações iniciais (e seus respectivos documentos) poderiam ser considerados aproveitáveis pelo simples fato de que, nesses atos, não há influência de árbitros ou do contraditório exercido perante o (ou por provocação do) árbitro. Isso será desenvolvido no tópico 4 a seguir;

2. Uma forma didática de classificar as hipóteses (causas de pedir) de anulação de sentenças arbitrais (art. 32 da Lei nº 9.307/1996) é seu agrupamento entre hipóteses ligadas (i) à convenção de arbitragem (incisos I e IV), (ii) ao árbitro (incisos II e VI e, em parte, inciso VIII – ao remeter à expressão "imparcialidade do árbitro" contida no §2º do art. 21) e (iii) ao processo (incisos III, VII e VIII). Porém, para discussão sobre o aproveitamento dos atos processuais da

---

[37] A relação entre partes e árbitro é contratual para a prestação de um serviço (HENRY, Marc. Do contrato de árbitro: o árbitro, um prestador de serviços. *Revista Brasileira de Arbitragem*, Alphen aan den Rijn, v. 6, p. 66-67, abr./jun. 2005). A confiança é um atributo legal para o desempenho da função, mas também uma característica do contrato celebrado entre partes e árbitro, como contrato de confiança cuja execução está baseada nos atributos pessoais do árbitro contratado: "(...) haja vista as particularidades envolvidas na investidura, mormente a confiança, a atribuição conferida ao árbitro deve ser cumprida só por ele, por mais ninguém, denotando pessoalidade, consubstanciando, por isso, contrato *intuitu personae*, cujo enquadramento, assinale-se, parece não haver discrepância na doutrina" (NANNI, Giovanni Ettore. Confiança na arbitragem: o seu papel no contrato *intuitu personae* de árbitro. *Revista dos Tribunais*, São Paulo, v. 1041, p. 19-53, jul. 2022).

arbitragem após a anulação da sentença arbitral, a divisão deve ser utilizada com algumas ressalvas, pois pode haver maior similaridade entre algumas hipóteses de grupos distintos do que entre hipóteses no mesmo grupo. Por exemplo, como se verá a seguir, a sentença arbitral anulada por parcialidade dos árbitros poderá fazer com que atos processuais relativos a uma prova sejam tão pouco aproveitáveis quanto se essa sentença fosse anulada por violação do contraditório durante a instrução;

3. Justifica-se, assim, avaliar o aproveitamento a partir do que se considera um modelo razoavelmente comum dos processos arbitrais: os atos anteriores ao e aqueles previstos no termo de arbitragem (incluindo ele próprio); e os atos realizados sob determinação dos árbitros ou por eles próprios, em particular os direcionados à instrução da arbitragem, excluindo-se, evidentemente, a sentença arbitral (cuja invalidação é tomada por premissa no presente ensaio).

4.1 Atos processuais anteriores à constituição do tribunal arbitral

Os atos produzidos em arbitragem antes da nomeação dos árbitros não sofrem qualquer influência de futura anulação de sentença arbitral fundamentada na inaptidão do árbitro para atuar naquela causa (incisos II e VI do art. 32 da Lei nº 9.307/1996). Desse modo, caso anulada a sentença com base em algum desses fundamentos, não há razão para que os atos processuais realizados antes da constituição do tribunal sejam contaminados pelo vício que gerou anulação da sentença, quando esse vício for relativo aos árbitros.

Porém, há vícios relacionados ao árbitro que podem afetar esses atos. Por exemplo, o procedimento de escolha dos árbitros poderá, em tese, ofender o contraditório e a igualdade das partes, princípios destacados pelo art. 21, §2º, da Lei nº 9.307/1996 e que, caso inobservados, podem gerar anulação por vícios presentes antes da constituição do tribunal arbitral (inciso VIII do art. 32).[38] Assim, apesar de que atos como requerimento de arbitragem, respostas e pedidos contrapostos (e seus respectivos documentos) possam ser aproveitados, os atos atinentes à formação do tribunal deverão ser refeitos.

Também são aproveitáveis os atos produzidos antes da constituição do tribunal arbitral quando a sentença é anulada com base nos incisos III (ausência de elementos do art. 26) e VII (prolação da sentença fora do prazo), pois direcionados especificamente para vícios contidos na própria sentença.

Por fim, o inciso I (nulidade da convenção de arbitragem), evidentemente, faz desconsiderar não só a sentença arbitral, mas todo o procedimento, pois ataca a legitimidade da própria arbitragem para a disputa em concreto, desde seu início. Isso

---

[38] A importância do processo de escolha do árbitro para a validade do procedimento foi reafirmada com o Caso Dutco, uma arbitragem multiparte administrada pela Corte de Arbitragem Internacional da Câmara de Comércio Internacional em que a parte vencida conseguiu a anulação da sentença arbitral perante a justiça francesa sobre o fundamento de que não lhe foi concedida oportunidade de indicar um árbitro. Sobre o julgamento e sua repercussão, ver: SCHWARTZ, Eric. Multi-party arbitration and the ICC: in the wake of Dutco. *Journal of International Arbitration*, Alphen aan den Rijn, v. 10, p. 5-19, jul./set. 1993. A doutrina destaca que o precedente foi seguido por instituições arbitrais brasileiras e estrangeiras (ABDALLA, Letícia Barbosa e Silva. Processo de escolha e nomeação de árbitro. *In*: CARMONA, Carlos Alberto; LEMES, Selma Maria Ferreira; MARTINS, Pedro Antônio Batista (coord.). *20 anos da Lei de Arbitragem*: homenagem a Petrônio R. Muniz. São Paulo: Atlas, 2017).

não significa, contudo, que todos os efeitos da arbitragem anulada serão eliminados: por exemplo, a anulação da sentença arbitral por ausência de jurisdição do árbitro não desfaz a interrupção da prescrição ocorrida com a instituição da arbitragem (isto é, com a aceitação da nomeação pelos árbitros), o que se mantém "ainda que extinta a arbitragem por ausência de jurisdição" (art. 19, §2º, da Lei nº 9.307/1996).

Registre-se que, excepcionalmente, o Poder Judiciário poderá reconhecer a anomalia na convenção de arbitragem, mas apenas corrigi-la sem determinar sua completa invalidade, o que levaria a disputa novamente à arbitragem[39] e, portanto, o aproveitamento dos ato deverá se dar à luz do reflexo que a alteração na convenção de arbitragem trará para os atos do processo – se impactar, por exemplo, a própria formação do tribunal arbitral ou a realização da prova pericial tal como originalmente estipulada na convenção.

4.2 Atos processuais previstos no termo de arbitragem ou na ata de missão

Conforme discutido no tópico 2, a ata de missão (ou termo de arbitragem) se insere nos atos processuais com a particularidade de se tratar de ato negociado (negócio jurídico), a partir do acordo de vontades dos envolvidos sobre o procedimento.[40] Exsurgem, a partir daí, outros atos que, apesar de protocolares e calendarizados, são de importância central na disputa: alegações iniciais, pedidos contrapostos, réplicas, tréplicas, pedidos de tutela de urgência, especificações de provas, dentre outros atos previstos no termo de arbitragem (ou ata de missão) e realizados pelas partes sem a intervenção dos árbitros.

À exceção dos casos de anulação da sentença arbitral com fundamento no inciso I do art. 32 (nulidade da convenção de arbitragem) que, como dito, atinge todos os atos do procedimento, as demais hipóteses de anulação não possuem o condão de atingir os atos praticados de acordo com previsões estipuladas e acordadas pelas partes, exceto se o vício (por exemplo, a violação ao contraditório ou à igualdade das partes) se der precisamente nesses atos, como a previsão de manifestações cuja ordem ou objeto não respeite a paridade de armas ou prejudique o direito de defesa.

Isso significa que, inexistindo circunstâncias concretas que demonstrem que esses atos são, em si, impactados pela causa que gerou a anulação da sentença arbitral futura, a regra é o seu aproveitamento, na medida em que a retomada da arbitragem após a anulação da sentença arbitral tomada o procedimento tal como construído pelas próprias partes, ocasião em que os árbitros ainda não impõem decisões de ordenação do procedimento às partes. Não se nega que o tribunal poderá, evidentemente, participar da construção do calendário e dos atos iniciais da arbitragem após sua instituição – sugerindo, por exemplo, a necessidade de apresentação de pareceres técnicos a momentos

---

[39] CARMONA. *Arbitragem e processo*: um comentário à Lei nº 9.307/96, p. 415.

[40] A doutrina ressalta o aspecto negocial e ordenador do termo de arbitragem (ou ata de missão), em especial na estabilização dos pedidos submetidos à decisão dos árbitros (LEMES, Selma Maria Ferreira; BARROS, Vera Cecília Monteiro de. Ação de anulação de sentença arbitral. Termo de arbitragem e estabilização da demandada. Comentários à sentença proferida no processo 583.00.2011.200971-0. *Revista de Arbitragem e Mediação*, São Paulo, v. 36, p. 391-400, jan./mar. 2013).

específicos –, mas isso ainda não adentra a cognição dos árbitros sobre a disputa, mas sim a preparação para que o procedimento se desenvolva.

Mesmo quando essas etapas preliminares são definidas pelo tribunal em ordem processual própria – logo após a celebração do termo de arbitragem (ou ata de missão) que dê aos árbitros o papel de fazê-lo –, estamos ainda no campo da organização inicial do procedimento, de modo que os atos daí derivados não constituem, ainda, uma interação dialogada entre partes e árbitros.

A conclusão anterior é de grande importância porque significa o aproveitamento de todas as alegações e os documentos produzidos pelas partes a partir do calendário inicialmente estabelecido em termo de arbitragem ou ata de missão.

Evidentemente, nada impede que, com a retomada da arbitragem, partes e árbitros – que poderão ser os mesmos ou não, a depender da causa da invalidação da sentença arbitral e da permanência dos árbitros no tribunal arbitral –, aditem o termo de arbitragem ou a ata de missão para adaptá-la às necessidades do procedimento tal como determinado pelo órgão do Poder Judiciário que tenha anulado a sentença arbitral e, assim, disciplinem o aproveitamento ou não dos atos já praticados nesta fase do procedimento.

4.3 Atos processuais da fase instrutória

No presente tópico, tratamos especificamente da fase posterior às alegações iniciais das partes, apresentadas nos termos do calendário acordado ou definido pelos árbitros em ordem processual própria. Trata-se, assim, do momento em que a arbitragem passa a ganhar rumos mais aderentes à disputa e às necessidades particulares do caso.

Aqui, a figura do árbitro passa a ter maior relevância, por passar a conduzir os trabalhos a partir de sua compreensão sobre a disputa. Por isso, nessa fase, o aproveitamento dos atos processuais – que passa pela produção da prova e pela atuação dos árbitros sobre tal produção – tomará mais assertivamente os elementos trazidos no tópico 3, quais sejam, os atributos da imparcialidade e do contraditório no procedimento arbitral.

4.3.1 Hipóteses de anulação com maior aproveitamento dos atos processuais

A anulação da sentença arbitral fundamentada na ausência de qualquer de seus elementos (inciso III do art. 32 da Lei nº 9.307/1996, combinado com o art. 26) ou na sua prolação fora do prazo estabelecido (inciso VII do art. 32) permitem, via de regra, aproveitar a integralidade dos atos processuais da arbitragem anteriores à sentença anulada, devolvendo-se a demanda para novo julgamento nos termos do art. 33, §2º, no mesmo estágio em que se encontrava quando proferida a sentença arbitral submetida a anulação.

Isso porque esses vícios da sentença arbitral são, exclusivamente, desse ato processual, não tendo relação com quaisquer outros atos do processo anteriores a ela.

Assim, observando-se o §2º do art. 33, será proferida nova sentença, sem a necessidade de repetição dos atos.

Diz-se que o aproveitamento é, em regra, integral porque a demanda judicial para anulação de sentença arbitral pode durar anos e, quando se retornar à arbitragem para prolação de nova sentença, o árbitro ou o tribunal arbitral poderá já não ter mais a disponibilidade de atuação no caso. Isso remeteria a uma situação mais difícil, que será analisada no tópico a seguir, ao discutir as situações de aproveitamento circunstancial dos atos do processo nessa fase.

De modo similar, no caso do inciso IV do art. 32 (anulação de sentença arbitral proferida fora dos limites da convenção de arbitragem), os atos processuais também são, em regra, aproveitáveis, dado que o vício está limitado à sentença arbitral proferida, por exemplo, fora dos limites do pedido das partes ou sobre matéria não abrangida pela convenção de arbitragem. Evidentemente, os atos processuais produzidos sobre a parte da demanda que se considerou fora dos limites da convenção de arbitragem não poderão servir para a prolação de sentença arbitral nos pontos que o Poder Judiciário decidiu extrapolar seu objeto; porém, se regularmente produzidos e úteis para os pontos remanescentes da arbitragem, nada impede, em regra, que sejam aproveitados no novo julgamento.

4.3.2 Hipóteses de anulação com aproveitamento circunstancial dos atos processuais

Os incisos II e VIII do art. 32 da Lei nº 9.307/96, relativos, respectivamente, à pessoa do árbitro e aos princípios do processo arbitral – e que mais frequentemente são adotados como causas de pedir em ações anulatórias de sentenças arbitrais – são também os que demandam maior reflexão para o aproveitamento de atos processuais da arbitragem. Acrescente-se a eles o inciso VI do art. 32, com tipos penais também direcionado à figura do árbitro no procedimento e que, com ainda mais gravidade, afetam sua imparcialidade. Trataremos a questão, assim, sob o prisma da imparcialidade e do contraditório, aproveitando-nos, aqui, dos elementos já definidos no tópico 3.

Iniciemos pela figura do árbitro imparcial, o que compreende não apenas os incisos II e VI, como também um dos princípios albergados pelo inciso VIII do art. 32 (imparcialidade). Destacou-se, no tópico 3.2, que a imparcialidade não é apenas um atributo do árbitro para julgamento da demanda, mas também para condução do procedimento. É dever do árbitro manter-se imparcial – ou deixar a função de árbitro, caso perca essa qualidade durante o procedimento – e direito da parte de que o processo seja conduzido por alguém nessa condição,[41] preservando-se o princípio processual ao longo do procedimento,[42] o que justifica o dever permanente (e não só ao aceitar a função de árbitro) de revelação sobre fatos que denotem dúvidas justificadas quanto à imparcialidade e à independência.[43]

---

[41] "(...) a imparcialidade é uma condição que deve ser verificada na atividade do julgador, durante o processo e no momento de proferir a decisão" (APRIGLIANO. *Fundamentos processuais da arbitragem*, p. 206).

[42] ALVES; A imparcialidade do árbitro no direito brasileiro: autonomia privada ou devido processo legal.

[43] TEPEDINO, Gustavo; BANDEIRA, Pedro Greco. Breves anotações sobre o dever de revelação dos árbitro. *Revista de Direito Civil Contemporâneo*, São Paulo, v. 37, p. 31-50, out./dez. 2023.

Isso significa que os atos da arbitragem conduzidos por árbitro parcial, conforme venha a ser reconhecido em futura demanda anulatória, não podem ser aproveitados. Na fase que aqui denominamos instrutória, os atos processuais são resultado de impulso dos árbitros no procedimento à luz de sua cognição, compreensão e encaminhamento do procedimento. Se o árbitro estava impedido de fazê-lo – conforme decidido pelo Poder Judiciário em demanda anulatória –, seus atos (e os atos das partes deles decorrentes) devem ser, também, desconsiderados. A imparcialidade do julgador é, assim, necessária para se considerar válido o ato processual realizado. Pouco importa, aqui, se o impedimento é de um ou de todos os árbitros: o processo decisório dos árbitros é fenômeno colegiado, seja a decisão tomada por unanimidade, por maioria ou pela prevalência do voto do presidente do tribunal arbitral (art. 24, §1º, da Lei nº 9.307/1996), sendo impossível saber em que medida cada árbitro contribuiu para formação do convencimento dos demais, de modo que o impedimento de apenas um árbitro é suficiente para gerar a invalidade.[44]

Sob esse exclusivo ângulo, seria importante a definição de a partir de quando o árbitro deixou de ser considerado imparcial. Se, por exemplo, o fato que ensejou a perda da imparcialidade tenha sido a constituição do árbitro, por uma das partes da disputa, como seu advogado em uma outra causa, os atos praticados desde então devem ser desconsiderados, podendo-se aproveitar, sob esse ângulo, os atos da arbitragem praticados anteriormente. Porém, como se verifica a seguir, essa questão deve ser também analisada sob a ótica do contraditório.

Ao tratar do contraditório, pode ser útil distinguir duas circunstâncias distintas: o contraditório, sob o aspecto de sua *violação* no curso da arbitragem, que fundamenta a demanda anulatória à luz do art. 32, inciso VIII, da Lei nº 9.307/1996; e o contraditório como elemento da realização dos atos processuais da arbitragem, isto é, a produção de atos (incluindo as provas) *sob o crivo do contraditório*. O segundo aspecto é mais abrangente que o primeiro, pois significa que o aproveitamento de atos processuais da arbitragem depende de se constatar que foram produzidos sob o crivo do contraditório, independentemente do fundamento utilizado para a anulação da sentença arbitral.

Assim, sob o primeiro aspecto – anulação da sentença arbitral por violação ao contraditório – o aproveitamento de atos processuais da arbitragem passa pela identificação de que aspecto o contraditório não foi observado.[45] Há uma diferença relevante entre o procedimento que não observa o contraditório em sua totalidade – por

---

[44] ELIAS, Carlos Eduardo Stefen. *Imparcialidade dos árbitros*. São Paulo: Almedina, 2021. p. 227-229.

[45] Exclusivamente neste tópico, fica feita a ressalva de que, para o primeiro dos autores nomeados, não se pode descartar a ideia, que se encontra na doutrina, de que a violação ao devido processo legal (aí incluído o contraditório) encerra um prejuízo presumido pela dificuldade ou impossibilidade, em determinados casos, de se identificar e comprovar tal ou qual prejuízo, justamente pela violação: porque ela ocorreu, fica-se sem saber eventualmente que elementos poderiam ter sido agregados e, a partir deles, que outros poderiam vir. Pensamos, contudo, que essa ligeira ressalva não interfere com a linha de raciocínio comum exposta no texto porque, em boa-fé, é encargo da parte, para além da presunção que possa existir, esmerar-se na indicação e comprovação, tanto quanto possível, do prejuízo concretamente decorrente da violação ao contraditório. No final das contas, talvez seja apenas uma questão de postura em relação ao que se possa entender por prejuízo decorrente do contraditório. Desde que ele não seja visto exclusivamente sob a ótica de que o juiz é o destinatário da prova, que levaria a um círculo vicioso (nega-se o vício porque a convicção seria formada sem ele, mas é sua falta que prejudica a formação do convencimento...), deixa de haver potencial divergência. Por outras palavras, o vício e correspondente prejuízo devem ser vistos com a largueza própria do devido processo legal e da inafastabilidade do controle jurisdicional.

exemplo, ausência de notificação do da parte requerida, inviabilizando sua defesa – e a inobservância pontual do contraditório – por exemplo, a apresentação de documentos novos por uma das partes, em alegações finais, cujas informações neles contidas sejam consideradas pelos árbitros na prolação da sentença arbitral, sem prévia oitiva da parte contrária e proferindo decisão em seu desfavor. Assim, embora a violação ao contraditório possa gerar anulação integral do processo arbitral, a inviabilizar o aproveitamento de nenhum de seus atos,[46] convém considerar qual foi o vício pontuado e seu impacto sobre o processo.

Sob o segundo aspecto – produção de atos processuais sob contraditório –, a figura do árbitro volta a ganhar relevo, na medida em que esses atos (e em especial a prova) devem ser produzidos perante aquele que julgará a controvérsia.[47] No tópico 3.1, ressaltamos que o contraditório não se dissocia dos sujeitos envolvidos, em particular a pessoa do juiz ou árbitro. Isso está mais claramente presente nos atos realizados de forma oral, mas não apenas: a presença do mesmo árbitro nas diversas atividades do procedimento, durante a sua instrução – que demanda debates e decisões sobre essa condução – impede que tais atos sejam simplesmente aproveitados pelo árbitro ou tribunal que sucede o anterior em caso de anulação da sentença arbitral – seja qual foi o fundamento –, pois "somente o juiz que tomou as provas está realmente habilitado a apreciá-las do ponto de vista do seu valor ou da sua eficácia em relação aos pontos debatidos".[48]

Portanto, sob o aspecto do contraditório e recuperando comentários anteriores: retomada a arbitragem após a anulação da sentença arbitral nela proferida, o aproveitamento dos atos – incluindo os decisórios – nela produzidos depende da sua realização perante os árbitros que julgarão a causa, a fim de se preservar o contraditório efetivo. Em um modelo de resolução de disputa que centraliza a pessoalidade do julgador, sobre o qual as partes depositam sua confiança (art. 13, *caput*, da Lei nº 9.307/96) e cuja atuação do início ao fim do processo arbitral constitui uma das justificativas para sua escolha (diferentemente do que ocorre com os juízes estatais),[49] não há sentido na adoção de regra

---

[46] No tema da prolação de sentença arbitral sem oitiva prévia das partes sobre ponto central da decisão ("decisão-surpresa"): "(...) o problema se torna mais crítico no processo arbitral porque a violação ao contraditório não permite o aproveitamento do processo, nem é feita no âmbito de um tribunal que, no limite, poderia julgar o mérito da causa novamente, ou no mínimo devolver a causa para a instância inferior. Na arbitragem, o resultado será a anulação de todo o processo arbitral, impondo às partes iniciar do zero uma nova disputa" (APRIGLIANO. *Fundamentos processuais da arbitragem*, p. 196).

[47] YARSHELL, Flávio Luiz. Brevíssimas notas a respeito da produção antecipada da prova na arbitragem. *Revista de Arbitragem e Mediação*, São Paulo, v. 14, p. 52-56, jul./set. 2007. Nesse sentido: "(...) é fundamental na arbitragem o contato direto do árbitro com as partes, seus advogados e as provas, a fim de que aquele receba, sem intermediários, o material persuasivo e argumentativo que lhe servirá ao julgamento, ou que pode ser designado de 'identidade física do árbitro'" (FICHTNER, José Antonio; MANNHEIMER, Sergio Nelson; MONTEIRO, André Luís. *Teoria geral da arbitragem*. Rio de Janeiro: Forense, 2019. p. 191). Ainda: "(...) pelas características do processo arbitral, também não ocorre de a prova ser produzida perante um julgador, mas a decisão ser proferida por outro" (APRIGLIANO. *Fundamentos processuais da arbitragem*, p. 231).

[48] STEFANINI AUILO, Rafael. *O modelo cooperativo de processo civil no novo CPC*. Salvador: Juspodivm, 2017, p. 112. O autor prossegue: "(...) somente o juiz que tomou as provas está realmente habilitado a apreciá-las do ponto de vista do seu valor ou da sua eficácia em relação aos pontos debatidos. Seria completamente irracional e até mesmo ilusório pensar em imediação na assunção da prova (oral ou mesmo quando se trata de inspeção judicial) se um terceiro (e aqui não se enquadra somente a figura de um futuro juiz, como também qualquer outro sujeito que não seja o mesmo que faça a colheita da prova), diverso daquele que colheu a prova, viesse a valorá-la" (STEFANINI AUILO. *O modelo cooperativo de processo civil no novo CPC*, p. 112).

[49] FICHTNER; MANNHEIMER; MONTEIRO. *Teoria geral da arbitragem*, p. 46.

similar à do art. 282, *caput* e §1º do Código de Processo Civil (CPC) para aproveitamento de atos sem a participação do julgador, sejam deliberações dos árbitros, sejam provas produzidas sem a sua atuação na condução da fase instrutória.

4.3.3 Hipóteses de anulação sem aproveitamento dos atos processuais

Finalmente, retomando-se o que foi exposto no tópico 4.1, não é possível o aproveitamento dos atos – nem mesmo das provas – que tenham sido produzidas em uma arbitragem cuja sentença tenha sido anulada por vício na convenção de arbitragem (inciso I do art. 32), excluindo-se a jurisdição do árbitro – o que abrange todo o procedimento arbitral, método inadequado, no caso, para resolução da disputa.

O mesmo ocorre na hipótese de a sentença arbitral ter sido anulada porque proferida fora dos limites da convenção de arbitragem (inciso IV do art. 32). Conforme abordado no tópico 4.3, não é possível aproveitar os atos processuais (incluindo-se as provas) sobre os pontos que foram reputados, em sede de demanda anulatória da sentença arbitral, não abrangidos pela convenção de arbitragem, pela razão de que tais pontos não poderão ser objeto da nova sentença arbitral a ser proferida – aproveitando-se, como destacado anteriormente, os atos e as provas regularmente produzidos que sejam úteis para os demais pontos que permaneçam *sub judice* na demanda arbitral.

5 Conclusão

O aproveitamento ou não de atos processuais da arbitragem após a anulação da sentença arbitral está relacionado com os fundamentos que geraram a anulação da sentença. Os atos processuais na arbitragem também variam conforme o contexto e os fundamentos que embasam a sua produção e, com a evolução do procedimento arbitral, passam a se ajustar cada vez mais com a disputa colocada, em especial os atos relativos à instrução, nos quais a relevância da presença do árbitro é acentuada. A prova deve ser produzida sob contraditório – o que exige a atuação do árbitro na extração dos elementos de prova e construção da instrução – e sob a condução de árbitro imparcial.

A partir disso, verificou-se que os atos processuais produzidos antes da constituição do tribunal arbitral ou previstos na ata de missão (ou termo de arbitragem), incluindo a própria ata ou termo, não são, em regra, atingidos pela invalidade da sentença arbitral, salvo em caso de vício na convenção de arbitragem (inciso I do art. 32 da Lei nº 9.307/1996).

Por sua vez, os atos processuais produzidos na fase instrutória (isto é, posteriores às alegações iniciais das partes) são os mais suscetíveis a serem atingidos pela anulação da sentença arbitral. O aproveitamento dos atos processuais da fase instrutória será maior quando a sentença arbitral for anulada com base nos incisos III (ausência de elemento da sentença ou VII (prolação fora do prazo) do art. 32 – exceto no caso de substituição de árbitro ou tribunal arbitral – ou mesmo com base no inciso IV do art. 32 (sentença proferida fora dos limites da convenção de arbitragem) para os atos descorrelacionados com o fundamento da anulação. Por outro lado, a anulação fundada no inciso I do art. 32 (invalidade da convenção de arbitragem), ao excluir a jurisdição do árbitro, faz anular todo o procedimento arbitral, bem como a anulação fundada no inciso IV para os atos da fase instrutória que digam respeito a temas não abrangidos pela convenção de arbitragem.

Os incisos II e VI (relativos à pessoa do árbitro) e VIII (princípios do processo arbitral) do art. 32 demandam maior ênfase na imparcialidade e no contraditório. Sendo dever do árbitro manter-se imparcial durante todo o procedimento, os atos da arbitragem conduzidos por árbitro parcial não podem ser aproveitados. Já o contraditório deve ser observado sob duas óticas: (i) a violação do princípio do contraditório no curso da arbitragem, que demanda verificar se, no caso, a anulação dos atos do processo seria integral ou parcial (considerando o impacto da inobservância do contraditório); (ii) a necessidade de produção de atos processuais sob o crivo do contraditório – o que é relevante independentemente do fundamento adotado para anular a sentença arbitral –, de modo que os atos processuais que não foram produzidos perante os árbitros que julgarão a causa não podem ser aproveitados.

Referências

ABDALLA, Letícia Barbosa e Silva. Processo de escolha e nomeação de árbitro. *In:* CARMONA, Carlos Alberto; LEMES, Selma Maria Ferreira; MARTINS, Pedro Antônio Batista (coord.). *20 anos da Lei de Arbitragem:* homenagem a Petrônio R. Muniz. São Paulo: Atlas, 2017.

ALVES, Rafael Francisco. A imparcialidade do árbitro no direito brasileiro: autonomia privada ou devido processo legal? *Revista de Arbitragem e Mediação,* São Paulo, v. 5, p. 109-126, out./dez. 2005.

ALVES, Rafael Francisco. *Árbitro e Direito:* o julgamento do mérito na arbitragem. São Paulo: Almedina, 2018.

ANDREWS, Neil. Global perspectives on commercial arbitration: part 2. *Revista de Arbitragem e Mediação,* São Paulo, v. 202, p. 293-337, dez. 2011.

APRIGLIANO, Ricardo de Carvalho. *Fundamentos processuais da arbitragem.* Curitiba: EDC, 2023.

BAPTISTA, Luiz Olavo. Dever de revelação do árbitro: extensão e conteúdo. Inexistência de infração. Impossibilidade de anulação da sentença arbitral. *Revista de Arbitragem e Mediação,* São Paulo, v. 36, p. 199-218, jan./mar. 2013.

BARBOSA MOREIRA, José Carlos. Reformas processuais e poderes do juiz. *In:* BARBOSA MOREIRA, José Carlos. *Temas de Direito Processual.* 2. ed. Rio de Janeiro: GZ, 2023. v. 8.

BEDAQUE, José Roberto dos Santos. O Código Modelo na América Latina e na Europa: relatório brasileiro. *Revista de Processo: RePro,* São Paulo, v. 113, p. 147-190, jan./fev. 2004.

CARMONA, Carlos Alberto. *Arbitragem e processo:* um comentário à Lei nº 9.307/96. 4. ed. Barueri: Atlas, 2023.

COMOGLIO, Luigi Paolo. Il "giusto processo" civile in Italia e in Europa. *Revista de Processo: RePro,* São Paulo, v. 116, p. 97-158, jul./ago. 2004.

COSTA E SILVA, Paula. *Acto e processo:* regressando ao dogma da irrelevância da vontade na interpretação e nos vícios do acto postulativo. São Paulo: Revista dos Tribunais, 2019.

DINAMARCO, Cândido Rangel. *A arbitragem na teoria geral do processo.* São Paulo: Malheiros, 2013.

DINAMARCO, Cândido Rangel; BADARÓ, Gustavo Henrique Righi Ivahy; LOPES, Bruno Vasconcelos Carrilho. *Teoria geral do processo.* 33. ed. São Paulo: Malheiros, 2021.

ELIAS, Carlos Eduardo Stefen. *Imparcialidade dos árbitros*. São Paulo: Almedina, 2021.

FICHTNER, José Antonio. A atualidade do princípio *iura novit curia* no CPC e na arbitragem. *Revista de Arbitragem e Mediação*, São Paulo, v. 53, p. 249-262, abr./jun. 2017.

FICHTNER, José Antonio; MANNHEIMER, Sergio Nelson; MONTEIRO, André Luís. *Teoria geral da arbitragem*. Rio de Janeiro: Forense, 2019.

FONSECA, Rodrigo Garcia da. Impugnação da sentença arbitral. *In:* CARMONA, Carlos Alberto; LEMES, Selma Maria Ferreira; MARTINS, Pedro Antônio Batista (coord.). *20 anos da Lei de Arbitragem: homenagem a Petrônio R. Muniz*. São Paulo: Atlas, 2017.

GRINOVER, Ada Pellegrini. Arbitragem. Litisconsórcio. Nulidade da sentença arbitral. *In:* GRINOVER, Ada Pellegrini. *O processo*. Brasília: Gazeta Jurídica, 2013. série 2.

GRINOVER, Ada Pellegrini. Prova emprestada. *Revista Brasileira de Ciências Criminais*, São Paulo, v. 4, p. 60-69, out./dez. 1993.

HENRY, Marc. Do contrato de árbitro: o árbitro, um prestador de serviços. *Revista Brasileira de Arbitragem*, Alphen aan den Rijn, v. 6, p. 65-74, abr./jun. 2005.

LEMES, Selma Maria Ferreira; BARROS, Vera Cecília Monteiro de. Ação de anulação de sentença arbitral. Termo de arbitragem e estabilização da demandada. Comentários à sentença proferida no processo 583.00.2011.200971-0. *Revista de Arbitragem e Mediação*, São Paulo, v. 36, p. 391-400, jan./mar. 2013.

LEMES, Selma Maria Ferreira. O dever de revelação do árbitro, o conceito de dúvida justificada quanto a sua independência e imparcialidade (art. 14. §1º, da Lei 9.307/1996) e a ação de anulação de sentença arbitral (art. 32, II, da Lei 9.307/1996). *Revista de Arbitragem e Mediação*, São Paulo, v. 36, p. 231-251, jan./mar. 2013.

LUCCA, Rodrigo Ramina de. *Iura novit curia* nas arbitragens. *Revista Brasileira de Arbitragem*, São Paulo, v. 50, p. 54-78, abr./jun. 2016.

LUCON, Paulo Henrique dos Santos; BARIONI, Rodrigo; MEDEIROS NETO, Elias Marques de. A causa de pedir das ações anulatórias de sentença arbitral. *Revista de Arbitragem e Mediação*, São Paulo, v. 46, p. 265-276, jul./set. 2015.

LUCON, Paulo Henrique dos Santos; ZOCAL, Raul Longo. Condução eficiente dos processos arbitrais e devido processo legal. *In:* YARSHELL, Flávio Luiz; ZUFELATO, Camilo (coord.). *50 anos da teoria geral do processo no Brasil*. Londrina: Thoth, 2024.

MAGALHÃES, José Carlos de. Os deveres dos árbitros. *In:* CARMONA, Carlos Alberto; LEMES, Selma Maria Ferreira; MARTINS, Pedro Antônio Batista (coord.). *20 anos da Lei de Arbitragem: homenagem a Petrônio R. Muniz*. São Paulo: Atlas, 2017.

MARQUES, José Frederico. *Instituições de Direito Processual Civil*. 3. ed. Rio de Janeiro: Forense, 1966. v. 2.

MARTINETTO, Giuseppe. Contraddittorio (princípio del). *In:* AZARA, Antonio; EULA, Ernesto (dir.). *Novissimo digesto italiano*. Turim: UTET, 1957. v. 4.

NANNI, Giovanni Ettore. Confiança na arbitragem: o seu papel no contrato *intuitu personae* de árbitro. *Revista dos Tribunais*, São Paulo, v. 1041, p. 19-53, jul. 2022.

OLIVEIRA, Carlos Alberto Alvaro de. Garantia do contraditório. *In:* CRUZ E TUCCI, José Rogério (coord.). *Garantias constitucionais do processo civil*. São Paulo: Revista dos Tribunais, 1999.

OTEIZA, Eduardo. El debido proceso: evolución de la garantía y autismo procesal. *In:* FALCÓN, Enrique M. (coord.). *Reformas al Código Procesal Civil y Comercial de la Nación*. 2. ed. Buenos Aires: Rubinzal Culzoni Editores, 2002.

PARK, William. Por que os tribunais revisam decisões arbitrais. *Revista de Arbitragem e Mediação*, São Paulo, v. 3, p. 161-176, set./dez. 2004.

RICCI, Edoardo Flavio. A impugnação da sentença arbitral como garantia constitucional. *In:* FRANCO, Mariulza. *Lei de Arbitragem brasileira*: oito anos de reflexão – questões polêmicas. São Paulo: Revista dos Tribunais, 2004.

SANTOS, Leonardo Mäder Furtado dos. *Iura novit curia* em arbitragem e as cortes europeias. *Revista Brasileira de Arbitragem*, Alphen aan den Rijn, v. 36, p. 27-55, out./dez. 2012.

SCHANER, Lawrence; SCHLEPPENBACH, John. Due process in international arbitration: anything goes? A U.S. perspective. *Revista de Arbitragem e Mediação*, São Paulo, v. 22, p. 173-183, jul./set. 2009.

SCHWARTZ, Eric. Multi-party arbitration and the ICC: in the wake of Dutco. *Journal of International Arbitration*, Alphen aan den Rijn, v. 10, p. 5-19, Jul./Sept. 1993.

SILVA, Paula Costa e. *Acto e processo*: regressando ao dogma da irrelevância da vontade na interpretação e nos vícios do acto postulativo. São Paulo: Revista dos Tribunais, 2019.

STEFANINI AUILO, Rafael. *O modelo cooperativo de processo civil no novo CPC*. Salvador, Juspodivm, 2017.

STEFANINI AUILO, Rafael. *O modelo cooperativo de processo civil no novo CPC*. Salvador: Juspodivm, 2017.

TARUFFO, Michele. Garanzie processuali e dimensione transnazionale della giustizia civile. *In:* YARSHELL, Flávio Luiz; MORAES, Maurício Zanoide de (org.). *Estudos em homenagem à Professora Ada Pellegrini Grinover*. São Paulo: DPJ, 2005.

TELES, Miguel Galvão. Processo equitativo e imposição constitucional da independência e imparcialidade dos árbitros em Portugal. *Revista de Arbitragem e Mediação*, São Paulo, v. 24, p. 127-134, jan./mar. 2010.

TEPEDINO, Gustavo; BANDEIRA, Pedro Greco. Breves anotações sobre o dever de revelação dos árbitros. *Revista de Direito Civil Contemporâneo*, São Paulo, v. 37, p. 31-50, out./dez. 2023.

VAUGHN, Gustavo Favero. Reflexões a propósito da aplicação do aforismo *iura novit curia* ao processo arbitral. *Revista de Arbitragem e Mediação*, São Paulo, v. 67, p. 161-187, out./dez. 2020.

YARSHELL, Flávio Luiz. Brevíssimas notas a respeito da produção antecipada da prova na arbitragem. *Revista de Arbitragem e Mediação*, São Paulo, v. 14, p. 52-56, jul./set. 2007.

YARSHELL, Flávio Luiz. *Curso de Direito Processual Civil*. 2. ed. São Paulo: Marcial Pons, 2020. v. 1.

YARSHELL, Flávio Luiz; STEFANINI AUILO, Rafael. Controle judicial prévio (e excepcional) de decisões arbitrais: exame sob a perspectiva da inafastabilidade do controle jurisdicional. *In:* ABBOUD, Georges; MALUF, Fernando; VAUGHN, Gustavo Favero (coord.). *Arbitragem e Constituição*. São Paulo: Revista dos Tribunais, 2023.

Informação bibliográfica deste texto, conforme a NBR 6023:2018 da Associação Brasileira de Normas Técnicas (ABNT):

YARSHELL, Flávio Luiz; ZOCAL, Raul Longo. Aproveitamento dos atos processuais da arbitragem após a anulação da sentença arbitral. *In:* JUSTEN, Monica Spezia; PEREIRA, Cesar; JUSTEN NETO, Marçal; JUSTEN, Lucas Spezia (coord.). *Uma visão humanista do Direito*: homenagem ao Professor Marçal Justen Filho. Belo Horizonte: Fórum, 2025. v. 3, p. 807-825. ISBN 978-65-5518-915-5.

EXECUÇÃO CONTRA A FAZENDA PÚBLICA COMO INSTRUMENTO DE CONSECUÇÃO DOS DIREITOS FUNDAMENTAIS

GUILHERME AUGUSTO VEZARO EIRAS

1 Introdução

Não se pode deixar de iniciar este texto ressaltando a honra que é ter a oportunidade de apresentá-lo em obra organizada com o fim de render justa homenagem ao Professor Marçal Justen Filho.

Trata-se de um dos juristas em atividade, cujos pensamentos e análises influenciaram (e influenciam) a construção do Direito no Brasil e em âmbito internacional. Isso se deve certamente à dedicação incansável do Professor Marçal às ciências jurídicas.

Não é demais classificá-lo como jurista completo. É, na verdade, classificação precisa. Transitou desde o início de sua carreira jurídica (e continua transitando) nas mais variadas áreas do Direito. Esse é fator que chama a atenção em toda a sua obra e a torna muito especial. Sua vasta produção bibliográfica é marcada por pensamento jurídico completo e que sempre considera as consequências verificadas nas mais variadas ordens e ramos jurídicos. Sempre que se lê alguma produção de Marçal Justen Filho pode-se ter a certeza de que as exposições não serão rasas e circunscritas apenas ao ramo da matéria analisada. Haverá verdadeira análise interdisciplinar e filosófica, sempre pautada pelos princípios fundamentais do sistema jurídico brasileiro.

Trata-se de sistematicidade essencial, que decorre da constatação da inviabilidade de se interpretar ou se identificar uma norma jurídica de forma isolada e dissociada da dinâmica social.[1] O respeito e atenção a essa conclusão, com impecável rigor científico, é um dos motivos que tornam a obra e os pensamentos de Marçal Justen Filho tão relevantes para diversas áreas do conhecimento jurídico.

---

[1] Para uma visão detalhada sobre a necessidade de análise dinâmica e interdisciplinar do Direito, confira-se o exposto pelo próprio Marçal Justen Filho em: *Introdução ao estudo do Direito*. 2. ed. Rio de Janeiro: Forense, 2021. p. 133-140.

Essa importância é verificada também no ramo do Direito Processual Civil, em especial no que se refere às discussões processuais envolvendo litígios da Fazenda Pública. Será precisamente esse o objeto deste breve ensaio, que tratará da importância fundamental do marco teórico do pensamento de Marçal Justen Filho no estudo e na aplicação prática da execução contra a Fazenda Pública, notadamente no que se refere a sua importância para a consecução dos direitos fundamentais (que, ao fim e ao cabo, é a função primordial do Estado brasileiro) e para fazer frente à verdadeira crise de efetividade que assola o instituto.

2 A (in)efetividade da tutela jurisdicional executiva em face da Fazenda Pública

Muito se fala sobre a efetividade da tutela jurisdicional. Costuma-se indicar que ela inexiste na prática, invocando a marca preponderante que é deixada pela jurisdição na percepção do povo: excessiva complexidade, burocracia e demora na resolução das questões que são colocadas à sua análise. O mesmo (e ainda de forma mais marcante) se costuma indicar quando se está a mencionar a efetividade da tutela executiva em face da Fazenda Pública.

Essa fórmula generalista pode até ser verdadeira e aplicável à maior parte dos casos. No entanto, para que não se corra o risco de cair em generalizações vazias (tal como infelizmente comumente ocorre) e considerando o objeto do presente ensaio, é necessário verificar ao que se refere e quais são os fins buscados por uma tutela jurisdicional verdadeiramente efetiva contra o Poder Público, em termos técnicos-científicos processuais.

Nos dizeres do clássico *Vocabulário jurídico*, de Plácido e Silva, o sentido de *efetividade* na técnica processual é "caráter de efetivo, designando, assim, todo ato processual que foi integralmente cumprido ou executado, de modo a surtir, como é da regra, os desejados efeitos".[2]

É precisamente conceder os "desejados efeitos" a quem de direito. No entanto, não é demais lembrar que, conforme ressalta José Roberto dos Santos Bedaque, "processo efetivo é aquele que, observado o equilíbrio entre os valores segurança e celeridade, proporciona às partes o resultado desejado pelo direito material".[3] Afinal, como ressaltou Egas Dirceu Moniz de Aragão (jurista da maior qualidade, que foi contemporâneo de cátedra de Marçal Justen Filho na Universidade Federal do Paraná – UFPR) em texto célebre sobre a efetividade na execução: "Não se alcança a efetividade do processo com o sacrifício de direitos"[4] (em especial os direitos fundamentais, como se verá a seguir).

---

2 PLÁCIDO E SILVA, Oscar Joseph de. *Vocabulário jurídico*. 31. ed. Rio de Janeiro: Forense, 2014. p. 791.

3 Pertinente transcrever o trecho completo da obra mencionada: "Processo efetivo é aquele que, observado o equilíbrio entre os valores segurança e celeridade, proporciona às partes o resultado desejado pelo direito material. Pretende-se aprimorar o instrumento estatal destinado a fornecer a tutela jurisdicional. Mas constitui perigosa ilusão pensar que simplesmente conferir-lhe celeridade é suficiente para alcançar a tão almejada efetividade. Não se nega a necessidade de reduzir a demora, mas não se pode fazê-lo em detrimento do mínimo de segurança, valor também essencial ao processo justo" (BEDAQUE, José Roberto dos Santos. *Efetividade do processo e técnica processual*. 3. ed. São Paulo: Malheiros, 2010. p. 49).

4 ARAGÃO, Egas Dirceu Moniz de. Efetividade do processo de execução. *In:* ALVIM, Teresa Arruda (coord.). *Doutrinas essenciais do processo civil*. São Paulo: Revista dos Tribunais, 2011. v. 8, p. 16-24.

Tomando essa ideia como premissa e ressaltando que, "no direito, como na vida, a suma sabedoria reside em conciliar, tanto quanto possível, solicitações contraditórias, inspiradas em interesses opostos e igualmente valiosos, de forma que a satisfação de um deles não implique em sacrifício total de outro", José Carlos Barbosa Moreira formulou "programa básico" da busca pela efetividade processual:

(...)

a) o processo deve dispor de instrumentos de tutela adequados, na medida do possível, a todos os direitos (e outras posições jurídicas de vantagem) contemplados no ordenamento, quer resultem de expressa previsão normativa, quer se possam inferir do sistema;

b) esses instrumentos devem ser praticamente utilizáveis, ao menos em princípio, sejam quais forem os supostos titulares dos direitos (e das outras posições jurídicas de vantagem) de cuja preservação ou reintegração se cogita, inclusive quando indeterminado ou indeterminável o círculo dos eventuais sujeitos;

c) impende assegurar condições propícias à exata e completa reconstituição dos fatos relevantes, a fim de que o convencimento do julgador corresponda, tanto quanto puder, à realidade;

d) em toda a extensão da possibilidade prática, o resultado do processo há de ser tal que assegure à parte vitoriosa o gozo pleno da específica utilidade a que faz jus segundo o ordenamento;

e) cumpre que se possa atingir semelhante resultado com o mínimo dispêndio de tempo e energias.[56]

Para o que interessa para o presente trabalho, a efetividade da tutela jurisdicional executiva é representada pelo item "d" no trecho transcrito. Ou seja, para que o processo (e a execução) possa ser considerado efetivo, é necessário que conceda a quem de direito o que deveria ter sido dado pelo devedor se a obrigação estivesse sido cumprida espontaneamente, sem qualquer coerção ou ameaça da jurisdição estatal.

Esse conceito está essencialmente ligado à implementação da garantia fundamental do acesso à justiça e inafastabilidade da jurisdição (art. 5º, XXXV e LXXVIII, da CF), do que decorre o direito de todos a uma tutela jurisdicional efetiva, que necessariamente também deve ser tempestiva[7] (inclusive em face da Fazenda Pública). Conforme ressalta com precisão Fernando Gajardoni, "a garantia constitucional de tutela jurisdicional é

---

[5] BARBOSA MOREIRA, José Carlos. Efetividade do processo e técnica processual. *Revista de Processo: RePro*, São Paulo, v. 77, p. 168, jan. 1995.

[6] As mesmas ideias já haviam sido veiculadas por José Carlos Barbosa Moreira em trabalho publicado mais de dez anos antes: Notas sobre o problema da "efetividade" do processo. In: GRINOVER, Ada Pellegrini; FABRICIO, Adroaldo Furtado; LIMA, Alcides Mendonça; BUZAID, Alfredo; GUIMARÃES, Ary Florêncio; ARAGÃO, E. D. Moniz de; LACERDA, Galeno; PASSOS, J. J. Calmon; BARBOSA MOREIRA, José Carlos; ROCHA, José de Moura; COSTA, Moacyr Lobo da; BATISTA, Weber Martins; PIMENTEL, Wellington Moreira. *Estudos de Direito Processual em homenagem a José Frederico Marques*. São Paulo: Saraiva, 1982. p. 203.

[7] THEODORO JÚNIOR, Humberto. Celeridade e efetividade da prestação jurisdicional. *Revista de Processo: RePro*, São Paulo, v. 125, p. 61-78, jul. 2005; WATANABE, Kazuo. Tutela antecipatória e tutela específica das obrigações de fazer e não fazer – arts. 273 e 461, CPC. In: ALVIM, Teresa Arruda (coord.). *Doutrinas essenciais de processo civil*. São Paulo: Revista dos Tribunais, 2011. v. 5, p. 419-448.

portadora, também, do direito à celeridade do processo, de modo que ofertando-se tutela intempestiva, estar-se-á atentando contra o próprio conceito de jurisdição".[8]

Tudo isso ganha um relevo ainda maior quando se está a falar da efetividade da tutela jurisdicional executiva em face da Fazenda Pública. Afinal, como ressaltou Flávio Luiz Yarshell, "Em relação à Fazenda Pública a questão da efetividade relaciona-se intrinsecamente com o cumprimento da ordem judicial",[9] que é precisamente o ponto no qual a crise de efetividade se instaura.

Verifica-se que há em jogo no processo uma relação "Estado contra Estado", na qual o Poder Judiciário (que representa um braço do Estado) emite condenações e determinações (em regra) ao Poder Executivo (outro braço do Estado). Diferentemente do que poderia parecer em um primeiro olhar, não há ofensa à separação de Poderes.[10] Trata-se, na verdade, de representação da atuação harmônica entre os Poderes.

Nesse cenário, nos casos em que a Fazenda Pública não cumpre pontualmente as ordens judiciais ou utiliza de manobras (ainda que legais em termos formais, mas imbuído de espírito apenas procrastinatório e com ausência de boa-fé), o que há é uma desvalorização do próprio Estado pelo próprio Estado. Afinal, "quando a ordem do juiz é descumprida – seja por quem for –, o desprestígio é substancialmente do Estado e de todos nós", sendo que, "na verdade, todos perdemos cada vez que o Estado determina que alguém faça alguma coisa e alguém, inclusive um agente estatal, não a faz".[11]

Portanto, parece que a verdadeira efetividade da execução contra a Fazenda Pública será alcançada com a efetivação de forma tempestiva das condenações, sem manobras e procrastinações por parte do Poder Público (que inclusive deveria cumprir espontaneamente as ordens). Apenas assim se terá respeito aos direitos fundamentais. No entanto, não se pode esquecer que estes não são compostos apenas pelo devido processo legal e pela ampla defesa, que, em regra, podem ser invocados em favor da Fazenda Pública. Também integram essa categoria de direitos a segurança jurídica, o acesso à justiça, sua consecução dos direitos de forma tempestiva, a propriedade e a consecução de direitos pessoais básicos dos cidadãos.

Em outras palavras, a verdadeira efetividade no ponto deve decorrer da implementação tempestiva do direito reconhecido, de forma equilibrada e sem abusos dos

---

[8] GAJARDONI, Fernando da Fonseca. Os reflexos do tempo no direito processual civil: anotações sobre a qualidade temporal do processo civil brasileiro e europeu. *Revista de Processo: RePro*, São Paulo, v. 153, p. 99-117, nov. 2007.

[9] YARSHELL, Flávio Luiz. A execução e a efetividade do processo em relação à Fazenda. *In:* SUNDFELD, Carlos Ari; SCARPINELLA BUENO, Cassio (coord.). *Direito Processual Público*: a Fazenda Pública em juízo. São Paulo: Malheiros, 2000. p. 215.

[10] No ponto, em texto célebre, Flávio Luiz Yarshell (A execução e a efetividade do processo em relação à Fazenda, p. 221-222) ressalta que "Não há nada no sistema que justifique, dentro do princípio da legalidade, que a administração não possa se submeter à mesma regra de efetividade processual. (...) Nestes casos, evidentemente, não se pretende que o Judiciário interfira nos juízos de conveniência e oportunidade da Administração. Também não se pretende que seja fácil a resolução de todos os desafios envolvidos na dicotomia entre interesse público primário e secundário. No entanto, isto não quer dizer que não possa haver, pura e simplesmente, execução forçada contra a Fazenda Pública. As dificuldades que o tema envolve não podem significar que a Fazenda Pública não esteja sujeita às mesmas medidas de apoio à que está sujeito o particular na tutela das obrigações de fazer e não fazer. Não vejo, aliás, como haja qualquer interferência no princípio da separação dos Poderes na hipótese. O que, a meu ver, compromete a sobrevivência do Estado democrático é exatamente a subsistência de uma decisão judicial não cumprida".

[11] YARSHELL. A execução e a efetividade do processo em relação à Fazenda, p. 214.

instrumentos e prerrogativas previstas em favor da Fazenda Pública.[12] Afinal, conforme aponta Elton Venturi, "a tutela jurisdicional se revela tarefa qualificada pela máxima essencialidade, na medida em que dela passa a depender a subsistência pragmática e todas as demais garantias e direitos fundamentais, incessante e crescentemente violados ou sonegados tanto por parte o Poder Público como dos particulares".[13]

3 O abuso das prerrogativas estatais

É precisamente nesse ponto que o pensamento e os conceitos desenvolvidos por Marçal Justen Filho alcançam maior relevância e essencialidade para o estudo e aplicação da execução contra a Fazenda Pública, em especial sua efetividade.

E isso se dá frente a percepção geral, inclusive da doutrina e de vozes bastante respeitadas do Poder Judiciário, no sentido de que, invariavelmente, há verdadeiro abuso por parte da Fazenda Pública, que acaba por retardar sobremaneira o tempo de tramitação dos processos (atingindo em cheio a efetividade), em especial na fase de execução. Trata-se de constatação que se refere tanto à execução de pagamento de quantia submetida (em regra) ao regime de precatórios quanto à execução e tutela específica.

Como evidência podem-se mencionar, por exemplo, a discussão e as indicações (baseadas em dados concretos) realizadas pelos Ministros do STF no âmbito do julgamento da ADPF nº 219. Ao julgar (e reconhecer) a possibilidade de se determinar que o Poder Público "proceda aos cálculos e apresente os documentos relativos à execução nos processos em tramitação nos juizados especiais cíveis federais",[14] o Supremo reconheceu o quadro de ineficiência e inefetividade da execução contra a Fazenda Pública.

Inicialmente, o Ministro Marco Aurélio (que funcionou como relator do caso) reconheceu que "insiste a União em projetar no tempo o cumprimento de decisão transitada em julgado (...). Resiste à satisfação do direito, a mais não poder, deixando de dar o bom exemplo aos cidadãos em geral". Ao acompanhar o voto, o Ministro Luís Roberto Barroso adicionou argumentos baseados em dados concretos. Com base em relatório emitido pelo Conselho Nacional de Justiça (CNJ) (*Justiça em Números* publicado em 2020, tendo o ano-base como sendo 2019):[15]

---

[12] Por exemplo, conforme ressaltou Eduardo Talamini (A (in)disponibilidade do interesse público: consequências processuais (composição em juízo, prerrogativas processuais, arbitragem e ação monitória). *Revista de Processo: RePro*, São Paulo, v. 128, p. 59-78, out. 2005): "O interesse público não coincide necessariamente com as posições concretas defendidas por aqueles que ocupam os cargos públicos. A noção de interesse público não pode ser utilizada como um escudo, um pretexto para a Administração não cumprir os valores fundamentais do ordenamento. Deve-se combater essa invocação vazia, meramente retórica, do 'interesse público' – tão mais perniciosa porque sempre se quer fazer acompanhar dos atributos da 'supremacia' e 'indisponibilidade', ínsitos ao verdadeiro interesse público. O processo jurisdicional – que se propõe a assegurar a observância do ordenamento jurídico – deve estar atento a isso. Os problemas processuais relativos ao tema não comportam soluções simplistas, que se contentem com o mero 'rótulo' do 'interesse público'".

[13] VENTURI, Elton. Direito à razoável duração do processo. *In:* CLÈVE, Clèmerson Merlin (org). *Direito Constitucional brasileiro*: teoria da Constituição e direitos fundamentais. São Paulo: Revista dos Tribunais, 2014. v. 1, p. 839.

[14] BRASIL. Supremo Tribunal Federal (Pleno). Arguição de Descumprimento de Preceito Fundamental 219. Relator: Min. Marco Aurélio, 20 de maio de 2021. *Dje*: Brasília, DF, 2021.

[15] Considerando o voto do Ministro Luís Roberto Barroso fez referência aos dados mencionados em artigo de autoria do "Juiz Federal Paulo Ricardo Arena Filho publicado no Conjur", o relatório utilizado como base para os apontamentos foi o *Justiça em números de 2020 (ano-base 2019)*, elaborado pelo CNJ (*Justiça em números* de 2020

(...) na Justiça federal, esse tempo médio é de dois anos e dez meses na fase do conhecimento, e – e aqui é o ponto importante, Presidente – de oito anos e três meses na fase de execução/cumprimento de julgado — tudo no âmbito da primeira instância. (...)

na segunda instância (TRFs) esse tempo médio é de dois anos e cinco meses; no âmbito da Justiça estadual, o tempo médio é de três anos e sete meses na fase do conhecimento e de sete anos na fase de execução/cumprimento de julgado, tudo na primeira instância; na segunda instância (TJs) o tempo médio é de um ano.

A soma desses tempos leva a médias inaceitáveis de demora para a prestação jurisdicional, e esses números não contabilizam o prazo de duração dos processos no Superior Tribunal de Justiça e no Supremo Tribunal Federal, o que faria com que a média fosse para mais de dez anos. É aflitiva essa situação de demora!

Os últimos dados publicados pelo CNJ (*Justiça em Números* de 2024, referente ao ano-base 2023)[16] refletem a mesma demora e inefetividade da tutela executiva em face da Fazenda Pública. Tomando como referência apenas a Justiça Federal (que, como já ressaltado pelo Ministro Luís Roberto Barroso, tem a União Federal como sua maior "cliente") e apenas as execuções de título judicial (de modo a afastar eventuais distorções decorrentes da elevada quantidade de execuções fiscais), *o tempo médio de tramitação das execuções (a maior parte delas em face de entes públicos federais) tem sido de nada mais nada menos do que aproximadamente oito anos e nove meses.*[17]

Isso retrata a ausência de proporcionalidade e razoabilidade na utilização das prerrogativas da Fazenda Pública, demonstrando verdadeiro abuso. Afinal, se as decisões judiciais fossem cumpridas com exatidão pelo Poder Público (considerando inclusive que deveriam ser cumpridas espontaneamente), não haveria tanta demora no encerramento das execuções, mesmo considerando o prazo e a sistemática prevista no art. 100 da CF para o pagamento dos precatórios.[18]

Essa circunstância foi apreendida também por Egon Bockmann Moreira, Betina Treiger Grupenmacher, Rodrigo Luís Kanayama e Diogo Zelak Agottani:

(...) as Fazendas Públicas descobriram que o regime de precatórios pode ser destinado a sacramentar e perpetuar a inadimplência estatal, sem qualquer sanção. Tornou-se usual a prática – imoral e violadora dos mais comezinhos princípios de um Estado que se pretenda de Direito – de institucionalizar o recurso ao Poder Judiciário como meio de não cumprir obrigações e contratos. Ao invés de pagar pontualmente seus débitos, os governantes se

---

(ano-base 2019). Brasília, DF: CNJ, 2020. Disponível em: https://www.cnj.jus.br/wp-content/uploads/2021/08/rel-justica-em-numeros2020.pdf. Acesso em: 19 ago. 2024).

[16] CNJ. *Justiça em números 2024 (ano-base 2023)*. Brasília, DF: CNJ, 2024. Disponível em: https://www.cnj.jus.br/wp-content/uploads/2024/05/justica-em-numeros-2024.pdf. Acesso em: 19 ago. 2024.

[17] CNJ. Tempos de Tramitação dos Processos. *In*: CNJ. *Justiça em números 2024 (ano-base 2023)*. Brasília, DF: CNJ, 2024. f. 283. Disponível em: https://www.cnj.jus.br/wp-content/uploads/2024/05/justica-em-numeros-2024.pdf. Acesso em: 19 ago. 2024.

[18] Na medida em que a redação atual do §5º do art. 100 da CF prevê a obrigatoriedade de inclusão no orçamento e pagamento até o final do ano seguinte dos "precatórios judiciários apresentados até 2 de abril", bem considerando que é bastante comum que o ente público realize o pagamento de seus precatórios apenas muito próximo do final do ano, a demora entre a expedição do precatório e o efetivo pagamento em conta judicial do valor devido deveria demorar em média vinte e um meses. Isso, claro, sem considerar que há a possibilidade de o precatório ser apresentado desde abril do ano anterior até abril do ano seguinte e o tempo de tramitação necessário para que o Tribunal libere os valores para saque pelo credor.

omitem indevidamente e se valem da demora dos processos judiciais para, décadas depois, inadimplir os precatórios.

De instrumento republicano destinado a beneficiar igualitariamente os credores do Poder Público, o precatório transformou-se, na vida real, em verdadeira maldição – um meio de o Estado isentar-se da responsabilidade de pagar os débitos estabelecidos pelo Poder Judiciário. O que foi agravado pela sucessão de crises fiscais e descontrole orçamentário. (...) Logo, é fato público e notório que a prática acabou por frustrar a efetividade do cumprimento de decisões judiciais que defendem os débitos da Fazenda Pública, ao lado de tornar letra morta preceitos normativos constitucionais.[19]

Quanto à temática dos precatórios, nem se diga que haveria justificativa para não se realizar o cumprimento pontual da ordem judicial, considerando a escassez de recursos e a necessidade de aplicá-los às necessidades básicas da população.

No que se refere às dívidas contratuais, o que se verifica é que se normas e leis que regulam o orçamento e a gestão financeira do Poder Público fossem respeitadas não haveria atraso no pagamento de precatórios, na medida em que não é dado ao Poder Público contrair compromissos sem a respectiva dotação orçamentária.[20]

Além disso, grande parte dos recursos não é utilizada para os referidos fins (serviços público essenciais que, invariavelmente, faltam ou são de péssima qualidade), mas sim em projetos outros, de cunho eleitoreiro e de curto prazo, sem qualquer planejamento, tais como publicidade desnecessária e até mesmo vinculada à "promoção e caráter pessoal e eleitoreira" (ofendendo-se, nesse caso, a moralidade e a probidade administrativa).[21] [22]

Trata-se de prática arraigada na Administração Pública brasileira, que busca apenas *empurrar com a barriga* o débito para a próxima gestão. Além de violar todos

---

[19] MOREIRA, Egon Bockman; GRUPENMACHER, Betina Treiger; KANAYAMA, Rodrigo Luís; AGOTTANI, Diogo Zelak. *Precatórios*: o seu novo regime jurídico: a visão do Direito Financeiro, integrada ao Direito Tributário e ao Direito Econômico. 4. ed. São Paulo: Thomson Reuters Brasil, 2022. p. 40-41.

[20] Nesse sentido é a constatação apresentada por Jamile Bergamaschine Mata Diz e Dariana Augusta de Toledo Patrocínio, em artigo específico sobre o tema: Os precatórios judiciais e a intervenção federal. *Revista Tributária e de Finanças Públicas*, [S. l.], v. 87, p. 132-153, jul./ago. 2009. As autoras concluíram que "se as leis referentes à execução orçamentária e à gestão financeira do Estado fossem seguidas, haveria tanto para quitar os precatórios quanto para garantir a continuidade dos serviços públicos. (...) se faltam verbas para pagar as dívidas da Administração Pública reconhecidas judicialmente, não é porque as mesmas tiveram que ser utilizadas para se investir em saúde, educação, moradia ou qualquer outro direito social, mas sim porque, conforme já salientado, foram desviadas ou utilizadas para fins não tão importantes".

[21] Para uma análise específica da questão, confira-se o seguinte ensaio bastante detalhado e interessante elaborado por Paulo Henrique dos Santos Lucon: A importância da propaganda eleitoral na renovação da política nacional e os efeitos da propaganda institucional na reeleição. *Revista do Instituto dos Advogados de São Paulo*, São Paulo, v. 33, p. 195-208, jan./jun. 2014.

[22] O abuso na utilização de recursos em propaganda institucional também foi constatado pelo Desembargador aposentado do Tribunal de Justiça da Bahia (TJBA) Antonio Pessoa Cardoso (Requisição ou calote: precatórios. *Migalhas*, São Paulo, 27 dez. 2007. Disponível em: https://www.migalhas.com.br/depeso/48156/requisicao-ou-calote--precatórios. Acesso em: 19 ago. 2024). Em artigo específico sobre o tema, ressaltou: "O não pagamento dos precatórios não se explica por dificuldades de natureza financeira, mas eminentemente de ordem política; não se alega falta de verbas para pagamento das contratações irregulares, da intensa publicidade dos governos em todos os níveis, dos subsídios disfarçados, das obras faraônicas, das indenizações milionárias a anistiados políticos, sem ação judicial e sem precatório, da quitação de dívida ao FMI etc. Os governantes não cumprem as sentenças judiciais condenatórias e sabem que contam com a leniência dos legisladores e dos julgadores. Os juízes são responsáveis maiores pela impunidade dos agentes políticos; é preciso fazer cumprir a Constituição, que não é texto normativo, mas expressão de ordem concreta".

os princípios básicos da Administração Pública, essa prática gerou e gera prejuízos gravíssimos para a própria Fazenda.

Além do aumento exponencial das dívidas a partir da incidência de juros de mora (no caso de dívidas pecuniárias), não há como não lembrar também dos impactos que a utilização abusiva dessa postura acarreta sobre as próprias contratações públicas e, em último caso, no tão falado custo Brasil.

Como ressaltou Fernando Dias Menezes de Almeida, o pagamento do contratado "pelo sistema de precatórios" gera alto "ônus financeiro adicional", decorrente "da ausência imediata da disponibilidade do capital investido", sendo causa de "contratos mais onerosos para a Administração", uma vez que todos esses fatores e riscos são necessariamente precificados pelos fornecedores de bens e serviços. Disso resulta a constatação de que é "fato notório entre as pessoas que lidam com a formalização de contratos pela Administração que, via de regra, os preços praticados são, em média, mais altos do que os preços praticados em contratos celebrados entre partes privadas".[23][24]

Esse e outros comportamentos acabaram acarretando a inadimplência institucionalizada das obrigações impostas judicialmente ao Poder Público no Brasil. Eduardo Talamini resumiu com precisão a situação: "A execução por precatório no Brasil (...) tornou-se, na prática, verdadeira falácia",[25] afastando-se totalmente das justificativas para sua existência e, por consequência, de sua razão de ser.

4 A necessidade de se interpretar e se aplicar a execução contra a Fazenda Pública como sistema garantidor dos direitos fundamentais

É precisamente nesse cenário que se impõe a adoção do pensamento de Marçal Justen Filho como marco teórico para a aplicação das regras que formatam o sistema de execução contra a Fazenda Pública.

Considerando a tutela jurisdicional executiva em face da Fazenda não está sendo capaz de trazer eficácia concreta aos direitos dos jurisdicionados, verifica-se que está havendo violação ao *direito fundamental* à tutela jurisdicional plena, integral e tempestiva (art. 5º, XXXV e LXXVIII, da CF).[26]

Esse cenário vem sendo tolerado, inclusive pelo Poder Judiciário, mesmo diante da contestação de que se trata de premissa fundamental do sistema jurídico brasileiro o fato de a atuação do Poder Público ter como missão primordial garantir o respeito aos direitos fundamentais previstos constitucionalmente, em sua máxima concepção.

Contudo, da postura verificada na prática na tutela executiva em face da Fazenda Pública constata-se precisamente o contrário. É por isso que se mostra essencial aplicar

---

[23] ALMEIDA, Fernando Dias Menezes de. *Contrato administrativo*. São Paulo: Quartier Latin, 2012. p. 329-330.

[24] No mesmo sentido: TONIN, Mayara Gasparoto. SAVARIS, Mariana Randon. Contratos administrativos: reequilíbrio econômico-financeiro e custos de transação. *Migalhas*, São Paulo, 8 jul. 2023. Disponível em: https://www.migalhas.com.br/depeso/389612/contratos-administrativos-reequilibrio-e-custos-de-transacao. Acesso em: 19 ago. 2024.

[25] TALAMINI, Eduardo. O STF, os precatórios e a Administração Pública indireta. *Informativo Justen, Pereira, Oliveira e Talamini*, [S. l.], n. 52, jun. 2011.

[26] MACEDO, Elaine Harzheim; FENSTERSEIFER, Shana Serrão. O direito fundamental à tutela jurisdicional tempestiva na perspectiva constitucional e o caso problemático da sentença sem eficácia imediata ope legis que tutela direito em risco de dano ou perecimento. *Revista de Processo: RePro*, São Paulo, v. 237, p. 13-41, nov. 2014.

a execução contra a Fazenda a partir do marco teórico do pensamento de Marçal Justen Filho, que demonstra que "nenhuma decisão administrativa ofensiva dos direitos fundamentais pode ser reconhecida como válida",[27] inclusive as que deixam de cumprir pontualmente as condenações judiciais, cujo atendimento tempestivo e integral é verdadeiro direito dos jurisdicionados.

Afinal, conforme explica o referido autor, "os direitos fundamentais apresentam natureza indisponível", sendo que "O Estado é investido do dever de promover esses direitos fundamentais nos casos em que for inviável a sua concretização pelos particulares, segundo o regime de direito privado",[28] precisamente como ocorre quando se busca a tutela jurisdicional. Ou seja, também sob esse aspecto o cumprimento espontâneo e pontual das condenações judiciais pela Fazenda Pública é medida que se espera da Administração.

Some-se a isso o fato de que a atuação do Poder Público está integralmente submetida ao princípio da legalidade, que vincula sua atuação não apenas à lei, mas também aos princípios e direitos fundamentais que dão base e ordenam todo o sistema jurídico brasileiro.[29] É dizer: se o Estado está obrigado a cumprir a Lei, é decorrência que deve também cumprir com exatidão as decisões judiciais (que são, dentro do sistema jurídico brasileiro, a representação da aplicação da lei no caso concreto).

Nesse contexto, considerando a crise de efetividade que existe na execução em face da Fazenda Pública, além da violação do direito do próprio jurisdicionado a uma tutela judicial efetiva e tempestiva, se está também negando o próprio Estado de Direito.[30] Há também sério risco à credibilidade e autoridade do Poder Judiciário, dada a ausência de efetividade prática de suas decisões, do que decorre, inclusive, a quebra da sua independência.[31]

---

[27] JUSTEN FILHO, Marçal. *Curso de Direito Administrativo*. 14. ed. Rio de Janeiro: Grupo GEN Forense, 2023. p. 40.

[28] JUSTEN FILHO. *Curso de Direito Administrativo*, p. 45.

[29] Conforme ressalta com bastante precisão Odete Medauar (*Direito Administrativo moderno*. 8. ed. São Paulo: Revista dos Tribunais, 2004, p. 144), "ante tal contexto, buscou-se assentar o princípio da legalidade em bases valorativas, sujeitando as atividades da Administração não somente à lei votada pelo Legislativo, mas também aos preceitos fundamentais que norteiam todo o ordenamento. A Constituição de 1988 determina que todos os entes e órgãos da Administração obedeçam ao princípio da legalidade (*caput* do art. 37); a compreensão desse princípio deve abranger a observância da lei formal, votada pelo Legislativo, e também dos preceitos decorrentes do Estado Democrático de Direito, que é o modo de ser do Estado brasileiro, conforme reza o art. 1º, *caput*, da Constituição; e, ainda, deve incluir a observância dos demais fundamentos e princípios de base constitucional. Além do mais, o princípio da legalidade obriga a Administração a cumprir normas que ela própria editou".

[30] "O Estado de Direito, assim, é aquele limitado em suas atividades/abstenções pelas regras e princípios vigentes em dado momento, segundo o consenso de uma sociedade, respeitada a hierarquia formal e material destas normas, bem como os valores por meio dela protegidos. É aquele em que os direitos fundamentais previstos na Constituição são preservados e assegurados perante a própria lei (que é fruto da atividade do legislador), e perante a atuação da Administração (como conjunto de pessoas e órgãos cuja função é a gestão dos bens jurídicos da comunidade a que pertence e pela qual labora), por meio da garantia da via judiciária de tutela de direitos (através de instrumentos processuais e procedimentais acessíveis àqueles que deles necessitar para ver assegurados seus direitos). (...) Estes são, em poucas linhas, os contornos básicos do Estado de Direito, em cujo contexto emerge, como questão relevante a ser examinada, a do cumprimento das decisões judiciais pela Administração Pública. O acesso à tutela judiciária de direitos subjetivos fundamentais é elemento essencial do Estado de Direito, e o cumprimento de suas decisões representa a efetivação destes, que se devem sobrepor mesmo ao Poder Público. Se este descumpre uma decisão judicial, devem existir meios de coagi-lo a cumpri-la, sob pena de desconfiguração do próprio Estado de Direito" (LEAL, Luciana de Oliveira. *Tutela específica em face do Estado*: aspectos constitucionais, administrativos e processuais. Belo Horizonte: Fórum, 2008. p. 44-45).

[31] "O direito de ação contra a Administração Pública é a plenitude do princípio do Estado de Direito. A efetividade da prestação jurisdicional, através de regular processo de execução, é condição *sine qua non* para aquele preceito fundamental. (...) Na linha de que a precariedade do processo de execução contra a Fazenda Pública põe em

Como se vê, portanto, há um vínculo intrínseco entre os direitos fundamentais, as bases do próprio Estado Democrático de Direito brasileiro e a tutela executiva, que busca concretizar na prática a violação de direitos. Nesse cenário, a execução ineficaz viola diretamente os direitos fundamentais. Além disso, como ressalta o marco teórico Marçal Justen Filho, "Não há Estado de Direito quando o Estado se submete apenas à competência *cognitiva*, mas não à competência *executória* da jurisdição".[32]

Portanto, e em essência, a partir do que ensina Marçal Justen Filho, a tutela executiva contra a Fazenda Pública é sistema que tem como finalidade garantir a observância dos direitos fundamentais. É preciso, portanto, interpretá-la e aplicá-la tendo em vista sempre a máxima efetividade de tais postulados.

A necessidade de se respeitar o referido marco teórico também já foi apreendida por Marcelo Lima Guerra, que ressaltou com precisão "o marco teórico-conceptual mais adequado tanto para a reconstrução da sistemática das normas regentes da matéria, como também para extrair delas a máxima proteção possível ao credor", passa necessariamente pela "teoria dos direitos fundamentais, associada às premissas já firmadas acerca da submissão do Poder Público ao pleno controle jurisdicional *in executivis*".[33]

Também partindo do mesmo pressuposto, Leonardo Greco sustenta que

> Para quem como eu acredita que todo o sistema jurídico do nosso tempo pressupõe um rol de direitos fundamentais decorrentes da dignidade da pessoa humana, direitos esses que estão acima da lei e a que a lei deve oferecer cabal proteção, não basta que o legislador proclame o dever de todo cidadão de respeitar esses direitos. É preciso que o ordenamento jurídico dê eficácia concreta a essa proteção.[34]

Confirmando ainda essa concepção está a reconhecida aplicabilidade imediata e eficácia plena dos direitos fundamentais (§1º do art. 5º da CF).[35] Significa dizer que os direitos fundamentais devem ser concretizados independentemente de lei ou regulamentação (inclusive contra estas, se for o caso), desde que se realize o eventual e necessário sopesamento no caso de haver alguma colisão com outro direito fundamental.[36]

---

risco a credibilidade do Poder Judiciário, pelo comprometimento da sua independência (...). A prevalecer essa situação, de nada adiantarão declarações de direitos subjetivos perante o Estado (no plano abstrato/direito positivo e concreto/sentença judicial). O ordenamento jurídico que inviabiliza a execução forçada contra a Fazenda Pública limita o princípio do Estado de Direito, tratando-se, portanto, de regra injusta (porque ofende um princípio maior de justiça) e artificial (não é natural). A persistência nesse regime é fator de agravamento da crise de governabilidade, pois está dissociada dos anseios de justiça da sociedade atual" (SILVA, Ricardo Perlingeiro Mendes da. *Execução contra a Fazenda Pública*. São Paulo: Malheiros, 1999. p. 202-206).

[32] JUSTEN FILHO, Marçal. Estado Democrático de Direito e responsabilidade civil do Estado: a questão dos precatórios. *Revista de Direito Público da Economia – RDPE*, Belo Horizonte, ano 5, n. 19, p. 159-208, jul./set. 2007.

[33] GUERRA, Marcelo Lima. *Direitos fundamentais e a proteção do credor na execução civil*. São Paulo: Revista dos Tribunais, 2003. p. 193.

[34] GRECO, Leonardo. A execução e a efetividade do processo. *In*: ALVIM, Teresa Arruda. *Doutrinas essenciais de processo civil* (coord.). São Paulo: Revista dos Tribunais, out. 2011. v. 8, p. 315-364.

[35] Conforme ressalta Eros Roberto Grau (*A ordem econômica na Constituição de 1988: interpretação e crítica*. 17. ed. São Paulo: Malheiros, 2015, p. 317), "a norma que define direito ou garantia fundamental, à qual refere o §1º do art. 5º do texto constitucional, é, evidentemente, dotada de *vigência* e de *eficácia jurídica* (...); esta norma é de ser aplicada imediatamente – os particulares devem cumpri-la; o Estado tem o dever de torná-la prontamente exequível, impondo o seu cumprimento – razão pela qual, se a tanto acionado o Poder Judiciário, estará compelido a conferir-lhe efetividade jurídica ou formal".

[36] Nos termos do que defende Marcelo Lima Guerra (Execução contra o Poder Público. *Revista de Processo: RePro*, São Paulo, v. 100, p. 61-80, out./dez. 2000): "Nisso se manifesta, entre outras coisas, a chamada aplicabilidade

Se sequer a ausência de regulamentação legal ou a existência de lei em sentido contrário (inconstitucional, no caso) não é capaz de limitar a aplicação dos direitos fundamentais, não deverá ser a utilização ardilosa e capciosa das prerrogativas atribuídas à Fazenda Pública que poderá liminar e retardar sua aplicação.

Tudo isso apenas confirma a importância do pensamento de Marçal Justen Filho para se garantir a aplicação da tutela executiva contra a Fazenda Pública de forma adequada e como instrumento essencial para se garantir a aplicação e a máxima efetividade dos direitos fundamentais.

Nessa perspectiva, ao invés de utilizar suas prerrogativas para dificultar e criar entraves, muitas vezes ilegítimos e meramente protelatórios à efetivação da tutela, cumpre à Fazenda Pública, em respeito às suas funções primordiais, às bases do Estado Democrático de Direito e aos direitos fundamentais envolvidos, tomar todas as providências para dar cumprimento à ordem judicial com a maior rapidez e retidão possível.

Dessa premissa instituída no pensamento de Marçal Justen Filho também decorre a advertência realizada por Carlos Alberto Álvaro de Oliveira, ao ressaltar que, na atividade da jurisdição, "havendo dúvida, deve prevalecer a interpretação que, conforme o caso, restrinja menos o direito fundamental, dê-lhe maior proteção, amplie mais o seu âmbito, satisfaça-o em maior grau". O referido autor ainda reconhece ser necessário que relativamente aos direitos fundamentais se garanta "ao mesmo tempo seu exercício e restauração, em caso de violação, por meio de órgãos imparciais com efetividade e eficácia (...), a evidenciar uma interdependência relacional entre direitos fundamentais e processo".[37]

Isso significa que não basta garantir que todos possam recorrer ao Poder Judiciário diante de uma violação de direitos em face da Fazenda Pública. Também é necessário que essa garantia contemple a concretização dos direitos violados, sob pena de se estar sujeito, na prática, ao arbítrio estatal.[38] Ou, conforme ressaltou Pedro Henrique Pedrosa Nogueira: "Se o Judiciário brasileiro (...) deve apreciar e, por óbvio, remover as lesões ou ameaças de lesão a direitos, os seus julgados naturalmente devem ser efetivos",[39]

---

imediata dos direitos fundamentais, os quais se concretizam independentemente de lei, e até *contra legem*, devendo-se observar, todavia, que a concretização de um direito fundamental deve respeitar os limites impostos por outros direitos fundamentais. Daí que, revelando-se necessária a aplicação de multa diária, o juiz pode utilizá-la mesmo em situações não previstas em lei, mas não pode ignorar outros direitos fundamentais em jogo".

[37] OLIVEIRA, Carlos Alberto Álvaro. O processo civil na perspectiva dos direitos fundamentais. *Revista da Faculdade de Direito da Universidade Federal do Rio Grande do Sul*, Porto Alegre, v. 22, p. 37-38, set. 2002.

[38] "Na perspectiva neoconstitucionalista, o Poder Judiciário possui papel (cri)ativo. Não existem questões insuscetíveis de apreciação judicial, quando está em lide algum direito fundamental e a apreciação de acordo com o princípio da máxima efetividade das normas constitucionais, deve conduzir a processo decisório de efeito substancial, em que a concretização do direito fundamental lesionado ou ameaçado de lesão seja colocada sob o manto de proteção do Poder Judiciário, poder este capaz, em sede de controle de constitucionalidade tanto difuso quanto concentrado (STF), de impor aos demais Poderes os efeitos concretizadores das suas decisões. (...) Assim, conforme ensina Dirley da Cunha Junior, a expansão do papel do Juiz é exigência da sociedade contemporânea, que tem sido reclamado, mais do que mera e passiva inanimada atividade de pronunciar as palavras da lei, um destacado dinamismo ou ativismo na efetivação dos preceitos constitucionais, em geral, e na defesa dos direitos fundamentais, em especial, frequentemente inviabilizados por inação dos órgãos de direção política" (OLIVEIRA JÚNIOR, Valdir Ferreira de. O Estado Constitucional Solidarista: estratégias para sua efetivação. *In*: MARTINS, Ives Gandra da Silva; MENDES, Gilmar Ferreira; NASCIMENTO, Carlos Valder do (coord.). *Tratado de Direito Constitucional*. São Paulo: Saraiva, 2012. v. 1, p. 62-63).

[39] NOGUEIRA, Pedro Henrique Pedrosa. O direito fundamental à tutela jurisdicional executiva e a técnica da ponderação. *In*: BARROSO, Luís Roberto; CLÈVE, Clemerson Merlin. *Doutrinas essenciais de direitos humanos*. São Paulo: Revista dos Tribunais, 2011. v. 1, p. 869-889.

em especial no que se refere às condenações e ordens judiciais emitidas em face da Fazenda Pública.

5 Ressalva necessária: inoponibilidade do conceito vazio de "interesse público" e o necessário respeito ao direito fundamental da efetividade da tutela executiva em face da Fazenda Pública

Nem se diga, com respeito às opiniões contrárias, que a inefetividade para o credor da execução contra a Fazenda Pública teria justificativa na necessidade de respeito ao chamado *princípio da supremacia e da indisponibilidade do interesse público sobre o particular,* que é tido por parte da comunidade jurídica como princípio formador do Direito Administrativo.[40]

Nesse caso, a invocação vazia do interesse público poderia demandar, por exemplo, privilegiar o emprego de recursos do Estado na consecução de finalidades ditas como de interesse público, em detrimento de empregá-los no cumprimento das ordens e condenações judiciais (seja de pagar quantia certa, fazer, não fazer ou entrega de coisa) –[41] como se o cumprimento pontual das ordens judiciais não fosse privilegiar o interesse público.

No entanto, também partindo do marco teórico essencial de Marçal Justen Filho, é necessário considerar que a referida supremacia do interesse público é conceito que possui diversos problemas.[42]

Em primeiro lugar, interesse público é conceito fluido,[43] tido como "verdadeiro axioma"[44] e caracterizado como algo que "não admite definição".[45] Por consequência, é passível de ser utilizado pela Administração (especialmente por gestores sem pensamento de longo prazo e descompromissados com a legalidade e os direitos fundamentais)[46]

---

[40] Nesse sentido, para Celso Antônio Bandeira de Mello "Todo o sistema de Direito Administrativo, a nosso ver, se constrói sobre os mencionados princípios da supremacia do interesse público sobre o particular e indisponibilidade do interesse público pela Administração" (BANDEIRA DE MELLO. *Curso de Direito Administrativo,* p. 56).

[41] MEDAUAR. *Direito Administrativo moderno,* p. 152.

[42] JUSTEN FILHO. *Curso de Direito Administrativo,* p. 39-44.

[43] MELLO JUNIOR, João Câncio. O conceito polêmico de interesse público. *Revista Jurídica do Ministério Público,* Belo Horizonte, p. 326, 14 set. 1994. Disponível em: http://www.amprs.org.br/arquivos/revista_artigo/arquivo_1275672471.pdf. Acesso em: 19 ago. 2024.

[44] BANDEIRA DE MELLO. *Curso de Direito Administrativo,* p. 69.

[45] FERRAZ JÚNIOR, Tércio Sampaio. Interesse público. *Revista do Ministério Público do Trabalho da 2. Região,* Brasília, DF, n. 1, p. 10, 1995.

[46] No ponto, importante ressalva e exemplo são apresentados por Marçal Justen Filho (Comentários ao Art. 20 da LINDB – Dever de transparência, concretude e proporcionalidade nas decisões públicas. *Revista de Direito Administrativo,* Rio de Janeiro, Edição Especial: Direito Público na Lei de Introdução às Normas do Direito Brasileiro – LINDB, p. 28, nov. 2018), ao comentar o art. 20 da LINBD (que será a seguir mencionado): "Em outras hipóteses, ocorre um processo valorativo intuitivo não consciente. Existe um processo de formação da vontade decisória que é produzido de modo espontâneo e aleatório. A autoridade atinge uma conclusão sobre o caso, sem seguir um percurso consciente predeterminado. Tendo formado a sua decisão, a autoridade desenvolve um processo de racionalização. Isso significa dar uma aparência de racionalidade a uma decisão fundada em impulsos, vontades e outras manifestações de subjetivismos. Um dos instrumentos mais adequados à racionalização consiste na invocação a valores abstratos. Suponha-se um litígio entre a Administração Pública e um particular. Imagine-se que a autoridade competente para decidir repute, mesmo que de modo inconsciente, que os atos praticados pelo Estado devem ser prestigiados de modo irrestrito, independentemente da efetiva observância das regras legislativas aplicáveis. Desse modo, pode ocorrer de a autoridade decidir em favor da

com o fim de justificar abusos, não pagamento de credores e para não cumprir decisões judiciais.

Em segundo lugar, o direito administrativo é amplo e complexo. Trata de uma gama imensa de interesses, não podendo ser resumido na suposta contraposição de um interesse público (supremo) sobre o privado (relegado a um segundo plano). Há, inclusive, mais de um interesse público, a ponto de se mencionar não "interesse público", mas sim "interesses públicos".[47]

Disso se verifica a necessidade de se promover a ponderação no caso concreto também entre tais "interesses públicos", de modo que a dicotomia entre "interesse público" e "interesse privado" resumida na fórmula da "supremacia do interesse público" é insuficiente para abarcar a generalidade dos conflitos e problemas vivenciados na prática.

Além disso, igualmente partindo do marco teórico essencial de Marçal Justen Filho, é pertinente apresentar a ressalva realizada por Eduardo Talamini no sentido de que a Fazenda "não está dispondo, 'abrindo mão', do interesse público quando dá cumprimento a direito alheio. E isso pela óbvia razão de que, nessa hipótese, se não há direito em favor da Administração, não há que se falar em interesse público".[48]

Em terceiro lugar, também se deve tomar cuidado para não se realizar o raciocínio simplista no sentido de que o interesse público seria o interesse do Estado, uma vez que este teria como função primordial promover o interesse público. É o que infeliz e comumente se vê em diversas decisões judiciais e em motivações de atos administrativos, que buscam nessa invocação genérica justificar alguma posição de superioridade ou prerrogativa (verdadeiro privilégio, nesses casos) do Poder Público.

Além disso tudo, em quarto lugar, não é apenas o suposto "interesse público" que forma a Administração Pública. Diversos outros princípios, de igual ou superior estatura constitucional, também incidem sobre o Poder Público. Grande parte de tais princípios não possuem hierarquia (dada a origem constitucional de todos), de modo que não é possível fixar já de início e de forma prévia que determinado princípio é superior ao outro. Nesses casos, sempre considerando as peculiaridades do caso concreto,[49] é necessário que se realize a correspondente ponderação entre os princípios e se identifique o que deve prevalecer (ainda que parcialmente e com temperamentos) no caso.[50]

De todo modo e independentemente disso, voltamos à necessidade de se aplicar as lições de Marçal Justen Filho, que demonstra que "Todo e qualquer direito, interesse,

---

Administração mediante a invocação genérica da 'supremacia do interesse público'. Nesse cenário, não haverá a subsunção dos fatos concretos ao direito aplicável ao caso, nem se procederá à identificação do interesse público concretamente existente. Haverá uma decisão predeterminada em favor de uma das partes, produzida sem vínculo efetivo com o direito vigente. A invocação ao 'interesse público' destina-se a reduzir o risco do controle da regularidade da decisão".

47 FRANÇA, Phillip Gil. Interesse público, um conhecido conceito "não determinado". *Revista Colunistas de Direito do Estado*, [*S. l.*], n. 249, 2016. Disponível em: http://www.direitodoestado.com.br/colunistas/phillip-gil-franca/interesse-publico-um-conhecido-conceito-nao-ndeterminado#. Acesso em: 19 ago. 2024.

48 TALAMINI. A (in)disponibilidade do interesse público: consequências processuais (composição em juízo, prerrogativas processuais, arbitragem e ação monitória), p. 59-78.

49 OSÓRIO, Fábio Medina. Existe uma supremacia do interesse público sobre o privado no Direito Administrativo brasileiro? *Revista dos Tribunais*, São Paulo, v. 770, p. 53-92, dez. 1999.

50 ALEXY, Robert. Direitos fundamentais, ponderação e racionalidade. *In*: BARROSO, Luís Roberto; CLÈVE, Clemerson Merlin. *Doutrinas essenciais de Direito Constitucional*. São Paulo: Revista dos Tribunais, 2011. v. 1, p. 721-732; SAES, Wandimara Pereira dos Santos. Colisão de direitos fundamentais. *In*: GARCIA, Maria. PIOVESAN, Flávia. *Doutrinas essenciais de direitos humanos*. São Paulo: Revista dos Tribunais, 2011. v. 7, p. 707-729.

poder, competência ou ônus são limitados sempre pelos direitos fundamentais. Nenhuma decisão administrativa ofensiva dos direitos fundamentais pode ser reconhecida como válida".[51]

Quanto a isso, é importante ressaltar que parte da doutrina também defende que o conteúdo do conceito de interesse público "não se restringe aos ditames inerentes aos direitos fundamentais". Deveria ir além e ser "compreendido a partir de todo o ordenamento jurídico estabelecido pela Constituição da República de 1988 – que impõe um modelo de Estado social ao Brasil pautado pelo objeto geral da felicidade do povo – ou seja, o máximo possível de bem estar".[52]

No entanto, com respeito a essa opinião, parece-nos que submeter a interpretação do "interesse público" a todo o modelo constitucional indistintamente e sem qualquer ressalva acaba por incorrer em um dos problemas anteriormente apontados. Torna o referido postulado amplamente fluído e vazio, apto a admitir sua invocação para justificar quaisquer interesses que se pretenda defender, inclusive um contraditório ao outro, viabilizando decisões administrativas genéricas submetidas exclusivamente à vontade pessoal do gestor público do momento.[53]

Sob essa concepção, por exemplo, poder-se-ia admitir a justificação genérica da ausência de emprego de recursos públicos para o cumprimento de uma ordem judicial (cujo cumprimento decorre de direito fundamental assegurado a todo administrado) no déficit sistêmico que historicamente existe no saneamento básico brasileiro. Isso, além de ferir direitos fundamentais, geraria efeito nefasto na linha do que anteriormente já foi demonstrado, reduzindo a segurança jurídica nas relações com o Estado e, por consequência, afastando parceiros e aumentando o custo de suas aquisições, obras e serviços.

Por isso, uma fixação maior das bases do "interesse público" é essencial e salutar ao desenvolvimento da atividade do Poder Público, bem como à interpretação a ser dada à tutela executiva em face da Fazenda Pública. Confirmando essa constatação, aliás, recentemente foi realizada importante alteração na Lei de Introdução às Normas do Direito Brasileiro (LINDB), para contemplar precisamente a impossibilidade da Administração (e, também, o Poder Judiciário) decidir "com base em valores jurídicos abstratos" (art. 20 do Decreto-Lei nº 4.657/1942).[54][55]

---

[51] JUSTEN FILHO. *Curso de Direito Administrativo*, p. 40.

[52] GABARDO, Emerson; REZENDE, Maurício Corrêa de Moura. O conceito de interesse público no direito brasileiro. *Revista Brasileira de Estudos Políticos*, [S. l.], n. 115, p. 310, jul./dez. 2017.

[53] "(...) o critério da supremacia e indisponibilidade do interesse público apresenta utilidade reduzida, uma vez que não há um interesse público a ser reputado como supremo. O critério da supremacia e indisponibilidade do interesse público não permite resolver de modo satisfatório os conflitos, nem fornecer um fundamento consistente para as decisões administrativas. (...) Como resultado prático, a adoção do critério da SIP resulta, no mundo real, na atribuição ao governante de uma margem indeterminada e indeterminável de autonomia para impor suas escolhas individuais. Ou seja, o governante acaba por escolher a solução que bem lhe apraz, justificando-a por meio da expressão supremacia e indisponibilidade do interesse público. Esse modelo é incompatível com a Constituição, com a concepção do Estado Democrático de Direito e com a própria função reservada ao direito administrativo" (JUSTEN FILHO. *Curso de Direito Administrativo*, p. 45).

[54] Art. 20 do Decreto-Lei nº 4.657/1942: "(...) Nas esferas administrativa, controladora e judicial, não se decidirá com base em valores jurídicos abstratos sem que sejam consideradas as consequências práticas da decisão (Incluído pela Lei Federal 13.655/2018).

[55] Conforme ressaltou Gustavo Vettorato (A aplicação de valores abstratos como base de decisões das autoridades julgadoras sob a ótica do art. 20 da LINDB e §1º do art. 489 do CPC/15 em face da resistência do CARF. *Revista*

De todo modo, o pensamento baseado na compreensão do interesse público a partir de todo o ordenamento instituído pela CF não é totalmente incompatível com a conclusão no sentido de que atividade administrativa deve ser compreendida a partir da supremacia e indisponibilidade dos direitos fundamentais. Basta que a questão seja analisada com base na hierarquia e importância dos preceitos que constam da CF, sempre buscando a máxima efetividade dos direitos fundamentais.

Afinal, obviamente, a atividade da Administração deve se submeter a todo o regramento constituído pela CF. Mas, havendo algum embate entre alguma regra geral do texto constitucional e direitos fundamentais específicos, estes, que são indisponíveis,[56] merecem sempre prevalecer e serem prestigiados (ainda que mediante ponderação entre dois direitos assim qualificados, por meio da consideração do caso concreto, desde que nenhum deles seja esvaziado).[57]

Portanto, na linha do pensamento de Marçal Justen Filho, conclui-se que a única alternativa que se amolda e é viável frente ao sistema jurídico brasileiro é interpretar e aplicar a tutela executiva jurisdicional em face da Fazenda Pública como verdadeiro instrumento de consecução dos direitos fundamentais, sempre buscando sua maior efetividade.

Nesse sentido, ao comentar os instrumentos e métodos que podem ser utilizados pelo Judiciário para buscar a efetivação do direito, Eduardo Talamini apresentou a seguinte ponderação, que confirma a referida conclusão:

> (...) cumprir os provimentos judiciais é atender ao interesse público. Esgotadas as possibilidades processuais de supressão ou suspensão do comando judicial, a Fazenda Pública

---

de *Direito Tributário Contemporâneo*, [*S. l.*], v. 29, p. 23-24, abr./jun. 2021), em artigo específico comentando o art. 20 da LINDB: "Ao proferir uma decisão com base em valores, o dever de transparência seria o motor da obrigação da autoridade julgadora de apresentar o conteúdo, sentido e motivo de sua aplicação ao caso concreto. Entretanto, a praxe brasileira demonstra a expressão de valores na forma de jargões como 'justiça social', 'dignidade', ou 'supremacia do interesse público', sem especificar qual é a efetiva razão e influência deles nos motivos da decisão tomada, tornando-os apenas uma solução retórica. Realidade essa geradora de quaisquer tipos de decisões, com o mesmo jargão, inclusive contraditórias tomadas pelo mesmo agente. Fato traduzido em opacidade, muitas vezes utilizado para ocultar os verdadeiros valores (íntimos) que motivam a decisão, incorrendo em possível afronta à independência e imparcialidade da decisão. Isso é, a decisão deve ser ter os motivos corretos (correspondentes ao íntimo do julgador) expressos em seu corpo, expressos na sua motivação, devidamente relacionados e adequados a ela. Não havendo tal correspondência, não se trata apenas de uma decisão de juízo valorativo equivocado, mas de decisão nula por provável desrespeito à independência e imparcialidade do julgador, o que abalroa a sua legitimidade (autoridade da decisão)".

[56] Conforme ressalta José Afonso da Silva (*Curso de Direito Constitucional Positivo*. 21. ed. São Paulo: Malheiros, 2002. p. 180-181), são "características dos direitos fundamentais" a "(2) Inalienabilidade. São direitos intransferíveis, inegociáveis, porque não são de conteúdo econômico-patrimonial. Se a ordem constitucional os confere a todos, deles não se pode desfazer, porque são indisponíveis. (...)" e a "(4) Irrenunciabilidade. Não se renunciam direitos fundamentais. Alguns deles podem até não ser exercidos, pode-se deixar de exercê-los, mas não se admite sejam renunciados".

[57] Quanto a ponderação da prevalência de um princípio e/ou um direito fundamental sobre o outro, merece transcrição a seguinte passagem que constou de voto do Ministro Celso de Mello, que ilustra com propriedade o ponto: "a superação dos antagonismos existentes entre princípios constitucionais há de resultar da utilização, pelo Supremo Tribunal Federal, de critérios que lhe permitam ponderar e avaliar, 'hic et nunc', em função de determinado contexto e sob uma perspectiva axiológica concreta, qual deva ser o direito a preponderar no caso, considerada a situação de conflito ocorrente, desde que, no entanto, a utilização do método da ponderação de bens e interesses não importe em esvaziamento do conteúdo essencial dos direitos fundamentais, tal como adverte o magistério da doutrina" (BRASIL. Supremo Tribunal Federal (Pleno). HC 82.424. Relator: Min. Moreira Alves. Relator para acórdão: Min. Maurício Corrêa, 17 de setembro de 2003. *Dje*: Brasília, DF, p. 10 do voto do Ministro Celso de Mello, 2003).

deveria (deve!) sempre cumpri-lo, por assim estar atendendo o 'interesse público primário' (o único interesse público) e não por se sentir pressionada por medidas jurisdicionais de coerção. Como, no entanto, a realidade administrativa está longe daquele parâmetro ideal, os meios processuais de coerção, inclusive a multa, revelam-se de extrema utilidade. Não se descarta a possibilidade de o agente público, insistindo no descumprimento da ordem, por negligência ou má-fé, acarretar pesados encargos aos cofres públicos, derivados da incidência da multa.[58]

Nesse cenário, considerando que nenhuma atitude da Administração poderá ser considerada regular se estiver em dissonância com os direitos fundamentais, verifica-se por decorrência ser função primordial do Estado o atendimento pontual e rígido às decisões e condenações judiciais.[59]

6 Aplicando a execução contra a Fazenda como instrumento de implementação dos direitos fundamentais – exemplos pontuais e não exaustivos

Não é necessária nenhuma revolução ou modificação normativa drástica para que a tutela executiva contra a Fazenda Pública seja verdadeiro instrumento de implementação dos direitos fundamentais, em especial da efetividade da jurisdição. É possível que a execução se torne instrumento efetivo de consecução dos direitos fundamentais a partir da aplicação do regramento posto e já existente, bastando para tanto que seja realizada verdadeira interpretação sistemática do sistema jurídico, tal como igualmente preconiza Marçal Justen Filho (conferir o demonstrado em tópico pretérito).

Toma-se a liberdade para apresentar dois exemplos de posturas a serem adotadas a partir do regramento vigente, de modo a implementar a referida concepção.[60]

De um lado, tem-se a desnecessidade de expedição de precatório para se obter o pagamento em favor do particular de obrigação decorrente de contrato celebrado com a Fazenda Pública e não paga espontaneamente, devidamente prevista em lei orçamentária e objeto de empenho específico.

No caso de a Fazenda Pública contratar determinada prestação (aquisição de produtos, prestação de serviços, execução de obras etc.) impõe-se o empenho da despesa

---

[58] TALAMINI, Eduardo. *Tutela relativa aos deveres de fazer e de não fazer*: e sua extensão aos deveres de entrega de coisa. 2. ed. São Paulo: Revista dos Tribunais, 2003. p. 246-247.

[59] Quanto ao ponto, Clóvis Reimão (O *fair play* administrativo: pelo fim dos privilégios processuais do poder público brasileiro. *Revista de Processo: RePro*, São Paulo, v. 333, p. 323-324, nov. 2022) ressaltou com bastante propriedade que "o jogo limpo exige uma nova postura do Poder Público. Afinal, 'não existe interesse público relevante contra a dignidade da pessoa humana'. Logo, o centro de atuação do Estado deve ser a concretização dos direitos fundamentais dos cidadãos. Isso exige uma postura mais consensual, cooperativa, de boa-fé e que seja eminentemente ponderativa, é dizer, que equilibre proporcionalmente os interesses públicos e privados em conflito, visando à maior satisfação possível da dignidade humana. Em uma expressão, exige-se do Poder Público mais fair play. (...) Entre a vitória e a derrota deve existir uma regra de ouro, um fiel da balança, um paradigma justo que equilibre o jogo, a saber: a dignidade da pessoa humana".

[60] Para uma análise detalhada da questão, confira-se texto específico publicado pelo autor do presente ensaio: Litígios contratuais contra a Fazenda Pública: pagamento das condenações sempre será por precatório? *In*: NIEBUHR, Karlin Olbertz; POMBO, Rodrigo Goulart de Freitas (org.). *Novas questões em licitações e contratos*. Rio de Janeiro: Lumen Juris, 2023. p. 543-574.

correspondente (art. 60 da Lei nº 4.320/1964), que é precisamente "o ato emanado de autoridade competente que cria para o Estado obrigação de pagamento" (art. 58 da Lei nº 4.320/1964). Trata-se de verdadeira separação/reserva no orçamento do valor necessário para fazer frente à obrigação assumida para com o fornecedor. Na sequência se tem a liquidação do empenho, que nada mais é do que a confirmação da efetiva existência do direito a partir da comprovação da execução da prestação contratada (art. 62 da Lei nº 4.320/1964), além da emissão da correspondente ordem de pagamento, que, por sua vez, se consubstancia na determinação de realização do pagamento pela autoridade competente (art. 64 da Lei nº 4.320/1964).[61]

Portanto, de um lado, estando o crédito empenhado, verifica-se que está reservado e garantido ao credor, com previsão orçamentária específica. De outro lado, nos termos do art. 63 da Lei nº 4.320/196464, havendo também liquidação, há a chamada "verificação do direito adquirido pelo credor" (art. 63 da Lei nº 4.320/1964).

Nesse cenário, tendo havido o empenho e a liquidação da despesa, não sendo realizado o pagamento por parte da Fazenda Pública, a despeito do "direito adquirido pelo credor", verifica-se que é desnecessária a submissão do débito (ainda que judicial) ao regime de precatórios, dada a existência de reserva da verba reconhecidamente devida na lei orçamentária correspondente. Afinal, o art. 100, *caput*, da CF exige a submissão ao regime de precatórios apenas nos casos de "pagamentos devidos (...) em virtude de sentença judiciária", com a obrigação de inclusão de tais débitos no orçamento do exercício seguinte, conforme previsão do §5 da referida disposição constitucional.

Portanto, tendo havido reserva do valor necessário e reconhecido (e incontroverso) direito adquirido ao credor decorrente da liquidação do empenho, para o pagamento da despesa, ainda que necessária a emissão de ordem judicial, não demandará a expedição de precatório, que tem como objetivo precisamente que a Fazenda Pública devedora inclua em seu orçamento a verba necessária para o pagamento em questão (na forma do §5º do art. 100 da CF). No caso das despesas já empenhadas e liquidadas, o valor

---

[61] Conforme ressalta Marcus Abraham (*Curso de Direito Financeiro brasileiro*. Rio de Janeiro: Grupo GEN, 2023. p. 236): "O empenho, segundo o art. 58, é o ato emanado de autoridade competente que cria para o Estado obrigação de pagamento pendente ou não de implemento de condição. Em outras palavras, podemos dizer que se trata de uma reserva a ser feita no orçamento, relativa à quantia necessária que deverá ser paga, visto que a lei não autoriza a realização de despesa pública sem o prévio empenho (art. 60). Para cada empenho será extraído um documento denominado 'nota de empenho', que indicará o nome do credor, a representação e a importância da despesa bem como a dedução desta do saldo da dotação própria (art. 61). A etapa seguinte ao empenho é denominada de liquidação, considerada como condição prévia ao pagamento, visto que o art. 62 expressamente prevê que o pagamento da despesa só será efetuado quando ordenado após a sua regular liquidação. Assim, a liquidação da despesa consiste na verificação do direito adquirido pelo credor tendo por base os títulos e documentos comprobatórios do respectivo crédito. A verificação irá apurar a origem e o objeto do que se deve pagar, a importância exata a pagar e a quem se deve pagar a importância, para extinguir a obrigação, e terá por base o contrato, ajuste ou acordo respectivo, a nota de empenho e os comprovantes da entrega de material ou da prestação efetiva do serviço (art. 63). O processo de realização de despesa pública se encerra com a ordem de pagamento, que é o despacho exarado por autoridade competente, determinando que a despesa seja paga (art. 64). O pagamento da despesa será efetuado por tesouraria ou pagadoria, regularmente instituídas por estabelecimentos bancários credenciados e, em casos excepcionais, por meio de adiantamento. O regime de adiantamento é aplicável aos casos de despesas expressamente definidos em lei, e consiste na entrega de numerário a servidor, sempre precedida de empenho na dotação própria, para o fim de realizar despesas que não possam subordinar-se ao processo normal de aplicação (art. 68). Entretanto, em relação aos pagamentos devidos pela Fazenda Pública em virtude de sentença judiciária, estes serão realizados na ordem de apresentação dos precatórios e à conta dos créditos respectivos".

necessário para o pagamento já foi incluído no orçamento[62] e reconhecido como *direito adquirido* do particular credor. A ordem judicial tão somente determinará, via obrigação de fazer, o cumprimento do empenho já formalizado. Nesse contexto, exigir a expedição de precatório seria verdadeiro *bis in idem*.[63][64]

Trata-se de alternativa viável a partir do sistema jurídico em vigor. Tanto é assim que já foi aplicada pelo Poder Judiciário em mais de uma oportunidade, por meio precisamente da interpretação da execução contra a Fazenda Pública como instrumento de efetivação dos direitos fundamentais.[65][66] No entanto, é uma pena que tais decisões não estejam sendo utilizadas como precedentes e exemplos em casos similares.

Além disso, de outro lado, outra medida que deveria ser implementada desde logo está relacionada com a destinação dos recursos derivados do chamado *spread* bancário[67] (rendimento) decorrente das contas especiais vinculadas aos Tribunais, nas quais permanecem depositadas as quantias referentes aos precatórios no período entre o depósito pelo ente público devedor e a efetiva liberação em favor do particular. Trata-se de período não raramente longo, considerando a morosidade e a burocracia a ser cumprida pelos Tribunais (tanto em âmbito administrativo quanto na seara judicial) até a efetiva liberação os valores a quem de direito.[68]

Na verdade, o correto seria destinar tais rendimentos ao particular detentor do direito de crédito ou, quando menos, direcionar tais recursos ao ente devedor para pagamento dos precatórios da sequência da fila.

No entanto, o §2º do art. 16 da Resolução nº 303/2019 do CNJ[69] previu que o Tribunal "poderá fazer jus a repasse de percentual, definido no instrumento contratual, sobre os ganhos auferidos com as aplicações financeiras realizadas com os valores

---

[62] Esta conclusão não é infirmada pelo não pagamento da obrigação no exercício correspondente por parte da Fazenda Pública. Afinal, nesse caso a verba deve ser lançada no orçamento do exercício seguinte como "restos a pagar" (art. 68 do Decreto nº 93.872/1986). Mesmo que não seja realizado o pagamento espontâneo no exercício seguinte, a dotação orçamentária (reserva do valor) não é simplesmente perdida, mas sim a verba deve ser incluída nos orçamentos subsequentes como "despesas de exercícios anteriores" (art. 69 do Decreto nº 93.872/1986).

[63] MEIRELES, Edilton. Da execução por precatório das obrigações previstas em lei orçamentária. *Revista de Processo: RePro*, São Paulo, v. 95, p. 119-121, jul./set. 1999.

[64] SCAFF, Fernando Facury. A inadimplência do poder público nem sempre requer precatório para pagamento. *Conjur*, São Paulo, 2 fev. 2021. Disponível em: https://www.conjur.com.br/2021-fev-02/contas-vista-inadim plencia-poder-publico-nem-sempre-requer-precatorio. Acesso em: 19 ago. 2024.

[65] RIO DE JANEIRO. Tribunal de Justiça do Estado. AI 0004458-94.2019.8.19.0000. Relatora: Des.a Daniela Brandão Ferreira, 4 de maio de 2021. 9. Câmara Cível. *DJRJ*: Poder Judiciário, 2021.

[66] Nesse mesmo sentido, também já decidiu o Poder Judiciário de primeira instância do Espírito Santo, por decisão que não chegou a ser alvo de recurso: Vara Única de Presidente Kennedy, Ação Ordinária de nº 0000838-30.2014.8.08.0041, 17 de abril de 2015.

[67] *Spread bancário* é a "diferença entre a taxa cobrada pelos bancos e a que é paga aos depositantes" (GREMAUD, Amaury Patrick. *Introdução à economia*. Rio de Janeiro: Grupo GEN, 2007. p. 276).

[68] Tanto que não se trata normalmente de período curto que se tem cogitado e o TJSP regulamentou recentemente a possibilidade de pagamento do precatório pelos entes públicos devedores diretamente na conta do particular credor, evitando-se toda a demora existente no trâmite (administrativo e judicial) que ocorre desde o depósito do valor devido pela Fazenda na conta do respectivo Tribunal até a efetiva entrega da quantia em favor do particular credor. Confira-se, quanto a isso, a opinião apresentada por Heitor Sica: Paramento de precatórios e a prorrogação de prazos e possibilidades de acordos. *Jornal da USP*, São Paulo, jul. 2022. Disponível em: https://jornal.usp.br/atualidades/pagamento-de-precatorios-e-a-prorrogacao-infindavel-de-prazos-e-possibilidades-de-acordos/. Acesso em: 19 ago. 2024.

[69] Art. 16 da Resolução nº 303/2019 do CNJ:
"O Tribunal providenciará a abertura de contas bancárias para o recebimento dos valores requisitados.

depositados". Esse dispositivo abre margem para a interpretação no sentido de que o *spread* gerado por tais depósitos nas contas especiais os Tribunais seria de propriedade destes.

Trata-se de interpretação inválida, que gera enriquecimento sem causa aos Tribunais (art. 884 do Código Civil), uma vez que os valores depositados não pertencem ao Poder Judiciário, mas sim à Fazenda devedora (caso se entenda que ainda não houve pagamento com o depósito) ou ao particular credor (caso se entenda o contrário).

Além de equivocada, como ressaltou com precisão Karlin Olbertz Niebuhr em artigo específico que analisou previsão que vigorava anteriormente à mencionada Resolução do CNJ (mas com conclusões integralmente aplicáveis à situação atual), a referida regra parece ser verdadeiro incentivo à retenção dos valores e retardo na liberação do pagamento pelo Poder Judiciário.[70] Quanto mais o Tribunal demorar em suas rotinas burocráticas para liberar os valores ao particular credor, maior será o *spread* que será recebido.

Na verdade, para estar em consonância com os direitos fundamentais, seria necessário destinar o rendimento derivado dos depósitos nas contas especiais (*spread*) aos particulares titulares dos valores pagos, sob pena inclusive de se violar o direito fundamental à propriedade (art. 5º, *caput* e XXII, da CF).

Trata-se de providência que deve ser implementada sem a necessidade de qualquer alteração normativa. Na verdade, sua observância já decorre do sistema em vigor. Deveria ser implementada inclusive com o fim de promover a consecução dos direitos fundamentais.

7 Conclusão

Portanto, aplicar a execução contra a Fazenda Pública da forma mais efetiva possível é precisamente utilizá-la como instrumento de consecução dos direitos fundamentais. Assim, o Poder Público estará prestigiando sua missão primordial mesmo nos casos em que é alvo de condenação judicial e assume o papel de devedor.

Trata-se de constatação que se coaduna com o marco teórico do pensamento de Marçal Justen Filho, que demonstra que não são necessárias grandes reformas no sistema jurídico para se superar (ou ao menos reduzir) a crise de efetividade que assola

---

§1º - O tribunal poderá contratar banco oficial ou, não aceitando a preferência proposta pelo legislador, banco privado, hipótese em que serão observadas a realidade do caso concreto, as normas do procedimento licitatório e os regramentos legais e princípios constitucionais aplicáveis.

§2º - Pelo depósito dos valores requisitados, o tribunal poderá fazer jus a repasse de percentual, definido no instrumento contratual, sobre os ganhos auferidos com as aplicações financeiras realizadas com os valores depositados".

[70] Conforme ressaltou Karlin Olbertz Niebuhr (O papel do CNJ no Controle dos Precatórios. *In:* MEDAUAR; Odete; SCHIRATO, Vitor Rhein; MIGUEL, Luiz Felipe Hadlich; GREGO-SANTOS, Bruno. *Contratos e controle na Administração Pública*: reflexões atuais. Rio de Janeiro: Lumen Juris, 2017. p. 357): "Com efeito, diversos Tribunais interpretaram os dispositivos da Resolução 115/2010 como autorizadores da apropriação dos rendimentos das contas. Isso resulta em evidente incentivo à retenção de valores e ao não pagamento imediato, uma vez que quanto maior o tempo de depósito, maiores os rendimentos para os Tribunais".

a execução contra a Fazenda Pública no Brasil. Basta que os instrumentos já disponíveis sejam interpretados e aplicados com vistas às previsões constitucionais, em especial às que fixaram os tão festejados direitos fundamentais.

Referências

ABRAHAM, Marcus. *Curso de Direito Financeiro brasileiro*. Rio de Janeiro: Grupo GEN, 2023.

ALEXY, Robert. Direitos fundamentais, ponderação e racionalidade. *In:* BARROSO, Luís Roberto; CLÈVE, Clemerson Merlin. *Doutrinas essenciais de Direito Constitucional*. São Paulo: Revista dos Tribunais, 2011. v. 1, p. 721-732.

ALMEIDA, Fernando Dias Menezes de. *Contrato administrativo*. São Paulo: Quartier Latin, 2012.

ARAGÃO, Egas Dirceu Moniz de. Efetividade do processo de execução. *In:* ALVIM, Teresa Arruda (coord.). *Doutrinas essenciais do processo civil*. São Paulo: Revista dos Tribunais, out. 2011. v. 8, p. 16-24.

BARBOSA MOREIRA, José Carlos. Efetividade do processo e técnica processual. *Revista de Processo: RePro*, São Paulo, v. 77, jan. 1995.

BARBOSA MOREIRA, José Carlos. Notas sobre o problema da "efetividade" do processo. *In:* GRINOVER, Ada Pellegrini; FABRICIO, Adroaldo Furtado; LIMA, Alcides Mendonça; BUZAID, Alfredo; GUIMARÃES, Ary Florêncio; ARAGÃO, E. D. Moniz de; LACERDA, Galeno; PASSOS, J. J. Calmon; BARBOSA MOREIRA, José Carlos; ROCHA, José de Moura; COSTA, Moacyr Lobo da; BATISTA, Weber Martins; PIMENTEL, Wellington Moreira. *Estudos de Direito Processual em homenagem a José Frederico Marques*. São Paulo: Saraiva, 1982.

BANDEIRA DE MELLO, Celso Antônio. *Curso de Direito Administrativo*. 27. ed. Malheiros: São Paulo, 2010.

BEDAQUE, José Roberto dos Santos. *Efetividade do processo e técnica processual*. 3. ed. São Paulo: Malheiros, 2010.

BRASIL. Supremo Tribunal Federal (Pleno). Arguição de Descumprimento de Preceito Fundamental 219. Relator: Min. Marco Aurélio, 20 de maio de 2021. *Dje*: Brasília, DF, 2021.

BRASIL. Supremo Tribunal Federal (Pleno). HC 82.424. Relator: Min. Moreira Alves. Relator para acórdão: Min. Maurício Corrêa, 17 de setembro de 2003. *Dje*: Brasília, DF, 2003.

CARDOSO, Antonio Pessoa. Requisição ou calote: precatórios. *Migalhas*, São Paulo, 27 dez. 2007. Disponível em: https://www.migalhas.com.br/depeso/48156/requisicao-ou-calote--precatórios. Acesso em: 19 ago. 2024.

CNJ. *Justiça em números de 2020 (ano-base 2019)*. Brasília, DF: CNJ, 2020. Disponível em: https://www.cnj.jus. br/wp-content/uploads/2021/08/rel-justica-em-numeros2020.pdf. Acesso em: 19 ago. 2024.

CNJ. *Justiça em números 2024 (ano-base 2023)*. Brasília, DF: CNJ, 2024. Disponível em: https://www.cnj.jus.br/ wp-content/uploads/2024/05/justica-em-numeros-2024.pdf. Acesso em: 19 ago. 2024.

CNJ. Tempos de Tramitação dos Processos. *In: Justiça em números 2024 (ano-base 2023)*. Brasília, DF: CNJ, 2024. f. 275-190. Disponível em: https://www.cnj.jus.br/wp-content/uploads/2024/05/justica-em-numeros-2024.pdf. Acesso em: 19 ago. 2024.

EIRAS, Guilherme Augusto Vezaro. Litígios contratuais contra a Fazenda Pública: pagamento das condenações sempre será por precatório? *In:* NIEBUHR, Karlin Olbertz; POMBO, Rodrigo Goulart de Freitas (org.). *Novas questões em licitações e contratos*. Rio de Janeiro: Lumen Juris, 2023. p. 543-574.

FERRAZ JÚNIOR, Tércio Sampaio. Interesse público. *Revista do Ministério Público do Trabalho da 2. Região*, Brasília, DF, n. 1, 1995.

FRANÇA, Phillip Gil. Interesse público, um conhecido conceito "não determinado". *Revista Colunistas de Direito do Estado*, [S. l.], n. 249, 2016. Disponível em: http://www.direitodoestado.com.br/colunistas/phillip-gil-franca/interesse-publico-um-conhecido-conceito-nao-ndeterminado#. Acesso em: 19 ago. 2024.

GABARDO, Emerson; REZENDE, Maurício Corrêa de Moura. O conceito de interesse público no direito brasileiro. *Revista Brasileira de Estudos Políticos*, [S. l.], n. 115, jul./dez. 2017.

GAJARDONI, Fernando da Fonseca. Os reflexos do tempo no direito processual civil: anotações sobre a qualidade temporal do processo civil brasileiro e europeu. *Revista de Processo: RePro*, São Paulo, v. 153, p. 99-117, nov. 2007.

GRAU, Eros Roberto. *A ordem econômica na Constituição de 1988*: interpretação e crítica. 17. ed. São Paulo: Malheiros, 2015.

GRECO, Leonardo. A execução e a efetividade do processo. *In*: ALVIM, Teresa Arruda (coord.). *Doutrinas essenciais de processo civil*. São Paulo: Revista dos Tribunais, out. 2011. v. 8, p. 315-364.

GREMAUD, Amaury Patrick. *Introdução à economia*. Rio de Janeiro: Grupo GEN, 2007.

GUERRA, Marcelo Lima. *Direitos fundamentais e a proteção do credor na execução civil*. São Paulo: Revista dos Tribunais, 2003.

GUERRA, Marcelo Lima. Execução contra o Poder Público. *Revista de Processo: RePro*, São Paulo, v. 100, p. 61-80, out./dez. 2000.

JUSTEN FILHO, Marçal. Comentários ao Art. 20 da LINDB – Dever de transparência, concretude e proporcionalidade nas decisões públicas. *Revista de Direito Administrativo*, Rio de Janeiro, Edição Especial: Direito Público na Lei de Introdução às Normas do Direito Brasileiro – LINDB, nov. 2018.

JUSTEN FILHO, Marçal. *Curso de Direito Administrativo*. 14. ed. Rio de Janeiro: Grupo GEN Forense, 2023.

JUSTEN FILHO, Marçal. Estado Democrático de Direito e responsabilidade civil do Estado: a questão dos precatórios. *Revista de Direito Público da Economia – RDPE*, Belo Horizonte, ano 5, n. 19, jul./set. 2007.

JUSTEN FILHO, Marçal. *Introdução ao Estudo do Direito*. 2. ed. Rio de Janeiro: Forense, 2021.

LEAL, Luciana de Oliveira. *Tutela específica em face do Estado*: aspectos constitucionais, administrativos e processuais. Belo Horizonte: Fórum, 2008.

LUCON, Paulo Henrique dos Santos. A importância da propaganda eleitoral na renovação da política nacional e os efeitos da propaganda institucional na reeleição. *Revista do Instituto dos Advogados de São Paulo*, São Paulo, v. 33, p. 195-208, jan./jun. 2014.

MACEDO, Elaine Harzheim; FENSTERSEIFER, Shana Serrão. O direito fundamental à tutela jurisdicional tempestiva na perspectiva constitucional e o caso problemático da sentença sem eficácia imediata ope legis que tutela direito em risco de dano ou perecimento. *Revista de Processo: RePro*, São Paulo, v. 237, p. 13-41, nov. 2014.

MATA DIZ, Jamile Bergamaschine; PATROCÍNIO, Dariana Augusta de Toledo. Os precatórios judiciais e a intervenção federal. *Revista Tributária e de Finanças Públicas*, [S. l.], v. 87, p. 132-153, jul./ago. 2009.

MEDAUAR, Odete. *Direito Administrativo moderno*. 8. ed. São Paulo: Revista dos Tribunais, 2004.

MEIRELES, Edilton. Da execução por precatório das obrigações previstas em lei orçamentária. *Revista de Processo: RePro*, São Paulo, v. 95, jul./set. 1999.

MELLO JUNIOR, João Câncio. O conceito polêmico de interesse público. *Revista Jurídica do Ministério Público*, Belo Horizonte, p. 285-329, 14 set. 1994. Disponível em: http://www.amprs.org.br/arquivos/revista_artigo/arquivo_1275672471.pdf. Acesso em: 19 ago. 2024.

MOREIRA, Egon Bockman; GRUPENMACHER, Betina Treiger; KANAYAMA, Rodrigo Luís; AGOTTANI, Diogo Zelak. *Precatórios*: o seu novo regime jurídico: a visão do Direito Financeiro, integrada ao Direito Tributário e ao Direito Econômico. 4. ed. São Paulo: Thomson Reuters Brasil, 2022.

NIEBUHR, Karlin Olbertz. O papel do CNJ no Controle dos Precatórios. MEDAUAR; Odete; SCHIRATO, Vitor Rhein; MIGUEL, Luiz Felipe Hadlich; GREGO-SANTOS, Bruno. *Contratos e controle na Administração Pública*: reflexões atuais. Rio de Janeiro: Lumen Juris, 2017.

NOGUEIRA, Pedro Henrique Pedrosa. O direito fundamental à tutela jurisdicional executiva e a técnica da ponderação. *In:* BARROSO, Luís Roberto; CLÈVE, Clemerson Merlin. *Doutrinas essenciais de direitos humanos*. São Paulo: Revista dos Tribunais, 2011. v. 1, p. 869-889.

OLIVEIRA, Carlos Alberto Álvaro de. O processo civil na perspectiva dos direitos fundamentais. *Revista da Faculdade de Direito da Universidade Federal do Rio Grande do Sul*, Porto Alegre, v. 22, set. 2002.

OLIVEIRA JÚNIOR, Valdir Ferreira de. O Estado Constitucional Solidarista: estratégias para sua efetivação. *In:* MARTINS, Ives Gandra da Silva; MENDES, Gilmar Ferreira; NASCIMENTO, Carlos Valder do (coord.). *Tratado de Direito Constitucional*. São Paulo: Saraiva, 2012. v. 1.

OSÓRIO, Fábio Medina. Existe uma supremacia do interesse público sobre o privado no Direito Administrativo brasileiro? *Revista dos Tribunais*, São Paulo, v. 770, p. 53-92, dez. 1999.
PLÁCIDO E SILVA, Oscar Joseph de. *Vocabulário jurídico*. 31. ed. Rio de Janeiro: Forense, 2014.

REIMÃO, Clóvis. O *fair play* administrativo: pelo fim dos privilégios processuais do poder público brasileiro. *Revista de Processo: RePro*, São Paulo, v. 333, nov. 2022.

RIO DE JANEIRO. Tribunal de Justiça do Estado. AI 0004458-94.2019.8.19.0000. Relatora: Des.a Daniela Brandão Ferreira, 4 de maio de 2021. 9. Câmara Cível. *DJRJ*: Poder Judiciário, 2021.

SAES, Wandimara Pereira dos Santos. Colisão de direitos fundamentais. *In:* BARROSO, Luís Roberto; CLÈVE, Clemerson Merlin. *Doutrinas essenciais de direitos humanos*. São Paulo: Revista dos Tribunais, 2011. v. 7, p. 707-729.

SCAFF, Fernando Facury. A inadimplência do poder público nem sempre requer precatório para pagamento. *Conjur*, São Paulo, 2 fev. 2021. Disponível em: https://www.conjur.com.br/2021-fev-02/contas-vista-inadimplencia-poder-publico-nem-sempre-requer-precatorio. Acesso em: 19 ago. 2024.

SICA, Heitor Vitor Mendonça. Paramento de precatórios e a prorrogação de prazos e possibilidades de acordos. *Jornal da USP*, São Paulo, jul. 2022. Disponível em: https://jornal.usp.br/atualidades/pagamento-de-precatorios-e-a-prorrogacao-infindavel-de-prazos-e-possibilidades-de-acordos/. Acesso em: 19 ago. 2024.

SILVA, José Afonso da. *Curso de Direito Constitucional Positivo*. 21. ed. São Paulo: Malheiros, 2002.

SILVA, Ricardo Perlingeiro Mendes da. *Execução contra a Fazenda Pública*. São Paulo: Malheiros, 1999.

TALAMINI, Eduardo. A (in)disponibilidade do interesse público: consequências processuais (composição em juízo, prerrogativas processuais, arbitragem e ação monitória). *Revista de Processo: RePro*, São Paulo, v. 128, p. 59-78, out. 2005.

TALAMINI, Eduardo. O STF, os precatórios e a Administração Pública indireta. *Informativo Justen, Pereira, Oliveira e Talamini*, [S. l.], n. 52, jun. 2011.

TALAMINI, Eduardo. *Tutela relativa aos deveres de fazer e de não fazer*: e sua extensão aos deveres de entrega de coisa. 2. ed. São Paulo: Revista dos Tribunais, 2003.

THEODORO JÚNIOR, Humberto. Celeridade e efetividade da prestação jurisdicional. *Revista de Processo: RePro*, São Paulo, v. 125, p. 61-78, jul. 2005.

TONIN, Mayara Gasparoto. SAVARIS, Mariana Randon. Contratos administrativos: reequilíbrio econômico-financeiro e custos de transação. *Migalhas*, São Paulo, 8 jul. 2023. Disponível em: https://www.migalhas.com.br/depeso/389612/contratos-administrativos-reequilibrio-e-custos-de-transacao. Acesso em: 19 ago. 2024.

VENTURI, Elton. Direito à razoável duração do processo. *In:* CLÈVE, Clèmerson Merlin (org). *Direito Constitucional brasileiro*: teoria da Constituição e direitos fundamentais. São Paulo: Revista dos Tribunais, 2014. v. 1.

VETTORATO, Gustavo. A aplicação de valores abstratos como base de decisões das autoridades julgadoras sob a ótica do art. 20 da LINDB e §1º do art. 489 do CPC/15 em face da resistência do CARF. *Revista de Direito Tributário Contemporâneo*, [*S. l.*], v. 29, p. 15-34, abr./jun. 2021.

WATANABE, Kazuo. Tutela antecipatória e tutela específica das obrigações de fazer e não fazer – arts. 273 e 461, CPC. *In:* ALVIM, Teresa Arruda (coord.). *Doutrinas essenciais de processo civil*. São Paulo: Revista dos Tribunais, 2011. v. 5, p. 419-448.

YARSHELL, Flávio Luiz. A execução e a efetividade do processo em relação à Fazenda. *In:* SUNDFELD, Carlos Ari; SCARPINELLA BUENO, Cassio (coord.). *Direito Processual Público*: a Fazenda Pública em juízo. São Paulo: Malheiros, 2000.

Informação bibliográfica deste texto, conforme a NBR 6023:2018 da Associação Brasileira de Normas Técnicas (ABNT):

EIRAS, Guilherme Augusto Vezaro. Execução contra a Fazenda Pública como instrumento de consecução dos direitos fundamentais. *In:* JUSTEN, Monica Spezia; PEREIRA, Cesar; JUSTEN NETO, Marçal; JUSTEN, Lucas Spezia (coord.). *Uma visão humanista do Direito*: homenagem ao Professor Marçal Justen Filho. Belo Horizonte: Fórum, 2025. v. 3, p. 827-849. ISBN 978-65-5518-915-5.

A JURISDIÇÃO INTERNACIONAL DO PODER JUDICIÁRIO E AS ARBITRAGENS NO ESTRANGEIRO: HIPÓTESES DE COOPERAÇÃO JUDICIÁRIA

GUSTAVO FERNANDES DE ANDRADE

"Il faut pour tout litige un juge."

(Étienne Bartin, *Principes de Droit International Privé selon la loi et la jurisprudence française)*

1 Introdução

A Justiça Arbitral é, sem sombra de dúvida, uma forma genuína de Justiça. Todavia, a jurisdição exercida pelos árbitros, se comparada com aquela dos juízes estatais, é particular e efêmera. A natureza *efêmera* da jurisdição arbitral decorre do fato de que, não sendo o árbitro um agente do Estado, uma vez proferida a sentença, a sua função jurisdicional cessa imediatamente.[1][2] A dimensão *particular* da Justiça Arbitral, por sua vez, fundamenta-se na premissa de que, frequentemente, ela precisa, para o seu correto e eficaz funcionamento, da valiosa cooperação do Poder Judiciário. Se é verdadeira a afirmativa de que a arbitragem é tão boa quanto forem os árbitros, também é correto dizer que ela só alcançará os resultados esperados pelas partes se, nos momentos decisivos, ela receber o necessário e adequado apoio dos juízes estatais.[3] Há quem afirme que um

---

[1] SERAGLINI, Christophe; ORTSCHEIDT, Jérôme. *Droit de L'Arbitrage Interne et International.* 2. éd. Paris: LGDJ, 2013. p. 20.

[2] Art. 29, Lei de Arbitragem: "Proferida a sentença arbitral, dá-se por finda a arbitragem, devendo o árbitro, ou o presidente do tribunal arbitral, enviar cópia da decisão às partes, por via postal ou por outro meio qualquer de comunicação, mediante comprovação de recebimento, ou, ainda, entregando-a diretamente às partes, mediante recibo".

[3] PIÑEIRO, Álvaro López de Argumedo; CAPIEL, Luis. El juez de apoyo en la nueva legislación arbitral francesa. *Iurgium, Club Español del Arbitraje,* [*S. l.*], p. 109, 2011.

dos objetivos da arbitragem seria o de "keep the resolution of disputes as far away from the courts as practicable".[4] No entanto, tal propósito jamais poderia pressupor a ausência de colaboração do Poder Judiciário na adoção das providências de apoio necessárias ao bom andamento do processo arbitral.[5]

Como se sabe, a celebração de uma convenção de arbitragem não implica uma exclusão abrangente das competências estatais. Isso ocorre porque, em última análise, as partes dependem do auxílio do Poder Judiciário para assegurar a efetividade dos seus direitos em um processo de arbitragem. Contudo, a colaboração entre juízes estatais e tribunais arbitrais não é atividade simples e sem contratempos. O processo de colaboração faz com que, em certas ocasiões, as relações entre a jurisdição estatal e a jurisdição arbitral exponham-se a certas tensões. Há quem afirme que essas relações entre o Poder Judiciário e os tribunais arbitrais oscilem entre uma "coabitação forçada" e uma "verdadeira parceria".[6] Simultaneamente, destacam que tribunais estatais e tribunais arbitrais não são parceiros em igualdade de condições, sustentando que os tribunais estatais ocupariam uma posição de preeminência jurídica. Essa superioridade seria, no máximo, equilibrada pela importância econômica da arbitragem. Portanto, em muitos centros modernos de arbitragem, existiria apenas uma *trégua inquieta*, enquanto em outros países do mundo, o conflito territorial continuaria a ocorrer.[7-8]

Nesse contexto, é tarefa do direito arbitral estabelecer regras eficientes que garantam uma cooperação confiável entre a jurisdição estatal e a jurisdição arbitral.[9] Esse objetivo não pode ser alcançado nem pela atribuição de amplos poderes de intervenção aos tribunais estatais – o que seria, inclusive, incompatível com os objetivos da Lei de Arbitragem, que consagra o princípio da intervenção judicial mínima –, nem pela imposição de uma estrita abstenção judicial. Em vez disso, é necessário encontrar o justo equilíbrio entre essas duas posições extremas, a fim de desenvolver uma solução

---

[4]   BRIGGS, Adrian. *Agreements on Jurisdiction and Choice of Law*. New York: Oxford University Press, 2008. p. 199. Segundo Carlos Alberto Carmona, "querem os contendentes, ao escolher a via alternativa, prudente distância do Poder Judiciário (cujas decisões, via de regra, são seguras, porém muito morosas), procurando solução rápida, formalizada e especializada para seus conflitos" (CARMONA, Carlos Alberto. Das boas relações entre os juízes e os árbitros. *In:* WALD, Arnoldo. *Doutrinas essenciais, arbitragem e mediação*. São Paulo: Revista dos Tribunais, 2014. v. 2, p. 669-680).

[5]   MERCHAN, José Fernando Merino. Ley de Arbitraje, Artículo 8, Tribunales competentes para las funciones de apoyo y control del arbitraje. *In:* BUENO, Carlos González (ed.). *Comentarios a la Ley de Arbitraje*. Consejo General del Notariado, 2014. p. 138.

[6]   REDFERN, Alan; HUNTER, Martin; BLACKABY, Nigel Blackaby; PARTASIDES, Constantine. *Law and Practice of International Commercial Arbitration*. 4th. ed. London: Sweet and Maxwell, 2004. p. 328.

[7]   REDFERN; HUNTER; BLACKABY; PARTASIDES. *Law and Practice of International Commercial Arbitration*, p. 345.

[8]   "In some countries the courts still sought to control and supervise arbitrations taking place in their jurisdictions. Other countries sought rather to provide support for the arbitration process whilst refusing to intervene or interfere in the process itself, as opposed to strict supervision of the arbitration process.(...) The third group of countries had either old and out of date arbitration laws or no arbitration laws at all" (LEW, Julian D. M.; MISTELIS, Loukas A.; KRÖL, Stefan M. *Comparative International Commercial Arbitration*. The Hague: Kluwer Law International, 2003. p. 27).

[9]   Por meio da sua Resolução nº 421, de 29 de setembro de 2021, o Conselho Nacional de Justiça (CNJ) estabeleceu (...) "diretrizes e procedimentos sobre a cooperação judiciária nacional em matéria de arbitragem", regulando o procedimento de cooperação judiciária nacional em matéria de arbitragem. Sobre o tema: FORBES, Carlos Suplicy; KOBAYASHI, Patrícia Shiguemi. Carta Arbitral: Instrumento de cooperação jurisdicional. *In:* CARMONA, Carlos Alberto; LEMES, Selma Ferreira; MARTINS, Pedro Batista (org.). *20 anos da Lei de Arbitragem:* homenagem a Petrônio R. Muniz. São Paulo: Atlas, 2017.

adequada para cada situação processual específica.[10] Há que se estabelecer, como ensina Carlos Alberto Carmona, boas relações entre os juízes e os árbitros.[11]

Veja-se que o sistema de regulação da arbitragem é um conjunto normativo autônomo, distinto das leis que regulam o processo civil no Brasil. Por tal razão, o art. 15 do CPC não trata as normas de processo civil como supletivas do processo arbitral, muito embora elas sejam aplicáveis aos processos eleitorais, administrativos e trabalhistas. A despeito dessa incontestável autonomia normativa, há áreas em que o ordenamento jurídico arbitral solicita a intervenção dos órgãos judiciais.[12]

As interações entre o Poder Judiciário e a jurisdição arbitral são essencialmente de três tipos: podem decorrer das funções de *apoio à arbitragem* – e.g., aquelas relacionadas à concessão de tutelas de urgência, de produção de provas e para a solução dos incidentes relacionados à constituição do tribunal arbitral, à nomeação, substituição e remoção de árbitros –,[13] das atividades de *controle da sentença arbitral* – v.g., o julgamento das ações anulatórias de sentença arbitral doméstica e a concessão do *exequatur* às sentenças arbitrais estrangeiras[14] – e do *cumprimento forçado* de decisões e sentenças arbitrais.[15]

Logicamente, a competência do Poder Judiciário para controlar a validade dos atos e fatos ocorridos no território Brasileiro inclui a competência para as demandas de apoio ao processo arbitral. Diferentemente do que ocorre em outros sistemas jurídicos, nos quais a competência para as medidas de apoio decorre da escolha, pelas partes, da sede da arbitragem,[16][17] no Brasil tal atribuição cabe ao juízo que seria competente caso as partes não houvessem estipulado a convenção de arbitragem, sendo irrelevante a escolha do lugar em que os atos do procedimento arbitral devam ser praticados.[18]

---

[10] STEINBRÜCK, Ben. *Die Unterstützung auslandischer Schiedsverfahren durch staatliche Gerichte.* Tubinga: Mohr Siebeck, 2009. p. 1-2.

[11] CARMONA. Das boas relações entre os juízes e os árbitros, v. 2, p. 6.

[12] Conferir, *v.g.*, arts. 6º, p. único; 7º; 13, §2º; 20, §2º; 22, §1º; 22-A; e 33 da Lei de Arbitragem.

[13] Veja-se que Alexis Mourre e Bingen Amezaga (La competencia del juez de apoyo francés, en particular en caso de denegación de justicia. El nuevo art. 1505 del Código Procesal Civil. *Iurgium, Club Español del Arbitraje*, [S. l.], v. 2011, p. 96, 2011), ao comentarem o art. 1505 do CPC francês, que trata das medidas de apoio do judiciário ao processo arbitral, não consideram a concessão de medidas cautelares como típica atividade de apoio ao processo arbitral: "Hay que distinguir el juez de apoyo de los otros jueces que podrán, en diferentes ocasiones, intervenir para resolver asuntos relacionados con el procedimiento arbitral. En particular, no se debe confundir el juez de apoyo con el juez competente para ordenar medidas conservatorias y provisionales". Por seu turno, José Fernando Marino Merchan (Ley de Arbitraje, Artículo 8, Tribunales competentes para las funciones de apoyo y control del arbitraje, p. 138) define medidas de apoio de modo mais abrangente, contemplando decisões judiciais relacionadas com "(…) el nombramiento de árbitros, la asistencia en la práctica de las pruebas, la adopción de medidas cautelares, la ejecución del laudo, la acción de anulación y para el exequátur de laudos extranjeros".

[14] Conferir art. 33 da Lei de Arbitragem; art. 105, I, da Constituição Federal, e art. 960 do CPC.

[15] Conferir art. 515, VII, do CPC.

[16] Conferir CPC italiano: "Art. 810. (Nomeação dos árbitros). Quando, conforme a convenção de arbitragem, os árbitros devam ser nomeados pelas partes, cada uma delas, por meio de ato notificado por escrito, informa à outra o árbitro ou os árbitros que nomeou, com um convite para proceder à designação dos seus próprios árbitros. A parte a quem o convite é dirigido deve notificar por escrito, nos vinte dias subsequentes, as informações sobre o árbitro ou os árbitros que nomeou. Na ausência de resposta, a parte que fez o convite pode solicitar, mediante petição, que a nomeação seja feita pelo presidente do tribunal na jurisdição em que se encontra a sede da arbitragem" (tradução nossa).

[17] Conferir: MISTELIS, Loukas. Anulação de sentença arbitral e fórum *shopping* em arbitragem internacional. *Revista de Arbitragem e Mediação*, [S. l.], v. 60, p. 259-281, 2019; MOURRE; AMEZAGA. La competencia del juez de apoyo francés, en particular en caso de denegación de justicia. El nuevo art. 1505 del Código Procesal Civil.

[18] CARMONA, Carlos Alberto. *Arbitragem e processo.* 4. ed. Barueri: Atlas, 2023. p. 216.

Todavia, pode ocorrer que, com relação a um processo arbitral que tem lugar no exterior, haja a necessidade da cooperação do Poder Judiciário brasileiro para assegurar a eficácia de uma futura sentença arbitral estrangeira. A exemplo do que acontece com os procedimentos arbitrais sujeitos à sua competência interna, o Poder Judiciário brasileiro pode ser provocado para conceder tutelas de urgência, auxiliar na produção de provas, na obtenção de informações e solucionar incidentes relativos à constituição do tribunal arbitral, no exercício da sua jurisdição internacional, disciplinada pela Lei de Introdução às Normas do Direito Brasileiro (LINDB) e pelos arts. 21 e seguintes do Código de Processo Civil (CPC), atuando como juiz de apoio de um processo arbitral no exterior.

A partir da análise da regulação implementada por outros países e da doutrina e jurisprudência sobre o tema, o objetivo deste trabalho é analisar as hipóteses em que o Poder Judiciário poderá atuar como *juge d'appuie* de uma arbitragem que se desenvolva fora do Brasil.

2 As atividades de apoio a processo arbitral estrangeiro

As legislações nacionais de arbitragem contemplam numerosíssimos exemplos de medidas de apoio às arbitragens localizadas no seu próprio território, relativas à constituição do tribunal arbitral,[19] a pedido de concessão de tutelas de urgência[20] e de

---

[19] Conferir, *v.g.*, o English Arbitration Act: "Seção 18: Falha no procedimento de nomeação. (...) (2) Se ou na medida em que não houver tal acordo, qualquer parte da convenção de arbitragem pode (mediante notificação às outras partes) solicitar ao Poder Judiciário que exerça seus poderes de acordo com esta seção."; e "Seção 24: Competência do Poder Judiciário para remover o árbitro. (1) Uma parte em um processo arbitral pode (mediante notificação às outras partes, ao árbitro em questão e a qualquer outro árbitro) solicitar ao Poder Judiciário a remoção de um árbitro por qualquer um dos seguintes motivos (...)" (tradução nossa); o ZPO Alemão: "Seção 1035: Nomeação de árbitros. (...) (3) Na falta de acordo entre as partes sobre a nomeação dos árbitros, um árbitro único deve ser nomeado pelo tribunal, mediante solicitação de uma das partes, se as partes não conseguirem chegar a um acordo sobre sua nomeação. Em uma arbitragem com três árbitros, cada parte deve nomear um árbitro, e os dois árbitros assim nomeados devem nomear o terceiro árbitro, que atuará como presidente do tribunal arbitral. Se uma parte não nomear o árbitro dentro de um mês após o recebimento de um pedido para fazê-lo pela outra parte, ou se os dois árbitros não chegarem a um acordo sobre o terceiro árbitro dentro de um mês após sua nomeação, a nomeação deve ser feita, mediante solicitação de uma das partes, pelo Poder Judiciário" (tradução nossa); a Lei Federal sobre Direito Internacional Privado da Suíça: "Art. 179. (...) (2). Na ausência de um acordo ou se os árbitros não puderem ser nomeados ou substituídos por outras razões, a questão pode ser encaminhada ao tribunal estadual no local da arbitragem. Se as partes não tiverem designado um local ou apenas tiverem acordado que o local da arbitragem será na Suíça, o tribunal estadual primeiro acionado terá jurisdição" (tradução nossa).

[20] Conferir CPC francês: "Art. 1449. A existência de uma convenção de arbitragem não impede que, enquanto o tribunal arbitral não estiver constituído, uma das partes recorra a uma jurisdição do Estado com o objetivo de obter uma medida de instrução ou uma medida provisória ou cautelar. Respeitadas as disposições que regem as apreensões cautelares e as garantias judiciais, o pedido é apresentado ao presidente do tribunal judicial ou comercial, que decide sobre as medidas de instrução nas condições previstas no artigo 145 e, em caso de urgência, sobre as medidas provisórias ou cautelares solicitadas pelas partes na convenção de arbitragem" (tradução nossa); Lei de Arbitragem Espanhola: "Art. 11. Convenção de arbitragem e demanda sobre o mérito perante um Tribunal Estatal. (...) 3. A convenção de arbitragem não impedirá nenhuma das partes, antes do início do procedimento arbitral ou durante sua tramitação, de solicitar a um tribunal estatal a adoção de medidas cautelares, nem impedirá o tribunal estatal de concedê-las" (tradução nossa); a Lei de Arbitragem Portuguesa: "Artigo 29.º. Providências cautelares decretadas por um tribunal estadual 1 - Os tribunais estaduais têm poder para decretar providências cautelares na dependência de processos arbitrais, independentemente do lugar em que estes decorram, nos mesmos termos em que o podem fazer relativamente aos processos que corram perante os tribunais estaduais").

produção de provas.[21] Muito embora o objetivo das leis de arbitragem seja o de que o processo arbitral se desenvolva sem a intervenção do Poder Judiciário, há casos em que, por variadas razões, essa intervenção se faz imperativa, sendo interesse do Estado assegurar que as arbitragens que ocorrem no seu território tenham regular andamento.[22]

No entanto, a competência dos tribunais judiciais do local da arbitragem para prestar esse auxílio não é exclusiva. Como se verá a seguir, várias leis de arbitragem conferem competência ao seu Poder Judiciário para atuar como juízes de apoio mesmo que as arbitragens tenham lugar no exterior.[23]

2.1 Constituição e composição do tribunal arbitral

A intervenção de um juiz estatal pode ser necessária, dentre outras hipóteses, para solucionar os diversos problemas que podem surgir na formação do tribunal arbitral, seja porque as partes não estabeleceram um método de nomeação ou porque os métodos previstos, especialmente aqueles definidos pelo regulamento de arbitragem em uma arbitragem institucional, não funcionam como esperado. Para evitar a interrupção do processo arbitral e assegurar a eficácia das convenções de arbitragem, a maioria das legislações estatais prevê, de diferentes maneiras, a participação de seus tribunais judiciais, atuando como juízes de apoio, na resolução de questões relacionadas à constituição e, de forma mais ampla, à composição do tribunal arbitral.[24]

Nos termos do art. 1505(2) a (4) do CPC francês, compete ao Presidente do Tribunal de Grande Instância de Paris atuar como *juge d'appui* nas arbitragens sediadas fora da França se as partes concordaram em submeter a arbitragem à lei processual francesa; se atribuíram expressamente competência aos tribunais judiciais franceses para conhecer dos litígios relativos ao procedimento arbitral; ou se uma das partes estiver exposta a risco de denegação de Justiça.[25]

---

[21] Conferir Lei Federal sobre Direito Internacional Privado da Suíça: "Art. 184. (...) 2. Caso seja necessária a assistência das autoridades judiciais do Estado para a produção das provas, o tribunal arbitral, ou uma das partes em acordo com ele, pode requerer o auxílio do juiz da sede do tribunal arbitral"; Lei de Arbitragem da Suécia: "Art. 26. Se uma das partes desejar que uma testemunha ou um perito preste depoimento sob juramento, ou que uma das partes seja examinada sob compromisso de dizer a verdade, poderá, após obter o consentimento dos árbitros, apresentar requerimento nesse sentido ao Juízo de Direito da Comarca. O disposto anteriormente aplica-se igualmente se uma das partes desejar que outra parte ou outra pessoa seja obrigada a produzir como prova um documento ou um objeto. Se os árbitros considerarem que a medida é justificada em relação à prova do caso, deverão aprovar o pedido. Se a medida puder ser legalmente adotada, o Juízo de Direito deverá deferir o requerimento" (tradução nossa); o ZPO alemão: "Seção 1050 - Assistência judicial na obtenção de provas e outros atos judiciais. O tribunal arbitral ou uma parte, com a aprovação do tribunal arbitral, pode solicitar ao tribunal judicial assistência na obtenção de provas ou na realização de outros atos judiciais que o tribunal arbitral não esteja autorizado a realizar. A menos que considere o pedido inadmissível, o tribunal judicial deverá executar a solicitação de acordo com suas normas sobre obtenção de provas ou outros atos judiciais. Os árbitros têm o direito de participar de qualquer obtenção judicial de provas e de formular perguntas" (tradução nossa).

[22] SANZ, María Begoña Pérez. *In*: ALBENTOSA, Lorenzo Pratz (coord.). *Comentarios a la Ley de Arbitraje*. Madrid: Wolters Kluwer España, la Ley, 2013. p. 218-219.

[23] BENTOLILA, Dolores. Arbitrators as Lawmakers. *International Arbitration Law Library*, [*S. l.*], v. 43, 2017.

[24] SERAGLINI; ORTSCHEIDT. *Droit de L'Arbitrage Interne et International*, item 773.

[25] "Artigo 1505. No que se refere à arbitragem internacional, o juiz de apoio ao procedimento arbitral é, salvo disposição em contrário, o presidente do tribunal judicial de Paris quando: 1º A arbitragem ocorre na França; ou 2º As partes concordaram em submeter a arbitragem à lei processual francesa; ou 3º As partes conferiram expressamente competência aos tribunais estatais franceses para conhecer dos litígios relativos ao procedimento arbitral; ou 4º Uma das partes está exposta ao risco de denegação de Justiça" (tradução nossa). Sobre o tema da

Com base nesse dispositivo, Christophe Seraglini e Jérôme Ortscheidt esclarecem que o juiz de apoio francês é competente, dentre outros casos, para suprir a recusa de uma das partes de participar da constituição do tribunal arbitral;[26] para solucionar os impasses decorrentes da designação do árbitro único ou do presidente do tribunal arbitral e para corrigir eventuais disfuncionalidades nas modalidades de designação previstas pelas partes na convenção de arbitragem;[27] para resolver as dificuldades decorrentes de cláusulas lacunares quanto às modalidades de designação dos árbitros, chamadas de "cláusulas vazias",[28] bem como para decidir sobre uma dificuldade surgida da designação incerta da instituição encarregada de organizar a arbitragem.[29][30] Carine Dupeyron e Marcos Barradas acrescentam que, por se tratar de uma competência material de caráter *subsidiário*,[31] o juiz de apoio francês só será competente para resolver uma disputa relacionada à constituição do tribunal se as partes não puderem resolvê-la sozinhas ou se não houver um terceiro designado por elas encarregado de administrar o processo arbitral.[32]

Com a reforma introduzida pela Lei de 19 de abril de 2023, a Lei de Arbitragem de Luxemburgo adotou, em grande medida, os critérios da lei francesa de arbitragem internacional, estabelecendo a competência do seu Poder Judiciário sempre que as partes tiverem acordado submeter a arbitragem à lei arbitral luxemburguesa; tiverem expressamente atribuído competência aos tribunais estatais de Luxemburgo para conhecer das disputas relativas ao procedimento arbitral; houver um vínculo significativo entre o litígio e o país, sendo certo, ademais, que o juiz de apoio será sempre competente se uma das partes estiver exposta a um risco de denegação de Justiça.[33] De acordo com Maria Grosbusch e Sven Lange, esse dispositivo confere competência ao juiz de apoio de Luxemburgo, independentemente da sede da arbitragem, se uma das partes estiver enfrentando o risco de uma denegação de Justiça, mesmo que o caso não tenha nenhuma conexão com Luxemburgo.[34]

---

denegação de Justiça, conferir o caso NIOC (Cour d'Appel de Paris, 29 de março de 2001, Rev. arb. 2002, p. 487 e Cour de Cassation,. 1re civ., 1º de fevereiro de 2005, Rev. arb. 2005, p. 693).

[26] Tribunal de Grande Instance de Paris (ord. réf.), 26 de novembro de 1998, Rev. arb. 1999, p. 131, nota A. Hory.

[27] Cour d'Appel de Paris, 1º de março de 2007, Rev. arb. 2007, p. 643; Tribunal de Grande Instance de Paris (ord. réf.), 12 e 20 de dezembro de 1991, Rev. arb. 1996, p. 516, nota Phillipe Fouchard.

[28] Tribunal de Grande Instance de Paris (ord. réf.), 13 de julho de 1999, Rev. arb. 1999, p. 625, nota D. Bureau.

[29] Tribunal de Grande Instance de Paris (ord. réf.), 13 de dezembro de 1988, Rev. arb. 1990, p. 521.

[30] SERAGLINI; ORTSCHEIDT. *Droit de L'Arbitrage Interne et International*, item 782, com a jurisprudência citada anteriormente.

[31] Tribunal de Grande Instance de Paris (ord. réf.), 26 de novembro de 1998, Rev. arb. 1999, p. 131, obs. A. Hory; Tribunal de Grande Instance de Paris (ord. réf.), 21 de março de 1984, Rev. arb. 1985, p. 94.

[32] DUPEYRON, Carine; BARRADAS, Marcos. Note: Société Projet Pilote Garoubé v. Chambre de commerce internationale, Court of Cassation of France, First Civil Law Chamber, Arrêt nº 1289 FS-P+b, pourvoi nº 16-22 131, 13 December 2017. *Iurgium, Club Español del Arbitraje*, [*S. l.*], p. 137, n. 33, 2018.

[33] "Art. 1229. O juiz de apoio do procedimento arbitral é o juiz luxemburguês quando a sede da arbitragem tiver sido fixada no Grão-Ducado de Luxemburgo ou, na falta de fixação da sede, quando: 1º As partes tiverem acordado submeter a arbitragem à lei processual luxemburguesa; ou 2º As partes tiverem expressamente atribuído competência aos tribunais estatais luxemburgueses para conhecer das disputas relativas ao procedimento arbitral; ou 3º Houver um vínculo significativo entre o litígio e o Grão-Ducado de Luxemburgo. O juiz de apoio luxemburguês é sempre competente se uma das partes estiver exposta a um risco de denegação de Justiça" (tradução nossa).

[34] GROSBUSCH, Maria; LANGE, Sven. Arbitration in Luxembourg after the Reform of the Arbitration Law. *German Arbitration Journal (SchiedsVZ)*, Alphen Aan Den Rijn, v. 21, n. 6, p. 321, 2023.

Na Alemanha, os arts. 1025(3), 1034, 1035, 1037 e 1038 do ZPO estabelecem que a competência do Poder Judiciário para o auxílio à constituição do tribunal arbitral só será exercida se a sede da arbitragem não houver sido determinada e se, cumulativamente, uma das partes, seja o autor ou o réu, tiver sede ou residência habitual na Alemanha; caso contrário, os tribunais judiciais alemães devem abster-se de intervir. Com fundamento nesses dispositivos, o judiciário alemão poderá resolver incidentes relacionados à composição do tribunal arbitral, nomear árbitros e decidir acerca da sua renúncia.[35]

De acordo com Gerhard Wagner, o referido o art. 1025(3) do ZPO prevê que, em situações onde o local da arbitragem ainda não tenha sido definido, tornando incerto se o procedimento será doméstico ou estrangeiro, os tribunais judiciais alemães podem auxiliar na constituição do tribunal arbitral, independentemente da sede final da arbitragem. Essa disposição visa assegurar a efetivação da convenção de arbitragem e a correta condução do procedimento arbitral, até que o tribunal arbitral, uma vez constituído, possa determinar o local da arbitragem.[36]

Regras análogas foram adotadas pelo CPC holandês – que autoriza a participação do judiciário nas atividades de nomeação e impugnação de árbitros se o local da arbitragem não houver sido estabelecido e se pelo menos uma das partes tiver a sua residência habitual na Holanda –[37] e pelo direito arbitral belga.[38]

O direito espanhol segue essencialmente o regramento das leis alemã e holandesa ao permitir, no art. 8(1) da Ley de Arbitraje de 2003, o exercício pelo juiz espanhol das funções de apoio para a nomeação e remoção de árbitros se o lugar da arbitragem ainda não houver sido determinado.[39] Ao comentar esse dispositivo, José Fernando Merino

---

[35] "Art. 1.025. Âmbito de aplicação. (...). §3º Se o local da arbitragem ainda não tiver sido determinado, os tribunais alemães são competentes para exercer as funções judiciais especificadas nos artigos 1034, 1035, 1037 e 1038, se o requerido ou o reclamante tiver seu estabelecimento comercial ou residência habitual na Alemanha. (...).
Art. 1034 - Composição do tribunal arbitral.
(...) Art. 1.035 - Nomeação de árbitros
(...) Art. 1037 - Procedimento de impugnação.
(...) Art. 1038 - Falha ou impossibilidade de agir" (tradução nossa).

[36] WAGNER, Gerhard. General Provisions, §1025 - Scope of Application. *In:* NACIMIENTO, Patricia; KRÖLL, Stefan Michael; BÖCKSTIEGEL, Karl-Heinz (ed.). *Arbitration in Germany:* The Model Law in Practice. 2. ed. The Hague: Kluwer Law International, 2015. chap. 1, p. 64. O referido autor pontua que nada impede que as partes de um processo arbitral sediado fora do território alemão escolham o ZPO com a *lex arbitri*, sempre no pressuposto de que a legislação arbitral da sede não proíba esta escolha.

[37] "Art. 1073. Aplicação deste Título.
§1º As disposições deste Título serão aplicáveis se o local da arbitragem estiver situado na Holanda.
§2º Se as partes não tiverem determinado o local da arbitragem, a nomeação ou a impugnação do árbitro ou dos árbitros, ou do secretário envolvido por um tribunal arbitral, poderá ocorrer de acordo com as disposições da Seção Um B deste Título, se pelo menos uma das partes estiver domiciliada ou tiver sua residência habitual na Holanda" (tradução nossa).

[38] Conferir art. 1.680, §6º, do Código Judiciário Belga:
"Art. 1.680.
(...)
§6º Sujeito aos artigos 1696, §1º, e 1720, §2º, as ações previstas na sexta parte deste Código são da competência territorial do juiz cuja sede corresponde à da corte de apelação na jurisdição onde foi fixado o local da arbitragem. Quando este local não foi fixado ou não está situado na Bélgica, é territorialmente competente o juiz cuja sede corresponde à da corte de apelação na jurisdição onde se encontra o tribunal que teria jurisdição sobre a controvérsia se ela não tivesse sido submetida à arbitragem" (tradução nossa).

[39] "Art. 8. Tribunais competentes para as funções de apoio e controle da arbitragem.
1. Para a nomeação e remoção judicial de árbitros, será competente a Vara Cível e Criminal do Tribunal Superior de Justiça da Comunidade Autônoma onde ocorrer a arbitragem; caso ainda não esteja determinada, a que

Merchan esclarece que o referido artigo 8(1) da Lei de Arbitragem espanhola criou uma hipótese de intervenção judicial específica que objetiva evitar a paralisação da arbitragem nas hipóteses em que a constituição do tribunal enfrente dificuldades decorrentes da ausência de cooperação de uma das partes ou das eventuais imprecisões da convenção de arbitragem.[40]

Como se verifica, com exceção do modelo francês, seguido pelo direito de Luxemburgo, que admite a intervenção dos seus juízes de apoio em hipóteses bem mais abrangentes, inclusive em casos em que não há qualquer elemento de conexão com o seu território,[41] as demais legislações só concedem tal competência ao seu judiciário se, cumulativamente, não haja a determinação do local da arbitragem e se alguma das partes tiver domicílio ou residência habitual no país do qual o apoio judicial se postula.

2.2 Tutelas de urgência e produção de prova

Seguindo a conhecida recomendação do art. 6º da Lei Modelo,[42] inúmeras legislações de arbitragem disciplinam a relação de cooperação entre os tribunais estatais e os tribunais arbitrais no que se refere à produção da prova e à concessão de tutelas de urgência. Note-se que, como regra geral, a competência do Poder Judiciário para a adoção dessas providências relaciona-se diretamente com o local onde a prova deva ser produzida ou no qual a medida cautelar produzirá efeitos, evidenciando-se os vínculos entre o processo arbitral estrangeiro e a jurisdição na qual a medida é postulada.

A Lei de Arbitragem Voluntária de Portugal trata do tema nos arts. 59º(5) e (6),[43] 29º[44] e 38º,[45] fixando a competência de apoio do Poder Judiciário português como sendo

---

corresponder ao domicílio ou residência habitual de qualquer um dos demandados; se nenhum deles tiver domicílio ou residência habitual na Espanha, a do domicílio ou residência habitual do autor, e se este também não os tiver na Espanha, a de sua escolha" (tradução nossa).

[40] MERCHAN,. Ley de Arbitraje, Artículo 8, Tribunales competentes para las funciones de apoyo y control del arbitraje, p. 138. Conferir também: CIENFUEGOS, Antonio Hernández-Gil Álvares. *In:* MUÑOZ, Alberto de Martín; ANIBARRO, Santiago Hierro. *Comentario a La Ley de Arbitraje.* Madrid: Marcial Pons, Ediciones Jurídicas y Sociales S.A., 2006. p. 256-257; SANZ, p. 218-219.

[41] Conferir: ANCEL, Marie-Elodie. Le nouveau droit français de l'arbitrage: le meilleur de soi-meme. *Arbitraje: Revista de Arbitraje Comercial y de Inversiones,* [*S. l.*], v. 4, n. 3, p. 829, 2011; CLAY, Thomas; SÁNCHEZ, Elena Sevila. La reforma del arbitraje en España y Francia: breve estudio comparativo. *Arbitraje: Revista de Arbitraje Comercial y de Inversiones,* [*S. l.*], v. 6, n. 2, p. 462, 2013; MOURRE; AMEZAGA. La competencia del juez de apoyo francés, en particular en caso de denegación de justicia. El nuevo art. 1505 del Código Procesal Civil.

[42] *"Artigo 6.º Auxílio e controle dos tribunais estatais ou de outras autoridades na arbitragem.*
As funções mencionadas nos artigos 11.º, parágrafos 3.º e 4.º, 13.º, parágrafo 3.º, 14.º, 16.º, parágrafo 3.º e 34.º, parágrafo 2.º, serão desempenhadas por (...) [cada Estado ao adotara Lei modelo indica o tribunal estatal, os tribunais estatais ou, nos casos em que esta Lei o admitir, uma outra autoridade competente para desempenhar essas funções]" (LEI Modelo da UNCITRAL sobre Arbitragem Comercial Internacional 1985. Com as alterações adotadas em 2006. Tradução: Flavia Foz, Mange; Gustavo Santos Kulesza; Rafael Bittencourt Silva; Rafael Vicente Soares. [*S. l.*]: [*s. n.*], [2006]. p. 11. Disponível em: https://www.conjur.com.br/dl/le/lei-modelo-arbitragem-elaborada.pdf. Acesso em: 17. ago. 2024).

[43] "Artigo 59.º. Dos tribunais estaduais competentes:
(...)
5 - Relativamente a litígios compreendidos na esfera da jurisdição dos tribunais judiciais, é competente para prestar assistência a arbitragens localizadas no estrangeiro, ao abrigo do artigo 29.º e do nº 2 do artigo 38.º da presente lei, o tribunal judicial de 1.ª instância em cuja circunscrição deva ser decretada a providência cautelar, segundo as regras de competência territorial contidas no artigo 83.º do Código de Processo Civil, ou em que deva ter lugar a produção de prova solicitada ao abrigo do nº 2 do artigo 38.º da presente lei.

a do juízo do local da produção da prova ou onde deva ser decretada a providência cautelar, de acordo com as regras de competência territorial do CPC português.[46] No que se refere ao regramento das tutelas cautelares, o legislador português estabeleceu norma específica de competência aplicável ao Poder Judiciário, permitindo-lhe conceder tais medidas em arbitragens realizadas fora de Portugal, com poderes "independentemente da localização dos procedimentos arbitrais",[47] regra claramente influenciada pelo art. 17(J) da Lei Modelo.[48]

A Ley de Arbitraje espanhola de 2003 adota modelo semelhante. De acordo com o seu art. 8(2) e (3), mesmo no caso de arbitragens no estrangeiro, a competência do juiz de apoio espanhol em matéria de provas será a do lugar onde a providência deva ser produzida e, quanto às medidas cautelares, do lugar no qual elas serão implementadas.[49] Como o árbitro, nessas situações, pode conceder, mas não tem poderes para determinar o cumprimento forçado de tais medidas, faz-se necessária a intervenção do juiz espanhol, determinada a sua competência pelos critérios do aludido art. 8(2) e (3) da Lei Espanhola.[50]

---

6 - Tratando-se de litígios compreendidos na esfera da jurisdição dos tribunais administrativos, a assistência a arbitragens localizadas no estrangeiro é prestada pelo tribunal administrativo de círculo territorialmente competente de acordo com o disposto no nº 5 do presente artigo, aplicado com as adaptações necessárias ao regime dos tribunais administrativos".

[44] "Artigo 29.º. Providências cautelares decretadas por um tribunal estadual.
1 - Os tribunais estaduais têm poder para decretar providências cautelares na dependência de processos arbitrais, independentemente do lugar em que estes decorram, nos mesmos termos em que o podem fazer relativamente aos processos que corram perante os tribunais estaduais.
2 - Os tribunais estaduais devem exercer esse poder de acordo com o regime processual que lhes é aplicável, tendo em consideração, se for o caso, as características específicas da arbitragem internacional."

[45] "Artigo 38.º Solicitação aos tribunais estaduais na obtenção de provas.
1 - Quando a prova a produzir dependa da vontade de uma das partes ou de terceiros e estes recusem a sua colaboração, uma parte, com a prévia autorização do tribunal arbitral, pode solicitar ao tribunal estadual competente que a prova seja produzida perante ele, sendo os seus resultados remetidos ao tribunal arbitral. 2 - O disposto no número anterior é aplicável às solicitações de produção de prova que sejam dirigidas a um tribunal estadual português, no âmbito de arbitragens localizadas no estrangeiro.".

[46] OLIVEIRA, Mário Esteves de. *Lei da Arbitragem Voluntária comentada*. Coimbra: Almedina, 2014. p. 696-697.

[47] GOUVEIA, Mariana França; MONTEIRO, Matilde Líbano. Interim Measures and Preliminary Orders. *In*: FONSECA, André Pereira da; VICENTE, Dário Moura; GOUVEIA, Mariana França; CORREIA, Alexandra Nascimento; PINTO, Filipe Vaz (ed.). *International Arbitration in Portugal*. Alphen Aan Den Rijn: Kluwer Law International, 2020. chap. 10, p. 125.

[48] *"Artigo 17.º-J. Medidas provisórias decretadas por tribunais estatais.*
Um tribunal estatal terá a mesma competência para decretar uma medida provisória relativa a um procedimento arbitral, independentemente de este ocorrer ou não em local diferente deste Estado, tal como é o caso dos processos que correm nesse tribunal. O tribunal estatal deverá exercer a sua competência de acordo com os seus próprios procedimentos e tendo em conta as características específicas da arbitragem internacional" (LEI Modelo da UNCITRAL sobre Arbitragem Comercial Internacional 1985. Com as alterações adotadas em 2006, p. 20).

[49] "Art. 8. Tribunais competentes para as funções de apoio e controle da arbitragem.
(...)
2. Para a assistência judicial na produção de provas, será competente o Juízo de Primeira Instância do local da arbitragem ou do local onde a assistência deva ser prestada. 3. Para a adoção judicial de medidas cautelares, será competente o tribunal do local onde o laudo deva ser executado e, na falta deste, o do local onde as medidas devam produzir seus efeitos, conforme o previsto no artigo 724 do Código de Processo Civil" (tradução nossa).

[50] Conferir: MERCHAN, José Fernando Merino. Ley de Arbitraje, Artículo 8, Tribunales competentes para las funciones de apoyo y control del arbitraje, p. 138; GIL, Pedro Galindo. Ley de Arbitraje, Artículo 1 [Ámbito de aplicación]. *In*: BUENO, Carlos González (éd.). *Comentarios a la Ley de Arbitraje*. [S. l.]: Consejo General del Notariado, 2014. p. 23-24.

Com as reformas de 2021, a nova Lei Federal sobre direito internacional privado da Suíça estabeleceu, no seu art. 185-A,[51] o princípio da participação do juiz suíço em processos arbitrais estrangeiros. Além das hipóteses de nomeação, recusa e destituição de árbitros, o juiz de apoio suíço assiste as partes de um processo arbitral estrangeiro na efetivação de medidas provisórias decretadas pelo tribunal arbitral, ou requeridas por qualquer das partes, para determinar a produção de provas e para auxiliar em "outros casos".[52]

Na Alemanha, os art. 1025(2) 1032 e 1033 do ZPO mantém a jurisdição dos tribunais judiciais alemães para medidas de urgência, assegurando-se a sua competência para auxiliar na produção de provas e outras medidas mesmo que a sede da arbitragem tenha sido fixada fora do território alemão.[53] A Lei de Arbitragem inglesa contém regra similar, conferindo competência às suas Cortes Judiciais em apoio a arbitragens sediadas no exterior em matéria de prova e de medidas provisórias, salvo se o exercício de tal apoio, no caso concreto, for considerado inadequado.[54]

Diferentemente dos critérios habitualmente adotados para a determinação das competências do juiz de apoio em questões relativas à constituição e à composição do tribunal arbitral, a assistência judicial em matéria de prova e de medidas cautelares relaciona-se diretamente com a localização territorial dos bens e das pessoas sobre os quais incide o comando da ordem judicial.[55]

Como se vê, a assistência dos tribunais ao processo arbitral não se limita exclusivamente à jurisdição dos tribunais do local da sede. A arbitragem internacional transcende fronteiras e, como tal, exige a colaboração de tribunais de diversas jurisdições para assegurar a sua implementação eficaz e respeitosa da vontade das partes. A única circunstância em que os tribunais da sede detêm uma jurisdição *preponderante* – porém

---

[51] "Art. 185ª. 1. Um tribunal arbitral com sede no exterior ou uma das partes em um processo arbitral estrangeiro pode solicitar a assistência do juiz do local onde uma medida provisória ou uma medida conservatória é executada. O art. 183, §§2º e 3º, aplica-se por analogia. 2. Um tribunal arbitral com sede no exterior, ou uma das partes em um processo arbitral estrangeiro em acordo com ele, pode solicitar a assistência do juiz do local onde as provas são administradas. O art. 184, §§2º e 3º, aplica-se por analogia" (tradução nossa).

[52] BESSON, Sébastien; RIGOZZI, Antonio. La réforme du droit suisse de l'arbitrage international. *Revue de l'Arbitrage, Comité Français de l'Arbitrage*, [S. l.], v. 2021, n. 1, p. 11-56, 2021.

[53] WAGNER. General Provisions, §1025 – Scope of Application, part 2, chap. 1, p. 64.

[54] "2. Âmbito de aplicação das disposições.
(1) As disposições desta Parte aplicam-se quando a sede da arbitragem estiver na Inglaterra e País de Gales ou na Irlanda do Norte.
(2) As seguintes seções aplicam-se mesmo que a sede da arbitragem esteja fora da Inglaterra e País de Gales ou da Irlanda do Norte, ou que nenhuma sede tenha sido designada ou determinada:
(a) seções 9 a 11 (suspensão de processos judiciais, etc.) (...)
(3) Os poderes conferidos pelas seguintes seções aplicam-se mesmo que a sede da arbitragem esteja fora da Inglaterra e País de Gales ou da Irlanda do Norte, ou que nenhuma sede tenha sido designada ou determinada:
(a) seção 43 (garantia da presença de testemunhas), e
(b) seção 44 (poderes do tribunal exercíveis em apoio aos procedimentos arbitrais) (...)" (tradução nossa).

[55] A legislação da Holanda contém regra no mesmo sentido ("Seção 1074. Convenção de arbitragem estrangeira e demanda substantiva perante o Tribunal Holandês; convenção de arbitragem estrangeira e medidas provisórias pelo Tribunal Holandês. 1. Um tribunal judicial na Holanda que for acionado em uma disputa sobre a qual uma convenção de arbitragem tenha sido concluída, estabelecendo que a arbitragem ocorrerá fora da Holanda, deve declarar sua incompetência se uma das partes invocar a existência da referida convenção antes de apresentar sua defesa, a menos que a convenção seja inválida de acordo com a lei aplicável a ela. 2. A convenção mencionada no parágrafo (1) não impede que uma das partes solicite a um tribunal judicial na Holanda a concessão de medidas cautelares, ou que entre com um pedido junto ao Juiz de Providências Cautelares do Tribunal Distrital para uma decisão em procedimentos sumários, de acordo com as disposições do Artigo 254" (tradução nossa).

não exclusiva, como se verifica da análise comparada das legislações arbitrais sobre o tema – diz respeito à composição e constituição do tribunal arbitral, sempre que houver prévia e expressa escolha das partes.[56]

3 A jurisdição internacional de apoio e a lei de arbitragem

A Lei de Arbitragem não disciplina de forma expressa as funções de apoio do Poder Judiciário. Muito embora variadas disposições da Lei deixem claríssima a existência de uma inegável e necessária interação entre as duas jurisdições,[57] não há um regramento explícito acerca das hipóteses nas quais o Poder Judiciário exerce auxílio em favor do processo arbitral, a exemplo do que ocorre em outros sistemas jurídicos.[58] Por tal razão, deve-se recorrer às regras de direito internacional privado para se estabelecerem as hipóteses nas quais o Poder Judiciário poderá exercer jurisdição internacional relativamente a processos arbitrais em curso no exterior.[59]

Segundo André de Carvalho Ramos, o Estado exerce jurisdição sobre fatos transnacionais ocorridos fora do seu território nas seguintes situações: quando há vínculos com o seu território; quando decorrem da autonomia da vontade; quando há necessidade de garantir o acesso à Justiça; e quando é necessário proteger a parte mais vulnerável. Esses princípios encontram-se, *v.g.*, no atual CPC nos arts. 21 (*princípio da proximidade*),[60] 22, III (*princípio da submissão*),[61] e 22, I e II (*princípio da proteção da parte vulnerável*).[62] Além disso, a jurisdição internacional brasileira também poderá ser exercida para se evitar uma situação de denegação de Justiça, em casos nos quais certos litígios são insuscetíveis

---

[56] BENTOLILA. Arbitrators as Lawmakers, p. 35.

[57] Conferir nota 12 deste artigo.

[58] Conferir notas 19, 20 e 22 deste artigo.

[59] De acordo com André de Carvalho Ramos (*Curso de Direito Internacional Privado*. 2. ed. São Paulo: Saraiva Educação, 2021. p. 235), nos termos da LINDB e do CPC de 2015, há nove hipóteses de jurisdição internacional: "i) ações quando o réu, qualquer que seja a sua nacionalidade, estiver domiciliado no Brasil, sendo que considera-se domiciliada no Brasil a pessoa jurídica estrangeira que nele tiver agência, filial ou sucursal; (ii) ações quando no Brasil tiver de ser cumprida a obrigação; (iii) ações cujo fundamento seja fato ocorrido ou ato praticado no Brasil; (iv) ações de alimentos, quando: a) o credor tiver domicílio ou residência no Brasil; b) o réu mantiver vínculos no Brasil tais como posse ou propriedade de bens, recebimento de renda ou obtenção de benefícios econômicos; (v) ações decorrentes de relação de consumo, quando o consumidor tiver domicílio ou residência no Brasil; (vi) ações em que as partes, expressa ou tacitamente, se submeteram à jurisdição nacional; (vii) ações relativas a imóveis situados no Brasil; (viii) ações sobre confirmação de testamento particular e referentes à partilha de bens situados no Brasil, em matéria de sucessão hereditária; e (ix) ações relativas à partilha de bens situados no Brasil em divórcio, separação judicial ou dissolução de união estável".

[60] "Art. 21. Compete à autoridade judiciária brasileira processar e julgar as ações em que:
I - o réu, qualquer que seja a sua nacionalidade, estiver domiciliado no Brasil;
II - no Brasil tiver de ser cumprida a obrigação;
III - o fundamento seja fato ocorrido ou ato praticado no Brasil."

[61] "Art. 22. Compete, ainda, à autoridade judiciária brasileira processar e julgar as ações:
(...)
III - em que as partes, expressa ou tacitamente, se submeterem à jurisdição nacional.".

[62] "Art. 22. Compete, ainda, à autoridade judiciária brasileira processar e julgar as ações:
I - de alimentos, quando:
a) o credor tiver domicílio ou residência no Brasil;
b) o réu mantiver vínculos no Brasil, tais como posse ou propriedade de bens, recebimento de renda ou obtenção de benefícios econômicos;
II - decorrentes de relações de consumo, quando o consumidor tiver domicílio ou residência no Brasil".

de serem apreciados por outros Estados ou o devido processo legal – processual e substantivo – não é assegurado de acordo com os padrões do direito internacional no foro estrangeiro (*princípio do acesso à Justiça*).[63] Ressalte-se que tais hipóteses não são cumulativas, i.e., basta que se verifique a incidência de qualquer uma delas para que a jurisdição internacional brasileira possa ser validamente exercida.[64][65]

Consequentemente, verificada alguma das hipóteses de existência da jurisdição internacional brasileira, o Poder Judiciário poderá avaliar o cabimento da concessão de medida de apoio a processos arbitrais no exterior.

3.1 Das tutelas cautelares e de urgência

Em caso de arbitragem em curso no exterior, o Poder Judiciário brasileiro poderá conceder tutelas cautelares e de urgência sempre que determinadas condições forem atendidas. Essas condições incluem, *v.g.*, o domicílio brasileiro da parte ré, qualquer que seja a sua nacionalidade; a circunstância de a obrigação ter que ser cumprida no território nacional; a localização de bens no Brasil; e o fundamento da pretensão decorrer de fato ocorrido ou ato praticado no Brasil. Em síntese, verificada a ocorrência de qualquer das hipóteses dos arts. 21 a 23 do CPC, a jurisdição internacional cautelar do Poder Judiciário pode e, em muitos casos, deve ser exercida, inclusive para evitar situações de risco de denegação de Justiça.[66]

O Professor Arnoldo Wald, em artigo específico sobre o assunto, leciona que a competência do Poder Judiciário brasileiro para o julgamento de demandas antecedentes a arbitragens sediadas no exterior recai aos órgãos judiciais que deteriam essa atribuição na ausência da convenção de arbitragem, devendo ser aceita a da autoridade judiciária brasileira sempre que presente uma das hipóteses de jurisdição internacional concorrente previstas nos arts. 21 e 22 do CPC – correspondentes ao art. 88 do CPC de 1973.[67][68]

---

[63] RAMOS. *Curso de Direito Internacional Privado*, p. 279. No mesmo sentido, conferir: ARAÚJO, Nadia de. *Direito Internacional Privado*, cap. 10, p. 171: "Para casos em que falte base legal ou concreta para afirmar a jurisdição brasileira ou a jurisdição estrangeira, é necessário enfrentar um evidente risco de denegação de Justiça, o que pode levar a que o processo seja conhecido no Brasil".

[64] ARAÚJO. *Direito Internacional Privado*, cap. 10, p. 168.

[65] Ao comentar a questão à luz do direito italiano, Massimo Benedettelli (International Arbitration in Italy. *Kluwer Law International*, [S. l.], item 2.91, 2020) esclarece que os tribunais judiciais podem ter jurisdição sobre questões direta ou indiretamente relacionadas aos procedimentos arbitrais, mesmo quando a arbitragem tem sede no exterior, se qualquer um dos fundamentos comuns de jurisdição estabelecidos pelo direito internacional privado italiano – por exemplo, o domicílio ou residência do réu na Itália; a Itália sendo o local de cumprimento da obrigação em disputa ou onde ocorreu o evento danoso; as partes tendo prorrogado a jurisdição italiana nos termos do Art. 4(1) da LDI; a medida cautelar devendo ser implementada na Itália – se aplicar; e se a escolha das partes por uma arbitragem com sede estrangeira não seja interpretada como incorporando também o acordo das partes de que os tribunais do Estado da sede tenham jurisdição exclusiva sobre todas as questões relacionadas à arbitragem.

[66] COUCEIRA, Roberta Menezes. Da concessão pelo juiz brasileiro de Tutela Cautelar Antecedente à instituição de arbitragem com sede fora do Brasil. *Revista de Arbitragem e Mediação*, [S. l.], v. 52, p. 123-139, 2017.

[67] WALD, Arnoldo. Medidas cautelares fora da sede da arbitragem. *In*: WALD, Arnoldo (coord.). *Doutrinas essenciais, arbitragem e mediação*. São Paulo: Revista dos Tribunais, 2014. v. 2, p. 1073-1094.

[68] "Quando há a necessidade de execução de uma medida cautelar em uma arbitragem internacional, pode ser mais efetivo requerer tais medidas perante as cortes estatais do local em que a medida acautelatória deverá ser implementada, o que evita a necessidade de *exequatur* ou homologação da decisão no país em que será cumprida" (NEVES, Flávia Bittar; LOPES, Christian Sahb Batista. Medidas cautelares em arbitragem.

O princípio da efetividade da medida cautelar orienta a busca dessa tutela nos tribunais do Estado onde seus efeitos vão se manifestar de maneira concreta. O CPC, no referido art. 21, confere ampla margem de competência ao Judiciário para a concessão de medidas cautelares, não sendo impeditivo o fato de a arbitragem ter sede no exterior.[69] O que importa para a existência da jurisdição internacional brasileira é o fato de a eventual concessão de medida no Brasil possuir efetividade. Além disso, o art. 27, IV, do CPC,[70] prevê, dentre as hipóteses de cooperação jurídica internacional decorrente de tratados firmados pelo Brasil, a concessão de medidas judiciais de urgência a processos em curso no exterior, o que reforça a possibilidade de, em obediência ao referido princípio da efetividade, ser concedida tal medida no Brasil em apoio a processo arbitral localizado fora do território nacional.

Veja-se que o regramento constante do CPC de 2015 está em linha com variados diplomas internacionais que preveem a concessão de medidas de urgência em apoio a arbitragens sediadas no exterior. Nesse sentido, o Decreto nº 4.719, de 4 de Junho de 2003, que promulgou o Acordo sobre Arbitragem Comercial Internacional do Mercosul, estabeleceu, no seu art. 19, que

> as medidas cautelares poderão ser ditadas pelo tribunal arbitral ou pela autoridade judicial competente. A solicitação dirigida por qualquer das partes a uma autoridade judicial não se considerará incompatível com a convenção arbitral, nem implicará renúncia à arbitragem.

Além disso, o art. 19, I, do referido decreto, ainda autoriza que o tribunal arbitral solicite, "de ofício ou por petição da parte, à autoridade judicial competente, a adoção de uma medida cautelar".

No mesmo sentido, o Decreto Legislativo nº 192, de 15 de dezembro de 1995, que aprovou o Protocolo de Medidas Cautelares do Mercosul (Protocolo de Ouro Preto), tem como expresso objetivo "regulamentar entre os Estados Partes do Tratado de Assunção, o cumprimento de medidas cautelares destinadas a impedir a irreparabilidade de um dano em relação às pessoas, bens e obrigações de dar, de fazer ou de não fazer". Nos termos dos seus arts. 3º e 4º, as autoridades jurisdicionais dos Estados Partes devem cumprir as medidas cautelares decretadas por Tribunais de outros países, sendo admissíveis "medidas cautelares preparatórias, incidentes de uma ação principal e as que garantam a execução de uma sentença".

A questão foi expressamente enfrentada pelo Tribunal de Justiça do Estado de São Paulo (TJSP) no julgamento do Agravo de Instrumento nº 0028833-77.2013.8.26.0000, relatado pelo Desembargador José Reynaldo, da 2ª Câmara Reservada de Direito Empresarial, no qual se reconheceu ser legítima a jurisdição brasileira para a concessão de medida cautelar relativa a "juízo arbitral instaurado no exterior".[71]

In: CARMONA, Carlos, Alberto; LEMES, Selma Ferreira; MARTINS, Pedro Batista (coord.). *20 Anos da Lei de Arbitragem*. Homenagem a Petrônio R. Muniz. São Paulo: Grupo GEN, 2017. p. 446).

[69] TIBURCIO, Carmen. A arbitragem internacional. *In:* WALD, Arnoldo (*coord.*). *Doutrinas essenciais, arbitragem e mediação*. São Paulo: Revista dos Tribunais, 2014. v. 5, p. 159-196.

[70] "Art. 27. A cooperação jurídica internacional terá por objeto: (...) IV - concessão de medida judicial de urgência (...)".

[71] "Agravo de Instrumento. Medida Cautelar. Liminar deferida para que terceiro se abstenha da prática de ato. Litígio acerca do cumprimento de contrato de compra e venda de participações societárias a ser dirimido

Por fim, nada impediria que as partes, no exercício da sua autonomia da vontade e com fundamento no art. 22, III, do CPC, ampliassem a jurisdição internacional brasileira criando foro de eleição no Brasil especificamente para a concessão de medidas de urgência, em consonância com o princípio da submissão. Se não há óbice a que as partes, na convenção de arbitragem, adotem um regulamento institucional atribuindo tal competência aos denominados "árbitros de emergência",[72] não há, a nosso sentir, proibição de atribuição de iguais poderes ao Judiciário, especialmente com a previsão expressa do aludido art. 22, III, do CPC.

3.2 Da produção de provas

No que se refere à produção e obtenção de provas, faz-se necessária uma observação inicial. A jurisprudência do Superior Tribunal de Justiça (STJ) acerca da possibilidade da produção antecipada de prova perante o Poder Judiciário, com fundamento no art. 381 do CPC, relativa a disputas oriundas de contrato do qual conste convenção de arbitragem, consolidou-se no sentido de que tal medida será inadmissível se estiver dissociada do requisito da urgência.[73] Portanto, se a preservação da prova for essencial para o julgamento de futura arbitragem e se a sua produção não puder aguardar a constituição do tribunal arbitral, aplicam-se, com relação ao tema, as observações feitas

---

por Juízo Arbitral instaurado no Exterior. Possibilidade. Competência do juiz nacional. Deferimento, uma vez preenchidos os requisitos da plausibilidade do direito invocado e o risco de dano de difícil reparação. Legalidade da medida deferida. Permanência até que seja revogada pelo Juízo Arbitral instaurado na pendência deste recurso e da medida cautelar. Inteligência dos artigos 88, II, 797 e 798 do Código de Processo Civil e artigo 22 da Lei no 9.307/96. Liminar confirmada. Recurso desprovido" (BRASIL. Tribunal de Justiça do Estado de São Paulo. Agravo de Instrumento nº 0028833-77.2013.8.26.0000. Relator: José Reynaldo, D. j. 07 de maio de 2013).

[72] Conferir o art. 29 do Regulamento de Arbitragem da Câmara de Comércio Internacional; os arts. 21 e 22 do Regulamento de Arbitragem da CAM-CCBC; o art. 9B das Regras de Arbitragem da London Court of International Arbitration; o art. 9.4 do Regulamento de Arbitragem da Câmara de Mediação e Arbitragem Empresarial (CAMARB,) Brasil, entre outros muitos regulamentos.

[73] "4.1 Esta compreensão apresenta-se mais consentânea com a articulação – e mesmo com a divisão de competências legais - existente entre as jurisdições arbitral e estatal, reservando-se a esta última, em cooperação àquela, enquanto não instaurada a arbitragem, preservar o direito à prova da parte postulante que se encontra em situação de risco, com o escopo único de assegurar o resultado útil de futura arbitragem. Ausente esta situação de urgência, única capaz de autorizar a atuação provisória da Justiça estatal em cooperação, nos termos do art. 22-A da Lei de Arbitragem, toda e qualquer pretensão – até mesmo a relacionada ao direito autônomo à prova, instrumentalizada pela ação de produção antecipada de provas, fundada nos incisos II e II do art. 381 do CPC/2015 - deve ser submetida ao Tribunal arbitral, segundo a vontade externada pelas partes contratantes" (BRASIL. Superior Tribunal de Justiça (3. Turma). Recurso Especial 2.023.615/SP. Relator: Min. Marco Aurélio Bellizze, 20 de março de 2023. *Dje*: Brasília, DF, 2023. Disponível em: https://scon.stj.jus.br/SCON/GetInteiroTeorDoAcordao?num_registro=202202722390&dt_publicacao=20/03/2023. Acesso em: 19 ago. 2024). No mesmo sentido: "8. Em razão da mudança implementada pelo diploma processual civil, fez-se necessária uma interpretação adequada do art. 22-A da Lei nº 9.307/1996, diante da possibilidade de as partes vinculadas por compromisso arbitral recorrerem ao Poder Judiciário, antes de instituída a arbitragem, apenas para a concessão de medida cautelar ou de urgência, hipóteses que em nada se confundem com aquelas previstas nos incisos II e III do art. 381 do CPC/2015 (prova antecipada para viabilizar a composição amigável ou para evitar ajuizamento de ação).9. Em recente julgado a Terceira Turma do STJ examinou a hipótese de ajuizamento de ação de produção de provas antes da arbitragem e decidiu pela competência exclusiva dos árbitros para conhecer a correlata ação probatória desvinculada de urgência (...)" (BRASIL, Superior Tribunal de Justiça. Conflito de Competência 197434/SP. Relator: Min. Moura Ribeiro, 10 de outubro de 2023. 2. Seção. *Dje*: Brasília, DF, 2023. Disponível em: https://scon.stj.jus.br/SCON/SearchBRS?b=ACOR&thesaurus=JURIDICO&p=true&operador=e&livre=7. Acesso em: 19 ago. 2024).

anteriormente acerca da jurisdição internacional cautelar brasileira. Se não houver urgência, caberá exclusivamente ao tribunal arbitral a produção antecipada da prova.

Todavia, nos casos em que a prova se fizer necessária para a devida instrução de um processo arbitral já em curso no exterior, a jurisdição internacional brasileira poderá ser acionada não apenas para se evitar o risco de perecimento da prova essencial a futura disputa antes da constituição do tribunal arbitral – o requisito de urgência –, mas, também, como atividade de cooperação entre o Poder Judiciário e a jurisdição arbitral em curso fora do Brasil.

Veja-se que essa cooperação pode ser indispensável, por exemplo, nas hipóteses em que a produção da prova dependa da vontade da parte ou de um terceiro e estes, deliberadamente, se recusem a agir de forma colaborativa no processo arbitral já em andamento; pode também ocorrer que a prova só possa ser produzida no Brasil, por estarem aqui os elementos de informação ou as evidências relativas aos fatos controvertidos no processo arbitral; ou, ainda, porque a prova pode ser mais facilmente produzida aqui do que no país da sede da arbitragem. Nessas hipóteses, o tribunal arbitral, ou a parte interessada, poderá postular o auxílio do Poder Judiciário na colheita de provas e na obtenção de informações, possibilidade reforçada pela regra do referido art. 27, II, do CPC.[74]

Por fim, e a exemplo das considerações feitas acerca das tutelas de urgência, nada impede que as partes, com fundamento no citado art. 22, III, do CPC, decidam submeter à jurisdição brasileira as medidas relativas à produção de prova referentes a processo arbitral no exterior.

3.3 Da constituição e composição do tribunal arbitral

A jurisdição de apoio relativa à constituição e à composição do tribunal arbitral é, por natureza e essência, *subsidiária*. Assim, essa competência do juiz de apoio será invocada apenas na hipótese em que as partes, por si mesmas, se mostrem incapazes de solucionar o impasse, ou na ausência de um terceiro previamente designado por elas para administrar o procedimento arbitral.[75]

---

[74] A exemplo do que dispõe a Lei de Arbitragem Voluntária de Portugal:
"Artigo 38.º Solicitação aos tribunais estaduais na obtenção de provas.
1 - Quando a prova a produzir dependa da vontade de uma das partes ou de terceiros e estes recusem a sua colaboração, uma parte, com a prévia autorização do tribunal arbitral, pode solicitar ao tribunal estadual competente que a prova seja produzida perante ele, sendo os seus resultados remetidos ao tribunal arbitral.
2 - O disposto no número anterior é aplicável às solicitações de produção de prova que sejam dirigidas a um tribunal estadual português, no âmbito de arbitragens localizadas no estrangeiro".
E do que dispõe a Lei Federal sobre Direito Internacional Privado da Suíça:
"Art. 185ª.
(...)
2. Um tribunal arbitral com sede no exterior, ou uma das partes em um processo arbitral estrangeiro em acordo com ele, pode solicitar a assistência do juiz do local onde as provas são administradas. O art. 184, §§2º e 3º, aplica-se por analogia") (tradução nossa).

[75] "A razão de ser do dispositivo revela que só caberá o manejo da ação prevista no artigo 7º no caso de desacordo das partes. Mas não apenas isso, é importante observar se as partes definiram previamente a escolha de uma autoridade de nomeação. Em caso positivo, é imperiosa a aplicação do modelo contratualmente previsto de modo que a utilização do Judiciário só se justifica na hipótese de inexistência de acordo prévio" (MAIA, Alberto Jonathas. A autoridade de nomeação na arbitragem internacional. *Revista de Arbitragem e Mediação*, [S. l.], v. 75, p. 131-148, 2022).

Os poderes conferidos ao juiz de apoio revelam-se extremamente úteis nas arbitragens *ad hoc*, notadamente quando uma das partes se recusa a participar do processo de constituição do tribunal arbitral, ou quando emerge um dissenso entre as partes no tocante à escolha do árbitro único ou do presidente do tribunal arbitral, ou ainda quando as dificuldades dizem respeito às modalidades de designação de árbitros estipuladas pelas partes na convenção de arbitragem.[76] A intervenção do Poder Judiciário também pode ser necessária nas hipóteses de cláusulas arbitrais lacunosas, das quais se pode extrair a efetiva vontade das partes em submeter a disputa à arbitragem, mas faltam determinados elementos essenciais a permitir a constituição do tribunal arbitral ou para resolver eventuais disputas relativas à nomeação, recusa e destituição de árbitros.

De acordo com a Lei de Arbitragem, o auxílio pode ser necessário, *e.g.*, no caso do art. 13, §2º,[77] se as partes ou o terceiro por elas escolhido – por exemplo, uma instituição de arbitragem cujo regulamento contenha regras expressas para a solução da dificuldade – não conseguirem compor o tribunal arbitral em número ímpar, ou nos casos do art. 16,[78] quando for necessário substituir o árbitro em razão da sua recusa, falecimento ou incapacidade para exercer a função. Em ambos os casos, diante da ausência de acordo das partes e de uma autoridade nomeadora previamente selecionada, caberá ao Poder Judiciário, com fundamento no art. 7º, §4º, da Lei de Arbitragem,[79] assegurar a constituição do tribunal arbitral ou resolver os incidentes relacionados com a sua composição.[80]

A jurisdição internacional brasileira no tema pode existir em duas hipóteses. Em primeiro lugar, o art. 22, III, do CPC, a exemplo do que se expôs em matéria de tutelas de urgência e de produção de prova, autoriza a escolha de foro de eleição no Brasil para atribuir ao juiz nacional poderes para resolver os incidentes relacionados com a constituição e a composição do tribunal arbitral sediado no exterior, ampliando-se os casos da jurisdição internacional concorrente previstos no CPC. Note-se que a modificação introduzida pelo CPC de 2015 no seu art. 22, III, atribui importância superlativa

---

[76] Tribunal de Grande Instance de Paris (ord. réf.), 26 de novembro de 1998, Revue de l'Arbitrage, 1999, p. 131, nota Alexandre Hory citado por DUPEYRON, Carine; BARRADAS, Marcos. Note: Société Projet Pilote Garoubé v. Chambre de commerce internationale, Court of Cassation of France, First Civil Law Chamber, Arrêt nº 1289 FS-P+b, pourvoi nº 16-22 131, 13 December 2017. *Iurgium, Club Español del Arbitraje*, [*S. l.*], p. 137, n. 33, 2018. No mesmo sentido, conferir: SERAGLINI; ORTSCHEIDT. *Droit de L'Arbitrage Interne et International*, p. 263.

[77] "Art. 13. Pode ser árbitro qualquer pessoa capaz e que tenha a confiança das partes.
(...)
§2º Quando as partes nomearem árbitros em número par, estes estão autorizados, desde logo, a nomear mais um árbitro. Não havendo acordo, requererão as partes ao órgão do Poder Judiciário a que tocaria, originariamente, o julgamento da causa a nomeação do árbitro, aplicável, no que couber, o procedimento previsto no art. 7º desta Lei."

[78] "Art. 16. Se o árbitro escusar-se antes da aceitação da nomeação, ou, após a aceitação, vier a falecer, tornar-se impossibilitado para o exercício da função, ou for recusado, assumirá seu lugar o substituto indicado no compromisso, se houver.
§1º Não havendo substituto indicado para o árbitro, aplicar-se-ão as regras do órgão arbitral institucional ou entidade especializada, se as partes as tiverem invocado na convenção de arbitragem.
§2º Nada dispondo a convenção de arbitragem e não chegando as partes a um acordo sobre a nomeação do árbitro a ser substituído, procederá a parte interessada da forma prevista no art. 7º desta Lei, a menos que as partes tenham declarado, expressamente, na convenção de arbitragem, não aceitar substituto."

[79] "Art. 7º Existindo cláusula compromissória e havendo resistência quanto à instituição da arbitragem, poderá a parte interessada requerer a citação da outra parte para comparecer em juízo a fim de lavrar-se o compromisso, designando o juiz audiência especial para tal fim. (...) §4º Se a cláusula compromissória nada dispuser sobre a nomeação de árbitros, caberá ao juiz, ouvidas as partes, estatuir a respeito, podendo nomear árbitro único para a solução do litígio."

[80] MAIA. A autoridade de nomeação na arbitragem internacional.

à autonomia da vontade, pois passou a autorizar explicitamente – pondo termo às discussões intermináveis do CPC de 1973 acerca da natureza exaustiva ou exemplificativa das competências concorrentes – a ampliação da jurisdição internacional em observância do princípio da submissão.[81]

Em segundo lugar, tal atribuição também pode decorrer da escolha das partes, na cláusula compromissória, da Lei de Arbitragem brasileira como direito aplicável para regular e disciplinar o processo arbitral em curso no estrangeiro, a exemplo do que fazem a lei francesa e a lei de Luxemburgo.[82] Nessa hipótese, além da aplicação da Lei de Arbitragem brasileira decorrer da inequívoca manifestação de vontade das partes, tal escolha pode justificar a jurisdição internacional brasileira em razão do *princípio da proximidade*, que autoriza o exercício da jurisdição pela existência de vínculos próximos entre uma situação transnacional e o Estado do foro.[83]

Note-se que essa atribuição se sujeita a uma condicionante: o Poder Judiciário brasileiro não poderá atuar como juiz de apoio a processo arbitral no exterior se houver, em contrato internacional, cláusula de eleição de foro exclusivo estrangeiro, prevista, como se sabe, no art. 25 do CPC. Se, no caso do art. 22, III, do CPC, as partes podem *ampliar* as hipóteses de jurisdição internacional concorrente, no referido art. 25, autoriza-se expressamente que elas *restrinjam* essa jurisdição mediante a escolha de foro estrangeiro exclusivo, privilegiando-se, em ambos os casos, o princípio da autonomia da vontade das partes.

4 Conclusões

As reflexões acerca da interação entre a jurisdição internacional do Poder Judiciário e as arbitragens realizadas no exterior evidenciam, de forma inequívoca, a complexidade e a importância dessa colaboração para a eficácia e legitimidade dos procedimentos arbitrais. A arbitragem, reconhecida como mecanismo legítimo de resolução de controvérsias, frequentemente depende da cooperação do Judiciário para alcançar um desenvolvimento processual justo e eficiente, inclusive em situações envolvendo arbitragens sediadas fora do território nacional.

A análise conduzida destaca que a jurisdição estatal, ao exercer funções de apoio, desempenha papel crucial na constituição e composição do tribunal arbitral, na concessão de medidas cautelares e de urgência, e na produção de provas. A intervenção do Poder Judiciário em tais situações, dentro dos limites estabelecidos pelo direito internacional e pela legislação brasileira, é essencial para a proteção dos direitos das partes e para assegurar que o processo arbitral se desenvolva de maneira equânime e eficaz.

Ademais, a realização dos objetivos da Lei de Arbitragem requer um equilíbrio delicado entre a eventual intervenção judicial e a autonomia do processo arbitral. A colaboração entre juízes estatais e tribunais arbitrais deve ser cuidadosamente ponderada, de modo a respeitar os princípios da mínima intervenção judicial e da efetividade do processo arbitral.

---

[81] RAMOS. *Curso de Direito Internacional Privado*, p. 265.

[82] Conferir notas 25 e 33 deste artigo.

[83] RAMOS. *Curso de Direito Internacional Privado*, p. 279.

A jurisdição internacional de apoio exercida pelo Poder Judiciário brasileiro em arbitragens realizadas no exterior não apenas se revela indispensável, mas constitui um pilar fundamental para a consolidação da arbitragem como alternativa viável e eficaz aos métodos tradicionais de resolução de litígios. A análise comparativa das legislações estrangeiras, aliada à aplicação dos princípios de direito internacional privado, indica que a atuação do Poder Judiciário brasileiro, dentro dos parâmetros normativos estabelecidos, pode contribuir de maneira significativa para o fortalecimento e a credibilidade da arbitragem.

Referências

ANCEL, Marie-Elodie. Le nouveau droit français de l'arbitrage: le meilleur de soi-meme. *Arbitraje: Revista de Arbitraje Comercial y de Inversiones*, [*S. l.*], v. 4, n. 3, 2011.

ARAÚJO, Nadia de. *Direito Internacional Privado*. São Paulo: Revista dos Tribunais, 2023.

BARROCA, Manuel Pereira. *Manual de Arbitragem*. 2. ed. Coimbra: Almedina, 2013.

BARTIN, Étienne. *Principes de droit international privé selon la loi et la jurisprudence française*. Paris: Domart-Montchrestien, 1930. t. 1.

BENEDETTELLI, Massimo. International Arbitration in Italy. *Kluwer Law International*, [*S. l.*], 2020.

BESSON, Sébastien; RIGOZZI, Antonio. La réforme du droit suisse de l'arbitrage international. *Revue de l'Arbitrage, Comité Français de l'Arbitrage*, [*S. l.*], v. 2021, n. 1, p. 11-56, 2021.

BENTOLILA, Dolores. Arbitrators as Lawmakers. *International Arbitration Law Library*, [*S. l.*], v. 43, 2017.

BRASIL. Superior Tribunal de Justiça (3. Turma). Recurso Especial 2.023.615/SP. Relator: Min. Marco Aurélio Bellizze, 20 de março de 2023. *Dje*: Brasília, DF, 2023. Disponível em: https://scon.stj.jus.br/SCON/GetInteiroTeorDoAcordao?num_registro=202202722390&dt_publicacao=20/03/2023. Acesso em: 19 ago. 2024.

BRASIL, Superior Tribunal de Justiça. Conflito de Competência 197434/SP. Relator: Min. Moura Ribeiro, 10 de outubro de 2023. 2. Seção. *Dje*: Brasília, DF, 2023. Disponível em: https://scon.stj.jus.br/SCON/SearchBRS?b=ACOR&thesaurus=JURIDICO&p=true&operador=e&livre=7. Acesso em: 19 ago. 2024.

BRIGGS, Adrian. *Agreements on Jurisdiction and Choice of Law*. New York: Oxford University Press, 2008.

CARMONA, Carlos Alberto. *Arbitragem e processo*. 4. ed. Barueri: Atlas, 2023.

CARMONA, Carlos Alberto. Das boas relações entre os juízes e os árbitros. *In*: WALD, Arnoldo. Doutrinas essenciais, arbitragem e mediação. São Paulo: Revista dos Tribunais, 2014. v. 2, p. 669-680.

CLAY, Thomas; SÁNCHEZ, Elena Sevila. La reforma del arbitraje en España y Francia: breve estudio comparativo. *Arbitraje: Revista de Arbitraje Comercial y de Inversiones*, [*S. l.*], v. 6, n. 2, 2013.

CIENFUEGOS, Antonio Hernández-Gil Álvares. *In*: MUÑOZ, Alberto de Martín; ANIBARRO, Santiago Hierro. *Comentario a La Ley de Arbitraje*. Madrid: Marcial Pons, Ediciones Jurídicas y Sociales S.A., 2006.

COUCEIRA, Roberta Menezes. Da concessão pelo juiz brasileiro de Tutela Cautelar Antecedente à instituição de arbitragem com sede fora do Brasil. *Revista de Arbitragem e Mediação*, [*S. l.*], v. 52, p. 123-139, 2017.

DUPEYRON, Carine; BARRADAS, Marcos. Note: Société Projet Pilote Garoubé v. Chambre de commerce internationale, Court of Cassation of France, First Civil Law Chamber, Arrêt nº 1289 FS-P+b, pourvoi nº 16-22 131, 13 December 2017. *Iurgium, Club Español del Arbitraje*, [*S. l.*], p. 137, n. 33, 2018.

Tribunal de Grande Instance de Paris (ord. réf.), 26 de novembro de 1998, Revue de l'Arbitrage, 1999, p. 131, nota Alexandre Hory.

FORBES, Carlos Suplicy; KOBAYASHI, Patrícia Shiguemi. Carta Arbitral: Instrumento de cooperação jurisdicional. *In*: CARMONA, Carlos Alberto; LEMES, Selma Ferreira; MARTINS, Pedro Batista (org.). 20 anos da Lei de Arbitragem: homenagem a Petrônio R. Muniz. São Paulo: Atlas, 2017.

GOUVEIA, Mariana França; MONTEIRO, Matilde Líbano. Interim Measures and Preliminary Orders. *In*: FONSECA, André Pereira da; VICENTE, Dário Moura; GOUVEIA, Mariana França; CORREIA, Alexandra Nascimento; PINTO, Filipe Vaz (ed.). *International Arbitration in Portugal*. Alphen Aan Den Rijn: Kluwer Law International, 2020. chap. 10,

GROSBUSCH, Maria; LANGE, Sven. Arbitration in Luxembourg after the Reform of the Arbitration Law. *German Arbitration Journal (SchiedsVZ)*, Alphen Aan Den Rijn, v. 21, n. 6, 2023.

GIL, Pedro Galindo. Ley de Arbitraje, Artículo 1 [Ámbito de aplicación]. *In*: BUENO, Carlos González (éd.). *Comentarios a la Ley de Arbitraje*. [*S. l.*]: Consejo General del Notariado, 2014.

LEI Modelo da UNCITRAL sobre Arbitragem Comercial Internacional 1985. Com as alterações adotadas em 2006. Tradução: Flavia Foz, Mange; Gustavo Santos Kulesza; Rafael Bittencourt Silva; Rafael Vicente Soares. [*S. l.*]: [*s. n.*], [2006]. Disponível em: https://www.conjur.com.br/dl/le/lei-modelo-arbitragem-elaborada.pdf. Acesso em: 17. ago. 2024.

LEW, Julian D. M.; MISTELIS, Loukas A.; KRÖL, Stefan M. *Comparative International Commercial Arbitration*. The Hague: Kluwer Law International, 2003.

MAIA, Alberto Jonathas. A autoridade de nomeação na arbitragem internacional. *Revista de Arbitragem e Mediação*, [*S. l.*], v. 75, p. 131-148, 2022.

MERCHAN, José Fernando Merino. Ley de Arbitraje, Artículo 8, Tribunales competentes para las funciones de apoyo y control del arbitraje. *In*: BUENO, Carlos González (ed.). *Comentarios a la Ley de Arbitraje*. Consejo General del Notariado, 2014.

MISTELIS, Loukas. Anulação de sentença arbitral e fórum *shopping* em arbitragem internacional. *Revista de Arbitragem e Mediação*, [*S. l.*], v. 60, p. 259-281, 2019.

MOURRE, Alexis; AMEZAGA, Bingen. La competencia del juez de apoyo francés, en particular en caso de denegación de justicia. El nuevo art. 1505 del Código Procesal Civil. *Iurgium, Club Español del Arbitraje*, [*S. l.*], v. 2011, p. 95-107, 2011.

NEVES, Flávia Bittar; LOPES, Christian Sahb Batista. Medidas cautelares em arbitragem. *In*: CARMONA, Carlos, Alberto; LEMES, Selma Ferreira; MARTINS, Pedro Batista (coord.). *20 Anos da Lei de Arbitragem*. Homenagem a Petrônio R. Muniz. São Paulo: Grupo GEN, 2017.

OLIVEIRA, Mário Esteves de. *Lei da Arbitragem Voluntária comentada*. Coimbra: Almedina, 2014.

PIÑEIRO, Álvaro López de Argumedo; CAPIEL, Luis. El juez de apoyo en la nueva legislación arbitral francesa. *Iurgium, Club Español del Arbitraje*, [*S. l.*], 2011.

RAMOS, André de Carvalho. *Curso de Direito Internacional Privado*. 2. ed. São Paulo: Saraiva Educação, 2021.

REDFERN, Alan; HUNTER, Martin; BLACKABY, Nigel Blackaby; PARTASIDES, Constantine. *Law and Practice of International Commercial Arbitration*. 4th. ed. London: Sweet and Maxwell, 2004.

SANZ, María Begoña Pérez. *In*: ALBENTOSA, Lorenzo Pratz (coord.). *Comentarios a la Ley de Arbitraje*. Madrid: Wolters Kluwer España, la Ley, 2013.

SÃO PAULO. Tribunal de Justiça do Estado. Agravo de Instrumento 0028833-77.2013.8.26.0000. Relator: José Reynaldo, 7 de maio de 2013. Dje: Brasília, DF, 2013. Disponível em: https://esaj.tjsp.jus.br/cjsg/getArquivo. do?cdAcordao=6706911&cdForo=0. Acesso em: 19 ago. 2024.

SERAGLINI, Christophe; ORTSCHEIDT, Jérôme. *Droit de L'arbitrage Interne et International*. 2. éd. Paris: LGDJ, 2013.

STEINBRÜCK, Ben. *Die Unterstützung auslandischer Schiedsverfahren durch staatliche Gerichte*. Tubinga: Mohr Siebeck, 2009.

TIBURCIO, Carmen. A arbitragem internacional. *In*: WALD, Arnoldo (coord.). *Doutrinas essenciais, arbitragem e mediação*. São Paulo: Revista dos Tribunais, 2014. v. 5, p. 159-196.

VICENTE, Dário Manuel Lentz de Moura. *Lei da Arbitragem Voluntária anotada*. 6. ed. Coimbra: Almedina, 2023.

WAGNER, Gerhard. General Provisions, §1025 - Scope of Application. *In*: NACIMIENTO, Patricia; KRÖLL, Stefan Michael; BÖCKSTIEGEL, Karl-Heinz (ed.). Arbitration in Germany: The Model Law in Practice. 2. ed. The Hague: Kluwer Law International, 2015. chap. 1.

WALD, Arnoldo. Medidas cautelares fora da sede da arbitragem. *In*: WALD, Arnoldo (coord.). *Doutrinas essenciais, arbitragem e mediação*. São Paulo: Revista dos Tribunais, 2014. v. 2, p. 1073-1094.

Informação bibliográfica deste texto, conforme a NBR 6023:2018 da Associação Brasileira de Normas Técnicas (ABNT):

ANDRADE, Gustavo Fernandes de. A jurisdição internacional do Poder Judiciário e as arbitragens no estrangeiro: hipóteses de cooperação judiciária. *In*: JUSTEN, Monica Spezia; PEREIRA, Cesar; JUSTEN NETO, Marçal; JUSTEN, Lucas Spezia (coord.). *Uma visão humanista do Direito*: homenagem ao Professor Marçal Justen Filho. Belo Horizonte: Fórum, 2025. v. 3, p. 851-870. ISBN 978-65-5518-915-5.

AÇÃO RESCISÓRIA DE SENTENÇA COM DIFERENTES CAPÍTULOS. O ART. 975 DO CPC/2015

JOAQUIM MUNHOZ DE MELLO

Como anota Cândido Dinamarco:

> Quase toda decisão contida em uma sentença é composta de partes entrelaçadas mas distintas entre si, chamadas *capítulos de sentença*. Conceituam-se estes como as partes em que ideologicamente se decompõe o decisório de uma decisão, sentença ou acórdão, cada uma delas contendo o julgamento de uma pretensão distinta.[1]

Ainda que se trate de ação em que o autor formule um único pedido, a sentença conterá mais de um capítulo: i) o que acolhe ou rejeita o pedido, julgando a ação procedente ou improcedente; ii) o que condena o vencido ao pagamento de honorários advocatícios. Múltiplos serão os capítulos da sentença que julgar ação em que o autor tenha formulado pedidos cumulados, ou em que o réu tenha oferecido reconvenção.

Contendo *o julgamento de uma pretensão distinta*, cada capítulo poderá ser objeto de recurso pela parte sucumbente. Diante de uma sentença que tenha acolhido pedido único, o réu poderá aceitar a solução dada ao conflito pelo juiz – a rescisão de um contrato, por exemplo –, mas recorrer do capítulo que o condenou ao pagamento de honorários advocatícios, por entendê-los excessivos. Diante de uma sentença que tenha acolhido pedidos cumulados, o réu poderá postular a reforma integral da sentença, em todos os seus capítulos decisórios, ou limitar seu recurso a alguns dos capítulos decisórios, silenciando quanto aos demais.

No caso de recurso parcial, operam *res judicata* os capítulos do julgado que não tenham sido objeto do pedido de reforma formulado pelo recorrente. Nas palavras de Dinamarco:

---

[1] DINAMARCO, Cândido Rangel. *Instituições de Direito Processual Civil*. 8. ed. São Paulo: Malheiros, 2019. p. 775.

Os capítulos inatacados reputam-se cobertos pela preclusão adequada ao caso, tendo portanto o mesmo destino que teria o ato decisório inteiro, se recurso algum houvesse sido interposto. Se o capítulo irrecorrido fizer parte de uma sentença, a preclusão incidente sobre ele será a *proeclusio maxima*, ou seja, a coisa julgada formal; se ele contiver um julgamento de mérito, seus efeitos ficarão também imunizados pela autoridade da *coisa julgada material*.[2]

Com a interposição de recurso parcial o processo se manterá pendente, mas conterá matéria já decidida com eficácia de coisa julgada. Os temas objeto do recurso parcial serão objeto de novo julgamento, cuja decisão operará coisa julgada se nenhum recurso for dela interposto. Significa dizer que, num mesmo processo, é possível a ocorrência de *res judicata* em diferentes momentos sobre as questões que constituem o objeto da demanda. Essa possibilidade reflete no cômputo do prazo para o ajuizamento de ação rescisória, como assinala Eduardo Talamini:

> Nos casos em que parte da sentença transita em julgado antes (quando o recurso é apenas parcial; quando, havendo sucumbência recíproca, alguma das partes não recorre etc.) –, correrão separadamente os prazos para rescisão dos diversos capítulos da sentença.[3]

Sob a égide do CPC/1973, o ajuizamento de ação rescisória era disciplinado pelo art. 495, do seguinte teor: "Art. 495. O direito de propor ação rescisória se extingue em 2 (dois) anos, contados do trânsito em julgado da decisão".

Em seus comentários ao CPC/1973, diz Barbosa Moreira que,

> se *algo* da decisão recorrida transitou em julgado – por ter ficado fora do alcance do recurso, ou por dele não haver conhecido, no particular, o órgão *ad quem* –, e se é *esse* capítulo que se quer impugnar, a ação rescisória deve ser proposta contra a decisão recorrida. Assim, *v.g.*, quando o vício alegado, a existir, residiria na parte unânime do acórdão proferido em grau de apelação, e não naquela outra que, tomada por maioria de votos, tenha dado ensejo a embargos infringentes. Pode, naturalmente, caber *nova* ação rescisória contra o acórdão dos embargos; mas cada qual terá seus fundamentos próprios e inconfundíveis, e serão diferentes – ponto de enorme importância prática – os termos iniciais dos respectivos prazos de decadência.[4]

Comentando o mesmo dispositivo, registra Pontes de Miranda que

> a ação rescisória é proponível desde que transitada em julgado a decisão que se quer rescindir. A relação jurídica processual pode ainda estar pendente de sentença que a faça cessar. A afirmativa de que, pendente a lide, ainda não há coisa julgada formal é falsa. Se transitou em julgado decisão que não foi a final, coisa julgada formal estabeleceu-se para o ponto ou os pontos dessa decisão.[5]

---

[2] DINAMARCO, Cândido Rangel. *Capítulos da sentença*. 4. ed. São Paulo: Malheiros, 2009. p. 105.

[3] TALAMINI, Eduardo. *Coisa julgada e sua revisão*. São Paulo: Revista dos Tribunais, 2005. p. 192.

[4] MOREIRA, José Carlos Barbosa. *Comentários ao Código de Processo Civil*. 8. ed. Rio de Janeiro: Forense, 1999. v. 5, p. 114.

[5] PONTES DE MIRANDA, Francisco Cavalcanti. *Comentários ao Código de Processo Civil*. Rio de Janeiro: Forense, 1975. t. 6, p. 466.

E em seu *Tratado da ação rescisória,* Pontes ressalta que pode ocorrer "que os prazos preclusivos sejam dois ou mais, porque uma sentença transitou em julgado antes da outra, ou das outras", assim arrematando: "Se a mesma petição continha três pedidos e o trânsito em julgado, a respeito do julgamento de cada um, foi em três instâncias, há tantas ações rescisórias quantas as instâncias".[6]

A despeito do posicionamento pacífico da doutrina, a questão do cômputo do prazo para o ajuizamento de ação rescisória tendo por objeto capítulos decisórios transitados em julgado a meio caminho do curso do processo acabou gerando controvérsias e divergência jurisprudencial. A pendência do processo alimenta o errôneo entendimento de que a rescisória só pode ser ajuizada após o encerramento do processo, com a certificação de trânsito em julgado da última decisão proferida. Não há, nem se poderia exigir dos cartórios, certificação de trânsito em julgado de capítulos de uma sentença objeto de recurso parcial, o que demandaria uma cuidadosa análise do recurso interposto. No interesse da parte, contudo, essa certificação pode ser requerida ao juiz.

Levada a matéria à alçada do Superior Tribunal de Justiça (STJ), a Corte acabou firmando a seguinte jurisprudência:

> I - Já decidiu esta Colenda Corte Superior que a sentença é una, indivisível e só transita em julgado como um todo após decorrido *in albis* o prazo para a interposição do último recurso cabível, sendo vedada a propositura de ação rescisória de capítulo do *decisum* que não foi objeto do recurso. Impossível, portanto, conceber-se a existência de uma ação em curso e, ao mesmo tempo, várias ações rescisórias no seu bojo, não se admitindo ações rescisórias em julgados do mesmo processo.[7]

Esse entendimento foi consolidado com a edição da Súmula nº 401, a 7 de outubro de 2009, *in verbis*: "(...) O prazo decadencial da ação rescisória só se inicia quando não for cabível qualquer recurso do último pronunciamento judicial".

O Supremo Tribunal Federal (STF), contudo, em sede de recurso extraordinário, reformou decisão do STJ desse teor. Relatado pelo Ministro Marco Aurélio, a Primeira Turma do Excelso Pretório assim assentou, por unanimidade de votos, em julgamento ocorrido em março de 2014:

> COISA JULGADA – ENVERGADURA. A coisa julgada tem envergadura constitucional.
>
> COISA JULGADA – PRONUNCIAMENTO JUDICIAL – CAPÍTULOS AUTÔNOMOS. Os capítulos autônomos do pronunciamento judicial precluem no que não atacados por meio de recurso, surgindo, ante o fenômeno, o termo inicial para o biênio decadencial para a propositura da rescisória.[8]

---

[6]   PONTES DE MIRANDA, Francisco Cavalcanti. *Tratado da ação rescisória da sentença e de outras decisões.* 5. ed. Rio de Janeiro: Forense, 1976. p. 353.

[7]   BRASIL. Supremo Tribunal Federal (Corte Especial). EREsp 441.252/CE. Relator: Min. Gilson Dipp, 29 de junho de 2005. *Dje*: Brasília, DF, 2005. Disponível em: https://processo.stj.jus.br/SCON/GetInteiroTeorDoAcordao?cod_doc_jurisp=725838. Acesso em: 16 ago. 2024.

[8]   BRASIL. Supremo Tribunal Federal (1. Turma). RE 666.589/DF. Relator: Min. Marco Aurélio, 23 de março de 2014. *Dje*: Brasília, DF, 2014. Disponível em: https://www.jusbrasil.com.br/jurisprudencia/stf/25133097/inteiro-teor-124545305. Acesso em: 16 ago. 2024.

Em seu voto, o Ministro Marco Aurélio assim registrou:

O Superior Tribunal de Justiça, apontando o caráter unitário e indivisível da causa, consignou a inviabilidade do trânsito em julgado de partes diferentes do acórdão rescindendo, devendo o prazo para propositura de demanda rescisória começar a partir da preclusão maior atinente ao último pronunciamento.

O acórdão impugnado está em desarmonia com a melhor doutrina sobre o tema e com a jurisprudência do Supremo, encerrando violação à garantia da coisa julgada, prevista no artigo 5º, inciso XXXVI, da Carta da República.

Na sequência, ressaltou o Ministro relator que esse entendimento o STF já havia manifestado anteriormente,

como ficou decidido na Décima Primeira Questão de Ordem na Ação Penal nº 470/MG, relator ministro Joaquim Barbosa, julgada em 13 de novembro de 2013, Diário da Justiça de 19 de fevereiro de 2014. Na ocasião, o Tribunal, por unanimidade de votos, concluiu pela executoriedade imediata dos capítulos autônomos de acórdão condenatório, declarando o respectivo trânsito em julgado, excluídos aqueles objeto de embargos infringentes.

Em se tratando de lide civil, prosseguiu em seu voto:

O Supremo admite, há muitos anos, a coisa julgada progressiva ante a recorribilidade parcial também no processo civil. É o que consta do Verbete nº 354 da Súmula, segundo o qual "em caso de embargos infringentes parciais, é definitiva a parte da decisão embargada em que não houve divergência na votação".

Em 2015, o Plenário do STF reafirmou esse entendimento no julgamento do AgReg nos EmbDiv nos EmbDec nos EmbDec no AgReg no AgReg no AgReg no AI nº 654.291/RO, também por unanimidade de votos,[9] assim consolidando a jurisprudência a respeito da matéria naquela Excelsa Corte.

O Anteprojeto de Código de Processo Civil, elaborado pela Comissão de Juristas constituída por ato do Presidente do Senado,[10] encaminhado ao Congresso Nacional em junho de 2010, repetiu em seu art. 893 a regra do CPC/1973, apenas reduzindo o prazo para o ajuizamento da ação rescisória: "(...) O direito de propor ação rescisória se extingue em um ano contado do trânsito em julgado da decisão".

Emenda apresentada durante a tramitação do projeto, contudo, resultou no texto hoje vigente do CPC/2015, dando força de lei à interpretação da Súmula nº 401 do STJ, como se lê: "Art. 975. O direito à rescisão se extingue em 2 (dois) anos, contados do trânsito em julgado da última decisão proferida no processo".

---

[9] BRASIL. Supremo Tribunal Federal (Plenário). AgReg nos EmbDiv nos EmbDec nos EmbDec no AgReg no AgReg no AgReg no AI 654.291/RO. Relator: Min. Marco Aurélio 18 de dezembro de 2015. *Dje*: Brasília, DF, 2015. Disponível em: https://www.jusbrasil.com.br/jurisprudencia/stf/310986948/inteiro-teor-310986956. Acesso em: 16 ago. 2024.

[10] BRASIL. Senado Federal. *Anteprojeto de novo Código de Processo Civil*. Brasília, DF: Senado Federal, 2010. Disponível em: http://www2.senado.leg.br/bdsf/handle/id/496296. Acesso em: 16 ago. 2024.

A tese da *sentença una* que inspira o art. 975, *caput*, do CPC/2015 é renegada pelo próprio CPC em diferentes passagens. Como bem observa Cândido Dinamarco: "O legislador de 2015, sensível à utilidade do conceito de *capítulos de sentença*, manipula-os em diversos dispositivos",[11] como é o caso dos arts. 966, §3º, I, 1.009, 3º, 1.013, §§ 1º e 5º, e 1.034, parágrafo único, dentre outros.

De fato, no inciso I do §3º do art. 966, o CPC dispõe que a "ação rescisória pode ter por objeto apenas 1 (um) capítulo da decisão". No §3º do art. 1.009 ressalva a possibilidade de serem suscitadas como preliminar da apelação as questões decididas na fase de conhecimento não passíveis de agravo de instrumento, "mesmo se integrarem capítulos da sentença". No art. 1.013 consagra a possibilidade de ser o recurso parcial, limitando a devolução ao órgão jurisdicional de grau superior apenas "às questões relativas ao capítulo impugnado". E no parágrafo único do art. 1.034 volta a dispor sobre o *capítulo impugnado*, tratando do recurso extraordinário e do recurso especial.

Mas a *sentença una* é ainda expressamente afastada do espectro normativo do CPC/2015 pelo seu art. 356, ao instituir a possibilidade de *julgamento antecipado parcial de mérito*. Cabível em relação a "um ou mais dos pedidos formulados ou parcela deles", a sentença parcial poderá ser desde logo executada, ainda que haja recurso da parte sucumbente, prosseguindo o processo para posterior decisão do pedido ou pedidos restantes.

É nesse contexto que deve ser interpretado o art. 975, *caput*, do CPC/2015.

Nos termos do art. 502 do CPC/2015, opera coisa julgada material "a decisão de mérito não mais sujeita a recurso". Já ao tratar da ação rescisória, o CPC diz ser ela cabível de "decisão de mérito transitada em julgado" (art. 966, *caput*). Saber se uma determinada decisão judicial pode ser objeto de ação rescisória, portanto, leva à indagação: i) se se trata de uma decisão de mérito; ii) se já transitou em julgado. O passo seguinte é a conferência do prazo para o seu ajuizamento, fixado em 2 anos pelo art. 975, *caput*, do CPC.

Pela sua redação, esse prazo deve ser contado "do trânsito em julgado da última decisão proferida no processo". Numa interpretação literal, o prazo para o ajuizamento de ação rescisória somente começaria a fluir após o encerramento do processo. Enquanto pendente o processo, não fluiria o prazo decadencial para o ajuizamento de rescisória, a despeito da possibilidade de ter ocorrido i) o trânsito em julgado de capítulos decisórios de sentença impugnada por recurso parcial; ii) o trânsito em julgado de sentença parcial, prolatada antecipadamente. Tal interpretação, contudo, importaria em "violação à garantia da coisa julgada, prevista no artigo 5º, inciso XXXVI, da Carta da República", como decidiu o STF em acórdão já mencionado.[12] E a violação seria flagrante. Se a lei estabelece que a *res judicata* ocorre quando a decisão de mérito não é mais sujeita a recurso, a não interposição de recurso de capítulos da sentença ou de sentença parcial faz operar a coisa julgada no vencimento do prazo recursal. A *res judicata* ocorre por força da lei, independentemente de qualquer ato do juízo. Postergar o início da fluência do prazo para o ajuizamento de ação rescisória para momento incerto – quando se der o encerramento do processo – significa postergar para momento incerto a eficácia de

---

[11] DINAMARCO. *Instituições de Direito Processual Civil*, p. 776.
[12] BRASIL. RE 666.589/DF.

res judicata, permitindo que julgado de mérito não mais passível de recurso seja objeto de pedido de rescisão em prazo superior ao fixado pela lei, em afronta à garantia constitucional da *res judicata*.

Afastada a possibilidade de interpretação literal do art. 975, *caput*, do CPC/2015, resta buscar compatibilizar sua regra com dispositivos outros do nosso ordenamento jurídico para respaldar uma interpretação sistemática.

Considerando a inequívoca recepção pelo CPC/2015 do fracionamento das decisões judiciais em *capítulos autônomos*, e ainda a instituição da figura da *sentença parcial antecipada*, é razoável sustentar, num esforço de interpretação sistemática, que a expressão "trânsito em julgado da última decisão proferida no processo" esteja a se referir a uma dessas decisões proferidas a seu tempo no curso do processo, muito embora se saiba que, na sua origem, o objetivo da norma era vedar "ações rescisórias em julgados do mesmo processo".[13]

É nessa linha o entendimento de Marinoni, Arenhart e Mitidiero, que, diante da necessidade de compatibilizar o art. 975, *caput*, com as exigências que emanam de outros dispositivos, afirmam que não há nada a obstar que se entenda que o trânsito em julgado concerne "à última decisão proferida no processo em relação a determinada parcela do pedido, pedido cumulado ou ainda em relação à determinada questão passível de configurar um capítulo decisório autônomo".[14]

Assim também entende Flávio Luiz Yarshell, afirmando que o art. 975, *caput*, deve ser interpretado de forma sistemática:

> (...) quando ali se fala na última decisão, isso naturalmente tem de conviver com as regras que permitem o julgamento antecipado parcial do mérito (art. 356). Nesses casos, havendo preclusão do capítulo decidido, a partir daí corre o prazo da rescisória. Isso é o que decorre da letra do art. 356, § 3º, complementado pela regra do art. 523.

> Mais ainda: num sistema que ampliou as possibilidades de julgamento do mérito por decisões interlocutórias, é inevitável aceitar que a solução da controvérsia pode ocorrer de forma paulatina e que, portanto, a preclusão também pode se formar progressivamente. Daí por que, em suma, a regra do art. 975 deve ser interpretada de forma sistemática e dela não se deve extrair óbice à formação escalonada da coisa julgada.[15]

Clayton Maranhão e Rogério Rudiniki Neto buscam compatibilizar o dispositivo em tela com a sistemática do CPC/2015, fazendo sua conjugação com o disposto pelo art. 996, § 3º. Como é expresso que a ação rescisória pode atacar apenas um capítulo da sentença, "a última decisão a que se refere o art. 975, *caput*, por evidente, é a última decisão proferida em relação ao capítulo rescindendo", sustentam. E concluem tocando no ponto fundamental para nortear o intérprete diante da norma em questão, assim afirmando:

---

[13] BRASIL. EREsp 441.252/CE.

[14] MARINONI, Luiz Guilherme; ARENHART, Sérgio Cruz; MITIDIERO, Daniel. *Código de Processo Civil comentado*. 8. ed. São Paulo: Revista dos Tribunais, 2022. p. 1126.

[15] YARSHELL, Flávio Luiz. Prazo decadencial para a propositura da ação rescisória. *In*: SCARPINELLA BUENO, Cassio (coord.). *Comentários ao Código de Processo Civil*. São Paulo: Saraiva, 2017. v. 4, p. 196.

Em síntese, sob pena de inconstitucionalidade, o art. 975, *caput*, deve ser interpretado "conforme a Constituição" (ou seja, conforme o entendimento do STF que admite que em alguns casos o trânsito em julgado dos diversos capítulos que integram a sentença poderá ocorrer em etapas diversas).[16]

De fato, o posicionamento do STF na decisão que reformou julgado do STJ inspirador da Súmula nº 401[17] é o que deve indicar ao intérprete como conciliar a letra do *caput* do art. 975 do CPC/2015 com os casos de decisões de mérito prolatadas a meio caminho do curso do processo, que tenham operado coisa julgada. Consolidado o entendimento em julgamento do Plenário, trata-se de precedente a ser observado na aplicação do referido dispositivo (CPC, art. 927, V). Relembre-se o julgado:

COISA JULGADA – PRONUNCIAMENTO JUDICIAL – CAPÍTULOS AUTÔNOMOS. Os capítulos autônomos do pronunciamento judicial precluem no que não atacados por meio de recurso, surgindo, ante o fenômeno, o termo inicial para o biênio decadencial para a propositura da rescisória.[18]

De consequência, na hipótese de ausência de recurso de capítulo decisório de sentença ou de acórdão, no caso de recurso parcial, ou não havendo recurso de sentença parcial prolatada antecipadamente, o prazo para o ajuizamento de ação rescisória começará a fluir no dia subsequente ao término do prazo recursal, esgotando-se ao cabo de dois anos, ainda que pendente o respectivo processo.

Referências

BRASIL. Supremo Tribunal Federal (Plenário). AgReg nos EmbDiv nos EmbDec nos EmbDec no Agre no AgReg no AgReg no AI 654.291/RO. Relator: Min. Marco Aurélio 18 de dezembro de 2015. *Dje*: Brasília, DF, 2015. Disponível em: https://www.jusbrasil.com.br/jurisprudencia/stf/310986948/inteiro-teor-310986956. Acesso em: 16 ago. 2024.

BRASIL. Supremo Tribunal Federal (Corte Especial). EREsp 441.252/CE. Relator: Min. Gilson Dipp, 29 de junho de 2005. *Dje*: Brasília, DF, 2005. Disponível em: https://processo.stj.jus.br/SCON/GetInteiroTeorDoAcordao?cod_doc_jurisp=725838. Acesso em: 16 ago. 2024.

BRASIL. Supremo Tribunal Federal (1. Turma). RE 666.589/DF. Relator: Min. Marco Aurélio, 23 de março de 2014. *Dje*: Brasília, DF, 2014. Disponível em: https://www.jusbrasil.com.br/jurisprudencia/stf/25133097/inteiro-teor-124545305. Acesso em: 16 ago. 2024.

BRASIL. Senado Federal. *Anteprojeto de novo Código de Processo Civil*. Brasília, DF: Senado Federal, 2010. Disponível em: http://www2.senado.leg.br/bdsf/handle/id/496296. Acesso em: 16 ago. 2024.

DINAMARCO, Cândido Rangel. *Capítulos da sentença*. 4. ed. São Paulo: Malheiros, 2009.

---

[16] MARANHÃO, Clayton; RUDINIKI NETO, Rogério. Trânsito em julgado progressivo: o entendimento das Cortes Supremas e a questão no CPC/15. *Revista Judiciária do Paraná*, Curitiba, v. 14,, p. 194, nov. 2017. Disponível em: vlex.com.br/vid/transito-em-julgado-progressivo-701138413. Acesso em: 17 ago. 2024.

[17] BRASIL. RE 666.589/DF.

[18] BRASIL. Supremo Tribunal Federal (Plenário). AgReg nos EmbDiv nos EmbDec nos EmbDec no AgReg no AgReg no AgReg no AI 654.291/RO.

DINAMARCO, Cândido Rangel. *Instituições de Direito Processual Civil*. 8. ed. São Paulo: Malheiros, 2019.

MARANHÃO, Clayton; RUDINIKI NETO, Rogério. Trânsito em julgado progressivo: o entendimento das Cortes Supremas e a questão no CPC/15. *Revista Judiciária do Paraná*, Curitiba, v. 14, nov. 2017, p. 183-202. Disponível em: vlex.com.br/vid/transito-em-julgado-progressivo-701138413. Acesso em: 17 ago. 2024.

MARINONI, Luiz Guilherme; ARENHART, Sérgio Cruz; MITIDIERO, Daniel. *Código de Processo Civil comentado*. 8. ed. São Paulo: Revista dos Tribunais, 2022.

PONTES DE MIRANDA, Francisco Cavalcanti. *Comentários ao Código de Processo Civil*. Rio de Janeiro: Forense, 1975. t. 6.

PONTES DE MIRANDA, Francisco Cavalcanti. *Tratado da ação rescisória da sentença e de outras decisões*. 5. ed. Rio de Janeiro: Forense, 1976.

MOREIRA, José Carlos Barbosa. *Comentários ao Código de Processo Civil*. 8. ed. Rio de Janeiro: Forense, 1999, v. V.

TALAMINI, Eduardo. *Coisa julgada e sua revisão*. São Paulo: Revista dos Tribunais, 2005.

YARSHELL, Flávio Luiz. Prazo decadencial para a propositura da ação rescisória. *In*: SCARPINELLA BUENO, Cassio (coord.). *Comentários ao Código de Processo Civil*. São Paulo: Saraiva, 2017. v. 4.

Informação bibliográfica deste texto, conforme a NBR 6023:2018 da Associação Brasileira de Normas Técnicas (ABNT):

MELLO, Joaquim Munhoz de. Ação rescisória de sentença com diferentes capítulos. O art. 975 do CPC/2015. *In*: JUSTEN, Monica Spezia; PEREIRA, Cesar; JUSTEN NETO, Marçal; JUSTEN, Lucas Spezia (coord.). *Uma visão humanista do Direito*: homenagem ao Professor Marçal Justen Filho. Belo Horizonte: Fórum, 2025. v. 3, p. 871-878. ISBN 978-65-5518-915-5.

CONTRADITÓRIO E AMPLA DEFESA NO PROCESSO ADMINISTRATIVO – TEXTO EM HOMENAGEM AO PROFESSOR MARÇAL JUSTEN FILHO

LUIZ RODRIGUES WAMBIER

1 Introdução

O devido processo legal, expressamente previsto no art. 5.º, inc. LIV, da Constituição Federal de 1988, e seguindo a mesma linha do modelo anglo-saxão, constitui postulado fundamental de todo o processo, guardando em si todos os demais princípios e garantias fundamentais que regem a relação jurídica processual. Isso quer dizer que toda ingerência na esfera pessoal ou patrimonial das partes deve obrigatoriamente derivar de um processo previsto em lei e sob a proteção do complexo de direitos e garantias fundamentais contidos na Constituição.[1]

Esse conjunto de direitos e garantias está previsto, em grande parte, no art. 5º da Constituição Federal, muito embora também haja normas dessa espécie topologicamente estabelecidas em outras partes da Constituição (art. 93, IX), ou mesmo dentro dos contornos legais positivados em disposições infraconstitucionais (v. art. 489, §1º, CPC).

O inc. XXXV do art. 5º da Constituição, por exemplo, garante a todo aquele que alega ser titular de direito ameaçado ou lesionado a possibilidade de postular perante o

---

[1] A respeito do tema, de tanta relevância no contexto das garantias constitucionais, tive a oportunidade de escrever, no já longínquo ano de 1989: "Trata-se, portanto, o princípio do devido processo legal, depois de inserido no texto constitucional, de mandamento garantidor do acesso do cidadão às decisões do sistema judiciário, mediante normas processuais adredemente estabelecidas ao nível da elaboração legislativa, e do qual decorrem alguns postulados básicos para o sistema democrático, tais como o do julgamento por um juiz natural, o da instrução contraditória com amplitude de defesa, o da assistência judiciária aos necessitados - isto é, que pretendam a decisão judicial mas não disponham de meios para custear a ativação do sistema judiciário - dentre tantos outros, de igual relevância. Todos juntos possibilitam a existência de um sistema processual, de origem constitucional, em que todos os esforços são desenvolvidos no sentido de se oferecer ao cidadão um meio eficaz e seguro de busca de soluções para os conflitos de interesse, individuais ou coletivos, em que esteja envolvido" (WAMBIER, Luiz Rodrigues. Anotações sobre o princípio do devido processo legal. *Revista dos Tribunais*, São Paulo, v. 646, p. 33-40, ago. 1989).

Poder Judiciário a prestação da tutela jurisdicional adequada ao exercício de seu direito. Já o inc. XXXVI salvaguarda, além do direito adquirido e do ato jurídico perfeito, a coisa julgada, assegurando a imutabilidade das decisões judiciais contra as quais não caiba mais nenhum recurso.

Há, ainda, outras e importantes normas que visam a concretizar o devido processo legal. Mas a disposição que mais nos interessa, por ora, é a do inc. LV, que assegura a todos os litigantes, seja em processos judiciais ou de natureza administrativa, a ampla defesa e o contraditório enquanto corolários do devido processo legal.

Afinal, processo judicial e processo administrativo apenas se desenvolvem dentro do modelo constitucional de processo se houver adequada observância a esse arcabouço principiológico. O direito à prestação da tutela jurisdicional ou administrativa não se concretiza efetivamente se não houver respeito ao contraditório, como direito à efetiva influência na formação da convicção do julgador, e à ampla defesa, como direito à resistência em relação à pretensão da parte contrária.

Embora processo e procedimento estejam indissociavelmente entrelaçados, o primeiro não se adstringe ao segundo, isto é, ao encadeamento de atos destinados a um ato final. O processo, seja judicial ou administrativo, exige que essa sequência lógica e coordenada de atos se desenvolva à luz do modelo constitucional, com efetiva possibilidade de participação – contraditório e ampla defesa – de todos aqueles que puderem ser afetados pelo resultado que dele se extrairá.

Dito isso, proponho-me, neste breve ensaio, a tratar do tema do contraditório e da ampla defesa no plano do processo administrativo, dando especial destaque à lição de Marçal Justen Filho, a quem rendo minhas homenagens nesta oportunidade e segundo o qual "toda decisão administrativa apta a afetar interesses de um sujeito determinado deve ser produzida mediante a observância de um processo administrativo norteado pelo contraditório e pela ampla defesa, além de outras garantias daí decorrentes".[2]

2 Processo, procedimentalização e procedimento administrativo

Segundo ensina Marçal Justen Filho, em linhas gerais, todo e qualquer ato administrativo realiza-se dentro de um procedimento previsto em lei, submetendo-se a isso a própria validade do ato.[3]

O procedimento, como já sinalizei anteriormente, é essa tessitura cronológica e coordenada de atos, de tal forma que a validade do ato subsequente depende do exaurimento do ato anterior. E a *procedimentalização* é a sujeição da validade da atividade administrativa à observância do procedimento, evitando-se, com isso, o abuso no exercício do poder estatal.

A *procedimentalização* visa a garantir a observância aos direitos fundamentais, permitindo o controle da atividade e assegurando que toda e qualquer ingerência estatal

---

[2] JUSTEN FILHO, Marçal. *Curso de Direito Administrativo*. 14. ed. Rio de Janeiro: Forense, 2023. *E-book*.

[3] Em seu entender, "isso não significa o desaparecimento do instituto do ato administrativo e a sua substituição por procedimentos administrativos. Mas não é cabível examinar o ato administrativo sem considerar o procedimento a ele referido" (JUSTEN FILHO. *Curso de Direito Administrativo*. 14. ed. Rio de Janeiro: Forense, 2023. *E-book*).

no plano do litígio administrativo seja antecedida por um procedimento que oportunize aos envolvidos o contraditório e a ampla defesa.

Para Marçal Justen Filho, a *procedimentalização* "impede a concentração decisória num ato imediato e único", exigindo que "toda e qualquer decisão administrativa seja logicamente compatível com os eventos que lhe foram antecedentes e se traduza em manifestação fundada em motivos cuja procedência é requisito de validade".[4]

Trata-se de assegurar aos administrados que não sofrerão sanções sem que a decisão administrativa decorra de uma sequência lógica de atos predeterminada em lei, assegurando-se a efetivação dos direitos e garantias fundamentais aplicáveis à espécie.

Há três espécies de procedimentos administrativos, quais sejam, os atos administrativos normativos, os atos administrativos não regulamentares que não envolvam litígios e os atos administrativos não regulamentares voltados à pacificação de controvérsias.[5]

Conforme afirmei em outro espaço, com Eduardo Talamini, "tem-se processo toda vez que, no procedimento, conceder-se o direito de contraditório aos potenciais afetados pelo provimento final".[6] Sendo assim, é possível afirmar que o processo administrativo é o procedimento não regulamentar que tem como objetivo a resolução de um conflito de interesses no plano administrativo, desenvolvendo-se necessariamente em um procedimento com efetiva possibilidade de participação, no pleno exercício do contraditório e da ampla defesa, de todos aqueles que serão porventura atingidos em sua esfera pessoal e patrimonial pelo ato final.

3 Contraditório e ampla defesa no processo administrativo

Constitui processo administrativo todo aquele que envolve julgamento sobre a prática de ato passível de imposição de penalidade, ainda que resulte, ao fim e ao cabo, em mera advertência. Em razão da aplicação dos incisos LIV e LV do art. 5.º da Constituição, incide no processo administrativo o dever inarredável de observância do contraditório e da ampla defesa, assim como de todas as demais garantias que decorrem do devido processo legal, sob pena de nulidade.

Mesmo na sindicância, que é instaurada por iniciativa da autoridade competente para aplicação de sanção, de ofício ou em decorrência de denúncia escrita, e que constitui procedimento simplificado em razão do grau de gravidade da infração apurada, incide o absoluto dever de observância da ampla defesa e do contraditório.[7]

Em regra, quando o processo é instaurado por iniciativa do administrado ou de pessoa integrante dos quadros de servidores da Administração, inicia-se com a apresentação de peça contendo a descrição fática e jurídica e o pedido que se formula perante a autoridade ou órgão competente. Tratando-se de iniciativa da própria Administração, a instauração ocorre por portaria, auto de infração, despacho subscrito pela autoridade competente ou representação.

---

[4] JUSTEN FILHO. *Curso de Direito Administrativo.*

[5] Conferir: JUSTEN FILHO. *Curso de Direito Administrativo.*

[6] WAMBIER, Luiz Rodrigues; TALAMINI, Eduardo. *Curso avançado de processo civil:* teoria geral do processo. 21. ed. São Paulo: Thomson Reuters Brasil, 2022. p. 291-292.

[7] JUSTEN FILHO. *Curso de Direito Administrativo.*

Na instrução, tal como o nome indica, realiza-se a produção de todas as provas necessárias à elucidação dos fatos alegados. É amplo o elenco das espécies de provas que podem ser produzidas na fase instrutória do processo administrativo, podendo ser documental, pericial, depoimento pessoal, inspeção etc., contanto que a prova seja obtida por meio lícito. A comissão é autorizada a determinar a realização de toda e qualquer prova que considerar necessária à elucidação dos fatos, oportunizando-se ao indiciado o pleno exercício do contraditório.

Como já afirmei anteriormente, a ampla defesa e o contraditório, por disposição constitucional expressa e inafastável, constituem garantias fundamentais de observância obrigatória tanto nos processos judiciais quanto administrativos. Ao acusado é garantido o direito de ter ciência do processo contra ele instaurado, podendo oferecer contestação, manifestar-se no processo e produzir todos os meios de prova admitidos para o pleno exercício do seu direito de defesa.

O contraditório constitui garantia de envergadura constitucional, dotada de eficácia plena, consistindo vetor indicativo da conduta a ser observada tanto pelo legislador quanto por quem tenha poderes decisórios, seja no plano judicial ou administrativo.

A partir dos contornos infraconstitucionais conferidos pelo CPC/2015, o contraditório deixou de significar apenas e tão somente o direito à ciência e reação, representando substancialmente a oportunidade de plena participação e efetiva influência, à luz da paridade de tratamento. A igualdade das partes, porém, não pode ser meramente formal. É preciso que se observe se elas estão, de fato, em situação de igualdade dentro do processo. O tratamento concedido deve ser materialmente igualitário.[8]

---

[8] Ver: WAMBIER; TALAMINI. *Curso avançado de processo civil*: teoria geral do processo, p. 76-77. Para José Roberto dos Santos Bedaque (*Poderes instrutórios do juiz*. 7. ed. São Paulo: Revista dos Tribunais, 2013. p. 107), "o processo deve ser dotado de meios para promover a igualdade entre as partes. Um deles, sem dúvida, é a previsão de que o juiz participe efetivamente da produção da prova. Com tal atitude, poderá evitar ele que eventuais desigualdades econômicas repercutam no resultado do processo. Essa interferência do magistrado não afeta de modo algum a liberdade das partes. Se o interesse controvertido incluir-se no rol dos chamados 'direitos disponíveis', permanecem elas com plenos poderes sobre a relação material, podendo, por exemplo, renunciar, desistir, transigir. Todavia, enquanto a solução estiver nas mãos do Estado, não pode o juiz contentar-se apenas com a atividade das partes. A visão do 'Estado-social' não admite essa posição passiva conformista, pautada por princípios essencialmente individualistas. Esse modo de analisar o fenômeno processual sobrepõe o interesse público do correto exercício da jurisdição ao interesse individual. Trata-se de visão essencialmente instrumentalista do processo. A *real igualdade* das partes no processo constitui valor a ser observado sempre, ainda que possa conflitar com outro princípio processual". Prossegue: "Ademais, quando o juiz determina a realização de alguma prova, não tem condições de saber, de antemão, o resultado. O aumento do poder instrutório do julgador, na verdade, não favorece qualquer das partes. Apenas proporciona apuração mais completa dos fatos, permitindo que as normas de direito material sejam aplicadas corretamente. E tem mais: não seria parcial o juiz que, tendo o conhecimento de que a produção de determinada prova possibilitará o esclarecimento de um fato obscuro, deixe de fazê-lo e, com tal atitude, acabe beneficiando a parte que não tem razão? Para ele não deve importar quem seja o vencedor, autor ou réu. Fundamental, porém, seja a vitória atribuída àquele que efetivamente tenha razão, isto é, àquele cuja situação da vida esteja protegida pela norma de direito material, pois somente assim se pode falar que a atividade jurisdicional realizou plenamente sua função" (BEDAQUE. *Poderes instrutórios do juiz*, p. 117). No mesmo sentido, afirma Cândido Rangel Dinamarco (*Instituições de Direito Processual Civil*. 8. ed. São Paulo: Malheiros, 2016, v. 1, p. 353): "A visão tradicionalista do processo, com exagerado apego àquela ideia de um *jogo* em que cada um esgrima com as armas que tiver, levava à crença de que o juiz, ao tomar alguma iniciativa de prova, arriscar-se-ia temerariamente a perder a *imparcialidade* para julgar depois. Tal era o fundamento do *princípio dispositivo*, naquela visão clássica segundo a qual só as partes provariam e o juiz permaneceria sempre *au-dessus de la mêlée*, simplesmente recebendo as provas que elas trouxessem, para afinal examiná-las e valorá-las. Mas a vocação solidarista do Estado moderno (...) exige que o juiz seja um personagem participativo e responsável do drama judiciário, não mero figurante de uma comédia. Afinal, o processo é hoje encarado como um instrumento público que não pode ser regido exclusivamente pelos interesses, condutas e omissões dos litigantes – ele é uma instituição do Estado, não um

Todas essas premissas se aplicam igualmente ao processo administrativo. Deve-se conceder ao acusado não somente a garantia de ciência e reação, mas também o direito à plena participação e a oportunidade de efetiva influência na formação da convicção da autoridade ou órgão competente em seu benefício.

Ao julgar, a autoridade ou órgão competente pode acolher a opinião registrada no relatório elaborado pela comissão processante ou decidir de maneira diversa. Em qualquer um dos casos, a decisão final deve ser fundamentada, analisando-se todos os argumentos da acusação e da defesa em cotejo com as provas que foram produzidas no curso da fase instrutória. Segundo Hely Lopes Meirelles, "se o julgamento de processo administrativo fosse discricionário, não haveria necessidade de procedimento, justificando-se a decisão como ato isolado de conveniência e oportunidade administrativa, alheio à prova e refratário a qualquer defesa do interessado".[9]

O dever de fundamentação constitui expressão do próprio contraditório, visto que de nada adiantaria oportunizar-se às partes o direito de plena participação se, ao final, não fosse imposto à autoridade ou órgão competente para julgar o dever de efetivamente apreciar tudo o quanto foi dito no curso do processo.

Apesar da incidência de todas essas garantias comuns, processo administrativo e processo judicial mantêm certas particularidades que lhes são próprias e que os diferenciam um do outro.

No processo administrativo direcionado ao tratamento de conflito instaurado com o poder público, julgador e parte conservam a mesma identidade. Não significa, evidentemente, que o sujeito ao qual couber o pronunciamento decisório não deverá guardar a imparcialidade. Mas, no caso, é a própria Administração Pública a encarregada de conduzir o processo e emitir o provimento por meio do qual se encerrará o conflito.[10] Há casos, por outro lado, em que processo administrativo é solucionado por heterocomposição, isto é, quando a Administração Pública atua como terceiro imparcial na resolução de controvérsia envolvendo interesse público, tal como se passa, por exemplo, em determinados conflitos entre particulares submetido a julgamento por agências reguladoras.

A decisão proveniente do processo administrativo, ao contrário do que se passa no processo judicial, não faz coisa julgada material, podendo ser objeto de reapreciação e controle pelo Poder Judiciário.[11]

Muito embora incidam em um e em outro todas as garantias constitucionais derivadas do devido processo legal, é necessário que elas sejam compreendidas à luz das peculiaridades de cada espécie e das diferentes roupagens que pode assumir o processo administrativo para atendimento do interesse público.[12]

---

negócio combinado em família (Liebman). Por tudo isso o *princípio dispositivo* vai sendo mitigado e a experiência mostra que o juiz moderno, suprindo deficiências probatórias do processo, não se desequilibra por isso e não se torna parcial. Isso não significa que o juiz assuma paternalmente a tutela da parte negligente. O que a garantia constitucional do contraditório lhe exige é que saia de uma postura de indiferença e, percebendo a possibilidade de alguma prova que as partes não requereram, tome a iniciativa que elas não tomaram e mande que a prova se produza".

[9]   MEIRELLES, Hely Lopes. *Direito Administrativo brasileiro*. 42. ed. São Paulo: Malheiros, 2016. p. 825-828.

[10] JUSTEN FILHO. *Curso de Direito Administrativo*.

[11] A respeito, ver: WAMBIER; TALAMINI. *Curso avançado de processo civil*: teoria geral do processo, p. 76-77.

[12] CAMBI, Eduardo; CAMBI, Gustavo Salmão. Processo administrativo (disciplinar) e princípio da ampla defesa na Constituição Federal de 1988. *Revista de Processo: RePro*, São Paulo, v. 131, p. 58-82, jan. 2006.

4 Considerações finais

Todo processo, seja ele judicial ou administrativo, no exercício da função de instrumento de efetivação de direitos, que lhe cabe no contexto do Estado de Direito, deve observância inarredável aos direitos e garantias assegurados pela Constituição Federal. O processo se desenvolve a partir do estabelecimento da relação jurídica processual e da sequência lógica e coordenada de atos que se realizam à luz do modelo constitucional de processo, oportunizando-se a ampla defesa e o contraditório a todos que serão porventura afetados pelo pronunciamento final.

A procedimentalização é a submissão da atividade administrativa a um procedimento, isto é, a uma tessitura cronológica, coordenada e predeterminada de atos, objetivando a contenção do abuso no exercício do poder estatal e a efetivação do complexo de direitos e garantias fundamentais aplicáveis.

Classifica-se como processo administrativo todo aquele em que houver julgamento sobre a prática de ato passível de imposição de penalidade. Nele, incide o dever inafastável de observância do contraditório e da ampla defesa, tal como de todas as demais garantias derivadas do devido processo legal e aplicáveis à espécie.

No sistema vigente, o contraditório não mais se resume à ciência e reação, consistindo no direito à plena participação e à efetiva oportunidade de influência na formação da convicção daquele que irá decidir. E a decisão, como decorrência do próprio contraditório, seja judicial ou administrativa, deverá observar o dever de fundamentação, com apreciação de tudo o quanto foi dito e em cotejo com todo o acervo probatório presente no processo.

Em resumo, o devido processo administrativo exige a observância de todas as garantias fundamentais que do devido processo legal decorrem, respeitadas as particularidades que são próprias ao processo administrativo e que o diferencia do processo judicial, evitando-se o abuso no exercício do poder e promovendo-se a plena realização de direitos. O Professor Marçal Justen Filho é artífice dessa construção que garante que do processo administrativo se possa extrair segurança jurídica.

Referências

BEDAQUE, José Roberto dos Santos. *Poderes instrutórios do juiz*. 7. ed. São Paulo: Revista dos Tribunais, 2013.

CAMBI, Eduardo; CAMBI, Gustavo Salmão. Processo administrativo (disciplinar) e princípio da ampla defesa na Constituição Federal de 1988. *Revista de Processo: RePro*, São Paulo, v. 131, p. 58-82, jan. 2006.

DINAMARCO, Cândido Rangel. *Instituições de Direito Processual Civil*. 8. ed. São Paulo: Malheiros, 2016, v. 1.

DI PIETRO, Maria Sylvia Zanella. *Direito Administrativo*. 37. ed. Rio de Janeiro: Forense, 2024. *E-book*.

JUSTEN FILHO, Marçal. *Curso de Direito Administrativo*. 5. ed. São Paulo: Thomson Reuters Brasil, 2018. *E-book*.

JUSTEN FILHO, Marçal. *Curso de Direito Administrativo*. 14. ed. Rio de Janeiro: Forense, 2023. *E-book*.

MEIRELLES, Hely Lopes. *Direito Administrativo Brasileiro*. 42. ed. São Paulo: Malheiros, 2016.

WAMBIER, Luiz Rodrigues; TALAMINI, Eduardo. *Curso avançado de processo Civil*: teoria geral do processo. 21. ed. São Paulo: Thomson Reuters Brasil, 2022.

Informação bibliográfica deste texto, conforme a NBR 6023:2018 da Associação Brasileira de Normas Técnicas (ABNT):

WAMBIER, Luiz Rodrigues. Contraditório e ampla defesa no processo administrativo – texto em homenagem ao Professor Marçal Justen Filho. *In*: JUSTEN, Monica Spezia; PEREIRA, Cesar; JUSTEN NETO, Marçal; JUSTEN, Lucas Spezia (coord.). *Uma visão humanista do Direito*: homenagem ao Professor Marçal Justen Filho. Belo Horizonte: Fórum, 2025. v. 3, p. 879-885. ISBN 978-65-5518-915-5.

FUNÇÃO SOCIAL DO PROCESSO E AS LIÇÕES EXTRAÍDAS DA ARGUIÇÃO DE DESCUMPRIMENTO DE PRECEITO FUNDAMENTAL (ADPF) Nº 828

MANOEL CAETANO FERREIRA FILHO

1 Introdução

A discussão sobre a funcionalização dos institutos jurídicos consubstancia não apenas um embate técnico, mas também ideológico, que carrega consigo as diferentes visões de mundo daqueles que operam o direito e aplicam o princípio da função social, visões essas que acabam por interferir diretamente na extensão de sua força normativa.

Antes mesmo de adentrar ao conceito técnico de função social, é preciso reconhecer, tal qual Marçal Justen Filho fez em obra que revela as bases de seu pensamento doutrinário, que "o Direito apresenta relação íntima com a questão do poder", isto é, "para indicar a capacidade de influenciar, restringir e impor condutas a outrem, o que se traduz num fenômeno de sobreposição de vontades".[1]

Esta formulação merece destaque porque, na maioria das vezes, o direito é apresentado de modo simplista como um instrumento de pacificação social, e não como um complexo instrumento de poder, que pode ser utilizado por determinadas pessoas ou grupos para fazer prevalecer seus interesses em detrimento dos de outros sujeitos.

Dessa forma, em acordo com o pensamento do professor Marçal Justen Filho, defendemos que é preciso ir além do "enfoque simplista", segundo o qual "o Direito se constitui em um instrumento para promover a pacificação individual e social". É preciso reconhecer que "o Direito se constitui em instrumento para a alteração da realidade", e isso se faz por meio da "necessidade de intervenção do Estado para promover o desenvolvimento econômico, reduzir as desigualdades e combater a pobreza", do que se depreende a chamada "função social do Direito".[2]

Sem ignorar que o conceito de função social é plúrimo e que passou por diversas transformações ao longo do tempo, tendo sido assimilado de variadas formas e em

---

[1] JUSTEN FILHO. *Introdução ao estudo do Direito*. Rio de Janeiro: Grupo GEN, 2021. p. 45.

[2] JUSTEN FILHO. *Introdução ao estudo do Direito*, p. 47.

diferentes extensões pelos estudiosos do direito, cumpre aqui realizar breve resgate histórico que visa à demonstração de como esse instituto foi incorporado como princípio pela ordem jurídica brasileira ao longo do século XX. Passou a ter força normativa com a Constituição de 1988 e pode ser aplicado no processo civil como instrumento de transformação da realidade, efetivação da justiça social e de redução das desigualdades sociais e combate à pobreza, tomando, para tanto, as lições extraídas da ADPF nº 828, na qual se discutiu a suspensão dos despejos e reintegrações de posse coletivos durante a pandemia de Covid-19.

2 Raízes históricas e ideológicas da função social no Brasil

Traçando um paralelo metodológico com a busca histórica empreendida por Orlando Gomes[3] pelas origens históricas e sociológicas que influenciaram a formação do Código Civil (CC) de 1916 e marcaram, no Brasil, a adoção de um modelo normativo europeu alicerçado na propriedade privada, na família patriarcal e no formalismo contratual, buscamos demonstrar como esse modelo foi sendo transformado ao longo do tempo pelas tensões latentes na sociedade, que permeiam as disputas de poder e que acabaram culminando na criação e na positivação do conceito de função social.

O conceito de função social tem raízes no pensamento jurídico europeu, sendo possível identificar ainda em Ihering, no século XIX, o reconhecimento de que as críticas derivadas do marxismo ao individualismo seriam paulatinamente incorporadas pelo direito, como produto das tensões políticas e sociais de nosso mundo.

Afirmava Ihering que "todos os direitos de direito privado, mesmo aqueles vinculados que têm o indivíduo por fim imediato, estão influenciados e vinculados por considerações sociais", de sorte que "não é necessário ser profeta para prever que a concepção social do direito privado substituirá pouco a pouco a concepção individualista"[4].

É preciso ressaltar que Ihering viveu de 1818 a 1892, tendo, portanto, falecido antes da passagem do chamado Estado Liberal para o Estado de Bem-Estar Social, ocorrida na Europa no início do século XX, e que marcou a positivação do conceito de função social. Assim, ainda que as críticas marxistas não tenham levado à ruptura do sistema capitalista, conduziram à formulação do conceito de função social, que é comumente atribuído a León Duguit.

A propósito, Duguit introduz o conceito de função social no direito sob um enfoque positivista, a fim de criticar a abstração do conceito de direito subjetivo existente no CC francês de 1804, para aproximá-lo da realidade social e balancear direitos individuais e coletivos. Isso ocorreu em 1911, em uma histórica conferência realizada em Buenos Aires, na qual sustentou que "descansa em uma concepção exclusivamente realista ou positivista, que elimina pouco a pouco a concepção metafísica de direito subjetivo, a noção de função social".[5]

---

3   GOMES, Orlando. *Raízes históricas e sociológicas do Código Civil brasileiro*. São Paulo: Martins Fontes, 2003.

4   IHERING, Rudolf von. *A evolução do Direito*. Lisboa: José Bastos, 1963. p. 52.

5   DUGUIT, Leon. *Las Transformaciones generales del Derecho Privado desde el Código de Napoleón*. 2. ed. Madrid: Francisco Beltran Libreria, 1912. p. 35.

Aproximando as demandas sociais do positivismo vigente à época, León Duguit abriu as portas para que outros autores passassem a sustentar a possibilidade de incorporação ao sistema jurídico do conceito de função social, limitando e funcionalizando em especial o direito de propriedade, até então visto como absoluto e natural.

Positivou-se, então, pela primeira vez, o conceito de função social na Constituição do México de 1917 e na Constituição de Weimar de 1919. Esse conceito marcou, segundo Norberto Bobbio,[6] a transição do Estado Liberal, que atuava de modo repressor na defesa dos direitos individuais conquistados nas revoluções burguesas, para o Estado de Bem-Estar social, que passou a ter papel ativo na promoção de direitos e garantias sociais à população de um modo geral, especialmente aos trabalhadores explorados pela burguesia.

Ermínia Maricato[7] pontua que o Brasil foi diretamente afetado pelas discussões sobre o Estado de Bem-Estar Social que permearam o início do século XX na Europa. À medida que a industrialização se intensificava, acelerando o crescimento urbano, a visão política brasileira de um Estado de Bem-Estar Social se materializou no populismo de Getúlio Vargas. Vargas deu impulso ao setor industrial e, paralelamente, buscou garantir a estabilidade política de seu governo apoiando também a agricultura e concedendo direitos sociais, dentre os quais merecem destaque a criação da previdência social, da Consolidação das Leis do Trabalho (CLT), a instituição do salário-mínimo e a positivação da função social da propriedade na Constituição de 1934, em seu art. 113.

Apesar de ser um texto avançado para a época, a Constituição de 1934 não encontrou força normativa na realidade social brasileira e, apenas três anos após sua promulgação, foi substituída pela Constituição de 1937, em um golpe que ficou conhecido como Estado Novo, capitaneado pelo próprio Vargas. Nessa nova Constituição, o conceito de "função social" foi substituído pelo de "limite legal" em seu art. 122, que regulamentava a propriedade privada.

Uma análise comparativa das duas constituições, especialmente no que diz respeito aos princípios que orientam a ordem econômica, revela diferenças significativas. A Constituição de 1934, fortemente influenciada pela social-democracia europeia, priorizava a liberdade econômica com vistas à justiça social. Em contraste, a Constituição de 1937 optou por uma economia de mercado mais tradicional, que, embora não pudesse ser considerada totalmente liberal, refletia um período de forte intervencionismo estatal, tanto na economia quanto na vida privada dos cidadãos.

Após o fim da Segunda Guerra Mundial, aumentou a pressão por uma abertura política no Brasil. Em outubro de 1945, Getúlio Vargas foi deposto por um golpe militar arquitetado pelos próprios generais do Ministério da Defesa e substituído por José Linhares, então presidente do Supremo Tribunal Federal (STF), que exerceu o cargo interinamente por cerca de três meses. Em janeiro de 1946, assumiu o presidente eleito, general Eurico Gaspar Dutra, ao mesmo tempo que se iniciavam os trabalhos da Constituinte de 1946.

---

[6] BOBBIO, Norberto; BOVERO, Michelangelo. *Sociedade e Estado na filosofia política moderna*. Brasília: Brasiliense, 1994.

[7] MARICATO, Ermínia. *Habitação e cidade*. 3. ed. São Paulo: Atual, 1997. p. 35.

Segundo José Afonso da Silva, a Constituição de 1946 visava a restabelecer o estado de bem-estar social no Brasil, ao mesmo tempo que garantia direitos fundamentais aos cidadãos e preservava a estrutura democrática do país. Esse novo texto constitucional refletia uma clara preocupação em superar a obscuridade do Estado Novo e equilibrar a justiça social com a proteção das liberdades individuais, o que incluía o restabelecimento da função social da propriedade em seu art. 141.[8]

Sob a vigência dessa Constituição, que visava a equilibrar a proteção da propriedade privada com a função social, o Brasil vivenciou uma significativa expansão industrial na segunda metade dos anos 1950, impulsionada pelo governo de Juscelino Kubitschek e pelo crescimento da indústria automobilística.

Contudo, esse período de acelerado crescimento econômico também trouxe consigo um aumento substancial da dívida externa, elevação da inflação, rápida urbanização e, como consequência, a crise econômica que marcou os primeiros anos da década de 1960 e, somado ao contexto da Guerra Fria, acabou por justificar o golpe militar de 1964 como forma de se evitar a implantação do comunismo no Brasil.

Esse momento obscuro de nossa história ficou marcado pelo comício do presidente João Goulart na Central do Brasil, em 13 de março de 1964, no Rio de Janeiro, quando ele defendeu diante de 200 mil pessoas a reforma agrária e uma maior intervenção do Estado na economia. Isso foi utilizado politicamente pelos militares e conservadores para organizar a "Marcha da Família com Deus pela Liberdade" em oposição ao governo e ao comunismo, além de justificar ideologicamente o início da ditadura militar no Brasil.[9]

Em livro que descreve as tensões políticas internas ao governo militar, José Gomes da Silva aponta que para acalmar os ânimos dos movimentos sociais, uma das ações iniciais do governo militar em relação à propriedade foi a criação do Estatuto da Terra (Lei nº 4.504/1964), que estabeleceu as diretrizes para a reforma agrária e positivou pela primeira vez no âmbito infraconstitucional, , o conceito de função social da propriedade.[10]

Também durante a ditadura militar, o conceito de função social da propriedade foi incorporado à Constituição de 1967, por meio dos arts. 150 e 157, que foram preservados pela Emenda de 1969, que marcou o Ato Institucional nº 5, o mais grave atentado à ordem democrática e aos direitos e garantias individuais sofrido pelo Brasil em sua história.

Na mesma linha, a Lei das Sociedades Anônimas (Lei nº 6.404/1976) positivou a função social da empresa em seu art. 116, parágrafo único, ao prever que "O acionista controlador deve usar o poder com o fim de fazer a companhia realizar o seu objeto e cumprir sua função social".

Porém, é importante ressalvar que o fato de ter sido positivada na Constituição como limite da propriedade privada e princípio estruturante da política econômica durante a ditadura militar, a função social foi utilizada como instrumento de repressão e controle dos grupos que lutavam pela reforma agrária e pela efetividade dos direitos sociais. Nesse sentido, Carlos Frederico Marés, critica que, durante a ditadura militar,

---

[8] SILVA, José Afonso da. *Curso de Direito Constitucional Positivo*. 40. ed. São Paulo: Malheiros, 2017. p. 85-87.

[9] COSTA, Gilberto. Há 60 anos, Jango fazia seu histórico comício na Central do Brasil. *Brasil de Fato*, [*S. l.*], 13 mar. 2024. Disponível em: https://www.brasildefato.com.br/2024/03/13/ha-60-anos-jango-fazia-seu-historico-comicio-na-central-do-brasil. Acesso em: 16 ago. 2024.

[10] SILVA, José Gomes da. *Buraco negro*: a reforma agrária na constituinte de 1987-88. Rio de Janeiro: Paz e Terra, 1989. p. 13.

a função social "continuava mantendo a garantia da propriedade privada acima dos direitos de acesso à terra por via de reforma agrária".[11]

Em texto paradigmático, os professores da Universidade Federal do Paraná (UFPR) José Lamartine Corrêa de Oliveira e Francisco José Ferreira Muniz desafiaram a ditadura e criticaram abertamente a Constituição de 1967 e a Emenda de 1969, pontuando que "pouco importa tenha o texto da Carta outorgada em 1967 consagrado longa lista de direitos individuais e sociais: tudo isso reduz-se a cinzas com a simultânea vivência do Ato Institucional nº 5". Isso porque, segundo eles, "dado o permanente poder de alteração da Constituição e das leis ordinárias de que dispõe o Presidente da República, é de duvidar-se até mesmo que seja o nosso um Estado de legalidade".[12]

Àqueles que ousam discordar das arbitrariedades e da apropriação indébita do conceito de função social realizado pela ditadura militar, contraste-se o fato de que durante todo o período do regime militar o STF invocou o princípio apenas duas vezes, uma para reforçar a legalidade das leis que impunham a limitação do direito de construir do proprietário (RE nº 76.864, julgado em 11 de dezembro de 1973), e outra de modo lateral para negar seguimento a recurso extraordinário interposto em ação trabalhista, já no fim da ditadura (AI nº 91.836, julgada em 27 de março de 1984).

Contraste-se, da mesma forma, que apenas 58.317 famílias foram beneficiadas pelos programas de reforma agrária desde a ditadura militar até o ano de 1994, ao passo que Fernando Henrique Cardoso assentou 540.704 famílias, entre 1995 e 2002, e Luiz Inácio Lula da Silva, 614.088, entre 2003 e 2010.[13]

É possível dizer que a função social não era apenas letra morta na Constituição, mas que era usada pela ditadura militar para controlar ideologicamente e reprimir a luta pela reforma agrária e não contemplar os interesses sociais, a fim de preservar os interesses das elites agrárias de nosso país.

Em verdade, o STF começou a contemplar jurisprudencialmente o princípio da função social da propriedade apenas em 1986, após o fim da ditadura militar, quando o Ministro Carlos Madeira relatou acórdão que decidiu que "não malfere o parágrafo 2º do artigo 161 da Constituição a desapropriação de terras visando ao aumento de sua produtividade e a sua partilha mais consentânea com a função social da propriedade" (MS nº 20.585, julgado em 3 de setembro de 986), bem como que a força normativa desse princípio somente se consolidou após a promulgação da Constituição de 1988.

Na esteira dos ensinamentos do Ministro Luiz Edson Fachin,[14] a Constituição Federal de 1988 marcou profunda ruptura com a ordem jurídica até então vigente ao contemplar o conceito de função social não apenas como limite ao exercício da propriedade privada, mas também como direito fundamental previsto em seu art. 5º, XXIII, estruturante da ordem econômica de acordo com seu art. 170. A partir de então, o

---

[11] MARÉS, Carlos Frederico. *A função social da terra.* Porto Alegre: Sergio A. Fabris, 2003. p. 108.

[12] OLIVEIRA, José Lamartine Corrêa de; MUNIZ, Francisco José Ferreira. O Estado de Direito e os Direitos da Personalidade. *Revista da Faculdade de Direito da UFPR*, Curitiba, n. 19, p. 237, 1978/1979/1980.

[13] FRANK, Felipe. *A função em paralaxe:* um diálogo entre liberalismo clássico, liberalismo igualitário, marxismo e teoria crítica na análise da função social da propriedade imobiliária. 2014. 238 f. Dissertação (Mestrado em Direito) – Faculdade de Direito, Universidade Federal do Paraná, 2014. f. 181-182. Disponível em: https://acervodigital.ufpr.br/handle/1884/36536. Acesso em: 16 ago. 2024.

[14] FACHIN, Luiz Edson. *Teoria crítica do Direito Civil.* 3. ed. Rio de Janeiro: Renovar, 2012.

princípio da função social passou a ser, mais do que uma diretriz, uma obrigação imposta ao proprietário e ao Estado em face dos demais integrantes da sociedade.

Vale destacar que, pela primeira vez na história do Brasil, houve a densificação normativa do princípio da função social, que, na esteira do art. 186 da Constituição, compreende eficiência econômica, preservação do meio ambiente, observância das normas de direito do trabalho e bem-estar de todos aqueles que são impactados pela utilização da propriedade privada.

A função social, assim, se insere como um importante mecanismo de efetivação dos objetivos da República, fixados no art. 3º da Constituição de 1988, que prima pela construção de uma sociedade livre, justa e solidária, pela erradicação da pobreza e pela redução das desigualdades sociais e regionais e pela promoção do bem de todos, sem discriminação.

Ressalte-se que tais objetivos são reafirmados nos arts. 170 e 193 da Constituição Federal, que tratam, respectivamente, da ordem econômica e da ordem social. Isso porque, de acordo com o art. 170, a ordem econômica, "fundada na valorização do trabalho humano e na livre iniciativa, tem por fim assegurar a todos existência digna, conforme os ditames da justiça social". Por sua vez, a ordem social "tem como base o primado do trabalho, e como objetivo o bem-estar e a justiça sociais".

Ao pautar a ordem econômica e a ordem social na busca por justiça social, a Constituição reafirma os objetivos da República, corolários da dignidade da pessoa humana, que fundamenta o Estado Democrático de Direito brasileiro desde 1988. Essa busca por justiça social, por sua vez, está diretamente associada ao processo de funcionalização dos institutos jurídicos, tanto de direito público, quanto de direito privado, alcançando, inclusive, o processo.

Ainda no campo normativo, são dignos de nota o Estatuto da Cidade (Lei nº 10.257/2001), que regulamentou a função social da propriedade urbana, o CC de 2002, que contemplou o conceito de função social do contrato em seu art. 421 e o de função social da propriedade em seu art. 1.228, a Lei de Recuperação Judicial e Falência (Lei n. 11.101/2005), que destaca a função social da empresa, bem como o Código de Processo Civil (CPC) de 2015, como será exposto a seguir.

Como se vê, o conceito de função social foi progressivamente incorporado ao direito brasileiro e ganhou força normativa com a Constituição de 1988, orientando a aplicação das leis em direção a uma sociedade mais livre, justa e solidária, na busca pela concretização dos objetivos da República estampados em seu art. 3º.

Isso foi possível devido ao reconhecimento da eficácia horizontal dos direitos fundamentais e à superação do positivismo, que, conforme ensinam Luís Roberto Barroso e Ana Paula de Barcellos,[15] assegurou a aplicação direta pelos juízes de princípios constitucionais a casos concretos, de sorte que a função social passou a integrar a *ratio decidendi* de inúmeros julgados no STF e, consequentemente, nos demais Tribunais, que passaram a ter importantíssimo papel na efetivação dos direitos fundamentais.

Entre a redemocratização do país e agosto de 2024, foram proferidos 239 acórdãos em que o princípio da função social é mencionado, sendo que em muitos desses julgados

---

[15] BARROSO, Luís Roberto; BARCELLOS, Ana Paula de. O começo da história. A nova interpretação constitucional e o papel dos princípios no Direito brasileiro. *Revista da EMERJ*, Rio de Janeiro, v. 6, n. 23, p. 30-32, 2003.

ele constituiu o cerne da fundamentação, como se deu com a ADPF nº 828, de relatoria do Ministro Luís Roberto Barroso, que constitui importantíssimo marco na estruturação do conceito de função social da propriedade e, principalmente, do processo jurisdicional na busca pela concretização dos direitos fundamentais através de uma hermenêutica principiológica de índole constitucional.

3 A função social do processo e os escopos da jurisdição

O processo civil e a função jurisdicional não passaram imunes às transformações históricas brevemente descritas. A orientação do ordenamento jurídico em prol da dignidade da pessoa humana e o estabelecimento de objetivos constitucionais para a República que apontam para a superação das desigualdades e a construção de uma sociedade mais justa impactam, indubitavelmente, a forma como os conflitos sociais são (e devem ser) tratados pelo Poder Judiciário.

Nesse sentido, ganha relevo a função social do processo, que pode ser entendida por diferentes ângulos, como apontado por Barbosa Moreira, em 1984, em uma conferência no Simpósio Internacional de Processo Civil e Organização Judiciária, na Universidade de Coimbra, posteriormente publicada na *Revista de Processo: RePro*, sobre a função social do processo civil moderno.

Destacando o caráter "polifacetado" do conceito de "social", propõe uma análise do ordenamento a partir de dois ângulos principais: de um lado, as "possibilidades de estimular a marcha em direção a uma igualdade maior" e, de outro, a "capacidade do sistema jurídico para assegurar, na medida necessária, a primazia dos interesses da coletividade sobre os estritamente individuais".[16]

Após analisar os desafios e instrumentos para se assegurar a igualdade entre as partes, bem como para garantir a adequada tutela jurisdicional dos chamados "interesses coletivos", Barbosa Moreira discute o papel do juiz no processo, na transição do liberalismo individualista para o "Estado Social de Direito". Para ele, essa mudança do papel do Estado se traduz, no plano processual, na "intensificação da atividade do juiz, cuja imagem já não se pode comportar no arquétipo do observador distante e impassível da luta entre as partes".[17]

Moreira destaca a importância de o juiz poder adotar iniciativas, de ofício, para instrução do feito, para "iluminar aspectos da situação fática até então deixados na sombra por deficiência da atuação deste ou daquele litigante", bem como para "suprir inferioridades ligadas à carência de recursos e de informações".[18]

Antecipando-se às críticas, destaca que esse fortalecimento do papel do juiz não deve implicar o "amesquinhamento do papel das partes", destacando a sua complementaridade, concluindo que "o lema do processo 'social' não é o da *contraposição* entre juiz

---

[16] MOREIRA, José Carlos Barbosa. A função social do Processo Civil moderno e o papel do juiz e das partes na direção e na instrução do processo. *Revista de Processo: RePro*, São Paulo, v. 10, n. 37, p. 140, jan./mar. 1985.

[17] MOREIRA. A função social do Processo Civil moderno e o papel do juiz e das partes na direção e na instrução do processo, p. 140.

[18] MOREIRA. A função social do Processo Civil moderno e o papel do juiz e das partes na direção e na instrução do processo, p. 146-147.

e partes, e menos ainda o da *opressão* destas por aquele; apenas pode ser o da *colaboração* entre um e outras".[19]

Na esteira dessa abertura da reflexão sobre o papel do processo, Cândido Dinamarco, partindo da perspectiva instrumentalista do processo, propõe em 1987 uma análise dos escopos da jurisdição, que revela um horizonte mais amplo do que aquele delineado pela doutrina processualista clássica, pois envolve não apenas objetivos jurídicos, mas também sociais e políticos.

Criticando o entendimento do processo como simples instrumento, já que "todo meio só é tal e se legitima, em função dos *fins* a que se destina", Dinamarco ressalta a importância de se fixar os escopos do processo, ou seja, os "propósitos norteadores da sua instituição e das condutas dos agentes estatais que o utilizam".[20]

Destacando o caráter histórico da jurisdição e do Estado, que estão sujeitos a variações no espaço e no tempo, Dinamarco afirma que "o correto enquadramento político do processo conduz à insuficiência da determinação de *um* escopo da jurisdição e mostra a inadequação de todas as posturas só jurídicas".[21] Assim, conclui que "é preciso, além do objetivo puramente jurídico da jurisdição, encarar também as tarefas que lhe cabem perante a sociedade e perante o Estado como tal".[22]

Da mesma forma que Barbosa Moreira apontou a importância do papel do juiz para assegurar a função social do processo, Dinamarco ressalta que "ao Estado social contemporâneo repugna a inércia do juiz espectador e conformado; o juiz há de ter a consciência da função que, como agente estatal, é encarregado de desempenhar perante a sociedade".[23]

Para Dinamarco, no âmbito social, o escopo fundamental da jurisdição e da legislação é a paz social. *"Eliminar conflitos mediante critérios justos* – eis o mais elevado escopo social das atividades jurídicas do Estado".[24] Assim, não é qualquer decisão que leva à paz social, mas aquela que consegue se impor e levar, apesar da contrariedade ao interesse de uma das partes, à pacificação do conflito real existente, de forma a consolidar a legitimidade do próprio ordenamento jurídico e da atuação jurisdicional.

Partindo das ponderações feitas anteriormente por Barbosa Moreira, em 1997, Calmon de Passos também traz uma grande contribuição ao tema, buscando formar uma concepção da função social do processo. Para tanto, parte do conceito de função como "um atuar a serviço de algo que nos ultrapassa". A partir disso, entende a função social como "atividade do indivíduo ou de suas organizações, desenvolvida no sentido de atender a interesses ou obter resultados que ultrapassam os do agente".[25]

---

[19] MOREIRA. A função social do Processo Civil moderno e o papel do juiz e das partes na direção e na instrução do processo, p. 146-149.

[20] DINAMARCO, Cândido Rangel. *A instrumentalidade do processo*. São Paulo: Malheiros, 2013. p. 177.

[21] DINAMARCO. *A instrumentalidade do processo*, p. 181-182.

[22] DINAMARCO. *A instrumentalidade do processo*, p. 182.

[23] DINAMARCO. *A instrumentalidade do processo*, p. 184.

[24] DINAMARCO. *A instrumentalidade do processo*, p. 191.

[25] PASSOS, Calmon de. Função social do processo. *Revista do Tribunal Regional Federal 1ª Região*, Brasília, DF, v. 9, n. 2, p. 48, abr./jun. 1997.

A questão que resta, assim, é saber qual a função pública atribuível ao processo. Para tanto, Calmon de Passos destacará o papel do direito como "técnica civilizadora da solução de conflitos (inevitáveis) decorrentes da convivência humana".[26] Partindo do pensamento de Niklas Luhmann, aponta que a função do processo legislativo, como processo de produção do direito, seria uma primeira redução de complexidade, "de *natureza predominante, mas não exclusivamente política*", ao passo que ao processo jurisdicional caberia "uma segunda redução de complexidade, *de natureza predominante, mas não exclusivamente técnica*, a partir daquela, para concreção do que foi definido genericamente, tendo em vista sua aplicação a casos concretos".[27]

Assim, para Calmon de Passos, a redução da complexidade e a solução de conflitos são consideradas como funções do processo. O processo civil, portanto, não pode ser visto como um simples meio de resolução de disputas particulares, mas como instrumento de transformação da realidade, efetivação da justiça social e de redução das desigualdades sociais e combate à pobreza, como destacado na introdução.

O processo, portanto, não está dissociado da realidade que o circunda, nem tampouco se resume a um compilado de regras estritamente procedimentais. Em verdade, ele possui a potencialidade de cumprir principiologicamente uma função social, que decorre da Constituição e dos objetivos da República nela estampados, e que não são meramente jurídicos, mas também políticos e sociais.

Assim, cumpre destacar um ângulo fundamental da função social do processo, qual seja, o impacto das decisões judiciais na sociedade. Considerando que "o primeiro postulado da ciência jurídica é o de que a finalidade-função ou razão de ser do Direito é a proteção da dignidade humana",[28] como bem apontado por Fábio Konder Comparato, o processo possui uma função social a cumprir e que não se limita à solução dos conflitos.

A atuação do Poder Judiciário e o processo em si devem ser orientados pelos objetivos constitucionais, previstos no art. 3º da Constituição Federal, "os quais expressam os grandes valores de liberdade, igualdade e solidariedade, em função dos quais constituiu-se, progressivamente, o sistema de direitos humanos".

Nesse sentido, pode-se destacar inúmeros casos em que o processo e o controle jurisdicional desempenharam significativo papel na busca por maior igualdade e na prevalência de interesses coletivos e sociais sobre os meramente individuais, efetivando os objetivos constitucionais.

A decisão do Plenário do STF na ADPF nº 186, que considerou constitucional a política de cotas étnico-raciais para seleção de estudantes da Universidade de Brasília (UnB), é um exemplo disso. Com base no objetivo fundamental da República de construção de uma sociedade livre, justa e solidária, previsto no art. 3º, inciso I, da Constituição Federal, foi considerado como necessária a reparação de danos pretéritos do país em relação aos negros. Destacou-se, ainda, que o sistema de cotas é compatível com a Constituição, pois observa a função social da universidade.

As inúmeras decisões sobre a política pública de saúde, envolvendo a concessão de medicamentos ou de tratamentos, também revela essa preocupação social, com a

---

[26] PASSOS. Função social do processo, p. 51.

[27] PASSOS. Função social do processo, p. 53.

[28] COMPARATO, Fábio Konder. O papel do juiz na efetivação dos direitos humanos. *Revista do Tribunal Regional do Trabalho da 15ª Região*, Campinas, n. 14, p. 71, 2001.

necessidade de se ponderar, de um lado, o direito individual à saúde, e, de outro, medidas que não comprometam o sistema de saúde com um todo, em atenção ao direito social e coletivo à saúde. Assim, o controle de um "ativismo judicial" ganha força ao lembrar a importância de se considerar o impacto que diversas decisões isoladas podem ter, especialmente sobre o orçamento público e a gestão das políticas públicas.

Ainda que se possa identificar no art. 5º da Lei de Introdução ao Código Civil (Decreto-Lei nº 4.657/1942) o embrião da ideia de função social do processo, ao positivar que "na aplicação da lei, o juiz atenderá aos fins sociais a que ela se dirige e às exigências do bem comum", é possível dizer, na esteira do que ocorreu com a função social da propriedade no Brasil, que o princípio da função social do processo não possuía força normativa, sendo pouco ou nada utilizado pelos nossos Tribunais.

Como demonstrado na seção anterior, foi somente após a promulgação da Constituição de 1988 que houve o reconhecimento da eficácia horizontal dos direitos fundamentais e os princípios passaram a ter força normativa, passando a integrar a *ratio decidendi* de inúmeros julgados e a ter importantíssimo papel na efetivação desses direitos.

Nesse sentido, é que merece referência no Código de Processo Civil (CPC) de 2015 a positivação da função social do processo em seu art. 8º, que determina que "ao aplicar o ordenamento jurídico, o juiz atenderá aos fins sociais e às exigências do bem comum, resguardando e promovendo a dignidade da pessoa humana e observando a proporcionalidade, a razoabilidade, a legalidade, a publicidade e a eficiência".

O reconhecimento dos fins sociais como orientador da aplicação do ordenamento jurídico revela a atenção que deve ser dada pelo Poder Judiciário para assegurar que o processo cumpra sua função social, atendendo a escopos e finalidades que não são meramente jurídicos, mas, sociais, na esteira dos princípios e objetivos da República, previstos no art. 3º da Constituição de 1988.

Dessa forma, há de se reconhecer que o processo pode cumprir uma importante função social na solução de um problema histórico de nosso país, que diz respeito aos conflitos fundiários, especialmente os conflitos coletivos, seja no meio urbano ou rural.

Todavia, as especificidades dos conflitos fundiários coletivos demandam uma adaptação tanto do sistema processual, classicamente estruturado em torno de um litígio individual, quanto do modo que o Judiciário aborda esses conflitos, para que seja possível construir uma solução adequada para eles, que envolvem múltiplos atores e impactos sociais e ambientais consideráveis.[29]

Passados quase quarenta anos desde a conferência de Barbosa Moreira sobre a função social do processo, as reflexões apresentadas começam, finalmente, a encontrar ressonância e desdobramentos concretos no processo civil brasileiro, como será analisado na sequência, a partir da experiência de criação das Comissões de Conflitos Fundiários.

---

[29] INSPER; INSTITUTO PÓLIS. *Conflitos fundiários coletivos urbanos e rurais*: uma visão das ações possessórias de acordo com o impacto do Novo Código de Processo Civil. Brasília, DF: CNJ, 2021. Disponível em: https://www.cnj.jus.br/wp-content/uploads/2021/05/Relatorio-Final-INSPER.pdf. Acesso em: 30 jul. 2024.

4 A função social do processo e a criação das comissões de conflitos fundiários nos Tribunais: a importância da ADPF nº 828

Em 2013, Marés e Sauer[30] já alertavam que os conflitos fundiários coletivos rurais "encontram-se inseridos em um cenário mais amplo de expansão do protagonismo judicial", destacando uma tendência à judicialização desses conflitos que revelava a importância de se analisar como tais casos eram tratados. Assim, abordaram casos emblemáticos e experiências de mediação, trazendo contribuições fundamentais para o debate sobre a necessidade de uma cultura institucional de soluções alternativas de conflitos fundiários.

Em 2015, o novo CPC, que prevê que as decisões judiciais devem levar em consideração os "fins sociais", finalmente tratou de forma específica os litígios coletivos pela posse de terra, prevendo alguns mecanismos e procedimentos próprios, como a mediação prévia à concessão de liminar (art. 565, *caput*, do CPC), além da previsão da participação de outros atores no processo, como o Ministério Público (art. 178 do CPC), a Defensoria Pública (§2º do art. 565) e os órgãos responsáveis pelas políticas urbana e agrária (§4º do art. 565).

Os impactos dessas alterações legislativas têm sido objeto de análise e acompanhamento,[31] inclusive a pedido do CNJ.[32] Contudo, foi uma experiência recente capitaneada pelo Tribunal de Justiça do Estado do Paraná (TJPR) que acabou por servir de base para a construção de um tratamento mais adequado dos conflitos fundiários pelo Poder Judiciário, em prol de soluções efetivas. Em 2019, o TJPR criou a Comissão de Conflitos Fundiários, "responsável pela mediação de conflitos possessórios coletivos judicializados, iniciativa que concebeu uma nova forma de atuação do Estado-juiz em processos cuja complexidade vai além das questões jurídicas neles debatidas".[33]

O caso da Comunidade Agroflorestal José Lutzenberger, localizada em Antonina-PR, revela uma atuação exitosa da comissão na solução de conflito instaurado há quase 20 anos. Em 2004, parte de uma área de preservação ambiental de Mata Atlântica (Área de Proteção Ambiental de Guaraqueçaba) foi ocupada por diversas famílias, que fizeram um intenso trabalho de recuperação ambiental e produção agroecológica na região, que havia sido degradada pelo desmatamento e pela criação de búfalos.[34]

A ação de reintegração de posse proposta pelos proprietários foi convertida em ação de indenização, mas após recurso do proprietário, a relatora do caso remeteu o processo ao Centro Judiciário de Solução de Conflitos e Cidadania em 2021, atendendo a

---

[30] SAUER, Sérgio; MARÉS, Carlos Frederico (coord.). *Casos emblemáticos e experiências de mediação*: análise para uma cultura institucional de soluções alternativas de conflitos fundiários rurais. Brasília: Ministério da Justiça; Secretaria de Reforma do Judiciário, 2013. p. 10.

[31] CARVALHO, Cláudio Oliveira de; RODRIGUES, Raoni. O Novo Código de Processo Civil e as ações possessórias – novas perspectivas para os conflitos fundiários coletivos? *Revista de Direito da Cidade*, [S. l.], v. 7, n. 4, p. 1750-1770, 2016. DOI: 10.12957/rdc.2015.20912. Disponível em: https://www.e-publicacoes.uerj.br/rdc/article/view/20912. Acesso em: 15 maio 2024.

[32] INSPER; INSTITUTO PÓLIS. *Conflitos fundiários coletivos urbanos e rurais*: uma visão das ações possessórias de acordo com o impacto do Novo Código de Processo Civil.

[33] PRAZERES, Fernando Antonio; SILVA, Lucas Cavalcanti da. A Comissão Regional de Soluções Fundiárias da Resolução n. 510 do Conselho Nacional de Justiça: reflexões a partir da experiência do Tribunal de Justiça do Paraná. *Revista CNJ*, Brasília, DF, v. 7, n. 2, p. 281, 2023.

[34] Disponível em: https://terradedireitos.org.br/noticias/noticias/na-area-em-fez-renascer-a-mata-atlantica-comunidade-jose-lutzenberger-pr-conquista-o-direito-a-terra/23774. Acesso em: 16 ago. 2024.

um pedido da Comunidade, na busca por soluções pacíficas. Na sequência, a Comissão de Conflitos Fundiários do TJPR passou a acompanhar o caso, mediando negociações entre a comunidade, o proprietário da área, o Estado do Paraná, e o Ministério Público Estadual. Após 11 audiências de mediação, chegou-se a um acordo quanto ao valor de indenização devido ao proprietário, que foi assumido pelo Estado do Paraná, junto com o compromisso de respeitar os interesses de permanência dos moradores na área.

Assim, ao buscar soluções adequadas aos conflitos fundiários, sem resumi-los às questões jurídicas debatidas nos processos judiciais, a experiência paranaense tornou-se importante exemplo de construção da função social do processo, tendo servido de base para o regime de transição quanto às ocupações coletivas, criado pelo Ministro Luís Roberto Barroso no âmbito da ADPF nº 828.

Em abril de 2021, foi proposta perante o STF uma ADPF (nº 828), com o objetivo de suspender despejos e decisões de reintegração de posse durante a pandemia da Covid-19, fruto das articulações de inúmeros atores sociais, mobilizado na Campanha Despejo Zero. O Ministro Luís Roberto Barroso, relator da ADPF nº 828, concedeu parcialmente a medida cautelar requerida, suspendendo o despejo de áreas ocupadas anteriormente a 20 de março de 2020 e estabelecendo condicionantes às remoções de áreas ocupadas posteriormente a essa data, como forma de enfrentamento adequado à pandemia e de garantia do direito à saúde pública e à vida.[35]

O STF prorrogou algumas vezes o prazo de suspensão dos despejos em decisões cautelares proferidas na ADPF nº 828, até que em 31 de outubro de 2022, "com a autorização do retorno à tramitação dos processos possessórios, o STF condicionou os Tribunais a criarem comissões de conflitos fundiários para a realização de audiências de mediação e inspeção in loco".[36] Destaca-se o seguinte trecho da ementa da decisão:

> 4. Regime de transição quanto às ocupações coletivas. Determinação de criação imediata, nos Tribunais de Justiça e Tribunais Regionais, de Comissão de Conflitos Fundiários, tendo como referência o modelo bem-sucedido adotado pelo Tribunal de Justiça do Estado do Paraná.
>
> 5. A Comissão de Conflitos Fundiários terá a atribuição de realizar visitas técnicas, audiências de mediação e, principalmente, propor a estratégia de retomada da execução de decisões suspensas pela presente ação, de maneira gradual e escalonada. As comissões poderão se valer da consultoria e capacitação do Conselho Nacional de Justiça – CNJ, e funcionarão, nos casos judicializados, como órgão auxiliar do juiz da causa, que permanece com a competência decisória.[37]

---

[35] QUINTANS, Mariana Trotta Dallalana; TAVARES, Ana Claudia Diogo; VIEIRA, Fernanda Maria da Costa. Campo jurídico, ADPF Nº 828 e direito à moradia. *Revista Suprema – Revista de Estudos Constitucionais*, Brasília, DF, v. 3, n. 3, p. 307, ano 2023.

[36] VIEIRA, Fernanda; TAVARES, Ana Claudia Diogo; QUINTANS, Mariana Trotta Dallalana. Resolução 510/2023 do CNJ e a Comissão Regional de Soluções Fundiárias do TRF2: novas possibilidades para os movimentos sociais de luta por terra e moradia? *Confluências*, Niterói, v. 25, n. 3, p. 149, ago./dez 2023.

[37] BRASIL. Supremo Tribunal Federal (Tribunal Pleno). *Arguição de Descumprimento de Preceito Fundamental 828/DF*. Relator: Min. Roberto Barroso, 2 de novembro de 2022. *Dje*: Brasília, DF, p. 6, 2022. Disponível em: https://portal. stf.jus.br/processos/downloadPeca.asp?id=15355042872&ext=.pdf. Acesso em: 15 ago. 2024.

Ao fundamentar a decisão de criação desse regime de transição, o Ministro Luís Roberto Barroso destaca que "a execução simultânea de milhares de ordens de desocupação, que envolvem milhares de famílias vulneráveis, geraria o risco de convulsão social. Por isso, é necessário retornar à normalidade de forma gradual e escalonada".[38]

Assim, determina a criação de comissões de conflitos fundiários pelos Tribunais, "com o objetivo de mediar conflitos fundiários de natureza coletiva, rurais ou urbanos, de modo a evitar o uso da força pública no cumprimento de mandados de reintegração de posse ou de despejo e (r)estabelecer o diálogo entre as partes".[39]

Ressalte-se que o Ministro Luís Roberto Barroso destacou, ainda, a possibilidade de atuação das Comissões em qualquer fase do litígio, "inclusive antes da instauração do processo judicial ou após o seu trânsito em julgado, para minimizar os efeitos traumáticos das desocupações, notadamente no que diz respeito às pessoas de vulnerabilidade social reconhecida".[40]

Essa decisão revela, assim, a importância da função social do processo, não esgotando a atuação jurisdicional na mera aplicação das normas ao caso concreto, mas buscando efetivar a pacificação dos conflitos, não apenas do ponto de vista estritamente jurídico, mas também político e social.

Ainda, a decisão do Ministro Luís Roberto Barroso apresenta o fluxo das atividades da Comissão de Conflitos Fundiários do TJPR, "que poderá ser utilizado como parâmetro para os demais Tribunais", destacando, ainda, que:

> A retomada das desocupações deverá respeitar, em todo e qualquer caso, *garantias legais de natureza processual ou procedimental*, que contribuirão para a *preservação da dignidade das famílias desapossadas*. Nessa linha, deverão ser observadas: (a) a garantia do *contraditório* e da *ampla defesa*, nos termos do art. 554, §§1º a 3º, do Código de Processo Civil; e (b) a realização de *inspeções judiciais* e de *audiências de mediação*, estas com a *participação* do Ministério Público, da Defensoria Pública e, quando for o caso, dos órgãos federais, estaduais, distritais e municipais responsáveis pela política agrária e urbana, nos termos do art. 565 do Código de Processo Civil e do art. 2º, § 4º, da Lei nº 14.216/2021.[41]

A experiência inovadora e exitosa do TJPR na solução de conflitos fundiários mostrou a importância de se repensar o processo a partir de sua função social, para assegurar a efetividade dos preceitos e objetivos constitucionais. Ademais, a decisão do STF na ADPF nº 828, ao reconhecer a necessidade de instauração de comissões pelos Tribunais para tratar dos conflitos fundiários coletivos, aponta para a inadequação dos instrumentos clássicos do processo civil para tratar destes, bem como a urgência de se repensarem os institutos e procedimentos judiciais para que estejam de acordo com a realidade brasileira.

Nesse sentido, Kazuo Watanabe já alertava desde 1988 que, para assegurar o acesso à Justiça é necessário conhecer a "realidade sócio-político-econômica do País, para que

---

[38] BRASIL. *Arguição de Descumprimento de Preceito Fundamental 828/DF*, p. 17.
[39] BRASIL. *Arguição de Descumprimento de Preceito Fundamental 828/DF*, p. 18.
[40] BRASIL. *Arguição de Descumprimento de Preceito Fundamental 828/DF*, p. 18.
[41] BRASIL. Supremo Tribunal Federal (Tribunal Pleno). *Arguição de Descumprimento de Preceito Fundamental 828/DF*, p. 21.

em relação a ela se pense na correta estruturação dos Poderes e adequada organização da Justiça, se trace uma correta estratégia de canalização e resolução de conflitos e se organizem convenientemente os instrumentos processuais preordenados à realização efetiva de direitos".[42]

Por isso, indispensável que os mecanismos de soluções de conflitos sejam pensados e estruturados a partir da realidade social existente, levando em consideração as peculiaridades dos diferentes conflitos que chegam ao Judiciário: "A multiplicidade de conflitos de configurações variadas reclama, antes de mais nada, a estruturação da Justiça de forma a corresponder adequadamente, em quantidade e qualidade, às exigências que tais conflitos trazem".[43]

Assim, é possível dizer que as lições extraídas da ADPF nº 828 fortalecem a visão de que o processo deve ser orientado por uma função social que o faça ir além da simples busca pela resolução do litígio entre as partes do processo, elevando-o a um instrumento de transformação social, de promoção da igualdade, da justiça e da liberdade material de todos que são impactados pelas decisões judiciais.

5 Considerações finais

Como demonstrado ao longo deste artigo, a função social foi concebida inicialmente como um limite ao individualismo proprietário e marcou a transição do Estado Liberal para o Estado de Bem-Estar Social, colocando os direitos individuais a serviço da construção de uma sociedade mais justa e solidária.

Pouco a pouco, em meio a tensões sociais e econômicas, a função social passou a ganhar força normativa e a ser aplicada a outros institutos jurídicos, incluindo o processo civil, que passou a ser visto não apenas como um conjunto de normas procedimentais que visam à resolução de conflitos entre determinadas partes, mas como um meio de efetivação da justiça social e instrumento de transformação, especialmente no contexto pós-Constituição de 1988, que culminou com a positivação da função social do processo no art. 8º do CPC de 2015.

Dentro desse contexto, há de se destacar que, por meio do reconhecimento de sua função social, o processo assume papel relevante na redução das desigualdades e na construção de uma sociedade que prioriza a dignidade humana e o bem-estar de todas as pessoas, inclusive aquelas que não integram a relação processual, mas que são diretamente afetadas pelas decisões judiciais, que devem ter por norte a concretização dos direitos constitucionais e do acesso à Justiça de forma mais inclusiva e equitativa.

Assim, por levar em consideração os impactos sociais da retomada dos despejos e reintegrações de posse, bem como a necessidade de se encontrar mecanismos que apontem para efetiva solução dos conflitos fundiários, é que se apresentou a decisão do STF na ADPF nº 828, de lavra do Ministro Luís Roberto Barroso, como exemplo de como implementar na prática a função social do processo, ponderando-se os direitos

---

[42] WATANABE, Kazuo. Acesso à Justiça e sociedade moderna. *In:* GRINOVER, Ada Pellegrini (coord.). *Participação e processo*. São Paulo: Revista dos Tribunais, 1988. p. 129.

[43] WATANABE. Acesso à Justiça e sociedade moderna. *In:* GRINOVER, Ada Pellegrini (coord.). *Participação e processo*. São Paulo: Revista dos Tribunais, 1988. p. 131.

fundamentais em potencial colisão e os interesses de todos que serão impactados pela decisão judicial em questão.

Com isso, espera-se que os Tribunais de todo o país sigam esse exemplo e busquem soluções alternativas aos conflitos, criando mecanismos e procedimentos que não se limitem a resolver entre as partes o conflito posto no processo, mas também orientem a construção de uma sociedade materialmente mais livre, justa e igualitária, na esteira do art. 3º da Constituição de 1988 e do art. 8º do CPC de 2015.

Referências

BARROSO, Luís Roberto; BARCELLOS, Ana Paula de. O começo da história. A nova interpretação constitucional e o papel dos princípios no Direito brasileiro. *Revista da EMERJ*, Rio de Janeiro, v. 6., n. 23, p. 30-32, 2003.

BOBBIO, Norberto; BOVERO, Michelangelo. *Sociedade e Estado na filosofia política moderna*. Brasília: Brasiliense, 1994.

BRASIL. Supremo Tribunal Federal (Tribunal Pleno). Arguição de Descumprimento de Preceito Fundamental 828/DF. Relator: Min. Roberto Barroso, 2 de novembro de 2022. *Dje*: Brasília, DF, 2022. Disponível em: https://portal.stf.jus.br/processos/downloadPeca.asp?id=15355042872&ext=.pdf. Acesso em: 15 ago. 2024.

CARVALHO, Cláudio Oliveira de; RODRIGUES, Raoni. O Novo Código de Processo Civil e as ações possessórias – novas perspectivas para os conflitos fundiários coletivos? *Revista de Direito da Cidade*, [*S. l.*], v. 7, n. 4, p. 1750-1770, 2016. DOI: 10.12957/rdc.2015.20912. Disponível em: https://www.e-publicacoes.uerj.br/rdc/article/view/20912. Acesso em: 15 maio 2024.

COMPARATO, Fábio Konder. O papel do juiz na efetivação dos direitos humanos. *Revista do Tribunal Regional do Trabalho da 15ª Região*, Campinas, n. 14, 2001.

COSTA, Gilberto. Há 60 anos, Jango fazia seu histórico comício na Central do Brasil. *Brasil de Fato*, [*S. l.*], 13 mar. 2024. Disponível em: https://www.brasildefato.com.br/2024/03/13/ha-60-anos-jango-fazia-seu-historico-comicio-na-central-do-brasil. Acesso em: 16 ago. 2024.

DINAMARCO, Cândido Rangel. *A instrumentalidade do processo*. São Paulo: Malheiros, 2013.

DUGUIT, Leon. *Las transformaciones generales del Derecho Privado desde el Código de Napoleón*. 2. ed. Madrid: Francisco Beltran Libreria, 1912.

FACHIN, Luiz Edson. *Teoria crítica do Direito Civil*. 3. ed. Rio de Janeiro: Renovar, 2012.

FARIA, José Eduardo (org.). *Direito e Justiça*: a função social do Judiciário. São Paulo: Ática, 1989.

FRANK, Felipe. *A função em paralaxe:* um diálogo entre liberalismo clássico, liberalismo igualitário, marxismo e teoria crítica na análise da função social da propriedade imobiliária. 2014. 238 f. Dissertação (Mestrado em Direito) – Faculdade de Direito, Universidade Federal do Paraná, 2014. f. 181-182. Disponível em: https://acervodigital.ufpr.br/handle/1884/36536. Acesso em: 16 ago. 2024.

GOMES, Orlando. *Raízes históricas e sociológicas do Código Civil brasileiro*. São Paulo: Martins Fontes, 2003.

HERING, Rudolf von. *A evolução do Direito*. Lisboa: José Bastos, 1963.

INSPER; INSTITUTO PÓLIS. *Conflitos fundiários coletivos urbanos e rurais*: uma visão das ações possessórias de acordo com o impacto do Novo Código de Processo Civil. Brasília, DF: CNJ, 2021. Disponível em: https://www.cnj.jus.br/wp-content/uploads/2021/05/Relatorio-Final-INSPER.pdf. Acesso em: 30 jul. 2024.

JUSTEN FILHO. *Introdução ao estudo do Direito*. Rio de Janeiro: Grupo GEN, 2021.

MARÉS, Carlos Frederico. *A função social da terra*. Porto Alegre: Sergio A. Fabris, 2003. p. 108.

MARICATO, Ermínia. *Habitação e cidade*. 3. ed. São Paulo: Atual, 1997.

MOREIRA, José Carlos Barbosa. A função social do Processo Civil moderno e o papel do juiz e das partes na direção e na instrução do processo. *Revista de Processo: RePro*, São Paulo, v. 10, n. 37, p. 140-150, jan./mar. 1985.

OLIVEIRA, José Lamartine Corrêa de; MUNIZ, Francisco José Ferreira. O Estado de Direito e os Direitos da Personalidade. *Revista da Faculdade de Direito da UFPR*, Curitiba, n. 19, p. 237, 1978/1979.

PASSOS, Calmon de. Função social do processo. *Revista do Tribunal Regional Federal 1ª Região*, Brasília, DF, v. 9, n. 2, abr./jun. 1997.

PRAZERES, Fernando Antonio; SILVA, Lucas Cavalcanti da. A Comissão Regional de Soluções Fundiárias da Resolução n. 510 do Conselho Nacional de Justiça: reflexões a partir da experiência do Tribunal de Justiça do Paraná. *Revista CNJ*, Brasília, DF, v. 7, n. 2, p. 281, 2023.

QUINTANS, Mariana Trotta Dallalana; TAVARES, Ana Claudia Diogo; VIEIRA, Fernanda Maria da Costa. Campo jurídico, ADPF nº 828 e direito à moradia. *Revista Suprema – Revista de Estudos Constitucionais*, Brasília, DF, v. 3, n. 3, p. 307, ano 2023.

SAUER, Sérgio; MARÉS, Carlos Frederico (coord.). *Casos emblemáticos e experiências de mediação*: análise para uma cultura institucional de soluções alternativas de conflitos fundiários rurais. Brasília, DF: Ministério da Justiça; Secretaria de Reforma do Judiciário, 2013.

SILVA, José Gomes da. *Buraco negro*: a reforma agrária na constituinte de 1987-88. Rio de Janeiro: Paz e Terra, 1989.

SILVA, José Afonso da. *Curso de Direito Constitucional Positivo*. 40. ed. São Paulo: Malheiros, 2017. p. 85-87.

VIEIRA, Fernanda; TAVARES, Ana Claudia Diogo; QUINTANS, Mariana Trotta Dallalana. Resolução 510/2023 do CNJ e a Comissão Regional de Soluções Fundiárias do TRF2: novas possibilidades para os movimentos sociais de luta por terra e moradia? *Confluências*, Niterói, v. 25, n. 3, p. 149, ago./dez 2023.

WATANABE, Kazuo. Acesso à Justiça e sociedade moderna. *In:* GRINOVER, Ada Pellegrini (coord.). *Participação e processo*. São Paulo: Revista dos Tribunais, 1988.

Informação bibliográfica deste texto, conforme a NBR 6023:2018 da Associação Brasileira de Normas Técnicas (ABNT):

FERREIRA FILHO, Manoel Caetano. Função social do processo e as lições extraídas da Arguição de Descumprimento de Preceito Fundamental (ADPF) nº 828. *In:* JUSTEN, Monica Spezia; PEREIRA, Cesar; JUSTEN NETO, Marçal; JUSTEN, Lucas Spezia (coord.). *Uma visão humanista do Direito*: homenagem ao Professor Marçal Justen Filho. Belo Horizonte: Fórum, 2025. v. 3, p. 887-902. ISBN 978-65-5518-915-5.

MEIOS ALTERNATIVOS DE RESOLUÇÃO DE CONTROVÉRSIAS TRIBUTÁRIAS E A NECESSIDADE DE UM NOVO PARADIGMA DE INTERESSE PÚBLICO NO BRASIL

MICHELLE PINTERICH

1 Introdução

Contribuintes e Fisco brasileiros há tempos enfrentam as consequências da ineficiência dos métodos tradicionais de resolução de conflitos em matéria tributária, que ocupam parte significativa do estoque de processos ativos no Poder Judiciário e nas estruturas fazendárias da União, Estados e Municípios.

Estudos e levantamentos recentes do Conselho Nacional de Justiça (CNJ)[1] [2] confirmam, em números, a percepção comum entre essas partes: o baixo índice de recuperação de créditos tributários, pela via judicial e administrativa, além de elevadas taxas de congestionamento do Poder Judiciário, motivadas, em grande parte, por execuções fiscais que se avolumam e se repetem periodicamente, muitas sem perspectiva de cobrança efetiva.

Entre as medidas anunciadas para endereçar esse problema e na esteira da jurisprudência firmada pelo Supremo Tribunal Federal (STF) no Tema nº 1.184[3] o CNJ

---

[1] CNJ. *Justiça em Números 2023*. Brasília, DF: CNJ, 2023.

[2] CNJ. *Diagnóstico do contencioso judicial tributário brasileiro*: relatório final de pesquisa. Brasília, DF: CNJ; Ipea, 2022.

[3] Recurso Extraordinário nº 1.355.208, Relatora Min.a Cármen Lúcia, julgado em 19 de fevereiro de 2023, sendo aprovada a seguinte tese:
"1. É legítima a extinção de execução fiscal de baixo valor pela ausência de interesse de agir tendo em vista o princípio constitucional da eficiência administrativa, respeitada a competência constitucional de cada ente federado.
2. O ajuizamento da execução fiscal dependerá da prévia adoção das seguintes providências:
a) tentativa de conciliação ou adoção de solução administrativa; e
b) protesto do título, salvo por motivo de eficiência administrativa, comprovando-se a inadequação da medida.
3. O trâmite de ações de execução fiscal não impede os entes federados de pedirem a suspensão do processo para a adoção das medidas previstas no item 2, devendo, nesse caso, o juiz ser comunicado do prazo para as providências cabíveis (...)".

aprovou a Resolução CNJ nº 547, de 22 de fevereiro de 2024, que autoriza o arquivamento dos executivos fiscais de valor inferior a R$10.000,00 quando do ajuizamento, sem movimentação útil há mais de um ano e sem a citação do devedor ou localização de bens penhoráveis.

Apesar de contribuírem para a redução do estoque das execuções fiscais de baixo valor, tais medidas são insuficientes para lidar com o alto grau de litigiosidade entre contribuintes e Fisco e a indisponibilidade de métodos alternativos de prevenção e solução, fora dos ritos do processo administrativo e judicial.

Nesse contexto, meios alternativos de solução de controvérsias em matéria tributária, como a arbitragem e as transações tributárias, são uma necessidade não apenas para contribuintes, mas especialmente para o Fisco, cuja expectativa de arrecadação vem sendo sistematicamente frustrada pela ineficiência dos métodos atuais de recuperação de créditos tributários.

A par da autorização legislativa, já existente no caso da transação tributária,[4] a implementação desses instrumentos como métodos eficientes de resolução de disputas tributárias passa por uma mudança de paradigma quanto à supremacia do interesse público e à indisponibilidade do crédito público, normalmente apontados pelas fazendas públicas como óbices intransponíveis a qualquer tipo de negociação relativa a tributos ou de submissão a decisões que não emanem delas próprias – as fazendas públicas – ou do Poder Judiciário.

2 Algumas questões envolvendo o processo administrativo tributário

O processo administrativo tributário deveria se apresentar como uma alternativa de julgamento técnico e menos oneroso para as controvérsias entre Fisco e contribuintes, pela qualificação dos julgadores, dispensa de pagamento de custas e até de representação por advogados.

Na prática, porém, observa-se que o processo administrativo tributário é, muitas vezes, inacessível aos contribuintes, por desconhecimento dos seus prazos e trâmites, ou não cumpre o papel de solucionar a controvérsia de forma minimamente imparcial, resultando em decisões que se limitam a ratificar o trabalho da fiscalização tributária.

Mesmo nas administrações fiscais que dispõem de órgãos de julgamento com composição paritária entre representantes da Fazenda Pública e contribuintes, não raro há regras que estabelecem a resolução favorável ao Fisco no caso de empate ou mesmo em caso de divergência, a exemplo dos recursos hierárquicos e do voto de qualidade, recentemente restabelecido no âmbito do Conselho Administrativo de Recursos Fiscais (CARF) pela Lei nº 14.689, de 20 de setembro de 2023.

A parcialidade e o interesse nitidamente arrecadatório de boa parte das decisões comprometem as vantagens originais do processo administrativo tributário e levam os contribuintes, quase sempre, a recorrerem ao Poder Judiciário, em que o processo é, em regra, mais oneroso, demorado e marcado pela insegurança jurídica, fruto da oscilação

---

[4]   Como exemplo, cita-se a Lei Federal nº 13.988, de 14 de abril de 2020, que instituiu a transação tributária para créditos tributários, previdenciários e não tributários inscritos na Dívida Ativa da União e geridos pela Procuradoria Geral da Fazenda Nacional (PGFN).

jurisprudencial dos tribunais superiores em temas tributários de maior relevância e repercussão econômica.

Luís Eduardo Schoueri aponta que "não se espera, no processo administrativo tributário, a imparcialidade própria de um juiz independente. Afinal, todo o procedimento se dá no âmbito da própria administração".[5]

Mas o autor reconhece que o processo administrativo oferece uma oportunidade para a própria Administração corrigir lançamentos defeituosos, sem os ônus sucumbenciais que adviriam de um processo judicial e sem que isso configure uma renúncia ao crédito tributário, porque o próprio crédito é desfeito.[6]

Logo, quando no processo administrativo tributário se conclui que o lançamento padece de vício e deve ser desfeito, o interesse público permaneceria atendido, mesmo que não resulte em arrecadação do tributo.

Com este raciocínio, elimina-se o pensamento fazendário comum de que o interesse público somente se realiza pela arrecadação tributária, sendo esse um objetivo a ser perseguido a qualquer custo.

3 Novos paradigmas para a indisponibilidade do crédito público

A vinculação do lançamento tributário é corolário dos princípios da estrita legalidade e da indisponibilidade do interesse público que, na prática do direito tributário, se traduzem como obstáculos quase intransponíveis a qualquer tipo de transação ou solução consensual, mesmo quando a discussão a respeito do lançamento é puramente fática ou passível de revisão de ofício. Até mesmo propostas legislativas de regulamentação de transação tributária e arbitragem tributária no Brasil encontram barreira nesses argumentos.

Segundo Bossa e Vasconcellos, o caráter vinculante do lançamento tributário, "sob pena de responsabilidade funcional, reforça o argumento daqueles que defendem a indisponibilidade do crédito tributário e, consequentemente, a impossibilidade de resolver os litígios tributários por meio da arbitragem".[7]

As autoras referidas abordam outros aspectos que merecem consideração quanto à supremacia do interesse público em relação à cobrança de tributos.

> A aplicação do princípio da supremacia do interesse público sobre o particular não pode privilegiar os interesses da Fazenda Pública, mas deve atender ao primado da cooperação, razoabilidade, proporcionalidade e eficiência com o objetivo de promover justiça fiscal e distributiva. Se há elevados gastos com os litígios, menores quantias serão revertidas em favor dos cidadãos brasileiros (bem-estar social).[8]

---

[5] SCHOUERI, Luís Eduardo. Ensaio para uma arbitragem tributária no Brasil. *In:* SCHOUERI, Luís Eduardo. *Arbitragem tributária*: desafios institucionais brasileiros e a experiência portuguesa. 2. ed. rev., atual. e ampl. São Paulo: Thomson Reuters Brasil, 2020. *E-book.* p. 515.

[6] SCHOUERI. Ensaio para uma arbitragem tributária no Brasil, p. 516-517.

[7] BOSSA, Gisele Barra; VASCONCELLOS, Mônica Pereira Coelho de. Arbitragem tributária e a reconstrução do interesse público. *In:* PISCITELLI, Tathiane; MASCITTO, Andréa; MENDONÇA, Priscila Faricelli de. *Arbitragem tributária*: desafios institucionais brasileiros e a experiência portuguesa. 2. ed. rev., atual. e ampl. São Paulo: Thomson Reuters Brasil, 2020. *E-book.* p. 64.

[8] BOSSA, Gisele Barra; VASCONCELLOS, Mônica Pereira Coelho de. Arbitragem tributária e a reconstrução do interesse público, p. 68.

Na mesma obra aqui citada, a autora e organizadora Tathiane Piscitelli apresenta os meios alternativos de resolução de conflitos em matéria tributária e a arbitragem, em particular, como "demandas do Estado Social e Democrático de Direito no qual vivemos", por ampliarem o acesso à jurisdição e à solução de conflitos, contribuindo com "medidas justas de arrecadação, que podem resultar em redução da desigualdade, pela correta aplicação dos recursos em ações que busquem tal fim".[9] Seriam ferramentas da justiça distributiva, no sentido de que propiciam arrecadação tributária mais eficiente e justa, possibilitando a manutenção dos objetivos e valores do Estado Social.

Apesar das advertências da doutrina, não é esse o espírito que, durante anos, vem norteando as condutas das administrações fiscais e suas procuradorias, muitas vezes movidas pelo interesse arrecadatório puro, como se fosse o único interesse público legítimo passível de tutela.

A superação do dogma da supremacia do interesse público (SIP) sobre os direitos do particular, na sua concepção administrativista tradicional, é assunto que tem despertado profundas reflexões do homenageado Marçal Justen Filho, ao apontar objeções à SIP como fundamento único do direito administrativo e alertar que a natureza pública dos interesses advém da sua relevância e indisponibilidade, como é o caso dos direitos fundamentais, e não o contrário.[10]

Para ele, a supremacia e a indisponibilidade dos direitos fundamentais precedem o interesse público, que adquire esse status somente quando resultar de "procedimento satisfatório e com respeito aos direitos fundamentais e aos interesses legítimos".[11]

O descasamento do direito administrativo com valores da Constituição Federal de 1988, como a dignidade humana, a democracia e os direitos fundamentais, foi apontado de forma incisiva por Justen Filho:[12]

> A Administração Pública brasileira não hesita em sacrificar os direitos fundamentais protegidos constitucionalmente para promover o "interesse público". Prevalece a concepção imperial dos "poderes da Administração". Contraditório, ampla defesa e julgamento imparcial submetem-se ao arbítrio do agente público. É comum a autoridade brasileira ignorar as necessidades de populações vulneráveis, decidir sem respeitar o conhecimento científico, descumprir os contratos. Sobrevive a figura da "desapropriação indireta", prática próxima à criminalidade.

Algo muito semelhante se passa na seara das relações de natureza tributária e suas controvérsias, a ponto de permitir as mesmas reflexões a propósito da necessidade de revisão dos conceitos de indisponibilidade do interesse público e do crédito tributário.

---

[9] PISCITELLI, Tathiane. Arbitragem no Direito Tributário: uma demanda do Estado Democrático de Direito. *In:* PISCITELLI, Tathiane; MASCITTO, Andréa; MENDONÇA, Priscila Faricelli. *Arbitragem tributária:* desafios institucionais brasileiros e a experiência portuguesa 2. ed. rev., atual. e ampl. São Paulo: Thomson Reuters Brasil, 2020. *E-book.* p. 248-249.

[10] JUSTEN FILHO, Marçal. *Curso de Direito Administrativo.* 15. ed. rev., atual. Rio de Janeiro: Forense, 2024. p. 39-44.

[11] JUSTEN FILHO. *Curso de Direito Administrativo,* p. 48.

[12] JUSTEN FILHO, Marçal. O Direito Administrativo tem um encontro marcado com os direitos fundamentais. *Jota,* São Paulo, 7 fev. 2023. Disponível em: https://www.jota.info/opiniao-e-analise/colunas/publicistas/o-direito-administrativo-tem-um-encontro-marcado-com-os-direitos-fundamentais. Acesso em: 5 ago. 2024.

Os números do CNJ apontados na Introdução são indicativos de que a postura intransigente das fazendas públicas vem produzindo a perpetuação dos conflitos tributários, com todos os custos que isso acarreta, inclusive na manutenção de estruturas judiciais e administrativas para tratar e julgar os processos, desacompanhada de resultados mais eficientes na recuperação de créditos tributários ou mesmo na diminuição do elevado grau de litigiosidade entre contribuintes e Fisco.

Por isso e por uma exigência do Estado Social e Democrático de Direito, a revisão dos conceitos de indisponibilidade do interesse público e do crédito tributário e da vinculação do lançamento é um passo indispensável para permitir o desenvolvimento e aplicação de meios alternativos de resolução de conflitos tributários, como instrumentos da realização dos próprios direitos fundamentais consagrados na Constituição.

4 A transação tributária como meio alternativo de resolução de controvérsias tributárias

Pode-se dizer que os programas de parcelamentos especiais de tributos, periodicamente instituídos nas diversas esferas do Fisco, com descontos e prazos de parcelamento mais longos, seriam precursores de instrumentos mais perenes de transação tributária. Embora vantajosos para os contribuintes, os programas de parcelamentos especiais costumam sofrer críticas, por representarem um desestímulo ao pagamento pontual de tributos e, em última análise, contrariarem a finalidade maior da arrecadação tributária, de custear o Estado e suas ações.

Uma nova fase das transações tributárias, de caráter permanente, foi inaugurada com a Lei Federal nº 13.988, de 14 de abril de 2020, que permitiu a transação de créditos tributários, previdenciários e não tributários inscritos na Dívida Ativa da União e geridos pela Procuradoria-Geral da Fazenda Nacional (PGFN).

As leis de transação tributária nada mais são do que o reconhecimento legal de situações em que o interesse público se mantém preservado, mesmo quando a Administração Pública concede descontos e prazos mais longos para a recuperação dos créditos tributários.

Na esteira da Lei nº 13.998/2020, Estados e Municípios vêm adotando a transação tributária para oferecer aos contribuintes oportunidades permanentes de renegociação e regularização de seus débitos tributários. Exemplos recentes disso são as leis nº 17.843/2023, do Estado de São Paulo, nº 21.860/2023, que instituiu a transação tributária no Estado do Paraná e a Lei Complementar nº 141, de 14 de novembro de 2023, do Município de Curitiba.

Porém, de um modo geral, a transação tributária é direcionada ao contribuinte que assume a sua condição de devedor, sem questionar a exigibilidade do débito.

Então, ela não resolve as inúmeras situações em que o contribuinte discorda da cobrança tributária, no todo ou em parte, seja por divergir quanto à interpretação jurídica do Fisco, seja em função de alguma particularidade do suporte fático que, por isso, reclama tratamento tributário diferenciado. Para essas situações, os meios de resolução de conflitos permanecem os mesmos: o processo administrativo ou o judicial.

A Lei Complementar nº 141/2023, do Município de Curitiba, representa um ligeiro avanço em relação a outras leis de transação tributária, porque além de prever a concessão de descontos e prazos de parcelamento mais longos, autoriza o Procurador-Geral do Município a celebrar transações preventivas ou extintivas de litígios judiciais ou extrajudiciais, estabelece a possibilidade de criação de câmaras permanentes ou provisórias de prevenção e resolução administrativa de conflitos e autoriza o município a aderir a juizados ou câmaras de conciliação e mediação.

Em tese, a lei curitibana abre oportunidade para outros tipos de transação, não condicionados à confissão do crédito tributário, mas somente a sua regulamentação, ainda pendente, confirmará se as faculdades conferidas à procuradoria e aos demais agentes do Município se tornarão instrumentos efetivos de solução consensual de conflitos tributários ou não.

5 Arbitragem no direito tributário brasileiro

Apesar dos avanços com relação à transação tributária, as discussões entre contribuintes e Fisco ainda permanecem restritas aos processos administrativos e judiciais, com todas as suas falhas.

É nesse contexto que a arbitragem desponta como uma alternativa viável à resolução de conflitos tributários, pendente de previsão legislativa no Brasil.

No direito comparado, a experiência portuguesa de arbitragem tributária, conduzida pelo Centro de Arbitragem Administrativa (CAAD) tem se mostrado bem sucedida e serve de exemplo positivo, pela elevada qualidade técnica das decisões das câmaras arbitrais e pela redução substancial no tempo de duração dos conflitos tributários,[13] sendo um importante instrumento de justiça fiscal.

No direito pátrio, primeiro com a Lei de Arbitragem (Lei nº 9.307/96) e posteriormente, com a autorização expressa à sua aplicação em casos envolvendo a Administração Pública direta e indireta (art. 1º, §1º, incluído pela Lei nº 11.196, de 2015), a arbitragem vem se consolidando como meio alternativo de resolução de controvérsias no direito administrativo brasileiro, constando expressamente dos artigos 151 a 154 da Lei Federal nº 14.133, de 1º de abril de 2021, a nova Lei de Licitações e Contratos Administrativos, além de inúmeros outros diplomas anteriores.

No direito administrativo, que compartilha com o direito tributário as mesmas restrições originadas da SIP e da indisponibilidade do interesse público, o avanço da arbitragem se pautou pela autorização legislativa expressa e pela sua eficiência como meio de resolução de controvérsias, cumprindo, assim, com os princípios da Administração Pública. Como afirma Rafael Munhoz de Mello:[14]

> Longe de desatender ao interesse público, a escolha pelo juízo arbitral pode justamente melhor satisfazê-lo, permitindo que especialistas de notória reputação na matéria em litígio solucionem a controvérsia com muito maior celeridade.[26] É incompreensível que se

---

[13] Sobre o assunto: VIDEIRA, Susana Antas. Notas sobre a arbitragem no Direito Público: uma experiência tentada ou um instituto consagrado? *In:* VILLA-LOBOS, Nuno; PEREIRA, Tânia Carvalhais. *Arbitragem em Direito Público.* São Paulo: FGV Projetos, CAAD. *E-book.* p 168. Disponível em: https://fgvprojetos.fgv.br/sites/fgvprojetos.fgv.br/files/fgv_publicacao_arbitragem_miolo.pdf. Acesso em: 19 mar. 2024.

[14] MELLO, Rafael Munhoz de. Arbitragem e Administração Pública. Direito do Estado em Debate. *Revista Jurídica da Procuradoria-Geral do Estado do Paraná*, Curitiba, n. 6, p. 59-60, 2015.

considere compatível com o interesse público obrigar a Administração Pública a recorrer, em todo e qualquer conflito de que seja parte, ao Poder Judiciário, condenando-a a aguardar por vários anos, às vezes décadas, pela composição de um litígio de interesse de toda a coletividade.

A experiência da arbitragem na resolução de disputas envolvendo contratos administrativos pode servir de modelo e inspiração para a implantação da arbitragem no direito tributário brasileiro, como ferramenta democrática de acesso a soluções técnicas, mais céleres e justas, e em última análise, de realização da justiça fiscal.

Atualmente, tramitam na Câmara dos Deputados e no Senado Federal alguns projetos de lei que visam implementar a arbitragem e a mediação em matéria tributária e aduaneira, dentre os quais destacamos os projetos de lei (PLs) nº 4.257/2019, 4.468/2020, 2.486/2022, 2.791/2022 e 2.792/2022.

Além destes, dois projetos de Lei Complementar – nº 17/2022 e 125/2022 – pretendem alterar o Código Tributário Nacional, para prever a arbitragem como meio de prevenção e de resolução de controvérsias tributárias no âmbito do contencioso administrativo e judicial, delegando a sua regulamentação à legislação ordinária.

Entre os projetos de lei mais antigos, o PL nº 4;257/2019 restringe a arbitragem ao âmbito da execução fiscal, ao passo que o PL nº 4.468/2020 prevê a aplicação da arbitragem tributária na fase que antecede a constituição definitiva do crédito tributário.[15]

Apesar de contribuírem para o debate da arbitragem tributária, esses dois PLs apresentam limitações que podem ser superadas pelos PLs apresentados em 2022, que regulamentam a arbitragem e a mediação tributária no Brasil de forma mais abrangente e detalhada, sendo fruto do trabalho de uma Comissão de Juristas liderada pela Ministra do STJ Regina Helena Costa.

Sem dúvida, a implantação da arbitragem tributária e aduaneira no Brasil, além da mediação e da ampliação das hipóteses de transação, inauguraria uma nova fase de resolução das controvérsias entre Fisco e contribuintes, potencialmente mais célere e eficiente para os dois lados.

6 Conclusões

Os modelos atuais de contencioso administrativo e judicial têm se mostrado ineficientes para a resolução de disputas tributárias, ocasionado a sobrecarga do Poder Judiciário, a morosidade nas soluções, baixas taxas de recuperabilidade dos tributos, custos elevados para as partes e, para o contribuinte, um sentimento de injustiça fiscal.

Contribuíram para esse cenário a resistência das fazendas públicas em admitir meios consensuais ou alternativos de solução das controvérsias tributárias, sob alegações de responsabilidade funcional, vinculação do lançamento, indisponibilidade do interesse público e do crédito tributário.

---

[15] Para uma análise detalhada dos dois PLs: PISCITELLI, Tathiane; MASCITTO, Andrea; FERNANDES, André Luiz Fonseca. Um olhar para a arbitragem tributária: comparativo das propostas no senado federal, provocações e sugestões. *Revista Direito Tributário Atual*, São Paulo, n. 48. p. 743-767, 2021.

Mesmo assim, a busca por meios alternativos evoluiu nos últimos anos, com a institucionalização da transação tributária nos vários níveis da Federação e o avanço, no Congresso Nacional, de projetos de lei destinados a implantar a arbitragem e a mediação tributária e aduaneira no Brasil.

Espera-se que, uma vez legalizados, esses instrumentos contribuam efetivamente para a redução do tempo e do desgaste na solução das controvérsias tributárias, permitindo maior crescimento econômico e arrecadação mais justa e eficiente.

Referências

BOSSA, Gisele Barra; VASCONCELLOS, Mônica Pereira Coelho de. Arbitragem tributária e a reconstrução do interesse público. *In:* PISCITELLI, Tathiane; MASCITTO, Andréa; MENDONÇA, Priscila Faricelli de. *Arbitragem tributária*: desafios institucionais brasileiros e a experiência portuguesa. 2. ed. rev., atual. e ampl. São Paulo: Thomson Reuters Brasil, 2020. *E-book.* p. 59-75.

BRASIL. Lei nº 9.307, de 23 de setembro de 1996. *Diário Oficial da União*: Brasília, DF, 1996. Dispõe sobre a arbitragem. Disponível em: https://www.planalto.gov.br/ccivil_03/leis/l9307.htm. Acesso em: 17 mar 2024.

BRASIL. Lei nº 13.988, de 14 de abril de 2020. Dispõe sobre a transação nas hipóteses que especifica; e altera as Leis nos 13.464, de 10 de julho de 2017, e 10.522, de 19 de julho de 2002. *Diário Oficial da União*: Brasília, DF, 2002. Disponível em: https://www.planalto.gov.br/ccivil_03/_ato2019-2022/2020/lei/l13988.htm. Acesso em: 19 mar 2024.

BRASIL. Lei nº 14.133, de 1º de abril de 2021. Lei de Licitações e Contratos Administrativos. *Diário Oficial da União*: Brasília, DF, 2021. Disponível em: https://www.planalto.gov.br/ccivil_03/_ato2019-2022/2021/lei/l14133.htm. Acesso em: 18 mar 2024.

BRASIL. Lei nº 14.689, de 20 de setembro de 2023. Disciplina a proclamação de resultados de julgamentos na hipótese de empate na votação no âmbito do Conselho Administrativo de Recursos Fiscais (Carf). *Diário Oficial da União*: Brasília, DF, 2023. Disponível em: http://www.planalto.gov.br/ccivil_03/_Ato2023-2026/2023/Lei/L14689.htm. Acesso em: 18 mar 2024.

BRASIL. Supremo Tribunal Federal (Tribunal Pleno). Recurso Extraordinário 1.355.208. Relatora Min. Cármen Lúcia, 19 de dezembro de 2023. *Dje*: Brasília, DF, 2023. Disponível em: https://jurisprudencia.stf.jus.br/pages/search/sjur499362/false. Acesso em: 1 set 2024.

SÃO PAULO. Tribunal de Justiça do Estado (6ª Câmara Cível) 181.636-1. 6 de dezembro de 1994. *Lex*: Jurisprudência do STJ e Tribunais Regionais Federais, São Paulo, v. 10, n. 103, p. 236-240, mar. 1998.

CNJ. *Diagnóstico do contencioso judicial tributário brasileiro*: relatório final de pesquisa. Brasília, DF: CNJ; Ipea, 2022.

CNJ. *Justiça em Números 2023*. Brasília, DF: CNJ, 2023.

CNJ. *Resolução nº 547, de 22 de fevereiro de 2024*. Institui medidas de tratamento racional e eficiente na tramitação das execuções fiscais pendentes no Poder Judiciário, a partir do tema 1184 da repercussão geral pelo STF. Brasília, DF: CNJ, 2024. Disponível em: https://atos.cnj.jus.br/files/original1506462024022665dca906444cf.pdf. Acesso em: 18 mar 2024.

CURITIBA. *Lei Complementar nº 141, de 14 de novembro de 2023*. Dispõe sobre a solução de controvérsias, extinção de débitos tributários e não tributários, mediante transação e autocomposição de conflitos no âmbito do Município de Curitiba e revoga a Lei Complementar no 68, de 1º de julho de 2008. Curitiba: Câmara Municipal, 2008. Disponível em: https://mid.curitiba.pr.gov.br/2023/00425992.pdf. Acesso em: 18 mar 2024.

JUSTEN FILHO, Marçal. *Curso de Direito Administrativo*. 15. ed. rev., atual. Rio de Janeiro: Forense, 2024.

JUSTEN FILHO, Marçal. O Direito Administrativo tem um encontro marcado com os direitos fundamentais. *Jota*, São Paulo, 7 fev. 2023. Disponível em: https://www.jota.info/opiniao-e-analise/colunas/publicistas/o-direito-administrativo-tem-um-encontro-marcado-com-os-direitos-fundamentais. Acesso em: 5 ago. 2024.

MELLO, Rafael Munhoz de. Arbitragem e Administração Pública. *Direito do Estado em Debate. Revista Jurídica da Procuradoria-Geral do Estado do Paraná*, Curitiba, n. 6, p. 47-81, 2015.

PARANÁ. *Lei nº 21.860, de 15 de dezembro de 2023*. Estabelece os requisitos e as condições para que a Procuradoria-Geral do Estado e os devedores ou as partes adversas realizem transação resolutiva de litígio relativo a créditos de natureza tributária ou não tributária da Administração Direta e Autárquica do Estado do Paraná. Curitiba: Assembleia Legislativa do Estado, 2023. Disponível em: https://www.legislacao.pr.gov.br/legislacao/listarAtosAno.do?action=exibir&codAto=315703&indice=1&totalRegistros=522&anoSpan=2024&anoSelecionado=2023&mesSelecionado=0&isPaginado=true. Acesso em: 18 mar 2024.

PISCITELLI, Tathiane. Arbitragem no Direito Tributário: uma demanda do Estado Democrático de Direito. *In*: PISCITELLI, Tathiane; MASCITTO, Andréa; MENDONÇA, Priscila Faricelli. *Arbitragem tributária*: desafios institucionais brasileiros e a experiência portuguesa 2. ed. rev., atual. e ampl. São Paulo: Thomson Reuters Brasil, 2020. *E-book*. p. 245-262.

PISCITELLI, Tathiane; MASCITTO, Andrea; FERNANDES, André Luiz Fonseca. Um olhar para a arbitragem tributária: comparativo das propostas no senado federal, provocações e sugestões. *Revista Direito Tributário Atual*, São Paulo, n. 48. p. 743-767, 2021.

PISCITELLI, Tathiane; MASCITTO, Andréa; MENDONÇA, Priscila Faricelli. *Arbitragem tributária*: desafios institucionais brasileiros e a experiência portuguesa. 2. ed. rev., atual. e ampl. São Paulo: Thomson Reuters Brasil, 2020. *E-book*.

SÃO PAULO (Estado). *Lei nº 17.843, de 7 de novembro de 2023*. São Paulo: Assembleia Legislativa do Estado, 2023. Dispõe sobre a transação nas hipóteses que especifica. Disponível em: https://legislacao.fazenda.sp.gov.br/Paginas/Lei-17843-de-2023.aspx. Acesso em: 18 mar. 2024.

SCHOUERI, Luís Eduardo. Ensaio para uma arbitragem tributária no Brasil. *In*: SCHOUERI, Luís Eduardo. *Arbitragem tributária*: desafios institucionais brasileiros e a experiência portuguesa. 2. ed. rev., atual. e. ampl. São Paulo: Thomson Reuters Brasil, 2020. *E-book*. p. 514-527.

VIDEIRA, Susana Antas. Notas sobre a arbitragem no Direito Público: uma experiência tentada ou um instituto consagrado? *In*: VILLA-LOBOS, Nuno; PEREIRA, Tânia Carvalhais. *Arbitragem em Direito Público*. São Paulo: FGV Projetos, CAAD. *E-book*. p 160-169. Disponível em: https://fgvprojetos.fgv.br/sites/fgvprojetos.fgv.br/files/fgv_publicacao_arbitragem_miolo.pdf. Acesso em: 19 mar. 2024.

Informação bibliográfica deste texto, conforme a NBR 6023:2018 da Associação Brasileira de Normas Técnicas (ABNT):

PINTERICH, Michelle. Meios alternativos de resolução de controvérsias tributárias e a necessidade de um novo paradigma de interesse público no Brasil. *In*: JUSTEN, Monica Spezia; PEREIRA, Cesar; JUSTEN NETO, Marçal; JUSTEN, Lucas Spezia (coord.). *Uma visão humanista do Direito*: homenagem ao Professor Marçal Justen Filho. Belo Horizonte: Fórum, 2025. v. 3, p. 903-911. ISBN 978-65-5518-915-5.

CONSULTATIO ANTE SENTENTIAM E OUTROS FACTOS PROCESSUAIS RELEVANTES

PAULA COSTA E SILVA

Há uns meses atrás, recebi o amabilíssimo convite para participar nesta tão justa homenagem ao Doutor Marçal Justen Filho. Atendendo às áreas de interesse do homenageado não seria difícil a escolha: são muitas e nas várias trafegou com enorme proficiência e elegância, aquela que se imputava à opinião dos prudentes. Sendo o convite indeclinável, mas não sendo universais os atributos que são publicamente reconhecidos ao homenageado, pedindo-lhe que releve a pressa da escrita, enfrentemos o desafio. Uma das áreas marcadas pelo pensamento do homenageado é o Direito Administrativo. Recordo a magnífica conferência que, há uns anos, proferiu no Congresso do CBAr, em Brasília. Por isso, vamos aventurar-nos nessa seara e deixar alguns problemas e propostas de saída que as recentes alterações do regime jurídico da arbitragem administrativa, em Portugal, nos vêm suscitando.

Não obstante a relevância que, no juízo formado no contexto de desconhecimento confessado de quem escreve, foi trazida pelo Código de Processo nos Tribunais Administrativos à realização da justiça administrativa,podendo, a título de exemplo, mencionar-se a abertura do Código por um conjunto de princípios, a racionalização das estruturas processuais de decisão, a consagração de critérios de admissibilidade da acção, a flexibilização dos pressupostos de admissibilidade da cumulação objectiva, optámos por passar a letra de forma algumas reflexões que, inscritas todas elas no domínio da arbitragem e sempre no da relação entre jurisdições, nos vêm acompanhando há um tempo. Talvez não os 20 anos que já levam o CPTA e o ETAF, mas que disso não distarão muito. Parte delas pode ser conhecida, quanto ao que até agora pensávamos, porque objecto de outras publicações;[1] as demais apenas são familiares dos que vêm debatendo

---

[1] COSTA E SILVA, Paula. O desejável aprofundamento do diálogo entre tribunais. A consulta prévia, os tribunais arbitrais e o Supremo Tribunal Administrativo. *E-Pública – Revista Eletrônica de Direito Público*, [*S. l.*], v. 6, n. 3, p. 31-41, dez. 2019; COSTA E SILVA, Paula. A Justiça Consultiva e o aprofundamento do diálogo entre os tribunais arbitrais e o Supremo Tribunal Administrativo. *Revista de Processo: RePro*, São Paulo, v. 349, p. 667-686, mar. 2024.

as questões que foram ensombrando a realização do Direito por tribunais arbitrais com a autora destas linhas.

Serão três os núcleos temáticos que vão ocupar a nossa atenção: transparência na arbitragem administrativa, controlo de legalidade das decisões proferidas por tribunais arbitrais e cooperação interinstitucional entre tribunais administrativos e tribunais arbitrais.

Em cada um dos três eixos enunciados faremos curtíssimas pontuações; o nosso objectivo não é – nem poderia ser – o de esgotarmos qualquer um dos temas, mas antes o de suscitarmos a curiosidade, o debate e novos aprofundamentos por quem nos possa ler.

Começaremos pela transparência na arbitragem administrativa e pelo controlo das decisões nela proferidas. Não nos preocuparemos com a enunciação e tomada de posição sobre os diversos itens que podem ser demandados pelo eixo; ao invés deixaremos limitar-nos-emos a ir directamente aos pontos que, num momento de balanço, julgamos merecerem reflexão.

Num segundo momento do texto, avançaremos para a matéria do diálogo inter-institucional entre tribunais arbitrais e tribunais estaduais. Sendo esse um terreno menos explorado, concluiremos pela formulação de propostas de releitura e de revisão do CPTA num ponto muito concreto – o da consulta prévia – na sequência de um texto mais estruturado.

Festina lente!

1 Transparência na arbitragem administrativa

Se é comum dizer-se que uma das vantagens da arbitragem reside na confidencialidade do processo e das decisões, não só esta afirmação vem sendo posta em causa,[2] como, quando é proferida, requer duas precisões.

O primeiro, o de que esta observação, com a qual aqui se não entrará em diálogo,[3] é feita no contexto específico da arbitragem comercial:[4] estando aí em causa interesses estritamente privados, a falta de transparência do procedimento e de publicidade das decisões não colide com o interesse público, nem mesmo na sua dimensão de boa

---

[2] NAIK, Neela V. Confidentiality in International Commercial Arbitration: A Reality or Presumption. Private Law Theory, [S. l.], Apr. 2023. Disponível em: https://www.private-law-theory.org/2024/04/18/neela-naik-confidentiality-in-international-commercial-arbitration-a-reality-or-presumption/. Acesso em: 1 jun. 2024; SHAURYA, Upadhyay. Confidentiality. *JusMundi*, [S. l.], 7 Nov. 2024. Disponível em: https://jusmundi.com/en/document/publication/en-confidentiality. Acesso em: 1 jun. 2024; SARLES, Jeffrey W. Solving the arbitral confidentiality conundrum in International Arbitration. *In*: AMERICAN ARBITRATION ASSOCIATION. *ADR & the Law*. 18th ed. New York: American Arbitration Association, 2002. p. 1-18. Disponível em: https://www.josemigueljudice-arbitration.com/xms/files/02_TEXTOS_ARBITRAGEM/01_Doutrina_ScolarsTexts/confidentiality/Confidentiality_in_International_Arbitrations_-_Sarles.pdf. Acesso em: 1 jun. 2024.

[3] Deixe-se apenas uma consideração: exercendo os tribunais arbitrais a função jurisdicional, deveria a jurisprudência arbitral concorrer para o desenvolvimento do Direito; a falta de publicação das decisões proferidas pelos árbitros impede que a sua actividade alcance essa finalidade.

[4] Já para a arbitragem de investimento, em que a falta de transparência foi uma das razões para que esse sistema fosse submetido a fortíssima contestação: KERN, Carsten. *Schiedsgericht und Generalklauseln*. Zur Konkretisierung des Gebots des fair and equitable treatment in der internationalen Investitionsschiedsgerichtsbarkeit. Tübingen: Mohr Siebeck, 2017. p. 275 e ss.

administração da Justiça, inerente e consubstancial à Justiça Estadual.[5] O desacerto da justiça estadual faz perigar o Estado de Direito o desacerto da justiça arbitral comercial internacional pode fazer colapsar esse sistema de realização do Direito, mas não o Estado de Direito; a desconfiança num sistema estadual de justiça oculto e em que as decisões são insindicáveis, não apenas pela opinião pública, mas, também e essencialmente, pela Doutrina, destrói a ideia de Estado de Direito, o confinamento do que ocorre na justiça arbitral a quantos participam desse sistema permite a desconfiança relativamente a esse sistema pelos nele não participantes.

O segundo, o de que confidencialidade de um processo e da decisão nele proferida não determinam a proibição de publicação das decisões, sejam estas estaduais ou arbitrais. A supressão de todos os elementos que permitem identificar as partes ou a situação litigiosa garantem o sigilo da situação concreta. E esta, no que não são os seus índices jurídicos críticos para a aplicação do sistema de regras, tipicamente[6] não interessa para que se proceda quer ao escrutínio público da boa realização do Direito, quer ao conhecimento da evolução do sistema jurídico, uma das funções primordiais da jurisprudência.[7]

A segunda pontuação nos dispensaria de mais comentários para passarmos à enunciação da nossa observação: a de que não há razão de fundo que possa ser mobilizada para pôr em crise a admissibilidade de conhecimento das decisões proferidas por tribunais arbitrais.

Mas, no caso de ser a arbitragem administrativa, deve perguntar-se se não cumpre levar-se a transparência mais longe. Esta se distinguirá em duas dimensões: a da publicidade do processo e a da publicidade das decisões.

Centremo-nos, por ora, na segunda.[8] Aqui a questão da transparência atinge maior complexidade. Com efeito, o que está em causa saber é se, sendo decididos litígios que envolvem o Estado – ou as pessoas colectivas de direito público –, não deve poder ser

---

[5]   Para uma análise do estado do debate quanto à publicação das decisões proferidas pelos tribunais estaduais, HESS, Burkhard. *Justiz und Kommunikation*: zur veränderten Wahrnehumng der Ziviljustiz in Staat und Gesellschaft. Dogmatik als Fundament für Forschung und Lehre. Tübingen: Mohr Siebeck, 2021. p. 359-371. Neste ponto, deve notar-se que a discussão ancora na ausência de previsão constitucional que imponha a publicação das decisões dos tribunais. Assim ocorre no caso do Direito português, onde e independentemente das regras infraconstitucionais dedicadas à publicação de certas decisões em *Diário da República* e daquelas que preveem a publicidade do processo – mas não a obrigatoriedade de publicação das sentenças ou acórdãos –, a Constituição apenas impõe a publicidade das audiências (cf. art. 206º do CRP) (COSTA E SILVA, Paula. O caso Pechstein: princípio do lugar único, jurisdição arbitral e garantias processuais fundamentais. *In*: COSTA E SILVA, Paula. *Estudos de arbitragem*. Coimbra: Almedina, 2022. v. 1, p. 19-54).

[6]   Para uma análise das constelações de casos em que inclusivamente nas decisões dos tribunais não deve ser suprimida a identificação de, pelo menos, uma das partes: HEESE, Michael. *Veröffentlichung gerichtlicher Entscheidungen im Zeitalter der Digitalisierung. Entwicklungsstand und Entwicklungsdefizite einer Funktionsbebingung des modernen Rechtsstaats*. Dogmatik als Fundament für Forschung und Lehre. Tübingen: Mohr Siebeck, 2021. p. 283-340. A preocupação central está, em casos como o do Dieselgate, na necessidade de impedir a manipulação dos eventuais jurisdicionados e da opinião pública através da veiculação de comentários e opiniões construídos a partir de informação parcelar. Este resultado seria impedido se, por um lado, não fossem anonimizados os dados de identificação da ré em todas as acções individuais e colectivas [então e no referido caso, ainda um *Musterverfahren*] instauradas.

[7]   Dispondo expressamente que é função dos tribunais superiores provocar a evolução do sistema jurídico, cf.: BYDLINSKI, Franz. *Juristische Methodenlehre*. 2. Auf. Wien: Stuttgart, 1991. §543.II.2 ZPO, S. 472.

[8]   A publicidade do processo, quando reclamada, prende-se com a atribuição de publicidade às audiências. Contra a publicidade desse acto processual invocam-se, para além da genérica razão da confidencialidade do processo

feito um escrutínio integral da situação decidenda. Formulando a pergunta: bastará a transparência da arbitragem administrativa com a publicidade da decisão expurgada de dados que permitam identificar a concreta situação litigiosa, ou deverá tornar-se pública, qual o contrato administrativo litigioso ou quais as partes que o celebraram?

Supomos que a resposta tenha de passar pela determinação das razões da publicidade. É suficiente saber-se que o Direito foi adequadamente realizado, para o que é irrelevante a concreta identificação das partes e do contrato? Pretende levar-se o controlo público mais longe, permitindo-se que, no final das contas, através da decisão possa ser publicamente escrutinada a conduta da administração e do seu concreto co-contratante na celebração e execução de um concreto contrato administrativo?

Se é evidente que as decisões proferidas no domínio da arbitragem administrativa interferem com a alocação de verbas públicas, por isso a todos potencialmente interessando, é, igualmente, verdade que num sistema em que a concreta actividade da administração, na sua dimensão financeira, é controlada por órgão com assento constitucional – o Tribunal de Contas –, não é imperioso impor-se um controlo difuso da actividade da administração por toda a comunidade. Ainda que se sustente a eventual conveniência numa transparência total, especialmente quando a arbitragem administrativa tem sido sujeita a fortes ataques na comunicação social, não pode essa conveniência ser transformada em imperativo.[9] Aliás, se o objectivo é o de permitir o controlo da actividade da administração, através do modo como são decididos os conflitos que a opõem aos seus co-contratantes, tanto devia dar-se total transparência às decisões proferidas por tribunais arbitrais, como àquelas que são proferidas por tribunais estaduais.

A necessidade de publicação das decisões arbitrais proferidas em matéria de arbitragem administrativa tardou a ser assegurada pelo legislador. Decorrente da alteração ao CPTA, introduzida pela Lei nº 118/2019, de 17 de setembro, o novo art. 185º-B desse diploma consagrou a obrigatoriedade de publicação das decisões. Sem que bem se possa compreender por que, a regulamentação dessa regra apenas ocorreu com a publicação da Portaria nº 165/2020, de 7 de julho, que veio regular os termos de depósito e publicação das decisões arbitrais em matéria administrativa e tributária. Infelizmente o regime instituído não se aplica a decisões proferidas antes da sua entrada em vigor; não

---

arbitral, obstáculos de natureza prática: ainda que as arbitragens sejam institucionalizadas, as audiências são realizadas em lugares que não foram dotados de condições que permitam o acesso público e a permanência de quantos a elas queira assistir.

Se pelo legislador ordinário for percepcionada como conveniente a necessidade de garantir a publicidade das audiências – assim se combatendo as críticas de que, sem que muito bem se saiba com base em que dados empíricos são desferidas, quanto ao modo como estas audiências decorrem e quanto aos supostos acordos que, no seu decurso, são celebrados –, não haverá que optar por uma solução de tal modo radical que imponha uma radical alteração dos termos em que têm funcionado os tribunais arbitrais. A solução que, em clima de desconfiança, pode ser experimentada passa pela presença do Ministério Público nestas audiências. Como é evidente, essa proposta impõe a alteração de um conjunto de paradigmas, entre os quais avultam, como muito impressivos, obstáculos institucionais. Mas vale a pena pensar nessa saída porquanto possa concorrer para o reforço da credibilidade da justiça que é realizada nos tribunais arbitrais. A proposta pode, mesmo, levar-se mais longe: deve pensar-se numa intervenção do Ministério Público idêntica àquela que, no exercício das suas competências próprias, tem nos processos que decorrem perante os tribunais administrativos.

[9] O regime de publicação das decisões arbitrais proferidas em matéria administrativa actualmente em vigor manda que esta se faça com identificação dos membros do tribunal arbitral, mas com expurgo de todos os elementos suscetíveis de identificar as pessoas a que diz respeito do respectivo sumário da decisão e texto. Cf. art. 5º, nº 2 da Portaria nº 165, de 7 de julho de 2020.

se desconhecendo a primeira parte do art. 12º, nº 1 do Código Civil (CC), não se devem, também, ignorar as finalidades do regime instituído pela segunda parte do mesmo dispositivo. Aliás, seria interessante construir uma base de dados que permitisse saber que resposta fora obtida pelos árbitros quando, antes da entrada em vigor da Portaria nº 165, de 7 de julho de 2020, perguntavam às partes se autorizavam a publicação da decisão. Infelizmente também esses dados não estão disponíveis.

Não obstante a complexidade do sistema consagrado pela Portaria nº 165/2020, começa finalmente a ser conhecida a actividade de uma jurisdição que, ao longo de vários anos, conheceu de litígios materialmente complexos, de elevado impacto financeiro e que, sem nada poder fazer, teve de conviver com juízos extremamente desvaliosos e estigmatizantes, emitidos acerca da conduta dos seus decisores sem nunca saber se correspondiam ou não aos dados da realidade. Se cada um sabia de si, a ausência de publicidade impedia que soubesse o que se passava nos demais casos, sendo as opiniões emitidas insusceptíveis de confronto com a realidade. Não sendo as decisões públicas, tudo se pode dizer, ainda que, uma vez mais, devesse perguntar-se como tinham os críticos, que afirmavam conhecer situações concretas, tido acesso àquilo que, por não se poder tornar público, deles não podia ser conhecido.

Caberá, agora, à ciência do Direito cumprir o seu papel, concorrendo para o aperfeiçoamento do sistema:[10] analisar as decisões proferidas por árbitros e, sempre que possível, confrontá-las com as proferidas por tribunais estaduais em contenciosos similares.

Para que tudo isso se facilite, fica um repto a quem se dedica ao desenho de bases de dados: construir um sistema de dados agregados, de modo que seja possível ter uma leitura integral das diversas decisões proferidas num só processo, desde a decisão arbitral até à decisão proferida no último recurso admissível.

2 Controlo de legalidade das decisões proferidas em arbitragem administrativa

Faremos, agora, algumas brevíssimas observações quanto à bondade do controlo de legalidade – não nos interessa, neste momento, o controlo de validade – das decisões arbitrais.

Sendo, também, a irrecorribilidade das decisões uma das vantagens atribuídas à arbitragem, sublinhe-se, novamente, que esse juízo é emitido quando se trata de decisões proferidas em arbitragem comercial. As razões dessa irrecorribilidade são, também, de várias ordens. Para além da generalizada observação de que, através do recurso à arbitragem, as partes pretendem prevenir a jurisdição dos tribunais estaduais, sendo a jurisdição arbitral uma jurisdição fechada, a irrecorribilidade das decisões prende-se directamente com a circunstância de as partes terem podido escolher quem vai julgar a causa. A escolha dos árbitros revela a confiança que os jurisdicionados depositam nas qualidades dos prudentes por elas escolhidas. Essa razão é tão forte que pode levar a

---

[10] HASSEMER, Winfried. Juristische Methodenlehre und Richterliche Pragmatik. *Rechtstheorie*, [S. l.], v. 39, n. 1, p. 15-21, 2008.

duvidar que, ainda que haja jurisprudência uniformizada de tribunais que proferem decisões em matéria que não lhes está reservada – por essa razão, sempre defendemos que devia ser aberto o controlo de constitucionalidade das decisões arbitrais, já que, mesmo nos sistemas de controlo difuso, só a Corte ou Tribunal Constitucional pode decidir acerca da conformidade constitucional de uma regra com força de caso julgado[11] –, deva essa jurisprudência ser seguida pelo tribunal arbitral.[12] Uma segunda ordem de razões prende-se com celeridade no trânsito em julgado das decisões proferidas e, em assim, em larga medida, com a respectiva exequibilidade.

Se bem se compreende, a segunda razão não é obstáculo insuperável à consagração do recurso das decisões arbitrais. E deve ser ponderada em conjunto com os valores que com ela entram em tensão. Com efeito, quando se pergunta se uma decisão deve ser recorrível, confrontam-se as vantagens do imediato trânsito em julgado com as que advêm da implementação de esquemas de controlo. Ainda que esse apenas se possa considerar necessário quando os dados empíricos revelam uma elevada taxa de revogação das decisões proferidas pelos tribunais *a quo*, pode o recurso ser consagrado por razões de conveniência: supomos ter sido esse o caso do legislador português quando veio prever a recorribilidade genérica das decisões proferidas por tribunais arbitrais em matéria de contratos administrativos, sempre que o valor da causa seja superior a meio milhão de euros.

Porquanto sabemos, não havia dados empíricos que mostrassem o desacerto das decisões proferidas por árbitros nesse contencioso e até então. Mas a admissibilidade do recurso pode ter sido considerada como conveniente perante os ataques desferidos contra a arbitragem administrativa: sendo inviável a sua supressão, a previsão do recurso tranquilizaria quem via na arbitragem administrativa uma instância de transacção menos clara, para dizer o mínimo, garantindo a preservação da legalidade democrática através da instituição do recurso das decisões proferidas pelos árbitros para os tribunais estaduais.

Ainda que os dados empíricos venham a revelar que a percentagem de revogações não justifica as desvantagens da mais célere estabilização das decisões, não foi, em si, errada a opção do legislador: também lhe compete fazer opções políticas nos regimes que põe em vigor. Se a previsão do recurso foi a solução encontrada para aplacar as críticas ao que se dizia ser feito numa justiça secreta e sem controlo, mesmo que as decisões proferidas fossem dotadas de justeza, dotada de justeza foi, também, a solução da lei.

Porém, e para que esses dados sejam esclarecedores, há que apelar, uma vez mais, à Ciência do Direito. Sendo publicadas as decisões arbitrais e sendo conhecidas as decisões proferidas em recurso pelo tribunal *ad quem*, à Doutrina vai agora caber o relevantíssimo papel de escrutinar o acerto de uma jurisprudência global. Não para exercer uma crítica que seja semente de diabolização de uns ou de outros decisores, mas sim para contribuir para o aperfeiçoamento do sistema. Afinal, quando a actuação

---

[11] COSTA E SILVA, Paula. *A nova face da Justiça*: os meios extrajudiciais de resolução de controvérsias. Coimbra: Coimbra Editora, 2009.

[12] Sobre a relevância deste tópico na não vinculação dos tribunais arbitrais ao direito tal como acertado pelos supremos tribunais: COSTA E SILVA, Paula; VITORINO, Beatriz de Macedo; ALMEIDA, Filipa Lira de. Arbitral Precedent: Still exploring the Path II. *Iusdictum*, [*S. l.*], n. 0, p. 125-142. Disponível em: https://iusdictum.com/numeros/. Acesso em: 4 nov. 2023.

dos intervenientes processuais não é perversa, é salutar que a crítica se abstenha de adjectivos e advérbios de modo.

3 *Consultatio ante sententiam*: o art. 93º do CPTA e a potencial cooperação institucional entre tribunais estaduais e arbitrais

O último ponto que nos ocupará prende-se com o possível alargamento do campo de aplicação do art. 93º do CPTA. Sobre ele nos pronunciamos já por duas vezes.[13] Porém, a ausência de reacção à proposta que formulamos, pela primeira vez, em 2019, leva-nos a insistir no ponto. Tudo porque consideramos poder estar perante uma evolução virtuosa de um instrumento singular do contencioso administrativo, que concorrerá para uma mais eficiente realização do Direito quando a jurisdição possa ser exercida, num só processo, por tribunais arbitrais e, em via de recurso, por tribunais estaduais. Referimo-nos ao art. 93º do CPTA.

Dispõe essa regra:

Artigo 93.º

Julgamento em formação alargada e consulta prejudicial para o Supremo Tribunal Administrativo

1 - Quando à apreciação de um tribunal administrativo de círculo se coloque uma questão de direito nova que suscite dificuldades sérias e possa vir a ser suscitada noutros litígios, pode o respetivo presidente, oficiosamente ou por proposta do juiz da causa, adotar uma das seguintes providências:

a) Determinar que no julgamento intervenham todos os juízes do tribunal, sendo o quórum de dois terços, devendo a audiência decorrer perante o juiz da causa nos termos do no nº 2 do artigo 91.º, e havendo lugar à aplicação do disposto no artigo anterior;

b) *Submeter a sua apreciação ao Supremo Tribunal Administrativo, para que este emita pronúncia vinculativa dentro do processo sobre a questão, no prazo de três meses.*

2 - Em tribunais onde o quadro de juízes seja superior a nove, a intervenção de todos os juízes prevista na alínea a) do número anterior é limitada a dois terços do número de juízes, incluindo o juiz da causa, tendo o Presidente do Tribunal voto de desempate.

3 - A consulta prevista na alínea b) do nº 1 não pode ter lugar em processos urgentes e pode ser liminarmente recusada, a título definitivo, quando uma formação constituída por três juízes de entre os mais antigos da secção de contencioso administrativo do Supremo Tribunal Administrativo considere que não se encontram preenchidos os respetivos pressupostos ou que a escassa relevância da questão não justifica a emissão de uma pronúncia.

4 - (Revogado.)

5 - A pronúncia emitida pelo Supremo Tribunal Administrativo não o vincula relativamente a novas pronúncias, que, em sede de consulta ou em via de recurso, venha a emitir no futuro, sobre a mesma matéria, fora do âmbito do mesmo processo.

---

[13] COSTA E SILVA. A Justiça Consultiva e o aprofundamento do diálogo entre os tribunais arbitrais e o Supremo Tribunal Administrativo; COSTA E SILVA. O desejável aprofundamento do diálogo entre tribunais. A consulta prévia, os tribunais arbitrais e o Supremo Tribunal Administrativo.

Não é relevante, para o nosso intuito, aprofundarmos o debate acerca da natureza dessa função quando exercida por juízes de tribunais superiores no contexto de um processo[14.] Limitamo-nos a sublinhar, nessa sede, que, nos termos do art. 202º da Constituição da República Portuguesa, e sob a epígrafe "Função jurisdicional", a lei determina que "na administração da justiça incumbe aos tribunais assegurar a defesa dos direitos e interesses legalmente protegidos dos cidadãos, reprimir a violação da legalidade democrática e dirimir os conflitos de interesses públicos e privados". Ainda que a consulta possa – e, nos casos de que vamos tratar, *só possa* – ser emitida por tribunais, ela não integra o núcleo da função jurisdicional: quando emite a sua opinião, termo que agora usaremos em modo intencionalmente vago, o tribunal que dá a sua opinião não decide um conflito de interesses.

Esta conclusão é desafiante porquanto, sendo a função consultiva necessariamente reservada ao juiz – ao invés do que ocorre, por exemplo, com a competência para a execução, que, tendo estado reservada aos tribunais, não implicava a prática de actos reservados ao juiz[15] –, ela não o é por traduzir o exercício da função jurisdicional, mas por só ter utilidade se for reservada ao juiz. E não a um qualquer juiz, mas apenas ao juiz de um tribunal superior, aquele cuja opinião deve ser determinante na escolha da melhor solução jurídica para um caso complexo e que, sendo novo, tem tendência para se repetir. Conclui-se, dessa forma, que a reserva de juiz pode ter uma dupla razão: a natureza da função exercida – jurisdição – e a utilidade da função exercida, como sucede na consulta judicial. Uma terceira, a conveniência, como era prática na execução, não vai ocupar-nos mais. E quando é atribuída por utilidade, o escopo do meio influencia racionalmente a escolha do juiz ao qual a função deve ser reservada.

O art. 93º do CPTA foi introduzido na reforma profunda do contencioso administrativo, ocorrida em 2002.[16] Como decorre do seu texto, essa regra veio atribuir ao Supremo Tribunal Administrativo, em mimetismo com o que ocorre no reenvio prejudicial entre os tribunais nacionais e o Tribunal de Justiça da União Europeia[17] e

---

[14] Os problemas suscitados pela aceitação de uma Justiça Consultiva ou consulta judicial não devem ser equiparados aos que devem ser enfrentados quando se pergunta se pode qualificar-se como decisão o acto terminal de um processo em que o juiz declara não estarem reunidas condições para se pronunciar sobre o mérito da causa por não ser líquido o direito. Ainda que, em ambas as situações, haja intervenção de tribunais, *numa*, aquela em que há mera consulta, *não existe decisão, na outra*, há *decisão de não decidir*. Compreensivamente sobre essa distinção: CABRAL, Antonio do Passo. *Jurisdição sem decisão*. Non liquet e consulta jurídica no Direito brasileiro. São Paulo: Juspodivm, 2024; FERNANDEZ, Elizabeth. *Jurisdição sem decisão* (Contributos para uma visão contemporânea do exercício do poder jurisdicional a partir da solução da inversão do contencioso e não só). Minho: Universidade do Minho, 2023. Disponível em: https://ebooks.uminho.pt/index.php/uminho/catalog/view/151/180/2986. Acesso em: 1 jun. 2024.

[15] COSTA E SILVA, Paula. *A reforma da acção executiva*. 3. ed. Coimbra: Coimbra Editora, 2003.

[16] Sobre o art. 93.º CPTA: ALMEIDA, Mário Aroso de. *Manual de processo administrativo*. 7. ed. Coimbra: Coimbra Editora, 2022. p. 384 e ss.; ALMEIDA, Mário Aroso de; FERNANDES CADILHA, Carlos Alberto. *Comentário ao Código de Processo nos Tribunais Administrativos*. 5. ed. Coimbra: Coimbra Editora, 2021. *sub* art. 93º.

[17] Dispõe o art. 267º do Tratado sobre o Funcionamento da União Europeia:
"O Tribunal de Justiça da União Europeia é competente para decidir, a título prejudicial:
a) Sobre a interpretação dos Tratados;
b) Sobre a validade e a interpretação dos atos adotados pelas instituições, órgãos ou organismos da União.
Sempre que uma questão desta natureza seja suscitada perante qualquer órgão jurisdicional de um dos Estados-Membros, esse órgão pode, se considerar que uma decisão sobre essa questão é necessária ao julgamento da causa, pedir ao Tribunal que sobre ela se pronuncie.
Sempre que uma questão desta natureza seja suscitada em processo pendente perante um órgão jurisdicional

no contencioso administrativo francês, desde 1987,[18] uma competência consultiva. O instrumento é, também, conhecido do sistema norte-americano, onde é conhecido por *writ of certiorari*.

De acordo com o regime da consulta, ainda que o tribunal emita uma opinião e esta seja vinculativa para o tribunal que formulou a consulta, não o sendo para o órgão emissor, é verdade que quem decide a causa não é o órgão consultado, mas aquele que lhe dirigiu a consulta. Ainda que a opinião do Supremo Tribunal Administrativo seja incorporada na decisão a proferir pelo tribunal que lhe dirigiu a consulta, a decisão será desse tribunal e não do Supremo. Nessa medida, e apesar de o Supremo Tribunal Administrativo proferir uma decisão, através da qual se pronuncia sobre uma questão de direito – entenda-se, apesar de o Supremo, com a sua decisão, fixar o modo de solucionar uma questão de direito nova -, ele não decide a causa.

Curiosamente, as origens da competência consultiva são bem longínquas. Em Constituição datada de 386, determinava-se:

> Cum antea sit constitutum, ut consultationem iudicis ad comitatum sacrum missam litigatorum nemo sequeretur, hoc integra deliberatione sancimus, ut, si ad consultationem anno decurso non fuerit aliqua ratione responsum, litigatores quorum interest collectis omnibus gestis et ipsius relationis exempli veniendi ad comitatum nostrae serenitatis habeant liberam facultatem.[19]

E, em 474, dando forma ao que seria uma prática secular,[20] determinavam Leão e Zeno que, em caso de dúvida quanto ao Direito, devia o juiz do processo dirigir-se ao Imperador para que esta a removesse. Para além dos óbvios objectivos políticos desse dever-direito de consulta, o endereçamento da pergunta ao Imperador no contexto de um concreto processo, a fim de que este, através de epístola, lhe desse resposta, encontrava a sua razão de ser na natureza das funções do último, afinal, juiz supremo e legislador. Assim, e perante a dúvida, quem melhor do que o Imperador para tomar posição,

---

nacional cujas decisões não sejam suscetíveis de recurso judicial previsto no direito interno, esse órgão é obrigado a submeter a questão ao Tribunal.

(...)."

Sobre esse reenvio, conferir: as recomendações dirigidas aos tribunais dos diversos Estados Membros (Disponível em: https://eur-lex.europa.eu/PT/legal-content/summary/preliminary-ruling-proceedings-recommendations-to-national-courts.html. Acesso em: 3 nov. 2023). Com uma descrição desse reenvio - e dos pareceres consultivos, emitidos pelo Tribunal da EFTA: LOURENÇO, Luísa. O reenvio prejudicial para o TJUE e os pareceres consultivos do Tribunal EFTA. *Julgar*, [S. l.], n. 35, 2018, Disponível em: https://julgar.pt/wp-content/uploads/2018/05/J35-08-L-Louren%C3%A7o.pdf. Acesso em: 3 nov. 2023.

[18] Cf. Art. 13º da Loinº 87-1127, du 31 décembre 1987, portant réforme du contentieux administratif (Disponível em: https://www.legifrance.gouv.fr/loda/id/LEGIARTI000006528488/1988-01-01/#LEGIARTI000006528488. Acesso em: 2 nov. 2023). Para a versão dessa regra, constante do art. L113 e tal como vigente em 1 de janeiro de 2001, momento imediatamente anterior ao da publicação do CPTA, conferir: https://www.legifrance.gouv.fr/codes/article_lc/LEGIARTI000006449176. Acesso em: 2 nov. 2023. Dispunha, então, o art. L113 do Code de Justice Administrative: "Avant de statuer sur une requête soulevant une question de droit nouvelle, présentant une difficulté sérieuse et se posant dans de nombreux litiges, le tribunal administratif ou la cour administrative d'appel peut, par une décision qui n'est susceptible d'aucun recours, transmettre le dossier de l'affaire au Conseil d'Etat, qui examine dans un délai de trois mois la question soulevée. Il est sursis à toute décision au fond jusqu'à un avis du Conseil d'Etat ou, à défaut, jusqu'à l'expiration de ce délai".

[19] C. Th. 11.30.47, grifos nossos.

[20] LITEWSKI, Wieslaw. *Consultatio ante sententiam*. ZSS, [S. l.], v. 86, p. 227-257, 1969.

removendo-a, quer por interpretação, quer por criação de regra nova? Transcrevendo a referida Constituição, "vel quis legum aenigmata solvere et omnibus aperire idoneus esse videbitur nisi is, cui soli legis latorem esse concessum est?".[21]

A articulação entre a *consultatio ante sententiam* e a proibição de criação de Direito ou de remoção de dúvidas suscitadas pelas regras por personagem diferente do Imperador, consagrada de modo expresso e de forma clara, respectivamente, nos §§21 e 18 da Constituição *Tanta*, que confirmou o *Digesto*, parecem-nos evidentes. Apenas o Imperador poderia remover dúvidas ou preencher lacunas, assim se garantindo, não apenas a uniformidade na solução de casos iguais, mas o seu poder em lugares tão distantes quanto os limites do seu império. Veiculando-se a teoria segundo a qual a assertividade da sua intervenção dependeria do poder das diferentes províncias e da natureza do órgão judicante – como resultará manifesto, a propósito do *referre ad principem*, de uma análise das diversas epístolas conhecidas –,[22] verifica-se que, se nuns casos, emite opinião que constrange fortemente os poderes do magistrado, noutros lhe deixa larga margem de discricionariedade. Certo é que, através de diversos instrumentos, garante o Imperador um tríplice objectivo: uniformidade da aplicação do Direito, centralização da criação do direito (no caso das epístolas, do *ius respondendi*) e controlo imanente pelo Imperador de todos os magistrados e funcionários do Império.[23]

Não se confundindo com a *appellatio more consultationis*,[24] que nela se terá inspirado, a *consultatio ante sententiam* mantinha a competência para o proferimento da sentença no magistrado que havia feito a consulta, razão pela qual não era qualificada como um acto do processo. Sendo a opinião do Imperador vinculativa para o magistrado, que havia de segui-la na sentença, era discutido se, reflectindo a opinião do Imperador, podia a decisão ser recorrida.

As interrogações acerca da fascinante figura da *consultatio ante sententiam* acabam por poder colocar-se perante as opções feitas, séculos mais tarde, pelo legislador quando consagrou as soluções que hoje encontramos no art. 93º do CPTA. Supomos ser correcto afirmar que, tanto o julgamento em formação alargada, quanto a consulta prévia, estão ordenados a conferir maior consistência e, mediatamente, estabilidade a decisões que, pela natureza do seu objecto, sejam especialmente complexas de julgar (questão de direito nova, que suscite sérias dificuldades).[25] Lê-se na proposta de Lei nº 92, VIII, que o julgamento alargado e a consulta prejudicial são consagrados para "favorecer a qualidade das decisões dos tribunais administrativos de círculo e alguma uniformidade na resolução de diferentes processos sobre a mesma matéria".

---

[21] C. Th. 1.14.11.

[22] ARCARIA, Francesco. *Referre ad principem*. Contributo allo studio delle *epistulae* imperial in età classica. Milano: Giuffrè, 2000. p. 76 e ss.

[23] ARCARIA. *Referre ad principem*. Contributo allo studio delle *epistulae* imperial in età classica, p. 75-76.

[24] Compreensivamente sobre a *appellatio more consultationis*: PERGAMI, Federico. *L'appello nella legislazione del tardo imperio*. Milano: Giuffrè, 2000. p. 447-462.

[25] Em 2019, a regra foi alterada, passando a prever-se, não apenas um quórum distinto para o julgamento alargado [alteração à alínea a) do nº 1], mas, numa segunda alteração de enorme relevância, *o poder de intervenção oficiosa do presidente do tribunal*. Se, até aqui, tanto o julgamento alargado, quanto a consulta prejudicial, dependiam de impulso do juiz da causa, com a entrada em vigor da Lei nº 118, de 17 de setembro de 2019, o presidente do tribunal pode determinar um ou outro oficiosamente. Ao atribuir ao presidente do tribunal poderes de intervenção oficiosa, a lei submete a sua actuação ao dever de criação de condições para que a decisão que venha a recair sobre questão de direito nova – como tal, não decidida anteriormente – possa ser a melhor possível.

Não trataremos, aqui,[26] dos vários problemas que uma e outra figura podem suscitar. Como dissemos, e quanto à consulta prévia, nenhum é novo, todos foram levantados a propósito da *consultatio ante sententiam*. Diremos, apenas, pois esse é o fio que nos interessa, que a consulta prévia parece ser o meio adequado para que se antecipe logo na decisão da causa aquela que poderá vir a ser a decisão dada *a posteriori* pelo Supremo Tribunal em sede de recurso. Ainda que, nos termos do número 3, do art. 93º, "a pronúncia emitida pelo Supremo Tribunal Administrativo não o vincula relativamente a novas pronúncias, que, em sede de consulta ou em via de recurso, venha a emitir no futuro, sobre a mesma matéria, fora do âmbito do mesmo processo",[27] será provavelmente infrequente que o Supremo altere os termos da sua pronúncia prévia tão radicalmente que o juiz da causa tenha proferido decisão absolutamente distinta daquela que o Supremo vem a proferir em recurso.

Perceba-se: essa coincidência não é fatal pois é evidente que, entre a pronúncia em consulta prévia, suscitada no julgamento de um caso, e o momento em que julga o recurso, mesmo se interposto da decisão proferida no próprio caso, pode ter ocorrido uma alteração profunda da compreensão que o Supremo tem quanto àquela que é a solução jurídica dotada de maior justeza; não se pode ignorar que, apesar de ser constituído pelo colégio de decisores mais qualificados na matéria da consulta, também para o Supremo a questão é complexa e nova.[28] Entre uma opinião emitida em consulta prévia e o momento da decisão de um recurso, Jurisprudência e Ciência do Direito deverão ter cumprido o seu papel, identificando soluções que podem ser melhoradas e, por isso, inflectidas em novas decisões.

O ponto para o qual gostaríamos de chamar a atenção de quem nos possa ainda acompanhar neste momento do texto parte de uma pergunta: uma vez que a Lei nº 118/2019, de 17 de setembro, veio prever o recurso das decisões proferidas por tribunais arbitrais e que o art. 476º, nº 5 do Códigos dos Contratos Públicos, não deverá pensar-se na admissibilidade de os tribunais arbitrais dirigirem consultas prévias ao Supremo Tribunal Administrativo?

Veja-se: a consagração do recurso das decisões proferidas por árbitros para os tribunais administrativos não é pressuposto necessário da nossa proposta. A aceitar-se uma Justiça Consultiva, inspirada no modelo da *consultatio ante sententiam*, deve concluir-se que, apesar de os árbitros serem os prudentes escolhidos pelas partes, podem estes prudentes querer dialogar com os seus pares na jurisdição administrativa, ainda que as suas decisões não sejam sindicáveis ou, até e por maioria de razão, quando as suas

---

[26] Pudemos fazer uma análise, apesar de breve, ainda assim mais extensa, dos problemas levantados pela consulta prévia, por último, em: A Justiça Consultiva e o aprofundamento do diálogo entre os tribunais arbitrais e o Supremo Tribunal Administrativo, p. 667-686.

[27] Para uma visão das razões que podem estar subjacentes a esse regime de não vinculatividade do órgão emissor da opinião quando tem de conhecer do recurso interposto: GOMES, Carla Amado; LEONG, Hong Cheng. A uniformização preventiva de jurisprudência *In:* GOMES, Carla Amado; NEVES, Ana F.; SERRÃO, Tiago. *Comentários à legislação processual administrativa.* 6. ed. Lisboa: AAFDL Editora, 2022. v. 2, p. 568-570.

[28] A necessidade da *consultatio ante sententiam* era reforçada quando estivesse em causa a aplicação de regras novas. Veja-se a Constituição C. 1.14.11, em que se dispunha "Cum de novo iure, quod inveterato usu non adhuc stabilitum est, dubitatio emergat, necessaria est tam suggestio iudicantis quam sententiae principalis auctoritas". Segundo Litewski (*Consultatio ante sententiam*, p. 235), não obstante nela se referir a suggestio, cabia ao tribunal decidir se formularia uma consultatio, sem que essa sua decisão pudesse determinar a admissibilidade do recurso da decisão que o magistrado viesse a proferir.

decisões não sejam sindicáveis. Não se trata de propor uma delegação de competência para, através dela, se obter um ganho político na partilha de responsabilidade. Trata-se de consentir numa cooperação entre prudentes, realizada através de um diálogo institucional, que concorra para o acerto máximo da decisão proferenda em matéria de Direito nova e altamente complexa. Nessa proposta, tem-se em vista aquele que é o seu principal beneficiário: o jurisdicionado. A este interessa a melhor e mais rápida decisão do seu caso.

Se a consulta *ante sententiam* não pressupõe a recorribilidade das decisões, podendo, mesmo, afirmar-se que ela é mais útil quando a decisão não é recorrível uma vez que será o meio único de, através do diálogo entre tribunais, todos os prudentes envolvidos concorrerem para o acerto das decisões, ela pode ser muito virtuosa quando o recurso é admitido. A admissibilidade da consulta entre tribunais sinaliza a necessidade de maior ponderação pelos decisores mais qualificados quanto à solução jurídica a dar a casos de elevada complexidade e que concitam uma evolução do sistema tal como até então conhecido. Esse argumento pareceria ser reversível: será exactamente quando as decisões não podem ser controladas que mais se justificaria a emissão de opinião pelos prudentes mais qualificados na hierarquia dos tribunais estaduais. Mas recordando o que antes se escreveu, o envolvimento prévio desses prudentes permite concorrer para uma maior estabilidade das decisões proferendas por se dever presumir o acerto daquelas que são proferidas na sequência da opinião emitida.

Em todo esse contexto, pode, ainda, perguntar-se se o melhor modelo será o de se exigir àquele a quem é remetida a consulta, que emita uma opinião, mesmo que não definitiva: provavelmente essa será uma das situações em que poderá aceitar-se uma decisão de não emissão de opinião, aceitando-se que o órgão consultado decida não se pronunciar, aguardando pelo curso que vá fazendo um problema jurídico novo. Fica mais essa proposta que não coincide com os pressupostos que, nos termos do art. 93º, nº 3, permitem ao Supremo Tribunal Administrativo recusar emitir a opinião que lhe foi pedida. Segundo essa regra, a consulta "pode ser liminarmente recusada, a título definitivo, quando uma formação constituída por três juízes de entre os mais antigos da secção de contencioso administrativo do Supremo Tribunal Administrativo considere que não se encontram preenchidos os respetivos pressupostos ou que a escassa relevância da questão não justifica a emissão de uma pronúncia." Supomos que deveria ir-se mais longe: deveria admitir-se que o Supremo pudesse recusar emitir uma opinião quando conclua não ter alcançado uma resposta suficientemente ponderada. Seria um caso de *non liquet* no exercício da competência consultiva.

Deixemos a interrogação final: a celebração de convenção de arbitragem não impedirá que o tribunal arbitral dirija uma consulta prévia ao Supremo Tribunal Administrativo? A natureza da jurisdição arbitral não contraria de forma irremediável a nossa proposta?

Uma resposta positiva parece intuitivamente acertada. Com efeito, se a *translatio* da competência decisória de uma dada questão não se revela particularmente complexa quando a cooperação e o diálogo que com ela se trava é intra-institucional, tudo se torna mais complexo quando esse diálogo é, não apenas inter-institucional,[29] como pressupõe

---

[29] Sempre temos defendido que o diálogo entre tribunais, sejam arbitrais, sejam integrados em qualquer uma das ordens de tribunais estaduais, é um diálogo inter-institucional. Esta qualificação não é neutra, tendo, *v.g.*,

a intervenção, na decisão de pelo menos uma questão jurídica relevante da causa, de um decisor integrado numa ordem, cuja competência as partes preveniram: ao celebrarem a convenção de arbitragem as partes quiseram afastar a jurisdição administrativa de base estadual. Mais, ao celebrarem convenção de arbitragem, as partes quiseram escolher os seus prudentes.

Mas veja-se que o peso dessa razão se esbate se se tiver sempre em consideração o pano de fundo que permite justificar a proposta que acabámos de fazer: a previsão de recurso das decisões arbitrais proferidas em matéria administrativa. Na verdade, ainda que as partes hajam prevenido a competência da ordem dos tribunais administrativos para o julgamento da causa em primeira instância, aquela competência não pode ser por elas prejudicada quando a lei dispõe a recorribilidade das decisões arbitrais, atribuindo a competência para o conhecimento da impugnação àqueles tribunais. E talvez que um traço mais da *consultatio ante sententiam* possa ser aqui lembrado: o de, sendo a consulta da competência do decisor, uma vez decidida a sua formulação considerar-se ter sido celebrado um negócio processual entre o magistrado e as partes que àquele impunha a sua efectiva apresentação. Não seria de se pensar na possibilidade de árbitro e partes assentarem na conveniência da consulta?

4 Em jeito de conclusão

Percorremos três núcleos temáticos nas páginas antecedentes: transparência na arbitragem administrativa, controlo de legalidade das decisões proferidas por tribunais arbitrais, cooperação inter-institucional entre tribunais administrativos e tribunais arbitrais.

Corremos o risco de formular algumas propostas de alteração e de releitura da lei administrativa e de deixar um desafio à doutrina: intervenção do Ministério Público na arbitragem administrativa para garantir a publicidade – e a tutela do interesse público – da audiência, publicação agregada das decisões proferidas por tribunal administrativo *a quo* e tribunal *ad quem* para mais fácil análise pelos jurisdicionados, investidores e doutrina, alargamento do diálogo entre tribunais arbitrais e tribunais estaduais através da extensão do regime da *consultatio ante sententiam* ou consulta prévia, ainda que neste momento sequer disponhamos de dados empíricos que nos permitam ensaiar um balanço acerca da efetiva utilização desse instrumento na relação intra-institucional.[30]

---

impacto na relação entre tribunal arbitral e tribunal estadual na decisão por essa última jurisdição dos processos de impugnação de árbitros. Não sendo esse o lugar para o desenvolvimento integral dessa observação, que arranca de uma regra dogmaticamente muito complexa da Lei da Arbitragem Voluntária, a saber, o seu art. 14º, nº 3, deixe-se o registo de que, em nosso entender, não pode o tribunal arbitral ser qualificado, em tais procedimentos, como comparte das partes. Não se trata, somente, de uma questão de diplomacia judiciária; muito mais relevante, trata-se de desenhar um regime compatível com a natureza do decisor, um tribunal.

[30] A falta de dados empíricos relativamente ao número de casos em que possa ter sido feita uma consulta prévia ao STA não permite formular conclusões quanto à adesão da magistratura a essa inovação trazida pela reforma do contencioso administrativo. Numa outra geografia, anunciando a morte do *writ of certiorari*: Aaron Nielson (The Death of the Supreme Court's Certified Question Jurisdiction. *Catholic University Law Review*, [S. l.], v, 59, n. 2, Article 5, 2010. Disponível em: https://scholarship.law.edu/cgi/viewcontent.cgi?article=3199&context=lawr eview. Acesso em: 1 jun. 2024), em que os dados empíricos revelam a acentuada diminuição de casos em que o Supreme Court aceitou responder a perguntas que lhe tenham sido dirigidas por tribunais submetidos à sua

Um quarto núcleo se faz necessário, mas, porque não absolutamente urgente, será deixado para uma circunstância em que eventualmente seja a nova morfologia da litigância a ocupar a nossa atenção. Neste momento, que seguramente não pode aguardar 20 anos, não porque se antecipe uma então irrelevância do problema, mas pela fatalidade do tempo de quem escreve, deverá ser enfrentada a categoria dos processos estruturais.

Referências

ALMEIDA, Mário Aroso de. *Manual de processo administrativo*. 7. ed. Coimbra: Coimbra Editora, 2022.

ALMEIDA, Mário Aroso de; FERNANDES CADILHA, Carlos Alberto. *Comentário ao Código de Processo nos Tribunais Administrativos*. 5. ed. Coimbra: Coimbra Editora, 2021.

ARCARIA, Francesco. *Referre ad principem*. Contributo allo studio delle *epistulae* imperial in età classica. Milano: Giuffrè, 2000.

BYDLINSKI, Franz. *Juristische Methodenlehre*. 2. Auf. Wien: Stuttgart, 1991.

CABRAL, Antonio do Passo. *Jurisdição sem decisão*. *Non liquet* e consulta jurídica no Direito brasileiro. São Paulo: Juspodivm, 2024.

COSTA E SILVA, Paula. *A nova face da Justiça*: os meios extrajudiciais de resolução de controvérsias. Coimbra: Coimbra Editora, 2009.

COSTA E SILVA, Paula. A Justiça Consultiva e o aprofundamento do diálogo entre os tribunais arbitrais e o Supremo Tribunal Administrativo. *Revista de Processo: RePro*, São Paulo, v. 349, p. 667-686, mar. 2024.

COSTA E SILVA, Paula. *A reforma da acção executiva*. 3. ed. Coimbra: Coimbra Editora, 2003.

COSTA E SILVA, Paula. O caso Pechstein: princípio do lugar único, jurisdição arbitral e garantias processuais fundamentais. *In:* COSTA E SILVA, Paula. *Estudos de arbitragem*. Coimbra: Almedina, 2022. v. 1, p. 19-54.

COSTA E SILVA, Paula. O desejável aprofundamento do diálogo entre tribunais. A consulta prévia, os tribunais arbitrais e o Supremo Tribunal Administrativo. *E-Pública – Revista Eletrônica de Direito Público*, [S. l.], v. 6, n. 3, p. 31-41, dez. 2019.

COSTA E SILVA, Paula; VITORINO, Beatriz de Macedo; ALMEIDA, Filipa Lira de. Arbitral Precedent: Still exploring the Path II. *Iusdictum*, [S. l.], n. 0, p. 125-142. Disponível em: https://iusdictum.com/numeros/. Acesso em: 4 nov. 2023.

HASSEMER, Winfried. Juristische Methodenlehre und Richterliche Pragmatik. *Rechtstheorie*, [S. l.], v. 39, n. 1, p. 1-22, 2008.

HESS, Burkhard. *Justiz und Kommunikation*: zur veränderten Wahrnehumng der Ziviljustiz in Staat und Gesellschaft. Dogmatik als Fundament für Forschung und Lehre. Tübingen: Mohr Siebeck, 2021.

HEESE, Michael. *Veröffentlichung gerichtlicher Entscheidungen im Zeitalter der Digitalisierung*. Entwicklungsstand und Entwicklungsdefizite einer Funktionsbebingung des modernen Rechtsstaats. Dogmatik als Fundament für Forschung und Lehre. Tübingen: Mohr Siebeck, 2021.

FERNANDEZ, Elizabeth. *Jurisdição sem decisão (Contributos para uma visão contemporânea do exercício do poder jurisdicional a partir da solução da inversão do contencioso e não só)*. Minho: Universidade do Minho, 2023. Disponível em: https://ebooks.uminho.pt/index.php/uminho/catalog/view/151/180/2986. Acesso em: 1 jun. 2024.

---

jurisdição, sendo, por isso, extremamente rara a utilização do meio em tempos mais recentes: os magistrados não perguntam pois sabem que, provavelmente, o Supremo não aceitará responder, verificando-se uma dilação indesejável – e inútil – dos processos.

GOMES, Carla Amado; LEONG, Hong Cheng. A uniformização preventiva de jurisprudência In: GOMES, Carla Amado; NEVES, Ana F.; SERRÃO, Tiago. *Comentários à legislação processual administrativa*. 6. ed. Lisboa: AAFDL Editora, 2022. v. 2, p. 533-572.

KERN, Carsten. *Schiedsgericht und Generalklauseln*. Zur Konkretisierung des Gebots des fair and equitable treatment in der internationalen Investitionsschiedsgerichtsbarkeit. Tübingen: Mohr Siebeck, 2017.

LITEWSKI, Wieslaw. *Consultatio ante sententiam*. ZSS, [S. l.], v. 86, p. 227-257, 1969.

LOURENÇO, Luísa. O reenvio prejudicial para o TJUE e os pareceres consultivos do Tribunal EFTA. *Julgar*, [S. l.], n. 35, 2018, Disponível em: https://julgar.pt/wp-content/uploads/2018/05/J35-08-L-Louren%C3%A7o. pdf. Acesso em: 3 nov. 2023.

NAIK, Neela V. Confidentiality in International Commercial Arbitration: A Reality or Presumption. *Private Law Theory*, [S. l.], Apr. 2023. Disponível em: https://www.private-law-theory.org/2024/04/18/neela-naik-confidentiality-in-international-commercial-arbitration-a-reality-or-presumption/. Acesso em: 1 jun. 2024.

NIELSON, Aaron. The Death of the Supreme Court's Certified Question Jurisdiction. *Catholic University Law Review*, [S. l.], v, 59, n. 2, 2010. Disponível em: https://scholarship.law.edu/cgi/viewcontent.cgi?article=3199& context=lawreview. Acesso em: 1 jun. 2024.

PERGAMI, Federico. *L'appello nella legislazione del tardo imperio*. Milano: Giuffrè, 2000.

SARLES, Jeffrey W. Solving the arbitral confidentiality conundrum in International Arbitration. *In:* AMERICAN ARBITRATION ASSOCIATION. *ADR & the Law*. 18th ed. New York: American Arbitration Association, 2002. p. 1-18. Disponível em: https://www.josemigueljudice-arbitration.com/xms/files/02_TEXTOS_ ARBITRAGEM/01_Doutrina_ScolarsTexts/confidentiality/Confidentiality_in_International_Arbitrations_-_ Sarles.pdf. Acesso em: 1 jun. 2024.

SHAURYA, Upadhyay. Confidentiality. *JusMundi*, [S. l.], 7 Nov. 2024. Disponível em: https://jusmundi.com/ en/document/publication/en-confidentiality. Acesso em: 1 jun. 2024.

Informação bibliográfica deste texto, conforme a NBR 6023:2018 da Associação Brasileira de Normas Técnicas (ABNT):

COSTA E SILVA, Paula. *Consultatio ante sententiam* e outros factos processuais relevantes. *In:* JUSTEN, Monica Spezia; PEREIRA, Cesar; JUSTEN NETO, Marçal; JUSTEN, Lucas Spezia (coord.). *Uma visão humanista do Direito*: homenagem ao Professor Marçal Justen Filho. Belo Horizonte: Fórum, 2025. v. 3, p. 913-927. ISBN 978-65-5518-915-5.

MATRIZ DE RISCOS E REEQUILÍBRIO ECONÔMICO-FINANCEIRO: UMA ANÁLISE DAS ARBITRAGENS ENVOLVENDO CONTRATOS DE CONCESSÃO DE INFRAESTRUTURA RODOVIÁRIA FEDERAL

PRISCILA CUNHA DO NASCIMENTO

RAFAEL MAGALHÃES FURTADO

1 Introdução

O Brasil, buscando atrair investimentos privados para o desenvolvimento da infraestrutura, tem firmado Parcerias Público-Privadas (PPPs).[1] Por meio desses contratos, o parceiro privado assume a responsabilidade de desenvolver uma determinada atividade econômica por meio da outorga do Poder Público.

A intensificação da celebração de PPPs no Brasil, nos últimos anos, provoca debates acerca de quais desses projetos de infraestrutura são sustentáveis e quais riscos devem ser assumidos pelo Poder Público para torná-los mais resilientes.

A distribuição de riscos entre os parceiros públicos e privados é um elemento crucial para assegurar o desempenho otimizado dos projetos, dado que a equação econômico-financeira dos contratos de PPPs é fundamentalmente moldada pela definição precisa dos riscos que cada parceiro assume.

Por certo, busca-se definir as variáveis futuras mediante a alocação de risco *ex ante*, e apenas em alguns casos essa alocação de riscos e sua solução são deixadas para

---

[1] O termo Parcerias-Público Privadas (PPPs), adotado neste artigo, engloba todas as espécies de parceria entre o setor público e o setor privado, a exemplo da concessão comum, da concessão patrocinada, da concessão administrativa, da concessão regida por legislação setorial, da permissão de serviço público, do arrendamento de bem público, da concessão de direito real e os outros negócios público-privados, que, em função de seu caráter estratégico e de sua complexidade, especificidade, volume de investimentos, longo prazo, riscos ou incertezas envolvidos, adotem estrutura jurídica semelhante (cf. §2º do art. 1º da Lei nº 13.334, de 2016).

um momento posterior à celebração do contrato, isto é, *ex post*.[2] A alocação preventiva de riscos no contrato reduz o espaço para a tutela jurídica do arbitramento *ex post*, ao passo que amplia a sua tutela econômica que se opera no momento da confecção do contrato.[3]

Ocorre que é impossível prever antecipadamente todos os eventos futuros que serão suportados pelo contrato ao longo dos anos, de modo que sempre haverá riscos cuja responsabilidade não foi atribuída a nenhuma das partes ou ainda divergências entre o parceiro público e o parceiro privado a respeito do enquadramento de um evento na matriz de risco contratual.

Nesse cenário, é comum que nos contratos de parceria surjam litígios ao longo de sua execução, de modo que dispor de mecanismos adequados de solução de conflito, a exemplo da arbitragem, tem como vantagem a celeridade e a especialidade na solução dos conflitos, garantindo maior segurança jurídica a esses contratos.

A adoção da arbitragem nos contratos de parceria permitiu que nos últimos anos diversos procedimentos arbitrais fossem instaurados em face da Administração Pública. O objeto dessas arbitragens varia a depender do setor regulado e do projeto, sendo comum que o litígio envolva discussões relacionadas ao reequilíbrio econômico-financeiro do contrato e, por consequência, à alocação de riscos.

É, nesse contexto, que o estudo das sentenças arbitrais e a interpretação adotada pelo Tribunal Arbitral sobre a matriz de riscos nos contratos de concessão de infraestrutura rodoviária federal emerge como um elemento importante na compreensão das cláusulas de alocação de riscos, cujos resultado pode apontar a necessidade de se aperfeiçoar a redação dessas cláusulas ou, em contratos futuros, de se alterar a alocação do risco.

Dessa forma, este artigo investigará a alocação de riscos enquanto importante instrumento nos contratos de parceria, com o recorte nos contratos de concessão de infraestrutura rodoviária, em âmbito federal, e na análise das sentenças arbitrais que tratam de reequilíbrio econômico-financeiro desses contratos.

Para isso, importa tecer breves considerações sobre como os contratos de concessão de infraestrutura rodoviária federal trataram dos temas alocação de riscos e arbitragem ao longo das etapas do Programa de Concessão de Rodovias Federais (Procrofe).

O capítulo seguinte abordará o posicionamento da literatura a respeito da identificação, a classificação e a alocação de riscos em PPPs e a sua aplicação aos contratos de concessão de infraestrutura rodoviária federal.

O terceiro capítulo tratará das arbitragens envolvendo os contratos de concessão de infraestrutura rodoviária federal, destacando-se os riscos objetos do litígio arbitral.

O último capítulo analisará se as sentenças arbitrais a partir da identificação, classificação e a alocação de riscos nos contratos de concessão rodoviária federal, com ênfase na interpretação conferida pelo Tribunal Arbitral à alocação de riscos prevista contratualmente *ex ante*.

---

[2]   Sobre o assunto, recomenda-se: AGRA, João Naylor Villas-Bôas. Contrato incompleto: a eficiência entre a vontade e o oportunismo das partes. *Revista Jurídica Luso-Brasileira*, Lisboa, v. 6, n. 4, 2020.

[3]   GUIMARÃES, Fernando Vernalha. O equilíbrio econômico-financeiro nas concessões e PPPs: formação e metodologias para recomposição. *Revista de Direito Público da Economia – RDPE*, Belo Horizonte, ano 15, n. 58, p. 37-60, abr./jun. 2017.

2 Breve panorama dos contratos de concessão rodoviária federal

O governo federal brasileiro instituiu o Procrofe no ano 1995, que foi dividido em etapas e fases, entre as quais é possível observar evoluções e retrocessos na modelagem contratual ao longo dos anos.[4]

A primeira etapa do Procrofe, ocorrida entre os anos de 1995 e 1997, envolveu a transferência de algumas rodovias sob a gestão do extinto Departamento Nacional de Infraestrutura de Transportes (DNER) para a iniciativa privada.[5]

Nessa etapa, a concessionária assume integral responsabilidade por todos os riscos associados à concessão, salvo nas situações em que o contrato determine de maneira diferente.[6] A simplicidade desta cláusula de alocação de riscos tem suas raízes nos contratos de colaboração (obra pública), que até então era a expertise do DNER.

Apesar de o contrato ter alocado a integralidade dos riscos ao parceiro privado, identificou-se uma discrepância entre as premissas que resultou em ineficiências contratuais. Tal contradição surgiu em razão de ser cabível o reequilíbrio econômico-financeiro do contrato sempre que houvesse alterações nos valores dos insumos, gerando um tipo de risco associado ao contrato de concessão.[7]

Nessa etapa do Procrofe, os contratos dispunham de uma seção específica sobre processo amigável de soluções das divergências contratuais, que possibilitava a celebração de compromisso arbitral para dirimir eventuais conflitos ou impasses em matéria de aplicação, interpretação ou integração das regras que regem a concessão.

Embora a Lei de Arbitragem (Lei nº 9.307, de 1996) ainda não tivesse sido publicada, e os contratos da primeira etapa do Procrofe não tenham previsto uma cláusula compromissória nos moldes observados a partir da terceira etapa do programa, a inclusão de uma seção específica que autorizava o gestor a celebrar compromisso arbitral não deixa de ser uma intenção, ainda que modesta, da possibilidade de adoção desse mecanismo de resolução de disputas nos contratos de concessão do modo rodoviário.[8]

A segunda etapa do Procrofe, ocorrida entre os anos de 2007 e 2009, dividida em fases I e II, de modo geral, é marcada por avanços em relação à primeira etapa evidenciados a partir da adoção de mecanismos de controle e fiscalização mais eficazes

---

[4] Informações adicionais sobre o Procrofe encontram-se disponíveis em: https://www.gov.br/antt/pt-br/assuntos/rodovias/concessionarias. Acesso em: 11 jun. 2024.

[5] FURTADO, Rafael Magalhães. *Alocação de riscos e o encerramento antecipado das concessões de rodovias federais no Brasil*: uma análise dos contratos de concessão celebrados pela ANTT. 2023. Dissertação (Mestrado em Administração Pública) – Escola Brasileira de Administração Pública e de Empresas, Fundação Getulio Vargas, Rio de Janeiro, 2023.

[6] Sobre o assunto, ver: CAMPOS NETO, Carlos Alvares da Silva; MOREIRA, Sérvulo Vicente; MOTTA, Lucas Varjão. *Modelos de concessão de rodovias no Brasil, no México, no Chile e nos Estados Unidos*: evolução histórica e avanços regulatórios. Texto para Discussão No. 2.378. Brasília, DF: Ipea, mar. 2018; FREITAS, Rafael Véras de. O equilíbrio econômico-financeiro nas concessões de rodovias. *Revista de Direito Público da Economia – RDPE*, Belo Horizonte, v. 58, p. 208-209, 2017.

[7] FURTADO. *Alocação de riscos e o encerramento antecipado das concessões de rodovias federais no* Brasil: uma análise dos contratos de concessão celebrados pela ANTT.

[8] ÁVILA, Natália Resende Andrade.; NASCIMENTO, Priscila Cunha do. A Arbitragem nas concessões federais de infraestrutura de transportes terrestres: uma análise das cláusulas compromissórias. In SILVA, Mauro Santos. *Concessões e Parcerias Público-privadas: políticas públicas para provisão de infraestrutura*. Brasília: Instituto de Pesquisa Aplicada (IPEA), 2022.p. 337 a 367.

e uma atenção especial à modicidade tarifária, de modo a assegurar a qualidade dos serviços prestados, o cumprimento das obrigações pelas concessionárias e a satisfação dos usuários das rodovias concedidas.[9]

Na fase I (2007), apesar dos mencionados avanços na modelagem contratual, quanto à alocação de riscos, observa-se que não houve alteração significativa em relação à primeira etapa do Procrofe. E, no que se refere à adoção da arbitragem, houve retrocesso em relação à etapa anterior na medida em que não se observam disposições sobre resoluções de controvérsias por meio de arbitragem.

Na fase II (2009), a cláusula de alocação de riscos foi elaborada de maneira mais detalhada em relação aos contratos da primeira etapa e da segunda etapa da fase II. Quanto ao uso da arbitragem, a estruturação do contrato assemelha-se à da fase I.

No entanto, a ausência de cláusula arbitral na segunda etapa do Procrofe não impediu que em alterações contratuais posteriores, desde que devidamente verificadas as vantagens e desvantagens da arbitragem,[10] fosse inserida a adoção da arbitragem através de termo aditivo em contratos de concessão da fase I e da fase II, mais especificamente nos contratos celebrados com a concessionária Autopista Litoral Sul[11] e com a concessionária Via Bahia.

A terceira etapa do Procrofe teve início em 2013 e diferente das etapas anteriores, esta etapa buscou ampliar a capacidade incrementando o nível de investimento adotando um modelo mais aderente ao modelo de construir, operar, manter e transferir (BOT, na sigla em inglês).[12]

A distribuição de riscos nos contratos da terceira etapa é muito próxima à abordagem estabelecida na segunda etapa – fase II do Procrofe. Em relação à adoção da arbitragem, esta etapa inaugura a inserção de cláusula compromissória por meio da qual as partes elegem a arbitragem para resolver conflitos oriundas ou relacionadas ao contrato, com exceção de questões relativas a direitos indisponíveis, tais como a natureza e titularidade públicas do serviço concedido e do poder de fiscalização sobre a exploração do serviço delegado.

A quarta etapa do Procrofe, iniciada em 2019, introduz um portfólio de concessões com características diferenciadas e um menor nível de homogeneidade entre si. Essa fase reflete uma evolução na modelagem dos projetos, com ênfase maior na singularidade dos

---

9   FURTADO. *Alocação de riscos e o encerramento antecipado das concessões de rodovias federais no Brasil*: uma análise dos contratos de concessão celebrados pela ANTT.

10 "Art. 6º. Na hipótese de ausência de cláusula compromissória, a administração pública federal, para decidir sobre a celebração do compromisso arbitral, avaliará previamente as vantagens e as desvantagens da arbitragem no caso concreto.
§1º Será dada preferência à arbitragem:
I - nas hipóteses em que a divergência esteja fundamentada em aspectos eminentemente técnicos; e
II - sempre que a demora na solução definitiva do litígio possa: a) gerar prejuízo à prestação adequada do serviço ou à operação da infraestrutura; ou b) inibir investimentos considerados prioritários" (BRASIL. Decreto nº 10.025, de 2019. Decreto nº 10.025, de 20 de setembro de 2019. Dispõe sobre a arbitragem para dirimir litígios que envolvam a administração pública federal nos setores portuário e de transporte rodoviário, ferroviário, aquaviário e aeroportuário (...). *Diário Oficial da União*: Brasília, DF, 2019. Disponível em: https://www.planalto. gov.br/ccivil_03/_ato2019-2022/2019/decreto/d10025.htm. Acesso em: 10 ago. 2024).

11 Convenção de arbitragem prevista no Termo Aditivo nº 02/2020 do Contrato de Concessão decorrente do Edital nº 003/2007 da ANTT, firmado entre as Partes em 10 de dezembro de 2020.

12 FERREIRA, Arian Bechara; MACHADO, Bernardo Vianna Zurli; SALLES, Daniel Cardoso de; OLIVEIRA, Hugo Costa Simões de; TEIXEIRA, Lucas Milher Grego; RODRIGUES, Nathalia Farias Saad; FREIXO, Vitor de Bragança. Modelagem e regulação de projetos de concessão rodoviária sob a ótica do financiador. *BNDES Setorial*, v. 27, n. n. 54, p. 7-82, set. 2021.

contratos e na adaptação a contextos específicos, contrastando com as etapas anteriores que apresentavam maior grau de similaridade.

Os contratos celebrados a partir de 2019 contam com cláusula sobre alocação de riscos bastante robusta, a exemplo da adotada a partir da segunda etapa fase II e aprimorada na terceira etapa do Procrofe. Todavia, determinados riscos são compartilhados, alocados ao parceiro privado ou ao parceiro público, a depender das características dos projetos.

A adoção da arbitragem como método adequado de solução de conflitos permanece, observando-se sensíveis alterações entre um contrato e outro. De forma geral, são objeto de arbitragem as controvérsias relativas a direitos patrimoniais disponíveis, observados os ditames das leis nº 13.448, de 2017 e 9.307, de 1996, e do Decreto nº 10.025/2019. Excluem-se da arbitragem questões relativas a direitos indisponíveis não transacionáveis, a natureza e a titularidade públicas do serviço concedido ou permitido, ao poder de fiscalização sobre a exploração do serviço delegado e ao pedido de rescisão do contrato por parte da concessionária.

Após uma explanação genérica sobre o histórico da alocação de riscos e das cláusulas compromissórias a partir da evolução do Procrofe, cabe, neste momento, compreender a racionalidade inerente à alocação de custos em contratos de parceria em geral e nos contratos de concessão de infraestrutura rodoviária.

3 Riscos e contratos de PPPs

A literatura destaca a repartição dos riscos entre os parceiros público e privado como um dos maiores desafios das PPPs.[13] Esse processo de alocação envolve a distribuição das incertezas e responsabilidades relacionadas à execução do contrato entre as partes envolvidas, levando em consideração a capacidade e o interesse de cada uma em gerir esses riscos de maneira eficaz.

Uma alocação e gestão de riscos eficazes são essenciais para o sucesso das PPPs, na medida em que promovem a transparência contratual, aprimoram a comunicação entre as partes envolvidas, otimizam os processos de resolução de problemas e facilitam a adoção de estratégias de resolução de conflitos. Uma gestão robusta dos riscos não apenas fortalece a viabilidade econômica do projeto, mas também reduz significativamente os custos de transação.

Ademais, a distribuição equitativa dos riscos entre os parceiros é crucial para assegurar a eficiência no gasto público. O que pode ser atingido por meio da incorporação de inovações introduzidas pelo setor privado, combinadas com suas competências em design de ativos, técnicas de construção e práticas operacionais.

De acordo com as lições de Justen Filho[14] "a definição dos riscos assumidos pelo concessionário apresenta íntima relação com a temática do equilíbrio

---

[13] Sobre o assunto, recomenda-se a leitura de: CHAN, Albert P. C; LAM, Patrick T. I.; CHAN, Daniel W. M.; CHEUNG, Esther; KE, Yongjian. Critical Success Factors for PPPs in Infrastructure Developments: Chinese Perspective. *Journal of Construction Engineering and Management*, [S. l.], v. 136, n. 5, p. 484-494, 15 Apr. 2010; ROUMBOUTSOS, Athena; ANAGNOSTOPOULOS, Konstantinos. P. Public-private partnership projects in Greece: Risk ranking and preferred risk allocation. *Construction Management and Economics*, [S. l.], v. 26, n. 7, p. 751-763, 2008.

[14] JUSTEN FILHO, Marçal. Concessão de serviço público e equação econômico-financeira dinâmica. *Revista de Direito Público da Economia – RDPE*, Belo Horizonte, ano 16, n. 61, p. 171-191, jan./mar. 2018.

econômico-financeiro da concessão", de modo que se "pode aludir ao direito da parte à recomposição da equação econômico-financeira, sempre que se produzir sua quebra por evento que preencha certos requisitos".[15]

A alocação inadequada pode resultar em ineficiências na gestão do projeto, elevar os custos de transação,[16] aumentar a frequência de disputas[17] e desestimular a participação do setor privado em PPPs.[18]

Dessa forma, a alocação de riscos é um elemento fundamental nos projetos de infraestrutura, a exemplo das concessões rodoviárias. Dado que as PPPs envolvem compromissos de longo prazo, os riscos geralmente são compartilhados entre os parceiros público e privado ou transferidos para aquele que possui maior capacidade de gerenciá-los de forma eficaz.[19]

A identificação de riscos em contratos de parceria é um processo complexo que requer uma análise minuciosa dos objetivos do projeto, das partes interessadas e dos riscos potenciais. Esse processo pode ser conduzido com base em diversos critérios, incluindo a natureza do risco, sua origem e o impacto potencial sobre o projeto. Uma compreensão profunda desses elementos é essencial para a construção de uma estratégia eficaz de gestão de riscos e para a garantia do sucesso do empreendimento.

Castelblanco, Guevara, Harrison e Flores[20] a partir da base teórica sobre o tema, realizaram um estudo que identificou os riscos mais relevantes em projetos de PPPs no setor de rodovias, classificando-os em relação às fases do ciclo de vida dos projetos (geral, construção e operacional) e subdividindo essas fases em categorias relativas a aspectos políticos e econômicos, fatores relacionados à localização do projeto e atividades de construção, além de riscos operacionais e de encerramento.

Dentre os trabalhos utilizados por Castelblanco, Guevara, Harrison e Flores, destaca-se a pesquisa de Nguyen, Garvin e Gonzalez,[21] que realizam uma análise detalhada de estudos prévios sobre PPPs realizados na Austrália, Reino Unido, China e Índia, com o objetivo de identificar as alocações preferenciais de riscos nesses mercados, aplicando-os ao contexto das PPPs de rodovias nos Estados Unidos.

Furtado[22] analisou os riscos no contexto dos contratos de concessão de rodovias federais celebrados no Brasil. Para essa finalidade considerou 35 riscos selecionados

---

[15] JUSTEN FILHO, Marçal. *Teoria geral das concessões de serviço público.* São Paulo: Dialética, 2003. p. 391.

[16] DUDKIN, Gerti; VÄLILÄ, Timo. Transaction Costs in Public-Private Partnerships: A First Look at the Evidence, Economic and Financial Report, No. 2005/03. *European Investment Bank (EIB),* Luxembourg, v. 1, n. 2, p. 307-330, 1 Jun. 2006. Disponível em: https://www.econstor.eu/bitstream/10419/45289/1/656632305.pdf. Acesso em: 10 ago. 2024; LI, B.; AKINTOYE, A.; EDWARDS, P. J.; HARDCASTLE, C. Perceptions of positive and negative factors influencing the attractiveness of PPP/PFI procurement for construction projects in the UK: Findings from a questionnaire survey. *Engineering, Construction and Architectural Management,* [*S. l.*], v. 12, n. 2, p. 125-148, 1 Apr. 2005.

[17] LI, B.; AKINTOYE, A.; EDWARDS, P. J.; HARDCASTLE, C. Critical success factors for PPP/PFI projects in the UK construction industry. *Construction Management and Economics,* [*S. l.*], v. 23, n. 5, p. 459-471, Jun. 2005.

[18] NGUYEN, D. A.; GARVIN, M. J.; GONZALEZ, E. E. Risk Allocation in U.S. Public-Private Partnership Highway Project Contracts. *Journal of Construction Engineering and Management,* [*S. l.*], v. 144, n. 5, 5 May 2018.

[19] CASTELBLANCO, G.; GUEVARA, J., HARRISON, A. FLORES, D.; Risk Allocation in Unsolicited and Solicited Road Public-Private Partnerships: Sustainability and Management Implications. *Sustainability,* Geneva, v. 12, n. 11, 1 Jun. 2020; FREITAS. O equilíbrio econômico-financeiro nas concessões de rodovias, p. 208-209.

[20] CASTELBLANCO; GUEVARA; HARRISON; FLORES. Risk Allocation in Unsolicited and Solicited Road Public-Private Partnerships: Sustainability and Management Implications.

[21] NGUYEN; GARVIN; GONZALEZ. Risk Allocation in U.S. Public-Private Partnership Highway Project Contracts.

[22] FURTADO. *Alocação de riscos e o encerramento antecipado das concessões de rodovias federais no Brasil*: uma análise dos contratos de concessão celebrados pela ANTT.

por Nguyen, Garvin e Gonzalez e outros 6 riscos adicionais que foram identificados de forma recorrente nos contratos brasileiros,[23] perfazendo o total de 41 riscos mapeados no contexto brasileiro.

O quadro a seguir sintetiza a distribuição dos riscos nos contratos de concessão do Procrofe a partir da classificação de Furtado:

Quadro 1 – Alocação dos riscos nos contratos de concessão rodoviária federal

Fase	Categoria	Risco	Etapas			
			2ª. I	2ª. II	3ª	4ª
Geral	Político	Instabilidade de governo	NA	NA	NA	NA
Geral	Político	Má tomada de decisão pública	NA	NA	NA	NA
Geral	Político	Oposição política	NA	NA	NA	NA
Geral	Político	Alteração da legislação	Pu	Pu	Pu	Pu
Geral	Político	Alteração da regulamentação fiscal	S	S	S	S
Geral	Político	Alteração contratual	Pu	Pu	Pu	Pu
Geral	Político	Organização do projeto	Pr	Pr	S/Pr	S/Pr
Geral	Político	Fato do príncipe/Fato da Administração	Pu	Pu	Pu	Pu
Geral	Econômico	Atração financeira para investidores	NA	NA	NA	NA
Geral	Econômico	Custos de financiamento	Pr	Pr	Pr	Pr
Geral	Econômico	Disponibilidade de material/mão-de-obra	NA	NA	NA	NA
Geral	Econômico	Má qualidade da mão de obra	NA	NA	NA	NA
Geral	Econômico	Responsabilidade de terceiros	Pr	Pr	Pr	Pr
Geral	Econômico	Crises de pessoal	NA	NA	NA	NA
Geral	Econômico	Mercado financeiro deficiente	NA	NA	NA	NA
Geral	Econômico	Eventos econômicos ruins	NA	NA	NA	NA
Geral	Econômico	Inflação	Pr	Pr	Pr	Pr
Geral	Econômico	Risco de taxa de juros	Pr	Pr	Pr	Pr
Geral	Econômico	Residual	Pr	Pr	Pr	Pr
Geral	Econômico	Câmbio	Pr	Pr	Pr	Pr/S
Construção	Localização	Aquisição de terrenos	S	Pr	Pr/Pu/S	Pu/S
Construção	Localização	Expropriação	S	Pr	Pr/Pu/S	Pu/S
Construção	Localização	Atrasos nas aprovações	S	S	S	S
Construção	Localização	Ambiental	Pr	Pr	S	S
Construção	Localização	Condições geotécnicas	Pr	Pr	Pr	Pr/S
Construção	Localização	Climático	S	S	S	S
Construção	Localização	Protestos/Manifestações	Pu	S	S	S
Construção	Localização	Terras indígenas, comunidades quilombolas e sítios arqueológicos	Pr	Pr	Pr/Pu	Pu
Construção	Construção	Alteração da legislação de construção	Pu	Pu	Pu	Pu
Construção	Construção	Risco de projeto	Pr	Pr	Pr/S	Pr/S
Construção	Construção	Tecnologia não comprovada	Pr	Pr	Pr	Pr
Construção	Construção	Custos de construção excedentes	Pr	Pr	Pr/S	S
Construção	Construção	Atrasos na construção	Pr	Pr	Pr/S	Pr/S
Construção	Construção	Alterações tardias de projeto	Pu	Pu	Pu	Pu
Construção	Construção	Custo de construção	Pr	Pr	Pr/S	Pr/S
Operacional	Operação	Demanda	Pr	Pr	Pr	Pr/S
Operacional	Operação	Rede	Pr	Pu	Pu	Pu
Operacional	Operação	Excesso do custo de operação	Pr	Pr	Pr	Pr/S
Operacional	Operação	Custo de manutenção	Pr	Pr	Pr	Pr
Operacional	Operação	Evasão ou recusa do pedágio	Pr	Pr	Pr	Pr
Operacional	Encerramento	Força maior	S	S	S	S

Legenda: Pu - Público; Pv - Privado; S - Compartilhado; NA - Não Alocado.
Fonte: Dados da pesquisa, a partir de FURTADO. *Alocação de riscos e o encerramento antecipado das concessões de rodovias federais no Brasil*: uma análise dos contratos de concessão celebrados pela ANTT.

---

[23] Os riscos acrescidos foram fato do príncipe/fato da administração; evasão ou recusa do pedágio; custo de construção; protesto/manifestações; câmbio e terras indígenas; comunidades quilombolas e sítios arqueológicos.

Observa-se que dos quarenta e um riscos mapeados, nove não foram expressamente alocados em nenhuma das etapas do Procrofe (instabilidade de governo, má tomada de decisão pública, oposição política, atração financeira para investidores, disponibilidade de material/mão de obra, má qualidade da mão de obra, crises de pessoal, mercado financeiro deficiente e eventos econômicos ruins).

Em todas as etapas do Procrofe os riscos de alteração da legislação, alteração contratual, fato do príncipe/fato da administração, alteração da legislação da construção e alterações tardias de projeto foram alocados ao parceiro público. Por certo, segundo Nguyen, Garvin e Gonzalez,[24] os riscos mais prevalentes alocados ao Poder Público são aqueles decorrentes de alterações provocadas pela autoridade pública.

Por outro lado, os riscos de custo de financiamento, responsabilidade de terceiros, inflação, risco de taxa de juros, residual, tecnologia não comprovada, custo de manutenção e evasão ou recusa de pedágio ao longo das etapas do Procrofe foram sempre alocados ao parceiro privado. Em contrapartida, os riscos relacionados à alteração da regulamentação fiscal, ao risco de atraso nas aprovações, ao risco climático e ao risco por força maior foram alocados de forma compartilhada entre o parceiro público e o parceiro privado.

Os 15 riscos restantes identificados tiveram alocação distinta a depender da etapa do Procrofe e do projeto, o que implica reconhecer que o contexto do projeto desempenha um papel significativo, sendo que as circunstâncias locais e específicas, a exemplo do contexto político e econômico, podem influenciar diretamente a alocação e gestão de riscos. No entanto, observa-se certa prevalência da alocação ao parceiro privado ou ao compartilhamento do risco, corroborando a tendência observada na pesquisa de Nguyen, Garvin e Gonzalez no sentido de que em PPPs de rodovias a maioria dos riscos é transferida ao parceiro privado.

4 Procedimentos arbitrais envolvendo a Agência Nacional de Transportes Terrestres (ANTT)

Devidamente identificados os riscos relevantes em contratos de concessão de infraestrutura rodoviária federal, cabe neste momento trazer um panorama sobre as arbitragens envolvendo a Agência Nacional de Transportes Terrestres (ANTT) e aprofundar os aspectos relacionados à matriz de riscos dos contratos com procedimento arbitral em curso ou encerrado.

A arbitragem é um meio adequado de solução de controvérsias, através do qual as partes, em comum acordo, manifestam sua vontade de submeter um litígio sobre direito patrimonial disponível a um árbitro ou tribunal arbitral com poderes para prolatar decisões com eficácia de decisão judicial, afastando, por conseguinte, a jurisdição estatal.[25]

---

[24] NGUYEN; GARVIN; GONZALEZ. Risk Allocation in U.S. Public-Private Partnership Highway Project Contracts.

[25] Para um estudo aprofundado do conceito de arbitragem recomenda-se a leitura de: BORN, Gary B. *International Commercial Arbitration*. 2nd. ed. The Hague: Kluwer Law International, 2014; PEREIRA, Cesar Augusto Guimarães; TALAMINI, Eduardo (coord.). *Arbitragem e Poder Público*. São Paulo: Saraiva, 2010; CARMONA, Carlos Alberto. *Arbitragem e processo*. Um comentário à Lei 9.307/96. 3. ed. São Paulo: Atlas, 2009; LEMES, Selma. *Arbitragem na Administração Pública*: fundamentos jurídicos e eficiência econômica. São Paulo: Quartier Latin, 2007.

Em relação às concessões rodoviárias federais, a partir da 3ª etapa do Procrofe os contratos de concessão passaram a dispor de cláusula compromissória, de modo que a partir do ano de 2017 surgiram os primeiros conflitos a serem dirimidos por meio da arbitragem.

O quadro a seguir sintetiza as informações relativas às arbitragens envolvendo os contratos de concessão de rodoviária federal:

Quadro 2 – Arbitragens envolvendo a ANTT

Etapa do Procrofe	Concessionária	Câmara	Processo Arbitral	Data do Requerimento	Objeto	Sentença
3ª	MGO (atual Eco 050)	CCI	23238/2017	22/11/2017	Reequilíbrio econômico-financeiro	----
3ª	Galvão	CCI	23433/2018	16/02/2018	Reequilíbrio econômico-financeiro	Sentença parcial (10/09/2020)
3ª	Via 040	CCI	23.932/2018	20/09/2018	Reequilíbrio econômico-financeiro	Sentença parcial (16/11/2021)
		CCI	24572/2020	13/09/2020	Penalidades	Sentença final (16/05/2023)
3ª	Rota do Oeste	CCI	23960/2018	02/10/2018	Reequilíbrio econômico-financeiro	Sentença homologatória (12/06/2023)
3ª	Concebra	CCI	24595/2019	04/07/2019	Reequilíbrio econômico-financeiro	----
		CCI	28255/2023	10/11/2023	Reequilíbrio econômico-financeiro	----
2ª.II	Via Bahia	CAM-CCBC	64/2019	03/09/2019	Reequilíbrio econômico-financeiro	----
3ª	MS-VIA	CCI	24957/2019	11/12/2019	Reequilíbrio econômico-financeiro	----
2ª. I	ALS	CCI	26437/2021	30/07/2021	Reequilíbrio econômico-financeiro	Sentença final (11/07/2024)

Fonte: Dados da pesquisa, a partir de BRASIL. Agência Nacional de Transportes Terrestres. Arbitragem. *Gov. br*, Brasília, DF, [2024]. Disponível em: https://portal.antt.gov.br/web/guest/arbitragem. Acesso em: 10 jul. 2024.

Observa-se do Quadro 2 que as arbitragens se concentram nos contratos da 3ª etapa do Procrofe, o que é esperado haja vista que somente a partir desta etapa os contratos de concessão rodoviária federal passaram a dispor de cláusula compromissória.

As sentenças arbitrais parcial e final foram proferidas em média em cerca de 3 anos. No entanto, o procedimento arbitral da concessionária Eco 050 encontra-se em curso há mais de cinco anos sem que tenha sido proferida a sentença. Esses dados iniciais apontam que, em que pese ser a celeridade uma característica dos procedimentos arbitrais, algumas arbitragens estão demorando tempo superior à expectativa inicial do Poder Público.[26]

Outro dado relevante se refere ao objeto das arbitragens que em sua maioria envolve discussões atreladas ao reequilíbrio econômico-financeiro do contrato, corroborando o fato de que em PPPs discussões dessa natureza são comuns.

Cada um dos eventos de desequilíbrio econômico-financeiro discutidos em arbitragens foram catalogados de acordo com a classificação apresentada na Quadro 1. Importante registrar que um evento pode envolver um ou mais riscos, de modo que o número de riscos discutidos em uma arbitragem não necessariamente corresponderá ao número de eventos.

O quadro a seguir é resultado da aplicação da classificação de riscos de que trata a o Quadro 1 ao objeto das arbitragens:

---

[26] Adota-se como parâmetro para o termo "expectativa do Poder Público" o prazo entre vinte e quatro e quarenta e oito meses a contar da celebração do termo de arbitragem de que trata o art. 8º do Decreto nº 10.025/2019 (BRASIL. Decreto nº 10.025/2019).

Quadro 3 – Riscos discutidos nas arbitragens envolvendo a ANTT

Risco/ Concessionárias	ALS	Via Bahia	ECO050 (antiga MGO)	CONCEBRA (1)	CONCEBRA (2)	MS VIA	Rota do Oeste	VIA 040 (1)	Galvão BR-153
Má tomada de decisão pública	NA	NA	NA	NA	NA	NA	NA	NA	NA
Alteração da legislação	Pu	Pu	Pu	Pu	Pu	Pu	Pu	Pu	Pu
Alteração da regulamentação fiscal	S	S	S	S	S	S	S	S	S
Aquisição de terrenos	S	Pr	Pu	S	S	S	Pu	S	Pu
Expropriação	S	Pr	Pu	S	S	S	Pu	S	Pu
Custos de financiamento	Pr	Pr	Pr	Pr	Pr	Pr	Pr	Pr	Pr
Risco de projeto	Pr	Pr	S	S	S	S	S	S	S
Atrasos nas aprovações	S	S	S	S	S	S	S	S	S
Custos de construção excedentes	Pr	Pr	S	S	S	S	S	S	S
Atrasos na construção	Pr	Pr	S	S	S	S	S	S	S
Alteração contratual	Pu	Pu	Pu	Pu	Pu	Pu	Pu	Pu	Pu
Alterações tardias de projeto	Pu	Pu	Pu	Pu	Pu	Pu	Pu	Pu	Pu
Demanda	Pr	Pr	Pr	Pr	Pr	Pr	Pr	Pr	Pr
Excesso do custo de operação	Pr	Pr	Pr	Pr	Pr	Pr	Pr	Pr	Pr
Responsabilidade de terceiros	Pr	Pr	Pr	Pr	Pr	Pr	Pr	Pr	Pr
Eventos econômicos ruins	NA	NA	NA	NA	NA	NA	NA	NA	NA
Força maior	S	S	S	S	S	S	S	S	S
Ambiental	Pr	Pr	S	S	S	S	S	S	S
Condições geotécnicas	Pr	Pr	Pr	Pr	Pr	Pr	Pr	Pr	Pr
Fato do príncipe/fato da administração	Pu	Pu	Pu	Pu	Pu	Pu	Pu	Pu	Pu
Custo de construção	Pr	Pr	S	S	S	S	S	S	S
Protestos/Manifestações	Pu	S	S	S	S	S	S	S	S
Terras indígenas, comunidades quilombolas e sítios arqueológicos	Pr	Pr	Pu	Pu	Pu	Pu	Pu	Pu	Pu

Legenda: Pu - Público; Pv - Privado; S - Compartilhado; NA - Não Alocado. Os riscos grifados com cinza escuro são os que estão sendo discutidos na arbitragem.
Fonte: Dados da pesquisa (2024).

Dos 41 riscos mapeados em contratos de concessão rodoviária federal (Quadro 1), 23 estão sendo discutidos em procedimentos arbitrais.

O risco mais recorrente é o custo de construção excedente presente em 8 arbitragens, seguido da má tomada de decisão pública, do atraso nas aprovações e força maior observado em sete arbitragens. Os riscos de atrasos na construção, de demanda e de eventos econômicos ruins estão presentes em seis arbitragens.

Por outro lado, os riscos menos recorrentes são os riscos de protestos/manifestações, condições geotécnicas, responsabilidade de terceiros, expropriação e aquisição de terrenos.

5 Análise das sentenças arbitrais envolvendo a ANTT

Dentre os procedimentos arbitrais envolvendo a ANTT, 5 possuem algum tipo de sentença. No entanto, não será analisada a sentença relativa ao caso da Via 040 (Processo Arbitral CCI nº 24572/2020), porque seu objeto envolve apenas a discussão de penalidades e o caso da Rota do Oeste (Procedimento Arbitral CCI nº 23960/2018), em razão de a sentença arbitral ter apenas homologado a renúncia do parceiro privado.

5.1 Caso Galvão (Processo Arbitral CCI nº 23433/2018)

No procedimento arbitral envolvendo a concessionária Galvão, o parceiro privado alegou a inexistência de inadimplementos contratuais e consequente inexigibilidade das multas e impossibilidade de decretação de caducidade em razão da ocorrência de caso fortuito ou força maior decorrente de crise econômica e impossibilidade de obtenção de financiamento pelo Banco Nacional de Desenvolvimento Econômico e Social (BNDES) em decorrência da alteração da política de financiamento pela União (fato do príncipe/ fato da administração).

A sentença parcial,[27] em síntese, reconheceu a responsabilidade do parceiro privado pelo risco de financiamento (cláusulas 21.1[28] e 26.1[29] do contrato de concessão), não tendo verificado que a crise econômica (eventos econômicos ruins) caracteriza caso fortuito ou força maior a justificar a responsabilidade do Poder Público. Os árbitros também afastaram a incidência de fato do príncipe/fato da administração por não ter sido comprovada a alteração da política de financiamento.

Houve, portanto, o reconhecimento pelo Tribunal Arbitral de que não se verificou qualquer acontecimento extraordinário e imprevisível a afastar a concretização do risco de financiamento expressamente assumido pelo parceiro privado. Consequentemente, os demais riscos discutidos na presente arbitragem que foram classificados para fins deste estudo como eventos econômicos ruins, má tomada de decisão pública, força maior e fato do príncipe/fato da administração não se apresentaram como relevantes para atrair a responsabilidade do Poder Público a justificar o direito ao reequilíbrio.

5.2 Caso da Via 040 (Processo Arbitral CCI nº 23932/2018)

No procedimento arbitral envolvendo a concessionária Via 040, o Tribunal Arbitral elencou 12 eventos de desequilíbrio a serem apreciados. Estes, de acordo com a classificação realizada neste ensaio, resultou em 14 riscos, dos quais apenas os eventos relacionados à demanda, à dificuldade de obtenção do financiamento perante o BNDES, ao aumento do valor dos insumos asfálticos, à majoração de alíquota de tributos, à insuficiência do Fundo Garantidor de Infraestrutura (FGIE) e à paralisação durante a Copa do Mundo e Eleições foram apreciados na sentença parcial.[30]

Na sentença arbitral parcial, o Tribunal Arbitral manifestou-se no sentido de que os eventos econômicos ruins (crise econômica) não configuram força maior a atrair

---

[27] Disponível em https://portal.antt.gov.br/arbitragem/galvao-br-153. Acesso em: 16 ago. 2024.

[28] "21.2 A Concessionária não é responsável pelos seguintes riscos relacionados à Concessão, cuja responsabilidade é do Poder Concedente. (...). 21.2.4 caso fortuito ou força maior que não possam ser objeto de cobertura de seguros oferecidos no Brasil à época de sua ocorrência."

[29] "26.1 A Concessionária é a única e exclusiva responsável pela obtenção dos financiamentos necessários à exploração da Concessão, de modo a cumprir, cabal e tempestivamente, com todas as obrigações assumidas no Contrato. (...) 26.3 A Concessionária não poderá invocar qualquer disposição, cláusula ou condição dos contratos de financiamento, ou qualquer atraso no desembolso dos recursos, para eximir-se, total ou parcialmente, das obrigações assumidas no Contrato."

[30] Disponível em: https://www.gov.br/agu/pt-br/composicao/procuradoria-geral-federal-1/subprocuradoria-federal-de-consultoria-juridica/equipe-nacional-de-arbitragens-enarb/17040vANTTSentenaParcial.pdf. Acesso em: 16 ago. 2024.

a responsabilidade do parceiro público em relação ao risco de demanda (subcláusula 21.1.1)[31] e ao risco de financiamento (subcláusula 26.1),[32] expressamente alocados ao parceiro privado, tendo julgado improcedente esses pedidos.

O pedido de reequilíbrio em relação à insuficiência do FGIE (risco de má tomada de decisão pública)[33] foi rejeitado em razão de não ter sido demonstrado o efeito jurídico do fato narrado no contrato de concessão.

Os demais eventos apreciados na sentença arbitral parcial, classificados neste artigo como riscos relacionados a custos de construção ou operação excedentes (aumento do valor dos insumos asfálticos), alteração da regulamentação fiscal (majoração de alíquota de impostos) e atrasos na construção, fato do príncipe/fato da administração e má tomada de decisão pública (paralisação durante a Copa do Mundo e Eleições), foram remetidos à perícia pelo Tribunal Arbitral, não tendo sido antecipado o entendimento acerca do mérito.

Em relação aos dois eventos em que houve pronunciamento de mérito do Tribunal Arbitral, identifica-se que a alocação *ex ante* ao parceiro privado do risco de demanda e do risco de financiamento foi confirmada pelo Tribunal Arbitral. Além disso, da mesma forma que o Tribunal Arbitral do Caso Galvão, os árbitros não classificam a crise econômica (eventos econômicos ruins) enfrentada pelo Brasil como força maior, a atrair a responsabilidade do parceiro público.

5.3 Caso Autopista Litoral Sul – ALS (Processo Arbitral CCI nº 26437/2021)

No procedimento arbitral envolvendo a Concessionária Autopista Litoral Sul, o parceiro privado alegou que apesar de ter assumido no momento da assinatura do contrato a obrigação da construção do Contorno de Florianópolis, em pista dupla, foram impostas pelo Poder Público alterações unilaterais supervenientes no projeto consubstanciada na exigência de execução de um túnel no Contorno de Florianópolis, especialmente em razão da necessidade de cumprir condicionante ambiental decorrente de análises realizadas pelo Instituto Brasileiro do Meio Ambiente e dos Recursos Naturais (Ibama) no processo de licenciamento das obras. Os fatos descritos provocaram o desequilíbrio econômico-financeiro do contrato.

Os eventos discutidos em arbitragem foram classificados para fins deste artigo como riscos decorrentes de projeto, de custos de construção excedente, de alterações

---

[31] "Cláusula 21.1. Com exceção das hipóteses da subcláusula 21.2, a Concessionária é integral e exclusivamente responsável por todos os riscos relacionados à Concessão, inclusive, mas sem limitação, pelos seguintes riscos. 21.1.1. volume de tráfego em desacordo com as projeções da Concessionária ou do Poder Concedente, com exceção do disposto na subcláusula 22.5.e na aplicação do Fator C" (Disponível em https://www.gov.br/antt/pt-br/assuntos/rodovias/concessionarias/lista-de-concesses/via-040/documentos-de-gestao/contrato-e-aditivos/contrato.pdf/view. Acesso em: 1 ago. 2024).

[32] "Cláusula 26.1. A Concessionária é a única e exclusiva responsável pela obtenção dos financiamentos necessários à exploração da Concessão, de modo a cumprir, cabal e tempestivamente, com todas as obrigações assumidas no Contrato" (Disponível em https://www.gov.br/antt/pt-br/assuntos/rodovias/concessionarias/lista-de-concessoes/via-040/documentos-de-gestao/contrato-e-aditivos/contrato.pdf/view. Acesso em: 1 ago. 2024).

[33] Este evento foi classificado como má tomada de decisão pública, tendo em vista que o Poder Público criou um fundo, mas não adotou as providências necessárias à realização do aporte.

tardias de projeto, ambiental, de custo de construção e de fato do príncipe/fato da administração.

A sentença arbitral considerou que a condicionante ambiental que impôs a construção do túnel configurou fato da administração, de modo que o parceiro privado teria direito ao reequilíbrio.[34]

Nesse caso, observa-se que o Tribunal Arbitral, ao reconhecer a existência de fato da administração que resultou em alterações tardias de projeto impostas pelo Poder Público, afastou a responsabilidade do parceiro privado pelos demais riscos discutidos na arbitragem, os quais foram contratualmente alocados ao parceiro privado (custo de construção, custo excedente de construção, risco do projeto e ambiental).

6 Conclusão

O Programa de Concessões de Rodovias Federais (Procrofe) evoluiu significativamente desde sua criação em 1995, com cada etapa refletindo avanços e desafios distintos na modelagem dos contratos de concessão. A evolução das cláusulas de alocação de riscos e de arbitragem ao longo das diferentes fases do Procrofe reflete um processo contínuo de aprendizado e adaptação às novas realidades econômicas e políticas e às mudanças legislativas.

A literatura e a prática demonstram que a alocação adequada de riscos em PPPs é essencial para a viabilidade econômica e para resiliência e sustentabilidade dos projetos de infraestrutura. Uma gestão eficaz de riscos não só promove a transparência entre os parceiros, mas também contribui para a redução de custos de transação e a melhoria da satisfação dos usuários.

Os contratos de concessão de infraestrutura rodoviária federal evidenciam uma tendência de alocação de riscos ao parceiro privado, a exemplo do risco de financiamento, ou compartilhado, particularmente no aspecto demanda. Contudo, a natureza complexa dos projetos frequentemente gera disputas acerca da interpretação dessas alocações, especialmente quando se está diante de eventos que podem ser classificados como riscos relacionados a fato do príncipe/fato da administração e força maior.

A análise das sentenças proferidas em procedimentos arbitrais destaca a complexidade dos riscos associados e a importância de uma clara definição de responsabilidades contratuais é crucial para o reconhecimento dessa alocação pelo Tribunal Arbitral. Observa-se uma tendência do parceiro privado em classificar eventos como fato do príncipe/fato da administração ou força maior como forma de subverter a alocação de risco que lhe foi atribuída exclusivamente ou de forma compartilhada.

---

[34] As principais cláusulas contratuais relativas as essa arbitragem são as seguintes: "Cláusula 9.6. O Poder Concedente assume os riscos decorrentes de seu inadimplemento contratual, alterações unilaterais no Contrato ou de fato do príncipe que provoque impacto econômico-financeiro do contrato de concessão; Cláusula 19.2. A inexecução deste Contrato, resultante de força maior, de caso fortuito, de fato do príncipe, de fato da Administração e de interferência imprevista que, embora retarde ou impeça a execução parcial ou total do ajuste, exonera a Concessionária de qualquer responsabilidade pelo atraso no cumprimento dos cronogramas físicos de execução das obras ou serviços, bem assim pelo descumprimento das obrigações dele emergentes e Cláusula 19.4. Perante a ocorrência de qualquer das supervenências aqui previstas, as partes acordarão se haverá lugar a reposição do equilíbrio econômico-financeiro deste Contrato, nos termos nele previstos, ou a sua rescisão, caso a impossibilidade de cumprimento se tome definitiva" (Disponível em https://www.gov.br/antt/pt-br/assuntos/rodovias/concessionarias/lista-de-concessoes/autopista-litoral-sul/documentos-de-gestao/contrato-e-aditivos. Acesso em: 2jun. 2024).

O estudo aponta para a importância de uma atenção redobrada na gestão dos riscos compartilhados e daqueles não claramente alocados, de modo a reduzir incertezas. O risco de eventos econômicos ruins, por exemplo, é o segundo mais recorrente entre as arbitragens em curso; entretanto, não é um risco alocado expressamente nos contratos de concessão de infraestrutura rodoviária.

A partir das lições extraídas das arbitragens analisadas, verifica-se que a arbitragem desempenha um papel importante na interpretação e aplicação das cláusulas de alocação de riscos e que há espaço para a revisão e o aperfeiçoamento das cláusulas de alocação de riscos em futuros projetos de concessão e PPPs, particularmente em relação aos riscos não alocados e melhor definição de fato do príncipe/fato da administração ou força maior, de modo a reduzir a ocorrência de litígios.

Referências

AGRA, João Naylor Villas-Bôas. Contrato incompleto: a eficiência entre a vontade e o oportunismo das partes. *Revista Jurídica Luso-Brasileira*, Lisboa, v. 6, n. 4, 2020.

ÁVILA, Natália Resende Andrade; NASCIMENTO, Priscila Cunha do. A arbitragem nas concessões federais de infraestrutura de transportes terrestres: uma análise das cláusulas compromissórias. *In*: SILVA, Mauro Santos. Concessões e Parcerias Público-privadas: políticas públicas para provisão de infraestrutura. Brasília, DF: Ipea, 2022. p. 337-367.

BORN, Gary B. *International Commercial Arbitration*. 2nd. ed. The Hague: Kluwer Law International, 2014.

BRASIL. Decreto nº 10.025, de 2019. Decreto nº 10.025, de 20 de setembro de 2019. Dispõe sobre a arbitragem para dirimir litígios que envolvam a administração pública federal nos setores portuário e de transporte rodoviário, ferroviário, aquaviário e aeroportuário (...). *Diário Oficial da União*: Brasília, DF, 2019. Disponível em: https://www.planalto.gov.br/ccivil_03/_ato2019-2022/2019/decreto/d10025.htm. Acesso em: 10 ago. 2024.

CARMONA, Carlos Alberto. *Arbitragem e processo*. Um comentário à Lei 9.307/96. 3. ed. São Paulo: Atlas, 2009.

CAMPOS NETO, Carlos Alvares da Silva; MOREIRA, Sérvulo Vicente; MOTTA, Lucas Varjão. *Modelos de concessão de rodovias no Brasil, no México, no Chile e nos Estados Unidos*: evolução histórica e avanços regulatórios. Texto para Discussão No. 2.378. Brasília, DF: Ipea, mar. 2018.

CASTELBLANCO, G.; GUEVARA, J.; HARRISON, A. FLORES, D.; Risk Allocation in Unsolicited and Solicited Road Public-Private Partnerships: Sustainability and Management Implications. *Sustainability*, Geneva, v. 12, n. 11, 1 Jun. 2020.

CHAN, Albert P. C; LAM, Patrick T. I.; CHAN,Daniel W. M.; CHEUNG, Esther; KE, Yongjian. Critical Success Factors for PPPs in Infrastructure Developments: Chinese Perspective. *Journal of Construction Engineering and Management*, [*S. l.*], v. 136, n. 5, p. 484-494, 15 Apr. 2010.

DUDKIN, Gerti; VÄLILÄ, Timo. Transaction Costs in Public-Private Partnerships: A First Look at the Evidence, Economic and Financial Report, No. 2005/03. *European Investment Bank (EIB)*, Luxembourg, v. 1, n. 2, p. 307-330, 1 Jun. 2006. Disponível em: https://www.econstor. eu/bitstream/10419/45289/1/656632305.pdf. Acesso em: 10 ago. 2024.

FERREIRA, Arian Bechara; MACHADO, Bernardo Vianna Zurli; SALLES, Daniel Cardoso de; OLIVEIRA, Hugo Costa Simões de; TEIXEIRA, Lucas Milher Grego; RODRIGUES, Nathalia Farias Saad; FREIXO, Vitor de Bragança. Modelagem e regulação de projetos de concessão rodoviária sob a ótica do financiador. *BNDES Setorial*, [*S. l.*], v. 27, n. n. 54, p. 7-82, set. 2021.

FREITAS, Rafael Véras de. O equilíbrio econômico-financeiro nas concessões de rodovias. *Revista de Direito Público da Economia – RDPE*, Belo Horizonte, v. 58, p. 208-209, 2017.

FURTADO, Rafael Magalhães. *Alocação de riscos e o encerramento antecipado das concessões de rodovias federais no Brasil*: uma análise dos contratos de concessão celebrados pela ANTT. 2023. Dissertação (Mestrado em Administração Pública) – Escola Brasileira de Administração Pública e de Empresas, Fundação Getulio Vargas, Rio de Janeiro, 2023.

GRIMSEY, D.; LEWIS, M. K. Evaluating the risks of public-private partnerships for infrastructure projects. *International Journal of Project Management*, [S. l.], v. 20, n. 2, p. 107-118, 1 Feb. 2002.

GUIMARÃES, Fernando Vernalha. O equilíbrio econômico-financeiro nas concessões e PPPs: formação e metodologias para recomposição. *Revista de Direito Público da Economia – RDPE*, Belo Horizonte, ano 15, n. 58, p. 37-60, abr./jun. 2017.

JUSTEN FILHO, Marçal. Concessão de serviço público e equação econômico-financeira dinâmica. *Revista de Direito Público da Economia – RDPE*, Belo Horizonte, ano 16, n. 61, p. 171-191, jan./mar. 2018.

JUSTEN FILHO, Marçal. *Teoria geral das concessões de serviço público*. São Paulo: Dialética, 2003.

LEMES, Selma. *Arbitragem na Administração Pública*: fundamentos jurídicos e eficiência econômica. São Paulo: Quartier Latin, 2007.

LI, B.; AKINTOYE, A.; EDWARDS, P. J.; HARDCASTLE, C. Critical success factors for PPP/PFI projects in the UK construction industry. *Construction Management and Economics*, [S. l.], v. 23, n. 5, p. 459-471, Jun. 2005.

LI, B.; AKINTOYE, A.; EDWARDS, P. J.; HARDCASTLE, C. Perceptions of positive and negative factors influencing the attractiveness of PPP/PFI procurement for construction projects in the UK: Findings from a questionnaire survey. *Engineering, Construction and Architectural Management*, [S. l.], v. 12, n. 2, p. 125-148, 1 Apr. 2005.

NGUYEN, D. A.; GARVIN, M. J.; GONZALEZ, E. E. Risk Allocation in U.S. Public-Private Partnership Highway Project Contracts. *Journal of Construction Engineering and Management*, [S. l.], v. 144, n. 5, 5 May 2018.

PEREIRA, Cesar Augusto Guimarães; TALAMINI, Eduardo (coord.). *Arbitragem e Poder Público*. São Paulo: Saraiva, 2010.

ROUMBOUTSOS, Athena; ANAGNOSTOPOULOS, Konstantinos. P. Public-private partnership projects in Greece: Risk ranking and preferred risk allocation. *Construction Management and Economics*, [S. l.], v. 26, n. 7, p. 751-763, 2008.

Informação bibliográfica deste texto, conforme a NBR 6023:2018 da Associação Brasileira de Normas Técnicas (ABNT):

NASCIMENTO, Priscila Cunha do; FURTADO, Rafael Magalhães. Matriz de riscos e reequilíbrio econômico-financeiro: uma análise das arbitragens envolvendo contratos de concessão de infraestrutura rodoviária federal. *In*: JUSTEN, Monica Spezia; PEREIRA, Cesar; JUSTEN NETO, Marçal; JUSTEN, Lucas Spezia (coord.). *Uma visão humanista do Direito*: homenagem ao Professor Marçal Justen Filho. Belo Horizonte: Fórum, 2025. v. 3, p. 929-943. ISBN 978-65-5518-915-5.

CADUCIDADE EM CONCESSÃO E ARBITRAGEM

VERA MONTEIRO

JOLIVÊ ROCHA

1 Introdução

A arbitragem virou realidade nos contratos públicos. Superamos discussões sobre cabimento geral da arbitragem e seu papel nos conflitos com o Poder Público. Mas ainda restam aparas: matérias específicas em que se discute a arbitrabilidade objetiva.

Um desses temas é a caducidade de contrato de concessão. Casos concretos que envolvem declaração de caducidade foram levados a tribunais arbitrais. Neles aparece o argumento de que caducidade é direito indisponível e, por isso, inarbitrável. O judiciário também já foi chamado para rever decisões de tribunais arbitrais sobre o tema.

Nosso argumento é que a declaração de caducidade é um direito patrimonial disponível e, portanto, arbitrável. O movimento que tenta barrar a arbitragem nesses casos em que a competência do tribunal arbitral é questionada está contaminado por uma lente equivocada de análise – mais ligado a um direito administrativo de autoridade do que a um direito administrativo dos contratos públicos.

O artigo, primeiro, apresenta casos em que se discutiu a arbitrabilidade da caducidade e os argumentos invocados em sede de arbitragem e no judiciário. Em seguida, aponta que, de acordo com os critérios legais, a caducidade é arbitrável. O argumento é que a doutrina de direito administrativo elaborada para suportar atos de autoridade não serve para impedir a revisão de decisão que declara caducidade de contrato de concessão. Encerra com uma breve conclusão.

2 Casos que confirmam a arbitrabilidade de disputas envolvendo caducidade em concessão

Tribunais arbitrais e judiciário já foram chamados a decidir se pode ser objeto de arbitragem a validade da declaração de caducidade de contrato de concessão pelo poder concedente. Nos casos pesquisados, a conclusão é que a caducidade pode ser objeto de arbitragem. Em um caso houve uma ressalva: o poder judiciário concluiu que o tribunal arbitral não poderia determinar a reintegração da concessionária no serviço.

A seguir estão listados os casos pesquisados, com breve relato sobre cada um deles.

2.1 Caso Galvão

O Caso Galvão, como ficou conhecido, envolveu disputa arbitral entre uma concessionária de rodovia federal e o poder concedente (União Federal, representada pela ANTT). A sentença parcial foi favorável à ANTT e confirmou que a inexecução do contrato foi causada pela concessionária, sendo legítima a caducidade declarada pelo poder concedente.

O histórico do caso remete à licitação promovida pela União Federal em 2014, por intermédio da ANTT, para a concessão da exploração da BR-153/TO/GO, realizada no âmbito da 3ª etapa do PROCROFE (Programa de concessões de rodovias federais) e vencida pela Concessionária de Rodovias Galvão BR-153 SPE S/A. Com a assinatura do Contrato de Concessão ANTT nº 01/2014, ela se tornou responsável pela exploração de uma das principais rodovias de integração nacional, formada por um trecho de quase 625 km entre Aliança de Tocantins (TO) e Anápolis (GO), pelo prazo de 30 anos.

Em 2016, a concessionária foi acusada pelo poder concedente de inexecução contratual (basicamente, de não realizar os investimentos contratados, como a realização de obras de duplicação, necessárias para o início da cobrança de pedágio), o que acabou levando à realização de processo administrativo e à aplicação de multas, bem como à extinção do contrato, com a declaração da caducidade da concessão, cujo decreto federal foi publicado em 15 agosto de 2017.[1]

Em fevereiro de 2018, a concessionária requereu a abertura do procedimento arbitral com a alegação de que os obstáculos que enfrentou e que levaram à inexecução do contrato não teriam sido provocados por ela, de modo que não poderia ter sido penalizada com multas e extinção do contrato. Em síntese, afirmou que suas dificuldades financeiras e a não obtenção do financiamento necessário para cumprimento das obrigações contratuais teria sido resultado de fatores alheios a ela. Alegou que o BNDES não teria cumprido a promessa de financiamento nos termos anunciados, além da crise econômica de 2014, que teria sido determinante para a não obtenção de recursos em outras fontes. Na sua visão, o rompimento contratual seria decorrência de caso fortuito ou força maior, além de fato da administração. Sustentou a ausência de inadimplemento contratual imputável a ela.

A ANTT e a União, por sua vez, alegaram que a não obtenção do financiamento era risco contratualmente alocado à concessionária. A União ainda formulou pedido reconvencional, fundado nos prejuízos que alegou ter sofrido em razão da extinção antecipada do contrato por culpa da concessionária, os quais incluiriam custos de manutenção do trecho concedido, lucros cessantes pela perda de receita em razão da

---

[1] Decreto sem número, de 15 de agosto de 2017 (Disponível em: http://www.planalto.gov.br/ccivil_03/_ato2015-2018/2017/dsn/Dsn14487.htm. Acesso em: 28 ago. 2024).

não ocorrência do fato gerador tributário, custos de contratação de novos estudos de viabilidade para nova licitação, além de danos ao meio ambiente e ao usuário.

As partes solicitaram ao tribunal a bifurcação do procedimento para que fosse prolatada sentença parcial que decidisse sobre a questão relativa à responsabilidade pela inexecução do contrato de concessão e, consequentemente, pela validade da caducidade do contrato. O tribunal decidiu pela bifurcação e entendeu que a prova oral pleiteada pela concessionária era dispensável para a solução da questão.

Sobre o pleito reconvencional, de caráter indenizatório, a concessionária alegou que o pedido de ressarcimento de danos coletivos, ambientais e à arrecadação frustrada de tributos envolveria direitos indisponíveis e não patrimoniais e, por isso, não arbitráveis. Em resposta, a União abriu mão desses pedidos.

Em síntese, a sentença parcial proferida, de 10 de setembro de 2020, reconheceu a responsabilidade exclusiva da concessionária pela inexecução do contrato, declarou a validade do ato de declaração de caducidade do contrato de concessão e condenou-a ao pagamento de multas administrativas e outros valores devidos, além de perdas e danos.

Não houve impugnação ou controvérsia trazida pelas partes acerca da arbitrabilidade do tema. Mesmo assim, a sentença parcial reconheceu expressamente que "a arbitrabilidade objetiva, no caso, decorre da evidente natureza patrimonial desses pedidos, diretamente relacionados ao Contrato firmado" (§215 da sentença arbitral parcial).[2]

A sentença ainda condenou a União a indenizar a concessionária por eventuais investimentos vinculados a bens reversíveis não amortizados (o poder concedente havia negado a ela direito à indenização por entender não haver investimentos vinculados a bens reversíveis a serem amortizados). A metodologia de apuração e liquidação dos valores ficaram para ser definidos em uma segunda fase do procedimento arbitral. Os três árbitros decidiram de forma unânime e, com isso, confirmaram a extinção antecipada do contrato e a retomada da concessão da rodovia, viabilizando a realização de nova licitação.

2.2 Caso Concebra

O Caso Concebra (Concessionária das Rodovias Centrais do Brasil S.A.) envolve disputa sobre o contrato de concessão rodoviária federal para a exploração de trechos da BR 060, da BR 153 e da BR 262.[3] Assim como no Caso Galvão, a licitação ocorreu em 2014, no âmbito da 3ª etapa do PROCROFE.

Em síntese, a concessionária pretendia que a ANTT revisse seu contrato, sob a alegação de que o inadimplemento de suas obrigações tinha origem na negativa de acesso a financiamento concedido por bancos públicos. Alegava que a incapacidade de adimplir o contrato era responsabilidade do Poder Público e não dela.

---

[2] A sentença arbitral parcial está disponível em https://www.gov.br/agu/pt-br/composicao/cgu/arquivos/caso-galvao-icc-23433-sentenca-arbitral-parcial.pdf/view. Acesso em: 26 ago. 2024. Ela foi objeto de comentários por Vera Monteiro, em Arbitrabilidade da extinção de contrato de concessão rodoviária por inadimplemento da concessionária. Sentença arbitral comentada (Procedimento CCI 23433/GSS/PFF). *Revista Brasileira de Arbitragem*, Brasília, DF, n. 69, p. 79-111, jan./mar. 2021.

[3] Procedimento Arbitral nº 24595/PFF, perante a CCI. Até agosto de 2024 não havia sentença arbitral prolatada.

Antes da constituição do tribunal arbitral para discutir a responsabilidade pela inadimplência contratual, a concessionária foi ao judiciário buscar medida pré-arbitral (art. 22-A da Lei de Arbitragem). Requereu que a ANTT se abstivesse de penalizá-la, inclusive com caducidade, até análise da disputa envolvendo a revisão do contrato pelo tribunal arbitral. O pedido foi deferido pelo Tribunal Regional Federal da 1ª Região.[4]

Constituído o tribunal arbitral, ele revogou parcialmente a medida, permitindo que a ANTT aplicasse sanções contratuais à concessionária. Porém, determinou que a agência não desse início a processo visando à decretação de caducidade da concessão até decisão superveniente na arbitragem. Entendeu que era verossímil a alegação da concessionária de onerosidade excessiva para cumprimento do contrato e concluiu ser "prudente que se assegure medidas destinadas a preservar a concessão e a garantir o resultado útil desta arbitragem" (§134 da Ordem Processual nº 3).[5] Na sua avaliação considerou a ameaça de instauração do processo de caducidade pela ANTT e o pedido de relicitação feito pela concessionária ainda pendente. Nesse sentido, eventual decretação de caducidade impediria o resultado útil do processo arbitral e implicaria juízo pela ANTT de matéria que é objeto da arbitragem (a existência, ou não, de inadimplemento pela concessionária).

O caso parece que ainda não foi decidido pelo tribunal arbitral.[6] De todo modo, a arbitragem impediu a instauração de processo de caducidade pela ANTT contra a concessionária, sob o argumento de que a análise da responsabilidade que levou ao inadimplemento do contrato é objeto da própria arbitragem.

2.3 Caso Sagua

O Caso Sagua envolveu, de um lado, a concessionária Soluções Ambientais de Guarulhos S.A. e, de outro, o Município de Guarulhos e seu Serviço Autônomo de Água e Esgoto de Guarulhos (SAAE).[7] O Município entendeu que a concessionária havia descumprido o contrato e decretou sua caducidade.

A arbitragem foi instaurada a pedido da Sagua, com o argumento de que o Município teria inadimplido obrigações contratuais e que, portanto, a caducidade seria inválida.[8]

---

4   Trata-se do processo 1014379-79.2019.4.01.3400, que tramitou perante a 3ª Vara Federal da Seção Judiciária do Distrito Federal.

5   A Ordem Processual nº 3 está disponível em https://portal.antt.gov.br/documents/2599342/2597063/200617+-+TRIBUNAL+-+Ordem+Processual+n%C2%BA+03.pdf/5bccd294-94a3-c447-d4c1-c13419cefa90?version=1.0&t=1626469191080. Acesso em: 26 ago. 2024.

6   A última ordem processual disponível data de dezembro de 2023 e trata de esclarecimentos ao laudo pericial. Os documentos estão disponíveis em https://portal.antt.gov.br/web/guest/concebra-24595/2019/pff. Acesso em: 26 ago. 2024.

7   Arbitragem nº 611, que tramitou perante a Câmara de Conciliação, Mediação e Arbitragem CIESP/FIESP.

8   Conforme alegações finais da Sagua, seus pedidos diretamente relacionados à caducidade foram "(iii) DECLARE que (a) foram violados e desrespeitados os direitos e garantias da SAGUA nos processos administrativos relativos ao Contrato de PPP discutidos nesta arbitragem, incluindo, a título exemplificativo, os processos nos 2325/2013, 4246/2014, 5207/2014, 4813/2017, 9799/2017, 8428/2017, 192/2018, 5910/2018 e 873/2019 (assim como outros processos que sejam indicados pela Requerente ou eventualmente descobertos por ela no curso desta arbitragem), tendo sido descumpridas as regras contratuais e desrespeitados o direito de defesa, o direito de informação, o direito de acesso à documentação, a garantia ao contraditório, a garantia a ampla defesa e o devido

O Município de Guarulhos impugnou a pretensão da concessionária e reque-reu ao tribunal arbitral que se abstivesse "de analisar a validade ou legalidade da decretação de Caducidade e de Intervenção, uma vez que estamos diante de Direito Indisponível da Administração, que praticou os atos administrativos em observância aos princípios da supremacia do interesse público sobre o privado, da legalidade e da impessoalidade".[9]

O tribunal arbitral não acolheu a impugnação e decidiu sobre a validade da cadu-cidade decretada. A sentença entendeu que a disputa decorreria do próprio contrato e, por isso, seria arbitrável. A natureza de sanção contratual confirmaria seu entendimento. Ainda, o tribunal usou o próprio contrato em reforço ao seu entendimento, ao apontar que a cláusula contratual que listava direitos indisponíveis não incluía a caducidade.[10] [11] Entendeu que "que as Partes ajustaram no Contrato PPP que todas as matérias ali contidas – inclusive os temas da Intervenção e da Caducidade – são disponíveis e, portanto, arbitráveis, exceto as indicadas expressamente na Cláusula 49.4. De outro lado, nenhuma norma legal aplicável à espécie proíbe tal pactuação" (§280 da sentença arbitral parcial).

O Município de Guarulhos judicializou o tema com o objetivo de ver anulado tal aspecto da sentença arbitral, tendo formulado pedido de tutela de urgência. Argumentou que caducidade envolveria direito indisponível.

A tutela de urgência foi indeferida em primeiro e segundo graus.[12] Em primeiro grau, a decisão considerou que a Lei de Parceria Público-Privada (Lei º 11.079, de 2004) expressamente permitiu a arbitragem sobre conflitos decorrentes do contrato (art. 11, inc. II), o que abrangeria a caducidade. Em segundo grau, a decisão fez uso do princípio da competência-competência, ou seja, entendeu caber ao tribunal arbitral decidir sobre todas as questões do contrato, inclusive aquelas afetas à cláusula compromissória. Assim, considerou o tribunal arbitral competente para decidir sobre a própria extensão da cláusula compromissória (ou seja, sobre a arbitrabilidade dos direitos por ela abarcados).

---

processo legal; e que (b) são inválidos e ineficazes, no âmbito do Contrato de PPP, os atos praticados pelos Requeridos, em tais processos administrativos, em descumprimento das regras contratuais e em desrespeito aos direitos e garantias da SAGUA, inclusive em relação à invalidade e à ineficácia da decretação de Caducidade; (iv) DECLARE que são infundados e insubsistentes os fundamentos utilizados pelos Requeridos para a decretação de Caducidade no âmbito do Contrato de PPP (...)".

[9] Todos os pedidos foram transcritos na sentença arbitral parcial (Disponível em https://www.guarulhos.sp.gov. br/sites/default/files/CMA611-19-JCA_20210219_Sentenc%CC%A7a_Arbitral_Parcial_0.pdf . Acesso em: 26 ago. 2024).

[10] Trata-se da cláusula 49.4 do Contrato: "As controvérsias que vierem a surgir entre o SAAE, a CONCESSIONÁRIA, o MUNICÍPIO e/ou a AGRU durante a execução deste CONTRATO, única e exclusivamente no que tange às matérias abaixo indicadas, deverão ser submetidas à apreciação do Poder Judiciário, tendo em vista que tais matérias tratam de direitos indisponíveis e que, portanto, não são passíveis de solução pela via arbitral: a) discussão sobre a possibilidade de o SAAE, o MUNICÍPIO, ou da AGRU alterar unilateralmente o CONTRATO em razão da necessidade de modificação das cláusulas técnicas regulamentares dos SERVIÇOS; e b) discussão sobre o conteúdo da alteração das cláusulas técnicas regulamentares dos SERVIÇOS".

[11] Sobre cláusula como essa, Cristina Mastrobuono (A evolução da convenção de arbitragem utilizada pela administração pública. *Publicações da Escola Superior da AGU*, Brasília, DF, v. 14, n. 1, p. 117, 2022. Disponível em: https://revistaagu.agu.gov.br/index.php/EAGU/article/view/3225. Acesso em: 29 ago. 2024) aponta que "a não inclusão de uma matéria no rol dos temas que não se submetem à arbitragem não afasta a necessidade da análise da disponibilidade do direito envolvido, uma vez que é a Lei n. 9.307/96 faz essa limitação".

[12] Em primeiro grau, trata-se do Processo nº 1017778-41.2021.8.26.0224, em trâmite perante a 1ª Vara da Fazenda Pública de Guarulhos. Já em segundo grau, trata-se do Agravo de Instrumento nº 2145797-41.2021.8.26.0000, 8ª Câmara de Direito Público, Relator Des. Percival Nogueira, j. 21 de julho de 2021.

Posteriormente, a sentença judicial, já transitada em julgado, também manteve intacta a jurisdição do tribunal arbitral ao reafirmar o caráter contratual dos direitos envolvidos, garantindo a arbitrabilidade objetiva da caducidade.[13]

2.4 Caso Águas de Itu

Ainda no setor de saneamento básico, o Caso Águas de Itu envolveu arbitragem entre a concessionária do serviço de água e esgoto local (Águas de Itu Gestão Empresarial S/A) e o Município de Itu.[14] Após a alegação de inadimplemento de obrigações contratuais pela concessionária, o Município interveio na concessão e declarou sua caducidade.

A cláusula compromissória do contrato de concessão não apontava elementos suficientes para instituição da arbitragem. Por essa razão, a concessionária foi ao judiciário para lavrar compromisso arbitral, nos termos do art. 7º da Lei de Arbitragem.

Dentre os pedidos feitos, a Águas de Itu requereu a declaração de que não houve inadimplemento imputável a ela e de que a caducidade teria sido inválida. Também pediu a sua reintegração como concessionária do serviço. Caso o tribunal arbitral julgasse, por qualquer razão, impossível o pedido de reintegração, solicitou indenização superior àquela devida em caso de encampação.

Na sentença parcial, o tribunal arbitral decidiu em favor de sua competência para análise da caducidade.[15] Seu argumento foi no sentido de que direitos disponíveis significam direitos contratualizáveis, o que incluiria a análise do conflito envolvendo a execução do contrato e a consequente declaração de caducidade pelo Município.

O tribunal arbitral argumentou que sanções contratuais não se confundem com as decorrentes do chamado poder de polícia, porque são reguladas pelos próprios contratos e não configuram o exercício de poder extroverso.[16]

---

[13] A sentença, proferida em 28 de março de 2022, determinou com clareza: "(...) verifica-se que decretada a caducidade da concessão administrativa a questão foi levada ao Tribunal Arbitral, cuja sentença considerou 'serem infundados e insubsistentes os fundamentos utilizados pelo Município pela decretação de Caducidade no âmbito do contrato de PPP'. Dessa forma, não se pode afirmar que a sentença arbitral de fls. 125-289 tratou de direitos indisponíveis, tendo em vista que os pontos decididos se relacionam com a execução do contrato e decretação de caducidade." (fls. 1047-1048 dos autos).

[14] Procedimento Arbitral nº A-288/2019, que tramita perante a Câmara de Mediação e Arbitragem Empresarial (CAMARB). Em agosto de 2024, a arbitragem está em fase pericial.

[15] Os documentos relativos à arbitragem, inclusive sentença arbitral parcial, não estão disponíveis publicamente. Contudo, a sentença arbitral parcial pode ser localizada nos autos do processo 1008052-51.2021.8.26.0286, em trâmite no TJSP (fls. 701-737).

[16] O Tribunal arbitral fundamentou sua decisão no trabalho de Alexandre Santos de Aragão (Arbitragem no Direito Administrativo. *Revista de Arbitragem e Mediação*, Brasília, DF, v. 14, n. 54, p. 34, jul./set. 2017, citado no §88 da sentença arbitral parcial) para explicitar a diferença: "O poder de polícia, ademais, revela-se extroverso. O seu único campo de aplicação são as atividades e propriedades privadas, de modo que a Administração não exerce poder de polícia sobre os serviços, monopólios ou bens públicos – ainda que eles sejam explorados por particulares. Conceitual e tecnicamente, o poder de polícia e as sanções administrativas propriamente ditas são necessariamente aplicáveis em relação à esfera privada da sociedade, jamais em relação à esfera pública das atividades ou bens, ainda que contratualmente exercidas por particulares. Nestes casos, haverá fiscalização e possibilidade de sanções, mas ambas serão de índole estritamente contratual – só são cogitáveis porque o particular resolveu voluntariamente aderir àquele contrato –, não se confundindo com o poder de polícia, que, naturalmente, como o poder estatal mais típico, independe de qualquer consenso do particular para poder ser exercido. Exemplificando, não se exige o consenso do particular para que o Estado possa fiscalizar uma construção irregular; mas, sem o contrato, nem se cogita do sancionamento pelo descumprimento de uma obrigação dele constante".

O Município de Itu judicializou o conflito com o objetivo de anular a sentença arbitral parcial, sob a alegação de que ela teria tratado de direito indisponível. Requereu tutela de urgência, a qual foi negada em primeiro e segundo graus.

Em primeiro grau, a sentença confirmou a competência do tribunal arbitral sob o argumento de que direito disponível significa direito contratualizável e que caducidade seria um conflito decorrente da própria relação contratual.[17]

Em sede de apelação, o TJSP deferiu parcialmente o pleito do Município para "afastar a competência arbitral para dispor diretamente sobre o mérito da aplicação das penalidades – no caso, a rescisão unilateral do contrato, ato irreversível, porquanto matéria circunscrita ao juízo de formação do ato administrativos – mas apenas sobre seus reflexos econômicos".[18]

A decisão foi esclarecida em sede de embargos de declaração e o TJSP confirmou que afastara "a possibilidade de que seja discutida a aplicação de sanções para além de seus reflexos patrimoniais, notadamente quanto à cogitada reversão da pena de caducidade".

Na prática, o TJSP considerou o tribunal arbitral competente para decidir sobre a validade da decretação de caducidade, mas não para decidir sobre a reintegração da concessionária no serviço.[19]

3 Os termos que confundem o debate

A declaração de caducidade pelo poder concedente é uma das formas previstas na Lei de Concessões (Lei nº 8.987/1995) de extinção do contrato de concessão. A caducidade é sanção gravíssima para caso de inadimplemento contratual. Segundo seu art. 38, a inexecução contratual (total ou parcial) acarretará, a critério do poder concedente, a declaração de caducidade da concessão ou a aplicação de outras sanções contratuais.

A extinção do contrato de concessão por caducidade é, assim, uma consequência da inexecução do contrato. Relaciona-se integralmente com a execução contratual.

Visto dessa forma, é preciso reconhecer que a revisão de declaração de caducidade pelo poder concedente pode ser submetida à arbitragem. A análise a ser feita pelo tribunal arbitral envolve a análise dos conflitos decorrentes da execução do contrato e, consequentemente, de sua interpretação. Frequentemente, o pleito envolve também controvérsia de natureza patrimonial, com pedido de indenização pela concessionária, que busca reparação pela indevida extinção antecipada do contrato.

Os casos relatados no tópico 2 revelam que os entes públicos envolvidos, para se defenderem da acusação de que o contrato não poderia ter sido extinto antes do prazo regular convencionado entre as partes, alegam que o tema não seria arbitrável. Haveria o exercício de um suposto poder de autoridade que impediria o reconhecimento da arbitrabilidade objetiva nesse tema.

---

[17] Processo nº 1008052-51.2021.8.26.0286, em trâmite perante a 1ª Vara Cível do Município de Itu.

[18] Apelação nº 1008052-51.2021.8.26.0286, 7ª Câmara de Direito Público, Rel. Des. Coimbra Schmidt, julgado em 2 de outubro de 2023.

[19] Em agosto de 2024, havia recurso interposto pelo Município pendente de julgamento.

É o que ocorreu no Caso Sagua. O Município de Guarulhos utilizou sua posição de Poder Público para invocar a indisponibilidade do direito. Argumentou que concessões têm mecanismos de proteção do poder concedente, com a incidência do princípio da supremacia do interesse público sobre o privado. E que o objeto da concessão – coleta e tratamento de esgoto sanitário – estaria ligado a direitos constitucionalmente assegurados.[20] Por esses motivos, os direitos em jogo seriam indisponíveis.

Junto com o argumento da indisponibilidade, dois conceitos típicos de manual de direito administrativo também foram invocados: o regime jurídico de direito público e a presença de atos de império.

Também argumentou que o art. 39 da Lei de Concessões determina que o contrato só poderia ser rescindido pela concessionária "por ação judicial especialmente intentada para esse fim". Na visão do Município, isso implicaria impossibilidade de arbitragem envolvendo a caducidade.

Argumentos semelhantes surgiram no Caso Águas de Itu, em especial sobre a essencialidade do serviço e o regime jurídico de direito público.

Ali, o Município negou a natureza contratual da decretação de caducidade. Invocou o poder de polícia para dizer que a caducidade é um poder extroverso, alheio ao contrato, e indisponível.

Mesmo com a jurisprudência (judicial e arbitral) se firmando no sentido da arbitrabilidade da decisão que decreta a caducidade de concessão, entes públicos ainda insistem em argumentos apegados a classificações doutrinárias criadas no passado com outro objetivo: o de definir o direito administrativo a partir de sua oposição ao direito privado, como um direito da autoridade e das prerrogativas estatais, sem atentar para a circunstância de que prerrogativas não se presumem.[21]

De fato, boa parte dos manuais de direito administrativo usa classificações, muitas de origem doutrinária, criadas, como dito, para outros fins. É o caso, como se viu, dos *atos de império*, do *poder de polícia*, da *indisponibilidade do interesse público sobre o privado*, do *regime jurídico de direito público* e das *sanções administrativas*.

---

[20] Este argumento já foi refutado: "Ninguém discute que a prestação de serviços públicos pode ser objeto de delegação a particulares, o que se faz mediante contratação. Logo, os direitos oriundos da exploração do referido serviço por terceiros são, indiscutivelmente, passíveis de negociação. Preços, condições de pagamento, cronograma de investimento, financiamentos, enfim, tudo o que estiver relacionado à exploração econômica do serviço pode ser objeto de contratação e, nesta condição, ter seus conflitos dirimidos por arbitragem, se as partes assim pactuarem. As condições de exploração são objeto de negociação desde um primeiro momento, quando o Poder Concedente delega o serviço do qual é titular para ser explorado por terceiros. As condições econômicas de prestação do serviço são determinadas contratualmente entre o Poder Concedente e as empresas. (...) Trata-se do que, na terminologia empregada na Lei de Arbitragem, é denominado de direito disponível, isto é, direito negociável, passível de estipulação em contrato e, consequentemente, de ser objeto de procedimento arbitral" (SUNDFELD, Carlos Ari; ARRUDA CÂMARA, Jacintho. O cabimento da arbitragem nos contratos administrativos. *Revista de Direito Administrativo – RDA*, Belo Horizonte, v. 248, p. 117-126, maio/ago. 2008. Disponível em: https://periodicos.fgv.br/rda/article/view/41529. Acesso em: 29 ago. 2024).

[21] Como afirma Carlos Ari Sundfeld (Crítica à doutrina antiliberal e estatista. *In*: SUNDFELD, Carlos Ari. *Direito Administrativo para céticos*. 2. ed. São Paulo: Malheiros, 2014. cap. 4, p. 144), prerrogativas "têm de ser conferidas pontualmente pelo ordenamento". O argumento do autor é de que não se justifica mais no Brasil a obsessão de que o direito do Estado só pode ser compreendido como algo *oposto* ao privado. Nas suas palavras: "É preciso que o conceito de direito administrativo evolua para o de um amplo direito estatutário, um direito comum para o Estado, aceitando-se aquilo que já é realidade no direito positivo: a existência de regimes múltiplos, concebidos para as situações de que tratam. Esses regime, construídos democraticamente pelo legislador, não podem ficar sujeitos ao veto de princípios com origem ideológica radical".

Nossa percepção é que essas classificações não dialogam com a disciplina da arbitragem no Brasil, cuja Lei de Arbitragem elegeu a *patrimonialidade* e a *disponibilidade* do direito em discussão como critério de arbitrabilidade objetiva (art. 1º, *caput*). Esse parâmetro de arbitrabilidade foi reforçado pela Lei nº 13.129/2015, que, ao afirmar a possibilidade de a administração pública direta e indireta fazer uso da arbitragem, novamente utilizou o critério dos *direitos patrimoniais disponíveis* para se referir aos conflitos arbitráveis (art. 1º, §1º).

Decisões do poder concedente que negam pleitos da concessionária e que, no limite, aplicam sanções, são atos administrativos na sua acepção ampla. Mas não são atos administrativos avulsos, imperativos, capazes de criar obrigações novas à concessionária. Eles acontecem em razão da relação contratual e dentro dela, na qual o Poder Público está presente como um sujeito de direito como outro qualquer. Sua condição não é especial. Seu poder de sancionar tem como pressuposto o contrato e o que foi acordado entre as partes. Ainda que a lei descreva abstratamente as sanções aplicáveis à concessionária, a origem da sanção aplicada no caso concreto é o contrato e suas cláusulas.

É nesse sentido que todo o conteúdo da contratação é arbitrável e que a decisão do contratante público que sanciona o contratado privado não é um ato administrativo típico. Sua previsão no contrato é para garantir o cumprimento do que foi acordado, havendo dois tipos básicos de sanção contratual: a que inclui encargos ao contratado e a que extingue a relação contratual. A sanção por descumprimento de obrigação contratual (seja a que cria novos encargos ou a que extingue a relação) não é sanção avulsa, imperativa, desconectada do negócio jurídico entre as partes (no sentido comum de "ato de império").

Submeter sanção contratual a arbitragem não é o mesmo que submeter ato de autoridade a tribunal arbitral, porque no primeiro caso a decisão é vinculada à relação contratual e ao suposto descumprimento de obrigação contratualmente estabelecida, e no segundo há a criação de obrigação nova a partir de uma relação de autoridade.[22]

Assim, chamar a declaração de caducidade de ato de império é um equívoco. Significa ignorar sua natureza contratual. Vale lembrar que a classificação ato de império *v.* ato de gestão parte da premissa de que existiriam dois regimes jurídicos antagônicos à disposição do Poder Público (um privado e outro público), desconsiderando a multiplicidade de normas distintas a que a administração pública se sujeita. Por isso é um critério ruim para analisar a arbitrabilidade, especialmente considerando que a Lei de Arbitragem elegeu requisitos totalmente distintos (patrimonialidade e disponibilidade).[23]

---

[22] Nessa categoria de obrigações novas de cumprimento imperativo poderiam ser incluídas leis, atos normativos gerais e abstratos como decretos e novos regulamentos editados por agências reguladoras que têm impacto na relação contratual. Se esses atos administrativos gerais e abstratos impactarem o ato jurídico perfeito, a concessionária poderá buscar na arbitragem o reconhecimento dos efeitos desse ato sobre a relação contratual. Contudo, o tribunal arbitral não poderá anular o ato administrativo, nem livrar a concessionária do seu cumprimento. O alcance do tribunal arbitral é sempre sobre a relação contratual, não podendo incluir na sua jurisdição ente ou órgão que não seja parte na relação contratual. Por isso o que lhe competirá é avaliar se a obrigação nova impactou a relação contratual e se o poder concedente tem o dever de reequilibrar ou extinguir o contrato.

[23] João Pedro Accioly (*Arbitragem em conflitos com a Administração Pública*. Rio de Janeiro: Lumen Juris, 2019. p. 72) ressalta que a divisão entre atos de gestão e atos de império é perigosa quando se trata de arbitragem: "Aliás, vale ressaltar que a classificação em comento foi progressivamente abandonada em todos os campos nos quais já foi aplicada. E a sua impropriedade no campo arbitral parece particularmente grave. Além das dificuldades práticas na sua aplicação, a dicotomia poderia legitimar amplo flanco para a Administração burlar

Por fim, a caducidade também não pode ser classificada como sanção administrativa para fins de afirmar sua inarbitrabilidade porque a previsão em contrato de que o Poder Público pode aplicar sanção por inexecução contratual não importa em reconhecimento de um regime de exorbitância a favor da administração pública. Não há nada de exorbitante em o contrato prever sanção. Relações contratuais entre particulares têm a mesma estrutura e nem por isso se diz que uma parte tem poder extraordinário em relação à outra. Na essência, contratos públicos e privados não são diferentes quanto à fiscalização e aplicação de sanções.[24]

O Poder Público ainda pode optar por rever as condições contratuais e transacionar as próprias sanções aplicadas. Já caiu o dogma de que não se pode transacionar em termos de sanção.[25] Até mesmo desistir de caducidade tem-se entendido como saída legítima para o poder concedente (como ocorreu na Linha 6 do Metrô de SP).[26]

Como já disse Jacintho Arruda Câmara, é uma miragem o dogma de que "as prerrogativas contratuais públicas fortalecem a administração, dando-lhes vantagens que, de tão extraordinárias, não são admitidas no direito privado". O autor bem pontua que as "prerrogativas" da administração são assimetria normal entre contratante e contratado, algo comum também nas contratações do mundo privado. Dessa forma, "o proclamado regime exorbitante é, na verdade, comum e identificável nas relações contratuais privadas". Modificação unilateral, rescisão unilateral e sanção podem existir em quaisquer contratos do mundo privado.[27] E público, evidentemente.

O direito administrativo foi lido por muito tempo como *direito da autoridade*. Era o direito do poder de polícia, dos poderes extroversos, da supremacia do interesse público. Um direito estatizante.[28] Esse modelo de direito administrativo, que ainda persiste em boa parcela dos manuais, não fornece ferramentas adequadas para refletir sobre arbitrabilidade objetiva.

Institutos doutrinários tradicionais da história do direito administrativo tendem a ser desvirtuados quando tentamos entender os limites da arbitragem em contratos

---

o compromisso arbitrai ao praticar, de modo unilateral, sob a forma de atos de império, atos que repercutam sobre o contrato celebrado com particular".

[24] ARRUDA CÂMARA, Jacintho; PERESI DE SOUZA, Ana Paula. Existem cláusulas exorbitantes nos contratos administrativos? *Revista de Direito Administrativo – RDA*, Rio de Janeiro, v. 279, n. 2, p. 185-208, maio/ago. 2020. Disponível em: https://periodicos.fgv.br/rda/article/view/82011/78226. Acesso em: 29 ago. 2024.

[25] Marçal Justen Filho admite a arbitragem sobre sanções administrativas, mesmo com efeitos extrapatrimoniais (JUSTEN FILHO, Marçal. A indisponibilidade do interesse público e a disponibilidade dos direitos subjetivos da administração pública. *Cadernos Jurídicos*, São Paulo, ano 22, n. 58, p. 98, abr./jun. 2021).

[26] A caducidade chegou a ser decretada (Decreto º 63.915, de 2018, do Estado de São Paulo). Contudo, após a transferência da concessão, o Estado de São Paulo revogou a decretação de caducidade (Decreto nº 65.223/2020).

[27] ARRUDA CÂMARA, Jacintho. O mito das cláusulas exorbitantes – vale a pena alimentá-lo na nova lei de contratações públicas? *In:* SUNDFELD, Carlos Ari; Eduardo Jordão; MOREIRA, Egon Bockmann; MARQUES NETO, Floriano de Azevedo; BINENBOJM, Gustavo; ARRUDA CÂMARA Jacintho; MENDONÇA, José Vicente Santos de; JUSTEN FILHO, Marçal; MONTEIRO, Vera. *Publicistas:* Direito Administrativo sob tensão. Belo Horizonte: Fórum, 2022. p. 111.

[28] Carlos Ari Sundfeld (Direito Administrativo no Brasil. *Revista de Derecho Administrativo*, São Paulo, n. 17, p. 217, 2019. Disponível em: https://revistas.pucp.edu.pe/index.php/derechoadministrativo/article/view/22172. Acesso em: 29 ago. 2024) descreve a situação: "Os destinatários que se aproximam do direito administrativo mirando-o instintivamente como direito da autoridade, ou direito do interesse público, irão, com alguma naturalidade, aplicá-lo sob a influência dessa ideia e tenderão a soluções autoritárias. (...) Daí tem sido só um pequeno passo até aceitar – ou mesmo exigir – que, em nome de valores supostamente transcendentes, haja um regime jurídico único para as relações do Estado com os particulares, no qual esteja sempre embutido o signo da autoridade".

públicos. A caducidade vira ato de império ou poder de polícia – e não sanção contratual. O interesse público vira argumento para negar disposições contratuais firmadas pelo próprio Poder Público, assim como a supremacia do interesse público sobre o privado se torna chave para descumprimento do que foi acordado em contrato.

Ao evidenciar a caducidade como uma categoria contratual, fica claro seu caráter disponível.[29]

Se disponibilidade significa possibilidade de contratar, todos os temas do contrato podem ser arbitrados. Já disse Marçal Justen Filho: "(...) se não existisse disponibilidade dos direitos envolvidos, nem seria juridicamente viável a contratação administrativa".[30]

4 Conclusão

Tribunais arbitrais e judiciais já decidiram favoravelmente sobre a arbitrabilidade da declaração de caducidade, afinal ela é sanção contratual e, por isso, arbitrável.

Para além desta constatação, o que chamou nossa atenção nos casos pesquisados é que conceitos imprecisos, pouco ligados à natureza contratual das concessões (como poder de polícia, ato de império, poder extroverso e interesse público), são trazidos pelos entes públicos para impedir a revisão de suas decisões. Felizmente, esse movimento não tem sido acolhido. Mas esclarecer o ruído é importante para a consolidação do direito administrativo contratual e sua arbitrabilidade.

Referências

ACCIOLY, João Pedro. *Arbitragem em Conflitos com a Administração Pública*. Rio de Janeiro: Lumen Juris, 2019.

ARAGÃO, Alexandre dos Santos de. Arbitragem no Direito Administrativo. *Revista de Arbitragem e Mediação*, Brasília, DF, v. 14, n. 54, p. 25-64, jul./set. 2017.

ARRUDA CÂMARA, Jacintho. O mito das cláusulas exorbitantes – vale a pena alimentá-lo na nova lei de contratações públicas? *In:* SUNDFELD, Carlos Ari; Eduardo Jordão; MOREIRA, Egon Bockmann; MARQUES NETO, Floriano de Azevedo; BINENBOJM, Gustavo; ARRUDA CÂMARA Jacintho; MENDONÇA, José Vicente Santos de; JUSTEN FILHO, Marçal; MONTEIRO, Vera. *Publicistas*: Direito Administrativo sob tensão. Belo Horizonte: Fórum, 2022. p. 111-112.

ARRUDA CÂMARA, Jacintho; PERESI DE SOUZA, Ana Paula. Existem cláusulas exorbitantes nos contratos administrativos? *Revista de Direito Administrativo – RDA*, Rio de Janeiro, v. 279, n. 2, p. 185-208, maio/ago. 2020. Disponível em: https://periodicos.fgv.br/rda/article/view/82011/78226. Acesso em: 29 ago. 2024.

---

[29] Aqui entendemos o direito disponível como o direito passível de contratação. Existe uma segunda linha, para a qual "cabe a arbitragem sempre que a matéria envolvida possa ser resolvida pelas próprias partes, independentemente de ingresso em juízo" (TALAMINI, Eduardo. A (in)disponibilidade do interesse público: consequências processuais (composições em juízo, prerrogativas processuais, arbitragem, negócios processuais e ação monitória) – versão atualizada para o CPC/2015. *Revista de Processo: RePro*, São Paulo, v. 264, fev. 2017). Indisponibilidade significaria necessidade de tutela judicial para o direito. A conclusão permanece a mesma se adotarmos esse conceito. Em qualquer hipótese, as discussões envolvendo caducidade podem ser solucionadas pelas próprias partes, mediante processo administrativo. Não há necessidade de tutela judicial. O direito é disponível também nesta visão.

[30] JUSTEN FILHO, Marçal. *Comentários à Lei de Licitações e Contratações Administrativas*: Lei 14.133/2021. 2. ed. São Paulo: Thomson Reuters Brasil, 2021. p. 1586.

JUSTEN FILHO, Marçal. A indisponibilidade do interesse público e a disponibilidade dos direitos subjetivos da administração pública. *Cadernos Jurídicos*, São Paulo, ano 22, n. 58, p. 79-99, abr./jun. 2021.

JUSTEN FILHO, Marçal. *Comentários à Lei de Licitações e Contratações Administrativas*: Lei 14.133/2021. 2. ed. São Paulo: Thomson Reuters Brasil, 2021.

MASTROBUONO, Cristina M. Wagner. A evolução da convenção de arbitragem utilizada pela administração pública. *Publicações da Escola Superior da AGU*, Brasília, DF, v. 14, n. 01, p. 105-123, 2022. Disponível em: https://revistaagu.agu.gov.br/index.php/EAGU/article/view/3225. Acesso em: 29 ago. 2024.

MONTEIRO, Vera. Arbitrabilidade da extinção de contrato de concessão rodoviária por inadimplemento da concessionária. Sentença arbitral comentada (Procedimento CCI 23433/GSS/PFF). *Revista Brasileira de Arbitragem*, Brasília, DF, n. 69, p. 79-111, jan./mar. 2021.

SUNDFELD, Carlos Ari; ARRUDA CÂMARA, Jacintho. O cabimento da arbitragem nos contratos administrativos. *Revista de Direito Administrativo – RDA*, Belo Horizonte, v. 248, p. 117-126, maio/ago. 2008. Disponível em: https://periodicos.fgv.br/rda/article/view/41529. Acesso em: 29 ago. 2024.

SUNDFELD, Carlos Ari. Crítica à doutrina antiliberal e estatista. *In*: SUNDFELD, Carlos Ari. *Direito Administrativo para céticos*. 2. ed. São Paulo: Malheiros, 2014. cap. 4, p. 111-144.

SUNDFELD, Carlos Ari. Direito Administrativo no Brasil. *Revista de Derecho Administrativo*, São Paulo, n. 17, p. 202-220, 2019. Disponível em: https://revistas.pucp.edu.pe/index.php/derechoadministrativo/article/view/22172. Acesso em: 29 ago. 2024.

TALAMINI, Eduardo. A (in)disponibilidade do interesse público: consequências processuais (composições em juízo, prerrogativas processuais, arbitragem, negócios processuais e ação monitória) – versão atualizada para o CPC/2015. *Revista de Processo: RePro*, São Paulo, v. 264, fev. 2017.

Informação bibliográfica deste texto, conforme a NBR 6023:2018 da Associação Brasileira de Normas Técnicas (ABNT):

MONTEIRO, Vera; ROCHA, Jolivê. Caducidade em concessão e arbitragem. *In*: JUSTEN, Monica Spezia; PEREIRA, Cesar; JUSTEN NETO, Marçal; JUSTEN, Lucas Spezia (coord.). *Uma visão humanista do Direito*: homenagem ao Professor Marçal Justen Filho. Belo Horizonte: Fórum, 2025. v. 3, p. 945-956. ISBN 978-65-5518-915-5.

SOBRE OS AUTORES

Alice Voronoff
Doutora e mestre em Direito Público pela Universidade do Estado do Rio de Janeiro (UERJ). Diretora acadêmica do Instituto de Direito Administrativo Sancionador Brasileiro (IDASAN). Advogada.

Aline Lícia Klein
Doutora em Direito do Estado pela Faculdade de Direito da Universidade de São Paulo (FDUSP). Mestre em Direito do Estado pela Universidade Federal do Paraná (UFPR). Advogada.

Aline Zaed de Amorim
Mestre em Direito da Regulação pela Fundação Getulio Vargas (FGV). LL.M em Direito Empresarial pela Fundação Getulio Vargas (FGV). Advogada.

Alfredo de Assis Gonçalves Neto
Professor Titular da Faculdade de Direito da Universidade Federal do Paraná (UFPR). Advogado.

Ana Sofia Monteiro Signorelli
Doutoranda em Direito Comercial na Universidade de São Paulo. LL.M em Arbitragem Internacional pela Universidade de Georgetown e Mestrado em Finanças pelo Instituto de Pós-Graduação e Pesquisa em Administração da Universidade Federal do Rio de Janeiro (COPPEAD/ UFRJ). Consultora do Banco Mundial. Diretora do Think Tank GW Competition and Innovation Lab Brazil.

André Monteiro do Rego
Sócio Fundador do Rego, Nolasco & Lins Advogados. Pós-Graduado em Direito Administrativo e Direito Processual pela Universidade Federal da Bahia (UFBA).

Andreia Nolasco Monteiro do Rego
Mestre em Direito pela Universidade Autônoma de Lisboa (UAL). Pós-graduada em Direito Administrativo e Constitucional pela Faculdade Baiana de Direito e Gestão. Advogada.

Antonio do Passo Cabral
Professor Titular de Direito Processual Civil da Universidade do Estado do Rio de Janeiro. Livre-docente pela Universidade de São Paulo (USP). Doutor em Direito Processual pela UERJ, em cooperação com a Ludwig-Maximilians-Universität, Alemanha. Mestre em Direito Público pela UERJ. Pós-doutor pela Universidade de Paris I (Panthéon-Sorbonne). Procurador da República. Ex-juiz federal.

Arnoldo Wald
Professor Catedrático da Faculdade de Direito da Universidade do Estado do Rio de Janeiro (UERJ). Doutor *honoris causa* da Universidade Panthéon-Assas (Paris II) e do Instituto Brasileiro de Ensino, Desenvolvimento e Pesquisa (IDP). Presidente honorário da Comissão de Arbitragem do Conselho Federal da Ordem dos Advogados do Brasil (CFOAB). Advogado.

Augusto Neves Dal Pozzo
Doutor e mestre em Direito Administrativo pela Pontifícia Universidade Católica de São Paulo (PUC-SP). Professor de Direito Administrativo e de Fundamentos do Direito Público PUC-SP. *Visiting Professor* na Sapienza Università di Roma I. Advogado e Parecerista. Sócio fundador do Dal Pozzo Advogados.

Bárbara Teixeira
Mestre em Direito Civil pela Universidade de São Paulo. Pós-graduada em Contratos Empresariais pela Fundação Getulio Vargas de São Paulo (FGV-SP). Advogada.

Bernardo Strobel Guimarães
Doutor e mestre em Direito do Estado pela Faculdade de Direito da Universidade de São Paulo (FDUSP). Professor da Pontifícia Universidade Católica do Paraná (PUCPR). Advogado.

Bruno Aurélio
Doutor e mestre em Direito do Estado pela Pontifícia Universidade Católica de São Paulo (PUC-SP). Advogado.

Bruno Gressler Wontroba
Mestre em Direito Processual Civil pela Universidade Federal do Paraná (UFPR). Bacharel em Direito pela UFPR. Advogado. Associado do Chartered Institute of Arbitrators (CiArb).

Bruno José Queiroz Ceretta
Professor da Especialização em Direito Administrativo da Pontifícia Universidade Católica de São Paulo (PUC-SP). Pesquisador convidado na Université Paris I Panthéon-Sorbonne. Doutor em Direito pela Sapienza Università di Roma I. Doutor em Direito do Estado pela Universidade de São Paulo (USP). Mestre em Direito pela Universidade Federal do Rio Grande do Sul (UFRGS). Advogado.

Carlos Eduardo Manfredini Hapner
Mestre em Direito pela Faculdade de Direito da Universidade Federal do Paraná (UFPR). Advogado.

Cassio Scarpinella Bueno
Livre-docente, doutor e mestre em Direito Processual Civil pela Faculdade de Direito da Pontifícia Universidade Católica de São Paulo (PUC-SP). Professor de Direito Processual Civil e de Direito Processual Tributário na PUC-SP. Presidente do Instituto Brasileiro de Direito Processual (IBDP) (triênio 2022-2024). Vice-presidente da Região Brasil do Instituto Ibero-americano de Direito Processual (IIDP) (triênio 2023-2025) e membro da Associação Internacional de Direito Processual (AIDP). Advogado.

Cesar Henrique Lima
Mestre em Direito Público pela Universidade do Estado do Rio de Janeiro (UERJ). Associado do Instituto de Direito Administrativo Sancionador Brasileiro (IDASAN).

Cesar Pereira
Sócio sênior de Justen, Pereira, Oliveira & Talamini. Chartered Arbitrator (C.Arb) e Fellow do Chartered Institute of Arbitrators (FCiarb). Doutor em Direito Administrativo pela Pontifícia Universidade Católica de São Paulo (PUC-SP).

Clarissa Marcondes Macéa
Bacharel em Direito pela Universidade de São Paulo. Mestre em Direito (LL.M) pela Universidade de Harvard. Procuradora do município de São Paulo licenciada. Advogada.

Claudia Aparecida de Souza Trindade
Doutora em Direito Econômico e Financeiro pela Universidade de São Paulo (USP). Procuradora da Fazenda Nacional.

Cristina M. Wagner Mastrobuono
LL.M Master of Laws University of Chicago (UChicago). Graduada em Direito pela Faculdade de Direito da Universidade de São Paulo (UPS). Ex-procuradora do estado de São Paulo. Presidente do Chartered Institute of Arbitrators do Brasil (CIArb Brasil). Advogada.

Daniel Borda
Mestre em Direito do Estado pela Universidade de São Paulo (USP). Advogado.

Danyara Tajra Borda
Mestre em Direito Público pela Escola de Direito da Fundação Getulio Vargas de São Paulo (FGV SP). Advogada.

Denis Austin
Mestre em Direito Constitucional pelo Instituto Brasileiro de Ensino, Desenvolvimento e Pesquisa (IDP). Master of Business Administration (MBA) em Finanças pela Fundação Getulio Vargas (FGV).

Diogo Albaneze Gomes Ribeiro
Doutor e mestre em Direito Administrativo pela Pontifícia Universidade Católica de São Paulo (PUC-SP). Advogado.

Edson Isfer
Doutor em Direito das Relações Sociais pela Universidade Federal do Paraná (UFPR). Mestre em Direito das Relações Sociais pela Pontifícia Universidade Católica de São Paulo (PUC-SP). Professor aposentado de Direito Empresarial da UFPR. Sócio da Advocacia Felippe e Isfer.

Edson Francisco Rocha Neto
Doutorando em Direito Processual Civil pela Universidade Federal do Paraná (UFPR). Mestre em Direito Processual Civil pela Universidade do Estado do Rio de Janeiro (UERJ) . Membro do Instituto Brasileiro de Direito Processual (IBDP). Advogado.

Eduardo Jordão
Professor da Fundação Getulio Vargas do Rio de Janeiro (FGV Direito Rio). Doutor pelas Universidades de Paris e de Roma. Mestre pela Universidade de São Paulo (USP) e pela London School of Economics (LSE). Foi pesquisador visitante em Harvard, Yale, MIT Economics e Institutos Max Planck. Sócio do Portugal Ribeiro & Jordão Advogados.

Eduardo Talamini
Livre-docente. Doutor e mestre pela Universidade de São Paulo (USP). Professor Associado Universidade Federal do Paraná (UFPR). Advogado.

Elton Venturi
Visiting Scholar na Universidade da Califórnia, Berkeley Law School. *Visiting Scholar* na Columbia Law School. Estágio de pós-doutoramento na Universidade de Lisboa. Doutor e mestre em Direito pela Pontifícia Universidade Católica de São Paulo (PUC-SP). Professor da Universidade Federal do Paraná (UFPR). Procurador regional da República.

Isabella Triebess
Doutoranda e mestre em Direito Econômico pela Pontifícia Universidade Católica do Paraná (PUCPR). Especialista em Direito Empresarial pela Fundação Getulio Vargas (FGV). Membro do Grupo de Estudos de Análise Econômica do Direito Aplicada (GRAED). Advogada.

Ivo Cordeiro Pinho Timbó
Doutor e mestre em Direito Político e Econômico pela Universidade Presbiteriana Mackenzie (UPM). Procurador da Fazenda Nacional.

Fábio Tokars
Doutor e mestre pela Universidade Federal do Paraná (UFPR). Advogado.

Gustavo Assis de Oliveira
Pós-graduado em Direito da Energia Elétrica pelo Centro de Ensino Unificado de Brasília (UniCEUB) e em Direito Público pelo Instituto Brasileiro de Ensino, Desenvolvimento e Pesquisa (IDP). Advogado. Procurador do Distrito Federal.

Filipe Lôbo Gomes
Pós-doutorando em Direito pela Universidade Federal de Pernambuco (UFPE) e pela Universidade de Coimbra. Doutor em Estado, Regulação e Tributação Indutora pela UFPE. Professor da Graduação e do Mestrado na Faculdade de Direito da Universidade Federal de Alagoas e do Centro de Estudos Superiores de Maceió (CESMAC). Procurador-geral do Tribunal de Justiça do Estado de Alagoas (TJ-AL).

Flávio Luiz Yarshell
Professor Titular da Faculdade de Direito da Universidade de São Paulo (FDUSP). Advogado e árbitro.

Isabella Moreira de Andrade Vosgerau
Membro do Chartered Institute of Arbitrators (CIArb). Secretária-geral da Câmara de Arbitragem e Mediação da Federação das Indústrias do Paraná (CAMFIEP). Advogada.

Isabella Rossito
Mestre e doutoranda em Direito do Estado pela Faculdade de Direito da Universidade de São Paulo (FDUSP). Advogada associada de Justen, Pereira, Oliveira e Talamini.

Guilherme Augusto Vezaro Eiras
Mestre em Direito Processual Civil pela Universidade Federal do Paraná (UFPR). Especialista em Direito Processual Civil pelo Instituto de Direito Romeu Felipe Bacellar. Graduado em Direito pela UFPR. Advogado da Justen, Pereira, Oliveira & Talamini.

Gustavo Fernandes de Andrade
LL.M pela University of Cambridge. LL.M pela University of Pennsylvania. Procurador do estado do Rio de Janeiro. Membro da delegação brasileira na Comissão Global de Arbitragem e Alternative Dispute Resolution (ADR) da International Chamber of Commerce (ICC). Coordenador do Grupo de Estudos de Arbitragem e Administração Pública do Comitê Brasileiro de Arbitragem (CBAr). Advogado.

Jacintho Arruda Câmara
Professor de Direito Administrativo da Pontifícia Universidade Católica de São Paulo (PUC-SP). Professor do Programa de Pós-Graduação Lato Sensu da Escola de Direito Fundação Getulio Vargas de São Paulo (FGV Direito SP). Vice-presidente da Sociedade Brasileira de Direito Público (SBDP). Doutor e mestre em Direito pela PUC-SP. Advogado.

Joaquim Munhoz de Mello
Professor aposentado de Direito Processual Civil na Faculdade de Direito da Universidade Federal do Paraná (UFPR), da qual foi também diretor. Membro do Instituto dos Advogados do Paraná (IA-PR), do qual foi também presidente. Membro do Instituto dos Advogados Brasileiros (IAB) e da Academia Paranaense de Letras Jurídicas (APLJ). Advogado.

Jolivê Rocha
Mestrando em Direito e Desenvolvimento pela Fundação Getulio Vargas de São Paulo (FGV Direito SP). Pesquisador da Sociedade Brasileira de Direito Público (SBDP). Advogado.

José Egidio Altoé Junior
Bacharel em Direito pela Universidade Federal do Rio de Janeiro (UFRJ). Advogado.

Juliana Oliveira Domingues
Professora Doutora de Direito Econômico e Direito Antitruste da Universidade de São Paulo – Faculdade de Direito de Ribeirão Preto (FDRP/USP). Ex-secretária nacional do Consumidor do Ministério da Justiça e Segurança Pública. Ex-procuradora-chefe do CADE. Ex-presidente do Conselho Nacional de Combate à Pirataria (CNCP). Codiretora Regional da Academic Society for Competition Law (ASCOLA).

Luísa Quintão
Mestre em Direito e Relações Econômicas Internacionais pela Pontifícia Universidade Católica de São Paulo (PUC-SP). LL.M. pela Duke University School of Law (Duke Law). Advogada associada de Justen, Pereira, Oliveira e Talamini.

Luiz Antônio Bettiol
Sócio da Advocacia Bettiol.

Luiz Daniel Haj Mussi
Professor Associado de Direito Empresarial da Faculdade de Direito da Universidade Federal do Paraná (UFPR). Doutor e mestre em Direito Comercial pela Faculdade de Direito da Universidade de São Paulo (FDUSP). Advogado.

Luiz Rodrigues Wambier
Professor do IDP. Mestre em Direito pela Universidade Estadual de Londrina. Doutor em Direito pela Pontifícia Universidade Católica de São Paulo (PUC-SP). Advogado.

Kaio Ferreira
Mestrando em Direito (LL.M.) pela Faculdade de Direito da Ludwig-Maximilians-Universität de Munique. Bacharel em Direito pela Faculdade de Direito da Universidade de São Paulo (FDUSP), com dupla graduação pela Faculdade de Direito da Universidade de Lyon. Advogado.

Kleber Luiz Zanchim
Doutor e bacharel pela Faculdade de Direito da Universidade de São Paulo (FDUSP). Pós-doutor pela Faculdade de Economia, Administração, Contabilidade e Atuária da Universidade de São Paulo (FEA USP). Professor do Instituição de Ensino Superior em São Paulo (Insper). Advogado.

Manoel Caetano Ferreira Filho
Mestre em Direito pela Universidade Federal do Paraná (UFPR). Professor de Direito Processual Civil pela UPFR. Advogado e árbitro.

Mariana Hofmann Fuckner
Mestranda em Direito Comercial pela Faculdade de Direito da Universidade de São Paulo (FDUSP). Advogada.

Marcelo Vieira von Adamek
Doutor e mestre em Direito Comercial pela Faculdade de Direito da Universidade de São Paulo (FDUSP). Professor do Departamento de Direito Comercial na USP. Advogado.

Marcos Nóbrega
Conselheiro substituto do Tribunal de Contas de Pernambuco (TCE-PE). Professor da Universidade Federal de Pernambuco (UFPE). Doutor, mestre e bacharel em Direito pela UFPE. Bacharel em Economia pela UFPE. Bacharel em Administração pela Universidade Católica de Pernambuco (Unicap). *Visiting Scholar* na Harvard Law School. *Senior Fellow* na Harvard Kennedy School of Government. Professor Visitante na Universidade de Lisboa. *Visiting Scholar* na Singapore Management University. *Visiting Scholar* no Massachusetts Institute of Technology (MIT).

Maria Virginia N. do A. Mesquita Nasser
Doutora em Direito pela Faculdade de Direito da Universidade de São Paulo (FDUSP). Advogada.

Márcio Pina Marques
Pós-graduado em Direito Regulatório da Energia Elétrica pela Universidade de Brasília (UnB). Ex-procurador federal. Procurador-geral da Aneel. Analista judiciário do Supremo Tribunal Federal (STF). Advogado.

Michelle Pinterich
Bacharel em Direito pela Universidade Federal do Paraná (UFPR). Mestre em Direito Tributário pela UFPR. Membro do Instituto de Direito Tributário do Paraná (IDTPR). Membro da Comissão de Direito Tributário da Ordem dos Advogados do Brasil – Seção Paraná (OAB/PR). Advogada.

Mônica Bandeira de Mello Lefèvre
Mestre em Direito do Estado pela Faculdade Direito da Universidade de São Paulo (FDUSP). Especialista em Direito Administrativo e Direito Econômico Regulatório. Advogada.

Paula Costa e Silva
Professora Catedrática em Direito Privado e Direito Processual Civil da Faculdade de Direito da Universidade de Lisboa. Jurisconsulta e árbitra independente da Chartered Institute of Arbitrators (CIArb).

Priscila Cunha do Nascimento
Advogada da União. Diretora do Departamento de Coordenação e Orientação de Órgãos Jurídicos da Consultoria-Geral da União (CGU). Mestre em Direito pelo Instituto Brasiliense de Direito Público (IDP). Mestranda em Administração Pública pela Fundação Getulio Vargas (FGV).

Rafael Magalhães Furtado
Mestre em Administração Pública pela Fundação Getulio Vargas (FGV). Consultor em Regulação, Infraestrutura e Políticas Públicas. Advogado.

Rafael Vanzella
Doutor, mestre e bacharel em Direito pela Faculdade de Direito da Universidade de São Paulo (FDUSP). Foi pesquisador-visitante na Universidade de Hamburgo e no Instituto Max-Planck, com bolsa do DAAD e da CAPES. Professor do Programa de Educação Executiva da Fundação Getulio Vargas de São Paulo (FGV Direito SP). Sócio de Machado Meyer Advogados.

Rafael Véras de Freitas
Professor responsável pelo LL.M. em Direito da Infraestrutura e Regulação da Escola de Direito da Fundação Getulio Vargas do Rio de Janeiro (FGV Direito Rio). Doutor e mestre em Direito da Regulação pela FGV Direito Rio.

Rafael Wallbach Schwind
Doutor e mestre em Direito do Estado pela Faculdade de Direito da Universidade de São Paulo (FDUSP). *Visiting scholar* na Universidade de Nottingham (2016). Membro do Chartered Institute of Arbitrators (Ciarb). Advogado.

Raul Longo Zocal
Doutorando, mestre e bacharel em Direito pela Faculdade de Direito da Universidade de São Paulo (FDUSP). Advogado.

Sabrina Maria Fadel Becue
Pós-doutoranda em Direito Comercial pela Universidade de São Paulo (USP). Doutora e mestre em Direito Comercial pela USP. Bacharel em Direito pela Universidade Federal do Paraná (UFPR). Master of Law (LL.M.) em International Commercial Law and Dispute Resolution pela Swiss International Law School (SiLS). Advogada.

Silvio Guidi
Mestre em Direito Administrativo pela Pontifícia Universidade Católica de São Paulo (PUC-SP). Conselheiro de Saúde do Estado de São Paulo (2022-2023). Membro do Comitê de Saúde do Tribunal de Justiça de São Paulo (2022-2025). Advogado. Professor.

Tarcila Reis
Professora da Fundação Getulio Vargas de São Paulo (FGV Direito SP). Diretora de Desenvolvimento de Concessões e PPPs do Grupo Solví. Doutora pela SciencesPo Paris, com ano de pesquisa em Harvard. Mestre em Direito Público pela Universidade de Paris, Panthéon-Sorbonne. Mestre em Ciência Política pela London School of Economics (LSE). Foi pesquisadora visitante no Massachusetts Institute of Technology (MIT).

Thaís Marçal
Doutoranda e mestre em Direito pela Universidade do Estado do Rio de Janeiro (UERJ). Coordenadora da Pós-Graduação Lato Sensu em Direito da Fundação Getulio Vargas do Rio de Janeiro (FGV Direito Rio). Advogada.

Thiago Marrara
Professor de Direito Administrativo da Faculdade de Direito de Ribeirão Preto da Universidade de São Paulo (USP). Livre-docente (FDRP-USP). Doutor pela Ludwig Maximilians Universität (LMU). Consultor, parecerista e árbitro.

Vera Monteiro
Professora de Direito Administrativo na Fundação Getulio Vargas de São Paulo (FGV Direito SP) e da Lemann Foundation. *Visiting Fellow* na Blavatnik School of Government, Oxford, Inglaterra. Doutora pela Universidade de São Paulo (USP). Mestre pela Pontifícia Universidade Católica de São Paulo (PUC-SP). Advogada.

Verônica do Nascimento Marques
Mestranda em Direito na Universidade de São Paulo – Faculdade de Direito de Ribeirão Preto (FDRP/USP). Especialista em Compliance e Integridade Corporativa pela Pontifícia Universidade Católica de Minas Gerais (PUC Minas). Advogada.

Vládia Viana Regis
Mestre em Direito da Regulação, especializada em Regulação de Negócios de Energia pela Florence School of Regulation. Professora convidada da Fundação Getulio Vargas (FGV Rio). Membro da Comissão Especial de Energia Elétrica da Ordem dos Advogados do Brasil (OAB) – Seção Rio de Janeiro. Advogada.

Vinicius Klein
Professor da Universidade Federal do Paraná (UFPR) nos Departamentos de Direito Privado e de Economia. Doutor em Direito pela Universidade do Estado do Rio de Janeiro (UERJ). Doutor em Desenvolvimento Econômico pela UFPR. Procurador do estado do Paraná.

Esta obra foi composta em fonte Palatino Linotype, corpo 10
e impressa em papel Offset 63g (miolo) e Supremo 250g (capa)
pela Gráfica Forma Certa.